Questo volume è stato realizzato con il contributo determinante
delle Compagnie di Assicurazioni La Fondiaria Incendio e La Fondiaria Vita,
in occasione del loro centenario (1879-1979).

Questo volume è stato realizzato con il contributo determinante
delle Compagnie di Assicurazioni La Fondiaria Incendio e La Fondiaria Vita,
in occasione del loro centenario (1879-1979).

Gli Uffizi

Catalogo Generale

Centro Di

Copyright © 1979 Centro Di, Firenze
ISBN 88-7038-017-3
Centro Di cat. 120

Stampa: Stiav, Firenze, Dicembre 1979
Fotolito: Mani, Firenze. Zincotecnica, Firenze
Legatura: Olivotto, Vicenza

Di questa edizione sono state stampate 5000 copie
numerate e fuori commercio per le Compagnie di
Assicurazioni La Fondiaria Incendio e La Fondiaria Vita.

Il Catalogo Generale della Galleria degli Uffizi è pubblicato sotto il patrocinio e con la diretta collaborazione della Soprintendenza ai Beni Artistici e Storici delle Provincie di Firenze e Pistoia.

Coordinamento generale e direzione scientifica
Luciano Berti

Coordinamento redazionale
Caterina Caneva

Assistenti alla redazione
Silvia Palmerani
Rita Toma
Roberto Zanieri

Collaboratori
Elisabetta Bandinelli
Maria Lisa Guarducci
Francesca Guarnieri
Giovanna Giusti
Beatrice Palmerani

Documentazione fotografica
Coordinamento:
Paolo Dal Poggetto
Antonio Paolucci
Operatori:
Antonio Bartolini
Vittorio Bertelli
Otello Ciuffi
Franco Ferroni
Giorgio Manescalchi
Umberto Manuguerra
Mario Massarelli
Paolo Nannoni
Gino Panti
Orlando Piani
Antonio Quattrone

Coordinamento redazionale presso l'Editore
Donatella Lecci

Assistenti alla redazione
Rossella Fortini
Elisabetta Giulianetti

Progetto grafico
Matilde Contri

Consulenza nella fase di impostazione scientifica e editoriale dell'opera
Giacinto Nudi

Presentatori e curatori dei testi scientifici
Umberto Baldini
Nello Bemporad
Luciano Berti
Mauro Cristofani
Oreste Ferrari
Anna Maria Forlani Tempesti
Silvia Meloni Trkulja
Wolfram Prinz
Giovanni Spadolini

Curatori delle schede
Kirsten Aschengreen Piacenti
Luisa Becherucci
Luciano Bellosi
Licia Bertani Bigalli
Luciano Berti
Evelina Borea
Caterina Caneva
Marco Chiarini
Maria Grazia Ciardi Duprè Dal Poggetto
Paolo Dal Poggetto
Giovanna Gaeta Bertelà
Mina Gregori, con la collaborazione di Chiara D'Affitto e Claudio Pizzorusso
Giuseppe Marchini
Silvia Meloni Trkulja
Emma Micheletti
Marilena Mosco
Antonio Paolucci
Sandra Pinto
Rosanna Proto Pisani
Roberto Salvini
Ettore Spalletti
Gruppo redazionale 1: Carlo Sisi
Gruppo redazionale 2: Grazia Agostini, Ettore Allegri, Alessandro Cecchi, Gloria Chiarini, Laura Fiorentini, Gabriella Incerpi, Monica Manfrini, Fausta Paola Squellati, Maurizio Zecchini
Gruppo redazionale 3: Maria Luisa Guarducci, Francesca Guarnieri

Indici e concordanze
Silvia Palmerani

Fotografie in bianco e nero
Gabinetto Fotografico della Soprintendenza ai Beni Artistici e Storici, Firenze
Gabinetto Fotografico Nazionale, Roma
Fratelli Alinari, Firenze
Foto Bertoni, Firenze
Francesco Ricasoli, Firenze

Fotografie a colori
Scala, Istituto Fotografico Editoriale, Firenze

Il Coordinatore ringrazia innanzi tutto vivamente il Senatore Giovanni Spadolini, già Ministro dei Beni Culturali e Ambientali, che ha patrocinato fin dall'inizio l'impresa di questo Catalogo; il dottor Guglielmo Triches, Direttore generale dell'Ufficio centrale per i Beni ambientali, architettonici, archeologi, artistici e storici, per il Suo cordiale appoggio; il professor Oreste Ferrari, Direttore dell'Istituto Centrale per il Catalogo e la Documentazione, per averne seguito con il suo interesse di specialista la realizzazione.

Un segno di particolare e calorosa riconoscenza alla Dott.ssa Caterina Caneva che ha svolto con competenza e precisione il complesso lavoro di controllo scientifico e di organizzazione redazionale del Catalogo e ha seguito costantemente i rapporti fra la Galleria e l'Editore.

Il Coordinatore e i Curatori delle schede ringraziano per i suggerimenti, le informazioni e gli aiuti forniti:
Anna Luisa Barsanti, Firenze; Fiora Bellini, Firenze; Rolando Bellini, Firenze; Angela Cipriani, Accademia di S. Luca, Roma; Christiane Deroubais, Centre National de Récherches 'Primitifs Flamands', Bruxelles; Franca Dal Masso, Accademia Albertina, Torino; José-Augusto Franca, Istituto di Cultura portoghese, Lisbona; Miriam Fileti, Scuola Normale Superiore, Pisa; Angelica Frezza, Firenze; Marianne Gabor, Budapest; Karla Langedijk, Firenze; Giovanni Leoncini, Firenze; Juan J. Luna, Museo del Prado, Madrid; Thea Martinelli, Gabinetto Fotografico Nazionale, Roma; Anna Gallo Martucci, Accademia di Belle Arti, Firenze; Lapo Melani, Biblioteca Nazionale Centrale, Firenze; Harald Olsen, Nationalmuseet, Copenhagen; Gloria Ossella von Henduck, Roma; José Luis Porfirio, Museo Nazionale d'Arte Antica, Lisbona; Pierre Rosenberg, Museo del Louvre, Parigi; Mihàly Andràs Rònai, Budapest; Steffi Röttgen, Staatgemäldesammlungen, Monaco; Maria Agostina Sias Lachoff, Firenze; Maria da Silva, Biblioteca Nazionale, Lisbona; Fiorenza Scalia, Ispettrice dei Musei Comunali, Firenze; Carlo Sisi, Museo Civico, Pistoia; Stefano Susinno, Galleria Nazionale d'Arte Moderna, Roma; Renata Stradiotti, Pinacoteca Civica Tosio Martinengo, Brescia; Federico Zeri, Roma.

Si ringraziano inoltre tutti coloro che hanno prestato la loro attiva e valida collaborazione presso la Galleria degli Uffizi e la Soprintendenza ai Beni Artistici e Storici: in particolare il Signor Roberto Zanieri che ha curato il vasto settore della documentazione fotografica con intelligente e scrupolosa attenzione, coadiuvato con efficienza dalla signorina Rita Toma; i signori Bruno Mori, Emanuele Cavaciocchi e Oliviero Seri ai quali si deve una costante, competente e paziente assistenza tecnica agli autori e ai fotografi; al cav. Silio Sensi, ora ispettore onorario, preziosa fonte di notizie e riferimenti inventariali; grazie anche alla Signora Adriana Fabbricatore dell'Ufficio Ricerche e alle signore Elda Amaducci Cipriani e Maria Rosa Pelliconi.

Si ringraziano altresì le signore Bianca Becheroni e Lucia Pratelli Sostegni e i signori Vincenzo Belvivere, Graziano Cheli e Delidio Sestigiani.

Infine si esprime particolare gratitudine a tutti coloro che si sono adoperati per ricercare o fornire singole fotografie del Catalogo, o ne hanno cortesemente autorizzato la riproduzione.

L'Editore, per sua parte, è profondamente riconoscente a tutti i collaboratori interni ed esterni, ai titolari e alle maestranze delle aziende tipografiche, fotolitografiche e confezionatrici, senza la cui abnegazione, capacità professionale e spirito di amicizia la risoluzione dei molteplici problemi inerenti alla pubblicazione, e l'opera stessa, non sarebbero state possibili.

Sommario

Quando si cominciò a prospettare concretamente la possibilità editoriale di un Catalogo completo (anche come illustrazioni) degli Uffizi − quadri esposti, depositi, collezioni pertinenti, ecc. − i problemi principali erano: a) la sua estensione; b) il tipo della scheda; c) il correlativo tempo tecnico di compilazione e realizzazione che ciò avrebbe richiesto. Apparve chiaro che sarebbe stato già un grande risultato un catalogo ricognitivo ma al contempo sufficientemente indicativo circa un enorme patrimonio artistico, finora mai nemmeno completamente elencato; e che mentre si poteva utilizzare a questo fine tanto prezioso lavoro filologico svolto fino a adesso, ma che rimaneva assai disperso e relegato nei termini dello specialismo − ci sarebbe stato, comunque, altrettanto se non più materiale da evidenziare e classificare per la prima volta.

Il ricorso ad altri metodi, suddivisione in settori con ciascuno un catalogo 'intensivo', era già stato tentato in precedenza nell'ultimo trentennio, con alcuni pregevoli risultati (i cataloghi di Guido Mansuelli per la scultura antica, 2 voll., 1958 e 1961; quelli della compianta Luisa Marcucci per la pittura dal Duecento al Trecento, 2 voll., 1958 e 1965). Tuttavia questa strada, − passando poi a campi molto più vasti − portava indiscutibilmente ad un tempo lungo e di più decenni, come alla mole di più decine di volumi; e non alla possibilità di condensare l'indagine in un unico volume, sul grande e convincente esempio del recente Catalogo del Rijksmuseum di Amsterdam del 1976.

Gli Uffizi oggi sono soprattutto una Pinacoteca, però non senza altro materiale artistico; e nel loro passato storico furono tutto un museo composto, da cui hanno avuto origine molti musei artistici e scientifici fiorentini, divenuti però irrevocabilmente Istituti a parte. Già sarebbe stato tanto il catalogare completamente la Pinacoteca degli Uffizi; ma qui si è voluto trattare anche tutto il restante oggi presente, o ancora sicuramente inerente alla Galleria: i soffitti affrescati, gli arazzi che decorano i Corridoi (campioni di quella imponente Arazzeria Medicea ancora tutta da revisionare e catalogare), il mobilio, gli oggetti d'arte, le ceramiche. Né mancano sufficienti riferimenti globali ad altre raccolte in Galleria però qui escluse dalla catalogazione analitica perché già avvenuta e pubblicata − come per le sculture antiche da parte del Mansuelli − o in corso di avanzata preparazione − come per la foltissima collezione delle miniature − o perché, come nel caso della immensa collezione del Gabinetto Disegni e Stampe, questa costituisce organismo museale a sé.

Quanto ai dipinti, il Catalogo comprende tutti quelli esposti, o collocati nei depositi, o depositati fuori sede; e altresì, esposti o non, la collezione dei ritratti storici (Iconografica) (riservando a quelli della serie Gioviana e a quelli non esposti un adeguato tipo di scheda più breve); e ancora, la collezione degli Autoritratti o ritratti d'artisti.

Un secolare, continuo movimento di dipinti, da altre sedi alla Galleria e viceversa, caratterizza particolarmente la storia degli Uffizi. Non esiste, addirittura, un loro inventario particolare, ma un inventario generale del 1890 di tutti i dipinti posseduti dalle Gallerie fiorentine − compresi i più scadenti incamerati con la soppressione delle chiese − che ascende a 9600 numeri attuali. (Ci sono poi altri inventari particolari per altri 5000 dipinti circa, della Galleria Palatina, della Galleria d'Arte Moderna, dei Cenacoli, delle Ville della Petraia, Castello, Poggio a Caiano, Poggio Imperiale). Nel passato, il Catalogo Pieraccini degli Uffizi sui primi di questo secolo − quando l'estensione espositiva fu massima − elencava per la pinacoteca 2506 opere, di cui 982 dipinti, 638 autoritratti, 886 ritratti storici. Ma vi mancavano molte opere importanti, oggi agli Uffizi, o in passato agli Uffizi, o che nel futuro certamente vi saranno. Come selezionare dunque i dipinti per questo attuale Catalogo degli Uffizi? Nella prassi, si è partiti dal catalogo Pieraccini, ma aggiungendovi: a) i dipinti che storicamente risultano aver fatto parte della Galleria, dal 1589 in poi, secondo più vecchi Cataloghi o Inventari; b) alcuni altri dipinti che sicuramente si può presumere saranno prescelti per gli Uffizi nel loro prossimo ingrandimento, di cui già sono iniziati i lavori; c) tutti i dipinti che comunque fanno parte di serie (autoritratti, ritratti storici, bozzetti) le quali, anche se non vi saranno esposte completamente in futuro, tuttavia appartengono per tradizione e verranno considerate appartenenti agli Uffizi. Tra essi gli autoritratti o considerati tali, siano inventariati come 1890 o come Gall. d'Arte Moderna (GAM); d) le collezioni con lascito agli Uffizi, cioè come quella Feroni (1850), il legato G. Martelli (1876), la donazione Contini-Bonacossi (1969).

Pertanto questo Catalogo supera largamente il numero dei quadri oggi esposti (c. 1700), o dal 1978 ordinati nei Depositi presso la Galleria (altri 1000), arrivando, ove si aggiungano le opere non pittoriche, a circa 4300 numeri; e si estende ad opere in altri depositi, o dislocate presso altri musei (ad es. Accademia, Palazzo Davanzati, Pitti, Casa Vasari ad Arezzo ecc.); o presso chiese ed uffici pubblici a Firenze e fuori. In definitiva, ogni quadro che si abbia ragione − secondo informazioni di documenti o cataloghi o dizionari anche del passato, o per suo particolare carattere − di supporre e ricercare agli Uffizi, in questo Catalogo dovrebbe essere reperibile.

La compilazione del presente Catalogo è stata affidata ai diversi Colleghi funzionari scientifici-direttivi della Soprintendenza, secondo le loro specializzazioni, o a Docenti dell'Università fiorentina. Pareva difatti doveroso che questa prima ricognizione completa degli Uffizi fosse compiuta da chi vive nelle nostre Gallerie od a più stretto contatto culturale con esse. Dal punto di vista pratico, ciò facilitava inoltre assai l'accesso in continuazione alle opere, ai depositi, agli archivi, ecc. Tipico il caso di Roberto Salvini, che è stato Direttore degli Uffizi dal 1949 al 1957, dopodiché è titolare della cattedra di Storia dell'Arte all'Università di Firenze. Ogni autore ha siglato le schede di sua competenza. Alcune introduzioni di particolari sezioni e alcune schede sono state poi affidate a specialisti o a gruppi di studiosi che avevano già condotto lavori di ricerca sul materiale in catalogo.

Ma naturalmente si è debitori non soltanto a tutto il precedente apporto scientifico nazionale e internazionale, ma anche a indicazioni e a suggerimenti, forniti da valenti Colleghi del nostro paese o di altri paesi nel corso della redazione del Catalogo. Oltre la bibliografia, la 'tabula gratulatoria' è pertanto ampia e ci scusiamo, se vi fossero, d'involontarie omissioni. E quanto a scuse, certo il Catalogo ne dovrebbe fare molte anche nei limiti che si è imposto. Ma si pensi al quadro generale, vasto quanto confuso e disperso, che si è dovuto affrontare e riorganizzare; si consideri che non esisteva uno schedario se non d'avvio e arrestatosi nel tempo anche per i dipinti più famosi e sempre esposti in Galleria; si confronti lo stadio precedente di catalogazione stampata degli Uffizi tanto lacunoso quanto, nel migliore dei casi, estremamente succinto. I Colleghi hanno lavorato con vera generosità (attingendo anche ai documenti d'archivio, frugando nei depositi, ricercando negli inventari) per giungere entro i tempi tecnici prefissi a fornire il materiale enormemente maggiore del Catalogo attuale. Il quale del resto, al di là della vastità dell'impegno e della sua importanza strumentale, è da considerarsi una base, non esaurisce quel filone di cataloghi propriamente scientifici ed esaurienti che a cura dello Stato si era avviato – come sopra si è detto – e che si svolgerà con il dovuto diverso ritmo per il diverso tipo di trattazione. Ma chi scrive è intanto – come Direttore degli Uffizi – estremamente grato della collaborazione che la Galleria ha già trovato in occasione di questa sua prima impegnativa presentazione, permessa altresì dalla iniziativa meritoria di un Editore.

Infine, quanto al profilo di storia generale della Galleria che segue a cura dello scrivente, sarà superfluo rilevare la sua impegnatività; senonché esso appariva necessario anche per fornire un quadro generale di riferimento per le opere catalogate.

Il lettore che per esempio consideri la scheda della 'Adorazione dei Magi' di Leonardo, gradirà magari sapere delle sale dedicate a Leonardo nella moderna museografia degli Uffizi; o circa la seicentesca collezione di Don Antonio dei Medici in cui l'opera del Vinci, dopo S. Donato, fu accolta; e ciò è reperibile, almeno per cenni, nel profilo.

Ma certo chi domani vorrà attendere ad una storia altrimenti esauriente per gli Uffizi – dopo l'unica veramente tentata, quella del Bencivenni Pelli che è però esattamente di due secoli fa, 1779 – si troverà a fronteggiare una vicenda così plurisecolare, così complessa, così in dinamica continua – fra collezionismi e ordinamenti e trasferimenti; tra studi eruditi e prassi museografica; tra prìncipi, artisti, direttori, architetti, restauratori, sorveglianti, visitatori; tra inventari, piante, progetti ecc. – che forse questo è ormai più pensabile come lavoro da cervello elettronico alimentato successivamente di dati, piuttosto che per le forze di un singolo studioso e le capacità di un libro. Vorrei dire cioè che soltanto la macchina, ormai, può soddisfare completamente domande e precisazioni quali presentano le attuali esigenze. Nondimeno, la traccia fornita nella introduzione dovrebbe guidare il lettore, seppure con necessari scorci, entro la storia degli Uffizi, in analogia con il taglio del resto del catalogo; e se due capitoli sono per gli Uffizi medicei e lorenesi, già abbastanza noti, altri due dedicati alla storia moderna degli Uffizi presentano contenuti più nuovi; ma è apparso utile – anche se l'epoca non è più aurea né argentea – delineare anche questa vicenda moderna della Galleria, non insignificativa né per lavoro né per fatti collezionistici e museografici.

L.B.

Quando circa due anni fa fui incaricata, dal Soprintendente professor Luciano Berti e dall'editore, del coordinamento tecnico del catalogo degli Uffizi, la situazione nella quale sapevo mi sarei trovata a operare mi faceva prevedere un lungo e gravoso impegno: ma di gran lunga la realtà ha superato nel corso dei mesi le previsioni.

I problemi e le difficoltà che ci siamo trovati ad affrontare sono stati molteplici e di varia natura, soprattutto perché non potevamo contare su un catalogo precedente, a parte la traccia del Pieraccini che, come spiega altrove il Soprintendente, è servito di base al nostro lavoro.

Se quindi è stato relativamente semplice verificare e numerare le opere esposte attualmente, maggiori difficoltà hanno presentato invece l'identificazione e il controllo delle opere passate in Galleria nei secoli passati, e in particolare quelle esposte all'epoca del Pieraccini.

Altri problemi hanno poi creato la verifica dei negativi e in molti casi il riferimento o l'esecuzione ex novo delle foto relative ai dipinti e qualche difficoltà ha presentato anche l'aggiornamento delle attribuzioni e i passaggi degli stessi quadri sotto diversi numeri da un inventario all'altro.

Alla fine pensiamo di avere svolto un lavoro importante non soltanto per la cospicua messe di notizie inedite fornite dagli autori, ma anche perché su questa base gli studiosi e gli appassionati d'arte, fra i quali ci permettiamo di includerci, potranno prendere per la prima volta piena coscienza del patrimonio della Galleria.

Per concludere il ringraziamento va a quanti, della Galleria degli Uffizi, si sono prodigati in maniera veramente esemplare, dimostrandosi sempre disponibili e intelligenti collaboratori.
Roberto Zanieri, in primo luogo, Rita Toma, Bruno Mori, Emanuele Cavaciocchi, Oliviero Seri.
Un ringraziamento personale alla dottoressa Silvia Meloni Trkulja, inesauribile fonte di informazioni e suggerimenti dall'Ufficio Ricerche della Soprintendenza.
Grazie anche a tutti i collaboratori con i quali ho lavorato per mesi in aperta e serena collaborazione: Silvia Palmerani, Giovanna Giusti, Elisabetta Bandinelli. E infine un grazie particolare a Donatella Lecci del Centro Di.

C.C.

Il Catalogo Generale è suddiviso, indipendentemente dalla collocazione delle opere, nelle seguenti sezioni:

La Pinacoteca (P1-P1918), che comprende i dipinti attualmente esposti agli Uffizi o negli uffici della Galleria, le opere dislocate in altre sedi ma appartenenti alla Galleria o ivi esposte temporaneamente in passato, le opere conservate nei depositi;

La Collezione Iconografica, o dei ritratti storici (Ic1-Ic1063), in parte visibile nel Corridoio Vasariano, in parte custodita nei depositi o in altre sedi;

La Collezione degli Autoritratti e dei ritratti di artisti (A1-A1040), in parte esposta nel Corridoio Vasariano, in parte conservata nei depositi. Sono inclusi in questa sezione unicamente gli autoritratti facenti parte della raccolta storica della Galleria;

Gli arazzi (Ar1-Ar45), esposti nei Corridoi della Galleria;

La scultura moderna, secoli XVI-XX (Sc1-Sc30), esposta in Galleria e nel Corridoio Vasariano;

Gli oggetti d'arte (OA1-OA16), costituiti dagli arredi di pregio facenti parte della decorazione storica delle sale;

I mobili (M1-M20), costituiti dagli arredi di pregio non facenti parte della decorazione fissa delle sale e conservati nella Meridiana di Palazzo Pitti;

Le ceramiche (C1-C48), facenti parte della donazione Contini Bonacossi e temporaneamente esposte nella Meridiana di Palazzo Pitti;

I soffitti affrescati (S1-S118), dei Corridoi e di parte delle Sale.

Per le ragioni esposte in premessa, non sono catalogate, ma ampiamente rappresentate nei saggi relativi, la Scultura antica, la raccolta delle Miniature e il Gabinetto dei Disegni e delle Stampe.

All'interno della sezione relativa alla Pinacoteca, le opere sono schedate in ordine alfabetico di artista; per la Collezione Iconografica si è seguito il criterio dell'ordinamento per nome del personaggio rappresentato, in considerazione del prevalente interesse del soggetto sull'autore, almeno per larga parte delle opere. Sempre a proposito della Iconografica, si è ritenuto di evidenziare, raggruppandole in ordine cronologico, le singole serie identificate, riportandole nel titolo corrente delle relative pagine del Catalogo, oltre che nel sommario; da notare inoltre che i dipinti non facenti parte di serie sono stati inclusi nelle voci 'altri dipinti', e che le relative schede lunghe si riferiscono alle opere attualmente esposte, quelle brevi alle non esposte. All'interno delle sezioni degli oggetti d'arte, dei mobili e delle ceramiche, le opere sono schedate per gruppi omogenei di oggetti e, all'interno di essi, in ordine cronologico. Gli arazzi sono schedati per ordine cronologico; i soffitti secondo la successione delle campate nei corridoi e, per le sale, secondo l'itinerario più seguito della Galleria.

In tutto il Catalogo, la sigla di identificazione della sezione precede il numero d'ordine di ciascuna scheda e ne diviene parte integrante.

Per le illustrazioni di alcune opere composite (polittici, predelle e sim.), la cui rappresentazione unitaria sarebbe risultata di insufficiente leggibilità, si è ricorso ad una scomposizione grafica delle medesime.

Nei casi in cui più opere o parti staccate di un'opera trovano riferimento in un'unica scheda, le illustrazioni sono state raggruppate in un montaggio che non ne rispecchia necessariamente gli accostamenti originali o attuali.

Per le voci delle singole schede, sono da notare particolarmente, in ordine di esponenti, gli aspetti sotto elencati:

Autore. Il nome dell'autore è riportato nella trascrizione internazionalmente più corrente.

Titolo. È riportato quello con il quale l'opera è più comunemente identificata.

Datazione. Quando la datazione dell'opera non sia certa, è riportato l'intero arco delle ipotesi relative e, fra parentesi, il nome degli studiosi che le hanno formulate e la data di formulazione.

Dati tecnici. Per i dipinti, le misure sono date in centimetri (alt. × largh.), e sono state rilevate direttamente dall'opera.

Ubicazioni. Sono indicati in ordine cronologico i luoghi di collocazione dell'opera e la relativa data di ingresso. La mancanza della data indica che questa non è documentata. Relativamente alle collocazioni fiorentine, si è omessa la segnalazione della città.

Attribuzioni. Nei casi in cui l'attribuzione di un'opera sia, o sia stata, controversa, sono riportate in ordine cronologico le diverse attribuzioni, seguite ciascuna dal nome dello studioso e dalla data in cui l'attribuzione è stata formulata.

Bibliografia. La bibliografia, che in molti casi poteva risultare estremamente estesa, è stata ricondotta a due tipi di rimandi bibliografici: in corsivo, a dove l'opera singola è più diffusamente trattata o corredata da una bibliografia specifica (per esempio i cataloghi recenti); in tondo, alla pubblicazione scientifica più recente, monografica o non, sull'autore, dove sia riportata la più ricca bibliografia del medesimo. Particolarmente nei casi di edizioni non recenti, questa informazione è stata integrata dalla citazione di importanti pubblicazioni posteriori.

Inventario. Quando non diversamente specificato, il numero trascritto si riferisce all'Inventario del 1890.

Foto. Quando non diversamente specificato, il numero trascritto si riferisce al negativo conservato negli archivi del Gabinetto Fotografico della Soprintendenza ai Beni Artistici e Storici di Firenze. È segnalata inoltre l'esistenza di fotografie relative a particolari dell'opera.

Note. Sono trascritti succintamente i dati e le notizie di interesse scientifico e documentario relative all'opera, che non abbiano avuto segnalazione nelle apposite voci della scheda.

Sigle. Si elencano qui di seguito i nomi degli autori corrispondenti alla sigla riportata in calce alle singole schede. Per alcune sezioni del catalogo le cui schede (singolarmente non siglate) siano state interamente redatte da un unico autore, il nome dello stesso è riportato in calce al testo introduttivo della sezione o della serie, o comunque prima delle schede.

A.P. Antonio Paolucci
C.C. Caterina Caneva
E.B. Evelina Borea
E.M. Emma Micheletti
E.S. Ettore Spalletti

G.G.B. Giovanna Gaeta Bertelà
G.M. Giuseppe Marchini
K.A.P. Kirsten Aschengreen Piacenti
L.B. Luciano Berti
L.B.B. Licia Bertani Bigalli
L.Bec. Luisa Becherucci
L.Bell. Luciano Bellosi
M.C. Marco Chiarini
M.G. Mina Gregori
M.G.C.D. Maria Grazia Ciardi Dupré Dal Poggetto
M.M. Marilena Mosco
P.D.P. Paolo Dal Poggetto
R.P.P. Rosanna Proto Pisani
R.S. Roberto Salvini
S.M.T. Silvia Meloni Trkulja
S.P. Sandra Pinto
W.P. Wolfram Prinz
Gr.Red.1. Gruppo Redazionale 1
Gr.Red.2. Gruppo Redazionale 2
Gr.Red.3. Gruppo Redazionale 3

Le abbreviazioni usate nel Catalogo sono le seguenti:

Istituti

A.G.F.: Archivio Gallerie Firenze.
A.S.F.: Archivio di Stato Firenze.
A.V.: Archivi Vaticani.
B.M.F.: Biblioteca Marucelliana Firenze.
B.N.C.F.: Biblioteca Nazionale Centrale Firenze.
G.A.M.: Galleria d'Arte Moderna Firenze.
G.D.S.U.: Gabinetto Disegni e Stampe Uffizi.
G.F.N.: Gabinetto Fotografico Nazionale Roma.
G.F.S.: Gabinetto Fotografico Soprintendenza Firenze.
G.N.A.M.: Galleria Nazionale d'Arte Moderna Roma.
S.B.A.S.F.: Soprintendenza ai Beni artistici e Storici Firenze.

Pubblicazioni

C.P.: Eugenio Pieraccini, Catalogo della R. Galleria degli Uffizi in Firenze, Firenze, edizione del 1912.
Dizionario Bolaffi: Dizionario Enciclopedico Bolaffi dei pittori e degli incisori italiani, Torino 1972.
E.U.A.: Enciclopedia Universale dell'Arte, Roma 1958-1966.
M.: G. Mansuelli, Galleria degli Uffizi. Le sculture, I-II, Roma 1958-61.
Paatz: W. e T. Paatz, Die Kirchen von Florenz, Frankfurt a.M., 1940-53.
Prinz: W. Prinz, Die Sammlung der Selbstbildnisse in den Uffizien, Berlin 1971.
Viallet: B. Viallet, Gli autoritratti femminili della Galleria degli Uffizi, Roma s.d. (1923).

Inventari

Acc: Inventario Galleria dell'Accademia.
C.: Inventario Villa di Castello.
Cat.: Catalogo Generale Uffizi 1979.
C.B.: Inventario Contini Bonacossi.
Dep.: Inventario Depositi.
Div.: Inventari diversi.
GAM cat.: Inventario Galleria d'Arte Moderna, Pitti, Catalogo Generale.
GAM g.: Inventario Galleria d'Arte Moderna, Pitti, Giornale.
GDSU: Inventario Gabinetto Disegno e Stampe Uffizi.
Inv. 1890: Inventario Gallerie 1890.
O.A.: Inventario Oggetti d'Arte, Pitti.
OPD: Inventario Opificio Pietre Dure.
Pal.: Inventario Galleria Palatina.
Pet.: Inventario Villa della Petraia.
PI: Inventario Villa di Poggio Imperiale.
Sct.: Inventario Sculture.
SMeC: Inventario San Marco e Cenacoli.
s.n.: Inventario senza numero.

Altre

attr.a.: attribuito a
esp.: esposizione
Coll.: Collezione
Cat.: Catalogo
Inv.: Inventario
ms.: manoscritto
F.(f.): filza
s.n.: senza numero
doc.: documentato
not.: notizie
cit.: citazione, citato
op.: operante
sn.: sinistra
d.: destra
c.: carta
r.: recto
v.: verso

Eravamo, press'a poco, fra febbraio e marzo del 1975. I mesi più difficili, più tempestosi, per certi aspetti più angosciosi del nascente, o appena neo-nato, ministero per i beni culturali. Fine gennaio: termina l'appassionata, tesa e complessa discussione parlamentare relativa alla conversione del decreto istitutivo del nuovo organismo, finalmente autonomo, dopo trent'anni di inutili battaglie, finalmente svincolato dal gigante di viale Trastevere.

Colpi di scena, rischi non pochi. Ed ecco che il 6 febbraio il clamoroso furto di Urbino rischia di gettare una luce sinistra sul ministero in fasce. Pochi si accorgono che il prezzo pagato col furto di Urbino è il prezzo di trent'anni di insufficienze e di inadempienze legislative e di governo. È tanto più facile prendere a bersaglio il ministro in carica da poche settimane, colpire in toto l'amministrazione, la snervata, esausta, spossata amministrazione cui l'infausta legge della dirigenza ha tolto i funzionari migliori, immettendoli in un carosello senza senso, aggravando caos e lacune di sempre.

È proprio in quei giorni che Luciano Berti e Ferruccio Marchi mi parlarono per la prima volta del progetto, orgoglioso tanto da sembrare temerario, di un catalogo organico, ragionato e completo della Galleria degli Uffizi. Agli Uffizi mi recavo abbastanza spesso in missione ufficiale in quei mesi, come rappresentante del governo: inviato 'ad hoc' dal compianto, indimenticabile presidente Moro (erano i tempi del bicolore Moro-La Malfa), che non dimenticava mai la mia origine e fedeltà fiorentina, che pensava, con quella gentilezza d'animo malinconica che era una delle sue doti più alte, di rendermi una cortesia sollevandomi per qualche ora dalle tensioni e contraddizioni ministeriali con la trasferta nell''isola' degli Uffizi.

Il presidente di Malta, il presidente della Bulgaria, il 'premier' dell'Ungheria, in pochi mesi capi di stato e di governo si succedevano nella visita agli Uffizi e il ministro del tempo avvertiva il senso di vuoto e quasi di amarezza derivante dal non potere offrire agli ospiti, talvolta anche ignari di quell'immenso patrimonio, un volume-guida esauriente e illuminante (ci fu, fra quei presidenti, ma non fra quelli citati, chi credeva 'copie' la maggioranza delle opere raccolte agli Uffizi...).

Nacque da quei colloqui l'idea che oggi si traduce in questo strumento scientifico fondamentale: un volume poderoso e articolato che rievoca nella memoria di chi scrive, ragazzo negli anni quaranta ma già innamorato dell'arte per educazione paterna e innamoratissimo degli Uffizi (dove tornava spesso la domenica, non pagandosi il biglietto), la piccola guida color celeste della libreria dello Stato che costava cinque lire, all'inizio perfino eccessive per le tasche dell'adolescente divoratore di libri. E che lasciava poi delusi per i troppi tagli, per le spiegazioni sincopate e frettolose, per le immagini non riprodotte (ed ecco allora le incursioni di quello stesso ragazzo nel vecchio negozio Alinari di Via Strozzi, desideroso di acquistare le riproduzioni delle opere più significative, con una predilezione spiccata per il Quattrocento fiorentino, fra i due Lippi e Botticelli).

Questo volume sugli Uffizi, coordinato dall'amico Luciano Berti, che unisce la cultura critica e penetrante della tradizione universitaria con la devozione affettuosa e trepida all'amministrazione (fedele alla figura di soprintendente come punto di incontro fra università e tutela), rappresenta un primo e decisivo passo verso il Catalogo generale dei Beni Culturali, cui concettualmente si lega sul filo dell'inventario del patrimonio artistico nazionale: un inventario per il quale l'amico Oreste Ferrari ha giustamente rinunciato alla cattedra universitaria, tanto la sua funzione era ed è insostituibile alla guida dell'Istituto centrale del Catalogo, parte di quella riforma del '75-76, della legge delegata dei Beni Culturali.

Il volume raccoglie il patrimonio completo della Galleria. Esso non comprende solo le opere, di pittura e no, comunemente esposte al pubblico, quelle che alimentano la popolarità degli Uffizi nel mondo, ma abbraccia l'immenso patrimonio delle opere inedite, giacenti nei depositi o dislocate in altre sedi, ricostruzione minuziosa della dotazione storica del massimo museo italiano in base agli inventari e ai documenti del passato: una iniziativa editoriale di eccezionale impegno scientifico, strumento di studio indispensabile e fra i più raffinati e penetranti che siano stati prodotti nel campo della storia dell'arte.

È un'opera-modello che ha richiesto l'impegno concordato delle strutture pubbliche e delle strutture private, a conferma di quell'irrinunciabile e non retorico pluralismo che deve alimentare la difesa e salvaguardia di un patrimonio, quello culturale e naturale, che nessun intervento, neanche eccezionale, dello Stato basterebbe a preservare in un paese, come l'Italia, senza il concorso decisivo e non sostituibile della società civile.

Ma soprattutto il catalogo degli Uffizi nasce dalla collaborazione fra la Soprintendenza, con tutti i suoi specialisti, e l'Università, con la necessaria proiezione sui fondi archivistici, sul retroterra storico. Quasi a conferma, mentre la crisi delle strutture universitarie si allarga e approfondisce intorno a noi, che il futuro dei beni culturali è inseparabile dal futuro di un'università rinnovata, di cui non riusciamo a scorgere i segni nonostante l'impegno da tante parti prodigato in questi anni, nonostante battaglie parlamentari e civili. Ragione di impegno per il futuro, piuttosto che motivo di soddisfazione per quanto è stato fatto finora.

GLI UFFIZI: UNA TAPPA NEL LUNGO CAMMINO DEL CATALOGO

Oreste Ferrari
Direttore dell'Istituto Centrale per il Catalogo
e la Documentazione

Sono ancora molti gli storici dell'arte che possono rammentare l'impressione che suscitò, nel 1951, la comparsa del primo dei nuovi cataloghi della National Gallery di Londra: quello, curato da Martin Davies, dedicato a *The Earlier Italian Schools*. Mentre la maggior parte dei musei europei era ancora alle prese con i problemi di risarcimento delle ferite che la seconda guerra mondiale aveva loro inferto, la National Gallery produceva questo volume d'oltre 460 fittissime pagine, disadorno, privo d'illustrazioni (il tomo relativo a queste sarebbe però uscito di lì a poco), e lo offriva al pubblico ad un prezzo che anche a quei tempi era singolarmente basso: *8s. Net*, otto scellini.

La sensazione era però destata soprattutto dal fatto che il catalogo del Davies si presentava ideato e costruito in modi che non avevano precedente alcuno tra i cataloghi dei musei editi fin'allora.

In esso lo scrupolo dell'informazione (storica, filologica, iconografica, conservativa, bibliografica) si approfondiva al massimo del dettaglio, teneva sempre ad appoggiarsi sulle proprie più precise autenticazioni.

A siffatto scrupolo documentale — che per certi aspetti sembra già partecipe delle tendenze della *histoire evenementielle* — non corrispondeva tuttavia una pari assunzione di responsabilità critica in proprio, da parte dell'autore. Lo rilevò prontamente Roberto Longhi, il quale recensendo appunto il volume del Davies (Editoriale, in 'Paragone', n. 27, marzo 1952), sottolineava come "appena occorre passare dalla storia 'constatante' alla storia 'giudicante',...il suo interesse decresce rapidamente" e ribatteva che "anche le opinioni sui dipinti sono fatti storici, documenti sull'opera d'arte e che perciò anche il tracciarne le vicende è tanto doveroso quanto ricostruirne la emergenza 'fattuale'...".

Ma il Davies mantenne alle ulteriori edizioni del catalogo il medesimo carattere della prima: non certo per la 'svogliatezza' di cui sembrava accusarlo il Longhi, e nemmeno per una sorta di ritroso *understatement* nei confronti del proprio lavoro: piuttosto, penso, perché consapevole che il fervore già a quei tempi rinascente degli studi storico-artistici lo avrebbe costretto, qualora avesse accolto il suggerimento di varcare la soglia della 'storia documentale' per addentrarsi nella 'storia critica', ad una quasi quotidiana rincorsa di quegli studi stessi, e dunque a prevedere riedizioni per lo meno annuali del volume.

Si tenne dunque pago di costituirlo, questo suo catalogo, come strumento di lavoro basilare, offerto affinché altri studiosi lo utilizzassero come primo e, entro i suoi limiti, esaustivo punto di riferimento per le proprie, più particolareggiate e raffinate indagini.

Riviste a tanti anni di distanza, la pubblicazione del catalogo di Martin Davies e la recensione di Roberto Longhi ci appaiono quasi i segni di apertura di un discorso sul catalogo e i suoi metodi che s'è sviluppato fino ai giorni nostri ed ha durato, quindi, più di tante altre, ancorché effervescenti, discussioni metodologiche.

Non è questo il luogo per una minuziosa disamina delle posizioni su cui si è via via articolato il discorso sui metodi del catalogare.

Basterà ricordare, in prima istanza, che esso ha avuto come oggetto non esclusivamente la catalogazione delle opere che fanno parte delle raccolte museali, bensì dell'intero patrimonio dei beni culturali, nel loro integrale arco storico-fenomenologico.

E ciò è stato già una assunzione di principio radicalmente innovativa, specie in paesi come il nostro e come tutti quelli europei, nei quali ogni raccolta museale (archeologica, artistica, etnografica ecc.) ha inscindibili connotazioni e motivazioni storiche proprio per il rapporto con quella dimensione culturale che, con termine ormai fastidiosamente frusto e però ancora insostituito, si è soliti denominare 'territorio'.

Con il che il discorso sul catalogare si è proposto nuove e parzialmente inedite frontiere: più precisamente, si è proposto come obiettivo la ri-contestualizzazione di ogni oggetto e di ogni opera d'arte che, se sta in quel museo, in quel palazzo, in quella chiesa cui è dedicato uno specifico 'catalogo', resta nondimeno parte indissolubile della globalità dei beni storicamente pertinenti ad un'area e ad un momento culturale, sì che sarà pur sempre a quella globalità che occorrerà mantenere il riferimento critico. E ciò quand'anche quell'opera o quell'oggetto siano stati alienati da gran tempo dalla loro peculiare situazione originaria, si trovino a migliaia di chilometri dai luoghi in cui furono creati e, inoltre, partecipino pure delle 'altre' storie che hanno provocato la loro alienazione.

L'obiettivo del catalogo come azione ri-contestualizzante dei beni culturali (e in sostanza come azione storicizzante in senso globale), è stato conseguito fino ad ora quasi soltanto a livello sperimentale. Esso s'è tuttavia profondamente radicato nelle più consapevoli assunzioni metodologiche, orienta e innerva i piani, anzi la 'politica' delle principali istituzioni: dall'*Inventaire Général* francese ai diversi analoghi organismi in Germania, in Austria, in Svizzera e nell'Est europeo; dal *Rijksbureau voor Kunsthistorische Documentatie* olandese al *National Register* statunitense, al nostro Istituto Centrale per il Catalogo e la Documentazione.

Sul piano propriamente prammatico, quella che potè inizialmente anche sembrare una netta divergenza di concezioni e di propositi si è invece venuta poi — e, direi, piuttosto naturalmente — componendo in un equilibrio tra l'apparato documentale e l'assunzione di responsabilità critica in proprio da parte degli autori dei cataloghi.

Questa, calibrata in rapporto alle specifiche e personali competenze, manifestata cioè là dove si fosse stati realmente in grado di produrre contributi storico-filologici, senza la pretesa di mostrare di saper tutto di tutto, senza cedere alla tentazione di compilare ogni scheda come se fosse la trattazione definitivamente risolutiva d'ogni questione relativa all'opera schedata. Quello, invece, l'apparato documentale, raccolto sempre mirando al massimo della compiutezza, a volte anche a quel limite di virtuosismo autenticativo di cui aveva dato appunto primo esempio il catalogo di Martin Davies.

L'equilibrio, è chiaro, si veniva istituendo tra parti affatto congruenti, tra le quali non sussisteva soluzione di continuità, neppur quando, come dicevo, la presa di posizione critica dell'autore era necessariamente più sfumata.

In altri termini, l'apparato documentale e filologico è venuto a costituire più che un passo obbligato, la piattaforma dell'assunto critico personale. Si poneva anche come proposta provocatoria proprio per le ulteriori ricerche, qualificando così implicitamente la funzionalità d'ogni singolo catalogo oltre il proprio ambito specifico (*quel* museo, *quel* palazzo, *quella* chiesa) nella relazione con quel generale *work in progress* che è appunto il catalogare inteso come azione ri-contestualizzante della globalità dei beni culturali.

Gli esempi del raggiunto equilibrio tra il momento 'constatante' e quello 'giudicante' — come diceva il Longhi — sono già assai probanti e sì folti che quasi non si osa indicarne qui solo alcuni. E però mi si consenta di rammentare almeno i tre grossi volumi (1966-1973) di Fern Rusk Shapley dedicati alle 2190 pitture della collezione Kress. E di rammentare altresì, come apice anche più alto della conoscenza della pittura italiana, i due non meno corposi volumi che costituiscono il catalogo di Federico Zeri dei 475 dipinti italiani della Walters Art Gallery di Baltimora; opera, quest'ultima, alla quale è sottesa, anzi dichiarata a tutte lettere nella nota introduttiva, la precisa consapevolezza della progressività continua del catalogo: 'In the field of art history very few attributions are final, and every catalogue is subject to revision as the dimensions of our knowledge continue to expand'. Una enunciazione, questa, che al limite può suonare perfino ovvia, se non fosse che non sempre la troviamo condivisa con altrettanta probità intellettuale.

Parimenti non possono non richiamarsi alla memoria i meno recenti, e pur esemplari, cataloghi delle raccolte reali inglesi: quelle dei disegni a Windsor Castle e quelle delle pitture nelle varie residenze.

Ma, a questo punto, è doveroso rammentare che pur in Italia si sono avute recenti e non meno cospicue prove di raggiungimento di quello spessore documentale, filologico e critico di cui si sono appena menzionati esempi stranieri: i cataloghi della Galleria Borghese di Roma, curati da Paola Della Pergola e da Italo Faldi, quelli dei più antichi dipinti delle Gallerie fiorentine curati dalla compianta Luisa Marcucci, quelli delle Gallerie dell'Accademia di Venezia curati da Sandra Moschini Marconi. E poi quelli della Galleria Spada e della Galleria Pallavicini di Roma, curati da F. Zeri, quelli dei musei civici veneti della collana edita da Neri Pozza.

Né sono mancate altre iniziative, specialmente benemerite perché intese a corrispondere alle esigenze di un pubblico colto ma non necessariamente specialistico: come soprattutto sono le guide-repertorio che l'editore Calderini va producendo con la direzione di C.L. Ragghianti.

Da noi, per altro, le prove di un elevatissimo grado della catalogazione si son più sovente prodotte nelle circostanze delle grandi esposizioni: basti considerare lo sviluppo che hanno avuto, nel giro di pochi lustri e pervenendo a dimensioni che era ben difficile prevedere, i cataloghi dei cicli delle mostre bolognesi e veneziane. Ma come non ricordare anche i più che cinquanta cataloghi delle mostre del Gabinetto di Disegni e Stampe degli Uffizi e i più recenti tra quelli dell'Istituto della Grafica a Roma, e i cataloghi delle mostre del Barocco piemontese, del Seicento lombardo, dei pittori caravaggeschi, bolognesi, francesi e fiamminghi nelle Gallerie fiorentine, dell'arte del tempo degli 'ultimi Medici', fino a quelli quasi ancor freschi di stampa dello Jacquerio, del Moroni e, ancora per le Gallerie fiorentine, delle opere di Tiziano?

So bene che sto incorrendo in qualche omissione e me ne scuso subito. Ma non era mio intento d'elencare qui tutti i cataloghi buoni o ottimi comparsi di recente, ché allora non avrei potuto esimermi dall'elencare pure i men buoni o pessimi: cosa che una volta o l'altra andrebbe pur fatta (ma da noi non s'usa recensire i libri, figuriamoci poi i cataloghi!...).

Quel che volevo piuttosto segnalare, *per exempla*, è che esistono e sono tutt'altro che esigue le risorse umane in grado di realizzare eccellenti cataloghi 'scientifici', quando le circostanze — magari quelle solitamente, quasi congenitamente concitate, delle mostre — ne offrono l'occasione.

Ne discende, come corollario, che se non sempre, non tutte e non dovunque siffatte risorse hanno modo di manifestarsi, la causa ne andrà ricercata in altri fattori che a quelle risorse medesime sono tutt'altro che imputabili.

Per dirla fuori dai denti, la causa sta nelle incongruenze di un certo tipo di istituzione pubblica che di fatto non ha ancora riconosciuto nella catalogazione l'adempimento di uno dei compiti primari di quelle risorse e che, anzi, che favorirne le occasioni, frappone inerzie burocratiche che contraddicono il proprio diritto d'intervento nel settore, o perfino attizza speciosi 'conflitti di competenze'.

Quelle risorse di cui dicevo, ed alle quali siamo debitori di quel che s'è realizzato e si sta realizzando sia come cataloghi di raccolte museali e sia come cataloghi di mostre, si son dunque spesso maturate ad onta delle circostanze; e attraverso un lungo, fitto e ben si sa quanto faticoso lavorìo di indagine appunto documentale.

Ora, l'ampiezza stessa dei compiti da assolvere (leggi: delle vecchie inadempienze da sanare) esige che pur mantenendo ben fermo il principio che non sussiste soluzione di continuità alcuna verso la realizzazione dei cataloghi 'scientifici' al massimo livello filologico e critico, di fatto però il lavoro si svolga per stadi successivi, ai quali corrispondono anche distinti momenti di verifica complessiva.

Proprio perché, ripeto, il momento dell'analisi documentale è incentivante di ulteriori ricerche, pur là dove le certezze sembrino più assodate, è di fondamentale portanza rendere le risultanze prontamente disponibili al mondo della cultura.

È questo, va pur detto, un problema che non s'è posto soltanto nel nostro paese, ma che un po' dovunque ha comportato il rinnovo organizzativo degli archivi storici delle varie istituzioni, sollecitando anche la messa a punto di criteri d'impiego delle moderne risorse tecnologiche, come l'elaborazione automatizzata dei dati, che non siano meramente tautologici, atti cioè soltanto ad abbreviare i tempi di ricerca delle informazioni che già si sa che esistono, ma siano piuttosto tali da innescare nuovi, inediti procedimenti d'indagine e di anamnesi.

È un problema che altri hanno anche cercato di risolvere con forme di pubblicizzazione dei dati d'archivio: mi riferisco al noto catalogo dei dipinti del Rijksmuseum di Amsterdam (1976) che, nella sua stringatezza informativa, si presenta perfino riduttivo rispetto alla 'fattualità' che aveva caratterizzato il lontano catalogo londinese di Martin Davies.

Non si discute l'utilità strumentale pur di questa iniziativa, in specie per quel che concerne l'uso, da parte degli 'addetti ai lavori', del complesso di indici e di tavole di concordanza che occupa non piccola parte del volume. Ma è soprattutto da tener conto che essa s'integra ad una impressionante serie di differenziate pubblicazioni di carattere illustrativo e didattico, pure prodotte dallo staff del museo e dagli organismi educativi olandesi.

Una soluzione indiscutibilmente assai più soddisfacente del problema della misura informativa, anzi ottimale per la puntuale rispondenza di questa alla ampia latitudine delle aree culturali e dell'arco cronologico rappresentati nelle raccolte, la offre ora questo volume sugli Uffizi.

Starà ad altri di considerare di quale portata sia già il fatto che viene alfine riportata a pubblica cognizione la complessività del patrimonio conservato nella nostra maggiore istituzione museale, o comunque a questa pertinente.

Quel che a me preme invece di sottolineare in special modo è come la esaurienza documentale, conseguita da un immenso lavoro corale di spoglio e di analisi degli archivi della Galleria (quello, appunto, di cui ci avevano dato testimonianza i citati cataloghi delle mostre più recentemente tenutesi a Firenze), questa esaurienza documentale, dicevo, non resta allo stato di asciutta elencazione di dati, bensì si traduce subito in sintetiche e però sempre chiarificanti disamine delle capitali questioni filologiche.

Ne guadagna, è ovvio, la stessa 'strumentalità' specialistica, ma al di là di questa si chiamano anche in causa, quali destinatari dell'opera, tanti altri e più vasti ambiti culturali.

Infatti — pur questo è un aspetto che proprio per la rispondenza alle peculiari connotazioni storiche delle raccolte già si coglie di primo acchito, e maggiormente si valuterà attraverso l'uso che in futuro si farà di questo volume —, la struttura e la definizione delle informazioni contenute nelle schede si costituiscono come coordinate, oltre che della conoscenza delle singole opere, pure di quella dei comportamenti, delle predilezioni, degli entusiasmi (e delle reticenze, magari) di chi nel tempo quelle opere ha acquistato e conservato. Integrandosi insomma alle trattazioni storiche di carattere generale, le schede di catalogo si rilegano a lor volta l'una all'altra come parti di un discorso continuativo, riguardante una vicenda che è sì, in primissima istanza, quella della politica culturale medicea, lorenese e infine nazionale, ma che si manifesta pure prospettata nella generale contestualità della storia civile.

Opera di storia, di storia nel senso pieno del termine, è dunque questa: e quanto già ampio è il campo dei suoi destinatari di fatto, è facile intravedere quale sarà il campo dei destinatari virtuali che essa stessa genererà: voglio dire cioè che come quest'opera rappresenta un traguardo tanto necessario e insostituibile appunto per la sua specificità, essa non potrà non mettere in moto un processo indirizzato verso ulteriori adempimenti. Da un lato e, credo, principalmente verso quello della ripresa dei cataloghi 'scientifici' ad ampio plesso critico che, come s'è già detto, avevano avuto inizio con i due volumi di Luisa Marcucci, ed ai quali ci si augura che possa ora attendere il gruppo di studiosi che ha acquisito sì preziose competenze. D'altro lato, verso la ideazione di modi con cui anche la generalità del pubblico che visita gli Uffizi possa accedere al patrimonio di conoscenze che è qui contenuto.

È nella natura delle vere, ingenti imprese culturali il suscitare altre richieste di cultura, vale a dire nuovi appetiti di conoscenza: starà pertanto in questi la riprova reale della validità del presente lavoro.

Luciano Berti
Soprintendente ai Beni Artistici e Storici
delle provincie di Firenze e Pistoia,
Direttore della Galleria degli Uffizi

I. *Gli Uffizi dei Medici (1581-1737)*

Come architettura complessiva, gli Uffizi non sorsero affatto con una destinazione progettuale museografica, come pure qualcuno ha scritto: 'il primo edificio nato per ospitare opere d'arte'. A parte certe ipotesi di cui tra poco si dirà, il museo in effetti sopravvenne soltanto a fabbrica pressoché compiuta, nel 1581, e limitatamente al piano superiore [1]. Del resto i nomi per la costruzione, di 'Magistrati' oppure di 'Uffizi' (uffici) —attestati fin dal 1559-60, terminando per prevalere il secondo nome — indicano chiaramente le finalità monumentali ma burocratiche della mole voluta da Cosimo I.
Dopo le demolizioni già del 1546 'per aprire la via da Palazzo insino ad Arno' (un diario ostile la definisce però soltanto 'una viaccia'), è tuttavia solo nel 1559 — con l'annessione avvenuta del Senese, e Firenze divenuta una capitale più ambiziosa — che matura il progetto di affiancare alla antica sede governativa di Palazzo Vecchio, un complesso moderno il quale riunificasse tredici delle principali magistrature cittadine. L'ordine architettonico prescelto da Cosimo I stesso, il «dorico» architravato, era d'altronde emblematico politicamente se, come scrive il Vasari, si ispirava ad Ercole (non ad Apollo) ed aveva tutto un valore di 'più sicuro e più fermo'. Si sa tuttavia come il medesimo Vasari sottolineasse le difficoltà tecniche dell'impresa: 'non ho mai fatto murare altra cosa più difficile né più pericolosa, per essere fondata in sul fiume, e quasi in aria'. Queste condizioni basilari permangono tuttora per chi deve affrontare i problemi architettonici degli Uffizi: costruzione ardita se non rischiosa, mentre la Galleria viene a trovarsi all'ultimo piano sottotetto, il che non è l'ideale climaticamente.
Iniziata nel 1561, la fabbrica nel 1565 (nozze di Francesco dei Medici e Giovanna d'Austria) incontra però l'interferenza di un altro progetto: quello del 'Corridore' che partendo da Palazzo Vecchio, e passando appunto per gli Uffizi, prosegua poi, valicando l'Arno, fino a Palazzo Pitti dove frattanto è andata la Reggia. È un'idea singolare, che coinvolge così gli Uffizi in una funzionalità non più isolata e statica ma di dinamica urbanistica: Uffizi e Corridoio vengono infatti a far da tramite tra le due parti della città, da congiunzione diretta tra sede civica e reggia; e per il Corridoio si cammina isolati dalle vie sottostanti, come per le 'strade alte' profetizzate da Leonardo. Ora, se è indubbio che la realizzazione del Corridoio fu pure affidata al Vidari, non era stato però finora notato come Gherardo Silvani (l'architetto discepolo del Buontalenti, e suo entusiasta ma verace biografo) scriva che appunto il Buontalenti 'fu *inventore* di fare il passo da la galleria fatta da lui, sebene sotto i magistrati sono del Vasari, a fronte la galleria fece il passaggio sino a Pitti, dove fece quella famosissima grotta...'. Lo ripete il pur cauto Baldinucci e dandone un motivo, cioè perché la Galleria 'si rendesse più godibile alla serenissima casa'. Corridoio buontalentiano (come idea), invece che vasariano? È un dubbio che si insinua; e che si può connettere all'ipotesi recente di uno studioso (Forti) circa il secondo piano degli Uffizi, dal Forti non ritenuto del progetto originario ma una modifica del 1574 (dopo la morte del Vasari). La supposizione, cioè, potrebbe essere che già con quel 1565 intervenisse una qualche revisione del progetto per gli Uffizi, in relazione appunto al 'Corridoio' e magari ad una 'galleria' ad esso connessa da rea-

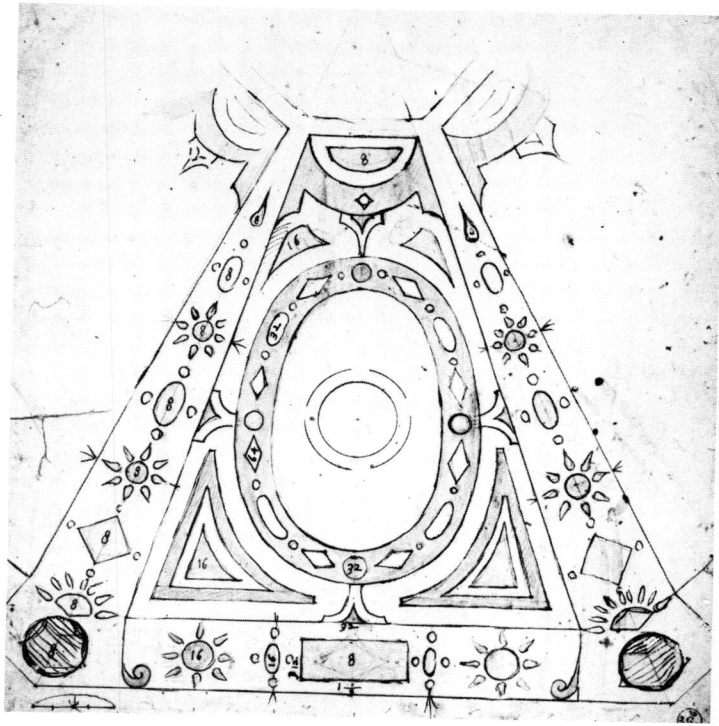

lizzare nell'alto degli Uffizi. Certo è che il cavalcavia da Palazzo Vecchio passa già nel '65 al secondo piano e non al primo; certo è che Francesco de' Medici e Buontalenti già nel '65 facevano sentire la loro influenza.
Certo, infine, è che l'idea della Galleria e del Corridoio sono di grande suggestività. La visuale, dal finestrato continuo della galleria, da certe aperture nelle sale, dal terrazzo sulla Loggia dell'Orcagna, spazia e varia sulla città, sul fiume, fino alle colline circostanti. Nel Corridoio, finestre ad 'occhio' infilano le sottostanti strade cittadine. Scriverà il già citato Pelli: 'par veramente l'arte non aver potuto meglio immaginare un luogo che porgesse diletto all'occhio, e nel medesimo tempo pascolo allo spirito con la vista di oggetti' museali. L'impressione dei visitatori odierni rimane la stessa: di un museo non chiuso, di un binomio tra la bellezza vedutistica e quella storico-artistica. E anche per le nostre ultime progettazioni museali moderne, col Corridoio viene a determinarsi la prospettiva di un'unità complessiva da Palazzo Vecchio agli Uffizi quindi a Pitti quindi per Boboli fino al Forte di Belvedere (fondato 1569); la possibilità cioè di un plurichilometrico e cangiantissimo percorso museale entro il recinto di quella che fu, in effetti, allora, un'aulica cittadella interna medicea, dal cuore di Firenze fino ai dintorni collinari.
Il principe Francesco, Reggente già dal 1564, si occupava del resto energicamente degli Uffizi fin dal 1565 (in un rescritto del 1566 li avrebbe voluti finiti entro tre anni). Ma solo nell'ottobre 1580, successi al Vasari Alfonso Parigi e il Buontalenti, la fabbrica risultava almeno esternamente compiuta, congiungendosi alla Loggia dell'Orcagna (sotto cui i Lanzi si erano inse-

1. Bernardo Buontalenti: disegno acquarellato per una sezione del pavimento della Tribuna in commesso di pietre dure, 1584 ca. (G.D.S.U. 326 orn.).

diati fin dal 1568). Va aggiunto che per l'esterno degli Uffizi intanto si prevedeva anche una decorazione scultorea, in prosecuzione a tutto il museo di statue all'aperto in piazza della Signoria. Baccio Baldini attesta (1578) come Cosimo I 'comandò che in quei nicchi che gli sono si ponessero le statue di tutti quei Fiorentini che fussero stati chiari e illustri nelle armi, nelle lettere, e ne i governi civili', idea che sarà ripresa nel 1835. Per la testata di fondo, un' 'arme... con dua figure' sono commissionate nel 1564 al Danti che le finì nel 1566, anno in cui gli fu ordinata anche una statua centrale del Granduca Cosimo, poi però sostituita da un'altra di Giambologna (1585), (la Lessmann esclude però che la statua attualmente al Bargello sia il Cosimo I rimosso del Danti). Del 1565 è pure la commissione di due statue (non eseguite), un 'S. Pietro' al Danti e un 'S. Cosimo' ad Andrea Calamech, da porre 'nelle nicchie che mettono in mezzo la porta di Sanpiero Scheraggio', l'antica chiesa incorporata dal Vasari nel suo edificio. Quanto al fondatore degli Uffizi-Galleria, Francesco I, esso compare in busto (del

parte delle pitture et sculture eccellenti', richiede per la sua serie di personaggi un ritratto del Duca, di mano — si raccomanda — di Federico Barocci, 'come ha quadri di tutti i più famosi pittori che sono stati moderni'; 'et mi fece dare le misure della lunghezza et larghezza... per non guastare il concerto [pare che sia il ritratto baroccesco finito a Weimar]. Insomma la sua intenzione [è] di havere il sembiante naturale di tutti gli huomini celebri e famosi per arme et per lettere, all'incontro de' quali mette teste antiche di scultura, che per la gran quantità et stupendi ornamenti fa un gran bel vedere'. Il proposito, storico e artistico al contempo, è un altro binomio fondamentale per gli Uffizi, e difatti ispirerà poi anche le raccolte di autoritratti, disegni, miniature, ecc. C'è poi quello del 'concerto', le serie omogenee, armoniche, in un quadro altamente decorativo.

Documenti del 1585 e 1587 testimoniano intanto conti di legnaiuoli, circa la sistemazione delle sculture, 'panche sul corridoio' 'per servizio delle figure'; e anche l'acquisto di 'dua code

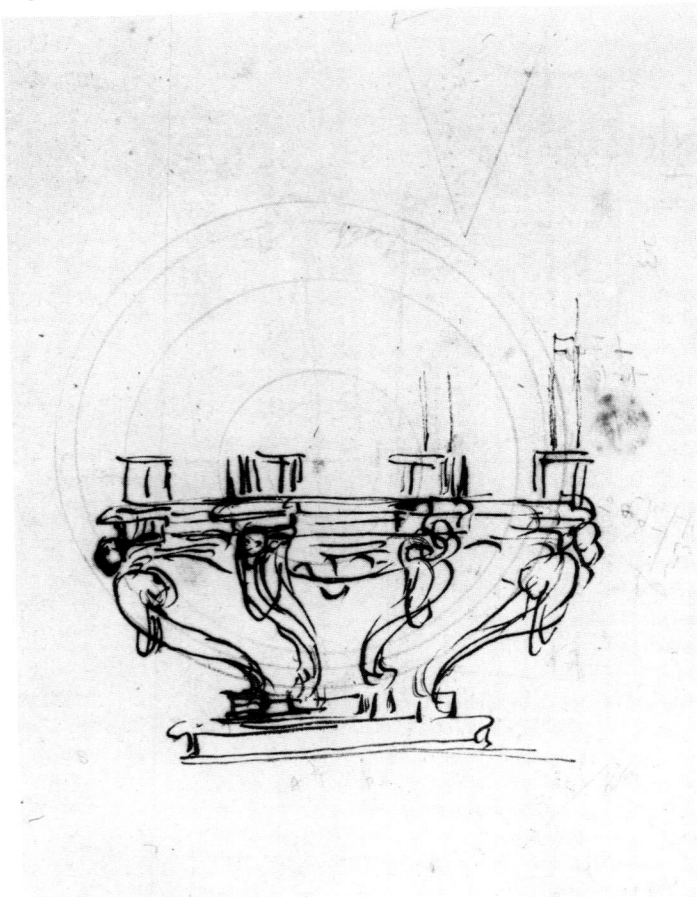

Bandini, c. 1577-80) sulla bizzarra Porta delle Suppliche, opera del suo prediletto Buontalenti.

Mentre le Magistrature si erano andate insediando nel basso degli Uffizi cominciando fin dal 1565, la storia vera e propria della Galleria inizia invece nel 1581, quando l'informatore del Duca d'Urbino, Fortuna, dà nell'aprile la notizia che il Granduca Francesco ha cominciato tale raccolta artistica e che la Galleria 'riuscirà cosa stupenda'. Contemporaneamente gli appunti del pittore Alessandro Allori registrano spese in corso per la Galleria tra vari decoratori, e nel settembre il saldo delle 'grottesche' dipintevi. Dell'ottobre 1582 sono notizie circa finestrati e vetri, commissionati ad artigiani veneziani. Nel gennaio 1583 il Fortuna informa: 'Il Granduca da un pezzo in qua è ritiratissimo incredibilmente, tutto intento a queste due gallerie, nelle quali trastullandosi... attende ad udire i suoi segretari... uscendo fuori anche di rado, che è quasi un haver mutato in tutto la vita'. Egli va differenziando la 'galleria de' quadri' e la 'galleria delle statue' gli stessi due nuclei essenziali di oggi.

Una seguente lettera del Fortuna a Francesco Maria II Della Rovere (16 aprile sempre 1583), mostra i progressi già realizzati, nonché certi caratteri della raccolta: 'Il Granduca passeggiando per la sua bella Galleria, dove ha condotto la maggior

2. Bernardo Buontalenti: schizzo per la base dello studiolo ottagonale della Tribuna, 1584 ca. (G.D.S.U. 2365).

3. Mensola intagliata e dorata per i bronzetti della Tribuna, su disegno di Bernardo Buontalenti.

Nella pagina a fronte

4, 5, Primo inventario della Galleria degli Uffizi, 1589; e sua pagina riferentesi alle spese in Tribuna.

di volpe per spolverare le figure di marmo sul corridore'. Comincia anche la storia della manutenzione[2].

L'aspetto dei primi Uffizi, allestiti da Francesco I e completati da Ferdinando I (l'architetto della Galleria risulta d'altra parte sempre il Buontalenti) è ormai piuttosto noto (vi ha portato specialmente contributi l'Heikamp)[3]. Nella sfarzosa tribuna ottagonale (dal 1584), appunto del Buontalenti e di complessa simbologia (gli Elementi, i Medici ecc.) — che era il cuore e il *clou* del museo — al centro stava un preziosissimo 'Studiolo' a forma di tempietto (andato perduto), pieno di medaglie e gemme e con bassorilievi aurei del Giambologna (questi oggi al Museo degli Argenti). Un altro studiolo fu collocato, nella nicchia di fondo della sala, da Ferdinando; mentre sulle pareti foderate di rosso girava un mensolato di ebano con 120 cassette colme di piccole preziosità, e sul piano statuette, 'arnesi', ninnoli, intramezzato inoltre da mensole con bronzetti e di Giambologna ed altri. Sopra campeggiavano in due file i dipinti, sotto il mensolato erano invece dei quadretti piccoli, e bassori-

gica, in successivi ordinamenti altre opere di maestri illustri. Nel 1605 il 'Putto musicante' del Rosso Fiorentino; nel 1617 'l'Adorazione del Bambino' del Correggio dono del Duca di Mantova a Cosimo II; nel 1620 il 'ritratto di Eleonora di Toledo' del Bronzino; già nel 1635 il 'S. Giorgio' del Cranach. Il Monconys vi vedrà (1646) anche il tondo Doni di Michelangelo, i due 'Apostoli' del Dürer dono al Granduca dell'Imperatore (1620), un Perugino. Nel 1704 sarà ricca di veneti, Tiziano (ma la 'Venere d'Urbino' verrà agli Uffizi sicuramente solo nel 1736), Tintoretto, Veronese; e inoltre avrà i due ritratti Panciatichi del Bronzino, tre supposti Holbein, la 'Schiava turca' del Parmigianino, la 'Cleopatra' del Reni, il 'Ritratto di Carlo V armato a cavallo' come Rubens (assegnato al Van Dyck), il 'ritratto di Galileo' del Sustermans. Nel rilievo De Greyss (1763) si notano ulteriori novità, il 'Giovane con liuto' del Bronzino, la 'Baccante' di A. Carracci; mentre nella famosa ma in parte ideale veduta della Tribuna eseguita 1772-4 dallo Zoffany per la regina inglese Carlotta, oggi a Windsor Castle, vengono fatti

lievi, armi intarsiate. Le finestre poste in alto, 'perché facciano lume più purgato, di cristallo Orientale' (cominciano quindi le cure per la migliore illuminazione museale).

Ma quali erano i dipinti esposti? Mentre il Bocchi (1591) ci configura suggestivamente ma sinteticamente 'quadri di maravigliosa bellezza di mano di Raffael da Urbino, di Andrea del Sarto, di Jacopo da Pontormo, di Lionardo da Vinci, del Tiziano', l'inventario esistente del 1589 (e sgg.; il primo degli Uffizi) precisa i pezzi tra cui però Tiziano e Leonardo risultano assenti, mentre la rappresentatività di Raffaello è di 7 pezzi ('Leone X' e vari dipinti oggi a Pitti, come la 'Madonna della Seggiola'; più la 'S. Famiglia Canigiani' che l'Elettrice Palatina farà finire a Monaco); quella di Andrea del Sarto di 6(la 'Dama col Petrarchino'; e dipinti pure a Pitti; oltre la 'S. Conversazione' oggi a Vienna); quella del Pontormo di 2 ('Carità'; e 'Leda' oggi piuttosto attribuibile al Puligo). Sono presenti però anche fra Bartolomeno (tabernacoletto n. 1477), Piero di Cosimo ('Perseo'), Granacci ('storie Borgherini'), Puligo, Sodoma ('Ecce Homo' n. 738), Beccafumi (tondo oggi Pitti 359). Inoltre piccoli dipinti di Vasari, Allori, Ligozzi; e ancora, due fiamminghi quali il Civetta ('Miniere di rame', n. 1051) e il Sustris ('Parto di S. Elisabetta').
In futuro la Tribuna ospiterà peraltro, come sala più antolo-

comparire anche capolavori in realtà a Pitti.
Il quadro dello Zoffany è emblematico della fama e del fascino internazionali e continui della Tribuna, dove i visitatori venivano introdotti al termine del giro di galleria, come si trattasse di un pezzo finale sinfonico. Quei gentiluomini inglesi così vivamente presentati dallo Zoffany sono rappresentativi del pubblico che si è succeduto, con le reazioni dovute, in questa sala la quale costituisce un primo quanto storico esempio museografico moderno.
In Tribuna comunque — mentre allo Studiolo centrale si era sostituito nel 1649 lo sfarzoso tavolo ottagonale in pietre dure (riportatovi nel 1970) — l'arrivo della 'Venere dei Medici' nel 1677 con le altre celebri statue antiche compagne, aveva creato un'emulazione ancora più eccitante: 'la scultura greca e la pittura moderna rivaleggiano ne' loro più squisiti capi-lavori: e il mondo antico ed il moderno si disputano a vicenda il primato del bello delle arti...' (Sacchi, 1835).
Né del resto nei primi Uffizi si era dato un ruolo preminente alla pittura. Carte e strumenti scientifici erano nello 'Stanzino' accanto alla Tribuna (come vi alludono pure gli affreschi nella volta), e nella terrazza delle Carte Geografiche. L'Armeria, creata da Ferdinando, occupava le quattro sale susseguenti alla Tribuna, pure con allusioni qui belliche da parte delle volte di-

pinte (e qui in Armeria, adattandola a un'armatura persiana, venne posta anche la 'Medusa' su scudo del Caravaggio, c. 1601). Vi era perfino una collezione di oggetti messicani, poi, corrispondente all'odierno Gabinetto delle miniature, la 'camera degli Idoli' raccoglieva bronzi antichi (tra cui appunto idoli) e moderni (veniva detta anche 'Stanza o Gabinetto di Madama', perché Cristina di Lorena vi teneva le sue gioie)[4]; e c'erano inoltre miniature, preziosi, ecc. Nel primo Corridoio, i ritratti Giovani e medicei appesi in alto miravano ad una sistematica documentazione storica, mentre lungo le due parti figuravano statue e busti, antichi e moderni: tra cui l' 'Arringatore' bronzeo etrusco nella testata verso Palazzo Vecchio[5]; il 'Bacco' di Michelangelo a metà corridoio, il 'Villano cacciatore' e il 'Cinghiale' e i 'Molossi' nella testata verso l'Arno. Dal lato di ponente degli Uffizi erano invece i varissimi laboratori di arti minori, riuniti da Ferdinando (1588) sotto un'unica 'Soprintendenza' (con Emilio de' Cavalieri); e la Fonderia (o Farmacia) che distillava profumi, medicine credute portentose, veleni e contravveleni. Infine, un giardino pensile − con al fondo una serra (o 'loggetta'; che sarà demolita nel 1840) ed una fontanella del Giambologna (ricostruita 1972) − si presentava sulla terrazza della Loggia del Lanzi, dove i principini medicei 'han per costume di ridursi sul tardi ad udir la musica ordinaria del palazzo, sopra la piazza' (il concerto veniva eseguito da un famoso complesso, i Franzosini).

D'altra parte nel primo tratto orientale degli Uffizi si trovava quel Teatro Mediceo (1586), sede di strabilianti rappresentazioni, a cui portava lo scalone vasariano oggi d'ingresso alla Galleria (il Teatro occupava all'incirca il vano dell'attuale Gabinetto Disegni e Stampe). Una pluralità di funzioni, una convivenza di più arti, una varietà collezionistica, caratterizzavano dunque l'impianto agli Uffizi, come nel famoso passo del Pigafetta (1600): 'di sotto essercitansi gli officij della città, et i litigi, et scrivon li notai. Di sopra, alla sinistra, è la Galerìa, così chiamata con vocabolo francesce, in cui son raccolte innumerabili cose, singolari et maravigliose...'. Ed era stato crediamo

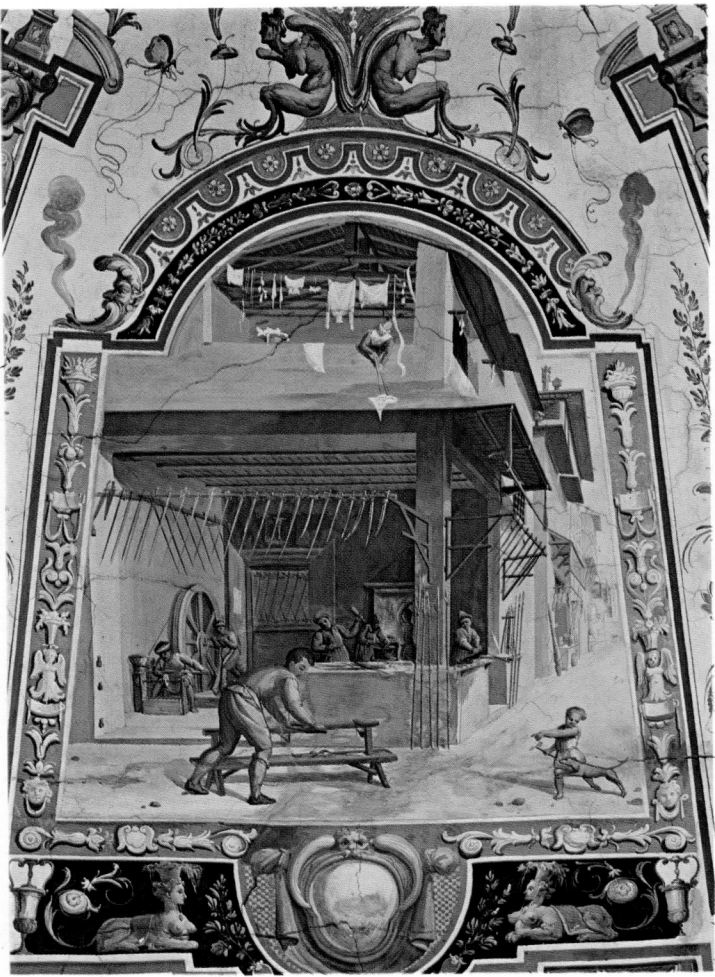

Ferdinando così attento a procurasi 'consenso' − e non l'altero Francesco − a diffondere giustificazioni per quel museo (migliore conservazione delle opere, migliore visibilità), come a renderlo visitabile su richiesta, secondo appare già dal Bocchi, nel 1591. La Galleria d'altra parte concorreva alla brillante vita di corte; grazie al tramite comodo del Corridoio. Si trova così ad esempio nel diario del Tinghi, al 26 novembre 1602: 'S.A. [Ferdinando I] menò e cardinali et tutti que' signori a desinare in Galleria et poi per tutte quelle stanze e poi gli andaro a vedere molte belle cose...'; e il 2 dicembre seguente: 'S.A. menò tutti li Cardinali et Signori et tutta la corte andorno a desinare in Galleria et con tutte le dame di casa et la Sig. Colonella di Pisa et vi si ballò per fino alle 23 ore e poi se ne ritornorono a Pitti e poi la sera alla commedia di Zanni per il Corridore'. Quanto infine alla 'immagine' prestigiosa che la Galleria si creò subito a Firenze, dopo le prime descrizioni ammirate del Bocchi (1591) e Pigafetta (1600), è proprio un passo galileiano che, sebbene senza referenza precisa, può darcene la misura. Quando cioè Galileo, con quella sua vivida prosa, paragona la *Gerusalemme* del Tasso a 'uno studietto di qualche ometto curioso...', che però in sostanza abbia raccolta 'coselline'; mentre 'all'incontro, quando entro nel *Furioso*, veggo aprirsi un guardaroba, una tribuna, una galleria regia, ornata di cento sta-

6. J. Zoffany: La Tribuna degli Uffizi, 1772-74 ca. (Windsor Castle).

7. Anonimo, 1840 ca.: veduta della Tribuna (Firenze, Collezione privata).

8. Dipinto di soffitto attribuito al Poccetti: il fabbricante di spade.

Nella pagina a fronte

9. Dipinto di soffitto attribuito al Poccetti: preparazione della polvere.

tue antiche de' più celebri scultori, con infinite storie intere e le migliori di pittori, con un numero grande di vasi, di cristalli, d'agate, di lapislazzari e d'altre gioie, e finalmente ripiena di cose rare, preziose, maravigliose di tutta eccellenza ' (citato già dalla Barocchi per la divergenza tra 'studiolo' e 'galleria'). Il collezionismo straordinario dei penultimi e ultimi Medici [6] — e non dei soli Granduchi; ma altrettanto rilevante delle consorti, dei principi cadetti — costituirà uno dei grandi serbatoi cui la Galleria (con le sue possibili succursali) attingerà per il suo futuro. Nei propri quartieri, o nei propri palazzi o ville, ciascuno di questi personaggi costituisce raccolte che poi di solito confluiranno in altre familiari o in Guardaroba, di là disponibili per la Galleria. Ricordiamo per esempio Don Antonio (1576-1632), il dubbio figlio di Francesco I — e per questo dubbio non trattato né dallo Young né dal Pieraccini — che nel suo stracolmo Casino di S. Marco possedeva tra l'altro una predella dell'Angelico (le due storie mariane oggi a S. Marco), il trittico del Mantegna, un' 'Adorazione dei Magi' di Botti-

esemplarmente ricostruita da Evelina Borea; lavoro che qui piace citare anche come uno dei frutti della Sezione Ricerche oggi costituita presso la nostra Soprintendenza agli Uffizi. Le grandi 'Battaglie' del Borgognone provengono invece dalla villa di Lappeggi del principe 'guerriero' Mattias (m. 1667) fratello di Ferdinando II. Il baldo cardinale Giovanni Carlo (m. 1663) altro fratello di Ferdinando, agli Orti Oricellari possedava una pinacoteca con tra l'altro un 'Presepio' di Filippo Lippi, una 'Madonna e quattro santi' del Perugino, la 'Madonna del cardellino' e il 'Ritratto del cardinale Bibbiena' di Raffaello, la 'Schiava turca' del Parmigianino, una 'Madonna' del Rubens, tele venete di Tiziano, Tintoretto, Veronese, Bassano, opere dei contemporanei Dolci, Reni, Albani, Guercino, Salvator Rosa. Si riteneva che pure lo straordinario 'Porto di mare con Villa Medici' di Claude Lorrain eseguito 'per il serenissimo Cardinale de Medici' fosse stato dipinto per Gio. Carlo, ma la data 1637 indica lo zio di lui, Carlo, pure Cardinale (m. 1666). Quest'ultimo lasciò per esempio 'Cristo al se-

celli, quella addirittura di Leonardo (che pare fosse incorniciata a tondo 'in ovato'); e la 'S. Famiglia Canigiani' di Raffaello, la 'Caterina Cornaro' di Tiziano; degli Andrea del Sarto, il piccolo 'Adamo ed Eva' del Pontormo, le 'Figlie di Jetro' del Rosso Fiorentino, un tondo del Beccafumi, il 'Noli me tangere' di Lavinia Fontana, dei Bassano; il 'S. Giorgio' del Cranach, un 'Presepio' attribuito al Dürer, un gran 'Convito di Buffoni' (il Gherardo delle Notti 730?) ecc. Diversi di questi pezzi, come si sarà notato, compariscono oggi agli Uffizi, comprese le due piccole 'storie di Giuditta' del Botticelli, che già la madre di Don Antonio, Bianca Cappello, aveva posseduto. Per la sua quadreria al Poggio Imperiale (1624 sgg.) la tutrice Maria Maddalena d'Austria, vedova di Cosimo II, chiese 'belle pitture antiche e di mani celebrate' anche a Urbino, riuscendo a 'buscarne' qualcuna; dalla chiesa della Calza a Firenze ottenne la mistica 'Pietà' del Perugino (Uffizi 8365). Sua commissione anche le quattro grandi e caratteristiche tele con storie di eroine femminili (dei toscani Rosselli, Curradi, Manetti, Rustici) che pure ci sono pervenute. La collezione di Don Lorenzo dei Medici (1599-1648, zio di Ferdinando II) nella Villa della Petraia — prevalentemente di artisti fiorentini 'moderni', dal Cigoli ai contemporanei Furini, Giovanni da S. Giovanni, Volterrano, Stefano della Bella, più Sustermans — è stata da poco (1977)

polcro' di Van der Weyden, il 'Ritratto con medaglia di Cosimo il Vecchio' del Botticelli, e i due 'Profeti' di fra Bartolomeo (passati subito agli Uffizi); e l' 'Uomo con scimmia' di A. Carracci, e il 'David' del Reni. Ma, al Casino di S. Marco, possedeva anche le tre 'Battaglie' di Paolo Uccello, trasferite lì con altri pezzi rinascimentali dell'antico Palazzo Medici, dove prima Carlo aveva abitato. Quanto alla sempre citata 'eredità di Urbino' nel 1631 — i 'quadri buoni' venuti a Firenze a Vittoria della Rovere consorte di Ferdinando II (insieme al greco 'Idolino' bronzeo da Pesaro) — di essa, che tanto arricchì la capitale fiorentina con una serie splendida di Tiziano (e anche con Raffaello, e Barocci) basti dire come agli Uffizi sono toccati i tizianeschi due ritratti dei duchi, la 'Venere col cagnolino' (l'altra 'Venere con amorino' era stata donata da Paolo Giordano Orsini a Cosimo II nel 1618), la 'Giuditta' di Palma il Vecchio, il 'Ritratto di Giulio II' e il 'Ritratto di giovanetto con mela' attribuiti a Raffaello; e forse l'Autoritratto del Sanzio, i ritratti di Elisabetta Gonzaga e Guidobaldo da Montefeltro pure a lui attribuiti, nonché il 'Francesco Maria II della Rovere' del Barocci. Ma venne anche una gemma più antica come il dittico dei Duchi d'Urbino, dipinto da Piero della Francesca. Va ricordato che quella collezione, considerata patrimonio personale di Vittoria, fece parte fino al 1694 della sua Guardaroba, collocata in massima parte nella Villa del Poggio Imperiale.

Specie nell'ultimo decennio, d'altronde, si è avuto tutto un seguito di mostre (Chiarini, 1969; Lankheit ed altri, 1974; Barocchi, Tempesti, ed altri 1976) e di ricerche d'archivio (Haskell, 1963; Rudolph, Chiarini, Strocchi, Meloni) e studi, che ha tanto meglio concretato il pullulante quadro mecenatistico e collezionistico di questa Firenze granducale medicea, dai tempi di Cosimo II a quelli di Gian Gastone. Parallelamente sono stati indagati esaustivamente filoni generali di rapporto con l'esterno o con determinate correnti, testimoniati nel complesso delle gallerie fiorentine: come con l'Inghilterra (Crinò e Webster, 1971) o la Francia (Rosenberg, 1977); o con i Caravaggeschi o con i Bolognesi del Seicento (Borea, 1970 e 1975); o per Rubens e i fiamminghi di quel secolo (Bodart, 1977), o per Tiziano (Gregori e scuola, 1979).

Riprendiamo comunque per certe linee. Di Cosimo II (regnante dal 1609 al 1621 — figura forse ancora sottovalutata —) era stato il gusto per un certo genere di pittura realistica ma in formato ridotto (Tassi, Brill, Poelenburgh, Filippo Napoletano, Callot), adatta alle stanze in cui questo granduca valetudinario quasi di continuo doveva star confinato; e fu lui nel 1620 a fondare a Pitti la nuova Galleria Palatina, una grande rivale per gli Uffizi sebbene di altre finalità, più auliche e decorative e meno sistematiche e pubbliche.

D'altra parte, se qualche Caravaggio era già giunto ai Medici nel primo ventennio del secolo (oltre la 'Medusa', il 'Bacco' e il 'Cupido dormiente'), caravaggeschi come Artemisia Gentileschi, Battistello, Gherardo delle Notti, Manfredi vennero comprati da Cosimo II. Anche i bolognesi ebbero larga accoglienza nelle residenze medicee fiorentine dal 1620 circa in poi, dai Carracci (la 'Venere di schiena' di Annibale viene acquisita appunto nel 1620) al Guercino (cominciando con l' 'Apollo e Marsia' del 1618), all'Albani (invitato a Firenze dal Cardinale Gio. Carlo nel 1633), al Reni ('Cleopatra' per il principe Leopoldo nel 1640); e quest'ultimo artista fu ben presente nelle raccolte di Mattia, Gio. Carlo, Leopoldo. In totale i dipinti bolognesi collezionati dai Medici risultano un duecento.

Inoltrandoci poi nel tempo, i due maggiori collezionisti fuori trono saranno il principe Leopoldo (cardinale nel 1667, m. 1675), ed il Gran Principe Ferdinando (m. 1713) figlio di Cosimo III. Personalità poliedrica ed altissima, Leopoldo, come coltivò le scienze del 'Cimento', così collezionò ampiamente e per certi lati sistematicamente, con una rete di corrispondenti e di procacciatori che si estendeva per l'Italia (a Venezia Paolo Del Sera e il notissimo Marco Boschini) ed anche in Europa, con una corrispondenza fittissima (col Del Sera, tra 1640 e 1672, si scambiarono circa seicento lettere). È stupefacente quanto questo principe ricco ma non illimitatamente, sia riuscito in totale ad acquistare: la Meloni dà le cifre di 730 quadri, 318 sculture, 1245 disegni, 589 ritrattini e 36 miniature, quasi 7000 medaglie (di cui 4000 antiche e 760 d'oro), quasi 900 cammei e intagli, un 100 avori torniti, un 100 cristalli, circa 800 pezzi di porcellana orientale, 120 maioliche a grottesca; più un'armeria, 40 strumenti scientifici, la famosa lente di Galileo, ecc.

La bontà delle scelte, per limitarci ai quadri, è dimostrata dalla constatazione (sempre della Meloni) che dei veneti esposti oggi agli Uffizi, la metà circa appartennero a lui; e così in tutta la Galleria e nel Corridoio vasariano attuali un quadro circa su dieci proviene da Leopoldo (e così a Pitti). Già nel catalogo Poggi degli Uffizi (1926) su 760 quadri, 57 erano stati del cardinale. E ne citiamo qui la 'Madonna della Melagrana' del Botticelli, il 'ritratto di vecchio' su embrice di Filippino, la 'Concezione' di Piero di Cosimo, l' 'Annunciazione' di Lorenzo di Credi; il 'ritratto del padre' di Dürer, la 'Mater dolorosa' del Van Cleve, la piccola 'Madonna' del Correggio, il ritratto dell'Aiolle del Pontormo, il 'ritratto di dama' 793 del Bronzino. Come d'altra parte il 'Cavaliere di Malta' e il ritratto del vescovo Beccadelli di Tiziano, la 'S. Margherita' di Tiziano o Palma, 'L'uomo ammalato' (che veniva allora assegnato a Leonardo) e la 'Morte di Adone' di Sebastiano del Piombo; la 'S. Famiglia con S. Barbara' e il 'Martirio di S. Giustina' del Veronese; e due ritratti del Tintoretto, la 'Zingarella' del Boccaccino, la 'Stregoneria' del Dosso, la 'Trasfigurazione' del Savoldo, il 'ritratto del Pantera' del Moroni; fino al 'Sacrificio d'Isacco' del Lys e al bellissimo ritratto fatto al cardinale stesso dal Baciccia.

Ma Leopoldo stesso aveva indicato una volta ad un suo corrispondente tre suoi principali filoni di raccolta; e cioè i 'Ritratti di Pittori fatti di loro mano', i 'Ritrattini accomodati in uno stipo in modo singolare', e lo 'Studio di Disegni'. Sono collezioni oggi ben indagate, e di cui riferiscono altri studiosi (Prinz, Meloni, Forlani Tempesti) nel presente Catalogo. Dagli 80 circa autoritratti riuniti dal cardinale ebbe origine questa eccezionale sezione degli Uffizi, proseguita nel corso dei secoli (già nel 1704 ve ne erano cento in più) e che oggi arriva a più di 1000 esemplari per 16 nazioni. Crebbe anche la collezione di 'ritrattini' miniati (andanti specie dalla metà del XVI a tutto il XVII) giunta oggi sui 1300 pezzi; mentre la grande raccolta sistematica di disegni, affidata alla filologia di Filippo Baldinucci, stimolò anche la ricerca storiografica di quest'ultimo; così come fu la base dell'attuale Gabinetto Disegni e Stampe. A Leopoldo pare anche risalga il filone della Collezione di bozzetti. Tanto capillare, acuta, costante, ma abilmente discreta, l'intraprendenza collezionistica di Leopoldo riuscì anche a smorzare gelosie e resistenze; e se a Venezia ci si accorgeva del drenaggio d'arte che egli vi faceva effettuare, il Boschini consolava i concittadini col fatto della grande stima in tal modo attestata dal principe mediceo, tanto intenditore, all'arte veneziana, introducendola trionfalmente in Firenze: 'xe salda ogni feria / Che ai venetiani mai dasse el Vasari...'. Quello stesso Boschini che altrove, per un quadro del Vicentino, citava la Tribuna degli Uffizi come '... un famoso archivio, e resplendente / De piture magnifiche, e ecelente...'.

Mentre l'intento di Leopoldo è in complesso di senso storico o stimolato in certe ramificazioni di generi, quello del brillante Gran Principe Ferdinando appare invece piuttosto attualistico, interessato a modernizzare l'ambiente fiorentino richiamandovi di persona pittori vivaci e nuovi, il Magnasco e i due Ricci, il Crespi, il Cassana, ecc. Nella collezione da lui costituita nel proprio quartiere di Palazzo Pitti si affollavano circa 1000 quadri; uno scelto 'Gabinetto' di pitture piccole era stato creato nella Villa di Poggio a Caiano; altre cose stavano a Pratolino. Dobbiamo però qui limitarci a richiamare, per gli Uffizi attuali, la sua figura di raccoglitore non solo dietro le grandiose 'Madonna delle Arpie' di Andrea del Sarto (presa nella chiesa di S. Francesco nel 1683) e 'Madonna dal collo lungo' del Parmigianino (acquistata nel 1699); ma anche per la 'Madonna col Bambino' di Dürer, il 'Ritratto d'uomo' del Van Orley, il 'Ritratto femminile' del Barocci, l' 'Isabella Brandt' del Rubens, i 'Diporti estivi' del Guercino, la 'testa di giovane' del Bernini, la 'Dama e il cavaliere' del Metsu, la 'Colazione' dello Steen, o 'La fiera del Poggio a Caiano' del Crespi, 'La famiglia di zingari' del Magnasco; o la 'Crocifissione con S. Carlo Borromeo' di Sebastiano Ricci, fatta dipingere (1704) per contraccambiare le monache di S. Francesco della tavola di Andrea del Sarto.

Se Ferdinando II aveva portato Palazzo Pitti agli splendori cortoneschi, agli Uffizi la sua iniziativa era stata più limitata, con l'affrescatura (iniziata 1658) delle volte nel corridoio di ponente, dedicate alle glorie fiorentine (se ne occuparono il cardinale Leopoldo con il proprio bibliotecario Del Maestro); e nel 1662 affidando il restauro delle statue (tra cui Ferdinando acquisì l' 'Ermafrodita', l' 'Amore e Psiche', e la testa di Cicerone) allo scultore Antonio Novelli. Maggiore fu certo l'intervento di Cosimo III — (figura, ormai si constata, finora troppo maltrattata dagli storici 'laici' del passato) — che nel 1677 cominciò a frequentare — per 'esercitarsi' fisicamente, su consiglio medico — la Galleria, circostanza di cui il Falconieri e altri intellettuali colsero l'occasione per insinuargli 'il desiderio di adornarla completamente, e riunire in quel luogo quanto di più raro e di più perfetto possedeva la casa Medici sparsamente per le Ville e per i Palazzi' (Galluzzi). E Cosimo in effetti raccolse qui statue antiche da Boboli e Pitti, nuove serie di bronzi, pietre intagliate, medaglie. Nel 1677, trasferì da Villa Medici in Tribuna la 'Venere', i 'Lottatori', l' 'Arrotino': lo scultore Ferrata sorvegliò il trasporto di questi pezzi sensazionali via mare e poi via Arno, e per qualche tempo ebbe l'incarico del restauro ai marmi antichi, alloggiato in Palazzo Vecchio per avere facile accesso al museo mediante il cavalcavia. Il secondo corridoio, cioè la testata sull'Arno, fu finito di affrescare dal senese Nasini nel 1697.

La Galleria contava nel 1689 (cfr. Rudolph, 1973) circa 102 busti e 72 statue nei corridoi, e 8 sale di esposizione: la 1ª per quadretti, idoletti, bronzi, bizzarrie di natura, commessi, ecc.;

la 2ª per 'infiniti quadri, dei più famosi maestri', tra cui molti fiamminghi (di cui Cosimo fin dai suoi viaggi giovanili nei Paesi Bassi era un collezionista); la 3ª per strumenti matematici; la 4ª per dipinti e scrigni; la 5ª per porcellane; la 6ª per gli autoritratti; seguivano la Tribuna e l'Armeria, e c'era poi una stanza per il preziosissimo Ciborio (sempre in lavorazione) destinato a S. Lorenzo; in preparazione poi altre stanze, come per i bronzi, per i disegni raccolti da Leopoldo. Entrando dalla scala buontalentiana a occidente, si sboccava nella nuova Saletta delle Iscrizioni (Foggini, 1700 sgg.) con la raccolta lapidaria montata sulle pareti con innegabile anche se un po' funereo gusto scenografico. La Stanza delle Porcellane (attuale del Veronese) accolse stipatamente dal 1700 anche la raccolta fattane dal principe Ferdinando a Castello; nel 1709 fu terminata la Stanza degli Autoritratti (attuale del Tintoretto), tappezzata da cima a fondo con la collezione iniziata da Leopoldo, mentre la volta era stata affrescata dal Dandini fin dal 1685, e la statua del be-

di Lorena, ma 'a condizione espressa che di quello è per ornamento dello Stato, per utilità del pubblico e per attirare la curiosità de' Forastieri non ne sarà nulla trasportato e levato fuori della Capitale e dello Stato del Gran Ducato'. Il testamento dell'Elettrice (m. 1743) avrebbe ribadito che ciò doveva 'in perpetuo conservarsi in questa città di Firenze...', punto che andrebbe evidenziato contro chi oggi sostiene che lo 'stato' è divenuto ormai l'intera Italia [7]. Con questo storico patto veniva così scongiurato il pericolo di trasferimenti o alienazioni per via dinastica-politica (né si dimentichi che Francesco, consorte di Maria Teresa, divenne imperatore a Vienna), che invece in Italia si erano verificati e si verificarono altrove, per il collezionismo dei Farnese (da Parma a Napoli nel 1734), per quello degli Este (da Ferrara a Modena nel 1598, per quello dei Della Rovere (come si è visto con l'eredità di Urbino nel 1631), per quello dei Gonzaga (vendita nel 1627 al re d'Inghilterra e poi saccheggio francese); e degli stessi Savoia. Taylor ha scritto

nemerito cardinale figurava scolpita (1697) dal Foggini. Con il regno di Gian Gastone (dal 1723; uno dei suoi ultimi decreti, del 6 maggio '37, sarà per lo scalone d'accesso alle Magliabechiane dagli Uffizi, arch. Botti e Foggini) fu terminata pure la Sala del Medagliere (attuale di Rubens) con la volta del Ferretti: questa collezione constava di 30.000 pezzi (Cosimo III ne aveva comprati in una sola volta 13.000). Erano cominciate d'altronde le prime catalogazioni scientifiche di settori, così quella di medaglie e antichità dell'inglese Fitton (1655 c.), e quella delle medaglie da parte dell'abate (poi cardinale) Noris (1689). Si cercò anche di creare uno specialista fiorentino in Sebastiano Bianchi (m. 1738), incaricato di custodire gemme e medaglie agli Uffizi. Magari inclinato al pomposo, al carico, al tesaurizzatore, all'accentratore, l'intervento di Cosimo III agli Uffizi non può però non esser giudicato – in complesso – conclusivo del primo ciclo della Galleria, iniziata un secolo prima. I Medici in estinzione avrebbero avuto un grande bagliore finale nella famosa clausola della Convenzione (1737) di Anna Maria Ludovica, l'Elettrice Palatina, che tutto cedeva del patrimonio artistico alla dinastia che gli succedeva con Francesco

'che è probabile la più grande donazione fatta da un privato che mai si sia avuta nella storia' e che 'solo due uomini, da allora, hanno tentato di non rispettare il suo testamento: Napoleone Bonaparte e Adolfo Hitler'. Però tentativo vano, come per una superiore fatalità. Pertanto giustamente il ritratto dell'Elettrice – che in quelle righe aveva contemplato valori di esemplarità culturale, di fruizione pubblica, perfino di interessi turistici – sta esposto all'ingresso degli Uffizi [8].

Note al capitolo I

1. Per la storia architettonica generale degli Uffizi: U. Dorini, *Come sorse la fabbrica degli Uffizi*, in 'Rivista degli Archivi Toscani', 1933; R. Abbondanza, *Mostra documentaria ed iconografica della Fabbrica degli Uffizi* (Archivio di Stato di Firenze) 1958; A. Forti, *L'opera di Giorgio Vasari nella fabbrica degli Uffizi*, in 'Bollettino degli Ingegneri' 1971-2; J. Lessmann, *Gli Uffizi: aspetti di funzione, tipologia e significato urbanistico*, in 'Il Vasari storiografo e artista'. Atti d. Congresso Internazionale, Firenze 1974, p. 233 sgg.; J. Lessmann, *Studien zu einer Baumonographie der Uffizien Giorgio Vasaris in Florenz* (dissert.), Bonn 1975 (con ampia bibliografia e documenti).
2. Per questo paragrafo, cfr. G. Pieraccini, *La Stirpe de' Medici di Cafaggiolo*, 2ª ed., II, 1, 1947, p. 140; I.B. Supino, *I Ricordi di Alessandro Allori*, 1908; *Decken-Malereien d. e. Corridors d. Uffizien gemalt von B. Poccetti*, 1897; Lessmann, *op. cit.*, 1975.

10. Fronte del ricetto del teatro mediceo.

3. G. Bencivenni-Pelli, *Saggio istorico d. R. Galleria di Firenze*, Firenze 1779; A. Gotti, *Le Gallerie di Firenze*, Firenze 1872; D. Heikamp, *Zur Geschichte der Uffizien-Tribuna und Der Kunstschränke in Florenz und Deustchland* 'Zeitschrift für Kunstgeschichte' 1963, pp. 193-268; D. Heikamp, *La Tribuna degli Uffizi come era nel Cinquecento*, in 'Antichità Viva' 1964, 3, p. 11 sgg.; O. Millar, *Zoffany and his Tribuna*, Londra-New York 1966; L. Berti, *Il Principe dello Studiolo*, Firenze 1967; *Mostra storica d. Tribuna d. Uffizi* (L. Berti, S. Rudolph, A. Biancalani), 1971, con tra l'altro tavola dei dipinti passati nel corso del tempo nella Tribuna; D. Heikamp, *L'antica sistemazione degli strumenti scientifici nelle collezioni fiorentine*, in 'Antichità Viva' 1970, ì, pp. 3 sgg.; D. Heikamp, *Mexico and the Medici*, Firenze 1972; D. Heikamp, *La Medusa del Caravaggio e l'armatura dello Scià Abbás di Persia*, 'Paragone' 199, 1966, pp. 62 sgg.; L.G. Boccia in *Mostra delle armi storiche restaurate dall'aiuto austriaco dopo l'alluvione*, Firenze 1971, pp. 14 sgg. (per un primo profilo di storia dell'Armeria medicea); H. Keutner, *Der giardino pensile der Loggia dei Lanzi und seine Fontáne*, in 'Mitteilungen d. Kunsthistorisches Institutes in Florenz', 1956, pp. 283 sgg.; *Il Luogo Teatrale a Firenze*, 1975 (A. Petrioli Tofani per il Teatro Mediceo, pp. 105 sgg.).

4. D. Heikamp, *Unbekannte Halbedelsteingefässe aus Medici-Besitz*, in 'Pantheon' 29, 1971, pp. 188 sgg.; M.A. McCrory, *Some Gems from the Medici cabinet of the Cinquecento*, in 'Burlington Magazine', ag. 1979, pp. 511 sgg.

11. Veduta di una parete della prima sala degli autoritratti con la statua del Cardinale Leopoldo de' Medici.

12. «Pianta della Real Galleria avanti la sua riduzione», 1780 ca.

13. Veduta di una parete della sala delle Iscrizioni con il bassorilievo dell'Ara Pacis.

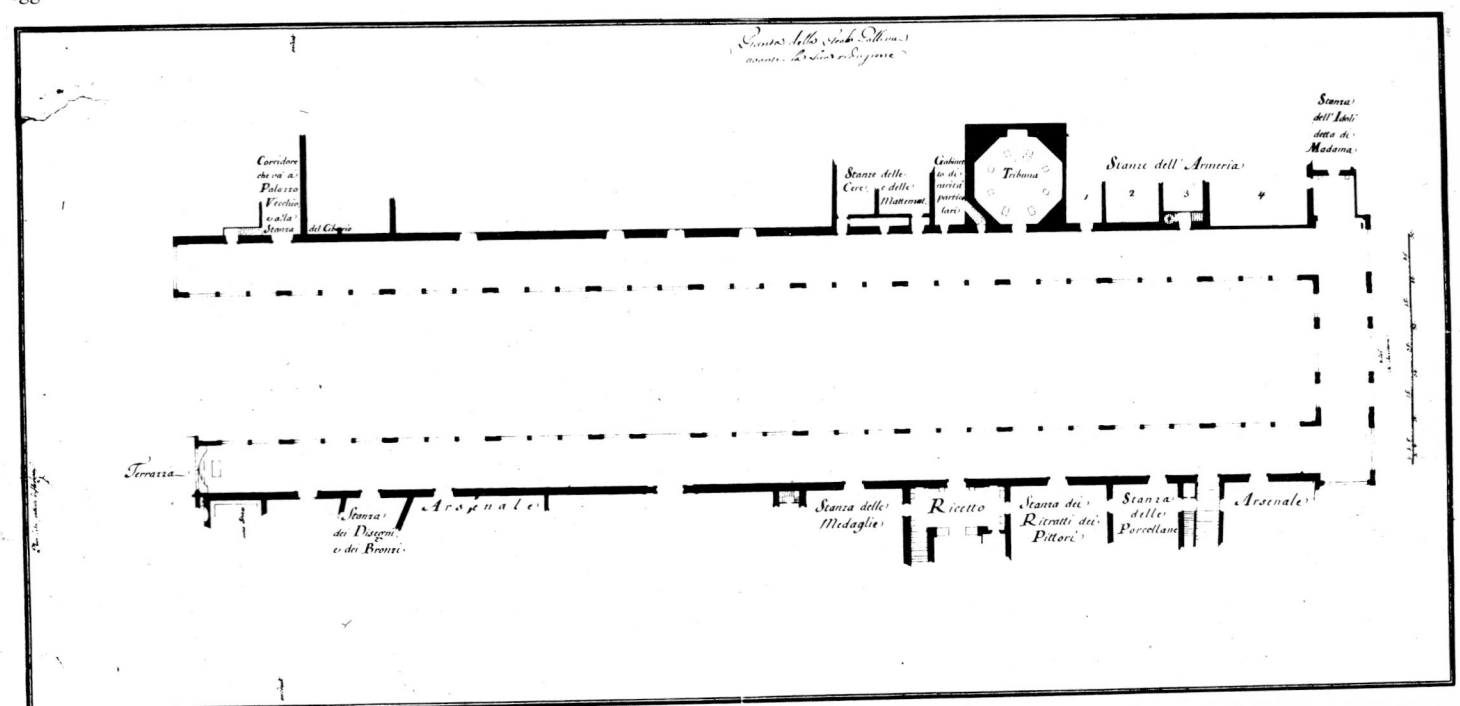

5. Per il settore dell'Antico, G.A. Mansuelli, *Gall. d. Uffizi, Le sculture* I, Roma 1958; II, 1961; M. Cristofani, *Per una storia del collezionismo archeologico nella Toscana granducale. I. I grandi bronzi*, in 'Prospettiva' 17, 1979, pp. 4 sgg.

6. Cfr. per questa parte del collezionismo mediceo P.F. Covoni, *Don Antonio de' Medici al Casino di San Marco*, 1892; E. Borea, *La Quadreria di Don Lorenzo de' Medici* (Mostra alla Villa Medicea di Poggio a Caiano), 1977; L. Ginori-Lisci, *I palazzi di Firenze*, 1972 (p. 304); S. Meloni Trkulja, *Vicende ignorate della Battaglia di S. Romano*, in 'Paragone' 309, 1975, pp. 108 sgg.; *Artisti alla corte granducale* (Mostra a cura di M. Chiarini e per gli oggetti d'arte di K. Aschengreen Piacenti), Firenze 1969; *Gli ultimi Medici*, Detroit e Firenze 1974 (catalogo a cura di K. Lankheit, M. Chiarini, A. Ewald, K. Piacenti, A. Gonzales Palacios e altri); S. Meloni Trkulja, *Leopoldo de' Medici collezionista*, in 'Paragone' 307, 1975, pp. 15 sgg.; *Omaggio a Leopoldo de' Medici*, Gabinetto Disegni e Stampe degli Uffizi, 2 voll., 1976 (P. Barocchi, G. Chiarini De Anna, A. Forlani Tempesti, A.M. Petrioli Tofani, S. Meloni Trkulja e altri); F. Haskell, *Mecenati e pittori*, 1963, ed. it. 1966; M. Chiarini, *I quadri della Collezione del Principe Ferdinando di Toscana* in 'Paragone' 301, 303, 305, 1975; M.L. Strocchi, *Il Gabinetto di Opere in piccolo del Gran Principe Ferdinando a Poggio a Caiano*, in 'Paragone' 309 e 311, 1975-6; S. Rudolph, *Mecenati a Firenze tra Sei e Settecento, II: Aspetti dello stile Cosimo III* in 'Arte Illustrata', 52, 1973, pp. 213-218.
Per altre mostre richiamate nel testo, *Firenze e l'Inghilterra*, 1971 (a cura di A.M. Crinò, M. Webster); *Pittura francese nelle collezioni pubbliche fiorentine*, 1977 (a cura di P. Rosemberg); *Caravaggio e Caravaggeschi nelle Gallerie di Firenze*, 1970 (catalogo a cura di E. Borea); *Pittori Bolognesi del Seicento nelle Gallerie di Firenze* 1975 (catalogo a cura di E. Borea); *Rubens e la pittura fiamminga del Seicento nelle collezioni pubbliche fiorentine*, 1977 (catalogo a cura di D. Bodart); *Tiziano nelle Gallerie fiorentine*, 1979 (catalogo a cura di M. Gregori, E. Allegri e altri); *Bozzetti delle Gallerie di Firenze*, 1952 (a cura di A.M. Francini Ciaranfi; U. Baldini, L. Becherucci, L. Berti, L. Collobi Ragghianti). Ancora, per il mecenatismo G. Bianchini, *Dei Granduchi di Toscana ecc.* Venezia 1741; E.P. Young, *The Medici*, 1909 e trad. it. 1934; A.F. Taylor, *Artisti, principi, mercanti*, ed. it. 1954 (sui Medici granducali pp. 122 sgg.); S. Camerani, *Bibliografia medicea*, 1964.

7. Cfr. per questa questione: Comitato per il ricupero delle opere d'arte asportate da Firenze. *Relazione sulla attività svolta per il ritorno ai luoghi di provenienza delle opere d'arte*, Firenze 1952.

8. Una affettusa rievocazione dell'Elettrice quella di A.M. Ciaranfi, in *Donne di Casa Medici*, Firenze 1968, pp. 157 sgg.

14. Frontespizio dell'inventario disegnato sotto la direzione di Benedetto De Greyss con la veduta dei tre corridoi degli Uffizi, 1748-65.

15. Disegno dall'inventario De Greyss, con la testata verso Palazzo Vecchio del primo corridoio degli Uffizi, 1748-65.

II. *Gli Uffizi lorenesi (1737-1859)*

La successione dei Lorena sul trono toscano[1] nonostante gli indirizzi di efficacia amministrativa subito dimostrati anche con la Reggenza di Craon e Richecourt, non mancò di suscitare rimpianti (secondo un diplomatico inglese, 1747, nel Granducato 'the present government is detested'); e – per quanto ci interessa – non subito magari saldò il binomio tra 'buongoverno' e 'belle arti'. Immediatamente, nel 1737 venne soppressa l'Arazzeria Medicea, e ridotti agli Uffizi gli artigiani e gli armaioli di galleria, nel 1738 si vendettero vari beni di ville medicee e molta suppellettile; nel 1743 – appena morta l'Elettrice – si sospesero i lavori per il Cappellone di S. Lorenzo. Ma ciò semmai alimentò un patriottismo culturale fiorentino talora con sottintesi polemici (significativo nel 1741 il volume apologetico sui Medici come mecenati, di G. M. Bianchini e dedicato a Anna Maria Ludovica); e gli Uffizi – ammirati da Francesco

II di Lorena e Maria Teresa nella loro visita a Firenze del 1739 – non risultano trascurati dalla sovrana coppia pur residente a Vienna.

L'erudizione settecentesca vi trovò anzi un gran campo di applicazione: mentre A. F. Gori si era occupato (1727 sgg.) delle antiche iscrizioni e poi dell'etruscologia (1737 sgg.), nel 1731 era comparso, dedicato a Gian Gastone dei Medici, il primo tomo del 'Museum Florentinum', pubblicazione grandiosa e lussuosa che doveva illustrare le collezioni della Galleria, promossa da una società di nobili sotto la direzione del senatore Filippo Buonarroti discendente di Michelangelo; la cui stampa (giunta al 3° volume nel 1734) continuò fino al decimo ed ultimo tomo nel 1762. Come studiosi incaricati, 'antiquari' agli Uffizi, al Bianchi successero prima (1738) Antonio Cocchi (uno dei primi massoni fiorentini; lasciò un voluminoso manoscritto di indice delle medaglie) e poi (1758) suo figlio Raimondo che catalogò (1761) le medaglie dei Pontefici. Frattanto affluivano certe scoperte di scavi (non per nulla questo era secolo particolarmente entusiasta dell'archeologia); e si comprò perfino una statuetta egizia – il Ptahmose – che divenne una delle curiosità nel museo, raffigurata anche nella ideale 'Tribuna' dello Zoffany (in realtà fu posta al centro della Sala delle

Iscrizioni). Però con leggi (1755 e 1762) si disciplinavano tali scoperte a favore della Galleria, e parimenti le esportazioni di opere d'arte all'estero (già poste sotto controllo del resto fin dal 1602, e probabilmente proprio in conseguenza della coscienza museologica creatasi con gli Uffizi). Ancora, nel 1745 erano state illustrate in rami tutte le volte del corridoio di ponente con i fiorentini illustri; e più tardi il Targioni-Tozzetti attendeva a catalogare i 'naturalia' della Galleria, tra cui i 'Nicchi'.

Da Vienna Francesco, divenuto nel 1745 Imperatore, avrebbe commissionato nel 1748 una accurata riproduzione a disegno di tutta appunto la 'Galleria Imperiale di Firenze', forse destinata alle stampe, in analogia a quella già pubblicata nel 1735 sulla pinacoteca di Vienna: come si noterà i modelli di catalogo si influenzano internazionalmente, il che seguita anche nel presente. Questo 'inventaire dessiné' di mirabile precisione, fu condotto da una équipe diretta dal domenicano Greyes, e si interruppe purtroppo con la morte dell'imperatore nel '65 al quarto volume (una copia dei disegni è a Vienna, scoperta dal-

l'Heikamp, un'altra preparatoria al Gabinetto degli Uffizi) [2]. Si tratta di una testimonianza visiva efficacissima anche se parziale; mentre il 'Ragguaglio delle Antichità e Rarità, che si conservano nella Galleria Medaceo-Imperiale', pubblicato nel 1759 a Firenze dal Custode degli Uffizi Giuseppe Bianchi, è la prima guida particolare uscita sugli Uffizi (la Meloni ne ha rintracciato però una seconda parte, ancora manoscritta, nella Biblioteca della Galleria) [3]. Consta di 236 pagine, in 25 capitoli: breve descrizione della fabbrica; misure; vestibolo (l'ingresso si ricordi era allora dalla scala buontalentiana); pitture delle volte; statue grandi; busti; 1ª camera, dei ritratti di pittori (quella allestita da Cosimo III); 2ª delle porcellane; 3ª, degli idoli; 4ª, delle arti (dipinti più antichi e scrigni); 5ª, dei fiamminghi (compresivi Dürer e Cranach); 6ª, delle matematiche (o strumenti fisici); 7ª, la Tribuna; 8ª, camera dell'Ermafrodito (disegni, quadretti, bronzetti; 'Ermafrodito' e 'Priapo'); 9ª, delle medaglie (12.000 e 3000 gemme intagliate, e dipinti del XVII); 10ª, arsenale (magazzino, varietà; 120 tomi di disegni e

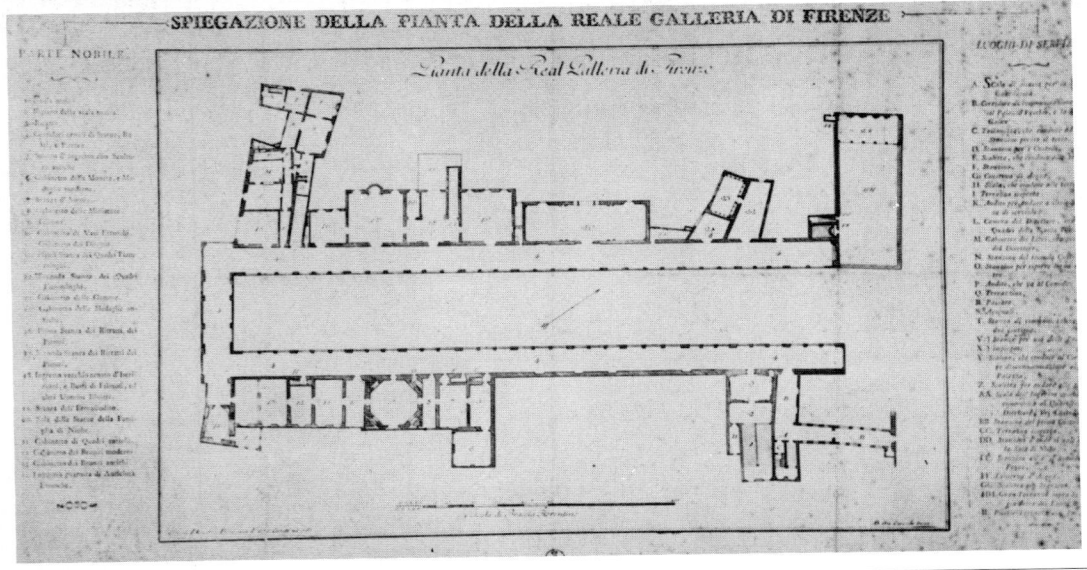

16. Ignazio Pellegrini: disegno per un nuovo scalone d'accesso agli Uffizi, mai realizzato, 1779.

17. Pianta degli Uffizi datata 1793, dopo il riordinamento leopoldino.

Nella pagina a fronte
18. La sala di Niobe.

stampe; piccolo gabinetto di vasi etruschi, bassorilievi ecc.);
11ª, del Ciborio (per S. Lorenzo); Armeria (4 camere). Alcune
sezioni, come il gabinetto dell'Ermafrodita e i 'testacei', risultano in riordinamento e quindi non esposte per ora al pubblico.
Bencivenni-Pelli accuserà il Bianchi di una trattazione succinta,
'assicurando in tal forma che i forestieri... avessero sempre bisogno della sua assistenza' remunerata. In ogni modo la guida
'ebbe molto spaccio'; e il Bianchi del resto, anche per tradizione familiare, sulla Galleria doveva saperla lunga.
Fu d'altronde − pare − per trascuratezza dello stesso Bianchi
che il 12 agosto 1762 un incendio si sviluppò in Galleria, divampando per il tratto di ponente dalla Loggia dell'Orcagna a
via Lambertesca, fortunatament non trovando in questa parte
molto di prezioso da distruggere; comunque causando la perdita di 12 volte dipinte del Corridoio, di 9 ritratti storici, di 6
statue tra cui un abbozzo, attribuito a Michelangelo, in marmo
con una 'femmina nuda' (dal Parronchi ora identificata in una
'Terra' progettata dal Buonarroti ed eseguita dal Tribolo) [4]; e

merenze del suo venticinquennio di continuo riformismo, pure
quanto operato agli Uffizi. Qui, nel nuovo bel Vestibolo ovale
ad oriente (l'attuale), nobile architettura di Zanobi del Rosso −
così come lo scalone di accesso in proseguimento di quello vasariano − il suo busto era stato testé (1789) posto dominatore,
con la debita lapide gratulatoria. La Galleria era infatti trasformata, dallo spirito fantasmagorico della Wunderkammer a
quello lucido del razionalismo. Luigi Lanzi ricordava polemicamente quel precedente museo, dove 'il domicilio delle Muse
era diviso, per così dire, con Marte' (alludendo all'Armeria
medicea); 'né col nome di Museo si accordavan troppe altre
Camere' (citando quelle delle Porcellane, delle Arti, delle Matematiche, del Ciborio, dell'Arsenale); e ricordando che anche
nei gabinetti di pittura altro vi si mescolava, 'tutto ammontato
piuttosto che distribuito', e 'la scelta de' pezzi non era più felice della disposizione'; mentre 'in mezzo poi a tanto d'inutile
in certi generi, v'era in altri scarsezza e penuria grande'.
Certo, non è priva di adulazioni 'al principe', né di autocom-

danneggiando il 'Cinghiale' antico, il 'Laocoonte' del Bandinelli, il 'Bacco' del Sansovino. Nel 1768 il Bianchi sarebbe
finito rimosso, accusato di furto e vendita di oggetti della Galleria. Ma, come ogni sventura, l'incendio del '62 provocò l'inventività riparatrice: mentre si serravano i caminetti pericolosi
(ordine però presto desueto), e si proponeva l'abbattimento di
case vicine al museo, il baldo architetto Ignazio Pellegrini veronese (cfr. Chiarelli) [5] ideava nel 1763 un maestosissimo scalone
di accesso agli Uffizi, a spirale, con ingresso dalla Loggia dell'Orcagna; e propabilmente anche altri architetti fiorentini, tra
cui il Fallani, venivano interessati a un riassetto degli Uffizi. Il
Pellegrini molto si attendeva dalla prossima venuta di Pietro
Leopoldo come granduca indipendente, per cui il Maresciallo
Botta Adorno fece fare grandi ma criticati preparativi nel 1764;
tra l'altro imbiancando il loggiato inferiore degli Uffizi, 'che
pareva un portico di campagna', dissero le malelingue fiorentine.
Lasciando nel 1790 Firenze per ritornare a Vienna come imperatore, Pietro Leopoldo poteva conteggiare, tra tutte le bene-

piacimenti, la agile penna del grande Lanzi in quella nuova
guida (1782) per la Galleria 'accresciuta, e riordinata per comando si S.A.R.'; ma − (cfr. Meloni-Spalletti, in un recentissimo studio sugli Uffizi di età neoclassica) [6] − è da ritenere
davvero che proprio lo stesso Pietro Leopoldo, gareggiando
con quanto suo fratello Giuseppe II faceva per la quadreria
viennese, abbia dato l'impulso a quella rinnovazione. Semmai,
si potrà notare come le epurazioni e i trasferimenti allora compiuti agli Uffizi non furono privi di conseguenze né di alcuni errori. L'unità museale costituita dalla Galleria venne smembrata
in vari istituti e varie specializzazioni (e su questa strada si continuerà), rompendo quella che oggi si chiamerebbe una globalità 'interdisciplinare'; e certe liquidazioni furono avventate.
Così quella quasi completa dell'Armeria Medicea (1772-5),
venduta o disfatta nei pezzi per estrarne i metalli preziosi; così
tutta una riduzione nella collezione di maioliche (1773); mentre nel 1771-5 gli strumenti scientifici furono trasferiti presso
l'istituto Museo di Fisica e Storia Naturale (La Specola). Intanto l'istituzione (1785) dell'Accademia di Belle Arti con an-

nesso Museo, con quest'ultimo creò una succursale degli Uffizi. In compenso le acquisizioni ripresero ritmo, e sostenuto, in più campi. A Volterra fu comprato (1768) il Museo etrusco Galluzzi; a Montepulciano quello pure etrusco Buccelli (1780); inoltre il Gabinetto Orsini (1773) di medaglie e monete. Dai resti della Galleria Gaddi (1778) stampe e disegni antichi, e il 'Torso di fauno'; un migliaio di disegni di tutte le scuole italiane da Casa Michelozzi; e 121 autoritratti di pittori dalla pur un po' dubbia (cfr. Meloni)[7] collezione dell'abate Pazzi (1768 c.). Lo scacciato Bianchi, polemico, protestava che quella Pazzi era 'roba da muriccioli' da cui sarebbe stata screditata la Galleria. Nel 1777 si comprò la 'Sibilla Samia' del Guercino e l'eredità Del Sera (Grechetto); nel 1782 da Volterra la 'Strage degli Innocenti' del Ricciarelli; e dalle monache di S. Luco in Mugello la 'Deposizione' di Andrea del Sarto (scambiata poi nel 1795 con la 'Madonna delle Arpie' di Pitti). Nell'anno 1786, per fare un caso, la 'Madonna del Popolo' del Barocci venne acquisita per gli Uffizi, con ordine granducale, dalla Pieve di Arezzo dando in cambio un supposto Rosso Fiorentino; da S. Domenico di Fiesole si comprò la 'Madonna tra due santi' del Perugino; il 'S. Sebastiano' del Sodoma fu preso da una Compagnia di Siena, la 'Visitazione' dell'Albertinelli da una chiesetta di Firenze. Ma l'interesse si spostò anche più addietro fino ai 'primitivi', con l'accessione agli Uffizi dell'Adorazione dei pastori' del Signorelli (fatta venire dalla villa di Castello nel 1779), della 'Madonna della melagrana' (dalla Guardaroba nel 1780), della 'Calunnia' (da Pitti, 1773) e il 'S. Agostino' del Botticelli, della 'Virtù' del Pollaiolo, del 'Tabernacolo dei Linaioli' dell'Angelico (oggi a S. Marco), della Tebaide 'molto curiosa' dello Starnina (acquisto 1780). Nefasta invece l'alienazione di due delle 'Battaglie' di Paolo Uccello[8] che però secondo ultime notizie avvenne solo dopo il 1810. Né vanno dimenticate le sculture, il 'Cosimo I' di Cellini che Pietro Leopoldo vide nel 1781 visitando l'isola d'Elba e fece venire agli Uffizi; o il trasferimento da Palazzo Vecchio del 'David' bronzeo di Donatello; o l'acquisto (1778) di un 'idolo di bronzo' di incerta attribuzione e che in realtà era l'Atys pure donatelliano. Nel 1775 arrivò da Villa Medici di Roma il gruppo celebre antico della Niobe, finendo collocato nella splendida nuova sala fatta costruire (1779-80) appositamente a G.M. Paoletti, con gli stucchi di G. Albertolli. Non la decorarono anche affreschi di Mengs, come si era proposto, ma le pareti vi accolsero le due enormi 'storie di Enrico IV' di Rubens (acquistate da Cosimo III nel 1686, venute agli Uffizi nel 1773), più un parimenti grandissimo Sustermans ('Successione di Ferdinando II'), ed altro. Come la Tribuna per il tardo Manierismo, questo salone è una memorabile testimonianza architettonica-museografica per il Neoclassicismo. Scrive il Lanzi: 'degna di tali ospiti [le fascinose statue antiche]. È a foggia di sala regia con istucchi dorati, e pitture a camei; simile nel gusto a qualche camera delle Terme di Tito; ma incomparabilmente più ricca di ciascuna di quelle'.

Ma se il granduca modello di riformismo dimostra per gli Uffizi una sollecitudine pari a quella del fondatore Francesco I (il Medici più accusato di malgoverno), anche i diretti gestori della galleria sono all'altezza per competenza e alacrità. Dal 1769 è stata creata però la carica di Direttore (in luogo di quella del custode, tenuta in successione dai Bianchi, di cui Giuseppe era alla quinta generazione)[9]; carica prima ricoperta da G. Querci, poi (1775-93) da G. Bencivenni Pelli con a fianco appunto l'antiquario Luigi Lanzi. Pelli, dopo soli quattro anni di incarico, pubblica (1779) il già citato 'Saggio' sulla Galleria, con una storia documentata che comincia anzi dal mecenatismo mediceo relativo, fin da Cosimo il Vecchio; il Lanzi — ex gesuita dopo la soppressione passato in Galleria — tre anni dopo il Pelli illustra brillantemente gli Uffizi già in avanzato rinnovamento[10]; in attesa di giungere al suo fondamentale profilo della pittura italiana (1795).

E come risultano i nuovi Uffizi? Sintetizzando, con ingresso come visto ormai corrispondente a quello attuale, i Corridoi vi accolgono anche tutta una Quadreria (invero alquanto varia); la stanza del Ciborio risulta soppressa per altri dipinti; ma i 'gabinetti' sono saliti da 10 a 20 ed il loro contenuto non è più miscellaneo. Nel gruppo delle sale storiche a oriente, l'Armeria è ridotta ad una saletta e poi eliminata per tutta una pinacoteca, più un gabinetto di 'Figuline antiche' in questo lato. A occidente, la sala degli autoritratti si è raddoppiata, c'è un gabi-

netto di 'pitture antiche', i bronzi moderni e antichi stanno in fondo nelle sale del terzo Corridoio, insieme a un Museo etrusco. I dipinti esposti sono oltre 1100, accompagnati all'archeologia e alla scultura, ai disegni e ai ritratti storici: una grande linea storica, appunto, e un'altra corrispondente storico-artistica. Le volte distrutte dall'incendio sono state rifatte; nuove tutte le vetrate. C'è un primo regolamento per i visitatori, i copisti, gli impiegati (che hanno uffici nel gruppo di sale occidentali, oggi del Cinquecento); un archivio ed una biblioteca. Del 1782 è il rinnovamento pure sfarzoso della Camera di Madama, divenuto Gabinetto delle gemme e pietre dure, architettura sempre di Zanobi del Rosso.

Così tutto appare fresco, ricco, quanto ordinato e chiaro: se sia vero che il lustro si addice al museo, piace qui richiamare — a parte ogni odierna teoria museologica — alcuni tratti compiaciuti sempre del Lanzi: 'tanto aumento di fabbrica; così opportuna comunicazione di stanze una volta divise; tanta copia di stucchi, di dorature, di pitture, di marmi, dove prima non n'era segno; tanto rimodernamento di drapperia, di basi, di ogni altro arredo...'. I visitatori si meravigliavano di questa Galleria diversa, e trasformata poi così rapidamente; né i leopoldini, abilissimi in propaganda del loro Granducato, si facevano sfuggire questa occasione dei nuovi Uffizi.

Al Pelli successe nel 1793 Tommaso Puccini, molto ascoltato da Ferdinando III a sua volta successo al padre. I tempi si facevano ormai burrascosi con la Rivoluzione francese, ma in quel periodo furono portati a effetto i due grossi affari (già avviati invero dal Pelli) dello scambio di quadri con la Galleria di Vienna (1793) e dell'acquisto contemporaneo a Parigi di quadri francesi, con la creazione di una loro particolare sezione. L'accorto cambio con gli austriaci recò in Galleria, ci limitiamo a citarne, 'L'Allegoria' di Giambellino, l' 'Adorazione dei Magi' di Dürer, la 'Flora' di Tiziano, la 'Sacra Famiglia' di Palma il Vecchio, 'Ester e Assuero' del Veronese, l' 'Uomo con scimmia' di A. Carracci, il 'Baccanale' di Rubens. L'acquisto in Francia (recentemente chiarito dal Rosenberg)[11], influenzato dai criteri del Wicar e del Lanzi (purtroppo classicistici e ostili alla pittura Luigi XV), fu condotto munendosi di autorevoli perizie (tra cui Fragonard) e portò in tutto 27 quadri, tra cui due possibili Poussin, un Le Brun, uno Stella, un Vouet (oggi ritenuto Dorigny), due supposti Mignard, un Boucher, due Grimou, un ritratto supposto di P. de Champaigne. Nel 1791 la Vigée-Lebrun manda il suo fascinoso autoritratto, raffigurandosi mentre sta dipingendone uno di Maria Antonietta. Pertanto la Galleria 'apriva' al di fuori dei nazionalismi, e del resto i criteri erano di estensione e intensità rappresentativa. Se ad esempio un negoziante di quadri di via Valfonda proponeva certe opere, il Puccini replicava come 'l'economia esige che si rifiuti il mediocre, e il buono medesimo per impiegarne il risparmio nell'acquisto dell'ottimo; richiede il buon ordine che ci occupiamo di accrescere piuttosto i nomi, che a moltiplicare le opere degli Autori'. Si autorizza l'esportazione di un Pordenone, giudicandolo autentico ma non degno di prelazione per gli Uffizi. Si cede un ritratto di attribuzione düreriana e altro, in cambio dell' 'Agucchi' del Domenichino e di un autoritratto del Liberi. Si rastrella 'l'ottimo' disponibile, e il Granduca cede dalla sua villa di Castello l' 'Adorazione dei Magi' di Leonardo, e da Poggio Imperiale la famosa 'Madonna' di Filippo Lippi (n. 1598); con l'Accademia si fanno cambi prendendoci il 'S. Giacomo' di Andrea del Sarto e i due 'Miracoli di S. Zanobi' di R. Ghirlandaio; mentre nel '95-98 si sistemano (provvedendo anche a lucernari nell'ultima moda museografica internazionale) due sale per la Scuola veneta: attingendo dalla Guardaroba delle ville granducali i due Giorgione giovanili, i Tiziano, i Palma, Lotto, Tintoretto, Veronese. Nel '98 sono trasferite da Pitti le due piccole 'Fatiche di Ercole' del Pollaiolo e un Canaletto, nel '99 in cambio di due Luca Giordano arriva da Siena l' 'Annunciazione' di Simone Martini (mentre la pala del Vecchietta è stata donata l'anno prima da una signora senese); ed in cambio di un Santi di Tito il senatore Cellesi cede la 'Madonna in gloria' di Pietro Lorenzetti, dipinta per Pistoia. I 'tre Santi' del Pollaiolo giungono nel 1800, nel 1802 il tondo del Signorelli, nel 1803 la 'pala di S. Giobbe' del Franciabigio. 'La Galerie de Florence' (Basilea, 1798; escono infatti frattanto guide in varie lingue, una addirittura in svedese) ci completa il quadro della consistenza raggiunta dalla raccolta di pittura: in più a quanto citato, si vedevano ad es. due Madonne 'alla greca' e, tra scultura e pittura, l'arco cronologico doveva sembrare completo, dall'Egitto ai tempi recenti.

Dal 1793 le Guardie Reali sono incaricate della sorveglianza della Galleria, sia all'ingresso che all'interno; dal 1795 sono messi i cartellini per le opere, anche se il Puccini nota che esse 'non dovrebbero essere apprezzate, che per la loro squisitezza. Eppure l'esperienza c'insegna, che il nome dell'autore aumenta loro il pregio nella opinione pubblica...'.

'J'ai vu à Florence la célèbre Venus, qui manque à notre Muséum'; e chi scrive è il vittorioso generale Bonaparte al suo governo [12], dove si hanno tra le mire l'accentramento dei tesori artistici d'Europa nel Louvre, istituito col 1793. La Rivoluzione vuole una 'grandeur' anche culturale. La visita in Galleria è avvenuta il 1 luglio 1796, il direttore Puccini ne ha riferito subito, emozionato, al proprio fratello: Bonaparte era coi suoi ufficiali,

tanto si saccheggiava a Palazzo Pitti, 63 quadri di maestri e 25 tavole in pietre dure spedite a Parigi. Rimaneva al Puccini l'acre spirito toscano, come quando narra del commissario che lo consolò prendendolo a parte: 'fate cuore, mi disse, la Galleria non soffrirà alcun danno o questo sarà ristretto alla perdita della Venere e di pochi altri monumenti; che per me valeva lo stesso, o resterete qual siete, o perderete un occhio e due denti...'.

Nel 1800, dopo Marengo, Puccini sente ritornare la burrasca ma stavolta con 73 casse trasporta le cose più preziose degli Uffizi via mare a Palermo, e lui con esse. Ritorneranno — senza però la Venere ottenuta da Napoleone — nel 1803 quando è istituito il Regno d'Etruria. Nel 1810, mentre fà da granduchessa Elisa Baciocchi, viene però a Firenze Denon, il rapace direttore del Louvre, per far prelazione sui quadri dei conventi soppressi (di cui nei depositi di S. Marco ne sarebbero stati concentrati oltre milleduecento). E Puccini muore nel 1811 (il

'si trattenne molto sulla Venere, mi parlò molto di essa... Egli fu molto gentile, e piuttosto non impolito'. Ma già ha avanzato al Puccini — se ci fosse stata guerra con la Toscana — la minaccia sulla statua di cui tutto il mondo parla, e a cui i visitatori inglesi, sul tipo di quelli nel quadro dello Zoffany, erano soliti baciare la mano. Il rapporto Napoleone-Uffizi si accentuerà in effetti proprio su quell'unico pezzo muliebre; lo avrà (1803) nonostante che il Puccini lo abbia rifugiato in Sicilia; vorrà compensarlo con una 'Venere italica' di Canova; ma poi la Venere dei Medici ritornerà nella Tribuna dei Medici.

Nel 1799 Puccini visse poi giorni terribili (cfr. Becherucci), le istruzioni da Parigi contemplavano di vuotare tutta la Tribuna, prendere il gruppo della Niobe, l'Ermafrodita, i vasi etruschi e i bronzi antichi. Tratteneva da propositi addirittura globali di rapina agli Uffizi, la considerazione popolare locale che la Galleria era fonte di ricchezza per la città; e questo, e soprattutto l'appartenenza di quei beni alla Nazione fiorentina e non al granduca, fu l'efficace scudo legale usato da Puccini, tra altre coraggiose astuzie e resistenze. Ma la difesa delle gemme dall'avidità venale dei commissari francesi fu per lui ardua; e in-

suo ritratto è meritatamente esposto nella serie postgioviana, nel terzo Corridoio) senza poter vedere il ritorno (1815) delle opere d'arte toscane dalla Francia: con una Mostra all'Accademia, l'esultanza popolare, il rientro nei musei; e la 'Venere italica', surrogata da Napoleone, che cede il posto sul piedistallo alla legittima proprietaria.

Nel periodo napoleonico gli Uffizi sostanzialmente avevano ristagnato [13], i lavori in Galleria si erano fermati compresi i lucernari che tanto stavano a cuore al Puccini; e questi aveva dovuto limitarsi ad un progetto (1810) di inventario generale della Galleria che però sarebbe stato realizzato soltanto nel 1818-1825 dal suo successore, senatore Degli Alessandri (direzione 1814-1828): 12 volumi, e divisione in 7 classi con poi sottosezioni: pitture; marmi, pietre e gessi; bronzi e altri materiali; terracotte e vetri; monumenti etruschi; libri (più il mobilio in un 13° volume). Gli Uffizi parteciparono quindi anche alla nuova passione egittologica con l'acquisto della collezione Nizzoli (1824; di 1396 pezzi), e il ricavato della spedizione Rosellini (1828-9); ma il Museo Egiziano passò poi nella ex chiesa di S. Caterina, poi ancora (1852) nel Cenacolo di Foligno, per finire alla Crocetta (1880). Là andò anche dapprima (1850 c.?) la sezione di Arte Moderna, oggi a Palazzo Pitti, cosicché assistiamo con questi casi al distaccarsi, potremmo dire, del primo

19. La sala delle miniature.

e dell'ultimo vagone nel treno cronologico della Galleria. Nel 1847 unitasi Lucca al Granducato, Leopoldo II la visitò e fu indotto a incrementarne la pinacoteca, dove spedì da Firenze (1853) 77 dipinti tra cui il 'Ritratto di giovane' del Pontormo e tele fiorentine del XVII. Ciò proveniva da una nuova ricognizione generale dei depositi, fatta nel 1850, col risultato di contare 2817 quadri, di cui 154 furono giudicati di 1ª classe, 581 di 2ª, 2082 di 3ª. Nella direzione al Degli Alessandri successero il Montalvi (da 1828 a 1849) particolarmente interessato al settore stampe e disegni, poi fino al 1860 il Bourbon del Monte che ordinò la collezione etrusca ponendola all'inizio del Corridoio vasariano.

Ma ora consideriamo le accessioni di quadri, dalla 'Nascita di Venere' di Botticelli venuta di Guardaroba nel 1815, all'acquisto di dipinti Gerini nel '18, a un altro cambio con Vienna nel '21 (reca la 'Caccia al cinghiale' dello Snijders), al dono nel '24 da parte del Fabre dei ritratti (1794) di V. Alfieri e della Albany; alla ricomposizione del trittico del Mantegna nel '27; mentre gli anni trenta del secolo recano il Maestro della S. Cecilia, la predella del Signorelli da Montepulciano, due formidabili ritratti come 'Francesco delle Opere' del Perugino da Pitti, e l'ignoto (n. 1102) del Memling; l''Adorazione dei pastori' dell'Honthorst già Guicciardini a S. Felicita; l' 'Educazione di Achille' del Batoni comprato a Lucca, l'Ajolle che dal Sarto sarà invece poi passato al Pontormo; e nel 1839 la Baronessa Cosway dona come Rembrandt il 'Paesaggio' del Seghers. Nel 1825 e c. 1840 ci sono depositi da S. Maria Nuova tra cui il 'trittico di S. Benedetto' del Memling; nel '41 il trittico del Froment passa dall'Accademia in Galleria; nel '42 accede la 'Deposizione' di Giottino da S. Remigio; seguono l' 'Adorazione dei Magi' di Lorenzo Monaco, la predella del Gozzoli. Nel 1858 si ottiene l'autoritratto di Ingres settantottenne (chiesto fin dal 1839) che viene contraccambiato con l'Ordine di S. Giuseppe. La ricognizione del 1850 fa trovare la 'Venere' del Pontormo e per la scultura la 'Battista Sforza' del Laurana; nel 1855-57 si vieta la vendita all'estero e invece si compra la 'Madonna e santi' da S. Giusto del Ghirlandaio. Si può ipotizzare che il senso storicistico si è ancora ampliato dal momento del Lanzi, e magari sta albeggiando la filologia del Milanesi. La guida di Firenze dell'architetto Fantozzi, così capillare e esauriente, dedica (1846) agli Uffizi 89 pagine su 790 totali per la città e dintorni, dunque più di un decimo.

Note al capitolo II

1. G. Conti, *Firenze dopo i Medici*, 1921. Alcune notizie riportate in questo capitolo sono poi attinte da un regesto dello scrivente sul Settecento fiorentino lorenese.

2. D. Heikamp, *Le Musée des Offices au XVIII siècle*, in 'L'Oeil' 169, 1969, pp. 2 sgg.

3. S. Meloni, *La Collezione Pazzi (autoritratti per gli Uffizi): un'operazione sospetta, un documento malevolo*, in 'Paragone' 343, 1978, pp. 79 sgg.

4. A. Parronchi, in 'Prospettiva' 17, 1979, p. 79.

5. R. Chiarelli, *Architetture fiorentine e toscane di I. Pellegrini*, cat. d. mostra all'Accademia del Disegno, Firenze 1966, p. 4.

6. S. Meloni Trkulja, E. Spalletti, *Istituzioni artistiche fiorentine 1765-1825*, in 'Atti del XXIV congresso internazionale di storia dell'arte', Bologna 1979 (in corso di stampa).

7. S. Meloni, *art. cit.*, alla n. 3.

8. S. Meloni, *art. cit.*, 1975.

9. F. Sricchia Santoro, voce 'Bianchi' in 'Dizionario biografico degli italiani', 10, 1968, pp. 53-4.

10. Bencivenni Pelli, *op. cit.*, 1779; *La Galleria di Firenze*, di L. Lanzi, 1782, estratto dal 'Giornale Pisano'.

11. *Cat. cit.* 1977, pp. 93 sgg.

12. L. Becherucci, *Napoleone e i musei fiorentini*, in 'Rassegna Storica Toscana', 1972, 1, pp. 111 sgg.

13. Per tutto il periodo post Pelli cfr. Gotti, *op. cit.*, 1872. Cfr. anche *Galerie de Florence*, Firenze 1818, e il *Catalogo*, Firenze 1863.

III. *Dall'unità d'Italia all'ultima guerra (1859-1939)*

A seguito dell'adesione della Toscana al regno unitario (1859), gli Uffizi vennero a trovarsi inseriti in una dimensione statale molto più ampia, in un quadro mutato di amministrazione anche culturale; mentre la stessa visione scientifica-museografica subiva ulteriori trasformazioni. Una delle prime e fondamentali conseguenze di quest'ultima fu il proseguire nella riduzione della Galleria da museo generale a sola pinacoteca, più la collezione di sculture antiche la cui conservazione però nemmeno fu tanto indiscussa, se ancora per esempio il direttore Ridolfi, sullo scorcio tra XIX-XX secolo, doveva opporsi al ventilato trasferimento delle statue della Sala della Niobe al Museo Archeologico. «Non sia mai che essa [la Galleria] possa venir man mano spogliata de' suoi marmi preziosi! ». Con la creazione del Bargello (1864), comunque, pure le sculture del Rinascimento e l'arte «minore» lasciavano gli Uffizi; e l'istituto Museo di S. Marco (1869) doveva attrarre progressivamente a sé i dipinti del Beato Angelico (oggi infatti appena rappresentato in Galleria).

Nel 1860 il direttore marchese Del Monte si ridusse a vita privata, e dopo un interinato del Migliarini gli successe il 30 dicembre il marchese Paolo Feroni. Pochi giorni prima, il 18 dicembre, era avvenuto un clamoroso furto notturno nella Sala delle Gemme: rubati 353 oggetti, tra anelli e cammei, dei quali se ne sarebbero recuperati in seguito, e mutilati del prezioso, solo 189. Fu istituita allora una guardia notturna e per il periodo di chiusura; ma si rilevò la pericolosità persistente del non isolamento del Museo dagli attigui fabbricati privati, sia nei riguardi di furti che di incendi (situazione che dura tuttora). Intanto il direttore degli Uffizi veniva incaricato, insieme a una commissione, di compiti di soprintendenza generale a tutta l'arte toscana, onere di una vastità che invero avrebbe ostacolato il concentrarsi nella cura già così impegnativa della Galleria; confondendo inoltre questa con la Soprintendenza in una duplicità di mansioni conviventi nella stessa sede (situazione che pure dura tuttora).

Nel 1861 si acquisiva il politico di Giovanni da Milano di Ognissanti; nel 1862 il Domenico Veneziano; nel 1864 l''Incoronazione della Vergine' di Lorenzo Monaco; nel 1867 l''Annunciazione' di Leonardo; nel 1868 quella del Baldovinetti, e nel 1872 quella di Botticelli da S. Maria Maddalena de' Pazzi; mentre nel 1863 erano stati donati i 'santi' Quaratesi di Gentile. Da Pitti era venuto, nel 1861, il profilo muliebre del Pollaiolo; gli 'Alabardieri' del Carpaccio sono un acquisto del 1882. Ancora, citiamo nel 1871 l'arrivo del trittico del 1328 di B. Daddi. Nel 1864 il Ministero autorizzò il proseguimento della richiesta di autoritratti per la Galleria, in Italia e all'estero, e se ne ottennero in breve 23.

Al Feroni, morto nel 1864, succedeva nel 1866 Aurelio Gotti nella cui ampia 'Relazione' del 1872 è riscontrabile la visuale ormai plurima, su 'le Gallerie di Firenze' e non più la sola Galleria degli Uffizi [1]. In questa linea ma positivamente, nel 1866, con Firenze divenuta capitale provvisoria d'Italia, si pensò ad aprire al pubblico il Corridoio Vasariano, che congiungendo Uffizi e Pitti facesse 'quasi una galleria sola di quelle due', da mostrare a 'principi e privati, che in maggior numero concorrevano', affinché 'prendessero degno concetto della nostra grandezza passata, e da questa augurio e speranza' per la nuova Italia. Il Corridoio — concesso da re Vittorio Emanuele II che il direttore Gotti vedeva spesso 'alla buona, in giacca, fumando il suo sigaro' — fu pertanto adibito ad esposizione di opere d'arte; mentre già dal 1853 ospitava nelle due sale ai piedi dello scalone che scende dagli Uffizi e nel tratto sul Lungarno Archibusieri, il Museo Etrusco. A questo fece seguito nel tratto sul Ponte Vecchio una grandiosa mostra di disegni antichi (in numero di 1716); dopo, al punto della torre Mannelli, alcuni ritratti medicei e alcuni quadri mitologici; poi, nel rimanente del percorso, degli arazzi (ceduti allora dal Demanio alle Gallerie) tra cui le magnifiche 'feste di Enrico III'; e infine, presso Boboli, prima dei bozzetti e poi la collezione di splendide miniature con animali e piante, del Ligozzi (sec. XVI). Questa sistemazione era già pronta nel luglio del predetto 1866; nel 1867, mentre il Museo Etrusco andava trasferito nei locali di Foligno (1871), in suo luogo si cominciavano a sistemare in quel primo tratto del Corridoio 1202 stampe. Però nel 1882 i disegni vennero ritirati in Galleria, e così gli arazzi venivano raccolti nella nuova loro sede al Palazzo della Crocetta; mentre fu collocata invece nel Corridoio una serie di autoritratti di artisti, più la Serie Gioviana di ritratti storici, e la Serie dei ritratti e costumi del XVI, XVII, XVIII secolo: cioè nel complesso (meno gli autoritratti) quella chilometrica e severa Collezione Iconografica di oltre 1200 pezzi che i fiorentini e i turisti anziani ricordano lì esposta fino all'ultima guerra, quando nel 1943 fu smontata.

Il Gotti riconosceva che tra tanti movimenti a quell'epoca 'le Gallerie... non è da maravigliare se in ogni loro parte non rispondono più ormai ad un concetto ordinatore qualunque'; ma intanto — mentre già nel 1852 si era insediato negli Uffizi l'Archivio di Stato; e nel 1865 si erano trasformati i resti del Teatro Mediceo in aula del Senato; e così nel 1866 create le Regie Poste nei locali della Zecca (dove stettero fino al 1917) — a ritardare i lavori di riordinamento agli Uffizi e negli altri musei

guerra e depositata in locali del Museo di S. Marco. (Dal 1973, il deposito è stato trasferito nei magazzini di Pitti).

Si trattava in totale di 165 pezzi, prevalentemente dei secoli XVI-XVIII, tra cui alcuni con ipotesi attributive grosse ma inconsistenti (due ritratti assegnati rispettivamente a Masaccio e a Dürer, ma falsi tardi, e un presunto Correggio, un presunto Holbein, un presunto Caravaggio, due presunti Poussin); altri catalogati non sempre esattamente e su cui del resto è aperta tuttora la ricerca filologica. La raccolta comprende una miniatura di Lorenzo Monaco; un''Adorazione del Bambino' di scuola di Filippino Lippi; un''Adorazione dei pastori' del Garofalo; ritratti e dipinti interessanti di scuola fiorentina del Cinquecento, esemplari più precisabili della stessa scuola nel Seicento (Vignali, Furini, Lorenzo Lippi, Dolci, Sustermans, Martinelli, Pignoni, Marinari); e anche quadri italiani dalla bottega dei Bassano a quelle bolognesi, romane, napoletane: un 'Enea nei campi Elisi' di S. Conca; una grande 'Strage degli

20. Veduta della Tribuna, 1890 ca.

'sorse il desiderio o la speranza di erigere in altro luogo una fabbrica, che meglio si confacesse a raccogliere tutta insieme questa immensa ricchezza d'arte'. Progetto massimale, concentratore, che però rimase nel regno delle grandi intenzioni.

Se dalle soppressioni ecclesiastiche del 1866 pervennero in totale 1199 oggetti, però 'soli 9 furono i quadri per le Gallerie' — lo dice il Gotti citando oltre l''Annunciazione' leonardesca il trittico del 1410 di Lorenzo Monaco, e poi un Cosimo Rosselli, un Sogliani, un Bachiacca — d'altra parte nel 1865 era anche stata depositata agli Uffizi la collezione lasciata (1850) dal marchese Alessandro Feroni al Comune di Firenze, raccolta specialmente dal marchese Leopoldo Feroni in un palazzo già dei banchieri Sassi in via Faenza. Parte di essa veniva esposta in Galleria, nella penultima sala del corridoio di ponente da dove erano stati tolti i bronzi moderni passati al Bargello. In seguito però pure la Collezione Feroni veniva sistemata (1894) nel Cenacolo di Foligno, da cui veniva rimossa durante l'ultima

Innocenti' (1730) di Marco Benefial. Inoltre paesaggi, marine, battaglie, nature morte. Da notare una 'Susanna e i vecchioni' di F. Floris, una 'Scena di sacrificio' di L. Bramer, un 'Interno campagnolo' di D. Teniers (firmato), due figure di Monsù Bernardo (Keil), un autoritratto di F. Richter. Inoltre una pittura su lavagna, con 'Menelao che tenta di uccidere Elena', 'che dicesi estratto dalle rovine di Ercolano alla metà del XVIII secolo' (oggi sospettato invece un falso del secolo XIX) [2].

Nel 1905 Enrico Ridolfi pubblicava *Il mio direttorato delle Regie Gallerie Fiorentine*, rendiconto 'di quasi quattordici anni' (1890-1903) di lavoro 'mi sembra poterlo dire operosissimo' e centrato principalmente sugli Uffizi. Puntuale se non puntiglioso, questo libretto merita un indugio perché fa constatare il complessivo andamento degli Uffizi sullo scorcio tra il secolo scorso e il presente, prestandosi a confronti (anche se impari) con le altre grandi gallerie internazionali e le loro diverse organizzazioni; e peraltro attestando pure a Firenze una qualche indiscutibile dinamicità.

Fondamentale per questa ultima e per ogni riordinamento era certo, agli Uffizi, la necessità di ampliamenti spaziali, e Ridolfi appunto ottenne l'annessione alla Galleria dell'aula già adibita a sede del Senato italiano (e Teatro Mediceo), aula che l'architetto Luigi Del Moro − con progetto del 1889 − procedette a dividere per altezza in due: a livello del primo piano degli Uffizi ricavandone quattro sale (attuale spazio del Gabinetto Disegni e Stampe; il Ridolfi collocò invece intanto qui la sezione degli Autoritratti); ed a livello della Galleria ottenendo un complesso di sette sale nuove, dove Ridolfi contava di ordinare tutta la Scuola Toscana, portandovi anche quanto di essa finora stava esposto nei Corridoi.

Derivavano da ciò pure altre conseguenze. 'Per chiudere nel recinto del contatore anche le nuove sale del primo piano', fu costruita dallo stesso Del Moro un'altra branca di scala ad esse adiacente, ampliando così − ma con molta intonazione − il bello scalone settecentesco di Zanobi del Rosso. Nel primo vestibolo a caposcala, il Ridolfi sistemò poi arazzi decorativi e pose su 'sgabelloni di antico modello' i busti dei Granduchi benemeriti della Galleria, 'già collocati su goffi mensoloni'. Vi furono aggiunti due busti di granduchesse, quello di Maria Maddalena d'Austria 'che arieggia assai il fare del Bernini', e quello di Vittoria della Rovere (oggi attribuiti dalla Langedijk al Foggini).

Nella Tribuna, intanto, il Ridolfi eliminò come opere da lui considerate di insufficiente pregio per quel 'sacrario' alcuni quadri emiliani (Reni, Lanfranco, ecc.; e anche il 'Ritratto del Duca d'Urbino' del Barocci, la 'Strage degli Innocenti' di Daniele da Volterra), immettendovi al contrario i due ritratti Panciatichi del Bronzino, l''Uomo malato' di Sebastiano del Piombo, e l''Isabella Brandt' del Rubens. Al tondo Doni di Michelangelo rimise l'antica cornice originale di squisito intaglio, che era stata passata ad un tondo di Lorenzo di Credi ma venne identificata dal Ridolfi negli antichi inventari; ed una ricca cornice, 'ritraendola da antico modello', fu fatta altresì alla 'Adorazione dei Magi' del Dürer, che anch'essa si trovava allora in Tribuna. Ridolfi d'altronde esercitò in Tribuna pure la filologia puntuale, studiandovi due opere: cioè la cosiddetta 'Fornarina' assegnata a Raffaello, personaggio che identificò invece nella 'Velata' di Pitti, mentre nel quadro degli Uffizi riconobbe bene la mano di Sebastiano del Piombo; ed il ritratto dell' 'Incognita' assegnato a Raffaello ('La Muta') che Ridolfi invece 'opinò', in sintonia 'col Senatore Giovanni Morelli', essere un'opera di scuola fiorentina, anzi per il Ridolfi da attribuire 'senza dubbiezza' a Leonardo.

E ancora, il Gabinetto delle Gemme fu restaurato con 'miglioramenti' ('...vennero foderati gli armadi stessi di velluto color rubino, perché meglio essi vasi vi campeggiassero... agli armadi fu data all'esterno una tinta leggera ed armonica...'). La Sala della Niobe, che era stata danneggiata nei suoi raffinati stucchi da un terremoto nel 1895, fu risarcita con l'opera dei restauratori Lelli, arricchita del gran 'Vaso Mediceo', alleggerita invece delle colossali ma scurite tele di Rubens e Sustermans (c'è ancora una foto Alinari con esse); cui il Ridolfi sostituì, come più confacenti, 'arazzi al colorito pallido'. L'impegnativo restauro di quei Rubens fu operato da Luigi Grassi, e poi i trionfi rubensiani vennero collocati nella grande sala già degli Autoritratti che prese il nuovo nome appunto di Sala del Rubens (e oggi è quella del Barocci, *panta rei*). A sua volta al Van der Goes − di cui aveva testé ottenuto il grandioso trittico Portinari da S. Maria Nuova − insieme ai fiamminghi più antichi, il Ridolfi adibì la sala accanto (oggi del Veronese). Infine, al termine del terzo Corridoio, Ridolfi creò una sala per cartoni (trasferiti dall'Accademia) e bozzetti di maestri antichi; ed un'altra per pastelli (da R. Carriera a G. Fratellini) e ritrattini in miniatura, nonché miniature vere e proprie; arricchendo l'esposizione in Galleria di queste ulteriori nuove sezioni.

Ma il direttore Ridolfi perseguiva anche altre espansioni per le necessità degli Uffizi. Con l'acquisizione di locali espropriati dal Comune nel vicolo Vasari, progettava difatti di ricavare a pianterreno 'un comodo Ufficio per i permessi di esportazione: un cortile per introdurvi i carri, ed esaminare al coperto gli oggetti: laboratori per le riparazioni, e locali di deposito per uso delle varie Gallerie, e del Museo Nazionale: e anche una sala da *buffet freddo*, onde i visitatori potessero refocillarsi senza esser costretti ad uscire, e dover pagare nuovamente l'ingresso rientrando, causa di frequenti lagnanze: e infine un piccolo quartiere per un custode'. Al primo e secondo piano di questi nuovi fabbricati, sistemazione degli arazzi che erano al Palazzo della Crocetta, ampliamento delle sale per gli autoritratti e per le nuove acquisizioni degli Uffizi. Il progetto di massima del Ridolfi, inoltrato al Ministero, era stato tecnicamente eseguito dall'architetto Castellucci. D'altronde il Ridolfi sperava di ottenere altri locali dall'Archivio di Stato in seguito al trasferimento della Biblioteca Nazionale; e poi pensava anche ad 'una parte del Palazzo dei Giudici... da congiungersi con molta facilità agli Uffizi mediante un cavalcavia'.

Però quella dell'alacre Ridolfi non era soltanto una strategia di ampliamenti e riordinamenti, bensì anche una iniziativa museografica capillare. Come già accennato, è suo il concetto, poi attuatosi, di rimuovere dai tre Corridoi i dipinti che vi erano esposti sostituendoli con serie di arazzi, e a questo scopo fece delle prove. Dall'Opificio delle Pietre Dure ottenne che fornisse i ricchi portali in 'Portasanta di Maremma' per le nuove sale di Galleria. Sostituì con un ascensore più moderno, 'a sistema idraulico', quello precedente. Migliorò con lucernari l'illuminazione delle sale. Rimise in opera molte belle cornici finite in magazzino; altre nuove ne fece fare su modello antico, ad esempio quelle nere sbalzate per i quadri fiamminghi. Molto prudente in fatto di restauri se non conservativi, protesse le opere con 'il cristallo (ben inteso a conveniente distanza) come efficace preservativo da molti danni'. Aggiornò i cartellini alle più recenti attribuzioni, purché ben assodate. E agli Uffizi, come nelle altre gallerie, attese al 'totale rinnovamento del mobiliare, sostituendo al già miserrimo e scarso dei primi del secolo XIX mobili antichi, o eseguiti sopra antichi modelli'. Ridolfi ricerca insomma di portare in museo 'una nota di severa eleganza', e si sente premiato dal 'conforto di udir dire da illustri italiani e stranieri, che le Gallerie di Firenze non più si riconoscevano pel modo con che eran tenute'.

E sempre il Ridolfi crea agli Uffizi un laboratorio di restauro per gli arazzi, si prefigge 'ancora di ritirarne da varie pubbliche Amministrazioni alcuni che erano stati loro conceduti in temporaneo deposito per ornamento de' propri locali, senza osservare se facevano o no parte di serie, le quali esposte senza quelli sarebbero apparse incomplete' (situazione tuttora non sanata). Ancora, Ridolfi inizia una fototeca, con scambi con gli altri musei d'Italia; acquista più di 800 volumi recenti di storia dell'arte per la Biblioteca degli Uffizi. Ma sempre Ridolfi si preoccupa di migliorare le condizioni del personale di custodia, 'troppo meschinamente retribuito nella massima parte, e che perciò conduce con le proprie famiglie vita assai misera ed infelice, mentre ha in cura i tesori più preziosi e più cari della Nazione'. A tal fine Ridolfi idea una 'Cassa di soccorso' a favore del personale, alimentata da una percentuale sugli incassi delle vendite di cataloghi e fotografie negli Istituti; e vincendo le resistenze ministeriali, ottiene questo − anzi il 'Regolamento' fiorentino viene poi esteso a tutta Italia − nonché un'indennità per il servizio di guardia notturna costituito da due custodi agli Uffizi, 'del che il Ministero dell'Istruzione Pubblica non voleva assolutamente sapere, esigendo che fosse fatto gratuitamente; e da ciò derivava nell'adempimento di quell'importante servizio, un mal umore e un dispetto che potevano tornare in grandissimo danno delle opere d'arte'.

Intanto Ridolfi queste opere le aveva pure aumentate, con ricerche nei 'locali di magazzino, accuratamente esplorati', o per 'acquisto fattone con i proventi degli Istituti' che evidentemente erano a disposizione della Direzione; per 'gentili donativi di privati'. Nei depositi ad esempio aveva ripescato la 'Venere' di Lorenzo di Credi, pervenuta anonima nel 1869 dalla Villa di Cafaggiolo; l'incompiuta 'Adorazione dei Magi' di Botticelli; il 'Narciso al fonte' del Boltraffio; l''Uomo malato' di Sebastiano del Piombo; il 'Ritrattino femminile' del Rosso Fiorentino, in quel momento assegnato a scuola di Andrea del Sarto; mentre col ricavato della tassa di ingresso aveva acquistato per gli Uffizi la 'Pietà' di Lorenzo di S. Severino (attribuita al Crivelli), l''Adorazione del Bambino' di Filippino Lippi (acquisto 1902), il 'Crocifisso e santi' di Perugino e Signorelli (comprato dalla Congregazione della Calza 'mediante un modesto compenso'), la 'Madonna' del 1520 del Bugiardini (comprata da Casa Mansi di Lucca), il 'Ritratto di donna' assegnato al Rubens (e poi al Jordaens; venduto dal prof. E. Costantini nel 1902); infine, la splendida tela di soffitto del Tiepolo (1900).

Nemmeno trascurabili i quadri avuti in dono. Il dr. Arthur de Noé Walker, 'gentiluomo inglese nato a Firenze' regalava nel

21. Pianta dal catalogo Pieraccini.

22. La nuova sala II dei Veneti, all'inizio del secolo.

23. Il primo corridoio con esposti i dipinti, primi del sec. XX.

24. La sala delle Iscrizioni, 1890 ca.

25. La allora sala di Leonardo con in esposizione la «Gioconda» recuperata a Firenze, dicembre 1913.

1893 e seguenti la 'Leda' del Tintoretto, tre Salvator Rosa, la suggestiva 'Madonna della Neve' di Guido Reni, la più dubbia 'Susanna al bagno' attribuita allo stesso Reni, il 'Cristo porta-croce' del Morales, il bel cesto di 'Natura morta' attribuito a Jan Fyt (ed ora al Van Hulsdonck); ed altro. Il pittore N. Fontani lasciava un ritratto creduto di Torquato Tasso di scuola del Bronzino (ma non quello dell'Allori, già comprato nel 1867), i conti Baldelli di Cortona la 'Madonna della Cintola', datata 1437, di Andrea di Giusto. E tra gli autoritratti ottenuti in dono: l'ottimo Boldini, Morelli, Fantin Latour (ottenuto nel 1895), Puvis de Chavanne (del 1889), Benjamin Constant (1902, la cassa col quadro per errore andò dapprima a Roma e non a Firenze); Alma Tadema, lo svedese Zorn, ecc. 'Altri 20 furono promessi con lettera dagli artisti ai quali ne fu fatta richiesta'. Da notare che Ridolfi riteneva dovesse esser preservato il livello qualitativo della Collezione degli autoritratti, e opportuno che si costituisse una apposita Commissione per le

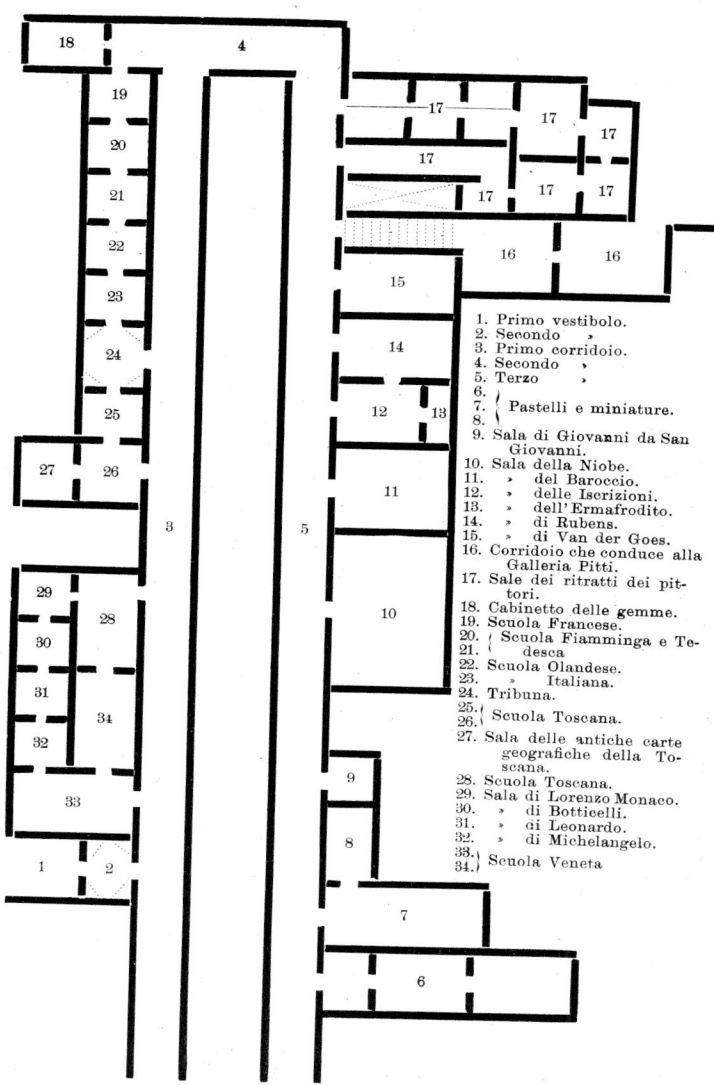

1. Primo vestibolo.
2. Secondo »
3. Primo corridoio.
4. Secondo »
5. Terzo »
6.
7. } Pastelli e miniature.
8.
9. Sala di Giovanni da San Giovanni.
10. Sala della Niobe.
11. » del Baroccio.
12. » delle Iscrizioni.
13. » dell'Ermafrodito.
14. » di Rubens.
15. » di Van der Goes.
16. Corridoio che conduce alla Galleria Pitti.
17. Sale dei ritratti dei pittori.
18. Cabinetto delle gemme.
19. Scuola Francese.
20. } Scuola Fiamminga e Te-
21. } desca
22. Scuola Olandese.
23. » Italiana.
24. Tribuna.
25. } Scuola Toscana.
26.
27. Sala delle antiche carte geografiche della Toscana.
28. Scuola Toscana.
29. Sala di Lorenzo Monaco.
30. » di Botticelli.
31. » di Leonardo.
32. » di Michelangelo.
33. } Scuola Veneta
34.

richieste ai 'più celebrati pittori viventi'. Infine, è al suo momento che si conclusero (1900) le trattative per l'acquisto delle opere d'arte dell'Arcispedale di S. Maria Nuova, pitture e sculture, per circa mezzo milione di lire di allora, una collezione invero di altissimo pregio cui accenneremo (anche se solo per i quadri) tra poco[3].

Intanto gli Uffizi dell'inizio del secolo avevano un loro catalogo, assai stringato ma completo nell'elenco (e i quadri visibili erano allora quasi 2400), quello dell'Ispettore Eugenio Pieraccini collaboratore del Ridolfi. Anche certe vecchie fotografie illustrano l'aspetto della Galleria all'epoca: i quadri ancora esposti nei corridoi, anche su due file; l'antica affollata ma già depauperata Sala delle Iscrizioni; le sale nuove come quella 2ª dei Veneti dove la rappresentatività andava da Jacopo Bellini a Tiepolo; certi stipamenti di quadri piccoli, dall'Angelico allo Zucchi, come in una delle sale toscane; e infine – curiosità – la Sala allora di Leonardo con in esposizione anche la Gioconda, il che data al dicembre 1913 quando il capolavoro leonardesco del Louvre, rubato due anni prima e ritrovato a Firenze, fu anche esposto per pochissimi giorni agli Uffizi. Il ladro, l'imbianchino Vincenzo Perruggia, addusse ragioni patriottiche ma fu condannato ad un anno di prigione[4].

Nel 1900 la Galleria, con l'acquisto già citato di quella di S. Maria Nuova, si era arricchita non solo del celebre quanto grandioso trittico di Van der Goes, ma anche del 'S. Matteo' degli Orcagna, dell'affresco staccato col 'Crocifisso e santi' del Castagno, della già emblematica (1518) spiritata 'Madonna e santi' del Rosso Fiorentino; inoltre di un tondo di Lorenzo di Credi, della 'Madonna con due santi e donatori' di Raffaellino; e altro.

Saranno notevoli anche, dopo quelli del Ridolfi, gli acquisti nei primi decenni del Novecento, alcuni condotti da Corrado Ricci che provenendo da Brera diresse gli Uffizi dal 1903 al 1906 (si interessò tra l'altro, affidandolo a giovani studiosi, per lo schedario); poi fu Direttore Generale delle Belle Arti e Senatore. Li caratterizza un evidente quanto opportuno criterio non tanto di incrementare ancora la rappresentatività della scuola fiorentina, ma di estendersi a quella delle altre italiane e su un livello ben qualificato. Vediamo pertanto sì comprati 'L'ingresso di Carlo VIII a Firenze' del Granacci (1913, dalla Gall. Crespi di Milano), o il piccolo 'Cristo davanti a Caifa' del Bachiacca (1919); ma anche la 'Madonna e santi' del 1445 di Giovanni di Paolo (1904), una 'Madonna' di Matteo di Giovanni (da Siena, 1915), e un'altra a rappresentare l'abruzzese Nicola da Guardiagrele (1906); e poi la 'Madonna' di Iacopo Bellini proveniente da un monastero di Lucca, comprata (1906) dal prof. E. Costantini per 12.000 lire; il 'S. Domenico' del Tura (1905); il 'S. Ludovico di Tolosa' di Bartolomeo Vivarini pagato L. 5000; le figure di Annunciazione di Melozzo (1906); il trittichetto del 1485 di Antoniazzo Romano (comprato nel 1904 dalla Pinacoteca Comunale di Ravenna); una Madonna di B. Caporali, un tondo del Pacchia; il 'S. Sebastiano' di Lorenzo Costa che C. Ricci pagò L. 2000 nel 1905; una 'Madonna' di Cima da Conegliano; gli sportelli veronesi del Caroto pagati L. 16.000 nel 1908 al marchese Carlo Cavalli; la 'Madonna in gloria tra i due S. Giovanni' di Dosso Dossi comprata nel 1913 dalla chiesa di S. Martino di Codigoro; un'allegoria' del Leonbruno; la 'Resurrezione di Lazzaro' di Palma il vecchio (L. 33.000, 1916); un ritratto femminile attribuito al Beccafumi (1911, Siena; che poi verrà invece ritenuto una 'Maria Salviati' del Pontormo); 'Adamo ed Eva' e 'Cristo al pozzo e la Samaritana' del Tintoretto (1910).

Ma vediamo anche per il periodo postrinascimentale. La 'Madonna e santi' del Cerano, proveniente dalla Galleria Mansi di Lucca, viene pagata L. 15.000 nel 1913; un 'santo domenicano' attribuito al Reni L. 1000 nel 1904; l' 'Ester e Assuero' del Cavallino, della collezione napoletana A. Conte, costa L. 6000 nel 1917. Altre compere: un De Mura (oggi De Caro), due vedute del Pannini (1914), un Magnasco (1923). Per la Venezia settecentesca, il Seminario Arcivescovile di Udine aveva già ceduto nel 1900 per L. 6000 la grande tela di soffitto del Tiepolo; nel 1905 si acquistano le due belle vedute del Guardi e nel 1907 i due paesaggi del Bellotto; nel 1911 (a Trieste, per L. 5000) il 'Ritratto di gentildonna' di A. Longhi; nel 1914, dall'antiquario A. Salvadori di Venezia per L. 3500, il 'Sacrifio di Salomone' del Pittoni, che proveniva da Padova con un'attribuzione al Tiepolo; nel 1919, all'Ufficio Esportazione, il grazioso 'Amo-

re' del Carpioni; nel 1920 il vigoroso 'Susanna e i vecchioni' del Piazzetta (due figure attribuite al Piazzetta, ma in realtà del suo scolaro Angeli, erano state comprate nel 1915).

Il pittore Italico Brass donava nel 1931 il 'Ritratto di prelato' di A. Longhi; e per altri doni va menzionato il 'Cristo portacroce' del Mainnieri (1906, Comm. Elia Volpi); quello da parte del Berenson (1914) della piccola 'Adorazione dei pastori' di Amico Aspertini; e poi lo stupendo 'Sacrificio di Isacco' del Caravaggio, da parte di Fairfax Murray nel 1907, il qual noto collezionista inglese nel 1916 regalava anche una 'Madonna e santi' dopo dal Longhi (1935) attribuita a Gaetano Gandolfi. La 'Guarigione dell'indemoniato' del Preti è un dono di L. Albrighi nel 1930. Intanto si ottenevano (1914) dalla Pinacoteca di Siena la 'Madonna' (1355) di Taddeo Gaddi già a Poggibonsi, e soprattutto le due 'Storie di S. Floriano' dell'Altdorfer; inoltre una 'Madonna' del Tegliacci, rubata nel 1912 a Poggibonsi, recuperata a Parigi e destinata agli Uffizi nel 1920.

Finita la prima guerra mondiale, nel 1919 c'è un grosso e sintomatico movimento di opere, quasi tutte capitali per la scuola fiorentina e annessi, che dall'Accademia vengono portate in Galleria: le 'Maestà' di Cimabue e di Giotto, il polittico di Bernardo Daddi, le 'Storie della beata Umiltà' di Pietro Lorenzetti, le 'Storie di S. Niccolò' del fratello Ambrogio (di cui nel 1913 è venuta dall'Accademia anche la 'Presentazione al Tempio'), l''Adorazione dei Magi' di Gentile da Fabriano, la 'S. Anna Metterza' di Masolino-Masaccio; diversi dipinti di fra' Filippo Lippi tra cui l' 'Incoronazione della Vergine'; la pala di S. Barnaba e la 'Primavera' del Botticelli; la 'Madonna e quattro santi' (n. 8388) del Ghirlandaio; il 'Battesimo di Cristo' del Verrocchio con la partecipazione di Leonardo, i 'Tre arcangeli' del Botticini, l' 'Adorazione dei Pastori' di Lorenzo di Credi; e poi ancora tavole del Perugino, Signorelli, Raffaellino del Garbo; di fra' Bartolomeo, Andrea del Sarto.

Nello stesso 1919 vengono trasferiti da Pitti agli Uffizi la piccola 'Allegoria' di Filippino Lippi, la pala 8397 di fra' Bartolomeo, il 'Ritratto muliebre' del Bugiardini, il 'Ritratto di giovane' del Franciabigio, il 'S. Antonio' del Pontormo, la 'Sacra Famiglia Panciatichi' del Bronzino. Inoltre il 'Ritratto di Giovanni II Bentivoglio' di Lorenzo Costa, il 'Ritratto di Barbara Pallavicino' di A. Araldi, il 'Riposo in Egitto' del Dosso, la 'Battaglia' 8385 di Salvator Rosa. Ancora da Pitti proseguono passaggi agli Uffizi nel 1922: 'Pallade e il centauro' di Botticelli; 'Adamo ed Eva' dal Dürer, 'Cristo risorto' del Rubens, il 'Ritratto di vecchio' del Rembrandt – mentre l'autoritratto giovanile era stato ceduto già nel 1913 – una 'Battaglia' del Borgognone, il 'Paese' 8436 del Ruysdael, il 'Ritratto virile' di Filippo di Champaigne – oggi ritenuto olandese –, i tre ritratti di figlie di Luigi XV del Nattier. Nel 1925, sempre da Pitti, il 'Ritratto di un Gonzaga' del Mantegna, il 'S. Sebastiano' attribuito a Ercole da Ferrara, la 'S. Caterina' del Giampietrino; i ritratti di Guidobaldo da Montefeltro e Elisabetta Gonzaga che quell'anno stesso il Gronau attribuiva a Raffaello; la 'Zingarella' del Boccaccino. Tali trasferimenti (26 pezzi) saranno però contraccambiati, come vedremo in seguito, nel 1928 dall'invio dagli Uffizi a Pitti di circa un centinaio di dipinti.

Nel frattempo va tenuto conto anche degli sviluppi degli studi di storia dell'arte, approfondentesi pure a dopo il Rinascimento; ed a Firenze ad esempio aveva avuto luogo a Pitti nel 1922 la grande 'Mostra di pittura italiana del Seicento e Settecento', cui avevano collaborato noti studiosi al tempo stesso funzionari della Soprintendenza come Poggi, Gamba, Tarchiani (così come già nel 1911 si era tenuta a Palazzo Vecchio la 'Mostra del ritratto italiano'; e come poi ci sarà agli Uffizi nel 1937 la 'Mostra Giottesca', ed a Palazzo Strozzi nel 1940 quella del Cinquecento Toscano).

Si attinge pertanto – per i secoli più tardi, fin qui trascurati ma in cui ora ci si va orientando – ancora dai magazzini, da cui vediamo nel 1925 trasferiti in Galleria dipinti come le 'Cortigiane' del Forabosco, e Feti, Maffei, Langetti, il bozzettone dello Strozzi con la 'Parabola del convitato a nozze'; nature morte tra cui un Recco (il Marangoni narra che le nature morte eran fin allora segnate tutte a gesso col n. 4, cioè ultima categoria). E la grande 'Punizione di Anania' del Fumiani, un bozzetto di Sebastiano Ricci; alcuni Magnasco, un Trevisani, un piccolo Crespi (la 'Fiera del Poggio a Caiano' e la 'Strage degli Innocenti' del maestro bolognese sono state già prese nel 1920 dal

Poggio Imperiale); il 'Ratto d'Europa' del Ferretti, un bozzetto del Giaquinto. Dall'Accademia, le due 'storie di Ercole' del Batoni. Se esaminiamo nel catalogo Poggi del 1926 la sala delle scuole italiane del secolo XVII, su 37 pezzi 15 sono frutto di queste recenti accessioni (magazzini, trasferimenti o acquisti); in quella del Tiepolo, ben 17 su 24; in quella delle scuole italiane del secolo XVIII, 25 su 35. Dai magazzini nel 1925 viene anche il 'Bacco' del Caravaggio, trovato dal Marangoni e pubblicato (1917 e 1922) con l'attribuzione al grande, ma suggeritagli dal Longhi, il che pertanto comporterà una lunga 'querelle' tra i due studiosi.

Un piccolo ma incisivo catalogo del 1926 di Giovanni Poggi, Soprintendente e Direttore degli Uffizi, attesta il riordinamento da lui attuato a quell'anno in Galleria; e che indubbiamente costituisce una tappa di riorganizzazione, lucida come erano infatti la mente e l'energia del Poggi, personalità ancora

ben ricordata a Firenze. In breve, a parte una nuova 'Sala dell'Ara Pacis' in testa al 1° Corridoio, il gruppo di prime sei sale realizzate dal Del Moro sono dedicate tutte e ordinatamente alla Scuola fiorentina (e senese) dal XIV al primo XVI secolo. La I lunga sala presenta Cimabue, Giotto e giotteschi, fino a comprendere anche la 'Tebaide' dello Starnina (alla quale peraltro non pare darsi molta importanza). La II sala (più piccola come altre seguenti) è per il Trecento Senese compreso Lorenzo Monaco. La III passa a Masaccio, P. Uccello, D. Veneziano; nella IV predomina fra' Filippo Lippi; la V è particolarmente preziosa con i Leonardo e i Pollaiolo. Nella VI sala, di nuovo grande, regna Botticelli con i suoi capolavori (accompagnato da Filippino). Infine nella sala VII, la maggiore, è il primo e classico Cinquecento fiorentino (Albertinelli, fra' Bartolomeo, Sarto, ecc.). Dopo l'interruzione allora costituita dalla 'Sala delle Arti' che apparteneva all'Archivio di Stato, la sala VIII (oggi di Leonardo), passava invece alla Scuola umbra e se-

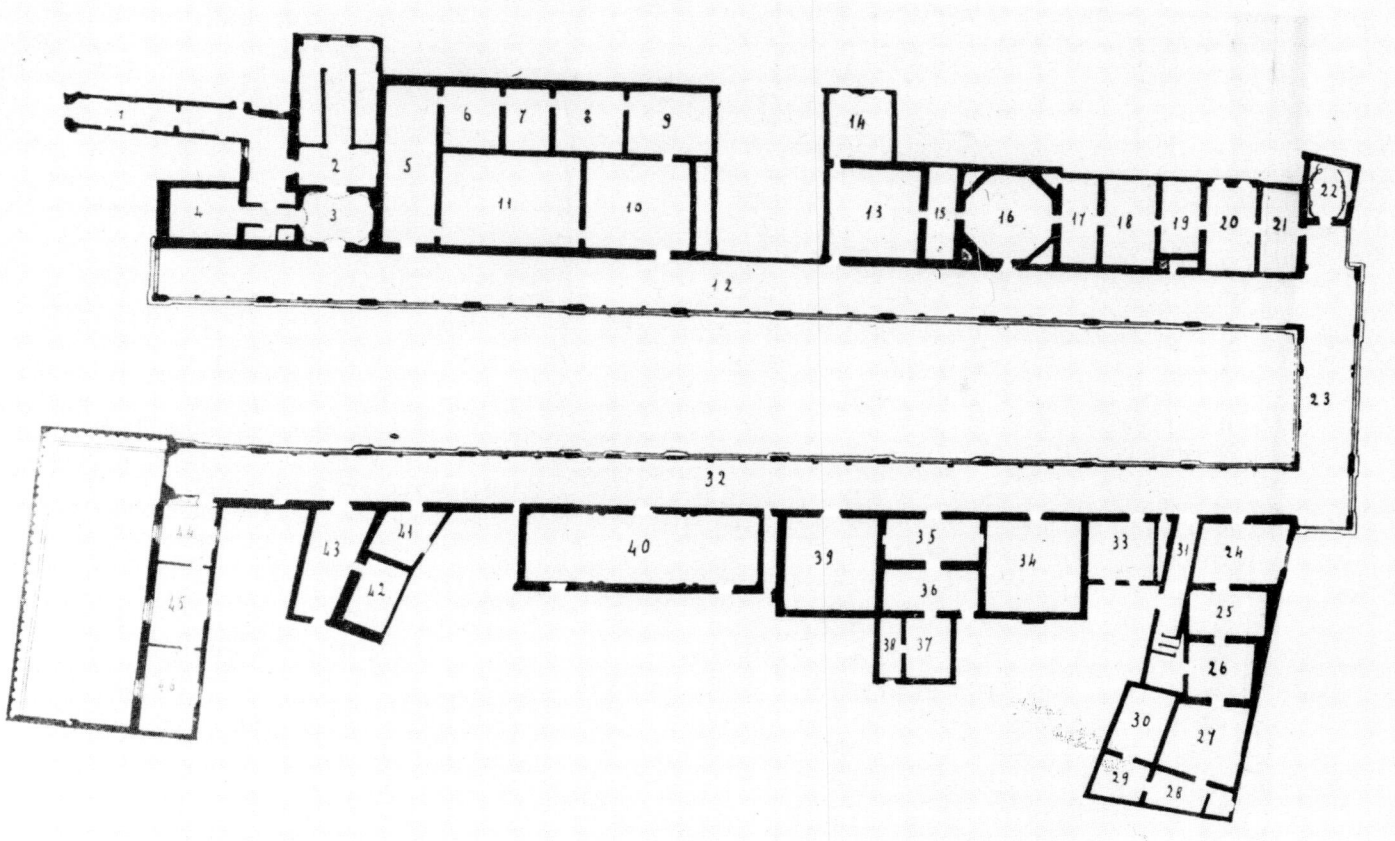

26. Pianta del catalogo Poggi, 1926.
27. La I sala (archeologica) con ancora i bassorilievi dell'Ara Pacis e l'Ermafrodita.

28. La sala delle carte geografiche nel 1929.

nese del secolo XV: ma vi si trovava anche l''Adorazione dei Magi' di Gentile, oltre i Perugino e Signorelli. Nella sala-terrazza delle Carte Geografiche (IX) erano esposti il dittico dei Montefeltro di Piero, e Melozzo; insieme ai 'Dorifori' da Policleto. La saletta X adiacente alla Tribuna, proseguiva con il Perugino ritrattista, ma anche risaliva nel tempo al Giovanni di Paolo del 1445, o scendeva fino al tondo cinquecentesco del Beccafumi. Nella Tribuna (XI) predominava ormai il Bronzino coi suoi preziosi ritratti Panciatichi e medicei, più i ritratti medicei del Pontormo e Vasari, più le 'Figlie di Jetro' del Rosso; e nelle tre antiche salette seguenti la Firenze del '500 riproseguiva, con lo spicco nella sala XIII del 'Tondo Doni' di Michelangelo e della 'Madonna del cardellino' di Raffaello. Questo lato degli Uffizi sul primo Corridoio si chiudeva verso l'Arno con la XV sala per la Scuola ferrarese e bolognese (dal Tura al Dosso fino al Guercino e all'Albani); e la XVI per quella lombarda e emiliana (Luini, Correggio, Parmigianino). Qui figurava anche la 'Schiava turca' del Parmigianino — un capolavoro proveniente dall'eredità del cardinale Leopoldo dei Medici — che però nel 1928 veniva permutato con Parma (insieme a un Pannini e a un Baldrighi) in cambio di due tavole duecentesche fiorentine, il 'dossale' di Migliore (oggi appunto agli Uffizi) e il 'S. Zanobi' del Maestro del Bigallo (oggi al Museo dell'Opera del Duomo). Invero non felice operazione.

Dall'altro lato, nel Corridoio di ponente, gli Uffizi riprendevano invece nelle sale sull'Arno con la Scuola veneta. A Tiziano spettava la sala iniziale, XVII. Nella XVIII si faceva però un passo indietro, fino a Iacopo Bellini, Mantegna, Giambellino, i due Giorgione giovanili. Lotto, Palma il vecchio, Sebastiano del Piombo, Bordone, Moroni erano nella sala XIX; nella XX, Tintoretto, Bassano, Veronese. Poi il giro di questo gruppo di sale proseguiva col Sei e Settecento italiano: nella XXI, una antologia che da Agostino Tassi andava a Salvator Rosa e dal Recco al Castiglione, mentre era piuttosto rappresentato il Seicento di Venezia (Forabosco, Feti, Lys, Strozzi, Maffei, Carpioni); nella XXII, il grande Tiepolo campeggiava collocato nel soffitto e la sala era dedicata naturalmente al Settecento veneziano; nella XXIII, c'era il Settecento italiano, Crespi, Magnasco, ecc. Poi la sala del Van der Goes e quella di Rubens mantenevano sostanzialmente le destinazioni già date loro dal Ridolfi; ma a quelle delle Iscrizioni e dell'Ermafrodita si erano sostituite quattro sale per altre scuole straniere (XXVI: Francese; XXVII con Dürer, Cranach, Holbein; XXVIII e XXIX con gli Olandesi); mentre la sala (XXX) del Baroccio (oggi di Rubens) era divenuta propriamente una mostra del primo Seicento italiano (Caravaggio, caravaggeschi, Carracci e emiliani). La sala della Niobe, opportunamente, non recava dipinti; seguivano al fondo del terzo Corridoio sei sale, ma con sistemazione non definitiva, per gli autoritratti. E anche per questi si erano avuti e si ebbero incrementi, spesso come d'uso per dono degli artisti stessi: A. A. Alciati (1920), Guido Cadorin (1939?), Felice Carena (1933); Galileo Chini (1933), Primo Conti (1932), Ruggero Panerai (dono 1935), Aristide Sartorio (dono 1932); F.S. Lembach (acquistato 1909) e Lazlo de Lombos (dono 1911); e quelli scultorei di Adolfo Wildt in alabastro (del 1908), o bronzei di Augusto Rivalta (del 1913), Domenico Trentacoste (1925). Carlo Böcklin donava un proprio autoritratto e un suo ritratto del padre Arnold; Italico Brass (1931) il proprio autoritratto. Venivano acquistati un supposto autoritratto di T. Patch (Cioci?) e un autoritratto del Tofanelli (1786). Per la sezione iconografica, ricorderemo un ritratto di principessa del Winterhalter (dono 1936), il ritratto cinquecentesco di B. Ricci; il ritratto del cantante Enrico Caruso (opera di A. Tamburini) donato nel '38 dalla figlia del Caruso.

terhalter (dono 1936), il ritratto cinquecentesco di B. Ricci; il ritratto del cantante Enrico Caruso (opera di A. Tamburini) donato nel '38 dalla figlia.

L'ingresso agli Uffizi costava nel 1937 L. 5, pari al biglietto di un cinematografo di prima visione o di un buon 'menu' turistico (ai primi del secolo era stato di L. 1; ma nel 1928, cfr. guida Lumachi di Firenze, di L. 12). L'orario di apertura era dalle 9 alle 15 nei mesi turistici, altrimenti 10-16.

Negli Uffizi del Poggi, d'altra parte, gli arazzi erano venuti a sostituire i dipinti nei Corridoi, e ciò — insieme agli altri riordinamenti nell'esposizione dei quadri — comportò un necessario sfoltimento delle pitture. Ma proprio allora si stava riordi-

nando anche la Galleria a Pitti, dopo la donazione del palazzo allo Stato da parte di Vittorio Emanuele III (1919), e poi con il ritorno in disponibilità museale di tutto il quartiere detto del Volterrano: prima usato per i soggiorni di Casa Reale. Nel 1928 si ha pertanto un grosso trasferimento di opere già degli Uffizi a Pitti. Vi passano vari dipinti anche piuttosto notevoli di pittori fiorentini del Seicento, che pertanto ora non risultano più rappresentati negli Uffizi: Cigoli (il cui grandioso 'Martirio di S. Stefano' era stato in Galleria dal 1814 al 1890), Cristofano Allori, Giovanni da S. Giovanni (la 'Prima notte di matrimonio'), Furini, Volterrano, Dolci, ecc. Sorprende però che si cedesse il notevolissimo stendardo con 'S. Sebastiano' del Sodoma, acquistato nel 1786 per gli Uffizi a Siena; mentre nella lista dei trasferimenti a Pitti troviamo anche un ritratto del Palmezzano, uno di Lavinia Fontana, un Floris, uno Schiavone, una Gentileschi, un Giordano (il grande 'Trionfo di Galatea' acquistato nel 1897 per gli Uffizi dalla Marchesa E. Torrigiani Pazzi).

Ma ancora, vanno a Pitti il 'Ritratto di Isabella Clara Eugenia come clarissa' del Rubens (e quello della duchessa di Buckingham); dello stesso Rubens 'Le tre Grazie'; il 'Nettuno che crea il cavallo' del Jordaens; la 'Madonna addolorata' del Van Dyck venuta col cambio da Vienna nel 1793; un ritratto di P. Mignard. Tuttavia sono specialmente numerosi i piccoli dipinti fiamminghi e olandesi che sfollano a Pitti: C. L. Agricola, J. Asselyn, A. F. Boudewyns, Bamboccio, P. Brill, Breughel degli Inferni e Breughel dei Velluti, Douven, F. Francken il giovane, G. Galle, A. Goubau, E. van Heemskerk il vecchio, J. van Kessel (il curioso 'Gabinetto del naturalista' del 1664), P. Mera, van Mieris, Pieter de Molyn il vecchio, Van der Neer, vari Poelemburg, David Ryckaert III, M. Schoevaerts, David Teniers il giovane, Marten de Vos, Van Wittenbroeck, Vroom. Passa a Pitti anche la celebrata 'Fanciulla col lume' di G. Schalken. Con le successive riduzioni postbelliche di esposizione agli Uffizi, che hanno relegato ancora altri numerosi fiamminghi e olandesi nei depositi, si è avuto magari così l'effetto che oggi Pitti sembri presentare una connotazione più internazionale. Sempre nel 1928 le 'gemme' del Gabinetto di Zanobi del Rosso agli Uffizi, venivano trasferite al Museo degli Argenti a Pitti, e in questo locale collocate invece (1938-40) le miniature. È vero altresì che Pitti potrà conteggiare altre sue due grandi cessioni agli Uffizi, per il riordinamento Salvini del 1952: il 'Rtratto di Leone X con i cardinali' di Raffaello e la 'Madonna del collo lungo' del Parmigianino. Infine, occorre ricordare come l'autoritarismo statale fascista strappasse alla Galleria degli Uffizi nel 1927, per darla a Urbino, la 'Muta' di Raffaello (venuta da Poggio a Caiano nel 1773) che invero è il quadro più fiorentino che mai Raffaello abbia dipinto; e poi nel 1938 i celebri frammenti dell'Ara Pacis per la ricostruzione dell'imperiale monumento a Roma. Vano doveva essere un ricorso legale di Firenze, subito dopo la guerra, per riavere il capolavoro raffaellesco [5].

Note al capitolo III

1. A. Gotti, *op. cit.*, Firenze 1872 (478 pp. con documenti e piante); cfr. anche, dello stesso Gotti, *Pagine staccate della mia vita*, 1892, specie pagg. 111 sgg.).

2. G. François, *Guida di Firenze*, 1856; C. Rigoni, *Catalogue of Uffizi Gallery*, 1888, pp. 94-5; *Catalogo della Galleria Feroni*, Firenze 1895.

3. E. Ridolfi, *Il mio direttorato delle Regie Gallerie Fiorentine*, Firenze, ed. Tipografia Domenicana 1905, pp. 66 con però numerose fotografie di opere d'arte. Sempre dello stesso Ridolfi: *Dei provvedimenti e lavori fatti per le RR. Gallerie e Musei di Firenze negli anni 1885-1889*, Firenze-Roma 1890; *Di alcuni ritratti delle Gallerie Fiorentine* (estratto dall' 'Archivio Storico dell'Arte') 1892; i resoconti *RR. Gallerie di Firenze* ne 'Le Gallerie nazionali italiane' III, 1897, e V, 1902; E. Pieraccini, *Catalogo della R. Galleria degli Uffizi in Firenze*, Firenze s.d. Si citano edizioni in francese già del 1897, 1902, 1905 e 1907.

4. Segnaliamo un'intervista di E. Tortora alla vedova del Peruggia, in 'La Nazione', 17-2-1971.

5. Al *Catalogo dei dipinti* degli Uffizi di G. Poggi, 1926, con brevi schede ma complete e limitate ai soli dati obbiettivi storici, fa seguito l'itinerario degli Uffizi più sintetico ma al tempo stesso di più divulgativo commento estetico da parte di O.H. Giglioli (Libreria dello Stato, 1932; 2ª ed. 1940). Un'antologia commentata è la guida di N. Tarchiani, ed. Treves s.d. Per gli scambi Pitti-Uffizi cfr. A.J. Rusconi, *La R. Galleria Pitti in Firenze*, 1937, dove a pagg. 16-17 sono elencati i pezzi della Palatina passati agli Uffizi. Per le sculture Uffizi, *Elenco delle sculture*, Firenze 1921. Dal 1929 al 1931 le prime venti sale degli Uffizi furono presentate in un 'Catalogo topografico illustrato' (Firenze, Fototeca Italiana) con i vari riferimenti fotografici per ogni pezzo, un volumetto per sala. Erano previsti altri 16 volumetti.

Quando nel maggio 1938 Mussolini ed Hitler, transitando per il Corridoio Vasariano, avevano poi visitato la Galleria, nessuno dei partecipanti avrebbe forse immaginato che essa sarebbe stata coinvolta in una prossima guerra, la quale a un certo momento sarebbe passata devastatrice anche per Firenze e la Toscana. Allorché pure l'Italia entrò nel nefasto conflitto, gli Uffizi vennero immediatamente evacuati: risulta che in pochi giorni (giacché le casse per l'operazione erano state segretamente preparate in precedenza) — cioè dal 13 al 28 giugno 1940 — furono trasferiti alla Villa di Poggio a Caiano 550 principali dipinti, tra cui anche alcuni dei più importanti autoritratti; e 11 delle più rilevanti sculture, tra cui la 'Venere dei Medici'. Ma successivamente, considerando che un'unica concentrazione presentava i suoi pericoli, le opere della Galleria vennero rifugiate suddividendole presso varie sedi nel territorio: così nel castello di Poppi, nella Villa del Monte a Galliano in Mugello (678 autoritratti), nella Villa Salviati presso Fiesole (889 ritratti storici della Gioviana e del Corridoio Vasariano), nella Villa della Torre a Cona, in quella di Montegufoni (cui furono per esempio consegnate nel 1942 le opere di Cimabue, Giotto, Masaccio, P. Uccello, la 'Primavera' del Botticelli e la 'Madonna del Popolo' del Barocci); nella Villa Bossi-Pucci a Montagnana, ecc. In realtà se lo sfollamento da Firenze era stato giustificato dal timore di bombardamenti sulla città, però la suddivisione in quei vari rifugi (non controllabili immediatamente e direttamente dalla Soprintendenza) si rivelava — quando si profilò che per le campagne sarebbero passate le soldatesche in combattimento — assai preoccupante per altri lati, cannoneggiamenti, vandalismi, razzie, dispersioni.
Un funzionario della Soprintendenza, il prof. Cesare Fasola, ha narrato con efficacia [1] la sua missione *in extremis* (dal 20 luglio 1944) ai depositi di Montagnana (che trovò già quasi tutti asportati dai tedeschi qualche giorno prima), di Poppiano, di Montegufoni. In quest'ultima località c'era un bombardamento in corso nelle vicinanze, mentre i Cimabue e Giotto 'sono nel salone, dal soffitto altissimo tutto di legno. Se cadesse qui una granata, si appiccasse il fuoco...'. Ma a Montegufoni andò bene; ed il guardiano che era solito raccomandarsi, durante la ronda notturna tra tutti quei quadri di soggetto religioso: 'Santini, aiutateci!', attribuiva il merito a tale protezione. Poi, dopo le drammatiche incertezze nel passaggio del fronte, si stabilirono le truppe alleate e il 3 agosto lo stesso maresciallo Alexander, giunto a Montegufoni in jeep, si trattenne a gustarvi i capolavori.
Comunque dall'altra villa, di Montagnana, risultavano trasportate via dalle truppe germaniche più di 300 pitture tra Uffizi e Pitti, altre da Poppi, Barberino, e ulteriori sedi, per un totale di ben 527 dipinti. Per quanto concerne gli Uffizi, l'elenco — per fare alcuni nomi — andava da Pietro Lorenzetti e Lorenzo Monaco ai Lippi a Pollaiolo e Botticelli, da Signorelli e Perugino a Andrea del Sarto e Bronzino, da Giambellino a Caravaggio, da Van der Weyden a Dürer, Cranach, Van Dyck. A Poggio a Caiano erano state asportate 58 casse contenenti tra l'altro sculture antiche della Galleria, tra cui la 'Venere dei Medici'; altre sculture antiche degli Uffizi mancavano da Dicomano. L''Adamo e l'Eva' di Cranach, da Oliveto, erano stati trasferiti dai tedeschi a Firenze, ma poi fatti partire su una misteriosa autoambulanza della Croce Rossa.
Di tutte queste opere si seppe che erano state inoltrate verso il nord con autocarri, e perfino che alla tappa in una villa nel Modenese, a metà agosto di quel '44, 'fu data una festa da ballo con gusto rievocativo di tempi antichi, illuminazione a torce, e i dipinti, tra cui un Tiziano, servirono ad addobbare suggestivamente le sale'. I capolavori fiorentini risalirono in effetti oltre Bolzano, fino a depositi, a S. Leonardo di Passiria e Campo Tures (e non mancò il proposito di farle giungere alle saline di Altaussee, dove erano concentrate le altre opere d'arte europee destinate al Fuhrermuseum in Linz). Ma ormai la situazione bellica precipitava e al momento della resa germanica (2 maggio 1945) i due citati depositi furono consegnati agli Alleati. Filippo Rossi, delle Gallerie fiorentine, e l'allora tenente statunitense Frederick Hartt andarono per riportarle a Firenze, il che fu eseguito per ferrovia, e il 21 luglio di quell'anno ci fu la restituzione solenne in piazza Signoria alla città. Sul primo au-

tocarro del convoglio, che percorse le strade, il soprintendente Poggi aveva fatto scrivere semplicemente, al di sopra di ogni contingente propagandismo politico: 'Le opere d'arte fiorentine tornano dall'Alto Adige alla loro sede'.

Durante il passaggio della guerra l'edificio degli Uffizi, e così il Corridoio Vasariano, avevano subito vasti danni bellici; ed i restauri, connessi ad un progetto anche di riorganizzazione generale della Galleria, venivano affidati nel 1945 all'architetto Lando Bartoli. Questi con rapidità riparava alle ferite e realizzava tra l'altro il nuovo Salone (1948) ottenuto dall'acquisizione della ex Sala delle Arti (che corrisponde alla attuale Sala di Botticelli), e che era destinato a pale di grandi dimensioni. Nel progetto dell'architetto Bartoli si ideava anche una grande scala a rampe elicoidali di uscita al termine del terzo Corridoio, che (quasi con lo stesso spirito di quella ideata dal Pellegrini nel 1763) sarebbe sboccata monumentalmente dal lato della Vecchia Posta. Da quella parte ci sarebbe stata anche in Galleria una nuova ala per gli autoritratti; e la terrazza sulla Loggia dell'Orcagna sarebbe stata sistemata a giardino. Ammodernamenti generali erano poi previsti nell'illuminazione, nel riscaldamento (eliminando i vecchi radiatori in vista nelle sale), nelle tinteggiature delle pareti. Intanto, dalla metà del 1947 alla metà del 1948, veniva riallestita a cura di Filippo Rossi, Direttore, la prima parte della Galleria, dove c'erano alcune novità rispetto all'ordinamento Poggi di anteguerra: ad es. tutto il gruppo di prime sale era adesso dedicato ai soli fiorentini e toscani cominciando da una sala del Duecento per cui si era attinto da opere finora all'Accademia (Berlinghieri, Maestro della Maddalena; e 'in via provvisoria' vi si erano portati anche la 'Maestà' di Duccio e il Crocifisso di S. Croce di Cimabue). Il nuovo Salone del Bartoli ospitava appunto grandi dipinti di Filippino, Signorelli, Perugino; la seguente sala (oggi di Leonardo) presenta invece molto primo Cinquecento fiorentino, da fra' Bartolomeo e l'Albertinelli a Andrea del Sarto, il Rosso, il Pontormo [2].

Dal 1950 al 1952 il riordinamento veniva ripreso, con una notevole svolta, dal nuovo soprintendente Guglielmo Pacchioni, dal nuovo direttore della Galleria (1949) Roberto Salvini, e dall'architetto della Soprintendenza ai Monumenti Guido Morozzi per i lati tecnici. La distribuzione delle opere andava però notevolmente modificata secondo un nuovo criterio, cioè sostituire alla "prevalente suddivisione in 'scuole' del vecchio ordinamento" quello invece di un processo '*storico*, basato appunto sulla prevalenza del fattore tempo sul fattore luogo... [cioè la] contemporaneità di espressioni diverse... [nella] trama dei rapporti che variamente collegano artisti di regioni vicine e lontane...' (Salvini). Così Van der Goes veniva confrontato nello stesso Salone con Botticelli, e si mostrava l'impatto del suo trittico Portinari, giunto a Firenze, su Filippino o Lorenzo di Credi; o Dürer altrove era accostato a Giambellino, stimolando il ricordo dei viaggi veneziani del grande nordico. Le varianti ubicazionali più notevoli rispetto agli Uffizi precedenti risultano il nuovo Salone adesso passato appunto a Botticelli e Van der Goes (e fiamminghi del XV, in un 'gabinetto' ricavato nella zona centrale); Leonardo nella sala seguente; il primo gruppo di sale sul III Corridoio che adesso ospita — con del resto chiara sequenza — il Cinquecento italiano cominciando da Michelangelo e Raffaello fino al Veronese (dove prima era la sala del Van der Goes). Poi il salone di Rubens è passato invece — sempre seguitando quella sequenza — al Barocci e Tintoretto (e Rubens è stato trasferito invece nel salone corrispondente, già del Barocci). Nel frapposto gruppo di sale già per scuole straniere, veniva sistemata in via provvisoria un'antologia del Sei e Settecento. Nuove sale erano intanto progettate dopo quella della Niobe, nella quale ultima veniva posto qualche dipinto settecentesco francese. Una esposizione pure provvisoria di un'antologia di autoritratti trovava posto nel primo tratto del Corridoio Vasariano.
Diacronismo generale e sincronismo particolare, potremmo riassumere; e certo un'impostazione nuova e più colta (e più internazionalistica) che è verificabile anche nell'itinerario-catalogo pubblicato dal Salvini rispetto a quello ancora asciuttamente positivistico del Poggi, distanti (1926-1952) un quarto di secolo. D'altronde in questi 'nuovi' Uffizi interverrà tosto anche una architettura museografica di avanguardia, nel rifa-

29. La nuova sala del Duecento e di Giotto, ancora con il Crocifisso di Cimabue, 1954 ca.

Nella pagina a fronte
30. Veduta del III corridoio.

cimento a opera di architetti di fama (Michelucci, Scarpa, Gardella) delle prime sale dei 'Primitivi', terminate nel 1956 (particolarmente apprezzate, e citate nelle antologie museografiche, la Sala iniziale di Giotto alludente a un'antica chiesa toscana; e quella del Tardo Gotico) [3]. Ma questa esigenza di qualificazione anche architettonica, insieme a quella pure più generale di una nuova e incidente impostazione presentativa ('prima di ogni cosa... dare nei limiti del possibile ai dipinti quell'isolamento e nei casi più importanti quel risalto sull'ambiente e sulle opere circostanti che i capolavori esigono...') comportavano − dati i soliti vincoli di spazio − uno sfoltimento che investiva tutt'altro che scarsi settori o opere secondarie, interessando soprattutto tutto il periodo postrinascimentale. Sta il fatto che nel 1952 i dipinti elencati dal catalogo risultano un 480 circa, mentre nel catalogo Pieraccini ai primi del secolo si era a quasi 2400. Per avere la qualità espositiva, senza sacrificare l'estensione rappresentativa e documentativa − si andava così facendo evidente − occorreva aumentare assai la quantità spaziale del contenitore; ma quanto poi in complesso al nuovo disegno ordinativo (che il Salvini del resto dichiarava aperto a suggerimenti, modifiche, sviluppi) nonostante le inevitabili critiche, il tempo gli ha riconosciuto però una sostanziale validità, almeno a parere di chi scrive.

Successa al Salvini passato all'Università (1957), la direzione di Luisa Becherucci si caratterizza appunto come decisa assertrice del progetto cosiddetto 'dei grandi Uffizi', l'estensione cioè della Galleria a tutti i piani dell'edificio vasariano: col trasferimento dell'Archivio di Stato − che del resto non è più in grado di recepire altro materiale, ed è inagibile secondo esigenze moderne; inoltre con tutto il suo materiale cartaceo costituisce un vero pericolo per la soprastante Galleria − ad altra apposita sede. Concorda il Direttore dell'Archivio, Sergio Camerani, nonostante le resistenze tradizionaliste di alcuni ambienti. Per il nuovo Archivio sarà prescelto lo spazio in Piazza Beccaria già occupato dalla Casa della GIL. L'idea dell'ingrandimento della Galleria risale nel tempo, ma adesso ciò si prospetta concreto e, si confida, prossimo (in realtà i lavori per il nuovo Archivio inizieranno nel 1978). D'altronde alla Becherucci, piuttosto che proseguire in Galleria coi soliti problemi di vincoli spaziali, nel riordinamento di altre sale − dopo che intanto si è fermato il rinnovamento di Michelucci e Scarpa − pare preminente una ricognizione preventiva dell'intero antico edificio per una progettazione veramente globale e oculata; e soprattutto un immediato controllo circa quanto può subito minacciare la sicurezza della Galleria. Così inizia provvedendo ad un sistema antincendio, alla revisione delle soffitte, delle coperture, ecc. (lavori affidati all'ing. Focacci); mentre cerca di individuare per il problema Uffizi l'attuale complessa molteplicità 'museologica': disciplina in cui la nota studiosa di Trecento e manierismo andrà poi specializzandosi.
Prosegue altresì tutta un'attività culturale [5], che va dai restauri (Mantegna, Pollaiolo, Ghirlandaio, Bronzino, ecc.) ai cicli di visite guidate e conferenze, a mostre antologiche che richiamano le varie sezioni per ora in forzato deposito (fiamminghi e olandesi, 1958; Sei e Settecento italiani, 1959; nuovi acquisti, 1960; ecc.). Usciva però d'autorità di Galleria, alterando la fisionomia della nuova prima sala che si era molto basata su questo pezzo, il grande 'Crocifisso' di Cimabue, restituito al

Museo di S. Croce dove lo sinistrò l'alluvione del 1966. Nel 1963 si potranno invece rivedere − in una mostra di restauri − le due minuscole ma mirabili 'Fatiche di Ercole' del Pollaiolo, scomparse nel 1944 dal deposito di Montagnana, e che la Becherucci è ora andata a recuperare fortunosamente a Los Angeles, insieme al ministro Siviero. Nel dicembre 1966 c'è una mostra di 'Dipinti salvati dalla piena dell'Arno', l'alluvione del 4 novembre durante la quale la Direttrice è accorsa in Galleria, con altri colleghi, prodigandosi nelle circostanze. Anche per scuotere l'opinione pubblica e l'interesse dei politici, nel 1965 si è fatto procedere da una commissione di esperti (Ragghianti, Bellini, Volterra) a una valutazione 'venale' degli Uffizi, calcolando le opere attualmente espostevi. Le stime saranno presto assai superate dalla crescita vertiginosa dei prezzi artistici sul mercato, comunque ascendono allora a un totale di 600 milioni di dollari, più circa 7 miliardi di lire per l'edificio.
Intanto nel 1963 l'architetto Nello Bemporad, già Soprintendente a Pisa, era stato incaricato ufficialmente dal Ministero del progetto per i 'grandi Uffizi', in accordo con la Becherucci. Un apposito Ufficio Studi viene creato in Galleria e le linee del progetto vengono già presentate al pubblico nel 1966. Primo frutto concreto è nel 1967 la riapertura della Scala buontalentiana a ponente, cioè del primitivo ingresso, un'operazione che mentre recupera fondamentali ambienti storici, andati alterati, dota finalmente gli Uffizi di quella uscita di cui da tempo − come si è visto − si sentiva la necessità. Bemporad iniziava nel frattempo lavori anche nella zona di S. Pier Scheraggio, e rifaceva l'ingresso sinistrato dall'alluvione. Con la Scala buontalentiana ed il suo sbocco in Galleria, si era dovuto tuttavia eliminare l'esposizione provvisoria di Sei e Settecento che qui occupava 5 sale, quindi altra notevole restrizione espositiva, mentre d'altra parte arrivano agli Uffizi al termine di questo periodo, sia pure in 'via provvisoria', anche gli 'Uomini illustri' del Castagno (maestro finora assente in Galleria) già a S. Apollonia, che vengono sistemati nell'ultima sala di ponente. Così pure, ivi, l'Annunciazione di Botticelli, splendido affresco già in S. Martino alla Scala (oggi collocato a sfondo dei locali di ingresso). E nella prima sala compare il polittico di Giotto di Badia, una riscoperta di Ugo Procacci [4].

Nel giugno 1969 a Luisa Becherucci che lasciava l'incarico per limiti di età, succedeva come Direttore (il 20° dal 1769) lo scrivente. Quanto segue costituisce quindi, a parte altre notizie, il rendiconto dell'ultimo decennio di gestione [5].
Giusta il momento culturale in cui avveniva la successione, non parrà casuale se una delle prime iniziative fu (autunno 1969) un sondaggio mediante questionario sul pubblico della Galleria, fatto condurre da una *équipe* specializzata universitaria. Si volevano avere così delle indicazioni non più generiche ma precisate sulla effettiva composizione sociologica dei visitatori, sulla loro preparazione culturale, sui loro *desiderata* dalla Galleria; sulle linee di tendenza insomma che si stavano sviluppando sia con la dimensione già di massa e in continua crescita del pubblico, sia dopo le novità ideologiche portate dalla recente 'contestazione'. Tra le risultanti che possono tuttora interessare, ci fu quella di una quasi equivalenza tra pubblico maschile e femminile (maschi 55%); di un arco rappresentativo di tutte le età e anzi con prevalenza giovanile (il 43% oltre i 30 anni, ma il 17% al di sotto dei 20); di una notevolissima pre-

senza di visitatori non italiani (questi ultimi raggiungevano soltanto il 38%). La dislocazione sociale e il livello di istruzione risultavano d'altra parte piuttosto 'verso l'alto' (23% di professionisti, 9% di insegnanti, 13% di impiegati, 29% di studenti; 38% di laureati, 15% di studenti universitari, e un 24% di diplomati; d'altra parte l'appena 1% di operai o il 16% di istruzione media, e lo 0,6% di istruzione elementare). Il momento dell'inchiesta (fine ottobre) deve far considerare che certo quello era un periodo di turismo meno massificato e più qualificato (lo dimostra anche il fatto che l'89% delle visite erano personali contro l'11% organizzate), e ciò comportava altresì una mentalità più 'progressista'. Così non solo il 42% si dichiarava favorevole a collocare agli Uffizi anche opere d'arte contemporanea (contro però il 54% negativo); ma il 20% ammetteva addirittura che alcune opere della Galleria potessero venire esposte in luoghi pubblici come stazioni, aeroporti, grandi magazzini, quali 'luoghi emblematici della vita d'oggi'; ed un 10%, infine, si diceva d'accordo con l'affermazione pro-

qui immaginabili crisi logistiche e addirittura pericoli comportati dall'eccessivo affollamento anche per le opere (ad es. quello di vandalismi involontari nelle sale congestionate); oltre il logoramento continuo della manutenzione. Ma — anche mediante una sistematica pubblicizzazione sulla stampa di questi dati, atta a richiamare l'attenzione sul ruolo così decisivo del Museo nella vita turistica fiorentina — si è ottenuto dall'autorità ministeriale un mutamento dell'orario di apertura, che prima andava dalle 10 alle 16, poi era stato con un circolare generale addirittura ridotto dalle 9 alle 14; mentre dal 1975 — grazie anche alla collaborazione sindacale e del personale — si estende in doppio turno dalle 9 alle 19: il che permette una diluizione delle presenze, e inoltre riserva agli amatori più interessati, nel tardo pomeriggio, delle ore di veramente tranquilla visione.
Le opere sono state d'altra parte protette con ampio uso di cristalli (che le difendono anche da sfregi o furti di destrezza), transenne, cordonature; il personale di custodia impiegato agli

vocatoria — attribuita nel questionario a 'qualcuno' — che il Museo in generale come istituto fosse ormai 'una struttura superata'. Tuttavia niente di particolare e inatteso rivelavano invece i *desiderata*, se non invece la naturale richiesta di sempre maggiori e modernizzati servizi verso il pubblico: ambienti di accoglimento, sosta, ristoro, toilettes e ascensori più capaci; audiovisivi e pubblicazioni su vasta gamma; estensione dell'orario di apertura comprese visite nel dopocena; attività didattica e visite guidate, indicazioni plurilingui, ecc. In sostanza cioè il Museo (e nel caso specifico la Galleria) risultava accettato nella consueta struttura, in una visuale in realtà riformistica piuttosto che rivoluzionaria.
Senonché gli Uffizi erano investiti intanto proprio da una impressionante crescita di pubblico, che se dai 105.000 visitatori del 1950 erano arrivati ai 665.000 del 1968, nel 1972 già arrivavano a 1.012.000, e nel 1977 erano 1.148.000 in confronto ai 626.000 del 1967, quindi quasi un raddoppio nel decennio. Dal giugno 1969 al giugno 1979 i visitatori sono stati in totale 9.780.000, con punte di oltre 11 mila in una sola giornata. Di

Uffizi è salito alle odierne circa 100 unità. Si è completato il riscaldamento della Galleria (che prima funzionava soltanto a metà), attuato anche un condizionamento per i mesi estivi; potenziata tutta l'illuminazione; migliorati i vari servizi verso il pubblico, compresa una piccola infermeria di emergenza; stesa una rete telefonica e radiofonica che collega tutta la Galleria e diffonde avvisi plurilingui; infine, grazie alla legge Spadolini del 1975, si è potuto dotare gli Uffizi di impianti di allarme, oltre la intensificata vigilanza notturna.
D'altra parte l'intervento cospicuo della Soprintendenza ai Monumenti — in particolare grazie al Soprintendente Bemporad, che conserva la diretta conduzione dei lavori agli Uffizi — ha riportato la manutenzione generale dell'edificio ad ottime condizioni, col restauro dei tetti, dei pietrami e intonaci delle facciate. Così oggi il capolavoro architettonico vasariano spicca nuovamente nitido nel centro di Firenze. Da parte nostra, si stanno attualmente restaurando (sotto la direzione di A. Paolucci) anche le ottocentesche statue di illustri toscani che adornano le nicchie del porticato a terrono.

Ma quali sono le principali innovazioni intervenute nella fisionomia museografica? Va forse premesso come i criteri siano stati quelli di completare già per quanto possibile la Galleria attuale che, anche con i futuri 'grandi Uffizi', ne resterà sempre la sezione fondamentale; di procedere secondo un'attenta coscienza storicistica, memore di tutte le vicende passate del Museo; di recuperare subito all'esposizione quanto si potesse del troppo materiale andato in deposito, e così ormai da decenni sottratto alla pubblica fruizione.

Ci limitiamo a ricordare in sintesi (e intendendosi che i restauri propriamente architettonici sono stati operati con grande e costante impegno dal Bemporad), i nuovi locali che hanno rimesso in luce la ex chiesa romanica di S. Piero Scheraggio presso l'ingresso, inaugurati nel 1971, e dove sono stati esposti gli 'Uomini illustri' del Castagno, nonché pitture e affreschi già in diretta relazione con quella chiesa; la ripresa dell'originale vivace coloritura settecentesca nello scalone e negli ingressi superiori di Zanobi del Rosso; la nuova Sala del Lippi (1973), che

riato decor. Nuovi tendaggi proteggono gli arazzi esposti nei corridoi. Sulla terrazza dell'Orcagna è stata ricostruita l'antica fontanella di Buontalenti-Giambologna; e con affaccio su questa terrazza panoramica si dovrebbe realizzare un grande locale di ristoro per i visitatori (ne funziona intanto uno provvisorio). Va notato che, procedendo per tappe, si è cercato di evitare che i rinnovamenti ostacolassero la normale funzionalità della Galleria, e si avessero troppe sezioni chiuse 'per lavori in corso'.

I suddetti riordinamenti hanno ovviamente comportato (e seguitano a comportare) anche certi spostamenti di opere, pur rispettando fondamentalmente l'ordinamento precedente del 1952; né sono mancate aggiunte di nuovi pezzi in esposizione, per dire un fra' Bartolomeo, due Perin del Vaga, un Cambiaso, due Bassano, un Barocci, un Boscoli, un Cigoli, un Van Dyck, diversi fiamminghi del Seicento; oltre le grandi novità costituite dai Greco e Goya già Ruspoli di recente acquisizione (e così la 'Susanna e i vecchi' del Lotto, già Contini-Bonacossi).

occorreva allineare al tessuto di quelle più recenti circostanti; la nuova Sala del Botticelli (1978) dove invece si è fatto riemergere, riportandone in vista le antiche poderose capriate, il ricordo dell'antico Teatro Mediceo; la seguente Sala di Leonardo (che era, come quella del Lippi, ormai un po' 'sfasata') di prossimo compimento insieme al restauro della Sala delle Carte Geografiche. Passando al seguito delle sale più antiche di Galleria, fin dal 1970 una 'Mostra storica della Tribuna degli Uffizi', congiunta al pratico restauro di essa Tribuna e della saletta adiacente, intendeva dimostrare appunto il metodo storicistico, quasi affine al restauro, con cui ci si proponeva di recuperare agli ambienti la continuità tradizionale nei suoi valori salienti: così la Tribuna ha riavuto come in antico una tappezzeria rossa, vi sono stati ricollocati dipinti che vi si trovavano in origine, fin dall'inventario 1589; e vi si è aumentata la densità di quadreria per richiamare quella originaria. Analogo metodo è stato applicato nella adiacente saletta dove sono state ritrovate nicchie decorative in parete, ed è stato ricollocato l'Ermafrodito, il quale vi era stato sistemato nel 1669, appena acquistato a Roma. Accurato restauro conservativo ha avuto la sala delle miniature riportata a tutto il suo sfarzo (1978); riordinamenti parziali e foderature con stoffe quasi tutte le altre sale, con la mira di conseguire al percorso museale un tono di più va-

Nell'alto dei corridoi, all'ubicazione originaria, è stata ricollocata (1971) tutta la Serie Gioviana con i ritratti dei personaggi storici, quasi 500 pezzi. Ma nel Corridoio Vasariano inaugurato nel 1973 dopo la fine del lungo restauro architettonico, altri ben 715 dipinti degli Uffizi sono ritornati in esposizione: si susseguono due sale di caravaggeschi, poi nel tratto fino al Ponte Vecchio tutte le scuole italiane del Sei e Settecento e la sezione della Scuola francese; sul Ponte si passa agli autoritratti italiani fino al Settecento compreso; quindi nel seguito del Corridoio gli autoritratti fiamminghi e tedeschi, poi francesi ed inglesi; poi presso l'affaccio riscoperto sulla chiesa di S. Felicita una antologia della collezione di bozzetti; quindi ancora gli autoritratti (antologia) dell'Ottocento, partendo da David e Canova; e infine, ormai già presso Boboli, una antologia della Serie iconografica, compresi i ritrattini in miniatura. In conclusione l'esposizione, tra Galleria e Corridoio, è stata aumentata di circa 1200 pezzi (escluse le miniature) ripresi dai depositi (che erano in massima parte a Pitti); mentre anche quanto restava in questi ultimi è stato riportato agli Uffizi e accurata-

Nella pagina a fronte
32. Veduta della sala del
Botticelli.

31. San Piero Scheraggio.

mente sistemato (a cura di Ettore Spalletti) in tutto un piano della Vecchia Posta annesso alla Galleria; rendendovi così prontamente e ordinatamente accessibili e consultabili dagli interessati altri 1000 dipinti. In questo modo dovrebbero finalmente cessare le leggende circa le migliaia di opere degli Uffizi accatastate alla peggio non si sa dove o nelle cantine (dove in realtà non sono mai state), sottratte ad ogni possibile visione, ma invece offerte spensieratamente ad eventualità alluvionali... Infine, un cenno ai restauri di cui, grazie alla collaborazione sagace di Umberto Baldini, hanno fruito varie opere, da P. Lorenzetti a Filippo e Filippino Lippi a Botticelli, Botticini, Van der Weyden, Van Cleve, Perugino, Raffaello, Bronzino, molti caravaggeschi, diversi autoritratti.

Ma qui è il momento di valutare anche gli incrementi che la Galleria ha avuto nel complesso generale di questo ultimo dopoguerra[6]. Ricordiamo, limitandoci ai pezzi più significativi, per i 'primitivi' intanto una duecentesca 'Madonna' fiorentina

'Storie davidiche' del napoletano G.B. Spinelli, una 'Vanità' di M. Preti, cinque bozzetti di Luca Giordano; 'Morandino e Lucina sorpresi dall'Orco' del Castiglione; un ritratto (1695) del pittore A. Balestra di Benedetto Luti (e forse dello stesso Luti il 'ritratto del cardinale Carlo Fabroni di Pistoia', dono di Carlo Gamba, 1951); un bozzetto del Ferretti, un curioso autoritratto di A. Cioci (1739), due piccoli Bazzani; la 'Confessione', piacevolissima teletta di Pietro Longhi (comprato 1951). Per l'arte non italiana, abbiamo già citato i memorabili acquisti dagli eredi di Casa Ruspoli del Greco ('I SS. Giovanni Evangelista e Francesco') e dei due Goya ('Ritratto di Maria Teresa de Vallabriga a cavallo'; 'Ritratto della Contessa di Chinchon') entrati in Galleria (le trattative erano state iniziate dal Soprintendente Giuseppe Marchini) rispettivamente nel 1976 e nel 1974; mentre nel 1951 si erano comprati piuttosto fortunatamente all'Esportazione 'La fanciulla che giuoca al volano' e il 'Ragazzo che fa il castello di carte' di Chardin. Si aggiungano per questo settore una 'Scena di giuoco con indovina' attri-

già di S. Maria a Casale (1976); un'altra 'Madonna' del raro Lippo di Benivieni, centro di un polittico già in S. Pier Maggiore di Firenze (1974); il piccolo 'trittico' firmato da Jacopo del Casentino, dono Cagnola 1948; la splendida 'Madonna' di Ambrogio Lorenzetti centro del trittico di S. Procolo (1332?), dono di Bernard Berenson nel 1959, e che ha permesso la ricostruzione del trittico in Galleria, con i due santi che erano stati depositati al Museo Bandini di Fiesole; le tre importanti 'storie di S. Benedetto' già Cannon, di discussissima attribuzione (Gentile, Pisanello, ecc.) donate fin dal 1937 ma acquisite agli Uffizi solo da poco. Dai residui della Coll. Contini-Bonacossi è stata acquistata (1975) la 'Madonna' già Frizzoni di Vincenzo Foppa, maestro finora non rappresentato agli Uffizi; per il Cinquecento menzioniamo un piccolo 'Dedalo e Icaro' che è stato attribuito anche agli inizi di Andrea del Sarto; la già citata 'Susanna e i vecchi' (1517) del Lotto, gemma veramente da grande galleria internazionale; un 'Presepio' del Vasari; un' 'Andata al Calvario' (1552) di Battista Franco; una 'Carità' del Poppi; una 'Madonna del Soccorso' (1593) dell'Empoli, precaravaggesca. Ampliamenti sono stati portati anche per il Sei e Settecento italiani: dono (1954) del conte Alberto Bardi il noto 'ritratto di fra' Ainolfo di Bardi' di Carlo Dolci; acquisti una 'Castità di Giuseppe' di Cecco Bravo, due grandi

buito a U. Rénier; una 'Adorazione dei pastori' siglata da L. Bramer; una 'Natura morta' (1642) dello spagnolo F. Barrera e una grande 'Allegoria della Vanità' attribuita a Valdés Leal; cinque vedute del Van Wittel e un 'Ponte a S. Trinità' di T. Patch; un 'ritratto virile' (1762?) di Angelica Kauffmann. Quanto agli autoritratti, uno supposto di Baccio Bandinelli (dono Philipson 1970), e poi – spesso doni degli artisti o degli eredi – quelli settecenteschi di G.D. Malerbi, di B. Denner, e poi di Eugène Carrière, dello svedese Jonas Akesson, di G. Bezzuoli, di F. Vinea (datato 1865), dello spagnolo Mariano Fortuny y de Madrazo, di Tito Conti, Cesare Ciani, Angelo Dall'Oca Bianca, O. Ghiglia (del 1920), Lorenzo Viani (del 1911-'12), Plinio Nomellini, Primo Conti (datato 1943), Roberto Melli (datato 1946), del russo Leonid Pasternak, di Arturo Checchi (del 1912), di E. Chaplin (del 1910, dono dell'autrice 1974), di Hans Marsilius Purrmann (donato da Hanna Kiel 1976), di Gianni Vagnetti, dell'ungherese Marianne Gabor (1976); fino a quello di Marc Chagall (dipinto tra 1959-1968) donato dal Maestro stesso nel 1976. Chagall è venuto a vederlo collocato nella Collezione fiorentina, ricevuto dai rappresentanti cittadini nel Corridoio Vasariano.
Ma destinata agli Uffizi, seppure collocata provvisoriamente (1974) nella Meridiana di Pitti, è anche la spettacolare Dona-

zione Contini-Bonacossi, 144 pezzi di cui − a parte mobili, maioliche, stemmi robbiani − 12 sculture e 35 dipinti che incrementano il patrimonio della Galleria con cose quali la 'Madonna delle nevi' del Sassetta, l'affresco del Castello Pazzi di Andrea del Castagno, la raffinata 'Madonna' di Giovanni di Francesco, il mirabile 'S. Francesco' del Giambellino, il 'ritratto del conte da Porto con il figlio' di Paolo Veronese, il marmo col 'Martirio di S. Lorenzo' del Bernini; e poi Paolo Veneziano, i lombardi Zenale e Boltraffio, il piemontese Defendente Ferrari, il bolognese Francia, i veneti Cima, Savoldo, Bassano, Tintoretto, ecc.; fino ad un Crespi. Per gli spagnoli, i nomi di Greco, Zurbaran, Velazquez, Goya[7].

E ancora, gli Uffizi hanno accolto in via sperimentale sculture attuali a decorazione dei loro ambienti: nel 1974 una 'Pomona' di Marino Marini, posta nel vestibolo di uscita della scala buontalentiana; nel 1978 gli 'Archeologi' di Giorgio De Chirico, collocati nel Corridoio del primo ingresso. 'Diventerà an-

statali cittadini (Pitti, ecc.), concernendo i più vari aspetti della attività figurativa. Ricerche sul patrimonio artistico, non soltanto per Firenze ma nei centri minori e nel territorio, vengono promosse tra gli allievi esponendone i risultati. Tra continui contatti che vanno dall'Università al Provveditorato agli Studi agli Enti locali e ai quartieri cittadini, la Sezione Didattica partecipa d'altronde a tutti i convegni nazionali e internazionali in materia, ed innegabilmente la sua attività è ormai ben nota.
Ma oltre il settore scolastico, la Sezione ha curato anche per il pubblico adulto mostre audiovisive plurilingui (del Dürer, 1971, e del Bronzino, 1972, agli Uffizi; di Michelangelo, 1975, al Bargello), pubblicazioni, itinerari speciali, mostre itineranti negli ospedali; e sta ora iniziando un nuovo programma dedicato alla 'terza età'[9].
D'altra parte, sul versante specificamente scientifico, è stato istituito un Ufficio Ricerche per la Soprintendenza in generale, ma patrocinato dagli Uffizi, affidandolo alle competenti dire-

tico anche quello', disse Corrado Ricci alle critiche per aver introdotto il 'Pescatorello' del Gemito nel Bargello[8].

Nel 1970 è stata altresì istituita la 'Sezione didattica' degli Uffizi, affidata alla valida direzione di Maria Fossi Todorow, a cui è stata data (1973) una sede apposita negli antichi locali (sempre restaurati dall'architetto Bemporad) della Compagnia degli Stipendiati adiacente a S. Piero Scheraggio ed affacciati su piazza Castellani. C'è un ambiente per proiezione e riunioni, un altro per esposizioni; nella dotazione, è stato utilizzato anche lo speciale materiale fotografico e didattico relativo alle varie tecniche artistiche e al restauro, che aveva figurato alla Mostra 'Firenze restaura' del 1972, organizzata da Umberto Baldini. La Sezione Didattica si è progressivamente assai sviluppata sia come metodologia, che come struttura operativa e campi di applicazione. Così gli operatori didattici (laureati o laureandi in storia dell'arte) appositamente preparati e ivi impegnati sono giunti oggi a circa 20; gli alunni delle scuole accolti sono stati finora in totale 230.000; le visite si sono ampliate ad altri musei

33. La Tribuna.
34. M. Chagall agli Uffizi nel 1976, con il Sindaco di Firenze E. Gabbuggiani e il Direttore della Galleria L. Berti.

Nella pagina a fronte
35, 36. Vedute del Corridoio Vasariano.

46

zioni dapprima di Evelina Borea e poi di Silvia Meloni. Nel 1975 la Borea ha così effettuato agli Uffizi la citata mostra di ricognizione della pittura bolognese del Seicento presente nelle Gallerie fiorentine; mentre dopo, il lavoro della Meloni ha esplorato settori finora poco indagati come quelli delle miniature, ritrattini, pastelli, iconografico, ecc. in vista di una completa documentazione scientifica (schede) e fotografica di tutte le opere delle gallerie statali fiorentine.

Infine, recenti dati a completare il punto della situazione, un patto di gemellaggio tra gli Uffizi e l'Hermitage è stato firmato a livello statale nel gennaio di questo 1979 a Roma; avvio a relazioni speciali possibili anche con altri massimi musei mondiali, e concernenti scambi di opere in mostra, di informazioni e esperienze museografiche. Una prima visita fiorentina a Leningrado ha avuto luogo nello scorso giugno 1979. Contemporaneamente, un nuovo progetto di massima per gli Uffizi estesi a tutto il complesso vasariano viene inoltrato in questi giorni

secondo dopoguerra ad oggi, in 'Museologia' 5, 1977, pp. 56-8.

4. L. Becherucci, Un problema museologico: gli Uffizi, in 'Antichità e Belle Arti' 22-3, 1965, pp. 22-9; Gall. d. Uffizi. Dipinti del Seicento Fiammingo e Olandese, fascicolo per la Settimana dei Musei a cura di L. Becherucci-E. Micheletti, 1958; Gall. d. Uffizi. Dipinti italiani del Sei e Settecento, fasc. a cura di L. Becherucci-E. Micheletti, 1959; Gall. d. Uffizi. Dipinti del Seicento Genovese, fasc. a cura di L. Becherucci-S. Meloni, 1964; Jacopo Vignali, a cura di C. Del Bravo, 1964; Dipinti salvati dalla piena dell'Arno, esposti agli Uffizi, a cura di U. Procacci, L. Becherucci, S. Meloni, 1966; Critica d'arte XII, 72, 1965.

5. L. Berti, intervista a cura di G. Bonsanti in 'Antologia Vieusseux' luglio-dicembre 1969; L. Berti, Prefazione a Galleria d. Uffizi, Fratelli Fabbri 1969; L. Berti, Gli Uffizi (con 659 ill.), Firenze 1971; L. Berti, Museo e massificazione in 'Il Museo come esperienza sociale', Atti del Convegno di Studio a Roma, 1971, ed. 1972, pp. 61-77. (All'indagine sociologica agli Uffizi collaborarono i Proff. G. Tinacci-Mannelli, G. Busignani-Buzzatti e G. Poggiali dell'Istituto di Sociologia dell'Università di Firenze. Il finanziamento, come tanti altri tempestivi aiuti alle Gallerie fiorentine, fu della benemerita Associazione degli Amici dei Musei di Firenze, presieduta prima da Piero Bargellini e oggi da Raffaello Torricelli, Segretaria Leopolda Puccioni). Per lati sociologici e teorici generali, si cfr. ancora L. Berti, Il Museo tra Thanatos ed Eros, in 'Museologia' 1, 1972,

dalle due Soprintendenze interessate al Ministero; mentre il Comitato di settore del Consiglio Nazionale ha già approvato il progetto stralcio di un nuovo spazioso ingresso per il pubblico su piazza Castellani. Così gli Uffizi si inoltrano verso i loro sviluppi futuri.

Note al capitolo IV

1. C. Fasola, Le Gallerie di Firenze e la guerra. Con l'elenco delle opere d'arte asportate, Firenze 1945; e poi F. Hartt, Florentine Art under Fire, Princeton 1949; R. Siviero, La difesa delle opere d'arte, Firenze 1975.

2. L. Bartoli, Galleria d. Uffizi, Introduzione all'architettura, I danni di guerra e il progetto di sistemazione, Firenze 1946; [F. Rossi?], Gall. d. Uffizi, Catalogo dei dipinti, Firenze Del Turco 1948.

3. La Galleria degli Uffizi. Problemi tecnici e di ordinamento (s.d. ma 1952), ed. Arnaud Firenze (con testi di G. Pacchioni, G. Morozzi, R. Salvini); R. Salvini, Gall. d. Uffizi, Catalogo dei dipinti, Firenze 1952 ed edd. segg.; 'Bollettino d'Arte' 1952, p. 379 (sopraluogo del Consiglio Superiore delle Belle Arti agli Uffizi, con approvazione); R. Longhi, Gli Uffizi sistemati, in 'Paragone' 29, 1952, pp. 57-62; The Uffizi and Problems of Restoration in Florence, in 'Burlington Magazine' 1957, pp. 73-5; B. Berenson, Pagine di diario I Pellegrinaggi d'arte, 1958, pp. 137-8 (visita agli Uffizi 1956); A. Aloi, Musei, 1961, pp. 323-342; C. Cresti, Caratteri dell'architettura museografica italiana dal

6. Gall. d. Uffizi, Nuovi acquisti delle Gallerie Fiorentine, fascicolo a cura di L. Becherucci ed altri, 1960; Inaugurazione della Donazione Contini-Bonacossi (con introduzione di L. Berti e itinerario di L. Bellosi), Firenze 1974; E. Borea, Nuove acquisizioni degli Uffizi, in 'Prospettiva' 7, 1976, p. 65.

7. S. Muratori, C. Ricci, Torino s.d. (dal 'Comune di Ravenna'), p. 27.

8. Tra le numerose pubblicazioni della Sezione Didattica degli Uffizi, dal 1970, cfr. M. Fossi Todorow, in Il Museo come esperienza sociale cit., 1972, pp. 169-75; Sezione Didattica d. Galleria d. Uffizi: metodi, programmi, strutture, 1970-75, Firenze 1975; The educational Service of the Uffizi Gallery, in 'Museum' Unesco, Parigi 1976; M. Fossi Todorow, Una didattica per la tutela, in 'Scritti in onore di U. Procacci', 1976, 2°, pp. 652-6; e ancora la stessa Todorow, in 'Prospettiva' 7, 1976, pp. 66-7. Per la Sezione Ricerche, già cit. cataloghi di mostre 1975 e 1977 di E. Borea, con presentazione di L. Berti.

e 2-3, 1973-4; e Per una prospettiva concreta alla museologia italiana, in 'Museologia' 4 (Atti del I Convegno di Studi sulla Museologia, 1974); L. Berti, Lavoro agli Uffizi, in 'Nuova Antologia' 2111, novembre 1976, pp. 239-44 (riassunto operativo fino al 1976). Ancora, Dopo il furto di Palazzo Pitti, in 'Nuova Antologia' 2125-6, 1978. Mostra storica della Tribuna degli Uffizi (1ª ed. 1970, 2ª 1971 come 'Quaderni degli Uffizi' 1) a cura di L. Berti, S. Rudolph, A. Biancalani, L. Berti, Nota Museografica, in San Piero Scheraggio nella Galleria degli Uffizi, 1971; L. Berti, Nota storica e sull'ordinamento, in Inaugurazione del Corridoio Vasariano, Firenze 1973; L. Berti-P. Dal Poggetto, Capolavori degli Uffizi restaurati nel 1975, opuscolo; L. Berti, Nota museografica per la Sala di Botticelli, la Sala delle miniature, e i nuovi 'Depositi degli Uffizi', in Inaugurazione della Sala del Botticelli, 1978; L. Berti, La Sala del Botticelli agli Uffizi, in 'Prospettiva', 13, 1978, pp. 76-7; The Botticelli Room at the Uffizi, in 'Burlington Magazine' 903, 1978, p. 357.

Nello Bemporad
Soprintendente ai Beni Ambientali e Architettonici
delle provincie di Firenze e Pistoia

Premessa

Nel 1964 venni incaricato dal competente Ministero di studiare un progetto per il riordinamento degli Uffizi, cioè di quella Galleria ampliata a tutto l'edificio del Vasari, oggi parzialmente occupata dall'Archivio di Stato, secondo una nuova maggiore dimensione ormai imposta dalle nuove esigenze museologiche e dal passare dall'affluenza alle sale della Galleria da 100.000 a ben oltre 1 milione di visitatori annui, massima cifra in Italia.

Nel progetto appare di primaria importanza la riapertura sul portico, al piano terreno e con una nuova utilizzazione, dei grandi saloni delle Magistrature, oggi usati solo e inopportunamente per lo stivaggio dei volumi dell'Archivio di Stato. È sostanzialmente il recupero in tutto il suo valore del Piazzale dove ora trovano illogica sede le bancarelle dei venditori di souvenirs, situate anche di fronte alle porte ora chiuse delle antiche Magistrature.

Secondo e importante problema è l'inserimento di un nuovo ingresso, sul retro della Pinacoteca, in piazza dei Castellani, costituito da una grande e comoda rampa di accesso.

Sotto questa si troverà, con dimensioni di mt. 8 × 60, una grande hall che ospiterà i servizi generali di accoglienza per i turisti: banca, toilettes, ecc. proporzionati al numero sempre crescente dei visitatori. Una pensilina di fronte e una galleria coperta di fianco, ospiteranno le bancarelle.

Il progetto presentato al Ministero nel 1967 è stato approvato dal Consiglio Nazionale dei Beni Culturali nel 1979; si prevede di realizzare entro il 1981 l'ingresso in piazza dei Castellani ed i nuovi ascensori per la Galleria, mentre la ultimazione dei restanti lavori è prevista al 1985.

Formulando i predetti piani per adibire il Monumento alla nuova funzione, recuperando sostanzialmente tutti i valori architettonici primari, si è provveduto nell'ambito del progetto generale a realizzare in questi quindici anni ciò che era possibile del progetto stesso, oltre al necessario per la conservazione delle strutture dell'edificio, come il restauro completo delle coperture e delle facciate del grande complesso, in particolare per la parte lapidea, comprendendo anche la adiacente Loggia dell'Orcagna.

1. Plastico del nuovo ingresso
agli Uffizi da piazza Castellani.

Una scala di uscita già esistente, ma mutilata nel tempo e resa inutile allo scopo, è stata ripristinata; inoltre alcune sale della Galleria, fra le più importanti per le opere contenute, hanno un loro nuovo ordinamento, secondo criteri museografici moderni, come pure parte della chiesa di S. Pier Scheraggio, incorporata nel complesso, che è stata riportata in luce; il corridoio Vasariano, con un adeguato restauro di consolidamento, è stato recuperato quale quadreria.

In breve, qui di seguito, viene illustrato ciò che è stato eseguito, restaurato, sistemato tra il 1964 ed il 1979, cioè durante il tempo intercorso fra la progettazione e la definitiva approvazione del Ministero.

Sento il dovere di esprimere un ringraziamento, per quanto fin'ora compiuto, al Ministero da cui dipendo, che mi aiutò finanziando la esecuzione delle opere proposte ed attuate; ai Direttori della Galleria degli Uffizi che si sono succeduti nel corso di questi anni: la professoressa Luisa Becherucci ed il professor Luciano Berti, che hanno con continuità seguito il mio lavoro, ed ai miei volenterosi e capaci collaboratori Arch. Petrini e signor Agostini.

Oltre il prof. Berti, amico e collega, ordinatore del presente catalogo, mi è gradito ringraziare il prof. arch. Bruno Zevi che ha gentilmente consentito di estrarre dalla sua rivista 'L'Architettura - Cronache e Storia' alcuni brani ed illustrazioni già in questa pubblicati.

La scala buontalentiana
Restauro: giugno 1967

Un primo intervento decisamente indifferibile, dato il costante aumento di visitatori giornalieri, era la creazione di una scala che smaltisse, al termine del percorso, i visitatori verso il piano terreno, senza che questi dovessero tornare sui propri passi fino all'ingresso, già insufficiente per la sua funzione.

Da uno studio dell'edificio e tramite saggi preliminari, fu possibile individuare chiaramente, anche se mutilati, una antica scala con il relativo vestibolo. Questa era stata concepita dal Buontalenti come collegamento verticale che andava dal terreno al piano delle soffitte, che egli stesso andava trasformando in superbi locali di esposizione di opere d'arte, l'attuale Galleria.

La scala si trova sul lato di ponente dove il Granduca intendeva sistemare gli artisti e gli artigiani di corte; aveva l'uscita sull'attuale via Lambertesca, via secondaria rispetto al piazzale degli Uffizi.

Tale scala fu utilizzata fino al 1789, anno in cui il granduca Pietro Leopoldo di Lorena rese pubblico l'accesso alla Galleria. In tale occasione fu prolungato lo scalone che arrivava allora solo al primo piano (dove si trovava il Teatro Mediceo) fino alla Galleria.

Creato questo nuovo accesso, la scala buontalentiana veniva dimenticata e sul finire del secolo scorso il locale di ricetto al piano della Galleria era stato suddiviso in tre salette di esposizione anguste e male illuminate dall'alto, che malamente soddisfacevano alla necessità di esporre quadri, mentre annullavano totalmente l'antica volumetria originale.

È sembrato quindi logico utilizzare l'antica ed illustre preesistenza recuperando quale vestibolo di uscita un salone delle

La scala buontalentiana:
2. Vestibolo al piano della
Galleria dopo il restauro.
3. Particolare delle rampe.

4. Veduta dello scalone.
5. Uscita al pianterreno.

Magistrature, quello dei 'Conservatori delle Leggi', messo gentilmente a disposizione dell'Archivio di Stato, anziché quello originale, in quanto questo fa attualmente parte dell'Accademia dei Geogofili e sarebbe difficile scorporarlo.

Il ripristino così concepito, oltre a risolvere per il momento il deflusso dei visitatori, recupera un momento del programma generale del complesso architettonico cinquecentesco.

Quest'opera si è svolta contemporaneamente a quella del restauro del loggiato terreno, in cui si è provveduto allo scrostamento delle coloriture sovrapposte nel tempo, che nascondevano l'intonaco originale, mettendo in risalto l'architettura del loggiato stesso, reso brillante dal colore bianco-calce, in luogo di quello più fosco con cui era stato ridipinto.

6. Il loggiato terreno: Dopo i restauri.

7. Le facciate sul piazzale degli Uffizi prima dei restauri.
8. Dopo i restauri.

Chiesa di San Piero Scheraggio:
9. Muratura di fondazione della parete esterna della chiesa longobarda.
10. L'abside della chiesa longobarda trasformata in sacello.
11. L'ambiente dopo il restauro.

Nella pagine a fronte
12. L'ambiente dopo il restauro.
13. La facciata restaurata sul lato di via della Ninna, ha evidenziato le arcate superstiti di S. Piero Scheraggio.

San Pier Scheraggio
Restauro: giugno 1971

La consacrazione della chiesa risale al 1068. Nel 1560 il Vasari, per costruire gli Uffizi, ne ridusse le dimensioni demolendo la facciata e la navata sinistra e chiudendo il vano rimanente con muri di tamponamento fra le colonne.

Il restauro da noi eseguito, riportando anche se parzialmente in luce le strutture della chiesa, ha permesso di aprire al pubblico altri due locali degli Uffizi, ampliando così l'area di ricezione al pianterreno, nella zona dell'ingresso attuale. Si sono tolti, dopo alcuni scandagli, il pavimento e vôlte costruite dal Vasari per portare alla vecchia quota il piano calpestio della chiesa, cosa che aveva permesso all'Architetto di ricavare i loculi di sepoltura, poi mai utilizzati.

Si sono potuti rimettere in vista i resti dell'antico pavimento in coccio-pesto che ha in un punto un inserimento di piccoli frammenti marmorei, e inoltre le basi, le colonne semplici e quadrilobate, gli arconi fra le colonne, ritrovando così e mettendo in luce, per quanto possibile, parte degli antichi rapporti in elevazione.

Dagli scavi eseguiti si è potuto accertare che strutturalmente la chiesa era concepita come la coeva Basilica di S. Miniato al Monte, con cripta e presbiterio cui si accedeva tramite una scalinata, di cui è rimasto il solo grezzo, che doveva scendere per l'intera larghezza dalla navata maggiore alla cripta.

Congiunge attualmente la quota d'ingresso della Galleria con quella del presbiterio una passerella in ferro a circa 2 metri sopra il pavimento.

Al centro della parte vetrata, mediante una scala a chiocciola, si scende ad uno stetto ambulacro che gira attorno ai resti esterni della parte posteriore absidale di una chiesa di epoca longobarda scoperta durante i restauri. Tale chiesa è orientata come S. Pier Scheraggio, con asse parallelo a quest'ultima, ma spostata verso nord di circa 40 cm.

Quando nell'XI° secolo fu costruita la chiesa più ampia, questa racchiuse nel suo perimetro la più antica, datata al IX° secolo, che funzionò fino all'apertura della nuova, anticipando l'usanza poi ripetuta per S. Reparata e S. Croce.

La chiesa Longobarda fu demolita in gran parte, sì che tutto rimase nascosto al di sotto del piano calpestio della nuova chiesa, in un sacello in cui immettevano delle scale, oggi riaperte, un tempo simmetriche alla navata centrale.

Fu costruito ex-novo l'emiciclo di ponente, conservando il ricordo della parte più sacra, quella in cui era presubilmente situato l'altare. La scala nord è stata resa leggermente simmetrica da rimaneggiamenti successivi e adibita ad uso di sepolture.

Della chiesa Longobarda sono stati riportati alla luce alcuni elementi di fondazione: tre pilastri ed il muro longitudinale destro. Procedendo in trincea, sotto il vestibolo attuale che porta agli attuali ascensori della Galleria degli Uffizi, lungo le murate di fondazione del lato destro della chiesa Longobarda, si possono vedere agli avanzi di altri pilastri. E, a quota 6,00 mt. rispetto al piano stradale del piazzale degli Uffizi, si sono trovati interessanti avanzi di muro di epoca romana, usato poi come cava di pietra.

Sul muro, affidati al solo intonaco su cui erano dipinti, e rivolti verso il terrapieno, sono stati trovati, ben conservati, gli avanzi di una lunga decorazione pittorica, databile al III-IV secolo: staccata in parte, mediante applicazione in gesso, è stato possibile riportarla su di un supporto e porla nuovamente in vista, unico esempio ritrovato in Firenze di pittura di questa epoca. Il genere, una balza decorativa floreale di notevole lunghezza, che corrisponde a quella del muro stesso, ci fa supporre che fosse parte di una 'taberna' situata in prossimità del teatro romano, i cui resti, come è noto, sono stati rinvenuti allo stesso livello, sotto Palazzo Vecchio, all'angolo fra l'attuale via dei Leoni e via della Ninna. Tutto quanto precede è stato reso per quanto possibile visibile. Nel complesso restaurato le sedimentazioni storiche rappresentano tutto l'arco della storia fiorentina: dalle decorazioni floreali romane alla chiesa Longobarda, dalla trasformazione romanica all'intervento vasariano e a quello attuale.

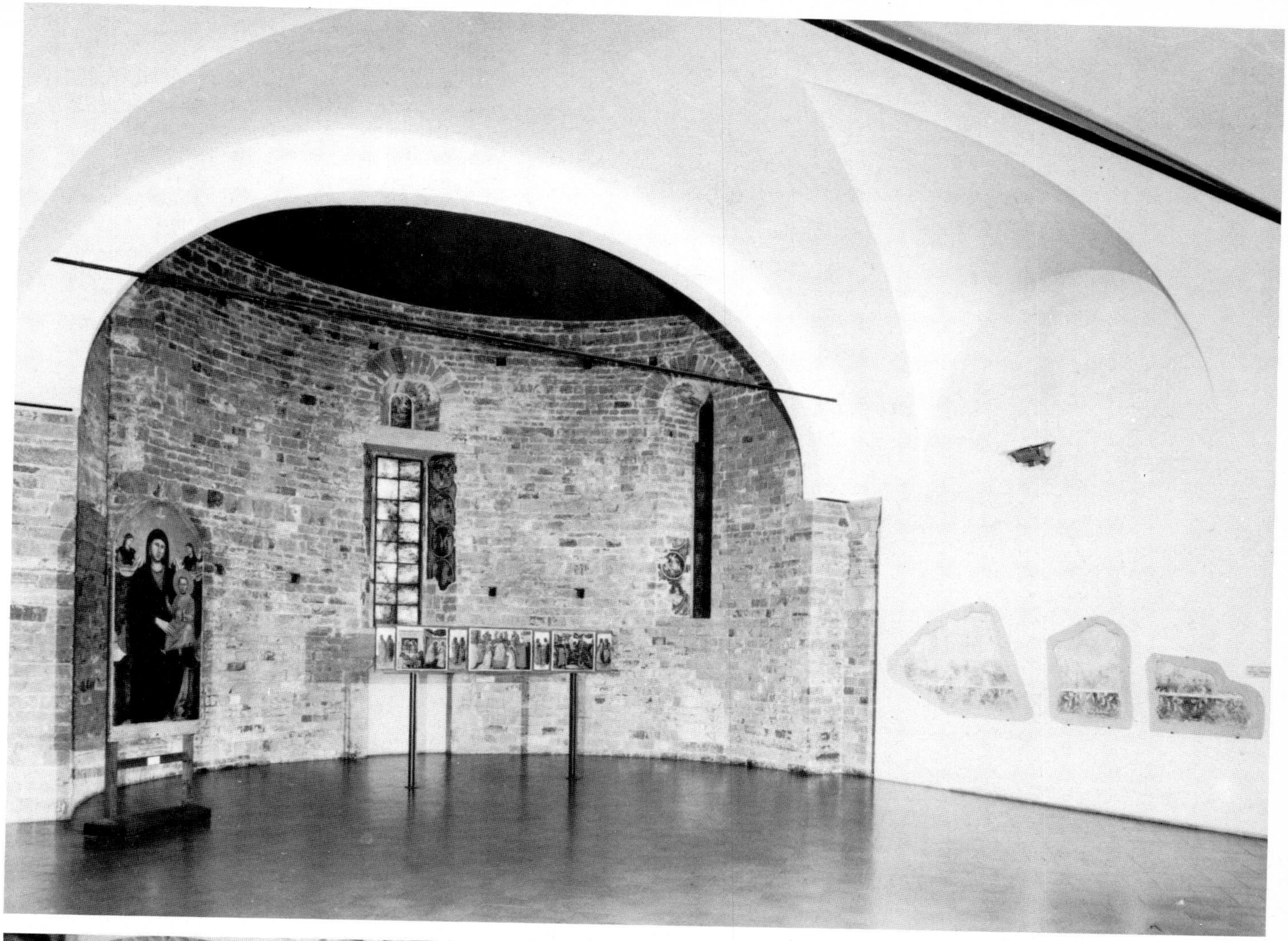

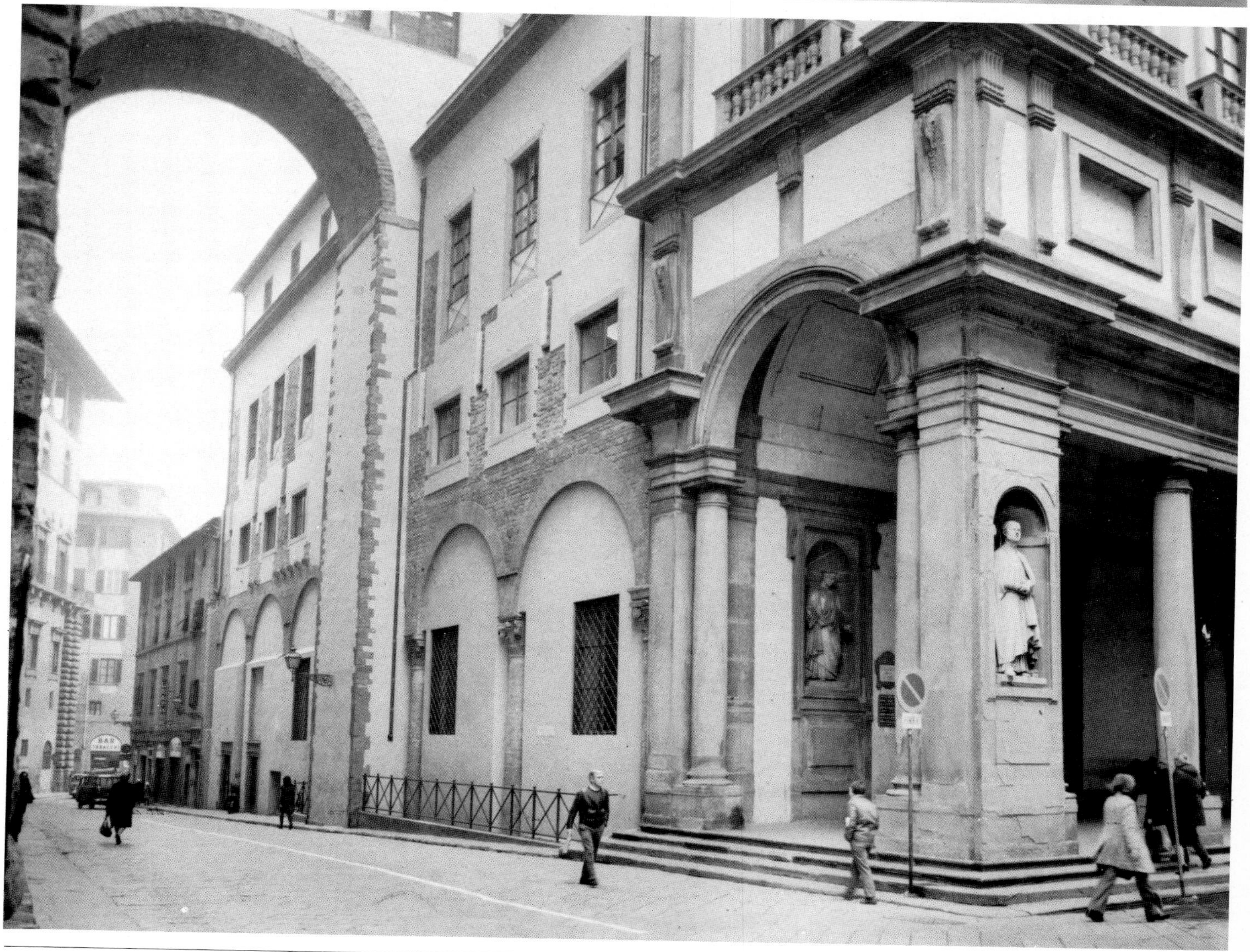

La Compagnia degli Stipendiati
Restauro: dicembre 1972

Il 31 dicembre 1972 è stato ultimato il restauro del Salone e della Loggia detta degli Stipendiati, dal nome della Compagnia laica che anticamente vi aveva sede.

L'unico ambiente era prima suddiviso in tante stanzette ad uso laboratorio di restauro. Nella loggia adiacente le pareti divisorie erano addossate agli antichi pilastri, di cui non era possibile immaginare forma e dimensione, in quanto rivestiti da un rimpello di mattoni pieni per sostenere i carichi aggiunti nel secolo XVI con la costruzione di un piano superiore.

Nel 1966, anche questo locale era stato gravemente danneggiato dalla piena dell'Arno. I laboratori furono traslocati in luoghi più sicuri. Il restauro ha liberato i pilastri trecenteschi dai rimpelli che li nascondevano. Sono state demolite le pareti divisorie e riaperte le arcate su piazza Castellani. Il grande salone e l'antica loggia chiusa a vetri sono stati adibiti alla Sezione Didattica del museo degli Uffizi.

Il Corridoio vasariano
Restauro: aprile 1973

Della costruzione del Corridoio, ordinata dal duca Cosimo in occasione del maritaggio fra l'Arciduchessa Giovanna d'Austria e il figlio Francesco (1 dicembre 1565), si ha notizia ne 'Le ricordanze di Giorgio Vasari' (a cura di A. Del Vita, Arezzo 1929, pag. 92):

'Ricordo come a dj agosto del detto anno (1565), il duca Cosimo volse che io mettessi a mano a far di muraglia il Corridoio che va da Palazzo dé Pitti qual si parte da palazzo va sopra i magistrati lungarno et sopra il ponte vecchio et da S. Felicita et scende dal palazzo fino nel giardino dé Pitti 40 braccja che si smaltisce tutto nella sua lunghezza condussi in cinque mesi cosa che non si credeva si conducessi in 5 anni costò scudi undicimila'.

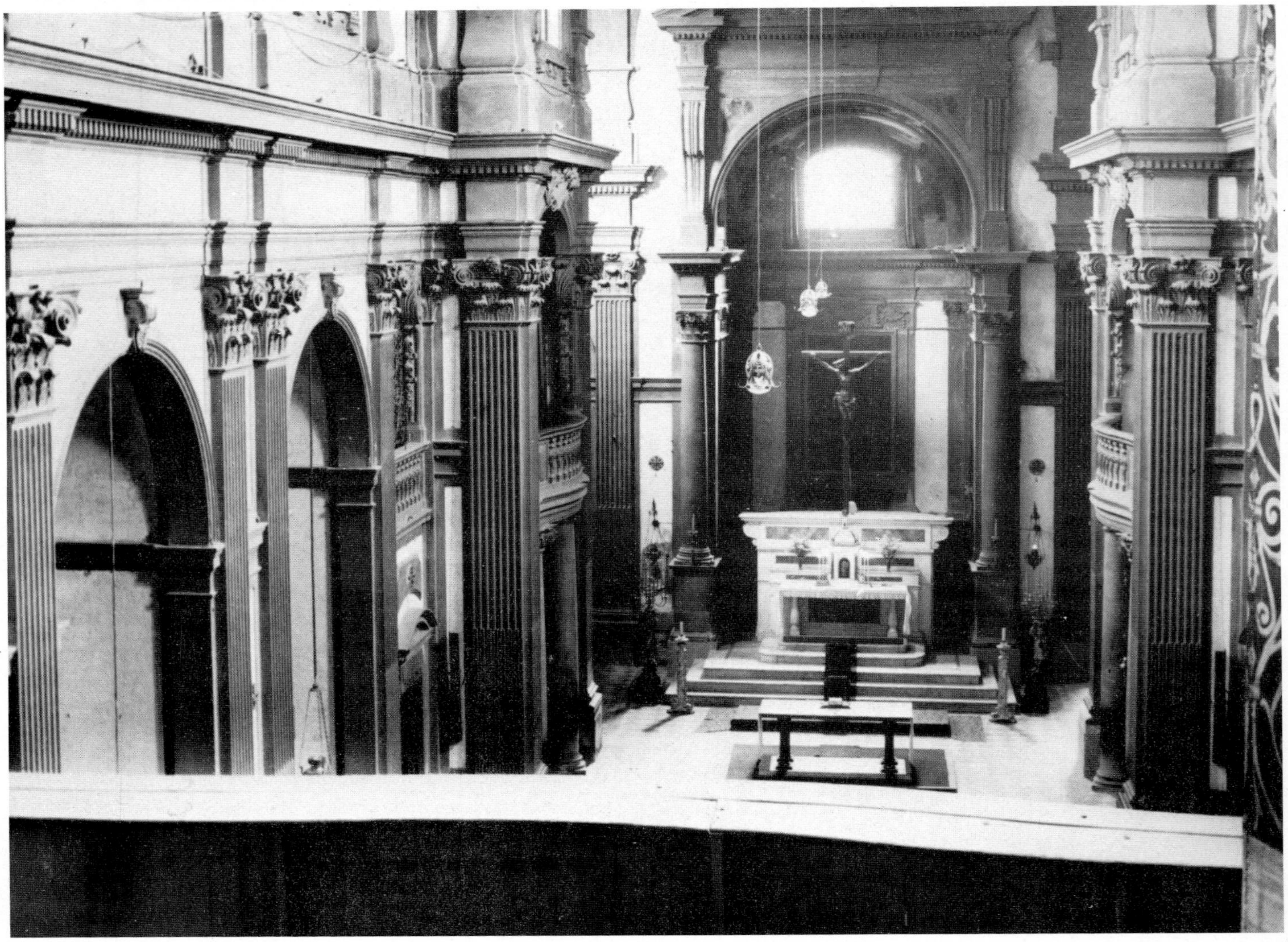

Gravemente danneggiato dalla guerra per le mine che fecero saltare le strade adiacenti al Ponte Vecchio e lo stesso tratto di

Corridoio attraversante via dé Bardi, negli anni 1947/1950 era stato intanto ricostruito il cavalcavia sulla nuova e più larga strada, consolidate con opere provvisionali le pareti sovrastanti il Ponte Vecchio, ripristinato il tratto su mensole in pietra addossato alla Torre Mannelli.

Dall'alluvione del 1966 il Corridoio uscì indenne ma inagibile, mentre furono totalmente sventrati dalle acque i sottostanti negozi degli orafi. In seguito a quest'evento si poté procedere all'analisi delle vecchie lesioni e deformazioni delle strutture, estendendo lo studio ed il conseguente restauro alla parte sottostante il corridoio, costituito appunto dai negozi degli orafi. L'intervento effettuato ha non solo permesso il recupero del complesso dal punto di vista statico, ma anche dato luogo a ripensamento sul lungo corridoio dal lato formale in quanto, ad esempio, tramite i lavori murari eseguiti nel tratto sul Ponte Vecchio sono state ritrovate al di sopra della soffittatura incannucciata le originali capriate, oggi lasciate in vista.

È stato inoltre ripristinato l'intero affacciamento del corridoio alla chiesa di S. Felicita che, innestanosi a martello nel corridoio stesso, ne caratterizzava l'originaria funzionalità di asse attrezzato riservato all'ambiente burocratico-familiare, permettendo oggi una veduta particolare della chiesa stessa al turista che lo percorre.

Il recupero di questa importante arteria artistica che collega gli Uffizi a Palazzo Pitti ha inoltre permesso l'esposizione di ben 715 dipinti che si trovavano nei depositi della Galleria.

La sala del Lippi
Restauro: aprile 1973

Il problema di un aggiornamento delle sale di esposizione agli Uffizi, concepito con criteri più adeguati ai tempi, era già stato sentito.

Trenta anni fa, fu dato incarico agli architetti Scarpa, Gardella e Michelucci del restauro delle prime sale, fra cui si distingueva quella dei Primitivi. Rimanevano da riordinare le rimanenti tre sale: quella del Lippi, del Botticelli e di Leonardo.

Il resto delle sale sul 1° corridoio risalivano ai gradini iniziatori della Galleria, quale il Buontalenti, a cui dovevasi la Tribuna, che si trova subito dopo la sala di Leonardo. Anzi esiste fra quelle che diremo moderne e le più antiche un grazioso intervallo, anche questo di antica fattura e che da chi scrive fu restaurato, la 'sala delle Nicchie'.

La sala del Lippi che, date le sue dimensioni, segue in ogni dettaglio il prototipo delle sale dei Primitivi, non presentava quindi problemi degni di rilievo. Nel marzo del 1973 veniva presentata al pubblico la nuova sistemazione.

Nella pagina a fronte
14. La Compagnia degli Stipendiati dopo i restauri. L'interno del salone.

Il Corridoio Vasariano:
15. Il tratto sopra il Ponte Vecchio danneggiato dall'alluvione del novembre 1966.
16. L'interno della chiesa di S. Felicita vista dal corridoio.

In questa pagina
17. Veduta del tratto sopra il Ponte Vecchio dopo il restauro.
18. Il tratto del Corridoio prospiciente l'Arno.
19. Particolare del soffitto della sala del Lippi dopo il restauro.

La sala del Botticelli
Restauro: gennaio 1978

Per il restauro della sala del Botticelli, la più grande di tutte le sale del primo corridoio, dovevano prendersi in considerazione alcune sostanziali 'emergenze storiche' rimaste fino ad allora nascoste.

Il vano della sala fu ricavato nel 1943 dal frazionamento orizzontale di una parte dell'antico teatro mediceo. Ne risultò una sala di m. 20,60 × 15,40, alta m. 6,30 all'imposta delle capriate.

Dell'antico teatro mediceo si conservano ormai solo le pareti longitudinali portanti e la grossa armatura del tetto, costituita da tre capriate in legno della luce di circa venti metri lineari ad interesse di circa quattro metri. Il vasto ambiente era stato ristrutturato nel 1946-48 dall'Architetto Prof. Lando Bartoli e si rifaceva all'impianto ottocentesco delle adiacenti sale, allora dette della 'scuola toscana' (le attuali sale dei Primitivi e del Lippi) realizzate nel 1890 dall'Architetto Del Moro. Il pavimento era in mattonelle di marmo bianco e grigio e la decorazione di tipo neoclassico con cornici in gesso, modanate all'imposta del soffitto e nello zoccolo sul pavimento; in un secondo momento, per aumentare la superficie di esposizione, vennero aggiunti tramezzi non previsti nel progetto originale.

L'impostazione eclettica della sala quale era si staccava ormai nettamente dal contesto quale risultava dopo gli interventi ultimi e non teneva conto ormai di questi.

La caratteristica principale della sala era costituita dall'impianto di illuminazione realizzato con un sistema di lucernari il cui carico era affidato alle antiche capriate nascoste da una controsoffittatura. Queste, essendo rivestite da uno strato di catrame ed uno successivo di calce, si presentavano apparentemente in buon stato. Da successive analisi apparve però che erano altamente deteriorate in tutto il loro complesso per il forte peso di cui erano caricate e, agli appoggi, per le infiltra-

La sala del Botticelli:
20. La sistemazione degli anni Cinquanta.
21. Prima dei restauri.
22. Dopo i restauri.
23. Esterno.

La sala del Botticelli:
24. Sezione trasversale con i nuovi accorgimenti tecnici.
25. Dopo i restauri.

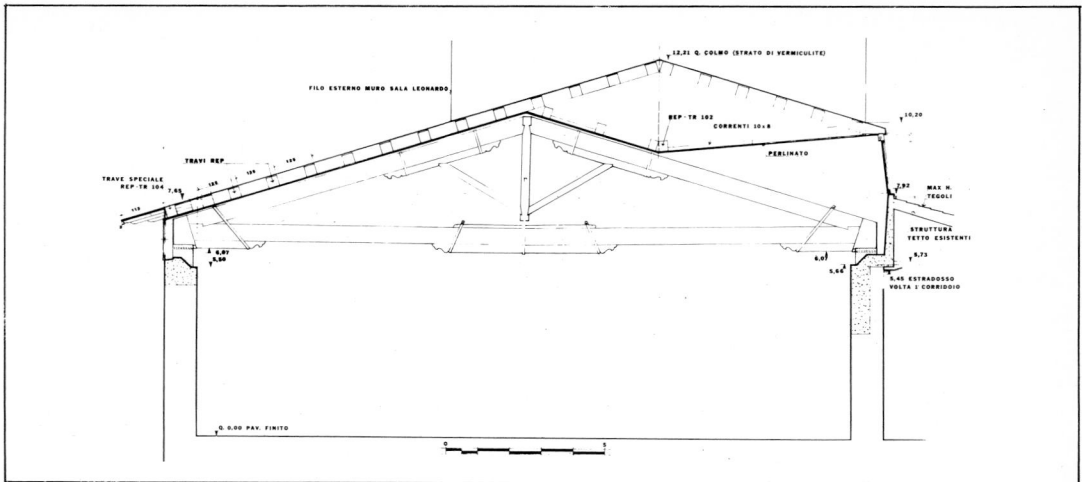

zioni della gronda sul lato di via Castellani. Inoltre, passando all'esame lo strato del tetto, risultò che non vi era impermeabilizzazione, per cui la piccola orditura costituita da travetti e da arcarecci era assai deteriorata. A questo punto si presentava urgente il restauro completo dei tetti, delle capriate e di tutta la controsoffittatura, mentre rimaneva irrisolto il problema dell'aereazione della sala priva di finestre ed insufficientemente fornita di apparecchiature di ricambio.

Piuttosto che ripristinare una situazione che presentava tanti inconvenienti per la manutenzione, si è preferito studiare una soluzione che ponesse in vista quanto era rimasto dell'antico teatro e cioè le originali e notevolissime capriate: le 'emergenze storiche' di cui si voleva sottolineare l'importanza. Si previde quindi la demolizione completa della controsoffittatura con il relativo sistema di illuminazione e il restauro delle capriate poste totalmente in vista, che sarebbero rimaste in opera solo in funzione estetica. Infatti non parve opportuno caricare nuovamente il peso del tetto sulle capriate e quindi sui muri longitudinali, in quanto risultò che il muro prospiciente piazza Castellani presentava un fuori piombo di ventotto centimetri.

Il primo problema da risolvere era quello dell'illuminazione della sala. Fu studiata una soluzione che permettesse di eliminare i lucernari e nello stesso tempo consentisse alla luce di provenire dall'alto delle pareti, soluzione rivelatasi ottimale alla luce delle più moderne esperienze (Museo di Tel Aviv, sala dei Primitivi e sala del Lippi agli Uffizi). L'apertura di finestre imponeva poi di apprestare un sistema di ricambio naturale e totale dell'aria.

Furono eseguiti i calcoli per appoggiare l'intera copertura sui muri trasversali, liberando dai sovraccarichi le pareti longitudinali e le capriate. Tale studio rese possibile la realizzazione del nostro progetto, che richiedeva il consolidamento statico dell'involucro murario senza che gli accorgimenti tecnici più massicci disturbassero la visione unitaria dell'insieme.

All'altezza degli appoggi le capriate vennero così liberate dalle sovrastrutture murarie e furono creati dei finestroni orizzontali.

Nel lato verso piazza Castellani ciò non creò problemi, mentre per il lato opposto occorreva eseguire una struttura in cemento armato con la quale sostenere ed agganciare la struttura in ferro del tetto che copre in quel tratto il corridoio della Galleria adiacente. In questo caso invece abbiamo ritenuto opportuno sottolineare nella sala l'espediente tecnico adottato, lasciando in evidenza sul cemento armato in vista i capisaldi di arresto costituiti da cerchi metallici colorati, che creano effetto cromatico sulla monocromia generale del fondo e delle pareti.

L'andamento delle falde del tetto è cambiato: la falda su piazza dei Castellani è stata prolungata oltre la linea di colmo che aveva inizialmente, così che la nuova linea di colmo è spostata ed è quindi superiore. Tale soluzione ha permesso di creare finestroni orizzontali, lunghi quanto la sala; qualli su piazza dei Castellani, minori, sono apribili elettricamente dal basso per permettere il ricambio dell'aria. La controsoffittatura tra una capriata e l'altra è stata realizzata con un tavolato in legno di noce.

Lavoro delicato, dato l'importanza dell'oggetto, è stato il restauro delle capriate, unici elementi originali rimasti dall'antico teatro Mediceo. Si è prima proceduto alla ripulitura dello strato di catrame e calce ed a una sverzatura della superficie li-

gnea. Sostituite le parti mancanti, rotte o deteriorate, le capriate sono state rinforzate; le estremità sono state inserite in alloggiamenti in ferro, sul tipo di quelli già adottati nelle vicine sale recentemente restaurate.

Il sistema di condizionamento e riscaldamento è stato ripristinato sull'impianto esistente realizzato nel 1970/71, che attualmente serve solo il piano ultimo della Galleria. L'aereazione naturale del locale è garantita dalla possibilità di apertura elettrica, con comandi dal basso, delle finestre minori situate sulla parete sud-est della sala.

Per quanto riguarda l'intonaco alle pareti e la pavimentazione, sono state tenute presenti le stanze attigue, facendo uso ancora di materiali tradizionali, rifacendo l'intonaco tirato a mestola, all'uso antico, e il pavimento in cotto fiorentino; si è preferito scegliere un quadrone di dimensioni maggiori (cm. 40 × 40) rispetto alle campigiane delle altre sale, considerando la maggiore dimensione della sala stessa e per gli effetti prospettici che si potevano ottenere dai quadroni accostati in diagonale, allargandone le connettiture chiuse, al solito, dal bianco calce.

Si è voluto creare così un ambiente quanto più possibile attuale, seguendo gli stessi principi adottati nelle altre sale degli Uffizi recentemente restaurate, usando materiali tradizionali, salvo laddove si è imposto l'uso di quelli moderni, cemento armato e metallo, lasciati in vista, che denunziano soluzioni di problemi tecnici che valeva la pena sottolineare. Messe in evidenza le emergenze storiche, abbiamo definito le capriate originali, non più sorreggenti che se stesse, 'pezzo da museo' lasciato al posto per cui erano nate.

Le difficoltà sono state varie nella progettazione e nella realizzazione, ma sembra che la sala così restaurata e resa confortevole da nuovi e funzionali accoglimenti, pur mantenendo anzi esaltando quel poco che era rimasto della sua originalità formale, abbia assunto un aspetto adeguato ai moderni criteri museografici.

La sala di Leonardo
Restauro: 1979

Con la sala del Botticelli si chiude la serie delle sale 'moderne' degli Uffizi, cioè quelle ricavate alla fine dell'Ottocento dal grande vano del teatro Mediceo, e ci si accosta agli ambienti della Galleria granducale, realizzati dal Buontalenti per Francesco I.

Il primo 'luogo sacro' che ci si presenta è la Tribuna che, con l'adiacente sala delle Nicchie, rappresenta la 'summa' della concezione artistica e filosofica cinquecentesca.

Dal punto di vista museografico la sala di Leonardo assume idealmente la funzione di filtro, che sappia mediare il passaggio tra le sale moderne e le più antiche: problema complesso, in quanto l'ambiente ha perduto nei secoli le sue caratteristiche originali avendo subito già numerose trasformazioni. L'ultimo intervento di rilievo risale agli anni '50, quando in questa, come in tutte le altre sale della Galleria, furono sostituiti i vecchi lucerni con impianti di illuminazione più moderni.

In particolare, era stata creata in questa stanza una struttura in legno e vetro che dal soffitto calava per quattro metri al centro della stanza. Una volta eliminato questo impianto, estremamente difficoltoso nella manutenzione, si è presentato il problema dell'illuminazione dell'ambiente che deve provenire forzatamente dall'alto in quanto la stanza è quasi totalmente interna, essendo racchiusa tra la sala del Botticelli, la saletta delle Carte Geografiche, la stanza delle Nicchie ed il corridoio della Galleria.

Si è quindi studiata la possibilità di alternare ad una illuminazione naturale, assicurata da un meccanismo di piastre elettromeccaniche aprentesi nella controsoffittatura, un tipo di illuminazione artificiale da usarsi normalmente, a binari e faretti, che dal centro della stanza distribuiscono uniformemente la luce dell'ambiente. Possiamo ritenere tale soluzione sperimentale, in previsione dell'allestimento delle sale al primo piano che, una volta liberate dai depositi dell'Archivio di Stato, saranno adibite a museo. Anche tali stanze presentano problemi di illuminazione in quanto sono dotate di aperture molto ridotte rispetto alle dimensioni dell'ambiente, e pertanto bisognerà tenere presente la necessità di una illuminazione totalmente artificiale per le giornate particolarmente buie.

La sistemazione delle pareti e del pavimento delle stanze è stata realizzata seguendo l'accennato criterio di mediazione che essa è chiamata a svolgere; pertanto, tenendo presente le pareti della vicina Tribuna, delle salette adiacenti ed i rapporti cromatici dei dipinti che vi verranno collocati, si è deciso di rivestire le pareti ed il soffitto con seta indiana grezza tessuta a mano. Per quanto riguarda il pavimento, si è abbandonato il tradizionale cotto dell'Impruneta che caratterizza le stanze precedenti, per accostarsi al figuratismo del pavimento della Tribuna, impiegando un legno bicolore che forma un disegno continuo, studiato sui rapporti volumetrici della stanza.

Si stanno ultimando i lavori per l'allestimento museografico consistente nella realizzazione di una transennatura perimetrale in ottone brunito e nella collocazione dei dipinti. Ci auguriamo che questo nuovo ambiente possa essere inaugurato entro brevissimo tempo.

La sala di Leonardo:
26. La sistemazione ottocentesca.
27. La sala dopo la trasformazione intorno al 1950.

RESTAURO AGLI UFFIZI
Umberto Baldini
Soprintendente dell'Opificio delle Pietre Dure
e Laboratori di Restauro di Firenze

Una vera e propria storia dei restauri occorsi ai dipinti della galleria non potrà essere mai scritta, ché sarebbe frammentaria e incompleta non solo per deficienza di notizie ma anche e soprattutto per mancanza di continuità nelle medesime. Non si potrebbe dunque mai risolvere in una storia che avesse anche alcunché di ideologico tale da aiutarci a comporre una 'storia del restauro', risultando la maggior parte degli interventi eseguiti non già in rapporto a un preciso piano conservativo quanto alle accidentalità di una obbligata riparazione.

Come fu il caso dell'intervento di restauro certamente più antico che si possa legare a un'opera della galleria e che — se anche eseguito al di fuori e prima che la galleria esistesse — testimonia ancor oggi una operazione di tutto rispetto che sarà forse non inutile ricordare all'inizio di questa nostra nota.

Trattasi, come è noto, della Madonna del Cardellino di Raffaello, la cui operazione di restauro ci viene accuratamente descritta dal Vasari nella vita di Raffaello. Scrive il Vasari: 'Il quadro fu da Lorenzo Nasi tenuto con grandissima venerazione mentre che visse, così per memoria di Raffaello statogli amicissimo, come per la dignità ed eccellenza dell'opera. Ma capitò poi male quest'opera l'anno 1548 a dì 17 novembre, quando la casa di Lorenzo, insieme con quelle ornatissime e belle degli eredi di Marco del Nero, per uno smottamento del monte di San Giorgio, rovinarono insieme con altre case vicine: nondimeno ritrovati i pezzi di essa fra i calcinacci della rovina, furono da Batista figliuolo d'esso Lorenzo, amorevolissimo dell'arte fatti rimettere insieme in quel miglior modo che si potette'.

La giustezza dell'informazione vasariana — ove si corregga la data dell'avvenimento, come ci indicò il Milanesi, in 12 novembre 1547 — è confermata da una ispezione radiografica da noi compiuta sul dipinto. Al di là infatti di quelle che sono, anche a occhio nudo, le evidenti realtà dell'intervento che con il tempo trascorso abbisognerebbe almeno di una revisione, si possono cogliere con esattezza le rotture occorse al legno, la diligente riattaccatura delle parti fatta con chiodi di varia e anche notevole misura, le piccole perdite e le conseguenti nuove aggiunte che ebbero bisogno poi anche di un vero e proprio intervento pittorico che si vuole sia avvenuto per mano di Michele di Ridolfo del Ghirlandaio.

Ricordiamo tutto questo e lo leghiamo subito per quello che per noi vale quale speculazione, capace di farci vedere al di là delle cose visibili e perché proprio attraverso questo tipo di speculazione, in molte circostanze, si darà atto, valore e importanza a tutta una serie di operazioni che muteranno, e anche di molto, lo 'status' di diversi importanti dipinti.

O il giudizio su di loro, come accadde al già celebre autoritratto di Leonardo da Vinci che la speculazione radiografica demitizzò scoprendo una truffa bella e buona fatta con l'intento di riempire un vuoto nella celebre collezione degli autoritratti. I dubbi sulla sua autenticità sollevati da molti studiosi dell'ultimo cinquantennio trovarono conferma nella rivelazione che sotto la pittura del ritratto esisteva una composizione seicentesca, raffigurante una Maddalena penitente.

E furono ancora speculazioni radiografiche a guidare e motivare interventi di restauro capaci di restituirci testimonianze pittoriche di prima grandezza, già modificate da arbitrari interventi che avevano tuttavia ricevuto anche l'avallo di una già stabilizzata storicità.

È il caso della Croce 432 del cosiddetto 'Maestro della Croce

1. Radiografia della Madonna del Cardellino di Raffaello.
2a, 2b. Maestro della Croce dell'Accademia: Crocifisso. Particolare prima e dopo il restauro.

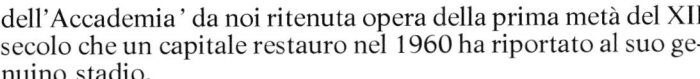

dell'Accademia' da noi ritenuta opera della prima metà del XII secolo che un capitale restauro nel 1960 ha riportato al suo genuino stadio.

Grazie ad esso, oltre al risanamento della superficie dipinta che si andava sollevando, si rimosse la più pesante delle ridipinture, con ogni probabilità eseguita nel sec. XVIII, che aveva completamente ricoperto e alterato soprattutto il volto del Cristo, che un'ispezione radiografica aveva segnalato come esistente appunto in ottime condizioni. L'intervento del 'rinfrescatore' settecentesco non si era comunque limitato al solo volto del Cristo cui aveva aggiunto —in un forzato drammatismo spagnolesco — capelli, corona di spine, sangue, croce nell'aureola ma aveva aggiunto all'intero corpo di Cristo, mediante una serie di ombreggiature e ritocchi, un pesante chiaroscuro plastico; e aveva anche largamente operato sulle piccole scene del tabellone. A restauro ultimato l'opera ha dunque 'mutato' aspetto e volto.

Come è accaduto all'altra Croce dipinta conservata nella medesima sala e nota come la Croce 434 di scuola fiorentina del sec. XIII. Anche per questa l'intervento di restauro, compiuto nel 1964, è stato motivo di totale trasformazione. Le condizioni di imperfetta lettura, prima del restauro, dell'intera opera e soprattutto di quelle parti che poi sono risultate le sole non contraffatte (cioè le scene della Passione), e la tecnica grossolana giustamente rilevata dalla critica nel corpo del Cristo, non avevano fatto spendere molte parole sulla qualità del dipinto. L'operazione di restauro è consistita in un lavoro di pulitura: al di sotto della vernice granulatasi col tempo e scuritasi si sono potute recuperare, in condizioni eccellenti, tutte le caratteristiche cromatiche del dipinto che è risultato tuttavia fortemente danneggiato laddove le figure si stagliano sull'oro, a causa di una drastica pulitura che nel passato era stata condotta appunto su tutta la doratura e che aveva mangiato i margini delle figure. Il fatto più importante del lavoro è stato però la scoperta dell'intero corpo originale del Cristo al di sotto di quello che appariva in precedenza e che altro non era che il rifacimento stilistico condotto, si suppone, proprio nel Settecento. È stata questa scoperta (la rimozione è stata eseguita a secco, a bisturi e con l'ausilio del microscopio) quella che ha mutato il carattere fino ad allora noto dell'opera permettendo un recupero di eccezionale bellezza e dandoci la possibilità di osservare un intervento storicamente importante.

Un intervento da mettere certo in relazione con un rinnovato interesse per l'oggetto antico visto come testimonianza di fede da trasmettere ai fedeli (magari anche accompagnata da referenze miracolistiche) e che portò proprio nel Settecento a una vera e propria riscoperta di queste grandi croci già abbandonate nei conventi o mal custodite in altri luoghi, tolte dalla diretta devozione del popolo e ora invece riportate agli onori degli altari. E poiché i nuovi altari con le loro pur ampie misure non erano capaci di contenerle, ecco le mutilazioni che allora avvennero e che ci fanno oggi lamentare la perdita totale o parziale dei tabelloni ai bracci, al sommo e a piè delle croci stesse. Ed è fatto tanto vero questo rinnovato interesse, che non esiste, si può dire, una croce duecentesca che non sia stata o ritagliata o ridipinta o anche rifatta ampiamente ad imitazione.

Bisturi e microscopio: un mezzo, questo, quanto mai utile o addirittura indispensabile nel campo del restauro che permette un controllo continuo del lavoro e dà possibilità notevoli alla speculazione dell'oggetto; un mezzo che proprio nelle modeste stanze della 'Vecchia Posta' nel Palazzo degli Uffizi, ormai quasi cinquant'anni fa, fondandosi il laboratorio, si cominciò a usare per la prima volta al mondo in modo continuativo non già solo come mezzo di speculazione ma come mezzo di ausilio operativo; un mezzo che certamente aumentava i tempi di lavoro di un'operazione di restauro, ma garantiva fino in fondo persino il più piccolo degli interventi. Un mezzo che sentiamo il dovere di legare ad Augusto Vermehren, a Gaetano Lo Vullo e a Teodosio Sokolow che furono i personaggi chiave sui quali si è impiantato il moderno operare 'fiorentino', che ebbe come guida Ugo Procacci.

E proprio a Gaetano Lo Vullo si dovette l'intervento ormai divenuto classico nella storiografia e che si riferisce al recupero del San Luca del Maestro della Maddalena al disotto di un dipinto di nessuna importanza. Ma la forma cuspidata, il fondo oro ancora esistente e soprattutto la scritta 'Sanctus Lucas' che appariva incisa con grafia tipicamente duecentesca fecero supporre che sotto alla pittura visibile ve ne potesse essere un'altra. Come confermò la radiografia, che denunciò appunto chiaramente la presenza di una sottostante pittura. Dato inizio all'opera di rimozione della ridipintura, venne fuori sì una testa, ma non quella denunciata dalla radiografia: non un San Luca, cioè, bensì un San Francesco; non un'opera duecentesca bensì trecentesca. Era accaduto infatti che, evidentemente per ragioni di culto, il santo aveva subito in quel secolo una trasformazione che si era limitata alla sola testa, mentre il corpo era rimasto quello di San Luca, come risulta chiaramente dalla fotografia che documenta quello stadio di lavoro. La pittura originale duecentesca era dunque ancora da scoprire. Ciò che fu fatto. Opera finissima del Maestro della Maddalena (un pittore predestinato, evidentemente, ad essere ridipinto e poi riscoperto)

Nella pagina a fronte
3a, 3b. Scuola fiorentina sec. XIII:
Crocifisso. Particolare
prima e dopo il restauro.

In questa pagina
4a, 4b, 4c, 4d. Maestro della Maddalena:
San Luca. Prima del restauro,
radiografia, durante, dopo il restauro.

essa testimonia ancora di un dato tecnico conservativo di estremo interesse: la differenza (oggi tuttavia, a distanza di quarant'anni, non più così evidente come al momento del recupero) tra il colore dell'incarnato del volto tanto più limpido e trasparente e quello delle mani e dei piedi, più grave e pesante. In origine ovviamente la tonalità doveva essere la medesima; ma il colore del volto, esposto alla luce e agli agenti atmosferici solo per pochi decenni, si è poco modificato; a differenza delle mani e dei piedi, che furono ricoperti (e perciò protetti dalla ridipintura) solo nel Settecento.

Altro intervento importante è quello che si riferisce al polittico di Badia di Giotto, pervenuto trasformato in pala quattrocentesca per l'inserimento di triangoli di legno commessi tra cuspide e cuspide e dipinti da Jacopo del Corso, pittore fiorentino del XV secolo. L'intervento ha permesso il recupero dell'originalità del polittico grazie alla rimozione delle parti aggiunte. Si sono tolte cioè quelle aggiunte (anche se avevano valore di do-

cumento storico e anche se avevano il merito di inserirsi solo 'a latere' dell'opera giottesca, con rispetto quasi assoluto del testo originale dipinto) perché, intervenendo nella struttura del polittico, portavano a una diversa dimensione le figure di Giotto, che si inserivano in uno spazio assai maggiorato e perdevano non poco della loro forza d'impianto. Scadeva, insomma, la qualità tutta recuperabile di Giotto, così come si perdeva la scansione cuspidata di quel profondo valore di vera e propria architettura che aveva l'insieme, modulato come l'esterno di Arnolfo della basilica di Santa Croce. Con la riconquistata purezza geometrica le figure stesse nei vari pannelli hanno potuto recuperare nel loro isolamento tutta la loro potenza di masse in rapporto puntuale anche con le strutture.

Altro capitale intervento di restauro ha subito in questi ultimi anni l'Incoronazione della Vergine del Lippi.

Per essa, fotografie all'ultravioletto riflesso e a fluorescenza testimoniarono in modo evidentissimo della vastità degli inter-

5a, 5b. Giotto: polittico di Badia. Prima e dopo il restauro.

Nella pagina a fronte
6. Disegno ricostruttivo della collocazione della Battaglia di San Romano di Paolo Uccello in Palazzo Medici.

7a, 7b. Filippo Lippi: Incoronazione della Vergine. Particolare a luce normale prima del restauro e all'ultravioletto riflesso.

8. Radiografia del Battesimo di Cristo del Verrocchio.

venti occorsi nel restauro precedente sotto forma di ritocchi, ripassi e rifacimenti. Un insieme che il restauro odierno ha quasi del tutto eliminato facendo riacquistare al dipinto quella sensibilità e quella purezza che erano state completamente mascherate, portando ulteriori contributi: come quello riferentesi all'architettura a cavea recuperata al di sopra del muro, in precedenza considerata come una tenda dicroma; il recupero della firma in basso, già coperta dalla moderna incorniciatura; o, ancora, la maggiore possibilità di analisi dei pentimenti delle varie mani della bottega che hanno con evidenza collaborato con il maestro nell'esecuzione dell'opera, protrattasi a lungo nel tempo.

Due interventi di restauro capitali furono portati a termine nel 1954 e permisero letture importanti e nuove su due opere di grande livello della galleria: la Madonna col Bambino e S. Anna di Masaccio e la Battaglia di S. Romano di Paolo Uccello. L'importanza del restauro della tavola di Masaccio risiedette

soprattutto nel fatto che la pulitura poté recuperare un aspetto scevro da arbitrarie e artificiose modifiche, convalidando la presenza di due mani (Masaccio-Masolino) grazie a una individuata diversità.

Le figure che compongono il dipinto apparvero all'osservazione del restauratore di differenti qualità tecniche e si poterono così comporre due gruppi: uno che comprende la Madonna col Bambino e l'angiolo a destra in alto; l'altro che comprende i due angioli in basso e l'angiolo in alto a sinistra. Per quanto riguarda la S. Anna e l'angiolo di scorcio al centro in alto non fu possibile giungere ad un giudizio preciso: non si poté infatti stabilire con esattezza se la loro delicatissima fattura era da attribuire alla loro particolare qualità tecnica originaria o al disgraziato stato di conservazione.

Per la Battaglia di Paolo Uccello, al di là di recuperi di notevoli parti figurate già mascherate da ridipinture che le avevano totalmente nascoste (leprotto inseguito dal cane; figurine di uomini e donne canefore) fu possibile ricomprenderla nella sua forma originaria e collazionarla così con le due altre Battaglie rispettivamente al Louvre e alla National Gallery: il che permise una puntuale ricostruzione della loro collocazione nella 'camera' di Lorenzo il Magnifico, in Palazzo Medici.

Ancora in vista anche di un futuro intervento di restauro, altri atti conoscitivi si segnalano come importanti in una serie di radiografie compiute al Battesimo di Cristo tradizionalmente attribuito al Verrocchio. Nell'opera, come si sa, viene indicato il primo documento dell'attività pittorica di Leonardo ancora

giovinetto che avrebbe dipinto la testa dell'angelo di sinistra e averebbe compiuto qualche intervento anche nel paesaggio di fondo. La radiografia, nel confermare l'esistenza nell'opera di due modi di dipingere, di due modi diversi di stendere il colore e di mescolarlo, mostra che si può fare gruppo a sé della testa dell'angelo e di alcune zone del paesaggio; e tanto più ciò diviene interessante se si osserva come questo modo diverso sia vicino tecnicamente, nella tenue resa radiografica, al modo che è presente ad esempio in un'altra opera di Leonardo, vale a dire nell'Annunciazione la cui radiografia ha messo in evidenza varianti occorse nel gesto dell'angelo e nell'impostazione del suo profilo al momento della stesura definitiva.

Una serie di interventi di restauro si rese necessaria per un atto di vandalismo che nel 1965 inferse danni a dodici dipinti e se nella maggior parte dei casi si trattò di intervernti di normale operatività, nel caso del Ritratto di giovinetto attribuito a Lorenzo Lotto una speculazione radiografica rivelò la presenza di un sottostante ritratto, di un giovine con berretto volto di tre quarti; non già, parrebbe, un pentimento ma un vero e proprio dipinto preesistente.

E ancora alto valore speculativo assunse una radiografia eseguita al celeberrimo Bacco del Caravaggio: una radiografia che ci rivela una quasi incredibile prima idea, certo più 'caravaggesca' vorremmo dire, della elegante e raffinata redazione finale; e ci presenta anche l'uso di un tovagliato a finissimo tessuto geometrico, al posto della consueta tela.

Si conclude così, ancora con una speculazione radiografica il nostro breve excursons sui fatti più importanti del restauro e dell'intervento più recente. Si conclude cioè nel segno di una 'scientificità' che guida e uniforma di sé ogni intervento odierno. Che si riconduce e si muove entro esigenze di cultura che debbono essere puntualmente vagliate e non già sostenute meramente da quella 'storia dell'arte' accademica o scolastica che contiene così poco i problemi e il linguaggio dell'arte, ma

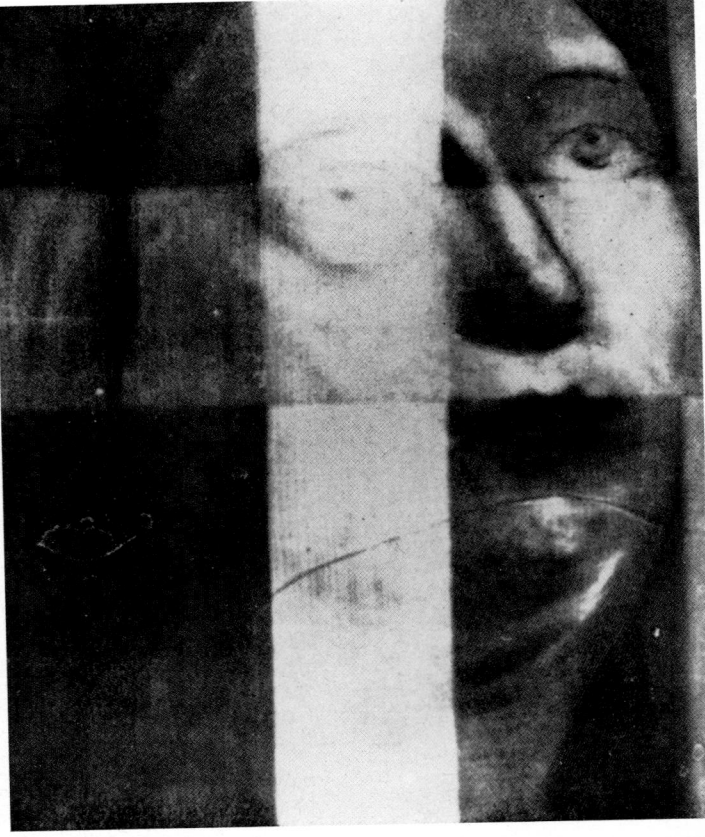

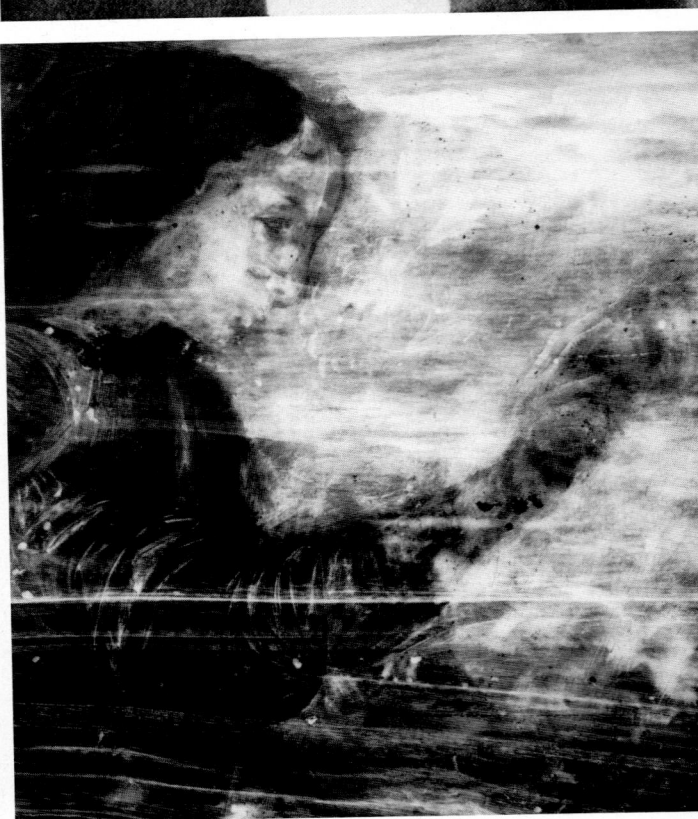

Nella pagina a fronte
9a, 9b. Il cosidetto autoritratto di Leonardo e la sua radiografia.
10a, 10b. Particolare dell'Angiolo dell'Annunciazione di Leonardo in diretta e in radiografia.

In questa pagina
11a, 11b. Il ritratto di giovinetto di Lorenzo Lotto e sua radiografia, con evidenziata la parte sottostante.
12a, 12b. Il Bacco del Caravaggio e sua radiografia.

dallo studio e dalla precisazione dei processi costruenti forme visive esaminati in tutte le loro componenti, almeno come programma massimo, e sempre fuori di ogni supposta e inesistente dicotomia tra espressivo e materiale, in quanto i fattori coincidono nella scelta dell'artista che è insieme il suo concretamento visibile, da cui non è possibile distinguerla.

I. Maestro della Santa Cecilia:
Dossale di Santa Cecilia (part.)
Scheda P953

Nella pagina a fronte
II. Taddeo Gaddi:
Madonna in trono fra sante e angeli
Scheda P659

III. Simone Martini:
Annunciazione (part.)
Scheda P1024

IV. Lorenzo Monaco:
Incoronazione della Vergine (part.)
Scheda P925

Nella pagina a fronte
V. Ambrogio Lorenzetti:
Due storie di San Nicola
Scheda P899

VI. Filippo Lippi:
Incoronazione della Vergine
Scheda P874

VII. Rogier Van der Weyden:
Deposizione nel Sepolcro
Scheda P1780

VIII. Nicolas Froment:
Resurrezione di Lazzaro (part.)
Scheda P636

Nella pagina a fronte
IX. Andrea Mantegna:
La Circoncisione (part.)
Scheda P993

X. Pollaiolo:
Pala dei tre Santi
Scheda P1226

XI. Francesco Botticini:
I tre arcangeli
Scheda P271

XII. Hans Memling:
Madonna col Bambino e due angeli
Scheda P1053

Nella pagina a fronte
XIII. Verrocchio e Leonardo da Vinci:
Battesimo di Cristo (part.)
Scheda P856

XIV. Sandro Botticelli
La Madonna della melagrana
Scheda P259

Nella pagina a fronte
XV. Filippino Lippi:
Pala della Signoria (o Pala degli Otto)
Scheda P868

ANO SALVTISM CCCCL XXXV DEXXFEBRVAR

XVI. Giorgione:
La prova di Mosè
Scheda P724

Nella pagina a fronte
XVII. Mariotto Albertinelli:
Visitazione
Scheda P20

85

XVIII. Alonso Berruguete:
Madonna col Bambino
Scheda P203

XIX. Perugino:
Ritratto di Francesco delle Opere
Scheda P1159

XX. Pontormo:
S. Antonio Abate
Scheda P1251

XXI. Rosso Fiorentino:
La Madonna col figlio in trono
Scheda P1373

XXII. Lorenzo Lotto:
La castità di Susanna
Scheda P934

MDXIIII AN ETATIS XXII

XXIII. Puligo:
Ritratto di Piero Carnesecchi
Scheda P1285

XXIV. Tiziano Vecellio:
L'uomo malato
Scheda P1721

XXV. Albrecht Altdorfer:
Il congedo di San Floriano
Scheda P51

XXVI-XXVII. Bottega di Lukas Cranach il Vecchio:
Ritratti di Martin Lutero e Caterina Bora
Schede P461 e P462

XXVIII. François Clouet:
Ritratto di Francesco I di Francia a cavallo
Scheda P434

XXIX. Tiziano Vecellio e bottega:
Venere e Cupido
Scheda P1730

XXX. Agnolo Bronzino:
Sacra famiglia Panciatichi
Scheda P295

XXXI. Federico Barocci:
Ritratto di Francesco II della Rovere
Scheda P121

XXXII. G. Battista Moroni:
Ritratto del poeta Giovanni Antonio Pantera
Scheda P1088

XXXIII. Andrea Boscoli:
Nozze di Cana
Scheda P241

XXXIV. Cigoli:
Martirio di S. Stefano
Scheda P421

99

XXXV. El Greco:
I Santi Giovanni Evangelista e Francesco
Scheda P780

Nella pagina a fronte
XXXVI. L'Empoli:
Onestà di S. Eligio
Scheda P578

XXXVII. Guido Reni:
La Madonna della Neve
Scheda P1316

XXXVIII. Simon Vouet (attr. a):
Annunciazione
Scheda P1896

Nella pagina a fronte
XXXIX. Justus Sustermans e bottega:
Giovan Carlo de' Medici fanciullo
Scheda Ic542

XL. Pieter Paul Rubens:
Ritratto equestre di Filippo IV di Spagna
Scheda P1383

XLI. Luca Giordano:
Salomone presenzia alla costruzione del tempio
Scheda P722

Nella pagina a fronte
XLII. Sebastiano Ricci:
Ercole al bivio
Scheda P1332

XLIII. Giovan Domenico Ferretti:
Il ratto di Europa
Scheda P596

XLIV. Giuseppe Maria Crespi
La pulce
Scheda P478

XLV. Jean-Baptiste-Siméon Chardin:
Il castello di carte
Scheda P412

XLVI. George Frederick Ziesel:
Vaso di fiori
Scheda P1911

Nella pagina seguente
XLVII. Francisco Goya:
Ritratto della contessa de Chinchòn in piedi
Scheda P766).

	P1	P2	P3	P4
Autore	Agricola, Christoph Ludwig (Ratisbona 1667-1719).	Agricola, Christoph Ludwig (Ratisbona 1667-1719).	Agricola, Christoph Ludwig (Ratisbona 1667-1719).	Agricola, Christoph Ludwig (Ratisbona 1667-1719).
Titolo	Paesaggio con battaglia di cavalieri.	Paesaggio con guado di un fiume.	Paesaggio con lavandaie.	Paesaggio con viandanti.
Datazione	Fine sec. XVII-inizi sec. XVIII.	Fine XVII-inizi sec. XVIII.	Fine XVII-inizi sec. XVIII.	Fine sec. XVII-inizi XVIII.
Dati tecnici	Olio su tela, 120x175.	Olio su tela, 120x185.	Olio su tela, 120x175.	Olio su tela, 120x175.
Cornice	Sagomata, intagliata, gialla e oro, sec. XVII-XVIII.	Sagomata, intagliata, gialla e oro, sec. XVII-XVIII.	Sagomata, intagliata, gialla e oro, sec. XVII-XVIII.	Sagomata, intagliata, gialla e oro, sec. XVII-XVIII.
Ubicazioni	Coll. Feroni (ante 1850); Uffizi (1866); Cenacolo di Foligno (1894).	Coll. Feroni (ante 1850); Uffizi (1866); Cenacolo di Foligno (1894).	Coll. Feroni (ante 1850); Uffizi (1866); Cenacolo di Foligno (1894).	Coll. Feroni (ante 1850); Uffizi (1866); Cenacolo di Foligno (1894).
Attribuzioni	—	—	—	—
Esposizioni	—	—	—	—
Bibliografia	E. Hempel: Baroque Art and Architecture in Central Europe, Harmondsworth 1965. L. Salerno: Pittori di paesaggio del Seicento a Roma, vol. II, Roma 1976. *Catalogo della Galleria Feroni, Firenze 1895, p. 15.*	E. Hempel: Baroque Art and Architecture in Central Europe, Harmondsworth 1965. L. Salerno: Pittori di paesaggio del Seicento a Roma, vol. II, Roma 1976. *Catalogo della Galelria Feroni, Firenze 1895, p. 15.*	E. Hempel: Baroque Art and Architecture in Central Europe, Harmondsworth 1965. L. Salerno: Pittori di paesaggio del Seicento a Roma, vol. II, Roma 1976. *Catalogo della Galleria Feroni, Firenze 1895, p. 1.*	E. Hempel: Baroque Art and Architecture in Central Europe, Harmondsworth 1965. L. Salerno: Pittorio di paesaggio del Seicento a Roma, vol. II, Roma 1976. *Catalogo della Galleria Feroni, Firenze 1895, p. 2.*
Inventario	S. Marco e Cenacoli 157.	S. Marco e Cenacoli 150.	S. Marco e Cenacoli 6.	S. Marco e Cenacoli 9.
Foto	168552.	168551.	168523.	168518.
Note	Il dipinto, insieme con i nn. 6, 150, forma una serie che reca l'attribuzione al pittore di Ratisbona nel catalogo della collezione di provenienza. Tale attribuzione va accettata pienamente, sulla base delle opere documentate dell'artista (ad es. i quadri a Firenze, Pitti, e Braunschweig, Museo: vedi Salerno 1976), e anzi i quattro grandi dipinti sono opere abbastanza eccezionali, sia per misure, sia per qualità, nel complesso non numeroso della produzione del'Agricola. Sembrano stilisticamente molto sviluppati in senso romantico, e quindi databili tardi nella carriera dell'artista. M.C.	Per il commento del dipinto, vedi n. 157, inv. S. Marco e Cenacoli. M.C.	Per il commento del dipinto, vedi n. 157, inv. S. Marco e Cenacoli. M.C.	Per il commento del dipinto, vedi n. 157, inv. S. Marco e Cenacoli. M.C.

	P5	P6	P7	P8
AUTORE	Agricola, Christoph Ludwig (Regensburg 1667-1719).	Agricola, Christoph Ludwig (Regensburg 1667-1719).	Agricola, Christoph Ludwig (Regensburg 1667-1719).	Agricola, Christoph Ludwig (Regensburg 1667-1719).
TITOLO	Paesaggio con chiaro di luna.	Paesaggio con l'arcobaleno.	Paesaggio con pastori e armenti.	Paesaggio tempestoso.
DATAZIONE	Inizi sec. XVIII.	Inizi sec. XVIII.	Inizi sec. XVIII.	Inizi sec. XVIII.
DATI TECNICI	Olio su rame, 41x32.	Olio su rame, 41x32, restauro 1974.	Olio su rame, 41x32, restauro 1974.	Olio su rame, 41x32.
CORNICE	Liscia, dorata, sec. XVIII.	Ebano, sec. XIX-XX.	Ebano, sec. XIX-XX.	Liscia, dorata, sec. XVIII.
UBICAZIONI	Pitti (1731); Uffizi (1753); Direzione Cantieri Navali, La Spezia (1928); perduto (1940-45).	Pitti? (inizi sec. XVIII?); Uffizi (1753); Pitti (1928).	Pitti (1713); Uffizi (1753); Pitti (1928).	Pitti? (inizi XVIII sec.?); Uffizi (1753); Direzione Cantieri navali, La Spezia (1928); perduto (1940-45).
ATTRIBUZIONI	—	—	—	—
ESPOSIZIONI	—	—	—	—
BIBLIOGRAFIA	Thieme-Becker, I, 1910. G. Biermann: Deutsches Barock u. Rokoko, Catalogo della mostra, Leipzig 1914. *M. Chiarini: La collezione dei quadri del principe Ferdinando di Toscana, in Paragone, n. 303, 1975, p. 97.*	L. Salerno: Pittori di paesaggio del Seicento a Roma, vol. II, Roma 1976. *A.I. Rusconi: La Galleria Pitti, Roma 1937, p. 20.*	L. Salerno: Pittori di paesaggio del Seicento a Roma, vol. II, Roma 1976. *M. Chiarini: La collezione dei quadri del principe Ferdinando di Toscana, in Paragone, n. 303, 1975, p. 99.*	Thieme-Becker, I, 1910. G. Biermann, in Cat. mostra Deutsches Barock u. Rokoko, Leipzig 1914.
INVENTARIO	1167 (C.P., p. 128, n. 844).	1130 (C.P., p. 128, n. 808).	1137 (C.P., p. 128, n. 818).	1173 (C.P., p. 127, n. 853).
FOTO	19212.	217615.	205567.	19213.
NOTE	Il dipinto proveniva dalla collezione di Ferdinando, Gran Principe di Toscana, in palazzo Pitti, nel cui inventario del 1713 è elencato col suo 'pendant' (n. 1137). Concesso in temporaneo deposito nel 1928 alla Direzione dei Cantieri Navali di La Spezia, il dipinto è andato smarrito nel conflitto 1940-45. M.C.	La provenienza del dipinto non è documentata, ma è probabile che esso sia entrato nelle collezioni di palazzo Pitti allo stesso tempo dei nn. 1167 e 1137. Accoppiato a quest'ultimo, ritornò a Pitti dagli Uffizi nel 1928. M.C.	Il dipinto, 'pendant' del n. 1167, proviene dalla collezione di Ferdinando, Gran Principe di Toscana, nel cui inventario del 1713 è elencato. Portato agli Uffizi nel 1753, tornò a Pitti nel 1928 ma accoppiato, questa volta, al n. 1130. M.C.	La provenienza del dipinto non è documentata, ma è probabile che esso fosse entrato nelle collezioni di palazzo Pitti allo stesso tempo dei Nn. 1167 e 1137. Accoppiato al n. 1167 - mentre, dato il soggetto, doveva essere 'pendant' del n. 1137 -, fu concesso in temporaneo deposito alla Direzione delle Costruzioni Navali di La Spezia nel 1928, da dove scomparve durante il conflitto 1940-45. M.C.

	P9	P10	P11	P12
AUTORE	Albani, Francesco (Bologna 1578-1660).	Albani, Francesco (Bologna 1578-1660).	Albani, Francesco (Bologna 1578-1660).	Albani, Francesco (Bologna 1578-1660).
TITOLO	S. Giovannino in un paesaggio.	Danza degli Amorini.	Ratto di Europa.	Ratto di Europa.
DATAZIONE	1620-30.	1630 ca. (Borea 1975).	1630-40 (Borea 1975).	1639 ca. (Schaar 1961).
DATI TECNICI	Tela, 33,2x19,2, restauro 1973.	Olio su rame, 31,8x41,2. Controfondo in legno, restauro 1962.	Olio su rame, 33,3x41,4.	Olio su tela, 76,3x97.
CORNICE	Dorata e riccamente intagliata a volute.	Dorata lievemente sbalzata.	Dorata liscia, con piccoli intagli.	Dorata e liscia, a gole.
UBICAZIONI	Pitti (inv. 1697); Poggio a Caiano (1710 ca.); Uffizi (1773); Depositi (fine sec. XIX).	Pitti; Uffizi (1779).	Pitti; Uffizi (1779).	Pitti (1640); La Petraia (sec. XVII), Uffizi (1796); Pitti (1928); Uffizi (1973).
ATTRIBUZIONI	—	Albani (1779, Zacchiroli 1783). Albani e scuola (Lanzi 1782).	Albani (1779). Albani? (Borea 1975).	—
ESPOSIZIONI	Pittori Bolognesi del Seicento nelle Gallerie di Firenze, Firenze 1975.	L'ideale classico e la pittura di paesaggio in Italia, Bologna 1962. Pittori bolognesi del seicento nelle Gallerie di Firenze, Firenze 1975.	Pittori bolognesi del Seicento nelle Gallerie di Firenze, Firenze 1975.	L'Ideale classico nel Seicento e la pittura di Paesaggio in Italia, Bologna 1962. Pittori Bolognesi del Seicento nelle Gallerie di Firenze, Firenze 1975.
BIBLIOGRAFIA	M. L. Strocchi, Il Gabinetto d'opere in piccolo del Gran Principe Ferdinando a Poggio a Cajano, in Paragone 311, 1976, n. 57. E. Borea, in Cat. Firenze 1975, n. 80, pp. 107-8.	E. Borea, in Cat. Firenze 1975, n. 77, pp. 104-6.	E. Borea, in Cat. Firenze 1975, n. 76, pp. 103-4.	A. Boschetto, Per Francesco Albani, in Proporzioni 1948, p. 131; E. Borea, in Cat. Firenze 1975 n. 75.
INVENTARIO	1330 (C.P., p. 144 n. 1027).	1314 (C.P., p. 143, n. 1044).	1361 (C.P., p. 144, n. 1057).	1366 (C.P., p. 146 n. 1094).
FOTO	216639.	1201111.	152954.	152968.
NOTE	Scritta sul retro: 'puttini del pittore'. Opera del miglior momento del giovane Albani paesaggista. E.B.	Sul retro del rame: sigillo in ceralacca illeggibile. L'Albani in una sua lettera del 1659 menziona più quadri suoi di questo soggetto. Si conoscono infatti altri esemplari, tra cui quello di Dresda, Gemäldegalerie, e quello già a Firenze, Galleria Corsini. Più famoso di tutti è quello a Milano, Brera. La versione di Firenze è da considerarsi uno dei migliori dipinti dell'Albani in questo 'genere' a lui caro di composizione mitologica con preminenza del paesaggio. E.B.	È legittimo il dubbio ch'esso non sia autografo, data la testimonianza di Ferdinando Cospi, mediatore granducale per l'acquisto nel 1640 della versione in tela dello stesso soggetto (Schaar 1961) n. 1366, al riguardo di una copia eseguita dall'originale in formato minore e destinata anch'essa al granduca di Toscana. La qualità è tuttavia degna dell'Albani. E.B.	Fu comperato per il granduca Ferdinando II da Ferdinando Cospi nel 1640; ma risulta ch'esso era stato dipinto anni addietro (Schaar 1961). Il soggetto è stato trattato più volte dall'Albani, per esempio nell'esemplare ora a Leningrado, Ermitage, e in quello a Corsham Court, Collezione Methuen. Lo stesso soggetto è altresì trattato nel dipinto di minori dimensioni n. 1361 degli Uffizi. E.B.

 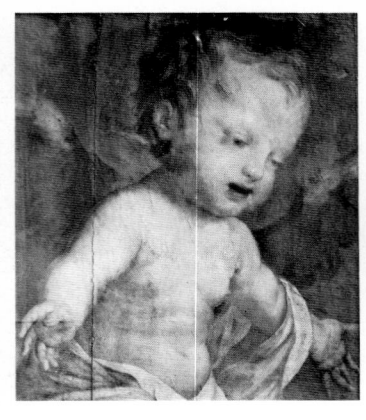  

	P13	P14	P15	P16
AUTORE	Albani, Francesco (Bologna 1578-1660).	Albani, Francesco (Bologna 1578 Bologna 1660).	Albani, Francesco (Bologna 1578-1660).	Albani, Francesco (Bologna 1578-1660).
TITOLO	Noli me tangere.	Putto alato.	Allegoria della Passione di Cristo.	Liberazione di S. Pietro.
DATAZIONE	Ante 1644 (Borea, 1975).	1640-50 ca.	1640-60.	1650-60.
DATI TECNICI	Olio su tela, 55,8x37,8, restauro 1974.	Olio su carta incollata su tavola, 33,1x27,4, restauro 1974.	Olio su tela diam. 150,5, restauro 1974, assai iscurito e guasto.	Olio su tela 28x38, restauro 1974.
CORNICE	—	Dorata a gole.	Listello moderno.	Dorata liscia a intagli geometrici.
UBICAZIONI	Pitti (1841); Uffizi (1974).	Coll. Feroni; Uffizi (1865).	Uffizi (inv. 1753); Pitti (1937); Uffizi (1973); Pitti (1975).	Pitti (inv. 1705 ca.); Uffizi (inv. 1753).
ATTRIBUZIONI	Ignoto sec. XVII (Inv. 1890). F. Albani (Borea 1975).	Albani (1895). Albani? (Borea 1975).	—	—
ESPOSIZIONI	Pittori Bolognesi del Seicento nelle Gallerie fiorentine, Firenze 1975.	Pittori bolognesi del Seicento nelle Gallerie di Firenze, Firenze 1975.	Pittori Bolognesi del Seicento nelle Gallerie di Firenze, Firenze 1975.	Pittori bolognesi del Seicento nelle Gallerie di Firenze, Firenze 1975.
BIBLIOGRAFIA	*Zanotti, in Malvasia, 1841, II, p. 198; A.G.F.: E. Borea, Scheda ministeriale, 1975. Idem, in Cat. Firenze 1975, n. 87.*	*E. Borea, in Cat. Firenze 1975, n. 90.*	*E. Borea, in Cat. Firenze 1975, n. 83, pp. 110-111.*	*E. Borea, in Cat. Firenze 1975, n. 81.*
INVENTARIO	5944.	San Marco e Cenacoli 75.	806 (C.P., p. 91 n. 222).	1360 (C.P., p. 142 n. 1022).
FOTO	167547 - 214928 - 225142.	168257.	216637.	206866.
NOTE	Il dipinto, attribuito genericamente ad Ignoto sec. XVII nell'Inv. 1890, è stato recentemente assegnato dalla Borea (1975) a F. Albani, e datato ad un periodo anteriore al 1644, in seguito ad un raffronto con la replica, qualitativamente superiore, di Berlino (Staatliche Museum). Gr. Red. 3	Faceva parte della raccolta Feroni donata al Comune di Firenze nel 1865 e subito ceduta agli Uffizi. Per la modesta qualità non è mai stato esposto. L'attribuzione all'Albani è dubbia. E.B.	Risulta che l'Albani trattasse più volte questo soggetto allegorico dei simboli della Passione, a cominciare dalla pala nella chiesa bolognese di Santa Maria di Galleria del 1632. Un esemplare è a Pisa, Chiesa di S. Seplocro. Questo degli Uffizi appare opera stanca. E.B.	Opera minore dell'Albani tardo. Una versione dello stesso tema è a Venezia, Seminario; una in tondo è nella Galleria Palatina (n. 278). E.B.

	P17	P18	P19	P20
AUTORE	Albani, Francesco (Bologna 1578-1660).	Albani, Francesco (Bologna 1578-1660).	Albertinelli, Mariotto (Firenze 1474-1515).	Albertinelli, Mariotto (Firenze 1474-1515).
TITOLO	Riposo in Egitto.	Il riposo di Venere.	Predella con Storie dell'infanzia di Cristo.	Visitazione della Madonna a Santa Elisabetta.
DATAZIONE	1659-60.	Sec. XVII.	1503.	1503.
DATI TECNICI	Tela, 55,5x75,5.	Olio su rame, 37x51, di forma mistilinea.	Olio su tavola, 23x150.	Olio su tavola centinata, 232x146.
CORNICE	Dorata.	—	Sagomata e dorata, sec. XIX.	Neoclassica, sagomata e dorata con decorazioni vegetali.
UBICAZIONI	Poggio Imperiale (inv. 1692); Uffizi (1796); Chiesa di S. Lorenzo (1939); Uffizi (1974).	Uffizi (cit. 1769); Comando Navale, La Spezia (1928); distrutto nell'ultima guerra.	Chiesa di S. Elisabetta (dall'origine); Accademia (1786); Uffizi (1794).	Chiesa di Santa Elisabetta (dall'origine); Accademia (1786); Uffizi (1786).
ATTRIBUZIONI	—	—	—	—
ESPOSIZIONI	Pittori Bolognesi del Seicento nelle Gallerie di Firenze, Firenze 1975.	—	—	—
BIBLIOGRAFIA	E. Van Schaack, Un'opera tarda di Francesco Albani in Arte Antica e Moderna 1963, pp. 49-51; E. Borea, in Cat. Firenze 1975, n. 85, pp. 112-13.	E. Borea, in Cat "Pittori bolognesi del Seicento nella Galleria di Firenze, Firenze 1975, n. 86.	Paatz, II, 1955, pp. 20, 22. L. Borgo, The Works of Mariotto Albertinelli (tesi di laurea 1968), New York-Londra, 1976, pp. 276-282.	Paatz, Kirchen etc., II, 1955, pp. 20-22. L. Borgo, The Works of Mariotto Albertinelli (tesi di laurea 1968), New York-Londra 1976, pp. 276-282.
INVENTARIO	1341.	1414.	1586 (C.P., p. 173, n. 1259).	1587 (C.P., p. 173, n. 1259).
FOTO	214155.	19115.	216413, 216414, 216415.	150485.
NOTE	Resti di cartellino sul retro con scritta quasi illeggibile: 'Imperiale... Maggio 17...' Identificato col dipinto documentato come eseguito nel 1659-60 per la granduchessa Vittoria, residente a Poggio Imperiale, insieme a un pendant ora scomparso (Van Schaack 1963). Opera dunque dell'estrema vecchiezza del pittore, ripete un tema a lui caro, come dimostrano le varianti di Dresda, Gemäldegalerie, Fontainebleau, Musée National, Sarasota, Ringling Museum. E.B.	Il dipinto, depositato al Comando Navale di La Spezia e in seguito traferito sulla Nave Aurora è andato perduto con l'affondamento di quella durante l'ultima guerra. Il Cochin (1769, II, p. 11), lo cita agli Uffizi. La Borea cita un dipinto di soggetto analogo alle Gemäldegalerie di Dresda, ed un altro è segnalato nel Museo Cospiano. C.C.	Il dipinto costituisce la predella della Visitazione dello stesso Albertinelli (Inv. 1890, n. 1587, cfr. scheda). Le scene rappresentano l'Annunciazione, l'Adorazione del Bambino, la Circoncisione. A differenza della pala questa predella rimase nella Galleria dell'Accademia fino al 1794 (AGF, Filza XXVI, 1794, 34; Inv. 1784, Giornale, c. 43). L'opera è attualmente esposta nelle sale del '500 fiorentino. E.S.	Datata su entrambi i pilastri nello sfondo: MDIII. Il dipinto venne eseguito per la cappella della Congregazione di S. Martino a Firenze (già chiesa della Visitazione e di S. Michele delle Trombe) che nel 1517 assunse il titolo di chiesa di S. Elisabetta. La predella di questa tavola si trova agli Uffizi (Inv. 1890, n. 1586, cfr. scheda). Sul trasferimento in Galleria di questa tavola vedi AGF, Filza XIX, 1825, 1. La critica ha identificato vari disegni preparatori per quest'opera, tutti attribuiti a Fra' Bartolomeo; il dipinto venne eseguito dall'Albertinelli, probabilmente su concezione di Fra' Bartolomeo, nel momento in cui quest'ultimo si asteneva dalla pittura per motivi religiosi. La tavola è esposta nelle sale del '500 fiorentino. E.S.

	P21	P22	P23	P24
AUTORE	Albertinelli, Mariotto (Firenze 1474-1515).	Aliani, Lorenzo (Firenze 1825-1862).	Aliense, Vassillacchi Antonio, detto l' (Isola di Milo 1556 c.-Venezia 1629), attr. a.	Allori, Alessandro (Firenze 1535-1607).
TITOLO	Trinità.	La grotta azzurra.	Le visioni di S. Girolamo.	Martirio di San Lorenzo.
DATAZIONE	1509 ca. (Bertani 1979).	1845-55 ca.	Sec. XVI-XVII.	1555 (Middeldorf 1932); (Berti 1952).
DATI TECNICI	Olio su tavola, 232x132.	Olio su carta, diam. 9.	Olio su tela, 193x152.	Bozzetto, olio su tavola, 16x23,8.
CORNICE	Modanata intagliata e dorata, centinata in alto.	D'epoca, circolare, in legno scuro e ottone dorato.	Del XIX/XX secolo, in legno liscio, dorato.	Legno modanato aggettante e dorato.
UBICAZIONI	Chiesa di San Giuliano (sec. XVI); Accademia (1810).	Coll. Giuseppe Martelli; Uffizi (1876); Galleria d'Arte Moderna, Pitti (1979).	Coll. Marchese di Castelbarco; Coll. A. Riblet (fino 1909); Uffizi (1911).	Gabinetto Disegni e Stampe (1784); Uffizi (1890); Pitti (1953); Uffizi (1971).
ATTRIBUZIONI	Albertinelli su cartone di fra' Bartolomeo (Berenson 1963).	—	Jacopo Bassano (nella coll. Castelbarco).	A. Allori (Inv. 1784); Bronzino (Inv. Antichi); A. Allori (Antal ?, Middeldorf 1932); (Berti 1952).
ESPOSIZIONI	—	—	—	Bozzetti delle Gallerie di Firenze, Firenze, 1952-53.
BIBLIOGRAFIA	S. J. Freedberg, Painting of the Hight Renaissance in Rome and Florence, Cambridge (Mass.), 1961. *U. Procacci, La Galleria dell'Accademia di Firenze, Roma 1936, p. 51. B. Berenson, Italian Pictures of the Renaissance. Florentine School, London 1963, vol. I, p. 1.*	Comanducci, IV, Milano 1970.	G. Bocassini, Profilo dell'Aliense, in Arte Veneta 1958, XII.	L. Berti, Il principe dello Studiolo. Francesco I de' Medici e la fine del Rinascimento fiorentino, Firenze, 1967. S. Lecchini Giovannoni, Mostra di Disegni di A. Allori, Firenze, 1970. *L. Berti, in Cat., Firenze, 1952-53, n. 129, pp. 61-62.*
INVENTARIO	866 (C.P., p. 67, n. 35).	4605.	3577 (C.P., p. 196, n. 3577).	1464 (C.P., p. 166, n. 1218).
FOTO	510054	—	325108	157021.
NOTE	Il dipinto, già ricordato dal Vasari come opera del maestro (cfr. Vasari, Vite...), fu eseguito dall'Albertinelli per le monache di San Giuliano a Firenze. Pervenne alla Galleria dell'Accademia nel 1810 dove tutt'ora è esposto, dal convento di san Giuliano. L.B.B.	È identificabile col n. 70 dell'inventario della collezione Martelli, legata agli Uffizi nel 1876. Più tardi questo pezzo è stato unito alla collezione delle miniature della Galleria, donde è pervenuto di recente alla Galleria d'arte moderna a Palazzo Pitti. Di Lorenzo Aliani pochissimo è noto, oltre al brevissimo cenno del Thieme-Becker, ripreso dagli altri dizionari, ad eccezione del Dizionario Biografico degli Italiani che non lo riporta neppure. Nel catalogo del primo ordinamento del Museo Topografico fiorentino (1909) il nome dell'Aliani compare per una veduta del Duomo e a lui è dedicato un dipinto del d'Azeglio, appartenuto alla collezione Santarelli e giunto agli Uffizi nel 1866 (v. inv. Acc., n. 378). S.P.	Già in una non meglio specificata collezione Castelbarco dove portava l'attribuzione al Bassano, il dipinto fu offerto in dono alle Gallerie fiorentine nel 1909, dal sig. Augusto Riblet, Presidente della Società francese di beneficenza per connazionali (cfr. A. Sopr. Fi, Arte 850). L'opera non è presa in considerazione dagli studiosi del pittore (cfr. bibl. indicata e A. Venturi, Storia Arte 1929, 9/IV; C. Donzelli, G. M. Pilo, I pittori del Seicento Veneto, Firenze 1967). A.P.	Il bozzetto compare al n. 231 nell'Inventario del 1784 (cfr. AGF, ms. 113, vol. I, c. 192) collocato al Gabinetto Disegni e Stampe nel 1890 fu inventariato fra gli oggetti della Galleria degli Uffizi; nel 1953 passò a Pitti, ritornò agli Uffizi nel 1971. Il dipinto deriva da un disegno di bassorilievo del Bandinelli o della sua cerchia che si trova al British Museum di Londra e doveva servire per la decorazione sopra una porta laterale della facciata disegnata da Michelangelo per la Basilica di San Lorenzo a Firenze. L.B.B.

	P25	P26	P27	P28
AUTORE	Allori, Alessandro (Firenze 1535-1607).	Allori, Alessandro (Firenze 1535-1607).	Allori, Alessandro (Firenze 1535-1607), attr. a.	Allori, Alessandro (Firenze 1535-1607).
TITOLO	S. Lorenzo dinanzi al tiranno.	Ritratto di Bianca Cappello.	Ritratto di Ludovico Capponi (?).	San Pietro cammina sulle acque.
DATAZIONE	1555 (Middeldorf 1932); (Berti 1952).	1585 (Bricchi, 1748), post. 1560 (Lecchini-Giovannoni, 1968).	1585-90.	1596?
DATI TECNICI	Bozzetto, olio su tavola, 15x23,8.	Tempera su muro, 75x52.	Olio su tavola, 45x36.	Olio su rame, 47x40, , restauro 1951.
CORNICE	Legno modanato aggettante e dorato.	Intagliata con dorature.	Intagliata e dorata, sec. XVIII, non pertinente.	Dorata.
UBICAZIONI	Gabinetto Disegni e Stampe (1784); Uffizi (1890); Pitti (1953); Uffizi (1971).	Parrocchia di S. Maria ad Olmi, Mugello (dall'origine); Uffizi (1817); Poggio a Caiano (1940); Pitti, Depositi (1944); Uffizi (1948).	Ippolito Rosini, Pisa; Uffizi (1867).	Guardaroba (1637); Uffizi (1770); Uffizi (1958).
ATTRIBUZIONI	A. Allori (Inv. 1784). Bronzino (Inv. Antichi). A. Allori (Antal; Middeldorf 1932). (Berti 1952).	A. Allori (Inv. 1890, S. Lecchini Giovannoni, 1968).	—	A. Allori (Inv. 1890). A. Allori (S. Lecchini-Giovannoni, 1968).
ESPOSIZIONI	Bozzetti delle Gallerie di Firenze, Firenze, 1952-53.	—	—	—
BIBLIOGRAFIA	L. Berti, Il principe dello Studiolo. Francesco I de' Medici e la fine del Rinascimento fiorentino, Firenze, 1967. S. Lecchini Giovannoni, Mostra di Disegni di A. Allori, Firenze, 1970. L. Berti, Cat. Firenze, 1952-53, n. 130, pp. 61-62.	G. Bricchi, Descrizione del Mugello, Firenze 1748, p. 86. S. Lecchini-Giovannoni, in Antichità viva, Firenze 1968 (fasc. I).	A. Solerti, Vita di Torquato Tasso III, Torino-Roma 1895. C. Caversazzi in Emporium LXXIV. 1931. L. Locatelli in Bergomum XXVIII, 1934.	S. Lecchini Giovannoni, in Antichità viva', Firenze 1968.
INVENTARIO	1467 (C.P. p. 167, n. 1228).	1500 (C.P., p. 161, n. 1183).	763 (C.P., p. 26, n. 205).	1549 (C.P., p. 166, n. 1299).
FOTO	157020.	128561.	145932.	107828.
NOTE	Il bozzetto compare nell'inventario del 1784 al n. 212 (cfr. AGF ms 113, vol. I, c. 188) collocato nel Gabinetto Disegni e Stampe; nel 1890 fu inventariato fra gli oggetti della Galleria degli Uffizi; nel 1953 passò a Pitti, ritornò definitivamente agli Uffizi nel 1971. Il dipinto deriva da un disegno di bassorilievo eseguito dal Bandinelli o dalla sua scuola, disegno che si trova al British Museum di Londra, e che doveva servire per decorare la facciata michelangiolesca della Basilica di San Lorenzo di Firenze.	G. Bricchi, già Priore di S. Maria ad Olmi. trasmette la tradizione secondo la quale l'Allori, trovandosi nel 1585 a collocare sopra un altare di detta chiesa quella tavola che tuttora vi si vede, avrebbe ritratto la Granduchessa Bianca Cappello venuta col Granduca Francesco di Cafaggiolo, per compiacere il Priore di allora, desideroso di conservare memoria di si onorevole visita (Bricchi, 1748). Non ci sono documenti sicuri che confermino tale tradizione.	La cornice apparteneva a un dipinto del Poggio Imperiale (inv. 748 rosso). Il quadro fu acquistato nel 1867 per L. 1180 da Ippolito Rosini di Pisa come ritratto di Torquato Tasso; tale battesimo fu subito accettato e reclamizzato dal Solerti, che in un primo tempo reputò il quadro eseguito a Firenze intorno al 1590, quando il poeta fu alla corte di Ferdinando I de' Medici, poi lo retrodatò al 1575. Ma i lineamenti, col mento affilato e sfuggente, non corrispondono. come è stato già dimostrato, mentre ricordano più da vicino (R. Simon, com. or.) il ritratto di Luigi (o Lodovico) Capponi nella collezione Cannon di Princeton (ill. in E. Baccheschi, L'opera completa del Bronzino. Milano 1973, n. 168). Per un altro presunto ritratto del Tasso v. inv. 1890, n. 3143.	In basso dietro la figura di San Pietro si legge in un nastro la firma: 'Alexander Bronzinus Allorius pingebat A. D. M..CVI' che si può completare in MDXCVI. Gr. Red. 3
	L.B.B.	Gr. Red. 3	S.M.T.	

	P29	P30	P31	P32
AUTORE	Allori, Alessandro (Firenze 1535-1607).	Allori, Alessandro (Firenze 1535-1607).	Allori, Alessandro (Firenze 1535-1607).	Allori, Alessandro (Firenze 1535-1607).
TITOLO	Ercole coronato dalle Muse.	Venere e Amore.	Ritratto di Bianca Cappello.	Allegoria della vita umana. (Verso dell'opera P31).
DATAZIONE	Sec. XVI.	Sec. XVI.	Sec. XVI (seconda metà).	
DATI TECNICI	Dipinto su rame, 39x29.	Olio su tavola, 29x38.	Dipinto su rame, 37x27.	
CORNICE	—	Intagliata e dorata.	Intagliata e dorata.	
UBICAZIONI	Uffizi, Tribuna (1589); Uffizi, Corridoio Vasariano (1972).	Guardaroba; Uffizi (1796); Poggio a Caiano (1940); Pitti (1944); Uffizi (1948).	Uffizi; Poggio a Caiano (1940); Pitti (1944); Uffizi (1948).	
ATTRIBUZIONI	A. Allori (Inv. 1589 - Inv. 1890).	A. Allori (Inv. 1890).	A. Bronzino (?); A. Allori (Inv. 1890).	
ESPOSIZIONI	—	—	—	
BIBLIOGRAFIA	Cat. della Mostra dei Disegni di A. Allori, Firenze 1970.	—	*S. Lecchini Giovannoni, in Antichità viva, Firenze, 1968, p. 50.*	
INVENTARIO	1544 (C.P., p. 164, n. 1225).	1512 (C.P., p. 163, n. 1173).	1514 (C.P., p. 162, n. 1227).	
FOTO	326043.	148593.	52918.	
NOTE	Il dipinto è ricordato nell'Inventario della Tribuna del 1589 (Carta 7v n. 98): 'Un quadro con cornice di ebano alto braccia 3/4, largo soldi 12, dipintovi una storia del Monte di parnaso dimano da Cav. Allori'. Il Pieraccini (1890), ricorda che il quadretto è datato 1544 e firmato; inoltre, che 'le fonti antiche' (imprecisate) riconoscono in Francesco I dei Medici il committente. Gr. Red. 3	È una replica in piccole dimensioni del grande quadro dell'Allori ora nel Museo di Montpellier (n. 612) proveniente dalla Galleria del Reggente e inciso da A. Borol, Galerie du Palais Royal Conchè (1786-1806). Gr. Red. 3	Il dipinto di piccolo formato raffigura la granduchessa Bianca Cappello, già ritratta dall'Allori in un affresco, ora staccato ed esposto nella Tribuna degli Uffizi (Inv. 1890, n. 1500). Sul retro del quadro è dipinto un soggetto allegorico rappresentante il 'Sogno della Vita Umana'. Il dipinto è ripreso nella composizione principale dal disegno di Michelangelo della Coll. Seilern di Londra (C. de Tolnay, Princeton, 1960). Per il verso vedi scheda P32. Gr. Red. 3 Gr. Red. 3	Vedi: Allori Alessandro. Ritratto di Bianca Cappello. Scheda P31.

	P33	P34	P35	P36
Autore	Allori, Alessandro (Firenze 1535-1607).	Allori, Alessandro (Firenze, 1535-1607).	Allori, Cristofano (Firenze 1577-1621).	Allori, Cristofano (Firenze 1577-1621).
Titolo	Le nozze di Cana.	Sacrificio di Isacco.	Martirio di Santo Stefano.	Cena in Emmaus.
Datazione	1600.	1601.	1597 (Berti 1952); secondo decennio sec. XVII (Chelazzi Dini 1973).	1600/1605
Dati tecnici	Olio su tavola, 371x257.	Olio su tavola, 94x131.	Bozzetto, olio a chiaroscuro su tela, 78x63.	Olio su tela, 54x49.
Cornice	—	Originale.	Legno modanato.	Settecentesca, intagliata e dorata.
Ubicazioni	Chiesa di Sant'Agata (1600); Uffizi (1780); Accademia (cit. 1936); Chiesa di Sant'Agata (1952).	Uffizi (Inv. Tribuna 1589-1634).	Card. Carlo de' Medici (ante 1666); Pitti (1666); Uffizi (1686); Accademia (?); Pitti (1953); Uffizi (1971).	Casino Mediceo; Pitti (1666); Castello; Uffizi (1779).
Attribuzioni	—	—	C. Allori (ASF, Guard. 758, 1666). (Brunetti 1960, Chelazzi Dini 1963). Cigoli (Berti 1952, Sricchia 1953. Bucci 1959), Cecco Bravo (Masetti 1962).	Anonimo (1779). C. Allori (inv. 1784). C. Allori? (Inv. 1890 e Berti 1952). Cigoli (Jahn-Rusconi 1937 e Bucci 1959). C. Allori (Chelazzi Dini 1974).
Esposizioni	—	—	Bozzetti delle Gallerie di Firenze, Firenze, 1952-53. Mostra del Cigoli e del suo ambiente, San Miniato 1959. Disegni e bozzetti di C. Allori, Firenze 1974.	Bozzetti delle Gallerie di Firenze, Firenze 1952. Mostra del Cigoli e del suo ambiente, San Miniato 1959, f.c. Disegni e bozzetti di Cristofano Allori, Firenze di C. Allori, Firenze 1974.
Bibliografia	S. Lecchini Giovannoni, Mostra di disegni di Alessandro Allori, Firenze 1970. A. De Rubertis, in *Rivista d'Arte*, IX, 1916-18, pp. 11-40. U. Procacci, La R. Galleria dell'Accademia, Roma 1936, p. 47.	S. Lecchini Giovannoni, Mostra di disegni di Alessandro Allori, Firenze 1970.	L. Berti, in Cat. Firenze 1952-53, n. 30, p. 22. G. Ghelazzi Dini, in Cat. Firenze 1974, n. 6, pp. 28-29.	H. Koritzer, Cristofano Allori, Leipzig 1928. C. Pizzorusso, in *Paragone*, 337, 1978. Cat. Firenze 1974, p. 26.
Inventario	760 (C.P., p. 86, n. 179).	1553 (C.P., p. 167, n. 1239).	8020.	1507 (C.P., p. 164, n. 1190).
Foto	257289 (e particolari).	109665 (e particolari).	94748.	157157.
Note	Firmata e datata sulla brocca in basso a sinistra: "A DIO GLORIA NEGLI ANNI DEL SIGN. MDC ALESSANDRO BRONZ. ALLORI DIPINGEV." Commissionata per la chiesa del convento di Sant'Agata il 16 dicembre 1592, la tavola fu terminata il 7 ottobre 1600. Disegni relativi: Firenze, Gabinetto Disegni e Stampe; Vienna, Albertina. M.G.	Firmato e datato sul masso in basso a sinistra: "A.D. MDCI ALESSANDRO BRONZINO ALLORI CH'ALTRO DILETTO CH'IMPARAR NON PROVA". Tema già trattato dall'Allori nel 1583 nella pala di San Niccolò Oltrarno. In questa nuova redazione più tarda viene accentuata, rispetto alla forte tradizione bronzinesca, la dipendenza da pittori nordici: la minuta descrizione del paesaggio, la ferma e lucida analisi dei particolari vegetali, denunciano l'adesione alla pittura fiamminga diffusa a Firenze e che è caratteristica delle opere tarde del maestro. Da notarsi infine la cura narrativa con la quale l'Allori, fedele ai princìpi dettati dalla Controriforma sulle immagini sacre, ha tradotto il brano della Genesi, illustrando, da sinistra a destra, ogni momento dell'episodio. M.G.	Il presente bozzetto copia del Martirio di S. Stefano del Cigoli (cfr. Pitti Inv. 1890, n. 8713), può identificarsi con quello descritto nell'inventario della raccolta del Cardinale Carlo de' Medici del 1666 (cfr. ASF Guard. 758, c 23v, n. 408); passò agli Uffizi il 24 Marzo 1685 (stile fior.) (cfr. AGF Gior. di Gal. 1646-88, c. 178) dopo aver subìto vari passaggi non identificabili, tornò agli Uffizi nel febbraio del 1815, come da cartellino apposto sul retro della cornice; passò all'Accademia in un anno imprecisato e poi alla Palatina nel 1953, infine agli Uffizi nel 1971. Si confrontino i nn. Inv. 1890 9486 di C. Allori e il 19171 del Gabinetto Disegni e Stampe di L. Cigoli con lo stesso soggetto. L.B.B.	Faceva parte del gruppo di bozzetti dell'Allori raccolti dal Cardinal Carlo de' Medici. Di questo soggetto esiste alla Palatina un'altra versione (Inv. 1890 n. 303), identica per composizione ma con leggere varianti stilistiche: entrambi i dipinti sono riferibili, come ha osservato la Chelazzi Dini (1974), all'attività giovanile del pittore, anche se questo esemplare, dalla materia più soffice e dalle luci meno segnate, può essere di qualche tempo posteriore all'altro. Disegno preparatorio: Firenze, Gabinetto Disegni e Stampe. M.G.

	P37	P38	P39	P40
AUTORE	Allori, Cristofano (Firenze 1577-1621).	Allori, Cristofano (Firenze 1577-1621).	Allori, Cristofano (Firenze 1577-1621).	Allori, Cristofano (Firenze 1577-1621), attr. a.
TITOLO	Santa Maria Maddalena nel deserto.	Resurrezione.	Resurrezione.	Cristo servito dagli angeli.
DATAZIONE	1602 ca. (Koritzer 1928), 1598 ca.	Sec. XVII (Chelazzi Dini 1973). 1605 (Pizzorusso 1978).	1605 ca. (Pizzorusso 1978).	1610-20 ca. (Pizzorusso 1978). 1629 ca. (Giglioli 1949, Berti 1952, Banti 1977).
DATI TECNICI	Olio su rame, 28x41,5.	Bozzetto, olio a chiaroscuro su carta adesa su tela, 36x23.	Bozzetto, olio su tela, 86x52,7.	Olio su tela, 35x52.
CORNICE	Settecentesca, intagliata e dorata.	Modanata e dorata nella fascia interna.	Modanata in legno scuro.	Sagomata, dorata, sec. XVII.
UBICAZIONI	Pitti (cit. 1666); Uffizi (1771); Pitti (1928).	Gabinetto Disegni e Stampe (1793); Uffizi (1914).	Card. Carlo de' Medici (1666); Pitti (1666); Cosimo II, Uffizi (1686); Gabinetto Disegni e Stampe (1793); Uffizi (1914).	Coll. Feroni (ante 1850); Uffizi (1866); Cenacolo di Foligno (1894).
ATTRIBUZIONI	—	Cigoli (Inv. Antichi, Cat. Mostra 1940). C. Allori (Berti 1952, Gregori 1959, Chelazzi Dini 1973, 1974).	C. Allori (1666, Guard. 758). Cigoli (Inventari Antichi, Cat. Firenze 1940). C. Allori (Berti 1952, Chelazzi Dini 1973).	Giovanni da S. Giovanni (Cat. Feroni 1895, Giglioli 1949, Berti 1952, Banti 1977). Cristofano Allori (Pizzorusso 1978).
ESPOSIZIONI	—	Mostra del '500 Toscano, Firenze 1940. Bozzetti delle Gallerie di Firenze, Firenze 1952-53. Mostra del Cigoli e del suo ambiente, San Miniato 1959, p. 223. Disegni e bozzetti di C. Allori, Firenze 1974.	Mostra del Cinquecento toscano, Firenze 1940. Bozzetti delle Gallerie di Firenze, Firenze 1952-53. Disegni e bozzetti di C. Allori, Firenze 1974.	—
BIBLIOGRAFIA	Disegni e bozzetti di C. Allori, Firenze 1974. *H. Koritzer, Cristofano Allori, Leipzig 1928, pp. 17-18, 65.*	*L. Berti, in Cat., Firenze 1952-53, n. 7, p. 11. G. Chelazzi Dini, in Cat., San Miniato 1959, pp. 26-27. C. Pizzorusso, Un documento e alcune considerazioni su C. Allori, in Paragone 337, 1978, pp. 60-75.*	M. Bucci, A.F. Tempesti, M. Gregori, Mostra del Cigoli e del suo ambiente, S. Miniato 1959, p. 223. L. Berti, in Cat. Firenze 1952-53, n. 2 p. 9; C. Pizzorusso, Un documento e alcune considerazioni su C. Allori, in Paragone 337, 1978 pp. 60-75.	C. del Bravo: Su Cristofano Allori, in Paragone, 205, 1967. *Catalogo della Galleria Feroni, Firenze 1895, p. 4. E.H. Giglioli: Giovanni da S. Giovanni, Firenze 1949, p. 76. L. Berti: in cat. Bozzetti delle Gallerie di Firenze, Firenze 1952, al n. 64. A. Banti: Giovanni da S. Giovanni, Firenze 1977, n. 57. C. Pizzorusso: in Paragone, 337, 1978, p. 63.*
INVENTARIO	1344 (C.P., p. 160, n. 1149).	GDSU 19114.	6976.	S. Marco e Cenacoli 100.
FOTO	183529.	157164.	157449.	204562.
NOTE	Si tratta di una copia di un presunto originale del Correggio, allora di proprietà della famiglia Gaddi (Baldinucci, ed. 1846, III, p. 734). Di questo dipinto l'Allori eseguì numerose versioni: tre di esse sono documentate al 1602 (A.S.F., Guard. 249, c. IV) e l'anno successivo ne è documentata una copia di Valerio Marucelli (Koritzer, 1928, p. 72). Tuttavia lo stile lucidamente analitico e descrittivo di quest'opera denuncia ancora l'influenza del padre Alessandro e suggerisce quindi una datazione anteriore al 1600. M.G.	Si tratta della prima stesura del bozzetto per la Resurrezione nel Duomo di Pistoia. Altro studio con lo stesso soggetto (cfr. Inv. n. 6976) si trovava nella Guardaroba nel 1666 proveniente dall'eredità del Cardinale Carlo dei Medici. Il presente studio compare nell'Inventario del Gabinetto Disegni e Stampe del 1793 come opera di L. Cigoli. L.B.B.	Da identificarsi con una bozza di questo soggetto descritta come opera di C. Allori nell'Inventario dell'eredità del Cardinal Carlo de' Medici (cfr. ASF. Guard, 758 c. 23v). Pervenne agli Uffizi dalla Guardaroba il 27 II 1685 (stile fior.) (ASF. Guard. 904 c. 45r). È l'ultima redazione del bozzetto per la Resurrezione del Duomo di Pistoia, cfr. Gabinetto Disegni e Stampe n. 19114. Sul retro cartellino Inv. 1881, cat. IVᵃ, n. 268. L.B.B.	Il piccolo dipinto non è mai stato veramente discusso dalla critica. Attribuito nel catalogo della collezione di provenienza a G. da S. Giovanni, tale attribuzione è stata accettata dagli studiosi che lo hanno citato, seguendo la datazione proposta dal Giglioli che lo metteva in rapporto, per via dell'identità del soggetto, con l'affresco dell'artista valdarnese nella Badia Fiesolana (1629). Più recentemente il Pizzorusso ha collegato il dipinto a un altro degli Uffizi (inv. Castello 513) entrato nelle collezioni medicee nel 1620. Il Pizzorusso ritiene che la versione Feroni sia precedente a quest'ultima, e propende (com. orale) a vedervi un intervento (di restauro?) di Pier Dandini nel gruppo di angeli in alto a destra. M.C.

	P41	P42	P43	P44
AUTORE	Allori, Cristofano (Firenze 1577-1621).	Allori, Cristofano (Firenze 1577-1621).	Allori, Cristofano (Firenze 1577-1621).	Allori, Cristofano (Firenze 1577-1621).
TITOLO	Susanna.	Madonna col Bambino.	David e Golia.	Lapidazione di S. Stefano.
DATAZIONE	Primo decennio del sec. XVII.	1620 ca. (Pizzorusso 1978).	Inizi sec. XVII (Berti 1952, Bellini 1975).	Inizi del sec. XVII (Bellini 1975).
DATI TECNICI	Bozzetto, olio su tela, 49x34,4, rintelato.	Olio su rame ovale, 14,5x11.	Bozzetto, olio su tela, 48x37.	Bozzetto, olio su tela, 53x40.
CORNICE	Legno modanato con filetto dorato.	Originale, intagliata e dorata.	Modanata, aggettante con filetto d'oro.	Legno modanato.
UBICAZIONI	Card. Carlo de' Medici, Pitti (ante 1666); Cosimo II (1686); Pitti (1951); Uffizi (1971).	Pitti (1620); Poggio a Caiano (dai primi del '700); Uffizi (1773); Pitti (1928).	Card. Carlo de' Medici (ante 1666); Pitti (1666); Cosimo II (1686).	Asta Sotheby; Uffizi (1970).
ATTRIBUZIONI	C. Allori (Inv. Antichi, Chelazzi Dini 1963, 1974). C. Allori? (Berti 1952). Cigoli (Sricchia 1953, Masetti 1964).	—	—	C. Allori (Chelazzi Dini 1974, Bellini 1975).
ESPOSIZIONI	Bozzetti delle Gallerie di Firenze, Firenze, 1952-53. Mostra del '600 Europeo a Roma, Roma 1956. Mostra del Cigoli e del suo ambiente, S. Miniato, 1959. Disegni e Bozzetti di C. Allori, Firenze, 1974.	—	Bozzetti delle Gallerie di Firenze, Firenze 1952-53. Mostra del Cigoli e del suo ambiente, S. Miniato 1959, Firenze. Disegni e bozzetti di C. Allori, Firenze 1974.	Disegni e Bozzetti di C. Allori, Firenze 1974.
BIBLIOGRAFIA	*L. Berti, in Cat., Firenze, 1952-53, n. 9, p. 11; G. Chelazzi Dini, in Cat. Firenze, 1974, n. 9, p. 31; AGF: F. Bellini, Scheda Ministeriale 1975.*	*Disegni e bozzetti di Cristofano Allori, Firenze 1974. M. L. Strocchi, in Paragone, 311, 1976, p. 105. C. Pizzorusso, in 'Paragone'; 337, 1978, p. 62.*	*L. Berti, in Cat. Mostra 1952-53, n. 8, p. 11. G. Chelazzi Dini, in Cat. Firenze 1974, p. 30. AGF: F. Bellini, Scheda Ministeriale, 1975.*	*G. Chelazzi Dini, in Cat. Firenze 1974, n. 7, pp. 29-30. AGF: F. Bellini, Scheda Ministeriale 1975.*
INVENTARIO	7605.	1498 (C.P., p. 166, n. 1202).	586.	9486.
FOTO	157163.	122216.	157117.	185631.
NOTE	Il bozzetto figura nell'inventario dell'eredità del Cardinal Carlo de' Medici nel 1666 (cfr. ASF Guard. 758 c. 25 r n. 430); pervenne agli Uffizi il 27-2-1685 (stile fior.) (cfr. ASF Guard. 904 c. 45r), passò a Pitti nel 1951 e infine ritornò agli Uffizi nel 1971. Sul retro cartellino dell'inv. 1881, cat. III^a n. 131, timbro rettangolare in ceralacca rossa con G.C. È esposto nel Corridoio Vasariano. L.B.B.	Iscrizione sul retro: 'Cristofano Allori detto il Bronzino'. Commissionato dal Granduca Cosimo II, questo piccolo rame fu consegnato incompiuto alla Guardaroba dal pittore prima della morte, il 22 aprile 1620 (Pizzorusso 1978). In seguito passò nel "gabinetto d'opere in piccolo" del Gran Principe Ferdinando a Poggio a Caiano. Disegno preparatorio: Firenze, Gabinetto Disegni e Stampe. Una replica su tavola si trova agli Uffizi (inv. 1890, n. 1550) e una copia probabilmente ottocentesca, al Museo Civico di Pistoia. M.G.	Il presente bozzetto è da identificarsi con quello detto 'Michele che scaccia Lucifero' che compare nell'inv. dell'eredità del Cardinal Carlo de' Medici nel 1666 (cfr. ASF Guard. 758 c. 23v) e che pervenne agli Uffizi dalla Guardaroba nel 1685 (stile fior.) il 27 febbraio (cfr. ASF Guard. 904 c. 45r). È esposto nel Corridoio Vasariano. L.B.B.	Sul retro: di Christofano Allori, scritto con grafia antica, secentesca il bozzetto comparso in asta Sotheby il 21-10-1970, fu acquistato per le Gallerie fiorentine. Si confrontino i bozzetti con analogo soggetto delle Gallerie di Firenze, i nn. Inv. 1890 8020, di C. Allori e Gabinetto Disegni e Stampe 19171 di L. Cigoli, rispettivamente copia e bozzetto del Martirio di Santo Stefano di L. Cigoli già nella chiesa di Montedomini a Firenze, ora a Pitti, Inv. 1890, n. 8713. L.B.B.

	P45	P46	P47	P48
AUTORE	Allori, Cristofano (Firenze 1577-1621).	Allori, Cristofano (Firenze 1577-1621).	Allori, Cristofano (Firenze 1577-1621).	Allori, Cristofano (Firenze 1577-1621).
TITOLO	Madonna che dà il rosario a S. Domenico.	S. Francesco orante.	Madonna con Bambino.	Ritratto di giovane.
DATAZIONE	Inizi sec. XVII (Chelazzi Dini 1974).	Inizi sec. XVII.	Inizi sec. XVII.	Sec. XVI-XVII.
DATI TECNICI	Bozzetto, olio su rame, 56x36.	Olio su tavola; 46x36.	Bozzetto, olio su tavola, 20,5x15,8.	Dipinto su rame, 6,6x5,1.
CORNICE	Dorata e modanata.	Dorata.	Legno dorato intagliato e aggettante.	Dorata.
UBICAZIONI	Guardaroba (1620); Uffizi (1881).	Coll. Granducali; Guardaroba (1640 ca.); Uffizi (1783); Casa Vasari, Arezzo, (1951).	Poggio a Caiano (1773); Uffizi (1773); Pitti (1953); Uffizi (1971).	Uffizi (cit. 1881).
ATTRIBUZIONI	C. Allori (Inv. 1620). Anonimo (Inv. Antichi). C. Allori (Berti 1952, Chelazzi Dini 1974, Bellini 1975).	A. Allori (Inv. della Guardaroba, 1640 ca., Inv. 1890, Berti 1955). C. Allori (Chappel 1971).	—	Ignoto (Inv. 1881). C. Allori (Inv. 1890).
ESPOSIZIONI	Bozzetti delle Gallerie di Firenze, Firenze 1952-53. Disegni e Bozzetti di C. Allori, Firenze 1974.	—	Bozzetti delle Gallerie di Firenze, Firenze 1952-53.	—
BIBLIOGRAFIA	*L. Berti, in Cat. Firenze 1952-53, n. 3, p. 10. G. Chelazzi Dini, in Cat. Firenze, p. 23. AGF: F. Bellini, Scheda ministeriale 1975. C. Pizzorusso, Un documento e alcune considerazioni su C. Allori, in Paragone 337, 1978, tav. 27, pp. 60-75.*	L. Berti, M. Chappel, in Burlington Magazine, 1971, p. 448. G. Chelazzi Dini. ASG: Scheda ministeriale, 1973.	*L. Berti, in Cat. Firenze 1952-53, n. 5, p. 10; AGF: G. Cantelli, Scheda Ministeriale, 1973.*	Disegni e bozzetti di Cristofano Allori, Firenze 1974. C. Pizzorusso, in Paragone, 337, 1978.
INVENTARIO	592.	1545 (C.P., p. 166, n. 1192).	1550 (C.P., p. 160, n. 1190).	3960 (C.P., p. 160, n. 34).
FOTO	11005.	67884.	249045.	229111.
NOTE	È il bozzetto relativo al dipinto di C. Allori per S. Domenico di Pistoia. Pervenne alla Guardaroba il 20 sett. 1620 (cfr. Guard. 373, c. 203) donato al Granduca Cosimo II dal pittore stesso (cfr. Depositeria Gen. ASF, 647 c. 912). Sul retro a lapis Inv. 1881 IIIª, Cat. 425. È esposto nel Corridoio Vasariano. L.B.B.	Il Berti (1955) classifica l'opera di A. Allori come imitazione del Cigoli nella figura e del Brill nel paesaggio. Il Chappel (1971) ha pubblicato il dipinto come originale di C. Allori in relazione con l'esemplare dello stesso pittore alla Galleria Borghese in Roma. Gr. Red. 3	Il presente bozzetto è replica dell'ovale dello stesso autore, conservato nella Galleria Palatina, Inv. 1890 n. 1498 che si trovava nella Guardaroba ai primi del sec. XVIII (cfr. ASF, 1702-1710, Guard. 1185, vol. III, c. 900, n. 381). Nell'inventario del 1773 al n. 381 sembra corrispondere anziché la pittura su rame della Palatina, il presente bozzetto (cfr. AGF, filza VI, ins. 96, n. 381); il bozzetto pervenne quindi agli Uffizi il 29-12-1773, dalla villa del Poggio a Caiano, passò alla Palatina nel 1953 e nel 1971 ritornò agli Uffizi. L.B.B.	Il dipinto, di piccolissimo formato, compare nell'Inventario del 1881 tra le opere di Scuola Tedesca e Fiamminga coll'attribuzione ad Ignoto. A Cristofano Allori viene assegnato per la prima volta nell'Inventario del 1890, poi confermato dal Pieraccini. Si confronti con l'altro ovale, sempre di C. Allori, conservato anch'esso agli Uffizi (Inv. 1890 n. 9190). Gr. Red. 3

	P49	P50	P51	P52
AUTORE	Allori, Cristofano (Firenze 1577-1621), copia da.	Allori, Cristofano (Firenze 1577-1621), copia da.	Altdorfer, Albrecht (1480? ca. - Ratisbona 1538).	Altdorfer, Albrecht (1480? ca. - Ratisbona 1538).
TITOLO	Giuditta con la testa di Oloferne.	San Francesco in preghiera.	Il Congedo di S. Floriano.	Il Martirio di S. Floriano.
DATAZIONE	Prima metà sec. XVII.	Prima metà del XVII sec.	Ca. 1516-18 (Winzinger 1975, Krichbaum 1978), ca. 1519-20 (M. J. Friedländer s.d. ma 1923, Benesch 1939, Baldass 1941), ca. 1520-25 (cat. Mostra Altdorfer, Monaco 1938), ca. 1525 (Ruhmer 1965).	
DATI TECNICI	Olio su rame, 31x24,5.	Olio su tela, 132x102.	Olio su tavola, 81,4x67, restauro 1935.	Olio su tavola, 76,4x67,2, restauro 1935.
CORNICE	Secentesca dorata.	Settecentesca, intagliata e dorata.	Ottocentesca, semplicemente intagliata e dorata.	
UBICAZIONI	Poggio Imperiale; Uffizi (1773).	Pitti; Uffizi (1774); Pitti (1969).	Coll. Spannocchi, Siena; Pinacoteca, Siena (ante 1852); Uffizi (1914).	
ATTRIBUZIONI	Anonimo (nel 1773 al passaggio dal Poggio Imperiale agli Uffizi. Copia antica (Koritzer 1928). Cristofano Allori (Berti 1952). Copia fiamminga (Sricchia 1953). Cristofano Allori (Matteoli 1970). Copia (Cantelli 1974).	Cigoli (Inv. 1890).	—	
ESPOSIZIONI	Bozzetti delle Gallerie di Firenze, Firenze 1952.	—	—	
BIBLIOGRAFIA	Disegni e bozzetti di Cristofano Allori, Firenze 1974. M. Gregori, in 'Studi ... in onore di P. Procacci', Milano 1977. C. Pizzorusso, in 'Paragone', 337, 1978. J. Shearman, in 'Burlington Magazine', CXXI, 1979. *Cat. Firenze 1952. F. Sricchia, in Paragone, 39, 1953, p. 60.*	Cat. Mostra del Cigoli e del suo ambiente, San Miniato 1959. C. Del Bravo, in Paragone 205, 1967. M. Chappel, in Burlington Magazine, XCV, 1971.	J. Krichbaum, A. Altdorfer Meister der Alexanderschlacht, Köln 1978. F. Winzinger, A. Altdorfer, die Gemälde, München 1975. *H. Tietze, in Jahrbuch der preussischen Kunstsammlungen, 1917.*	
INVENTARIO	1476 (C.P., p. 160, n. 1180).	804 (C.P., p. 83, n. 221).	Depositi 5.	Depositi 4.
FOTO	157045.	154058.	24393.	25715.
NOTE	Si tratta, come avevano indicato la Koritzer (1928), la Sricchia (1953) e il Cantelli (1974), di una delle numerose copie del famoso dipinto dell'Allori. È certo che l'Allori aveva più volte replicato la Giuditta, ma per ora solo 'l'esemplare palatino (inv. 96) è da considerarsi sicuramente autografo, anche se è l'ultimo nella problematica cronologia notevoli varianti nei panneggi delle maniche e nella fusciacca, ed è probabile quindi che esso dipenda da un originale per il momento ignoto. Disegni preparatori per gli originali si trovano in molte collezioni; le principali: Firenze, Gabinetto Disegni e Stampa e Biblioteca Marucelliana; Roma, Gabinetto Nazionale Stampe Parigi, Louvre, Cabinet des Dessins. M.G.	Sul telaio: "Gua[rdaroba] Pitti Maggio 17...". Si tratta di una copia di un famoso e fortunato dipinto, più volte replicato e copiato, tradizionalmente riferito al Cigoli e solo recentemente riconosciuto a Cristofano Allori (Del Bravo 1967 e Chappell 1971). Le principali versioni originali: Firenze, San Michele Visdomini (dep. Uffizi, Inv. 1890 n. 8743), Roma, Galleria Borghese (inv. n. 407), Firenze, Palatina (n. 290). Disegni preparatori per gli originali: Firenze, Gabinetto Disegni e Stampe, Roma, Gabinetto Nazionale Stampe. M.G.	Talvolta, in passato, ritenuta una storia di S. Quirino. Fa parte di una serie di sette (in origine probabilmente otto) tavole oggi divise fra i Musei di Norimberga (tre) e di Praga (una), gli Uffizi (due) e una collezione privata di Berlino (una), formanti in origine un polittico ad ante girevoli nella Collegiata di St.-Florian presso Linz, oppure un ciclo di tavole appese ai pilastri nella Collegiata o nella chiesetta di S. Giovanni ibid. Siglata A in A. Qualche collaborazione della bottega, ma in sostanza autografa. R.S.	Cfr. dello stesso autore la scheda P51, 'Il Congedo di S. Floriano'. R.S.

	P53	P54	P55	P56
AUTORE	Amberger, Christoff (?1505 ca. - Augusta 1561-62).	Ambrogio, di Baldese (?) (Firenze 1352 ca. - 1429) e Maestro dell'Annunciazione dei Legnaioli (Firenze, metà sec. XIV).	Andrea del Castagno (Castagno 1421 ca. - Firenze 1457).	Andrea del Castagno (Castagno 1421 ca. - Firenze 1457).
TITOLO	Ritratto di Cornelius Gros.	Annunciazione.	Madonna col Bambino, Angeli, i SS. Gio. Battista e Gerolamo e due fanciulli di Casa Pazzi.	Dante Alighieri (1265-1321).
DATAZIONE	1544.		1443 (Salmi 1936, Berti 1954). 1443-48 (Horster 1953). 1450 (Pucci 1930).	1450 ca.
DATI TECNICI	Olio su tavola, 53,4x43.		Affresco staccato, 290x212.	Affresco strappato e riportato su tela, 247x153, restauro 1954.
CORNICE	Ottocentesca.		Listello in legno di noce, moderno.	—
UBICAZIONI	Uffizi, Tribuna (1635); Guardaroba (1667); Poggio a Caiano (sec. XVIII); Uffizi (1773).		Cappella del castello del Trebbio (dall'origine); Coll. Contini Bonacossi (1936); Uffizi (1974); Dep. Meridiana di Pitti.	Villa Carducci, Legnaia (dall'origine); Uffizi (1852); Bargello (1865); Cenacolo di S. Apollonia (1891); Uffizi (1969).
ATTRIBUZIONI	Dürer (inv. 1635-38), Maniera fiamminga (inv. Guardaroba inizio sec. XVIII). Anthonis Mor (Antonio Moro) (doc. 1773).		Scuola dell'Angelico (Carocci 1880). Maniera di A.d.C. (Puccioni s.d.). A.d.C. (Salmi 1936, Berti 1974). Forse Paolo Schiavo, ma angeli e putti di A.d.C. (Richter 1953).	—
ESPOSIZIONI	—		Quattro maestri del primo Rinascimento, Firenze 1954.	Mostra dantesca, Firenze 1865. La casa italiana nei secoli, Firenze 1948, Lorenzo il Magnifico e le arti, Firenze 1949, Mostra di quattro maestri del primo Rinascimento, Firenze 1954, Mostra dantesca, Roma 1966.
BIBLIOGRAFIA	E. Haasler, Der Maler C. A. Königsberg 1894. K. Löcher, in 'Jahrbuch der staatl. Kunstsamml. in Baden-Württemberg, IV, 1967, 31. *L. Baldass, in Pantheon IX, 1932, 182.*		M. Salmi, in Bollettino d'Arte, LII, 1967 (IV). *L. Berti, in Cat. Firenze 1954, n. 56.*	M. Salmi, Andrea del Castagno, Novara 1961. L. Berti, Andrea del Castagno, Firenze 1966. *E. Schaeffer in Repertorium für Kunstwissenschaft XXV, 1902. M. Salmi in Bollettino d'arte XXXV, 1950.*
INVENTARIO	1110 (C.P., p. 125 n. 788).		Contini Bonacossi 2.	S. Marco e Cenacoli 167.
FOTO	111284.		225556 e part.	97169
NOTE	Fa probabilmente coppia con un ritratto femminile nella Galleria Pitti (Baldass 1932). L'attribuzione all'Amberger, poi universalmente accolta, è nell'edizione 1879 del 'Cicerone' del Burckhardt. In alto a destra, visibile oggi solo a luce radente, l'iscrizione: MDXLIIII Cornelius Gros aetatis XLIII. R.S.	Vedi Maestro dell'Annunciazione di Legnaioli. Scheda P947.	L'affresco si trovava in origine sopra l'altare della cappella del castello del Trebbio, nel 1427 di proprietà di Andrea dei Pazzi. Nel tondo in alto, secondo il Berti, doveva esserci una finestra o uno stemma dipinto. Giustificano la datazione 1443, accettata dalla critica più recente, l'età dei due gemelli di casa Pazzi, Niccolò e Oretta, nati nel 1437, e le evidenti impressioni riportate da Andrea dal soggiorno veneziano del 1442. Può considerarsi opera conclusiva del periodo giovanile dell'artista, già orientato comunque verso i predominanti interessi plastici. L'opera è entrata nelle Collezioni della Galleria nel 1969, in seguito a una donazione accompagnato da una convenzione con gli eredi del Conte Alessandro Contini Bonacossi. C.C.	In alto sigillo con stemma nobiliare non decifrato; in basso: DANTES DE ALEGIERIS FLORENTINI. Parte di una decorazione di uomini famosi nella loggia della villa Carducci presso Soffiano, nota nel '500, riscoperta nel 1847, strappata nel 1851 e offerta in vendita dal marchese Trivulzio allo stato toscano, che l'acquistò nel 1852. Nel 1865, essendosi inaugurato il Museo Nazionale nel palazzo del Bargello con una mostra dantesca, gli affreschi vi furono esposti, al secondo piano (L. Passerini, Curiosità artistiche fiorentine, Firenze 1866). Fonte iconografica di questo dovette essere la stessa di cui si servì Domenico di Michelino per il dipinto nel Duomo di Firenze: forse un'opera perduta di Taddeo Gaddi in S. Croce (Schaeffer). S.M.T.

	P57	P58	P59	P60
AUTORE	Andrea del Castagno (Castagno 1421 ca. - Firenze 1457).	Andrea del Castagno (Castagno 1421 ca. - Firenze 1457).	Andrea del Castagno (Castagno 1421 ca. - Firenze 1457).	Andrea del Castagno (Castagno 1421 ca. - Firenze 1457).
TITOLO	Niccolò Acciaioli (1310-1365).	Farinata degli Uberti (inizio sec. XIII-1264).	Francesco Petrarca (1304-1374).	Giovanni Boccaccio (1313-1375).
DATAZIONE	1450 ca.	1450 ca.	1450 ca.	1450 ca.
DATI TECNICI	Affresco strappato e riportato su tela, 250x154, restauro 1954.	Affresco strappato e riportato su tela, 250x154, restauro 1954.	Affresco strappato e riportato su tela, 247x153, restauro 1954.	Affresco strappato e riportato su tela, 250x154, restauro 1954.
CORNICE	—	—	—	—
UBICAZIONI	Villa Carducci, Legnaia (dall'origine); Uffizi (1852); Bargello (1865); Cenacolo di S. Apollonia (1891); Uffizi (1969).	Villa Carducci, Legnaia (dall'origine); Uffizi (1852); Bargello (1865); Cenacolo di S. Apollonia (1891); Uffizi (1969).	Villa Carducci, Legnaia (dall'origine); Uffizi (1852); Bargello (1865); Cenacolo di S. Apollonia (1891); Uffizi (1969).	Villa Carducci, Legnaia (dall'origine); Uffizi (1852); Bargello (1865); Cenacolo di S. Apollonia (1891); Uffizi (1969).
ATTRIBUZIONI	—	—	—	—
ESPOSIZIONI	Mostra dantesca, Firenze 1865. La casa italiana nei secoli, Firenze 1948. Lorenzo il Magnifico e le arti, Firenze 1949. Mostra di quattro maestri del primo Rinascimento, Firenze 1954.	Mostra dantesca, Firenze 1865. La casa italiana nei secoli, Firenze 1949. Lorenzo il Magnifico e le arti, Firenze 1949. Mostra di quattro maestri del primo Rinascimento, Firenze 1954.	Mostra dantesca, Firenze 1865. La casa italiana nei secoli, Firenze 1948. Lorenzo il Magnifico e le arti, Firenze 1949. Mostra di quattro maestri del primo Rinascimento, Firenze 1954.	Mostra dantesca, Firenze 1865. La casa italiana nei secoli, Firenze 1948. Lorenzo il Magnifico e le arti, Firenze 1949, Mostra di quattro maestri del primo Rinascimento, Firenze 1954.
BIBLIOGRAFIA	M. Salmi, Andrea del Castagno, Novara 1961. L. Berti, Andrea del Castagno, Firenze 1966. *E. Schaeffer in Repertorium für Kunstwissenschaft XXV, 1902. M. Salmi in Bollettino d'arte XXXV, 1950.*	M. Salmi, Andrea del Castagno, Novara 1961. L. Berti, Andrea del Castagno, Firenze 1966. *E. Schaeffer in Repertorium für Kunstwissenschaft XXV, 1902. M. Salmi in Bollettino d'arte XXXV, 1950.*	M. Salmi, Andrea del Castagno, Novara 1961. L. Berti, Andrea del Castagno, Firenze 1966. *E. Schaeffer in Repertorium für Kunstwissenschaft XXV, 1902. M. Salmi in Bollettino d'arte XXXV, 1950.*	M. Salmi, Andrea del Castagno, Novara 1961. L. Berti, Andrea del Castagno, Firenze 1966. *E. Schaeffer in Repertorium für Kunstwissenschaft XXV, 1902. M. Salmi in Bollettino d'arte XXXV, 1950.*
INVENTARIO	S. Marco e Cenacoli 171.	S. Marco e Cenacoli 172.	S. Marco e Cenacoli 166.	S. Marco e Cenacoli 165.
FOTO	97163	97166	97159.	97157
NOTE	In alto al centro sigillo con stemma e scritta non decifrata. In basso: MAGNVS THETRARCHA D'ACCIAROLIS NEAPOLITANI REGNI DISPENSATOR. Con Pippo Spano e Farinata degli Uberti, tre celebri donne dell'antichità e tre letterati, decorò la loggia della villa Carducci a Legnaia. Questa passò poi ai Pandolfini, ai Buondelmonti Feroni, ai Trivulzio, ai Rinuccini etc., subendo varie modifiche, per cui questi affreschi, pur citati nella letteratura artistica rinascimentale, furono riscoperti solo nel 1847 (e altri frammenti assai più tardi, fino al 1948-49). Strappati, furono offerti al governo toscano che li acquistò nel 1852 ed esposti in varie sedi statali: più a lungo nel Cenacolo di S. Apollonia, sistemato a museo di Andrea del Castagno nel 1911 in seguito al voto espresso nel 1907 dal comune di San Godenzo. Niccolò Acciaioli, stabilitosi come mercante nel regno di Napoli, ne divenne gran siniscalco e vi rafforzò gli angioini. A Firenze fondò la Certosa, in cui fu sepolto. S.M.T.	In alto sigillo con stemma nobiliare non identificato. In basso: 'DOMINVS FARINATA DE VBRTIS SUE PATRIE LIBERATOR'. È uno dei tre condottieri fiorentini che, con tre donne celebri dell'antichità e tre letterati, ornava la parete lunga di una sala a loggia che univa i due corpi di fabbrica della villa Carducci a Legnaia: ben noti nel '500, riscoperti nel 1847, furono strappati nel 1851 e acquistati nel 1852 dallo stato toscano per 2000 scudi (11.000 franchi); entrarono in galleria il 5 luglio (inv. 1825, suppl. nn. da 2415 a 2423). Manente - detto Farinata - degli Uberti, capo della parte ghibellina in Firenze, fu cacciato dai guelfi nel 1258 ma li sconfisse nel 1260 a Montaperti e rientrò nella sua città, di cui impedì la distruzione. S.M.T.	In alto sigillo con stemma nobiliare e intorno tre parole non decifrate. In basso: DOMINVS FRANCISCHVS PETRARCHA. È la figura mediana dei tre letterati fiorentini famosi che Andrea affrescò, con tre donne e tre condottieri, nella loggia della villa Carducci presso Soffiano e che, caduti in oblio dal medio '500 per tre secoli, furono segnalati nel 1847, strappati dal muro nel 1851 dai Trivulzio, fino a poco prima proprietari della villa, e offerti in vendita alle Gallerie, che li acquistarono nel 1852 per 2000 scudi. Per i vari tipi iconografici del Petrarca si veda Schaeffer, Salmi 1961 e la bibliografia più recente citata da S. Pinto in Per Maria Cionini Visani, Torino 1977. S.M.T.	In alto al centro sigillo con stemma nobiliare e tre parole (nomi?) non decifrate; in basso DOMINVS JOHANNES BOCCACCIVS. È la figura all'estrema destra dei nove uomini famosi affrescati nella loggia della villa Carducci a Soffiano (via Guardavia 8) detta Volta di Legnaia, secondo un uso di cui ha tracciato la storia anche W. Prinz (Die Sammlung der Selbstbildnisse in den Uffizien, I, Geschichte der Sammlung, Berlin 1971). L'effigie del Boccaccio deriverebbe da un ritratto del 1365, non più esistente, nella chiesa dei SS. Michele e Jacopo a Certaldo. Per le vicende degli affreschi si vedano le schede degli altri otto pezzi. S.M.T.

	P61	P62	P63	P64
AUTORE	Andrea del Castagno (Castagno 1421 ca. - Firenze 1457).	Andrea del Castagno (Castagno 1421 ca. - Firenze 1457).	Andrea del Castagno (Castagno 1421 ca. - Firenze 1457).	Andrea del Castagno (Castagno 1421 ca. - Firenze 1457).
TITOLO	La regina Ester.	La regina Tomiri.	La sibilla Cumana.	Pippo Spano (1369-1426).
DATAZIONE	1450 ca.	1450 ca.	1450 ca.	1450 ca.
DATI TECNICI	Affresco strappato e riportato su tela, frammentario, 120x150, restauro 1954.	Affresco strappato e riportato su tela, 245x155, restauro 1954.	Affresco strappato e riportato su tela, 250x154, restauro 1954.	Affresco strappato e riportato su tela, 250x154, restauro 1954.
CORNICE	—	—	—	—
UBICAZIONI	Villa Carducci, Legnaia (dall'origine); Uffizi (1852); Bargello (1865); Cenacolo di S. Apollonia (1891); Uffizi (1969).	Villa Carducci, Legnaia (dall'origine); Uffizi (1852); Bargello (1865); Cenacolo di S. Apollonia (1891); Uffizi (1969).	Villa Carducci, Legnaia (dall'origine); Uffizi (1852); Bargello (1865); Cenacolo di S. Apollonia (1891); Uffizi (1969).	Villa Carducci, Legnaia (dall'origine); Uffizi (1852); Bargello (1865); Cenacolo di S. Apollonia (1891); Uffizi (1969).
ATTRIBUZIONI	—	—	—	—
ESPOSIZIONI	Mostra dantesca, Firenze 1865. La casa italiana nei secoli, Firenze 1948. Lorenzo il Magnifico e le arti, Firenze 1949. Mostra di quattro maestri del primo Rinascimento, Firenze 1954.	Mostra dantesca, Firenze 1865. La casa italiana nei secoli, Firenze 1948. Lorenzo il Magnifico e le arti, Firenze 1949. Mostra di quattro maestri del primo Rinascimento, Firenze 1954.	Mostra dantesca, Firenze 1865. L'art italien de Cimabue à Tiepolo, Paris 1935. La casa italiana nei secoli, Firenze 1948. Lorenzo il Magnifico e le arti, Firenze 1949. Mostra di quattro maestri del primo Rinascimento, Firenze 1954.	Mostra dantesca, Firenze 1865. L'art italien de Cimabue à Tiepolo, Paris 1935. Il ritratto italiano nei secoli, Belgrado 1938. La casa italiana nei secoli, Firenze 1948. Lorenzo il Magnifico e le arti, Firenze 1949. Mostra di quattro maestri del primo Rinascimento, Firenze 1954.
BIBLIOGRAFIA	M. Salmi, Andrea del Castagno, Novara 1961. L. Berti, Andrea del Castagno, Firenze 1966. *E. Schaeffer in Repertorium für Kunstwissenschaft XXV, 1902. M. Salmi in Bollettino d'arte XXXV, 1950.*	M. Salmi, Andrea del Castagno, Novara 1961. L. Berti, Andrea del Castagno, Firenze 1966. *E. Schaeffer in Repertorium für Kunstwissenschaft XXV, 1902. M. Salmi in Bollettino d'arte XXXV, 1950.*	M. Salmi, Andrea del Castagno, Novara 1961. L. Berti, Andrea del Castagno, Firenze 1966. *E. Schaeffer in Repertorium für Kunstwissenschaft XXV, 1902. M. Salmi in Bollettino d'arte XXXV, 1950.*	M. Salmi, Andrea del Castagno, Novara 1961. L. Berti, Andrea del Castagno, Firenze 1966. *E. Schaeffer in Repertorium für Kunstwissenschaft XXV, 1902. M. Salmi in Bollettino d'arte XXXV, 1950.*
INVENTARIO	S. Marco e Cenacoli 169.	S. Marco e Cenacoli 168.	S. Marco e Cenacoli 170.	S. Marco e Cenacoli 173.
FOTO	97151.	97155.	97153.	97172.
NOTE	È la figura centrale della decorazione della loggia della villa Carducci a Legnaia, purtroppo dimezzata dall'apertura di una porta. Sotto, secondo il Milanesi (ed. 1846-1870 della Vite del Vasari), era la scritta « Ester regina gentis sue liberatrix ». I nove riquadri furono strappati nel 1851 e acquistati dallo stato toscano nel 1852; quando furono esposti di fronte agli affreschi dello stesso autore in S. Apollonia la parete fu ricomposta con la porta antica (i battenti sono ornati di listelli intarsiati) e una cornice in finta pietra; sotto le figure furono imitate delle specchiature marmoree, dei cui originali sono state ritrovate tracce in loco. S.M.T.	In alto sigillo con tre parole e stemma con cimiero piumato, non decifrato. In basso « TH(OMIR TARTA)RA VINDICAVIT SE DEFILIO ET PATRIAM LIBERAVIT SUAM ». Due regine celebri dell'antichità (questa ed Ester) e la sibilla Cumana, fra tre condottieri e tre letterati fiorentini, ornavano la loggia della villa Carducci a Lenaia. Riscoperte nel 1847 e strappate, ma privandole dell'elaborata intelaiatura prospettica (soffitto a losanghe entro riquadri, capitelli delle lesene che separano i personaggi) rimasta in loco fino al 1907 quando raggiunse le figure, passarono per acquisto nel 1852 alle Gallerie fiorentine e sono state esposte a lungo nel Cenacolo di S. Apollonia. Con l'acquisto della villa da parte dello stato (1952) è probabile che la situazione originaria verrà meglio ricostruita sulla scorta degli studi già fatti (soprattutto da M. Salmi). Tomiri fu regina degli Sciti e vincitrice di Ciro. S.M.T.	In alto sigillo con stemma nobiliare e tre parole (nomi e cognome?) non decifrate. In basso: ... CVMA(NA) QUE PROPHETAVIT ADVENTVM (CHRISTI). Fra tre condottieri e tre letterati, queta e altre due donne celebri dell'antichità ornavano la loggia della villa Carducci a Legnaia. Note nel primo '500 (ma già non ben presenti al Vasari), furono riscoperte nel 1847, strappate nel 1851 e acquiste alle Gallerie fiorentine nel 1852: loro sistemazione più stabile fu il Cenacolo di S. Apollonia, dove erano esposti anche frammenti del fregio (finto soffitto, sopra putti con ghirlande, inv. Cenacoli nn. da 174 a 177, donati nel 1907 dai D'Ancona allora proprietari della villa). La sibilla e Tomiri furono danneggiate marginalmente dall'apertura della porta che dimezzò la figura di Ester. S.M.T.	In alto sigillo con stemma nobiliare, non decifrato. In basso: « DOMINVS PHLIPPVS HISPANVS DE SCOLARIS RELATOR VICTORIE THEVCRO(RVM) ». Uno della celeberrima serie di « sybille et homini famosi florentini » che Andrea del Castagno affrescò nella villa di Legnaia (Soffiano, presso Firenze) dei Carducci, poi Pandolfini, poi Buondelmonti Feroni, poi Trivulzio, poi Rinuccini), in una loggia poi modificata. Gli affreschi, caduti in oblio, furono riscoperti nel 1847 dai curatori della prima edizione Le Monnier delle Vite vasariane, incisi da Alessandro Chiari (Gabinetto Disegni e Stampe, st. sc 12026 e segg.), strappati nel 1851 « con i nuovi sistemi ritrovati dai Rizzoli di Cento » e acquistati nel 1852 per 2000 scudi (AGF, filza del 1852 a 22). Filippo Scolari, detto Pippo Spano, nato a Firenze, fu statista e capitano presso l'arcivescovo di Esztergom e il re Sigismondo di Lussemburgo: diventò conte (ispan) di Temişvan in Romania nel 1404. Protese le arti e fu committente di Masolino. S.M.T.

	P65	P66	P67	P68
AUTORE	Andrea del Sarto, A. d'Agnolo, detto (Firenze 1486-1530).	Andrea del Sarto, A. d'Agnolo, detto (Firenze 1486-1530).	Andrea del Sarto, A. d'Agnolo, detto (Firenze 1486-1530).	Andrea del Sarto, A. d'Agnolo, detto (Firenze 1486-1530).
TITOLO	'Noli me tangere'.	Ritratto di ragazza col 'Petrarchino'.	Madonna delle Arpie.	S. Jacopo.
DATAZIONE	1509 ca. (Vasari 1568), 1510 (Knapp 1907, Freedberg 1963, Monti 1965); 1511-14 (Longhi 1927).	1514 (Venturi 1925, Sinibaldi 1956); 1520 (Di Pietro 1911); 1528 (Fraenckel 1935); 1529 (Freedberg 1963, Monti 1965).	1517.	1524-25 (Fraenckel 1935); 1528-1529 ca. (Vasari 1568, ecc., Monti 1965, Shearman 1965).
DATI TECNICI	Olio su tavola, 174x154.	Olio su tavola, 87x69.	Olio su tavola, 207x178. In discrete condizioni di conservazione.	Olio su tela, 159x86.
CORNICE	Grande cornice parte intagliata parte in pastiglia, dorata, cinquecentesca (?).	Intagliata a fogliami e dorata (secentesca?).	Barocca riccamente intagliata e dorata.	Barocca, riccamente intagliata e dorata.
UBICAZIONI	S. Agostino fuori porta S. Gallo (dall'origine); Chiesa di S. Jacopo tra i fossi (1530); Accademia (1894); Uffizi (1875).	Uffizi, Tribuna (inv. 1589); Poggio a Caiano (dopo il 1638); Uffizi (1773).	S. Francesco di Via Pentolini [ora Via de' Macci] (dall'origine); Ferdinando de' Medici (1685); Pitti (1723); Uffizi, Tribuna (1785), poi altre sale.	Compagnia di S. Jacopo del Nicchio (dall'origine); Accademia (1784); Uffizi (1795).
ATTRIBUZIONI	Andrea del Sarto (Anonimo Magliabechiano 1537-42, Vasari 1568, ecc.).	Pontormo (?) (Inv. 1589). A. Sarto (Reumont 1835, Crowe-Cavalcaselle 1914, e tutta la critica posteriore).	—	Andrea del Sarto (Vasari 1568, ecc.).
ESPOSIZIONI	Dipinti salvati dalla piena dell'Arno 1966.	—	—	—
BIBLIOGRAFIA	J.S. Freedberg: Andrea del Sarto, Cambridge (Mass.,), 1963. *J. Shearman: Andrea del Sarto, Oxford, 1965, pp. 203-204. R. Monti: Andrea del Sarto, Milano, 1965, p. 138.*	J.S. Freedberg: Andrea del Sarto, Cambridge (Mass.,), 1963. *J. Shearman: Andrea del Sarto, Oxford, 1965, pp. 270-271. R. Monti: Andrea del Sarto, Milano, 1965, p. 181.*	J.S. Freedberg: Andrea del Sarto, Cambridge (Mass.,), 1963. *J. Shearman: Andrea del Sarto, Oxford, 1965, pp. 236-237. R. Monti: Andrea del Sarto, 1965, p. 154.*	J.S. Freedberg: Andrea del Sarto, Cambridge (Mass.,), 1963. *J. Shearman: Andrea del Sarto, Oxford, 1965, p. 268. R. Monti: Andrea del Sarto, Milano, 1965, p. 182.*
INVENTARIO	516 (C.P., p. 516, n. 93).	783 (C.P., p. 159, n. 1230).	1577 (C.P., p. 171, n. 1112).	1583 (C.P., p. 172, n. 1254).
FOTO	116451 (e particolari).	117682.	117322 (e particolari).	51719.
NOTE	Nel 1557 (quando si trovava in S. Jacopo tra i fossi) l'opera fu alluvionata e la predella originale andò probabilmente distrutta. Alla metà del Cinquecento fu dotata di una predella ('S. Margherita', 'S. Elena', 'S. Girolamo') che si trova ora nel Museo di Casa Vasari ad Arezzo (Berti 1955). È ipotizzato l'influsso e parzialmente la partecipazione del Franciabigio (Sinibaldi 1956, Freedberg 1963). Disegni preparatori: Firenze, Gabinetto Disegni e Stampe agli Uffizi. In discrete condizioni di conservazione. P.D.P.	La ragazza tiene in mano il Canoniere del Petrarca: vi si leggono per intero i due sonetti 'Ite caldi sospiri...' e 'Le stelle, il cielo...'. È stato ipotizzato che il Ritratto rappresenti Maria del Berrettaio, figliastra di Andrea del Sarto (Di Pietro, 1911, ecc.). Disegni preparatori: Paris, Ecole des Beaux-Arts. Nell'Inv. Pitti 1687 sono ricordate due copie in arazzo di quest'opera, da Feuer (A.S. F., G.932, c. 143 v) (Shearman 1965). In non buone condizioni di conservazione. P.D.P.	Firmata e datata nel piedistallo: AND. SAR. FLO. FAB.; e sotto: AD SUMMU REGINA TRONU DEFERTUR IN ALTU. MDXVII. Esiste un contratto per l'opera del 14 maggio 1515 in cui si prevedeva un S. Bonaventura « ad usum cardinalis », che poi divenne S. Francesco. Agli angoli del piedistallo figurano quattro Arpie (Vasari), che più esattamente sono delle Sfingi (di cui è incerta l'interpretazione simbolica). Il S. Giovanni fu eseguito su un modello di Jacopo Sansovino (Vasari). Alcuni critici (Knapp, Wagner) ritennero - poi contestati (Freedberg) - che il S. Francesco sia il ritratto di Andrea del Sarto, la Madonna quello di Lucrezia sua moglie, il S. Giovanni quello di Jacopo Sansovino. Disegni preparatori: Firenze, Gabinetto Disegni e Stampe Uffizi, Paris, Louvre, Cabinet des Dessins; Paris, Lugt Collection; Köln, Wallraf-Richarts Museum; Düsseldorf, Kunstakademie. Dell'opera esiste una copia di Francesco Petrucci in S. Maria della Croce al Tempio a Firenze. P.D.P.	Stendardo dipinto per la distrutta Compagnia di S. Jacopo del Nicchio (Vasari). S. Jacopo è accompagnato da due fanciulli vestiti da 'battuti', di cui uno incappucciato. L'opera è in cattive condizioni di conservazione. P.D.P.

Dipinto non reperibile

	P69	P70	P71	P72
AUTORE	Andrea del Sarto, A. d'Agnolo, detto (Firenze 1486-1530).	Andrea del Sarto, A. d'Agnolo, detto (Firenze 1486-1530).	Andrea del Sarto, Andrea di Agnolo, detto (Firenze 1486-1530) e aiuti.	Andrea del Sarto (Firenze 1486-1530), scuola di.
TITOLO	Due putti con cartiglio.	Quattro Santi: Michele, Giovanni Gualberto, Giovanni Battista, Bernardo degli Uberti.	Quattro storie di Santi (Predella).	Ritratto di poetessa.
DATAZIONE	1528.	1528.	1528.	Sec. XVI.
DATI TECNICI	Olio su tavola, 78x42, restauro 1962.	Opera composita. Olio su tavola, 184x172 in totale, restauro 1962.	Opera composita. Olio su tavola, 23,5x180,5 in totale, restauro 1962.	Olio su tavola, 80x67
CORNICE	—	Salvadora dorata.	Salvadora dorata.	—
UBICAZIONI	Chiesa del Romitorio delle Celle, Vallombrosa (dall'origine); Accademia (1810); Uffizi (1919).	Chiesa del Romitorio delle Celle, Vallombrosa (dall'origine); Accademia (1810); Uffizi (1919).	Chiesa del Romitorio delle Celle, Vallombrosa (dall'origine); Accademia (1810); Uffizi (1919).	Uffizi (1880); San Salvi?. Attualmente non reperibile.
ATTRIBUZIONI	—	—	Aiuti (Guiness 1899, Sinibaldi 1925). Scomparso di S. Michele autografo e il resto della predella aiuti (Knapp 1907, 1928; Freedberg 1963).	—
ESPOSIZIONI	—	—	—	—
BIBLIOGRAFIA	S. J. Freedberg, Andrea del Sarto, Cambridge (Mass.), 1963. J. Shearman, Andrea del Sarto, Oxford 1965. *R. Monti, Andrea del Sarto, Milano 1965, n. 180. AGF: F. Bellini, Scheda Ministeriale, 1976.*	S. J. Freedberg, Andrea del Sarto, Cambridge (Mass.) 1963. J. Shearman. Andrea del Sarto, Oxford 1965. *R. Monti, Andrea del Sarto, Milano 1965, n. 180. F. Bellini, AGF: Scheda Ministeriale, 1976.*	S. J. Freedberg, Andrea del Sarto, Cambridge (Mass.) 1963. J. Shearman, Andrea del Sarto, Oxford 1965. *R. Monti, Andrea del Sarto, Milano 1965, n. 180. AGF: F. Bellini, Scheda Ministeriale, 1976.*	B. Berenson, Italian Pictures of the Renaissance. Florentine School, London 1963, vol. I e II. J. Shaerman, Andrea del Sarto, Oxford 1965.
INVENTARIO	8394.	8395.	8396.	6272 (C.P., p. 72, n. 3412).
FOTO	132394.	123799, 123800.	132389 (e particolari: 132390/1/ 2/3 ciascuna storia).	—
NOTE	Sul recto del dipinto, sui cartigli si legge: ... IN TABERNACOLO. SUO HABITARE FACIT. EA...e... POSUIT.TABERNACULUM... / ...SUUM.ALTISSIMUS. Il testo è frammentario perché la scritta è nascosta dalle pieghe del cartiglio. Il dipinto, ricordato fin dal Vasari, fa parte di un complesso di tavole (Inv. 1890 nn. 8395 e 8396), due delle quali sono collocate ai lati, le altre quattro compongono la predella sottostante, eseguite per la Chiesa del Romitorio delle Celle a Vallombrosa. Sopra il dipinto vi era in origine una tavola raffigurante la Madonna, ritenuta di Giotto dallo Hugford (1771). Disegno preparatorio: 297Fr. Firenze, Gabinetto Disegni e Stampe. R.P.P.	I due pannelli (184x86 ciascuno) rappresentano accanto a S. Michele Arcangelo e S. Giovanni Battista i due santi vallombrosani: S. Giovanni Gualberto e S. Bernardo degli Uberti. Sul recto del dipinto fra le gambe di S. Michele: ANN. DOM/M.D.XX/VIII. I due pannelli, come risulta anche dal restauro del 1962, sono i laterali del complesso eseguito per la Chiesa del Romitorio delle Celle a Vallombrosa ricordato dal Vasari (Inv. 1890/8394 e 8396). Disegni preparatori: 288F, 293F (verso) e 10971/2F, Firenze Gabinetto Disegni e Stampe; I.31 New York, Pierpont Morgan Library. R.P.P.	Le quattro storie della predella (22,5x89 e 22,5x91) narrano ciascuna un avvenimento della vita dei Santi rappresentati nella tavola di cui alla scheda n. P70 (Inv. 1890 n. 8395): S. Michele regge la bilancia con cui pesa le anime mentre con la spada allontana il diavolo; S. Giovanni Gualberto assiste il Beato Pietro Igneo che sta sottoponendosi alla prova del fuoco, S. Giovanni Battista viene decapitato e S. Bernardo, abate di S. Salvi, viene tradotto al carcere. Lo Hugford (1771) dà notizia che fra le storiette della predella si trovava un'Annunciazione, di cui si sono perse le tracce quando il complesso sartesco fu trasferito all'Accademia (1810). Altri (Monti 1965) non danno credito a questa notizia e ritengono che lo spazio tra le storiette poteva essere occupato da un tabernacolo. R.P.P.	Il dipinto figura nell'inventario del 1880, rimase agli Uffizi fino a dopo il 1914, compare infatti nel Catalogo del Pieraccini. In data imprecisata fu inviato a San Salvi, ove però non è stato rintracciato; non si sa di quale ritratto di Andrea del Sarto il presente dipinto sia copia. L.B.B.

	P73	P74	P75	P76
AUTORE	Andrea di Giusto, Manzini A., detto (Firenze 1424-1455).	Andrea di Giusto, Manzini A., detto (Firenze 1424-1455).	Andrea Rico da Candia (sec. XV?).	Andrea Vicentino, Micheli A., detto (Vicenza 1542 ca.-Venezia 1617 ca.), attr. a.
TITOLO	Madonna in trono fra Santi, Cristo benedicente.	Vergine con Bambino fra Angeli.	Madonna della Passione.	Episodio della vita di S. Caterina.
DATAZIONE	1435 ca.	1435 ca. (Bertani 1979).	Sec. XV.	Sec. XVI-XVII.
DATI TECNICI	Tempera su tela, 127x60,5.	Tempera su tavola, 117x57.	Tempera su tavola, 102x85, restauro 1974.	Olio su tela, 55x44.
CORNICE	Cornice intagliata a motivi vegetali con colonnine tortili ai lati, centinata.	Intagliata a motivi vegetali e dorata.	Modanata e dorata (XIX sec.?).	Barocca, in legno intagliato e dorato.
UBICAZIONI	Arcispedale di S. Maria Nuova (1900); Uffizi (1900); Palazzo di Parte Guelfa (1923); Uffizi (1977).	Arcispedale di S. Maria Nuova (1900); Uffizi (1900); Accademia (1936).	Chiesa di S. Girolamo, Fiesole (1792); Gallerie Fiorentine (1799); Museo Bandini, Fiesole (deposito 1914); Depositi Uffizi (1975).	Guardaroba; Uffizi (1780).
ATTRIBUZIONI	—	Ignoto (Arcispedale di Santa Maria Nuova 1900). Andrea di Giusto (Inv. 1890 supp., Fremantle 1975).	—	—
ESPOSIZIONI	—	—	Mostra bizantina, Ravenna 1956. Venezia e Bisanzio, Venezia 1974.	—
BIBLIOGRAFIA	L. Berti, Masaccio 1422, in Commentari XII, 2, 1961, pp. 84-107. P. Dal Poggetto, Arte in Valdelsa, Firenze, 1963, pp. 44-45. L. Berti, Masaccio, Milano 1964. R. Fremantle, Florentine Gothic Painters, London 1975, pp. 513-514.	*U Procacci, La R. Galleria dell'Accademia di Firenze, Roma 1936, p. 38. B. Berenson, Italian Pictures of the Renaissance. Florentine School. London 1963, vol. I, p. 6, vol. II, tav. 644. R. Fremantle, Florentine Gothic Painters, London 1975, pp. 513-14, n. 1090.*	*L. Marcucci, I dipinti Toscani del secolo XIII..., Roma 1958, n. 28, Cat. Venezia 1974, n. 15.*	C. Donzelli-G. M. Pilo, I pittori del Seicento Veneto, Firenze 1967.
INVENTARIO	3159.	3160 (C.P., p. 64, n. 18).	3886.	1405 (C.P., p. 149, n. 1081).
FOTO	325072.	97627.	73872.	323329.
NOTE	La tavola è pervenuta alla Galleria nel Maggio del 1900 dall'Arcispedale di Santa Maria Nuova (cfr. cartellino sul retro del dipinto), fu posta negli Uffizi, nel 1923 fu data in deposito al Palagio di Parte Guelfa, nel 1977 ritornò definitivamente agli Uffizi, attualmente è nei Depositi.\n\nL.B.B.	Il dipinto pervenne anonimo agli Uffizi il 1-4-1900 dall'arcispedale di Santa Maria Nuova, fu esposto nella Galleria degli Uffizi fino al 1936 c. o poco prima quando fu inviato alla Galleria dell'Accademia dove tuttora è esposto.\n\nL.B.B.	Il dipinto è firmato in basso: Andrea Rico de Candia pinxit. La scritta sulla destra, in latino, allude alla futura passione di Cristo, di cui due angioletti recano i segni. Si tratta di un prodotto molto caratteristico di uno dei 'madonneri' dell'ambiente 'cretese-veneziano' largamente attivo in Italia. L'epoca dell'attività di Andrea Rico non è nota; per mera induzione, la critica la colloca nel XV secolo.\n\nL. Bell.	Entrò agli Uffizi nel 1780 con l'attribuzione ad Andrea Vicentino (cfr. AGF filza XIII c. 106 nr. 370) mantenuta in tutti gli inventari successivi (inv. 1784 nr. 242, inv. 1825 nr. 683, inv. 1890 nr. 1405). Il dipinto non è citato dagli studiosi moderni del pittore (cfr. bibl. citata e A. Venturi, Storia Arte, 1929, 9/IV). La cornice non è originale: la registrazione del 1780 parla infatti di cornice nera a ramagi dorati.\n\nA.P.

	P77	P78	P79	P80
AUTORE	Andrea Vicentino, Micheli A., detto (Vicenza 1542 ca.-Venezia 1617 ca.).	Andrea Vicentino, Micheli A., detto (Vicenza 1542 ca.-Venezia 1617 ca.) attr. a.	Andrea Vicentino, Micheli A., detto (Vicenza 1542 ca.-Venezia 1617 ca.) attr. a.	Angeli, Filippo, detto Filippo Napoletano (Napoli 1595 ca. - Roma 1630), attr. a.
TITOLO	Il Convito di Salomone.	La regina di Saba.	La Visitazione.	Dante e Virgilio all'Inferno.
DATAZIONE	Sec. XVI-XVII.	Sec. XVI-XVII.	Sec. XVI-XVII.	1617-21 ca.
DATI TECNICI	Olio su tela, 1 60x3 00.	Olio su tela, 2 22x3 25.	Olio su tela,54x45.	Olio su tavola, 44x67.
CORNICE	—	—	Barocca, in legno intagliato e dorato, a decoro di fogliami.	Noce, sagomata e profilata d'oro, con riporti intagliati e dorati agli angoli (1701).
UBICAZIONI	Uffizi, Tribuna (cit. 1704).	Pitti (cit. inv. 1716-23); Guardaroba; Uffizi (1798); disperso.	Eredità card. Leopoldo de' Medici (1675); Guardaroba; Uffizi (1780).	Pitti (1701), Castello (ante 1772), Uffizi (1779).
ATTRIBUZIONI	—	Tintoretto (inv. Pitti 1716-23).	Tiziano (inv. card. Leopoldo de' Medici 1675).	Brueghel (Inv. Uffizi 1772). P. Brueghel il G. (Wurzbach 1906 Poggi 1927). J. Brueghel dei Velluti (Marlier 1969). F. Napoletano (Chiarini e Bodart 1977).
ESPOSIZIONI	—	—	—	—
BIBLIOGRAFIA	C. Donzelli-G. M. Pilo, I pittori del seicento veneto, Firenze 1967.	C. Donzelli-G. M. Pilo, I pittori del seicento veneto, Firenze 1967.	C. Donzelli-G. M. Pilo, I pittori del Seicento Veneto, Firenze 1967.	*A. von Wurzbach: Niederl. Künstlerlexikon, I, 1906, n. 211. G. Poggi: Gall. degli Uffizi. Cat. dei dipinti, Firenze 1927, p. 180. G. Marlier: Pierre Brueghel le Jeune, Bruxelles 1969, p. 29. D. Bodart: in cat. Rubens e la pittura fiamminga del Seicento nelle collezioni pubbliche fiorentine, Firenze 1977, p. 319, n. XLI.*
INVENTARIO	900 (C.P., p. 203, n. 580).	536 (C.P., p. 200, n. 91).	1392 (C.P., p. 148, n. 1070).	1254.
FOTO	—	24412.	323326.	157777.
NOTE	È registrato agli Uffizi in Tribuna per la prima volta nel 1704 con il nome di Andrea Vicentino ed il titolo di 'Cena di Baldassarre' (inv. 1704 nr. 1870). È elencato fra le opere certe del Micheli nel repertorio di Donzelli-Pilo. A.P.	All'inizio del '700 figurava in Palazzo Pitti, con l'attribuzione a Tintoretto, fra i quadri appartenuti al cardinal Leopoldo (AGF, Ms. 79 c. 13). Entrò agli Uffizi nel 1798 con l'attribuzione ad Andrea da Vicenza (G.le di Galleria 1784 c. 77) confermata negli inventari successivi. Quadro non reperito. A.P.	Il dipinto non è citato nel repertorio citato in bibliografia. Il nome di Tiziano presente nell'inventario dell'eredità del card. Leopoldo de' Medici (c. 66 nr. 189) non ebbe seguito nella tradizione degli Uffizi dove compare, a partire dall'inventario del 1784 (nr. 252) l'attribuzione, in seguito sempre confermata, ad Andrea Vicentino. A.P.	La prima menzione di questo dipinto è in una filza di Guardaroba medicea dove risulta che il quadro, del quale non si specifica il nome dell'autore, venne inviato a incorniciare nel 1701. Passato alla Villa di Castello fra questa data e il 1772, in quell'anno viene ricordato, col nome di Brueghel, tra i quadri da mandare agli Uffizi, dove fu esposto nel 1779. Attribuito a Pieter Brueghel il G., o degli Inferni, dal Wurzbach, il Marlier preferì invece un'attribuzione a Jan Brueghel dei Velluti. Tuttavia il quadro presenta le caratteristiche stilistiche di Filippo Napoletano, che lo dovette dipingere per Cosimo II de' Medici durante il suo soggiorno fiorentino (1617-21): tale attribuzione è appoggiata da due disegni per due delle figure di dannati al centro che si trovano, con il riferimento tradizionale all'Angeli, nel Gabinetto disegni e stampe degli Uffizi e che provengono dalla collezione del card. Leopoldo de' Medici con l'attribuzione al pittore napoletano. M.C.

	P81	P82	P83	P84
Autore	Angeli, Filippo, detto Filippo Napoletano (Napoli 1595 ca. - Roma 1630), attr. a.	Angeli, Filippo, detto Filippo Napoletano (Napoli 1595 ca. - Roma 1630).	Angeli, Filippo, detto Filippo Napoletano (Napoli 1595 ca. - Roma 1630).	Angeli, Filippo, detto Filippo Napoletano (Napoli 1595 ca. - Roma 1630).
Titolo	L'uomo delle corna.	Ballo in campagna.	Il Calvario.	La merenda sull'erba.
Datazione	1617-21 ca. (Chiarini 1977).	1618.	1618-20 (Chiarini 1976).	1619.
Dati tecnici	Olio su rame, 18x13.	Olio su tela, 99x179.	Olio su tela, 92,5x137, pulitura 1969.	Olio su tela, 99x180, restauro 1958.
Cornice	Liscia, dorata, sec. XVII.	Sagomata, dorata, originale.	Intagliata e dorata, originale.	Sagomata, intagliata, gialla e oro, originale.
Ubicazioni	Pitti (inizi sec. XVIII); Uffizi (1905 ca.); Pitti (1928).	Pitti (1618); Uffizi (sec. XVIII-XIX).	Pitti (ante 1666); Uffizi (1773); Pitti (1969).	Pitti (1619); Uffizi (1774).
Attribuzioni	Caravaggio (Inv. inizi sec. XVIII). Callot (Pieraccini 1905 ca.). Filippo Napoletano (Chiarini 1977).	Tassi (Inv Uffizi XVIII-XIX sec., Chiarini 1967 e 1969). Filippo Napoletano (Chiarini 1972).	Tassi (Chiarini 1969). Angeli (Chiarini 1976).	Scuola nordica (Inv. Uffizi 1784). Tassi (Inv. Uffizi 1825 e ss, Poggi 1927, Micheletti 1959, Knab 1960, Waddingham 1962, Chiarini 1967 e 1969). Filippo Angeli (Chiarini 1972, Salerno 1977).
Esposizioni	Artisti alla corte granducale, Firenze 1969.	Artisti alla corte granducale, Firenze 1969.	Artisti alla corte granducale, Firenze 1969.	Dipinti italiani del Sei e Settecento, Firenze 1959. Paesisti, Bamboccianti e vedutisti nella Roma seicentesca, Firenze 1967. Artisti alla corte granducale, Firenze 1969.
Bibliografia	D. Ternois: Jacques Callot, Dessins, Paris 1962. *A.J. Rusconi: La R. Galleria Pitti, Roma 1937, p. 86. M. Chiarini: Filippo Napoletano, pittore di natura morta, in Antologia di Belle Arti, n. 4, 1977, p. 354.*	L. Salerno: Pittori di paesaggio del Seicento a Roma, vol. I, Roma 1977. *Cat., Firenze 1969, n. 14. M. Chiarini in Paragone, n. 269, 1972.*	R. Longhi: Una traccia per Filippo Napoletano, in Paragone, n. 95, 1957. *Cat., Firenze 1969, n. 16. M. Chiarini: Filippo Napoletano e il cardinale Carlo de' Medici, in Paragone, n. 313, 1976, p. 62s.*	*G. Poggi: Gall. degli Uffizi. Cat. dei dipinti, Firenze 1927, p. 124. Cat., Firenze 1959. n. 15. E. Knab in: Jahrb. Kunsthist. Samml. Wien, 1960, p. 143. M. Waddingham in: Paragone, n. 139, 1961, p. 21. Cat., Firenze 1969, n. 13. M. Chiarini in Paragone, n. 269, 1972. L. Salerno: Pittori di paesaggio del Seicento a Roma, vol. I, Roma 1977.*
Inventario	1009 (C.P., p. 115, n. 687).	558.	574.	557.
Foto	157081.	136004.	156937.	156958, 111344 (part.).
Note	Il quadretto, che in un inventario settecentesco di palazzo Pitti portava un'attribuzione al Caravaggio, venne messo in rapporto a un disegno del Callot dello stesso soggetto nel Gabinetto Disegni degli Uffizi e attribuito all'artista lorenese. Tuttavia il Ternois rifiutava l'attribuzione, considerandolo copia del disegno. Il Chiarini, notandovi affinità con le nature morte di Filippo Napoletano, lo attribuisce a questo ultimo. M.C.	Il dipinto, che seguì le vicende attributive del n. 557 del quale costituisce il 'pendant', fu pagato a Filippo Napolentano nel 1618, come documenta una filza dell'archivio mediceo, e collocato nell'appartamento del granduca Cosimo II a Pitti. Nel 1619 l'artista dipingeva a 'pendant' la Merenda sull'erba, che veniva collocata nel medesimo ambiente. M.C.	Il dipinto compare nell'inventario della collezione del cardinal Carlo de' Medici steso alla sua morte (1666) col nome dell'artista, che torna nelle successive citazioni inventariali, a conferma della certezza dell'attribuzione. Tuttavia, per l'equivoco creatosi a partire dal XVIII secolo col nome del Tassi (vedi il N. 557 dell'inv. 1890 per le vicende che coinvolsero tutto il gruppo di opere di F. Napoletano), il quadro fu esposto con l'attribuzione a quest'ultimo nel 1969. Risoltasi la questione con il ritrovamento delle citazioni inventariali contemporanee in favore dell'Angeli, anche il Calvario risultava opera certa dipinta, per l'ancora persistente carattere callottiano delle figure, durante il periodo fiorentino del pittore (1617-21). Due disegni possono essere messi in rapporto alla composizione, uno agli Uffizi, l'altro al Louvre. M.C.	Il dipinto, per una scritta che lo riferiva ad Agostino Tassi apposta nel sec. XIX all'inventario della Gall. degli Uffizi del 1784, è sempre stato considerato opera certa di questo artista, finché un documento dell'archivio mediceo, rintracciato nel 1970-71, lo documentava inequivocabilmente come opera di Filippo Angeli, detto Napoletano, che era stato pittore alla corte di Cosimo II de' Medici per più di tre anni. Questo documento ci indica che il quadro fu eseguito nel 1619 per il granduca, nel cui appartamento fu poi collocato e dove rimase fino al Settecento, a 'pendant' del Ballo in campagna (n. 558) dipinto l'anno prima. M.C.

	P85	P86	P87	P88
AUTORE	Angeli, Filippo, detto Filippo Napoletano (Napoli 1595 ca. - Roma 1630).	Angeli, Filippo, detto Filippo Napoletano (Napoli 1595 ca. - Roma 1630).	Angeli, Filippo, detto Filippo Napoletano (Napoli 1595 ca. - Roma 1630).	Angeli, Filippo, detto Filippo Napoletano (Napoli 1595 ca. - Roma 1630), copia da.
TITOLO	Cacciatori persiani.	Cacciatori persiani.	Martirio di S. Sebastiano.	La merenda sull'erba.
DATAZIONE	1620.	1620.	1620 ca.	1620 ca.
DATI TECNICI	Olio su tela, 82x290.	Olio su tela, 82x271.	Olio su tela, 72x87, pulitura 1969.	Olio su tela, 114x174,5. Restauro 1977.
CORNICE	Noce con intagli dorati, originale.	Noce con intagli dorati, originale.	Intagliata, dorata, sec. XVIII.	Nera e oro, originale.
UBICAZIONI	Pitti (1620); Uffizi (sec. XIX).	Pitti (1620); Uffizi (sec. XIX).	Pitti (1624); La Petraia (sec. XVIII); Uffizi (1972).	Uffizi (sec. XIX).
ATTRIBUZIONI	Ignoto (Inv. Uffizi 1890).	Ignoto (Inv. Uffizi 1890).	Cerquozzi (sec. XVIII). Tassi (Chiarini 1969).	Tassi (Chiarini 1969).
ESPOSIZIONI	—	—	Artisti alla corte granducale, Firenze 1969.	Artisti alla corte granducale, Firenze 1969.
BIBLIOGRAFIA	R. Longhi: Una traccia per Filippo Napoletano, in Paragone, 95, 1957. M. Chiarini: in cat. mostra, Artisti alla corte granducale, Firenze 1969.	R. Longhi: Una traccia per Filippo Napoletano, in Paragone, 95, 1957. M. Chiarini, in cat. mostra, Artisti alla corte granducale, Firenze 1969.	R. Longhi: Una traccia per Filippo Napoletano, in Paragone, N. 95, 1957. *Cat., Firenze 1969, n. 17.*	R. Longhi: Una traccia per Filippo Napoletano, in Paragone, n. 95, 1957. *Cat., Firenze 1969, n. 15.*
INVENTARIO	5035.	5036.	Petraia 161.	5463.
FOTO	157976.	157975.	156939.	111344.
NOTE	Il dipinto, col suo 'pendant' n. 5036, fu dipinto durante il soggiorno fiorentino dell'artista per il granduca Cosimo II de' Medici, che lo fece collocare, col suo gemello, nel suo appartamento di Pitti. I due quadri furono consegnati e pagati nel 1620, come testimoniato da un documento dell'archivio mediceo, nel quale, come nei successivi inventari dei quadri di Pitti, vengono chiamati Cacce di Persiani. M.C.	Il dipinto è 'pendant' del n. 5035, al quale si rimanda per tutte le notizie storico-critiche. M.C.	Sul retro cartellino con scritta: Michelangelo delle Battaglie. Questa scritta si riferisce all'attribuzione settecentesca con la quale il quadro fu inviato alla Villa medicea della Petraia, dov'è rimasto fino al 1969. Fino al Settecento, a partire dal 1624 (ASF, Guard. 373, c. 377), è ricordato in palazzo Pitti con l'attribuzione a Filippo Napoletano, ma prima che si conoscessero questi documenti il dipinto, con altri del pittore, è stato attribuito ad Agostino Tassi. Dipinto verso la fine del soggiorno fiorentino del pittore, che fu attivo alla corte di Cosimo II de' Medici (m. 1621). M.C.	Il dipinto, inventariato come di ignoto nel 1890, fu messo in rapporto al n. 557 in occasione della mostra Firenze 1969. Ritenuto replica di quel dipinto, il restauro ha rivelato una qualità inferiore rispetto all'originale di Filippo Napoletano, dal quale certamente dipende. È quindi probabile che si tratti di una replica di bottega eseguita da qualche aiuto del pittore, poco dopo il compimento dell'esemplare autografo del 1619. M.C.

   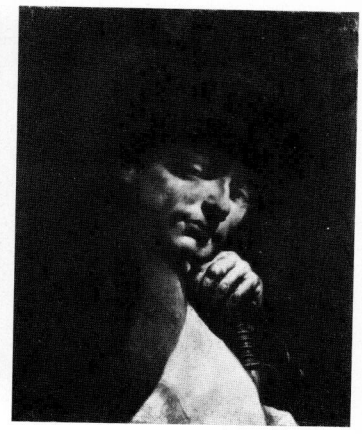

	P89	P90	P91	P92
AUTORE	Angeli, Filippo, detto Filippo Napoletano (Napoli 1695 ca. - Roma 1630) att.	Angeli, Filippo, detto Filippo Napoletano (Napoli 1695 ca. - Roma 1630), attr.	Angeli, Giuseppe (Venezia 1709-98).	Angeli, Giuseppe (Venezia 1709-98).
TITOLO	Paesaggio con marina.	Paesaggio con viandanti.	Ritratto femminile.	Testa di soldato.
DATAZIONE	1625-30 ca. (Chiarini 1976).	1625-30 ca. (Chiarini 1976).	Sec. XVIII.	Sec. XVIII.
DATI TECNICI	Olio su tela, 31x45.	Olio su tela, 30x43.	Olio su tela, 45x37.	Olio su tela, 45x37.
CORNICE	Ebano, sec. XIX-XX.	Intagliata e dorata, sec. XVII.	—	—
UBICAZIONI	Pitti (1666); Uffizi (1796); Pitti (1928).	Pitti (1666); Uffizi (1796); Pitti (1928).	G. Ferrari; Uffizi (1915); Pitti; Poppi (1942); S. Leonardo - Alto Adige; Pitti (1945); Uffizi (1951).	G. Ferrari, Uffizi (1915); Pitti; Poppi (1942); S. Leonardo - Alto Adige; Pitti (1945); Uffizi (1951).
ATTRIBUZIONI	Bril (Inv. 1796, Mayer 1910, Rusconi 1937). Filippo Napoletano (Chiarini 1976).	Bril (Inv. 1796, Mayer 1910, Rusconi 1937). Filippo Napoletano (Chiarini 1976).	Piazzetta (Inv. 1890).	Piazzetta (Inv. 1890).
ESPOSIZIONI	—	—	—	—
BIBLIOGRAFIA	A. Mayer: Das Leben und die Werke der Brüder Matthäus und Paul Bril, Leipzig 1910. *M. Chiarini: Filippo Napoletano e il Cardinale Carlo de' Medici, in Paragone, n. 313, 1976.*	A. Mayer: Das Leben und die Werke der Brüder Matthäus und Paul Bril, Leipzig 1910. *M. Chiarini: Filippo Napoletano e il Cardinale Carlo de' Medici, in Paragone, n. 313, 1976.*	*G. Poggi, La R. Galleria degli Uffizi in Firenze, 1926, p. 130.*	*G. Poggi, La R. Galleria degli Uffizi in Firenze, 1926, p. 128.*
INVENTARIO	1133 (C.P., p. 127, n. 718.	1126 (C.P., p. 127, n. 816).	4700.	4701.
FOTO	101179.	101178.	129847.	14015.
NOTE	Scritta sul retro: Di Paolo Brill, costa f. 20. Il dipinto, col suo 'pendant' (Inv. 1890, n. 1126) compare, senza nome di autore, nell'inventario della collezione del card. Carlo de' Medici (1666), steso alla sua morte. Attribuito al Bril a partire dal 1796 (Inv. Galleria Uffizi), il Mayer dubitava dell'attribuzione (1910, p. 74), mentre il Chiarini mette il quadro in rapporto all'opera di Filippo Napoletano. M.C.	Firma apocrifa in basso al centro: PA. BRILI. Il dipinto (insieme al suo 'pendant' n. 1133, anche esso esposto a Pitti) compare nell'inventario della collezione del card. Carlo de' Medici steso alla sua morte (1666), ma senza nome di autore. I due dipinti vennero quindi attribuiti al Bril negli inventari degli Uffizi a partire dal 1796. Il Chiarini li mette in rapporto alle opere del periodo romano di F. Napoletano e alle lettere del card. Carlo per acquisti di opere del pittore (1626). Rifiutati al Bril anche da D. Bodart (cat. Rubens e la pittura fiamminga del Seicento..., Firenze 1977, pp. 317-18, nn. XXXIII-XXXIV). M.C.	Il dipinto è pervenuto agli Uffizi insieme all'altro inventariato col n. 4701 (Inv. 1890), acquistato dal Sig. G. Ferrari il 17-9-1915 per la somma di L. 1000. Trasportato dai tedeschi in periodo bellico a S. Leonardo in Alto Adige. Già attribuito al Piazzetta (Inv. 1890), è tuttavia attualmente considerato opera di Giuseppe Angeli (Venezia 1709-98) che, allievo del Piazzetta, ne diresse la bottega e ne ultimò, dopo la morte (1754), le opere incompiute. Gr. Red. 3	Il dipinto è pervenuto agli Uffizi insieme all'altro inventariato col n. 4700 (Inv. 1890), acquistato dal Sig. G. Ferrari il 17-9-1915 per la somma di L. 1000. Trasportato dai tedeschi in periodo bellico a S. Leonardo in Alto Adige. Già attribuito al Piazzetta (Inv. 1890), è tuttavia attualmente considerato opera di Giuseppe Angeli (Venezia 1709-98) che, allievo del Piazzetta, ne diresse la bottega e ne ultimò, dopo la morte (1754), le opere incompiute. Gr. Red. 3

	P93	P94	P95	P96
AUTORE	Angeli, Giuseppe (Venezia 1709-'8), attr. a.	Angeluccio (Roma, metà sec. XVII ca.).	Antoniazzo Romano, Aquili Antonio, detto (Roma 1461-1508).	Antoniazzo Romano, Aquili Antonio, detto (Roma 1461-1508).
TITOLO	S. Giovanni Nepomuceno.	La mosca cieca.	Madonna col Bambino.	Madonna col Bambino e i SS. Pietro e Paolo.
DATAZIONE	1760 ca.	1650-60 ca.	1482.	Ultimo quarto sec. XV.
DATI TECNICI	—	Olio su tela, 132x98.	Tempera su legno, 65x44.	Trittico a sportelli, tempera su legno, 78x45.
CORNICE	Otto-novecentesca, in legno dorato con decoro di pastiglia in rilievo.	Sagomata, dorata, sec. XVII-XVIII.	A sagoma dorata di tipo architettonico, sec. XX.	—
UBICAZIONI	Coll. A. Campi; Uffizi (1921).	Uffizi (sec. XIX).	Mercato antiquario; Uffizi (1882).	Galleria, Ravenna (come Fiorenzo di Lorenzo); Uffizi (1904).
ATTRIBUZIONI	Piazzetta (agli Uffizi come tale, inv. 1890). Piazzetta e Angeli (Donzelli 1957).	Maniera Fiamminga (Inv. Uffizi sec. XIX). Tassi (id.). Angeluccio e Cerquozzi (Briganti 1950).	Fiorenzo di Lorenzo (Crowe e Cavalcaselle 1866, C. Ricci 1897). Antoniazzo (Toesca 1903 e Venturi 1913). Cerchia del M.° d. Annuciaz. Gardner (Van Marle 1934, G. Doerk, tesi 1973).	Fiorenzo di Lorenzo (Crowe e Cavalcaselle 1866, C. Ricci 1897). Scuola umbra vicina a Fiorenzo o Pinturicchio (Weber 1904, Van Marle 1934). Antoniazzo (Everett 1907). Scuola di Antoniazzo (Venturi VII II 1913, p. 288); Tuccio di Gioffreda da Fondi? (G. Doerk, tesi 1973).
ESPOSIZIONI	—	Paesisti, Bamboccianti e vedutisti nella Roma seicentesca, Firenze 1967.	—	—
BIBLIOGRAFIA	R. Pallucchini, Il pittore Giuseppe Angeli, in Rivista di Venezia - 1931. *R. Pallucchini, L'Arte di Giovan Battista Piazzetta, Bologna 1934.*	L. Salerno: Pittori di paesaggio del Seicento a Roma, vol. II, Roma 1976. *G. Briganti: in Proporzioni, 1950. M. Roethlisberger: in Gazette des Beaux-Arts, 1967. Cat., Firenze 1967, n. 23.*	P. Toesca. Quadri di Cristoforo Scacco e Antoniazzo, in "L'Arte", 1903. A. Venturi. Storia dell'arte italiana VII. 2, 1913, pp. 286. Van Marle, Ital. school of painting, The Hague, 1934, 296).	E. Everett. Antonio Romano in American Journal of Archeology, 1907, p. 279.
INVENTARIO	8427.	5453.	2199.	3274 (C.P., p. 175, n. 1565).
FOTO	131748.	130243.	321879.	54106.
NOTE	Il Pallucchini che ancora nel 1931 riteneva il dipinto degli Uffizi di possibile collaborazione fra Piazzetta e Angeli, nel 1934 lo assegna decisamente a quest'ultimo espungendolo dal catalogo del Piazzetta (cfr. bibl. cit.). Per Donzelli (I pittori veneti del Settecento, Firenze 1957) resta valida l'ipotesi della collaborazione Piazzetta-Angeli. A.P.	Non esiste documentazione sulla provenienza di questo dipinto, che, inventariato agli Uffizi nel sec. XIX come di maniera fiamminga o come di A. Tassi, fu riconosciuto di Angeluccio per il paesaggio, con la collaborazione di M. Cerquozzi per le figure, da G. Briganti. È probabile 'pendant' di un altro dipinto, quest'ultimo parte dell'inventario delle opere d'arte di palazzo Pitti (vedi E. Borea: Caravaggio e caravaggeschi nelle Gallerie di Firenze, cat., Firenze 1970, n. 55). Ne esistono altre versioni, la migliore delle quali è nel Museo di Detroit. M.C.	Datata 1482. G.M.	Non in buonissime condizioni; nei triangoli superiori delle tavolette: al centro l'Eterno, a sinistra l'angelo Gabriele annunciante, a destra l'Annunciata. G.M.

	P97	P98	P99	P100
AUTORE	Antonio del Ceraiolo (Firenze, I metà sec. XVI).	Araldi, Alessandro (Parma 1460 ca.-1528/29).	Aspertini, Amico (Bologna 1474-75 ca.-1552).	Azeglio (d'), Massimo (Torino 1798-1866).
TITOLO	Arcangelo Michele e demonio.	Ritratto di Barbara Pallavicino (?).	Adorazione dei Pastori.	Arabi a cavallo.
DATAZIONE	Sec. XVI.	Secondo decennio sec. XVI.	1515 (Longhi 1934).	1840 ca. (Nuzzi 1972).
DATI TECNICI	Olio su tavola, 176x165.	Olio su tavola, 46,5x35.	Olio su tavola, 44,5x34.	Olio su lastra metallica, 29x41,5.
CORNICE	—	Sagomata e dorata con intagli, barocca.	Intagliata, traforata a motivi vegetali stilizzati e dorata, sec. XVI.	D'epoca, sgusciata, dorata.
UBICAZIONI	Convento della S.S. Annunziata (dall'origine); Accademia; Uffizi, Depositi.	Pitti; Uffizi (1919).	Coll. B. Berenson; Uffizi (1914).	Coll. Emilio Santarelli; Uffizi (1866); Accademia (1898); Galleria d'Arte Moderna, Pitti (1924).
ATTRIBUZIONI	A. del Ceraiolo (Inv. 1890).	Piero della Francesca (antica). A. Araldi (Ricci 1903).	—	—
ESPOSIZIONI	—	—	—	Pitture antiche e moderne di soggetto militare, Parigi 1953. Massimo d'Azeglio, Torino 1966. Cultura neoclassica e romantica nella Toscana granducale, Firenze 1972.
BIBLIOGRAFIA	F. Band, in Thieme-Becker, I, 1907. *U. Procacci, La R. Galleria dell'Accademia di Firenze, 1936.*	L. Ricci, in Rassegna d'arte, III, 1903. Dizionario biografico degli italiani, III, 1961. *A. Ghidiglia Quintavalle, in Rivista dell'Istituto d'Archeologia e storia dell'arte, VII, 1958, p. 318.*	*R. Longhi, Officina Ferrarese, 1934, (Rist. 1968, p. 62).*	Cat., Torino 1966. *Cat., Firenze 1972, p. 103,* 194.
INVENTARIO	6008.	8383.	3803.	Accademia 377.
FOTO	15461.	122965.	157468.	193720.
NOTE	Il dipinto è ricordato dal Vasari come del maestro. Proviene dal Convento della S.S. Annunziata nella cui chiesa era esposto in origine. Gr. Red. 3	Non è sicura la identità della ritrattata. G.M.	Il quadro fu donato da Bernard Berenson alla Galleria degli Uffizi il 30-12-1914. L.B.B.	In basso a sinistra firmato: Azeglio. Fu acquistato nel 1866 assieme ad altro dipinto dello stesso autore, analogo ma di dimensioni minori, per la somma di Lire 400 da Emilio Santarelli (AGF, 1866, filza A, 1, 105). Assieme al pendant venne unito alle raccolte d'arte moderna nel 1888 (AGF, filza 1888 D, A, 4ª, 6) e si trova esposto nella Galleria d'arte moderna dalla data dell'ordinamento di questa in Palazzo Pitti. S.P.

	P101	P102	P103	P104
AUTORE	Azeglio (d'), Massimo (Torino 1798-1866).	Bacciarelli, Marcello (Roma 1731 - Varsavia 1818).	Bachiacca, Ubertini Francesco, detto il (Firenze 1494-1557).	Bachiacca, Ubertini Francesco, detto il (Firenze 1494-1557).
TITOLO	Attacco di cavalleria.	Ritratto di Stanislao Augusto Poniatowski, re di Polonia.	L'arcangelo Raffaele e Tobiolo.	Deposizione dalla croce.
DATAZIONE	1845 (?).	1768 ca. (Busiri Vici 1971).	1510-15 ca. (Abbate, 1965), 1520 ca. (Mc Comb 1926, Nikolenko 1966).	1518 ca. (Freedberg, 1961), 1530 ca. (Marcucci 1958).
DATI TECNICI	Olio su lastra metallica, 22x31,5.	Olio su tela, 148,5x107.	Olio su tavola, 30,5x24,5.	Olio su tavola, 93x71.
CORNICE	D'epoca, dorata.	Nera e oro, riporti intagliati, sec. XVII-XVIII.	Sagomata e dorata (sec. XIX).	Seicentesca, sagomata intagliata e dorata (con restauri e integrazioni).
UBICAZIONI	Coll. Lorenzo Aliani (1845); coll. Emilio Santarelli; Uffizi (1866); Accademia (1898); Galleria d'Arte Moderna, Pitti (1924).	Uffizi (1890); Pitti (1928 ca.).	Accademia (fine XVIII sec. - primi XIX); Uffizi (1835).	Convento di S. Maria degli Angeli in San Frediano (dall'origine?); S. Maria Maddalena dei Pazzi (1628); Uffizi (1867).
ATTRIBUZIONI	—	A. Kauffmann (Inv. 1890, Pieraccini 1905 ca.).	Granacci (Cat. Uffizi 1886, n. 49). Bachiacca (Gamba 1907).	—
ESPOSIZIONI	Triennale d'Oltremare, Napoli 1940 (non in cat.). Pitture antiche e moderne di soggetto militare, Parigi 1953. Massimo d'Azeglio, Torino 1966. Cultura neoclassica e romantica nella Toscana granducale, Firenze 1972.	—	—	—
BIBLIOGRAFIA	Cat., Torino 1966. *Cat., Firenze 1972, p. 103*, 194.	A. Busiri Vici: I Poniatowski e Roma, Firenze 1971. Cat. mostra, Polonia: arte e cultura, Roma 1975. A. Chyczewska: Marcello Bacciarelli, Wroclaw 1973. *E. Pieraccini: in Cat., Galleria Uffizi, 1905 ca., p. 82.*	Thieme-Becker, XXXIII, 1939. *F. Abbate, in Paragone, 189, 1965, p. 34. L. Nikolenko, Il Bacchiacca, New York, 1966, p. 39.*	Thieme-Becker, XXXIII, 1939. *U. Middeldorf, in Rivista d'arte, 1936, pp. 252-53. L. Nikolenko, Il Bacchiacca, New York 1966, p. 47.*
INVENTARIO	Accademia 378.	2136 (C.P., p. 82, n. 3462).	4336 (C.P., p. 158, n. 1577).	511 (C.P., p. 71, n. 87).
FOTO	183743.	171244.	5352.	144297, 144299.
NOTE	Firmato, datato e dedicato a tergo: All'amico Lorenzo Aliani, Massimo Azeglio nel suo studio 25 sett. 1845. La firma è ripetuta sulla superficie dipinta. Il quadro fu acquistato da Emilio Santarelli dalle Gallerie fiorentine assieme ad altro dello stesso autore per la somma di Lire 400 (AGF, filza 1866 A, 1, 105). Venne unito alle raccolte d'arte moderna nel 1888 (AGF, filza 1888 D, A, 4ª, 6) e si trova esposto nella Galleria d'arte moderna dalla data dell'ordinamento di questa in Palazzo Pitti. Della mostra di Parigi esiste documentazione d'ufficio in Soprintendenza. Lorenzo Aliani era un vedutista attivo a Firenze (v. inv. 1890, n. 4605). S.P.	Il dipinto fu acquistato nel 1890 con la attribuzione ad Angelika Kauffmann, cambiata poi in quella, storicamente evidente, al Bacciarelli, che fu per molti anni il ritrattista ufficiale alla corte polacca. Tuttavia il dipinto è stato fin'ora poco studiato, e non è elencato nell'unica monografia sul pittore. Il Busiri Vici, basandosi sull'età del ritrattato, lo ha datato intorno al 1768. Stanislao Augusto Poniatowski (1732-1798) fu re di Polonia dal 1764 al 1795. Collezionista e mecenate, chiamò a Varsavia numerosi artisti italiani, tra i quali il Bacciarelli. M.C.	Il dipinto venne restaurato agli inizi del nostro secolo dal Lucarini (cfr. Gamba 1907). Non è nota la storia precisa del dipinto, né la sua ubicazione originaria. Pervenne all'Accademia ad una data non precisabile (ma probabilmente in occasione delle soppressioni leopoldine o di quelle napoleoniche) e di qui passò agli Uffizi nel 1835. La critica ha giudicato l'opera come esemplare della fedeltà del Bachiacca ai modi paesistici dell'Albertinelli, anche se evidentemente legata alla suggestione delle più recenti novità sartesche (cfr. in part. F. Abbate, op. cit.). La tavoletta è attualmente nei Depositi degli Uffizi. E.S.	A tergo, su un cartellino, scritta antica relativa alla provenienza del dipinto dal monastero di Santa Maria degli Angeli e dalla chiesa di Santa Maria Maddalena de' Pazzi. Altro cartellino con scritta ottocentesca: N. 1 estratto dal soppresso Monastero di S. Maria Maddalena de' Pazzi di Firenze nel giugno 1867. Il dipinto è una versione più elaborata dell'analogo tema trattato dal pittore nel dipinto conservato nel Museo Civico di Bassano (1515 ca.). Middeldorf ha posto in relazione quest'opera con la *Deposizione* per Città della Pieve del Perugino (1517 ca.) il quale utilizzò un modelletto in cera elaborato da Iacopo Sansovino (oggi al Victoria and Albert Museum di Londra). Il dipinto è attualmente esposto nelle sale del '500 fiorentino. E.S.

	P105	P106	P107	P108
AUTORE	Bachiacca, Ubertini Francesco, detto il (Firenze 1494-1557).	Bachiacca, Ubertini Francesco, detto il (Firenze 1494-1557).	Baciccio, Gaulli Giovanni Battista, detto il (Genova 1639 - Roma 1709).	Backer, Jacob Adriaensz (Haarlem 1608 - Amsterdam 1651), attr. a.
TITOLO	Predella con storie della vita di S. Acasio.	Cristo davanti a Caifas.	Il Cardinal Leopoldo de' Medici (1617-75).	Giovane contadina.
DATAZIONE	1521 (Scharf 1937, Abbate 1965), 1525 ca. (McComb 1926).	1535 ca. (Marcucci 1958), 1535-1540 (Nikolenko 1966).	1667 ca.	1630-40 ca.
DATI TECNICI	Olio su tavola, 37,5x256.	Olio su tavola, 50,5x41.	Olio su tela, 73x60, rintelato.	Olio su tavola, 71x59.
CORNICE	Cinquecentesca, intagliata e dorata, con due stemmi medicei alle estremità.	Cinquecentesca, sagomata intagliata e dorata.	Dorata intagliata e straforata, originale.	Sagomata, dorata, sec. XVII.
UBICAZIONI	Monastero di S. Salvatore dei Camaldoli (dall'origine); S. Lorenzo (1550 ca.); Uffizi (1861).	Coll. Giuseppe Salvadori (ante 1919); Uffizi (1919).	Card. Leopoldo de' Medici (ante 1675); Pratolino (1680); Uffizi (ante 1881).	Coll. Feroni (ante 1850); Uffizi (1866); Cenacolo di Foligno (1894).
ATTRIBUZIONI	—	—	—	Jordaens (Cat. Feroni 1895). J. Backer (Bodart 1977).
ESPOSIZIONI	—	—	Mostra del ritratto italiano, Firenze 1911. Mostra di Roma secentesca, Roma 1930. Exposition de l'art italien de Cimabue à Tiepolo, Paris 1935. Mostra dei pittori genovesi del Seicento e Settecento, Genova 1938. Mostra medicea, Firenze 1939. Artisti alla corte granducale, Firenze 1969. Omaggio a Leopoldo de' Medici, Firenze 1976, f.c.	—
BIBLIOGRAFIA	Thieme-Becker, XXXIII, 1939. A. Scharf, in The Burlington Magazine, 1937, pp. 60-65. H.S. Merritt, in Art Bulletin, sept. 1963, pp. 258-63. F. Abbate, in Paragone, 189, 1965, pp. 40-41. L. Nikolenko, Il Bacchiacca, New York 1966, p. 42.	Thieme-Becker, XXXIII, 1939. L. Marcucci, in Bollettino d'Arte, 1958, pp. 28-29. L.N. Nikolenko, Il Bacchiacca, New York, 1966, p. 55.	R. Enggass, The painting of Baciccio, Clinton 1964. M. Chiarini in Cat., Firenze 1969, n. 42, p. 34. O.H. Giglioli in Rivista d'arte VI, 1909.	J. Rosenberg-S. Slive-E.H. Ter Kuile: Artch Art and Architecture 1600-1800, Harmondsworth 1966. Catalogo della Galleria Feroni, Firenze 1895, p. 7. D. Bodart: cat. Rubens e la pittura fiamminga del Seicento nelle collezioni pubbliche fiorentine, Firenze 1977, n. 327.
INVENTARIO	877 (C.P., p. 69, n. 1296).	8407.	2194 (C.P., p. 84, n. 1587).	S. Marco e Cenacoli 37.
FOTO	156261, 156262, 156263.	7678.	72250.	159996.
NOTE	Le tre scene raffigurano Il battesimo del Santo e dei suoi compagni, Il Santo che sconfigge i ribelli con l'intervento degli angeli, Il martirio del Santo e dei suoi compagni. Le tavolette costituivano la predella della Pala dei Martiri eseguita dal Sogliani per la chiesa di S. Salvatore dei Camaldoli, terminata nel 1521 su commissione di monna Alfonsina, vedova di Piero de' Medici. La pala fu trasferita verso il 1550 nella cappella di Tanai de' Medici in S. Lorenzo per espresso volere di Cosimo I (Vasari, II, p. 109). Questa predella fu portata agli Uffizi nel 1861 (AGF, Inv. 1825, Suppl. II, n. 2950). Lo Scharf per primo ha sottolineato i numerosi riferimenti contenuti in quest'opera alle incisioni di Luca di Leyda. La predella è attualmente esposta nelle sale del '500 fiorentino. E.S.	Sul retro iscrizione antica: Sig.re (una parola ill.) Corsini. L'iscrizione potrebbe alludere evidentemente a una antica provenienza dell'opera dalle raccolte Corsini di Firenze o di Roma. Il dipinto fu acquistato nel 1919 per 5.000 lire esercitando il diritto di prelazione presso l'Ufficio Esportazione della Soprintendenza alle Gallerie di Firenze. L'opera è stata concordemente giudicata come frutto delle meditazioni del Bachiacca sulle stampe nordiche (e in part. su una stampa di Dürer dall'analogo soggetto) e sulle drammatiche composizioni michelangiolesche. Il dipinto è attualmente esposto nelle sale del '500 fiorentino. E.S.	Eseguito probabilmente a Roma all'atto della nomina a Cardinale di Leopoldo (1667), benché Enggass vi veda dei caratteri stilistici a suo dire non anteriori al 1672; ma non risulta che il Baciccio fosse a Firenze, né il cardinale a Roma dopo il conclave del 1670. Il 2 agosto 1680 il quadro veniva mandato a Pratolino (ASF, Guard. 870 c. 30v), dopodiché perse l'esatta attribuzione, ristabilita ai primi del '900 e pubblicata dal Giglioli. S.M.T.	Attribuito al Jordaens nel catalogo della collezione di provenienza, il dipinto è stato riferito al Backer dal Bodart. In effetti lo stile liscio e sottile dell'impasto pittorico e le forme levigate si ritrovano negli esempi documentati del pittore. M.C.

	P109	P110	P111	P112
AUTORE	Baldovinetti, Alessio (Firenze 1425-1499).	Baldovinetti, Alessio (Firenze 1425-1499).	Baldung Grien, Hans (?) (Schwäbisch Gmünd 1484-85 - Strasburgo 1545).	Baldung Grien, Hans (?) (Schwäbisch Gmünd 1484-85 - Strasburgo 1545).
TITOLO	Madonna col Bambino e Santi.	Annunciazione.	Adamo.	Eva.
DATAZIONE	1454 ca. (R. Wedgwood Kennedy 1938).	1457 (R. Wedgwood Kennedy 1938).	1507 (Thausing 1876, 1884), c. 1525 (Fischer 1939, 1943).	
DATI TECNICI	Tempera su tavola, 176x166.	Tempera su tavola, 167x137.	Olio su tavola, 212x85, in corso di restauro.	
CORNICE	Cinquecentesca intagliata, azzurra e oro.	A sagoma dorata antica, non pertinente.	Moderna (1952).	
UBICAZIONI	Cappella di Villa Medici a Cafaggiolo (dall'origine); Uffizi (1976).	S. Giorgio alla Costa (1460 ca); Monastero dello Spirito Santo; Uffizi (1868).	Pitti (ante 1828); Uffizi (1922).	
ATTRIBUZIONI	—	Pesellino (Vasari, Inv. Uffizi 1891). Baldovinetti-Pesellino (Cavalcaselle 1911, Berenson 1902, Weisbach 1901). Baldovinetti (R. Wedgwood Kennedy 1938).	L. Cranach (Inghirami 1828, Bardi 1842). Dürer (Thausing 1876, 1884). Copia antica anonima da Dürer (Oettinger-Knappe 1963, Bussmann 1966).	
ESPOSIZIONI	—	—	Dürer-Ausstellung, Norimberga 1928.	
BIBLIOGRAFIA	Dizionario biografico degli Italiani, V, 1963, pp. 512-513. *R. Wedgwood Kennedy, Alesso Baldovinetti, New Haven, 1938, pp. 53-60.*	*R. Wedgwood Kennedy, Alessio Baldovinetti, New Haven 1938, p. 72.*	O. Fischer, H. B. G., München 1939. C. Koch, Katalog der erhaltenen Gemälde, etc., von H.B.G., in 'Kunstchronik' VI, 1953. *Cat. Norimberga 1928, n. 74a. F. Anzelewsky, A. Dürer, etc., Berlin 1971, n. 103-04.*	
INVENTARIO	487 (C.P., p. 179, n. 56).	483 (C.P., p. 179, n. 56).	8433.	8432.
FOTO	70096.	5355.	72268.	229970.
NOTE	I santi sono Francesco, Cosma e Damiano, Giov. B., Lorenzo, Giuliano, Antonio Abate, Pietro Martire. In quest'opera è visibile l'influsso di Andrea del Castagno — nel 1454 B. lavorava per il Castagno nella SS. Annunziata (Giudizio Universale, ora perduto) — La pala fu commissionata per Cafaggiolo, villa ristrutturata da Michelozzo nel 1451; terminus post quem. G.M.	Il Vasari (III, p. 38) scambiò questa con una Annunciazione del Pesellino, la n. 25 degli Uffizi (Milanesi 1878). Si nota un pentimento nella testa della Vergine. G.M.	Insieme con l'Eva, n. 8432, copia dai Progenitori di A. Dürer, datati 1507, al Prado: copia esatta salvo l'aggiunta di animali probabilmente simboleggianti i temperamenti, in analogia, ma con diversità, alla calcografia düreriana del 1504. Altra copia, esatta anche negli sfondi, al Museo di Magonza, proveniente dal Palazzo Comunale di Norimberga. L'attribuzione delle copie di Firenze e di Magonza al Baldung spetta al von Térey (1894) e al Friedländer (Thieme-Becker II, 1908) ed è largamente seguita, sembra con ragione, dalla critica. R.S.	Cfr. dello stesso autore la scheda P111. R.S.

	P113	P114	P115	P116
Autore	Bamboccio, Van Laer Pieter, detto il (Haarlem 1592 ca. - 1642).	Bamboccio, Van Laer Pieter, detto il (Haarlem 1592 ca. - 1642).	Bamboccio, Van Laer Pieter, detto il (Haarlem 1592 ca. - 1642).	Bamboccio, Van Laer Pieter, detto il (Haarlem 1592 ca. - 1642).
Titolo	Scuderia di campagna.	Cacciatori davanti a una casa rustica.	Il riposo dopo la caccia.	Pastore con i suoi armenti.
Datazione	1635-39 ca.	1635-40 ca.	1635-40 ca.	1635-40 ca.
Dati tecnici	Olio su tela, 72x53, restauro 1967.	Olio su tela, 35x45.	Olio su tela, 56,5x43,5.	Olio su tela, 56,5x45,5, restauro 1975.
Cornice	Ebano, sec. XIX-XX.	Ebano, sec. XIX-XX.	Ebano, sec. XIX-XX.	Ebano, sec. XIX-XX.
Ubicazioni	Uffizi (1798); Pitti (1928).	Uffizi (1704).	Uffizi (1796).	Uffizi (1704); Poggio Imperiale (seconda meta sec. XVIII); Uffizi (1796).
Attribuzioni	Cerquozzi (Inv. Uffizi 1798). Van Laer (Inv. Uffizi 1825, Hoogewerff 1932-33, Rusconi 1937, A. M. Francini Ciaranfi 1964, Janeck 1968).	—	Cerquozzi (Inv. Uffizi 1796). Van Laer (Inv. Uffizi 1825, Pieraccini 1905 ca., Würzbach 1910, Poggi 1927).	Cerquozzi (Inv. Uffizi 1704 e 1753). Scuola Olandese (Giornale d'entrata Uffizi 1796, Pieraccini 1905 ca.). Van Laer (Inv. Uffizi 1825 e 1890).
Esposizioni	—	—	—	—
Bibliografia	G. J. Hoogewerff: Pieter van Laer en zijn Vrienden, Oud Holland, 1932-33. *A. Janeck: Untersuchung über... P. Van Laer genannt Bamboccio, Würzburg 1968, p. 107.*	G. J. Hoogewerff: Pieter van Laer en zijn Vrienden, Oud Holland 1932-33. *A. Janeck: Untersuchung über... P. van Laer, genannt Bamboccio, Würzburg 1968, p. 123.*	G. J. Hoogewerff: Pieter van Laer en zijn Vrienden, Oud Holland 1932-33. G. Poggi: Catalogo della Galleria degli Uffizi, 1927.	G. J. Hoogewerff: Pieter van Laer en zijn Vrienden, Oud Holland 1932-33.
Inventario	1222 (C.P., p. 131, n. 879).	1235 (C.P., p. 140, n. 915).	1229 (C.P., p. 133, n. 909).	1226 (C.P., p. 140, n. 917).
Foto	153360.	75409.	109180.	193925.
Note	La provenienza del dipinto non è documentata. Lo Janeck indica somiglianze compositive e stilistiche con un dipinto nel Museo di Schwerin rappresentante la fucina di un fabbro tra rovine romane, firmato dal pittore e datato 1635. M.C.	La provenienza del dipinto non è documentata. Lo Janeck indica l'analogia con un dipinto che nel 1688 era attribuito al Bamboccio nella collezione di don Giuliano Colonna di Stigliano a Napoli: tuttavia lo studioso dubita dell'autografia del dipinto di Firenze, che sembra ritenere piuttosto di un seguace. M.C.	La provenienza del dipinto non è documentata. Entrato agli Uffizi nel 1796 con l'attribuzione al Cerquozzi, nell'inventario del 1825 è descritto come del van Laer e tale attribuzione è stata successivamente accettata dai pochi studiosi che si sono occupati del dipinto. M.C.	La provenienza del dipinto non è documentata, né esso è stato discusso in alcuna delle pubblicazioni sull'artista. Tuttavia la qualità e le caratteristiche stilistiche lasciano adito alla possibilità che si tratti di un'opera autografa della fase estrema del soggiorno romano del pittore (1625-39). M.C.

	P117	P118	P119	P120
AUTORE	Bamboccio, Van Laer Pieter, detto il (Haarlem 1592 ca. - 1642), attr. a.	Bamboccio, Van Laer Pieter, detto il (Haarlem 1592 ca. - 1642).	Bamboccio, Van Laer Pieter, detto il (Haarlem 1592 ca. - 1642).	Barocci, Federico (Urbino 1535-1612).
TITOLO	Soldati e cavalli in una grotta.	Il bagno.	Soggetti di genere, nn. 1042, 1250, 1252.	Ritratto di fanciulla.
DATAZIONE	1635-40 ca.	1636 ca. (Janeck).		1570-75 (Olsen 1962).
DATI TECNICI	Olio su tela, 42x52.	Olio su tela, 61,5x49.		Olio su carta, 45x33, restauro 1975.
CORNICE	Sagomata, tinta giallo e oro, sec. XVII.	Ebano, sec. XIX-XX.		Dorata e intagliata.
UBICAZIONI	Pitti (XVII sec.); Castello (XIX sec.); Uffizi (1972).	Pitti (ante 1675); Poggio Imperiale (seconda metà sec. XVIII); Uffizi (1796).		—
ATTRIBUZIONI	Cerquozzi (Inv. Pitti 1713). Bamboccio (Inv. Castello 1910). S. Bourdon? (Chiarini 1975).	—		—
ESPOSIZIONI	—	Paesisti, Bamboccianti e vedutisti nella Roma seicentesca, Firenze 1967.		Federico Barocci, Bologna 1975.
BIBLIOGRAFIA	L. Salerno: Pittori di paesaggio del Seicento a Roma, vol. II, Roma 1976. *M. Chiarini: in Paragone, 305, 1975, p. 78.*	G. J. Hoogewerff: Pieter van Laer en zijn Vrienden, Oud Holland, 1932-33. *A. Janeck: Untersuchung über... P. Van Laer genannt Bamboccio, Würzburg 1968.*		H. Olsen, Federico Barocci, Copenhagen 1962, p. 157. M.L. Strocchi, Il gabinetto d'opere in piccolo del Gran Principe Ferdinando a Poggio a Caiano, in Paragone 311, 1976, p. 88. *A. Emiliani, in Cat., Bologna 1975, p. 90.*
INVENTARIO	Castello 491.	1202 (C.P., p. 133, n. 902).		765 (C.P., p. 88, n. 206).
FOTO	156297.	109176.		229816.
NOTE	Il dipinto compare, con l'attribuzione a Michelangelo Cerquozzi, nell'inventario dei dipinti appartenenti al principe Ferdinando de' Medici steso alla sua morte (1713; Chiarini 1975). Fu quindi attribuito, nell'inventario della Villa di Castello, al Van Laer (il Bamboccio), attribuzione che tuttavia va rivista e che forse può essere tentativamente orientata verso S. Bourdon nel suo periodo italiano. M.C.	Il dipinto proviene dalla collezione del cardinale Leopoldo de' Medici in palazzo Pitti, il cui inventario fu steso alla sua morte (1675), con l'attribuzione al Bamboccio. Essa è concordemente accettata dalla critica, e il dipinto è considerato degli ultimi anni del soggiorno romano dell'artista dallo Janeck, che indica affinità con il quadro rappresentate 'Pastore e lavandaie' nel Rijksmuseum di Amsterdam, databile intorno al 1636. M.C.	Vedi: Cerquozzi, Michelangelo.	Proviene dalla collezione di opere piccole di Ferdinando de' Medici (Strocchi 1976). Si è ipotizzato che il personaggio raffigurato sia Lavinia della Rovere sposa nel 1583 ad Alfonso d'Avalos. E.B.

	P121	P122	P123	P124
AUTORE	Barocci, Federico (Urbino 1535-1612).	Barocci, Federico (Urbino 1535-1612).	Barocci, Federico (Urbino 1535-Urbino 1612).	Barocci, Federico (Urbino 1535-1612).
TITOLO	Ritratto di Francesco II della Rovere.	Madonna del Popolo.	Cristo e la Maddalena.	Visitazione, detta "Madonna della gatta".
DATAZIONE	1572 ca. (Olsen 1962).	1576-79.	1590 ca.	Ultimo decennio sec. XVI.
DATI TECNICI	Olio su tela, 113x93.	Olio su tavola, 359x252.	Olio su tela, 122x91.	Olio su tela, 236x180.
CORNICE	Dorata e intagliata.	Dorata a gola.	—	—
UBICAZIONI	Eredità della Rovere, Urbino; Poggio Imperiale (1631); Uffizi (1830 ca.).	Pieve, Arezzo, (dall'origine); Uffizi (1787).	Castello (1644); Uffizi (1798).	Guardaroba Della Rovere, Pesaro (1623); Uffizi, guardaroba (1631).
ATTRIBUZIONI	—	—	—	—
ESPOSIZIONI	Federico Barocci, Bologna 1975.	—	Federico Barocci, Bologna 1975.	—
BIBLIOGRAFIA	H. Olsen, Federico Barocci, Copenhagen 1962. A. Emiliani, in Cat., Bologna 1975, pp. 88.	H. Olsen, Federico Barocci, Copenhagen 1962, pp. 162-69. A. Emiliani, Federico Barocci in Cat., Bologna 1975, pp. 106-118. G. Gaeta Bertelà, Disegni di Federico Barocci, Firenze 1975, pp. 46-50.	H. Olsen, Federico Barocci, Copenhagen 1962. *A. Emiliani, in Cat. Bologna 1975, n. 170.*	H. Olsen, Federico Barocci, Copenhagen 1962. *A. Emiliani, Federico Barocci, in Cat., Bologna 1975.*
INVENTARIO	1438 (C.P., p. 90, n. 1119).	751 (C.P., p. 85 n. 69).	798 (C.P., p. 85, n. 212).	5375.
FOTO	248180-81.	248020-23.	323337.	5360.
NOTE	Fu probabilmente dipinto a Firenze nel 1572, poco dopo il ritorno del principe dalla battaglia di Lepanto. È ispirato al ritratto di Francesco I della Rovere di Tiziano, ora anch'esso agli Uffizi, e allora a Urbino. L'uno e l'altro pervennero a Firenze con l'eredità di Vittoria della Rovere nel 1631. Una replica è ad Alnwick Castle, Inghilterra. Un ritrattino agli Uffizi deriva dalla testa del principe nel ritratto maggiore. E.B.	La grande pala veniva eseguita dal Barocci per la Pia Confraternita dei Laici della Madonna della Misericordia di Arezzo e collocata nella Pieve. La sormontava in origine una lunetta dello stesso Barocci, con il Padreterno, ora nel Museo di Arezzo, che non seguiva la pala quando quest'ultima per volere del Granduca fu trasferita agli Uffizi. Gran numero di disegni preparatori nel Gabinetto Disegni e Stampe degli Uffizi ne documenta la lenta preparazione. Il dipinto è firmato in basso a destra: Federicus Barotius Urbinas MDLXXIX. L'opera presenta gravi cadute del colore e condizioni generali cattive. E.B.	Sul retro un cartellino con scritta antica conferma un passaggio dalla villa di Castello, attestato anche da un inventario d'uscita del 1644 (Guard. 537). È una replica autografa di formato minore del quadro datato 1590 eseguito dal Barocci per Giuliano della Rovere che il Baldinucci dice donato da Carlo de' Medici a Vittoria della Rovere e che successivamente Cosimo III donò all'elettore palatino per la galleria di Dusseldorf, di dove poi è pervenuto all'Alte Pinakothek di Monaco. Una copia è a Roma, Galleria Nazionale d'Arte Antica. La composizione deriva dal Noli me tangere di Correggio ora a Madrid, Prado. E.B.	Il dipinto è descritto per la prima volta in un inventario di guardaroba dei Della Rovere del 1623: "Quadro uno grande di mano del Baroccio della visitazione di S.ta Elisabetta... fu fatta per la Cappella di papa Clemente quando passò" (cioè nel 1598). Olsen ritiene che sia stato eseguito durante i dieci anni precedenti. Passò a Firenze con l'eredità Della Rovere nel 1631 e fu rovinato da un incendio alla fine del '700. La composizione si apprezza in una copia di collezione privata fiorentina, in stampe e in disegni preparatori. La scena è finta in un interno nel cui sfondo è il panorama di Urbino che si vedeva da casa del pittore, e deve il suo nome a una gatta che, ai piedi della culla di Gesù Bambino, allatta e difende i suoi gattini. S.M.T.

	P125	P126	P127	P128
Autore	Barocci, Federico (Urbino 1535-1612).	Barocci, Federico (Urbino 1535-1612).	Barocci, Federico (Urbino 1535-1612), copia da.	Barocci, Federico (Urbino 1535-1612), copia da.
Titolo	Ritratto di Ippolito della Rovere.	Studio per un'Annunciazione.	Stimmate di S. Francesco.	L'Annunciazione.
Datazione	1602 ca. (Olsen 1962).	1606 (Francini Ciaranfi), 1606-10 (Gaeta Bertelà).	Post 1597.	Seconda metà sec. XVI.
Dati tecnici	Olio su tela, 106,5x88,5, restauro Roma 1960 ca.	Bozzetto, carta dipinta a olio e incollata su tela, 47x23.	Olio su tela, 126x98.	Olio su tavola, 51x37.
Cornice	Dorata, scolpita agli angoli.	Legno modanato con filetto d'oro.	Dorata a gola.	Intagliata, dorata, sec. XVII-XVIII.
Ubicazioni	Vittoria della Rovere (inv. 1652); Uffizi (1796); Viminale, Roma, (1926); Galleria Corsini, Roma, (post 1945); Pitti (1962); Uffizi (1976).	Gabinetto Disegni e Stampe (1793); Uffizi (1914).	Vienna; Uffizi (fine sec. XVIII).	Coll. Feroni (ante 1850); Uffizi (1866); Cenacolo di Foligno.
Attribuzioni	Barocci (1652). Barocci e aiuto (Olsen 1962). Barocci (Olsen 1971).	—	Barocci (1884). Copia da Barocci (Olsen 1962).	Maniera di Federigo Barocci (Cat. Feroni 1895).
Esposizioni	—	Bozzetti delle Gallerie di Firenze, Firenze, 1952-53. Disegni di Federico Barocci, Firenze, 1975.	—	—
Bibliografia	H. Olsen, Federico Barocci, Copenhagen 1962, pp. 204-5 n. 57. E. Borea, Federico Barocci a cura di A. Emiliani, in Prospettiva 4, 1976, p. 61.	A. Emiliani, in Cat. F. Barocci, Bologna, 1975. *A.M. Francini Ciaranfi, in Cat., Firenze, 1952-53, n. 12, p. 13. G. Gaeta Bertelà, in Cat., Firenze, 1975, n. 100, pp. 88-89.*	H. Olsen, Federico Barocci, Copenhagen 1962, p. 193. A. Emiliani, in Cat. Federico Barocci, Bologna 1975, pp. 181-84.	A. Emiliani: Catalogo della mostra di Federico Barocci, Bologna 1975. *Catalogo della Galleria Feroni, Firenze 1895, p. 5.*
Inventario	567.	GDSU 19104.	790 (C.P., p. 85, n. 208).	S. Marco e Cenacoli 64.
Foto	252576.	157011.	100447.	204550.
Note	Identificato col ritratto di Ippolito della Rovere, citato anche dal Bellori, (1672) che era a Firenze nel 1652, proveniente da Urbino, presso Vittoria della Rovere (Borea 1976). Descritto agli Uffizi nel 1796 senza indicazioni del personaggio, nel 1825 esso appare come ritratto di Guidubaldo Del Monte e nel 1962 pubblicato dall'Olsen, per il quale anche nel 1971 essa è a Roma, Galleria Corsini, mentre sin dal '62 il quadro è rientrato a Firenze (Borea 1976). Ippolito della Rovere era figlio del cardinal Giulio della Rovere, visse dal 1554 al 1620 ca. E.B.	Nel retro è scritto di mano tarda: Federigo Barrocci; vicino alla S. Michelina già in S. Francesco di Pesaro, ora alla Pinacoteca Vaticana. Il presente bozzetto compare nell'inventario generale del Gabinetto Disegni e Stampe del 1793 (Vol. I, n. 173), tuttavia nella Lista del Baldinucci (iniziata nel 1675) sono numerosi i disegni del Barocci (cfr. P. Barocchi, in F. Baldinucci, Notizie... Vol. VI, App., Firenze, 1975, p. 184); è esposto nel Corridoio Vasariano. Vasariano. L.B.B.	Pervenne a Firenze da Vienna dopo il 1790 (Engerth 1884) come originale. È invece una copia del più grande quadro databile 1595-97, già presso i Cappucini di Urbino, ora Galleria Nazionale delle Marche (Olsen, 1962). Potrebbe trattarsi di quella copia eseguita dal Morbidello citata in una nota di spese del duca d'Urbino (Poggi 1912). E.B.	Si tratta di una copia di piccole dimensioni dell'originale del Barocci nella Pinacoteca Vaticana, databile tra il 1582 e il 1584. La qualità del dipinto suggerisce che esso sia stato dipinto da uno dei pittori senesi influenzati dall'artista di Urbino. M.C.

	P129	P130	P131	P132
Autore	Barocci, Federico (Urbino 1535-1612), scuola di.	Barrera, Francisco (Madrid, doc. dal 1633 al 1642).	Bartolomeo di Giovanni (Firenze fine sec. XV, inizi XVI).	Bartolomeo di Giovanni (Firenze fine sec. XV, inizi XVI).
Titolo	Ritratto di gentiluomo.	Natura morta.	Miracolo di S. Benedetto.	Miracolo di S. Benedetto.
Datazione	Seconda metà sec. XVI.	1642.	1488 ca. (Bruscoli 1902), 1481-1485 ca. (Berenson).	1488 c. (Bruscoli 1902, 1485-1500 ca. (Berenson).
Dati tecnici	Olio su tavola, 69x53.	Olio su tela, 60x92.	Tempera su legno, 32x30.	Tempera su legno, 32x37,5.
Cornice	Sagomata, dorata, sec. XVII.	Sagomata, dorata, sec. XVII.	A listello sagomato e dorato, ottocentesca.	A listello sagomato e dorato, ottocentesca.
Ubicazioni	Coll. Feroni (ante 1850); Uffizi (1866); Cenacolo di Foligno (1894).	Uffizi (1956).	Arcispedale di Santa Maria Nuova; Uffizi (1900).	Arcispedale di Santa Maria Nuova; Uffizi (1900).
Attribuzioni	Maniera del Bronzino (Cat. Feroni 1895).	—	David Ghirlandaio (1896). Alunno di Domenico (Berenson 1903) cioè Bartol. di Giovanni. David Ghirlandaio (Francovich 1930-31). B. di Giovanni (la critica più recente).	David Ghirlandaio (1896). Alunno di Domenico (Berenson 1908) cioè Bartolomeo di Giovanni. David Ghirlandaio (Francovich 1930-31), B. di Giovanni (la critica più recente).
Esposizioni	—	Nuovi acquisti delle Gallerie fiorentine, Firenze 1960.	—	—
Bibliografia	Catalogo della mostra di Federico Barocci, Bologna 1975. *Catalogo della Galleria Feroni, Firenze 1895, p. 9.*	G. Kubler - M. Soria: Art and Architecture in Spain and Portugal..., Harmondsworth 1959. *Cat., Firenze 1960, n. 4.*	B. Berenson. Alunno di Domenico in The Burlington Magazine I, 1903, p. 6. G. Francovich, David Ghirlandaio, in Dedalo XI, 1930-31, p. 84. Dizionario Biografico degli Italiani, VI, Roma 1964, p. 725 sgg. *G. Francovich. Nuovi aspetti della personalità di B. di Giov. in Bollettino d'Arte VI 1926-27, p. 65.*	B. Berenson, Alunno di Domenico in The Burlington Magazine, I, 1903, p. 6. David Ghirlandaio, in Dedalo XI 1930-31, p. 84. Dizionario Biografico degli Italiani, Roma VI 1964, p. 725. *G. Francovich, Nuovi aspetti della personalità di B. di G. in Bollettino d'Arte VI 1926-27, p. 65.*
Inventario	S. Marco e Cenacoli 80.	9377.	3154 (C.P., p. 161, n. 1208).	1502 (C.P., p. 161, n. 1208).
Foto	204557.	102862.	146639.	146638.
Note	Il dipinto reca sul retro un cartellino con scrittura sei-settecentesca: 77. Ritratto... legno di mano del Bronzino. Nel catalogo della collezione di provenienza, che lo attribuisce a maniera del Bronzino sulla base di questa scritta, si dice che il quadro era attribuito al Barocci, attribuzione, anche se ristretta all'ambito della scuola; che risponde meglio ai caratteri stilistici dell'opera, indubbiamente legata allo stile del pittore urbinate. Per quanto riguarda il soggetto, si nota una vaga somiglianza con la fisionomia di Guidobaldo della Rovere, duca di Urbino. M.C.	Firmato e datato in basso a destra: Fran.co Barrera 1642. Questo dipinto, restato finora sconosciuto alla letteratura assai scarsa sull'artista, aggiunge una notizia in più sulla sua attività, per altro mal nota. Non se ne conosce la provenienza. M.C.	Scomparto di predella. La vicenda artistica del pittore si confonde con il problema complesso dei collaboratori di Domenico (Berenson). Vedi la predella della pala d'altare del Ghirlandaio (1488 ca.) agli Uffizi (nn. 8388, 8387). G.M.	Scomparto di predella. Vedi altro pezzo d'accompagno al n. 3154. G.M.

	P133	P134	P135	P136
AUTORE	Bartolomeo di Giovanni (Firenze fine sec. XV, inizi XVI).	Bartolomeo, Fra', B. di Paolo, detto Baccio della Porta (Savignano, Prato 1472 - Firenze 1517).	Bartolomeo, Fra', B. di Paolo, detto Baccio della Porta (Savignano, Prato 1472 - Firenze 1517).	Bartolomeo, Fra', B. di Paolo, detto Baccio della Porta, (Savignano, Prato 1472 - Firenze 1517).
TITOLO	Adorazione del Bambino.	Annunciazione.	Natività e Circoncisione. (Verso dell'opera P314).	Monaco.
DATAZIONE	II metà sec. XV.	1495 ca. (Crowe-Cavalcaselle 1864, Longhi 1926). 1500 ca. (Knapp, 1903, Gabelentz 1922).		1499 (Bertani 1979).
DATI TECNICI	Tempera su tavola; diam. 100.	Chiaroscuro su tavola, 19,5x9 (Angelo) e 18x9 (Madonna).		Bozzetto, olio a chiaroscuro su tela adesa su tavola, 35x34,5.
CORNICE	—	Intagliata e dorata a forma di edicola (sec. XIX).		Legno modanato e dorato nella filettura interna.
UBICAZIONI	Uffizi (1880); Museo Horne (1926).	Coll. Piero Del Pugliese (dall'origine); Palazzo Vecchio, scrittoio di Cosimo I (ante 1568); Uffizi (ante 1589).		Gabinetto Disegni e Stampe (1881); Uffizi (1914).
ATTRIBUZIONI	Alunno di Domenico identificato poi con B.D.G. (Berenson 1903).	—		M. Albertinelli (Baldini 1952). Fra' Bartolommeo (Sricchia 1953, Bertani 1979).
ESPOSIZIONI	—	—		Bozzetti delle Gallerie di Firenze. Firenze, 1952-53.
BIBLIOGRAFIA	B. Berenson, Alunno di Domenico in The Burlington Magazine, Marzo 1903, p. 18. B. Berenson, Italian pictures of the Renaissance Florentine School, London 1963, p. 25. C. Gamba, Il Museo Horne a Firenze, 1961, p. 18, n. 12. F. Rossi, Il Museo Horne a Firenze, Milano 1966, p. 142.	L. Marcucci, in Dizionario biografico degli Italiani, VI, Roma 1964. H. Gabelentz, Fra' Bartolomeo, Lipsia 1922, p. 135-37; G. Swarzenski, in Bulletin of the Museum of Fine Arts, Boston, 1942, pp. 64-77. H.W. Janson, The Sculpture of Donatello, II, Princeton 1957, pp. 86-88.		S.J. Freedberg, Painting of the High Renaissance, Cambridge (Mass) 1961. U. Baldini, in Cat., Firenze 1952-53, n. 1, p. 9. F. Sricchia, Mostra di Bozzetti, in Paragone 39, 1953, p. 60.
INVENTARIO	507 (C.P., n. 85, p. 70).	1477 (C.P., p. 158, n. 1161).		GDSU 19197.
FOTO	5362 (prima del restauro).	324964.		157061.
NOTE	Ricordato nei vecchi inventari come 'Scuola toscana del XV secolo', fu esposto nel 1890 in Galleria, quindi lo ritroviamo al Museo Horne nel 1926 come 'Scuola di Lorenzo di Credi' (Illustrated Catalogue of the Horne Museum, Florence 1926, p. 19). Il Berenson (1903) lo attribuì ad Alunno di Domenico che venne poi identificato con Bartolomeo Di Giovanni. Il dipinto fu gravemente danneggiato dall'alluvione nel 1966 ed è tuttora in restauro. R.P.P.	Vasari ricorda che l'opera fu commissionata a fra' Bartolomeo da Piero del Pugliese che intendeva incorniciare con esso un rilievo di Donatello raffigurante una Madonna con bambino (che il Kauffman identifica con la Madonna Shaw del museo di Boston, contraddetto però dal Janson, op. cit.). All'epoca del Vasari il dipinto era già nello scrittoio di Cosimo in palazzo Vecchio (Vasari, II, p. 35); più tardi passò in Galleria, ove figura fra gli oggetti esposti in Tribuna a partire dall'Inventario del 1589 (c. 1, n. 1). E.S.	Vedi: Bartolomeo Fra', B. di Paolo, detto Baccio della Porta. Scheda P134.	Si tratta dello studio preparatorio o di una copia per la figura di S. Bernardo, in basso a destra, per l'affresco col Giudizio Universale eseguito da fra' Bartolommeo e portato a termine da Mariotto Albertinelli per la cappella dell'Ospedale di Santa Maria Nuova a Firenze, affresco ora staccato e collocato nel Museo di San Marco, Inv. 1890 n. 3211. Il bozzetto è esposto nel Corridoio Vasariano. L.B.B.

	P137	P138	P139	P140
AUTORE	Bartolomeo, Fra', B. di Paolo, detto Baccio della Porta (Savignano, Prato 1472 - Firenze 1517) e Albertinelli, Mariotto (Firenze 1474-1515).	Bartolomeo, Fra', B. di Paolo, detto Baccio della Porta (Savignano, Prato 1472 - Firenze 1517).	Bartolomeo, Fra', B. di Paolo, detto Baccio della Porta (Savignano, Prato 1472 - Firenze 1517).	Bartolomeo, Fra', B. di Paolo, detto Baccio della Porta (Savignano, Prato 1472 - Firenze 1517).
TITOLO	Giudizio finale.	Visione di San Bernardo.	Sant'Anna Metterza con i Santi Protettori di Firenze (Pala del Consiglio).	Matrimonio mistico di Santa Caterina.
DATAZIONE	1499-1501.	1504-1507.	1510-1513.	1512-13.
DATI TECNICI	Affresco staccato, montato su rete e telaio metallici, 360x375.	Olio su tavola, 215x231.	Monocromo su tavola centinata, 444x306.	Olio su tavola, 351x267.
CORNICE	Modena, liscia in legno tinto scuro, centinaia.	Modanata un poco aggettante, dorata.	Sagomata e dorata con centina, riquadrata in alto, sec. XIX.	Barocca, sagomata e dorata con grandi decorazioni a foglie arricciate.
UBICAZIONI	Santa Maria Nuova (dall'origine); Uffizi (1871); Museo di San Marco (1924).	Badia Fiorentina (1507); Accademia (1810); Uffizi (1945); Accademia (1952); Uffizi (1971).	Convento di S. Marco (dall'origine); S Lorenzo (1517); Uffizi (1774); Museo di San Marco (1924).	San Marco (dall'origine); Pitti (1690); Uffizi (1919); Accademia (1951).
ATTRIBUZIONI	—	—	—	—
ESPOSIZIONI	—	—	—	—
BIBLIOGRAFIA	L. Marcucci, in Dizionario biografico degli Italiani, VI, Roma 1964. *Ch. Von Holst, in Mitteilungen des Kunsthistorischen Institutes in Florenz, 1974, 3, pp. 274-303. L. Borgo, The Works of Mariotto Albertinelli (tesi di laurea 1968), New York-Londra 1976, pp. 207-275.*	S. J. Freedberg, Painting of the Renaissance in Rome and Florence, Cambridge (Mass.) 1961. L. Marcucci, in Dizionario biografico degli Italiani, VI, Roma 1964. A. Venturi, Storia dell'Arte italiana, IX, 1, tav. 159, p. 242.	L. Marcucci, in Dizionario biografico degli Italiani, VI, Roma 1964. *L. Borgo, The Works of Mariotto Albertinelli (tesi di laurea 1968), New York-Londra 1976, pp. 394-402.*	L. Marcucci, in Dizionario biografico degli Italiani, VI, Roma 1964. *L. Borgo, The works of Mariotto Albertinelli (tesi di laurea 1968), New-York-Londra 1976, pp. 444-446.*
INVENTARIO	3211 (C.P., p. 176, n. 71).	8455.	1574 (C.P., p. 176, n. 1265).	8397; Inv. Palatina 208.
FOTO	310062.	105658.	53939.	310056.
NOTE	L'affresco fu commissionato a fra' Bartolomeo da Gerozzo Dini l'8 gennaio 1499 (stile comune) per la cappella Dini nel chiostro dell'Ossa a S. Maria Nova. Il pittore, ritiratosi nel convento di S. Domenico il 26 luglio 1500, lasciò incompiuto l'affresco che fu terminato dall'Albertinelli che ne ebbe il pagamento a saldo l'11 marzo 1501 (stile comune). Stando a Vasari la parte eseguita da fra' Bartolomeo è quella superiore, mentre il resto appartiene all'Albertinelli; Von Holst attribuisce a quest'ultimo tutto l'affresco a partire dai tre angeli superiori. L'opera fu restaurata una prima volta da Matteo Rosselli nel 1628. Nel 1871, su suggerimento del Cavalcaselle, l'affresco fu staccato da Guglielmo Botti. Il Gabinetto Disegni e Stampe possiede molti disegni preparatori per questa opera. E.S.	La tavola, allogata a fra Bartolommeo da Bernardo del Bianco il 18 novembre 1504, fu terminata e posta nella Badia fiorentina nel 1507. L.B.B.	Il dipinto pervenne in Galleria nel 1774 proveniente da S. Lorenzo e dopo un mese di sosta nella Guardaroba (AGF, filza VII, 1774, 3). La commissione venne affidata a fra' Bartolomeo dal Gonfaloniere di Giustizia della Repubblica il 26 novembre 1510; la tavola era destinata alla Cappella del Consiglio in palazzo Vecchio. In precedenza (1498) la commissione era stata affidata a Filippino, ma alla sua morte (1504) egli aveva eseguito soltanto il disegno preparatorio (Vasari, III, 474-75). Il 5 gennaio 1513 (stile comune) fra' Bartolomeo e l'Albertinelli risolsero la loro società e la tavola rimase incompiuta nello studio di fra' Bartolomeo a S. Marco, donde fu poi trasferita in S. Lorenzo e più tardi agli Uffizi. La critica è concorde nel riferire tutte le parti eseguite nella tavola alla mano di fra' Bartolomeo, senza interventi dell'Albertinelli. E.S.	Datata 1512 sul gradino del trono; subito più in basso l'iscrizione: Orate pro pictore. I santi raffigurati sono Bartolomeo, due giovani santi non identificati, Domenico fra due santi monaci, Caterina d'Alessandria, Giorgio, Lorenzo, Stefano, Paolo, Pietro. Il dipinto, come attesta Vasari (IV, 184-85), venne eseguito per la cappella di S. Caterina in San Marco in sostituzione di un'altro dall'analogo soggetto inviato in Francia nel 1512 (e oggi al Louvre). Nel 1690 il dipinto fu trasferito negli appartamenti di Pitti e sostituito in loco da una copia eseguita appositamente dal Gabbiani. Sebbene l'opera sia datata 1512 documenti d'archivio (pubblicati anche in L. Borgo, op. cit.) indicano che il dipinto fu terminato soltanto fra il gennaio e il marzo 1513. E.S.

	P141	P142	P143	P144
AUTORE	Bartolomeo, Fra', B. di Paolo, detto Baccio della Porta (Savignano, Prato 1472 - Firenze 1517).	Bartolomeo, Fra', B. di Paolo, detto Baccio della Porta (Savignano, Prato 1472 - Firenze 1517).	Bartolomeo, Fra', B. di Paolo, detto Baccio della Porta (Savignano, Prato 1472 - Firenze 1517).	Bartolomeo, Fra', B. di Paolo, detto Baccio della Porta (Savignano, Prato 1472 - Firenze 1517).
TITOLO	Cristo giudice fra angeli trombettieri.	Il profeta Giobbe.	Il profeta Isaia.	Madonna col bambino.
DATAZIONE	1512-14 ca.	1516.	1516.	1521-23 (Barocchi 1952), 1507-08 (Bertani 1979).
DATI TECNICI	Olio su tavola, diam. 22.	Olio su tavola, 169x108.	Olio su tavola, 169x108.	Bozzetto, olio su tavola, 24,2x17,3.
CORNICE	Intagliata e dorata (sec. XVIII).	Sagomata e dorata, con decorazioni a baccellature.	Sagomata e dorata, con decorazioni a baccellature.	Legno modanato aggettante e dorato.
UBICAZIONI	Chiesa di S. Marco (dall'origine); Uffizi (ante 1769); Casa Vasari, Arezzo (1951).	SS. Annunziata (dall'origine); Cappella del Casino mediceo (1618); Uffizi (1663); Accademia (1954).	SS. Annunziata (dall'origine); Cappella del Casino mediceo (1618); Uffizi (1663); Accademia (1954).	Guardaroba (1702-1710); Poggio a Caiano (1773); Uffizi (1773); Pitti (1953); Uffizi (1971).
ATTRIBUZIONI	—	—	—	Fra' Bartolomeo (Inv. Antichi, Bertani 1979). Bachiacca (Becherucci 1952, Barocchi 1952, Berti 1952).
ESPOSIZIONI	—	—	—	Bozzetti delle Gallerie di Firenze, Firenze, 1952-53.
BIBLIOGRAFIA	L. Marcucci, in Dizionario biografico degli Italiani, VI, Roma 1964. F. Knapp, Fra' Bartolommeo, Halle 1903, p. 252. L. Berti, La Casa Vasari in Arezzo e il suo museo, Firenze 1955, p. 17.	L. Marcucci, in Dizionario biografico degli Italiani, VI, Roma 1964. H. Gabelentz, Fra Bartolommeo, Lipsia 1922, pp. 177-179. Paatz, Kirchen etc., I, 1940, pp. 125, 187. S. J. Freedberg, Painting of the High Renaissance etc., Cambridge 1961, pp. 438-439.	L. Marcucci, in Dizionario biografico degli Italiani, VI, Roma 1964. H. Gabelentz, Fra Bartolommeo, Lipsia 1922, pp. 177-179. Paatz, Kirchen etc., I, 1940, pp. 125, 187. S. J. Freedberg, Painting of The High Renaissance etc., Cambridge 1961, pp. 438-439.	S. J. Freedberg, Painting of the Hight Renaissance, Cambridge (Mass.), 1961. L. Berti, in Cat., Firenze, 1952-53, n. 11, p. 12.
INVENTARIO	1503 (C.P., p. 160, n. 1152).	1449 (C.P., p. 154, n. 130).	1448 (C.P., p. 154, n. 1126).	1497 (C.P., p. 160, n. 1235).
FOTO	67070.	5448.	5448.	68245.
NOTE	Sul retro scritta settecentesca: Mano del Frate compimento della Nicchia Antica del famoso quadro del S. Vincenzio Ferrerio dei Padri di S. Marco. Il dipinto figura negli inventari di Galleria a partire almeno da quello del 1769 (n. 2891). Si tratta di una parte della pala di San Vincenzo Ferreri, raffigurante il santo che predica sul giudizio finale (cfr. Inv. 1890 n. 8644), databile al 1512-14 per giudizio concorde della critica. L'opera si trovava in San Marco e venne trasportata in Galleria in una data precedente a quella dell'inventario del 1769. Finito poi nei magazzini, il dipinto è attualmente esposto nel museo di Casa Vasari a Arezzo. E.S.	Nel cartiglio si legge la scritta: Ipse erit Salvator meus; sulla base: Job. Per la storia del dipinto cfr. scheda relativa al suo pendant, Inv. 1890 n. 1448. La critica ha sempre sottolineato come questa tavola - e gli altri dipinti dello stesso complesso - sia esemplare delle suggestioni subìte da fra' Bartolomeo dalle opere di Raffaello e Michelangelo durante il suo soggiorno romano del 1514. Il dipinto è attualmente esposto nella Galleria dell'Accademia. E.S.	Nel cartiglio la scritta: Ecce Deus Salvator meus; sulla base: Esaias. Il dipinto, assieme al suo pendant raffigurante il Profeta Giobbe (Inv. 1890, n. 1449, cfr. scheda) costituiva la parte laterale della pala con il Salvatore (ora nella Gall. Palatina) datata 1516, e venne eseguita per la cappella Billi nella SS. Annunziata (Vasari, IV, 190). Il card. Carlo de' Medici acquistò per 100 ducati tutti gli elementi della pala, sostituendola con una copia commissionata all'Empoli; i dipinti vennero collocati nella cappella del Casino mediceo (Baldinucci, III, p. 10). Alla morte del cardinale (1663) i due Profeti passarono in Galleria, mentre la parte centrale fu trasferita a Pitti. E.S.	Sul retro a penna con grafia antica: Fra Bartolommeo della/Porta Frate di S. Marco. Il bozzetto è una libera copia della Madonna Esterhazy di Raffaello (c. 1507) che si trova a Budapest. Compare nell'inventario della Guardaroba nel primo decennio del XVIII secolo (cfr. ASF, 1702-10, Guard. 1185, vol. II, cc. 540-541, n. 481), Passò poi alla Villa del Poggio a Caiano da dove pervenne alla Galleria nel 1773 il 29 dicembre (cfr. AGF, filza VI, ins. 96, n. 481); nel 1953 pervenne alla Palatina, infine agli Uffizi nel 1971. È esposto nel Corridoio Vasariano. L.B.B.

	P145	P146	P147	P148
Autore	Bassano, Francesco il giovane, Da Ponte F., detto (Bassano, 1549 ca. - Venezia 1592).	Bassano, Francesco il giovane, Da Ponte F., detto (Bassano, 1549 ca. - Venezia 1592).	Bassano, Francesco il giovane, Da Ponte F., detto (Bassano 1549 ca. - 1592), attr. a.	Bassano, Francesco il giovane, Da Ponte F., detto (Bassano 1549 ca. - 1592) attr. a.
Titolo	I figli di Noè fabbricano capanne.	Il Ratto d'Europa.	Cristo in casa di Marta.	La cena in Emmaus.
Datazione	Sec. XVI.	Sec. XVI.	1580 ca.?	1580 ca.?
Dati tecnici	Olio su carta su tela, 53,5x42.	Olio su tela, 102x122.	Olio su tela, 82x112.	Olio su tela, 82x112.
Cornice	—	—	Barocca, legno intagliato e dorato, a decoro di foglie di alloro e volute.	Barocca, legno intagliato e dorato, a decoro di foglie di alloro e volute.
Ubicazioni	Uffizi (1880); Pitti (1951).	Gran Principe Ferdinando de' Medici; Depositi; Uffizi (1971).	Guardaroba; Uffizi (1798); Arcivescovado (1928).	Guardaroba; Uffizi (1798); Arcivescovado (1928).
Attribuzioni	F. Bassano (Inv. Antichi). F. Bassano, bottega di (L. Becherucci, 1952).	Bottega di Leandro (Arslan, 1960). F. Bassano (Chiarini, 1975).	Derivazione da Jacopo (von Hadeln 1914). Bottega di Francesco (Arslan 1960).	Derivazione da Jacopo (von Hadeln 1914). Bottega di Francesco (Arslan).
Esposizioni	Bozzetti nelle Gallerie di Firenze, Firenze 1952.	—	—	—
Bibliografia	W. Arslan, I Bassano, Bologna 1931 p. 344. L. Becherucci, in Cat., Firenze 1952, n. 15.	E. Arslan, I Bassano, Milano 1960, p. 341. M. Chiarini, in Paragone, 1975. n. 301, p. 75. AGF: A. Picciolini, schema ministeriale, 1975.	E. Arslan, I Bassano, Milano 1960 voll. 2.	E. Arslan, I Bassano, Milano 1960, voll. 2.
Inventario	GDSU 19105.	6219.	542 (C.P., p. 78, n. 97).	541 C.P., p. 78, n. 96).
Foto	157167.	107862.	146496.	—
Note	A tergo è scritto in corsivo del Settecento il Nome di Francesco Bassano. L'Arslan (1931) dice il bozzetto 'prossimo a Francesco'. I caratteri di forma e composizione infatti, rimandano a questo artista, anche se L. Becherucci (1952) pensa più alla sua bottega. 'È questa la versione più completa del soggetto più volte replicato nella cerchia bassanesca'. (Cat. 1952). Gr. Red. 3	Il quadro è descritto nell'Inventario del Principe Ferdinando, pubblicato dal Chiarini (1975), come opera 'di mano di Francesco da Bassano'. Secondo l'Inv. di Pitti e Galleria, redatto al tempo di Cosimo III (1716-1723), era esposto negli appartamenti del Gran Principe Ferdinando. Gr. Red. 3	Forma 'pendant' con il n. 541 raffigurante 'La Cena in Emmaus'. Per von Hadeln deriva, direttamente o indirettamente, da un soggetto iconografico particolarmente apprezzato da Jacopo e descritto dal Ridolfi (cfr. C. Ridolfi: Le maraviglie dell'arte, ed. von Hadeln Berlin 1914-24, voll. 2). Arslan lo associa al n. 541 e lo considera della bottega di Francesco, replica del prototipo firmato della Galleria di Kassel (inv. n. 514). A.P.	Il dipinto forma 'pendant' con il n. 542, raffigurante 'Cristo in casa di Marta'. Per von Hadeln è derivazione antica o copia di scuola da un soggetto iconografico particolarmente apprezzato da Jacopo e descritto dal Ridolfi (cfr. C. Ridolfi: Le maraviglie dell'arte, ed. von Hadeln Berlin 1914-24, voll. 2). Per Arslan è attribuibile alla bottega di Francesco, come il n. 542 considerato della stessa mano. Incisore di E. Rossi pubblicata su G. Rosini (Storia della pittura italiana vol. V, Pisa 1845). A.P.

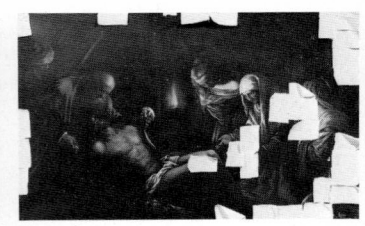

	P149	P150	P151	P152
AUTORE	Bassano, Francesco il giovane, Da Ponte F., detto (Bassano 1549 ca. - 1592).	Bassano, Francesco il giovane, Da Ponte F., detto (Bassano 1549 ca. - 1592) attr. a.	Bassano, Francesco il giovane, Da Ponte F., detto (Bassano 1549 ca.-1592), scuola di.	Bassano Gerolamo, Da Ponte G., detto (Bassano 1566-Venezia 1621), attr. a.
TITOLO	La cacciata dei mercanti dal Tempio.	Fine sec. XVI.	La deposizione di Cristo.	Un avaro.
DATAZIONE	Sec. XVI (seconda metà).	Arca di Noè.	Sec. XVI-XVII.	Fine sec. XVI.
DATI TECNICI	Bistro e terra verde su carta incollata su tela, 45,4x65,5.	Olio su tela, 97x126, restauro 1972-73.	Olio su tela, 143x227.	Olio su tela, 46x38.
CORNICE	Ottocentesca? legno di noce e listello dorato.	—	Settecentesca, legno intagliato e dorato.	Barocca, legno intagliato e dorato, decoro di baccellature e volute.
UBICAZIONI	Cit. inv. GDSU.	Uffizi (cit. inv. 1890).	Guardaroba; Uffizi (1798).	Eredità card. Leopoldo de' Medici (1675); Pitti (cit. inv. Pitti e Gallerie, 1716-23); Poggio Imperiale; Uffizi (1796).
ATTRIBUZIONI	Jacopo Bassano (agli Uffizi come tale). Gerolamo Bassano (Arslan 1931 e 1960).	Bottega di Jacopo (Arslan 1931).	Jacopo Bassano (cat. Pieraccini). Francesco Bassano (agli Uffizi come tale, inv. 1825 e 1890).	Jacopo Bassano (inv. Pitti e Gallerie 1716-23, inv. Uffizi 1825, 1890).
ESPOSIZIONI	Bozzetti delle Gallerie di Firenze, Firenze 1952.	—	—	—
BIBLIOGRAFIA	*L. Becherucci, in Cat., Firenze 1952, n. 14. F. Sricchia, Mostra dei Bozzetti, recensione in Paragone 1953, n. 39.*	*E. Arslan, I Bassano, Milano 1960, 2 voll.*	C. Ridolfi, Le maraviglie dell'arte ed. von Hadeln, Berlin 1914-24, voll. 2. *E. Arslan, I Bassano, Milano 1960, voll. 2.*	*E. Arslan, I Bassano, Milano 1960 voll. 2.*
INVENTARIO	G.D.S.U. 19107.	6203 (C.P., p. 79, n. 634).	956 (C.P., p. 206, n. 637).	1380 (C.P., p. 149, n. 1049).
FOTO	68226.	207949.	325092.	107863.
NOTE	Reca a tergo una scritta settecentesca con il nome di Jacopo Bassano. È elencato da Arslan fra le opere di Girolamo Bassano (cfr. bibl. cit.). Si conoscono varie redazioni del tema. Sono state messe in relazione con il presente bozzetto, quella della National Gallery di Londra (n. 228) e quella del Museo Provincial de Cádiz (nr. 4). È probabile (anche se al livello attuale delle ricerche archivistiche non ancora dimostrato) che il bozzetto facesse parte delle raccolte del card. Leopoldo. A.P.	Arslan che nella edizione del 1931 attribuiva il dipinto alla bottega di Jacopo, nella edizione più recente (cfr. bibl. cit.) definisce il dipinto 'forse buona cosa di Francesco'. A.P.	Trattasi di una derivazione di scuola dal protopito del Museo del Louvre (nr. 1427) solitamente avvicinato ai modi di Francesco Bassano. Altra variante simile si conserva nella Alten Pinakothek di Monaco (nr. 916). A.P.	È possibile che il dipinto sia frammento di una composizione più vasta, forse una Cacciata dei mercanti dal tempio. Arslan che propone dubitativamene il nome di Gerolamo, nota che la stessa figura compare nella Cacciata dei mercanti' della National Gallery di Londra (nr. 228) opera certa di Gerolamo e nella notevole variante, molto prossima ai modi di Jacopo, del Prado. Si può proporre il nome di Gerolamo in una fase ancora direttamente suggestionata dal padre. A.P.

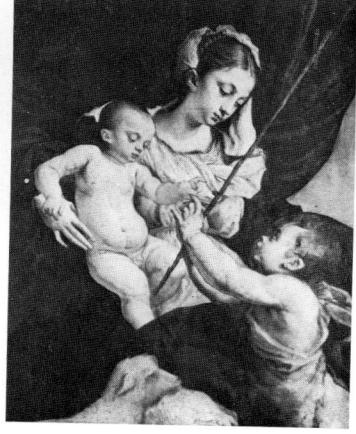

	P153	P154	P155	P156
AUTORE	Bassano, Jacopo, Da Ponte J., detto (Bassano 1517 ca. - 1592).	Bassano, Jacopo, Da Ponte J., detto (Bassano 1515 ca. - 1592).	Bassano, Jacopo, Da Ponte J., detto (Bassano 1515 ca. - 1592) e Francesco il giovane, Da Ponte F., detto (Bassano 1549 ca. - 1592).	Bassano, Jacopo, Da Ponte J., detto (Bassano 1515 ca. - 1592), attr. a.
TITOLO	Due cani.	Madonna col Bambino e S. Giovannino.	Costruzione dell'arca.	Mosé e il roveto ardente.
DATAZIONE	1555 ca. (Ballarin 1964), 1560 ca., (Cat., Firenze 1978).	1570 ca. (Zampetti 1957).	1570-80 (Arslan 1960).	1572 ca. (Bettini 1933).
DATI TECNICI	Olio su tela, 85x126, restauri 1725, inizio sec. XX 1977.	Olio su tela, 79x60.	Olio su tela, 91x124.	Olio su tela 95x167.
CORNICE	Intagliata con cartigli e motivi fitomorfi e dorata, sec. XVIII.	Ottocentesca? in legno intagliato e dorato.	—	Barocca, in legno intagliato e dorato, a decoro di fogliame e volute.
UBICAZIONI	Card. Giovan Carlo de' Medici, Castello (1663); Card. Leopoldo de' Medici (1666); Uffizi, Tribuna (1677); Castello? (post 1769); Uffizi (1798).	Coll. Contini-Bonacossi; Uffizi (1974); Dep. Meridiana di Pitti.	Uffizi (cit. inv. 1881 e 1890); Prefettura Pistoia (1932).	Eredità card. Leopoldo de' Medici (1675); Pitti (cit. inv. 1716-23); Uffizi (1774).
ATTRIBUZIONI	Tiziano (Inv. 1675, Murray 1861). Carracci (Inv. Uffizi 1704). Iacopo Bassano (Giornaletto Uffizi 1798, Berenson 1894, Ballarin 1964). Leandro Bassano (Arslan 1931).	—	Jacopo Bassano (inv. 1890 e Cat. Pieraccini). Francesco Bassano (Arslan 1960).	Incerto bassanesco (Arslan 1960). Jacopo e Francesco Bassano (Bettini 1933).
ESPOSIZIONI	—	Jacopo Bassano, Venezia 1957.	—	—
BIBLIOGRAFIA	W. Arslan: I Bassano, Bologna 1931. A. Ballarin: L'orto del Bassano, in Arte Veneta XVIII, 1964. *Cat. Tiziano nelle Gallerie fiorentine, Firenze 1978, n. 46.*	E. Arslan: I Bassano, Milano 1960, 2 voll. P. Zampetti: Jacopo Bassano, Roma 1958. In *Cat., Venezia 1957 n. 52 (a cura di P. Zampetti).*	*E. Arslan, I Bassano, Milano 1960, voll. 2.*	*E. Arslan: I Bassano, Milano 1960, voll. 2.*
INVENTARIO	965 (C.P., p. 203, n. 610).	Contini-Bonacossi 18.	959 (C.P., p. 198, n. 640).	913 (C.P., p. 207, n. 593).
FOTO	305948.	160745.	327071.	79921.
NOTE	Probabilmente acquistato dal Cardinale Giovan Carlo de' Medici, alla sua morte passò nella collezione del fratello, il Principe Leopoldo, con l'attribuzione a Tiziano e come tale venne trasferito nella Tribuna degli Uffizi nel 1677. Vicino al Convinto del ricco Epulone di Cleveland, è databile tra la fine del sesto e gli inizi del settimo decennio del secolo XVI°. Recentemente restaurato e liberato dalle ridipinture subite in un intervento che risaliva forse ai primi del Novecento. Gr. Red. 2	Con esposizione temporanea nei locali della Meridiana di Palazzo Pitti, il dipinto è stato acquisito ufficialmente al patrimonio dello Stato nel 1974, a seguito della convenzione intervenuta nel 1969 con gli eredi Contini Bonacossi. L'opera è firmata: 'IAC.ˢ A./POTE/ BASSANEˢ./PINXIT. Se ne conosce una variante autografa, simile anche nelle dimensioni, nella coll. Werner, Newlands, Kent (pubblicata al n. 52 del Cat., Venezia 1957). A.P.	La collaborazione fra i due Bassano è certificata da una estesa firma in latino: Jac. Bassanus et Franc.s filius facebāt. Arslan considera il dipinto fra le migliori varianti di un tema amatissimo dalla tradizione bassanesca e lo elenca fra le opere certe di Francesco il Giovane. A.P.	Von Hadeln riconosce nella tela degli Uffizi il soggetto iconografico citato dal Ridolfi: '(Mosè)... divenuto custode di pecore favellava con Dio' (cfr. C. Ridolfi: Le maraviglie dell'arte, ed. von Hadeln, Berlin 1914-24, voll. 2). L'autografia di Jacopo è messa in dubbio da Arslan che colloca il dipinto nell'elenco delle opere di incerta attribuzione. Per Bettini si tratta di un lavoro di collaborazione fra Jacopo e il figlio Francesco, al tempo delle pale della parrocchiale di Civezzano (cfr. S Bettini: L'Arte di Jacopo Bassano, Bologna 1933). Inciso da T. Verkruys. A.P.

	P157	P158	P159	P160
AUTORE	Bassano, Jacopo, Da Ponte J., detto (Bassano 1515 ca. - 1592), scuola di.	Bassano, Jacopo, Da Ponte J., detto (Bassano 1515 ca. - 1592), scuola di.	Bassano, Leandro, Da Ponte L., detto (Bassano 1557 - Venezia 1622).	Bassano, Leandro, Da Ponte L., detto (Bassano 1557 - Venezia 1622), scuola di.
TITOLO	Guida e Tamar.	L'Annuncio ai Pastori.	Il concerto.	Allegoria degli Elementi: l'Aria.
DATAZIONE	Seconda metà sec. XVI.	Seconda metà sec. XVI.	1590 ca. (Arslan 1960).	Fine sec. XVI.
DATI TECNICI	Olio su tela, 40x95, restauro 1975.	Olio su tela, 40x96, restauro 1975.	Olio su tela, 114x178.	Olio su tela, 49x70.
CORNICE	Barocca, in legno intagliato e dorato a motivi di fogliame e volute.	Barocca, in legno intagliato e dorato a motivi di fogliame e volute.	Barocca, in legno dorato e intagliato a mascheroni e motivi vegetali.	Sagomata, dorata, sec. XVII.
UBICAZIONI	Eredità card. Leopoldo de' Medici (1675); Uffizi (1798).	Eredità card. Leopoldo de' Medici (1675); Uffizi (1798).	Uffizi (1704).	Coll. Feroni (ante 1850); Uffizi (1866); Cenacolo di Foligno (1894).
ATTRIBUZIONI	Jacopo Bassano (agli Uffizi come tale. cat. 1825 e segg., Berenson 1957).	Jacopo Bassano (agli Uffizi come tale, cat. Uffizi 1825 e segg., Berenson 1957).	Jacopo (inv. Gall. 1704, Zottmann 1908, cat. Pieraccini).	—
ESPOSIZIONI	—	—	—	—
BIBLIOGRAFIA	E. Arslan, I Bassano, Milano 1960, voll. 2.	E. Arslan, I Bassano, Milano 1960, voll. 2.	E. Arslan, I Bassano, Milano 1960.	E. Arslan: I Bassano, Milano 1960. Catalogo della Galleria Feroni, Firenze 1895, p. 12.
INVENTARIO	927 (C.P., p. 196, n. 606).	920 (C.P., p. 197, n. 600).	915 (C.P., p. 208, n. 595).	S. Marco e Cenacoli 130.
FOTO	251751.	251750.	248017 e particolari.	204573.
NOTE	Tradizionalmente attribuito ad Jacopo Bassano (cfr. Berenson: Venetian school, London 1957) il dipinto è assegnato a 'incerto bassanesco' da Arslan, il quale modifica il titolo iconografico con cui è noto (Incontro di Giacobbe e Rachele) in quello, qui accettato, di Giuda e Tamar. Forma pendant con il n. 920 degli Uffizi raffigurante L'Annuncio ai Pastori. Ha subito un accurato restauro nel 1975: pulitura e restauro pittorico. A.P.	Tradizionalmente attribuito ad Jacopo Bassano (cfr. Berenson: Venetian School, London, 1957) il dipinto è assegnato ad 'incerto bassanesco' da Arslan che lo associa al n. 927 degli Uffizi raffigurante Giuda e Tamar, ritenuto della stessa mano. Analoga versione, di generica bottega bassanesca, è elencata da Arslan all'Accademia di Venezia (n. 409). Ha subito un accurato restauro nel 1975. A.P.	La tradizionale attribuzione a Jacopo veniva già spostata in favore di Leandro dal Rosini che identificava nel soggetto un ritratto di famiglia in cui sono presentati, accanto al capostipite Francesco da Ponte, Jacopo insieme ai figli Francesco e Leandro, alle loro mogli e nipotini (cfr. G. Rosini: Storia della pittura italiana, Pisa 1845, vol. V). L'ipotesi è insostenibile per ragioni cronologiche (cfr. G. Gerola: Il primo pittor bassanese, su Boll. del Museo Civico di Bassano, A. IV. 1907) ed è preferibile il titolo che qui si presenta peraltro tradizionale. Una copia è nel museo di Bassano (n. 29). A.P.	Fa parte, con i nn. 138 e 134, di una serie di allegorie degli Elementi: Questo è l'Aria, come fa fede la rappresentazione, in alto, di Giunone sul carro, e della scena di caccia agli uccelli in basso. Opera di bottega, come i due quadri compagni. M.C.

	P161	P162	P163	P164
AUTORE	Bassano, Leandro, Da Ponte L., detto (Bassano 1557 - Venezia 1622), scuola di.	Bassano, Leandro, Da Ponte L., detto (Bassano 1557 - Venezia 1622), scuola di.	Bassano, Jacopo, Da Ponte J., detto (Bassano 1515 ca. - 1592), copia da.	Bassi, Giovan Battista (Massalombarda, Ravenna 1784 - Roma 1852).
TITOLO	Allegoria degli Elementi : il Fuoco.	Allegoria degli Elementi: la Terra.	Annuncio ai pastori.	Avanzi del Palatino.
DATAZIONE	Fine sec. XVI.	Fine sec. XVI.	Sec. XVII?	1830.
DATI TECNICI	Olio su tela, 50x70.	Olio su tela, 50x70.	Olio su tela, 133x105.	Olio su tela, 50,2x62,5.
CORNICE	Sagomata, dorata, sec. XVII.	Sagomata, dorata, sec. XVII.	Baroccor, legno intagliato e dorato, a decoro di volute.	D'epoca, intagliata e dorata con passepartout in legno dorato.
UBICAZIONI	Coll. Feroni (ante 1850); Uffizi (1866); Cenacolo di Foligno (1894).	Coll. Feroni (ante 1850); Uffizi (1866); Cenacolo di Foligno (1894).	Uffizi (cit. inv. 1704 n. 1108).	Coll. Feroni (ante 1850); Uffizi (1866); Cenacolo di Foligno (1894).
ATTRIBUZIONI	—	—	Jacopo Bassano (agli Uffizi come tale, cat. Pieraccini); Depositi, Pitti (1978).	—
ESPOSIZIONI	—	—	—	—
BIBLIOGRAFIA	E. Arslan: I Bassano, Milano 1960. *Catalogo della Galleria Feroni,* Firenze 1895, p. 12.	E. Arslan: I Bassano, Milano 1960. *Catalogo della Galleria Feroni, Firenze 1895, p. 12.*	*E. Arslan, I Bassano Milano 1960, 2 voll.*	L. e F. Luciani, Dizionario dei pittori Italiani dell'800, Firenze 1974. *Catalogo della Galleria Feroni, Firenze 1895, p. 14, n. 153.*
INVENTARIO	S. Marco e Cenacoli 134.	S. Marco e Cenacoli 128.	4350 (C.P., p. 76 n. 3395).	S. Marco e Cenacoli 146.
FOTO	204577.	204571.	192995.	168676.
NOTE	Con i nn. 128 e 130, fa parte di una serie di allegorie degli Elementi: non si tratta, infatti, della Fucina di Vulcano, come vorrebbe il titolo del catalogo della collezione di provenienza, ma della rappresentazione del Fuoco. La scarsa qualità del dipinto impedisce di attribuirlo, come vorrebbe il catalogo Feroni, allo stesso Leandro. M.C.	Il soggetto, riferito a una delle Stagioni nel catalogo della collezioni di provenienza, va invece interpretato come rappresentazione di uno degli Elementi, e cioè la Terra. Alla stessa serie appartengono anche i nn. 130 e 134 (Aria e Fuoco). Si tratta di una delle tante serie prodotte dalla bottega di Leandro Bassano: un esemplare identico a questo, ma di migliore qualità, è nella Walters Art Gallery di Baltimora (cfr. il Catalogo, a c. di F. Zeri, vol. II, n. 281). M.C.	Per lo Hadeln (cfr. C. Ridolfi, le Meraviglie dell'Arte ed. von Hadeln Berlin 1914-24 2 voll.) trattasi di una cattiva copia, non veneziana. Arslan (cfr. bibl. cit.) indica il dipinto come 'non rintracciato'. A.P.	Firmato e datato in basso a destra: GBBassi / f. Roma / 1830. Tipico esempio del vedutismo di ambientazione romana di questo paesista, oggi ricordato soprattutto in virtù della testimonianza di Massimo d'Azeglio che lo dice, assieme all'olandese Verstappen, pittore all'aria aperta nella campagna romana. Attualmente l'opera è collocata nelle riserve (Palazzo Pitti) assieme a tutta la collezione Feroni da cui proviene. S.P.

	P165	P166	P167	P168
AUTORE	Batoni, Pompeo Girolamo (Lucca 1708 - Roma 1787).	Batoni, Pompeo Girolamo (Lucca 1708 - Roma 1787).	Batoni, Pompeo Girolamo (Lucca 1708 - Roma 1787).	Batoni, Pompeo Girolamo (Lucca 1708 - Roma 1787).
TITOLO	Ercole al bivio.	Ercole bambino in atto di strozzare i serpenti.	Achille alla corte di Licomede.	Achille dal centauro Chirone.
DATAZIONE	1742.	1743.	1746.	1746.
DATI TECNICI	Olio su tela, 93,5x73, restauri 1967 e 1972.	Olio su tela, 94x72,5, restauri 1888, 1967, 1972.	Olio su tela, 158,5x126,5.	Olio su tela, 158,5x126,5.
CORNICE	D'epoca, dorata.	D'epoca, dorata.	D'epoca, dorata.	D'epoca, dorata.
UBICAZIONI	Coll. Gerini (1742); Pitti (1818); Palazzo della Crocetta (1854); Accademia (1867); Uffizi (1919 ca.); Galleria d'Arte Moderna, Pitti (1972).	Coll. Gerini (1743); Pitti (1818); Palazzo della Crocetta (1854); Accademia (1867); Uffizi (1919 ca.); Galleria d'Arte Moderna, Pitti (1972).	Coll. Buonvisi (1746); Uffizi (1838).	Coll. Buonvisi (1746); Uffizi (1838).
ATTRIBUZIONI	—	—	—	—
ESPOSIZIONI	Pompeo Batoni, Lucca 1967. Cultura neoclassica e romantica nella Toscana granducale, Firenze 1972. Pittura neoclassica e romantica in Liguria, Genova 1975.	Dipinti italiani del Sei e Settecento, Firenze 1959. Pompeo Batoni, Lucca 1967. Cultura neoclassica e romantica nella Toscana granducale, Firenze 1972.	Il settecento a Roma, Roma 1959. Pompeo Batoni, Lucca 1967.	Il settecento a Roma, Roma 1959. Pompeo Batoni, Lucca 1967.
BIBLIOGRAFIA	*Cat., Lucca 1967, p. 62, 115-116. Cat., Firenze 1972, p. 34, 177-178.*	*Cat., Lucca 1967, p. 117. Cat., Firenze 1972, p. 35, n. 177-178.*	*A. Gonzáles-Palacios, in: Cat. Lucca 1967, n. 20. Partic. ripr. a colori in copertina.*	*A. Gonzáles-Palacios, in Cat. Lucca 1967, n. 21.*
INVENTARIO	8547.	8548.	544 (C.P., p. 75, n. 98).	549.
FOTO	193824, 184883 (prima del secondo restauro).	193823, 184379 (prima del restauro del 1972).	324968.	324967.
NOTE	Siglato e datato sotto il piede destro di Ercole: P. B. 1742. Commissionato dal marchese Gerini nel 1740 assieme al pendant terminato un anno più tardi e riprodotto nella Raccolta di 80 stampe rappresentanti i quadri più scelti dei Signori Marchesi Gerini di Firenze, 1787. Venduto col pendant a Ferdinando III nel 1818 (AGF, filza XLII, 24), il quadro ha seguito le collezioni moderne in tutti gli spostamenti ottocenteschi ed è stato riunito ad esse nella Galleria d'arte moderna di Palazzo Pitti nel 1972. S.P.	Siglato e datato sulla culla: P. B. 1743. Commissionato, come il pendant, nel 1740 dal marchese Gerini e con esso venduto alle collezioni granduacli nel 1818. Del restauro del 1888 dà notizia l'AGF, 1888, filza D,A,4ª,5. Assieme ai pendant ha seguito tutto gli spostamenti delle collezioni moderne operati nel secolo scorso ed è stato riunito ad esse nella Galleria d'arte moderna di Palazzo Pitti nel 1972. S.P.	Siglato e datato sulla cassa sotto lo specchio: P.B. P.A. 1746. Acquistato assieme al pendant per centocinquanta zecchini nel 1838 da un discendente del committente lucchese (AGF, filza LXII del 1838, 34). Staria e letteratura dei due quadri sono riportati dal Gonzáles-Palacios, cit. Entrambi sono attualmente esposti nel Corridoio Vasariano. S.P.	Siglato e datato in basso a destra: P.B.F. 1746. Per la storia del dipinto si veda quella del pendant, assieme al quale è esposto attualmente nel Corridoio Vasariano: inv. 1890, n. 544. S.P.

	P169	P170	P171	P172
Autore	Baudewijns, Adriaen-Frans (Bruxelles 1644-1711).	Baudewijns, Adriaen-Frans (Bruxelles 1644-1711).	Baudewijns, Adriaen-Frans (Bruxelles 1644-1711) e Bout, Pieter (Bruxelles 1658-1702).	Bazzani, Giuseppe (Mantova 1690-1769).
Titolo	Paesaggio con fortezza, pastori e animali.	Paesaggio con fortezza e figure.	Paesaggio fluviale con chiesa.	Cristo nell'orto degli ulivi.
Datazione	1680 ca. (Bodart 1977).	1680 ca. (Bodart 1977).	1680-1700 ca.	1730 ca. (Tellini Perina 1970).
Dati tecnici	Olio su tavola, 23x33.	Olio su tavola, 23,5x33.	Olio su tela, 36,5x52,5, restauro 1976.	Olio su tela ovale, 42x36.
Cornice	Sagomata, dorata, sec. XVII-XVIII.	Sagomata, dorata, sec. XVII-XVIII.	Ebano, sec. XIX XX.	Intagliata dorata, sec. XVIII.
Ubicazioni	Pitti (sec. XVIII); Uffizi (1796).	Pitti (sec. XVIII); Uffizi (1800).	Poggio Imperiale (sec. XVIII); Uffizi (1796); Pitti (1928).	Chiesa Parrocchiale, Borgoforte, Mantova, (1730 ca.); Uffizi (1952).
Attribuzioni	—	—	—	—
Esposizioni	—	—	—	—
Bibliografia	H. Gerson - E. H. Ter Kuile: Art and Architecture in Belgium, 1600-1800, Harmondsworth 1960. *D. Bodart: in Cat. Rubens e la pittura fiamminga del Seicento nelle collezioni pubbliche fiorentine, Firenze 1977, p. 311, n. IV.*	H. Gerson - E. H. Ter Kuile: Art and Architecture in Belgium, 1600-1800, Harmondsworth 1960. *D. Bodart: in Cat. Rubens e la pittura fiamminga del Seicento nelle collezioni pubbliche fiorentine, Firenze 1977, p. 311, N. V.*	H. Gerson - E. H. Ter Kuile: Art and Architecture in Belgium 1600-1800, Harmondsworth 1960. *D. Bodart: in Cat. Rubens e la pittura fiamminga del Seicento nelle collezioni pubbliche fiorentine, Firenze 1977, p. 311, n. VI.*	Cat. mostra di G. Bazzani a c. di N. Ivanoff, Mantova 1950. *C. Tellini Perina: Precisazioni sul Bazzani, in Arte Lombarda, 1968, p. 112. Id., Giuseppe Bazzani, Firenze 1970, pp. 18-19, 63.*
Inventario	1143.	1155.	1227 (C.P., p. 132, n. 907).	9285.
Foto	184290.	184282.	225633.	96663.
Note	La provenienza di questo dipinto e del suo 'pendant' (n. 1155) non è documentata. Attribuiti al Boudewijns nel sec. XIX, l'attribuzione è stata confermata dal Bodart che nelle figure indica la collaborazione di Pieter Bout (Bruxelles 1658-1702). M.C.	'Pendant' del N. 1143, al quale si rinvia per il commento. M.C.	Iscrizione sul retro: Both e Baudouin. Pieter Bout collaborava con Baudewijns aggiungendo le figure ai suoi paesaggi. La provenienza del dipinto non è documentata. M.C.	Con il n. 9286, fu acquistato nel 1952. I due dipinti sono parte di una serie di tele ovali delle stesse dimensioni dedicate ai 'Misteri del Rosario' già nella Chiesa Parrocchiale di Borgoforte presso Mantova (Tellini Perina), che viene datata dalla stessa studiosa intorno al 1730. M.C.

	P173	P174	P175	P176
AUTORE	Bazzani, Giuseppe (Mantova 1690-1769).	Beato Angelico, fra' Giovanni da Fiesole, detto il (Vicchio di Mugello 1400 ca. - Roma 1455).	Beato Angelico, fra' Giovanni da Fiesole, detto il (Vicchio di Mugello 1400 ca. - Roma 1455).	Beato Angelico, fra' Giovanni da Fiesole, detto il (Vicchio di Mugello 1400 ca. - Roma 1455).
TITOLO	Presentazione al tempio.	Incoronazione della Vergine.	L'imposizione del nome al Battista.	I funerali della Vergine.
DATAZIONE	1730 ca. (Tellini Perina 1970).	1425c. (Douglas 1900, Muratoff 1929), 1428c. (Salmi 1955), 1435c. (Berti 1955, Baldini 1970), 1440 (Collobi - Ragghianti 1950 e 1955).	1425-30 (Longhi 1940), 1432c. (Salmi, 1955), 1433-4c. (Pope - Hennessy 1952), 1434-5 (Berti 1963, Baldini 1970).	1428c. (Salmi 1958), 1435c. (Berti 1955, 1963; Baldini 1970).
DATI TECNICI	Olio su tela ovale, 42x36.	Tempera su tavola, 112x114.	Tempera su tavola, 26x24.	Tempera su tavola, 19x50.
CORNICE	Intagliata, dorata, sec. XVIII.	Dorata, riccamente decorata con fregio a conchiglie e palmette in stile neoclassico (del 1825?).	Dorata, martellinata e intagliata a motivi vegetali.	Dorata e intagliata a dentelli e piccoli festoni. Comprende anche l'opera alla scheda P177.
UBICAZIONI	Chiesa Parrocchiale, Borgoforte, Mantova (1730 ca.); Uffizi (1952).	Chiesa di S. Egidio; Uffizi (1825); Museo di S. Marco (1924); Uffizi (1948).	Proprietà di un Vincenzo Prati (sec. XVIII); Uffizi (1778); Museo di S. Marco (1924).	Chiesa di S. Egidio; donato dal Marchese Botto a Cosimo II dei Medici (ma non può essere 1629); Uffizi (1704); Museo di S. Marco (1924).
ATTRIBUZIONI	—	Angelico (Manetti, Vasari, Berenson, Salmi, ecc.). Di scuola (Wurm 1907, Bazin 1949). Con la collaborazione preminente di Zanobi Strozzi (Van Marle 1928, Pope - Hennessy 1952).	Angelico (per la maggior parte degli studiosi, a partire dal Lanzi). Zanobi Strozzi (Van Marle 1928). Non autografo (Muratoff 1930, Bazin 1949).	Angelico (Crowe, Cavalcaselle 1864, Berenson 1909, Schotmüller 1911). Non autografo, assegnato a Zanobi Strozzi (Van Marle 1928, Muratoff 1930, Bazin 1949, Pope - Hennessy 1952). Angelico (Berti 1955, Salmi 1958, Baldini 1970).
ESPOSIZIONI	—	Mostra dell'Angelico, Città del Vaticano, Firenze 1955.	Mostra dell'Angelico, Città del Vaticano - Firenze 1955.	Mostra dell'Angelico, Città del Vaticano - Firenze 1955.
BIBLIOGRAFIA	Cat. mostra di G. Bazzani, a c. di N. Ivanoff, Mantova 1950. *C. Tellini Perina: Precisazioni sul Bazzani, in Arte Lombarda, 1968, p. 112. Id.: Giuseppe Bazzani, Firenze 1970, pp. 18-19, 63.*	M. Salmi, Il Beato Angelico, Roma 1958; U. Baldini, Angelico, Roma 1958; U. Baldini, Angelico, Milano 1970. *Cat., Firenze 1955, 2ª ad. n. 10.*	*Catalogo Firenze 1955, 2ª ed. n. 16; U. Baldini, Angelico, Milano 1970, n. 35.*	U. Baldini, Angelico, Milano 1970. *Cat. Firenze 1955, 2ª ed. n. 12.*
INVENTARIO	9286.	1612 (C.P., p. 180, n. 1290).	1499 (C.P., p. 159, n. 1162).	1501 (C.P., p. 160, n. 1184).
FOTO	96664.	53171.	130182 (dopo il restauro).	53170.
NOTE	Acquistato, col n. 9285, nel 1952. Con il 'pendant', parte di una serie di 'Misteri del Rosario' dipinti dall'artista per la Chiesa Parrocchiale di Borgoforte, presso Mantova, datata dalla Tellini Perina intorno al 1730. M.C.	Il dipinto viene menzionato come 'Paradiso' dall'Anonimo Gaddiano (primo sec. XVI). Vasari lo vedeva 'nel tramezzo' di S. Egidio. Come storie di predella si suppongono lo 'Sposalizio' e i 'Funerali della Vergine' oggi nel Museo di S. Marco, non più anche l'Imposizione del nome al Battista sempre a S. Marco (cfr. nn. 1493, 1501, 1499). L.B.	Acquistato dal Prati nel 1778. Citato dal Lanzi (1795-6) come il dipinto 'più gaio e finito' dell'Angelico esistente in Galleria. La pertinenza alla predella della 'Incoronazione della Vergine' degli Uffizi (cfr. n. 1612), supposta da Cavalcaselle - Crowe, è oggi esclusa. Longhi proponeva (1940) invece l'accostamento al 'S. Giacomo che libera Ermogene' della Coll. De Cars a Parigi, di identiche misure, e alle due tavolette della Pinacoteca di Forlì. Baldini (1970) pensa invece ad una ipotetica appartenenza alla predella della 'Annunciazione' del Prado, che poteva avere due scenette sotto i pilastrini laterali, come quella di Cortona. Per la cronologia, vale come ante quem il polittico di Andrea di Giusto nel Museo di Prato, datato 1435. L.B.	Vedi n. 1493. L.B.

P177 | P178 | P179

AUTORE	Beato Angelico, fra' Giovanni da Fiesole, detto il (Vicchio di Mugello 1400 ca. - Roma 1455).	Beato Angelico, fra' Giovanni da Fiesole, detto il (Vicchio di Mugello 1400 ca. - Roma 1455).	Beato Angelico, fra' Giovanni da Fiesole, detto il (Vicchio di Mugello 1400 ca. - Roma 1455).
TITOLO	Sposalizio della Vergine.	Tabernacolo dei Linaioli.	Madonna di Pontassieve.
DATAZIONE	1428c. (Salmi 1958), 1435c. (Berti 1955-63, Baldini 1970).	1433 (Berenson 1963, Baldini 1970), 1433-4 (Berti 1967).	1435c. (Berti 1955, Baldini 1970), quarto decennio del sec. XIV (Salmi 1959), 1440-45 (Pope-Hennessy 1952), 1447-53 (Collobi - Ragghianti 1955).
DATI TECNICI	Tempera su tavola, 19x51.	Opera composita a tempera su tavole: a sportelli chiusi 250x133; a sportelli aperti 260x266; predelle con tre storie, ciascuna 39x56, restauro 1955 dopo altri precedenti.	Tempera su tavola, 134x59; restauro 1924 ca. (fiscali) e 1955.
CORNICE	Vedi: scheda P176.	In marmo, a tabernacolo scolpito, su disegno del Ghiberti, 450x276.	Moderna a più gole, dorata, rettangolare, con i pennacchi della cuspide in neutro.
UBICAZIONI	Chiesa di S. Egidio?; coll. Cosimo II de' Medici; Uffizi (1704); Museo di S. Marco (1924).	Sede dei Linaioli (dall'origine); Uffizi (1777); Museo di S. Marco (1924).	Propositura di S. Michele Arcangelo, Pontassieve; Gallerie fiorentine (1924); Uffizi (1949).
ATTRIBUZIONI	Angelico (Crowe Cavalcaselle 1864, Berenson 1909, Schottmüller 1911). Non autografo, assegnato a Zanobi Strozzi (Van Marle 1928, Muratoff 1930, Bazin 1949, Pope - Hennessy 1952). Angelico (Berti 1955, Salmi 1958, Baldini 1980).	Interamente dell'Angelico (per la maggioranza degli studiosi); autografo solo il S. Marco (Wurm 1907). Predella di aiuti (Van Marle 1928, Muratoff 1930, Bazin 1949 e così di altro aiuto gli sportelli).	Angelico? (Poggi 1909), scuola dell'Angelico (Berenson 1932), Angelico e aiuti (Collobi Ragghianti 1950), Angelico (Pope-Hennessy 1952, Berti 1955, Salmi 1959, Baldini 1970).
ESPOSIZIONI	Mostra dell'Angelico, Città del Vaticano-Firenze, 1955.	Mostra dell'Angelico, Città del Vaticano - Firenze 1955. Lorenzo Ghiberti, 'materia e ragionamenti', Firenze 1978-79.	Italian Art, Londra 1930; Mostra dell'Angelico, Città del Vaticano, Firenze 1955.
BIBLIOGRAFIA	U. Baldini, Angelico, Milano 1970. *Cat., Firenze 1955, 2ª ed. n. 11.*	*Cat. Firenze 1955, 2ª ed. n. 18. U. Baldini, Angelico, Milano 1970, n. 24; Cat. Firenze 1978-79, pp. 420-22.*	U. Baldini, Angelico, Milano 1970. *Catalogo, Firenze 1955, n. 21.*
INVENTARIO	1493 (C.P., p. 161, n. 1178).	879 (C.P., p. 182, n. 17).	Depositi 143.
FOTO	53169.	148229 (interno), 148228 (esterno).	99763.
NOTE	Ritenuto, col n. seguente 1501, forse della predella della 'Incoronazione della Vergine' di S. Egidio (cfr. n. 1612) anche per il soggetto mariano (Salmi). L.B.	Nell'ancona centrale è la Madonna col Bambino; nella cornice dodici angeli musici; nei due sportelli, in quello di sinistra all'esterno S. Marco e all'interno il Battista; in quello di destra all'esterno S. Pietro e all'interno S. Giovanni Evangelista. Nella predella, da sin. 'La predica alla presenza di S. Marco', 'L'Adorazione dei Magi', 'Il Martirio di S. Marco'. È documentata la commissione all'Angelico, nel luglio 1433, per 190 fiorini d'oro. Il disegno del tabernacolo marmoreo, con l'Eterno nella cuspide, fu affidato (1432) al Ghiberti ed eseguito da aiuti. L'opera è citata dal Vasari (155) in poi. Il tabernacolo marmoreo rimase nella sede dei Linaioli, anche portato il dipinto agli Uffizi,	

<table>
<tr><td>fino alla seconda metà dell'Ottocento. Il restauro 1955 (Lo Vullo) ha confermato alterazioni subite dalla testa della Vergine e dalle vesti, già indicate dal Pope-Hennessy (1952). Dello scomparto di predella con 'La predica di S. Pietro' esiste una replica (33,5 x52) già Nemes a Monaco (1931), che L. Venturi (1928) considerava autografa, Pope-Hennessy (1952) di bottega, e la Collobi Ragghianti (1950) dello Strozzi. Berti (1967) notava che l'esecuzione di una così vasta pittura come il Tabernacolo si deve essere logicamente protratta almeno nel 1434.

L.B.</td>
<td>Nella iscrizione frammentaria del basamento, a lettere d'oro su rosso, i nomi di (Ton) io di Luca, Pier (o di Ni) cholaio, e ser Pier(o) con tutta probabilità i committenti e donatori dell'opera. La tavola era evidentemente la parte centrale di un trittico o politico. È caduta l'ipotesi della Collobi-Ragghianti (1950 e 1955) di collegare a questo dipinto il 'S. Francesco orante' Johnson a Filadelfia (che invece è risultato appartenere al Crocifisso del Ceppo; Berti e Baldini 1955-, e con questo che nella predella ci fossero le storie francescane di Altenburg, Vaticano, Berlino.

L.B.</td></tr>
</table>

	P180	P181	P182	P183
AUTORE	Beaubrun, Henri e Charles (Parigi 1603-1677; 1604-1692).	Beccafumi, Domenico di Giacomo di Pace, detto il (Valdibiena, Siena 1486 ca. - Siena 1551).	Beccafumi, Domenico di Giacomo di Pace, detto il (Valdibiena, Siena 1486 ca. - Siena 1551).	Beccafumi, Domenico di Giacomo di Pace, detto il (Valdibiena, Siena 1486 ca. - Siena 1551).
TITOLO	Ritratto di Enrichetta d'Inghilterra.	Santa Famiglia con S. Giovannino.	David col salterio.	Madonna con il Bambino.
DATAZIONE	1650-60 ca. (Rosenberg 1977).	1518c., 1514-4 (Francini Ciaranfi 1966), 1518-9 (Sanminiatelli 1967), 1520 (Judey 1932), 1522-3 (Dami 1919), 1523-27 (Gibellino Krasceninnikowa 1933).	Tra il 1525-29 (Francini Ciaranfi 1952), 1535 (Sanminiatelli 1967).	1527 (Francini Ciaranfi 1952), 1527-28 (Sanminiatelli 1967).
DATI TECNICI	Olio su tela, 212x145.	Olio su tavola, diam. 84.	Bozzetto, olio su carta a monocromo attaccata alla tela, 22,5x16,5.	Bozzetto, olio su carta applicata su tela, 25,5x18,2.
CORNICE	Intagliata e dorata, sec. XVII.	Intagliata e dorata, sec. XIX.	Cornicina dorata in legno.	Legno dorato.
UBICAZIONI	Uffizi (1905 ca.); Pitti (1928?).	Poggio Imperiale (1624); Uffizi (1795).	Gabinetto Disegni e Stampe (1793); Uffizi (1914).	Gabinetto Disegni e Stampe (1793); Uffizi (1914).
ATTRIBUZIONI	J.F. Van Douven (Pieraccini 1905 ca.). Beaubrun (Rosenberg 1977).	—	—	—
ESPOSIZIONI	Pittura francese nelle collezioni pubbliche fiorentine, Firenze 1977.	—	Bozzetti delle Gallerie di Firenze, Firenze 1952-53.	Bozzetti delle Gallerie di Firenze, Firenze 1952-53.
BIBLIOGRAFIA	Thieme-Becker, III, 1909. *Cat., Firenze 1977, n. 113.*	J. Judey, Domenico Beccafumi, Freiburg 1932; D. Sanminiatelli, in Dizionario Biografico degli Italiani, VII, Roma 1965. *D. Sanminiatelli, Domenico Beccafumi, Milano 1967, n. 17. E. Bacceschi, Domenico Beccafumi, Milano 1977, n. 20.*	*A.M. Francini Ciaranfi, in Cat. Firenze 1952-53, n. 18, p. 16. D. Sanminiatelli, Domenico Beccafumi, Milano 1967, n. 25, p. 129.*	*A.M. Francini Ciaranfi, in Cat. Firenze 1952-53, n. 17, p. 16. D. Sanminiatelli, Domenico Beccafumi, Milano 1967, p. 124, n. 2.*
INVENTARIO	766 (C.P., p. 93, n. 185).	780 (C.P., n. 189, p. 69).	GDSU 19109.	GDSU 19110.
FOTO	166040.	122327.	94172.	68489.
NOTE	Attribuito nel Cat. Pieraccini a J.F. Van Douven, come ritratto di Elisabetta Haurey, figlia del barone Enrico di Hendrovich, il Rosenberg vi ha riconosciuto con quasi assoluta certezza il ritratto di Enrichetta Maria di Francia (1609-1669), figlia di Enrico IV e Maria de' Medici, moglie di Carlo I di Inghilterra, che fu esiliata in Francia tra il 1644 e il 1660: sarebbe stato in questo periodo che l'avrebbero ritratta i fratelli Beaubrun, ai quali il Rosenberg attribuisce il dipinto per confronto con un altro loro ritratto di Enrichetta, del 1647. La provenienza antica del quadro non è documentata. M.C.	Il tondo compare fin dal 1624 in un inventario mediceo (Arch. di Stato di Firenze, Guardaroba Mediceo, n. 479, c. 4) come opera del Beccafumi insieme alla cornice dorata (adornamento dorato e rabescato di nero) poi sostituita dall'attuale. Il dibattito critico non investe l'autografia del dipinto quanto la sua datazione. Più precoce, circa 1514-5, per la Francini Ciaranfi (1966) che l'accosta ai dipinti della Cappella del Manto nell'ospedale di Siena (1515), riportato dallo Judey (1932) ad un momento intorno al 1520, è ascrivibile al 1518-19 per il Sanminiatelli (1967) per affinità stilistiche con gli affreschi dell'Oratorio di S. Bernardino a Siena (1517-20) per precisi riferimenti nel S. Giovannino a un putto della Cappella Sistina accanto al Profeta Isaia. R.P.P.	Il bozzetto è uno studio per il David della pala con la Discesa di Cristo al Limbo, già in S. Francesco, ora alla Pinacoteca di Siena. Compare nell'Inventario del 1793 (cfr. GDSU, Inv. generale... 1793, vol. I, ad vocem), tuttavia nella Listra, del Baldinucci, iniziata nel 1675, figurano numerosi disegni del Beccafumi (cfr. P. Barocchi in F. Baldinucci, Notizie..., vol. VI, App., Firenze 1975, p. 194). È esposto nel Corridoio Vasariano incorniciato con i nn. 19110 e 19108 GDSU. L.B.B.	È il bozzetto per la parte centrale della pala con lo Sposalizio di S. Caterina, già in Santo Spirito di Siena, ora nella Coll. Chigi Saracini di Siena (cfr. GDSU n. 19196, con lo stesso soggetto) compare nell'inv. del 1793 (cfr. GDSU Inv. generale... 1793, vol. I, n. 46, ad vocem), tuttavia nella Listra figurano numerosi disegni del Beccafumi (cfr. P. Barocchi, in F. Baldinucci, Notizie... vol. VI, App., Firenze, 1975, p. 194). È esposto nel Corridoio Vasariano, incorniciato con i nn. 19109 e 19108 GDSU. L.B.B.

	P184	P185	P186	P187
Autore	Beccafumi, Domenico di Giacomo di Pace, detto il (Valdibiena, Siena 1486 ca. - Siena 1551).	Beccafumi, Domenico di Giacomo di Pace, detto il (Valdibiena, Siena 1486 ca. - Siena 1551).	Beccafumi, Domenico di Giacomo di Pace, detto il (Valdibiena, Siena 1486 ca. - Siena 1551), attr. a.	Beccafumi, Domenico di Giacomo di Pace, detto il (Valdibiena, Siena 1486 ca. - Siena 1551).
Titolo	Madonna col Bambino.	Due teste di Bambini.	La fuga di Clelia e delle vergini romane.	Trasfigurazione.
Datazione	1527 (Francini Ciaranfi 1952), 1527-28 (Sanminiatelli 1967).	1530 (Francini Ciaranfi 1952); 1528-1529 (Sanminiatelli 1967).	1530-35c.	1535 ca.
Dati tecnici	Bozzetto, carta dipinta a olio applicata su tela, 27,2x17.	Bozzetto, olio su carta a monocromo, 17,5x25.	Olio su tavola, 74x122; restauro 1955.	Bozzetto, carta dipinta a olio a monocromo e applicata su tela, 43x 26,5.
Cornice	Legno modanato e dorato nel filetto interno.	Cornicina in legno dorato.	Salvadora.	Legno modanato e dorato nella filettatura interna.
Ubicazioni	Gabinetto Disegni e Stampe (1793); Uffizi (1914).	Gabinetto Disegni e Stampe (1793); Uffizi (1914).	Uffizi (1880); Poggio a Caiano (1951) Pitti (1971); Uffizi (1973).	Gabinetto Disegni e Stampe (1793); Uffizi (1914).
Attribuzioni	—	—	—	Beccafumi (Inv. Antichi, Francini Ciaranfi 1952). Cerchia del Beccafumi (Sricchia 1953).
Esposizioni	Bozzetti delle Gallerie di Firenze, Firenze, 1952-53.	Bozzetti delle Gallerie di Firenze, Firenze 1952-53.	Scuola del Beccafumi (Schubring 1915, Judey 1932).	Bozzetti delle Gallerie di Firenze, Firenze, 1952-53, n. 20.
Bibliografia	*A.M. Francini Ciaranfi, in Cat., Firenze 1952-53, n. 16, p. 15. D. Sanminiatelli, Beccafumi, Milano 1967, p. 124, n. 3.*	*A.M. Francini Ciaranfi, in Cat. Firenze 1952-53, n. 19, pp. 16-17. Domenico Sanminiatelli, Beccafumi, Milano, 1967, n. 7, 125.*	D. Sanminiatelli, Domenico Beccafumi, Milano 1967. E. Bacceschi, Domenico Beccafumi, Milano 1977. P. Schubring, Cassoni, Leipzig 1915, n. 842. J. Judey, Domenico Beccafumi, Freiburg 1932.	D. Sanminiatelli, Domenico Beccafumi, Milano, 1967. *A.M. Francini Ciaranfi, in Cat., Firenze 1952-53, n. 20, p. 17. F. Sricchia, Mostra di Bozzetti, in Paragone, 39, 1953, p. 60.*
Inventario	GDSU 19196.	GDSU 19108.	6057.	GDSU 19111.
Foto	94173.	94171.	248886.	68484.
Note	È il bozzetto per la parte centrale della pala con lo Sposalizio di S. Caterina, già in S. Spirito a Siena, ora nella Coll. Chigi Saracini di Siena, datata 1528 (cfr. anche GDSU n. 19110 con lo stesso soggetto). Compare nell'inventario del 1793 (cfr. GDSU Invent. generale... 1793, vol. I, n. 43, ad vocem), tuttavia nella Listra figurano numerosi disegni del Beccafumi (cfr. P. Barocchi, in F. Baldinucci, Notizie... vol. VI. App., Firenze, 1975, p. 194). È esposto nel Corridoio Vasariano. L.B.B.	Il bozzetto è lo studio per due teste di puttino, l'uno, quello di sinistra, per l'angelo in alto a sinistra nello Sposalizio Mistico di S. Caterina, della Coll. Chigi-Saracini di Siena, l'altra testa è quella del puttino affrescato sopra alla figura di Genucio Cippo, della sala del Concistoro. Il bozzetto compare nell'Inventario del 1793 (cfr. GDSU Inv. generale... 1793, vol. I, ad vocem), tuttavia nella Listra figurano numerosi disegni del Beccafumi (cfr. P. Barocchi, in F. Baldinucci, Notizie..., vol. VI, App., Firenze, 1975, p. 194). È esposto nel Corridoio Vasariano incorniciato con i nn. 19110, 19109 GDSU. L.B.B.	Probabile specchio di cassone nuziale, riferito alla scuola del Beccafumi, non se ne trova menzione nella bibliografia più recente dell'artista. Il motivo è da ricercare nelle cattive condizioni in cui versava il dipinto; la qualità emersa dopo il restauro ha di nuovo collegato l'opera, pur con qualche perplessità, al nome del Beccafumi, che non nuovo alle esperienze dei cassoni, aveva trattato lo stesso soggetto in un dipinto la cui ultima ubicazione nota è la collezione del Principe Paolo di Jugoslavia, concordemente accettato dalla critica e datato al 1520-25 (disegno preparatorio n. 1253, Firenze Gabinetto Disegni e Stampe, Bacceschi 1977). Una variante del dipinto degli Uffizi, è stata venduta come Domenico Beccafumi a Londra all'asta di Sotheby's il 30 Giugno 1971 (cat. n. 6), probabilmente da identificarsi con il n. 841 dello Schubring. R.P.P.	Il bozzetto va anche sotto il nome di Ascensione (cfr. AGF, Inv. 1881, IIª cat., n. 71), è probabile studio per una pala di altare. L'opera compare anche nell'inventario del 1793 (cfr. GDSU, Inventario generale... 1793, vol. II, n. 1 ad vocem), poteva però far parte della collezione del Cardinal Leopoldo de' Medici; nella Listra compaiono infatti numerosi disegni del Beccafumi (cfr. P. Barocchi, in F. Baldinucci, Notizie... vol. VI, App., Firenze, 1975, p. 194). Sul retro cartellino dell'inventario del 1881. L.B.B.

	P188	P189	P190	P191
AUTORE	Beccaruzzi, Francesco (Conegliano 1492 ca.-Treviso ante 1563), attr. a.	Bega, Cornelis (Haarlem 1631/32-1664), attr. a.	Bega, Cornelis (Haarlem 1631/32-1664).	Bega, Cornelis (Haarlem 1631/32-1664).
TITOLO	Ritratto virile.	Contadini che giocano davanti a una capanna.	Suonatore di liuto.	Suonatrice di liuto.
DATAZIONE	Sec. XVI (circa la metà).	1640-50 ca.?	1664 o 65.	1664-65.
DATI TECNICI	Olio su tela, 108x92.	Olio su tela, 55,5x41.	Olio su tela incollata su tavola, 36,8x29,8.	Olio su tavola, 36x32.
CORNICE	Barocca, legno intagliato e dorato, grande decoro di volute, fogliami e protomi pisciformi.	Sagomata, dorata, sec. XVII-XVIII.	Ebano, sec. XIX-XX.	Ebano, sec. XIX-XX.
UBICAZIONI	Eredità card. Leopoldo (1675); Guardaroba; Uffizi (1794).	Uffizi (1905 ca.); Senato, Roma (1926).	Uffizi (1704).	Uffizi (1704).
ATTRIBUZIONI	Palma (inv. card. Leopoldo, agli Uffizi come tale, registrazione del 1794). Pordenone (inv. 1825 e 1890). Scuola del Tintoretto (cat. Pieraccini).	—	—	—
ESPOSIZIONI	—	—	—	—
BIBLIOGRAFIA	Dizionario biografico degli Italiani, VII, Roma 1965.	J. Rosenberg-S. Slive-E. H. Ter Kuile: Dutch Art and Architecture 1600-1800, Harmondsworth 1966. E. Pieraccini: Catalogo della Galleria degli Uffizi, 1905 ca., p. 136.	J. Rosenberg-S. Slive-E. H. Ter Kuile: Dutch Art and Architecture 1600-1800, Harmondsworth 1966. G. Poggi: Galleria degli Uffizi, Catalogo dei dipinti, ed. 1927, p. 202.	J. Rosenberg-S. Slive-E. H. Ter Kuile: Dutch Art and Architecture 1600-1800, Harmondsworth 1966. G. Poggi: Galleria degli Uffizi, Catalogo dei dipinti, ed. 1927, p. 200.
INVENTARIO	908 (C.P., p. 193, n. 585).	1048 (C.P., p. 136, n. 726).	1182 (C.P., p. 129, n. 969).	1187 (C.P., 130, n. 986).
FOTO	131778.	20075.	109173.	109174.
NOTE	L'attribuzione al Beccaruzzi è del Berenson (The venetian Painters of the Renaissance, N. York-London 1901) in seguito non più contraddetta. Diero la cornice scritta antica: Rosso del Pordenone. A.P.	La provenienza del dipinto non è documentata, e l'attribuzione al Bega risale all'Inventario del 1890. Il quadro presenta analogie con lo stile del Bega ma non la sua finezza di esecuzione, per cui l'attribuzione al pittore è da considerarsi ipotetica. Esposto in Galleria fin verso il 1926, in quell'anno fu concesso in temporaneo deposito agli uffici del Senato a Roma. M.C.	Firmato e datato vicino al flauto in basso a destra: C. Bega 1664/5 (?). Il dipinto, che con il suo 'pendant' n. 1187 compare per la prima volta nell'inventario degli Uffizi del 1704, può essere stato acquistato da Cosimo de' Medici nel suo viaggio nei Paesi Bassi nel 1667. Inciso da Mongez e Wicar nel volume: Tableaux, Statues, Basreliefs et Camées de la Galerie de Florence et Palais Pitti..., Paris 1789-1807. M.C.	Per le notizie storiche, vedi il n. precedente. Secondo il Poggi (1927), firmato e datato 1613 (sic), ma questa iscrizione non compare sul dipinto. M.C.

	P192	P193	P194	P195
AUTORE	Bellini Giovanni, detto Giambellino (Venezia 1425/30-1516).	Bellini Giovanni, detto Giambellino (Venezia 1425/30-1516).	Bellini, Giovanni, detto Giambellino (Venezia 1425/30-1516).	Bellini, Giovanni, detto il Giambellino (Venezia 1425/30-1516).
TITOLO	S. Girolamo nel deserto.	Ritratto di giovane.	Sacra allegoria.	Compianto sul Cristo morto.
DATAZIONE	1480-85 (Gamba 1937, Bottari 1963), 1479 (Pignatti 1969), 1477-78 (Heinemann 1962).	1480-87 (Cavalcaselle 1871), 1490-1500 (Gronau 1930), ca. 1490 (Dussler 1935), 1500 (Pignatti 1969), 1502-05 (Gamba 1937), ca. 1510 (Heinemann 1962).	ca. 1487 (Longhi 1946, Bottari 1963), 1490-1500 (Pignatti 1969), 1500-1505 (Rasmo 1946).	1490-93 (Pallucchini 1949), 1495 ca. (Heinemann 1962), 1500 ca. (Pignatti 1969), 1506 ca. (Robertson 1968).
DATI TECNICI	Olio su tavola, 151x113.	Olio su tavola, 31x26.	Olio su tavola, 73x119.	Tempera a «grisaille» su tavola, 74x118, restauro 1946.
CORNICE	Ottocentesca?, in legno intagliato e dorato.	Ottocentesca?, in legno intagliato e dorato.	Sette-ottocentesca, in legno dorato, liscia.	Ottocentesca, in legno dorato senza decorazioni.
UBICAZIONI	Coll. Papafava, Padova; coll. Contini-Bonacossi; Uffizi (1974), Dep. Meridiana di Pitti.	Uffizi (cit. 1753).	Gallerie Imperiali, Vienna (fino 1793); Poggio Imperiale; Uffizi (1795).	Galleria Aldobrandini, Roma (ante 1798); Uffizi (1798).
ATTRIBUZIONI	Basaiti (Cavalcaselle 1912, Berenson 1916) bottega di Bellini (Robertson 1968).	Rondinelli (Morelli 1886). Scolaro di G. Bellini (Robertson 1968).	Giorgione (Cat. Uffizi 1825). Basaiti (Burckardt 1884).	Catena (Cat. Pieraccini).
ESPOSIZIONI	Mostra di Giovanni Bellini, Venezia 1949.	Mostra di Giovanni Bellini, Venezia 1949.	Mostra di Giovanni Bellini, Venezia 1949.	Mostra di Giovanni Bellini, Venezia 1949.
BIBLIOGRAFIA	S. Bottari, Tutta la pittura di Giovanni Bellini, Milano 1963 voll. 2, T. Pignatti, L'opera completa di Giovanni Bellini, Milano 1963. *Cat., Venezia 1949 n. 87.*	S. Bottari. Tutta la pittura di Giovanni Bellini, Milano 1963 2 voll., *Cat., Venezia 1949 (a cura di R. Pallucchini) n. 107.*	T. Pignatti: Giovanni Bellini, Milano 1969. *S. Bottari, Tutta la pittura di Giovanni Bellini, Milano 1963, 2 voll.*	G. Robertson, Giovanni Bellini, Oxford 1968. T. Pignatti, Giovanni Bellini, Milano 1969. *Cat. Venezia 1949 n. 105 (a cura di R. Pallucchini).*
INVENTARIO	Contini Bonacossi 25.	1863 (C.P., p. 202, n. 354).	903.	943 (C.P., p. 202, n. 583).
FOTO	225592 (e particolari).	321873.	106566.	41549.
NOTE	Con esposizione temporanea nella Meridiana di Pitti, il dipinto fu acquisito ufficialmente al patrimonio dello Stato nel 1974, a seguito della convenzione intervenuta nel 1969 con gli eredi Contini-Bonacossi. L'attribuzione a Basaiti è stata sostenuta dal Cavalcaselle e anche, in un primo momento, dal Berenson (cfr. Venetian paintings in America, London 1916). L'opinione del Gamba che presume il dipinto originario della chiesa di S. Maria dei Miracoli in Venezia, urta contro ragioni cronologiche e di dimensioni. Una variante di discussa autografia è nella National Gallery di Londra (n. 281). A.P.	Il dipinto, indicato anche, ma senza fondamento, come autoritratto del pittore (cfr. Inv. Uffizi 1753 n. 3244) porta sul parapetto la scritta apocrifa: Joannes Bellinus. Gamba lo associa al ritratto virile di Hampton Court (nr.117). Heinemann lo considera contemporaneo del ritratto della Walkers Art Gallery di Liverpool (nr. 116). La critica più recente è orientata verso una datazione tarda; fra gli ultimi anni del XV secolo e i primi del XVI. A.P.	Attribuita al Bellini da Cavalcaselle (A history of painting in North Italy, London 1871), il dipinto costituisce un problema tuttora irrisolto per quanto concerne il soggetto rappresentato. L'ingegnosa interpretazione iconografica del Ludwig che ne indicò la chiave di lettura in un poemetto allegorico francese del XIV secolo, opera di Guillaume de Deguilleville (in Jahrbuch der K. preuss. Kunstsammlungen, XXIII, 1902) è stata contestata dal Rasmo (in Carro minore 1946) il quale ha invitato a rubricare il dipinto sotto il titolo generico di «sacra conversazione». Copiato da Degas nel 1858-59. Probabilmente gli alberelli sull'orlo delle rocce sono una aggiunta più tarda. A.P.	Donato al Granduca da Alvise Mocenigo. Più che preparazione grafica deve intendersi opera finita. È unanime la convinzione che si tratti di un'opera tarda, forse anche dei primi anni del sec. XVI. Varianti dello stesso tema si conservano nella Cattedrale di Toledo, nella Staatsgalerie di Stoccarda (n. 112), e nello Staatliche Museen di Berlino (n. 4). Un disegno di testa di uomo barbuto con turbante, conservato agli Uffizi (GD-SU 595) è in relazione col dipinto. Inciso da P. Lasinio (R. Galleria, Firenze 1817, vol. I). A.P.

	P196	P197	P198	P199
AUTORE	Bellini, Iacopo (Venezia 1396 ca. - 1470-71).	Benefial, Marco (Roma 1684-1764).	Berckheyde, Gerrit (Haarlem 1638-1698).	Berckheyde, Gerrit (Haarlem 1638-1698).
TITOLO	Madonna con Bambino.	Strage degli Innocenti.	Veduta dell'abside della chiesa dei Ss. Apostoli a Colonia.	Il Groote Markt di Haarlem.
DATAZIONE	1450 ca. (Gamba 1907).	1730.	1670 ca.?	1693.
DATI TECNICI	Tempera su tavola 69x49, restauro 1962-63.	Olio su tela, 320x350.	Olio su tavola, 30,5x36,5, restauro 1976.	Olio su tela, 54x64.
CORNICE	Novecentesca, in legno intagliato e dorato.	Dorata a gole.	Sagomata, dorata, sec. XVII-XVIII.	Ebano, sec. XIX-XX.
UBICAZIONI	Monastero di S. Micheletto, Lucca (dall'origine); antiquario Menichetti, Lucca (1905); antiquario Costantini (1906); Uffizi (1906).	Coll. Feroni (1730); Uffizi (1865).	Uffizi (1753).	Poggio Imperiale (sec. XVIII); Uffizi (1796).
ATTRIBUZIONI	—	—	—	—
ESPOSIZIONI	—	—	—	—
BIBLIOGRAFIA	*C. Ricci: Una Madonna di Jacopo Bellini, in Rivista d'Arte, n. 1-2, 1906. C. Gamba: Nuovi acquisti di dipinti veneti nella Galleria degli Uffizi, in Boll. d'Arte n. 2, 1907.*	H. Voss, Die Malerei des Barock in Rom, Berlino-Dresda 1924, pp. 640-41. G. Falcidia, Per una definizione del caso Benefial, in Paragone 343, 1978, p. 35.	J. Rosenberg - S. Slive - E. H. Ter Kuile: Dutch Art and Architecture 1600-1800, Harmondsworth 1966. G. Poggi: Galleria degli Uffizi. Cat. dei dipinti, Firenze 1927, p. 191.	J. Rosenberg - S. Slive - E. H. Ter Kuile: Dutch Art and Architecture 1600-1800, Harmondsworth 1966. G. Poggi: Galleria degli Uffizi. Cat. dei dipinti, Firenze 1927, p. 192.
INVENTARIO	3344 (C.P., p. 200, n. 1562).	San Marco e Cenacoli 3.	1248 (C.P., p. 141, n. 927).	1219 (C.P., p. 135, n. 897).
FOTO	114781.	73522.	249608.	101903.
NOTE	Il dipinto fu acquistato nel 1906 per la somma di L. 12.000. Il Gamba che ne diede comunicazione ufficiale, considera l'opera del periodo maturo di Iacopo. L'acquisto provocò polemiche sulla stampa (cfr. Il Giornale d'Italia del 6 e 12 Maggio 1909) oltre che un fitto scambio di corrispondenza fra il Ministero e la Soprintendenza, quando si seppe della provenienza del quadro da un convento e quindi della possibile illegittimità dello esborso in denaro (A.G.F. 1906 Arte 544). A.P.	Pervenuto agli Uffizi insieme alla intera collezione Feroni cui apparteneva sin dalle origini (Ponfredi 1764) il quadro eseguito a Roma è datato e firmato 1730 in alto a destra nel pilastro. E.B.	Firmato in basso a sinistra: Gerrit Berck Heyde. Sappiamo che in gioventù l'artista viaggiò, con suo fratello Job, anche in Germania, e il dipinto dovrebbe risalire a quell'epoca. Non sappiamo quando esso sia entrato nelle collezioni fiorentine, ma il quadro potrebbe essere stato acquistato da Cosimo III durante uno dei suoi due viaggi nei Paesi Bassi (1667 e 1669). M.C.	Firmato e datato in basso a sinistra: Gerrit Berkheyde 1693. La provenienza del dipinto non è documentata. Di questo soggetto, che rappresenta il S. Bavone e la piazza del Mercato di Haarlem, esistono numerose versioni (Londra, Nat. Gallery; Basilea, Kunstmuseum; Haarlem, Frans Hals Museum, ecc.). M.C.

	P200	P201	P202
AUTORE	Berlinghieri. Bonaventura (Lucca, sec. XIII), bottega di.	Bernini, Gian Lorenzo (Napoli 1598-1680).	Berruguete, Alonso (Paredes de Nava 1488 - Toledo 1561).
TITOLO	Crocifissione e Madonna col Bambino.	Testa di giovane (Testa d'angelo).	Salomè.
DATAZIONE	Seconda metà del sec. XIII. Ante 1250 (Thode 1885, Lazzareschi 1908).	1625-1630 ca. (Cat., Roma 1956).	1515, 1512-16 (Longhi 1953).
DATI TECNICI	Tempera su tavola, 103x122 in totale, restauro 1953-54 (Madonna col Bambino), 1956 (Crocifissione).	Olio su tela, 63x62, restauro 1970.	Olio su tavola, 87,5x71.
CORNICE	Originale.	—	Intagliata e dorata, sec. XIX.
UBICAZIONI	Convento delle Monache di S. Chiara (dei Cappuccini), Lucca (1818); Pietro Squaglia, Lucca; Antonio Felice Bartoli (1854); Samuele de Festetis; Accademia (1856); Uffizi (1948).	Poggio a Caiano; Guardaroba (1773); Castello (1796); Depositi; Uffizi, Depositi (1957).	Uffizi (1795); Accademia (1945); Istituto Geografico Militare (1952); Uffizi (1952).
ATTRIBUZIONI	Bonaventura Berlinghieri (Ridolfi 1854, Sirén 1926, Vavalà 1929, Longhi 1948). Maestro della Croce delle Oblate (Offner 1927, Garrison 1946, 1949).	G. L. Bernini (Inv. 1773, 1796, 1881, 1890).	Barocci (Krommes 1912). Berruguete (Longhi 1953).
ESPOSIZIONI	Mostra Giottesca, Firenze 1937.	Mostra del '600 europeo, Roma 1956.	Fontainbleau e la maniera italiana, Napoli 1952. Il Pontormo e il Primo Manierismo fiorentino, Firenze 1956.
BIBLIOGRAFIA	*Cat., Firenze 1937 (1945), n. 7. L. Marcucci: I dipinti toscani del secolo XIII..., Roma 1958, n. 4.*	*L. Grassi, Bernini pittore, Roma 1945. Cat., Roma 1956, n. 12.*	*F. De Cossio, Alonso Berruguete, Valladolid 1948. A. Griseri, Berruguete e Machuca dopo il viaggio in Italia, in Paragone 1964 n. 179. R. F. Krommes, Studien zu F. Barocci, Leipzig 1912. R. Longhi, Comprimari spagnoli della maniera italiana, in Paragone, 43, 1953. Cat., Napoli 1952, n. 6. Cat., Firenze 1956, n. 145. (I ed.).*
INVENTARIO	8575-6.	4882.	5374.
FOTO	104053-54.	154115.	69807.
NOTE	Nel pannello sinistro ai lati della croce lo Svenimento della Vergine e la Vergine che accoglie Giovanni come figlio, in basso il Calvario e la Deposizione dalla Croce. Nel pannello destro la Vergine con il Bambino circondata dai SS. Pietro, Giov. Battista, Chiara e in basso Andrea, Antonio da Padova, Michele Arc. Francesco, Jacopo. La provenienza lucchese e le indubbie affinità col S. Francesco di Pescia, firmato e datato da Bonaventura Berlinghieri nel 1235, dicono a sufficienza sulla cultura pittorica di questa opera, interessante anche per ragioni iconografiche. Si tratta inoltre di uno dei pochi esempi conservati di dittici rettangolari a sportelli di epoca 'romanica'. L. Bell.	Il Baldinucci menziona vari disegni e pitture conservati nel 'palazzo del serenissimo Granduca di Toscana'. Certamente appartenne a tale nucleo, ora disperso, questa preziosa testa d'angelo che reca a tergo una antica scritta a penna 'Del Cav. Bernino' (fu rinvenuta nei depositi da Luciano Berti). Frammento di una tela alquanto più grande è datata intorno agli anni 1625-1630. Il restauro recente ha rimosso antiche ridipinture che avevano offuscato la Testa e ha riquadrato, secondo il verso della trama, la tela che era stata ritagliata ed inserita obliquamente in un ovale settecentesco. Gr. Red. 3	Il dipinto rappresentante Salomè, compare in un Inventario nel 1795 (Giornale 1784-1825, c. 48, Ms. 114 Bibl. Uffizi) come 'Erodiade con la recisa testa del precursore', con cornice dorata, attribuito a Federico Barocci, trasferito 'Dalla Guardaroba al Palazzo di Residenza'. Conservò l'attribuzione al Barocci il Krommes (1912) che identificò il personaggio con Giuditta con la testa di Oloferne, ricordandone un'antica collocazione nella Tribuna. Non fu poi menzionata dalla critica posteriore. Fu esposta alla mostra di Napoli del 1952 come Berruguete su suggerimento di Longhi che l'attribuì poi definitivamente (1953) all'artista, rimandandola al suo periodo italiano. R.P.P.

	P203	P204	P205	P206
AUTORE	Berruguete, Alonso (Paredes de Nava 1488 - Toledo 1561).	Berti, Camillo (Toscana sec. XVII), attr. a.	Berti, Giorgio (Firenze 1789-1868).	Beuckelaer, Joachim (Anversa 1535 ca. - 1574 ca.).
TITOLO	Madonna col Bambino.	Venditore di cacciagione.	Cristoforo Colombo dinanzi ai reali di Spagna.	Pilato mostra Gesù al popolo.
DATAZIONE	1517 c.	Secondo quarto sec. XVII.	1830?	1566.
DATI TECNICI	Olio su tavola, 89x64.	Olio su tela, 137x207,5, restauro 1969.	Olio su tela, 38,5x52,5.	Olio su tavola, 110x140.
CORNICE	Barocca, dorata e intagliata. Sul retro scritta a mano: P. Paolo Rubens.	Salvadora dorata, sec. XIX.	Listello recente in noce.	Sagomata, dorata, sec. XVII?
UBICAZIONI	Uffizi (fin dal 1825); Prefettura (1947); Uffizi (1948).	Petraia (1649); Uffizi, Depositi (post 1761).	Coll. Giuseppe Martelli, Uffizi (1876); Galleria d'Arte Moderna, Pitti (1972).	Uffizi (fine sec. XIX).
ATTRIBUZIONI	Rosso (Barocchi 1950). Berruguete (Berti, Becherucci 1953).	Paolo Antonio Barbieri (Arcangeli 1961). Cerchia dell'Empoli (Delogu 1962).	—	—
ESPOSIZIONI	Il Pontormo e il Primo Manierismo fiorentino, Firenze 1956.	Caravaggio e caravaggeschi nelle Gallerie fiorentine, Firenze 1970. La quadreria di Don Lorenzo de' Medici, Poggio a Caiano 1977.	Bozzetti delle Gallerie di Firenze, Firenze 1952. Cultura neoclassica e romantica nella Toscana granducale, Firenze 1972.	Mostra di arte fiamminga e olandese, Firenze 1947.
BIBLIOGRAFIA	F. De Cossio, Alonso Berruguete, Valladolid 1948. A. Griseri, Berruguete e Machuca dopo il viaggio in Italia, in Paragone 1964 n. 179. *L. Becherucci, Note brevi su inediti toscani in Boll. d'Arte 1953, XXXVIII. Cat., Firenze 1956, n. 147. (I ed.).*	F. Arcangeli, in Arte antica e moderna, 13-16, 1961. *E. Borea, in Cat., Firenze 1970, n. 66, p. 107. Id. in Cat., Firenze 1977, n. 30, pp. 339-340.*	*S. Meloni, in: Dizionario Biografico degli Italiani, IX, 1967. Cat., Firenze 1972, p. 96-97, 179-180.*	G. van der Osten - H. Vey: Painting and Sculpture in Germany and the Netherlands, 1500-1600, Harmondsworth 1969. G. T. Faggin: La pittura ad Anversa nel Cinquecento, Firenze 1968. *J. Sieves: Joachim Bueckeleer, in Jahrb. der K. Preuss. Kunstsamm., XXXII, 1911, p. 207. Cat., Firenze 1947, p. 109, n. 4.*
INVENTARIO	5852.	6869.	7646.	2215 (C.P., p. 72, n. 634).
FOTO	95213.	160108.	179581.	128093.
NOTE	La tavola presenta sul retro delle numerazioni di Galleria in cifre settecentesche che presumibilmente fanno pensare che si trovasse in Galleria già prima del 1825. Il dipinto rappresenta la Madonna col Bambino, costruiti su di una diagonale che si rifà a moduli rinascimentali del Primo Quattrocento, fu attribuita al Berruguete dal Berti e datata dalla Becherucci (1953) alla fine del soggiorno italiano dell'artista, 1517c. La composizione, una figura vista di prospetto e l'altra di profilo, seppure invertita, come notava il Gamba, ritorna in una Madonna già nella Coll. Crespi del Bachiacca, ma il ricordo di Michelangelo è così vicino, da far presupporre un comune prototipo di chiara matrice michelangiolesca. R.P.P.	Descritto in un inventario della Petraia del 1649 in serie con altre tre nature morte riunite da E. Borea. I nomi dei loro autori (Giovanni Pini, Camillo Berti, Leonardo Ferroni detto il Bigino) vengono dati alla rinfusa, ma poiché uno dei quadri (Giovane con vivande all'aperto, inv. 1890 n. 6461) è siglato GP, e allo stesso Pini viene pagato nel 1634 un quadro di frutti e fiori identificabile con un altro di questa serie senza figura umana (inv. 1890, n. 5287); poiché infine allo stile del Ferroni si avvicina il terzo, una Donna con fiori (inv. Petraia, n. 186), l'autore di questo 'Pollarolo' è più probabilmente — ma non con certezza — Camillo Berti: nome peraltro ignoto agli studi. La cultura del gruppo, che deriva dalle nature morte dell'Empoli e annovera anche la più nota 'Pollarola' del Museo Civico di Pesaro, è stata tratteggiata da G. Delogu (1962) e M. Gregori (1964). S.M.T.	A tergo scrittura ottocentesca, corsivo: bozzetto del Prof. Giorgio Berti. Elencato al n. 71 dell'inventario, redatto da Nerino Ferri, del lascito Martelli (AGF, 1876, filza A, I, 53). Non è noto se da questo bozzetto, databile forse dopo l'esposizione di Milano del 1830 quando il Berti (quell'anno fra gli espositori) poté vedere il dipinto di eguale soggetto di Pelagio Palagi, sia stato eseguito un quadro di maggiori dimensioni. L'opera, conservatasi nelle riserve al disperdersi del nucleo della collezione di Giuseppe Martelli, è esposta dal 1972 nella Galleria d'arte moderna di Palazzo Pitti. S.P.	La provenienza del dipinto non è documentata. Siglato JB e datato 1566 sul banco e sulla traversa superiore della macelleria che compare a destra. Come usuale nell'artista, l'episodio che dà il soggetto al quadro è visto nello sfondo, a sinistra, mentre in primo piano si svolge una scena di mercato. M.C.

P207

P208

P209

AUTORE	Bicci di Lorenzo (Firenze 1368-1452).	Bicci di Lorenzo (Firenze 1368-1452).	Bicci di Lorenzo (Firenze 1368-1452), scuola di.
TITOLO	San Lorenzo.	Madonna col Bambino e Santi.	Vergine con Bambino, angeli e santi.
DATAZIONE	1420-30 ca.	1450 ca. (Van Marle 1927).	Terzo decennio del sec. XV (Bertani 1979).
DATI TECNICI	Tempera su tavola, 247x93 (con la cornice).	Tempera su tavola, 180x242, restauro 1974.	Tempera su tavola, 74x40.
CORNICE	Originale, a cuspide mistilinea, dorata.	Originale.	Tabernacolo con timpano e predella.
UBICAZIONI	Camera di Commercio (sec. XVIII); Uffizi (1788); Accademia (1933).	Convento di S. Francesco, Fiesole (dall'origine?); Accademia (XIX sec.); Uffizi (1900); Museo Bandini Fiesole (1914); Depositi Uffizi (1975).	Arcispedale di S. Maria Nuova (1900); Uffizi (1900); Palazzo Davanzati (1955).
ATTRIBUZIONI	Zanobi Strozzi (D'Ancona 1908, Kaftal 1952). Bicci di Lorenzo (Berenson 1932 e 1963).	Bicci di Lorenzo (Inventario Gallerie Fiorentine 1890, e tutta la critica successiva).	Scuola Toscana (Pieraccini 1914). Maniera di Bicci di Lorenzo (Berti 1971).
ESPOSIZIONI	—	—	—
BIBLIOGRAFIA	E. Micheletti, in Dizionario Biografico degli Italiani, 10, Roma 1968.	E. Micheletti, in Dizionario Biografico degli Italiani, 10, Roma 1968.	R. Fremantle, Florentine Gothic Painters, London 1975, pp. 471-482. L. Berti, *Il Museo di Palazzo Davanzati a Firenze*, Firenze 1971, tav. 170, p. 216.
INVENTARIO	471 (C.P., p. 65, n. 44).	3451 (C.P., p. 64, n. 1553).	3222 (C.P., p. 66, n. 55).
FOTO	322224.	323320-19-16.	101718.
NOTE	San Lorenzo è raffigurato frontalmente, in piedi sulla graticola del martirio. Nella cuspide è il Salvatore benedicente; nella predella, il Martirio e la Discesa nel Purgatorio a salvare le anime (essendo morto il giorno della Passione di Cristo, ogni venerdì il Santo scende — secondo la leggenda — nel Purgatorio a liberarne un'anima). La presenza del cielo atmosferico nelle due scene della predella impone per quest'opera una datazione almeno al terzo decennio del Quattrocento. L. Bell.	La tavola, a forma di trittico, ma con 'riquadratura' in alto, nei cui spazi sono dipinti sei Angeli, raffigura la Madonna col Bambino in trono e quattro Angeli, più i Santi Ludovico di Tolosa, Francesco, Antonio da Padova e Niccolò da Bari. È opera delle più caratteristiche di Bicci di Lorenzo. L. Bell.	Il dipinto a forma di tabernacolo con la Madonna con Bambino e sulla predella tre tondi con angeli adoranti pervenne in Galleria dall'Arcispedale di Santa Maria Nuova il 1-4-1900; fu esposto nella Galleria degli Uffizi fino all'anno 1955 allorché passò al Museo di Palazzo Davanzati. L.B.B.

	P210	P211	P212	P213
Autore	Bigot, Théophile? (Arles 1579 - post 1649).	Bilivert, Giovanni (Firenze 1576-1644).	Bimbi, Bartolomeo (Settignano 1648 - Firenze 1729).	Bles, Herri met de, detto il Civetta (Bouvignes 1480 ca. - Ferrara? 1550 ca.).
Titolo	Cantina.	La castità di Giuseppe.	Uccello di penna bigia riccia.	Le miniere di rame.
Datazione	1620-50.	1624 ca. (Baldinucci, 1681-1728).	1721 ca.	Sec. XVI.
Dati tecnici	Olio su tavola, 25,3x36,4.	Olio su tela, 240x399.	Olio su tela, 72x57,5, restauro 1959 ca.	Olio su tavola, 83x114.
Cornice	Listello moderno.	Originale, modanata, filettata di rosso.	Listello dorato a porporina, sec. XX.	Legno dorato e intagliato, forse ottocentesca.
Ubicazioni	Card. Leopoldo de' Medici, Pitti (ante 1675); Poggio Imperiale; Uffizi (1773).	Casino Mediceo (in origine); Castello (fino al 1779); Uffizi (1779); Pitti (1970).	Cosimo III de' Medici; Ambrogiana (1721); Uffizi, biblioteca (1960).	Uffizi, Tribuna (ca. 1603), poi altre sale.
Attribuzioni	Honthorst (1675). Bigot (Borea 1970). Copia da Bigot (Rosenberg 1977).	—	—	L. Gassel (Durand - Grèville 1903, Würzbach 1904). Civetta (Inv. 1589, con aggiunte fino al 1634, Hymans 1910).
Esposizioni	Caravaggio e Caravaggeschi nelle Gallerie di Firenze, Firenze 1970; Pittura francese nelle gallerie pubbliche fiorentine, Firenze 1977.	—	La caccia e le arti, Firenze 1960.	Arte fiamminga e olandese dei sec. XV e XVI, Firenze 1947. Arte e lavoro, Charleroi 1958. Arte fiamminga del sec. XVI, Bruxelles 1963.
Bibliografia	*E. Borea in Cat., Firenze 1970, n. 3. P. Rosenberg, in Cat., Firenze 1977, p. 219.*	C. Monbeig Goguel - C. Lauriol, in Paragone, 353, 1979. *G. J. Hoogewerff, in Commentari, XI, 1960, p. 141-2. A. Matteoli, in Commentari, XXI, 1970, p. 347.*	S. Meloni Trkulja in Dizionario biografico degli Italiani X, Roma 1968. *R. Chiarelli in Cat., Firenze 1960, p. 59.*	M. Friedländer, Early Netherlandish Painting, Leyden XIII, 1975. *L. Collobi Ragghianti, in Cat. Firenze 1948. Cat. Charleroi 1958. Cat. Bruxelles 1963.*
Inventario	4965.	1585 (C.P., p. 173, n. 1274).	4797.	1051.
Foto	160135.	230494.	157981.	142752.
Note	Vi è qualche motivo per credere che il dipinto sia una copia da originale su tela, e che quest'ultimo sia il dipinto già indicato nella collezione Grete Ring ricordato da una copia su tela a Urbino, Palazzo Ducale (Nicolson 1960). E.B.	Dipinto per il Cardinal Carlo e Don Lorenzo de' Medici intorno al 1624 (F. Baldinucci, ed. 1846, IV, p. 305). Copie a Roma, Palazzo Barberini e alla Galleria Nazionale di Praga. Incisione di Francesco Rainaldi del 1796. Disegni preparatori: Firenze Gabinetto Disegni e Stampe, e Biblioteca Marucelliana, Budapest Gabinetto delle Stampe. M.G.	In basso foglio infilzato su un ramo su cui è scritto: 'Il Presente Uccello del quale con tutte le diligenze che si è fatto non si è potuto sapere il Nome, questo è stato preso nella Bandita di Pietra ad una Tagliola per essere paese assai macchinoso. e forte, quale si rende impraticabile per farci le Caccie, essendovi Alberi grossissimi, e Macchia assai grande, e folta'. È uno dei numerosi 'ritratti' di specie vegetali e animali straordinarie eseguite per il granduca Cosimo III de' Medici: questo è detto del Bimbi quando viene mandato a incorniciare (11 agosto 1721) e destinato alla villa dell'Ambrogiana (ASF, Guard. 1277, cc. 27r, 28v). S.M.T.	L'opera era in Tribuna nel 1603, già con l'attribuzione al Civetta, con una cornice di ebano. È una delle opere basilari per la ricostruzione della figura di questo specialista di paesaggi. Durand-Grèville, (1903) ricorda un prototipo a Vienna, attribuendo però entrambe le opere a Lucas Gassel. E.M.

	P214	P215	P216	P217
AUTORE	Boccaccino, Boccaccio (Ferrara 1466? - Cremona 1524-25).	Boccaccino, Boccaccio (Ferrara 1466? - Cremona 1524-25).	Boccaccino, Boccaccio (Ferrara 1466? - Cremona 1524-25).	Boeckhorst, Jan, detto Lange J. (Münster 1605 - Anversa 1668).
TITOLO	S. Giovanni Evangelista.	San Matteo (?)	Zingarella.	Il ratto delle figlie di Leucippo.
DATAZIONE		Opera tarda (Gronau 1929), 1510 ca. (Salmi 1969).	1516-1518 ca.	1637-39 (Bodart 1977).
DATI TECNICI	Olio su tavola, 75x58.	Olio su tavola, 76x59.	Tempera su tavola, 24x19.	Olio su tela, 27,5x34.
CORNICE		Intagliata e dorata a gole, con motivi vegetali, antica ma non pertinente.	Intagliata e traforata, dorata, barocca.	Sagomata, dorata, sec. XVII.
UBICAZIONI		Coll. Conte di Somers, Londra (?), (cit. 1872); Coll. privata Roma (cit. 1929); Coll. Contini Bonacossi (cit. 1957); Uffizi (1974), Dep. Meridiana di Pitti.	Eredità Card. Leopoldo de' Medici (1675); Pitti; Uffizi (1925).	Pitti (sec. XVII-XVIII); Uffizi (sec. XIX).
ATTRIBUZIONI		B. B. (Gronau 1929, Berenson 1932, Puerari 1957).	Garofalo (E. Chiavacci 1864, p. 119). Boccaccino (Morelli, Le Gallerie 1897 e così in seguito).	Scuola di Rubens (Inv. Uffizi 1890). Boeckhorst (Collobi Ragghianti 1952, Bodart 1977).
ESPOSIZIONI		—	—	Bozzetti delle Gallerie di Firenze, Firenze 1952. Rubens e la pittura fiamminga del Seicento nelle collezioni pubbliche fiorentine, Firenze, 1977.
BIBLIOGRAFIA		A. Puerari, B. B. Milano 1957. *M. Salmi, in Bollettino d'Arte, LII, 1969 (IV)*.	Dizionario Biografico degli Italiani, Roma 1968. *A. Puerari. Boccaccino, Milano 1957, p. 163 e 168*.	H. Gerson - E. H. Ter Kuile: Art and Architecture in Belgium 1600-1800, Harmondsworth 1960. *Cat., Firenze 1952, n. 21. Cat., Firenze 1977, n. 6*.
INVENTARIO	Contini Bonacossi 14.	Contini Bonacossi 13.	8539.	3904.
FOTO	225576.	225575.	277874.	157030.
NOTE	Vedi scheda P215 relativa al S. Matteo dello stesso Boccaccino, (Inv. Contini Bonacossi 13). C.C.	Quest'opera e il S. Giovanni (Inv. Contini Bonacossi 14) appartengono probabilmente agli sportelli laterali di una pala, e in origine dovevano essere a figura intera, come rivelano i supporti segati in altezza. Il Gronau (in Belvedere 1929), identifica le due tavole con due figure di Apostoli ricordate dal Sacchi (Not. pittoriche 1872, p. 349) nella collezione di lord Somers e acquistate a Milano da un antiquario nel 1866. Il Salmi avanza inoltre l'ipotesi che le due opere abbiano fatto parte di una delle ancone ricordate dal Michiel in S. Maria delle Grazie a Cremona e le considera posteriori all'affresco nel catino absidale del duomo di Cremona (1506). L'opera è entrata nelle collezioni della Galleria in seguito a una donazione accompagnata da una convenzione con gli eredi del conte Alessandro Contini Bonacossi (1969). C.C.	In buono stato di conservazione: questa fanciulla di tre quarti è emblematica della pittura boccaccinesca. G.M.	Il dipinto, ascritto negli inventari degli Uffizi a scuola di Rubens, fu attribuito da L. Collobi Ragghianti al Boeckhorst sulla base di una scritta antica che compare sul retro del quadro ('Langhiano'), alludente al soprannome col quale era noto l'artista fiammingo. Lo stesso nome compare in un inventario dei quadri di Pitti del XVII-XVIII sec. (ASF, Guard. 1185, t. III, p. 1087). Il Bodart, accettando l'attribuzione avanzata dalla Collobi Ragghianti, precisa la connessione della composizione con un disegno, forse dello stesso artista, conservato nel Mus. Condé di Chantilly, e ritiene che essa rappresenti il ratto delle Leucippidi (soggetto trattato anche dal Rubens nel quadro oggi nella Alte Pin. di Monaco). Per il Bodart databile tra il 1637 e il 1639. M.C.

	P218	P219	P220	P221
AUTORE	Boel, Pieter (Anversa 1622 - Parigi 1674).	Boguet, Nicolas-Didier (Chantilly 1755 - Roma 1839).	Boltraffio, Giovanni Antonio (Milano 1466-1516).	Boltraffio, Giovanni Antonio (Milano 1467-1516).
TITOLO	Falco che minaccia dei polli.	Paesaggio con pastori.	Ritratto del poeta Casio.	Narciso al fonte.
DATAZIONE	1650-60 ca.	1792.	1490-1500 ca.	Primi sec. XVI.
DATI TECNICI	Olio su tela, 109x133.	Olio su tela, 175x249, restauro 1972.	Olio su tavola, 51,5x37.	Olio su legno, 19x31.
CORNICE	Intagliata, dorata, sec. XVII.	Neoclassica, sgusciata e dorata.	Intagliata a scanalature e motivi vegetali, parzialmente dorata.	Legno intagliato, sec. XX, di imitazione rinascimentale.
UBICAZIONI	Gallerie, Vienna; Uffizi (1821).	Uffizi (1793); Galleria d'arte moderna, Pitti (1972).	Coll. Duca di Devonshire, Chatsworth (cit. 1939); Coll. Frizzoni, Milano; Coll. Contini Bonacossi; Uffizi (1974), Dep. Meridiana di Pitti.	Depositi; Uffizi (1894).
ATTRIBUZIONI	Fyt (Von Mechel 1783). Boel (Zoege von Manteuffel 1921, Bodart 1977).	—	—	Leonardo giovane (Bode 1882). Boltraffio (Ridolfi 1902). Bottega del Boltraffio (Cogliati-Arano 1969).
ESPOSIZIONI	Rubens e la pittura fiamminga del Seicento nelle collezioni pubbliche fiorentine, Firenze 1977.	La peinture française à Florence, Firenze 1945. L'Italia vista dai pittori francesi, Roma e Torino 1961. Cultura neoclassica e romantica nella Toscana granducale, Firenze 1972. Pittura francese nelle collezioni pubbliche fiorentine, Firenze 1977.	Mostra di Leonardo da Vinci, Milano 1939.	Mostra di Leonardo da Vinci, Milano, 1939.
BIBLIOGRAFIA	H. Gerson-E. H. Ter Kuile: Art and Architecture in Belgium, 1600-1800, Harmondsworth, 1960. *K. Zoege von Manteuffel: Bilder Flämische Meister in der Galerie des Uffizien, Monatsch. für Kunstwiss., I, 1921, p. 17. Cat., Firenze 1977, n. 7.*	*Cat., Firenze 1972, p. 113, 181. Cat., Firenze 1977, n. 148.*	*Cat. Milano 1939, p. 189. M. Salmi, in Bollettino d'Arte, LII, 1969 (IV).*	W. Suida, Leonardo und sein Kreis, München 1929. B. Berenson, Indici, 1907. Dizionario Biografico degli Italiani, XI, p. 360 sg. *A. Venturi Leonardo da Vinci e la sua scuola, Novara 1941.*
INVENTARIO	546 (C.P., p. 75, n. 107).	571 (C.P., p. 77, n. 127).	Contini Bonacossi 28.	2184 (C.P., p. 143, n. 3017).
FOTO	180359.	193833.	225599.	49354.
NOTE	L'attribuzione al Boel, avanzata dal Manteuffel, è accettata dal Bodart che mette il dipinto in rapporto con le incisioni dell'artista e con altri suoi quadri (Kremsier, Soissons). Parte di un gruppo di dipinti giunti a Firenze per scambio da Vienna nel 1821. M.C.	Firmato e datato in basso a sinistra: D. Boguet 1792 Romae. Acquistato all'artista durante il suo soggiorno a Firenze dal granduca Ferdinando III nel 1793 (AGF, filza XXVI del 1793-94, 20) e collocato agli Uffizi con il gruppo delle opere di scuola francese. Collocato fuori sede nel 1915, danneggiato dall'alluvione del 1966, è esposto dopo il restauro nella Galleria d'arte moderna di Palazzo Pitti. S.P.	Sulla veste del ritrattato si leggono le lettere 'C.B.'. Sul retro della tavola è dipinto un teschio con la scritta 'Insigne sum Jeronimi Casii'. Il poeta Girolamo Casio (1464-1533), appartenne alla famiglia Pandolfi, ma preferì chiamarsi 'Casio' dal nome del paese dell'Appennino bolognese dal quale proveniva. Nel 1513 fu nominato senatore bolognese da papa Leone X. Il Berenson (Italian Pictures... 1932, p. 91) ha proposto di riconoscere nel ritratto non il poeta Casio ma Costanza Bentivoglio, (forse ritratta per il poeta stesso), in base ai tratti femminei dell'effigiato e alle iniziali sulla veste. Una copia dell'opera si trova al Museo Civico di Vicenza. Il ritratto è entrato nelle collezioni della Galleria in seguito alla donazione degli eredi del conte A. Contini Bonacossi (1969). C.C.	In buono stato di conservazione. Cfr. questo con il Narciso della Galleria Nazionale di Londra, Inv. n. 2673 (M. Davies, National Gall. Cat. 1961, p. 91) e ancora col profilo di un S. Sebastiano nella Coll. Frizzoni e un disegno del Louvre (Suida). La replica di Sir Arthur Ellis a Londra è più estesa. G.M.

	P222	P223	P224	P225
AUTORE	Bonatti, Giovanni (Ferrara 1635 - Roma 1681).	Bonechi, Matteo (Firenze 1672 ca.-1754 ca.).	Bonifacio Veronese, De' Pitati B., detto (Verona 1487 - Venezia 1553).	Bonifacio Veronese, De' Pitati B., detto (Verona 1487 - Venezia 1553), attr. a.
TITOLO	S. Carlo Borromeo visita gli appestati.	Gloria di Santi.	Ritratto di un senatore.	La conversione di S. Paolo.
DATAZIONE	1670 ca.?	1709.	1515 (Morassi 1969), 1520-30.	1540-43 (Westphal 1931).
DATI TECNICI	Olio su tela, 73x45.	Olio su tela, 127x91, restauro 1974.	Olio su tela, 74,5x59.	Olio su tela, 124x264.
CORNICE	Intagliata, dorata, sec. XVII-XVIII.	Uffizi; Pitti (1953); Uffizi (1971).	Tardo ottocentesca, modanata e dorata.	Barocca, in legno intagliato e dorato, con decoro di fronda di alloro.
UBICAZIONI	La Petraia (sec. XVIII); Uffizi (1796); Pitti (1928 ca.); Uffizi (1972).	—	Coll. del Sera, Venezia (1654); Pitti (1675); Uffizi, Tribuna (1677); Guardaroba (1772); Uffizi (1891); Depositi (post 1926).	Gran Principe Ferdinando de' Medici, Pitti (cit. 1713); Uffizi (1798).
ATTRIBUZIONI	—	—	Tiziano (Inv. 1654, Morassi 1969). Scuola veneziana del XVI sec. (Ridolfi 1891). Bonifacio Veronese (Crowe-Cavalcaselle 1891, Berenson 1957, Tiziano nelle Gallerie fiorentine, 1978). Tintoretto (Berenson 1936, Salvini 1952).	Pordenone (inv. Pitti 1713, inv. Uffizi 1825). Schiavone (Arslan, Fiocco 1932).
ESPOSIZIONI	—	Bozzetti delle Gallerie di Firenze, Firenze 1952.	—	—
BIBLIOGRAFIA	*A. I. Rusconi: La R. Galleria Pitti, Roma 1937, p. 66 s. E. Riccomini: Il 600 ferrarese, Milano 1969, p. 51, n. 126.*	L. Berti, in Cat. Firenze 1952, p. 19, n. 24.	B. Berenson: Italian Pictures of the Renaissance, London 1957, I, p. 42. *Cat., Tiziano nelle Gallerie fiorentine, Firenze 1978, n. 63.*	D. Westphal: Bonifazio Veronese, München 1931. W. Arslan: Recensione a D. Westphal, in Rivista d'Arte XIV, 1932.
INVENTARIO	1346 (C.P., p. 145, n. 1028).	593.	2195 (C.P., p. 203, n. 3390) (?)	936 (C.P., p. 206, n. 616).
FOTO	146345.	68255.	305949.	322254.
NOTE	Il dipinto è modello per la tela dipinta dall'artista per la parete sinistra della cappella Spada in S. Maria della Vallicella a Roma. Poiché non si ha una documentazione sull'anno nel quale l'artista eseguì il quadro di Roma, la data proposta si basa su deduzioni stilistiche. Il Riccomini pensa che il dipinto possa identificarsi con uno citato dal Baruffaldi nella collezione Costabili di Ferrara nel 1846, ma questa notizia sembra contrastare con la presenza del quadro nella Villa della Petraia nel Settecento. M.C.	È il bozzetto per la cupola del transetto della chiesa di S. Jacopo Sopra Arno in Firenze. Presenta diverse varianti rispetto alla versione definitiva nella quale i santi non sono raggruppati intorno alle figure di Cristo, Dio Padre e la Vergine, ma disposti circolarmente lasciando spazio libero al cielo. M.M.	Proviene dalla collezione veneziana di Paolo del Sera. Acquisto di Leopoldo de' Medici nel 1654 come Tiziano. Descritto forse dal Boschini. Fu nella Tribuna degli Uffizi dopo la morte di Leopoldo. Necessita di pulitura e restauro. Gr. Red. 2	È registrato nel 1713 nella collezione del Gran Principe Ferdinando (cfr. M. Chiarini: I quadri della collezione del Principe Ferdinando di Toscana, su 'Paragone' n. 301, 1975). Attribuito a Bonifazio da Cavalcaselle (Crowe-Cavalcaselle: Italian Malerei, Leipzig, 1876) è elencato dalla Westphal fra le opere certe del periodo tardo. Arslan, suggerendo nella recensione al libro della Westphal una opinione che dice condivisa dal Fiocco, propone il nome dello Schiavone. A.P.

	P226	P227	P228	P229
AUTORE	Bonifacio Veronese, De' Pitati B., detto (Verona 1487 - Venezia 1553), scuola di.	Bonifacio Veronese, De' Pitati B., detto (Verona 1487 - Venezia 1553), scuola di.	Bonzi, Pier Paolo, detto il Gobbo dei Frutti (Cortona 1576 ca. - Roma 1636), attr. a.	Bonzi, Pier Paolo, detto il Gobbo dei Frutti (Cortona 1576 ca. - Roma 1636), attr. a.
TITOLO	L'ultima cena.	Il Riposo nella fuga in Egitto.	Diana e Calisto.	Ritratto virile.
DATAZIONE	1550 ca. (Westphal 1931, Berenson 1958).	Sec. XVI.	1620-30 ca.	1650 ca.?
DATI TECNICI	Olio su tela, 208x332.	Olio su tela, 83x91.	Olio su tela, 74x96.	Olio su tela, 67x50.
CORNICE	Barocca, in legno intagliato e dorato a decorazione di nastro di alloro.	—	Sagomata, dorata, sec. XVII.	Sagomata, intagliata e dorata, sec. XVII.
UBICAZIONI	Gran Principe Ferdinando de' Medici, Pitti (cit. 1713); Uffizi (1798).	Guardaroba; Uffizi (1797); Galleria Palatina.	Coll. Feroni (ante 1850); Uffizi (1866); Cenacolo di Foligno (1894).	Coll. Feroni (ante 1850); Uffizi (1866); Cenacolo di Foligno (1894).
ATTRIBUZIONI	A. Palma (Venturi 1928).	Maniera veneta (agli Uffizi come tale registr. di Gallerie del 5 luglio 1797). Bonifazio Veronese (inv. Uffizi e Cat. Pieraccini).	Scuola bolognese sec. XVIII (Cat. Feroni 1895).	Volterrano? (Ewald 1973).
ESPOSIZIONI	—	—	—	—
BIBLIOGRAFIA	D. Westphal: Bonifazio Veronese, München 1931. *B. Berenson: Pitture italiane del Rinascimento. La scuola veneta. London-Firenze 1958, voll. 2.*	*N. Cipriani, La Galleria Palatina, repertorio illustrato, Firenze 1966.*	R. Wittkower: Art and Architecture in Italy 1600-1750, Harmondsworth 1965. T. Pugliatti: Pietro Paolo Bonzi paesista, in Quaderni dell'Ist. di Storia dell'arte di Messina, n. 1, 1975. *Catalogo della Galleria Feroni, Firenze 1895, p. 14.*	R. Wittkower: Art and Architecture in Italy 1600-1750. E. Battisti: in Commentari, 1954, p. 290 ss. *Catalogo della Galleria Feroni, Firenze 1895, p. 4. G. Ewald: Unknown Works by Baldassare Franceschini..., in The Burlington Mag., 1973, p. 283, nota 40.*
INVENTARIO	948 (C.P., p. 201, n. 628).	607 (C.P., p. 197, n. 102).	S. Marco e Cenacoli 148.	S. Marco e Cenacoli 84.
FOTO	322244.	180930.	204583.	204540.
NOTE	È citato nell'inventario del 1713 della collezione del Principe Ferdinando (cfr. M. Chiarini: I quadri della collezione del Principe Ferdinando di Toscana, Paragone nr. 301, 1975). Mentre Dorothee Westphal include il dipinto nel catalogo delle opere erroneamente attribuite, gli ultimi indici di Berenson sostengono la sostanziale paternità del de' Pitati nel periodo tardo, con la collaborazione di bottega. Per Venturi l'opera è da assegnare ad Antonio Palma, seguace e stretto imitatore di Bonifacio (A. Venturi, Storia 9. III, 1928). A.P.	Il dipinto non è citato dalla Westphal, moderna monografa del pittore (cfr. D. Westphal, Bonifazio Veronese Munchen 1931 e E. Arslan, recensione alla Westphal su Riv. d'Arte a XIV, 1932) e non figura negli Indici del Berenson (La Scuola Veneta, 1958). A.P.	Il dipinto reca la giusta ascrizione a Scuola bolognese nel catalogo della collezione di provenienza, ma il secolo indicato è troppo avanzato per il suo stile. Si tratta di un'opera ancora di ambito carraccesco e domenichiano, che sembra di poter ascrivere al Bonzi per confronti con le sue opere documentate (Pugliatti 1975). Inoltre esiste un disegno dello stesso soggetto tra i disegni dell'artista agli Uffizi (cfr. M. Chiarini: Disegni italiani di paesaggio del XVII e XVIII secolo, Firenze 1973, n. 17). M.C.	L'attribuzione recata dal dipinto nel catalogo della collezione di provenienza non è accettabile. L'Ewald, infatti, notando le caratteristiche di scioltezza pittorica del quadro, il suo aspetto 'barocco' e comunque una datazione più tarda rispetto a quella implicita nell'attribuzione al Bonzi, ha avanzato con cautela una attribuzione al fiorentino B. Franceschini, detto il Volterrano. L'Ewald propone ipoteticamente di riconoscere nella persona ritratta il nano Tafredi, buffone della corte medicea, effigiato altre volte dal pittore toscano, ma tale identificazione non sembra appoggiata dai confronti con i ritratti sicuri. M.C.

	P230	P231	P232	P233
AUTORE	Bonzi, Pietro Paolo, detto il Gobbo dei Carracci (Cortona 1575 ca. - Roma 1635 ca.), attr. a.	Bonzi, Pietro Paolo, detto il Gobbo dei Carracci (Cortona 1575 ca. - Roma 1635 ca.), attr. a.	Bordon, Paris (Treviso 1500 - Venezia 1571), attr. a.	Bordon, Paris (Treviso 1500 - Venezia 1571).
TITOLO	Cavolfiore e melagrana.	Cavoli.	Ritratto d'uomo con bavero di pelliccia.	Ritratto di cavaliere.
DATAZIONE	Secondo quarto sec. XVII.	Secondo quarto sec. XVII.	1523 ca. (Vertova 1975), ca. 1528-30 (Canova 1964).	1535 (Bailo-Biscaro 1900), 1545-50 (Canova 1964).
DATI TECNICI	Olio su tela, 49,5x66,5, restauro 1956.	Olio su tela, 60x78,7, restauro 1956.	Olio su tela, 107x83.	Olio su tela, 115x90,5.
CORNICE	Salvadora dorata, sec. XIX.	Salvadora dorata, sec. XIX, non pertinente.	Barocca, in legno intagliato e dorato a decoro di volute, mascheroni e serpi.	Barocca, in legno intagliato e dorato, a decoro di volute.
UBICAZIONI	Pitti (ante 1710); Depositi; Uffizi.	Depositi; Uffizi (1925).	Eredità Card. Leopoldo de' Medici (1675); Guardaroba; Uffizi (cit. inv. 1704).	Eredità Card. Leopoldo de' Medici (1675); Pitti (cit. inv. 1716-23); Guardaroba; Uffizi (1795).
ATTRIBUZIONI	—	—	B. Licinio (Berenson 1958, Vertova 1975). Anonimo (Bailo-Biscaro 1900).	—
ESPOSIZIONI	Unbekannte Schönheit, Zürich 1956.	Pittura italiana del Sei e Settecento, Firenze 1922 (?). Unbekannte Schönheit, Zürich 1956.	—	—
BIBLIOGRAFIA	M. Marangoni, in Rivista d'arte X, 1917. E. Battisti in Commentari V, 1954.	M. Marangoni, in Rivista d'arte X, 1917. E. Battisti in Commentari V, 1954.	*G. Canova: Paris Bordon, Venezia 1964.*	G. Canova: Paris Bordon, Venezia 1964. *L. Bailo - G. Biscaro: Della vita e delle opere di Paris Bordon, Treviso 1900.*
INVENTARIO	7582.	5589.	907 (C.P., p. 193, n. 587).	929 (C.P., p. 199, n. 607).
FOTO	122304.	122301.	321797.	321795.
NOTE	La tela fu ritrovata dal Marangoni nei depositi degli Uffizi e pubblicata con l'attuale attribuzione, dovuta al riscontro con l'inventario di palazzo Pitti del primo decennio del '700 (ASF, Guard. 1185, III c. 1217) dove il quadro è citato. Sulla base di questo le fu accostato il Cavolo inv. 1890 n. 5589 e più tardi un quadro analogo della pinacoteca di Cremona (cfr. cat. di A. Puerari, 1951) rifiutato dal Battisti, che non cita neppure i quadri fiorentini. In seguito la tela cremonese veniva orientata verso il Pianca (cat. mostra del Barocco piemontese, Torino 1963), però troppo tardi per essere l'autore dei Cavoli fiorentini. Oggi entrambe le tele, esposte fino al 1952, sono negli uffici della direzione. S.M.T.	Pubblicato dal Marangoni con l'attuale attribuzione, derivante dal confronto col documentato 'Cavolfiore e melagrana' (inv. 1890 n. 7582), ma respinta dal Longhi (in Paragone 1, 1950). Il quadro ha a tergo un cartellino della mostra del Sei e Settecento (Firenze 1922) ma non figura in catalogo. Esposto in galleria dal 1925 al 1952, si trova ora negli uffici della direzione. S.M.T.	Definito 'abbastanza giovanile' dalla Canova, che lo colloca in prossimità del 'Ritratto di cavaliere' della Art Gallery di Toronto e ai cosidetti 'Amanti veneziani' di Brera (n. 105), il dipinto è dato dal Berenson a Bernardino Licinio (cfr. Pitture italiane del Rinascimento. La scuola veneta. London-Firenze 1958). Tale attribuzione è accettata anche da L. Vertova (cfr. Bernardino Licinio, su: I pittori bergamaschi dal XIII al XIX secolo, Bergamo 1975). La tela è stata notevolmente allargata ai bordi. A.P.	L'ignoto ritrattato è un uomo d'arme (l'elmo, la lancia) ma il messaggio che il dipinto vuol trasmettere è di segno erotico. Si vedano: l'amorino che sta consegnando una lettera alla donna in cima alla scalinata e gli emblemi disposti sul tavolo (anello, coroncina di fiori, spillone). È stato supposto che la donna ignota, oggetto delle attenzioni del giovane cavaliere, sia la stessa che il Bordon ritrasse nel quadro della National Gallery di Londra (nr. 674) noto come 'Ritratto della signora Brignole'. A.P.

	P234	P235	P236	P237
AUTORE	Borgognone, Courtois Jacques, detto il (St.-Hippolyte 1621 - Roma 1676).	Borgognone, Courtois Jacques, detto il (St.-Hippolyte 1621 - Roma 1676).	Borgognone, Courtois Jacques, detto il (St.-Hippolyte 1621 - Roma 1676).	Borgognone, Courtois Jacques, detto il (St.-Hippolyte 1621 - Roma 1676).
TITOLO	Combattimento di cavalleria.	Combattimento di cavalleria.	La battaglia di Mongiovino.	La presa di Radicofani.
DATAZIONE	1651-55 ca.	1651-55 ca.	1651-52 ca. (Chiarini 1969), 1650-60 (Rudolph 1972).	1651-52 ca. (Chiarini 1969), 1650-60 (Rudolph 1972).
DATI TECNICI	Olio su tela, 39x44, restauro 1934.	Olio su tela, 49x73, restauro 1934.	Olio su tela, 138x276, restauro 1977.	Olio su tela, 141x275, restauro 1977.
CORNICE	Originale.	Originale.	Originale.	Originale.
UBICAZIONI	Pitti (sec. XVII); Uffizi (1796); Ambasciata italiana, Atene (1934); scomparso (1941-45).	Pitti (1675); Uffizi (1796); Ambasciata italiana, Atene (1934); scomparso (1941-45).	Principe Mattias de' Medici, a Villa di Lappeggi (1659); Pitti (1659); Uffizi (1773).	Principe Mattias de' Medici, Villa di Lappeggi (1659); Pitti (1659); Uffizi (1773).
ATTRIBUZIONI	—	—	—	—
ESPOSIZIONI	Il Seicento europeo, Roma 1956.	—	La peinture française à Florence, Firenze 1945. Artisti alla corte granducale, Firenze 1969. Pittura francese nelle collezioni pubbliche fiorentine, Firenze 1977.	La peinture française à Florence, Firenze 1945. Artisti alla corte granducale, Firenze 1969. Pittura francese nelle collezioni pubbliche fiorentine, Firenze 1977.
BIBLIOGRAFIA	F.A. Salvagnini: I pittori borgognoni Cortese, Roma 1937.	F.A. Salvagnini: I pittori borgognoni Cortese, Roma 1937.	F.A. Salvagnini: I pittori borgognoni Cortese, Roma 1937. *Cat., Firenze 1977, n. 120.*	F.A. Salvagnini: I pittori borgognoni Cortese, Roma 1937. *Cat., Firenze 1977, n. 119.*
INVENTARIO	971 (C.P., p. 116, n. 651).	973 (C.P., p. 117, n. 652).	991 (C.P., p. 119, n. 669).	972 (C.P., p. 119, n. 654).
FOTO	23912.	23913.	157778.	157780.
NOTE	Il dipinto, che non è ricordato negli inventari antichi, sembra provenire dalle collezioni medicee (vedi n. 973), ed è ricordato come passato da Pitti agli Uffizi nel 1796. Nel 1934 fu concesso in deposito all'Ambasciata d'Italia ad Atene, da dove scomparve durante l'ultima guerra mondiale (1941-45). Per lo stile, da avvicinare ai dipinti eseguiti durante il soggiorno dell'artista in Toscana (1651-55). M.C.	Il quadro compare nell'inventario della collezione del card. Leopoldo de' Medici a palazzo Pitti steso nel 1675 (n. 123). Passato nel 1796 agli Uffizi, nel 1934 fu concesso in deposito all'Ambasciata d'Italia ad Atene, da dove scomparve durante l'ultima guerra mondiale (1941-45). Per lo stile da avvicinare ai dipinti eseguiti durante il soggiorno dell'artista in Toscana (1651-55). M.C.	Firmato sul sottopancia del cavallo al centro: Iacomo Cortesi. Il dipinto, che rappresenta l'episodio bellico conclusivo (4 settembre 1643) della 'guerra di Castro', con la vittoria dell'armata toscana comandata dal principe Mattias de' Medici sulle truppe papali di Urbano VIII Barberini, fu dipinto, col suo 'pendant' (n. 972), per la villa di Lappeggi, posseduta dal principe di Toscana. Come l'altro dipinto, deve risalire al soggiorno toscano del pittore (1651-55). M.C.	Il dipinto, con il suo 'pendant' (n. 991), fu dipinto, come attestato da F. Baldinucci, dall'artista per la villa di Lappeggi, posseduta dal principe don Mattias de' Medici, e rappresenta una delle sue vittorie nella 'guerra di Castro' occorsa tra lo Stato della Chiesa e la Toscana nel 1641-43. Come la tela complementare, il quadro fu probabilmente dipinto dal Borgognone nel periodo passato al servizio del principe di Toscana (1651-55). M.C.

	P238	P239	P240	P241
AUTORE	Borgognone, Courtois Jacques, detto il (St. Hyppolyte 1621 - Roma 1676), scuola del.	Borgognone, Courtois Jacques, detto il (St. Hyppolyte 1621 - Roma 1676), scuola del.	Borgognone, Courtois Jacques, detto il (St. Hyppolyte 1621 - Roma 1676), scuola del.	Boscoli, Andrea (Firenze 1560 ca. - 1606-07).
TITOLO	Battaglia di cavalleria.	Battaglia di cavalleria.	Cavalieri sul campo di battaglia.	Nozze di Cana.
DATAZIONE	Seconda metà sec. XVII.	Seconda metà sec. XVII.	Sec. XVIII.	1580-85.
DATI TECNICI	Olio su tela, 171x222.	Olio su tela, 174x233.	Olio su tela, 34x56.	Olio su tela, 127,5x191, rintelato.
CORNICE	Sagomata, intagliata e dorata, sec. XVII.	Sagomata, dorata, sec. XVII.	—	Salvadora dorata, sec. XIX.
UBICAZIONI	Coll. Feroni (ante 1850); Uffizi (1866); Cenacolo di Foligno (1894).	Coll. Feroni (ante 1850); Uffizi (1866); Cenacolo di Foligno (1894).	Uffizi (1880); S. Salvi (c. 1974).	Poggio Imperiale (1624) (?); La Petraia (1940); Depositi; Uffizi (1975).
ATTRIBUZIONI	—	—	Ignoto sulla scia del Borgognone. (Turrini 1974).	—
ESPOSIZIONI	—	—	—	Il Cinquecento toscano, Firenze 1940.
BIBLIOGRAFIA	R. Wittkower: Art and Architecture in Italy, 1600-1750, Harmondsworth 1965. *Catalogo della Galleria Feroni, Firenze 1895, p. 2.*	R. Wittkower: Art and Architecture in Italy, 1600-1750, Harmondsworth 1965. *Catalogo della Galleria Feroni, Firenze 1895, p. 2.*	*AGF: Stefano Turrini, Scheda Ministeriale, 1974.*	*A. Forlani, in Proporzioni IV, 1963.*
INVENTARIO	S. Marco e Cenacoli 8.	S. Marco e Cenacoli 13.	4952.	8025.
FOTO	185719/bis.	185719.	218428.	248331.
NOTE	Questo dipinto, con il suo 'pendant' n. 13, è giustamente ascritto a scuola del Borgognome nel catalogo della collezione di provenienza. Tuttavia entrambi i dipinti hanno caratteristiche che corrispondono a quelle delle opere giovanili di un allievo del pittore francese, e precisamente Pandolfo Reschi, che fu lungamente attivo in Toscana (morì a Firenze) e che dipinse, soprattutto agli inizi, i temi tipici del suo maestro (cfr. M. Chiarini: Pandolfo Reschi in Toscana, in Pantheon, 1973, N. 2). M.C.	Per il commento si rinvia al 'pendant' di questo dipinto, n. 8. M.C.	Il dipinto assai sciupato e privo di cornice, compare nell'inventario del 1880, cat. III n. 533, in deposito presso i magazzini degli Uffizi (Loggia dell'Orcagna), passò poi a S. Salvi poco prima del 1974. L.B.B.	Firmato sulla base del cassone, tra le gambe del coppiere, 'OPA D'ANDREA BOSCOLI FIO°. La Forlani ha proposto di identificarlo con una tela che nel 1624 era al Poggio Imperiale a pendant con un Cristo in casa del Fariseo, non rintracciato (ASF, Guard. 179, c. 37). S.M.T.

	P242	P243	P244	P245
AUTORE	Boscoli, Andrea (Firenze 1560 ca. - 1606-07).	Bottani, Giuseppe (Cremona 1717 - Mantova 1784).	Botticelli, Filipepi Sandro, detto (Firenze 1445-1510).	Botticelli, Filipepi Sandro, detto (Firenze 1445-1510).
TITOLO	San Sebastiano.	Armida che tenta di uccidersi.	La Madonna della Loggia.	Madonna col Bambino, S. Giovannino e due angeli.
DATAZIONE	Inizi sec. XVII.	1766.	1467 (Salvini), 1468 (Mandel), 1467-70 (Gamba 1932, 1936, Bettini 1942, 1947).	1468 ca.
DATI TECNICI	Olio su tavola, 45,5x26, restauro 1930.	Olio su tela 205x147.	Tempera su tavola, 72x50.	Tempera su tavola, 85x62, restauro 1978.
CORNICE	Dorata intagliata a fioroni entro cerchi, sec. XIX (?).	—	Originale a tabernacolo con coronamento a centina, intagliata e dorata.	—
UBICAZIONI	Depositi; Uffizi (1932).	Pitti (1767); Palazzo Vecchio (1900 ca.); Uffizi (1975).	Camera di Commercio; Uffizi (ante 1784).	Santa Maria Nuova; Uffizi (1900); Accademia (1919); Uffizi (1947); Accademia (1952).
ATTRIBUZIONI	—	Anonimo (inv. 1890).	Scuola fiorentina (Morelli 1890, A. Venturi 1925, Mesnil 1938), Amico di Sandro (van Marle 1931), Botticelli? (Lightbwn 1978).	Botticelli (Bode 1884, fino al Salvini 1952). Scuola del Botticelli (Horne 1908, A. Venturi 1925).
ESPOSIZIONI	Il Cinquecento toscano, Firenze 1940. Mostra del Cigoli, San Miniato 1959. Mostra di Andrea Boscoli disegnatore, Firenze-Roma 1959.	Nota de' quadri che sono esposti per la festa di S. Luca dagli accademici del disegno, Firenze 1767.	—	—
BIBLIOGRAFIA	*A. Forlani, in Proporzioni IV, 1963.*	C. Perina Tellini, Bottani Giuseppe in dizionario biografico degli italiani Roma 1971, 13; *E. Borea, L'Armida che tenta di uccidersi di Giuseppe Bottani e una biografia aggiornata al 1769 in 'per Maria Cionini Visani', Torino 1977, pp. 133-35.*	R. Salvini, Tutta la pittura di Botticelli I, Milano 1958. R. Lightbown, Botticelli, London 1978.	R. Lightbown, Sandro Botticelli, Londra 1978. *G. Mandel, in L'opera completa del Botticelli, Milano 1968.*
INVENTARIO	6204.	3765.	Depositi 8.	3166 (C.P., p. 187, n. 23).
FOTO	20229.	249666.	174571.	Alinari 4598.
NOTE	Di provenienza ignota, era nei depositi della galleria durante la stesura dell'inventario del 1890 e fu esposto all'inizio degli anni Trenta. È considerato una delle ultime opere dell'artista. S.M.T.	Si legge in basso a sinistra: Joseph Bottani Fecitromae 1766. Pervenuto a Firenze nel 1767 (Marrini 1766-69) acquistato da Pietro Leopoldo, fu subito esposto temporaneamente nella cappella di S. Luca alla S.S. Annunziata fra opere di molti altri artisti. Successivamente scomparve nel magazzini granducali. Reidentificato in Palazzo Vecchio, è stato riconosciuto come il quadro celebrato dalle fonti settecentesche (Borea 1977). E.B.	— R.S.	L'opera molto ritoccata, presenta chiare influenze di Filippo Lippi, al quale del resto era attribuito durante la permanenza in S. Maria Nuova. La datazione proposta dal Salvini è accettata dal Lightbown. C.C.

	P246	P247	P248	P249
Autore	Botticelli, Filipepi Sandro, detto (Firenze 1445-1510).	Botticelli, Filipepi Sandro, detto (Firenze 1445-1510).	Botticelli, Filipepi Sandro, detto (Firenze 1445-1510).	Botticelli, Filipepi Sandro, detto (Firenze 1445-1510).
Titolo	La Madonna del Roseto.	La Madonna in gloria di cherubini.	La Fortezza.	Sacra Conversazione con i SS. Maddalena, Battista, Francesco, Caterina, Cosma e Damiano.
Datazione	1465-67 (Ulmann 1893, Mesnil 1938), 1469-70 (Bode 1921, 1926, Gamba 1936, L. Venturi 1937, Bettini 1942, 1947, Salvini 1958, Mandel 1967, Lightbown 1978).	1468 (Lightbown), 1469-70 (Salvini 1958, Mandel 1967).	1470.	1470 (Yashiro 1929, Salvini 1958, Mandel 1967), 1470-72 (Ulmann 1893, Berenson 1924, Bode 1926, van Marle 1931, Gamba 1930-31, 1936, Bettini 1942, 1947, Lightbown 1978), 1475-77 (A. Venturi 1911), 1478 (A. Venturi 1925).
Dati tecnici	Tempera su tavola, 124x64.	Tempera su tavola, 120x66.	Tempera su tavola, 167x87.	Tempera su tavola, 170x194.
Cornice	Ottocentesca a tabernacolo con acroterio di tipo barocco.	Originale a edicola centinata, intagliata e dorata.	Ottocentesca.	Ottocentesca intagliata e dorata.
Ubicazioni	Arte della Mercanzia o Arte della Lana. Camera di Commercio. Uffizi (1782).	Provenienza ignota. Uffizi (già almeno dal 1784).	Tribunale dell'Arte di Mercanzia in Piazza d. Signoria (1470); nuova sede dell'Arte nel Palazzo degli Uffizi (ante 1677, Cinelli); depositi (1777); Uffizi (1861).	Chiesa di S. Ambrogio; Accademia (1808); Uffizi (1946).
Attribuzioni	Bottega del Botticelli (Morelli 1897).	Anonimo (inv. 1784). Scuola di Filippo Lippi (A. Venturi 1925).	—	Ghirlandajo (Fantozzi 1844). Andrea del Castagno (Cavalcaselle 1864). Scuola del B. (Morelli 1890).
Esposizioni	—	—	—	Mostra Medicea, Firenze 1939.
Bibliografia	R. Salvini, Tutta la Pittura del B., Milano 1958. R. Lightbown, B., London 1978.	R. Lightbown, Botticelli, London 1978.	R. Lightbown, Botticelli, London 1978. *J. Mesnil, Miscellanea d'Arte, 1903. H. Horne: Alessandro Filipepi commonly called S.B., London 1908.*	R. Salvini, Tutta la pittura del Botticelli, I, Milano 1958. R. Lightbown, Botticelli, London 1978.
Inventario	1601 (C.P., p. 187, n. 1303).	504 (C.P., p. 187, n. 76).	1606 (C.P., p. 184, n. 1299).	8657.
Foto	53967.	323317.	323332.	105831.
Note	—	—	Fonti (già Albertini 1510) e documenti (Mesnil 1903) ne accertano l'allogazione nel maggio 1470 e il saldo il 18 agosto (commissione del Console dell'Arte Tommaso Soderini) per le 'spalliere' raffiguranti le sette Virtù, allogate dall'Arte il 18 agosto e il 18 dicembre 1469 a Piero del Pollajolo, che le eseguì tutte meno una. È la più antica opera datata del B. e pertanto cardine della sua cronologia giovanile.	Spesso denominata 'la pala delle Convertite' perché identificata da varî studiosi con la non specificata tavola che le fonti cinquecentesche (dal Billi-Petrei al Borghini) citano in S. Elisabetta delle Convertite, ma l'identificazione è in vario grado messa in dubbio da altri o rifiutata a favore della Trinità Lee of Fareham oggi nelle Courtauld Galleries di Londra. Ridipinture cinquecentesche, non interamente rimosse da recenti restauri, in alcune figure e volti. Nei Ss. Cosma e Damiano alcuni studiosi, contrastati da altri, riconoscono i ritratti di Lorenzo e Giuliano de' Medici.
	R.S.	R.S.	R.S.	R.S.

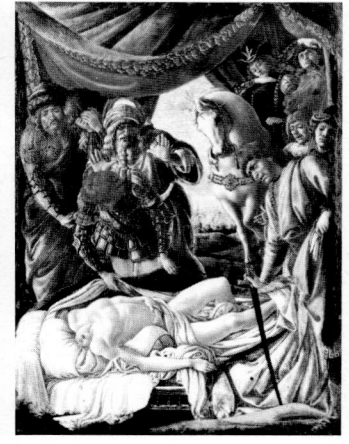

	P250	P251	P252	P253
AUTORE	Botticelli, Filipepi Sandro, detto (Firenze 1445-1510).	Botticelli, Filipepi Sandro, detto (Firenze 1445-1510).	Botticelli, Filipepi Sandro, detto (Firenze 1445-1510).	Botticelli, Filipepi Sandro, detto (Firenze 1445-1510).
TITOLO	Il ritorno di Giuditta dal campo nemico.	La scoperta del cadavere di Oloferne.	Ritratto di giovane uomo con la medaglia di Cosimo il Vecchio.	L'Adorazione dei Magi.
DATAZIONE	1467-68 (Yashiro 1925, 1929, Bettini 1942, 1947), 1969-70 (Lightbown 1978), 1470 (Argan 1957), 1472 (Horne 1908, Gamba 1936, Salvini 1958, Mandel 1967).		1465-66 (de Foville 1911, 1912, Cat., Firenze 1939), 1468-69 (Gamba 1936), 1471-72 (Horne 1908), 1473-74 (Bettini 1942, 1947, Salvini 1958, Mandel 1967), 1474-75 (Lightbown 1978), 1475-77 (Yashiro 1925, 1929), 1492 (Ulmann 1893, Kroeber 1911).	1473 (Hatfield 1976), 1475 (Bode 1926, Gamba 1936, Cat. Mostra 1939, Argan 1956, Mandel 1967, Lightbown 1978), 1476-77 (Horne 1908, A. Venturi 1925, van Marle 1931, L. Venturi 1937, 1947, 1961, Mesnil 1938, Salvini 1958), 1478 (Ulmann 1893, Schmarsow 1923), 1479-80 (Yashiro 1925, Bettini 1942, 1947).
DATI TECNICI	Tempera su tavola, 31x24.	Tempera su tavola, 31x25.	Tempera su tavola; la medaglia è un calco in gesso o stucco, 57,5x44	Tempera su tavola, 111x134.
CORNICE	—		Ottocentesca a pastiglia, dorata.	Ottocentesca intagliata e dorata.
UBICAZIONI	Casa Sirigatti, Bianca Cappello (ca. 1580); don Antonio de' Medici (1587); Uffizi (1632).		Card. Carlo de' Medici; Guardaroba (1666); Uffizi (ante 1704).	S. Maria Novella (dall'origine); Palazzo Mondragone (1570 ca.); don Antonio de' Medici (1587); Poggio Imperiale (post 1621); Uffizi (1796).
ATTRIBUZIONI	—		Filippino Lippi (inv. 1825). Andrea del Castagno (Burckhardt 1855). Anonimo (Bode 1904, 1921, 1926).	Ghirlandaio (inv. 1796).
ESPOSIZIONI	—		Mostra Medicea, Firenze 1939. Lorenzo il Magnifico e le Arti, Firenze 1949.	Mostra Medicea, Firenze 1939. Lorenzo il Magnifico e le Arti, Firenze 1949.
BIBLIOGRAFIA	R. Lightbown, Botticelli, London 1978. *L. Berti, Il Principe dello Studiolo, Firenze 1967, p. 25.*		R. Lightbown, Botticelli, London 1978; L.D. & H.S. Ettlinger, B., London 1976. *Cat., Firenze 1949, n. IX, 2.*	R. Lightbown, Botticelli, London 1978. *R. Hatfield, Botticelli's Uffizi Adoration, Princeton 1976.*
INVENTARIO	1484 (C.P., p. 185, n. 1156).	1487 (C.P., p. 184, n. 158).	1488 (C.P., p. 186, n. 1154).	882 (C.P., p. 186, n. 1286).
FOTO	323330.	323327.	94552.	52879.
NOTE	Detto anche 'Il ritorno di Giuditta a Betulia'. Formava, insieme col n. 1487, un dittico (cfr. inventario del Casino di Via Larga, 1588), che, per testimonianza di R. Borghini (Il Riposo, 1584), Rodolfo Sirigatti donò alla Granduchessa Bianca Cappello ad ornamento di uno dei suoi camerini in Palazzo Pitti. R.S.	Detto anche 'Oloferne morto'. Vedi scheda P250. R.S.	La medaglia riproduce in calco quella di Cosimo il Vecchio coniata poco dopo la sua morte (1464). Il personaggio ritratto è stato variamente ma senza fortuna identificato con membri della famiglia dei Medici, o con Pico della Mirandola o con l'autore della medaglia (Niccolò di Forzore Spinelli ?). Più probabile, se il personaggio sulla destra dell'adorazione dei Magi raffigura davvero il pittore, l'ipotesi del Ragghianti (cat., Firenze 1949) che si tratti di un autoritratto, o quella del Mandel (1967) che vi suppone un ritratto del fratello del B. Antonio Filipepi, rifusore e doratore di medaglie. La prima attribuzione al B. è del Bode (1883), che più tardi mutò opinione. R.S.	Dipinta per l'altare nella cappellina sepolcrale di Guasparre di Zanobi del Lama alla parete di controfacciata di S. Maria Novella, fu intorno al 1570 ritirata nella propria dimora dal nuovo patrono Fabio Mondragone, il quale tuttavia, esiliato per alto tradimento, subì nel 1575 la confisca dei beni. Probabile pertanto che il dipinto sia allora pervenuto in possesso dei Medici, trovandosi registrato nel 1587 fra i beni di don Antonio. La presenza di ritratti di personaggi medicei e della corte, del committente e del pittore, è da tutti ammessa, a partire dal Vasari, con l'eccezione della Langedijk (1968), ma i singoli personaggi vengono diversamente identificati dai diversi autori. R.S.

	P254	P255	P256	P257
AUTORE	Botticelli, Filipepi Sandro, detto (Firenze 1445-1510).	Botticelli, Filipepi Sandro, detto (Firenze 1445-1510).	Botticelli, Filipepi Sandro, detto (Firenze 1445-1510).	Botticelli, Filipepi Sandro, detto (Firenze 1445-1510).
TITOLO	La Primavera.	L'Annunciazione di S. Martino.	La Nascita di Venere.	Minerva doma il Centauro.
DATAZIONE	1475 (Schmarsow 1923), 1476-78 (Cavalcaselle 1864), 1478 (Cavalcaselle 1894 e la grande maggioranza degli studiosi), 1479-80 (Bettini 1942, 1947), 1481 (Ullmann 1893), 1482-83 (Lightbown 1978), 1486 (Stilmann 1890).	1481.	1476 (Schmarsow 1923), 1478 (Cavalcaselle 1894, Bode 1921), 1481-82 (van Marle 1931, Mandel 1968), 1483-84 (Salvini 1958, 1962), 1984-86 (tutti, da Ulmann 1893 a Lightbown 1978), 1487 (Yashiro 1929).	1480 (Ridolfi 1893, Berenson 1895, Yashiro 1929), 1482-83 (A. Venturi 1925, van Marle 1931, Gamba 1936, Salvini 1958, 1962, Mandel 1967, Ettlinger 1976, R. Lightbown 1978), 1485 (Bode 1921, 1926, Mesnil 1938, Bettini 1942, 1947), 1488 (Horne 1908, L. Venturi 1937).
DATI TECNICI	Tempera su tavola, 203x314.	Affresco staccato e riportato su supporto di? (1950-52), 243x550.	Tempera su tela, 172,5x278,5.	Tempera su tela, 207x148, restauri 1950-55 e 1978.
CORNICE	Ottocentesca, larga a intaglio e pastiglia, dorata.	Moderna.	Barocca dorata con intagli e mascheroni.	Ottocentesca a listello dorato e sguasciato.
UBICAZIONI	Palazzo Medici (dall'origine fino almeno al 1516); Castello (dal 1540 almeno al 1761); Guardaroba; Uffizi (1815); Accademia (1853); Uffizi (1919).	Ospedale di S. Martino della Scala (dall'origine); Depositi Gallerie (1920); Uffizi (1952).	Castello (prob. dall'origine fino almeno al 1761); Guardaroba; Uffizi (1815).	Palazzo Medici (dall'origine fino al 1516); Castello (?); Palazzo Vecchio (1598); Castello (1638-1761); Pitti (1805); Pitti magazzini (1856); App.ti Reali (1893); Uffizi (1922).
ATTRIBUZIONI	—	Filippino Lippi (Cavalcaselle 1864).	—	—
ESPOSIZIONI	—	I e II Mostra di Affreschi staccati, Firenze 1957-58. Firenze restaura, Firenze 1972.	—	Mostra Medicea, Firenze 1939. Lorenzo il Magnifico e le Arti, Firenze 1949. Mostra di Opere restaurate, Firenze 1955. Firenze restaurata, Firenze 1972.
BIBLIOGRAFIA	R. Lightbown, Botticelli, London 1978. *R. Salvini, in Scritti in onore di M. Salmi, II, Roma 1962. L. Becherucci, La Primavera, Milano 1965. W. Smith, in Art Bulletin 1975.*	R. Lightbown, Botticelli, London 1978. *G. Poggi, in Burlington Magazine, 1915-16. Cat., Firenze 1972, n. XIV, 13.*	R. Lightbown, Botticelli, London 1978. *J. Lauts, S.B.: die Geburt der Venus, Stuttgart 1958. R. Salvini, in 'Scritti in onore di M. Salmi', II, Roma 1962. E.H. Gombrich, Symbolic Images, London 1972 (edizione italiana, Torino 1978).*	R. Lightbown, Botticelli, London 1978. *R. Salvini, in Scritti in onore di M. Salmi, Roma 1962.*
INVENTARIO	8360.	—	878 (C.P., p. 186, n. 39).	Depositi 29.
FOTO	148770.	69631.	149036.	141290.
NOTE	Citata dal Vasari (1550 1568) nella villa di Cosimo I a Castello (già di Gio. dalle Bande Nere, m. 1526) dopo la generica citazione di "più quadri" nella stessa sede da parte dell'Anonimo Gaddiano. Donde l'ipotesi che sia stata dipinta per Gio. e Lorenzo di Pierfrancesco proprietarî della villa fino dal 1477 (Horne 1908), confermata dalla registrazione del dipinto in inventarî dal 1498 al 1516 del Palazzo di Gio. e Lorenzo di Pierfrancesco in Via Larga (Shearman 1975, Smith 1975). Secondo recentissima ipotesi, eseguita in occasione delle nozze di Lorenzo di Pierfrancesco con Semiramide Appiani nel maggio 1482. Il titolo deriva dal Vasari, ma più probabilmente (Warburg 1893, largamente seguito) il dipinto raffigura il regno di Venere secondo suggerimenti del Poliziano arricchiti di una interpretazione suggerita dal Ficino (Gombrich 1945). R.S.	Riconosciuto come opera del B. da H. Horne (1908), il quale ricostruì su documenti la storia della Loggia dell'Ospedale (1313), divenuto (1532) convento delle suore di S. Martino alle Panche (edificio demolito nel 1529), e della sua trasformazione in atrio della chiesa con coretto per le monache con conseguente parziale distruzione dell'affresco. Datato aprile-maggio 1481 da documenti pubblicati dal Poggi (1915-16). R.S.	Citata dal Vasari (1550, 1568) nella Villa di Cosimo I a Castello, dopo il generico ricordo dell'Anonimo Gaddiano di "più quadri" del B., ibidem, fra le cose di proprietà di Giovanni dalle Bande Nere (m. 1526), donde la quasi certezza che sia stata dipinta per Gio. e Lorenzo di Pierfrancesco proprietari della villa dal 1477 (Horne 1908). Forse ridotta in alto di ca. 35 cm. Il soggetto risale alla Genealogia di Esiodo e ad un inno omerico e giunge al B. attraverso le interpretazioni del Ficino, del Pico e del Poliziano. R.S.	Detta anche 'Pallade' perché erroneamente identificata, quando fu riscoperta nel 1895 dal Ridolfi, con la 'Pallade su una impresa di bronconi' citata dal Vasari e già registrata nell'inv. di Palazzo Medici del 1492, mentre è chiaro che tale 'Pallade', citata ancora in un inventario del 1598 e poi scomparsa, era lo stendardo portato da Giuliano nella giostra del 1475 (Poggi 1902). La presente tela, detta 'Minerva e il Centauro' nell'inv. del 1516, pare identificabile con un dipinto registrato negli inv. del 1498 e 1503 del Palazzo di Lorenzo e Gio. di Pierfrancesco in Via Larga. Recenti ipotesi interpretano il dipinto come 'la virtuosa vergine Camilla' (Shearman 1975) o 'l'armata Venere Citerea' di Pausania (Smith 1975). R.S.

	P258	P259	P260	P261
AUTORE	Botticelli, Filipepi Sandro, detto (Firenze 1445-1510).	Botticelli, Filipepi Sandro, detto (Firenze 1445-1510).	Botticelli, Filipepi Sandro, detto (Firenze 1445-1510).	Botticelli, Filipepi Sandro, detto (Firenze 1445-1510).
TITOLO	La Madonna del Magnificat.	La Madonna della melagrana.	L'Annunciazione di Cestello.	Incoronazione della Vergine (Pala di S. Marco).
DATAZIONE	1465-68 (Cavalcaselle 1864), 1481 (Yashiro 1925, 1929, van Marle 1931, Lightbown 1978), 1482-83 (Ulmann 1893, Horne 1908, A. Venturi 1925, Gamba 1936, Argan 1957, Salvini 1958), 1484-85 (Bode 1921, 1926, Schmarsow 1923, L. Venturi 1937, Bettini 1942, 1947, Mandel 1967).	1478-79 (Ulmann 1893), 1482 (Bode 1921, 1926, Schmarsow 1923, Yashiro 1926, van Marle 1931, L. Venturi 1937), 1485-86 (Mesnil 1938), 1487 (i più, da Horne 1908 a Lightbown 1978).	1489-90.	1480 ca. (Ulmann 1893), 1488-90 (Mesnil 1903, Horne 1908, ecc., Salvini 1958), 1500 ca. (Meyer 1891).
DATI TECNICI	Tempera su tavola, diam. 118.	Tempera su tavola, diam. 143,5.	Tempera su tavola, 150x156.	Tempera su tavola, 378x258, restauro 1830.
CORNICE	Ottocentesca intagliata in oro.	Originale intagliata e dorata con fregi di gigli su fondo azzurro.	Originale a edicola architravata e timpanata.	Cinquecentesca, dalla chiesa dei Battilani (Poggi 1926), intagliata e dorata, a centine, con girali, candelabri, festoni di frutta e due capitelli corinzi laterali.
UBICAZIONI	Ottavio Magherini; Uffizi (1785).	Palazzo della Signoria (?); Card. Leopoldo de' Medici (ante 1675); Guardaroba; Uffizi (1780).	Chiesa dei cistercensi in Borgo Pinti detta di Cestello (poi dal 1628 S.M. Maddalena de' Pazzi) (dall'origine); Villa del Palazzetto a Terenzano, Fiesole (post. 1754); Uffizi (1872).	Chiesa di S. Marco, cappella di S. Alò (dall'origine); Capitolo di S. Marco (1596 ?; ricordata nel 1657); Accademia (1807); Uffizi (1819).
ATTRIBUZIONI	—	—	B. e bottega (Morelli 1890, Horne 1908, Yashiro 1929, Berenson 1932, 1963, Gamba 1936). B. e Filippino Lippi (Bettini 1942, 1947).	Botticelli (Albertini 1510, Vasari 1568, ecc.).
ESPOSIZIONI	—	—	—	—
BIBLIOGRAFIA	L.D. & H.S. Ettlinger, Botticelli, London 1976. R. Lightbown, Botticelli, London 1978.	R. Lightbown, Botticelli, London 1978.	R. Lightbown, Botticelli, London 1978. A. Luchs, Cestello, etc., New York 1977.	R. Salvini: Botticelli, in E.U.A., II, 1958. R. Salvini, Tutta la pittura del Botticelli, Milano, 1958, II.
INVENTARIO	1609 (C.P., p. 187, n. 1267 bis).	1607 (C.P., p. 186, n. 1288).	1608 (C.P., p. 187, n. 1316).	8362.
FOTO	74773.	53808.	56527.	5378.
NOTE	Venduta nel 1784 come opera anonima da un certo Ottavio Magherini, che l'aveva probabilmente acquistata da qualche convento soppresso. L'attribuzione, mai contestata, risale al Cavalcaselle (1864). Nell'iconografia è un'allusione all'identificazione della Vergine con la donna vestita di sole e coronata di 12 stelle dell'Apocalisse XII. 1 (Ettlinger 1976). Il nome deriva dalle parole del 'Magnificat' (Luca I, 46) che si leggono sul libro della Vergine. R.S.	Identificabile secondo ogni probabilità (Horne 1908) col tondo dipinto secondo il Milanesi (Vasari III, 1878, 322, n. 3) dal B. nel 1487 per la Sala dell'Udienza dei Massai di Camera in Palazzo d. Signoria. Ma il documento è irreperibile e pertanto alcuni studiosi mettono in dubbio l'identificazione e la data. Il motivo dei gigli nella cornice conferma che il dipinto fu eseguito per un pubblico ufficio. R.S.	Ritrovata nel 1870 nella cappella della Villa del Palazzetto a S. Martino a Terenzano, appartenente dal 1744 al Convento di S. Maria Maddalena de' Pazzi, che dal 1628 occupava la sede del Monastero di Cestello. La tavola è pertanto con certezza identificabile con quella citata dal Vasari (1550) e documentata come opera del B. eseguita nel 1489 o subito dopo in un Libro di Benefattori di Cestello (Milanesi 1878). Il committente è stato ora più correttamente identificato col cambiavalute Benedetto di ser Francesco Guardi (Lightbown 1978). R.S.	La Madonna incoronata dal Padre Eterno tra 16 angeli volanti. In basso quattro Santi: Giovanni Evangelista, Agostino, Girolamo, Eligio. Commissionata dall'Arte degli Orafi per la cappella di S. Alò (S. Eligio) loro protettore, in S. Marco. Nel 1596 fu ivi sostituita da una 'trasfigurazione' di G.B. Paggi (Richa). Il Mesnil (1903) e lo Horne (1908) scoprirono documenti da cui l'opera può considerarsi sicuramente databile tra il 1488 e il 1490. Della tavola fa parte la predella. Inv. 1890 n. 8389 (vedi). È riconosciuta la presenza di aiuti nelle vesti dei Santi. Disegni relativi: Firenze, Gabinetto Disegni e Stampe; Bologna, coll. privata. P.D.P.

	P262	P263	P264
AUTORE	Botticelli, Filipepi Sandro, detto (Firenze 1445-1510).	Botticelli, Filipepi Sandro, detto (Firenze 1445-1510).	Botticelli, Filipepi Sandro, detto (Firenze 1445-1510).
TITOLO	Predella della Pala di S. Marco.	Pala di San Barnaba.	Cristo in Pietà.
DATAZIONE	1480 ca. (Ulmann 1893), 1488-90 (Mesnil 1903, Horne 1908, ecc., Salvini 1958), 1500 ca. (Meyer 1891).	1480-81 (Ulmann 1893), 1482-83 (Horne 1908, Bode 1921, 1926, Schmarsow 1923, A. Venturi 1925, Yashiro 1929, Berenson 1932, 1963, L. Venturi 1937), 1485-86 (Mesnil 1938, Chastel 1958, Zeri 1966-67), 1487-89 (Gamba 1936, Bettini 1942, 1947, Argan 1956, Salvini 1958, Lightbown 1978).	Vedi scheda P263.
DATI TECNICI	Tempera su tavola, 21x268 (in un sol pezzo), restauro 1975.	Tempera su tavola, 268x280.	Tempera su tavola, 21x41.
CORNICE	Listello moderno in legno.	Ottocentesca sgusciata e dorata.	Moderna a cassetta (1978).
UBICAZIONI	Chiesa di S. Marco, cappella di S. Alò (dall'origine); Capitolo di S. Marco (1596?; ricordata nel 1657); Accademia (1807); Uffizi (1919).	Chiesa di S. Barnaba (dall'origine, cit. Albertini 1510); Accademia (1808); Uffizi (1919).	Chiesa di S. Barnaba (dall'origine); Accademia (1808); Uffizi (1919).
ATTRIBUZIONI	—	—	—
ESPOSIZIONI	Capolavori degli Uffizi restaurati, Firenze 1975.	—	Bottega del Botticelli (Cavalcaselle 1864, Bode 1926).
BIBLIOGRAFIA	R. Salvini, Botticelli, in E.U.A., II, 1958. *R. Salvini, Tutta la pittura del Botticelli, Milano, 1958, II. Cat., Firenze 1975, n. 3.*	R. Lightbown, Botticelli, London 1978. L.D. & H.S. Ettlinger, Botticelli, London 1976.	R. Lightbown, Botticelli, London 1978.
INVENTARIO	8389.	8361.	8390.
FOTO	249724-29 (insieme e singole scene).	324123.	324105.
NOTE	Le cinque storie rappresentano: S. Girolamo penitente; Miracoli di no nello studio; Annunciazione; S. Girolamo enitente; Miracoli di S. Eligio (il Santo, nella sua bottega di maniscalco, riattacca il naso a una donna e la zampa a un cavallo). Le divisioni tra le scene sono colonnini dipinti (dorati). È la predella dell'Incoronazione (n. 8362) eseguita per la cappella di S. Alò (S. Eligio) in S. Marco, per l'Arte degli Orafi, cui si rimanda per altre notizie. P.D.P.	Nel 1717 la tavola fu ingrandita in alto e in basso da Agostino Veracini (Richa 1758), che ripassò largamente tutto il dipinto. Le aggiunte furono tolte fra il 1930 e il 1935. Ma è da supporre che la tavola fosse stata in precedente epoca imprecisata tagliata e che il Veracini l'avesse restituita alle originarie dimensioni. Sul gradino più alto del trono il verso dantesco (Par. XXXIII, 1) 'Vergine Madre figlia del tuo figlio'. La pedella relativa è smembrata (vedi schede P264-P267). R.S.	Scomparto della predella della Pala di S. Barnaba separata dal complesso nel 1717 (vedi schede P265-P267). R.S.

	P265	P266	P267	P268
AUTORE	Botticelli, Filipepi Sandro, detto (Firenze 1445-1510).	Botticelli, Filipepi Sandro, detto (Firenze 1445-1510).	Botticelli, Filipepi Sandro, detto (Firenze 1445-1510).	Botticelli, Filipepi Sandro, detto (Firenze 1445-1510).
TITOLO	Salomé con la testa del Battista.	La visione di S. Agostino meditante sulla Trinità.	L'estrazione del cuore di S. Ignazio.	S. Agostino nella cella.
DATAZIONE	Vedi scheda P263.	Vedi scheda P263	Vedi scheda P263.	1490 (Ulmann 1893, Bode 1924, van Marle 1931, Mesnil 1938, Salvini 1958), 1490-94 (Gamba 1936, Lightbown 1978), 1495 (Horne 1908, A. Venturi 1925), 1495-1500 (Yashiro 1929, Bettini 1942, 1947).
DATI TECNICI	Tempera su tavola, 21x40,5.	Tempera su tavola, 20x38.	Tempera su tavola, 21x38.	Tempera su tavola, 41x27.
CORNICE	Moderna a cassetta (1978).	Moderna a cassetta (1978).	Moderna a cassetta (1978).	—
UBICAZIONI	Chiesa di S. Barnaba (dall'origine); Accademia (1808); Uffizi (1919).	Chiesa di S. Barnaba (dall'origine); Accademia (1808); Uffizi (1919).	Chiesa di S. Barnaba (dall'origine); Accademia (1808); Uffizi (1919).	Bernardo Vecchietti (ante 1568); Ignazio Hugford (1768-1771); Piero Pieralli (ante 1779); Uffizi (1779).
ATTRIBUZIONI	Bottega del Botticelli (Cavalcaselle 1864, Bode 1926).	Bottega del Botticelli (Cavalcaselle 1864, Bode 1926).	Bottega del Botticelli (Cavalcaselle 1864, Bode 1926).	Filippo Lippi (Vasari 1560; Mostra dell'Accademia del Disegno, 1767).
ESPOSIZIONI	—	—	—	Il Trionfo delle Bell'Arti, Firenze 1767.
BIBLIOGRAFIA	R. Lightbown, Botticelli, London 1978.	R. Lightbown, Botticelli, London 1978.	R. Lightbown, Botticelli, London 1978.	R. Lightbown, Botticelli, London 1978.
INVENTARIO	8391.	8392.	8393.	1473 (C.P., p. 186, n. 1179).
FOTO	324102.	324105.	324106.	145938.
NOTE	Scomparto della predella della Pala di S. Barnaba separata dall'insieme nel 1717 (vedi schede P264-P267). R.S.	Scomparto della predella della Pala di S. Barnaba separata dal complesso nel 1717. Il soggetto è tratto dal Catalogus Sanctorum di Pietro de' Natali (Horne): S. Agostino, mentre passeggia meditando sul mistero della Trinità, vede un fanciullo che sta travasando l'acqua del mare in una buca. All'osservazione del Santo sull'assurdità dell'impresa il fanciullo risponde essere ancora più folle il tentativo di travasare nel piccolo cervello dell'uomo l'immenso mistero della Trinità (vedi schede P264-P267). R.S.	Scomparto della predella della Pala di S. Barnaba separata dal complesso nel 1717. Soggetto identificato dallo Horne in base al Catalogus Sanctorum di Pietro de' Natali: durante il martirio il Santo invoca il nome di Gesù, che afferma di portare scritto nel cuore. Dopo la morte si trova che il cuore, estratto dal cadavere, reca impresso a lettere d'oro il nome di Cristo (vedi schede P264-P267). R.S.	La vecchia attribuzione a Filippo Lippi è dovuta, come suppose lo Horne, ad una svista del Vasari, poiché il Borghini (1587) cita presso il Vecchietti 'del Botticelli un bellissimo quadro di pittura', mentre non ricorda nessuna opera del Lippi. R.S.

	P269	P270	P271	P272
Autore	Botticelli, Filipepi Sandro, detto (Firenze 1445-1510).	Botticelli, Filipepi Sandro, detto (Firenze 1445-1510).	Botticini, Francesco (Firenze 1446-1498).	Botticini, Francesco (Firenze 1446-1498).
Titolo	La Calunnia.	L'Adorazione dei Magi incompiuta.	I tre arcangeli.	San Vincenzo Ferreri.
Datazione	1485-90 (Bode 1926), 1490-92 (Ulmann 1893, Bode 1921, Yashiro 1925, 1929), 1494-95 (Horne 1908, A. Venturi 1925, C. Gamba 1936, L. Venturi 1937, Mesnil 1938, Bettini 1942, 1947, Argan 1957, Mandel 1967, Ettlinger 1976, Lightbown 1978), 1496-97 (Salvini 1958), 1498-99 (Landsberger 1933).	1480 (Horne), 1482 (Yashiro 1925, 1929), 1493-95 (Salvini 1958), 1495-99 (Bettini 1942, 1947), 1496-1504 (Lightbown 1978), 1498 (Gamba 1936 Mesnil 1938), 1500 (Schmarsow 1923), 1500-10 (Ulmann 1893, Ridolfi 1896, Bode 1921, 1926).	1467 ca. (Busignani), 1471 ca. (Padoa Rizzo).	Sec. XV (fine).
Dati tecnici	Tempera su tavola, 62x91.	Tempera su tavola, non finita, in gran parte colorita nel sec. XVIII, 107,5x173.	Tempera su tavola, 153x154, restauro 1976.	Tempera su tavola, 160x60,5 (la parte dipinta).
Cornice	Ottocentesca larga dorata a pastiglia.	—	Intagliata architettonica dorata e azzurra, moderna.	Originale, molto restaurata; sagomata e dorata, centinata in alto e con gradino in basso.
Ubicazioni	Antonio Segni (dall'origine); Fabio Segni (Vasari 1550, 1568); Uffizi (1704); Archivio Segreto, Pitti; Uffizi (1773).	Acquistata per gli Uffizi (1779); Depositi (sec. XIX); Uffizi (1880); Depositi (1940).	Compagnia dell'arcangelo Raffaele in S. Spirito (dall'origine); Accademia (1810); Uffizi (1919).	Convento di S. Pancrazio (dall'origine?); Uffizi (1808 ?); Accademia (1851); Uffizi (1900); San Marco (1907); Accademia (1936).
Attribuzioni	Andrea del Sarto? (inv. 1704). Maniera del Ghirlandajo (inv. 1773).	Seguace del B. (Schulze 1880, Cavalcaselle 1894).	Scuola del Verrocchio (Van Marle 1929). Botticini (Berenson 1935 e generalmente). Verrocchio (Busignani 1966).	Ignoto del XV secolo (attribuz. inventariale). F. Botticini (Van Marle 1931, Procacci 1936).
Esposizioni	—	—		
Bibliografia	R. Lightbown, Botticelli, London 1978. R. Salvini, Tutta la pittura di B., II, Milano 1958.	R. Lightbown, Botticelli, London 1978. *H. Wilson, in The Academy 1880. E. Ridolfi, in Le Gallerie Naz. Italiane 1896. H. Horne, in Burlington Mag. 1903.*	A. Busignani, Verrocchio, Firenze 1966, p. 16; L. Bellosi. Intorno ad Andrea del Castagno in Paragone n. 211 (1967), pp. 10; B. Berenson. Italian pictures of the Renaiss., Flor. School, London 1963, p. 39. *A. Padoa Rizzo. Pier Francesco Botticini, in Antichità Viva 1976, n. 5.*	A. Padoa Rizzo, in Dizionario biografico degli Italiani, XIII, Roma 1971. *R. Van Marle, The Development etc., XIII, 1931, p. 416. Paatz, IV, 1942, pp. 574, 588.*
Inventario	1496 (C.P., p. 184, n. 1182).	4346 (C.P., p. 185, n. 3436).	8359.	3455.
Foto	52880.	323318.	305743.	322225.
Note	L'opera fu dipinta come riproduzione ideale della Calunnia di Apelle descritta da Luciano. Tale descrizione fu riferita in modo abbreviato dall'Alberti nel *De Pictura* (1437). Ma la tavola del B. contiene particolari che mancano nell'Alberti, sicché è da ritenere che il pittore abbia consultato qualcuna delle traduzioni quattrocentesche di Luciano (Guarino Veronese, 1408. Bartolomeo Fontio 1472, o l'edizione a stampa edita a Firenze nel 1496). Nelle finte statue e rilievi che adornano l'architettura si distinguono personaggi e fatti della mitologia, della storia romana, dell'Antico Testamento. R.S.	L'attribuzione al B. risale al direttore della Galleria Bencivenni Pelli, 1779, e fu rilanciata dallo Wilson (1880). R.S.	Per la eventuale attribuzione e datazione dell'opera vedi la S. Monica etc. di S. Spirito eseguita prima del 1471 (Busignani) e i 2 pannelli dell'Accademia di Firenze *S. Agostino* e *S. Monica* con la *Giuditta* del Botticelli situabile tra il '70 e il '73 (Dizionario Biografico degli Italiani, XIII 1971). L'opera pare dipendente da analogo soggetto del Pallaiolo, Galleria Sabauda, Torino (Padoa Rizzo). Una replica parziale e più ardua, nella Galleria dell'Accademia. Comunque il quadro presenta vari interventi forse di più mani messi in luce dal recente restauro. G.M.	Sul gradino la scritta: Questè Vincentio dogni lingua stile che fu Predicator / di Spagna dilecto Festa il quinto dì d'aprile. Sul libro sostenuto dal santo altra scritta: Timete Deum et date illi honore / quia venit ora iudicii eius. Sul retro cartellini relativi al passaggio più antico del dipinto all'Accademia (N. 102) e al suo trasferimento agli Uffizi nel 1900. La storia del dipinto non è ben documentata; è incerta la data della prima acquisizione agli Uffizi, mentre la data del passaggio all'Accademia è desumibile dal fatto che la tavola risulta assente nel catalogo a stampa del 1850, e risulta esposta in quello dell'anno successivo. E.S.

	P273	P274	P275	P276
Autore	Botticini, Raffaello (Firenze 1474-notizie fino al 1520).	Botticini, Raffaello (Firenze 1474-notizie fino al 1520).	Boucher, François (Parigi 1703-1770).	Bourdon, Sébastien (Montpellier 1616 - Parigi 1671), attr. a.
Titolo	Deposizione.	Predella con tre storie di Cristo.	Gesù Bambino e S. Giovannino.	La buona ventura.
Datazione	1508.	1508.	1758.	1634-37 ca. (Rosenberg 1977).
Dati tecnici	Tempera (?) su tavola, 200x185.	Tempera su tavola, 27x172.	Olio su tela (ovale), 50x44.	Olio su rame, 48x39.
Cornice	—	Settecentesca, sagomata e dorata.	Liscia, dorata, sec. XVIII.	Ebano, sec. XIX-XX.
Ubicazioni	Compagnia di S. Andrea, Empoli (dall'origine); Accademia (1786); Uffizi (1794); Museo della Collegiata, Empoli (1920-30 ca.); Distrutto (1944).	Compagnia di S. Andrea, Empoli (dall'origine); Accademia (1786); Uffizi (1794); Museo della Collegiata, Empoli (ante 1951).	Parigi; Uffizi (1793).	Pitti (inizi sec. XVIII); Uffizi (1711).
Attribuzioni	Perugino e Raffaellino del Colle (attribuz. inventariale). Francesco Botticini (Crowe-Cavalcaselle 1866). Raffaello Botticini (Milanesi, 1879).	Perugino e Raffaellino del Colle (attribuz. inventariali). Francesco Botticini (Crowe-Cavalcaselle 1866). Raffaello Botticini (Milanesi, 1879).	—	Cerquozzi (vedi scritta sul retro). Bega (Reale Galleria 1824, Hoogewerff 1958). Seguace di Pieter van Laer (Chiarini 1967). Bourdon (Rosenberg 1977).
Esposizioni	—	Mostra di opere restaurate, Firenze 1946.	La peinture française à Florence, Firenze 1945. France in the Eighteenth Century, Londra 1968. Pittura francese nelle collezioni pubbliche fiorentine, Firenze 1977.	Paesisti, Bamboccianti e vedutisti nella Roma seicentesca, Firenze 1967. Pittura francese nelle collezioni pubbliche fiorentine, Firenze 1977.
Bibliografia	A. Padoa Rizzo, in Dizionario biografico degli Italiani, XIII, Roma 1971. F. Zeri, in Gazette des Beaux Arts, ott. 1968, pp. 162-63.	A. Padoa Rizzo, in Dizionario biografico degli Italiani, XIII, Roma 1971. F. Zeri, in Gazette des Beaux Arts, ott. 1968, p. 163. AGF., E. Pilati, Scheda Ministeriale 1972.	A. Ananoff: Boucher, Lausanne 1976. Cat., Firenze 1977, n. 65.	A. Blunt: Art and Architecture in France, Harmondsworth 1954. Cat., Firenze 1977, n. 106.
Inventario	1564 (C.P., p. 171, n. 1283).	1523 (C.P., p. 170, n. 1238).	976 (C.P., p. 114, n. 656).	1206 (C.P., p. 139, n. 886).
Foto	5392.	41735-36-37.	179656.	109177.
Note	L'opera è andata distrutta durante l'ultima guerra mondiale; di essa rimane solo la predella (cfr. scheda a Inv. 1890 n. 1523). Il dipinto passò agli Uffizi dall'Accademia nel 1794 come opera di Raffaellino del Colle (AGF, Filza XXVI, 1794, 34). Il dipinto, stando ai documenti pubblicati dal Milanesi (in Vasari, IV, 248-49) fu allogato a Raffaello Botticini nel 1506 e terminato due anni dopo; il contratto stipulato con i Capitani della Compagnia della Veste Nera di S. Andrea a Empoli parlava di una *Resurrezione*, e questo ha indotto alcuni critici a sollevare dubbi sulla pertinenza dei documenti al dipinto. Questi dubbi sono respinti da Zeri che accetta la datazione proposta dai documenti. E.S.	Restaurato nel 1946 da Lo Vullo-Sokolow. Le scene raffigurate sono Cristo e la Samaritana, Cristo scaccia i mercanti dal tempio, Entrata di Cristo in Gerusalemme. È la predella della *Deposizione*, dello stesso Botticini, distrutta durante l'ultima guerra (Inv. 1890, n. 1564). La predella al tempo del Milanesi, risultava già separata dalla pala. Zeri sottolinea i residui arcaici e i riflessi meccanici di motivi alla Granacci nelle figurette e il linearismo di matrice botticelliana mutuato dal padre Francesco. Il dipinto è attualmente in deposito presso il Museo della Collegiata di Empoli. E.S.	Firmato e datato in basso al centro: f. Boucher 1758. Il dipinto fu acquistato, con altri quadri francesi, da Francesco Favi a Parigi nel 1793 per conto di Ferdinando III, granduca di Toscana. Del quadro esistono quattro versioni note; una appartenne alla marchesa di Pompadour, e non è escluso che possa essere il dipinto degli Uffizi (Rosenberg Cat. Firenze 1977). M.C.	La provenienza del dipinto non è documentata. Il nome del Cerquozzi si trova a tergo del quadro, ed è probabile che vi sia iscritto al momento del passaggio da Pitti agli Uffizi. Ritenuto del Bega fin dal 1824, il Rosenberg ha dimostrato l'appartenenza del dipinto al momento italiano del pittore francese. M.C.

	P277	P278	P279	P280
Autore	Bout, Pieter (Bruxelles 1658-1702) e Baudewijns, Adrien-François (Bruxelles 1644-1711).	Bramantino, Suardi Bartolomeo, detto il (Milano 1465 ca.-1530).	Bramer, Leonaert (Delft 1630 ca. - 1674).	Bramer, Leonaert (Delft 1630 ca. - 1674).
Titolo	Paesaggio fluviale con chiesa.	Madonna col Bambino e otto Santi.	Adorazione dei pastori.	Scena di sacrificio.
Datazione		Ante 1520 (Mazzini 1957), ca. 1525-30 (Mulazzani, 1978).	1630-40 ca.	1650 ca.
Dati tecnici		Tempera su tavola, 203x167.	Olio su tavola, 95x83.	Olio su tavola 43,5x59, restauro 1970.
Cornice		Ottocentesca, legno intagliato e dorato.	Dorata liscia.	Listello moderno.
Ubicazioni		Chiesa di S. Maria del Giardino, Milano (dall'origine); coll. Castelbarco, Milano (Cit. del XVIII sec.); proprietà Poldi-Pezzoli, Birolo, Pavia, (cit. 1896); coll. Contini Bonacossi; Uffizi (1974), dep. Meridiana di Pitti.	Coll. privata; Uffizi (1968).	Coll. Feroni (1850); Uffizi (1866).
Attribuzioni		—	—	Pieter van Laer (1850). Attrib. Bramer (Wichmann 1923).
Esposizioni		—	Caravaggio e Caravaggeschi nelle Gallerie di Firenze, Firenze 1970.	Caravaggio e Caravaggeschi nelle Gallerie di Firenze, Firenze 1970.
Bibliografia		W. Suida: Bramante pittore e il Bramantino, Milano 1959. G. Mulazzani: Bramantino e Bramante pittore, Milano 1978.	E. Borea, in Cat., Firenze 1970, n. 60.	H. Wichmann, Leonart Bramer, Sein Leben und seine Kunst, Lipsia 1923, p. 115. E. Borea, in Cat., Firenze 1970, n. 59, pp. 90-91.
Inventario		Contini Bonacossi 3.	9458.	San Marco e Cenacoli 141.
Foto		217279 e particolare.	158722.	158718.
Note	Vedi scheda P171.	Con esposizione temporanea nei locali della Meridiana di Palazzo Pitti, il dipinto fu acquisito ufficialmente al patrimonio dello Stato nel 1974, a seguito della convenzione intervenuta nel 1969 con gli eredi Contini Bonaccosi. La critica è concorde nel riconoscere a questo dipinto una collocazione finale nella cronologia del pittore. A.P.	Pervenuto in acquisto da privati nel 1968, è siglato sulla greppia L.B., ossia Leonaert Bramer. Appare prossimo stilisticamente alla Adorazione dei Magi datata 1636 già a Lipsia; la datazione è comunque difficile a stabilirsi. Un disegno per il gruppo centrale della composizione o per altra assai simile è a Montreal, Musée de Beaux Arts (Borea 1970). E.B.	L'opera faceva parte della collezione Feroni, ceduta al Comune di Firenze nel 1850 e successivamente passata agli Uffizi. Le pessime condizioni della conservazione non hanno impedito il riconoscimento dell'autore in Bramer. Assai difficile è la datazione. E.B.

	P281	P282	P283	P284
AUTORE	Breenbergh, Bartholomeus (Deventer 1599 - Amsterdam 1657), attr. a.	Breenbergh, Bartholomeus (Deventer 1599 - Amsterdam 1657), att. a.	Breydel, Carel (Anversa 1678-1733).	Breydel, Carel (Anversa 1678-1733).
TITOLO	Cristo e l'adultera.	Paesaggio con pastori e animali.	Veduta del Reno con casa e figure.	Veduta del Reno con osteria e figure.
DATAZIONE	1625-30 ca.	—	Inizi sec. XVIII.	Inizi sec. XVIII.
DATI TECNICI	Olio su rame, 32x47, restauro 1967.	—	Olio su tavola ovale, 23x28.	Olio su tavola ovale, 23x27.
CORNICE	Sagomata, intagliata e dorata, sec. XVIII.	—	Intagliata, dorata, sec. XVIII.	Intagliata, dorata, sec. XVIII.
UBICAZIONI	Pitti (sec. XVIII); Uffizi (1774); Pitti (1967).	Pitti (sec. XVIII); distrutto durante la guerra.	Uffizi (1800); Prefettura, La Spezia (1936).	Uffizi (1800); Prefettura, La Spezia (1936).
ATTRIBUZIONI	—	—	—	—
ESPOSIZIONI	Paesisti, Bamboccianti e vedutisti nella Roma seicentesca, Firenze 1967.	—	—	—
BIBLIOGRAFIA	J. Rosenberg - S. Slive - E. H. Ter Kuile: Dutch Art and Architecture 1600-1800, Harmondsworth 1966. M. Roethlisberger: Bartholomäus Breenbergh Handzeichnungen, Berlin 1969. *Cat., Firenze 1967, n. 16.*	—	H. Gerson - E. H. Ter Kuile: Art and Architecture in Belgium 1600-1800, Harmondsworth 1960. *D. Bodart: Rubens e la pittura fiamminga del Seicento nelle collezioni pubbliche fiorentine, Firenze 1977, p. 314.*	H. Gerson - E. H. Ter Kuile: Art and Architecture in Belgium 1600-1800, Harmondsworth 1960. *D. Bodart: Rubens e la pittura fiamminga del Seicento nelle collezioni pubbliche fiorentine, Firenze 1977, p. 314.*
INVENTARIO	1266 (C.P., p. 139, n. 967).	1291.	1128 (C.P., p. 124, n. 814).	1135 (C.P., p. 125, n. 804).
FOTO	325022.	19124.	160903.	160907.
NOTE	Sul retro (tavola di chiusura) scritta: Bartolomeo Breemberg. Il quadro, in cattive condizioni di conservazione, non è stato finora discusso né sufficientemente studiato. L'attribuzione tradizionale al Breenbergh indicherebbe che l'artista in quest'opera si è particolarmente avvicinato all'esempio del Poelenburgh. Il quadro aveva probabilmente come 'pendant' il n. 1291, rappresentante un paesaggio con pastori e animali, andato distrutto durante la guerra 1941-45 (foto n. 19214). M.C.	Vedi: scheda P281.	La provenienza del dipinto, e del suo 'pendant' n. 1135, non è documentata: essi entrarono agli Uffizi nel 1800 con l'attribuzione a questo pittore minore fiammingo allievo di P. Rysbraeck, che si specializzò nell'esecuzione di vedute del Reno lopo essersi stabilito ad Amsterdam a partire dal 1700 ca. Concesso in deposito agli uffici della Prefettura di La Spezia nel 1936. M.C.	Firmato (resti): C. br..y..e... Per il commento, vedi il 'pendant' n. 1128. M.C.

	P285	P286	P287	P288
AUTORE	Bril, Paul (Anversa 1554 - Roma 1626).	Bril, Paul (Anversa 1554 - Roma 1626).	Bril, Paul (Anversa 1554 - Roma 1626).	Bril, Paul (Anversa 1554 - Roma 1626).
TITOLO	Paesaggio con caccia al cervo.	Paesaggio con caccia alla lepre.	Paesaggio con cacciatori.	S. Paolo eremita.
DATAZIONE	1585.	1595 (Bodart 1977), 1600 (Mayer 1910).	1595-1600 (Bodart 1977).	1595-1600 (Bodart 1977).
DATI TECNICI	Olio su rame, 21x28.	Olio su rame, 22x29.	Olio su rame, 27x43.	Olio su rame, 17x22.
CORNICE	Ebano, sec. XIX-XX.	Ebano, sec. XIX-XX.	Ebano, sec. XIX-XX.	Sagomata, dorata, sec. XVII.
UBICAZIONI	Uffizi (1635)?; Castello (1772); Uffizi (1779); Pitti (1928).	Castello (1772); Uffizi (1779); Pitti (1928).	Uffizi (1753); Castello (1761); Uffizi (1796).	Pitti (ante 1698); Poggio a Caiano (inizi sec. XVIII); Uffizi (1773).
ATTRIBUZIONI	—	—	Jan Bruegel (Inv. 1769). Bril (Inv. 1796, Chiarini 1967, Bodart 1977).	—
ESPOSIZIONI	Rubens e la pittura fiamminga del Seicento nelle collezioni pubbliche fiorentine, Firenze 1977.	Rubens e la pittura fiamminga del Seicento, nelle collezioni pubbliche fiorentine, Firenze 1977.	Dipinti del Seicento fiammingo e olandese, Firenze 1958. Paesisti, Bamboccianti e vedutisti nella Roma seicentesca, Firenze 1967. Rubens e la pittura fiamminga del Seicento nelle collezioni pubbliche fiorentine, Firenze 1977.	Rubens e la pittura fiamminga del Seicento nelle collezioni pubbliche fiorentine, Firenze 1977.
BIBLIOGRAFIA	A. Mayer: Das Leben und die Werke der Brüder Matthäus und Paul Bril, Leipzig 1910. *Cat., Firenze 1977, n. 9.*	A. Mayer: Das Leben und die Werke der Brüder Matthäus und Paul Bril, Leipzig 1910. *Cat., Firenze 1977, n. 10.*	A. Mayer: Das Leben und die Werke der Brüder Matthäus und Paul Brill, Leipzig 1910. *Cat., Firenze 1967, p. 14. Cat., Firenze 1977, n. 11.*	H. Gerson - E. H. Ter Kuile: Art and Architecture in Belgium, 1600-1800, Harmondsworth 1960. *Cat., Firenze 1977, n. 12.*
INVENTARIO	1129 (C.P., p. 127, n. 807).	1136.	1190 (C.P., p. 126, n. 871).	1057.
FOTO	74407.	248041.	109175.	186076.
NOTE	Firmato e datato in basso a sinistra: P. Bril 1595. Il dipinto è da riconoscersi con probabilità in quello citato nella Tribuna degli Uffizi nel 1635. 'Pendant' del n. 1136. M.C.	Firmato in basso a sinistra: P. Brilli. Come il suo 'pendant', n. 1129, il dipinto doveva trovarsi a Firenze già nei primi decenni del seicento. Datato al 1600 dal Mayer (1910), il Bodart (Cat., Firenze 1977) lo avvicina al 'pendant' datato 1595. M.C.	Citato la prima volta nell'inventario della Galleria degli Uffizi nel 1753 come di Paul Bril, il dipinto reca sul retro una scritta che lo attribuisce a 'Brugel le Dernier', cioè a Jan Brueghel dei Velluti al quale il quadro viene attribuito in un inventario della Villa di Castello del 1769. Tuttavia l'attribuzione al Bril è confermata dall'inventario degli Uffizi del 1796, dal Chiarini (Cat., Firenze 1967) e dal Bodart (Cat., Firenze 1977) che data il quadro in prossimità della Caccia al cervo datata 1595 (n. 1129). M.C.	Ricordato in un inventario di palazzo Pitti del 1698, il quadretto agli inizi del Settecento fu inviato alla Villa di Poggio a Caiano per far parte della raccolta là adunata dal principe Ferdinando de' Medici. Passato agli Uffizi nel 1773, fu concesso in deposito temporaneo alla Casa Vasari di Arezzo (1950) dalla quale è rientrato nel 1977. Datato dal Bodart tra il 1595 e il 1600 per le analogie con gli affreschi rappresentanti eremiti dipinti dal Bril in S. Cecilia in Trastevere nel 1599. M.C.

	P289	P290	P291	P292
AUTORE	Bril, Paul (Anversa 1554 - Roma 1626).	Bril, Paul (Anversa 1554 - Roma 1626).	Bril, Paul (Anversa 1554 - Roma 1626), attr. a.	Bril, Paul (Anversa 1554 - Roma 1626).
TITOLO	Paesaggio con viandanti.	Marina.	Tentazioni di S. Antonio.	Paesaggio con marina.
DATAZIONE	1610-15 (Bodart 1977).	1617.	Prima metà sec. XVII.	
DATI TECNICI	Olio su tela, 95,5x127, restauro 1956.	Olio su tela, 86x116, restauro 1977.	Olio su rame, 17x22.	
CORNICE	Liscia, dorata, sec. XVII.	Saomata, dorata, originale.	Sagomata, dorata, sec. XVII-XVIII.	
UBICAZIONI	Pitti (1666); Uffizi (1796); Roma (1928); Pitti (1977).	Casino di S. Marco 1617); Pitti (1666?); La Petraia (1774); Uffizi (1796).	Pitti (ante 1713); Uffizi (sec. XVIII).	
ATTRIBUZIONI	—	—	Scuola fiamminga (Bodart 1977).	
ESPOSIZIONI	Rubens e la pittura fiamminga del Seicento nelle collezioni pubbliche fiorentine, Firenze 1977.	Rubens e la pittura fiamminga del Seicento nelle collezioni pubbliche fiorentine, Firenze 1977.	—	
BIBLIOGRAFIA	A. Mayer: Das Leben und die Werke der Brüder Matthäus und Paul Brill. Leipzig 1910. R. Baer: Paul Bril, München 1930. *Cat., Firenze 1977, n. 15.*	*A. Maeyer: Die Brüder M. und P. Bril, Leipzig 1910. G. T. Faggin: Per Paolo Bril, in Paragone, n. 185, 1965. Cat., Firenze 1977, n. 13.*	H. Gerson - E. H. Ter Kuile: Art and Architecture in Belgium, 1600-1800, Harmondsworth 1960. *D. Bodart: in Cat. Rubens e la pittura fiamminga del Seicento nelle collezioni pubbliche fiorentine, Firenze 1977, p. 317, N. XXXII.*	
INVENTARIO	598 (C.P., p. 81, n. 104).	1052.	1046.	1133.
FOTO	278479.	279014.	178485.	Vedi: Angeli, Filippo. Scheda P89.
NOTE	Il dipinto fu acquistato dal card. Carlo de' Medici nel 1618 e rimase in palazzo Pitti fino al 1796, quando fu portato agli Uffizi. Di qui, nel 1928, passò in deposito presso uffici statali di Roma, da dove è tornato a Firenze nel 1977. M.C.	Come ha dimostrato l'Orbaan sulla base di documenti, il dipinto, con un 'pendant' rappresentante la Caccia al cinghiale (Inv. 1890, n. 1076), fu eseguito a Roma nel 1617 dal Bril per il cardinal Carlo de' Medici, nell'inventario della cui collezione, steso alla sua morte nel 1666, è descritto. Lo stemma dei Medici compare sul torrione diruto a sinistra e sulla bandiera del galeone a destra. Il tema era già stato affrontato dal pittore in un quadro dipinto per il card. Scipione Borghese nel 1611-12. Si conosce una copia del quadro degli Uffizi, anche essa nelle Gallerie fiorentine (Inv. 1890, n. 7079), falsamente datata 1627. M.C.	Come ha fatto notare il Bodart, l'attribuzione di questo quadretto di Scuola fiamminga al Bril, avanzata nell'inventario della collezione appartenuta al principe Ferdinando de' Medici (morto nel 1713), non è da prendere in considerazione. M.C.	

	P293	P294	P295	P296
AUTORE	Bril, Paul (Anversa 1554 - Roma 1626).	Bronzino, Agnolo di Cosimo, detto il (Firenze 1503-1572).	Bronzino, Agnolo di Cosimo, detto il (Firenze 1503-1572).	Bronzino, Agnolo di Cosimo, detto il (Firenze 1503-1572).
TITOLO	Paesaggio con viandanti.	Cristo morto, la Madonna e S. Maria Maddalena.	Sacra Famiglia Panciatichi.	Ritratto di giovane con liuto.
DATAZIONE		1530 ca.	1530-32 (Smyth 1971), 1540 ca. (Becherucci 1944, Dal Poggetto 1975), dopo il 1548 (Smythe 1949, Emiliani 1960).	Opera giovanile tra 1532 e 1540.
DATI TECNICI		Olio su tavola, 105x100.	Olio su tavola, 117x93, restauro 1975.	Olio su tavola 98x82,5, restauro 1950.
CORNICE		Legno dorato, con scanalature, di epoca imprecisabile.	Barocca, riccamente intagliata e dorata.	In legno con intagli e lumeggiature d'oro, sec. XVIII.
UBICAZIONI		Convento di S. Trinita; Accademia (1810, ancora nel 1870); Uffizi (1925).	Coll. Panciatichi; Pitti (sec. XIX); Uffizi (1919).	Uffizi (Inv. 1704).
ATTRIBUZIONI		Bronzino (Vasari 1568 e critica più recente). Da escludere altre attribuzioni (allievo di Andrea del Sarto, Schulze 1911; Santi di Tito, A. Venturi, 1934).	—	Nell'Inv. 1704 ha il nome del Bronzino, invariato in tutta la letteratura seguente.
ESPOSIZIONI		Mostra del Pontormo e del primo Manierismo, Firenze 1956.	Capolavori degli Uffizi restaurati nel 1975, Firenze 1975.	—
BIBLIOGRAFIA		L. Becherucci, Manieristi Toscani, Bergamo 1944, 43; C. H. Smyht, The earliest works of B., Art Bull. XXX, 1949, 20-28; U. Baldini in Cat., Firenze 1956, n. 18. A. Emiliani, Il B., Busto Arsizio 1960, tav. 66. E. Baccheschi, L'opera completa del Bronzino, Milano 1973, n. 87.	A. Emiliani: Il Bronzino, Busto Arsizio, 1960. C.H. Smythe: Bronzino as draughtsman. An Introduction, New York, 1971, p. 47. E. Baccheschi: L'opera completa del Bronzino, Milano, 1973, n. 31. Cat., Firenze 1975, n. 8.	A. Emiliani, Il Bronzino, Busto Arsizio 1960. C.H. Smythe, Bronzino as a draughtsman). New York 1971. E. Baccheschi, L'opera completa del Bronzino, Milano 1973.
INVENTARIO	1126.	8545.	8377.	1575 (C.P. p. 89 n. 1266).
FOTO	Vedi: Angeli, Filippo.	170024; 92511; 92568-92573.	249714 (e particolari).	216409.
NOTE	Scheda P90.	Agli Uffizi sempre indicato come Bronzino e identificato col 'Cristo morto, la Nostra Donna, San Giovanni e Santa Maria Maddalena' che il Vasari ricordava in Santa Trinita e il Milanesi all'Accademia; anche se, di fatto, il San Giovanni manca. Il Berenson (1903) propose un'attribuzione al Pontormo, seguito dallo Schulze (1911), ma non dalla Becherucci (1944) e dallo Smythe (1949), che su parere anche di F. Arcangeli, su parere anche di F. Arcangeli, pensa a un periodo tardo, posteriore al supposto viaggio a Roma del 1546-48. Ma v. in contrario Smythe, B. as Draughtsman, New York, 1971, p. 47. L.Bec.	Firmata in basso a sinistra: BRONZO FIORET. Eseguita per Bartolommeo Panciatichi (Vasari 1568, Borghini 1584): un importante letterato di cui il Bronzino eseguì uno splendido ritratto, oltre a quello della bellissima moglie (ambedue agli Uffizi, vedi) Sul torrione in alto a sinistra è lo stemma della famiglia. Disegni preparatori: Firenze, Gabinetto Disegni e Stampe; München, Statliche Graphische Sammlung. P.D.P.	Ignoto il raffigurato. Attribuito al B. per la prima volta nell'inv. ms. della Galleria del 1704. Concordamente ritenuto giovanile; forse uno dei ritratti che il Vasari dice eseguiti tra il 1530 e il 1540. Gli viene oggi riferito il disegno nella coll. Devonshire a Chatsworth, un tempo ritenuto del Pontormo (per le questioni relative cfr. Smyth, 1971, 48 e ss., 80 e 55). L.Bec.

	P297	P298	P299	P300
Autore	Bronzino, Agnolo di Cosimo, detto il (Firenze 1503-72).	Bronzino, Agnolo di Cosimo, detto il (Firenze 1503-1572).	Bronzino, Agnolo di Cosimo, detto il (Firenze 1503-1572).	Bronzino, Agnolo di Cosimo, detto il (Firenze 1503-1572).
Titolo	Ritratto di Bartolomeo Panciatichi.	Ritratto di Lucrezia Panciatichi.	Ritratto di Bia, figlia naturale di Cosimo I.	Ritratto di Eleonora da Toledo col figlio Giovanni.
Datazione	1540 ca.	1540 ca.	1542 ca.	1544-45 ca.
Dati tecnici	Olio su tavola 104x84, restauro 1569-70.	Olio su tavola, 102x85, restauro 1969-70.	Olio su tavola, 63x48.	Olio su tavola, 1,15x96.
Cornice	In legno intagliato e dorato, forse coeva all'entrata in Galleria (c. 1704).	Intagliata e dorata, forse coeva all'entrata in Galleria (1704).	In legno intagliato e dorato, probabilmente ottocentesca.	In legno intagliato e dorato, sec. XVII.
Ubicazioni	Carlo Panciatichi (cit. Borghini 1584); Uffizi (Inv. 1704).	Carlo Panciatichi (1584); Uffizi (1704).	Palazzo Vecchio (1543); Uffizi (1796).	Palazzo Vecchio? (1543); La Petraia; Uffizi (1798).
Attribuzioni	Bronzino (fin dal Vasari, 1568).	—	Bronzino (fin dal Vasari, 1568).	Bronzino (dal Vasari 1568 in poi).
Esposizioni	—	Exposition de L'Art Italien de Cimabue à Tiepolo, Parigi, 1935.	Mostra Medicea, Firenze 1939.	Mostra Medicea, Firenze 1939.
Bibliografia	A. Emiliani, Il B., Busto Arsizio 1960. *E. Baccheschi, L'opera completa di d.B., Milano 1973.*	L. Becherucci, Manieristi Toscani, Bergamo 1944, 44. A. Emiliani, Il B., Busto Arsizio 1960, 25. *E. Baccheschi, L'opera completa del B., Milano 1973, n. 90.*	A. Emiliani, Il B., Busto Arsizio 1960, 27. *E. Baccheschi, L'Opera completa del B., Milano 1973, n. 94.*	L. Becherucci, Manieristi Toscani, Bergamo 1944, p. 46; A. Emiliani, il B., Busto Arzizio 1960, p. 56; *E. Baccheschi, L'op. completa del B. Milano 1973, p. 95.*
Inventario	741 (C.P., p. 89, n. 159).	736 (C.P. p. 89 n. 154).	1472.	748 (C.P. p. 88 n. 172).
Foto	18397; 114069; 216411.	114068.	128564 - 172440.	53961-128565-83796 (con cornice).
Note	Vasari (1568): 'A. Bartol. Panciatichi fece i ritratti di lui e della moglie tanto naturali che paiono vivi veramente...'; Bart. (in realtà Giovanni) Panciatichi nacque a Firenze il 21 Giugno 1507, e morì il 23 ottobre 1582. Sposò nel 1528 Lucrezia di Gismondo Pucci. L'età dimostrata nel ritratto conferma una datazione intorno al 1540. Il Borghini vide il ritratto in casa Carlo Panciatichi, cameriere del Granduca e figlio del ritrattato nel 1584. Dal 1704 è sempre stato in Galleria, salvo un temporaneo deposito in Guardaroba nel 1800, come documenta una scritta a tergo. L.Bec.	Firmato 'BRONZ. O FIORENTINO' Il ritratto, con quello del marito (inv. 1890 n. 741) era nel 1584 in casa del figlio Carlo Panciatichi, cameriere del granduca. Risulta agli Uffizi ininterrottamente dal 1704 (n. 432). Lucrezia di Gismondo Pucci sposò nel 1528 Bartolomeo Panciatichi, nato nel 1507, e morì nel 1572. Supponendola coetanea o di poco più giovane del marito, si verrebbe a configurare anche per questo suo ritratto una data non lontana dal 1540 che i dati stilistici non smentiscono, e che fu proposta dalla Becherucci nel 1944, e accettata dalla critica seguente. Sulla collana la scritta 'Sans fin amour dure' (su ogni anello una parola diversa) che potrebbe far supporre già passato il soggiorno della coppia in Francia (a Lione) dove lui fu ambasciatore. L.Bec.	Un ritratto di Bia, figlia naturale di Cosimo I è riferito al Bronzino dal Vasari, e ricordato nell'Inventario della Guardaroba di Palazzo Vecchio nel 1543. L'identificazione con quello qui ricordato, negata dal Saltini, fu riconfermata con validi argomenti da G. Pieraccini, e nonostante il dissenso dei Cataloghi di Galleria (1926, 46; 1952, 39) è oggi in genere accettata dalla critica, che ne deduce una data intorno al 1542 (anno di morte della piccola principessa). L.Bec.	Il Vasari ricorda, dopo un primo ritratto della duchessa Eleonora, sposa di Cosimo I, che il Bronzino 'ritrasse siccome piacque a lei, un'altra volta la detta signora duchessa, in vario modo dal primo col signor don Giovanni suo figliolo appresso'. Nell'inventario del 1553 (Conti, 1897) si parla invece di don Francesco, del quale effettivamente esiste un ritratto con la madre nel Museo di Cincinnati (OHIO). Ma l'età del fanciullo nel ritratto degli Uffizi corrisponde invece a quella di Giovanni, (n. nel 1543) che, prima della sua nomina a cardinale, era l'erede ufficiale del principato, e allo stile del B. intorno al 1545-46, che è considerata, quindi, la data probabile del dipinto. La cornice è stata eseguita su disegno di uno dei maestri attivi nel Seicento per le cornici delle raccolte Granducali. L.Bec.

   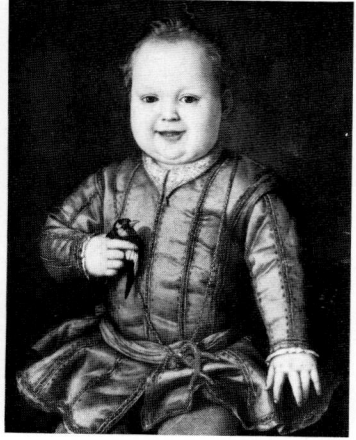

	P301	P302	P303	P304
AUTORE	Bronzino, Agnolo di Cosimo, detto il (Firenze 1503-72).	Bronzino, Agnolo di Cosimo, detto il (Firenze 1503-1572).	Bronzino, Agnolo di Cosimo, detto il (Firenze 1503-1572).	Bronzino, Agnolo di Cosimo, detto il (Firenze 1503-1572).
TITOLO	Il Deposto di Croce.	Ritratto di Cosimo I Granduca.	Ritratto di giovane ignota.	Ritratto di Giovanni de' Medici bambino.
DATAZIONE	1545- 1553 ca.	1545 ca.	1545 ca.	1545 ca.
DATI TECNICI	Olio su tavola, 263x164.	Olio su tavola, 71x57.	Olio su tavola, 58x46,5.	Olio su tavola, 58 x 45,6.
CORNICE	Riquadrata e dorata.	Dipinta con ornati d'oro su fondo nero. Forse cinquecentesca.	In legno intagliato e dorato, sec. XVII.	In legno, intagliata e dorata, sec. XVIII.
UBICAZIONI	Uffizi; Palazzo Vecchio (1911).	Castello; Uffizi (1925).	Poggio Imperiale; Uffizi (1773).	Guardaroba granducale (Inv. 1640 e 1666); Uffizi (Inv. 1704).
ATTRIBUZIONI	A. Bronzino (Inv. 1890).	Riconosciuto al Bronzino dal Gamba (1925).	—	Bronzino (fin dal Vasari 1568).
ESPOSIZIONI	—	Mostra del Cinquecento toscano, Firenze 1940. Mostra Medicea, Firenze 1939.	Mostra del Cinquecento Toscano, Firenze 1940.	Mostra Medicea, Firenze 1939.
BIBLIOGRAFIA	A. Emiliani, Il B., Busto Arsizio 1960. *Baccheschi, L'Opera completa del B., Milano 1973, n. 84.*	Gamba, in Bollettino d'Arte, Ottobre 1925, Cat., Firenze 1940, n. 9. A. Emiliani, Il Bronzino, Busto Arsizio 1960, tav. 90. *E. Baccheschi, L'Opera completa del Bronzino, Milano 1973.*	A. Emiliani, Il B., Busto Arsizio 1960. *E. Baccheschi, L'opera completa del B., Milano 1973.*	L. Becherucci, Manieristi Toscani, Bergamo 1944. D. Heikamp, in: Mitteilungen des Kusthistorisches Institut in Florenz, VIII, 1953-56. A. Emiliani, B., Busto Arsizio 1960. *E. Baccheschi, L'Opera completa di B. Milano 1973.*
INVENTARIO	740.	Depositi 28.	770 (C.P. p. 88 n. 198).	1475 (C.P. p. 89 n. 1155).
FOTO	3355.	179657.	83793 (con cornice) - 108863.	5395 - 53796 - 56941 - 79855 - 108864.
NOTE	Sotto la mano sinistra della Maddalena è una pietra dove si legge: 'Opera del Bronzino Fior.'. Il dipinto è in deposito dal 1911 in Palazzo Vecchio, nella Cappella di Eleonora da Toledo. Fu allogato al Bronzino nel 1545, dopo che la prima Deposizione era stata donata a Cosimo dei Medici al Card. Granvelle. Il pittore dipinse probabilmente le due opere sulla base dello stesso cartone, ma l'esecuzione della tavola in esame si protrasse a lungo, fin verso il 1553. Gr. Red. 3	Il Vasari (1568) asserisce che il B. ritrasse il Granduca Cosimo I « che allora era giovane, armato tutto d'armi bianche e con una mano sopra l'elmo ». Il Milanesi lo ritenne a torto quello trasportato ai suoi tempi dalla Guardaroba medicea nel Palazzo Reale di Lucca. Il Gamba, invece (1925), confrontando le varie repliche ora sparse in molti musei, ritenne il primo originale il presente che allora fu trasportato agli Uffizi. Ancora non vi compare il Toson d'Oro conferito a Cosimo nel 1546. Verisimile quindi la datazione del Gamba al 1545, in base a una lettera del B. al maggiordomo Riccio per ottenere azzurro per un ritratto non specificato « perché il campo è grande ed ha da essere securo », come è di fatto la tenda a sfondo del Duca. L. Bec.	Ignota sinora la rappresentata, che solo per gratuita congettura viene talvolta indicata come una 'principessa medicea'. I riferimenti dello Schulze (1911) e del McComb (1928) al periodo tardo del B. furono già esclusi da A. Venturi (1933) che vi vede invece il 'fondo azzurro prediletto dal B. dei primi tempi, deducendone una datazione intorno al 1545, in seguito comunemente accettata. A tergo è segnato 'dalla Guardaroba 4 Agosto 1773. Venuto dall'Imperiale'. La cornice, bellissima, fu seguita certamente su disegno di uno dei maestri attivi nel Seicento per le cornici della Galleria Palatina. L.Bec.	Indicato negli inventari come ritratto di Cosimo I fanciullo o di suo figlio Don Garcia, fu identificato dalla Becherucci (1944) con quello di Don Giovanni commesso al B. nella primavera 1545, compiuto il 19 Aprile, e del quale il maggiordomo P.F. Riccio, l'8 maggio scrive in una lettera a Cosimo I: 'el Bronzino ha finito perfettamente il ritratto del S. Don Giovanni, et è veramente vivo...' (cfr. regesto in: A. Venturi, St. d. Arte Ital. IX, P. VI, Milano 1933, 3-4). L.Bec.

	P305	P306	P307	P308
AUTORE	Bronzino, Agnolo di Cosimo, detto il (Firenze 1503-1572).	Bronzino, Agnolo di Cosimo, detto il (Firenze 1503-1572).	Bronzino, Agnolo di Cosimo, detto il (Firenze 1503-1572).	Bronzino, Agnolo di Cosimo, detto il (Firenze 1503-1572).
TITOLO	Ritratto del Granduca Francesco I giovinetto.	Ritratto di Maria, figlia di Cosimo I.	Ritratto di gentildonna in veste nera.	Allegoria della Felicità.
DATAZIONE	1551.	1551.	1559 (secondo una scritta poco leggibile).	Probabilmente 1567 (Vasari 1568).
DATI TECNICI	Olio su tavola, 58,5x41,5.	Olio su tavola 52,5x38.	Olio su tavola 121x95, restauro 1971.	Olio su rame, 40x30.
CORNICE	Legno intagliato e dorato, probabilmente ottocentesca.	In legno intagliato e dorato, probabilmente ottocentesca.	In legno dorato con ornati in pastiglia (sec. XIX?).	Legno scanalato e dorato, sec. XVII (?).
UBICAZIONI	Palazzo Vecchio (sec. XVI); Uffizi (Cat. 1863).	Uffizi (Cat. 1863).	Eredità card. Leopoldo de' Medici (1675); Uffizi.	Uffizi (Inv. 1635-38).
ATTRIBUZIONI	L'attribuzione risale al Vasari (1568) ed è concordemente mantenuta.	Concordemente mantenuta dal 1568.	Bronzino (Inv. 1675). Anonimo (Inv. 1769). Scuola toscana, corretto come Angelo (sic) Allori (Inv. 1784).	Bronzino (Vasari 1568, secondo il Milanesi).
ESPOSIZIONI	Mostra Medicea, Firenze 1939.	Mostra Medicea Firenze 1939.	—	—
BIBLIOGRAFIA	L. Becherucci, Manieristi toscani, Bergamo 1944. D. Heikamp, in Mittelungen des Kunsthistorisches Institut in Florenz, VII, 1953, p. 133 e sgg. A. Emiliani, Il B., Busto Arsizio 1960. *E. Baccheschi, L'Opera completa del B., Milano 1973, n. 88.*	L. Becherucci, Manieristi toscani, Bergamo 1944. D. Heikamp, Mitteilungen des Kunsthistorisches Institut in Florenz, VII, 1953-56. A. Emiliani, Il B., Busto Arsizio 1960; E. Baccheschi, L'opera completa del B., Milano 1973.	L. Becherucci, Manieristi Toscani Bergamo 1944, 51. A. Emiliani, B., Busto Arsizio 1960, 94. *E. Baccheschi, L'opera completa di A.B., Milano 1973 n. 111.*	A. Emiliani, Il B., Busto Arsizio 1960, tav. 96. L. Berti, Il principe dello Studiolo, Firenze 1967, 282 e tav. 4. *E. Baccheschi, L'opera completa del B., Milano 1973, n. 123.*
INVENTARIO	1571 (C.P., p. 171, n. 1272).	1572 (C.P. p. 171 n. 1273).	793 (C.P. 88 n. 167).	1543 (C.P., p. 165, n. 1211).
FOTO	5396.	278674 - 55715.	171556.	216412 - 121730.
NOTE	Entrò in Galleria (1863) come ritratto di Ferdinando I. Fu invece identificato dalla Becherucci (1944), con piena conferma da parte dello Heikamp (1955) come ritratto di Francesco I. In una lettera da Pisa al maggiordomo ducale P.F. Riccio a Firenze, in data 27 Gennaio 1551, il Bronzino dice di aver compiuti i ritratti di tre fanciulli medicei, e che quando i Duchi torneranno da Livorno 'farà il S.or Don Francesco'. Il 31 Luglio seguente Luca Martini da Pisa scrive al Riccio di avergli spedito due ritratti di Francesco, uno dei quali potrebbe essere questo, e fors'anche quello ricordato nel 1543 nella Guardaroba di Palazzo Vecchio con quelli di Maria e di Garcia, tutti e tre senza cornice e quindi forse eseguiti da poco. L.Bec.	Il Vasari (p. 598) ricorda, tra i ritratti dei figli di Cosimo I, 'la signora donna Maria grandissima fanciulla, bellissima veramente', che con gli altri si trovava nella Guardaroba ducale. Nell'inventario di questa si ricordano, infatti, nel 1553 '3 quadretti pittovi la Signora Dogna Maria, il Signor Don Francesco et il Signor Don Gartia' senza cornice, forse perché dipinti da poco, e pertanto corrispondenti a quelli che il B. (Emiliani p. 79-80) dice di aver eseguiti a Pisa nel 1551 e che Luca Martini scrive di aver spediti, con altri, a Firenze, il 31 luglio dello stesso anno. L'identificazione della Becherucci (1944, p. 50) è stata accolta e confermata dallo Heikamp (1955). L.Bec.	Varie attribuzioni negli inventari posteriori a quello del 1675: così pure, è esclusa una tradizionale identificazione con Vittoria Colonna suggerita dagli elementi michelangioleschi negli accessori (tatuetta di Rachele; il Giorno, ecc.). La scritta sul bracciolo della sedia: 'a Roma 1567' non è del tutto chiaramente leggibile. L'epoca tarda è comunque suggerita dallo stile, che l'Emiliani esalta ma che, se pure assai fine, non giunge a quello dei primi ritratti del B. e potrebbe far supporre anche una collaorazione di Alessandro Allori. L.Bec.	Firmato BROZ. FAC.. Il Milanesi propone l'identificazione col quadretto menzionato dal Vasari 'Ed al detto signor principe Francesco ha dipinto sono pochi mesi un quadretto di piccole figure, che non ha pari, e si può dire di minio veramente'. Di fatto, la data 1567, accettata dal Berti, e rispondente al tardo stile del Bronzino, tende a confermare la proposta nonostante qualche dubbio della critica riportato dall'Emiliani (tav. 96). La macchinosa allegoria viene interpretata da A. Venturi come la Felicità con Cupido tra la Giustizia e la Prudenza. In basso, il Tempo e la Fortuna (con la ruota) e, rovesciati, i nemici della Pace. In alto, la Fama (con la tromba) e la Gloria. L.Bec.

Dipinto non reperibile

	P309	P310	P311	P312
AUTORE	Bronzino, Agnolo di Cosimo, detto il (Firenze 1503-1572).	Bronzino, Agnolo di Cosimo, detto il (Firenze 1503-1572).	Bronzino, Agnolo di Cosimo, detto il (Firenze 1503-1572), maniera del.	Bronzino, Agnolo di Cosimo, detto il (Firenze 1503-72), marriera del.
TITOLO	Cristo deposto.	Ritratto di Gentildonna.	Ritratto di gentildonna.	Ritratto di gentildonna.
DATAZIONE	Opera tarda.	Opera tarda.	Sec. XVI.	Sec. XVI.
DATI TECNICI	Olio su rame, 42x30.	Olio su tavola, 43x35.	Olio su tavola, 58x44,5.	Olio su tavola, 47x37.
CORNICE	In legno, scanalata e dorata, sec. XVII (?).	Dorata e intagliata.	Intagliata e dorata.	Dipinta e dorata.
UBICAZIONI	La Petraia; Uffizi 1796.	Uffizi (1880); Pitti (dopo il 1914).	Uffizi (1890); Pitti (1954); S. Marco (?).	Uffizi (cit. 1890).
ATTRIBUZIONI	—	—	Maniera del Bronzino (Inv. 1890).	Ignoto (Inv. 1890).
ESPOSIZIONI	—	—	—	—
BIBLIOGRAFIA	A. Emiliani, Il B., Busto Arsizio 1960, 62. E. Baccheschi L'opera completa del B., Milano 1973, n. 122.	—	—	—
INVENTARIO	1554 (C.P., p. 165, n. 1209).	2485 (C.P., p. 80, n. 3433).	5324 (C.P., p. 160, n. 1246).	2495 (C.P., 80, n. 3429).
FOTO	54034.	—	168621.	—
NOTE	Firmato: BRO(N)Z. FAC. Pervenne dalla Petraia agli Uffizi il 13 maggio 1796. Asportato dai tedeschi durante la seconda guerra mondiale, fu recuperato nel 1963. Appena ricordato e con scarsa considerazione nella bibliografia. L.Bec.	Il dipinto compare nell'inventario del 1880 cat. IIIª, n. 546, quale opera del Bronzino. Rimase in Galleria fino a dopo il 1914; figura infatti nel Catalogo del Pieraccini, in seguito, non è registrata la data, fu inviato nei magazzini di Palazzo Pitti. L.B.B.	Pervenuto agli Uffizi in epoca imprecisata, compare per la prima volta nell'Inventario del 1890 coll'attribuzione alla Maniera del Bronzino. Gr. Red. 3	Il dipinto appari nell'Inventario del 1890 con l'attribuzione ad Ignoto. Si tratta evidentemente di unope'ra collocabile in ambiente fiorentino, vicina stilisticamente alla maniera del Bronzino. Gr. Red. 3

Dipinto non reperibile

	P313	P314	P315	P316
AUTORE	Scuola fiorentina sec. XVI.	Bronzino, Agnolo di Cosimo, detto il (Firenze 1503-1572).	Bronzino, Agnolo di Cosimo, detto il (Firenze 1503-1572), attr. a.	Bronzino, Agnolo di Cosimo, detto il (Firenze 1503-1572), scuola del.
TITOLO	Ritratto di gentildonna.	Ritratto di Eleonora da Toledo.	Annunciazione.	Busto di uomo (Piero Strozzi).
DATAZIONE	Sec. XVI.	Seconda metà sec. XVI.	Metà sec. XVI.	1570 ca.
DATI TECNICI	Dipinto su tavola, 47x38.	Olio su tavola, 58x43,5.	Olio su tavola, 57x43,5.	Olio su lavagna, diametro 18.
CORNICE	Dipinta e dorata.	Intagliata e dorata.	Salvadora dorata sec. XVIII.	Intagliata e dorata.
UBICAZIONI	Uffizi (cit. 1890); Arezzo, Casa Vasari (1950); Arezzo, Brigata Aretina Amici Monumenti (1958).	Guardaroba; Uffizi (1796); Pitti (1971).	Pitti, archivio segreto; Uffizi (1773).	Gran Principe Ferdinando de' Medici (1713); Guardaroba (1713); Castello (1780); Uffizi (1880); Poggio a Caiano (1961); Pitti (1971); Uffizi (1975).
ATTRIBUZIONI	Ignoto sec. XVI (Inv. 1890).	—	Giovanni Bizzelli (inventari sec. XVIII).	—
ESPOSIZIONI	—	A. Bronzino (Inv. Antichi).	—	—
BIBLIOGRAFIA	—	A. Emiliani, Bronzino, Busto Arsizio, 1960.	L. Berti, *Il principe dello Studiolo. Francesco I de' Medici e la fine del Rinascimento fiorentino*, Firenze 1967.	M. Chiarini, *I quadri della Collezione del Principe Ferdinando di Toscana, in Paragone 303*, 1975, p. 91. AGF: Langedijk, *Scheda Ministeriale*, 1977.
INVENTARIO	2499 (C.P., p. 80, n. 3432).	1469 (C.P., p. 167, n. 1189).	1547 (C.P., p. 166, n. 1170).	5787.
FOTO	66409.	141911.	79277.	178467, 227063, 124002.
NOTE	Il dipinto appare nell'Inventario del 1890 coll'attribuzione ad Ignoto del XVI secolo. L'opera è collocabile in ambiente fiorentino, e avvicinabile stilisticamente alla ritrattistica bronziniana. Gr. Red. 3	In alto si legge, a caratteri capitali, la seguente iscrizione: 'LEONORA TOLLETA COS. MED. FLOR. D. II UXOR'. Il dipinto pervenne in Galleria dalla Guardaroba il 12 Maggio 1796 già con l'attribuzione al Bronzino. Si tratta di una delle numerose versioni che rappresentano la moglie di Cosimo I, successiva al più famoso Ritratto ora in Tribuna, dipinto intorno al 1545. Gr. Red. 3	A tergo su un cartellino '1773. 8 luglio. Dall'Archivio segreto del Palazzo dei Pitti' e a penna sulla tavola 'Di Gio. Bizzelli', provenienza confermata dalle note d'archivio (AGF, filza VI a 45, n. 5) dove però il quadro è detto di maniera del Vasari. L'attribuzione al Bizzelli è dovuta alla notizia di R. Borghini (Il Riposo, Firenze 1584) che questi fece un quadretto di questo soggetto per Eleonora di Francesco I. Ma R. Simon (com. or.) segnala un'incisione di Hieronymus Cock della metà del '500 che riproduce quest'Annunciazione (senza la parte alta) e ne dà come autore il Bronzino. Anche i caratteri stilistici sembrano avvalorare piuttosto questa paternità e questa data, impossibile per il Bizzelli (nato intorno al 1556). S.M.T.	Il ritratto inventariato come di anonimo di maniera del Bronzino, va identificato con quello appartenuto al gran principe Ferdinando (ASF 1713 Guard. 1222 c. 40); dall'eredità di Ferdinando passò a Castello nel 1780 (cfr. ASF 1761 Guard. 93 [Agg. fino al 1781] App. n. 119). Nel 1880 è inventariato fra gli oggetti della Galleria degli Uffizi. L.B.B.

	P317	P318	P319	P320
AUTORE	Bronzino, Agnolo di Cosimo, detto il (Firenze 1503-1572), scuola del.	Brouwer, Adriaen (Audenaerde 1605 ca. - Anversa 1638), attr. a.	Brueghel, Jan, il giovane (Anversa 1601-1678).	Brueghel, Jan, il giovane (Anversa 1601-1678).
TITOLO	Sacra conversazione con la famiglia di Cosimo I.	Interno di una taverna con fumatori.	Allegoria dell'Aria e del Fuoco.	Allegoria della Terra e dell'Acqua.
DATAZIONE	1576.	1630 ca.	1650-60 ca.	
DATI TECNICI	Olio su tavola, 199x153, restauri 1967, 1968.	Olio su tavola, 24x35.	Olio su tavola, 57x94.	
CORNICE	—	Ebano, sec. XIX-XX.	Ebano, sec. XIX-XX.	
UBICAZIONI	Principe Odescalchi (1909); Uffizi (1909); Museo Mediceo (1930); Uffizi (1975).	Uffizi (1753).	Uffizi (1780).	
ATTRIBUZIONI	—	—	P. Brueghel il Giovane (Zacchiroli 1783). Brueghel dei Velluti (Pieraccini 1905 ca.). A. Govaerts e H. de Clerck (Manteuffel 1921). Brueghel II il Giovane (Bodart 1977).	
ESPOSIZIONI	—	—	—	
BIBLIOGRAFIA	A. Emiliani, Il B., Busto Arsizio, 1960. L. Berti, Il principe dello Studiolo. Francesco I de' Medici e la fine del Rinascimento fiorentino, Firenze 1967, tav. 5. n. 5.	W. Bode: Adriaen Brouwer, Berlin 1924. C. Hofstede de Groot: Beschr. u. Krit. Verreichnis..., 1907-28, vol. III. D. Bodart: in Cat. Rubens e la pittura fiamminga del Seicento nelle collezioni pubbliche fiorentine, Firenze 1977, p. 318, n. XXXIX.	H. Gerson-E. H. Ter Kuile: Art and Architecture in Belgium 1600-1800, Harmondsworth 1960. D. Bodart: Rubens e la pittura fiamminga del Seicento nelle collezioni pubbliche fiorentine, Firenze 1977, p. 319.	
INVENTARIO	3402.	1282 (C.P., p. 133, n. 959).	1204 (C.P., p. 120, n. 884, come su rame).	1223 (C.P., p. 120, n. 903).
FOTO	167094, 169807, 11412, 167106.	28970.	278969.	278968.
NOTE	Il dipinto con la Sacra conversazione, san Giovannino con cartiglio su cui si legge: ECCE AGNVS DEI e santa Caterina con libro su cui è la data: AD/MCL/XX/VI, faceva parte della collezione del Principe Odescalchi dal quale fu acquistato nel 1909; gli astanti ritratti sono impersonati da membri della famiglia di Cosimo I de' Medici: oltre al Granduca sono raffigurati: Ferdinando, Francesco, Paolo Giordano Orsini marito di Isabella qui come santa Caterina, Eleonora di Toledo come Madonna. Collocato inizialmente nella Galleria degli Uffizi, nel 1930 fu inviato al Museo Mediceo, dal 1975, dopo il restauro si trova nei depositi della Galleria degli Uffizi. L.B.B.	L'attribuzione al Brouwer, accettata dai pochi critici che si sono occupati del dipinto, compare per la prima volta nell'inventario degli Uffizi del 1753. Per il Bodart, invece, si tratta di una copia dell'esemplare della Gemäldegalerie di Kassel. M.C.	La prima notizia di questo dipinto e del suo 'pendant' con la Terra e l'Acqua (n. 1223) è del 1780, quando i quadri furono portati dalla Guardaroba alla Galleria degli Uffizi. Lo Zacchiroli pensava che si trattasse di copie da P. Brueghel il Giovane, mentre il Pieraccini attribuiva i quadri a J. Brueghel dei Velluti. Il Manteuffel nel rifiutare quest'ultima attribuzione pensava a Govaerts per il paesaggio e de Clerck per le figure. Il Bodart, infine, basandosi su una coppia analoga al Prado, li attribuisce a Jan Brueghel II e, per le figure, a Jasper Boets. M.C.	Per le notizie su questo quadro, si veda il suo 'pendant' alla scheda P319. M.C.

	P321	P321 bis	P322	P323
AUTORE	Brueghel, Jan, il giovane (Anversa 1601-1678), scuola di.	Brueghel, Jan, il vecchio (Bruxelles 1568 - Anversa 1625).	Brueghel, Jan, il vecchio (Bruxelles 1568 - Anversa 1625).	Brueghel, Jan, il vecchio (Bruxelles 1568 - Anversa 1625).
TITOLO	Paesaggio con rovine.	Orfeo agli Inferi.	Paesaggio con figure e una città nel fondo.	Il grande Calvario.
DATAZIONE	Seconda metà sec. XVII.	1594.	1598-1600 ca. (Manteuffel 1921, Bodart 1977).	1604.
DATI TECNICI	Olio su rame, 14x17.	Olio su rame, 27x36, restauro 1977.	Olio su tavola, 57x40.	Olio su tavola, 62x42.
CORNICE	Ebano, sec. XIX-XX.	Ebano, sec. XIX-XX.	—	—
UBICAZIONI	Uffizi (1863); Pitti (1928).	Uffizi (1704); Pitti (1928).	Pitti (1608?); Uffizi (1784).	Pitti? (1608?); Uffizi (1784).
ATTRIBUZIONI	Scuola di Brueghel (Inv. 1863). P. Brueghel degli Inferni (Pieraccini 1905 ca.). Jan Bueghel dei Velluti (Rusconi 1937). Scuola di Jan Brueghel II (Bodart 1977).	P. Brueghel il giovane (Inv. 1704 e segg., Pieraccini 1905 ca., Würzbach 1906). J. Brueghel il vecchio (Manteuffel 1921, Marlier 1969, Bodart 1977).	—	—
ESPOSIZIONI	—	Rubens e la pittura fiamminga del Seicento nelle collezioni pubbliche fiorentine, Firenze 1977.	Rubens e la pittura fiamminga del Seicento nelle collezioni pubbliche fiorentine, Firenze 1977.	Rubens e la pittura fiamminga del Seicento nelle collezioni pubbliche fiorentine, Firenze 1977.
BIBLIOGRAFIA	H. Gerson-E.H. Ter Kuile: Art and Architecture in Belgium 1600-1800, Harmondsworth 1960. *D. Bodart: Rubens e la pittura fiamminga del Seicento nelle collezioni pubbliche fiorentine, Firenze 1977, p. 319-20.*	H. Gerson-E. H. Ter Kuile: Art and Architecture in Belgium 1600-1800, Harmondsworth 1960. G. Winkelmann-Rhein: Brueghel de Velours, Bruges 1972. *Cat., Firenze 1977, n. 18.*	H. Gerson - E. H. Ter Kuile: Art and Architecture in Belgium, 1600-1800, Harmondsworth, 1960. *Cat., Firenze 1977, n. 21.*	H. Gerson - E. H. Ter Kuile: Art and Architecture in Belgium, 1600-1800, Harmondsworth 1960. *Cat., Firenze 1977, n. 20.*
INVENTARIO	1274 (C.P., p. 130, n. 868).	1298 (C.P., p. 120, n. 933).	8406 (C.P., p. 94, n. 761).	1083 (C.P., p. 94, n. 761 bis).
FOTO	128325.	279016.	228967.	278966.
NOTE	La più antica citazione del dipinto risale al 1863, e la sua provenienza non è documentata. Attribuito variamente a Scuola dei Brueghel o a Jan Brueghel dei Velluti, il Bodart lo attribuisce, anche per la qualità poco fine, alla scuola di Jan Brueghel II. M.C.	Firmato e datato in basso a sinistra: BRVEGHEL A° 1594. Sul retro iscrizione: Brueghel des Diables. Attribuito tradizionalmente a P. Brueghel il Giovane, il dipinto è stato restituito a Jan Brueghel dei Velluti dal Manteuffel, che lo confronta con la Scena infernale dell'Ambrosiana a Milano. L'attribuzione è stata accetta dal Marlier, che ha sottolineato come ad essa alluda la scritta sul retro del quadro, e dal Bodart. M.C.	Faceva parte della custodia dipinta dall'artista per il 'Grande Calvario' di A. Dürer oggi agli Uffizi (vedi anche il n. 1038). Questo dipinto, tuttavia, per ragioni stilistiche viene datato da Manteuffel e Bodart prima della 'coperta' col Calvario, che è datato 1604. Il Winkler suppose che il complesso giungesse a Firenze al momento del matrimonio di Maria Maddalena d'Austria con Cosimo II de' Medici (1608). M.C.	Firmato sulla pietra in basso a sinistra: A.D. inventor. 1505. Brueghel fec. 1604. Come dice questa scritta, il dipinto è una copia del Calvario di A. Dürer oggi agli Uffizi, e del quale costituisce la custodia. Secondo il Winkler (Die Zeichnungen Albrecht Dürers, Berlin 1937, n. 317), esso fu donato a Maria Maddalena d'Austria dalla madre, Maria di Baviera, in occasione delle nozze con Cosimo II de' Medici nel 1608. Tuttavia la provenienza del quadro non è documentata: citato dal Lanzi nel 1782, compare per la prima volta nell'inventario degli Uffizi del 1784. M.C.

	P324	P325	P326	P327
AUTORE	Brueghel, Jan, il vecchio (Bruxelles 1568 - Anversa 1625).	Brueghel, Pieter, il giovane (Bruxelles 1564 - Anversa 1638).	Brueghel, Pieter, il giovane (Bruxelles 1564 - Anversa 1638), attr. a.	Brusasorci, Riccio Domenico, detto il Verona 1516-1567).
TITOLO	Paesaggio con guado.	Cristo che sale il Calvario.	Paesaggio con bovari.	Tentazione di San Bernardo.
DATAZIONE	1607.	1599.	Fine XVII - inizi sec. XVIII.	Metà sec. XVI?
DATI TECNICI	Olio su rame, 24x35.	Olio su tavola, 115x161.	Olio su rame, 29x45.	Olio su tavola convessa, diam. 15.
CORNICE	Ebano, sec. XIX-XX.	Sagomata, dorata, sec. XVII.	Intagliata, dorata, sec. XVIII.	Sagomata e dorata, sec. XVII.
UBICAZIONI	Uffizi (1704).	Uffizi (1686 ca.).	Coll. Feroni (ante 1850); Uffizi (1860); Cenacolo di Foligno (1894).	Pitti (ante 1710); Poggio a Caiano; Uffizi (1773).
ATTRIBUZIONI	P. Bril (Inv. 1704 e 1753). Brueghel (Inv. 1769). Brueghel dei Velluti (Pieraccini 1905 ca., Thiéry 1953, Bodart 1977).	P. Bruegel il vecchio (Baldinucci 1686). P. Bruegel il giovane (Marlier 1969, Bodart 1977).	—	—
ESPOSIZIONI	Rubens e la pittura fiamminga del Seicento nelle collezioni pubbliche fiorentine, Firenze 1977.	Rubens e la pittura fiamminga del Seicento nelle collezioni pubbliche fiorentine, Firenze 1977.	—	—
BIBLIOGRAFIA	Y. Thiéry: Le paysage flamande au XVII° siècle, Bruxelles-Paris 1953. G. Winkelmann - Rhein: Brueghel de Velours, Bruges 1972. *Cat., Firenze 1977, n. 22.*	G. von der Osten - H. Vey: Painting and Sculpture in Germany and the Netherlands 1500-1600, Harmondsworth 1969. *F. Baldinucci: Notizie de' Professori del disegno..., vol. II, Firenze 1686 (ed. Ranalli, II, 1845, p. 303s.). G. Marlier: Pierre Brueghel le Jeune, Bruxelles 1969. Cat., Firenze 1977, p. 320, n. XLV.*	L. Salerno: Pittori di paesaggio del Seicento a Roma, vol. II, Roma 1976. *Catalogo della Galleria Feroni, Firenze 1895, p. 7.*	*M. L. Strocchi, in Paragone 311, 1976.*
INVENTARIO	1179 (C.P., p. 121, n. 858).	1212.	S. Marco e Cenacoli 49.	608.
FOTO	278971.	278970.	204588.	131819.
NOTE	Firmato e datato 1607. Si ricordano altri tre paesaggi delle stesse dimensioni con la stessa data (Thiéry 1953). Il Bodart avvicina questa composizione ad altri due dipinti, uno a Warwick Castle, l'altro al Prado, e a un disegno nel Museo di Berlino. M.C.	Firmato e datato in basso a sinistra: P. Brueghel 1599. La prima citazione del dipinto, la cui provenienza non è documentata, è nella vita di P. Bruegel il Vecchio scritta dal Baldinucci e pubblicata nel 1686: il quadro si trovava allora già agli Uffizi. Il Marlier ne segnala un'altra versione nel Museo di Belle Arti di Anversa (datata 1602). M.C.	Il dipinto, con un suo 'pendant' andato perduto nel 1906, porta un'attribuzione ingiustificata nel catalogo della collezione di provenienza a Pieter Brueghel detto degli Inferni. Infatti il dipinto non solo non è fiammingo, ma è molto più tardo, come si ricava dalla fattura e dalla tipologia del paesaggio. Esso sembra di mano non italiana, e si avvicina, per fattura e stile, alle opere di Christoph L. Agricola, pittore di Ratisbona che fu lungamente attivo anche in Italia. M.C.	A tergo scritta 'Del P° a Caiano / dalla Guard^a / 29 Xbre 1773'. Il dipinto era in Palazzo Pitti nel primo decennio del '700 (AGF, Guard. 1185, III, c845) e passò poi nel 'Gabinetto di opere in piccolo' formato dal Gran Principe Ferdinando de' Medici a Poggio a Caiano, donde rientrò agli Uffizi il 29 dicembre 1773. Non risulta mai considerato dalla critica. S.M.T.

	P328	P329	P330	P331
AUTORE	Brusasorci, Riccio Domenico, detto il (Verona 1492-1569), attr. a.	Bugiardini, Giuliano (Firenze 1476-1555).	Bugiardini, Giuliano (Firenze 1476-1555).	Bugiardini, Giuliano (Firenze 1476-1555).
TITOLO	Betsabea al bagno.	Ritratto di sconosciuta ('La monaca').	Madonna che allatta il bambino.	Madonna col bambino e San Giovannino.
DATAZIONE	1550 ca.	Primo decennio sec. XVI.	1510-15 ca.	1520.
DATI TECNICI	Olio su tela, 91x98.	Olio su tavola, 65x48.	Olio su tavola, 121x76.	Olio su tavola, 118x91.
CORNICE	Barocca, legno intagliato e dorato, a decoro di volute e mascheroni.	Sagomata, intagliata e dorata (sec. XIX).	Seicentesca, sagomata e dorata.	Sagomata, intagliata e dorata, a forma di edicola, sec. XIX.
UBICAZIONI	Eredità card. Leopoldo de' Medici (1675); Pitti (cit. inv. 1716-23); Guardaroba; Uffizi (1796).	Coll. Felice Cartoni; Pitti (1819); Uffizi (1919).	San Michele a Castello (dall'origine?); Uffizi (1780).	Coll. Mansi, Lucca; Uffizi (1896). Uffizi (1896).
ATTRIBUZIONI	G. Porta Salviati (inv. card. Leopoldo, inv. Pitti 1716-23, inv. Uffizi 1825 e 1890, Cat. Pieraccini), Felice Brusasorci (Venturi, 1929), Veronese (Berenson 1932, 1958).	Leonardo da Vinci (attr. tradizionale). Perugino (Morelli 1880). Piero di Cosimo (Seidlitz, 1890). Bugiardini (Ullmann 1896).	Leonardo da Vinci (Inventario 1784). Mariotto Albertinelli (Inventario 1825).	—
ESPOSIZIONI	—	Mostra di Leonardo da Vinci, Milano 1939, Cat. p. 194.	—	—
BIBLIOGRAFIA	A. Venturi: Storia 9, IV, Milano 1929. *G. Fiocco, Paolo Veronese, Bologna 1928. A. Brizio, Rileggendo Vasari, in Emporium 1939, XVIII.*	S. Meloni Trkulja, in Dizionario biografico degli Italiani, XVI, Roma 1972. *S.J. Freedberg, Painting of The High Renaissance etc., Cambridge 1961, pp. 207-208. M. Bacci, Piero di Cosimo, Milano, 1966, p. 119.*	S. Meloni Trkulja, in Dizionario biografico degli Italiani, XIV, Roma 1972. *F. Sricchia Santoro, in Paragone, 163, 1963, pp. 22-23.*	S. Meloni Trkulja, in Dizionario biografico degli Italiani, XIV, Roma 1972. *S.J. Freedberg, Painting of The High Renaissance etc., Cambridge 1961, p. 486. F. Sricchia Santoro, in Paragone, 163, 1963, pp. 22-23.*
INVENTARIO	953 (C.P., p. 199, n. 591).	8380.	789 (C.P., p. 68, n. 213).	3121 (C.P., p. 69, n. 3451).
FOTO	195110.	52869.	32510.	324966.
NOTE	Per le personalità di Domenico e Felice Brusasorci si veda, in particolare: F. Zava Boccazzi, 'Profilo di Felice Brusasorzi' su Arte Veneta 1967 e Cinquant'anni di pittura veronese, Verona 1974 (Cat. della Mostra). Il Berenson elenca il dipinto fra le opere giovanili di Paolo Veronese (cfr. Berenson, Pitture italiane del Rinascimento. La scuola veneta, London-Firenze 1958). Fiocco sottolinea le strettissime tangenze con la fase giovanile del Veronese. A.P.	L'opera fu acquistata come opera di Leonardo da Ferdinando III nel 1819 per 1.100 zecchini d'argento. Dopo le notevoli oscillazioni attributive il dipinto è stato riconosciuto al Bugiardini da Ullmann nel 1896, e questa attribuzione è accolta unanimemente dalla critica. Si è sempre parlato di questo dipinto come di una delle opere centrali dell'influsso leonardiano e raffaellesco sul Bugiardini, anche se mediato dal suo sodalizio con fra' Bartolomeo e Mariotto Albertinelli. Il dipinto è esposto nelle sale del '500 fiorentino. E.S.	A tergo scritta: Dal Guardaroba a di I settembre 1780 di Leonardo da Vinci. Il dipinto fu acquistato dalla famiglia Carlini per 250 scudi come opera di Leonardo (AGF, Filza XIII, 1780, 91). Il dipinto è concordemente giudicato dalla critica come tipico del momento in cui Bugiardini, dopo il suo breve soggiorno romano, risente fortemente dell'influsso del Franciabigio, che si innesta su una formazione stilistica avvenuta sugli esempi di Fra Bartolomeo e dell'Albertinelli. La datazione viene generalmente assegnata al 1510-15 ca. Il dipinto si trova temporaneamente nei Depositi degli Uffizi. E.S.	Firmato e datato sul cartiglio in basso: Iulianus florenti/nus faciebat/1520. L'opera è nota anche con il titolo 'La Madonna della palma'. Il dipinto fu acquistato alla vendita della collezione Mansi per 3.200 lire (AGF, Buono di cassa 423 del 5/10/1896). Un'altra versione di questo soggetto (firmata dal Bugiardini) si trova ad Allentown, Art Museum. La critica giudica questo dipinto come il frutto più significativo delle ricerche chiaroscurali del Bugiardini, sulle orme di una sua personale rielaborazione degli esempi di Piero di Cosimo e del Franciabigio. Il dipinto si trova temporaneamente nei Depositi degli Uffizi. E.S.

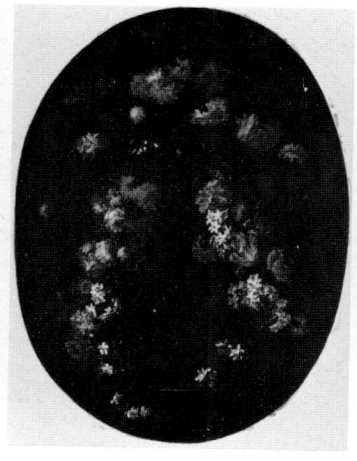
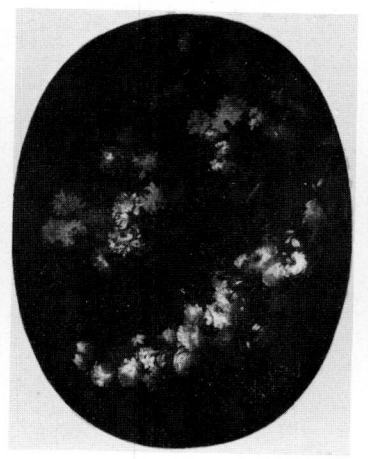

	P332	P333	P334	P335
AUTORE	Burgkmair, Hans (Augusta 1473-1531).	Caffi, Margherita (Vicenza, doc. seconda metà sec. XVII - inizi sec. XVIII), attr. a.	Caffi, Margherita (Vicenza, doc. seconda metà sec. XVII - inizi sec. XVIII), attr. a.	Caffi, Margherita (Vicenza, doc. seconda metà sec. XVII - inizi sec. XVIII), attr. a.
TITOLO	Ritratto virile.	Ghirlanda di fiori.	Ghirlanda di fiori.	Ghirlanda di fiori.
DATAZIONE	1506.	Fine sec. XVII.	Fine sec. XVII.	Fine sec. XVII.
DATI TECNICI	Pergamena su tavola, 27,2x22,5, restauro ca. 1950.	Olio su tela ovale, 160x128.	Olio su tela ovale, 153x121.	Olio su tela ovale, 160x128.
CORNICE	Moderna (1952).	Intagliata e dorata, sec. XVII-XVIII.	Intagliata e dorata, sec. XVII-XVIII.	Intagliata e dorata, sec. XVII-XVIII.
UBICAZIONI	Pitti, Depositi (riconosciuto 1939); Uffizi (1952).	Castello (sec. XIX); Uffizi (1972).	Castello (sec. XIX), Uffizi (1972).	Castello (sec. XIX); Uffizi (1972).
ATTRIBUZIONI	—	Ignoto (Inv. Castello 1910).	Ignoto (Inv. Castello 1910).	Ignoto (Inv. Castello 1910).
ESPOSIZIONI	—	—	—	—
BIBLIOGRAFIA	T. Falk, Hans Burgkmair, München 1968. *R. Oertel, in 'Festschrift Winkler', Berlin 1959.*	La natura morta italiana, cat. mostra, Napoli 1964. M. Gregori: in Antichità Viva, n. 4, 1965. Dizionario Biografico degli Italiani, 1973. Gli Ultimi Medici. Il Tardo Barocco a Firenze 1670-1743, cat. mostra, Firenze 1974.	La natura morta italiana, cat. mostra, Napoli 1964. M. Gregori: in Antichità Viva, n. 4, 1965. Diz. Biografico degli italiani, 1973. Gli Ultimi Medici. Il Tardo Barocco a Firenze 1670-1743, cat. mostra, Firenze 1974.	La natura morta italiana, cat. mostra, Napoli 1964. M. Gregori: in Antichità Viva, N. 4., 1965. Diz. Biografico degli Italiani, 1973. Gli Ultimi Medici. Il Tardo Barocco a Firenze 1670-1743, cat. mostra, Firenze 1974.
INVENTARIO	Depositi 432.	Castello 578.	Castello 579.	Castello 581.
FOTO	—	176165.	176163.	176169.
NOTE	Firmato ('Burgkmair pin. in Augusta Regia') e datato 1506. Riconosciuto, benché ridipinto, come possibile Burgkmair da R. Oertel nel 1959, fu poi sottoposto a radiografia, che ne rivelò la firma e la data. R.S.	Il quadro, che forma coppia con il N. 581, si trovava nel XIX sec. nella Villa di Castello, e venne inventariato senza nome di autore nel 1910. Tuttavia sembra di poterlo attribuire con certezza alla pittrice vicentina, che fu attiva per i Medici verso la fine del Seicento e gli inizi del secolo successivo. M.C.	Il quadro forma coppia col N. 575, che però è di altra mano. Questo fa serie con i Nn. 578 e 581, e si può attribuire anch'esso con molta probabilità alla Caffi. Per altre indicazioni si rinvia al N. 578. M.C.	Il quadro forma coppia con il N. 578, al quale si rinvia per le notizie storico-critiche. M.C.

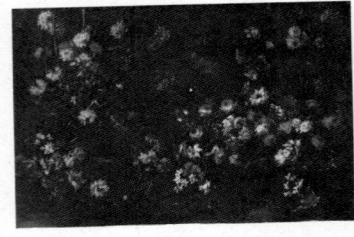   

	P336	P337	P338	P339
AUTORE	Caffi, Margherita (Vicenza, doc. seconda metà sec. XVII - inizi sec. XVIII), attr. a.	Caliari, Carlo, detto Carletto (Venezia 1570-1596).	Caliari, Carlo, detto Carletto (Venezia 1570-1596).	Caliari, Carlo, detto Carletto (Venezia 1570-1596).
TITOLO	Tralci di fiori.	Il peccato originale.	La creazione di Eva.	La cacciata dal paradiso terrestre.
DATAZIONE	Fine sec. XVII - inizi XVIII.	1586 ca. (Crosato-Larcher 1967).	1586 ca. (Crosato-Larcher 1967).	1586 ca. (Crosato-Larcher 1967).
DATI TECNICI	Olio su tela, 173x232.	Olio su tela, 98x113.	Olio su tela, 96x115.	Olio su tela, 99x110.
CORNICE	Intagliata, dorata, sec. XVII-XVIII.	Barocca, legno intagliato e dorato, a volute e motivi vegetali.	Barocca, legno intagliato e dorato, decoro di volute e motivi vegetali.	Barocca, legno intagliato e dorato, decoro di volute e motivi vegetali.
UBICAZIONI	Castello sec. XIX); Uffizi (1972).	Artimino (cit. 1648); Card. Carlo de' Medici (ante 1664); Card. Leopoldo. Pitti (cit. inv. 1716-23); Uffizi (cit. 1769).	Artimino (cit. 1648); Card. Carlo de' Medici (ante 1664), Card. Leopoldo de' Medici (1675); Pitti (cit. inv. 1716-23); Uffizi (cit. 1769).	Artimino (cit. 1648); Card. Carlo de' Medici (ante 1664); Card. Leopoldo de' Medici; Pitti (cit. inv. 1716-23); Uffizi (cit. 1769).
ATTRIBUZIONI	Ignoto (Inv. Castello 1910).	Veronese (Ridolfi 1648, Inv. Card. Leopoldo 1675). Alvise del Friso (Hadeln 1911).	Veronese (Ridolfi 1648, Inv. Card. Leopoldo 1675). Alvise del Friso (Hadeln 1911).	Veronese (Ridolfi 1648, Inv. Card. Leopoldo 1675). Alvise del Friso (Hadeln 1911).
ESPOSIZIONI	—	—	—	—
BIBLIOGRAFIA	La natura morta italiana, cat. mostra, Napoli 1964. Dizionario biografico 6, degli italiani, Roma 1973. Cat. mostra, Gli Ultimi Medici. Il tardo barocco a Firenze 1670-1743, Firenze 1974.	C. Ridolfi: Le meraviglie dell'arte, ed. von Hadeln, Berlin 1914-1924, 2 voll. L. Crosato Larcher: Per Carletto Caliari, su Arte Veneta 1967.	C. Ridolfi: Le meraviglie dell'arte, ed. von Hadeln, Berlin 1914-1924, 2 voll. L. Crosato-Larcher: Per Carletto Caliari, in Arte Veneta 1967.	C. Ridolfi: Le meraviglie dell'arte, ed. von Hadeln, Berlin 1914-1924, 2 voll. L. Crosato-Larcher: Per Carletto Caliari, in Arte Veneta 1967.
INVENTARIO	Castello 621.	960 (C.P., p. 196, n. 640).	954 (C.P., p. 196, n. 635).	944 (C.P., p. 194, n. 624).
FOTO	325010.	182930.	182929.	182931.
NOTE	Il dipinto, la cui provenienza non è documentata, fa serie con altri due delle stesse dimensioni (Inv. Cast., 626-27) che hanno la stessa provenienza. Il gruppo di quadri riconosciuti in tempi recenti come delle pittrice vicentina è numeroso nelle Gallerie fiorentine e ancora attende uno studio esauriente. È molto probabile che tutto il gruppo sia stato eseguito per i Medici verso la fine del XVII - inizi del XVIII sec. M.C.	La tela, insieme alle altre tre della serie raffiguranti 'la creazione di Eva' (inv. 954), 'la cacciata dal paradiso' (inv. 944), 'la famiglia di Adamo' (inv. 951) è ricordata dal Ridolfi nella villa medicea di Artimino, sotto il nome di Paolo Veronese. Attribuita a Carletto Caliari già nei vecchi inventari degli Uffizi (inv. del 1769) e poi dal von Hadeln nel 1914 (edizione di C. Ridolfi), l'intera serie è riconfermata allo stesso autore dalla Crosato-Larcher che propone una collocazione molto giovanile. A.P.	Per le notizie sul dipinto si rimanda alla scheda P337. A.P.	Per le notizie sul dipinto si rimanda alla scheda P337. A.P.

	P340	P341	P342	P343
AUTORE	Caliari, Carlo, detto Carletto (Venezia 1570-96).	Caliari, Carlo, detto Carletto (Venezia 1570-96).	Caliari, Carlo, detto Carletto (Venezia 1570-96).	Calvaert, Denijs, noto in Italia come Dionisio Fiammingo (Anversa 1540 - Bologna 1619).
TITOLO	La famiglia di Adamo.	La Vergine in gloria fra i S.S. Margherita, Maria Maddalena, Frediano.	S. Caterina in ginocchio.	Assunzione della Madonna.
DATAZIONE	1586 ca. (Crosato-Larcher 1967).	1588-90 ca.	1590 ca. (Crosato Larcher 1967).	1602.
DATI TECNICI	Olio su tela, 99x111.	Olio su tela 299x182, restauro 1971.	Olio su tela, 81x64.	Olio su rame, 58x45, restauro 1975.
CORNICE	Barocca, legno intagliato e dorato, decoro di volute e motivi vegetali.	Barocca; legno intagliato e dorato.	Barocca, legno intagliato e dorato.	Liscia, dorata, sec. XVII!.
UBICAZIONI	Artimino (cit. 1648); Card. Carlo de' Medici (ante 1664); Card. Leopoldo de' Medici (1675); Pitti (cit. inv. 1716-23); Uffizi (cit. 1769).	Castelfranco di Sotto (dall'origine); Pitti (cit. 1713); Uffizi (cit. 1769).	Eredità card. Leopoldo de' Medici (1675); Poggio Imperiale; Uffizi (1796); Pitti (1928).	Pitti (ante 1675); Uffizi (1809); Pitti (1928); Uffizi (1975).
ATTRIBUZIONI	Veronese (Ridolfi 1648, Inv. Card. Leopoldo 1675); Alvise del Friso (Hadeln 1911).	—	Paolo Veronese (agli Uffizi come tale, registrazione del 1796, inv. 1825 e 1890, Caliari 1888, Meissner 1897, Rusconi 1937).	—
ESPOSIZIONI	—	L. Crosato-Larcher: Per Carletto Caliari, in Arte Veneta 1967.	—	—
BIBLIOGRAFIA	C. Ridolfi: Le meraviglie dell'arte, ed. von Hadeln, Berlin 1914-1924, 2 voll. L. Crosato-Larcher: Per Carletto Caliari, in Arte Veneta 1967.	—	L. Crosato Larcher, Per Carletto Caliari, in Arte Veneta 1697, XXI. T. Pignatti, Veronese, Venezia 1976 voll. 2.	A. Venturi: Storia dell'arte italiana, IX, 6, Milano 1933. A. I. Rusconi: La Galleria Pitti, Roma 1937, p. 86.
INVENTARIO	951 (C.P., p. 194, n. 632).	925 (C.P., p. 195, n. 604).	890 (C.P., p. 198, n. 572).	1338 (C.P., p. 125, n. 1082).
FOTO	182932.	184906.	248928.	214933.
NOTE	Per le notizie sul dipinto si rimanda alla scheda P337. A.P.	Il Manni, in una nota al Baldinucci (Firenze, 1769 T.V p. 223-4) documenta l'originaria collocazione del dipinto in Castelfranco di Sotto, in provincia di Pisa. Passò alle collezioni medicee per intressamento del Gran Principe Ferdinando. Nel 1713 è infatti registrato fra i dipinti del Principe in Palazzo Pitti (cfr. M. Chiarini: I quadri della collezione del Principe Ferdinando di Toscana, su Paragone n. 301, 1975). È firmato in basso, a sinistra: Carlo figlio Pauli Caliari f.. La figura della Maddalena si ritrova rovesciata, in un dipinto del Ringling Museum di Sarasota (n. 84) raffigurante 'Agar nel deserto'. A.P.	La tradizione degli Uffizi (inventari e cataloghi a stampa) considera il dipinto originale del Veronese. Così i vecchi monografi del pittore (Caliari, Meissner etc...). L'attribuzione della Crosato Larcher a Carletto Caliari, è accettata dal Pignatti nella monografia recente su Paolo (cfr. bibl.). Il tipo della S. Caterina ritorna nella 'Agar nel deserto' del Ringling Museum di Sarasota (nr. 84) e nella Maddalena della pala degli Uffizi (inv. 1890 n. 925). A.P.	Scritta sul retro: Da Pitti il 14 agosto 1809. Firmato e datato sulla base del sepolcro: 1602 Dionisio Calva... Il dipinto proveniente dalla collezione del card. Leopoldo de' Medici, nel cui inventario è elencato (1675), fu portato da Pitti agli Uffizi nel 1809. M.C.

	P344	P345	P346	P347
AUTORE	Cambiaso, Luca (Moneglia 1527 - Madrid 1585).	Cambiaso, Luca (Moneglia 1527 - Madrid 1585), scuola di.	Campagnola, Domenico (Padova 1500 - Venezia 1581).	Campi, Giulio (Cremona 1502-1572 ca.).
TITOLO	Madonna col Bambino.	Composizione di nudi.	Ritratto d'ignoto.	Ritratto di ignoto.
DATAZIONE	1570 ca.	Sec. XVI-XVII.	Olio su tela, 62x45,5.	1530 ca.
DATI TECNICI	Olio su tela, 74,3x59,5.	Olio su carta su tela, monocromo 38,5x56.	Intagliata e dorata e motivo di foglie di acanto, sec. XVI.	Olio su tela, 72,5x58.
CORNICE	Salvadora dorata, sec. XVIII.	—	Gran Principe Ferdinando de' Medici, Pitti (ante 1710); Poggio a Caiano; Uffizi (1773).	Neoclassica, intagliata e dorata.
UBICAZIONI	Uffizi, Tribuna (1635); Card. Leopoldo de' Medici (ante 1675); Pitti (doc. 1688); Dogana; Uffizi (1798); S. Maria del Sasso, Bibbiena (1939); Uffizi (1972).	Uffizi (1890); Pitti (1953); Uffizi (1972).	—	Uffizi (1704); Pitti (1944), Uffizi (1948).
ATTRIBUZIONI	—	Tintoretto (Invent. antichi). Ignoto (Inv. 1890). Ambiente di L. Cambiaso, probabilmente C. Corte (L. Collobi Ragghianti, 1952).	—	—
ESPOSIZIONI	—	Bozzetti delle Gallerie di Firenze, Firenze 1952.	—	Pordenone (Inv. 1704).
BIBLIOGRAFIA	*B. Suida Manning e W. Suida, Luca Cambiaso, Milano 1958.*	*L. Collobi Ragghianti, in Cat., Firenze 1952, n. 39.*	M. L. Strocchi in Paragone 309-311, 1975-76, p. 84.	A. Perotti, I pittori Campi da Cremona, Milano 1932; S. Zamboni, in Dizionario biografico degli italiani XVII, Roma 1974.
INVENTARIO	776 (C.P., p. 87, n. 160).	591.	895.	1796 (C.P., p. 105, 108, n. 373).
FOTO	28207.	157111.	5399, 174569.	325080.
NOTE	Il dipinto era in tribuna nel 1635; passò poi nella collezione del cardinal Leopoldo, nel cui inventario figura (ASF, Guard. 826, c. 65v, n. 177); nel 1688 era ancora a Pitti (ASF, Guard. 932, c. 134). Agli Uffizi giunge il 3 settembre 1798 come 'cavato dalla Dogana' (AGF, ms. 114, c. 77v) e resta esposto almeno fino al primo decennio del '900. Depositato nel 1939 presso la chiesa di S. Maria del Sasso a Bibbiena, ne è stato ritirato dopo il 1955 e dal 1972 è esposto agli Uffizi. Ne esiste un'altra versione a Genova presso l'Accademia Ligustica: vengono datate dai Suida intorno al 1570. S.M.T.	Negli Inventari del Guardaroba Mediceo questo monocromo appare coll'attribuzione al Tintoretto. La Collobi Ragghianti (1952) non ha dubbi invece sull'attribuzione all'ambiente di Luca Cambiaso, proponendo il nome del pittore Cesare Corte (Genova 1550-1613), allievo del Cambiaso e figlio di Valerio, pittore anch'egli, stabilitosi a Genova nel 1550 dopo un periodo di discepolato presso il Tiziano. G. Red. 3	A tergo è scritto 'Campagnola'. Dalla scheda di Galleria (AGF) risulta che durante una ripulitura del dipinto, effettuata in epoca imprecisata, venne in luce nella parte sinistra un frammento di paesaggio con fiume e montagne che appartenevano a un dipinto più vecchio probabilmente di mano dello stesso Campagnola (AGF, schede sinistra). In alto a destra sul dipinto, si intravedono due lettere: M. B. (?). C.C.	Considerato tradizionalmente il ritratto del Pordenone (sul retro della tela: Gio. Antonio Licinio D° il Pordenone). Come si legge nell'inventario del 1704 al n. 1737 'con barba a spazzola di color castagno, e berretta nera in testa, con pezzuola al collo e abito all'antica' e come è scritto dietro la tela, si preferisce fare il nome di Giulio Campi che pure mutuò nel suo eclettismo forme e visioni plastiche dal Pordenone, i cui risultati si avvertirono nettamente nel momento di Soncino (1530) e poi a S. Agata (1537). Per il confronto con gli altri ritratti del Campi, si rimanda ad una datazione sullo scorcio del quarto decennio. R.P.P.

	P348	P349	P350	P351
AUTORE	Campi, Giulio (Cremona 1502-1572 ca.).	Campi, Giulio (Cremona 1500-1572 ca.), attr. a.	Canaletto, Giovanni Antonio Canal, detto il (Venezia 1697-1768).	Canaletto, Giovanni Antonio Canal, detto il (Venezia 1697-1768), attr. a.
TITOLO	Ritratto di Galeazzo Campi.	Ritratto di suonatore.	Veduta del Canal Grande.	Capriccio lagunare con casa e campanile.
DATAZIONE	1535-20 (Monteverdi 1958).	1530-40 ca.	1726-28 (Constable 1962, Puppi 1968), 1730 ca. (Cat., Parigi 1960-61).	1740 ca. (Fritsche 1936), 1755-56? (Puppi 1968).
DATI TECNICI	Olio su tela; 78,5x62.	Olio su tela, 74x58.	Olio su tela, 45x73.	Olio su tela, 44,5x60.
CORNICE	Barocca, intagliata e dorata.	Barocca, legno intagliato e dorato.	Settecentesca, in legno intagliato e dorato.	Novecentesca, legno dorato.
UBICAZIONI	Uffizi (1683); Depositi, Pitti (1946); Uffizi (1952).	Coll. Del Sera, Venezia; Eredità card. Leopoldo; Guardaroba; Uffizi (1800).	Guardaroba, Uffizi (1798).	Proprietà V. Ferrari, Roma; Uffizi (1907).
ATTRIBUZIONI	Galeazzo Campi (Baldinucci 1688; Zaist 1774). Franciabigio? (Monteverdi 1958).	Moretto (agli Uffizi come tale, registrazione del 1800, Inv. 1825 e 1890). Ignoto (Cat. Pieraccini).	—	Bellotto (inv. Uffizi 1890, Ferrari 1914 e 1920, Fritsche 1936). Bellotto? (Camesasca 1974).
ESPOSIZIONI	—	—	Venise aux XVIII-XIX siècles, Parigi 1919. Venezia viva, Salisburgo 1955. La peinture italienne au XVIII siècle, Parigi 1960-61.	—
BIBLIOGRAFIA	S. Zamboni, in Dizionario biografico degli Italiani, XVII, Roma 1974. *M. Monteverdi, Due false iscrizioni per un preteso ritratto di Galeazzo Campi, in Arte Lombarda III, 1958, pp. 93-98.*	S. Zamboni: Per Giulio Campi, in Arte antica e moderna 1960. Idem in, Dizionario Biografico degli Italiani XVII, Roma 1974.	*W. G. Constable: Canaletto, Oxford 1962 (1976) voll. 2. L. Puppi: L'opera completa di Canaletto, Milano 1968.*	W.G. Constable: Canaletto, Oxford 1962 2 voll. (2° ed Oxford 1976). *L. Puppi: L'opera completa del Canaletto, Milano 1968.*
INVENTARIO	1628 (C.P., p. 99, n. 424).	958 (C.P., p. 203, n. 639).	1318 (C.P., p. 205, n. 1077).	3353 (C.P., p. 205, n. 174).
FOTO	83714.	225352.	144295.	5365.
NOTE	Pervenuto in Galleria nel 1683 (ASF Guard. 871, c. 130r) come autoritratto di Galeazzo Campi di anni 53, l'attribuzione tradizionale si fondava su di una iscrizione riferita dal Baldinucci (1688). Verso il 1820, sfoderato il dipinto, non compare questa scritta bensì quella che si legge attualmente, che lo ascrive al figlio Giulio (Galeaz campus pictor egregio, antoni filio iuli antoni et vincenti pater aetatits sue annorum LVIII efigiato per iulium campum eius filium et discipulum de anno MDXXXV). Su questa linea quasi tutti i critici (Perotti 1932, Venturi 1933, Ghidiglia Quintavalle 1950, Berenson ed. 1968, Zamboni 1974) ad eccezione del Monteverdi (1958) che coglie nel dipinto un leonardismo fiorentino tale da rimandarlo ad ambito toscano. R.P.P.	L'attribuzione al Moretto tradizionale degli Uffizi (G.le di Galleria 1784 c. 82, inv. 1825 e 1890) venne modificata in favore di Giulio Campi dal Morelli (I. Lermolieff, Kunstkritische studien etc. Die Galerien Borghese und Doria Panfili, Leipzig 1890) e confermata dal Berenson (cfr. North Italian Painters of the Renaissance, N. York-London 1907 e Indici successivi). A.P.	Raffigura il tratto del Canal Grande da Palazzo Balbi verso Rialto. È una variante, con qualche modifica soprattutto nella disposizione delle barche in primo piano, del dipinto di analogo soggetto conservato all'Accademia Carrara di Bergamo (raccolta Lochis n. 226). Peraltro di questo taglio visuale del Canal Grande, esistono più versioni schedate e riprodotte da Constable e Puppi. A.P.	Insieme al suo pendant (inv. 3354) è entrato agli Uffizi per acquisto nel 1907 (A.G.F. 1907 Arte 641). La tradizionale attribuzione al Bellotto non è accettata dal più autorevole monografo moderno del pittore (cfr. L.S. Kozakiewicz: Bernardo Bellotto, voll. 2 Recklinghausen 1972). Constable, sulla fede di una incisione di F. Berardi che porta la dicitura: Anto.Canaletto Pinx, attribuisce a quest'ultimo il dipinto, seguito dal Puppi. Un disegno preparatorio con varianti si conserva al Metropolitan Museum (n. 797). Una versione autografa con piccole differenze e di minori dimensioni (29,5x38) è ricordata da Constable nella coll. Korda, Londra. A.P.

	P352	P353	P354	P355
AUTORE	Canaletto, Giovanni Antonio Canal, detto il (Venezia 1697-1768), attr. a.	Canaletto, Giovanni Antonio Canal, detto il (Venezia 1697-1768),	Caporali, Bartolomeo (Perugia 1420 ca. - 1505 ca.).	Cappuccino Veronese, Frate Semplice da Verona, detto il (Verona? 1589 - Verona o Roma 1654).
TITOLO	Capriccio lagunare con una tomba.	Veduta del Palazzo Ducale di Venezia.	Madonna col Bambino e quattro angeli.	Pietà coi SS. Giovanni Battista e Caterina.
DATAZIONE	1740 ca. (Fritsche 1936), 1755-56? (Puppi 1968).	Ante 1755 (Constable 1962, Puppi 1968).	1467 ca.	1621.
DATI TECNICI	Olio su tela, 44,5x60.	Olio su tela, 51x83, restauro 1912.	Tempera su legno, 79x55, centinata in alto.	Olio su tela, 186x187, rintelato.
CORNICE	Novecentesca, legno dorato.	Settecentesca, in legno intagliato e dorato.	Dorata a pastiglia, cinquecentesca?	Dorata a gola piatta, sec. XVII (?).
UBICAZIONI	Proprietà V. Ferrari, Roma; Uffizi (1907).	Poggio Imperiale; Guardaroba, Uffizi (1796).	Mercato antiquario; Uffizi (1904).	Pitti (1688); Guardaroba; Uffizi (1798).
ATTRIBUZIONI	Bellotto (inv. Uffizi 1890). Ferrari (1914 e 1920, Fritsche 1936), Bellotto? (Camesasca 1974).	Bellotto (Fritzsche 1936, Kozokiewicz 1972).	—	—
ESPOSIZIONI	—	Mostra delle opere di Antonio Canal organizzata in occasione dell'inaugurazione del campanile di S. Marco, Venezia 1912. Venise aux XVIII-XIX siècles, Parigi 1919.	—	Dipinti salvati dalla piena dell'Arno, Firenze 1966. Cinquant'anni di pittura veronese, Verona 1974.
BIBLIOGRAFIA	W.G. Constable: Canaletto, Oxford 1962, 2 voll. (2ª ed. Oxford 1976), L. Puppi: L'opera completa del Canaletto, Milano 1968.	W.G. Constable: Canaletto, Oxford 1962 (1976) voll. 2. L. Puppi: L'opera completa di Canaletto, Milano 1968.	U. Gnoli. Pittori e miniatori dell'Umbria, Spoleto 1923. L. Grassi. Pittura umbra del '400, Roma 1953.	C. Manzatto, Fra Semplice da Verona pittore del Seicento, Verona 1973. L. Magagnato: in Cat., Verona 1974, n. 205, p. 203-205.
INVENTARIO	3354 (C.P., p. 205, n. 175).	1334 (C.P., p. 206, n. 1064).	3250 (C.P., p. 181, n. 1544).	918 (C.P., p. 208 n. 598).
FOTO	5366.	72201.	—	81237.
NOTE	Insieme al suo pendant (inv. 3353) è entrato agli Uffizi per acquisto nel 1907 (A.S.F. 1907, Arte 641). La tradizionale attribuzione al Bellotto non è accettata dal più autorevole monografo moderno del pittore (cfr. L.S. Kozakiewicz: Bernardo Bellotto, voll. 2 Recklinghausen 1972). Constable, sulla fede di una incisione di F. Berardi che porta la dicitura: Anto.Canaletto Pinx. attribuisce a quest'ultimo il dipinto, seguito dal Puppi. Un disegno preparatorio si conserva presso la National Gallery di Victoria, Melbourne. Due versioni conosciute: presso coll. Grassi di N. York e Gemäldegalerie di Berlino (n. 1990). A.P.	Trattasi di uno dei tagli prospettici di Venezia più apprezzati dal Canaletto, da lui ripetuto con varianti in numerose vedute. Le varie redazioni del tema sono schedate e riprodotte dal Puppi e dal Constable. Quest'ultimo autore nota che il dipinto deve essere datato prima del 1755, epoca in cui la torre dell'orologio subì un completamento che in questa veduta non compare. La tela, come altre varianti della stessa veduta, è da mettere in relazione con un disegno di Windsor Castle (n. 7451). A.P.	In ottimo stato di conservazione. Vicina per stile alla Annunciazione, parte del politico del Bonfigli del 1467 nella Galleria di Perugia pervasa di elementi fiorentini alla maniera di B. Gozzoli. Fu acquistato per gli Uffizi sul mercato antiquario nel 1904. G.M.	Firmato e datato sul sasso al centro in basso 'F. Simplex vero / nensis cappuccs / F/1621'. Il quadro è documentato in Pitti fin dalla fine del '600 (ASF, Guard. 932, c. 153r) e dalla guardaroba passò agli Uffizi il 18 settembre 1798 (AGF, ms 114 c. 78v). L'autore era attivo dalla seconda metà del 1621 alla corte di Mantova e forse dipinse questa Pietà su commissione di Caterina de' Medici (moglie di Ferdinando Gonzaga) visto che vi figurano il santo patrono di Firenze e la santa del suo nome. Dell'artista non si conoscono opere anteriori a questo anno. S.M.T.

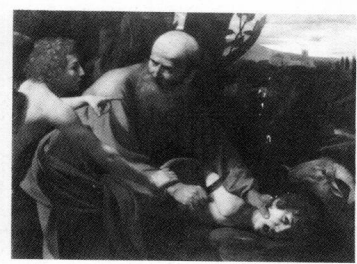

	P356	P357	P358	P359
AUTORE	Caprotti de; Gian Giacopo, detto Salaj (Milano 1480 ca. - avanti il 1524).	Caracciolo, Gian Battista, detto il Battistello (Napoli ? - Napoli 1637).	Caravaggio, Merisi Michelangelo, detto il (Milano o Caravaggio 1570 o 1571 - Porto Ercole 1610).	Caravaggio, Merisi Michelangelo, detto il (Milano o Caravaggio 1570 o 1571 - Porto Ercole 1610).
TITOLO	Madonna col Bambino e S. Anna.	Salomé.	Bacco.	Sacrificio d'Isacco.
DATAZIONE	Fine sec. XV, inizi sec. XVI.	1615-16 (Spear 1971), 1618 ca. (Borea 1970), 1620 ca. (Moir 1967).	1589 ca. (Longhi 1943), 1596 ca. (Mahon 1951).	1590-91 (Voss 1925, Longhi 1928-29), 1603-4 (Aronberg Lavin 1967).
DATI TECNICI	Olio su tavola.	Olio su tela, 132x156.	Olio su tela, 95x85, restauri 1922 e 1947.	Olio su tela, 104x135.
CORNICE	Intagliata e dorata, barocca.	Dorata e riccamente intagliata con volute vegetali.	Dorata a più gole.	Dorata a gola.
UBICAZIONI	Galleria, Vienna; Uffizi, Depositi (1793).	Pitti (1926); Uffizi (1926).	Uffizi (1916).	Palazzo Barberini, Roma, (1672); Collezione Sciarra, Roma (1812); Uffizi (1917).
ATTRIBUZIONI	Lomazzo (antica); Salaino (cartellino di Galleria).	Battistello (Voss 1926). Da Battistello (Causa 1972).	Dal Caravaggio (Marangoni 1917). Caravaggio (Marangoni 1922-23).	Da Caravaggio (Marangoni 1921-22). Caravaggio (Voss 1925). 'Pasticheur' (Friedländer 1955). Caravaggio (Joffroy 1959).
ESPOSIZIONI	—	Dipinti italiani a San Paolo del Brasile, San Paolo 1952. Caravaggio e Caravaggeschi nelle Gallerie di Firenze, Firenze 1970. Caravaggio and his followers, Cleveland 1971.	Mostra della Pittura italiana dei Seicento e Settecento, Firenze 1922. Esposizione dell'arte italiana da Cimabue al Tiepolo, Parigi 1935. Mostra della pittura napoletana, Napoli 1938. Mostra del Caravaggio, Milano 1951.	Mostra della pittura del Seicento e Settecento, Firenze 1922. Mostra del Caravaggio, Milano 1951. Caravaggio en de Nederlanden, Utrecht e Anversa, 1952. Da Caravaggio a Tipolo, San Paolo del Brasile, 1954.
BIBLIOGRAFIA	Pascal-Bonetti, André Salaino, in Le Figaro artistique, ott. 1926.	R. Spear, in Cat., Cleveland 1971, n. 11, p. 63. R. Causa, La pittura del Seicento a Napoli, in Storia di Napoli, 1972, V, 2, p. 970.	Marangoni, in Rivista d'arte 1917, p. 13. R. Longhi, in Proporzioni 1943, p. 8. M. Marini, Io Michelangelo da Caravaggio, Roma 1974, pp. 356-58.	M. Marangoni, Quattro Caravaggio smarriti, in Dedalo, 1921-22, pp. 793-94. R. Longhi, Quesiti caravaggeschi, in Pinacotheca. 1928-29, p. 292. M. Marini, Io Michelangelo da Caravaggio, Roma 1974, pp. 399-401.
INVENTARIO	737 (C.P., p. 84, n. 211).	Depositi 30.	5312.	4659.
FOTO	321853.	161366.	47729.	75459.
NOTE	In buono stato di conservazione. Copia con varianti dalla composizione di Leonardo ora al Louvre. Entrato agli Uffizi da Vienna come Lomazzo. G.M.	Anonimo in palazzo Pitti da epoca imprecisata, fu identificato come opera di Battistello da H. Voss (1927); l'autografia non è accettata dal Causa (1972). Una replica probabilmente più antica era a Colonia, collezione Peltzer. E.B.	Il quadro, identificabile forse con quello di analogo soggetto descritto dal Baglione (1642) tra le primissime opere romane dell'artista, fu ritrovato nel 1916 in pessime condizioni da M. Marangoni e subito giudicato originale dal Longhi, che tuttavia solo più tardi argomentò per iscritto la sua opinione. La discussione sulla cronologia del Caravaggio assai tormentata specie sul periodo giovanile ha coinvolto anche il Bacco. Prevale oggi la tesi del Mahon che tende a ritardare l'avvio dell'artista. All'interpretazione tradizionale in chiave semplicemente naturalistica (Longhi) si contrappone oggi la tesi forzosa che esso rappresenti l'allegoria della redenzione e dell'eucarestia (Calvesi 1971, pp. 96-97), ma non vi sono prove che l'immagine nasconda significati esoterici. E.B.	Il dipinto è pervenuto agli Uffizi per dono di John Murray nel 1917. Non vi è certezza che il quadro si identifichi con quello non specificato per cui il pittore fu pagato nel 1603 da Maffeo Barberini, come indicato anche dal Bellori (1672); lo stesso quadro è menzionato in inventari seicenteschi della famiglia (Aronberg Lavin). Questione controversa è la datazione del dipinto, il quale, anche senza volerlo collegare col citato pagamento del 1603, per qualche aspetto appare stilisticamente prossimo a opere della maturità; ma a nostro avviso sono gli elementi lombardi che prevalgono nell'opera così da rendere più attendibile la tesi per cui essa sarebbe stata eseguita prima dello scadere del secolo. Il quadro veniva già copiato nel 1610 (Marini 1974) e infatti se ne conoscono almeno quattro copie (Longhi 1951, Ainaud 1947). E.B.

	P360	P361	P362	P363
Autore	Caravaggio, Merisi Michelangelo, detto il (Milano o Caravaggio 1570 o 1571-Porto Ercole 1610).	Cariani, Busi Giovanni, detto (Venezia 1485-90 - post 1547).	Carlone, Giovanni Andrea (Genova 1639-1697), attr. a.	Caroto, Giovanni Francesco (Verona 1480 ca. - 1555).
Titolo	Medusa.	Sacra Famiglia.	Maddalena penitente.	Strage degli Innocenti.
Datazione	1591-92 (Longhi 1952), 1598-99 (Cinotti 1971).	1520 ca.	1680 ca.?	1501 ca. (Fiocco 1913).
Dati tecnici	Olio su tavola rivestita di tela, diam. 55, bordo a sgraffiti oro su nero.	Olio su tela, 78x67, restauro 1954.	Olio su tela, 97,5x73.	Olio su tavola, 162x105, restauri, 1959, 1962.
Cornice	—	Barocca, in legno intagliato e dorato.	Intagliata, dorata, sec. XVII.	Intagliata a motivi vegetali e dorata.
Ubicazioni	Uffizi, Armeria Medicea (1631).	Società artistica (prop. Michele Gordigiani); Uffizi (1906); Pitti (1928).	Uffizi (1784).	Chiesa dell'Ospedale di San Cosimo a Verona (sec. XVI); Marchese Cavalli (1908); Uffizi (1908); Pitti (1954); Uffizi, Depositi (1974).
Attribuzioni	—	—	Carlone (Inv. 1825, Poggi 1927).	—
Esposizioni	Mostra del Caravaggio, Milano 1951.	Der Madonna in de Kunst, Anversa 1954.	—	—
Bibliografia	M. Marini, Io Michelangelo da Caravaggio, Roma 1974. *C. Ricci, in Vita d'Arte, 1908. D. Heikamp, Le Meduse di Caravaggio e l'armatura dello Scià Abbas di Persia, in Paragone n. 199, 1966, pp. 62-76.*	L. Gallina, Giovanni Cariani, Bergamo 1954. *C. Gamba: Nuovi acquisti di dipinti veneti nella Galleria degli Uffizi, in Boll. d'Arte 1907, n. II.*	E. Gavazza, in La pittura a Genova e in Liguria, Genova 1971. Diz. Biografico degli Italiani, 1977. G. Poggi, Galleria degli Uffizi. Catalogo dei dipinti, Firenze 1927, p. 128.	C. Del Bravo, Per Giovanni Francesco Caroto, in Paragone 173, 1964, pp. 3-16. B. Berenson, Italian Pictures of the Renaissance. Central Italian and North Italian Schools, London 1968, vol. I, p. 79, vol. II, tav. 1874.
Inventario	1351 (C.P., p. 143, n. 1031).	3349 (C.P., p. 198, n. 1569).	749.	3392.
Foto	98041.	5404.	152957.	146835-37.
Note	Già creduta uno scudo da torneo cinquecentesco ridipinto nuovamente da Caravaggio (Ricci, 1908) è stata poi, a seguito di esame radiografico (Becherucci, Heikamp) riconosciuta come opera tutta pertinente a un solo pittore, ossia Caravaggio, cui la Medusa è attribuita sin dal 1603 (Murtola). Lo scudo fu donato a Ferdinando I de' Medici dal cardinal Francesco Maria del Monte (Baglione 1642). Si discute se sia stato portato personalmente a Firenze dal cardinale, nel 1608, o inviato precedentemente anche prima che il Murtola lo menzionasse nel suo madrigale; il che coinvolge il problema della datazione, problema d'altronde sempre aperto per le opere giovanili del Caravaggio. La collocazione originaria nell'Armeria Medicea (ambienti degli Uffizi mai inglobati nella Galleria) era in mano a un'armatura di cavaliere a cavallo che, dalla descrizione datane negli antichi inventari, è stata riconosciuta come orientale e identificata con una donata nel 1601 dallo Scià Abbas di Persia (Heikamp). E.B.	L'acquisto è stato presentato ufficialmente dal Gamba (cfr. bibl. e A.S.G. 1906 n. 627). Una tarda copia parziale è ricordata dallo stesso autore nella Pinacoteca di Siena. Una replica attribuita a Bonifazio de' Pitati e pubblicata da A. Venturi (cfr. Saggio sulle opere d'arte italiana a Pietroburgo, su l'Arte 1912) si conserva al Museo dell'Ermitage di Leningrado (n. 107). Dal 1928 il dipinto è esposto alla Galleria Palatina di Firenze. A.P.	La provenienza del dipinto non è documentata. Esso è descritto per la prima volta come ignoto toscano in un inventario degli Uffizi del 1784. Nell'inventario del 1825 della Galleria compare l'attribuzione al Carlone, accetta dal Poggi. Il dipinto, pochissimo studiato e mai veramente discusso dalla critica, presenta un problema di difficile soluzione anche per le conoscenze ancora scarse sull'opera del Carlone. Per tale ragione si preferisce schedarlo sotto l'antica attribuzione in attesa di poter precisare meglio la cultura del quadro. M.C.	In basso al centro verso destra: I. FRANCISCVS / CHAROTVS. V.F. A tergo due pastori e san Giuseppe in piedi presso un muricciolo e su una collinetta i magi che scrutano le stelle. Il dipinto insieme al n. 3393, che gli fa riscontro è uno degli sportelli dell'Altare dei re Magi nella Chiesa dell'Ospedale di San Cosimo a Verona, ricordati entrambi dal Vasari (Vasari, V, 280) quali prime opere dell'artista; dipinti da ambedue i versi, furono acquistati dalle Gallerie Fiorentine nel 1908 dal Marchese Carlo Cavalli per L. 16.000 il 13 Marzo. Furono collocate agli Uffizi, nel 1954 a Palazzo Pitti, dal 1974 sono nei depositi degli Uffizi. Per il verso vedi scheda P364. L.B.B.

P364

P365

P366

P367

AUTORE	Caroto, Giovanni Francesco (Verona 1480 ca. - 1555).	Caroto, Giovanni Francesco (Verona 1480 ca. - 1555).	Caroto, Giovanni Francesco Verona 1480 ca. - 1555).	Carpaccio, Vittore (doc. a Venezia dal 1472 - Venezia 1526).
TITOLO	Magi che guardano le stelle (Verso dell'opera P363).	La fuga in Egitto.	La Circoncisione (retro dell'opera alla scheda 365).	Gruppo di soldati e di uomini in costume orientale.
DATAZIONE		1501 ca. (Fiocco 1913).		1493-95 (Lauts 1962), 1505 (Perocco 1967), 1515 (Ludwig-Molmenti 1906).
DATI TECNICI		Olio su tavola, 162x105, restauro 1952.		Olio su tela, 68x42, restauro 1957-58.
CORNICE		Intagliata a motivi vegetali e dorata.		Ottocentesca, in legno dorato.
UBICAZIONI		Chiesa dell'Ospedale di San Cosimo, Verona (sec. XVI); Marchese Cavalli (1908); Uffizi (1908); Pitti (1954); Uffizi 1974).		Coll. Bianciardi-Pini (ante 1882), Uffizi (1883).
ATTRIBUZIONI		—		—
ESPOSIZIONI		—		—
BIBLIOGRAFIA		B. Berenson, Italian Picture of the Renaissance. Central Italian and North Italian Schools, London 1968, vol. I, p. 79. *C. Del Bravo, Per Giovanni Francesco Caroto, in Paragone 173, 1964, pp. 3-16.*		J. Lauts: Carpaccio, Paintings and drawings, London 1962. *G. Perocco: L'opera completa del Carpaccio, Milano 1967.*
INVENTARIO		3393.		901 (C.P., p. 200, n. 583 bis).
FOTO		131677.		151430.
NOTE	Vedi: Caroto, Giovanni Francesco, scheda P363.	Il dipinto insieme al n. 3392 che gli fa riscontro, è uno degli sportelli dell'altare dei re Magi nella Chiesa dell'Ospedale di San Cosimo a Verona, ricordati entrambi dal Vasari (Vasari, V, 280) quali prime opere dell'artista; dipinti da ambedue i versi, furono acquistati dalle Gallerie fiorentine nel 1908 dal Marchese Carlo Cavalli, il 13 Marzo, per L. 16.000. Depositate a Pitti nel 1954 dopo essere stati agli Uffizi, dal 1974 sono nei depositi degli Uffizi. L.B.B.	Vedi: Caroto, Giovanni Francesco, scheda P365.	Già nella collezione di Isabella Bianciardi-Pini a Firenze è stato acquistato dalla direzione degli Uffizi nel 1882 per la somma di L. 11.500. Il dipinto è frammento di una composizione più vasta che poteva essere una «Crocifissione» o un «Martirio dei 10.000 martiri». Il Lauts ha pensato ad un «Ritrovamento della Croce». Un disegno della Christ Church Library di Oxford, di autografia discussa, è posto da alcuni studiosi in relazione col dipinto. A.P.

	P368	P369	P370	P371
AUTORE	Carpioni, Giulio (Venezia 1613 - Vicenza 1679).	Carpioni, Giulio (Venezia 1613 - Vicenza 1679).	Carracci, Agostino (Bologna 1557 - Parma 1602) attr. a.	Carracci, Agostino (Bologna 1557 - Parma 1602).
TITOLO	L'Olfatto?	Nettuno insegue Coronide.	Ritratto di giovane uomo.	Pan e Ninfa con satiro e putto.
DATAZIONE	1660 ca. (E. Brunetti 1964), 1665-70 (Pilo 1961).	1665-70 (Pilo 1961).	1590 ca. (Borea 1975).	Fine del sec. XVI (Bertani 1979).
DATI TECNICI	Olio su tela, 95x78.	Olio su tela 67x50, restauro 1959.	Olio su lavagna, 18,5x15,9, restauro 1971.	Bozzetto, carta su tela, 10,8x13,8.
CORNICE	Intagliata e dorata, sec. XVIII.	Settecentesca, in legno intagliato e dorato.	—	Cornicina dorata moderna.
UBICAZIONI	Uffizi (1919).	Pitti (cit. inizio sec. XVIII); Gran Principe Ferdinando de' Medici, Poggio a Caiano; Uffizi (1773).	Guardaroba, Pitti (cit. 1761); Poggio Imperiale; Uffizi (1796); Pitti, Depositi (1971).	Card. Leopoldo de' Medici?; Guardaroba (1676); Gabinetto Disegni e Stampe (1880); Uffizi (1914).
ATTRIBUZIONI	—	—	Scuola di Paolo Veronese (scritta sul retro, del 1796). Tintoretto (Inv. 1890, Cat. Pieraccini). Ag. Carracci? (Borea 1975).	Ag. Carracci (Inv. antichi).
ESPOSIZIONI	—	Dipinti italiani del Sei e Settecento, Firenze 1959.	Pittori bolognesi del Seicento nelle Gallerie di Firenze, Firenze 1975.	Bozzetti delle Galleria di Firenze, Firenze 1952-53.
BIBLIOGRAFIA	Galleria degli Uffizi. Dipinti italiani del Sei e Settecento, 1959. La natura morta italiana, Napoli 1964. *G. Fiocco: La pittura veneziana del XVII e XVIII secolo, Venezia 1929, p. 36. G.M. Pilo: Carpioni, Venezia 1961, p. 94.*	G.M. Pilo: Carpioni, Venezia 1961. *M.L. Strocchi: Il gabinetto d''Opere in piccolo' del Gran Principe Ferdinando a Poggio a Caiano, in Paragone, 309-311, 1975-76.*	*E. Borea, in Cat., Firenze 1975, n. 28.*	E. Borea, Pittori bolognesi del Seicento nelle Gallerie fiorentine, Firenze 1975. *L. Collobi Ragghianti, in Cat., Firenze 1952-53, n. 26, tav. 26, p. 20.*
INVENTARIO	8408.	1404 (C.P., p. 206, n. 1055).	1416 (C.P., p. 149, n. 1060).	GDSU 19112.
FOTO	111341.	230216.	175057.	157030.
NOTE	Il soggetto del dipinto, in genere riferito come Putto appoggiato a un vaso di fiori, può probabilmente essere interpretato come un'allegoria di uno dei cinque sensi, l'olfatto (vedi Cat., Napoli 1964). Datato dal Pilo nel periodo migliore dell'artista, tra il 1665-70, Estella Brunetti (Cat., Napoli 1964) propende per una data verso il 1660. M.C.	I documenti pubblicati dalla Strocchi, dimostrano che il dipinto ha fatto parte della raccolta del Principe Ferdinando nella villa di Poggio a Caiano. Il Pilo mette in relazione l'opera con l'affresco absidale e con le quattro pale della chiesa dei SS. Felice e Fortunato a Vicenza. Individua inoltre rapporti con le tele gemelle (n. 536 e 537) della Gemäldegalerie di Dresda raffiguranti: «Latona trasforma in rane i contadini lici» e «Minerva trasforma in cornacchia Coronide». A.P.	In alto a destra la scritta ANNO AETATIS SU AE XXX. Sul retro compare la scritta: Imperiale 13 maggio 1796. Scuola di Paolo Veronese. Evelina Borea segnala una citazione inventariale del 1761 (Guardaroba Pitti, ASF App. 94), che potrebbe riferirsi a questo ritratto, che la studiosa propende a ritenere uscito di casa Carracci intorno al 1590. C.C.	Il bozzetto è una variante sul tema di Pan e la Ninfa più volte trattato dall'artista: ne possediamo alcune stampe: nn. 112, 128, 131, 133, 136 — sebbene diversi negli atteggiamenti, e vari disegni fra cui il n. 1521 F del GDSU. Forse il presente bozzetto è quello ricordato nell'inventario dell'eredità del Cardinal Leopoldo de' Medici giunto in Guardaroba nel 1676 (ASF, Guard. 826, c. 66v, n. 297). Il presente bozzetto figura comunque nel Gabinetto Disegni e Stampe nel 1880 cat. IIª n. 23. È attualmente esposto nel Corridoio Vasariano. L.B.B.

	P372	P373	P374	P375
Autore	Carracci, Annibale (Bologna 1560-Roma 1609).	Carracci, Annibale (Bologna 1560 - Roma 1609).	Carracci, Annibale (Bologna 1560 - Roma 1609).	Carracci, Annibale (Bologna 1560 - Roma 1609), copia da.
Titolo	Venere, satiro e amorini.	Uomo con scimmia.	Madonna col Bambino e S. Giovannino.	Santa Famiglia.
Datazione	1588 ca. (Posner 1971).	1590-91 (Posner 1971).	1595 ca. (Cavalli, 1956), 1597 (Posner 1971).	Sec. XVII.
Dati tecnici	Olio su tela, 112x142, restauro 1956.	Olio su tela, 68x58,3.	Olio su rame, 25,5x19,5. Molto ossidato. Controfondo in legno.	Olio su rame, 39x25.
Cornice	Dorata e riccamente intagliata.	Dorata liscia.	Restauro 1956.	Dorata e sbalzata.
Ubicazioni	Casa Bolognetti, Bologna (1620); Uffizi (1638).	Casino mediceo (1666); Uffizi (1793?-1810).	Pitti (inv. 1698); Poggio a Caiano (Richardson 1728); Uffizi (1773).	Casino mediceo (1666); Uffizi (1704).
Attribuzioni	—	Tiziano (inv. 1666). Annibale Carracci (Lasinio 1824). Annibale Carracci? (cat. 1810). Copia da Annibale (Pepper 1972). Annibale Carracci o anonimo veneto (Borea 1975).	—	Carracci inv. 1666). Da Carracci (Posner 1971).
Esposizioni	I Carracci, Bologna 1956. Pittori Bolognesi del Seicento nelle Gallerie di Firenze, Firenze 1975.	Mostra dei Carracci, Bologna 1966. Le Caravage et la peinture italienne du XVII siècle, Parigi 1965. Pittori bolognesi del Seicento nelle gallerie di Firenze, Firenze 1975.	I Carracci, Bologna 1956. Pittori bolognesi del Seicento nelle Gallerie di Firenze, Firenze 1975.	Pittori bolognesi del seicento nelle Gallerie di Firenze, Firenze 1975.
Bibliografia	D. Posner, Annibale Carracci, London 1971, II, pp. 21-22. *E. Borea, in Cat. Firenze 1975, n. 2, pp. 7-8.*	D. Posner, Annibale Carracci, London 1971, II, p. 26. *E. Borea, in Cat., Firenze 1975, n. 15.*	D. Posner, Annibale Carracci, London 1971, II, pp. 42; M. L. Strocchi, Il Gabinetto d'"opere in piccolo' del Gran Principe Ferdinando a Poggio a Cajano, in Paragone 311, 1976, n. 35. *E. Borea, Cat., Firenze 1975, n. 4.*	D. Posner, Annibale Carracci, London 1971, II, p. 44. *E. Borea, in Cat., Firenze 1975, n. 12-13.*
Inventario	1452 (C.P., p. 135 n. 1133).	799 (C.P., p. 37, n. 171).	1324 (C.P., p. 142 n. 1007).	1349.
Foto	106166.	103891.	157982.	214148.
Note	È uno dei più famosi dipinti di Annibale. Una copia antica a Norfolk (U.S.A.), Museum of Art and Sciences, reca sul retro la data 1588. Tra le altre copie una in piccolo formato è nella Galleria Palatina (n. 488). Durante il settecento il quadro giudicato scandaloso era ricoperto da una tela dipinta da C. Sacconi con soggetto allegorico mortuario (Borea 1975), tela rimossa nel 1812. E.B.	L'identificazione di questo quadro, caratterizzato da forte venezianismo, rimaneggiato nel taglio, già centinato in alto e ridipinto lungo i bordi, con il dipinto di analogo soggetto attribuito a Tiziano nell'inventario della collezione di Carlo de' Medici (1666) non è certa (Borea 1975). Ma è altrettanto dubbio ch'esso sia da identificarsi con quello di eguale soggetto che nel 1793 pervenne agli Uffizi da Vienna, Galleria Imperiale con attribuzione a Tintoretto (Poggi 1926); sempre che non si tratti dello stesso quadro, da Firenze passato a Vienna e da Vienna ritornato. L'identificazione non risolve comunque il problema dell'attribuzione. Infatti appare sempre meno accettabile il riferimento ad Annibale avvallato ancor recentemente (Posner 1971). La questione s'impone negli stessi termini di quella che riguarda il cosidetto 'autoritratto' di Annibale agli Uffizi (n. 1803), in cui i caratteri stilistici veneziani, prevalgono. E.B.	Scritte sul controfondo: Del P. a Cajano dalla Guardaroba dicembre 1773. Una copia su tavola è a Dulwich, Dulwich College, e una su tela nella Galleria Palatina (n. 425) appartenuta a Leopoldo de' Medici. E.B.	È una delle molte copie del perduto originale che il Bellori (1672) riferisce esser stato dipinto per il marchese Salviati a Roma e consumato a furia d'esser copiato mentre si trovava nella villa Montalto. Che fosse una copia era chiaro anche al Lanzi (Appunti inediti, Uffizi). E.B.

	P376	P377	P378	P379
Autore	Carracci, Ludovico (Bologna 1555-1619).	Carriera, Rosalba (Venezia 1675-1757).	Carriera, Rosalba (Venezia 1675-1757).	Carriera, Rosalba (Venezia 1675-1757).
Titolo	Rebecca ed Eliezer al pozzo.	Amalia Giuseppa di Modena (1699-1778).	Benedetta Ernestina Maria di Modena (1697-1777).	Enrichetta Anna Sofia di Modena (1702-1777).
Datazione	1615 ca. (Borea 1975).	1723.	1723.	1723.
Dati tecnici	Olio su tela, 161x113, restauro 1974.	Pastello su carta, 58x45,8.	Pastello su carta, 59,5x46,5.	Pastello su carta, 59,5x46,5.
Cornice	Dorata liscia a gola.	Nera liscia e a onde con filetto dorato, fine sec. XIX (corniciaio Picchi, Firenze).	Nera liscia e a onde con filetto dorato, fine sec. XIX (corniciaio Picchi, Firenze).	Nera liscia e a onde con filetto dorato, fine sec. XIX (corniciaio Picchi, Firenze).
Ubicazioni	Pitti (1663); Uffizi, Tribuna (cat. 1810); Opera Nazionale Invalidi di Guerra, Roma (1928); Rettorato Università, Roma (post 1945); Pitti (1975).	Lappeggi (1733-62); Palazzo della Crocetta (ante 1861); Uffizi (1861).	Lappeggi (1733-62); Palazzo della Crocetta (ante 1861); Uffizi (1861).	Lappeggi (1733-62); Palazzo della Crocetta (ante 1861); Uffizi (1861).
Attribuzioni	Carracci Annibale (1663). Carracci Ludovico (1810).	—	—	—
Esposizioni	Pittori Bolognesi del Seicento nelle Gallerie di Firenze, Firenze 1975.	La moda in cinque secoli di pittura, Torino 1951.	—	—
Bibliografia	E. Borea, in Cat., Firenze 1975, n. 31, pp. 43-4.	U. Malamani, Rosalba Carriera, Bergamo 1910.	U. Malamani, Rosalba Carriera, Bergamo 1910.	U. Malamani, Rosalba Carriera, Bergamo 1910.
Inventario	2144.	2585.	826.	829.
Foto	226852.	248654.	131684.	51710.
Note	Opera tarda e di mediocre qualità, era esposta nella Tribuna degli Uffizi con tutti gli onori nel 1810. È stata presentata agli studi nell'occasione della mostra del 1975. E.B.	Dipinto a Modena nell'estate del 1723 per il duca Rinaldo d'Este che aveva tre figlie da marito (per le altre, cfr. inv. 1890 nn. 826, 829) e replicato più volte. Una serie nel 1733 è documentata in possesso di Violante di Baviera nella villa di Lappeggi (ASF, Guard. 1393, c. 41r; ibidem, Guard. 51 app. - inventario del 1762 - p. 66 n. 95); passò poi nel palazzo della Crocetta e di qui agli Uffizi (1861). Una versione, differente, del ritratto è a Dresda. S.M.T.	Nell'estate del 1723 Rosalba Carriera dipinse a Modena, per il duca Rinaldo d'Este, i ritratti a pastello delle tre figlie da marito (cfr. inv. 1890 nn. 829, 2585), di cui le furono poi richieste varie repliche. Una serie venne in possesso di Violante di Baviera che la teneva nella sua villa di Lappeggi (inv. del 1733 (ASF, Guard. 1393) c. 41r; inv. del 1762 - Guard. 51 app. - p. 66 n. 95). Passò poi nel palazzo della Crocetta e di qui agli Uffizi. Un'altra versione, non identica, è a Dresda. S.M.T.	Dipinto nell'estate del 1723 a Modena per il duca Rinaldo d'Este, in più versioni da far vedere nelle corti europee a scopo matrimoniale: il duca aveva tre figlie (per le altre due, cfr. inv. 1890 nn. 826 e 2585) di cui Enrichetta fu l'unica che si sposò, e per due volte: nel 1728 con Antonio Farnese, principe di Parma, e nel 1740 con Leopoldo di Hessen Darmstadt. Una serie dieci anni dopo era presso Violante di Baviera nella sua villa di Lappeggi (inv. del 1733 - ASF, Guard. 1393 - c. 41r; inv. del 1762 - Guard. 51 app. - p. 66 n. 95, numero ancora presente sul controfondo). Passò poi nel palazzo della Crocetta e di qui nel 1861 agli Uffizi. Una versione, alquanto diversa, di questo ritratto è a Dresda. S.M.T.

	P380	P381	P382	P383
Autore	Carriera, Rosalba (Venezia 1675-1757).	Carriera, Rosalba (Venezia 1675-1757).	Casolani, Alessandro (Siena 1552-1606), copia da?	Cassana, Niccolò (Venezia 1659 - Londra 1713), attr. a.
Titolo	Flora.	Ritratto di donna (Flora).	Assunzione.	Ritratto di Anna Maria Luisa de' Medici.
Datazione	Prima metà sec. XVIII.	Prima metà del sec. XVIII.	Sec. XVII.	1690 ca. (Chiarini 1974).
Dati tecnici	Pastello su carta, 47x32,5.	Pastello su carta, 48,5x33,5.	Bozzetto, chiaroscuro su carta, 33x23.	Olio su tela, 115x85, restauro 1973.
Cornice	Nera liscia e a onde, sec. XIX.	Nera con filetto interno dorato, fine sec. XIX, corniciaio A. Picchi.	—	Nera e oro, barocca.
Ubicazioni	Poggio Imperiale? (1845); Uffizi (1890).	Palazzo della Crocetta; Uffizi (1861).	Uffizi (1880); Pitti (1962).	Uffizi (sec. XIX-XX); Pitti (1928 ca.).
Attribuzioni	—	—	Copia da A. Casolani (Inv. Antichi). A. Casolani (A. M. Ciaranfi, 1952).	Anonimo (Inv. 1890). Cassana (Chiarini 1974).
Esposizioni	—	—	Bozzetti delle Gallerie di Firenze, Firenze 1952.	Die Gestalt des Kurfürsten Johann Wilhelms, Heidelberg 1958. Gli ultimi Medici, il tardo Barocco a Firenze, 1670-1743, Detroit-Firenze 1974.
Bibliografia	V. Malamani, Rosalba Carriera, Bergamo 1910.	*V. Malamani, Rosalba Carriera, Bergamo 1910.*	Cat., Firenze 1952, n. 27.	N. Ivanoff: in Diz. Biografico degli Italiani, XX. *M. Chiarini: Niccolò Cassana, Portrait painter of the Florentine Court, in Apollo, settembre 1974. Cat., Detroit-Firenze 1974, n. 111.*
Inventario	3099.	820.	G.D.S.U. 19199.	2584 (C.P., p. 83, n. 1069).
Foto	84424.	248653.	157026.	107968.
Note	A tergo il n. 1641 rosso, indicante probabilmente una provenienza dal Poggio Imperiale. Esposto nel 1926 (cat. galleria, p. 131) come proveniente dal palazzo della Crocetta il 4 giugno 1861 (inv. 1825, suppl. n. 3050), non corrisponde però alla descrizione inventariale di nessuno dei pastelli venuti in quell'occasione. È convenzionalmente chiamato Flora, come il pastello inv. 1890 n. 820 con cui è stato confuso: ma quello è un ritratto, mentre questo è più probabilmente una figura allegorica (affine alla miniatura della 'Scuola d'amore' di Dresda). S.M.T.	A tergo dieci numeri antichi, la sigla settecentesca DG coronata, l'etichetta del corniciaio e un'etichetta 'Milano, R. Pinacoteca di Brera' che attesta la presenza a una mostra non identicata. Il pastello viene dal palazzo della Crocetta (abitazione nel medio '700 del principe di Craon, inviato da Vienna per amministrare la Toscana), ma forse era in origine presso Violante di Baviera, che aveva quattro ritratti a pastello di dame, opera di Rosalba, non rintracciati (le misure peraltro non sembrano corrispondere). Entrò agli Uffizi il 4 giugno 1861 (inv. 1825, suppl. n. 3054). S.M.T.	Nell'Inventario del 1880 questo bozzetto, classificato tra le opere di III Categoria (n. 386), è attribuito ad Anonimo del sec. XVII, copia da Alessandro Casolani. La Ciaranfi (1952) pensa sia invece plausibile un'attribuzione allo stesso Casolani. Gr. Red. 3	La provenienza del dipinto non è documentata ma è stato supposto (Chiarini 1974 e cat., Detroit-Firenze 1974) che esso sia stato dipinto per il granduca Cosimo III, padre di Anna Maria Luisa, poco prima che la figlia partisse per Düsseldorf, sposa dell'Elettore Palatino, Johann Wilhelm von der Pfalz. Mentre sull'identità del ritratto non sono mai nati dubbi, per la rassomiglianza con i ritratti sicuri della Medici, l'attribuzione del dipinto non ha supporto documentario. Tuttavia, su basi stilistiche, esso è stato attribuito recentemente al pittore veneto-genovese, che fu a lungo attivo soprattutto come ritrattista alla corte di Toscana. M.C.

	P384	P385	P386	P387
AUTORE	Cassana, Niccolò (Venezia 1659 - Londra? 1713), attr. a.	Cassana, Niccolò (Venezia 1659 - Londra (?) 1713).	Cassana, Niccolò (Venezia 1659 - Londra (?) 1713).	Cassana, Niccolò (Venezia 1659 - Londra (?) 1713).
TITOLO	Ritratto d'uomo con golettone.	Cacciatore con cane.	Cacciatore con lepre.	La cuoca.
DATAZIONE	1690-1700 ca.	1695 ca.	1695 ca.	1707.
DATI TECNICI	Olio su tela, 55x72.	Olio su tela, 122x116,5.	Olio su tela, 125,5x117, rintelato.	Olio su tela, 154x110,5, restauri 1964 e 1971.
CORNICE	Liscia, sagomata, dorata, sec. XVII?	Salvadora dorata, sec. XVIII.	Salvadora dorata, sec. XVIII.	Salvadora dorata e bruna, sec. XIX.
UBICAZIONI	Uffizi (sec. XIX).	Pitti (1713); Palazzo della Crocetta (1737); Uffizi (1770).	Poggio a Caiano (1697); Pitti (1713); Palazzo della Crocetta (1737); Uffizi (1770).	Pitti (1707); Uffizi (almeno dal 1881).
ATTRIBUZIONI	—	—	—	Giovanni Agostino Cassana (Delogu 1962). Niccolò Cassana (Fogolari 1937).
ESPOSIZIONI	—	Dipinti del Seicento genovese, Firenze 1964. Artisti alla corte granducale, Firenze 1969. Mostra armi da caccia e attrezzature da pesca, Firenze 1970.	Dipinti del Seicento genovese, Firenze 1964. Artisti alla corte granducale, Firenze 1969.	Dipinti del Seicento genovese, Firenze 1964. Artisti alla corte granducale, Firenze 1969. Gli ultimi Medici. Il tardo Barocco a Firenze, Detroit Firenze 1974.
BIBLIOGRAFIA	M. Chiarini: Niccolò Cassana, Portraitist of the Florentine Court, in Apollo, Settembre 1974. Cat., mostra Gli Ultimi Medici. Il Tardo Barocco a Firenze 1670-1743, Detroit-Firenze 1974.	*G. Fogolari in Rivista del R. Istituto di Archeologia e Storia dell'Arte VI, 1937. M. Chiarini in Apollo CIII, 1974. Idem in Paragone 301, 1975.*	*G. Fogolari in Rivista del R. Istituto di Archeologia e Storia dell'Arte VI, 1937. M. Chiarini in Apollo CIII, 1974. Idem in Paragone 301, 1975.*	*G. Fogolari, in Rivista del R. Istituto di Archeologia e Storia dell'Arte VI, 1937. Cat. mostra 1974, n. 113, p. 202. M. Chiarini in Apollo LXXXII, sett. 1974.*
INVENTARIO	566.	550.	547.	7571.
FOTO	138635.	22676.	22675.	184563.
NOTE	Il ritratto, la cui provenienza non è documentata, è attribuito al Cassana negli inventari ottocenteschi degli Uffizi. L'attribuzione sembra avere una rispondenza nello stile delle opere documentate, in particolare con il Cavaliere con golettone della Galleria Palatina, già facente parte della collezione del Gran Principe Ferdinando de' Medici in Palazzo Pitti, databile intorno al 1690. M.C.	Ritratto di Alberto Tortelli, cacciatore col Gran Principe Ferdinando de' Medici; insieme ad altri due (Ferdinando Ridolfi, inv. Petraia 103; Zigolino, inv. 1890 n. 547) fu eseguito probabilmente intorno al 1697, quando gli altri due figurano in un inventario del Poggio a Caiano. Portato in seguito a Pitti e nel 1737 alla Crocetta (ASF, Guard. 1452, c. 38r), fu trasferito agli Uffizi il 22 dicembre 1770 col ritratto di Zigolino (AGF, filza III a 27). Si trova oggi negli uffici della Soprintendenza. Uno dei tre 'Cacciatori' fu esposto alla SS. Annunziata per la festa di S. Luca nel 1706. S.M.T.	Il quadro è ritratto di Giuliano Baldassarini detto Zigolino, cacciatore del Gran Principe Ferdinando de' Medici, ed è stato eseguito prima del 1697, quando figura in un inventario della villa di Poggio a Caiano. Di qui passò a Pitti, e il 19 febbraio 1737 alla Crocetta (ASF, Guard. 1452, c. 38r), per finire in galleria il 22 dicembre 1770 (AGF, filza III a 27) insieme al compagno raffigurante il Tortelli (inv. 1890 n. 550), mentre il terzo della serie è stato rintracciato alla Petraia (Marchese Ridolfi, inv. Petraia n. 103). Si trova oggi nei depositi. S.M.T.	Dipinto a Venezia prima del 3 settembre 1707, quando il Gran Principe Ferdinando de' Medici ne accusa ricevuta all'artista, era inteso come 'pendant' a un ritratto della nana della moglie del Gran Principe (inv. 1890 n. 5140), eseguito poco prima. È stato supposto (Chiarini) che i rami e gli animali siano opera del fratello di Niccolò, Giovanni Agostino, a cui ancora nel 1962 il Delogu attribuiva tutto il quadro; e che per la cuoca abbia posato la seconda moglie del pittore, sposata diciottenne nel 1708. S.M.T.

	P388	P389	P390	P391
AUTORE	Castello, Valerio (Genova 1624-1659).	Castiglione, Giovanni Benedetto, detto il Grechetto (Genova 1600 ca. - Mantova 1663/65).	Castiglione, Giovanni Benedetto, detto il Grechetto (Genova 1600 ca. - Mantova 1663-65), bottega di.	Castiglione, Giovanni Benedetto, detto il Grechetto (Genova 1600 ca. - Mantova 1663/1665).
TITOLO	Ratto delle Sabine.	Noè fa entrare gli animali nell'arca.	Il ritorno di Giacobbe.	Circe.
DATAZIONE	1650-55.	1630 ca.	Secondo quarto sec. XVII.	1653 ca.
DATI TECNICI	Olio su tela, 206x248, rintelato.	Olio su tela, 39,5x46, restauro 1964.	Olio su tela, 74x99,5.	Olio su tela, 182x214, restauro 1964.
CORNICE	Salvadora dorata, sec. XIX.	Salvadora dorata, sec. XVII.	Salvadora dorata, sec. XIX.	Dorata, sec. XX.
UBICAZIONI	Livorno (1704); Pitti (ante 1710); Uffizi (1725).	Pitti (1710 ca.); Poggio a Caiano; Guardaroba (1773); Uffizi (1796).	Coll. Feroni (1850); Uffizi (1866); Cenacolo di Foligno (1893); Uffizi, depositi.	Pitti (1698); Uffizi (1815).
ATTRIBUZIONI	—	—	—	Castiglione (Ratti). Vassallo (Grosso 1922). Castiglione (Meloni 1964).
ESPOSIZIONI	Dipinti salvati dalla piena dell'Arno, Firenze 1966.	Dipinti italiani del Sei e Settecento, Firenze 1959. Dipinti del Seicento genovese, Firenze 1964.	—	Dipinti del Seicento genovese, Firenze 1964.
BIBLIOGRAFIA	C. Manzitti, Valerio Castello, Genova 1971. *G. Delogu, in Emporium LXIV, 1926. E. Borea, in Burlington Magazine CXVI, 1974.*	*G. Delogu, G.B. Castiglione, Bologna 1928. M.L. Strocchi, in Paragone 311, 1976. A. Percy, G.B. Castiglione, Philadelphia 1971.*	A. Percy, Giovanni Benedetto Castiglione, Philadelphia 1971.	*Cat. Mostra, 1964, n. 2. A. Percy: Giovanni Benedetto Castiglione, Philadelphia 1971. M. Chiarini, in Paragone 301, 1975.*
INVENTARIO	587 (C.P., p. 81, n. 128).	1336 (C.P., p. 147, n. 1098).	S. Marco e Cenacoli 50.	6464.
FOTO	5418.	111346.	169148.	124893, 124780.
NOTE	Il quadro fu adocchiato dal Gran Principe Ferdinando de' Medici a Livorno nel 1704 ed evidentemente acquistato: prima del 1710 figura in palazzo Pitti e nel 1725 (ASF, Guard. 1292, c. 218v) passa agli Uffizi. Era dato a un Valerio (o Virgilio, o Pietro) Bassanino, ma col giusto nome è citato nelle vite di pittori genovesi di Soprani e Ratti (1768), nonché dal Lanzi (1782). S.M.T.	Menzionata in un inventario di palazzo Pitti del primo decennio del Settecento (ASF, Guard. 1185, vol. II, c. 728, n. 400), la teletta fu prescelta dal Gran Principe Ferdinando de' Medici per il suo gabinetto di Poggio a Caiano e di lì rientrò a Firenze nel dicembre 1773, venendo esposta in galleria fin dal 10 maggio 1796 (AGF, ms. 114, c. 53r). Ann Percy la ritiene una fra le prime opere dell'artista (prima della partenza - 1632 - da Genova), di cui egli fece anche un'incisione pure ritenuta giovanile per l'ancora incerta tecnica. Una versione più grande e in cattivo stato è nei depositi di Palazzo Bianco a Genova (PR 295). S.M.T.	La tela non risulta mai considerata criticamente ed è etichettata come copia dal Castiglione: ma non sembra riprendere fedelmente un originale preciso, bensì motivi di vari dipinti di soggetto patriarcale e pastorale. Per pronunciarsi sull'eventuale autografia occorrerebbe un restauro. S.M.T.	Eseguita per palazzo Pitti insieme a un 'pendant' non rintracciato, fu nelle stanze del Gran Principe Ferdinando (1698-1713); qui fu disegnata da Fragonard nel 1761. Passò in galleria dalla guardaroba nel 1815. È databile intorno al 1650 sia per lo stile perché ne esiste una replica variata (Genova, coll. Sanguinetti) datata 1653. Altre repliche sono a Genova nella galleria nazionale di Palazzo Spinola, sul mercato milanese e all'ospedale San Martino di Genova. La citazione che ne fa il Ratti fu a torto creduta spettare (Grosso) alla piccola Circe (inv. 1890 n. 1363) oggi attribuita al Vassallo. S.M.T.

	P392	P393	P394	P395
AUTORE	Castiglione, Giovanni Francesco (Genova? 1641 ca. - Genova 1716).	Castiglione, Giovanni Francesco, (Genova? 1641 ca. - Genova 1716), attr. a.	Catena, Vincenzo (Venezia 1480 ca. - 1531).	Cavallino, Bernardo (Napoli 1616-56?).
TITOLO	Esodo degli Ebrei.	Lucina sorpresa dall'orco.	La cena in Emmaus.	Ester davanti ad Assuero.
DATAZIONE	Fine sec. XVII.	Fine sec. XVII.	1520-30.	1645-50 ca. (Sestieri 1920).
DATI TECNICI	Olio su tela, 212,5x245, restauro 1964.	Olio su tela, 135x119,5, rintelato.	Olio su tela, 130x241.	Olio su tela, 76x102.
CORNICE	Dorata, sec. XVII.	Intagliata e dorata, sec. XVIII (?).	Ottocentesca, legno intagliato e dorato.	Sagomata, intagliata e dorata, sec. XVIII.
UBICAZIONI	Pitti (1695 ca.); Poggio Imperiale; Uffizi (almeno dal 1906); Depositi (1911); Uffizi (1972).	Coll. Nigro, Genova (1963); Uffizi (1964).	Coll. Manfrin, Venezia, (cit. 1856); coll. Ruzzini-Priuli, Venezia; coll. Contisini, Venezia; coll. Chiesa, Milano; coll. Contini-Bonacossi; Uffizi (1974); Depositi Meridiana di Pitti.	Coll. A. Conte, Napoli (ante 1917); Uffizi (1917).
ATTRIBUZIONI	G.B. Castiglione, copia (Delogu 1928). G.F. Castiglione (Percy 1971).	G.B. Castiglione (Meloni 1964). G.F. Castiglione (Percy 1971).	—	—
ESPOSIZIONI	Dipinti del Seicento genovese, Firenze 1964.	Genoese Masters Cambiaso to Magnasco, Dayton-Sarasota-Hartford 1963. Dipinti del Seicento genovese, Firenze 1964.	—	Mostra della pittura napoletana del 600-700 e 800, Napoli 1938.
BIBLIOGRAFIA	*G. Delogu, G.B. Castiglione, Bologna 1928. A. Percy, G.B. Castiglione, Philadelphia 1971.*	*Cat. Mostra, Dayton 1963, n. 25. Cat. mostra, Firenze 1964. A. Percy. Goivanni Benedetto Castiglione, Philadelphia 1971.*	G. Robertson: Vincenzo Catena, Edinburgh 1954.	R. Causa: in Storia di Napoli, vol. VI, 1972. *A. De Rinaldis: Bernardo Cavallino, Roma 1921, p. 16. E. Sestieri in L'Arte, 1920, p. 268s.*
INVENTARIO	4351 (C.P., p. 75, n. 3408).	9446.	Contini-Bonacossi 15.	6387.
FOTO	124893 (124894-96 part.).	124777.	225577 e particolari.	169659.
NOTE	Presente a palazzo Pitti nell'ultimo quinquennio del Seicento (ASF, Guard. 1051, c. 9) e già allora indicato come copia dal Grechetto, è stato attribuito da A. Percy al figlio di questi, Giovanni Francesco. L'originale, un poco più grande, è il n. 592 della Pinacoteca di Brera, databile poco prima della metà del Seicento. La cornice presumibilmente originale fu tolta nel 1911 (AGF, Arte 810) e adattata al Concerto di Tiziano (inv. Palatina n. 185), mentre il quadro entrava nei depositi. Dal 1972 è nel Corridoio Vasariano. S.M.T.	Il dipinto era, inedito, in possesso di un antiquario genovese. Raffigura un episodio del canto XVII dell'Orlando Furioso, cioè la fuga di Norandino e dei suoi compagni dall'antro dell'orco aggrappati al ventre delle pecore. È un'opera che la Meloni (1964) fa risalire al periodo romano del Grechetto (intorno al 1634) per le tangenze col movimento neoveneziano di quegli anni e il Poussin, mentre l'Arslan, chiamandola «Polifemo», la dice «di incerta ubicazione cronologica, tra Roma e Mantova». A. Percy invece la ritiene opera del figlio del Grechetto, Giovan Francesco. S.M.T.	Con esposizione temporanea nei locali della Meridiana di Palazzo Pitti, il dipinto fu acquisito ufficialmente al patrimonio dello Stato nel 1974, a seguito di convenzione intervenuta nel 1969 con gli eredi Contini-Bonacossi. Una variante autografa del soggetto, di analoghe dimensioni (cm. 114x240) e con qualche differenza non sostanziale, si conserva all'Accademia Carrara di Bergamo (nr. 390). A.P.	Il dipinto fu acquistato nel 1917 per la Galleria degli Uffizi presso il collezionista napoletano Agostino Conte. Studiato in particolare dal Sestieri, che lo ritiene, come il De Rinaldis, opera matura. Ne esistono altre due versioni: una nella Galleria Harrach di Vienna, l'altra, segnalata dal Causa, nell'Ist. Suor Orsola Benincasa di Napoli. M.C.

	P396	P397	P398	P399
AUTORE	Cavazzola, Morando Paolo, detto, (Verona 1486 ca. - 1522), attr. a.	Cavedoni, Giacomo (Sassuolo 1577 - Bologna 1660).	Cecco Bravo, Montelatici Francesco, detto (Firenze 1607?-1661).	Cennini, Cennino (Colle Val d'Elsa, doc. fine sec. XIV-inizi sec. XV), attr. a.
TITOLO	Ritratto di capitano con scudiero.	La Maddalena.	Giuseppe e la moglie di Putifarre.	Vergine con Bambino.
DATAZIONE	1518-22 ca. (Hornig 1976).	Sec. XVII.	Secondo quarto sec. XVII.	Fine del sec. XIV.
DATI TECNICI	Olio su tela, 90x73.	Olio su tela, 127x97.	Olio su tela, 115x141.	Affresco centinato riportato su tela, 194x86, restauri 1957, 1972.
CORNICE	Barocca, in legno intagliato e dorato a decoro di volute.	Sagomata, dorata, sec. XVII?	—	—
UBICAZIONI	Gallerie Imperiali, Vienna; Uffizi (1821).	Uffizi (1778); Prefettura, Massa (1931).	Mercato antiquario; Uffizi (1965).	Ospedale di San Bonifacio (1787); Santa Maria Nuova (1900); Uffizi (1900); Pitti (1975).
ATTRIBUZIONI	Giorgione (inv. Uffizi 1825, Longhi 1946, Zampetti 1955). Torbido (Cavalcaselle 1874, Fiocco 1948). Michele da Verona (Morelli 1880). Caroto (von Boehn 1908).	Copia dal Cigoli di anonimo (Borea 1975).	Cecco Bravo (Ewald 1964).	—
ESPOSIZIONI	Giorgione e giorgioneschi, Venezia 1955.	—	Dipinti salvati dalla piena dell'Arno, Firenze 1966.	Firenze restaura, Firenze 1972.
BIBLIOGRAFIA	*Cat. Venezia 1955 (a cura di P. Zampetti) n. 36. C. Hornig: Cavazzola, München 1976.*	*E. Borea: in Cat. Pittori bolognesi del Seicento nelle Gallerie fiorentine, Firenze 1975, p. 80.*	*P. Bigongiari, Il Seicento fiorentino, Milano 1974, pp. 64-70. G. Ewald, Ubekannte Werke von Cecco Bravo, Sebastiano Mazzoni und Pietro Ricci, in Pantheo, n. VI, 1964, p. 387. S. Meloni in Cat., Firenze 1966, n. 26, p. 17.*	M. Boskovits, Pittura fiorentina alla vigilia del Rinascimento, 1370-1400, Firenze 1975, pp. 284-95. U. Baldini, in Cat., Firenze 1972, p. 96.
INVENTARIO	911 (C.P., p. 197, n. 571).	26479.	9450.	3150 (C.P., p. 65, n. 42).
FOTO	70573.	589.	154055.	5419.
NOTE	Il dipinto — identificato anche, ma senza fondamento, nel «Ritratto del Gattamelata» — ha conosciuto una storia attributiva assai travagliata. Allo stato attuale degli studi si propende a ritenerlo opera del Cavazzola, forse derivato da un perduto originale di Giorgione. Una copia ottocentesca è nella coll. Gattamelata di Roma (90,5x75,5). Altra copia, pure del XIX secolo, è citata da V. Pace nel palazzo comunale di Narni (V. Pace: Le compagnie di Ventura, Cat. della mostra, Narni 1970). Inciso da Lasinio (R. Galleria, Firenze 1828 vol. III). A.P.	Il dipinto fu acquistato nel 1788 per la Galleria presso certo Ottavio Magherini con la attribuzione al pittore emiliano. Essa è rifiutata dalla Borea, che lo ritiene invece copia di un dipinto del Cigoli in collezione privata. In deposito presso la Prefettura di Massa dal 1931. M.C.	Il dipinto fu acquistato dal Signor Luigi Grassi che lo aveva presentato all'Ufficio Esportazione di Firenze il 18-2-1965; posto inizialmente nei Magazzini degli Uffizi, dal 1968 è esposto in Galleria. L.B.B.	L'affresco si trovava in origine sulla facciata dell'Ospedale di S. Bonifacio; nel 1787 il Granduca Leopoldo, volendo far costruire un nuovo loggiato davanti all'ospedale, diede ordine al pittore Santi Pacini di distaccare l'affresco: è il primo esempio di stacco, qui mal riuscito; l'opera pervenne alla Galleria degli Uffizi il 1-4-1900; dal 1975 è nei magazzini di Palazzo Pitti. L.B.B.

	P400	P401	P402	P403
AUTORE	Cerano, Crespi Giovanni Battista, detto il (Cerano 1557 - Milano 1633).	Cerquozzi, Michelangelo, detto Michelangelo delle Battaglie (Roma 1602-1660).	Cerquozzi, Michelangelo, detto Michelangelo delle Battaglie (Roma 1602-1660).	Cerquozzi, Michelangelo, detto Michelangelo delle Battaglie (Roma 1602-1660).
TITOLO	Madonna in gloria coi SS. Carlo Borromeo, Francesco e Caterina d'Alessandria.	Cardatrice di lino.	Uomo con cane.	Uomo che abbevera tre cani.
DATAZIONE	1620-30.	1630 ca.	1630 ca.	1630 ca.
DATI TECNICI	Olio su tela, 267,5x201, restauro 1974.	Olio su lavagna ottagonale, 21x 23.	Olio su lavagna ottagonale, 19x21.	Olio su lavagna, 18x29.
CORNICE	Intagliata a baccellature e dorata, sec. XIX.	Intagliata e dorata, sec. XVII.	Intagliata e dorata, sec. XVII.	Sagomata, dorata, sec. XVII.
UBICAZIONI	Coll. Mansi, Lucca (1864); Carlotta Burlamacchi; Uffizi (1913).	Uffizi (1905 ca.); Pitti (1928).	Uffizi (1905 ca.); Pitti (1928).	Pitti (ante 1675); Uffizi (1905 ca.); Roma (1926).
ATTRIBUZIONI	A. van Dyck (cat. Mansi).	Van Laer (Pieraccini 1905 ca., Rusconi 1937, Francini Ciaranfi 1964). Cerquozzi (Chiarini 1970).	Van Laer (Pieraccini 1905 ca., Rusconi 1937, Francini Ciaranfi 1964). Cerquozzi (Chiarini 1970).	Van Laer (inv. 1675, Pieraccini 1905 ca.). Cerquozzi (Chiarini, 1970).
ESPOSIZIONI	Mostra del Cerano, Novara 1964.	Pittura su pietra, Firenze 1970.	Pittura su pietra, Firenze 1970.	—
BIBLIOGRAFIA	N. Pevsner, in Jahrbuch der preuszischen Kunstsammlungen XLVI, 1925. *C. Ricci, in Bollettino d'arte VII, 1913. M. Rosci, in Cat., Novara 1964, n. 149, pp. 117-118.*	G. Briganti, P. Van Laer e M. Cerquozzi, in Proporzioni 1950. Id., I Bamboccianti, Cat. mostra, Roma 1950. *Cat., Firenze 1970, n. 30.*	G. Briganti, P. Van Laer e M. Cerquozzi, in Proporzioni 1950. Id., I Bamboccianti, Cat. mostra, Roma 1950. *Cat., Firenze 1970, n. 29.*	G. Briganti, P. Van Laer e M. Cerquozzi, in Proporzioni 1950. Id., I Bamboccianti, Cat. mostra, Roma 1950. *M. Chiarini: in Cat. Pittura su pietra, Firenze 1970, sub n. 30.*
INVENTARIO	3884.	1250 (C.P., p. 136, n. 929).	1252 (C.P., p. 139, n. 951).	1042 (C.P., p. 129, n. 722).
FOTO	203536.	173427.	173426.	20067.
NOTE	Catalogato nella raccolta Mansi di Lucca, ricca di quadri olandesi, come opera di van Dyck, fu attribuito al Cerano da Corrado Ricci: successivamente (Ferretti, 1923; Gregori e Rosci, 1964) vi si vide anche l'intervento di Melchiorre Gherardini. Gli Uffizi l'acquistarono nel 1913 per 15000 lire da Carlotta Burlamacchi, che si riservò la possibilità di rescissione del contratto se il dipinto fosse risultato non del Cerano (AGF, Arte 1012). S.M.T.	La provenienza del dipinto non è documentata e col suo 'pendant' n. 1252 compare per la prima volta agli Uffizi intorno al 1905, con l'attribuzione, probabilmente tradizionale, datagli nel catalogo del Pieraccini. Come tali i due dipinti furono esposti a Pitti dal 1928, ma nel 1970 il Chiarini li attribuiva al Cerquozzi sottolineandone le analogie stilistiche con le opere documentate di quest'ultimo. M.C.	Vedi la scheda P401 (inv. 1890, n. 1250). M.C.	Il dipinto compare, con l'attribuzione a P. van Laer, nell'inventario della collezione del card. Leopoldo de' Medici in palazzo Pitti (1675) e con tale attribuzione fu esposto agli Uffizi fino al 1926, quando fu inviato in deposito temporaneo presso gli uffici del Senato a Roma. Il dipinto, che presenta solo un influsso del Van Laer, va attribuito al Cerquozzi per le affinità stilistiche con le sue opere certe e con altri dipinti di questo tipo (vedi M. Chiarini: cat. Pittura su pietra, Firenze 1970, nn. 29-30). M.C.

	P404	P405	P406	P407
AUTORE	Cerquozzi, Michelangelo, detto Michelangelo delle Battaglie (Roma 1602-60).	Cerquozzi, Michelangelo, detto Michelangelo delle Battaglie (Roma 1602-60).	Gerrini, Gian Domenico, detto il Cavalier Perugino (Perugia-Roma).	Champaigne, Philippe de (Bruxelles 1602 - Parigi 1674), attr. a.
TITOLO	Donne che filano.	Paesaggio con Erminia tra i pastori.	Santa Famiglia con Santa Elisabetta.	Ritratto di uomo, detto Fouquet.
DATAZIONE	1630-40 ca.	1640-60.	1650-60 ca. (Borea).	1670 ca.
DATI TECNICI	Olio su tela, 27,5x27,5.	Olio su tela, 131x95.	Olio su tela ovale, 127x110, restauro 1974.	Olio su tela, 70x53.
CORNICE	Liscia, dorata, neoclassica.	Dorata con ornamento a birilli.	Dorata quadrangolare con luce ovale.	Intagliata e dorata, sec. XVII.
UBICAZIONI	Uffizi (sec. XVII-XVIII), Castello (1702), Pitti (inizi sec. XX); Uffizi (1972).	Pitti; Uffizi (1972).	Coll. Feroni; Uffizi (1865).	Parigi (ante 1793); Uffizi (1793).
ATTRIBUZIONI	Miel (Inv. Pal. Pitti 1911). Cerquozzi (Chiarini 1967).	Anonimo (inv. Oggetti d'Arte 1911). Cerquozzi e Angeluccio (Chiarini 1970).	Cavedoni (inv. 1895). Cerrini (Voss 1924).	Champaigne (1793). Maes (Gerson 1974, com. orale).
ESPOSIZIONI	Paesisti, Bamboccianti e vedutisti nella Roma seicentesca, Firenze 1967.	Caravaggio e Caravaggeschi nelle Gallerie di Firenze, Firenze 1970, n. 55.	—	La peinture française à Florence, Firenze 1945.
BIBLIOGRAFIA	G. Briganti, P. Van Laer e Michelangelo Cerquozzi, in Proporzioni, 1950. *Cat., Firenze 1967, n. 31.*	E. Borea, in Cat., Firenze 1970, n. 55, pp. 85-86.	H. Voss, Die Malerei des Barock in Rom, Berlin 1924, p. 559. E. Opere e Documenti, in 'Prospettiva' n. 12, 1978, p. 15.	B. Dorival, Philippe de Champaigne, Paris 1976. P. Rosenberg: in Cat., Pittura francese nelle Collezioni pubbliche fiorentine, Firenze 1977, n. 72, e n. XXX, p. 220.
INVENTARIO	Ogg. d'arte Pitti, 554.	Ogg. d'Arte 497.	S. Marco e Cenacoli 69.	1017 (C.P., p. 113, n. 695).
FOTO	156722.	162982-84.	—	248024.
NOTE	Il dipinto, che passò nel 1702 dagli Uffizi alla Villa di Castello con l'attribuzione a 'Michelangelo delle battaglie' (cioè il Cerquozzi; doc. in ASF, Guard. 1026, c. 214v.), fu inventariato tra gli oggetti d'arte di palazzo Pitti con il nome di Jan Miel: l'attribuzione, confermata dal documento del 1702, è stata cambiata in quella al Cerquozzi su basi stilistiche (Chiarini, in cat., Firenze 1967). Da datarsi, per la vicinanza allo stile di P. van Laer, intorno al 1630-40. M.C.	È assai probabile che il Cerquozzi, riconosciuto con certezza quale autore delle figure in primo piano, si sia fatto aiutare per il paesaggio di sfondo dal misterioso 'Angeluccio', paesaggista in collaborazione col Cerquozzi in altri casi simili documentati. E.B.	Faceva parte della collezione Feroni pervenuta per lascito agli Uffizi attraverso il Comune. La datazione è difficile a stabilirsi entro il periodo della maturità dell'artista. E.B.	Il ritratto è da identificare con quello, attribuito a Ph. de Champaigne, che fu acquistato a Parigi da Francesco Favi nel 1793 per il granduca Ferdinando III di Toscana. Non sappiamo quando fu identificato erroneamente nel ritratto di Fouquet (cfr. Pieraccini 1905 ca.). Il ritratto non è da confondere con un altro sempre agli Uffizi (Inv. 1890, n. 8431), detto Ritratto del marchese di Belle-Isle, anch'esso attribuito allo Champaigne, e che è stato scambiato con il cosiddetto Fouquet in Cat. Firenze 1977. Il n. 1017, attribuito verbalmente da H. Gerson a N. Maes, è senz'altro olandese e da mettere in rapporto con le opere di Pieter Nason (L'Aja 1612-90). M.C.

	P408	P409	P410	P411
AUTORE	Champaigne, Philippe de (Bruxelles 1602 - Parigi 1674), attr. a.	Champaigne, Philippe de (Bruxelles 1602 - Parigi 1674), attr. a.	Chaperon, Nicolas (Chateaudun 1612 - Roma 1656?).	Chardin, Jean-Baptiste-Siméon (Parigi 1699-1779).
TITOLO	Vocazione di S. Pietro.	Ritratto di giovane in armatura.	Sileno ebbro.	Fanciulla col volano.
DATAZIONE	Seconda metà sec. XVII (Rosenberg 1977).		1640-50 ca. (Rosenberg 1977).	1740 ca.
DATI TECNICI	Olio su tela, 81x101.		Olio su tela, 115x84, restauro 1976-77.	Olio su tela, 82x66, restauro 1977.
CORNICE	Dorata, neoclassica.		Sagomata, dorata, sec. XVIII.	Liscia, dorata, sec. XIX?
UBICAZIONI	Parigi (ante 1793); Uffizi (1793).		Coll. Favi, Parigi (1793) Uffizi (1797).	Coll. Pallavicino, Rivalta Scrivia; Uffizi (1951).
ATTRIBUZIONI	Champaigne (Dorival 1976). Scuola francese (Rosenberg 1977).		—	—
ESPOSIZIONI	Pittura francese nelle collezioni pubbliche fiorentine, Firenze 1977.		Pittura francese nelle collezioni pubbliche fiorentine, Firenze 1977.	Europäische Rokoko, Monaco di Baviera, 1958. Il ritratto francese da Clouet a Degas, Roma 1962. Pittura francese nelle collezioni pubbliche fiorentine, Firenze 1977.
BIBLIOGRAFIA	B. Dorival, Philippe de Champaigne, Paris 1976. *Cat., Firenze 1977, n. 69.*		A. Blunt, Art and Architecture in France, 1500-1700, Harmondsworth 1954. C. Sterling in: Colloque Poussin, Paris 1960. *Cat., Firenze 1977, n. 75.*	P. Rosenberg, in Cat., mostra Chardin, Parigi 1978. *Cat., Firenze 1977, n. 131.*
INVENTARIO	981 (C.P., p. 117; n. 691).		6216.	9274.
FOTO	159862.		278478.	252583.
NOTE	Il dipinto fa parte del gruppo di quadri francesi acquistati a Parigi nel 1793 da Francesco Favi per ordine del granduca di Toscana, Ferdinando III. Pervenuto a Firenze con l'attribuzione allo Champaigne, essa è stata accettata dal Dorival (1976), che metteva il quadro in rapporto a un dipinto citato nell'eredità dell'artista. Tuttavia tale identificazione è negata dal Rosenberg, che non accetta l'attribuzione allo Champaigne (Cat. Firenze 1977). M.C.	Vedi: Scuola francese seconda metà sec. XVII. Scheda P1514.	Il dipinto, che nel 1793 era a Parigi, in casa di F. Favi, rappresentante del granduca di Toscana in Francia, entrò agli Uffizi con altri dipinti francesi, nel 1797, con l'attribuzione allo Chaperon. Essa è stata confermata su basi stilistiche e per rapporto con altre opere e disegni dell'artista dal Rosenberg nel 1977. M.C.	Firmato in basso al centro: Chardin. Il dipinto è replica di quello, firmato e datato 1741, nella coll. Rotschild di Parigi. Una prima versione del soggetto fu esposta al Salon del 1737 e incisa dal Lepicié nel 1742. Con il suo 'pendant' (n. 9273) entrò per acquisto agli Uffizi nel 1951. M.C.

	P412	P413	P414	P415
Autore	Chardin, Jean-Baptiste-Siméon (Parigi 1699-1779).	Cianfanelli, Niccola (Mosca 1793 - Firenze 1848).	Cianfanelli, Niccola (Mosca 1793 - Firenze 1848).	Cianfanelli, Niccola (Mosca 1793 - Firenze 1848).
Titolo	Fanciullo col castello di carte.	Lucia dinanzi all'Innominato.	Luca Pacioli presenta Leonardo a Lodovico il Moro.	Studio sul ritratto di Benvenuto Cellini.
Datazione	1740 ca.	1833-37 ca.	1840 ca.	1840 ca.
Dati tecnici	Olio su tela, 82x66, restauro 1977.	Olio su tela, 69,5x82, restauro 1972.	Olio su tela, 23x35.	Olio su carta, 62,5x43,5.
Cornice	Liscia, dorata, sec. XIX (?).	D'epoca, dorata.	D'epoca, sgusciata e dorata.	D'epoca, dorata.
Ubicazioni	Coll. Pallavicino, Rivalta Scrivia; Uffizi (1951).	Coll. Giuseppe Martelli; Uffizi (1876); Prefettura, Pistoia; Galleria d'Arte Moderna, Pitti (1972).	Coll. Giuseppe Martelli; Uffizi (1876); Galleria d'Arte Moderna, Pitti (1972).	Coll. Giuseppe Martelli; Uffizi (1876); Galleria d'Arte Moderna, Pitti (1972).
Attribuzioni	—	—	—	—
Esposizioni	Pittura francese nelle collezioni pubbliche fiorentine, Firenze 1977.	Cultura neoclassica e romantica nella Toscana granducale, Firenze 1972. Romanticismo storico, Firenze 1973-74.	Bozzetti delle Gallerie di Firenze, Firenze 1952. Cultura neoclassica e romantica nella Toscana granducale, Firenze 1972.	Cultura neoclassica e romantica nella Toscana granducale, cat. mostra, Firenze 1972.
Bibliografia	P. Rosenberg, in Cat., mosra Chardin, Parigi 1978. *Cat., Firenze 1977, n. 132.*	*Cat., Firenze 1972, p. 95-96. Cat., Firenze 1973-74, p. 347-348.*	*Cat., Firenze 1972, p. 96, 189.*	—
Inventario	9273.	5833.	4860.	5326.
Foto	252582.	184349.	153811, 193740.	179582.
Note	Firmato in basso al centro: Chardin. Il dipinto è replica di uno — già 'pendant' della 'Fanciulla col volano' nella coll. Rotschild di Parigi — nella National Gallery di Washington, databile al 1741. Con il n. 9274 entrò agli Uffizi per acquisto nel 1951. M.C.	Sulla commissione granducale per le storie dai Promessi Sposi da dipingere in uno dei soffitti della nuova Meridiana v. AGF, filza Conserv. VI, 1837, 18. Alcuni bozzetti con storie dei Promessi Sposi furono presentati all'esposizione fiorentina del 1845 e più tardi offerti in vendita per le collezioni granducali. Il presente bozzetto giunge però nel 1876 per lascito dell'architetto Giuseppe Martelli (AGF, 1876, filza A, I, 53). Attualmente esposto nella Galleria d'arte moderna di Palazzo Pitti. S.P.	A tergo scritta ottocentesca a penna: Il Paciola (sic) presenta Leonardo da Vinci a Lodovico il Moro duca di Milano bozzetto del pittore Niccola Cianfanelli per una lunetta della Tribuna di Galileo. Data di esecuzione e passaggio del bozzetto dal pittore all'architetto Martelli, autore della Tribuna di Galileo del Museo di Fisica, compiuta nel 1840, sono facilmente presumibili. Il bozzetto giunse agli Uffizi con il lascito dell'architetto (AGF, 1876, filza A, I, 53, al numero 46 dell'inventario). La prima descrizione della Tribuna è in G. Rossini Descrizione della Tribuna inalzata da SAI e R il granduca Leopoldo VI di Toscana alla memoria di Galileo, Firenze 1841. L'ideazione dei soggetti per la Tribuna spetta al Direttore del Museo di Fisica Antinori ((v. D. Heikamp, in Antichità viva 1970, n. 6). Attualmente è esposto nella Galleria d'arte moderna di Palazzo Pitti. S.P.	In basso a sinistra a penna: N°. 21. Studio sul ritratto di Leonardo da Vinci / fatto dal Prof. Niccola Cianfanelli / per servire alla dipintura di una lunetta della tribuna di Galileo; e sopra, a matita: Niccola Cianfanelli. Contrariamente a quanto assunto dall'iscrizione, si tratta di uno studio per il Cellini dall'affresco di Scornio: Attualmente nelle riserve della Galleria d'arte moderna di Palazzo Pitti. S.P.

	P416	P417	P418	P419
AUTORE	Cianfanelli, Niccola (Mosca 1793 - Firenze 1848).	Cignani, Carlo (Bologna 1628 - Forlì 1719).	Cignani, Carlo (Bologna 1628 - Forlì 1719), attr. a.	Cigoli, Cardi Ludovico, detto il (Cigoli 1559 - Roma 1613).
TITOLO	Studio sul ritratto di Cosimo de' Medici.	Madonna col Bambino.	S. Famiglia.	S. Francesco riceve le stimmate.
DATAZIONE	1840 ca.	Fine sec. XVII (Borea 1975).	Sec. XVII-XVIII.	1596.
DATI TECNICI	Olio su carta, 42x31.	Olio su rame, 46,5x34.	Olio su lavagna ottagonale, 28x 39,5, restauro 1973.	Olio su tavola, 247x171, restauro 1959.
CORNICE	D'epoca, dorata.	Dorata, intagliata a racemi traforati.	Intagliata, dorata, XVII-XVIII sec.	Salvadora dorata.
UBICAZIONI	Coll. Giuseppe Martelli; Uffizi (1876); Galleria d'Arte Moderna, Pitti (1972).	Pitti (Inv. 1705 ca.); Poggio a Caiano (1710 ca.); Uffizi (1773).	Coll. Feroni (ante 1850); Uffizi (1866); Cenacolo di Foligno (1894).	Convento di S. Onofrio (1596); Accademia (1882); Museo di S. Marco (1907); Uffizi (1928); Pitti (1928); Uffizi (1976).
ATTRIBUZIONI	—	—	Cignani (Rigoni 1891, Cat. Galleria Feroni 1895, Borea 1975). Jacques Stella? (Rosenberg 1977).	—
ESPOSIZIONI	—	Pittori Bolognesi del Seicento nelle Gallerie di Firenze, Firenze 1975.	Pittori bolognesi del Seicento nelle Gallerie di Firenze, Firenze 1975. Pittura francese nelle collezioni pubbliche fiorentine, Firenze 1977.	Mostra del Cigoli e del suo ambiente, San Miniato 1959.
BIBLIOGRAFIA	Cultura neoclassica e romantica nella Toscana granducale, Cat. mostra, Firenze 1972.	M.L. Strocchi, Il Gabinetto d'''opere in piccolo' del Gran Principe Ferdinando a Poggio a Cajano, in Paragone 311, 1976, n. 106. Cat., Firenze 1975, n. 159 p. 214.	C. Rigoni, Cat. della Gall. degli Uffizi..., Firenze 1891, p. 108. Cat. Galleria Feroni, Firenze 1895, p. 9. Cat., Firenze 1975, n. 158. Cat., Firenze 1977, n. 116.	M. Bucci, in Cat. S. Miniato 1959, tav. XV. AGF: G. Chelazzi Dini, Scheda Ministeriale, 1973.
INVENTARIO	5355.	1333 (C.P., p. 142 n. 1011).	S. Marco e Cenacoli 83.	3496.
FOTO	179585.	225348.	214954.	230491.
NOTE	In basso a penna l'iscrizione: N.° 23. - Studio sul ritratto dell'Accolti / fatto dal Prof. Niccola Cianfanelli per una lunetta di Galileo della tribuna. Sopra a matita: P. N. Cianfanelli. Da collegare al n. 5326. Contrariamente a quanto asserito dall'iscrizione si tratta di uno studio per l'affresco della villa Puccini a Scornio (Pistoia) richiesto da Niccolò Puccini al Cianfanelli intorno al 1840 (v. Cultura dell'ottocento a Pistoia, Cat. mostra, Pistoia 1977, p. 18). Per la provenienza del pezzo v. ancora i nn. 4860, 5326, 5833. Attualmente nelle riserve della Galleria d'arte moderna di Palazzo Pitti. S.P.	Scritta sul retro: sigla D.G.H. sormontata da corona. Grazioso capoletto di gusto classicista pittoricamente fine come un pastello settecentesco. E.B.	Il dipinto è stato attribuito al Cignani dal Rigoni, che probabilmente prese l'indicazione dalla collezione di provenienza. Essa è stata accettata dalla Borea, ma messa in discussione dal Rosenberg, che vede in una incisione della parte sinistra del quadro derivata da Jacques Stella una possibile prova per ascrivere il dipinto a quest'ultimo. Tuttavia lo stesso studioso notava nel dipinto alcune debolezze di fattura e di colore e un'aria italiana nella figura del S. Giuseppe, non escludendo, quindi, la possibilità che si tratti di una copia di mano italiana da un originale dello Stella. M.C.	In basso a destra: L e C intrecciate insieme e sotto 1596; la tavola è probabilmente da identificarsi con il quadro citato dal nipote del Cigoli eseguito per le monache di Sant'Onofrio dette di Fuligno. Fino al 1792 (cfr. Richa, Follini Rastrelli) era nella chiesa del convento; nel 1882 compare nell'inventario della Galleria dell'Accademia, nel 1907 è nel Museo di San Marco, in seguito passò agli Uffizi e nel 1928 alla Palatina; ritornò definitivamente agli Uffizi nel 1976. Disegni nel Gabinetto Disegni e Stampe nn. 8937 F, 8890 F, 1010 F, 10828 F. L.B.B.

	P420	P421	P422	P423
AUTORE	Cigoli, Cardi Ludovico, detto il (Cigoli 1559 - Roma 1613).	Cigoli, Cardi Ludovico, detto il (Cigoli 1559 - Roma 1613).	Cigoli, Cardi Ludovico, detto il (Cigoli 1559 - Roma 1613).	Cigoli, Cardi Ludovico, detto il (Cigoli 1559 - Roma 1613).
TITOLO	Figura giacente.	Martirio di S. Stefano.	Figura.	Studio di figura.
DATAZIONE	1597 ca. (Bertani 1979).	1597 (Berti 1952).	Ultimo decennio sec. XVI (Bertani 1979).	Ultimo decennio sec. XVI (Forlani Tempesti 1959).
DATI TECNICI	Bozzetto, olio a chiaroscuro su carta, 35x32.	Bozzetto, olio su carta adesa a tela, 27x22.	Bozzetto, olio a chiaroscuro su carta adesa su tela, 40x24,.	Bozzetto, olio a chiaroscuro su carta, 40x24.
CORNICE	Ebano, stondata con filetto d'oro all'interno.	Modanata e dorata nella parte interna sec. XVII.	Legno modanato con filetto d'oro nella parte interna.	Legno modanato e dorato nella filettatura interna.
UBICAZIONI	Gabinetto Disegni e Stampe (1880); Uffizi (1914).	Pitti (1702-1710); Poggio a Caiano (1773); Uffizi (1773); Gabinetto Disegni e Stampe (1793); Uffizi (1914).	Gabinetto Disegni e Stampe (1880); Uffizi (1914).	Gabinetto Disegni e Stampe (1880); Uffizi (1914).
ATTRIBUZIONI	—	Cigoli (Inv. Antichi, Berti 1952, Bertani 1979). C. Allori (Chelazzi Dini 1963).	P. Sorri (Inv. Antichi). Cigoli (Bertani 1979).	—
ESPOSIZIONI	Bozzetti delle Gallerie di Firenze, Firenze, 1952-53.	Bozzetti delle Gallerie di Firenze, Firenze, 1952-53; Mostra di disegni e bozzetti di C. Allori, Firenze, 1974.	Bozzetti delle Gallerie di Firenze, Firenze, 1952-53.	Mostra del '500 toscano, Firenze, 1940; Bozzetti delle Gallerie di Firenze, Firenze, 1952-53; Mostra del Cigoli e del suo ambiente, S. Miniato, 1959.
BIBLIOGRAFIA	AA.VV. Mostra del Cigoli e del suo ambiente, San Miniato, 1959. *U. Baldini, in Cat., Firenze, 1952-53, n. 32, pp. 22-23.*	*L. Berti, in Cat., Firenze 1952-53, n. 29, p. 2. G. Chelazzi Dini, in Cat., Firenze, 1974, n. 5, p. 28.*	AA.VV., Mostra del Cigoli e del suo ambiente, San Miniato, 1959. *A.M. Francini Ciaranfi, in Cat., Firenze, 1952-53, n. 115, p. 54.*	*U. Baldini, in Cat., Firenze 1952-53, p. 23. A. Forlani Tempesti, in Cat., S. Miniato, 1959, n. 100, p. 157. AGF: G. Chelazzi Dini, Scheda Ministeriale, 1973.*
INVENTARIO	GDSU 19116.	GDSU 19171.	GDSU 19155.	GDSU 19113.
FOTO	68486.	158108.	157109.	157066.
NOTE	Sul retro: Cigoli. Si tratta con tutta probabilità del bozzetto per il sogno di Giacobbe (cfr. Nancy, Musée des beaux Arts, siglato e datato 1598) di cui esistono due repliche: una nella Gall. Corsini di Firenze, attribuita a Matteo Rosselli, n. 388, e l'altra, ritenuta invece del Cigoli, nella Coll. inglese del Conte di Exeter. Il presente bozzetto figura nell'inv. del 1880 cat. II^a, n. 74, tuttavia nell'inv. 1793 ci sono numerosi disegni di figure in piedi o giacenti del Cigoli (cfr. GDSU Inv. gen. ... 1793, vol. I ad vocem). L.B.B.	È il bozzetto per il quadro eseguito dal Cigoli per la chiesa di Montedomini di Firenze, già all'Accademia, ora a Pitti Inv. 1890 n. 8713. Si confronti questo bozzetto con quelli con lo stesso soggetto ma di C. Allori, Inv. 1890 nn. 8020 e 9486. La presente opera compare negli inventari di Pitti (cfr. ASF Guard. (1702-1710) 1185, cc. 523-24, n. 720) in seguito passò al Poggio a Caiano e il 29.12.1773 giunse agli Uffizi (cfr. AGF, filza VI ins. 96, n. 720). Compare nell'inventario del 1793 (cfr. GDSU, Inv. Generale... 1793, vol. I ad vocem). L.B.B.	Sul retro del quadro scritto con caratteri ottocenteschi; Pietro Sorri. Il presente bozzetto che raffigura un uomo inginocchiato o seduto è da accostare alla figura seduta al tavolo a sinistra nella Cena di Emmaus della Palatina (Inv. Pal. 303) attribuito a C. Allori ma che reca sul retro in caratteri secenteschi la scritta: Cav.^{re} Ludovico Cigoli Cardi (cfr. anche la Cena in Emmaus del Corridoio Vasariano inv. 1890, n. 1507 di C. Allori, bozzetto). L.B.B.	Non è certo se il presente bozzetto faccia parte del gruppo di disegni di figure in piedi o inginocchiate che si trovano menzionate nell'Inventario del 1793 (cfr. GDSU Inv. generale... 1793, vol. I ad vocem). L'opera è da avvicinarsi stilisticamente al n. 8965 del per il S. Eraclio e a numerosi altri disegni, sempre del Cigoli, del Gab. Disegni e Stampe, i nn. 1988 S. 8967 F, 9027 F, per il miracolo della Mula. Compare nell'inv. 1881 come da cartellino sul retro, cat. II^a, n. 49. L.B.B.

	P424	P425	P426	P427
AUTORE	Cigoli, Cardi Ludovico, detto il (Cigoli 1559 - Roma 1613).	Cigoli, Cardi Lodovico, detto il (Cigoli 1559 - Roma 1613), copia da.	Cima da Conegliano, Cima Giovanni Battista, detto (Conegliano 1460 ca. - 1517-18).	Cima da Conegliano, Cima Giovanni Battista detto (Conegliano 1460 ca. - 1517-18).
TITOLO	San Giuseppe.	Stigmate di San Francesco.	S. Girolamo nel deserto.	Madonna col Bambino.
DATAZIONE	1606 ca.	Prima metà XVII sec.	1500 ca. (Longhi 1952), 1505 ca. (Menegazzi 1962).	1504 ca. (Coletti 1959, Menegazzi 1962).
DATI TECNICI	Bozzetto, olio a chiaroscuro su carta, 43,7x25,5.	Olio su tavola, 43x33,5.	Olio su tavola, 33x27,5.	Tempera su tavola, 66x57, restauro 1962.
CORNICE	Legno modanato con filetto d'oro.	Ottocentesca dorata.	Ottocentesca, legno intagliato dipinto e dorato.	Ottocentesca in legno intagliato e dorato con applicazioni in rilievo di decoro floreale.
UBICAZIONI	Gabinetto Disegni e Stampe (1880); Uffizi (1914).	Uffizi (cit. 1784).	Coll. Servio?, Venezia (dall'origine); Coll. Giovannelli, Venezia; Coll. Contini-Bonacossi; Uffizi (1974), Depositi Meridiana di Pitti.	Accademia (1818); Uffizi (1882).
ATTRIBUZIONI	—	Cigoli (Inventario 1784 e 1890).	Cima da Conegliano, Treviso 1962.	Pietro da Messina (Morelli 1890). Pasqualino? (Burckhardt 1905).
ESPOSIZIONI	Bozzetti delle Gallerie di Firenze, Firenze, 1952-53; Mostra del Cigoli e del suo ambiente, S. Miniato, 1959.	—	—	Cima da Conegliano, Treviso 1962.
BIBLIOGRAFIA	U. Baldini, in Cat., Firenze 1952-53, n. 31, p. 22. A. Forlani Tempesti, in Cat., S. Miniato, 1959, n. 101, pp. 157-158. AGF: G. Chelazzi Dini, Scheda Ministeriale 1973.	Cat. mostra del Cigoli e del suo ambiente, San Miniato 1959.	L. Coletti, Cima da Conegliano, Venezia 1959. Cat., Treviso 1962 n. 75 (a cura di L. Menegazzi).	L. Coletti, Cima da Conegliano, Venezia 1959. Cat., Treviso 1962 n. 65 (a cura di L. Menegazzi).
INVENTARIO	GDSU 19115.	1520 C.P., p. 83 n. 221).	Contini Bonacossi 19.	902 (C.P., p. 203, n. 584 bis).
FOTO	157023.	230409.	225586.	120004.
NOTE	Sul retro sul telaio con grafia antica: Cigoli. Si tratta dello studio per la figura di S. Giuseppe della Fuga in Egitto di Ludovico Cigoli che si conserva a Montpellier. Il presente bozzetto compare nell'inv. del 1881 IIª cat., n. 70, come da cartellino posto sul retro; non è sicuro però se faccia parte del gruppo di disegni e figure in piedi o inginocchiate che si trovano menzionati nell'inventario del 1793 (cfr. GDSU Inv. generale... 1793, vol. I, ad vocem). È esposto nel Corridoio Vasariano. L.B.B.	Si tratta di una copia, con leggere varianti nello sfondo del paesaggio e dello squarcio celeste, del famoso dipinto del Cigoli alla Palatina, datato 1596. Taluni elementi stilistici (nelle mani e nella testa) la riconducono nell'ambito di Francesco Curradi. M.G.	Con esposizione temporanea nei locali della Meridiana di Palazzo Pitti, il dipinto fu acquisito ufficialmente al patrimonio dello Stato nel 1974, a seguito della convenzione intervenuta nel 1969 con gli eredi Contini-Bonacossi. È possibile che si tratti del '... San Jeronimo' che il Michiel cita nella casa veneziana di Piero Servio. Può considerarsi una variante del San Girolamo di Brera (nr. 219) che è più antico di qualche anno. Forti similitudini, soprattutto nel paesaggio, si notano con il S. Girolamo di Londra (n. 1120) circa coevo. A.P.	Fu acquistato dall'Accademia nel 1818. In occasione della mostra del 1962 il dipinto ha subito un accurato restauro. La pulitura ha fatto emergere con chiarezza una autografia che il Berenson giudicava discutibile e parziale (B. Berenson, Pitture italiane del Rinascimento - La scuola veneta, London-Firenze 1958). Una copia del Museo Civico di Padova (cm. 54x 42) è attribuita da Coletti ad Antonio Maria da Carpi. A.P.

	P428	P429	P430	P431
AUTORE	Cimabue, Cenni di Pepo, detto (Firenze, not. 1272-1302).	Cimabue, Cenni di Pepo, detto (Firenze, not. 1272-1302), attr. a.	Cioci, Antonio (Firenze?-Firenze 1792).	Cioci, Antonio (Firenze?-Firenze 1792).
TITOLO	Madonna di Santa Trinita.	Madonna in trono col Bambino, due angeli e i SS. Francesco e Domenico.	La corsa dei fantini nell'antica piazza di Santa Maria Novella.	Il Palio dei Cocchi nell'antica piazza di S. Maria Novella.
DATAZIONE	1260 ca. (Strzygowski 1888), 1280-1301 (Suida 1905), 1280 ca. (Longhi 1948).	1290 ca. (Salmi 1969), 1305-15 (Garrison 1949), Opera tarda (Longhi 1948).	1789 (?)	1790 ca.
DATI TECNICI	Tempera su tavola, 385x223, restauro 1947-48.	Tempera su tavola, 133x82.	Olio su tela, 57x116,5.	Olio su tela, 67x116,5.
CORNICE	Originale.	Intagliata a gole, dorata, non pertinente.	D'epoca, in noce filettato d'oro.	D'epoca, in noce filettato d'oro.
UBICAZIONI	Chiesa di S. Trinita (dall'origine); Accademia (1810); Uffizi (1919).	Coll. E. Hutton, Londra; Coll. Contini Bonacossi; Uffizi (1974), Dep. Meridiana di Pitti.	Uffizi (1890); Museo di Firenze com'era (1932 ca.).	Uffizi (1890); Museo di Firenze com'era (1932 ca.).
ATTRIBUZIONI	Cimabue (Libro di Antonio Billi 1491-1530, Vasari 1550 e 1568, e tutta la critica successiva).	Cimabue (Longhi 1948). Seguace bolognese di C. (Garrison 1949). Cerchia di C. (Salmi 1969).	—	—
ESPOSIZIONI	Mostra Giottesca, Firenze 1937.	—	—	—
BIBLIOGRAFIA	E. Sindona, L'opera completa di Cimabue, Milano 1975. *Cat., Firenze 1937, n. 81. L. Marcucci, I dipinti Toscani del secolo XIII..., Roma, 1958, n. 13.*	R. Longhi in Proporzioni, II, 1948. E. Garrison, Italian Romanesque Panels Painting, Firenze 1949; M. Salmi, in Bollettino d'arte, LII, 1967 (IV).	A. M. Giusti, in: Il Museo dell'Opificio delle Pietre Dure a Firenze, Milano 1978. *P. Magi, Firenze di una volta, Firenze 1973, ripr. p. 88.*	A. M. Giusti, in: Il Museo dell'Opificio delle Pietre Dure a Firenze, Milano 1978.
INVENTARIO	8343.	Contini Bonacossi 32.	2604.	2603.
FOTO	8577 (e particolari), 26820 (e particolari).	217251 e part.	325027.	325026.
NOTE	La 'Madonna di Santa Trinita' è una 'Maestà', impostata in modo simile alla Madonna di Cimabue al Louvre o alla Madonna Rucellai di Duccio. I quattro Profeti a mezzo busto sotto il trono sono Geremia (con la scritta: Creavit Dominus Novum super terram foemina circumdavit viro), Abramo (In semine tuo benedicentur omnes gentes), David (De fructu ventris tui ponam super sedem tuam) e Isaia (Ecce virgo concipiet et pariet). Eseguita per l'altar maggiore della chiesa di Santa Trinita a Firenze, nella seconda metà del Quattrocento vi fu sostituita dalla Trinità del Baldovinetti ed ebbe varie collocazioni minori all'interno della chiesa e del convento. L. Bell.	L'opera, avvicinata comunemente alla 'Madonna in trono' della Chiesa dei Servi di Bologna, ha trovato discorde la critica sull'attribuzione a Cimabue, al quale l'aveva con sicurezza assegnata il Longhi. Questi, del resto, vi notava ampie influenze giottesche, ma anche un 'nuovo rapporto con Siena'. Il Garrison vi nota invece precisi ricordi bolognesi e ne colloca l'esecuzione tra il 1305 e il 1315. La tavola è entrata nelle collezioni della Galleria in seguito a una donazione, accompagnata da una convenzione, da parte degli eredi del conte Alessandro Contini Bonacossi. C.C.	Firmato e datato in basso a destra: Ant. Cioci f. 178 (?): l'ultima cifra è illeggibile. Per la storia del gruppo di quattro feste e giochi popolari di identico taglio ma di data differenziata, v. n. 2609. Attualmente in deposito presso il Museo di Firenze com'era. S.P.	Non appaiono iscrizioni: questa veduta si collega ad altre tre (assieme alle quali la si trova esposta nella sala del bagno degli Uffizi nel 1890) per le quali si veda al n. 2609. Attualmente in deposito presso il Museo di Firenze com'era. S.P.

	P432	P433	P434	P435
AUTORE	Cioci, Antonio (Firenze?-Firenze 1792).	Cioci, Antonio (Firenze?-Firenze 1792).	Clouet, François (Tours 1510 ca.-Parigi 1572).	Clouet, François (Tours 1510 ca. - Parigi 1572).
TITOLO	Una festa in Piazza della Signoria.	La corsa de' Barberi in Firenze con veduta dell'antica via del Prato.	Ritratto di Francesco I di Francia a cavallo.	Ritratto di Enrico II di Francia.
DATAZIONE	1790 ca.	1791.	1540 ca.	1547 ca.
DATI TECNICI	Olio su tela, 67x116,5.	Olio su tela, 57x116,5.	Olio su tavola, 27,5x22,5.	Olio su tela, 192x105.
CORNICE	D'epoca, in noce filettato d'oro.	D'epoca, in noce filettato d'oro.	Intagliata, dorata, sec. XVI.	Liscia, dorata, sec. XVII.
UBICAZIONI	Uffizi (1890); Museo di Firenze com'era (1932 ca.).	Uffizi (1890); Museo di Firenze com'era (1932 ca.).	Firenze (1589?); Pitti (1704); Uffizi (1796).	Firenze (1589?); Uffizi (1905 ca.); Pitti (1928).
ATTRIBUZIONI	—	—	Holbein (1796). Jean Clouet (Laborde 1850). François Clouet (Dimier 1904, Mellen 1971).	—
ESPOSIZIONI	—	—	Exhibition of French Art 1200-1900, Londra 1932. La peinture française à Florence, Firenze 1945. Fontainebleau e la Maniera italiana, Napoli 1952. Il ritratto francese da Clouet a Degas, Roma 1962. Pittura francese nelle collezioni pubbliche fiorentine, Firenze 1977.	Mostra Medicea, Firenze 1939. La peinture française à Florence, Firenze 1945. Pittura francese nelle collezioni pubbliche fiorentine, Firenze 1977.
BIBLIOGRAFIA	A. M. Giusti, in: Il Museo dell'Opificio delle Pietre Dure, Milano 1978. *P. Magi, Firenze di una volta, Firenze 1973, ripr. p. 88.*	A. M. Giusti, in: Il Museo dell'Opificio delle Pietre Dure a Firenze, Milano 1978. *G. Imbert, La vita fiorentina nel seicento secondo memorie sincrone (1644-1670), Firenze 1906, ripr. tra le p. 56 e 57. P. Magi, Firenze di una volta, Firenze 1973, ripr. a p. 89.*	P. Mellen: Jean Clouet, London 1971. *Cat., Firenze 1977, n. 81.*	A. Blunt: Art and Architecture in France 1500 to 1700, Harmondsworth 1953. *Cat., Firenze 1977, n. 82.*
INVENTARIO	2608.	2609.	987 (C.P., p. 116, n. 667).	2445 (C.P., p. 72, n. 1125).
FOTO	325028.	6849.	102939.	156293.
NOTE	Non appaiono iscrizioni: la veduta tuttavia si collega ad altre tre di identico formato ed analogo soggetto di cui due firmate Cioci e datate 178 (?) e 1791. Già esposta agli Uffizi, è stata poi depositata assieme alle altre (v. n. 2609) presso il Museo di Firenze com'era. S.P.	Firmato e datato in basso a destra: Ant. Cioci 1791 fecit. Priva di vecchi numeri d'inventario, l'opera compare per la prima volta assieme ad altre tre vedute di analogo soggetto e identico formato, però due non firmate e una recante la data 178... (l'ultima cifra non si legge), nella sala del bagno degli Uffizi nel 1890 donde è poi passata al Museo topografico che ancor oggi la conserva assieme ai tre pendants. Nel palco reale sono il granduca Ferdinando III insediato proprio nel 1791 e la consorte Maria Luisa Amalia di Napoli. È una delle prove estreme del Cioci che muore poco dopo. S.P.	Riferito a Scuola Tedesca o a Hans Holbein negli inventari della Guardaroba e degli Uffizi, il ritratto fu riconsciuto solo nel 1769 come quello di Francesco I. Quanto all'attribuzione, è oggi in genere accettato che l'autore ne sia François Clouet, figlio di Jean (Rosenberg 1977). Il dipinto probabilmente giunse a Firenze con la dote di Cristina di Lorena, nipote ed erede di Caterina de' Medici, moglie di Enrico II di Francia. M.C.	Scritta in alto al centro che identifica il ritratto (chiamato Francesco I dal Pieraccini, p. 72): Henry II de ce nom/roy de France. Databile verosimilmente al momento dell'assunzione al trono (1547). Non ne è documentata la provenienza, ma probabilmente giunse a Firenze con la dote di Cristina di Lorena, sposa di Ferdinando I de' Medici (1589). M.C.

P436 — P437 — P438 — P439

	P436	P437	P438	P439
Autore	Coccapani, Sigismondo (Firenze 1583-1642).	Coccapani, Sigismondo (Firenze 1583-1642).	Coccapani, Sigismondo (Firenze 1583-1642).	Codazzi, Viviano (Bergamo 1604 - Roma 1670).
Titolo	Dama con tre fanciulli.	Giovane.	Suonatore di flauto.	Veduta architettonica con due archi.
Datazione	1615 ca.	1615 ca.	1630-40 ca.	1647 (Brunetti 1956).
Dati tecnici	Bozzetto, olio a chiaroscuro su carta, 22x15,5.	Bozzetto, olio a chiaroscuro su carta, 19,5x12.	Olio su tela 84,5x76, restauro 1970.	Olio su tela, 73x98.
Cornice	Modanata e dorata nel filetto interno.	Legno modanato e dorato nel filetto interno.	Dorata liscia.	Dorata liscia a gole.
Ubicazioni	Gabinetto Disegni e Stampe (1793); Uffizi (1914).	Gabinetto Disegni e Stampe (1793); Uffizi (1914).	Uffizi (1890).	Pitti (1670); Meridiana (1950 ca.); Uffizi (1973).
Attribuzioni	—	—	Anonimo fiorentino (inv. 1890). Dandini Cesare (Gregori 1965 e 1972). Coccapani (Borea 1970). Coccapani? (Cantelli 1976).	Anonimo (1670). Ottavio Viviani (Inghirami 1926). Codazzi (Briganti 1950).
Esposizioni	Bozzetti delle Gallerie di Firenze, Firenze 1952-53.	Bozzetti delle Gallerie di Firenze, Firenze 1952-53.	Caravaggio e Caravaggeschi nelle Gallerie di Firenze, Firenze 1970.	Caravaggio e Caravaggeschi nelle Gallerie di Firenze, Firenze 1970.
Bibliografia	R. Longhi, Studi sul Caravaggio e la sua cerchia, in Proporzioni I, 1943, pp. 56-57, n. 70. M. Gregori, Avant-propos sulla pittura fiorentina del '600, in Paragone 1962, 145, pp. 21-40. *L. Berti, Cat., Firenze 1952-53, n. 34, p. 23.*	R. Longhi, Ultimi studi sul Caravaggio e la sua cerchia, in Proporzioni I, 1943, pp. 56-57, n. 70. M. Gregori, Avant-propos sulla pittura fiorentina del '600, in Paragone 1962, 145, pp. 21-40. *L. Berti, in Cat., Firenze 1952-53, n. 35, p. 23.*	G. Cantelli, Per Sigismondo Coccapani, celebre pittore fiorentino nominato il maestro del disegno, in Prospettiva n. 7, 1976, p. 36. *E. Borea, in Cat., Firenze 1970, n. 62, pp. 62-63.*	E. Brunetti, Situazione di Viviano Codazzi, in Paragone 1956. *E. Borea, in Cat., Firenze 1970, n. 57.*
Inventario	GDSU 19119.	GDSU 19118.	6034.	Oggetti d'arte 774.
Foto	157024.	157022.	158705.	153388.
Note	L'opera è con ogni probabilità bozzetto preparatorio per un ritratto, si trova citato nell'Inventario del 1793 come opera del Coccapani (cfr. GDSU Inv. generale... 1793, vol. I, n. 3 ad vocem) nella Listra compaiono 4 disegni del Coccapani (cfr. P. Barocchi in F. Baldinucci, Notizie... vol. VI, App., Firenze 1975, n. 186); è incorniciato insieme all'altro del medesimo autore n. 19118 del Gabinetto Disegni e Stampe e esposto sel Corridoio Vasariano. L.B.B.	Il bozzetto, presumibilmente studio per ritratto di gentiluomo, si trova citato quale opera del Coccapani nell'inventario del 1793 (cfr. GDSU Inv. generale...1793, vol. I, n. 1 ad vocem); nella Listra compaiono 4 disegni del Coccapani (cfr. P. Barocchi in F. Baldinucci, Notizie..., vol. VI, App., Firenze, 1975, p. 186), è unito e incorniciato insieme al n. 19119 GDSU, ed è esposto nel Corridoio Vasariano. L.B.B.	Il dipinto, sia esso del Coccapani o di Cesare Dandini, fu molto ammirato, come provano le varie versioni, tra cui la replica di Los Angeles, County Museum. E.B.	È da vedersi insieme al pendant, n. 773, tra gli esemplari più rappresentativi della veduta realistica italiana seicentesca. Le rovine romane appartengono a un repertorio di fantasia ricorrente nelle 'vedute' del Codazzi. E.B.

	P440	P441	P442	P443
AUTORE	Codazzi, Viviano (Bergamo 1604 - Roma 1670).	Codazzi, Viviano (Bergamo 1604 - Roma 1670), scuola di.	Codde, Pieter (Amsterdam 1599-1678).	Codde, Pieter (Amsterdam 1599-1678).
TITOLO	Veduta architettonica con osteria.	Paesaggio con rovine antiche.	Concerto.	Conversazione.
DATAZIONE	1647 (Brunetti 1956).	1640-60 ca.?	Sec. XVII.	Sec. XVII.
DATI TECNICI	Olio su tela, 73x98.	Olio su tela, 38x48.	Olio su tavola, 27x20,5, restauro 1952.	Olio su tavola, 27x20,5.
CORNICE	Dorata liscia a gole.	Sagomata, dorata, sec. XVII.	Intagliata e dipinta di nero.	Intagliata e dipinta di nero.
UBICAZIONI	Pitti (1670); Meridiana (1950 ca.); Uffizi (1973).	Coll. Feroni (ante 1850); Uffizi (1866); Cenacolo di Foligno (1894).	Uffizi (1923); Pitti: Poppi (1942); Uffizi, Depositi (1976).	Uffizi (1920); Pitti; Poppi (1942); Uffizi, Depositi (1976).
ATTRIBUZIONI	Anonimo (1670). Ottavio Viviani (Inghirami 1826). Codazzi (Briganti 1950).	Scuola fiamminga sec. XVII (Cat. Feroni 1895).	P. Codde (Inv. 1890).	P. Codde (Inv. 1890).
ESPOSIZIONI	Caravaggio e Caravaggeschi nelle Gallerie di Firenze, Firenze 1970.	—	—	—
BIBLIOGRAFIA	E. Brunetti, Situazione di Viviano Codazzi, in Paragone 1956. *E. Borea, in Cat., Firenze 1970, n. 58.*	R. Wittkower, Art and Architecture in Italy, 1650-1750, Harmondsworth 1965. E. Brunetti, Situazione di Viviano Codazzi, in Paragone, N. 79, 1956. *Catalogo della Galleria Feroni, Firenze 1895, p. 8.*	*G. Poggi, Catalogo della R. Galleria degli Uffizi, 1926, p. 187.*	*G. Poggi, Catalogo della R. Galleria degli Uffizi, 1926, p. 188.*
INVENTARIO	Oggetti d'arte 773.	S. Marco e Cenacoli 73.	8445. 323303.	8446. 323302.
FOTO	152965.	160004.		
NOTE	È da vedersi insieme al pendant n. 774 fra gli esemplari più rappresentativi della veduta realistica italiana seicentesca. E.B.	Contrariamente a quanto affermato nel catalogo della collezione di provenienza, il dipinto non è fiammingo, ma italiano, ed ascrivibile alla cerchia di Viviano Codazzi, specialista seicentesco di vedute con rovine, senza che la scarsa qualità, tuttavia, possa farlo attribuire direttamente alla mano dell'artista. M.C.	La tavola fu acquistata nel 1920 dalle Gallerie insieme all'altra dello stesso autore rappresentante una 'Conversazione' (n. 8446) all'Ufficio Esportazione di Firenze. Su di uno scartafaccio è scritta la sigla 'P.C.' (Pieter Codde). Dietro la tavoletta, in un cartellino scritto a mano, si legge che l'attribuzione al pittore olandese, scolaro di Franz Hals, è stata fatta dal Mayer, ex-direttore della Galleria di Berlino, e dal Bode, direttore della medesima all'epoca. Gr. Red. 3	La tavola, di piccole dimensioni, fu acquistata insieme all'altra dello stesso autore, rappresentante un 'Concerto' (n. 8445), all'Ufficio Esportazione di Firenze nel 1920. Gr. Red. 3

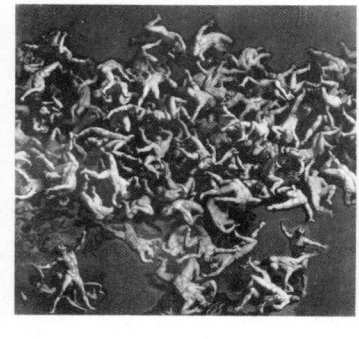

	P444	P445	P446	P447
Autore	Coli, Giovanni (Lucca 1636-1681) e Gherardi, Filippo (Lucca 1643-1704).	Commodi, Andrea (Firenze 1560-1638).	Conca, Sebastiano (Gaeta 1679 - Napoli 1764).	Conca, Sebastiano (Gaeta 1679 - Napoli 1764).
Titolo	Trionfo di Minerva.	Caduta degli angeli ribelli.	Glorificazione di S. Cecilia.	Enea nei Campi Elisi.
Datazione	Sec. XVII.	1612-14.	1724 ca.	1735-40 ca.
Dati tecnici	Bozzetto, olio su tela, 69x51.	Bozzetto, olio su tela, 174,5x184, restauro 1970-71.	Olio su tela lobata, 100x50.	Olio su tela, 220x330.
Cornice	—	—	Intagliata, dorata, XVIII sec.	Sagomata, dorata, sec. XVII-XVIII.
Ubicazioni	Uffizi (1925); Pitti; Poppi (1942); Pitti (1945); Uffizi (1951).	Card. Leopoldo de' Medici; Uffizi, Depositi.	Parma (1724); Sala Baganza (sec. XIX); Pitti (1868); Uffizi (1972).	Coll. Feroni (ante 1850); Uffizi (1866); Cenacolo di Foligno (1894).
Attribuzioni	Maniera veneta (Inv. 1881). Scuola veneziana della fine del XVII secolo (Inv. 1890). Coli e Gherardi (C. Gamba (?), A.M. Cerrato 1959).	Scuola degli Zuccari (inv. 1890).	Anonimo (Inv. Pitti 1911). Conca (Clark 1967).	—
Esposizioni	—	—	—	—
Bibliografia	Diz. Bolaffi, III, Torino 1975. *A.M. Cerrato, in 'Commentari', 1959.*	*G. Briganti, in Paragone 123, 1960.*	H. Voss, Die Malerei des Barock in Rom, Berlin 1924. *A. M. Clark, Sebastiano Conca and the Roman Rococo, in Apollo, 1967, p. 328ss. G. Sestieri, Contributi a Sebastiano Conca, in Commentari, 1969, p. 317ss; 1970, p. 122 ss.*	H. Voss, Die Malerei des Barock in Rom, Berlin 1924. A.M. Clark: S.C. and the Roman Rococo, in Apollo, 1967, p. 328 ss. *Catalogo della Galleria Feroni, Firenze 1895, p. 3. G. Sestieri, Contributi a S.C., in Commentari, 1970, pp. 131, 134. P. Tomory, Sarasota, Ringling Museum, Italian Paintings before 1800, Sarasota 1976, p. 144.*
Inventario	609.	5630.	Ogg. d'arte Pitti, 807.	S. Marco e Cenacoli 20.
Foto	129848.	184668.	99018.	Alinari 531.
Note	Si tratta del bozzetto preparatorio di una delle grandi tele dipinte da Coli e Gherardi tra il 1663 e il 1665 a Venezia. I dipinti (in totale 5) furono applicati nella volta della Biblioteca del Monastero dei Padri Benedettini all'Isola di S. Giorgio. Così parla A. M. Cerrato dell'opera in esame: '... bozzetto preparatorio per la quarta tela "Il trionfo di Minerva" che si conserva agli Uffizi... assai diverso dalla tela definitiva, sia per i particolari che per la vibrazione delle figure e il tocco vivace, era attribuito a Francesco Maffei prima che il Conte Carlo Gamba lo restituisce a Coli e Gherardi'. Gr. Red. 3	Modelletto monocromo per un affresco commesso all'artista, per i buoni uffici del cardinal Capponi, da papa Paolo V per la sua cappella nel palazzo di Montecavallo. Il Commodi, a Roma dal 1612, fece molti disegni, modelletti in cera e finalmente questo 'in tela di mediocre grandezza a chiaroscuro' che si riportò a Firenze nel 1614, senza realizzare l'opera. Esso venne in possesso del cardinal Leopoldo de' Medici e il Baldinucci (Notizie, ed. Barocchi III, pp. 661-663) lo vide in palazzo Pitti: ma non figura nell'inventario dell'eredità del cardinale. Perduta la retta attribuzione, la tela fu riconosciuta e pubblicata dal Briganti. S.M.T.	Il dipinto è stato riconosciuto da A. M. Clark come il bozzetto per l'affresco del soffitto della chiesa di S. Cecilia a Roma, eseguito dall'artista nel 1725. La datazione di questa tela può essere precisata, in quanto, secondo una notizia comunicata da O. Michel, essa fu donata nel 1724 dall'artista stesso al duca di Parma. Notizia che viene confermata dalla provenienza del quadro da Sala Baganza, come riportato negli inventari di Pitti, dove giunse nel 1868 con le accessioni Savoia. Esposto senza nome di autore negli Appartamenti del palazzo, dal 1972 è esposto nel Corridoio vasariano. M.C.	Di questo dipinto, accettato dalla critica concordemente, esiste un bozzetto (ovale) nel Museo di Salisburgo (citato da Voss, 1924) e se ne conoscono almeno due altre varianti, una a Sarasota (vedi Tomory 1976) e l'altra a Holkham Hall, Norfolk, Ingh. La versione di Sarasota, molto vicina a quella Feroni, viene datata dal Tmory intorno al 1735-41, anni nei quali è probabile sia stata dipinta anche la versione Feroni. Il soggetto è da Virgilio, Aeneid, VI, 752 ss. M.C.

	P448	P449	P450	P451
AUTORE	Conti, Francesco (Firenze 1681-1760).	Coppola, Giovanni Andrea (Gallipoli 1597?-1659?).	Coppola, Giovanni Andrea (Gallipoli 1597?-1659?), attr. a.	Correggio, Allegri Antonio, detto il (Reggio Emilia 1489-1534).
TITOLO	Crocifissione di Cristo.	L'Adorazione dei Magi.	L'assunzione della Madonna.	Madonna col Bambino in gloria.
DATAZIONE	1709 ca.	1638-39 ca. (D'Elia 1964).	1638-39 ca.	1510 (A.O. Quintavalle 1935), 1512-15 ca. (Salvini 1964).
DATI TECNICI	Olio su tela, 132x100, restauro 1971.	Olio su tela, 106x90.	Olio su tela, 106x90.	Olio su tavola 20x16,3.
CORNICE	---	Intagliata, dorata, sec. XVII-XVIII.	Intagliata, dorata, sec. XVII-XVIII.	Intagliata e dorata sec. XIX.
UBICAZIONI	Uffizi (1971).	Pitti (1713); Uffizi (sec. XIX).	Pitti (1713); Uffizi (sec. XIX).	Card. Leopoldo de' Medici (ante 1675); Pitti (1675); Palazzo Vecchio (1776); Uffizi (1798).
ATTRIBUZIONI	—	Antonio Zanchi (Inv 1713, Riccoboni 1922). G. A. Coppola (Gigli 1912, Collobi Ragghianti 1954, D'Elia 1964). Carlo Coppola (Ortolani 1938, Collobi Ragghianti 1952).	Antonio Zanchi (Inv. 1713, Riccoboni 1922). G. A. Coppola (Gigli 1912, Collobi Ragghianti 1954, D'Elia 1964). Carlo Coppola (Ortolani 1938, Collobi Ragghianti 1952).	Anonimo (Inv. 1675-88). Tiziano (dal 1798 al 1890). Correggio (Morelli 186, A.O. Quintavalle 1935, Berti 1971).
ESPOSIZIONI	—	Mostra della pittura napoletana dei secoli XVII-XVIII-XIX, Napoli 1938. Bozzetti delle Gallerie di Firenze, Firenze 1952. Mostra dell'arte in Puglia..., Bari 1964.	Mostra della pittura napoletana dei secoli XVII-XVIII-XIX, Napoli 1938. Bozzetti delle Gallerie di Firenze, Firenze 1952. Mostra dell'arte in Puglia..., Bari 1964.	Mostra del Correggio, Parma 1935. Il Tiziano nelle Gallerie Fiorentine, Firenze, 1978-79.
BIBLIOGRAFIA	S. Meloni Trkulja, in Dizionario Bolaffi, III, Torino 1972.	*B. C. Gigli, in Il Tallone d'Italia, 11, 1912, p. 36. A. Riccoboni, Antonio Zanchi..., in Rassegna d'arte, 1922, p. 119. Cat., Firenze 1952, p. 24. Cat., Bari 1964, n. 175.*	*B. C. Gigli, in Il Tallone d'Italia, II, 1912, p. 36. A. Riccoboni: Antonio Zanchi..., in Rass. d'arte, 1922, p. 119. Cat., Firenze 1952, p. 24. Cat., Bari 1964, n. 176.*	S. Bottari, Correggio, 1961. A. Ghidiglia Quintavalle, L'opera completa del Correggio, Milano 1970. *Cat., Mostra 1978-79, n. 68, pp. 253-56.*
INVENTARIO	9474.	548.	545.	1329 (C.P., p. 142, n. 1002).
FOTO	229828.	29645.	29646.	131767.
NOTE	È il modello per la pala d'altare di questo soggetto che si trova attualmente nella seconda cappella della navata sinistra di S. Lorenzo a Firenze, proveniente dalla chiesa di S. Jacopo sopr'Arno, databile al 1709 (Paatz, Die Kirchen von Florenz). Il quadro fu acquistato nel 1971 per la collezione dei bozzetti. La sua provenienza non è documentata. M.C.	Il dipinto, col suo 'pendant' al (n. 545), è dettagliatamente descritto nell'inventario della collezione del principe Ferdinando de' Medici in palazzo Pitti, steso alla sua morte (1713). Nell'inventario i due dipinti sono attribuiti al pittore veneziano Antonio Zanchi. Questa attribuzione fu tuttavia cambiata dal Gigli in quella a G. A. Coppola. I due quadri furono quindi riattribuiti allo Zanchi dal Riccoboni, ma esposti con una attribuzione a Carlo (sic) Coppola a Napoli (1938) e Firenze (1952). La Collobi Ragghianti, tornando sull'artista nel 1954 (in Critica d'arte, p. 477), li attribuiva a Giovanni Andrea, attribuzione ripresa dal D'Elia (cat., Bari 1964), che data la tela 'poco prima del ritorno del pittore in patria (1639)'. M.C.	Per le vicende storico-critiche del dipinto vedi il n. 548 del quale è 'pendant'. Il D'Elia lo ritiene più tardo di quest'ultimo, ma tale ipotesi contrasta sia con i dati esterni dell'opera, sia con quelli stilistici, omogenei in entrambi i quadri. M.C.	Il dipinto apparteneva al Cardinal Leopoldo dei Medici (cfr. ASF, Guard, 826, c. 92r). Passato a Pitti nel 1675 non è però citato negli inventari della prima metà del Settecento, ricompare nel 1761 (ASF, Guard, app. 94 c. 548), nel 1776 è conservato nel Palazzo Vecchio (ASF I.R. Corte 1002, c. 249), infine nel 1798 passa alla Galleria degli Uffizi (AGF ms 114, c. 70v). L.B.B.

   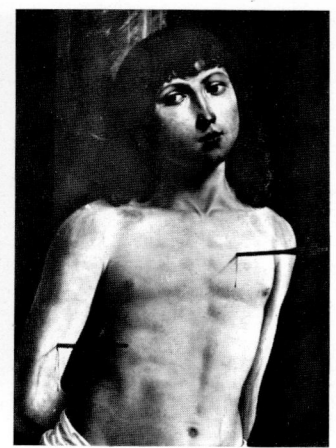

	P452	P453	P454	P455
AUTORE	Correggio, Allegri Antonio, detto il (Reggio Emilia 1489-1534).	Correggio, Allegri Antonio, detto il (Reggio Emilia 1489-1534).	Costa, Lorenzo (Ferrara 1460 ca. - 1535).	Costa, Lorenzo (Ferrara 1460 ca. - 1535).
TITOLO	Riposo in Egitto.	La Vergine che adora il Bambino.	Ritratto di Giov. Bentivoglio.	S. Sebastiano.
DATAZIONE	1515 ca. (F. Gilles de la Tourrette 1935), 1516-17 (Bianconi 1943), un po' dopo il 1515 (Salvini 1964).	1522-24 (A.O. Quintavalle 1935), 1518-20 (Salvini, 1964).	1492 ca. (R. Varese 1967), 1516-1520 (Cavalcaselle e Gruyer), dopo il 1490 (Venturi, Cat. 1933).	1497 (A. Venturi 1914), 1490-91 (R. Varese 1967).
DATI TECNICI	Olio su tela, 123,5x106,5, restauro 1649.	Olio su tela 81x77.	Tempera su tavola, 55x49.	Tempera su tavola, 55x49.
CORNICE	—	Intagliata traforata e dorata, sec. XVII.	Intagliata e dorata, barocca.	Intagliata e dorata settecentesca?
UBICAZIONI	Cappella Munari in S. Francesco, Correggio (1515 ca.); Galleria Ducale, Modena (1638); Uffizi, Tribuna (1649); Uffizi (sec. XIX).	Ferdinando Gonzaga duca di Mantova; Cosimo II de' Medici (1617); Uffizi, Tribuna (1617); Uffizi (1848 ca.).	Coll. Isolani, Bologna (già nel 1825); Pitti (già nel 1897); Uffizi (1919).	Coll. Marchesi Canonici, Ferrara; Uffizi (1906).
ATTRIBUZIONI	Correggio (Inv. 1704). Baroccio (Inv. 1753, 1769). Correggio (Inv. del 1784 nota del 1788 fino al 1890).	—	Franciae discipulus (Lanzi e Baruffaldi). L. Costa (tutta la critica).	E. Roberti (Catalogo, Ferrara 1933). L. Costa (la più parte della critica successiva).
ESPOSIZIONI	Exposition de l'Art Italien, Paris 1935. Mostra del Correggio, Parma, 1935 f.C. Mostra della pittura del Rinascimento, Stati Uniti 1956.	Mostra del Correggio, Parma, 1935.	Pittura ferrarese del Rinascimento, Ferrara 1933.	Pittura ferrarese del Rinascimento, Ferrara 1933.
BIBLIOGRAFIA	S. Bottari, Correggio, Roma 1961. A. Ghidiglia Quintavalle, L'opera completa del Correggio, Milano 1970.	S. Bottari, Correggio, Roma 1961. A.G. Quintavalle, L'opera completa del Correggio, Milano 1970. *A.O. Quintavalle, in Cat., Parma 1935, n. 38, pp. 54-55.*	R. Longhi. Ampliamenti nell'officina ferrarese, in Critica d'Arte, 1939. *R. Varese, Lorenzo Costa, Milano 1967, p. 69.*	Stanghellini, Lorenzo Costa, 1912. A. Venturi. Storia dell'Arte, VII, 3, 1914. *R. Varese, Lorenzo Costa, Milano 1967, p. 69.*
INVENTARIO	1455 (C.P., p. 155, n. 1118).	1453 (C.P., 155, n. 1134).	8384.	3282 (C.P., p. 145, n. 1559).
FOTO	103384.	52931.	22774.	5426.
NOTE	L'opera eseguita per la cappella Munari di S. Francesco a Correggio, nel 1638 fu sostituita con una copia del Boulanger e portata nella Galleria Ducale di Modena. Nel 1649 fu inviata a Firenze in cambio del Sacrificio di Isacco di Andrea del Sarto, ora alla Gemäldegalerie di Dresda; fu collocata nella Tribuna e fu poco dopo ritirata per essere restaurata (cfr. AGF, Gior. di Guard. ms. 62, p. 15). Rimase esposta nella Tribuna per tutto il secolo XVIII (cfr. S. Rudolph - A. Biancalani, Mostra storica della Tribuna degli Uffizi 1970-71, p. 34). Figura come opera del Correggio fino alla metà del sec. XVIII, mentre nella seconda metà è detta opera del Barocci. Dalla fine del sec. XVIII è restituita al Correggio. L.B.B.	Il quadro donato dal Duca di Mantova Ferdinando Gonzaga a Cosimo II de' Medici nel 1617, venne collocato il 6 novembre dello stesso anno nella Tribuna (cfr. AGF ms 71, c. 55, n. 86) dove rimase fino a tutto il Settecento e metà dell'Ottocento (cfr. S. Rudolph - A. Biancalani, Mostra storica della Tribuna degli Uffizi, 1970-71, p. 34). Esiste una copia miniata da G.B. Stefaneschi Inv. 1890, n. 831). L.B.B.	In buono stato di conservazione. Tavola firmata: LAURENTIUS COSTA F. Ricordata dal Lanzi (IV, 1825) nella Collezione Isolani come di allievo del Francia, stessa attribuzione per il Baruffaldi (1844) ma rifiuta l'identità dell'effigiato, già riconosciuto da A. Venturi (Arch. Storico dell'Arte, 1888, 241). G.M.	Per il Venturi contemporaneo alla pala Ghedini (Bologna, chiesa di S. Giov. in Monte) che è firmata e datata 1497. Nel catalogo di Ferrara (1933) la tavola era attribuita a E.de Roberti tra l' '84 e l' '88: in verità l'influenza di Ercole è presente ma, cfr. anche con il S. Sebastiano dei Conti Cassoli. L'opera è sicuramente di L. Costa (R. Varese). Fu acquistato dai Marchesi Canonici di Ferrara nel 1906. G.M.

	P456	P457	P458	P459
AUTORE	Costanzi, Placido (Roma 1701-59).	Costanzi Placido (Roma 1701-59).	Cosway, Richard (Tiverton 1742 - Londra 1821).	Cranach, Lukas, il Vecchio (Kronach 1472 - Weimar 1553).
TITOLO	Rachele e Giacobbe.	Rebecca al pozzo.	Ritratto del generale Paoli.	Adamo.
DATAZIONE	1740 ca.	1740 ca.	1780 ca.	1528.
DATI TECNICI	Olio su tela, 43x32.	Olio su tela, 43x32.	Olio su tavola, 69x45,5.	Olio su tavola, 172x63.
CORNICE	Intagliata, dorata, sec. XVIII.	Intagliata, dorata, sec. XVIII.	Dipinta in nero, profilata in oro, sec. XIX.	Moderna (1952).
UBICAZIONI	Coll. Feroni (ante 1850); Uffizi (1866); Cenacolo di Foligno (1894).	Coll. Feroni (ante 1850); Uffizi (1866); Cenacolo di Foligno (1894).	Uffizi (1839).	Coll. granducali (già nel 1688, Baldinucci); Uffizi (ante 1704).
ATTRIBUZIONI	—	—	—	A. Dürer (Baldinucci, IV, 1688, inv. 1704, 1753, 1769).
ESPOSIZIONI	—	—	Firenze e l'Inghilterra. Rapporti artistici e culturali dal XVI al XX secolo, Firenze 1971.	Cranach-Ausstellung, Berlino 1937.
BIBLIOGRAFIA	N. Pio, Le vite di pittori, scultori e architetti..., Ms. 1724, ed. a cura di C. e R. Enggass, Città del Vaticano, 1977. A.M. Clark, An Introduction to Placido Costanzi, in Paragone, 219, 1968. *Catalogo della Galleria Feroni, Firenze 1895, p. 14.*	N. Pio, Le vite di pittori, scultori e architetti..., Ms. 1724, ed. a cura di C. e R. Enggass, Città del Vaticano 1977. A.M. Clark, An Introduction to Placido Costanzi, in Paragone, 219, 1968. *Catalogo della Galleria Feroni, Firenze 1895, p. 15.*	G.C. Williamson, Richard Cosway, R.A., London 1905. F. Vivian, *General Paoli in England, in 'Italian Studies', IV, 1949, p. 49. Cat., Firenze 1971, n. 40.*	D. Koeplin - T. Falk, L. Cranach, Basel & Stuttgart 1974-76. *Cat. Berlino 1937, n. 69. M. Friedländer - J. Rosenberg, Die Gemälde von L. C., Berlin 1932, n. 163.*
INVENTARIO	S. Marco e Cenacoli 25.	S. Marco e Cenacoli 39.	577 (C.P., p. 78, n. 131).	1459 (C.P., p. 156 n. 1142).
FOTO	168525.	204545.	150630.	142889.
NOTE	Il dipinto rappresenta l'Incontro di Rachele e Giacobbe al pozzo (Genesi 29). Il dipinto, non noto a quanti si sono occupati del Costanzi, gli è attribuito nel catalogo della collezione di provenienza con il suo 'pendant' n. 39, attribuzione convalidata dallo stile. Entrambi possono essere avvicinati alla pala dipinta per S. Pietro, oggi in S. Maria degli Angeli a Roma, rappresentante la Resurrezione di Tabita e datata 1740. M.C.	Il dipinto, che è 'pendant' del n. 25 al quale si rinvia per la discussione critica e attributiva, rappresenta Rebecca che incontra Eliazaro al pozzo, e quest'ultimo che cerca di convincerla a divenire moglie di Isacco (Genesi 24). M.C.	Lasciato per testamento agli Uffizi dalla moglie dell'artista, Maria Hadfield. Inciso da C. Townley nel 1784. Pasquale Paoli (1725-1807), generale e patriota corso, soggiornò in Inghilterra due volte: tra il 1769 e il 1789 e quindi dal 1795. Morì e fu sepolto a Londra. M.C.	Reca la sigla del pittore e la data 1528. Dapprima creduto opera del Dürer, è riconosciuto lavoro del Cranach nell'inventario del 1784, n. 148. R.S.

	P460	P461	P462	P463
Autore	Cranach, Lukas, il Vecchio (Kronach 1472 - Weimar 1553).	Cranach Lukas, il vecchio (Kronach 1472 - Weimar 1553) bottega di.	Cranach, Lukas, il vecchio (Kronach 1472 - Weimar 1553), bottega di.	Cranach, Lukas, il vecchio (Kronach 1472 - Weimar 1553), bottega di.
Titolo	Eva.	Ritratto di Martin Lutero.	Ritratto di Caterina Bora.	Ritratto di giovane donna.
Datazione	1528.	1529.	1529.	1530 ca. (Friedländer - Rosenberg 1932).
Dati tecnici	Olio su tavola, 167x61.	Olio su tavola, 36,5x23.	Olio su tavola, 37x23.	Olio su tavola, 42x29.
Cornice	Moderna (1952).	Moderna (1952).	Moderna (1952).	Nera intagliata di tipo barocco.
Ubicazioni	—	Guardaroba (1666); Uffizi (ante 1753).	Guardaroba (1666); Uffizi (ante 1753).	Pitti; Uffizi (epoca imprecisata).
Attribuzioni	—	—	—	—
Esposizioni	—	—	—	—
Bibliografia	Cfr. scheda P459. *P. Klee, Tagebücher, herausg. v. F. Klee, Köln 1957, 121, 125.*	D. Koeplin - T. Falk, Lukas Cranach, Basel & Stuttgart 1974-76.	D. Koeplin - T. Falk, Lukas Cranach, Basel & Stuttgart 1974-76.	D. Koeplin - T. Falk, Lukas Cranach, Basel & Stuttgart 1974-76. *M. Friedländer - J. Rosenberg, Die Gemälde von L. C., Berlin 1932, n. 167.*
Inventario	1458 (C.P., p. 155, n. 1138).	1160.	1139 (C.P., p. 123, n. 822).	—
Foto	142888.	—	144053.	—
Note	Fa dittico con l'Adamo siglato e datato. Cfr. scheda P459, (Inv. 1890 n. 1459). R.S.	Siglato e datato 1529, ma la sigla vale come marchio di fabbrica. Messo talvolta in rapporto col disegno n. 2285 del Gabinetto degli Uffizi, pure di scuola, che tuttavia non sembra essere il disegno preparatorio del dipinto. R.S.	La sigla, da intendersi come marchio di fabbrica, e la data si trovano sul corrispondente ritratto di Lutero. R.S.	Replica di una delle tre figure di donne della tavola del Kunsthistoriches Museum di Vienna. Reca un numero di color verde (323), non riferibile ad alcun inventario noto. R.S.

	P464	P465	P466	P467
AUTORE	Cranach, Lukas, il vecchio (Kronach 1472 - Weimar 1553), bottega di.	Cranach, Lukas, il vecchio (Kronach 1472 - Weimar 1553), bottega di.	Cranach, Lukas, il vecchio (Kronach 1472 - Weimar 1553), bottega di.	Cranach, Lukas, il vecchio (Kronach 1472 - Weimar 1553), bottega di.
TITOLO	Ritratto di Federico III il Savio, Elettore di Sassonia.	Ritratto di Giovanni I Elettore di Sassonia.	Ritratto di Martin Lutero.	Ritratto di Filippo Melantone.
DATAZIONE	1533.	1533.	1543.	1543.
DATI TECNICI	Olio su tavola, 20x15.	Olio su tavola, 20x15.	Olio su tavola, 21x16.	Olio su tavola, 21x16.
CORNICE	Moderna (1952).	Moderna (1952).	Moderna (1952).	Moderna (1952).
UBICAZIONI	—	—	Poggio Imperiale; Uffizi (1773).	Poggio Imperiale; Uffizi (1773).
ATTRIBUZIONI	—	—	A. Dürer (doc. di Galleria 1773). L. Cranach il V. (inv. 1784 e sgg.).	Albrecht Dürer (doc. di Galleria del 1773). L. Cranach il V. (inv. 1784 e sgg.).
ESPOSIZIONI	—	—	—	—
BIBLIOGRAFIA	D. Koeplin - T. Falk, *Lukas Cranach*, Basel & Stuttgart, 1974-76. *M. Friedländer - J. Rosenberg, Die Gemälde von L. C.*, Berlin 1932, n. 272.	D. Koeplin - T. Falk, *Lukas Cranach*, Basel & Stuttgart 1974-76. *M. Friedländer - J. Rosenberg, Die Gemälde von L. C.*, Berlin 1932, n. 272.	D. Koeplin - T. Falk, *L. Cranach*, Basel & Stuttgart 1974-76. *M. Friedländer - J. Rosenberg, Die Gemälde von L. C.*, Berlin 1932, n. 252f.	
INVENTARIO	1150 (C.P., p. 123 n. 845).	1149 (C.P., p. 123 n. 845).	512 (C.P., p. 123, n. 847).	472 (C.P., p. 123, n. 847).
FOTO	144051.	144051.	148593.	—
NOTE	Reca la data e la sigla, che qui vale soltanto come marchio di fabbrica. R.S.	Data e sigla (da intendersi come marchio di fabbrica) sul corrispondente ritratto di Federico III. R.S.	Replica di bottega del ritratto del 1532 nella Galleria di Dresda. R.S.	Replica di bottega di un ritratto sconosciuto ma più tardo di quello del 1532 nella Galleria di Dresda. Fa coppia col ritratto di Lutero n. 512 che reca la data 1543. R.S.

	P468	P469	P470	P471
AUTORE	Cranach, Lukas, il vecchio (Kronach 1472 - Weimar 1553), bottega di.	Crayer, Gaspar de (Anversa 1584 - Gand 1669).	Crespi, Giuseppe Maria, detto lo Spagnolo (Bologna 1665-1747).	Crespi, Giuseppe Maria, detto lo Spagnolo (Bologna 1665-1747).
TITOLO	Giudizio di Paride.	S. Famiglia con S. Giovannino.	La strage degli innocenti.	Amore e Psiche.
DATAZIONE	Sec. XVI.	1647 ca. (Zoege von Manteuffel 1921), post 1649 (Vlieghe 1972).	1706 (Calbi 1970).	1707-9.
DATI TECNICI	Olio su tavola, 89x65, restauri 1951 e 1964.	Olio su tela, 149x120, restauro 1977.	Olio su tela, 133x189, restauro 1970.	Olio su tela, 130x215.
CORNICE	—	Liscia, dorata, sec. XIX.	Dorata liscia a gola.	Dorata e gole.
UBICAZIONI	Compagnia Buonomini (1927); Uffizi; Accademia; Uffizi (1978).	Bruxelles; Vienna (1656); Uffizi (1821); Pitti (1928).	Pitti (1710 ca.); Uffizi (1920).	Uffizi (1926).
ATTRIBUZIONI	Scuola di Lucas Cranach (Inv. 1890).	—	—	Giovanni da S. Giovanni (1881). Crespi (Voss 1921).
ESPOSIZIONI	—	Rubens e la pittura fiamminga del Seicento, Firenze 1977.	Pittura italiana del Sei e Settecento. Firenze 1922. Mostra del Seicento, Venezia 1929. Mostra celebrativa di Giuseppe Mari, Bologna 1948. Dipinti italiani del Sei e Settecento, Firenze 1959. Peniture italienne au XVIII siècle, Parigi 1960-61. Artisti alla corte granducale, Firenze 1969. Natura ed espressione nell'arte bolognese ed emiliana, Bologna 1970.	Mostra celebrativa di Giuseppe Maria Crespi, Bologna 1948.
BIBLIOGRAFIA	D. Koepplin - T. Falk, Lukas Cranach, Basel & Stuttgart 1974-76.	H. Vlieghe, Gaspar De Crayer, sa vie et ses oeuvres, Bruxelles 1972. Cat., Firenze 1977, n. 27.	E. Arcangeli - C. Calbi, in Cat., Bologna 1970, p. 226 e p. 232, n. 67.	C. Gnudi, in Cat., Bologna 1948, p. 31, n. 16.
INVENTARIO	8728.	733 (C.P., p. 73, n. 151).	Depositi 25.	5443.
FOTO	323315.	278992.	10439, 10829, 72956, 111344.	122103.
NOTE	Proveniente dalla Campagnia Buonomini in seguito ai lavori eseguiti con contributo dello Stato sull'Archivio della Compagnia suddetta nell'Ottobre 1927. Il Cranach trattò più volte questo tema mitologico; si confronti per tutti il dipinto autografo pubblicato nel Catalogo del 1976 (Tav. XVI, scheda n. 536, n. 628), raffigurante il 'Giudizio di Paride' conservato a Colonia nel Wallraf-Richartz Museum, databile al 1510-15. Il quadro presenta evidenti analogie stilistiche e strutturali con questo degli Uffizi. Gr. Red. 3	Si trovava in origine a Bruxelles nella collezione dell'arciduca Leopoldo Guglielmo, insieme ad altri quattro dipinti dello stesso autore. Inciso da P. van Schuppen (1662). Parte di un gruppo di quadri inviati a Firenze in scambio da Vienna nel 1821. M.C.	Fu dipinto per don Carlo Silva che voleva farne omaggio al gran principe Ferdinando de' Medici, ma volendolo egli successivamente trattenere per sé, il pittore lo portò personalmente al principe che se ne entusiasmò. Ne seguì una causa giudiziaria (Haskell, 1963). È sfuggito all'attenzione degli studiosi sino al 1920, quando fu riscoperto da M. Marangoni. E.B.	Pubblicato con l'attribuzione tradizionale del Giglioli, subito corretto dal Voss (1921) è stato presentato nell'occasione della mostra del 1948, come uno dei capolavori della maturità del Crespi. Il soggetto è da Apuleio, Metamorfosi, V, 22. E.B.

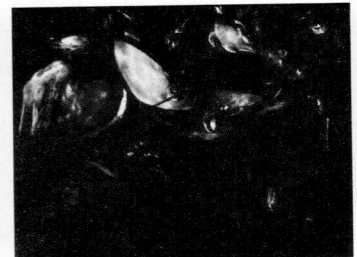

	P472	P473	P474	P475
AUTORE	Crespi, Giuseppe Maria, detto lo Spagnolo (Bologna 1665-1747).	Crespi, Giuseppe Maria, detto lo Spagnolo (Bologna 1665-1747).	Crespi, Giuseppe Maria, detto lo Spagnolo (Bologna 1665-1747).	Crespi, Giuseppe Maria, detto lo Spagnolo (Bologna 1665-1747).
TITOLO	La famiglia del pittore.	Natura morta con cacciagione.	La fiera di Poggio a Caiano.	Contadini e polli.
DATAZIONE	1708.	1708 ca.	1709.	1709 ca.
DATI TECNICI	Olio su rame, 28x24.	Olio su tela, 64x82, restauro 1964.	Olio su tela, 116,7x196,3.	Olio su tela, 35x30.
CORNICE	Dorata a gole.	Intagliata e dorata.	Dorata liscia a gola.	Sagomata, dorata, sec. XVIII.
UBICAZIONI	Pitti (1708); Uffizi (1753).	Uffizi; Depositi; Palazzo Davanzati (1960); Pitti (1969); Uffizi (1977).	Pitti (1713); Uffizi (1920).	Uffizi (sec. XIX).
ATTRIBUZIONI	—	G. M. Crespi (Inv. 1890; M. Marangoni, 1917. F. Arcangeli, 1962. M. Chiarini, 1969).	—	—
ESPOSIZIONI	Mostra del Settecento italiano a Venezia, Venezia 1929. Mostra del Settecento bolognese, Bologna 1935. Mostra celebrativa di Giuseppe Maria Crespi, Bologna 1948. Gli ultimi Medici, Detroit-Firenze 1974.	La Natura morta italiana, Napoli - Zurigo - Rotterdam, 1964-65. Artisti alla Corte Granducale, Firenze, 1969. Natura ed espressione nell'Arte bolognese - emiliano. Bologna, 1970.	Mostra della pittura italiana del Sei e Settecento, Firenze 1922. Mostra del Settecento bolognese, Bologna 1935. Mostra celebrativa di Giuseppe Maria Crespi, Bologna 1948. La peinture italienne au XVIII siecle, Parigi 1960-61. Artisti alla corte granducale, Firenze 1969. Natura ed espressione nell'arte bolognese ed emiliana, Bologna 1970. Gli ultimi Medici, Detroit-Firenze 1974.	Bozzetti delle Gallerie di Firenze, Firenze 1952. Artisti alla corte granducale, Firenze 1969.
BIBLIOGRAFIA	*M. Chiarini, in Cat., Firenze 1974, n. 116, pp. 204-6.*	*Cat., Firenze, 1969, n. 137. Cat., Bologna, 1970, n. 68. AGF: A. Bagnoli, Scheda ministeriale, 1973.*	*M. Chiarini, in Cat., Firenze 1974, n. 118, p. 208.*	R. Roli: Pittura bolognese 1650-1800, Bologna 1977. *Cat., Firenze 1952, n. 40. Cat., Firenze 1969, n. 142.*
INVENTARIO	5382.	7655.	Depositi 26.	6575.
FOTO	94699.	5430.	72955.	153641.
NOTE	Il dipinto fu spedito da Bologna a Ferdinando de' Medici, che vivamente se ne compiacque (1708). I personaggi raffigurati sono: il Crespi stesso, Giovanna Cuppini, la moglie, con il figlio Luigi nel carretto e l'altro figlio Maurizio a cavallo di un bastone. Il personaggio raffigurato a cavallo di un asino nella tela sul cavalletto è don Carlo Silva, il prelato con il quale il pittore ebbe una vertenza giudiziaria. E.B.	Il dipinto è stato descritto dai biografi del Crespi come opera eseguita assieme ad una Natura morta con 'pesci diversi e foglie, et uno cavolo fiore' (non rintracciata) per il P. Ferdinando a Livorno, nell'anno 1708. Il dipinto in esame fu pubblicato da M. Marangoni (1917, p. 24). F. Arcangeli (in 'Paragone', 1962, 149, p. 20-32), riconfermava l'opera al Crespi, ma identificava le due Nature morte commissionate da Ferdinando in due opere in possesso della Cassa di Risparmio di Bologna. In seguito lo stesso critico 1970, p. 234), dopo le precisazioni del Chiarini (1969, p. 80-81), che rendeva nota la citazione dell'opera nell'Inventario della Collezione del Principe Ferdinando, ma credeva le due nature morte eseguite a Bologna e spedite a Firenze, lasciava cadere la sua precedente ipotesi e confermava, sulla base dei biografi Zanotti 1739, pp. 45-49) e Crespi (1769, pp. 209-211) che tali quadri furono dipinti a Livorno, dove risiedeva in quel momento il Gran Principe Ferdinando. Gr. Red. 3	Fu dipinto per il gran Principe Ferdinando de' Medici dirante il soggiorno dell'artista nella villa di Pratolino. È una delle opere più importanti del Crespi, originale interpretazione della 'bambocciata' seicentesca, vigorosa rappresentazione di una scena di vita. E.B.	La provenienza del dipinto non è documenta, ma certamente esso fece parte delle collezioni medicee fin dagli inizi, come proposto dalla Collobi Ragghianti (cat., Firenze 1952). Non ci sembrano giustificati i dubbi espressi dallo stuto, il cui aspetto insoddisfacente diosa sull'autografia del quadretin in talune parti è imputabile al cattive stato di conversazione. M.C.

	P488	P489	P490	P491
AUTORE	Cusati, Gaetano (Napoli ? - 1720 ca), attr. a.	Daddi, Bernardo (Firenze 1290 ca. - 1348).	Daddi, Bernardo (Firenze 1290 ca. - 1348).	Daddi, Bernardo (Firenze 1290 ca. - 1348).
TITOLO	Granchio.	Croce dipinta.	La Madonna col Bambino, S. Matteo e S.Nicola da Bari.	Madonna in trono fra santi.
DATAZIONE	Fine sec. XVII.	1320-30 ca. (Suida 1906, 1923), 1343 ca. (Marcucci 1965).	1328.	1333.
DATI TECNICI	Olio su tela, 49,5x64,5.	Tempera su tavola, 350x275.	Opera composita. Tempera su ta-vola, 144x194.	Tempera su tavola, 219x132, re-stauri 1951, 1972.
CORNICE	Salvadora dorata, sec. XIX.	Originale.	Parzialmente originale.	—
UBICAZIONI	Pitti (ante 1710): Poggio a Caia-no (ante 1713); Uffizi (1773); De-positi; Uffizi (1925).	S. Donato in Polverosa? (Colzi 1815); magazzini Uffizi (1880); Uf-fizi (1888); Accademia (1919).	Convento di Ognissanti; Uffizi (1871).	Camera di Commercio Firenze (1782); Uffizi (1782); Pitti (1960).
ATTRIBUZIONI	Giuseppe Recco (inventari anti-chi).	Pietro Nelli (Vitzthum 1903). Mei-ster der Kreuzigungen (Suida 1906, 1923). Seguace del Daddi (Van Marle 1924). Assistant of Daddi (Offner 1947). Bernardo Daddi (Berenson 1932, Marcucci 1965).	Bernardo Daddi (Milanesi 1870).	Jacopo di Casentino (Sirén 1914). B. Daddi (Sirén 1917; Van Mar-le 1924; Fremantle 1975, B. Dad-di e aiuti (Salmi 1924; Offner 1934).
ESPOSIZIONI	—	—	—	Firenze Restaura. Firenze 1972.
BIBLIOGRAFIA	M. Minucci in Dizionario Bolaffi, IV, Torino 1973. M. L. Strocchi in Paragone 311, 1976.	R. Offner, A. Critical and Histori-cal Corpus of Florentine Painting, sez. III, vol. V, New York 1947. L. Marcucci, I dipinti toscani del Secolo XIV, Roma 1965, n. 18.	R. Offner, A. Critical and Histori-cal Corpus of Florentine Painting, sez. III, vol. III, New York 1930. L. Marcucci, I dipinti toscani del Secolo XIV, Roma 1965, n. 9.	R. Offner, Corpus... sec. III, vol. IV, 1934, pp. 25-26. L. Marcucci, I dipinti toscani del secolo XIV, Roma 1965, pp. 29-30; R. Fre-mantle, Florentine Gothic Pain-ters, London 1965, tav. 95, pp. 45-47, 50.
INVENTARIO	4907.	442.	3075.	6170.
FOTO	122350.	118849 (e particolari).	103709 (e particolari).	20993.
NOTE	Il dipinto era nel primo decennio del '700 in palazzo Pitti (ASF. Guard., 1185, I c. 260) e fu pre-scelto dal Gran Principe Ferdinan-do de' Medici per il suo 'gabi-netto di opere in piccolo' nella vil-la di Poggio a Caiano; a tergo ha frammenti del cartellino che ne di-chiara questa provenienza e l'in-gresso agli Uffizi il 29 dicembre 1773. All'attribuzione tradiziona-le a Giuseppe Recco, G. Marchini propose di sostituire quella a Gae-tano Cusati, di cui sono documen-tati quadri di pesci (Sorrento, Mu-seo Correale). S.M.T.	La 'croce' è offuscata da uno spesso velo di sporco ed ha su-bito qualche parziale rifacimento. Rispetto alla croce dipinta trecen-tesca è iconograficamente anomala in quanto le figurazioni dei due dolenti lungo i fianchi del Cristo e le altre quattro storie nei tabel-loni (Giudizio Finale, Cristo deri-so, Flagellazione e Andata al Cal-vario) rappresentano un arcaismo, ma è probabile che il pittore ab-bia dovuto rifarsi ad una croce duecentesca. Stilisticamente si col-lega bene ai modi tardi del Daddi (Marcucci 1965). L. Bell.	Il trittico raffigura, a mezzo bu-sto, la Madonna col Bambino e i SS. Matteo e Nicola da Bari. Nelle cuspidi, entro tre tondini, i busti del Redentore e di due angeli. Nel-lo zoccolo è la seguente iscrizio-ne: 'ANO · DNI · MCCCXXVIII FR. NICHOLAUS · DE MAZIN-GHIS · DE · CANPI · ME · FIE-RI · FECIT · PRO · RIMEDIO · TRUM · MATRIS · ET · FRA-TRUM · BERNARDUS · DE - FLORENTIA · ME · PINXIT. È la prima opera datata del pittore fiorentino. L. Bell.	Sullo zoccolo: SCS. IOHS. BTA. ANNO DNI. M.CCCXXXIII. DIE XIV. AVGVSTI. VOS. SALU-TAT. LVCAS. MEDICVS. M. SCS. LVCAS. La tavola proba-bilmente dipinta per l'Arte dei Medici e Speziali pervenne ano-nima in Galleria dalla Camera di Commercio nel 1782 (cfr. AGF ms 113 vol. I, 1784, p. 508, n. 718). Nel 1960 passò nei depositi di Pa-lazzo Pitti. Non è mai stata espo-sta. L.B.B.

	P484	P485	P486	P487
AUTORE	Cuppis (de), Lusignano (nato a Firenze nel settimo decennio del XIX secolo).	Curradi, Francesco (Firenze 1570-1661).	Curradi, Francesco (Firenze 1570-1661).	Curradi, Francesco (Firenze 1570-1661).
TITOLO	Veduta delle mulina di San Nic-colò.	Il martirio di Santa Tecla.	Figura allegorica.	Il Crocifisso appare a S. Bernardo.
DATAZIONE	1860-65 ca.	Inizi sec. XVII.	1625 ca. (Bertani 1979).	1625 ca. (Bertani 1979).
DATI TECNICI	Olio su tela, 40,5x53,5.	Olio su rame, 49x37.	Bozzetto, olio a chiaroscuro su carta, 26x17.	Bozzetto, olio a chiaroscuro su carta, 34x22.
CORNICE	—	Originale, intagliata e dorata.	Legno dorato entro un'altra cornice moderna.	Legno modanato e dorato nel filetto interno.
UBICAZIONI	Coll. Giuseppe Martelli; Uffizi (1876); Museo di Firenze com'era (1932 ca.); Galleria d'Arte Moderna, Pitti (1979).	Uffizi (citato 1784).	Gabinetto Disegni e Stampe (1880); Uffizi (1914).	Card. Leopoldo de' Medici (1676); Pitti (1676); Gabinetto Disegni e Stampe (1793); Uffizi (1914).
ATTRIBUZIONI	—	—	Ignoto artista del sec. XVII (Inv. Ant.), F. Curradi (Baldini 1952).	Anonimo (Inv. 1676), Cigoli (Inv. Ant.), F. Curradi (Baldini 1952).
ESPOSIZIONI	—	—	Bozzetti delle Gallerie di Firenze, Firenze, 1925-53.	Bozzetti delle Gallerie di Firenze, Firenze, 1952-53.
BIBLIOGRAFIA	—	C. Thiem, Florentiner Zeichner des Frühbarock, München 1977. Thieme-Becker, VIII, 1913.	M. Gregori, Mostra del Cigoli e del suo ambiente, S. Miniato, 1959, pp. 217-218. M. Gregori, A propos sulla pittura fiorentina del '600, in Paragone, n. 145, 1962, pp. 21-40. U. Baldini, in Cat., Firenze 1952-53, n. 41, p. 26.	M. Gregori, Mostra del Cigoli e del suo ambiente, S. Miniato, 1959, pp. 217-218. U. Baldini, in Cat., Firenze, 1952-53, n. 42, p. 27.
INVENTARIO	6528.	1540 (C.P., p. 166 n. 1219).	GDSU 19193.	GDSU 19117.
FOTO	525025.	168568.	155875.	157056.
NOTE	Firmato in basso a sinistra sopra un sasso: L. de Cuppis. È elencato al n. 80 dell'inventario della collezione Martelli, legata agli Uffizi nel 1876. Del pittore, ignorato dai dizionari, si trova frequente menzione nei cataloghi delle Promotrici fiorentine ottocentesche degli anni subito dopo l'Unità: si tratta di panorami di Firenze quasi sempre dalla parte di San Niccolò, come in questo caso. Probabilmente il pittore era figlio del patrizio marchigiano, conte Pompilio (Fano 1804-Firenze 1861), patriota, di interessi scientifici e buon incisore. Il dipinto, esposto nel Museo di Firenze com'era nell'ordinamento post-alluvione del 1966, è destinato alle nuove sale della Galleria d'arte moderna di Palazzo Pitti. S.P.	Provenienza ignota. In pessimo stato di conservazione per le notevoli cadute del colore, soprattutto nella parte bassa della lastra. Probabilmente anteriore alla fase più 'florita' del Curradi, intorno al 1620. M.G.	Il presente bozzetto figura nell'inventario del 1880, IIIª cat. n. 318 e può essere confrontato con il n. 7000 f del Gabinetto Disegni e Stampe di F. Curradi con lo stesso soggetto. L.B.R.	Il bozzetto figurava anonimo nell'inventario dell'eredità del Cardinal Leopoldo de' Medici nel 1676 (cfr. ASF, Guard. 826 c. 94), è attribuito a Cigoli negli inventari successivi; l'attribuzione al Curradi è moderna. Nel Gabinetto Disegni e Stampe c'è una copia tarda del presente bozzetto di mano del Curradi (cfr. GDSU n. 16385 F). Sul retro cartellino Inv. 1881, cat. IIª n. 76. L.B.B.

	P480	P481	P482	P483
AUTORE	Crespi, Giuseppe Maria, detto lo Spagnolo (Bologna 1665-1747).	Crespi, Giuseppe Maria, detto lo Spagnolo (Bologna 1665-1747).	Cristiani, Giovanni di Bartolomeo (Pistoia 1340 ca. - 1398).	Crosato, Giovan Battista (Venezia 1685 ca. - 1758), attr. a.
TITOLO	La sguattera.	La canterina corteggiata.	Madonna col Bambino e Angeli.	Sacrificio di Ifigenia.
DATAZIONE	Periodo tardo (Longhi 1948), 1722 ca. (Salmi 1969).	Sec. XVIII.	1390-95 (Marucci 1965, Boskovits 1975).	1735 ca.?
DATI TECNICI	Olio su tela, 57x43.	Olio su tela, 49x46,5 restauro 1966.	Tempera su tavola, 80x48.	Bozzetto, olio su tela, 42x52.
CORNICE	Intagliata a motivi vegetali e dorata, non pertinente.	Intagliata e dorata.	Falsa.	Intagliata, dorata, barocca.
UBICAZIONI	Coll. Contini Bonecossi (cit. 1948); Uffizi (1976), Dep. Meridiana di Pitti.	Coll. Granducali; Dep. Uffizi; Museo Argenti; Uffizi (1951).	Convento di S. Lucia in Camporentine (dall'origine?). Gallerie Fiorentine (1810). Uffizi (1881). Museo Civico, Pistoia (1915).	Uffizi (1869).
ATTRIBUZIONI	Crespi (Longhi 1948, Arcangeli 1948).	Scuola veneziana sec. XVIII-Maniera del Longhi (Inv. 1890). G. M. Crespi (Marangoni 1920).	Giovanni di Bartolomeo Cristiani (Van Marle 1925, Offner 1956).	G.B. Tiepolo (Inv. 1869). Galliari (Frizzoni 1907, Poggi 1926, Micheletti 1959).
ESPOSIZIONI	Mostra celebrativa di G. M. Crespi, Bologna 1948, Mostra del Settecento emiliano, Bologna 1979.	Mostra del Settecento bolognese, Bologna 1935, Mostra del Settecento, Zurigo 1955.	Giovanni di Bartolomeo Cristiani (Van Marle 1925, Offner 1956).	Dipinti italiani del Sei e Settecento, Firenze 1959.
BIBLIOGRAFIA	A. M. Matteucci, Giuseppe Maria Crespi, Milano 1965, Cat., Bologna 1935, n. 29, Cat., Zurigo 1955, AGF; A. Bagnoli Scheda Ministeriale, 1975.	Mostra del Settecento bolognese, Bologna 1935, Mostra del Settecento, Zurigo 1955.	M. Boskovits, Pittura Fiorentina alla vigilia del Rinascimento 1370-1400, Firenze 1975, L. Marucci, I dipinti toscani del secolo XIV, Roma 1965, n. 92.	R. Bossaglia: I fratelli Galliari. Milano 1962, Cat. Firenze 1959, n. 7.
INVENTARIO	Contini Bonacossi 20.	6005.	465.	923.
FOTO	225587.	124608 (e particolari).	154574.	109383.
NOTE	Pubblicata per la prima volta in occasione della mostra bolognese del 1948, l'opera è stata giudicata dall'Arcangeli 'capolavoro tra le scene di genere del Crespi'. Il Salmi, per un certo vibrare luministico lo colloca vicino alla pala del duomo di Sarzana che è del 1722. L'opera è entrata nelle collezioni della Galleria in seguito a una donazione, a compagnata da una conversione, da parte degli eredi del conte Alessandro Contini Bonacossi. Gr. Red. 5 C.C.	Il quadretto, considerato tradizionalmente come opera veneta del XVIII secolo (Inv. 1890), fu riconosciuto ed esposto in Galleria nel 1919 da M. Marangoni (1920), come opera del Crespi. Lo Zucchini (1955) pensa ad una tarda derivazione, forse dovuta al figlio dell'artista, Luigi. L. Bell.	Di provenienza fiorentina, va considerata un'opera assai tarda dell'artista: essa rappresenta uno dei punti di riferimento per la storia della pittura a Pistoia nella seconda metà del Trecento. Forse parte centrale di un polittico (Offner 1956). L. Bell.	Il bozzetto fu acquistato nel 1869 con l'attribuzione a G.B. Tiepolo, convertita poi, ma non si sa da chi, in quella a S. Ricci. Quest'ultima fu rifiutata dal Frizzoni (in Rassegna d'arte, V, 1907, p. 46) che propose il nome di Bernardino Galliari. Questo, accettato in un primo tempo dalla Bossaglia e confermato dalla Micheletti (cat., Firenze 1959), è invece rifiutato dalla prima studiosa nella monografia del 1962. In effetti il tipo di pittura si differenzia dai bozzetti noti del pittore (vedi quelli della Galleria Sabauda). Proponiamo il nome del Crosato, per confronti con dipinti stilisticamente affini (vedi Cat, Mostra del Barocco piemontese, Torino 1963, n. 139 ss.). È possibile che questo bozzetto sia una prima idea per la scena corrispondente affrescata dal Crosato nella palazzina di caccia a Stupinigi nel 1735. Ne esistono altre due versioni: una nella coll. Lynch (attr. a C. Carlone: v. cat. della mostra della coll. Lynch a Binghamton, 1969, n. 7), l'altra sul mercato antiquario torinese (1977). M.C.

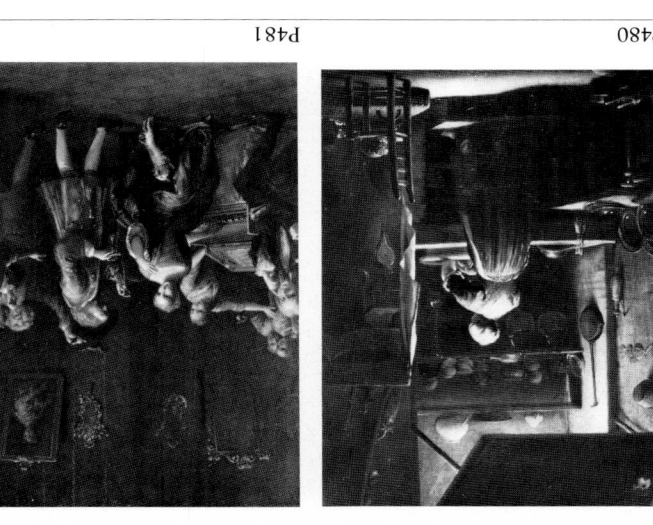

P480

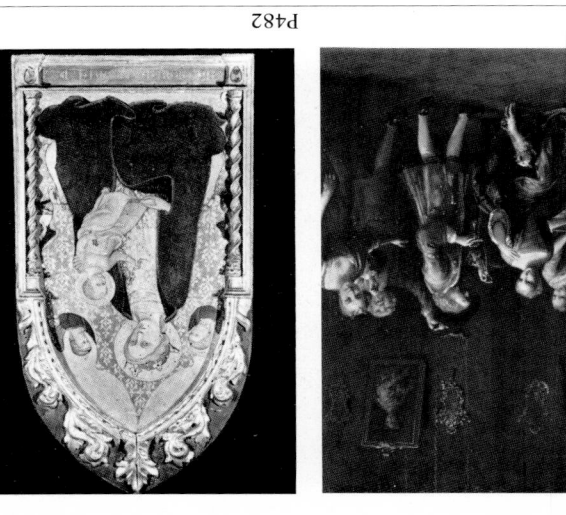

P481

P482

P483

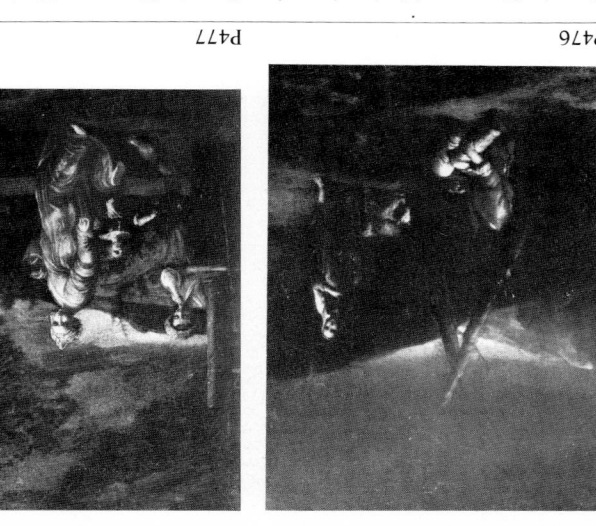

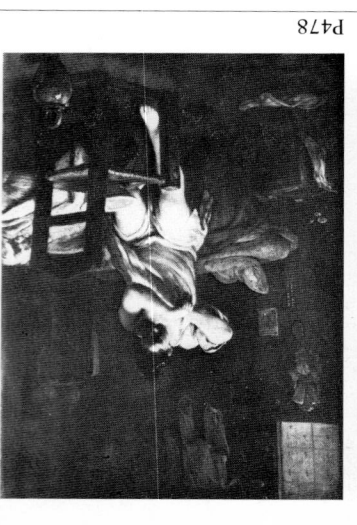

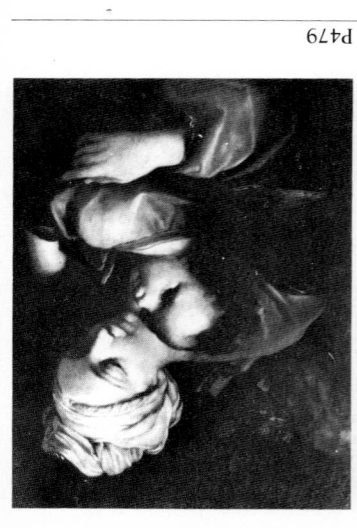

	P476	P477	P478	P479
AUTORE	Crespi, Giuseppe Maria, detto lo Spagnolo (Bologna 1665-1747).	Crespi, Giuseppe Maria, detto lo Spagnolo (Bologna 1665-1747).	Crespi, Giuseppe Maria, detto lo Spagnolo (Bologna 1665-1747).	Crespi, Giuseppe Maria, detto lo Spagnolo (Bologna 1665-1747).
TITOLO	Due pastori con gregge.	Scena pastorale.	La pulce.	Sacra Famiglia.
DATAZIONE	1709 ca. (Bagnoli 1973).	1710-20 ca.	1710-30.	Inizi sec. XVIII.
DATI TECNICI	Olio su tela, 50x38.	Bozzetto, olio su tela, 35,1x29,8.	Olio su rame 46,3x34.	Olio su tela, 59,1x48,6.
CORNICE	—	Dorata e intagliata.	Dorata a gole.	Dorata liscia.
UBICAZIONI	Uffizi (1881).	Uffizi (1890).	Pitti; Uffizi (1861).	Convento di San Bartolomeo (1706?); Monteoliveto; Uffizi (1881).
ATTRIBUZIONI	Crespi (inv. 1881). Seguace del Crespi (Zucchini 1935). Crespi (Bagnoli 1973).	Scuola del Crespi (Collobi Raghianti 1952). Crespi (Chiarini 1969).	—	Giuseppe Maria Crespi (inv. 1881). Luigi Crespi? (Chiarini 1969). Giuseppe Maria Crespi (Bagnoli 1973).
ESPOSIZIONI	Mostra del Settecento bolognese, Bologna 1935.	Mostra dei bozzetti, Firenze 1952. Artisti alla corte granducale, Firenze 1969.	Mostre del settecento italiano, Venezia. Mostra del settecento bolognese, Bologna 1935. Mostra celebrativa di Giuseppe Maria Crespi, Bologna 1948.	Artisti alla corte granducale, Firenze 1969.
BIBLIOGRAFIA	AGF: A. Bagnoli, Scheda Ministeriale 1973.	M. Chiarini, in Cat., Firenze 1969, n. 142, p. 82.	R. Longhi, in Cat., Bologna 1948, p. 17. M. Chiarini, Artisti alla corte granducale, Firenze 1969, p. 82.	M. Chiarini, in Cat., Firenze 1969, n. 143. AGF: A. Bagnoli, Scheda Ministeriale, 1973.
INVENTARIO	7603.	6575.	1408 (C.P., p. 146, n. 992).	6259.
FOTO	129582.	153649.	72209.	152960.
NOTE	Riesaminato recentemente come possibile esemplare di quella serie di argomenti per lo più piacevoli e volgari che lo Zanotti (177) afferma dipinti durante il secondo soggiorno fiorentino del pittore, nel 1709 (Bagnoli 1973). E.B.	Fa parte della raccolta cosiddetta dei bozzetti, ma è da vedersi come operetta a se stante, del genere di cui il Crespi si compiaceva. La conservazione è cattiva, per troppo drastica pulitura in epoca imprecisabile. E.B.	Non è provato se sia una scena di genere fine a se stessa o piuttosto un pezzo di una serie perduta di rami con storie della vita di una cantatrice (Zanotti 1793; Longhi 1948). Si conoscono varie repliche o versioni simili, tra le quali quella di Pisa, Museo Nazionale di San Matteo, proveniente anch'essa dalla Guardaroba medicea (Chiarini 1969). La copia appartenente alle Collezioni fiorentine è da originale dello stesso soggetto ma diversamente impostata. E.B.	Un cartellino con scritta antica sul retro ne certifica la provenienza da Montoliveto presso Firenze. Una vecchia scheda anonima nell'archivio degli Uffizi specifica: 1706 ... Spagnolo. Dandosi credito a questi dati è da escludere la possibilità che il dipinto spetti a Luigi Crespi (Chiarini 1969), a quell'anno non ancora nato, e si confermerebbe l'attribuzione a Giuseppe Maria, d'altronde ragionevole anche per confronti stilistici (Bagnoli 1973).

	P492	P493	P494	P495
AUTORE	Daddi, Bernardo (Firenze 1290 ca. - 1348).	Daddi, Bernardo (Firenze 1290 ca. - 1348).	Daddi, Bernardo (Firenze 1290 ca. - 1348).	Daddi, Bernardo (Firenze 1290 ca. - 1348).
TITOLO	Madonna in trono, Angeli e Santi.	Polittico di San Pancrazio.	Coronazione della Vergine fra Angeli e Santi.	Crocifissione.
DATAZIONE	1334.	1336-38 ca. (Vitzthum 1903, Offner 1930, Vavalà 1948, Marcucci 1965), dopo 1340 (Suida 1904, Venturi 1907, Sirén 1917, Berenson 1922).	1340-1348 (Marcucci 1965).	Post 1340 (Marcucci 1965).
DATI TECNICI	Tempera su tavola, 56x26, restauro 1890.	Tempera su tavola, 165x85 (pannello centr.), 127x42 (ogni laterale), 31x17 (ogni pannello delle cuspidi), 20 (diam. di ogni tondo).	Tempera su tavola, 186x270.	Tempera su tavola, 102x46.
CORNICE	Parzialmente originale.	Parzialmente originale.	Incorporata alla tavola, modanata e dorata.	Parzialmente originale.
UBICAZIONI	Coll. Giovanni Giovio, Como (metà '800); Gallerie Fiorentine (1853); Accademia (1854); Uffizi (1948).	Chiesa di S. Pancrazio (dall'origine); Depositi Uffizi (1808); Accademia (1810); Uffizi (1919).	S. Maria Novella, Altare di S. Pietro Martire (sec. XIV); Accademia (1810); Uffizi (1900); Accademia (1919).	Uffizi (1887); Museo Civico, Pistoia (1915).
ATTRIBUZIONI	Nardo di Cione (attribuzione tradizionale). Bernardo Daddi (Passerini-Milanesi, 1865 e tutta la critica posteriore).	Agnolo Gaddi (Vasari 1568). B. Daddi (Schmarsow-Vitzthum 1903 e tutta la critica successiva).	Scuola di Giotto (Inv. Antichi). Vicino a Agnolo Gaddi (Cavalcaselle 1864). B. Daddi (Sirén 1905). Bottega di B. Daddi (Van Marle 1924; Berenson 1922-30; Offner 1947).	Meister der Kreuzigungen (Suida 1906). Bottega del Daddi (Sirén 1917, Berenson 1932). Assistant of Daddi (Offner 1947). Daddi e bottega (Marcucci 1965).
ESPOSIZIONI	Mostra Giottesca, Firenze 1937.	—	—	—
BIBLIOGRAFIA	R. Offner, A Critical and Historical Corpus of Florentine Painting, sez. III, vol. II, New York 1930. *Cat. Firenze 1937 (1943), n. 156. L. Marcucci, I dipinti toscani del secolo XIV, Roma 1965, n. 11.*	R. Offner, Corpus of Florentine Painting, sez. III, vol. III, 1930. L. *Marcucci, I dipinti toscani del secolo XIV, Roma 1965.*	R. Fremantle, Florentine Gothic Painters, London 1975, pp. 45-47. *R. Offener, Corpus... sez. III, vol. V, New York 1947, pp. 55, 105-112. L. Marcucci, I dipinti toscani del secolo XIV, Roma 1965, pp. 44-45.*	R. Offner, A Critical and Historical Corpus of Florentine Painting, sez. III, vol. V, New York 1947. *L. Marcucci, I dipinti toscani del Secolo XIV, Roma 1965, n. 16.*
INVENTARIO	8564.	8345.	3449.	443.
FOTO	5442-43.	122359 (e particolari).	78592, 78593.	119400.
NOTE	Si tratta di un'anconetta cuspidata raffigurante la Madonna in trono col Bambino fra otto Angeli e i SS. Pietro e Paolo. Alla base del dipinto è la firma: 'NOMINE BERNARDUS DE FLORETIA PIXIT H. OP.'. Nello zoccolo era una data la cui giusta lettura è (Procacci 1936): ANNO DNI M.CCC.XXXXIV'. Importantissimo esempio della produzione di piccolo formato del pittore fiorentino. L. Bell.	Si tratta dell'opera più complessa di Bernardo Daddi. Il polittico, smembrato assai per tempo, è oggi mancante di qualche parte. Esso è formato (si veda la ricostruzione dell'Offner, 1930) dalla Madonna col Bambino in trono circondata da angeli al centro, mentre i sei laterali recano i SS. Pancrazio, Zanobi, Giovanni Evangelista, Giovanni Battista, Reparata e Miniato. Nella predella, entro pannelli che riquadrano cornici a cuspide polilobata, sono Gioacchino cacciato dal Tempio, Gioacchino tra i pastori, L'Incontro alla Porta Aurea, la Natività della Vergine, la Presentazione al Tempio, l'Annunciazione e la Natività di Cristo. Manca il terzultimo pannello con il Matrimonio della Vergine, venduto nel 1815. Nelle cuspidi, Apostoli, Profeti e Angeli, alcuni dei quali mancanti. L. Bell.	La tavola pervenne alle Gallerie nel 1810 dal convento di santa Maria Novella; fu esposto all'Accademia, portato agli Uffizi nel 1900, nel 1919 ritornò nuovamente all'Accademia dove tuttora si trova esposto. Era collocato in origine sull'altar maggiore della Chiesa di S. Maria Novella (Vasari) poi nel 1490 sull'altare dedicato a San Pietro Martire, di qui allorché il Vasari nel 1565 rinnovò l'altare, il trittico passò in convento. L.B.B.	Di una qualità non indegna dell'attività tarda del Daddi (Marcucci 1965), questa Crocifissione, sarebbe, secondo l'Offner (1947), la parte centrale di un polittico avente per laterali i quattro pannelli con i SS. Maria Maddalena, Giuliano, Michele e Marta di proprietà delle Gallerie Fiorentine (n. 6140), concessi in deposito al Conservatorio di S. Elisabetta a Barga nel 1932. Essi sono, tuttavia, di una qualità pittorica ben più modesta. L. Bell.

	P496	P497	P498	P499
AUTORE	Dandini, Cesare (Firenze 1598 ca. - 1658).	Dandini, Cesare (Firenze 1595 ca. - 1658).	Dandini, Cesare‹Firenze 1595 ca. - 1658).	Daniele da Volterra, Ricciarelli D., detto (Volterra 1509 - Roma 1566).
TITOLO	Rinaldo e Armida.	Ritratto di giovinetto.	L'indovina e una giovane (La mezzana).	La strage degli innocenti.
DATAZIONE	1630-40 (Schultze 1973).	1639 ca? (Borea 1975).	1640-50.	1557.
DATI TECNICI	Olio su tela, 130x303.	Olio su tela, ovale, 55,5x45,5, restauro 1973.	Olio su tela, 108x80.	Olio su tavola, 51x42, restauro 1979.
CORNICE	Legno modanato e intagliato a motivi vegetali stilizzati, dorato.	Sagomata e dorata, originale.	Semplice dorata, sec. XVII.	Sagomata, dorata, sec. XVIII?
UBICAZIONI	Card. Carlo de' Medici (ante 1666); Guardaroba (1666); Palazzo Buontalenti (1913); Uffizi (1913); La Petraia (1929); Uffizi (1977).	Uffizi (sec. XIX).	Arch. Giuseppe Martelli; Uffizi (1876).	Chiesa di S. Pietro, Volterra, (1557); Uffizi (1782); Accademia (1954); Uffizi, Tribuna (1970).
ATTRIBUZIONI	—	—	Giovanni Martinelli (Martelli 1876).	—
ESPOSIZIONI	—	—	Dipinti salvati dalla piena dell'Arno, Firenze 1966.	Mostra del Cinquecento toscano, Firenze 1942.
BIBLIOGRAFIA	E. Borea, La quadreria di Don Lorenzo de' Medici, Poggio a Caiano Firenze, Firenze 1977, pp. 27-34. *AGF: F. Schultze, Scheda Ministeriale, 1973. E. Borea, Pittori Bolognesi del Seicento nelle Gallerie di Firenze, Firenze 1975, p. 171.*	M. Gregori: in Cat. mostra 70 pitture e sculture del 600 e 700 fiorentino, Firenze 1965. L. Cusmano, Cesare Dandini..., in Quaderni dell'Ist. di storia dell'arte di... Messina, 1, 1975. E. Borea, *Dipinti alla Petraia..., in Prospettiva, 2, 1975, p. 30. Id. in Cat. mostra, La quadreria di Don Lorenzo de' Medici, Firenze 1977, p. 33.*	*S. Meloni in Cat., Firenze 1966, n. 27, p. 17. L. Cusmano in Quaderni dell'Istituto di Storia dell'Arte... Università di Messina I, 1975.*	S. J. Freedberg, Painting in Italy 1500 to 1600, Harmondsworth 1970. *F. Sricchia Santoro, Daniele da Volterra, in Paragone, n. 213, 1967, pp. 27-28. P. Barolsky, Daniele da Volterra, New York-London [Garland], 1979, p. 109.*
INVENTARIO	3823.	2189.	6214.	1429 (C.P., p. 151, n. 1107).
FOTO	155403	183628.	103947.	324124.
NOTE	Il quadro faceva parte di una serie di 10 dipinti quasi tutti identificati da E. Borea (cit. 1975, p. 171), ordinati a vari artisti dal Cardinal Carlo de' Medici per arredare il salone del Casino Mediceo; alla morte del Cardinale nel 1666 il dipinto passò alla Guardaroba (cfr. Guard. 758, n. 37 c. 2v), nel 1913 venne riportato agli Uffizi dal palazzo Buontalenti, dagli Uffizi nel 1929 fu inviato alla Petraia, dal 1977 è agli Uffizi. L.B.B.	La provenienza del dipinto non è documentata. Ne esiste almeno un'altra variante che faceva parte della collezione di Don Lorenzo de' Medici nella Villa della Petraia prima del 1649, e che la Borea pensa databile, come questo esemplare, intorno al 1639, pur rilevando la difficoltà cronologica delle opere dell'artista. M.C.	A tergo sulla tela cartellino col n. 36 e sul telaio, in corsivo, Martinelli. Il quadro è entrato agli Uffizi nel 1876 col lascito dell'archivio dell'architetto Giuseppe Martelli (AGF, filza A, I, 53, n. 111) attribuito a Giovanni Martinelli, ma l'indicazione di Cesare Dandini, avanzata da Mina Gregori nel 1966, è unanimemente accettata. La datazione può rientrare nel quinto decennio, tempo in cui fu di moda il tipo di cappello femminile portato dalla vecchia. Si noti che il dipinto non è ovale (come lo illustra L. Cusmano) ma finto in un ovato. S.M.T.	Il quadro fu dipinto dall'artista per la Chiesa di S. Pietro a Volterra, e fu pagato il 3 ottobre 1557, secondo una notizia di archivio (vedi A. Venturi: Storia dell'arte italiana, vol. IX, 6, p. 241). Donato nel 1782 al granduca Pietro Leopoldo, fu mandato agli Uffizi. La composizione ripete quella di uguale soggetto dipinta qualche anno prima nella cappella Ricciarelli nella chiesa della Trinità dei Monti a Roma. M.C.

	P500	P501	P502	P503
AUTORE	David, Gerard (Oudewater 1460 ca. - Bruges 1523).	David, Gerard (Oudewater 1460 ca. Bruges 1523).	David, Gerard (Audewater 1460 ca. Bruges 1523).	De Bloot, Pieter (Rotterdam 1601-1658).
TITOLO	Adorazione dei Magi.	Deposizione dalla Croce.	Adamo ed Eva. (Retro dell'opera P501.	Due giocatori che rissano.
DATAZIONE	1490 ca. (L. Collobi Ragghianti 1948), ante 1498 (Friedländer 1971).	Post. 1500; 1520 (L. Collobi Ragghianti 1948).		1635-45 ca.
DATI TECNICI	Colori ad acqua su tela, 95x80.	Olio su tavola, centinata, 20x14.	Rame, centinato, 20x14.	Olio su rame, 25,3x20,3, restauro 1930 ca.
CORNICE	Moderna, in legno chiaro listato d'oro.	Originale a forma di teca, in metallo dorato e smaltato a rosette rosse e verdi, restauro 1977.		Ebano, sec. XIX-XX.
UBICAZIONI	Accademia (1825); Uffizi (1845).	Uffizi, Tribuna (Inv. 1589), poi in altre sale.		Pitti (1761); Castello (fine secolo XVIII); Uffizi (1796).
ATTRIBUZIONI	Anonimo Fiammingo (inv. 1825). G. David (Bode, 1910).	'Luca d'Olanda' (Inv. 1589). A. Dürer (Inv. 1635, 1638, 1704, 1784). Lambert Lombard (Sec. XIX). Gerard David (Bode 1910 e tutta la critica seguente).		Van Son (Pieraccini 1905 ca.). Bloot (Manteuffel 1921, Poggi 1927).
ESPOSIZIONI	Arte fiamminga e olandese dei sec. XV e XVI, Firenze 1947.	La pittura fiamminga e olandese dei sec. XV e XVI, Firenze 1947.		—
BIBLIOGRAFIA	J. Bodenshausen, Gerard David und seine Schule. München 1905. M. Friedländer, Early Netherlandish Painting, Leyden - Bruxelles 1971.	J. Bodenshausen, Gerard David und seine Schule. München 1905. M. Friedländer, Early Netherlandish Painting. Leyden-Bruxelles 1971.		*K. Zoege von Manteuffel: Bilder Flämische Meister in der Galerie des Ufizien..., Mhf. f. Kwss., I, 1921, p. 47. G. Poggi: La Galleria degli Uffizi, ed. 1927, p. 196.*
INVENTARIO	1029 (C.P., p. 95, n. 708).	1152 (C.P., p. 95, n. 846).		1022 (C.P., p. 118, n. 701).
FOTO	5617.	47599.		321825.
NOTE	Non se ne conosce la provenienza. Venne agli Uffizi dall'Accademia il 30 Agosto 1845 come anonimo fiammingo. Il Friedländer (1971, VIb, pag. 123), dopo aver notato che la tecnica insolita ('Water colour on canvas') rende difficile la classificazione del dipinto, lo data anteriormente alla 'Adorazione' di Bruxelles (1498 ca.). Ascrivibile senz'altro al periodo giovanile del pittore. E.M.	Nel 1589 era già nella Tribuna degli Uffizi col nome di Luca d'Olanda (Inv. 1589). È replica parziale del dipinto della collezione Frick a New York come ha precisato la Collobi Ragghianti (cat. Firenze 1948) che segnala anche una derivazione già nelle collezioni Carvalho a Parigi. Il retro, staccato dal dipinto, è una vera e propria matrice di incisione su rame di scuola tedesca raffigurante Adamo ed Eva presso l'albero del frutto proibito. E.M.	Vedi: David, Gerard, Deposizione della Croce. Scheda P501.	Ricordato in palazzo Pitti in un inventario del 1761, il dipinto passò alla Villa di Castello da dove fu portato alla Galleria degli Uffizi nel 1796. Attribuito a J. Van Son nel Catalogo del Pieraccini, fu restituito al Bloot dal Von Manteuffel sulla base di affinità stilistiche con opere certe dell'artista. Databile, per paragone con un dipinto del 1639 nel Rijksmus di Amsterdam, intorno a quell'anno. M.C.

	P504	P505	P506	P507
AUTORE	De Caro, Lorenzo (Napoli, attivo intorno alla metà sec. XVIII).	De' Conti, Bernardino Pavia 1450 - ? 1525 ca.).	De Critz, John, il Vecchio (Anversa? 1552 - Londra 1642), scuola di.	De Critz, John, il Vecchio (Anversa? 1552 - Londra 1642), scuola di.
TITOLO	Le Virtù teologali.	Ritratto virile.	Ritratto di Anna di Danimarca, regina d'Inghilterra.	Ritratto di Enrico, principe di Galles.
DATAZIONE	1760-65 (Spinosa 1971).	Sec. XV-XVI.	1603.	1603.
DATI TECNICI	Olio su tela, 76x103.	Olio su tavola, 42x32, in origine ottagonale.	Olio su tela, 76x63.	Olio su tela, 81x58,5.
CORNICE	Intagliata e dorata, sec. XVIII.	A sagoma di legno con dorature, moderna.	Sagomata, tinta di gialla, sec. XVII.	Sagomata, tinta di giallo, sec. XVII.
UBICAZIONI	Uffizi (1917).	Uffizi (dal 1753).	Uffizi (sec. XIX).	Uffizi (sec. XIX).
ATTRIBUZIONI	De Mura (Inv. Uffizi, Salvini 1954). De Caro (Spinosa 1971).	Luca di Leida (1753). B. de' Conti (Morelli 1897 e cartellino di Galleria dal 1908).	—	—
ESPOSIZIONI	—	—	Firenze e l'Inghilterra. Rapporti artistici e culturali dal XVI al XX secolo, Firenze 1971.	Firenze e l'Inghilterra. Rapporti artistici e culturali dal XVI al XX secolo, Firenze 1971.
BIBLIOGRAFIA	H. Voss: Lorenzo de Caro, Festschr. U. Middeldorf, Berlin 1968. N. Spinosa in: Dizionario Bolaffi, III, 1972. *R. Salvini: Catalogo della Galleria degli Uffizi, Firenze 1954, p. 93. N. Spinosa in: Storia di Napoli, VIII, 1971, p. 494 ss.*	B. Berenson, Indici 1909. *G. Morelli. Le Gallerie Borghese e Doria, 1897, 249.*	E. Auerbach: Tudor Artists, London 1954. *Cat., Firenze 1971, n. 9.*	E. Auerbach: Tudor Artists, London 1954. *Cat., Firenze 1971, n. 11.*
INVENTARIO	6388.	1883 (C.P. p. 143, n. 444).	3569.	3570.
FOTO	129849.	176281.	165948.	133274.
NOTE	Il dipinto fu acquistato nel 1917 con la attribuzione a F. de Mura, accettata dal Salvini. Tuttavia lo Spinosa ha dimostrato (1971) che si tratta del bozzetto preparatorio per una tela eseguita intorno al 1760-65 da Lorenzo de Caro per la chiesa di S. Maria della Pazienza alla Cesarea (Napoli). M.C.	In buono stato di conservazione. Il Morelli dubitava dell'autografia, confermata dal Berenson. Nel 753 era esposto in Galelria come autoritratto di Luca di Leida. G.M.	Datato in alto a destra: 1603. Il ritratto è 'pendant' del N. 3568, e, come per quello, la provenienza non ne è documentata. Anna di Danimarca (1574-1619), figlia di Federico II re di Danimarca, sposò Giacomo I nel 1589. Protettrice delle arti, si disinteressò della politica di corte, dedicandosi completamente all'allestimento di spettacoli e alla costruzione della Queen's House a Greenwich. M.C.	Datato in alto a destra: 1603. Enrico, principe di Galles (1594-1612), figlio maggiore di Giacomo I d'Inghilterra e di Anna di Danimarca, divenne cavaliere della Giarrettiera nel giugno 1603: il ritratto, che lo rappresenta con le insegne dell'ordine, fu quindi fatto nella seconda metà di quell'anno. Nel 1612, anno della morte di Enrico, il re d'Inghilterra iniziò trattative con il granduca di Toscana per il matrimonio del figlio con una delle figlie del granduca, Caterina. Può darsi che questo ritratto, insieme con quelli dei genitori di Enrico, venisse inviato a Firenze in quell'occasione, ma è solo un'ipotesi. M.C.

	P508	P509	P510	P511
Autore	De Critz, John, il Vecchio (Anversa? 1552 - Londra 1642), scuola di.	De Critz, John, il Vecchio (Anversa? 1552 - Londra 1642).	De Heem, Jan Davidsz (Utrecht 1606 - Anversa 1683-84).	De Heem, Jan Davidsz (Utrecht 1606 - Anversa 1683-84).
Titolo	Ritratto di Giacomo I d'Inghilterra.	Ritratto di Giacomo I d'Inghilterra.	Natura morta.	Festone di fiori e frutta.
Datazione	1603.	1608.	1650-60 ca.	1660 ca. (Bodart 1977).
Dati tecnici	Olio su tela, 75,7x61,6.	Olio su tavola, 113x83.	Olio su tela, 60,7x73.	Olio su tela, 57x81, restauro 1969.
Cornice	Sagomata, tinta di giallo, sec. XVII.	Sagomata e dorata, sec. XVII.	Sagomata, dorata, sec. XVII-XVIII.	Sagomata, dorata, sec. XVII-XVIII.
Ubicazioni	Uffizi (sec. XIX).	Uffizi (1704).	Castello (sec. XVIII); Uffizi (1796).	Pitti (inizi sec. XVIII); Uffizi (1796).
Attribuzioni	—	—	—	David Jansz de Heem (Wurzbach). Jan Davidsz de Heem (Pieraccini 1905 ca., M. L. Hairs 1955, Chiarini 1969, Bodart 1977).
Esposizioni	Firenze e l'Inghilterra. Rapporti artistici e culturali dal XVI al XX secolo, Firenze 1971.	Firenze e l'Inghilterra. Rapporti artistici e culturali dal XVI al XX secolo, Firenze 1971.	—	Dipinti restaurati delle Gallerie fiorentine, Firenze 1969. Rubens e la pittura fiamminga del Seicento nelle collezioni pubbliche fiorentine, Firenze 1977.
Bibliografia	E. Auerbach: Tudor Artists, London 1954. *Cat., Firenze 1971, n. 8.*	E. Auerbach: Tudor Artists, London 1954. *R. Strong: Three Royal Jewels..., in The Burlington Mag., 1966, p. 350. Cat., Firenze 1971, n. 10.*	J. Rosenberg - S. Slive - E. H. Ter Kuile: Dutch Art and Architecture 1600-1800, Harmondsworth 1966. *A. von Wurzbach: Niederl. Künstlerlexikon, Wien - Leipzig 1906, vol. I, p. 657.*	J. Rosenberg - S. Slive - E. H. Ter Kuile: Dutch Art and Architecture 1600-1800, Harmondsworth 1966. *Cat., Firenze 1977, n. 48.*
Inventario	3568.	2389.	1244 (C.P., p. 138, n. 924).	1261 (C.P., p. 137, n. 939).
Foto	175026.	175027.	—	217394.
Note	Giacomo I (1566-1625), figlio di Maria regina di Scozia e di Lord Darnley, divenne re di Scozia all'abdicazione della madre nel 1567, e divenne re d'Inghilterra nel 1603. Questo tipo di ritratto risale dunque al momento dell'incoronazione a re di Gran Bretagna, ed ebbe una grande diffusione, documentata dai numerosi esemplari esistenti, due dei quali anch'essi delle Gallerie di Firenze (Inv. 1890, n. 2478, e Inv. P.I.). La data 1603 è leggibile in alto a destra. Il ritratto ha come 'pendant' uno di Anna di Danimarca, moglie di Giacomo. Di entrambi non si conosce la provenienza. M.C.	Dopo che il dipinto venne esposto alla mostra del 1971, M. Webster ha rinvenuto un documento nel Public Record Office di Londra nel quale si documenta che questo ritratto fu pagato all'artista, ritrattista ufficiale della corte inglese tra il 1605 e il 1642, nel 1608. Non sappiamo come sia pervenuto a Firenze, ma è possibile che sia stato acquistato da Cosimo de' Medici nel suo viaggio in Inghilterra nel 1669; era appeso nel Corridoio Vasariano nel 1704, insieme con un ritratto di Anna di Danimarca, moglie di Giacomo, non rintracciato. Per M. Webster è il più bell'esemplare di questo tipo di ritratto, del quale esistono versioni con varianti. Qui Giacomo porta le insegne regali e il 'Mirror of England' sul cappello, un gioiello creato per lui e simboleggiante l'unione dei regni d'Inghilterra e di Scozia. Per notizie biografiche di Giacomo, si veda il n. 3568. M.C.	Il dipinto può essere confrontato con altre composizioni dell'artista di questo tipo e dove compaiono elementi decorativi e oggetti analoghi. L'Hoogewerff (1919) pensa che anche questo dipinto sia stato comprato da Cosimo III de' Medici durante uno dei suoi due viaggi nei Paesi Bassi (1667 e 1669). M.C.	Firmato al centro sul davanzale: J. D. De Heem. Il Wurzbach (1906) pensava che il quadro fosse del figlio di Jan. Il dipinto, che fece parte della collezione del principe Ferdinando de' Medici, figlio di Cosimo III, può essere stato comprato da quest'ultimo durante uno dei due viaggi da lui compiuti nei Paesi Bassi (1667 e 1669). M.C.

	P512	P513	P514	P515
AUTORE	De Hondt, Lambert (Malines ? - prima del 1665), attr. a.	De Hondt, Lambert (Malines ? - prima del 1665), attr. a.	Del Bianco, Baccio (Firenze 1604 - Madrid 1656), attr. a.	Dell'Abate, Niccolò (Modena 1509 ca. - ultima notizia in Francia 1571).
TITOLO	Scena di battaglia.	Soldati in un paesaggio.	Orfeo all'Inferno.	Ritratto di giovane uomo.
DATAZIONE	Prima metà sec. XVII.	Prima metà sec. XVII.	1625-50 ca.	1540 ca.
DATI TECNICI	Olio su tela, 58,5x85.	Olio su tela, 58x84,5.	Olio su tela, 137x195.	Olio su tavola, 47x41.
CORNICE	Sagomata, intagliata e dorata, sec. XVII.	Sagomata, intagliata e dorata, sec. XVII.	Sagomata e dorata, sec. XVII.	Modanata e dorata.
UBICAZIONI	Coll. Feroni (ante 1850); Uffizi (1866); Cenacolo di Foligno (1894).	Coll. Feroni (ante 1850); Uffizi (1866); Cenacolo di Foligno (1894).	Uffizi (sec. XIX).	Pitti (1796); Uffizi (1796).
ATTRIBUZIONI	Albert Cuyp (Cat. Feroni 1895). L. De Hondt (Bodart 1977).	Albert Cuyp (Cat. Feroni 1895). L. De Hondt (Bodart 1977).	—	Parmigianino (Inv. Antichi, Pieraccini 1907 e seg., Poggi 1926). Niccolò Dell'Abate (Berti 1971).
ESPOSIZIONI	—	—	—	—
BIBLIOGRAFIA	R. Wilenski: Flemish Painters, London 1960. *Catalogo della Galleria Feroni, Firenze 1895, p. 12. D. Bodart: in Cat. Rubens e la pittura fiamminga del Seicento nelle collezioni pubbliche fiorentine, Firenze 1977, p. 327, n. LXVII.*	R. Wilenski: Fleminsh Painters. London 1960. *Catalogo della Galleria Feroni, Firenze 1895, p. 12. D. Bodart: in Cat. Rubens e la pittura fiamminga del Seicento nelle collezioni pubbliche fiorentine, Firenze 1977, p. 327, n. LXVIII.*	M. Gregori: in Arte antica e moderna IV, 1961. M. Chiarini: I disegni italiani di paesaggio dal 1600 al 1750, Treviso 1972. C. Thiem: Florentiner Zeichner des Frühbarock, München 1977.	G. Briganti, La Maniera Italiana, Roma 1961. S. Beguin, Niccolò Dell'Abate, Catalogo della Mostra, Bologna, 1969.
INVENTARIO	S. Marco e Cenacoli 51.	S. Marco e Cenacoli 67.	3807.	1377 (C.P. p. 143, n. 1061).
FOTO	160002.	160003.	183535.	151432.
NOTE	Falsamente siglato in basso a destra: AL.C. Riferito, col suo 'pendant' al n. 67, ad Albert Cuyp nel catalogo della Galleria Feroni, il dipinto è piuttosto fiammingo, come ha riconosciuto il Bodart, che lo attribuisce al De Hondt. M.C.	'Pendant' del n. 51, al quale si rinvia per il commento storico-o critico. M.C.	Il dipinto, la cui provenienza non è documentata, reca un'attribuzione al Del Bianco risalente al 1890 ma forse tradizionale. La scena si inserisce nella tradizione scenografica fiorentina tra il 1625 e il 1650 circa e riflette un'influsso nordico, soprattutto fiammingo, che fu introdotto in particolare da Filippo Napoletano, al cui stile e alla cui tematica il quadro è particolarmente legato. Poiché la figura dell'artista e ingegnere al quale l'opera è attribuita, attivo alla corte medicea fino al 1650 e quindi a quella spagnola soprattutto come apparatore di spettacoli, è ancora da ricostruire, si lascia l'opera sotto il suo nome in attesa di ulteriori accertamenti. M.C.	Il quadro pervenne agli Uffizi dalla Guardaroba nel 1796, Filza XXVIII, ins. 52) e compare negli inventari fino a tutto l'Ottocento come opera del Parmigianino (cfr. AGF Inv. dal 1796 al 1890). L.B.B.

	P516	P517	P518	P519
AUTORE	Della Bella, Stefano (Firenze 1610-1664).	Della Montagna, Rinaldo, detto Monsù Montagna (Belgio o Olanda ? - Padova 1644), attr. a.	Della Montagna, Rinaldo, detto Monsù Montagna (Belgio o Olanda ? - Padova 1644).	Delli, Dello? (Fiorentino, attivo nel secondo e terzo quarto del sec. XV).
TITOLO	Incendio di Troia.	Vascello nella tempesta.	Vascelli nella tempesta.	Epifania.
DATAZIONE	1634 ca. (Borea 1975).	1630-40 ca.?	Prima metà sec. XVII.	Prima metà del sec. XV.
DATI TECNICI	Pietra di paragone ovale, controfondata da tavola 43,5x58,8.	Olio su tela, 124x169.	Olio su tela, 74x97.	Tempera su tavola, 36x53.
CORNICE	Doppia cornice: ovale interna in ebano a onde, rettangolare esterna in ebano a onde e pietre dure.	—	Sagomata, dorata, sec. XVII.	Legno aggettante, intagliato a motivi vegetali stilizzati, dorato.
UBICAZIONI	La Petraia (1649); Poggio Imperiale (sec. XVIII); Uffizi (1861). Montecitorio, Roma (1925); Uffizi (1977).	Uffizi (sec. XIX).	Coll. Feroni (ante 1850); Uffizi (1866); Cenacolo di Foligno (1894).	O. Maghedini (1782); Uffizi (1782); Accademia (1936 ca.); Uffizi (1961); Palazzo Davanzati (1961).
ATTRIBUZIONI	Stefano Della Bella (1649). Anonimo (1861). Anonimo fiammingo (1890). Filippo Napoletano? (Chiarini 1970). Stefano della Bella (Borea 1975).	—	—	Dello Delli (Maghedini 1782). Scuola Toscana (Pieraccini 1914). Maestro vicino a Botticelli (Procacci 1936).
ESPOSIZIONI	La quadreria di don Lorenzo de' Medici, Poggio a Cajano 1977.	—	—	—
BIBLIOGRAFIA	*E. Borea, in Cat., Poggio a Cajano 1977, n. 11, pp. 38-39.*	C. Donzelli - G. M. Pilo: I pittori del Seicento veneto, Firenze 1967. M. Roethlisberger: Cavalier Tempesta, Delaware 1970. E. Borea: in Cat. La quadreria di Don Lorenzo de' Medici, Firenze 1977.	C. Donzelli-G.M. Pilo: I pittori del Seicento veneto, Firenze 1967. M. Roethlisberger: Cavalier Pietro Tempesta and His Time, Deladare 1970. E. Borea: in Cat. La quadreria di don Lorenzo de' Medici, Firenze 1977. *Catalogo della Galleria Feroni, Firenze 1895, p. 12.*	Thieme-Becker, IX, 1913. F. Fremantle, Florentine Gothic Painters, London 1975, p. 596. *U. Procacci, La R. Galleria dell'Accademia, Roma 1936, p. 42.*
INVENTARIO	4974.	5308.	S. Marco e Cenacoli 160.	485 (C.P., p. 67, n. 58).
FOTO	278307-10.	160919.	168554.	308575.
NOTE	Reca a tergo nel controfondo la scritta antica 305 e un sigillo in ceralacca illeggibile. Insieme al suo pendant, di Vincenzo Mannozzi, raffigurante l'Inferno, fu eseguito per don Lorenzo de' Medici. Perduta memoria del suo autore e sfuggito all'attenzione sino ad oggi, veniva riconosciuto come opera di Stefano Della Bella, l'unico dipinto sinora ascrivibile con sicurezza documentaria al grande incisore (Borea 1975). È un pezzo eccezionale anche come pittura su pietra. Un disegno preparatorio si conserva nel Gabinetto Disegni e stampe degli Uffizi. E.B.	Il dipinto reca l'attribuzione a 'Monsù Montagna' negli inventari ottocenteschi. Come è stato più volte messo in evidenza, la questione su 'Monsù Montagna' e i suoi affini, come il Plattenberg (vedi Nn. 1241 e 1312 a quest'ultimo attribuiti agli Uffizi), è tutt'altro che risolta. Quello che è certo, che numerosi sono i quadri del Montagna ricordati negli inventari delle collezioni medicee e in parte giunti sino a noi. Tuttavia, come in questo caso, è difficile documentare l'attribuzione del dipinto a questo artista che sembra fosse attivo a Firenze per i Medici e altre famiglie. M.C.	La complesso vicenda attributiva e biografica che lega il nome dell'artista a quello del Plattenbergh e di altri 'marinisti' citati nelle fonti, è stata riassunta dalla Borea (1977). Il problema è tuttavia tuttora aperto, e scarsissimi sono i dati documentari per giungere a una definizione definitiva di queste personalità. Si accetta, quindi, il riferimento tradizionale, proposto dal catalogo di provenienza, del dipinto Feroni. M.C.	Il dipinto offerto in vendita quale opera del pittore Dello Delli e acquistato per sei zecchini d'oro insieme al n. 484 nel 1890, sempre del medesimo artista, dal sig. Ottavio Maghedini il 5-2-1782 (cfr. AGF filza XV ins. 8); entrambi furono posti nella Galleria degli Uffizi; successivamente, in data imprecisata, esposti nella Galleria dell'Accademia dove si trovavano nel 1936; nel 1961, dopo una breve sosta negli Uffizi, furono collocati nel Museo di Palazzo Davanzati. L.B.B.

	P520	P521	P522	P523
AUTORE	Delli, Dello? (Firenze, attivo nel secondo e terzo quarto del sec. XV).	De Molyn, Pieter (Londra 1595 - Haarlem 1661).	De Moucheron, Frederick (Emden 1633 - Amsterdam 1686).	De Moucheron, Frederick (Emden 1633 - Amsterdam 1686).
TITOLO	Predicazione di San Pietro Martire.	Paesaggio con ponte di legno.	Paesaggio.	Paesaggio.
DATAZIONE	Prima metà del sec. XV.	1656 ca.	1660-70 ca.	1660-70 ca.
DATI TECNICI	Tempera su tavola, 36x52.	Olio su tavola, 38,5x60, restauro 1975.	Olio su tela, 73x89,5.	Olio su tela, 72,5x86.
CORNICE	Legno aggettante intagliata e dorata.	Sagomata, dorata, sec. XVII-XVIII.	Ebano, sec. XIX-XX.	Ebano, sec. XIX-XX.
UBICAZIONI	O. Maghedini (1782); Uffizi 1782); Accademia (1936); Uffizi (1961); Palazzo Davanzati (1961).	Pitti (sec. XVIII); Uffizi (1796); Pitti (1928).	Pitti (sec. XVIII); Uffizi (1774).	Pitti (sec. XVIII); Uffizi (1774).
ATTRIBUZIONI	Dello Delli (Maghedini 1782). Scuola toscana (Pieraccini 1914). Maestro vicino a Botticelli (Procacci 1936).	—	—	—
ESPOSIZIONI	—	—	—	—
BIBLIOGRAFIA	Thieme-Becker, IX, 1913. R. Fremantle, *Florentine Gothic Painters*, London 1975, p. 596. *U. Procacci, La R. Galleria dell'Accademia, Roma 1936, p. 43.*	O. Grandberg: *Pieter de Molyn und seine Kunst*, in Zeit. f. bild. Kunst, 1884. *A.I. Rusconi: La Galleria Pitti, Roma 1937, p. 172.*	J. Rosenberg - S. Slive - E. H. Ter Kuile : *Dutch Art and Architecture 1600-1800*, Harmondsworth 1966. *G. Poggi: Galleria degli Uffizi. Cat. dei dipinti, Firenze 1927, p. 186.*	J. Rosenberg - S. Slive - E. H. Ter Kuile: *Dutch Art and Architecture 1600-1800*, Harmondsworth 1966. *G. Poggi: Galleria degli Uffizi. Cat. dei dipinti, Firenze 1927, p. 184.*
INVENTARIO	484 (C.P., p. 67, n. 57).	1290 (C.P., p. 128, n. 966).	1270 (C.P., p. 135, n. 948).	1287 (C.P., p. 136, n. 963).
FOTO	308571.	108690.	321826.	321835.
NOTE	Il dipinto, fu offerto in vendita quale opera del pittore Dello Delli e acquistato per sei zecchini d'oro insieme al n. 485 inv. 1890 sempre del medesimo autore, dal signor Ottavio Maghedini il 5-2-1782 (fr. AGF, filza V ins. 8); entrambi furono posti nella Galleria degli Uffizi; successivamente in data imprecisata, esposti nella Galleria dell'Accademia dove si trovavano già nel 1936; nel 1961 di nuovo agli Uffizi ma subito dopo vengono collocati nel Museo di Palazzo Davanzati. L.B.B.	Firmato in basso a sinistra: P. Molyn. Sul retro scritta su cartellino: Pitti 12. Maggio 1796. Come ha indicato C. van Hasselt (Cat. mostra Dessins de paysagistes hollandais du XVIIe siècle, Bruxelles Rotterdam-Paris Berne 1968-69, sub n. 103), per questa composizione esistono due disegni preparatori (uno a Torino, Bibl. Reale), uno dei quali datato 1656. M.C.	Firmato in basso a destra: Moucheron. La provenienza del dipinto non è documentata. 'Pendant' del n. 1287. M.C.	Firmato in basso nel mezzo: Moucheron F. La provenienza del dipinto non è documentata. 'Pendant' del n. 1270. M.C.

	P536	P537	P538	P539
AUTORE	Dolci, Carlo (Firenze 1616-86).	Dolci, Carlo (Firenze 1616-86).	Dolci, Carlo (Firenze 1616-86).	Dolci, Carlo (Firenze 1616-86).
TITOLO	Madonna del dito.	Discesa dello Spirito Santo.	San Simone.	S. Filippo Neri.
DATAZIONE	1660-80.	1670 ca.	1670 ca.	1670-85 ca.
DATI TECNICI	Olio su rame (ovale), 27x20.	Olio su tavola, 64x44.	Olio su tela, 40x27.	Olio su tela (ovale), 58x43.
CORNICE	Intagliata, dorata, sec. XVII-XVIII.	Originale intagliata e dorata.	Settecentesca, intagliata e dorata.	Sagomata, dorata, sec. XVII-XVIII.
UBICAZIONI	Coll. Feroni (ante 1850); Uffizi (1866); Cenacolo di Foligno (1894).	Pitti (fino al 1798); Uffizi (1798); Museo Comunale, Arezzo (1937).	Coll. Del Sera; Uffizi (1777); Pitti (1928).	Coll. Feroni (ante 1850); Uffizi (1866); Cenacolo di Foligno (1894).
ATTRIBUZIONI	—	—	—	—
ESPOSIZIONI	—	—	—	—
BIBLIOGRAFIA	C. Del Bravo: Carlo Dolci devoto del naturale, in Paragone, n. 163, 1963. Painting in Florence 1600-1700, cat. a cura di C. Mc Corquodale, Londra 1979; C. Rigoni: Cat. della Galleria degli Uffizi, Firenze 1891, p. 108. Catalogo della Galleria Feroni, Firenze 1895, p. 7.	C. Del Bravo, in Paragone, 163, 1963. C. McCorquodale, in Apollo, XCVII, 1973.	C. Del Bravo, in Paragone, 163, 1963. C. McCorquodale, in Apollo, XCVII, 1973. Painting in Florence 1600-1700, London-Cambridge 1979.	C. Del Bravo: Carlo Dolci, devoto del naturale, in Paragone, n. 163, 1963. Painting in Florence 1600-1700, cat. a c. di C. Mc Corquodale, Londra 1979; Catalogo della Galleria Feroni, Firenze 1895, p. 6.
INVENTARIO	S. Marco e Cenacoli 65.	1526 (C.P., p. 163, n. 1201).	1556 (C.P., p. 167, n. 1226).	S. Marco e Cenacoli 69.
FOTO	204551.	Sopr. Gall. Arezzo, 20869.	128381.	204556.
NOTE	Il dipinto è in genere accoppiato con una immagine di Cristo o fanciullo (come nel caso della Galleria Pitti) o adulto, come in questo caso (vedi n. 58). Immagine devozionale popolarissima, e della quale si conoscono numerose versioni (altre due anche a Roma, Galleria Pallavicini e Galleria Borghese), anche in questo caso sembra trattarsi di opera della bottega o degli allievi e seguaci. M.C.	Del dipinto esiste una replica autografa nella collezione del Duca di Buccleuch, (Bowhill, Selkirk), pubblicata da C. McCorquodale (1973) che porta a tergo un'iscrizione con firma, data (1674): "...ottava del Santissimo Sacramento". La tavola del Museo Comunale di Arezzo presenta alcune varianti nella composizione che risulta più affollata e asimmetrica. Una datazione intorno ai primi anni '70 sembra confermata dall'anteriorità stilistica - nella resa più morbida dei panneggi - nei confronti della versione inglese. M.G.	Le iscrizioni sul tergo: "Aless.o del Sera", "Dall'Ered. ... del Sera, tela 54", e la documentazione in AGF (Filza X, c. 54 n. 15) attestano la provenienza del dipinto dall'eredità del Sera acquistata il 15 giugno 1777. Databile intorno ai primi anni '70 per la stretta affinità stilistica con la figura del San Zaccaria nel San Giovannino dormiente della Galleria Palatina (databile 1673). M.G.	Filippo Neri (Firenze 1515 - Roma 1595) fondò l'ordine dei Padri dell'Oratorio ed ebbe larghissimo seguito popolare. Uno dei protagonisti della Controriforma, fu canonizzato nel 1622. Il dipinto presenta le caratteristiche stilistiche delle opere tarde del Dolci, quando l'influenza delle idee religiose dei suoi mecenati, Vittoria della Rovere e Cosimo III de' Medici, ne condizionarono fortemente lo stile. M.C.

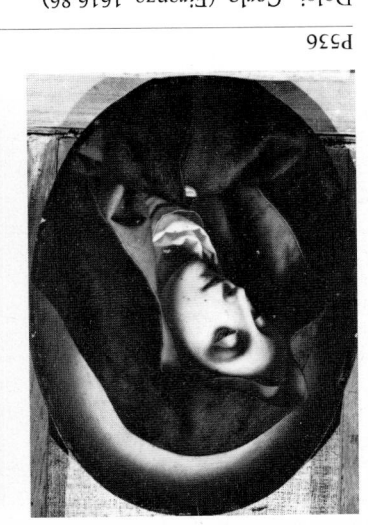

Pinacoteca

	P532	P533	P534	P535
AUTORE	Dolci, Carlo (Firenze 1616-86).	Dolci, Carlo (Firenze 1616-86).	Dolci, Carlo (Firenze 1616-86).	Dolci, Carlo (Firenze 1616-86).
TITOLO	Santa Maria Maddalena.	Angelo annunziante.	Annunziata.	Ecce Homo.
DATAZIONE	1660-70.	1660-80 ca.	1660-80.	1660-80.
DATI TECNICI	Olio su tela, 73,5x56,5.	Olio su tela (ovale), 72x52.	Olio su tela (ovale), 72x55.	Olio su rame (ovale), 27x20.
CORNICE	Originale, intagliata e dorata.	Sagomata, con riporti intagliati, sec. XIX.	Sagomata, con riporti intagliati, sec. XIX.	Intagliata, dorata, sec. XVII-XVIII.
UBICAZIONI	Pitti (1700-1710); Uffizi (1769); Pitti (1928); Uffizi (1946).	Coll. Feroni (ante 1850); Uffizi (1866); Cenacolo di Foligno (1894).	Coll. Feroni (ante 1850); Uffizi (1866); Cenacolo di Foligno (1894).	Coll. Feroni (ante 1850); Uffizi (1866); Cenacolo di Foligno (1894).
ATTRIBUZIONI	—	—	—	—
ESPOSIZIONI	—	—	—	—
BIBLIOGRAFIA	C. Del Bravo, in Paragone, 163, 1963. C. McCorquodale, Painting in Florence 1600-1700, London-Cambridge 1979. M. Chiarini, in Apollo XCVII, 1973, M. Chiarini, in Paragone, 301, 1975, p. 79, 96 nota 122.	C. Del Bravo: Carlo Dolci, devoto del naturale, in Paragone, 163, 1963. Painting in Florence 1600-1700, cat. a c. di C.Mc Chorquodale, Londra 1979. C. Rigoni: Cat. della Galleria degli Uffizi, Firenze 1891, p. 108, Catalogo della Galleria Feroni, Firenze 1895, p. 6.	C. Del Bravo: Carlo Dolci, devoto del naturale, in Paragone, 163, 1963. Painting in Florence 1600-1700, cat. a cura di C. McCorquodale, Londra 1979. C. Rigoni: Cat. della Galleria degli Uffizi, Firenze 1891, p. 108, Catalogo della Galleria Feroni, Firenze 1895, p. 6.	C. Del Bravo: Carlo Dolci, devoto del naturale, in Paragone, 163, 1963. Painting in Florence 1600-1700, cat. a cura di C. McCorquodale, Londra 1979. C. Rigoni: Cat. della Galleria degli Uffizi, Firenze 1891, p. 108, Catalogo della Galleria Feroni, Firenze 1895, p. 6.
INVENTARIO	768 (C.P., p. 87, n. 186).	S. Marco e Cenacoli 61.	S. Marco e Cenacoli 62.	S. Marco e Cenacoli 58.
FOTO	56537.	2740.	204555.	204549.
NOTE	Identificabile col n. 41 dell'Inventario di Pitti del primo Settecento (A.S.F., Guard., 1185, I., c. 37), si trovava nello stesso luogo nel 1713 quando fu redatto l'Inventario della collezione del Gran Principe Ferdinando (M. Chiarini 1975). Altre repliche e varianti eseguite dal Dolci di questo soggetto: Schleissheim (n. 1230), e ubicazione ignota (foto Kunsthistorisches Institut di Firenze). M.G.	Insieme con il suo 'pendant' n. 62, si tratta di opera certa del Dolci e di grande qualità e finezza di esecuzione, da datarsi nella piena maturità della sua produzione. M.C.	Di qualità ancora più alta dell'angelo annunziante, del quale costituisce 'pendant', e al quale si rimanda. M.C.	Una delle tipiche immagini di devozione create dall'artista e ripetute dalla sua bottega e dai suoi allievi, ai quali spetterà questo dipinto con il suo 'pendant' n. 65. M.C.

Pinacoteca

	P528	P529	P530	P531
AUTORE	De Predis, Giovanni Ambrogio, detto (Maubeuge (Milano 1455 ca. - dopo il 1508).	Desubleo Michele, Sublée Michel, 1601? - Parma 1676).	Diziani, Gaspare (Belluno 1689 - Venezia 1767), attr. a.	Dolci, Carlo (Firenze 1616-86).
TITOLO	Ritratto virile.	Erminia e Tancredi ferito.	La lavanda dei piedi.	Ainolfo de' Bardi (1573-1638).
DATAZIONE	Secc. XV-XVI.	1641.	1709-17 (Zugni Tauro 1971).	1632.
DATI TECNICI	Olio su legno, 60x45, restauro 1979.	Olio su tela, 234x320, restauro 1977	Olio su tela, 71x55.	Olio su tela, 149,5x119, restauro 1954.
CORNICE	Intagliata e dorata a gole e piccoli dentelli.	—	Intagliata, dorata, sec. XVIII.	Intagliata e dorata con stemma Bardi-Serzelli ai 4 angoli, sec. XIX-XX.
UBICAZIONI	Pitti; Uffizi (1861).	La Petraia (1641); Uffizi (1779); Accademia Petrarca, Arezzo, (1930); Uffizi (1977).	Prof. E. Costantini; Uffizi (1907).	Palazzo Bardi; Conte Alberto Bardi - Serzelli; Pitti (1954); Uffizi (1972).
ATTRIBUZIONI	Dürer (1861). De Predis (Morelli 1897, Berenson 1932). Altro pittore (Suida 1933).	'Michele fiammingo' (1631), Ottavio Vannini (1779), Michele Desubleo (1977).	Diziani (Derschau 1922, A. P. Zugni Tauro 1971), Pellegrini (Poggi 1927, Micheletti 1959).	—
ESPOSIZIONI	—	La quadreria di don Lorenzo de' Medici Poggio a Caiano, 1977.	Dipinti italiani del Sei e Settecento, Galleria degli Uffizi, Firenze 1959.	Mostra del ritratto italiano. Firenze 1911. Mostra della pittura italiana del Seicento europeo, Firenze 1922. Il Seicento e del Settecento. Roma 1956. Arte e scienza in Toscana, Firenze 1969.
BIBLIOGRAFIA	W. Suida, Leonardo und sein Kreis, München 1929 e Künstlerlexikon XXVII 1933. G. Morelli, Le Gall, Borghese e Doria, Milano 1897, p. 241.	E. Borea, in Cat., Mostra 1977, n. 12, pp. 40-41. E. Borea, Due dipinti di Michele Desubleo in Prospettiva, 11, 1977, pp. 74-75.	J. Von Derschau: Sebastiano Ricci, Heidelberg 1922, p. 159. G. Poggi: Galleria degli Uffizi. Cat. dei dipinti, Firenze 1927, p. 133. A. P. Zugni Tauro: Gaspare Diziani, Venezia 1971, p. 110.	C. Del Bravo in Paragone 163, 1963, A. M. Ciaranfi in Bollettino d'Arte 1954, C. McCorquodale in Apollo XCVIII, 1973.
INVENTARIO	1494 (C.P., p. 143, n. 30 bis).	1591 (C.P., p. 173 n. 1278).	3355 (C.P., p. 205, n. 1576).	9298.
FOTO	5536.	5593; 27944/66-69.	11345.	98572.
NOTE	In buono stato di conservazione.	Dipinto a Bologna nel 1641 su commissione di don Lorenzo de' Medici e destinato alla fiorentina villa della Petraia, ne fu presto dimenticato l'autore; al punto che quando il quadro fu trasportato agli Uffizi lo si attribuì al Vannini, ossia non ne fu più intesa la cultura bolognese. È stato recuperato agli studi come opera rara anzi il capolavoro del Desubleo, fiammingo residente a Bologna.	Acquistato nel 1907 a Firenze presso il prof. E. Costantini con l'attribuzione a Sebastiano Ricci, il dipinto fu attribuito a Gaspare Diziani dal Derschau sulla base dello stile e messo in rapporto con il disegno n. 6913 del Museo Correr di Venezia. Successivamente veniva dal Poggi fatto il nome del Pellegrini, accettato con riserva dalla Micheletti. Più recentemente la Zugni Tauro aderiva alla proposta attributiva del Derschau, ribadendo il carattere dizianesco del dipinto e la sua dipendenza dal disegno del Museo Correr, e datandolo tra il 1709 e il 1717.	A tergo: 'Carlo Dolci fece di sua età anni 16 - 1632'. Citato dal Baldinucci come importante opera di un pittore alle prime armi, è davvero nuovissimo nel taglio al ginocchio, nel gioco sapiente dei piani, nell'ambientazione all'aperto ('in campo d'aria'). Il personaggio, figlio di Giovanni Maria e di Lucrezia Salviati, fu cavaliere di Malta (come attesta la croce bianca sul mantello), e a Malta visse dal 1583 al 1597; fu poi capitano dei lancieri papali a Roma, e dal 1605 al servizio di Ferdinando I de' Medici, che lo impiegò più volte come ambasciatore. È vestito all'ungherese o, come dice Baldinucci, 'in abito da caccia'. Il ritratto, sempre rimasto presso la famiglia dell'effigiato, è un lascito del conte Alberto Bardi Serzelli, ultimo della casata.
	G.M.	E.B.	M.C.	S.M.T.

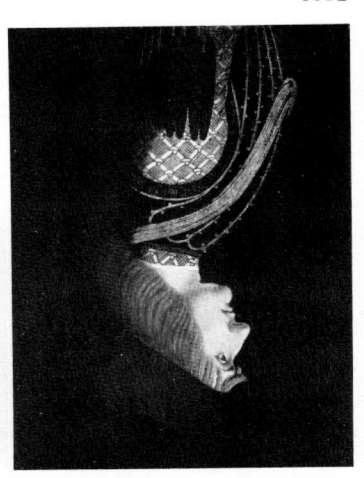

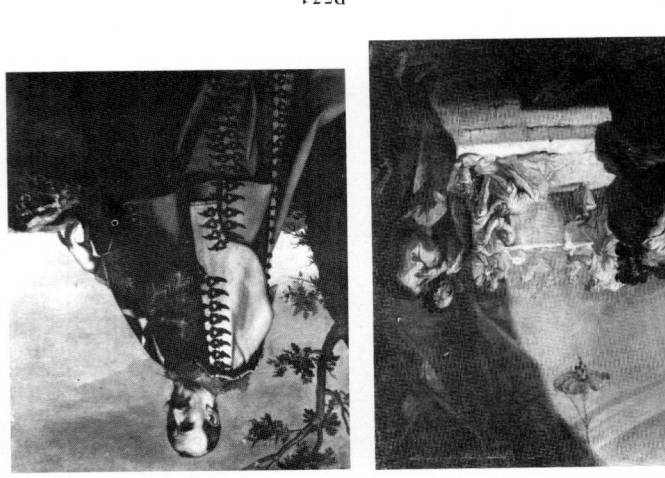
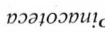

	P524	P525	P526	P527
AUTORE	De Moucheron, Frederick (Emden 1633 - Amsterdam 1686), attr. a.	De Moucheron, Frederick (Emden 1633 - Amsterdam 1686), attr. a.	De Moucheron, Isaac (Amsterdam 1667-1744), attr. a.	De Moucheron, Isaac (Amsterdam 1667-1744), attr. a.
TITOLO	Paesaggio con rovine antiche.	Paesaggio con tomba antica.	Paesaggio.	Paesaggio.
DATAZIONE	Seconda metà sec. XVII.	Seconda metà sec. XVII.	Sec. XVIII.	Sec. XVIII.
DATI TECNICI	Olio su tela, 48x63,5.	Olio su tela, 48x64.	Olio su tela, 74x97.	Olio su tela, 74x97.
CORNICE	Sagomata, dorata, sec. XVII-XVIII.	Sagomata, dorata, sec. XVII.	Sagomata, dorata, sec. XVII-XVIII.	Sagomata, dorata, sec. XVII-XVIII.
UBICAZIONE	Uffizi (sec. XIX).	Uffizi (sec. XIX).	Coll. Feroni (ante 1850); Uffizi (1866); Cenacolo di Foligno (1894).	Coll. Feroni (ante 1850); Uffizi (1866); Cenacolo di Foligno (1894).
ATTRIBUZIONI	—	—	—	—
ESPOSIZIONI	—	—	—	—
BIBLIOGRAFIA	J. Rosenberg - S. Slive - E. H. Ter Kuile: Dutch Art and Architecture, 1600-1800, Harmondsworth 1965. L. Salerno: Pittori di paesaggio del Seicento a Roma, vol. II, Roma 1976.	J. Rosenberg - S. Slive - E. H. Ter Kuile: Dutch Art and Architecture, 1600-1800, Harmondsworth 1966. L. Salerno: Pittori di paesaggio del Seicento a Roma, vol. II, Roma 1976.	A. Zwollo: Hollandse en Vlaamse Veduteschilders te Rome 1675-1725, Assen 1973. Catalogo della Galleria Feroni, Firenze 1895, p. I.	A. Zwollo: Hollandse en Vlaamse Veduteschilders te Rome 1675-1725, Assen 1973. Catalogo dela Galleria Feroni, Firenze 1895, p. I.
INVENTARIO	1066.	1073.	S. Marco e Cenacoli 2.	S. Marco e Cenacoli 4.
FOTO	325040.	176111.	184302.	168529.
NOTE	Il dipinto, che forma coppia con il N. 1073, e la cui provenienza non è documentata, fu esposto agli Uffizi nel XIX-XX sec. con la attribuzione al De Moucheron. Tuttavia tale riferimento non è accettabile in rapporto alle opere documentate dell'artista, e le due tele sembrano stilisticamente più tarde. Di difficile definizione stilistica, presentano generiche caratteristiche nordiche, senza che si possano attribuire con certezza alla scuola olandese. M.C.	Il dipinto, la cui provenienza non è documentata, è 'pendant' del N. 1066, al quale si rinvia per le notizie storico-critiche. M.C.	Il dipinto, che forma 'pendant' col n. 4, è attribuito al Moucheron nel catalogo della collezione di provenienza, ma tale attribuzione è del tutto ingiustificata poiché entrambe le opere non hanno nulla a che vedere con quelle documentate dell'artista. Anche il riferimento alla scuola olandese si presenta problematico, perché i due quadri hanno caratteristiche settecentesche preromantiche che farebbero pensare a un pittore dell'Europa centrale coll'Agricola. M.C.	Per il commento, cfr. il 'pendant' n. 2. M.C.

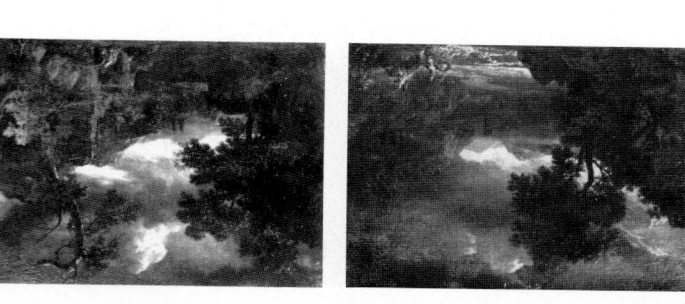

Dipinto non reperibile

	P540	P541	P542	P543
AUTORE	Dolci, Carlo (Firenze 1616-86).	Dolci, Carlo (Firenze 1616-86).	Dolci, Carlo (Firenze 1616-86).	Dolci, Carlo (Firenze 1616-86), copia da.
TITOLO	Ritratto dell'Arciduchessa Claudia Felicita come Galla Placidia.	La Madonna col Bambino e la Beata Solomea appaiono a San Luigi di Tolosa.	San Pietro.	Salomè con la testa del Battista.
DATAZIONE	1672-75.	1681.	Sec. XVII.	Prima metà sec. XVIII.
DATI TECNICI	Olio su tela, 89x70.	Olio su tela, 341,5x228.	Olio su tela, 44x31.	Olio su tela, 106x82.
CORNICE	Originale, intagliata e dorata.	Originale, intagliata e dorata.	—	Originale.
UBICAZIONI	Pitti (1687); Uffizi (1774); Pitti (1928).	Pitti (citazioni 1698, 1700-1710, 1713); Uffizi (1784); Pitti (1928).	Poggio Imperiale (1692); Poggio a Caiano (prima metà XVIII sec.); Uffizi (1773); attualmente non reperito.	Coll. A. De Noe Walker)fino al 1893); Uffizi (1902); Pitti (1962); Palazzo Madama, Roma (1970).
ATTRIBUZIONI	—	—	—	Copia dal Dolci (Del Bravo 1963). Replica di bottega o copia antica dal Dolci (Ewald 1974, McCorquodale 1979).
ESPOSIZIONI	L'art italien de Cimabue à Tiepolo, Paris 1935. Mostra del tessuto italiano antico e moderno, Losanna 1954. Gli Ultimi Medici, Detroit-Firenze 1974.	—	—	—
BIBLIOGRAFIA	C. Del Bravo, in Paragone, 163, 1963. C. McCorquodale, in Apollo, XCVII, 1973. *G. Ewald, in Cat. Mostra Firenze 1974 n. 125.*	C. Del Bravo, in Paragone, 163, 1963. C. McCorquodale, Painting in Florence 1600-1700, London-Cambridge 1979. *C. McCorquodale, in "Apollo", XCVII, 1973, p. 486. P. R. Shaply, Cat. Kress collection, London 1973, p. 85. M. Chiarini, in Paragone, 301, 1975, p. 77, 95 nota 111.*	C. Del Bravo, in Paragone, 163, 1963. C. McCorquodale, in 'Apollo', XCVII, 1973. *M. L. Strocchi, in Paragone, 311, 1976, p. 93 n. 51.*	C. Del Bravo, in Paragone, 163, 1963. C. McCorquodale, in Apollo, XCVII, 1973. *G. Ewald, in Gli Ultimi Medici, Firenze 1974, p. 216. C. McCorquodale, Painting in Florence 1600-1700, London-Cambridge, 1979, p. 60.*
INVENTARIO	2148 (CP., p. 77, n. 207).	747 (C.P., p. 85, n. 165).	1546 (C.P., p. 166, n. 1222).	3115 (C.P., p. 75, n. 1535).
FOTO	153711.	301741 (e particolari).	—	155901.
NOTE	Sui fogli di carta inseriti nel libro: "A.S. 1675" e "Al Ser. mo Gran Duca". A tergo su una tavoletta di legno: "I. H. S." con sopra una croce e sotto tre chiodi in una raggiera; in basso: "Imagine della Gloriosa Santa Galla Placidia, Augustissima Imperatrice e ritratto della Augustissima Claudia Felice, fatto a Spruck da me Carlo Dolci, avanti la sua esaltazione al Sacro Imperio". Raffigura Claudia Felicita (1653-76) figlia dell'Arciduca Carlo Ferdinando del Tirolo e di Anna de' Medici, e fu eseguito in occasione del suo matrimonio con l'Imperatore Leopoldo I. Dipinto a Innsbruck nel 1672. venne in seguito riportato a Firenze dal Dolci e trasformato, per volere di Cosimo III, in un ritratto di Galla Placidia (Baldinucci, ed. 1847, V, p. 353). La data 1675 si riferisce dunque a questo secondo intervento, quando, nel frattempo, Claudia Felicita era divenuta Imperatrìce (1673). M.G.	Il dipinto, secondo il Baldinucci (ed. 1847, V, pp. 355-6), fu commissionato al pittore intorno al 1675 dal canonico Bocchineri per la Chiesa di San Francesco a Prato. Non completamente terminato, sempre secondo il biografo, alla morte del Dolci, il quadro rimase nella sua bottega. Un decennio più tardi è già inventariato a Palazzo Pitti (Chiarini 1975). Un bozzetto per la tela si trova nella collezione Kress di New Orleans e porta sul tergo le date di riscossione dei pagamenti dal 1676 al 1681 (Shapley 1973, p. 85). Attualmente la tela presenta alcune cadute di colore in basso e una lacuna nella pellicola pittorica a destra. M.G.	L'attuale irreperibilità della tela non ha permesso di accertare l'identificazione di questo San Pietro con la descrizione dell'inventario della Villa del Poggio Imperiale del 1692: "Un quadro in tela, alto 2/3;lar.o 1/2; dipintovi, dissero di mano di Carlin Dolci, un San Pietro fino a mezzo busto in atto di voltar la testa, e mirare il cielo, con chiavi in mano [...] veste turchina" (A.S.F., Guard. 995, c. 33 n. 13). Presumibilmente lo stesso San Pietro è quello che si trovava nella prima metà del Settecento nel "gabinetto di opere in piccolo" del Gran Principe Ferdinando a Poggio a Caiano (Strocchi 1976) e che passò, descritto negli stessi termini, agli Uffizi nel 1773 (Filza VI, ins. 96, n. 51). M.G.	Donato nel 1893 da Arturo de Noe Walker. Espunto dal catalogo del Dolci dal Del Bravo (1963, p. 41). Si tratta di una copia, probabilmente settecentesca, dalla *Salomè* dell'Art Gallery di Glasgow. Il prototipo del soggetto fu eseguito dal pittore tra il 1678 e il 1681 per i Rinuccini (McCorquodale 1979) e venne in seguito replicato più volte. Redazioni autografe: Galleria di Dresda, Art Gallery di Glasgow, Art Museum di Phoenix, Collezioni Reali di Hampton Court, coll. Segrè-Sartorio di Trieste. Altre copie: Victoria and Albert Museum di Londra, Museum of Fine Arts di Boston. M.G.

	P544	P545	P546	P547
AUTORE	Dolci, Carlo (Firenze 1616-86), bottega di.	Domenichino, Zampieri D., detto il (Bologna 1581 - Napoli 1641).	Domenichino, Zampieri D., detto il (Bologna 1581 - Napoli 1641) copia da.	Domenichino, Zampieri D., detto il (Bologna 1581 - Napoli 1641) copia da.
TITOLO	Santa Lucia.	Ritratto del Cardinale Agucchi.	Paesaggio con Predica del Battista.	Paese con battesimo nel fiume Giordano.
DATAZIONE	1670 ca.	1605.	Sec. XVII.	Sec. XVII.
DATI TECNICI	Olio su tela, 51x41,5.	Olio su tela, 142x112, restauro 1975.	Olio su tela 57,2x75, restauro 1969.	Olio su tela 57,5x74,8, restauro 1969.
CORNICE	Lorenese dorata.	Nera con ghirlanda di bocci dorati.	Dorata e liscia.	Dorata e liscia.
UBICAZIONI	Poggio Imperiale (cit. 1692); Pitti (cit. 1700-1710, 1713); Uffizi; Pitti (ante 1926).	Uffizi (1794).	Napoli; Uffizi 1793).	Napoli; Uffizi (1793).
ATTRIBUZIONI	Carlo Dolci (Inv. 1692; Chiarini, 1975).	—	Domenichino (1793). Domenico Ambrogi (1863). Domenichino (Chiarini 1969). Copia da Domenichino (Borea 1975).	Ambrogi Domenico (1863). Domenichino (Chiarini 1969); copia da Domenichino (Borea 1975).
ESPOSIZIONI	—	Pittori bolognesi del Seicento nelle Gallerie di Firenze, Firenze 1975, n. 92.	Dipinti restaurati delle Gallerie fiorentine, Firenze 1969; Pittori bolognesi del Seicento nelle Gallerie di Firenze, Firenze 1975.	Dipinti restaurati delle gallerie fiorentine, Firenze 1969; Pittori bolognesi del Seicento nelle Gallerie di Firenze, Firenze 1975.
BIBLIOGRAFIA	C. Del Bravo, in Paragone, 163, 1963. C. McCorquodale, in Apollo, XCVII, 1973. *M. Chiarini, in Paragone, 303, 1975, pp. 80, 104 nota 217.*	E. Borea, Domenichino, Milano-Firenze 1965, p. 17 in *Idem, Cat., Firenze 1975, n. 92, pp. 121-23.*	*E. Borea, in Cat., Firenze 1975, n. 95 a, pp. 126-27.*	*E. Borea, in Cat., Firenze 1975, n. 95 b, pp. 126-27.*
INVENTARIO	1513 (C.P., p. 162, n. 1147).	1428 (C.P., p. 156 n. 1109).	1415.	1422.
FOTO	5438.	207598, 207600.	149282.	149283.
NOTE	Recentemente riscoperto da Marco Chiarini (1975). Del dipinto esiste un'altra redazione che si trova nella Galleria Palatina (n. 295); le descrizioni precise degli inventari antichi (A.S.F., Guard. 995, c. 139; Guard. 1185, I, c. 35 n. 36; Guard. 1222, c. 33r) che sottolineano la presenza della ferita al collo e del gioiello sulla spalla destra, permettono tuttavia la sicura identificazione di questo esemplare, stilisticamente databile intorno al 1670. Non è da escludersi l'intervento della bottega. M.G.	Scritta in alto a destra: Hieronimus S.R.E. Card. Aguchia. Fu acquistato da privati per gli Uffizi (1794) con attribuzione fondata sul confronto con l'Autoritratto degli stessi Uffizi. Risulta dalle fonti che Domenichino fu legato alla famiglia Agucchi in Roma. Girolamo fu eletto cardinale nel 1604 e morì l'anno seguente. Il dipinto è un capolavoro della ritrattistica ufficiale dell'epoca, di gran finezza psicologica e lucidità pittorica. Un disegno preparatoria e a Windsor Castle tra i fogli originali del Domenichino (Pope Heinnessy, 1948). E.B.	Comperato a Napoli come originale per `500 scudi insieme al suo pendant (n. 1422), è verosimilmente una copia da originale domenichiniano non conosciuto, non paragonabile per qualità agli esemplari certi del maestro bolognese. E.B.	Comperato a Napoli nel 1793 come originale per 500 scudi insieme al suo pendant (n. 1515), è una copia con varianti e in minor formato del quadro del Domenichino ora a Cambridge, Fittzwilliam Museum, databile sul 1635. E.B.

	P548	P549	P550	P551
AUTORE	Domenico Veneziano (Venezia 1400 ca. - Firenze 1461).	Dossi, Dosso, Luteri Gian Battista (Ferrara 1489 ca. - 1542).	Dossi, Dosso, Luteri Gian Battista (Ferrara 1489 ca. - 1542).	Dossi, Dosso, Luteri Gian Battista (Ferrara 1489 ca. - 1542).
TITOLO	Pala di S. Lucia dei Magnoli.	Riposo durante la fuga in Egitto.	Apparizione della Vergine ai S.S. eGiov. Battista e Giov. Evangelista.	Ritratto di guerriero.
DATAZIONE	1440-42 (Pope - Hennessy 1939, 1951), 1440-45 (Ponghi, 1925, 1929), 1445 ca. (Pudelko 1934), 1445-48 (Salmi 1938 (Berti 1958), 1448 ca. (Offner 1939), 1450 ca. (Clark 1944).	1510-12 (Mendelsohn 1914), 1620 ca. (Mezzetti 1965), 1519-25 (Puppi 1965).	1520-30.	1530-40 ca.
DATI TECNICI	Tempera su tavola, 209x216. Ripulitura 1862.	Tempera su tavola, 52x42,6.	Olio su tavola trasportata su tela, 153x114.	Olio su tela 86x70.
CORNICE	—	Dorata e intagliata a motivi di pesci guizzanti.	Dorata, piatta, intagliata a motivi vegetali.	Dorata e intagliata a sottosquadro, a motivi vegetali astratti.
UBICAZIONI	S. Lucia dei Magnoli (dall'origine); Uffizi (1862).	Pitti (1832); Uffizi (1919).	S. Martino, Codigoro; Municipio Codigoro (1911); Uffizi (1913).	Uffizi (1798).
ATTRIBUZIONI	Pesello (Vasari 1550). Andrea del Castagno (Vasari 1568). Domenico Veneziano (Rumohr 1920).	Dosso (Inghirami 1832).	—	Sebastiano del Piombo (Inv. 1798). Dosso (Gruyer 1897, Zwanziger 1911, Longhi 1934). Schedoni (D'Achiardi 1908). Battista Dossi (Mendelsojn 1914). Dosso? (Mezzetti 1965). Bernardino Asola (Gibbons 1968).
ESPOSIZIONI	Mostra di quattro maestri del primo Rinascimento, Firenze 1954.	—	—	Pittura ferrarese del Rinascimento, Ferrara 1933.
BIBLIOGRAFIA	G. Pudelko: Studien über D.V. in 'Mitteilungen des Kunsthistorischen Institutes von Florenz', IV, 1954. *Cat., Firenze 1954, n. 35.*	A. Mezzetti, Il Dosso e Battista ferraresi, Milano 1965, p. 17 e p. 87. F. Gibbons, Dosso and Battista Dossi, Princeton 1968, p. 177.	A. Mezzetti, Il Dosso e Battista ferraresi, Milano 1965, pp. 24 e 86. F. Gibbons, Dosso and Battista Dossi, Princeton 1968, pp. 176-77.	A. Mezzetti, Il Dosso e Battista Ferraresi, Milano 1965, p. 56 e p. 87. F. Gibbons, Dosso e Battista Dossi, Princeton 1968, p. 253.
INVENTARIO	884 (C.P., p. 188, n. 1305).	8382.	Depositi 7.	889 (C.P., p. 84 n. 627).
FOTO	55592 (e particolari).	157469.	321814.	157470.
NOTE	Il dipinto raffigura la Madonna in trono col Bambino tra i Santi Francesco, Giovanni Battista, Zanobi e Lucia. L'autore è indicato da una scritta in basso: 'OPUS DOMINICI DE VENETIIS HO MATER DEI MISERERE MEI... DATUM EST' scoperta dal Rumohr. La predella, composta di cinque pannelli (Stimmate di S. Francesco, S. Giovanni nel deserto, Annunciazione, Miracolo di San Zanobi, Martirio di S. Lucia), è divisa fra la Galleria Nazionale di Washington, il Fritzwilliam Museum di Cambridge e i Musei di Berlino. L. Bell.	La datazione controversa non comporta dubbi sull'appartenenza dell'opera a Dosso. E.B.	Fu acquistato con atto del 1913 per gli Uffizi dall'allora direttore Giovanni Poggi (AGF 994). Non si si ha documentazione circa la collocazione originaria a Codigoro. E.B.	L'attribuzione a Dosso non è indiscussa. Il carattere giorgionesco dell'opera è deviante: ma ciononondimeno l'attribuzione a Dosso ribadita dal Longhi sembra la più corretta. Problematica è anche la datazione, non risolta dagli studiosi, e comunque tarda. E.B.

	P552	P553	P554	P555
AUTORE	Dossi, Dosso, Luteri Gian Battista (Ferrara 1489 ca. - 1542).	Dou, Gerrit (Leida 1613-75).	Dou, Gerrit (Leida 1613-1675).	Duccio di Boninsegna (Siena 1255 ca. - 1319).
TITOLO	Stregoneria o Allegoria di Ercole.	La venditrice di frittelle.	Il maestro di scuola, o La scuola serale.	Madonna Rucellai.
DATAZIONE	1535 ca. (Gibbons 1968); 1540 ca. (Mezzetti 1965).	1650-55 ca. (Martin 1913).	1660-65 (Martin 1913).	1285.
DATI TECNICI	Olio su tela, 143x144.	Olio su tavola centinata, 44x34.	Olio su tavola, 46x36,5.	Tempera su tavola, 450x290.
CORNICE	Dorata scolpita a motivi di serpi attorti, contemporanea al dipinto.	Ebano, sec. XIX-XX.	Ebano, sec. XIX-XX.	Originale.
UBICAZIONI	Pitti (1665); Uffizi (1950).	Uffizi (1704).	Gran Principe Ferdinando de' Medici, Poggio a Caiano (inizi sec. XVIII); Uffizi (1753).	Chiesa di S. Maria Novella (dall'origine); Uffizi (1948).
ATTRIBUZIONI	—	'Carlo d'Anù' (inv. Uffizi 1704 e 1753: evidente svista dello scrivano). Dou (inv. Uffizi 1796).	—	Cimabue (Vasari, 1550 e 1568). Duccio (Wickhoff 1899). Maestro della Madonna Rucellai (Suida 1905). Duccio (A. Venturi 1907, Longhi 1948, e tutta la critica successiva).
ESPOSIZIONI	Pittura ferrarese del Rinascimento, Ferrara 1933.	—	—	Mostra Giottesca, Firenze 1937.
BIBLIOGRAFIA	A. Mezzetti, Il Dosso e Battista Ferraresi, Milano 1965. F. Gibbons, Dosso e Battista Dossi, Princeton 1968, pp. 98-103, 177-78.	J. Rosenberg - S. Slive - E. H. Ter Kuile: Dutch Art and Architecture 1600-1800, Harmondsworth 1966. *W. Martin: Gerard Dou, Stuttgart - Berlin 1913, p. 136.*	J. Rosenberg - S. Slive - E.H. Ter Kuile: Dutch Art and Architecture 1600-1800, Harmondsworth 1966. *W. Martin: Gerard Dou, Suttgart-Berlin 1913, p. 192, n. 177.*	*Cattaneo-Baccheschi, L'opera completa di Duccio, Milano 1972. Cat., Firenze 1937, n. 86. L. Marcucci, I dipinti Toscani del secolo XIII..., Roma 1958, n. 22.*
INVENTARIO	Palatina 148.	1246 (C.P., p. 134, n. 926).	1109 (C.P., p. 132, n. 786).	s.n.
FOTO	523325	109182.	109171.	3323 (e particolari), 26844 (e particolari).
NOTE	Il dipinto è stato acquistato a Siena nel 1665 per conto del cardinal Leopoldo de' Medici (Giglioli 1910). Si discute sul soggetto, dato in principio come 'bambocciata', se sia una scena di stregoneria o una allegoria di Ercole. E.B.	La provenienza del dipinto non è documentata. Hoogewerff (1919) e Gerson (1942) pensano che possa essere stato acquistato da Cosimo III de' Medici durante uno dei due viaggi compiuti nei Paesi Bassi. Fu esposto a lungo nella Tribuna degli Uffizi. M.C.	Firmato sulla traversa dello sgabello a destra: GDOV (per il Martin sarebbe falsa). La provenienza non è documentata: mentre Hoogewerff (1919) e Gerson (1942) pensano che possa essere stato acquistato da Cosimo de' Medici durante uno dei due viaggi fatti nei Paesi Bassi, esiste tuttavia la possibilità che il quadro sia stato inviato dall'Elettore Palatino del Reno, cognato di Ferdinando, che gli mandò in dono due volte, nel 1706 e nel 1708, dipinti fiamminghi e olandesi (com. di M.L. Strocchi). M.C.	Già nella cappella dei Laudesi (poi di S. Gregorio) in S. Maria Novella, fu poi spostata e infine collocata nella cappella Rucellai (1570 ca.) da cui prende il nome. Fu commissionata a Duccio il 15 aprile 1285 dalla Compagnia dei Laudesi di S. Maria Novella, fondata da S. Pietro Martire, che è uno dei numerosi santini a mezzo busto raffigurati lungo tutta la cornice entro piccoli tondi. È l'opera capitale della fase giovanile di Duccio di Boninsegna. L. Bell.

	P556	P557	P558	P559
AUTORE	Duccio di Boninsegna (?) (Siena 1255 ca. - 1319).	Dudot, René (? attivo 1653-59).	Dufresnoy, Charles-Alphonse (Parigi 1611? - Billiers-le-Bel 1668).	Dughet, Gaspard (Roma 1615-75), attr. a.
TITOLO	Madonna col Bambino (già Tadini - Boninsegni).	Riposo nella fuga in Egitto.	La morte di Socrate.	Paesaggio con pastori.
DATAZIONE	Sec. XIV.	1650 ca.	1650 ca.	1640 ca. (Chiarini 1967).
DATI TECNICI	Tempera su tavola, centinata, 83x54, fondo ridorato nel 1906 ca.	Olio su tela, 66x50, restauro 1977.	Olio su tela, 122x155, restauro 1977.	Olio su tela, 50x65, pulitura 1967.
CORNICE	Senza cornice, entro una teca foderata di velluto verde.	Liscia, dorata, sec. XVIII.	—	Sagomata, dorata, sec. XVII.
UBICAZIONI	Coll. Virginia Boninsegni, Siena; Coll. Tadini - Boninsegni, Pisa - Firenze (ante 1906); Coll. Contini Bonacossi (ante 1951); Uffizi (1974), Dep. Meridiana di Pitti.	Uffizi (1793).	Parigi; Uffizi (1793).	Coll. Feroni (ante 1850); Uffizi (1866), Cenacolo di Foligno (1894).
ATTRIBUZIONI	Duccio (D'Achiardi 1906). Bottega di Duccio (Lusini 1913, Salmi 1969). Ignoto tra Ugolino da Siena e il Maestro di Città di Castello (Brandi 1951).	Sebastien Bourdon (acquisto 1793). Dudot (Rosenberg 1977).	Dufresnoy (Favi 1793). Bouzonnet-Stella (Blunt 1974).	Valentin Pietro (Cat. Feroni 1895). Dughet (Chiarini 1967, Rosenberg 1977).
ESPOSIZIONI	—	Pittura francese nelle collezioni pubbliche fiorentine, Firenze 1977.	Mostra temporanea di alcune pitture straniere, Firenze 1964. Pittura francese nelle collezioni pubbliche fiorentine, Firenze 1977.	Paesisti, Bamboccianti e vedutisti nella Roma seicentesca, Firenze 1967.
BIBLIOGRAFIA	C. Brandi: Duccio, Firenze 1951. M. Salmi, in Bollettino d'arte, 4, 1967.	P. Rosenberg: Invent. des Collections Publiques Françaises: Rouen, Paris 1966, p. 45. *Cat., Firenze 1977, n. 54.*	Thieme-Becker, 1914. *Cat. Firenze 1977, n. 55*	A. Blunt: Art and Architecture in France, 1500-1700, Harmondsworth 1954. *Catalogo della Galleria Feroni, Firenze 1895, p. 14. Cat., Firenze 1967, n. 45. P. Rosenberg: cat. Pittura francese nelle collezioni pubbliche fiorentine, Firenze 1977, p. 221, n. XLI.*
INVENTARIO	Contini Bonacossi 26.	1005 (C.P., p. 72, n. 660).	1015 (C.P., p. 115, n. 694).	S. Marco e Cenacoli 145.
FOTO	217236 e part.	252593.	124825.	204581.
NOTE	Non si hanno prove sicure per affermare l'esistenza dell'opera presso i Boninsegni fin dall'antichità e la provenienza diretta dal loro antenato Duccio. Si tratta certamente di parte centrale di trittico, alla quale poco prima del 1906 è stato rifatto il fondo d'oro (D'Achiardi, in L'Arte, IX, 1906, p. 372). Il Brandi la riferisce a un ipotetico 'maestro della Madonna Tadini - Boninsegni', intermedio fra Ugolino da Siena e il Maestro di Città di Castello, accostandola alla Madonna n. 583 della Pinacoteca di Siena. L'opera è entrata nelle collezioni della Galleria in seguito a una donazione, accompagnata da una convenzione, degli eredi del conte Alessandro Contini Bonacossi (1969). C.C.	Firmato in basso a sinistra: DVDOT. Acquistato per Ferdinando III di Lorena, con altri quadri francesi, a Parigi nel 1793 con l'attribuzione a S. Bourdon, il recente restauro ha rivelato la firma di un pittore noto finora solo per un dipinto del Museo di Rouen. P. Rosenberg ha confermato l'attribuzione al Dudot. M.C.	Il dipinto fu acquistato, con altri quadri francesi, nel 1793 a Parigi da Francesco Favi, per conto del granduca Ferdinando IIII di Toscana. Attribuito allora al Dufresnoy, l'attribuzione è stata respinta dal Blunt, mentre più inclinati ad accettarla sono il Thuillie e il Rosenberg: quest'ultimo avvicina il dipinto a due quadri dell'artista già a Potsdam, entrambi del 1647. M.C.	Per il commento, si veda il 'pendant' n. 144. M.C.

	P560	P561	P562	P563
Autore	Dughet, Gaspard (Roma 1615-75), attr. a.	Dughet, Gaspard (Roma 1615 - 1675).	Dughet, Gaspard (Roma 1615-75), scuola di.	Dughet, Gaspard (Roma 1615-75), scuola di.
Titolo	Paesaggio con pastori e pescatori.	Paesaggio con pescatore.	Paesaggio con cacciatori.	Paesaggio con viandanti.
Datazione	1640 ca. (Chiarini 1967).	1660-70 ca.	1670-90 ca.	1670-90 ca.
Dati tecnici	Olio su tela, 50x65 ,pulitura 1967.	Olio su tela, 51x40.	Olio su tela, 148x223.	Olio su tela, 150x220.
Cornice	Sagomata, dorata, sec. XVII.	Liscia, dorata, sec. XVII.	Sagomata, dorata, sec. XVII.	Sagomata, dorata, sec. XVII.
Ubicazioni	Col. Feroni (ante 1850); Uffizi (1866); Cenacolo di Foligno (1894).	Pitti (inizi sec. XVIII); Poggio a Caiano (1710 ca.); Uffizi (1773).	Coll. Feroni (ante 1850); Uffizi (1866); Cenacolo di Foligno (1894).	Coll. Feroni (ante 1850); Uffizi (1866); Cenacolo di Foligno (1894).
Attribuzioni	Valentin Pietro (Cat. Feroni 1895). Dughet (Chiarini 1967, Rosenberg 1977).	—	—	—
Esposizioni	Paesisti, Bamboccianti e vedutisti nella Roma seicentesca, Firenze 1967.	Paesisti, Bamboccianti e Vedutisti nella Roma seicentesca, Firenze 1967. Pittura francese nelle collezioni pubbliche fiorentine, Firenze 1977.	—	—
Bibliografia	A. Blunt: Art and Architecture in France 1500-1700, Harmondsworth 1954. *Catalogo della Galleria Feroni, Firenze 1895, p. 14. Cat., Firenze 1967, n. 44. P. Rosenberg: cat. Pittura francese nelle collezioni pubbliche fiorentine, Firenze 1977, p. 221, n. XL.*	*Cat., Firenze 1967, n. 46. M.L. Strocchi, Il 'gabinetto d'opere in piccolo' del Gran Principe Ferdinando a Poggio a Caiano, Paragone, 1976, 311, p. 101. Cat., Firenze 1977, n. 112.*	L. Salerno: Pittori di paesaggio del Seicento, a Roma vol. II, Roma 1976. *Catalogo della Galleria Feroni, Firenze 1895, p. 2.*	L. Salerno: Pittori di paesaggio nel Seicento a Roma, Roma, vol. II, 1976. *Catalogo della Galleria Feroni, Firenze 1895, p. 2.*
Inventario	S. Marco e Cenacoli 144.	988 (C.P., p. 72, n. 668).	S. Marco e Cenacoli 14.	S. Marco e Cenacoli 11.
Foto	204580.	133461.	184301.	168531.
Note	Il dipinto, con il suo 'pendant' n. 145, è attribuito a un pittore anagraficamente non rintracciabile e che, per la grafia data nel catalogo della collezione di provenienza, sembrerebe francese. I due dipinti, comunque, rispondono allo stile della prima fase del pittore naturalizzato italiano Gaspard Dughet, detto Pussino, in una fase nella quale riflette ancora l'ascendente del cognato, Nicolas Poussin. M.C.	Il quadro, ricordato in palazzo Pitti nei primi anni del Settecento (Arch. Stato, Firenze, Guardaroba Med. 1185, III, cc. 1233-34), venne a far parte, prima del 1710, della collezione di quadri di piccole dimensioni adunata in una sala della villa di Poggio a Caiano dal principe Ferdinando de' Medici. Il quadro è sempre stato attribuito al Dughet, come attestano gli antichi inventari e una scritta sul retro della cornice (Di Monsù Gasparo Pussino). Come documentato da un cartellino sul tergo della tela, esso pervenne alla Galleria degli Uffizi nel dicembre 1773. M.C.	Per il commento di questo dipinto, si veda il N. 11 che ne costituisce il 'pendant'. M.C.	Il paesaggio, con il 'pendant' N. 14, presenta caratteristiche stilistiche della scuola di Gaspard Dughet, come afferma il catalogo della collezione di provenienza. In particolare nella tipologia del paesaggio di gusto barocco e nella fattura, le due tele si avvicinano al più diretto scolaro del Dughet, Crescenzio Onofri (Roma 1632 ca. - Firenze 1713 ca.). M.C.

	P564	P565	P566	P567
AUTORE	Duia, Pietro (doc. a Venezia dal 1520 al 1529).	Dürer, Albrecht (Norimberga 1471-1528).	Dürer, Albrecht (Norimberga 1471-1528).	Dürer, Albrecht (Norimberga 1471-1528).
TITOLO	Sacra conversazione con S. Pietro e Santa (?)	Ritratto del padre.	L'Adorazione dei Magi.	Il grande Calvario.
DATAZIONE	Inizio sec. XVI.	1490.	1504.	1505.
DATI TECNICI	Tempera su tavola, 53x73.	Olio su tavola, 47,5x39,5.	Olio su tavola, 99x113,5.	Penna e pennello con lumeggiature in biacca su carta preparata in verde, 58x40.
CORNICE	Sec. XVIII/XIX, neoclassica, legno intagliato e dorato.	Moderna (1952).	Moderna (1952).	Moderna (1975).
UBICAZIONI	Guardaroba; Uffizi (1798).	Endres Dürer (?); W. Imhoff, Norimberga (?, 1573); Rodolfo II, Vienna (?, 1588); Card. Leopoldo de' Medici (ante 1675); Guardaroba (1677); Poggio Imperiale (sec. XVIII); Uffizi (1773).	Chiesa del Castello di Wittenberg (dall'origine); Collezioni imperiali, Vienna (1603); Uffizi (1793).	W. Pirckheimer (?); famiglia Inhoff, Norimberga; Imperatore Rodolfo II, Praga (1589); Imperatore Ferdinando II; Ferdinando II de' Medici (1628).
ATTRIBUZIONI	Cima da Conegliano (agli Uffizi come tale, 1784 G.le e inv. 1825 e 1890). Bissolo (cat. Pieraccini, cat. Cruttwell).	—	—	Bottega di A. D. (Springer 1906, Tietze 1930, Panofsky 1943, 1948, 1955). Falso di manierista rudolfino ca. 1600 (Haack 1928). Hans von Kulmbach (Oehler 1960).
ESPOSIZIONI	—	Albrecht Dürer Ausstellung. Norimberga 1928. Albrecht Dürer Ausstellung, Norimberga 1971.	—	—
BIBLIOGRAFIA	F. Heinemann, Giovanni Bellini e i belliniani, Venezia 1962, 2 voll. *G. Ludwig, Archivalische Beiträge etc... der Venezianischen Malerei, in Jahrbuch der K. Preuz. Kunstsammlungen. XXVI, 1905.*	F. Anzelewsky, A. Dürer, das malerische Werk, Berlin 1971. *E. Buchner, das deutsche Bildnis, etc., Berlin 1953, n. 166. Cat., Norimberga 1971, n. 82.*	F.F. Anzelewsky, A. D., das malerische Werk, Berlin 1971. *I. Hiller - H. Vey, Kat. d. deutschen... Gemälde... im Wallraf - Richartz Museum der Stadt Köln, Köln 1969, p. 50.*	R. Salvini, Dürer. Disegni, Firenze 1973. *F. Winkler, Die Zeichnungen A. D. s, II, Berlin 1937. W. L. Strauss, The Complete Drawings of A. D., II, New York 1974. W. Koschatzky-A. Strobl, Die D.-Zeichnungen der Albertina, Wien 1971.*
INVENTARIO	904 (C.P., p. 202, n. 584).	1086 (C.P., p. 122, n. 766).	1434 (C.P., p. 150 n. 1141).	8406 (C.P., p. 94, n. 761).
FOTO	323314.	—	143513.	228967.
NOTE	L'attribuzione al Duia fu proposta per la prima volta dal Ludwig e in seguito accettata senza discussioni (cfr. B. Berenson, Italian pictures of the Renaissance, Venetian School, London 1957). Lo Heinemann nota la stretta derivazione, per la parte centrale del dipinto, dalla Madonna col Bambino di Giovanni Bellini della coll. Burrel di Glascow. Il personaggio femminile di destra solitamente indicato come « santa », ha i caratteri di una possibile committente. A.P.	La data 1490 e il monogramma AD nel fondo a sinistra furono aggiunti più tardi probabilmente dallo stesso Dürer. La data originale 1490 si trova a tergo sotto gli stemmi in alleanza Dürer e Holper. La presenza dello stemma della famiglia materna e le registrazioni degli inventarî della coll. Imhoff di Norimberga (1573, 1580, 1588) hanno dato luogo alla probabile ma non incontrastata ipotesi che si tratti di una delle due tavole di un dittico con i ritratti di Albrecht Dürer il Vecchio e della moglie Barbara Holper. Il primo fu acquistato nel 1588 da Rodolfo II ed è probabilmente identificabile col nostro, il secondo fu dopo il 1633 venduto ad Amsterdam e se ne sono perdute le tracce. R.S.	Da Vienna nel 1793 per cambio con la Presentazione al Tempio di Fra Bartolommeo. Antiche descrizioni ne accertano l'origine da Wittenberg (malgrado la scomparsa di una figura di S. Giuseppe, prob. aggiunta controriformistica poi eliminata), mentre è escluso che provenga, come fu supposto, dal Castello del Buonconsiglio di Trento. È pure da escludere che costituisse la tavola centrale del 'Trittico Jabach' (ante nei Musei di Monaco, Francoforte e Colonia). Datata e siglata sulla pietra a sin. in basso, accanto alla macina. Culmine dell'arte di A. D. subito prima del secondo viaggio in Italia. R.S.	Siglato e datato 1505 (le ultime due cifre non più leggibili, ma copie antiche recano 1505). Si aggiunge alla serie degli undici disegni (su dodici progettati e prob. eseguiti) dell'Albertina, datati 1503 e 1504, che compongono la c.d. 'Passione Verde'. Supposto da alcuni il modello per un rilievo ligneo che dodici tavolette in pittura, sul modello dei disegni dell'Albertina, avrebbero contornato formando un'ancona ad intaglio (*Schnitzaltar*), da altri (Panofsky) il bozzetto della stazione finale di una Via Crucis da tradursi in pittura per la chiesa palatina di Wittenberg, da altri infine (Röttgen 1961, Anzelewsky 1967, Koschatzky Strobl 1971) considerato come parte di una serie di disegni della Passione. Schizzi preparatorî a Coburg e a Berlino. R.S.

	P568	P569	P570	P571
AUTORE	Dürer, Albrecht (Norimberga 1471-1528).	Dürer, Albrecht (Norimberga 1471-1528).	Dürer, Albrecht (Norimberga 1471-1528).	Dürer, Albrecht (Norimberga 1471-1528), scuola di.
TITOLO	S. Filippo Apostolo.	S. Giacomo Apostolo.	La Madonna della pera.	Il Presepio .
DATAZIONE	1516.	1516.	1526.	Sec. XVI.
DATI TECNICI	Tempera su tela, 45x38.	Tempera su tela, 46x37.	Olio su tavola, 43x31.	Olio su tavola, 47x40.
CORNICE	Ottocentesca semplice in oro.		Moderna (1952).	Dipinta di giallo e dorata.
UBICAZIONI	Dono dell'imperatore Ferdinando II al Granduca Cosimo II (1620).		Guardaroba; Pitti (inizi sec. XVIII); Poggio a Caiano; Uffizi (1773).	Guardaroba; Uffizi (1796); Pitti, Depositi; Uffizi (1970).
ATTRIBUZIONI	—		Dubbi sull'autografia (Waldmann 1919, Stechow 1944).	Scuola tedesca (Inv. 1881). Scuola di A. Durero (Inv. 1890).
ESPOSIZIONI	Dürer - Ausstellung, Norimberga 1928.		Dürer - Ausstellung, Norimberga 1928.	—
BIBLIOGRAFIA	F. Anzelewsky, A. D. Das malerische Werk, Berlin 1971. *Cat. Norimberga 1928, n. 62. F. Baldinucci, Not. III, Firenze 1728.*		F. Anzelewsky, Albrecht Dürer, das malerische Werk, Berlin 1971. *Cat. Norimberga 1928, n. 72.*	E. Panofsky, Albrecht Dürer, Princeton, 1958.
INVENTARIO	1089 (C.P., p. 123 n. 777).	148592.	1171 (C.P., p. 124 n. 851).	1172.
FOTO	109170.	1099 (C.P., p. 126 n. 768).	144049.	323338.
NOTE	Reca nel fondo in alto il monogramma AD, la data 1516 e la scritta 'Sancte Philippe Ora Pro Nobis'. La citazione di una testa di Apostolo datata 1518 nella coll. Imhoff di Norimberga e di un'altra offerta in vendita all'inizio del sec. XVII dal pittore Friedrich von Falkenburg a Francoforte (che dallo schizzo contenuto nella lettera di offerta del predetto pittore appare simile alle nostre) rende probabile l'ipotesi che il S. Filippo, e il S. Giacomo (v. scheda P569) con cui fa coppia, facessero originariamente parte di una serie di teste dei dodici Apostoli, se non compiuta, almeno progettata e in parte eseguita dal maestro. R.S.	Reca nel fondo in alto il monogramma AD, la data 1516 e la scritta 'Sancte Jacobe Ora Pro Nobis'. V. Scheda P568 'S. Filippo' (Cfr. 1890 n. 1089). R.S.	Reca la sigla AD e la data 1526. Chiara la traccia di un pentimento nella pera, dapprima dipinta assai più grande. R.S.	Nell'inventario del 1881 (n. 873) risulta come 'Scuola tedesca', solo nell'inv. 1890 specificata. Gr. Red. 3

	P572	P573	P574	P575
Autore	Dürer, Albrecht (Norimberga 1471-1528), copia da.	Dürer, Albrecht (Norimberga 1471-1528), attr. a.	Elsheimer, Adam (Francoforte 1578 - Roma 1610), scuola di.	Empoli, Chimenti Jacopo, detto l' (Firenze 1551-1640).
Titolo	La cattura di Cristo.	Ritratto di giovane uomo.	Apollo e i buoi di Admeto.	Ritratto di Giovan Battista Gambetti.
Datazione	Sec. XVI.	Sec. XVI-XIX?	1620 ca.	1594.
Dati tecnici	Olio su rame, 39x28.	Olio su tavola, 34x24.	Olio su rame, 26x19,7.	Olio su tavola, 96x72.
Cornice	Sagomata, dorata, sec. XVII.	Intagliata e dorata, sec. XVII-XVIII.	Ebano, sec. XIX, XX.	Originale.
Ubicazioni	Pitti (ante 1713); Uffizi (sec. XIX).	Coll. Feroni (ante 1850); Uffizi (1866); Cenacolo di Foligno (1894).	Castello (1769); Uffizi (1779).	Coll. Rivani; Uffizi (1814); Pitti (1928?).
Attribuzioni	—	Dürer? (Cat. Feroni 1895).	Elsheimer (Inv. Uffizi 1779 e 1825, Pieraccini 1905 ca., Weizsäcker 1936-52, Holzinger 1951). Breenbergh (Schaar 1959-60, Andrews 1977). Poelenburgh? (Chiarini 1967). G. Wals (Hohl 1973).	—
Esposizioni	—	—	Aufgang der Neuzeit, Norimberga 1952. Il Seicento europeo, Roma 1956. La pittura del Seicento a Venezia, Venezia 1959. Adam Elsheimer, Francoforte 1966-67. Paesisti, Bamboccianti e vedutisti nella Roma seicentesca, Firenze 1967.	Mostra del Cinquecento toscano, Firenze 1940.
Bibliografia	M. Chiarini: in Paragone, n. 303, 1975, p. 100.	E. Panofsky: Albrecht Dürer, L'opera completa di Albrecht Dürer, Milano. Catalogo della Galleria Feroni, Firenze 1895, p. 8.	K. Andrews: Adam Elsheimer, London 1977. Cat., Francoforte 1966-67, n. 40. Cat., Firenze 1967, n. 12.	S. De Vries, in Rivista d'Arte, V, 1933. A. Forlani - A. Bianchini, in Cat. Mostra di disegni di Jacopo da Empoli, Firenze 1962. Cat., Firenze 1940, 2 ed., pp. 197-8.
Inventario	2186.	S. Marco e Cenacoli 42.	1080 (C.P., p. 123, n. 758).	2124 (C.P., p. 74, n. 3405).
Foto	186098.	159998.	132654.	5445.
Note	È una copia, probabilmente di mano nordica e ancora del sec. XVI, dell'incisione corrispondente della serie della Grande Passione dell'artista di Norimberga. Fece parte della collezione radunata dal principe Ferdinando de' Medici in palazzo Pitti ed è menzionato nell'inventario steso alla sua morte (1713). M.C.	Il ritratto, identificato nel catalogo della collezione di provenienza, con quello di Enrico Bless di Dinant, è attribuito interrogativamente al Dürer. Esso tuttavia non solo non è opera del pittore tedesco,, ma la sua fattura lascia dubitare che si tratti di un falso ottocentesco. M.C.	Sul retro la scritta: Adamo Elsheimer Luglio 1779. Da un documento di archivio, sappiamo che il dipinto era nella Villa di Castello nel 1761, ma le sue tracce non risalgono più indietro. Quadro famoso, attribuito unanimemente al pittore tedesco, fino a quando lo Schaar lo attribuì a Bartolomeus Breenbergh, mentre il Chiarini pensa piuttosto al Poelenburgh. Anche K. Andrews lo esclude decisamente dal novero delle opere elsheimeriano. Da scartare l'attribuzione al Wals, dopo gli Studi recenti del Roethlisberger sull'artista (The Burlington Magazine 1979). Il soggetto è preso da Ovidio, Metamorfosi, II, 687 ss. M.C.	Sulla lettera tenuta in mano dal Gambetti: 'Molto ... Giov. Battista Gambetti io vi mando il vostro ritratto et domani vi manderò quello della vostra consorte de' quali ad ogni altro ch'a voi Sig.re verrebbe più di quindici scudi e quello che poi pare a voi già chè vedete di scambiare... cedervi dei quadri il legnaiolo vi verrà a trovare se sarete contento di pagarliene e con g.ia vi raccom.do. Di casa il dì X di settembre 1594. Jac.o da Empoli'. A tergo è scritto: 'Empoli, 24 ottobre 1814 comperato da Rivani per il prezzo di L. 80'. Il dipinto fu infatti acquistato dalle Gallerie nel 1814 e esposto agli Uffizi. Sul personaggio raffigurato, in abito da notabile cittadino, non si sono reperite notizie. M.G.

	P576	P577	P578	P579
Autore	Empoli, Chimenti Jacopo, detto l' (Firenze 1551-1640).	Empoli, Chimenti Jacopo, detto l' (Firenze 1551-1640).	Empoli, Chimenti Jacopo, detto l' (Firenze 1551-1640).	Empoli, Chimenti Jacopo, detto l' (Firenze 1551-1640).
Titolo	Ebbrezza di Noè.	Sacrificio di Isacco.	Onestà di S. Eligio.	Sant'Ivo protettore degli orfani.
Datazione	Ultimo decennio sec. XVI (Cat. Firenze 1940), 1594 ca. (De Vries 1933), secondo decennio sec. XVII.	Ultimo decennio sec. XVI (Cat. Mostra, Firenze 1940), 1594 ca. (De Vries, 1933), secondo decennio sec. XVII.	1614.	1616.
Dati tecnici	Olio su rame, 31x25.	Olio su rame, 32x25.	Olio su tela, 300,5x190.	Olio su tavola, 288x211.
Cornice	Settecentesca, intagliata e dorata.	Settecentesca, intagliata e dorata.	Listello intagliato e dorato, forse originale.	Settecentesca, dorata.
Ubicazioni	Coll. I. Hugford; Uffizi (1779). Uffizi (1779).	Coll. Hugford; Uffizi (1779).	Compagnia degli Orafi (1614); Accademia (1786); Cenacolo di S. Salvi (1930); Cappella degli Orafi in S. Stefano al Ponte 1932; Uffizi (1972).	Uffizio de' Pupilli (dall'origine); Uffizi (1777); Pitti (1928).
Attribuzioni	—	—	Matteo Rosselli (Pieraccini 1893). Empoli (Gregori 1959).	—
Esposizioni	Mostra del Cinquecento toscano, Firenze 1940.	Mostra del Cinquecento toscano, Firenze 1940.	Internationale Economisch-Historische Tentoonstelling, Amsterdam 1929; Mostra del Cigoli e del suo ambiente, San Miniato 1959; Dipinti salvati dalla piena dell'Arno, Firenze 1966.	—
Bibliografia	A. Forlani - A. Bianchini, in Cat. Mostra di disegni di Jacopo da Empoli, Firenze 1962. *S. De Vries, in Rivista d'Arte, V, 1933, pp. 14-5. Cat., Firenze 1940, n. 12.*	A. Forlani - A. Bianchini, in Cat. Mostra di disegni di Jacopo da Empoli, Firenze 1962. *S. De Vries, in Rivista d'Arte, V, 1933, pp. 14-15. Cat. Firenze 1940, 2 ed., p. 154.*	*Cat., S. Miniato 1959, n. 109; A. Bianchini - A. Forlani, in Cat. Mostra di disegni di Jacopo da Empoli, Firenze 1962.*	S. De Vries, in Rivista d'Arte, V, 1933. A. Forlani - A. Bianchini, in Cat. Mostra di disegni di Jacopo da Empoli, Firenze 1962. *R. E. Spear, in 'Allen Memorial Art Museum Bulletin' 1973, 2.*
Inventario	1531 (C.P., p. 164, n. 1233).	1463 (C.P., p. 164, n. 1245).	8663.	1569 (C.P., p. 168, n. 1261).
Foto	5441.	5442.	112289.	5443 (con particolari).
Note	Sul tergo, su un cartellino: '22 Marzo 1779 dall'Eredità Hugord'. L'acquisto dall'eredità del pittore Ignazio Hugford di questo e di altri 19 dipinti è infatti documentato in A.G.F., Filza XII, c. 30. Pendant del Sacrificio di Isacco degli Uffizi (1890-1463). Numerose le varianti e le repliche, non sempre di sua mano (Palatina, inv. 1890 n. 9413; Galleria Corsini, attr. a F. Curradi; Firenze, collezione privata); questa, di piccole dimensioni e su rame, è supposta dalla De Vries (1933) come prova del quadro in tela con lo stesso soggetto nella collezione Bardi-Serzelli. Come il suo *pendant* col *Sacrificio di Isacco*, questo rame appare databile al secondo decennio. Disegni relativi: Firenze, Gabinetto Disegni e Stampe. M.G.	Sul tergo, su un cartellino: "22 Marzo 1779 dall'Eredità Hugord". L'acquisto dall'eredità del pittore Ignazio Hugford di questo e di altri 19 dipinti è documentato in A.G.F., Filza XII, c. 30. Pendant dell'Ebbrezza di Noè degli Uffizi (1890-1531). La De Vries (1933) lo ritiene un saggio per il concorso ricordato dal Baldinucci (ed. 1846, III, p. 9), per un Sacrificio di Isacco da porsi nella cappella Serragli in San Marco (dopo il 1594); tale concorso fu vinto dall'Empoli e infatti in quella Chiesa si trova la versione in grande su tela di questo soggetto. Tuttavia questo esemplare non è da ritenersi bozzetto preparatorio, bensì replica del quadro famoso e da porsi non prima del secondo decennio del Seicento, come già aveva suggerito il Venturi (9, VII, 1934, pp. 675-6). M.G.	Eseguito entro il 25 giugno 1614 per la Compagnia degli Orafi in via della Crocetta (oggi via Laura), pervenne alle Gallerie nel 1786 (soppressione della compagnia) e fu poi esposto all'Accademia. Dato in seguito in deposito alla cappella degli orafi presso S. Stefano al Ponte, ne fu tolto con la guerra e ridotta ad altri usi la cappella (l'altare è ancora visibile in vicolo Marzio 2) rimase nei depositi fino alla riapertura del Corridoio Vasariano (1972) e qui fu collocato all'imbocco del Ponte Vecchio per i cui artigiani era stato dipinto. Nella figura del Santo (che accusato di furto presentò invece al re Clodoveo due scanni eseguiti con l'argento avuto per uno) è ritratto programmaticamente (comunicazione di Karla Langedijk) lo scultore Pietro Francavilla, pure uscito indenne da una simile accusa; mentre nel paggio all'estrema destra è raffigurato il giovane Jacques Callot. S.M.T.	Sul cartiglio alla base del trono: "Cosm. II Etrur. Dux IIII Jacopo di Chim. [en] ti da Empoli dipinse questa tavola l'anno 1616 in Firenze al tempo che furono Uffiziali de' Mag. Sig. pupilli [...]" (segue l'elenco degli 11 nomi, patronimici e qualifiche dei Magistrati de' Pupilli). Sul polsino destro della figura di vecchio a destra: "Benedetto di Antonio Gimignani provveditore". Quando il dipinto passò agli Uffizi fu sostituito in loco nel 1778 da una copia del pittore Gaetano Neri (A.G.F., Filza X, a. 101; Filza XI, a. 82). Numerosi i disegni preparatori: Firenze, G.D.S.U.; Oberlin (U.S.A.), Allen Memorial Art Museum. M.G.

	P580	P581	P582	P583
AUTORE	Empoli, Chimenti Jacopo, detto l' (Firenze 1551-1640).	Empoli, Chimenti Jacopo, detto l' (Firenze 1551-1640).	Empoli, Chimenti Jacopo, detto l' (Firenze 1551-1640), attr. a.	Fabre, François-Xavier (Montpellier 1766-1837).
TITOLO	Natura morta.	Natura morta.	Ritratto virile.	Ritratto della contessa d'Albany.
DATAZIONE	1621.	1624.	Fine XVI-inizi sec. XVII.	1793.
DATI TECNICI	Olio su tela, 129x151.	Olio su tela, 119x152, restauro 1965.	Olio su tavola, 55x45.	Olio su tela, 93x73.
CORNICE	Intagliata, argentata e dorata, sec. XVII.	Intagliata, argentata e dorata, sec. XVII.	Sagomata, dorata, sec. XVII.	D'epoca, dorata.
UBICAZIONI	Giacomo Arbanasich; Pitti (1922); Uffizi (post 1940).	Giacomo Arbanasich; Pitti (1922); Uffizi (post 1940).	Coll. Feroni (ante 1850); Uffizi (1866); Cenacolo di Foligno (1894).	Coll. d'Albany; Uffizi (1824).
ATTRIBUZIONI	—	—	—	—
ESPOSIZIONI	Mostra del Cinquecento toscano, Firenze 1940.	Mostra del Cinquecento toscano, Firenze 1940. La natura morta italiana, Napoli-Zurigo-Rotterdam 1964.	—	La peinture française à Florence, Firenze 1945. France in the Eighteenth Century, Londra 1968. Firenze e l'Inghilterra, Firenze 1971. Pittura francese nelle collezioni pubbliche fiorentine, Firenze 1977.
BIBLIOGRAFIA	*M. Marangoni in Bollettino d'arte II, 1922-23. M. Gregori in La natura morta italiana, Milano 1964.*	*M. Marangoni in Bollettino d'arte II, 1922-23. M. Gregori in cat. Milano 1964, p. 76.*	A. Venturi: Storia dell'arte italiana, vol. IX, 7, 1934. *Catalogo della Galleria Feroni, Firenze 1895, p. 11.*	*L. Pellicer, François-Xavier Fabre (1766-1837), tesi di dottorato, Università di Parigi IV, 1975. Cat., Firenze 1977, n. 151.*
INVENTARIO	8442.	8441.	S. Marco e Cenacoli 102.	1008 (C.P., p. 116, n. 689).
FOTO	11421.	11422.	204537.	52899.
NOTE	Firmato e datato al centro in alto, sul cartellino appeso alla chiave: Jacopo da Empoli 1621 in Firenze. Fu acquistato col suo pendant (inv. 1890, n. 8441) da Giacomo Arbanasich nel 1922 per 10.000 lire (AGF, Arte 1114). Sono opere tarde, quasi divertissements del pittore; si racconta che si facesse portare dagli allievi i cibi per dipingerli prima e mangiarli poi, tanto da esser soprannominato l'Empilo. S.M.T.	Firmato e datato sull'arnese in alto a destra 'Jacopo da Empoli 1624'. Il quadro e il suo pendant (Inv. 1890, n. 8442) furono acquistati nel 1922 per 10.000 lire da Giacomo Arbanasich (AGF, Arte 1114). Sono fra le più antiche nature morte toscane, allineate in stile con le 'cucine' emiliane e lombarde, e anche con l'analoga produzione spagnola. S.M.T.	Il ritratto non è mai stato discusso dalla critica, e la sua qualità lascia in dubbio circa l'attribuzione allo stesso Empoli, pur presentando elementi stilistici che lo fanno attribuire alla sua cerchia. M.C.	Firmato e datato in basso a destra: F.X.Fabre Florentiae 1793. A tergo è iscritto e datato 1794 il sonetto alfieriano: 'Di quanti ha pregi la mia Donna eccelsi ...'. Luisa di Stolberg (1754-1824), moglie del principe Edoardo Stuart, divenne l'amante del poeta Alfieri e successivamente del pittore Fabre. Questi in ossequio alle ultime volontà dell'amica donò i ritratti di lei e di Vittorio Alfieri agli Uffizi (AGF, filza XLVIII, 6). Il Fabre ha ritratto molte altre volte l'amica: due repliche di questo ritratto (a Mons, città natale della Stolberg e già a Londra, coll. Bower); un ritratto in ovale nel 1796 (Museo Fabre, Montpellier), un ritratto perduto per M.me de Souza; un doppio ritratto con l'Alfieri oggi a Torino, Palazzo Madama; un ritratto con pendant dell'Alfieri, perduto, per Lord Bristol. S.P.

	P584	P585	P586	P587
Autore	Fabre, François-Xavier (Montpellier 1766-1837).	Faccini, Pietro (Bologna ? - Bologna 1602).	Faccini, Pietro (Bologna ? - Bologna 1602).	Faccini, Pietro (Bologna ? - Bologna 1602).
Titolo	Ritratto di Vittorio Alfieri.	Assunzione.	Adorazione dei pastori.	Apparizione della Madonna col Bambino a Santa Caterina della Ruota.
Datazione	1793.	1593-94 (Arcangeli 1959).	Fine sec. XVI.	Fine sec. XVI.
Dati tecnici	Olio su tela, 93x73.	Bozzetto, acquerello e biacca su carta, controfondato in cartone, 32,3x28,2.	Bozzetto, acquarello e biacca su carta, 30,5x26, incollato su cartone, restauro 1974.	Bozzetto, acquarello e biacca su carta, incollato su cartone 48,9x 34,9.
Cornice	D'epoca, dorata.	Dorata a gole.	Dorata a gole.	Noce con listello dorato.
Ubicazioni	Coll. d'Albany; Uffizi (1824).	Uffizi (1793).	Uffizi (inv. 1793).	Uffizi (1793).
Attribuzioni	—	—	Faccini (Inv. 1793). Faccini? (Borea 1975).	Faccini (inv. 1793).
Esposizioni	La peinture française à Florence, Firenze 1945. Pittura francese nelle collezioni pubbliche fiorentine, Firenze 1977.	Mostra dei bozzetti, Firenze 1952; Pittori bolognesi del Seicento nelle Gallerie di Firenze, Firenze 1975.	Mostra dei bozzetti, Firenze 1952. Pittori bolognesi del Seicento nelle Gallerie di Firenze, Firenze 1975.	Mostra dei bozzetti, Firenze 1952. Pittori bolognesi del Seicento nelle Gallerie di Firenze, Firenze 1975.
Bibliografia	L. Pellicer, *François-Xavier Fabre (1766-1837)*, tesi di dottorato, Università di Parigi IV, 1975. *Cat.*, Firenze 1977, n. 152.	E. Borea, in *Cat.*, Firenze 1975, n. 42. M. Di Giampaolo, *Disegni del Faccini*, in *Bollettino d'Arte*, 1979, n. 3, in corso di stampa.	E Borea, in *Cat. Firenze 1975*, n. 47, pp. 61-62.	E. Borea, in *Cat.*, Firenze 1975, n. 43. M. Di Giampaolo, *Disegni del Faccini* in *Bollettino d'arte*, 1979, n. 3, in corso di stampa.
Inventario	1000 (C.P., p. 117, n. 679).	G.D.S.U. 20566.	G.D.S.U. 20567; 1881, II Cat., 72.	G.D.S.U. 19123.
Foto	164753.	219674.	219673.	219678.
Note	Firmato e datato in basso a destra: F.X. Fabre Florentia / 1793. A tergo è iscritto il celebre sonetto del poeta astigiano (1749-1803): 'Sublime specchio di veraci detti...'. Il ritratto, eseguito insieme a quello di Luisa d'Albany e rimasto ad essa dopo la morte del poeta, fu donato dal Fabre stesso agli Uffizi in ossequio alle ultime volontà della contessa: AGF, filza XLVIII, 6. Sono attualmente reperibili una copia di A. Gualdo nel Museo di Roma, una replica da Colnaghi a Londra, e in altra in collezione Degli Alessandri a Firenze. Il Fabre ha ritratto inoltre l'Alfieri nel 1796 (Museo Fabre, Montpellier), nel 1797 (Centro Studi Alfieriani, Asti), e negli ultimi anni (Museo Fabre, Montpellier). Ancora del Fabre, un doppio ritratto del poeta con l'amica a Torino (Palazzo Madama); di una coppia di ritratti eseguiti per Lord Bristol e di un altro commissionato da Lord Holland non è più notizia. S.P.	A tergo in alto a destra si legge: Faccini. Sulla base di questa scritta antica fu attribuito al Faccini un gruppo di disegni, gli stessi forse cui allude il Baldinucci nel 1685, dei quali sei, nell'Ottocento, furono ripassati a olio, incollati su cartone e incorniciati come dipinti per essere esposti in galleria. È stato indicato un rapporto con la figurazione nella parte inferiore della pala con Assunzione in Santa Maria dei Servi a Bologna (Arcangeli 1959). Disegni relativi sono indicati a Chatsworth, collezione Devonshire, a Digione, collezione De La Salle, e uno in collezione privata (Di Giampaolo 1979). E.B.	Fa parte della cosiddetta raccolta di bozzetti, ma in realtà è un disegno, nell'ottocento ripassato a olio e presentato come dipinto, sorte toccata ad altri pezzi del Faccini inventariati nel 1793 come schizzi. Stilisticamente questo è più vicino ai modi del Mastelletta. E.B.	Sul controfondo in cartone si legge: Pietro Faccini. Fa parte della cosiddetta raccolta di bozzetti, mentre in realtà si tratta di un disegno, nell'Ottocento ripassato a olio e presentato come dipinto. La composiizone appare più sviluppata in un disegno della collezione Devonshire a Chatsworth (Di Giampaolo 1979) e pertanto non è escluso che questo fosse preparatorio rispetto a quello. E.B.

	P588	P589	P590	P591
AUTORE	Faccini, Pietro (Bologna ? - Bologna 1602).	Faccini, Pietro (Bologna ? - Bologna 1602).	Faccini, Pietro (Bologna ? - Bologna 1602).	Falconi, Bernardo? (attivo a Pisa, seconda metà XIV secolo).
TITOLO	Apparizione della Madonna e del Salvatore ai S.S. Antonino e Francesco.	Circoncisione.	Compianto di Cristo.	Sogno di S. Romualdo; S. Benedetto consegna la regola a S. Romualdo e ai suoi seguaci.
DATAZIONE	Fine sec. XVI.	Fine sec. XVI.	Fine sec. XVI.	1395 ca. (Marcucci 1965).
DATI TECNICI	Bozzetto, acquarello e biacca su carta incollata su tavola, 51x34, restauro 1974.	Bozzetto, acquarello e biacca, su carta, 34,3x21,5 restauro 1974.	Bozzetto, acquarello e biacca su carta, incollato su cartone, 24,1x16.	Tempera su tavola, 44x77 (ciascun pannello), restauro 1960-61.
CORNICE	Noce con listello dorato.	Legno con listello dorato.	Dorata liscia.	Parzialmente originale.
UBICAZIONI	Uffizi (1793).	Uffizi (1793).	Uffizi (1793).	S. Michele in Borgo, Pisa (dall'origine); Coll. Toscanelli (post 1857); Uffizi (1905); Accademia (1954).
ATTRIBUZIONI	—	—	—	Seguace del Traini (Van Marle 1925). Pisano sotto l'influenza di Spinello Aretino (Vigni 1959). Bernardo Falconi (Marcucci 1965). Pseudo Bernardo Falconi (Carli 1961).
ESPOSIZIONI	Mostra dei bozzetti, Firenze 1952; Pittori bolognesi del Seicento nelle Gallerie di Firenze, Firenze 1975.	Mostra dei bozzetti, Firenze 1952; Pittori bolognesi del Seicento nelle Gallerie di Firenze, Firenze 1975.	Mostra dei bozzetti, Firenze 1952; Pittori bolognesi del Seicento nelle Gallerie di Firenze, Firenze 1975.	—
BIBLIOGRAFIA	*E. Borea, in Cat., Firenze 1975, n. 44.*	*E. Borea, in Cat. Firenze 1975, n. 45, pp. 60-1.*	*E. Borea, in Cat., Firenze 1975, n. 46.*	E. Carli: Pittura pisana del Trecento, Milano 1961. *L. Marcucci: I dipinti toscani del XIV secolo, Roma 1965, n. 121.*
INVENTARIO	G.D.S.U. 19122; 1881, II cat., n. 81.	G.D.S.U. 19121; 1881, II cat., n. 77.	G.D.S.U. 19120; 1881, II cat., n. 29.	3339-3340.
FOTO	219675.	219677.	157012.	117720.
NOTE	Fa parte della cosiddetta raccolta di bozzetti, ma in realtà trattasi di un disegno, durante l'ottocento ripassato a olio e presentato come un dipinto, sorte toccata ad altri disegni dello stesso maestro, del 1793 inventariati come schizzi. Riconosciuto come studio preparatorio per la pala del Faccini in San Domenico a Bologna cui si riferiscono anche in disegno del Louvre e uno dell'Ashmolean Museum (Parker 1956). E.B.	Fa parte della cosiddetta raccolta di bozzetti. In realtà è un disegno, durante l'ottocento ripassato a olio e presentato come bozzetto, sorte toccata ad altri pezzi dello stesso maestro, nel 1793 inventariati come schizzi tra i disegni. E.B.	Fa parte della cosiddetta raccolta dei bozzetti, ma in realtà si tratta di un disegno, nell'ottocento ripassato a olio e presentato come dipinto, sorte toccata ad altri pezzi dello stesso maestro, inventariati nel 1793 come schizzi. E.B.	Le due tavolette facevano parte della predella di un polittico già nella chiesa pisana di S. Michele in Borgo; esse rientrano nel problema che concerne la misteriosa personalità di Bernardo Nello di Giovanni Falconi, citato dal Vasari. I richiami all'ambiente fiorentino riguardano non solo Spinello Aretino (che d'altra parte era aretino), ma già anche Lorenzo Monaco. L. Bell.

	P592	P593	P594	P595
AUTORE	Ferg, Franz de Paula (Vienna 1689 - Londra 1740).	Ferg, Franz de Paula (Vienna 1689 - Londra 1740).	Feroni, marchese Paolo (Firenze 1807-1864).	Ferrari, Defendente (Chivasso, attivo 1510-31).
TITOLO	Paesaggio con figure.	Paesaggio con figure.	Autoritratto.	Madonna che allatta il Bambino.
DATAZIONE	Prima metà sec. XVIII.	Prima metà sec. XVIII.	1837-42 ca.	1520-30 (Salmi 1969).
DATI TECNICI	Olio su rame, 29x33.	Olio su rame, 29x33.	Olio su tavola, 9,5x8.	Olio su tavola, 75x48,5.
CORNICE	Liscia, dorata, sec. XVIII.	Liscia, dorata, sec. XVIII.	Scura, d'epoca.	Originale (?), in legno dorato con decorazioni in nero.
UBICAZIONI	Uffizi (1905 ca.); Direzione Cantiere Navali, La Spezia (1928); perduto (1940-45).	Uffizi (1905 ca.); Direzione Cantieri Navali, La Spezia (1928); perduto (1940-45).	Coll. Giuseppe Martelli; Uffizi (1876).	Coll. Contini Bonacossi (cit. 1932); Uffizi (1974), Dep. Meridiana di Pitti.
ATTRIBUZIONI	—	—	—	—
ESPOSIZIONI	—	—	—	—
BIBLIOGRAFIA	Thieme-Becker, XI, 1915.	Thieme-Becker, XI, 1915.	Cat. Mostra Romanticismo storico, Firenze 1973-74.	B. Berenson, *Italian Pictures I*, London 9 1932. M. Salmi, in *Bollettino d'Arte 4, 1969*.
INVENTARIO	1127 (C.P., p. 122, n. 805).	1134 (C.P., p. 122, n. 815).	4520.	Contini Bonacossi 8.
FOTO	19211.	19210.	321799.	217276.
NOTE	La provenienza del dipinto non è documentata. Concesso in prestito temporaneo alla Direzione delle Costruzioni Navali di La Spezia nel 1928, è andato smarrito durante la guerra 1940-45. M.C.	La provenienza del dipinto non è documentata. Concesso in deposito temporaneo alla Direzione delle Costruzioni Navali di La Spezia nel 1928, è andato smarrito durante la guerra 1940-45. M.C.	A tergo cartellino del lascito Martelli semicoperto dai numeri degli inventari 1881 e 1890. È elencato nell'inventario del lascito di Giuseppe Martelli (AGF, 1876, filza A, I, 53) al n. 35, come ritratto, ma sembra di doverlo considerare autoritratto essendo compatibile stilisticamente con il ritratto del pittore Marini, opera del Feroni (v. inv. 1890, n. 8751). Malgrado le non buone condizioni della miniatura, piena di cretti, resta individuabile una qualità tipica della pittura del Feroni (v. A. Gotti, Breve ricordo del marchese Paolo Feroni, Firenze s.d., ma 1964) e cioè il colorito, che si presenta lucido e vivace. Attualmente unito alla collezione delle miniature. S.P.	Già citata dal Berenson nel 1932 nella collezione Contini Bonacossi, di provenienza ignota. Il soggetto di origine fiamminga (cfr. Rogier van der Weyden), fu ripetuto varie volte dall'autore con qualche variante, come nel trittico della cattedrale di Torino o nella tavola del museo Borgogna di Vercelli. L'opera è entrata nelle collezioni della Galleria in seguito ad una donazione accompagnata da una convenzione, da parte degli eredi del conte Alessandro Contini Bonacossi (1969). C.C.

	P596	P597	P598	P599
AUTORE	Ferretti, Giovan Domenico (Firenze 1692-1768).	Ferretti, Giovanni Domenico (Firenze 1692-1768).	Ferretti, Giovanni Domenico (Firenze 1692-1768).	Ferri, Ciro (Roma 1634-1689).
TITOLO	Il ratto di Europa.	Lapidazione di S. Stefano.	Eterno benedicente e angeli.	Alessandro legge Omero.
DATAZIONE	1728-37 (Maser 1974).	1733.	1738.	1659-1665.
DATI TECNICI	Olio su tela, 147x205, restauro 1973.	Bozzetto, olio su tela, 40x81.	Bozzetto, olio su tela, 71x87.	Olio su rame, 26x19.
CORNICE	Originale, intagliata e dorata.	—	Legno uso mogano e oro.	Sagomata, dorata, sec. XVII.
UBICAZIONI	Uffizi (cit. 1881).	Badia Fiorentina (fino al 1862); Uffizi (1868); Pitti (1953).	—	Gran Principe Ferdinando de' Medici, Poggio a Caiano (sec. XVII-XVIII); Uffizi (1773).
ATTRIBUZIONI	—	—	—	—
ESPOSIZIONI	Gli Ultimi Medici, Detroit-Firenze 1974.	Pittura del Seicento e Settecento, Firenze 1922. Bozzetti delle Gallerie fiorentine 1952. Gli Ultimi Medici, Firenze 1974.	Bozzetti nelle Gallerie di Firenze, Firenze 1952. Nuovi acquisti delle gallerie fiorentine, Firenze 1960. Dipinti salvati dalla piena dell'Arno, Firenze 1966.	Dipinti italiani del Sei e Settecento, Firenze 1959. Artisti alla corte granducale, Firenze 1969.
BIBLIOGRAFIA	E. Maser, Giovan Domenico Ferretti, Firenze 1968. *L. Berti, in Commentari, I, 1950, p. 108. G. Briganti, F. Borsi, G. Spadolini, Roma 1967, p. 397. Cat. Firenze 1974, p. 222, n. 131.*	M. Nugent, Alla mostra della pittura italiana del '600 e '700. S. Casciano val di Pesa, II, 1930, pp. 285-86. E. Maser, 'Gian Domenico Ferretti', Firenze 1968, pp. 37, 77, n. 44, tav. VI. L. Berti in Cat., Firenze 1952, p. 63. G. Ewald, in Cat. Firenze 1974, pag. 222.	*L. Berti, in Cat., Firenze, 1952, pp. 30-31. E. A. Maser, Giovanni Domenico Ferretti, 1956, fig. 59, n. 68. E. Micheletti, in Cat., Firenze 1960, n. 14. S. Meloni, in Cat., Firenze 1966, n. 36.*	H. Voss: Die Malerei des Barock in Rom, Berlin 1924. *Cat., Firenze 1959, n. 6. Cat., Firenze 1969 n. 55. M. L. Strocchi, in Paragone, nn. 309-311, 1975-76.*
INVENTARIO	5447.	596.	9268.	1417 (C.P., p. 146, n. 1089).
FOTO	15463.	11003.	68441.	111338.
NOTE	Una replica di formato maggiore, individuata da G. Briganti, si trova a Montecitorio dal 1926 in deposito dagli Uffizi (1890/7757). Le due tele sono connesse all'attività del Ferretti per l'Arazzeria Medicea (documentata dal 1728) e in particolare per una serie dei Quattro Elementi, di cui furono eseguiti solo il Fuoco di G. Grisoni (1733) e l'Aria di V. Meucci (1737); la versione di Montecitorio potrebbe essere il cartone per l'arazzo, mai eseguito, raffigurante l'Acqua (Maser 1974). M.G.	Bozzetto per l'affresco nella lunetta dell'arco d'ingresso al coro della Badia fiorentina, la cui decorazione fu compiuta dal Ferretti nel 1733-34. Attualmente esposto nel Corridoio Vasariano. M.M.	Bozzetto per la decorazione pittorica della tribuna di S. Salvatore al Vescovo a Firenze, chiesa incorporata nel Palazzo Arcivescovile. È il bozzetto per il catino absidale databile al 1738 come l'affresco relativo e quello sottostante nella conca che è firmato e datato. Acquistato dalla Soprintendenza alle Gallerie di Firenze nel 1951, tramite l'Ufficio Esportazione. M.M.	Sul retro scritta: Ciro Ferri. N. 105. Su cartellino: Del P. a Cajano. Dalla Guard. 29 Xbre 1773. Come avverte la scritta su cartellino del retro, il dipinto fu portato dalla Villa di Poggio a Caiano agli Uffizi nel 1773. Non sappiamo quando il quadro sia entrato nelle collezioni medicee, ma è probabile che l'ingresso sia avvenuto al tempo dell'attività del pittore in Firenze (1659-1665). L'allegoria dell'angioletto che dipinge lo stemma mediceo e il motto: UNVS NON SVFFICIT ORBIS potrebbe alludere al governo di Ferdinando II de' Medici (1610-1670) coadiuvato dai fratelli Leopoldo, Giancarlo e Mattias. M.C.

	P600	P601	P602	P603
Autore	Ferrucci, Nicodemo (Firenze 1574-1651).	Ferrucci, Nicodemo (Firenze 1574-1651), attr. a.	Ferrucci, Nicodemo (Firenze 1574-1651), attr. a.	Feti, Domenico (Roma 1589 ca. - Venezia 1623).
Titolo	Cena in Emmaus e Santi e Padri della Chiesa.	La Madonna porge Gesù a S. Francesco.	S. Francesco ridà la vista a una cieca.	Ecce Homo.
Datazione	1620 ca.	1620-50 ca.	1620-50 ca.	Primo decennio sec. XVII (Marangoni 1923, Milantoni 1978).
Dati tecnici	Bozzetto, olio a chiaroscuro su cartone, 33x27.	Olio su tela, 58x72.	Olio su tela, 56x71.	Olio su tela, 136x112.
Cornice	Legno modanato aggettante.	—	—	Intagliata a motivi geometrici stilizzati, sec. XVII.
Ubicazioni	Gabinetto Disegni e Stampe (1973); Uffizi (1914).	Uffizi (sec. XIX).	Uffizi (sec. XIX).	Pitti (1687); Uffizi (1881).
Attribuzioni	—	Giovanni da S. Giovanni? (Berti 1952). Nicodemo Ferrucci? (Chiarini 1977).	Giovanni da S. Giovanni? (Berti 1953, Banti 1977). Nicodemo Ferrucci? (Chiarini 1977).	Feti (Inv. 1687); Anonimo (Inv. 1881-1890); Feti (Marangoni 1923).
Esposizioni	Bozzetti delle Gallerie di Firenze, Firenze, 1952-53, n. 54.	Bozzetti delle Gallerie di Firenze, Firenze 1952.	Bozzetti delle Gallerie di Firenze, Firenze 1952.	Mostra del Cigoli e del suo ambiente, San Miniato 1959.
Bibliografia	Dizionario Bolaffi, V, Torino, 1973. *U. Baldini, in Cat., Firenze, 1952-1953, n. 54, p. 31.*	*C. Thiem: Florentiner Zeichner des Frühbarock, München 1977. Cat., Firenze 1952, n. 136. M. Chiarini: Recensione a C. Thiem, in Antichità Viva, 4, 1977, p. 53.*	*C. Thiem: Florentiner Zeichner des Frühbarock, München 1977. Cat., Firenze 1952, n. 65. M. Chiarini: Recensione a C. Thiem, in Antichità Viva 4, 1977, p. 53. A. Banti, Giovanni da San Giovanni, Firenze 1977, p. 78, n. 65.*	*M. Marangoni, in 'Dedalo', vol. III, 1922-23, p. 790. Rip.: Arte Barocca, Firenze 1953, n.e. 1973; AA.VV., Cat., S. Miniato 1959, n. 132. AGF: G. Milantoni, Scheda ministeriale 1978.*
Inventario	GDSU 19195.	7736.	597.	6279.
Foto	157055.	94178.	157165.	93826.
Note	Sul retro è scritto a penna 'Ugurgieri'. Il presente bozzetto figura nell'inventario del 1793 quale opera di Nicodemo Ferrucci (cfr. GDSU Inv. generale..., vol. II, n. 16, 1793, ad vocem), doveva però far parte della collezione del Cardinal Leopoldo poiché nella Lista figura infatti un disegno di Ferruccio Niccodemo che potrebbe essere il presente bozzetto (cfr. P. Barocchi, in F. Baldinucci, Notizie.... vol. VI, App., Firenze, 1975, p. 196). L.B.B.	La tela, come il n. 597, non ha una provenienza documentata. Inventariata nel XIX sec. come di scuola veneta, fu messa in rapporto dal Berti (cat., Firenze 1952) con l'affresco corrispondente del ciclo di lunette nel chiostro della chiesa di Ognissanti a Firenze, ritenendola tuttavia piuttosto copia che non preparatoria a quella. La Thiem ha successivamente identificato un disegno nella Gall. Naz. di Città del Capo anch'esso legato a questa composizione, attribuendolo a N. Ferrucci con l'affresco corrispondente. Il Chiarini pensa che il disegno sia piuttosto preparatorio per il quadro degli Uffizi, che propone di assegnare anch'esso all'artista. M.C.	Il dipinto, la cui provenienza non è documentata, insieme al n. 7736 si rifà, per la composizione, a due delle lunette affrescate del chiostro di Ognissanti a Firenze che la Thiem assegna a N. Ferrucci, sulla base di un disegno in rapporto al n. 7736 che si trova a Città del Capo, Gall. Naz. del Sudafrica. Al Chiarini sembra piuttosto che questo disegno sia in rapporto alla tela degli Uffizi, che propone di assegnare all'artista insieme al n. 597. M.C.	Il dipinto figurava già a Palazzo Pitti nel 1687, quale opera di Domenico Feti (ASF Guard. 932, c. 78r). Dal 1881 al 1925 compariva invece nei depositi di Galleria sotto ignoto del sec. XVII (cfr. Inv. 1881, 1890). L.B.B.

	P604	P605	P606	P607
AUTORE	Feti, Domenico (Roma 1589 ca. - Venezia 1623).	Feti, Domenico (Roma 1589 ca. - Venezia 1623).	Ficherelli, Felice detto il Riposo (San Gimignano, 1605 - Firenze, 1669 ?).	Fidani, Orazio (Firenze 1610 ca. - post 1656).
TITOLO	Artemisia.	Socrate che insegna a due fanciulli.	Santa Caterina da Siena.	Angelica e Medoro.
DATAZIONE	Secondo decennio sec. XVII.	Secondo decennio sec. XVII (Marangoni 1923, Milantoni 1978).	1630-40.	1634.
DATI TECNICI	Olio su tavola, 69x45.	Olio su tela, 86x66.	Olio su tavola, 25,5x18,5.	Olio su tela, 230x340, restauro 1970.
CORNICE	Modanata e dorata.	Aggettante, modanata con perlinatura sec. XVII.	Originale intagliata e dorata.	Listello grezzo, sec. XX.
UBICAZIONI	Guardaroba; Uffizi (1800).	Eredità Card. Leopoldo de' Medici (1675); Pitti (1687); Poggio Imperiale; Uffizi (1925).	Coll. Francesco Gonnelli (fino al 1685); Castello (1713); Uffizi 1779); Palatina (1928).	Petraia (1634); Depositi; Uffizi (1973).
ATTRIBUZIONI	—	Domenico Feti (Inv. 1676, 1687); Ignoto (1925); D. Feti (Inv.. Uffizi 1925).	Baldassarre Franceschini detto il Volterrano (Inv. 1713, Chiarini 1975).	G. Bilivert (inv. 1890).
ESPOSIZIONI	—	—	—	Caravaggio e Caravaggeschi nelle Gallerie di Firenze, Firenze 1970: La Quadreria di Don Lorenzo de' Medici, Firenze 1975.
BIBLIOGRAFIA	*M. Marangoni, in 'Dedalo', vol. III. 1922-23, p. 788. (Rip. Arte Barocca, Firenze, 1953, ed. 1973). AGF: G. Milantoni, Scheda ministeriale 1978.*	*M. Marangoni, in 'Dedalo', vol. III, 1922-23, p. 788. (Rip. Arte Barocca, Firenze, 1953, ed. 1973). AGF: G. Milantoni, Scheda ministeriale 1978.*	G. Cantelli, in Antichità Viva, X, 1971, n. 4. *M. Chiarini, in Paragone, 303, 1975, pp. 92, 106 nota 265.*	*L. Bellosi, in Comma 2, 1971. E. Borea in cat. Firenze 1970, n. 69, pag. 107. E. Borea, in Cat., Firenze 1975, n. 16, pag. 46.*
INVENTARIO	1356 (C.P., p. 146, n. 1035).	Depositi 27.	1518 (C.P., p. 163, n. 1231).	3559.
FOTO	93827.	93829.	173425.	158712.
NOTE	A tergo un cartellino: Guardaroba 19 Luglio 1800. Il quadro emerse in Galleria all'inizio dell'800 (cfr. cartellino sul retro). Esiste una versione di questo quadro a Vienna Kunsthistorisches Museum (n. 122, olio su tavola 70x51) lì pervenuto da Praga. L.B.B.	La tela compare nella Guardaroba nel 1676 quale opera di D. Feti, e faceva parte dell'eredità del Cardinal Leopoldo de' Medici (cfr. ASF, Guard. 826 c. 59v). Nel 1687 era a Pitti (cfr. ASF, Guard. 932,, Inv. Palazzo Pitti di s.A. c. 138v). Passata in seguito al Poggio Imperiale come opera di ignoto, ritornò agli Uffizi nel 1925. Modernamente è conosciuta anche come 'L'Indovino'. L.B.B.	A tergo della tavola, sigillo lorenese in ceralacca e iscrizione in grafia antica: 'Baldassar Franceschini Volterrano'; sul recto tracce di infestazioni. Nonostante che questo dipinto figuri (collocato a Castello) nell'inventario dei quadri posseduti dal Gran Principe Ferdinando come opera del Volterrano, esso non può essere riferito all'attività di questo artista, sempre più 'barocco' in tutte le sue fasi. Il carattere neopontormesco e il tono altamente patetico del volto della Santa richiamano senza esitazione il nome del Ficherelli, che dal suo maestro Jacopo da Empoli derivò l'interesse per il Pontormo: un utile confronto in questo senso può essere stabilito con il *San Giovanni che comunica la Madonna* della Coll. Longhi, riferibile allo stesso momento dell'attività del Ficherelli. M.G.	Firmato in basso a destra 'Orazio Fidani 1634', fu ordinato da Don Lorenzo de' Medici (esistono pagamenti del 1633 e 1634) per la sua villa della Petraia, dove è documentato dall'origine al 1760 almeno. Finito nei magazzini, vi fu riconosciuto nel 1969 da E. Borea: nell'inventario era attribuito al Bilivert, maestro del Fidani. Il soggetto è tratto dall'Ariosto (Orlando Furioso XIX, 33) e raffigura Angelica e Medoro che si accomiatano dai pastori che li hanno ospitati durante la fuga. S.M.T.

	P608	P609	P610	P611
AUTORE	Fini, Giuseppe (noto a Firenze, prima metà sec. XIX).	Florigerio, Sebastiano (Conegliano Veneto 1500 ca. - 1543).	Floris, Frans de Vriendt, detto (Anversa 1515-70).	Floris, Frans de Vriendt, detto (Anversa 1515-70).
TITOLO	Un lavatoio.	Ritratto di Raffaele Grassi.	Adamo ed Eva.	Susanna e i vecchioni.
DATAZIONE	1825-50 ca.	Prima metà sec. XVI.	1560.	1562-63 ca. (Zunty 1929).
DATI TECNICI	Olio su tela, 30,7x24, restauro (rintelaggio) 1976.	Olio su tela, 127x103.	Olio su tavola, 176x150.	Olio su tavola, 150x210.
CORNICE	D'epoca, in legno scuro con intagli dorati.	Originale (1675) con iscrizioni antiche a tergo, intagliata e dorata.	Liscia, dorata, sec. XVII.	Sagomata, dorata, sec. XVII.
UBICAZIONI	Coll. Giuseppe Martelli; Uffizi (1876); Galleria d'Arte Moderna, Pitti (1976).	Card. Leopoldo de' Medici (ante 1675); Uffizi (1794).	Pitti (1663); Uffizi (1779); Pitti (1928).	Coll. Feroni (ante 1850); Uffizi (1866); Cenacolo di Foligno (1894).
ATTRIBUZIONI	—	Palma il Vecchio (1675). Tiziano (1794). Scuola veneziana XVI secolo (dal 1907). Sebastiano Florigerio (C. Gamba, 1924).	—	M. de Vos (Dirksen 1914).
ESPOSIZIONI	—	—	—	—
BIBLIOGRAFIA	Comanducci, II, Milano 1971.	C. Gamba, Nuove attribuzioni di ritratti, in Bollettino d'Arte, IV, 1924, pp. 193-217, Tiziano nelle gallerie fiorentine, Firenze 1978, n. 64.	G. T. Faggin: La pittura ad Anversa nel Cinquecento, Firenze 1968. G. von der Osten - H. Vey: Painting and Sculpture in Germany and the Netherlands, Harmondsworth 1969, *D. Zuntz: Frans Floris, Strassburg 1929, p. 28s. A. I. Rusconi: La R. Galleria Pitti, Roma 1937, p. 128.*	*Cat. Galleria Feroni, Firenze 1895, p. 3. W. Dirksen: Die Gemälde des M. de Vos, Berlin 1914. D. Zunty: Frans Floris, Strassburg 1929, pp. 59 s., 102 s. M.J. Fridlaender: Die Altniederl. Malerei, vol. XIII, Leiden 1936, p. 152.*
INVENTARIO	6483.	894 (C.P., p. 200, n. 576).	1082 (C.P., p. 73, n. 760).	S. Marco e Cenacoli 24.
FOTO	154066, 183576.	206474.	154113.	152950.
NOTE	A tergo iscrizione (copiata sulla nuova tela): N. 14 Un lavacro / del Prof. Giuseppe Fini. L'opera coincide con il n. 23 dell'inventario del legato Giuseppe Martelli (AGF, 1876, filza A, I, 53); è attualmente esposta assieme a diverse altre opere della medesima provenienza presso la Galleria di arte moderna di Palazzo Pitti. Il pittore è interessante perché documenta a Firenze un tempestivo aggiornamento sul quadro di genere di stampo popolare e realistico. S.P.	Acquistato dal Cardinal Leopoldo, il ritratto venne per un certo periodo dell'Ottocento considerato quello del Sansovino. Si tratta invece, come ha notato il Gamba, di Raffaele Grassi, padre di Giovambattista, pittore e architetto e informatore del Vasari sull'arte friulana. L'opera è citata dall'aretino nella vita del Florigerio (Le Vite, ed. Milanesi 1878-1885, V, 1880, pp. 109-110). A.P.	Firmato e datato sulla zucca in basso a sinistra: F. Floris F. A. 1560. Sul retro scritta: Dalla Guardaroba di Pitti. 20 Maggio 1779. 291. La provenienza del dipinto non è documentata. È citato per la prima volta in un inventario del 1663 di palazzo Pitti (ASF, Guard. 725, c. 34, n. 37), dove rimase fino al 1779. Esposto agli Uffizi da quell'anno, tornò a Pitti nel 1928. Poiché il quadro è rappresentato in un dipinto di F. Francken II, datato 1619 (Bruxelles, Musei Reali), rappresentante il 'gabinetto' di un collezionista, il quadro del Floris deve essere arrivato a Firenze tra quell'anno e il 1663. M.C.	Siglato e datato a destra, sulla pietra nel fondo: FF/ET/IN. L'autografia del dipinto, assegnato dal Dirksen a Marten de Vos, è provata dalla sigla caratteristica del Floris, oltre che dallo stile. M.C.

	P612	P613	P614	P615
AUTORE	Fontana, Lavinia (Bologna 1552 - Roma 1614).	Fontana, Lavinia (Bologna 1552 - Roma 1614).	Foppa, Vincenzo (Brescia 1427-30 - 1515-16).	Forabosco, Girolamo (Padova 1604-1679).
TITOLO	Apparizione di Gesù alla Madonna.	Ritratto di frate Panigarola.	Madonna col Bambino e un angelo.	Cortigiana.
DATAZIONE	1581.	1585.	1479 ca. (Cat., Milano 1958), 1480 ca. (Wittgens 1948).	Seconda metà del sec. XVII (1665c. Bertani 1979).
DATI TECNICI	Olio su tela, 80x65,5.	Olio su tela 146x111.	Tempera su tavola, 41x32,5.	Olio su tela, 66,5x53, restauri 1959, 1964.
CORNICE	Dorata, sec. XVI.	Cornice intagliata, sec. XVI.	A prospetto architettonico rinascimentale con colonnine; legno dorato e intagliato.	Legno aggettante intagliato a motivi floreali e dorato.
UBICAZIONI	Don Antonio Medici da Capistrano; Uffizi (1632).	Pitti (sec. XVIII); Uffizi (1771); Pitti (1928).	Coll. Genoulhiac Frizzoni, Milano (doc. 1930); Coll. Contini Bonacossi; Uffizi (1975).	Uffizi (1881); Pitti (1954); Uffizi (1965).
ATTRIBUZIONI	—	—	—	—
ESPOSIZIONI	Women Artists: 1550-1950, Los Angeles 1976-77.	—	Prima mostra degli antichi pittori lombardi, Milano 1923. Exhibition of italian Art, 1200-1900, London 1930. La pittura bresciana del Rinascimento, Brescia 1939. Arte lombarda dai Visconti agli Sforza, Milano 1958.	Mostra del ritratto veneto a Varsavia 1956. Mostra del '600, Venezia 1959. Venezia nell'arte Stoccolma 1962. Centenario della Galleria di Dublino, Dublino 1964.
BIBLIOGRAFIA	R. Galli, Lavinia Fontana pittrice, Imola, 1940. *Cat. Los Angeles 1976-1977 n. 7, pp. 113-114.*	R. Galli, Lavinia Fontana pittrice, Imola, 1940; Cat. Mostra: Women Artists: 1550-1950, Los Angeles 1976-77, pp. 113-114.	F. Wittgens, Vincenzo Foppa, Milano s.d. (ma 1948). *Cat., Milano 1958 n. 308.*	G. Fiocco, La pittura veneziana del '600 e '700, Verona 1929, pp. 32-33. C. Donzelli - M. Palo, I pittori del seicento veneto, Firenze 1967. *G. Poggi, R. Galleria degli Uffizi. Catalogo Dipinti, Firenze 1926, p. 121. G. Fiocco, Forabosco ritrattista, in Belvedere 1926, p. 26.*
INVENTARIO	1383 (C.P., p. 147, n. 1103).	807 (C.P., p. 90, n. 223).	9492.	2513.
FOTO	157466.	153358.	206389.	120005, 120353.
NOTE	In basso a destra: LAVINIA FONTANA DE / ZAPPIS FACIEBAT MDLXXXI. Pervenne nella Galleria degli Uffizi nel 1632 dall'eredità di don Antonio Medici da Capistrano (cfr. Inv. Tribuna 1589-1636, ms 71, c. 57). L.B.B.	Sotto in basso a destra: LAVINIA FONTANA DE ZAPPIS FACIE. / MDLXXXV Dietro in alto: Frater Franciscus Panigarola anno aetatis suae XXXVIII. Già a Pitti ai primi del sec. XVIII (cfr. ASF Guard. 1702-10, 1185, vol. I, c. 368), dalla guardaroba passò agli Uffizi nel 1771 (cfr. AGF 1771 filza III A, n. 28, c. 12), nel 1928 passò alla Palatina, attualmente è nei depositi delle Gallerie. Nel dipinto è raffigurato F. Panigarola, frate minore osservante divenuto vescovo di Asti nel 1587 e ivi morto nel 1594. L.B.B.	È entrato agli Uffizi nel 1975, per esercizio del diritto di acquisto proposto dall'Ufficio Esportazione della Soprintendenza di Firenze (L. 100.000.000) e caldeggiato dal Soprintendente. Nel bordo lumeggiato d'oro del sedile della Vergine si legge: AVE MARIA. A.P.	Il dipinto si trovava nei magazzini degli Uffizi inventariato fin dal 1881 cat. IIIª n. 821; nel 1954 fu inviato a Pitti da dove ritornò nel 1965. È esposto attualmente negli Uffici della Direzione. L.B.B.

	P616	P617	P618	P619
AUTORE	Forabosco, Girolamo (Padova 1604-1679).	Forabosco, Girolamo (Padova 1604-1679).	Foschi, Pier Francesco di Iacopo (Firenze 1502-67).	Franceschini, Marcantonio (Bologna 1648-1729).
TITOLO	Cortigiana.	Cortigiana.	Ritratto d'uomo.	Cupido arcere.
DATAZIONE	Seconda metà del sec. XVII (1665c. Bertani 1979).	Seconda metà del sec. XVII (1665 ca. Bertani 1979).	Quarto decennio del sec. XVI (Pinelli 1967), 1530-32 (Clapp 1916), c. 1540 (Gamba 1921).	1680 ca. (Borea 1975).
DATI TECNICI	Olio su tela, 66,5x53, restauro 1955, 1960.	Olio su tela, 66,5x53, restauro 1959.	Olio su tavola, 65x50, restauro 1971.	Olio su tela, 119x80.
CORNICE	Legno dorato, aggettante e intagliato a motivi vegetali e floreali.	Legno dorato aggettante, intagliato a motivi vegetali.	Semplice a listello, color oro invecchiato, sec. XX.	Dorata intagliata a motivi vegetali rigonfi.
UBICAZIONI	Uffizi (1890).	Uffizi (1890); Pitti (1954); Uffizi (1964); Pitti (1965); Uffizi (1972).	Pitti (inventario inizio sec. XVIII); Poggio a Caiano; Uffizi (1773).	Pitti (inv. 1761); Uffizi (1792).
ATTRIBUZIONI	—	—	Pontormo (antica attr. seguita ancora dal Berenson 1896, Clapp 1916, fino a Salvini 1952). P. F. Foschi (Longhi 1953, Berti 1956, 1966, A. Pinelli 1967).	—
ESPOSIZIONI	Mostra del ritratto veneto, Varsavia 1956. Venezia nell'arte, Stoccolma 1962.	—	Mostra del Pontormo e del primo Manierismo fiorentino, Firenze 1956.	Mostra del Settecento bolognese, Bologna 1935; Pittori bolognesi del Seicento nelle Gallerie di Firenze, Firenze 1975.
BIBLIOGRAFIA	G. Fiocco, La pittura veneziana del '600 e '700, Verona, 1929, C. Donzelli - M. Pilo, I pittori del '600 veneto, Firenze 1967. *G. Poggi, R. Galleria degli Uffizi. Catalogo Dipinti, Firenze 1926, p. 119. G. Fiocco, Forabosco ritrattista, in Belvedere 1926, p. 26.*	G. Fiocco, La pittura veneziana del '600 e '700, Verona 1929, pp. 32-33. C. Donzelli - M. Pilo, I pittori del seicento veneto Firenze 1967. *G. Poggi, R. Galleria degli Uwzi, Firenze 1926, p. 120, G. Fiocco, Forabosco ritrattista, in Belvedere 1926, p. 26.*	A. Pinelli, in 'Gazette des Beaux-Arts' 1967, p. 99. *Cat., Firenze 1956, n. 82.*	*E. Borea, in Cat., Firenze 1975, n. 163.*
INVENTARIO	4276.	4326.	1483 (C.P., p. 157, n. 1220).	750 (C.P., p. 85 n. 173).
FOTO	120353.	131699.	180056 (dopo il restauro).	220000.
NOTE	Il dipinto è inventariato nel 1890; si trovava nel 1925 nel Corridoio tra gli Uffizi e Pitti. Nel 1926 era esposto nella sala XXI degli Uffizi, dopo i restauri del 1955 e del 1960, ritornò agli Uffizi. L.B.B.	Il dipinto si trovava nel Corridoio tra gli Uffizi e Pitti nel 1925 (Poggi); nel 1926 era esposto nella sala XXI degli Uffizi dove rimase fino al 1954 quando fu inviato a Pitti, da dove ritornò agli Uffizi nel 1964, nel 1965 fu di nuovo a Pitti. Dal 1972 è nei Magazzini degli Uffizi. L.B.B.	Già ritenuto a lungo del Pontormo, il ritratto è ormai da passare al Foschi secondo la proposta del Longhi. Non viene più considerato infatti nelle monografie del Berti (1964 e 1973) né in quella del Forster (1966). La tavola appare ingrandita di una striscia di qualche centimetro in alto. L.B.	Scritta sul retro: 'Dalla Guardaroba ... Novembre 1772'. È un omaggio all'arte di Francesco Albani; sembra infatti l'ingrandimento di uno dei suoi famosi puttini. E.B.

	P620	P621	P622	P623
AUTORE	Franchi, Antonio (Villa Basilica 1638 - Firenze 1709).	Francia, Raibolini Francesco, detto il (Bologna 1450 ca. - 1517).	Francia, Raibolini Francesco, detto il (Bologna 1450 ca. - 1517).	Francia, Raibolini Francesco, detto il (Bologna 1450 ca. - 1517).
TITOLO	Anna Maria Luisa de' Medici, Elettrice Palatina.	S. Francesco.	Madonna col Bambino e Santi.	Ritratto di Evangelista Scappi.
DATAZIONE	1687.	1482-90 (Lipparini (1913), 1490 ca. Salmi 1969).	1500 ca. (A. Venturi, 1934).	Sec. XVI.
DATI TECNICI	Olio su tela, 203x143 (più giunta a sinistra).	Tempera su tavola, 65x44.	Olio su tavola, 135x140.	Tempera su legno, 55x44.
CORNICE	Intagliata e dorata barocca, originale.	Intagliata e dorata a scanalature e con punzonatura a motivi vegetali, non pertinente.	Intagliata e dorata.	Intagliata e dorata, barocca.
UBICAZIONI	Pitti (1698); Uffizi (almeno dal 1890).	Coll. Principe Alberico d'Este; Coll. Contessa Barbara d'Adda; Coll. Gustavo Frizzoni, Milano (cit. 1914); Coll. Contini Bonacossi; Uffizi (1974) Dep. Meridiana di Pitti.	Antiquario F. Cartoni (1818); Accademia (1919); Uffizi (1919); Poggio a Caiano (1940); Pitti; Depositi, Uffizi (1976).	Pitti; Uffizi (1773).
ATTRIBUZIONI	—	Francia (Lipparini 1913, Venturi 1914, Salmi 1969).	F. Francia (W. Bode, 1910; A. Venturi, 1934).	—
ESPOSIZIONI	—	—	—	—
BIBLIOGRAFIA	*M. Gregori e F. Nannelli, in Paradigma 1, 1977.*	M. Salmi, in Bollettino d'Arte, 4, 1967.	G. Lipparini, Francesco Francia, Bergamo 1913.	G. Lipparini. Fr. Francia, Bergamo 1913; *A. Venturi. St. dell'A. VII 3 1914, 907.*
INVENTARIO	2740.	Contini Bonacossi n. 30.	8398.	1444 (C.P., p. 151, n. 1124).
FOTO	25163.	225613.	325105.	111285.
NOTE	Commesso all'artista il 18 gennaio 1687 dal Gran Principe Ferdinando, fratello dell'effigiata, insieme a un proprio ritratto pure a figura intera, è menzionato in inventari di palazzo Pitti fin dal 1698., quando stava nella camera dell'udienza del principe (ASF, Guard. 1067, c 3 r). L'esatta attribuzione è poi andata perduta (cfr. H. Kühn-steinhausen in Düsseldorfer Jahrbuch XLI, 1939) ed è stata ristabilita da M. Gregori e M. Chiarini. Ne esiste una replica a mezzo busto (inv. 1890 n. 2873). Si tratta di uno dei primi ritratti del Franchi nella sua nuova qualità (1686) di ritrattista della corte medicea, e l'unico che soddisfacesse la principessa. S.M.T.	Raro dipinto giovanile del quale la critica sottolinea in particolare la preziosità da orafo. Viene accostato, anche nella datazione, al S. Stefano della Galleria Borghese e al S. Giorgio della Galleria Nazionale d'Arte antica (Lipparini e Salmi). Sul retro un cartellino stampato su carta bianca, con corona e collare del toson d'oro all'interno del quale si legge: 'Del Gabinetto di S. A. Alberigo XII d'Este Principe di Barbiano e Belgioioso'. Altra scritta (marcata a fuoco?): 'Con.sa Barbara d'Adda Baron. di Belgioioso'. L'opera è entrata nelle collezioni della Galleria in seguito a un atto di donazione accompagnato da una convenzione (1969) da parte degli eredi del conte Alessandro Contini Bonacossi. C.C.	Il dipinto fu acquistato nell'agosto del 1818 dall'antiquario romano Felice Cartoni insieme ad altre pitture di scuola bolognese. Pervenne alla Galleria dell'Accademia nel 1919. L'attribuzione al Francia, impugnata da taluni, è per contro accettata dal Bode (Cicerone, 1910, p. 36) e dal Venturi (VII, p.te III, p. 897-901), che crede l'opera del 1500 ca., al tempo in cui il pittore lavorava all'Annunciazione tra quattro Santi della Pinacoteca di Bologna. Il Berenson invece non attribuisce la tavola all'artista bolognese forse perché lo stato di conservazione alquanto alterato da ritocchi e da vernici fa sembrare il dipinto più trascurato di esecuzione che non altre pitture del Francia di questo periodo. Gr. Red. 3.	In buono stato di conservazione. "Ancora sotto l'influsso peruginesco". (Venturi). G.M.

	P624	P625	P626	P627
AUTORE	Franciabigio, Francesco di Cristofano, detto il (Firenze 1484-1525).	Franciabigio, Francesco di Cristofano, detto il (Firenze 1484-1525).	Franciabigio, Francesco di Cristofano, detto il (Firenze 1484-1525).	Franciabigio, Francesco di Cristofano, detto il (Firenze 1484-1525).
TITOLO	Madonna con bambino e S. Giovannino ('La Madonna del pozzo').	Madonna con bambino e S. Giovannino.	Sacra famiglia con S. Giuseppe e S. Giovannino.	Madonna con bambino e San Giovannino.
DATAZIONE	1503-09 (Bodmer 1933), 1505 (Marcucci 1965), 1508 ca. (Freedberg 1961), 1510 (Berenson 1923), 1517-18 (Regan McKillop 1974).	1506 ca.	1507-1508 (Regan McKillop 1974).	Primo decennio sec. XVI (Berenson 1896), secondo decennio (Morelli 1892).
DATI TECNICI	Tempera grassa? su tavola, 106x81, restauro 1952.	Olio su tavola, 92x86, restauro 1952.	Olio su tavola lievemente ovale, 97x94.	Olio su tavola, diam. 58, restauro 1952.
CORNICE	Sagomata e dorata con motivi vegetali in pastiglia, sec. XIX.	Sagomata e dorata con decorazioni vegetali, sec. XVIII.	Sagomata e decorata con ghirlanda vegetale dorata.	Tonda e dorata, con decorazione a ghirlanda vegetale a scaglie (sec. XIX).
UBICAZIONI	S. Pier Maggiore (dall'origine?); Coll. Card. Carlo de' Medici (ante 1666); Uffizi (1666); Accademia (1954); Uffizi (1970).	Coll. Gioacchino Fontani; Uffizi (1779).	Uffizi (ante 1704); Accademia (1954).	Card. Leopoldo de' Medici (ante 1675), Uffizi (1675).
ATTRIBUZIONI	Andrea del Sarto (Bocchi 1591, Cinelli 1677). Raffaello (Inv. di Galleria dal 1704 al 1825). Franciabigio (Passavant 1839, Milanesi 1880, Crowe-Cavalcaselle 1866, Morelli 1892, Gronau 1916, Freedberg 1961). Bugiardini (Burckhardt 1809). Ridolfo del Ghirlandaio (Burckhardt 1893). Foschi (Longhi 1953, Sricchia 1963).	Perugino, Raffaellino del Garbo, Sc. del Franciabigio (attribuz. inventariali). Franciabigio (Berenson 1932, Bodmer 1933, Freedberg 1961, Regan McKillop 1974). Forschi (Sricchia 1963).	Bugiardini (Burchardt 1855, Mündler 1869). Ridolfo del Ghirlandaio (Crowe-Cavalcaselle 1866). Franciabigio (Morelli 1892, Berenson 1896, Venturi 1925, Freedberg 1961). Foschi (Sricchia 1963).	Scuola del Franciabigio (attribuz. negli inventari seicenteschi, Bodmer 1933). Franciabigio (Morelli 1892, Berenson 1896, Venturi 1925, Sandberg-Vavalà 1948, McKillop 1974).
ESPOSIZIONI	—	—	—	—
BIBLIOGRAFIA	*S. Regan McKillop, Franciabigio, University of California 1974, pp. 155-57.*	*S. Regan McKillop, Franciabigio, University of California 1974, pp. 125-26.*	*S. Regan McKillop, Franciabigio, University of California 1974, p. 127.*	*S. Regan McKillop, Franciabigio, University of California 1974, pp. 193-94.*
INVENTARIO	1445.	2178.	888 (C.P., p. 169, n. 1224).	517 (C.P., p. 69, n. 92).
FOTO	53149	170270.	32236.	324959.
NOTE	Nel cartiglio sostenuto da S. Giovannino la scritta: Ecce Agnus Dei; sul retro della tavola figurano cartellini relativi al trattamento antitarli. Secondo Crowe e Cavalcaselle l'opera sarebbe da identificare con quella che Vasari afferma eseguita per una cappella in San Pier Maggiore, cappella poi individuata dal Paatz come quella degli Albizi. Questa identificazione (che si avvale anche delle descrizioni del dipinto nel Bocchi-Cinelli e nell'Inventario dell'eredità del card. Carlo (ASF, Guardaroba 758, Filza 2, c. 15) viene comunemente accolta dalla critica. L'esatta data di nascita del pittore è stata recentemente stabilita, in base a un documento pubblicato dalla McKillop, al 30 gennaio 1484 (stile comune). Il dipinto è attualmente esposto nella Tribuna. E.S.	Il dipinto fu acquistato nel 1779 da Gioacchino Fontani (AGF, Filza VII, 1779, 23) ed è registrato negli inventari di Galleria a partire da quello del 1784. Questa opera è stata a volte confusa dalla critica con l'altra dall'analogo soggetto e sempre del Franciabigio (Inv. 1890, n. 517, cfr. scheda). La critica ha posto in risalto le influenze dimostrate in questa tavola delle opere di Albertinelli e di Raffaello, con alcuni spunti derivati da Raffaellino del Garbo e da Piero di Cosimo. L'opera si trova attualmente nei Depositi degli Uffizi. E.S.	Sul cartiglio sorretto da San Giovannino la scritta: Ecce Agnus. La provenienza del dipinto non è nota; esso comunque figura negli inventari di Galleria almeno dal 1704, ove era classificato come opera di ignoto (n. 695). La datazione, stabilita su dati stilistici dalla Regan McKillop al 1507-1508, è motivata con l'influenza evidente nel dipinto della Bella giardiniera di Raffaello (1507). L'opera è attualmente esposta nella Galleria dell'Accademia. E.S.	Sul retro molti numeri inventariali antichi, di diverso colore. L'opera proviene dall'eredità del card. Leopoldo, ed è registrata al n. 527, c. 86 dell'inventario di quella eredità (ASF, Guard. 826). A volte questo dipinto è stato confuso con quello Inv. 1890 n. 2178 (vedi scheda) dall'analogo soggetto e del medesimo autore. Questa tavola è una versione del tondo nella coll. Ranieri di Perugia. L'opera si trova attualmente nei depositi degli Uffizi. E.S.

	P628	P629	P630	P631
AUTORE	Franciabigio, Francesco di Cristofano, detto il (Firenze 1484-1525).	Franciabigio, Francesco di Cristofano, detto il (Firenze 1484-1525).	Franciabigio, Francesco di Cristofano, detto il (Firenze 1484-1525).	Francken, Frans II (Anversa 1581-1642).
TITOLO	Ritratto di giovane uomo.	Il tempio di Ercole.	Madonna con Bambino e due Santi.	La Crocifissione.
DATAZIONE	1514.	1516 ca. (Bertani 1979). 1520 ca. (Longhi 1953).	1516.	Opera giovanile (Bodart 1977).
DATI TECNICI	Olio su tavola, 60x47.	Olio su tavola, 13x77, restauro 1952.	Olio su tavola, 209x172.	Olio su rame, 27x22.
CORNICE	Ottocentesca, intagliata e dorata.	Noce modanata e filettata d'oro.	Sagomata e dorata (sec. XIX).	Legno nero.
UBICAZIONI	Pitti (ante 1834); Uffizi (1919).	Card. Leopoldo de' Medici (ante 1675); Guardaroba (1676); Uffizi (1704); Accademia (1954); Davanzati (1956).	Cappella della Compagnia di San Giobbe (dall'origine); Accademia (1794); Uffizi (1803).	Guardaroba, Pitti? (1666); Uffizi (1796); Pitti (1928).
ATTRIBUZIONI	—	Andrea del Sarto (Guard. 741); (Invv. 1704-1769); Franciabigio (Invv. 1784-1890). P. F. Foschi (Longhi 1953; Sricchia 1963); Berti 1971.	—	Maniera fiamminga (Inv. Gen. Guardaroba Pitti 1666), M. De Vos (Giornale 1784-1825, Inv. 1890). F. Francken II (Bodart 1977).
ESPOSIZIONI	—	—	—	Rubens e la pittura fiaminga del Seicento nelle collezioni pubbliche fiorentine, Firenze 1977.
BIBLIOGRAFIA	S. Regan McKillop, Franciabigio, University of California 1974, pp. 139-40.	L. Berti, Il Museo di Palazzo Davanzati a Firenze, Firenze 1971 n. 253; S. Regam McKillop, Franciabigio University of California 1974.	S. Regan McKillop, Franciabigio, University of California 1974, pp. 144-46.	D. Bodart, in Cat., Firenze 1977, n. 43.
INVENTARIO	8381; Inv. Galleria Palatina 43.	1600 (C.P., p. 69, n. 1223).	1593 (C.P., p. 168, n. 1264).	1121 (C.P., p. 118, n. 811).
FOTO	32581.	225986.	252429.	227925.
NOTE	Firmata sul parapetto con il monogramma dell'artista FRAC (con lettere intrecciate); a destra e a sinistra la data AD MDXIIII. La critica ha rilevato in questo dipinto l'influenza della ritrattistica di Ridolfo del Ghirlandaio e di quella di Raffaello (in part. del ritratto di Agnolo Doni). La McKillop sottolinea la novità nella ritrattistica fiorentina contemporanea costituita dalla presenza del parapetto, che probabilmente deriva dagli esempi della ritrattistica veneta (Lotto, Sebastiano del Piombo etc.) importati da Roma. Il dipinto è attualmente esposto nelle sale del '500 fiorentino. E.S.	La tavola, probabile fronte di Cassone, pervenne alla Guardaroba nel 1676 dall'eredità del Cardinal Leopoldo de' Medici (cfr. ASF Guard. 741 c. 560), giunse in Galleria nel 1704 (cfr AGF ms 82). È detta opera di Andrea del Sarto negli inventari fino al 1784 (cfr. ASF Guard. 741; AGF mss. 82, 95, 98), dal 1784 in poi è restituita al Franciabigio. L.B.B.	Siglato sulla fiasca di destra: con il monogramma dell'artista. a lettere intrecciate: FRAC; datoto sui due lati del vaso al centro: AD/M (sulla sinistra DX/VI (sulla destra). A tergo vi sono disegni per un'arma dei Medici, per un piedistallo e altri abbozzi. I santi ai lati della Madonna sono San Giovanni Battista e San Giobbe. La pala fu commissionata al Franciabigio dai Capitani della Compagnia di San Giobbe alla Crocetta (Vasari, V, p. 101). Sempre secondo il Vasari il pittore si ritrasse nel volto del Battista. La data del dipinto fu scoperta in seguito a una pulitura eseguita verso il 1920. nel Gabinetto Disegni e Stampe esiste uno studio per la figura di San Giobbe (n. 312 F.). L'opera si trova temporaneamente nei Depositi degli Uffizi. E.S.	Il cambiamento dell'attribuzione tradizionale a Marten de Vos si deve a Didier Bodart (1977) sulla base di un confronto col 'Calvario' di Vienna (Kunsthistorisches Museum n. 1078), firmato e datoto 1606. Il soggetto è stato trattatoto altre volte dal Francken: in quest'opera il Bodart sottolinea in particolare l'influsso di Frans Francken I. E.M.

	P632	P633	P634	P635
AUTORE	Francken, Frans II (Anversa 1581-1642).	Francken, Frans II (Anversa 1581-1642).	Francken, Frans II (Anversa 1581-1642).	Franco Battista, detto Semolei (Venezia 1498-1561).
TITOLO	Allegoria del genio.	Il trionfo di Nettuno e Anfitrite.	La fuga in Egitto.	Andata al Calvario.
DATAZIONE	1610 ca. (Manteuffel 1921).	1610 ca. (Manteuffel 1921), ante 1616 (Bodart 1977).	1616-18 (Manteuffel 1921).	1552.
DATI TECNICI	Olio su tavola, 54x70, restauro 1974-75.	Olio su tavola, 51x70, restauro 1974-75.	Olio su rame, 39x34.	Olio su tela, 115x118, restauro 1973.
CORNICE	Sagomata, dorata, sec. XIX.	Sagomata, dorata, XIX sec.	Ebano, sec. XIX-XX.	Seicentesca (?), intagliata e dorata con parti policrome.
UBICAZIONI	Pitti (sec. XVIII); Uffizi (1976); Pitti (1928).	Pitti (sec. XVIII), Uffizi (1796), Pitti (1928).	Uffizi (1753).	Coll. Manfrin, Venezia (sec. XIX); Galleria Previtali, Bergamo (1970); Uffizi (1975).
ATTRIBUZIONI	—	—	F. Francken il Vecchio (Inv. 1890). F. Francken II (Manteuffel 1921, Bodart 1977).	—
ESPOSIZIONI	Rubens e la pittura fiamminga del Seicento nelle collezioni pubbliche fiorentine, Firenze 1977.	Arte fiamminga e olandese dei secoli XVI e XVII, Firenze 1946. Rubens e la pittura fiamminga del Seicento nelle collezioni pubbliche fiorentine, Firenze 1977.	Rubens e la pittura fiamminga del Seicento nelle collezioni pubbliche fiorentine, Firenze 1977.	—
BIBLIOGRAFIA	H. Gerson - E. H. Ter Kuile: Art and Architecture in Belgium 1600-1800, Harmondsworth 1960. *Cat., Firenze 1977, n. 40.*	H. Gerson - E. H. Ter Kuile: Art and Architecture in Belgium, 1660-1800, Harmondsworth 1960. *Cat., Firenze 1977, n. 39.*	H. Gerson - E.H. Ter Kuile: Art and Architecture in Belgium 1600-1800, Harmondsworth 1960. *Cat., Firenze 1977, n. 41.*	W. R. Rearick: Battista Franco and the Grimani Chapel, in Saggi e Memorie di storia dell'Arte, Fondazione Cini 1959.
INVENTARIO	1061 (C.P., p. 121, n. 737).	1068 (C.P., p. 121, n. 747).	1293 (C.P., p. 120, n. 859).	9490.
FOTO	228377.	228376.	186101.	247973.
NOTE	Firmato in basso a sinistra: D. j. f. Franck. Inv. f. In basso a destra iscrizione: Segua il suo genio hognun perché altramente travaglia il corpo invan e invan la mente. La provenienza del dipinto non è documentata: con il n. 1068 passò agli Uffizi alla fine del XVIII secolo dalla guardaroba di Pitti. Datato dal Manteuffel intorno al 1610, datazione accettata dal Bodart (cat., Firenze 1977). M.C.	Firmato in basso a sinistra: D. j. f. franck. Inv. et F.A. La provenienza del dipinto non è documentata: passò dalla guardaroba di Pitti agli Uffizi alla fine del XVIII secolo. Databile secondo il Manteuffal intorno al 1610, per il Bodart risale a prima del 1616, poiché il quadro è firmato 'Den jongen F. F.' secondo l'uso dell'artista prima della morte del padre in quell'anno. M.C.	La provenienza del dipinto non è documentata ed esso compare per la prima volta nell'inventario degli Uffizi del 1753. Attribuito nell'inventario del 1890 a F. Francken il Vecchio, il Manteuffel (1921) pubblicò il dipinto attribuendolo a Francken il Giovane per confronto con un'altra versione firmata dalla Gemäldegalerie di Dresda e datandolo intorno al 1616-18. Attribuzione e datazione sono pienamente accettate dal Bodart (Cat., Firenze 1977). M.C.	Reca la firma e la data: BAP. FRAN. VEN. FAC. M. D. LII. Pubblicato dal Rearick quando l'ubicazione del dipinto era sconosciuta, esso comparve alla Mostra fiorentina dell'Antiquariato nel 1972 nello stand della Galleria Previtali di Bergamo. Fu acquistato dallo Stato italiano per le Gallerie Fiorentine nel 1975. Unica opera firmata e datata di Battista Franco, e forse il suo capolavoro, è importante per la storia dei rapporti tra la pittura veneta e il 'manierismo' dell'Italia Centrale. Il Tintoretto la tenne presente per un suo dipinto (Rearick, 1959). L. Bell.

	P636	P637	P638	P639
AUTORE	Froment, Nicolas (Uzès 1435 ca. - Avignone 1483 ca.).	Fumiani, Giovan Antonio (Venezia 1643-1710).	Fumiani, Giovan Antonio (Venezia 1643-1710).	Fumiani, Giovan Antonio (Venezia 1643-1710).
TITOLO	Resurrezione di Lazzaro.	Lapidazione di Zaccaria.	Progetto per un vaso.	Progetto per torcieri.
DATAZIONE	1461.	1699-1700 ca.	1699-1702 (Chiarini 1974).	1702.
DATI TECNICI	Opera composita. Olio su tavola, 175x200 in totale.	Olio su tela, 274x346.	Olio su tela, 73x59, restauro 1973.	Olio su tela, 58,5x72, restauro 1973-74.
CORNICE	Originale.	Sagomata, dorata, sec. XVIII.	—	—
UBICAZIONI	Convento di S. Francesco, Bosco ai Frati (1461-64 ca.); Uffizi (1841).	Pitti (1700 ca).), Uffizi (sec. XIX).	Pitti (7113); Uffizi (sec. XIX).	Pitti (1702); Uffizi (sec. XIX-XX).
ATTRIBUZIONI	—	—	—	—
ESPOSIZIONI	Exhibition of French Art 1200-1900, Londra 1932. La peinture française à Florence, Firenze 1945. Les Primitifs Méditerannéens, Bordeaux 1952. Pittura francese nelle collezioni pubbliche fiorentine, Firenze 1977.	La pittura del Seicento a Venezia, Venezia 1959. Dipinti salvati dalla piena dell'Arno, Firenze 1966.	Bozzetti delle Gallerie di Firenze, Firenze 1952. Gli Ultimi Medici. Il tardo Barocco a Firenze 1670-1743, Detroit-Firenze, 1974.	Gli ultimi Medici. Il tardo Barocco a Firenze, 1670-1743, Detroit-Firenze 1974.
BIBLIOGRAFIA	Thieme-Becker, VI, 1916. M.S. Grayson: The northern origin of N. Froment's Resurrection of Lazarus Altarpiece in the Uffizi Gallery, Art Bulletin, 1976. *Cat., Firenze 1977, n. 79.*	*G. Poggi: Gall. degli Uffizi. Cat. dei dipinti, Firenze 1927, p. 145. G. Fogolari: Lettere pittoriche del G. Principe Ferdinando..., in Riv. dell'Ist. di Archeol. e Storia dell'arte, VI, 1937. Cat., Venezia 1959, p. 106. Cat., Firenze 1966, p. 18. Gli Ultimi Medici. Il Tardo Barocco a Firenze 1670-1743, Firenze Firenze 1974, p. 234. M. Chiarini: I quadri della collezione del Principe Ferdinando di Toscana, in Paragone, 301, 1975, p. 69.*	Cat. Mostra, La pittura del Seicento a Venezia, Venezia 1959, pp. 105s. C. Donzelli - G. M. Pilo: I pittori veneti del Seicento, Firenze 1967. G. Fogolari: *Lettere pittoriche del Gran Principe Ferdinando di Toscana..., Riv. dell'Ist. di Archeol. e Storia dell'arte, 1937, p. 153ss. Cat., Detroit-Firenze 1974, n. 139.*	C. Donzelli - G. M. Pilo: I pittori veneti del Seicento, Firenze 1967. *G. Fogolari: Lettere pittoriche del Gran Principe Ferdinando di Toscana..., Riv. dell'Ist. di Archeol. e Storia dell'arte, 1937, pp. 153, 158-159, nota 34. Cat., Detroit-Firenze, 1974, n. 138a.*
INVENTARIO	1065 (C.P., p. 116, n. 744).	5491.	599.	Castello 440.
FOTO	147214-15-16-17-18.	75512.	68223.	225410.
NOTE	Firmato e datato all'esterno degli sportelli: Nicolaus Frumenti absolvit hoc opus XV K1. Junii M° CCCC°LXI°. La Resurrezione di Lazzaro occupa la parte mediana dell'interno, sugli sportelli sono raffigurati Marta dinanzi a Cristo e la Maddalena che unge i piedi a Cristo. All'esterno degli sportelli il ritratto di Francesco Coppini da Prato e due familiari oranti e la Madonna col Bambino. Il tabernacolo fu donato dal legato papale in Fiandra Francesco Coppini, che lo aveva commissionato a Nicolas Froment, a Cosimo il Vecchio de' Medici, il quale a sua volta lo donò al convento dei Minori Osservanti di Bosco ai Frati in Mugello. M.C.	Il soggetto di questa grande tela, correttamente indicato negli inventari medicei, fu sempre interpretato come la Morte di Anania fino a quando lo Haskell (F. Haskell: Patron and Painters..., London 1963, p. 234) ne ristabilì l'identità. L'opera, iniziata sulla traccia di un modello non rintracciato, fu eseguita su commissione del principe Ferdinando de' Medici nel 1699-1700, come si desume dalla corrispondenza del Medici col pittore N. Cassana che fungeva da intermediario (Fogolari 1937). M.C.	La tela, con altre sette di soggetto analogo, fece parte della collezione di Ferdinando, principe di Toscana, nell'inventario della cui collezione, steso alla sua morte nel 1713, sono tutte ricordate e descritte. Le altre sette tele compagne non sono state mai rintracciate. Probabilmente ebbero funzione puramente decorativa e furono appese nel mezzanino detto 'della Meridiana' di palazzo Pitti che il Medici aveva destinato ad accogliere la collezione dei bozzetti. M.C.	Questa tela, con altre tre gemelle, rappresenta quattro modelli per 'torcieri' da eseguirsi in legno, secondo quanto desiderato dal principe Ferdinando di Toscana, che li aveva ordinati al pittore veneziano, come documenta la corrispondenza pubblicata dal Fogolari (1937), nel 1702. In questo caso essi dovevano rappresentare i 'Quattro Elementi'. Insieme con le altre tre tele ai nn. segg., questi torcieri, che non sembra siano mai stati realizzati, figurano nell'inventario della collezione di Ferdinando steso nel 1713. M.C.

	P640	P641	P642	P643
Autore	Fumiani, Giovan Antonio (Venezia 1643-1710).	Fumiani, Giovan Antonio (Venezia 1643-1710).	Fumiani, Giovan Antonio (Venezia 1643-1710).	Furini, Francesco (Firenze 1603-1646), attr. a.
Titolo	Progetto per torcieri.	Progetto per torcieri.	Progetto per torcieri.	Ritratto di fanciulla.
Datazione	1702.	1702.	1702.	1640 ca.?
Dati tecnici	Olio su tela, 58,5x72, restauro 1973-74.	Olio su tela, 58,5x72, restauro 1973-74.	Olio su tela, 85,5x72, restauro 1973-74.	Olio su rame, 18x14.
Cornice	—	—	—	Sagomata, dorata, sec. XVII.
Ubicazioni	Pitti (1702); Uffizi (sec. XIX-XX).	Pitti (1702); Uffizi (sec. XIX-XX).	Pitti (1702); Uffizi (sec. XIX-XX).	Coll. Feroni (ante 1850); Uffizi (1866); Cenacolo di Foligno (1894).
Attribuzioni	—	—	—	Furini (Cat. Feroni 1895, Von Buerckel 1907-09, Toesca 1950). Maniera di L. Lippi (Stanghellini 1913). S. Mazzoni (Ewald 1961).
Esposizioni	Bozzetti delle Gallerie di Firenze, Firenze 1952. Gli ultimi Medici. Il tardo Barocco a Firenze 1670-1743, Detroit-Firenze 1974.	Bozzetti delle Gallerie di Firenze, Firenze 1952. Gli ultimi Medici. Il tardo Barocco a Firenze, Detroit-Firenze 1974.	Gli ultimi Medici. Il tardo Barocco a Firenze 1670-1743, Detroit-Firenze 1974.	—
Bibliografia	C. Donzelli - G. M. Pilo: I pittori veneti del Seicento, Firenze 1967. G. Fogolari: *Lettere pittoriche del Gran Principe Ferdinando di Toscana..., Riv. dell'Ist. di Archeol. e Storia dell'arte, 1937, pp. 153, 158-59, nota 34. Cat., Detroit-Firenze 1974, n. 138b.*	C. Donzelli - G. M. Pilo: I pittori veneti del Seicento, Firenze 1967. G. Fogolari: *Lettere pittoriche del Gran Principe Ferdinando di Toscana, Riv. dell'Ist. di Archeol. e Storia dell'arte, 1937, pp. 153, 158-59; nota 34. Cat., Detroit-Firenze 1974, n. 138c.*	C. Donzelli - G. M. Pilo: I pittori veneti del Seicento, Firenze 1967. G. Fogolari: *Lettere pittoriche del Gran Principe Ferdinando di Toscana..., Riv. dell'Ist. di Archeol. e Storia dell'arte, 1937, pp. 153, 158-59, nota 34. Cat., Detroit-Firenze 1974, n. 138d.*	*Catalogo della Galleria Feroni, Firenze 1895, p. 5. L. von Buerckel: Francesco Furini, in Jahrb. Kunsthist. Sammll., 1907-09, p. 71. A. Stanghellini: Francesco Furini, in Vita d'arte, 1913, p. 26 s. E. Toesca: Francesco Furini, Roma, 1950. G. Ewald: Un Mazzoni nelle Gallerie fiorentine, in Arte Veneta, 1961, p. 246.*
Inventario	Castello 441.	Castello 486.	Castello 498.	S. Marco e Cenacoli 103.
Foto	225411.	225409.	225408.	117349.
Note	Questa tela rappresenta, con le altre tre della serie, quattro torcieri che dovevano essere tradotti in legno e che furono eseguiti per ordine del principe Ferdinando di Toscana, nella cui collezione figurano nel 1713. Come attesta la corrispondenza pubblicata dal Fogolari (1937) tra Ferdinando de' Medici e il pittore veneziano, questi quattro oggetti dovevano rappresentare le 'Quattro età dell'uomo'. M.C.	Come si desume dalla corrispondenza di Ferdinando de' Medici con il pittore veneziano, anche questo progetto per quattro torcieri fu inviato al principe nel 1702 insieme con i primi due, anche se non si parla del suo significato allegorico, che non è chiaro come nelle tre rimanenti tele. Insieme con gli altri è ricordato nell'inventario delle proprietà del principe in palazzo Pitti (1713). M.C.	È questo, dei quattro bozzetti, quello giunto per ultimo a Firenze e più documentato: il soggetto fu espressamente richiesto da Ferdinando de' Medici in una delle sue lettere al pittore (volle che rappresentassero le 'Quattro parti del mondo'), chiendendogli anche che i quattro modelli fossero culminati da un vaso. Come gli altri tre, fece parte della collezione del principe in palazzo Pitti. M.C.	Il piccolo dipinto, d'indubbia qualità, ha avuto una complessa vicenda attributiva. Attribuito al Furini nella collezione di provenienza, tale attribuzione, accettata dalla Toesca, era già stata posta in dubbio dal Von Buerckel, che tuttavia non aveva tolto l'opera dal catalogo del pittore fiorentino. Lo Stanghellini, invece, pensava di avvicinarlo allo stile di Lorenzo Lippi (ma tale attribuzione non sembra sia stata raccolta da F. Sricchia nel suo saggio sull'artista in Proporzioni, 1963). L'Ewald, intervenendo recentemente sull'argomento, ne spostava l'attribuzione sul pittore fiorentino-veneto Sebastiano Mazzoni. A noi sembra che il dipinto vada mantenuto in zona fiorentina, e che i suoi caratteri stilistici lo indirizzino verso il nome di Jacopo Vignanelli. M.C.

	P644	P645	P646	P647
AUTORE	Furini, Francesco (Firenze 1603-1646), attr. a.	Furini, Francesco (Firenze 1603-1646), attr. a.	Gabbiani, Anton Domenico (Firenze 1652-1726).	Gabbiani, Anton Domenico (Firenze 1652-1726).
TITOLO	S. Caterina d'Alessandria.	S. Cecilia (La Musica?).	Musici della corte medicea.	Ritratto di tre musici di corte.
DATAZIONE	1650-60 ca.?	1650-60 ca.?	1681 ca. (Bartarelli 1951-52), 1684 ca. (Chiarini 1976).	1681 (Bartarelli 1952, Ewald 1974), 1685 ca. (Chiarini 1976).
DATI TECNICI	Olio su tela, 70x54.	Olio su tela, 71x53.	Olio su tela, 140x233, restauro 1974-75.	Olio su tela, 14x153, restauro 1974.
CORNICE	Sagomata, dorata, sec. XVII.	Sagomata, dorata, sec. XVII.	Sagomata e dorata, sec. XVII.	Sagomata, dorata, sec. XVII.
UBICAZIONI	Coll. Feroni (ante 1850); Uffizi (1866); Cenacolo di Foligno (1894).	Coll. Feroni (ante 1850); Uffizi (1866); Cenacolo di Foligno (1894).	Pratolino (1684 ca.); Uffizi (sec. XIX).	Pratolino (sec. XVII); Uffizi (sec. XIX); Pitti (1974).
ATTRIBUZIONI	F. Botti? (Ewald 1964).	F. Botti? (Ewald 1964).	—	—
ESPOSIZIONI	—	—	—	—
BIBLIOGRAFIA	*Catalogo della Galleria Feroni, Firenze 1895, p. 1. G. Ewald: Simone Pignoni, in The Burlington Magazine, 1964, p. 226, nota 32.*	*Catalogo della Galleria Feroni, Firenze 1895, p. 1. G. Ewald: Simone Pignoni, in The Burlington Magazine, 1964, p. 226, nota 32.*	A. Bartarelli: Anton Domenico Gabbiani, in Riv. d'arte, 1951-52. F. Haskell: Patrons and Painters..., London 1963. *M. Chiarini: in Kunst des Barock in der Toskana..., München 1976, p. 333.*	I. Hugford: Vita di A.D. Gabbiani, Firenze 1762. A. Bartarelli: A.D. Gabbiani, in Riv. d'arte, 1951-52. G. Ewald in cat.: Gli Ultimi Medici. Il tardo barocco a Firenze 1670-1743, Firenze 1974. *M. Chiarini in: Kunst des Barock in der Toskana..., München 1976, p. 333 s.*
INVENTARIO	S. Marco e Cenacoli 109.	S. Marco e Cenacoli 115.	2805.	2807 (C.P. p. 233, n. 291).
FOTO	112636.	112633.	228364.	225414.
NOTE	Come per il suo 'pendant', n. 115, l'Ewald, rifiutando l'attribuzione al Furini, ha proposto di attribuire il dipinto a Francesco Botti (Firenze 1640 ca.-1710) allievo del Pignoni. M.C.	Attribuito al Furini nel catalogo della collezione di provenienza, il riferimento è stato rifiutato dall'Ewald che pensa di poter identificare l'autore del dipinto, con il suo 'pendant' inv. 109, in Francesco Botti (Firenze 1640 ca.-1710) allievo del Pignoni. M.C.	Insieme ai Nn. 2807 e 2808, il dipinto può essere datato intorno al 1684 sia per lo stile più sobrio e meno sviluppato in rapporto al N. 2802, sia perché nel N. 2808 compare il ritratto del principe Ferdinando de' Medici (n. nel 1663) che dimostra più di vent'anni. Insieme agli altri quadri di musici, fu dipinto, su ordinazione del principe, per la Villa di Pratolino. M.C.	Nei tre musicisti, per le scritte apposte vicino a ciascun personaggio, riconosciamo Vincenzo Oliviccioni, Antonio Rivani e Giulio Cavalletti, noti esecutori che furono al servizio del principe Ferdinando di Toscana nella Villa di Pratolino. Come ricorda lo Hugford, il principe incaricò il Gabbiani di eseguire ritratti dei suoi musicisti: di essi ne esistono altri quattro, databili, più che al 1681, attorno al 1685 per ragioni documentarie date da Chiarini (1976). M.C.

Dipinto non reperibile

	P648	P649	P650	P651
AUTORE	Gabbiani, Anton Domenico (Firenze 1652-1726).	Gabbiani, Anton Domenico (Firenze 1652-1726).	Gabbiani, Anton Domenico (Firenze 1652-1726).	Gabbiani, Anton Domenico (Firenze 1652-1726).
TITOLO	Tre musici della corte medicea.	Il principe Ferdinando de' Medici e i musici della sua corte.	Madonna col libro.	Ratto di Ganimede.
DATAZIONE	1681 ca. (Bartarelli 1951-52, 1687 ca. (Chiarini 1976).	1684 ca. (Bartarelli 1951-52), 1684 ca. (Chiarini 1976).	Ante 1692.	1700.
DATI TECNICI	Olio su tela, 141x208, restauro 1973.	Olio su tela, 139x221, restauro 1974-75.	Olio su tela, 48x38.	Olio su tela, 123x173, restauro 1973.
CORNICE	Sagomata, tinta di giallo, profilata d'oro, sec. XVII.	Sagomata e dorata, sec. XVII.	—	Sagomata, dorata, sec. XVII.
UBICAZIONI	Pratolino (1687 ca.); Uffizi (sec. XIX).	Pratolino (1684 ca.); Uffizi (sec. XIX).	Poggio Imperiale (cit. 1692), Guardaroba (fino al 1706), Uffizi (1796-1951), Poggio a Caiano (dal 1951) trafugato nel 1971.	Pitti (1700); Uffizi (sec. XVIII).
ATTRIBUZIONI	—	—	Anonimo (Inv. Poggio Imperiale, 1692). Gabbiani (Inv. 1784).	—
ESPOSIZIONI	Gli Ultimi Medici. Il Tardo barocco a Firenze, 1670-1743, Detroit-Firenze 1974.	—	—	Mostra della pittura italiana del Settecento, Venezia 1929.
BIBLIOGRAFIA	A. Bartarelli: Anton Domenico Gabbiani, in Riv. d'arte, 1951-52. *Cat., Detroit-Firenze 1974, n. 144. M. Chiarini: in Kunst des Barock in der Toskana, München 1976, p. 333s.*	—	G. Ewald, in Cat. Gli ultimi Medici, Il tardo Barocco a Firenze 1670-1743, Firenze 1974, p. 238-47. M. Chiarini, in Kunst des Barock in der Toskana, München 1976, pp. 333-433.	I. Hugford: Vita di A.D. Gabbiani, Firenze 1762, A. Bartarelli: A. D. Gabbiani, in Riv. d'arte, 1951-52. *M. Chiarini: A.D. Gabbiani e i Medici, in: Kunst des Barok in der Toskana..., München 1976, p. 337 ss.*
INVENTARIO	2802.	2808.	1561 (C.P., p. 168, n. 1212).	2176.
FOTO	225413.	228363.	—	195626.
NOTE	Come ricordato dalle fonti, il Gabbiani eseguì ritratti dei musicisti attivi alla corte medicea per la Villa di Pratolino: ne sono conservati cinque di quelli ricordati dai documenti d'archivio. Questo esemplare è databile a circa il 1687, ma non prima di questo anno, poiché nella figura in primo piano a destra è riconoscibile il cantante Francesco de' Castris, entrato al servizio del principe Ferdinando de' Medici in quell'anno. M.C.	Con i Nn. 2802-805-807, faceva parte di una serie di quadri rappresentanti musici della corte medicea eseguiti per ordine del principe Ferdinando de' Medici per la Villa di Pratolino. Poiché il principe, qui ritratto in primo piano a destra con abito di broccato azzurro, dimostra più di vent'anni (era nato nel 1663), il quadro va certamente situato dopo il 1683 e in prossimità di altre opere documentate al 1684. M.C.	Da identificarsi molto probabilmente con la 'Madonna del libro' anonima citata nell'Inventario della Villa del Poggio Imperiale del 1692 (A.S.F., Guard. 995, c. 71 n. 169). Forse eseguita per Vittoria della Rovere dopo il 1684 quando, secondo Francesco Saverio Baldinucci, il pittore dipingeva per lei e per il principe Ferdinando alcuni quadri di devozione (cfr. Chiarini, 1976). Trafugato dalla Villa di Poggio a Caiano nel 1971, è privo di documentazione fotografica. M.G.	Il dipinto fu eseguito dal pittore nel 1700, come ricordato dalle fonti, per il principe Ferdinando de' Medici. In palazzo Pitti fino alla metà circa del Settecento, fu poco dopo portato agli Uffizi ed esposto nella Sala dell'Ermafrodito fino al XIX secolo. M.C.

	P672	P673	P674	P675
AUTORE	Garofalo, Benvenuto Tisi, detto il (Ferrara 1481-1559).	Garofalo, Benvenuto Tisi, detto il (Ferrara 1481-1559).	Garzi, Luigi (Pistoia 1638 - Roma 1721).	Garzoni, Giovanna (Ascoli Piceno 1600 - Roma 1670).
TITOLO	Il Cristo della moneta.	Annunciazione.	Il ritrovamento di Mosè.	Fruttiera di pesche.
DATAZIONE	Secondo decennio sec. XVI (Bertani 1979).	Sec. XVI.	1692.	Secondo quarto sec. XVII.
DATI TECNICI	Olio su tavola, 20x22.	Olio su tavola, 55,2x76.	Olio su tela, 228x255, rintelato 1970.	Tempera su pergamena ottagonale, 67x50, restauro 1964.
CORNICE	Dorata e intagliata sec. XIX.	Aggettante, modanata e dorata, sec. XVI.	Originale.	Nera a onde, sec. XVII.
UBICAZIONI	Guardaroba (1702-1710); Uffizi (1755).	Pitti (1702-1710); Poggio a Caiano; Uffizi (1773).	Poggio Imperiale (cit. 1692); Uffizi (1778).	Poggio Imperiale (1691); Depositi, Uffizi (1976).
ATTRIBUZIONI	Tiziano (Inv. Antichi, B. Berenson 1932, 1967). Copia da Tiziano (Vasari-Milanesi 1881). Garofalo (Pieraccini 1907). Scuola Ferrarese (Cat. Firenze 1978).	—	Luti (Inv. Poggio Imperiale, 1692). Ciro Ferri, Luigi Garzi o Benedetto Luti (atto di ricevimento dal Poggio I. alla R. Galleria, 1778, B. Luti (Inv. 1784, Moschini 1923, Thieme-Becker 1929), L. Garzi (Sestieri 1972).	—
ESPOSIZIONI	—	—	—	La natura morta italiana, Napoli-Zurigo-Rotterdam 1964.
BIBLIOGRAFIA	A. Neppi, Il Garofalo, Milano 1959; Cat. Mostra, Tiziano nelle Gallerie fiorentine, Firenze 1978, n. 88, pp. 306-308.	R. Longhi, Officina ferrarese, 1934, (ampl. dell'Off. ferr., 1968, pp. 77-79, 156-157); A. Neppi, Il Garofalo, Milano 1959.	Thieme-Becker, XIII, 1929, pp. 222-3; V. Moschini, in L'Arte, XXVI, 1923; G. Sestieri, in Commentari, XXIII, 1972, pp. 105, 110. Idem, in Arte Illustrata, 54, 1973.	A. Cipriani, in Boll. di Storia dell'Arte. Ricerche di storia dell'arte 1-2, 1976, M. Gregori, in Cat. Napoli 1964, pp. 27-28.
INVENTARIO	1553 (C.P., p. 145, n. 1033).	1565 (C.P., p. 145, n. 1038).	518 (C.P., pag. 72, n. 73).	4780.
FOTO	157473.	157472.	69319.	181861.
NOTE	Il quadro compare per la prima volta negli inventari di Palazzo Pitti nel 1702-10 (ASF, Guard. 1183, II, c. 650). Nel 1713 compare nell'inventario del Gran Principe Ferdinando (ASF, Guard. 1222, p. 68). Portato agli Uffizi è esposto dal 1753 al 1769 nella Tribuna (AGF, ms 95, n. 1586 e ms 98, c. 230v). L'originale di Tiziano si trovava già a Modena (1598) e dal 1746 è alla Gemäldegalerie di Dresda. Altra composizione simile copia da Tiziano a Pitti (Inv. 1890, n. 6746). L.B.B.	A tergo è scritto 'Benvenuto da Garofalo detto Tisio'. Si trovava già a Pitti ai primi del sec. XVIII (cfr. ASF, 1702-10, Guard. 1185, vol. IV, c. 1510). Pervenne agli Uffizi dalla Villa del Poggio a Caiano il 29.X.1773 (cfr. AGF, filza VI ins. 96, n. 681). L.B.B.	Eseguito probabilmente per Vittoria della Rovere, il dipinto si trova citato come opera di Benedetto Luti nell'Inventario del Poggio Imperiale del 1692 (ASF, Guard. 995, c. 97 n. 365). Nell'atto di ricevuta dal Poggio Imperiale alla Real Galleria (AGF, Filza XI ins. 88) è indicato come opera di Ciro Ferri ma vi è aggiunto: « Il quadro di Ciro dal p. Conca si asserisce di essere di Luigi Garzi scolaro di Andrea Sacchi. Il Sign. Tommaso Gherardini lo crede di Benedetto Luti ». Altre redazioni di questo soggetto: Roma, Galleria Nazionale, coll. Santoro a Potenza Picena (MC), U.S.A., u. i. (Sestieri 1972). M.G.	A tergo numeri d'inventario che dimostrano la permanenza di questo e dei tre ottagoni che seguono nella villa del Poggio Imperiale almeno fino alla metà del secolo XIX. Essi vi sono documentati alla fine del '600 (ASF, Guard. 992, c. 52v) in proprietà di Vittoria della Rovere, ma probabilmente appartenero prima al cardinal Giovan Carlo nella cui eredità sono citati 'due quadri in ottangolo entrovi varie frutte, con ornamento d'ebano di mano della Giovanna Garzoni (ASF, Med. 2697, 3). Sul piano sotto la fruttiera, un fico e tre nespole 'razzeruole', come sono definite negli inventari secenteschi. S.M.T.

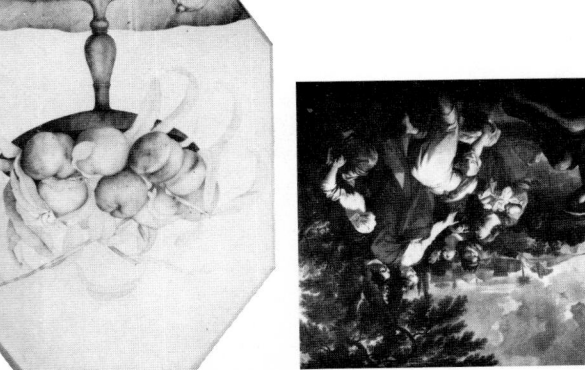

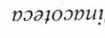

 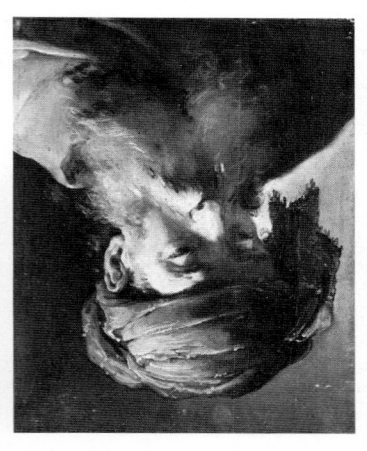 

	P668	P669	P670	P671
AUTORE	Gandolfi, Gaetano (S. Matteo della Decima 1734 - Bologna 1802).	Gandolfi, Ubaldo (S. Matteo della Decima 1728 - Ravenna 1781).	Gandolfi, Ubaldo (S. Matteo della Decima 1728 - Ravenna 1781). attr. a.	Garofalo, Benvenuto Tisi, detto il (Ferrara 1481-1559).
TITOLO	Madonna col Bambino, s. Giovannino, S. Anna e S. Rocco.	Madonna in gloria e santi.	Testa di vecchio con turbante.	Adorazione dei pastori.
DATAZIONE	1785 ca. (Bianchi 1936).	1759 ca.	1770-80 ca. (Chiarini 1978).	1550 ca.
DATI TECNICI	Olio su tela, 100x117.	Olio su tela centinata, 98x67.	Olio su tela, 48x38.	Olio su tavola, 37x47.
CORNICE	Intagliata e dorata, barocca.	Intagliata, dorata, sec. XVIII.	Intagliata, dorata, sec. XVIII.	Intagliata, dorata, sec. XVII.
UBICAZIONI	Coll. Fairfaix Murray; Uffizi (1916).	Uffizi (1957).	Uffizi (1955).	Coll. Feroni (ante 1850); Uffizi (1866); Cenacolo di Foligno (1894).
ATTRIBUZIONI	Scuola veneta sec. XVIII (Inv. 1916).	Donato Creti (Gnudi, Micheletti 1960), U. Gandolfi (Brunetti 1960), Roli 1977).	P. A. Novelli (Becherucci 1960). U. Gandolfi (Chiarini 1978).	—
ESPOSIZIONI	Mostra del Settecento bolognese, Bologna 1935.	Mostra del Settecento bolognese, Bologna 1935. Nuovi acquisti delle Gallerie fiorentine, Firenze 1960.	Nuovi acquisti delle Gallerie fiorentine, Firenze 1960.	—
BIBLIOGRAFIA	Cat., Bologna 1935, p. 66. L. Bianchi: I Gandolfi, Roma 1936, pp. 80, 162, n. 117. R. Roli: Pittura bolognese 1650-1800, Bologna 1977, p. 264.	Cat., Firenze 1960, n. 13. E. Brunetti: in Arte antica e moderna, 10, 1960, pp. 212-13. R. Roli: La pittura bolognese 1650-1800, Bologna 1977, pp. 166, 266.	R. Roli: Pittura bolognese 1650-1800, Bologna 1977. Cat., Firenze 1960, n. 18. M. Chiarini: Tre quadri del Gandolfi nelle collezioni fiorentine, in Paragone, 343, 1978, p. 61.	A. Neppi: Il Garofalo, Milano 1959. A.M. Fioravanti Baraldi: Benvenuto Tisi da Garofalo tra Rinascimento e Manierismo, in Atti Acc. d. Scienze di Ferrara, vol. 54, 1976-77. Catalogo della Galleria Feroni, Firenze 1895, p. 9.
INVENTARIO	3265.	9408.	9299.	160008.
FOTO	5527.	—	111352.	
NOTE	Il dipinto fu donato alla Galleria degli Uffizi nel 1916 dal noto collezionista inglese Fairfax Murray con l'attribuzione a Scuola veneta del sec. XVIII. Fu riconosciuto come opera di Gaetano Gandolfi da R. Longhi e esposto alla mostra del Settecento bolognese nel 1935. L'attribuzione è stata accettata dalla Bianchi, che data il dipinto intorno al 1785, e dal Roli. M.C.	Il dipinto, la cui provenienza non è documentata, fu acquistato nel 1959 per la collezione dei bozzetti. Esposto nel 1960 con l'attribuzione di C. Gnudi a D. Creti, la Brunetti vi ha riconosciuto il modello per la pala d'altare con l'Assunta e i SS. Pietro, Maddalena de' Pazzi, Luigi Gonzaga e Nicola, nella chiesa parrocchiale di Castelsanpietro presso Bologna, dipinta da Ubaldo Gandolfi nel 1759. La studiosa propone di riconoscere in questo bozzetto quello esposto a Bologna nel 1935 alla mostra del Settecento bolognese (p. 68, n. 10). M.C.	Il dipinto, la cui provenienza non è documentata, fu acquistato nel 1955 con l'attribuzione a P. A. Novelli, accettata da Luisa Becherucci (in cat., Firenze 1960). Confronti stilistici con le opere di Ubaldo Gandolfi e in particolare con 'teste' di questo tipo, datate dal Roli nell'ottavo decennio del Settecento, sono state invece indicate dal Chiarini come probabili dell'attribuzione al pittore bolognese. M.C.	Il dipinto, non noto alla critica, per quanto presenti qualche stanchezza di fattura, sembra opera genuina del Garofalo. Da datarsi probabilmente negli anni tardi della sua attività. M.C.

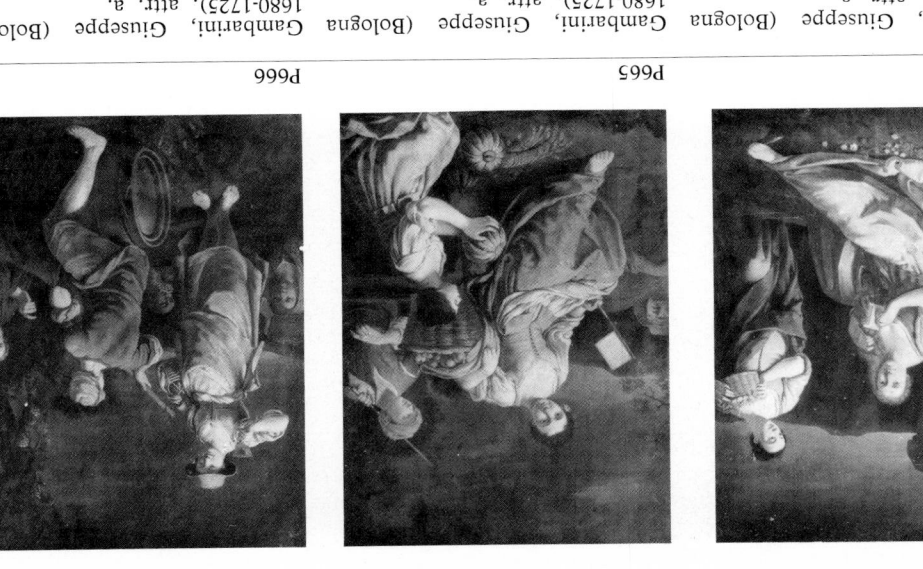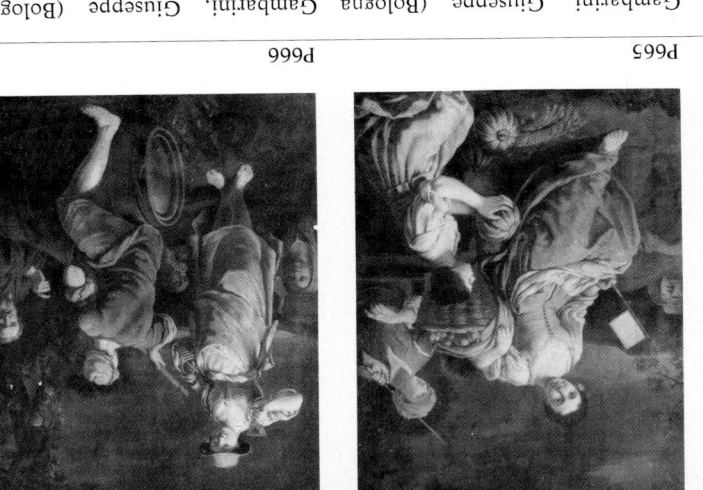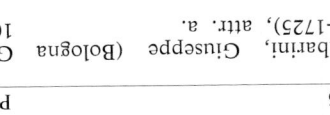

	P664	P665	P666	P667
AUTORE	Gambarini, Giuseppe (Bologna 1680-1725), attr. a.	Gambarini, Giuseppe (Bologna 1680-1725), attr. a.	Gambarini, Giuseppe (Bologna 1680-1725), attr. a.	Gambarini, Giuseppe (Bologna 1680-1725), attr. a.
TITOLO	La primavera.	L'estate.	L'autunno.	L'inverno.
DATAZIONE	1725 ca.	1725 ca.	1725 ca.	1725 ca.
DATI TECNICI	Olio su tela, 95x69.	Olio su tela, 95x69.	Olio su tela, 95x69.	Olio su tela, 95x69.
CORNICE	—	—	—	—
UBICAZIONI	Uffizi (1960).	Uffizi (1960).	Uffizi (1960).	Uffizi (1960).
ATTRIBUZIONI	—	—	—	—
ESPOSIZIONI	—	—	—	—
BIBLIOGRAFIA	R. Roli: Pittura bolognese 1650-1800, Bologna 1977, H. Voss: Giuseppe Gambarini, in Pantheon, II, 1928, p. 514.	R. Roli: Pittura bolognese 1650-1800, Bologna 1977, H. Voss: Giuseppe Gambarini, in Pantheon, II, 1928, p. 514.	R. Roli: Pittura bolognese 1650-1800, Bologna 1977, H. Voss: Giuseppe Gambarini, in Pantheon, II, 1928, p. 514.	R. Roli: Pittura bolognese 1650-1800, Bologna 1977, H. Voss: Giuseppe Gambarini, in Pantheon, II, 1928, p. 514.
INVENTARIO	9420.	9421.	9422.	9419.
FOTO	135250.	135251.	135252.	135249.
NOTE	Acquistato, con gli altri tre dipinti della serie, nel 1960. Per una sua possibile attribuzione a Stefano Ghirardini, allievo del Gambarini, vedi il n. 9419.	Acquistato con gli altri tre dipinti della serie, nel 1960. Per una sua possibile attribuzione a Stefano Ghirardini, allievo del Gambarini, vedi il n. 9419.	Acquistato con gli altri tre dipinti della serie nel 1960. Per una sua possibile attribuzione a Stefano Ghirardini, allievo del Gambarini, vedi il n. 9419.	Questo dipinto, acquistato insieme con i numeri 9420-22 nel 1960, reca una attribuzione tradizionale al Gambarini. Tuttavia la personalità di quest'ultimo, ancora da studiare, è passibile di confusioni con quelle dei suoi seguaci e allievi, come ad esempio Stefano Ghirardini (1696-1756). I quattro quadri, infatti, appaiono piuttosto legati a questo ultimo per ragioni di stile: mancano infatti della naturalezza dal Gambarini deriva-ta da G. M. Crespi, e le figure hanno la convenzionalità di atteggiamenti e di espressioni riscontrabili nel Ghirardini.
	M.C.	M.C.	M.C.	M.C.

	P660	P661	P662	P663
AUTORE	Gagneraux, Bénigne (Digione 1756 - Firenze 1795).	Gagneraux, Bénigne (Digione 1756 - Firenze 1795).	Galle, Hieronimus (Anversa 1652 - Bruxelles?, post 1681).	Galliari, Bernardino (Andorno 1707-1794).
TITOLO	Caccia al leone.	Combattimento di cavalieri.	Festone di fiori.	Sacrificio d'Ifigenia.
DATAZIONE	1795.	1795.	1655.	
DATI TECNICI	Olio su tela, 90x111.	Olio su tela, 56x42, pulitura 1977.	Olio su tavola, 45x67, restauro 1972.	
CORNICE	Originale.	Sagomata dorata, sec. XVIII-XIX.	Ebano, sec. XIX-XX.	
UBICAZIONI	Uffizi (1796); Museo Civico, Pistoia (1937 ca.); perduto (1945).	Uffizi (1796).	Uffizi (1753); Pitti (1928).	
ATTRIBUZIONI	—	—		
ESPOSIZIONI	—	Pittura francese nelle collezioni pubbliche fiorentine, Firenze 1977.	Rubens e la pittura fiamminga del Seicento nelle collezioni pubbliche fiorentine, Firenze 1977.	
BIBLIOGRAFIA	H. Baudot: Eloge historique de Bénigne Gagneraux..., Dijon 1899. P. Rosenberg: Pittura francese nelle collezioni pubbliche fiorentine, Firenze 1977, p. 228, n. LXXXVI.	H. Baudot: Eloge historique de Bénigne Gagneraux..., Dijon 1889. Cat. Firenze 1977, n. 150.	M.L. Hairs: Les peintres flamands de fleurs au XVIIe siècle, Bruxelles 1965. Cat. Firenze 1977, n. 44.	
INVENTARIO	1011 (C.P., p. 119, n. 690).	983.	1268 (C.P., p. 122, n. 946).	
FOTO	Alinari 651.	1860089.	217617.	
NOTE	Firmato e datato in basso a destra. Il dipinto, entrato nel 1796 nella Galleria degli Uffizi, fu concesso in deposito al Museo Civico di Pistoia dal quale scomparve durante la seconda guerra mondiale (1945). Disegno preparatorio: Brema, Kunsthalle. M.C.	Firmato e datato in basso a sinistra: B. Gagneraux 1795. Versione firmata nel Museo Fabre di Montpellier, copia nel Museo Civico di Pistoia. M.C.	Firmato e datato: Hieronymus Galle f. A. 1655. La provenienza del dipinto non è documentata. È uno degli esempi più antichi dell'artista, ispirato, secondo il Bodart, a composizioni analoghe di J.D. de Heem. M.C.	Vedi: Crosato, Giovan Battista, attr. a. Sacrificio d'Ifigenia.

	P656	P657	P658	P659
AUTORE	Gaddi, Agnolo (Firenze 1350 ca. - 1396).	Gaddi, Taddeo (Firenze 1300 ca. - 1366).	Gaddi, Taddeo (Firenze 1300 ca. - 1366). Gerini, Niccolò di Pietro (Firenze 1345 ca. - 1414-15).	Gaddi, Taddeo (Firenze 1300 ca. - 1366).
TITOLO	Crocifissione.	Madonna in trono fra santi e angeli.	Madonna col Bambino, Cristo, Santi e Profeti.	Madonna in trono col bambino, Angeli e Sante.
DATAZIONE	1390 ca. (Sirèn 1906), 1390-96 (Boskovits 1975).	1330-35 (Marcucci 1965).	1340-45 ca. (Marcucci 1965: la parte di Taddeo), 1359-1400 (Boskovits 1975: la parte di Niccolò).	1355.
DATI TECNICI	Tempera su tavola, 59x77.	Tempera su tavola, 91x48,5, restauro 1960 M. Di Pietro.	Opera composita, tempera su tavola, 168x129.	Tempera su tavola, 154x80.
CORNICE	Barocca, intagliata e dorata.	—	Parzialmente originale. Le colonne laterali sono false.	Parzialmente originale.
UBICAZIONI	Coll. Fratelli Metzeger; (1860).	Chiesa della Certosa (1960); Museo della Certosa (1961); Uffizi (1972).	Uffizi (1891); Accademia (1919).	Cappella Segni in S. Lucchese, Poggibonsi (dall'origine); S. Pietro di Megognano; Poggibonsi (sec. XVIII?); Pinacoteca Nazionale, Siena (1876); Uffizi (1914).
ATTRIBUZIONI	Spinello Aretino (attribuzione tradizionale); Scuola di Spinello Aretino (Berenson 1932), Agnolo Gaddi (Sirèn 1906, Salvini 1936 ecc.).	—	—	La Madonna col Bambino: Taddeo Gaddi (Gamba 1903). Le altre figurazioni: Niccolò Gerini (Longhi, Marcucci 1965, Boskovits 1975).
ESPOSIZIONI	Taddeo Gaddi (Marcucci) (1960).	—	—	Exposition de l'art italien de Cimabue à Tiepolo, Parigi 1935.
BIBLIOGRAFIA	R. Salvini: L'arte di A. G. Firenze 1936, M. Boskovits: La pittura fiorentina alla vigilia del Rinascimento, Firenze 1975. L. Marcucci: I dipinti toscani del Secolo XIV, Roma 1965, n. 98.	P.P. Donati, Taddeo Gaddi, Firenze 1966. L. Marcucci, I dipinti toscani del secolo XIV, Roma 1965.	M. Boskovits: Pittura Fiorentina alla vigilia del Rinascimento, Firenze 1975. L. Marcucci: I dipinti toscani del Secolo XIV, Roma 1965, n. 34.	Cat. Parigi 1935, n. 177, L. Marcucci: I dipinti toscani del Secolo XIV, Roma 1965, n. 35.
FOTO	117348.	118212.	109237.	109238.
INVENTARIO	464 (C.P., p. 65, n. 37).	Depositi 176.	448.	Depositi 3.
NOTE	Probabilmente pannello centrale della predella di un polittico: è stato rimesso in rapporto con il complesso di San Miniato al Monte, dipinto da Agnolo negli anni che vanno dal 1393 al 1396. Il pannello fu acquistato quando i fratelli Metzeger lo esportarono per il permesso di esportazione il 5 dicembre 1860. L. Bell.	Il dipinto molto sciupato per una pulitura assai drastica avvenuta presumibilmente nel secolo scorso, era stato dato, in epoca imprecisata, in deposito alla Certosa del Galluzzo; già nella Cappella del Crocifisso nella Chiesa di Santa Maria (Inv. Certosa 102), nel 1960 venne esposto nel Museo della Certosa, nel 1972 ritornò agli Uffizi e attualmente si trova nei depositi. La scoperta della tavola si deve a Luisa Marcucci. L.B.B.	La lunetta con la Madonna e il Bambino dipinta da Taddeo Gaddi è stata reincorniciata alla fine del 'Trecento con una cuspide ad arco inflesso e una predella in cui furono dipinti dal Gerini (secondo il suggerimento del Longhi ritirato dalla Marcucci) le figure dell'Eterno, due Profeti, Cristo in Pietà fra la Vergine e S. Giovanni con i SS. Romualdo, Francesco, Giov. Battista, Benedetto, Damiano e Ludovico di Tolosa. La presenza di SS. Romualdo e Benedetto fa pensare ad una provenienza da un convento benedettino (Marcucci 1965) se non addirittura camaldolese. L. Bell.	Importantissima come punto di riferimento per lo stile tardo di Taddeo Gaddi, questa tavola e il piccolo trittico di Berlino del 1333 sono le uniche opere firmate e datate del pittore. Essa reca infatti la scritta seguente: 'TADDEUS. GADDI. D. FLO-RETIA ME PIXIT. MCCCLV. QUESTA TAVOLA FECE FARE GIOVANNI DI SER SEGNA PER RIMEDIO DLA ANIMA SUA ED DI SUOI PASSATI'. Ai lati della Vergine stanno in piedi S. M. Maddalena e S. Caterina d'Alessandria. Sul basamento del trono è lo stemma dei Segni; la superficie pittorica della tavola è assai consunta. L. Bell.

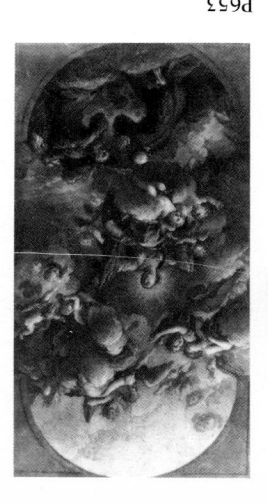
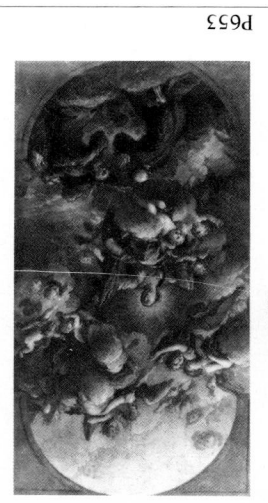

	P652	P653	P654	P655
AUTORE	Gabbiani, Anton Domenico (Firenze 1652-1726).	Gabbiani, Anton Domenico (Firenze 1652-1726).	Gaddi, Agnolo (Firenze 1350 ca. - 1396).	Gaddi, Agnolo (Firenze 1350 ca. - 1396).
TITOLO	S. Maria Maddalena portata in cielo.	La Vergine dà l'abito ai fondatori dell'Ordine dei Servi di Maria.	Madonna col Bambino e i SS. Benedetto, Piero, Giovanni evangelista e Miniato.	Madonna dell'Umiltà.
DATAZIONE	1701 ca.	1718 ca.	1375-80 (Boskovits 1975).	1385-'90 (Boskovits 1975), 1395 ca. (Marcucci 1965).
DATI TECNICI	Olio su tela montata su due supporti lignei emisferici, 93×143 (diam.).	Olio su tela, 54×29.	Tempera su tavola, 222×300.	Tempera su tavola, 118×58.
CORNICE	—	Sagomata, dorata, sec. XVIII.	Parzialmente originale.	Parzialmente originale. Le colonnine sono aggiunte moderne.
UBICAZIONI	Coll. Ignazio Hugford (1726 ca.?); Uffizi (1778)?	Cosimo III de' Medici; Pitti (1723 ca.); Uffizi (sec. XIX).	S. Miniato al Monte (?) (dall'origine); Coll. Masi, Capannoli (cit. 1909); antiquario Grassi; Coll. Achillito Chiesa, Milano (venduta nel 1926); Coll. Contini Bonacossi; Uffizi (1974) Dep. Meridiana di Pitti.	Convento di S. Verdiana (dall'origine?); Gallerie Fiorentine (1810?); Uffizi (1891); Accademia (1919-20).
ATTRIBUZIONI	—	—	A. Gaddi (Siren 1908, Berenson 1931). Compagno d'Agnolo (Siren 1914-15). Starnina (Wulff 1929, Van Marle 1924). Pseudo compagno d'Agnolo (Salvini 1935).	Ignoto XV secolo (Rigoni 1891, Peraccini 1901). Scuola di Agnolo Gaddi (Siren 1905). Maestro delle Madonne (Wulff 1907). Compagno d'Agnolo (Siren 1908, Salvini 1936). Agnolo Gaddi (Berenson 1932, Marcucci 1965, Boskovits 1975).
ESPOSIZIONI	Bozzetti delle Gallerie di Firenze, Firenze 1952, Gli Ultimi Medici. Il tardo Barocco a Firenze, 1670-1743, Detroit-Firenze 1974.	Bozzetti delle Gallerie di Firenze, 1952, Gli Ultimi Medici. Il tardo Barocco a Firenze 1670-1743, Detroit-Firenze 1974.	Arte Sacra, Firenze 1961.	Arte Sacra, Firenze 1961.
BIBLIOGRAFIA	A. Bartarelli: Domenico Gabbiani, in Riv. d'arte, 1951-52. Cat., Firenze 1952, n. 63. Cat., Detroit-Firenze 1974, n. 140a-b.	A. Bartarelli: Domenico Gabbiani, in Riv. d'arte, 1951-52. Cat., Firenze 1952, n. 62. Cat., Detroit-Firenze 1974, n. 142.	R. Salvini, in Boll. d'Arte, XXIX, 1935, p. 293. M. Salmi, in Boll. d'Arte 1967 (IV), M. Boskovits, Pitture fiorentine alla vigilia del Rinascimento 1370-1400, Firenze 1975, p. 298.	M. Boskovits: La pittura fiorentina alla vigilia del Rinascimento, Firenze 1975. L. Marcucci: I dipinti toscani del Secolo XIV, Roma 1965, n. 101.
INVENTARIO	7098.	539.	Contini Bonacossi 29.	461 (C.P., p. 63, n. 34).
FOTO	94242-43.	68198.	225600 e part.	112688.
NOTE	È molto probabile che questo sia il primo pensiero in forma rotonda?, cominciato il primo aprile 1701 dal Gabbiani, come ricorda il suo allievo e biografo I. Hugford, che possedette un gran numero delle opere del maestro. L'artista aveva cominciato in quell'anno a pensare alla decorazione della cupola della chiesa di S. Frediano a Firenze, voluta dal principe Ferdinando de' Medici e compiuta nel 1718. Molti disegni per questo progetto sono conservati al Gabinetto disegni e stampe degli Uffizi. Il modello probabilmente entrò nelle collezioni fiorentine con l'acquisto di tutta la collezione dell'Hugford alla sua morte. M.G.	Il dipinto è il bozzetto per l'affresco compiuto dal Gabbiani nel 1718 nella volta della navata maggiore del Santuario di Montesenario. Appartenne a Cosimo III de' Medici, come attestato da un inventario dei quadri di Pitti steso fra il 1716 e il 1723. M.C.	L'ipotesi del Salmi secondo la quale il polittico ideato dal Gaddi di era destinato a San Miniato al Monte, è confortata dalla presenza di San Miniato con lo scettro, il giglio e la palma. Come il Berenson, lo stesso Salmi riconosce però nella discontinuità dell'esecuzione, la mano di un collaboratore, forse uno di quelli che lavorarono col maestro alla cappella della Cintola nel Duomo di Prato (dal 1392). Secondo il Boskovits al centro del polittico doveva figurare la Madonna della Coll. Kisters a Kreuzlingen, anziché l'attuale non pertinente. L'opera è entrata nelle collezioni della Galleria in seguito a una donazione, accompagnata da una convenzione, degli eredi del conte Alessandro Contini Bonacossi (1969). C.C.	Questa Madonna dell'Umiltà affiancata da Angeli, due dei quali tengono sollevata una corona, fa parte di quel numeroso gruppo di dipinti su tavola che, pur facendo capo allo stile di Agnolo Gaddi, sono stati considerati di mano diversa (Compagno di Agnolo o Maestro delle Madonne). Più giustamente si è poi tornati a considerarli in rapporto con l'attività tarda dello stesso Agnolo. Se il presente dipinto è stato eseguito per il Convento di S. Verdiana, fondato fra il 1395 e il 1400, i rapporti con il Gaddi non possono che riferirsi alla fase tarda della sua attività. L. Bell.

	P676	P677	P678	P679
AUTORE	Garzoni, Giovanna (Ascoli Piceno 1600 - Roma 1670).	Garzoni, Giovanna (Ascoli Piceno 1600 - Roma 1670).	Garzoni, Giovanna (Ascoli Piceno 1600 - Roma 1670).	Gatti, Annibale (Forlì 1828 - Firenze 1909).
TITOLO	Fruttiera di susine.	Vaso di porcellana con tulipani.	Vaso di vetro con tulipani e giacinto.	Monna Ghita presenta il figlio alla Signoria di Firenze.
DATAZIONE	Secondo quarto sec. XVII.	Secondo quarto sec. XVII.	Secondo quarto sec. XVII.	1861.
DATI TECNICI	Tempera su pergamena ottagonale, 66x49,5, restauro 1964.	Tempera su pergamena ottagonale, 67x50, restauro 1964.	Tempera su pergamena ottagonale, 65,6x48,5, restauro 1964.	Olio su tela, 36x73.
CORNICE	Nera a onde, sec. XVII.	Nera a onde, sec. XVII.	Nera a onde, sec. XVII.	D'epoca, sagomata e dorata.
UBICAZIONI	Poggio Imperiale (1691); Depositi, Uffizi (1970).	Poggio Imperiale (1691); Depositi, Uffizi (1970).	Poggio Imperiale (1691); Depositi, Uffizi (1970).	Coll. Giuseppe Martelli; Uffizi (1876); Accademia (1895); Galleria d'Arte Moderna, Pitti (1924).
ATTRIBUZIONI	—	—	—	—
ESPOSIZIONI	—	La natura morta italiana, Napoli-Zurigo-Rotterdam 1964.	—	—
BIBLIOGRAFIA	A. Cipriani, in Boll. di Storia d'Arte. Ricerche di storia dell'arte 1-2, 1976. A. Sutherland Harris, L. Nochlin, Women Artists 1550-1950, Los Angeles 1976.	A. Sutherland Harris, L. Nochlin: Women Artists 1550-1950, Los Angeles 1976. *M. Gregori, in Cat., Napoli 1964, pp. 27-28.*	A. Cipriani, in Boll. di Storia d'Arte. Ricerche di storia dell'arte 1-2, 1976. A. Sutherland Harris, L. Nochlin, Women Artists 1550-1950, Los Angeles 1976.	L. e F. Luciani, Dizionario dei pittori italiani dell'800, Firenze 1974. *Cat. mostra, Romanticismo storico, Firenze 1973-74, p. 373.*
INVENTARIO	4782.	4781.	4783.	Acc. 343. GAM Cat. Gen. 501.
FOTO	167624.	181860.	167623.	171470.
NOTE	Forse appartenuto, col pendant inv. 1890, n. 4780, al card. Giovan Carlo de' Medici, che li teneva nel suo casino di via della Scala (ASF, Med. 2697, 3): passarono poi a Vittoria della Rovere alla villa del Poggio Imperiale, dove rimasero almeno fino al 1845 (hanno a tergo il numero dell'inventario della villa di quell'anno). La datazione è incerta: la Garzoni fu a Firenze almeno due volte, prima del 1630 e nel 1647-49. Il forte influsso del Ligozzi e la semplicità di presentazione fa propendere per un'opera del primo, o al massimo del secondo soggiorno. S.M.T.	A tergo i numeri degli inventari di Poggio Imperiale del 1836 e del 1845. In serie col n. 4783 e probabilmente anche con le fruttiere inv. 4780 e 4782, appartenne forse al card. Giovan Carlo, nella cui eredità (ASF, Med. 2697, 3) sono citati sette quadri ottagoni di fiori della Garzoni, di cui fa memoria lei stessa nelle sue 'Fatture' (Archivio dell'Accademia di S. Luca in Roma). Comunque le due coppie erano al Poggio Imperiale nel 1691 (ASF, Guard. 992, c. 32v) e vi rimasero fino a metà '800 almeno. Per la datazione, si veda scheda del n. 4782. S.M.T.	A tergo i numeri degli Inventari di Poggio Imperiale del 1836 (n. 72) e del 1845 (n. 1648). In serie con un'altra 'guastada' di soli tulipani (inv. 1890 n. 4781) e forse con due fruttiere (inv. 1890 nn. 4780 e 4782) appartenne forse al cardinal Giovan Carlo (ASF, Med. 2697,3) e certamente a Vittoria della Rovere che li teneva al Poggio Imperiale dove stettero ininterrottamente dal 1691 (ASF, Guard. 992, c. 32v) al 1845 almeno. Non sembrano opere tarde e possono risalire o al primo soggiorno fiorentino della miniatrice (ante 1630) o al secondo (1647-49: cfr. AGF, ms. 62, cc. 4, 10). S.M.T.	Firmato in basso a destra sulla cartella di Michelangelo: A. Gatti. A tergo iscrizione a penna: N. 36. Bozzetto del pittore Annibale Gatti / di un affresco eseguito nel Palazzo Pitti. È infatti il bozzetto per una delle due lunette affrescate dal pittore in una Galleria della Meridiana con il soggetto tratto dal romanzo L'assedio di Firenze del Guerrazzi. In entrambe compare Michelangelo, nell'una mentre sovrintende ai lavori di fortificazione delle mura, nell'altra mentre osserva Monna Ghita. Il bozzetto giunge col lascito dell'architetto Giuseppe Martelli nel 1876, il cui inventario redatto dal Ferri è nell'AGF, 1876, filza A, I, 53. La collezione andò presto dispersa e isolatamente questo bozzetto fu inventariato nel 1895 nelle raccolte dell'Accademia, poi trasferite a Palazzo Pitti. È esposto dal riordinamento del 1976. Per tre autoritratti del Gatti v. inv. 1890, n. 3399 e 4294 e inv. GAM Giornale 896. S.P.

	P680	P681	P682	P683
AUTORE	Gauffier, Louis (Poitiers 1762 - Livorno 1801).	Gauffier, Louis (Poitiers 1762 - Livorno 1801).	Genga, Girolamo (Urbino 1476-1551).	Gentile da Fabriano, G. di Niccolò, detto (Fabriano 1370 ca. - Roma 1427).
TITOLO	Alessandro sigilla la bocca di Efestione.	Autoritratto con la moglie e i due figli.	Martirio di san Sebastiano.	L'Adorazione dei Magi.
DATAZIONE	1791 (Pinto 1972).		Primi sec. XVI (Petrioli 1969).	1423.
DATI TECNICI	Olio su tela, 95x73.		Olio su tavola, 100x83.	Opera composita. Tempera su tavola, con aureole e fregi stampati a ferro, 173x220 in totale; predella: laterali 25x62 ciascuno, centrale 25x88, restauro 1955.
CORNICE	Ottocentesca, laccata in verde.		Intagliata e dorata.	Originale. Posteriori (ottocenteschi?) i pilastrini laterali.
UBICAZIONI	Mercato antiquario; Uffizi (1955); Galleria d'Arte Moderna, Pitti (1972).		Pitti (1798); Uffizi (1798).	Cappella Strozzi, Santa Trinita (dall'origine); Accademia (1810); Uffizi (1919).
ATTRIBUZIONI	Cerchia di David (all'atto dell'acquisto), Gauffier (Pinto 1972).		Anonimo (Inventari 1880-90). Genga (Morelli 1890, Pieraccini 1897, Petrioli 1969).	—
ESPOSIZIONI	Nuove acquisizioni delle Gallerie fiorentine, Firenze 1960. Cultura neoclassica e romantica nella Toscana granducale, Firenze 1972. Pittura francese nelle collezioni pubbliche fiorentine, Firenze 1977.		—	La Pittura del primo Quattrocento, Roma, 1958.
BIBLIOGRAFIA	J. F. Méjanès, in Cat. mostra De David à Delacroix, Parigi - Detroit - New York 1974-75. Cat., Firenze 1972, p. 111, 200-201. Cat., Firenze 1977, n. 147.		A. M. Petrioli Tofani, Per Girolamo Genga, in Paragone 1969 n. 229, pp. 18-36, n. 231, pp. 39-56.	G. Poggi, La cappella e la tomba di Onofrio Strozzi nella Chiesa di S. Trinita, Firenze, 1903. F. Antal, La Pittura fiorentina... Londra 1948, trad. it. Torino 1960, pp. 440-45. E. Micheletti, L'opera completa di G.d.F., Milano 1976, nn. 26-29.
INVENTARIO	9370.		1535 (C.P., p. 165, n. 1205).	8364.
FOTO	154052.		—	160314 (e particolari).
NOTE	Il quadro dovrebbe identificarsi con la replica, esposta al Salon parigino del 1791, di un grande dipinto eseguito a Roma e presentato al Salon parigino nel 1789 dal Gauffier, scolaro di David. In passato presso l'antiquario Chappert di Montpellier, il dipinto fu in seguito presentato per l'esportazione (1955) ed acquistato con diritto di prelazione. È collocato presso la Galleria d'arte moderna dal riordinamento del 1972. S.P.	Vedi: Gauffier, Louis. Autoritratto con la moglie e i due figli. Scheda A390.	Il dipinto è ricordato nelle guide degli Uffizi a partire dal 1804, tuttavia pervenne in Galleria dalla Guardaroba il 21-8-1798 (AGF. ms 114, c. 75r). È esposto nella Galleria degli Uffizi. Considerato opera giovanile, è da confrontarsi con il Martirio di S. Sebastiano del Signorelli a Città di Castello che a sua volta si era ispirato al Pollaiolo. Disegno per un arciere al Gabinetto disegni e Stampe n. 1167 E. L.B.B.	Firmata e datata a caratteri gotici sotto l'Adorazione dei Magi: 'Opus Gentilis de Fabriano MCCCCXXIII Mensis Maij'. Dipinta per la cappella di Palla di Noferi Strozzi in Santa Trinita durante il soggiorno fiorentino dell'artista (1422-25), e pagata 150 fiorini d'oro. Nelle cuspidi: Cristo Giudice, l'Annunciazione, Profeti, Cherubini; nei pilastrini: decorazioni floreali; nella predella: Natività, Fuga in Egitto, Presentazione al Tempio. Quest'ultima tavola, asportata dai francesi, è al Louvre dal 1812, sostituita da una copia eseguita a Parigi dal pittore Della Bruna e da questi donata alla Galleria. Dopo la scomparsa degli affreschi di Venezia e di Brescia, l'opera è da considerarsi fondamentale nella produzione di Gentile. E.M.

	P684	P685	P686	P687
AUTORE	Gentile da Fabriano, G. di Niccolò, detto (Fabriano 1370 ca. - Roma 1427).	Gentileschi (Lomi), Artemisia (Roma 1593 - Napoli 1652).	Gentileschi (Lomi), Artemisia (Roma 1593-Napoli 1652).	Gentileschi, Artemisia (Roma 1593 - Napoli 1652).
TITOLO	Quattro Santi del Polittico Quaratesi.	Giuditta e Oloferne.	Santa Caterina della Ruota.	Madonna col Bambino.
DATAZIONE	1425.	1620 ca. (Borea 1970).	1620 ca.	Secondo decennio sec. XVII.
DATI TECNICI	Opera composita, tempera su tavola, 200x60 ciascun pannello.	Olio su tela 199x162,5, restauro 1970.	Olio su tela, 77x62, restauro 1966.	Olio su tela, 118x86, restauro 1970.
CORNICE	Originale, dorata, ma in parte integrata in epoca ottocentesca.	Dorata semplice a gola.	Dorata liscia.	—
UBICAZIONI	Cappella Quaratesi, San Niccolò sopr'Arno (dall'origine); Casa Quaratesi (1836); Uffizi (1863, esposta 1884).	Pitti (1637); Uffizi (1774).	Uffizi (1890).	Pitti (cit. 1663?); Uffizi (1773); Pitti (1928).
ATTRIBUZIONI	—	Anonimo (1637). Caravaggio (1774). Artemisia G. (Lastri 1795).	Seguace di Artemisia (inv. 1890). Artemisia G. (Berti 1966). Anonimo (Ward Bissel 1968). Artemisia G. (Borea 1970).	Ignoto toscano (Uffizi 1773). Artemisia G. (Rusconi 1937, Ciaranfi 1964, Borea 1970). Francesco Guerrieri (Feri 1954, Emiliani 1958).
ESPOSIZIONI	—	Mostra del Caravaggio, Milano Milano 1951; Caravaggio e i Caravaggeschi, Atene-Napoli 1963, Dipinti salvati dall'alluvione, Firenze 1966; Caravaggio e Caravaggeschi nelle gallerie di Firenze, Firenze 1970.	Caravaggio e Caravaggeschi nelle Gallerie di Firenze, Firenze 1970.	Caravaggio e Caravaggeschi nelle Gallerie di Firenze, Firenze 1970.
BIBLIOGRAFIA	L. Grassi, Considerazioni intorno al polittico Quaratesi, in Paragone, 2, 1951. E. Micheletti, L'opera completa di G.d.F. Milano 1976, nn. 31-40.	E. Borea, in Cat., Firenze 1970, n. 49, pp. 76-78.	R. Ward Bissel, Artemisia Gentileschi, A New documented Cronology, in The Art Bulletin, 1968. E. Borea, in Cat. Firenze 1970, n. 44.	F. Zeni, La Galleria Spada, Firenze 1954. A. Emiliani, G. F. Guerrieri, Urbino 1958. E. Borea, in Cat., Firenze 1970, n. 46.
INVENTARIO	887 (C.P., p. 183, n. 1310).	1567.	8032.	2129.
FOTO	98852 (e particolari).	163005.	161354.	117208 o 163180.
NOTE	Dipinto per la Cappella Quaratesi in S. Niccolò sopr'Arno. Il Vasari (Milanesi, III, p. 7) riferisce l'iscrizione poi scomparsa: Opus Gentilis de Fabriano MCCCCXXV. Mense Mai. Il polittico fu smembrato nel 1836: la Madonna col Bambino, parte centrale, dal 1919 è a Hampton Court, nelle collezioni reali, dove entrò nel 1846. Delle storie della predella con fatti della vita di S. Niccolò, quattro sono nella Pinacoteca Vaticana. La quinta (Longhi 1940) è nella Galleria Nazionale a Washington. I laterali agli Uffizi, con i Santi Maria Maddalena, Niccolò, Giovanni Battista e Giorgio, furono donati alla Galleria dal Cav. Niccolò Quaratesi con lettera del 4.4.1836. E.M.	È firmato in basso a destra: Ergo Artemitia Lomi fec. Artemisia stessa menziona una sua 'Giuditta' dipinta a Firenze per Cosimo II (lettera del 1635 a Galileo), ma non è certo che si riferisca a questo quadro o a quello di analogo soggetto ma diverso di composizione, ora nella Galleria Palatina. Una replica autografa è a Napoli, Museo di Capodimonte. Sono note varie copie. La celebrità del quadro è dovuta anche alla particolare efferatezza che lo distingue, vista come eccezionale in una pittrice. E.B.	Smarrito in un magazzino, è stato portato all'attenzione da L. Berti (1966). Stilisticamente prossimo ai dipinti indiscussi del periodo fiorentino. E.B.	Il dipinto pervenne agli Uffizi da Palazzo Pitti, il 9 agosto 1773 (scritta sul retro), come opera di ignoto toscano. Dopo l'attribuzione dello Zeri a Francesco Guerrieri (sulla base di un accostamento con opera analoga Galleria Spada), la Borca dopo il restauro del dipinto, ha riproposto la vecchia attribuzione ad Artemisia: sarebbe dunque opera del periodo fiorentino della pittrice (Borea, in Cat. Firenze 1970). C.C.

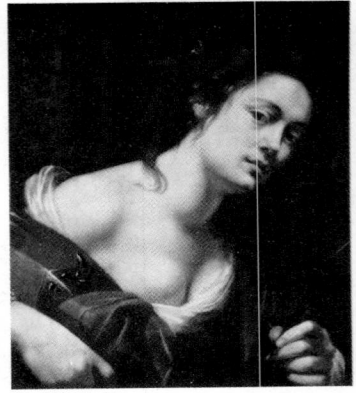   

	P688	P689	P690	P691
AUTORE	Gentileschi (Lomi), Artemisia (Roma 1593 - Napoli 1652).	Gentileschi (Lomi), Artemisia (Roma 1593 - Napoli 1652).	Gerini, Niccolò di Pietro (notizie dal 1368 - Firenze 1414-15).	Gerini, Niccolò di Pietro? (notizie dal 1368 - Firenze 1414-15).
TITOLO	Santa Caterina.	Minerva.	Deposizione.	Trittico con la Crocifissione e Santi.
DATAZIONE	1635 ca. (Borea 1970).	Opera tarda (Borea 1970).	1380-85 (Offner 1921, 1927, Marcucci 1965), prima del 1388 (Cohn 1956), 1385-90 (Boskovits 1975).	1395 ca. (Van Marle 1924), post 1400 (Marcucci 1965).
DATI TECNICI	Olio su tela, 50x40, restauro 1970.	Olio su tela, 131x103; in cattive condizioni.	Opera composita. Tempera su tavola, 395x286.	Opera composita, tempera su tavola, 208x180.
CORNICE	Dorata e intagliata.	—	Neogotica, intagliata a dentelli e dorata.	Originale.
UBICAZIONI	Opificio Pietre Dure (epoca imprecisabile); Uffizi (1972).	Depositi (1926).	Orsammichele (dall'origine); S. Carlo dei Lombardi (1526 o 1616); Uffizi (1781); S. Carlo dei Lombardi (1931).	Chiesa dell'Ospedale di S. Giovanni Battista detto di Bonifacio (sec. XIX); Galleria dell'Ospedale di S. Maria Nuova (fine sec. XIX); Uffizi (1900); magazzini Gallerie Fiorentine (1904); Accademia (1920).
ATTRIBUZIONI	Artemisia G. (Sricchia 1952).	—	Taddeo Gaddi (Vasari 1568, Borghini 1580, Bottari 1759). Buffalmacco (Cinelli 1677). Niccolò Gerini (Cavalcaselle 1864 ecc.).	Scuola giottesca (Fantozzi 1842). Spinello Aretino (Lafenestre 1895, Ridolfi 1899). Niccolò Gerini (Sirén 1904, Salmi 1914 e gran parte della critica posteriore). Seguace del Gerini (Offner 1921, 1927). Ambrogio di Baldese (Boskovits 1975).
ESPOSIZIONI	Caravaggio e Caravaggeschi nelle Gallerie di Firenze, Firenze 1970.	Caravaggio e Caravaggeschi nelle Gallerie di Firenze, Firenze 1970.	—	—
BIBLIOGRAFIA	*E. Borea, in Cat., Firenze 1970, n. 45, p. 73.*	E. Borea, in Cat. Firenze 1970.	M. Boskovits: La pittura fiorentina alla vigilia del Rinascimento, Firenze 1975. *L. Marcucci: I dipinti toscani del Secolo XIV, Roma 1965, n. 66.*	M. Boskovits: La pittura fiorentina alla vigilia del Rinascimento, Firenze 1975. *L. Marcucci: I dipinti toscani del Secolo XIV, Roma 1965, n. 70.*
INVENTARIO	Opificio Pietre dure n. 27.	8557.	8469.	3152.
FOTO	163147.	163004.	Alinari 1469.	322253.
NOTE	L'opera, in un locale dell'Opificio delle Pietre Dure, fu indicata come di Artemisia da F. Sricchia (1952). Dallo stile sembra convenire con le opere napoletane della pittrice, e forse si identifica con quella 'immagine di Santa Caterina' che da Napoli Artemisia stessa ci informa in una lettera aver inviato nel 1635 a Firenze, al segretario della Corte Andrea Cioli. E.B.	Firmata sullo scudo 'Artemisia Gentileschi faciebat'. La Borea giudica l'opera assai tarda, sotto l'influsso di un classicismo stereotipato. Fu acquistata presso l'Ufficio Esportazione della Soprintendenza nel 1926. C.C.	La tavola, composta di tre assi orizzontali, si rialza in una sagomatura cuspidata al centro a contenere il Cristo risorto in piedi sulle nubi entro una mandorla. In basso è dipinta una fascia orizzontale con decorazioni vegetali, una formella esagonale con un Profeta e due scudi con la sigla di Orsammichele (OSM). È questa una delle opere più caratteristiche del Gerini. L. Bell.	Secondo una formula già adottata da Bernardo Daddi, questo trittico ha al centro la Crocifissione e ai lati grandi figure di Santi: Paolo, Maddalena, Luca, Bartolomeo, Caterina e Pietro Martire. Nelle cuspidi, entro trilobi, le mezze figure dell'angelo Annunciante, dell'Eterno benedicente e dell'Annunciata. Il trittico era stato riquadrato alla fine del Quattrocento con l'aggiunta delle quattro figure sedute degli Evangelisti, da un pittore identificabile stilisticamente col gruppo denominato Maestro di Santo Spirito. L. Bell.

	P692	P693	P694	P695
AUTORE	Gerini, Niccolò di Pietro (notizie dal 1368 - Firenze 1414-15).	Gerino da Pistoia, Gerini G. d'Antonio, detto (Pistoia 1480 - Pistoia? post 1529).	Gherardi, Filippo (Lucca 1643-1794) e Coli, Giovanni (Lucca 1636-1681).	Gherardini, Alessandro (Firenze 1655 - Livorno 1726?).
TITOLO	Madonna col Bambino e due Santi.	Madonna con bambino e sei santi.	Trionfo di Minerva.	Carità.
DATAZIONE	1400-05 (Boskovits 1975).	1520.		1715 ca.
DATI TECNICI	Opera composita. Tempera su tavola, 279x122.	Olio su tavola, 245x192.		Olio su tela, 127x98, restauro 1930 ca. e 1973.
CORNICE	Parzialmente originale.	Originale, con base, pilastri e trabeazione in legno dorato, dipinta in azzurro e a grottesche.		Modanata dorata a porporina, sec. XX.
UBICAZIONI	Ufficio del Registro (sec. XVIII); Gallerie Fiorentine (1865); Uffizi (1891 ca.); Pinacoteca Comunale, Pistoia (1915).	Convento delle Monache di Sala, Pistoia (dall'origine?); Uffizi (1803); Museo civico di Pistoia (1914).		Badia fiorentina; Gallerie (1865); Provveditorato agli studi (1947); Uffizi (1973).
ATTRIBUZIONI	Compagno di Niccolò Gerini (Sirén 1904, 1906). Niccolò Gerini (Offner 1927, Berenson 1932). Lorenzo di Niccolò (Chiti 1931).	—		Scuola dei Carracci (inv. 1890).
ESPOSIZIONI	—	—		Nota de' quadri esposti per la Festa di S. Luca, Firenze 1715.
BIBLIOGRAFIA	M. Boskovits: La pittura fiorentina alla vigilia del Rinascimento, Firenze 1975. *L. Marcucci: I dipinti toscani del Secolo XIV, Roma 1965, n. 72.*	Thieme-Becker, XIII, 1920. *E. Carli, in Atti del VII convegno internazionale di Studio etc. (Pistoia 1975), Bologna 1978, pp. 375-76.*		G. Ewald, Il pittore fiorentino Alessandro Gherardini, in Acropoli III, 1963. *E. Borea in Prospettiva 1, 1975.*
INVENTARIO	439 (C.P., p. 58, n. 9).	515 (C.P., p. 71, n. 91).		5696.
FOTO	3944.	154568.		226582.
NOTE	La Madonna col Bambino è seduta in trono ed ha ai lati S. Giovanni Battista e S. Zanobi. Nell'occhio lobato della cuspide è dipinto il busto dell'Eterno benedicente. I caratteri tardi del dipinto (ma il Gerini è morto nel 1414-15) hanno indotto ad attribuirlo anche a colui che veniva erroneamente creduto suo figlio, cioè il pittore Lorenzo di Niccolò. L. Bell.	Firmata e datata sulla cornice della base del trono della Madonna: Gerinus Antonii de Pistorio pinsit 1520. I santi a lato della Madonna sono Iacopo, Rocco, Cosimo, Maddalena, Caterina d'Alessandria e un altro santo incoronato. Il dipinto pervenne agli Uffizi nel 1803 per l'insistente interessamento dell'allora Direttore Tommaso Puccini, pistoiese, che dette in cambio al Convento di Sala un dipinto di Matteo Rosselli (AGF, Filza XXX, 1800, 19; XXXI, 1803, 26). Nel 1848 fu rimossa dalla parte superiore della tavola una aggiunta posteriore con due angeli che sostenevano la corona della Madonna. La critica ha spesso confuso la data di esecuzione di questo dipinto, indicandola 1529 anziché 1520. L'opera è oggi depositata presso il Museo Civico di Pistoia. E.S.	Vedi: Coli, Giovanni. Trionfo di Minerva, scheda P444.	A tergo cartellino 'Estratto dal soppresso Monastero dei C(assine)nsi nella Badia di Firenze nel Febbraio 1865' e cartellino relativo a un restauro della signora Lucarini Giorgi, probabilmente negli anni '30. F.S. Baldinucci attesta che il Gherardini trattò questo soggetto per il palazzo Gerini (dove non è dato sapere se esista tuttora) e ne mandò una replica a Livorno a persona imprecisata, forse dopo averla esposta a Firenze per la festa di S. Luca del 1715. È più probabile che questa tela, riconosciuta e pubblicata da E. Borea, sia la replica che l'originale Gerini (definito 'gran quadro') per la qualità un po' sorda e di minor slancio del consueto in questo autore. S.M.T.

	P696	P697	P698
Autore	Gherarducci, Don Silvestro de' (Firenze 1339-1399).	Ghirlandaio, Bigordi Domenico, detto D. del (Firenze 1449-1494).	Ghirlandaio, Bigordi Domenico, detto D. del (Firenze 1449-1494).
Titolo	Madonna del latte.	Madonna col Bambino, angeli e Santi.	Storie di santi e Cristo in pietà.
Datazione	1370-75 (Levi D'Ancona 1959, Marcucci 1965).	Finito di pagare nel 1483.	Finito di pagare nel 1483.
Dati tecnici	Tempera su tavola, 147x74.	Tempera su tavola, 168x197.	Tempera su tavola, 10,5x220, predella di pala.
Cornice	Antica, centinata.	Listello sagomato e dorato, moderno.	Listello sagomato e dorato moderno.
Ubicazioni	Ospedale di S. Maria Nuova (dall'origine?); Uffizi (1900); Accademia, Carrara (1930); Uffizi (1966).	S. Maria a Monticelli (dall'origine); Granduca Leopoldo (1785); Accademia; Uffizi (1919).	S. Maria a Monticelli (dall'origine); Granduca Leopoldo (1785); Accademia; Uffizi (1919).
Attribuzioni	Scuola umbra del XV secolo, seguace dell'Orcagna (Sirén 1917). seguace di Spinello Aretino (Meiss 1936, D'Ancona 1959, Boskovits 1975). Silvestro de' Gherarducci (Levi 1975).	—	Bartolomeo di Giovanni (Berenson, 1903 e 1936).
Esposizioni	—	—	---
Bibliografia	M. Boskovits, Pittura fiorentina alla vigilia del Rinascimento, Firenze 1975, p. 422. *L. Marcucci, I dipinti toscani del secolo XIV, Roma 1965, n. 97.*	P.E. Küppers. Domenico Ghirlandaio, Strassburg 1916. G. Marchini, in E.U.A., VI, 1958, 24. *J. Lauts. Domenico Ghirlandaio, Wien 1943.*	G. Marchini, in E.U.A., VI, 1958. *B. Berenson, The Burlington Magazine 1903 e Indici 1936.*
Inventario	3161.	8388.	8387.
Foto	76483.	148143 e particolari.	148148.
Note	Identica nella composizione alla Madonna dell'Umiltà di Jacopo di Cione nella Galleria Nazionale di Washington, ne è probabilmente una libera copia. Il dipinto mostra gli stessi caratteri stilistici di un gruppo di opere (tavole e miniature) una delle quali, oggi scomparsa, avrebbe portato la firma di Silvestro de' Gherarducci, miniatore del convento di S. Maria degli Angeli a Firenze nella seconda metà del Trecento. La provenienza del presente dipinto fornirebbe una conferma indiretta all'identificazione (proposta con le dovute cautele dalla Levi D'Ancona) in quanto S. Maria Nuova e il convento degli Angeli costituivano un unico complesso. La scritta in basso è relativa a un passo del 'Magnificat'. L. Bell.	In buono stato di conservazione. I santi raffigurati sono: Dionisio aeropagita, Domenico, Papa Clemente e Tommaso d'Aquino. Sono indicati i nomi di S.B. DIONISIUS AEROPAGITA E S. TOMMASO AQUINATIS. G.M.	In buono stato di conservazione. V. in relazione al n. 8388. I soggetti sono (oltre alla Pietà): il martirio di S. Dionisio; un miracolo di S. Domenico; un miracolo di S. Clemente; S. Tommaso in cattedra. G.M.

	P699	P700	P701	P702
AUTORE	Ghirlandaio, Bigordi Domenico, detto D. del (Firenze 1449-1494).	Ghirlandaio, Bigordi Domenico, detto D. del (Firenze 1449-1494).	Ghirlandaio, Bigordi Ridolfo, detto R. del (Firenze 1483-1561).	Ghirlandaio, Bigordi Ridolfo, detto R. del (Firenze 1483-1561).
TITOLO	Madonna col Bambino, angeli e Santi.	Adorazione dei Magi.	Esequie di San Zanobi.	San Zanobi resuscita un fanciullo.
DATAZIONE	1484 ca. (tutta la critica).	1487.	1516-17.	1516-17.
DATI TECNICI	Tempera su legno, cm. 190x200.	Tempera su legno tondo, diam. 172.	Olio su tavola, 203x175, restauro 1952.	Olio su tavola, 202x174, restauro 1952.
CORNICE	Legno intagliato e dorato, barocca di imitazione cinquecentesca.	Intagliata e traforata, barocca.	Sagomata e dorata (sec. XVIII).	Sagomata e dorata (sec. XVIII).
UBICAZIONI	San Giusto alle mura, altar maggiore (dall'origine); Chiesa della Calza (1530); Uffizi (1853).	Casa di Giovanni Tornabuoni; palazzo Pandolfini; Guardaroba; Uffizi (1790).	Santa Maria del Fiore, altare della Compagnia di S. Zanobi (dall'origine); Accademia (1786); Uffizi (1794); Accademia (1954); Uffizi (1971).	Santa Maria del Fiore, altare della Compagnia di S. Zanobi (dall'origine); Accademia (1786); Uffizi (1794); Accademia (1954); Uffizi (1971).
ATTRIBUZIONI	—	Generalmente ammessa una collaborazione della bottega.	—	—
ESPOSIZIONI	—	—	—	—
BIBLIOGRAFIA	J. Lauts. Domenico Ghirlandaio, Wien 1943. G. Marchini, in E.U.A., VI, 1958. *P.E. Küppers. Domenico Ghirlandaio (Strassburg 1916).*	J. Lauts. Domenico Ghirlandaio, Wien 1943. G. Marchini, in E.U.A., VI, *P.E. Küppers. Domenico Ghirlandaio (Strassburg 1916).*	M. Chiarini, in Dizionario biografico degli Italiani, X, Roma 1968. *G. Poggi, in Rivista d'arte, 1916, pp. 62-67. S.J. Freedberg, Painting of the High Renaissance etc., Cambridge, 1961, pp. 488-99.*	M. Chiarini, in Dizionario biografico degli Italiani, X, Roma 1968. *G. Poggi, in Rivista d'arte, 1916, pp. 62-67. S.J. Freedberg, Painting of the High Renaissance etc., Cambridge, 1961, pp. 488-99.*
INVENTARIO	881 (C.P., p. 190, n. 1297).	1619 (C.P., p. 190, n. 1295).	1589 (C.P., p. 171, n. 1277).	1584 (C.P., p. 172, n. 1275).
FOTO	52887.	119925.	—	54027.
NOTE	I personaggi raffigurati sono: gli arcangeli Michele e Raffaele, S. Zanobi e S. Giusto. In buono stato di conservazione. G.M.	In ottimo stato di conservazione. La data MCCCCLXXXVII è iscritta in primo piano. Una copia a Pitti attribuita a Benedetto Ghirlandaio ed un'altra in Inghilterra. G.M.	Il dipinto è attualmente in corso di un ulteriore restauro. Per le notizie storico-critiche cfr. scheda relativa al pendant di questa opera (Inv: 1890, n. 1584). E.S.	Il dipinto è attualmente in corso di un ulteriore restauro. La tavola, assieme al suo pendant (Inv. 1890, n. 1589, cfr. scheda) venne commissionata dalla Compagnia di S. Zanobi per la canonica di Santa Maria del Fiore al fine di decorare l'altare della Compagnia assieme all'*Annunciazione* di Mariotto Albertinelli (Inv. 1890, n. 8643). Nel 1786 i tre dipinti furono portati all'Accademia; nel 1794 i due di Ridolfo furono trasportati agli Uffizi, mentre la tavola dell'Albertinelli rimase nell'Accademia. La datazione al 1516-17, oltre che da ragioni stilistiche, è sostenuta da documenti pubblicati dal Poggi (1916). Al Gab. Nazionale delle Stampe di Roma si conservano disegni preparatori per queste due tavole. E.S.

	P703	P704	P705	P706
AUTORE	Ghirlandaio, Bigordi Ridolfo, detto R. del (Firenze 1483-1561).	Ghirlandaio, Bigordi Ridolfo, detto R. del (Firenze 1483-1561).	Ghisolfi, Giovanni (Milano 1623-1683).	Giampietrino, Pedrini Giovanni o Rizzi Gian Pietro, detto (?? - dopo il 1540).
TITOLO	Ritratto di giovane sconosciuto.	Annunciazione.	Paesaggio con rovine e scena sacrificale.	S. Caterina.
DATAZIONE	1517-20 ca. (Gamba, 1928-29).	1520 ca. (Gamba, 1928).	1650-70 ca.	Terzo decennio sec. XVI.
DATI TECNICI	Olio su tavola, 43x33,5, restauro 1952.	Olio su tavola, 187x211.	Olio su tela, 81x115.	Olio su legno, 64x50.
CORNICE	Intagliata e dorata (sec. XIX).	Intagliata e dorata.	Sagomata, dorata, sec. XVII.	Intagliata, traforata e dorata, barocca.
UBICAZIONI	Accademia (fine sec. XVIII?); Uffizi (1853).	Chiesa di San Girolamo alla Costa (dall'origine ?); Uffizi (1865); Museo di San Marco (1907); Accademia; Dep. Pitti; S. Trinita (1957).	Pitti (ante 1713); Uffizi (sec. XIX).	Eredità Card. Leopoldo de' Medici (1675); Pitti; Uffizi (1925).
ATTRIBUZIONI	—	Ignoto sec. XVI (Inv. 1890).	—	Luini (Inv. eredità card. Leopoldo 1675). Bottega di Giampietrino (Morelli 1897). Giampietrino (Berenson 1910).
ESPOSIZIONI	—	—	—	—
BIBLIOGRAFIA	M. Chiarini, in Dizionario biografico degli Italiani, X, Roma 1968. C. Gamba, in Dedalo, 1928-29, II, pp. 488-89.	C. Gamba, in 'Dedalo', 1928-29 p. 489. U. Procacci, La Galleria dell'Accademia di Firenze', Firenze 1951.	L. Salerno: Pittori di paesaggio del Seicento a Roma, vol. II, Roma 1976. M. Chiarini: in Paragone, 301, 1975, p. 88.	W. Suida, in Thieme-Becke, XXVI, 1932. G. Morelli. Gall. Borghese e Doria, 1897, p. 156.
INVENTARIO	2155 (C.P., p. 158, n. 3213).	2163.	553.	8544.
FOTO	323324.	105307.	196643.	321796.
NOTE	Su tre lati del dipinto sono state operate delle aggiunte per ingrandire il quadro. Non è risultata documentabile la data di ingresso all'Accademia, né la provenienza originaria dell'opera. La tavola è generalmente considerata dalla critica come un esempio dell'influenza leonardesca sul pittore, e viene assegnata a una data prossima a quella dei Miracoli di S. Zanobi (Inv. 1890, n. 1584 e 1589, cfr. schede). L'opera si trova attualmente esposta nella Tribuna. E.S.	Già ricordata dal Vasari come opera del maestro. Pervenne alle Gallerie (Accademia) il 18 marzo 1865 dalla soppressa chiesa di San Girolamo alla Costa. Il Gamba (1928) propone per questo dipinto un avvicinamento stilistico a Raffaello e Fra' Bartolomeo, in 'maniera che si può confondere con un Granacci slavato'. Gr. Red. 3	Opera sicura del pittore milanese, entrata col suo nome nella collezione del principe Ferdinando di Toscana, nell'inventario della cui collezione in palazzo Pitti, stesso alla sua morte (1713) è descritto (Chiarini 1975). M.C.	L'opera è presente nell'inventario della collezione del cardinale Leopoldo de' Medici (1675) con l'attribuzione al Luini. In buono stato di conservazione. G.M.

	P707	P708	P709	P710
AUTORE	Giaquinto, Corrado (Molfetta 1703 - Napoli 1765).	Gimignani, Giacinto (Pistoia 1611 - Roma 1681).	Gimignani, Giacinto (Pistoia 1611 - Roma 1681).	Giordano, Luca (Napoli 1632-1705).
TITOLO	Nascita della Madonna.	Ero e Leandro.	Arianna abbandonata.	Carità.
DATAZIONE	1753 ca.	1637?	1650-60 (Fischer 1973).	1650-55 (Griseri, Ferrari-Scavizzi 1967), 1665 ca. (Meloni 1972).
DATI TECNICI	Olio su tela, 72x103.	Olio su tela, 200x328.	Tempera su intonaco su stuoia di vimini, 75x100.	Olio su tela, 129x100.
CORNICE	Sagomata, intagliata e dorata, sec. XVIII.	Salvadora dorata, fine sec. XVIII.	Dorata liscia.	Intagliata e dorata, sec. XVII.
UBICAZIONI	Uffizi (1930).	Villa Medici, Roma (dall'origine); Uffizi (1778); Museo civico, Pistoia (1914).	Pitti (1666-1682); Uffizi (1771).	Card. Leopoldo de' Medici (ante 1675); Gran Principe Ferdinando de' Medici (1687); Uffizi (1926).
ATTRIBUZIONI	—	Guercino (sec. XVII-XVIII).	Anonimo (inv. 1666-1682). Guido Reni (inv. 1771). Giacinto Gimignani (inv. 1825).	Scuola genovese (cat. mostra 1922). Giordano (R. Longhi 1922).
ESPOSIZIONI	—	—	—	Pittura italiana del Sei e Settecento, Firenze 1922. Artisti alla corte granducale, Firenze 1969.
BIBLIOGRAFIA	M. D'Orsi: Corrado Giaquinto, Roma 1958. M. Volpi: Corrado Gaquinto e alcuni aspetti della cultura figurativa del '700 in Italia, in Boll. d'arte, 1958, pp. 263ss. *G. Castelfranco: La 'Natività di Maria' di Corrado Giaquinto nel Duomo di Pisa, in Miscellanea di Storia dell'arte in onore di I. B. Supino, Firenze 1934.*	G. Di Domenico Cortese in Commentari XVII, 1967. *Dizionario Bolaffi, V, Torino 1974.*	U.V. Fischer, Giacinto Gimignani. Eine Studie zur römischen Malerei des Seicento, Freiburg 1973, pp. 160-61. *E. Borea, Nota sui 'capricci' di Giovanni da San Giovanni agli Uffizi, in Prospettiva n. 5, 1976, pp. 36 e 38.*	O. Ferrari, G. Scavizzi, Luca Giordano, Napoli 1967. *S. Meloni Trkulja, in Paragone 276, 1972.* AGF: A. Picciolini, Scheda Ministeriale 1973.
INVENTARIO	9166.	2131.	579.	5135.
FOTO	20750.	Museo Civico Pistoia 60.	322240.	127478.
NOTE	Il dipinto, acquistato nel 1930, fu messo in rapporto da G. Castelfranco (1934) con la tela dipinta nel 1753 dal Giaquinto per il Duomo di Pisa, attribuzione accettata da M. D'Orsi (1958). M.C.	In basso a destra firma e data 'HY... GIMIGNA... 16...' lette in antico come 'Hyac: us Gimignani 1637'. Il dipinto ornava il soffitto della 'stanza attigua alla galleria 'nella villa Medici di Roma: ne fu calato il 26 ottobre 1764 per restauro e in questa occasione se ne scoprì l'iscrizione già 'coperta dalla fusarola dorata che raggira tutto all'interno del med. quadro' (AGF, filza XI a 21). La data fu letta come 1677. Prima di ciò il dipinto era ritenuto del Guercino. Fu collocato in galleria il 21 febbraio 1778, nel corridoio di ponente, dove fu ammirato dal Burkhard. Immagazzinato in seguito, fu dato in deposito nel 1914 al Museo Civico di Pistoia dove sta tuttora e da cui ci ha fornito notizie la dr. Cecilia Mazzi, che ringraziamo. S.M.T.	Già creduto dipinto su tegola e opera di Guido Reni rappresentante Venere e Cupido, è stato indicato correttamente probabilmente dal Lanzi (Borea 1976). E.B.	Il quadro appartenne al cardinal Leopoldo de' Medici e reca a tergo il numero 431, che aveva nell'inventario della sua eredità (ASF, Guard. 826, c. 81r); alla sua morte (1675) restò a Pitti nell'appartamento del Gran Principe Ferdinando. Non se ne conoscono le ubicazioni successive: esso riemerse anonimo, dai magazzini in occasione della mostra del 1922, dove fu esposto con l'attribuzione a scuola genovese e riconosciuto da R. Longhi come del Giordano. Essendo riberesco, viene di solito considerato opera molto giovanile. S.M.T.

	P711	P712	P713	P714
AUTORE	Giordano, Luca (Napoli 1632-1705).	Giordano, Luca (Napoli 1632-1705).	Giordano Luca (Napoli 1632-1705), copia.	Giordano, Luca (Napoli 1632-1705).
TITOLO	Trionfo di Galatea.	Andata al Calvario.	Salomone sacrifica prima di costruire il tempio.	Ratto di Deianira (Deianira e Nesso).
DATAZIONE	1675 ca.	1680-85.	1703 ca.	1682 ca.
DATI TECNICI	Olio su tela 262 x 305.	Olio su tela, 126x175.	Olio su tela, 70x104.	Olio su tela, 50x65.
CORNICE	Nera e oro intagliata con motivi di pesci, originale.	Salvadora dorata, sec. XIX.	Salvadora dorata, sec. XIX.	Intagliata e dorata, sec. XVIII.
UBICAZIONI	Casa Sanminiati (1677); casa Pazzi; Marchesa Eleonora Torrigiani Pazzi; Uffizi (1865); Pitti (1928).	Casa Del Rosso, cappella (1689); Coll. Feroni (ante 1850); Uffizi (1866); Cenacolo di Foligno (1894); Depositi, Uffizi.	Aniello Rossi, Napoli (1728); coll. Laliccia, Napoli; coll. Caselli, Napoli; Uffizi (1970).	Gran Principe Ferdinando de' Medici, Pitti (1698); Castello; Guardaroba (1772); Uffizi (1779).
ATTRIBUZIONI	—	—	—	—
ESPOSIZIONI	Artisti alla corte granducale, Firenze 1969.	Artisti alla corte granducale, Firenze 1969.	—	Artisti alla corte granducale, Firenze 1969.
BIBLIOGRAFIA	*O. Ferrari, G. Scavizzi, Luca Giordano, Napoli 1967. M. Chiarini in Cat., Firenze 1969, n. 80, p. 57. S. Meloni Trkulja in Paragone 267, 1972.*	O. Ferrari, O. Scavizzi, *Luca Giordano, Napoli 1967. M. Chiarini in Cat., Firenze 1969, n. 82. S. Meloni Trkulja in Paragone 267, 1972.*	S. Meloni Trkulia in Paragone 267, 1972. O. Ferrari, G. Scavizzi, Luca Giordano, Napoli 1967.	*O. Ferrari, G. Scavizzi, Luca Giordano, Napoli 1967. S. Meloni Trkulja in Paragone 267, 1972.*
INVENTARIO	2218.	S. Marco e Cenacoli 113.	9470.	1364 (C.P., p. 145 n. 1102).
FOTO	248035.	152941.	165593.	216407.
NOTE	Dipinto prima del 1677, quando è citato nelle 'Bellezze... di Firenze' di F. Bocchi e G. Cinelli come Trionfo di Venere in casa di Ascanio Sanminiati, passò poi ai Pazzi. La marchesa Eleonora Torrigiani Pazzi lo vendette agli Uffizi, dov'era esposto da 32 anni, nel 1897; fu pagato (L. 4000) con i proventi della tassa d'ingresso (AGF, Arte 37). È esposto oggi nelle Gallerie Palatina. Un probabile bozzetto è nel museo di Worcester. S.M.T.	Firmato sul sasso in primo piano 'Jordanus F' è uno di una serie di quattro dipinti con Storie della Passione fatte da Luca Giordano nel suo principale soggiorno fiorentino per i Del Rosso che lo ospitavano. Un altro quadro della serie (Flagellazione) è a Firenze nella collezione Noferi; gli altri due, per alto, nel Museo dell'Opera del Duomo di Siena. S.M.T.	Una di cinque 'copie delle macchie' (cfr. inv. 1890 nn. 9469, 9471-73) della decorazione nella cappella reale dell'Alcazar di Madrid (bruciata nel 1734) che Luca Giordano riportò in patria nel 1704 e che il suo biografo De Dominici vide presso l'allievo Aniello Rossi e credette relative agli affreschi dell'Escorial. Questo e il n. 9469, di composizione più chiusa e finita, sono probabilmente relativi a grandi tele alle pareti. I bozzetti originali, rimasti in Spagna, sono perduti (escluso quello affine al nostro n. 9473) rendendo questa serie preziosa come unico ricordo della penultima impresa spagnola dell'artista. Non è escluso che essi siano opera proprio del Rossi (documentato per una copia del bozzetto della cupola del Carmine già in casa del Rosso. S.M.T.	A tergo cartellino antico '16 luglio 1779. Dalla Guardaroba, della Villa di Castello'. La provenienza, che risulta anche dai documenti (AGF, filza V a 33, n. 34), non contraddice le notizie più antiche, secondo cui il dipinto era già a Pitti nel 1698 fra quelli del Gran Principe Ferdinando, abitatore anche di Castello. La composizione — come quella del pendant col Trionfo di Galatea (inv. 1890 n. 1381 — fu replicata dall'artista più volte anche in formato grande (già coll. Del Rosso; Burghley House). S.M.T.

Pinacoteca

	P715	P716	P717	P718
AUTORE	Giordano, Luca (Napoli 1632-1705).	Giordano, Luca (Napoli 1632-1705).	Giordano, Luca (Napoli 1632-1705).	Giordano, Luca (Napoli 1632-1705).
TITOLO	Trionfo di Galatea (di Teti) di Anfitrite).	Trasfigurazione.	Dedicazione del tempio di Salomone.	Fuga in Egitto.
DATAZIONE	1682 ca.	1685.	1700 ca.	1702.
DATI TECNICI	Olio su tela, 51x66.	Olio su tela, 240x320.	Olio su tela, 95,5x115.	Olio su vetro, 34x35, restauro 1969.
CORNICE	Intagliata e dorata, sec. XVIII.	Dorata a gole.	Intagliata e dorata, sec. XVIII.	Salvadora dorata, sec. XVIII.
UBICAZIONI	Gran Principe Ferdinando de' Medici, Pitti (1698); Castello; Guardaroba (1772); Uffizi (1779).	Pitti (1685); La Petraia; Uffizi (1779).	Aniello Rossi, Napoli (1728); Coll. A. Laliccia, Napoli (1938); Coll. A. Carelli, Napoli; Uffizi (1970).	Livorno (1702); Gran Principe Ferdinando de' Medici (1702-13); Pitti; Uffizi.
ATTRIBUZIONI	—	Giordano (doc. 1685, Inv. 1784, Inv. 1825, Borea 1975). Anonimo (Inv. 1779). Lapi Nicola (Lanzi 1795-96, Inv. 1890).	—	—
ESPOSIZIONI	Artisti alla corte granducale, Firenze 1969.	—	La mostra della pittura napoletana dei secoli XVII-XVIII-XIX, Napoli 1938.	Artisti alla corte granducale, Firenze 1969.
BIBLIOGRAFIA	O. Ferrari, G. Scavizzi, Luca Giordano, Napoli 1967, S. Meloni Trkulja in Paragone 267, 1972.	E. Borea, Luca Giordano: un equivoco del Lanzi e la curiosa vicenda di un dipinto Corsini, in Prospettiva I, 1975, pp. 46-50.	O. Ferrari, G. Scavizzi, Luca Giordano, Napoli 1967, S. Meloni Trkulja in Paragone 267, 1972.	O. Ferrari, G. Scavizzi, Luca Giordano, Napoli 1966, Cat., Firenze 1969, n. 87, p. 59, S. Meloni Trkulja in Paragone 276, 1972.
INVENTARIO	1381 (C.P., p. 147 n. 1046).	2214.	9473.	7012.
FOTO	216406.	26463.	165596.	127037.

NOTE

P715. A tergo cartellino antico: '16 luglio 1779. Dalla Guardaroba, della Villa di Castello, di Luca Giordano'. Detto anche Trionfo di Teti o di Anfitrite negli antichi inventari, il quadro è documentato nell'appartamento del Gran Principe Ferdinando a Pitti nel 1698. Risale al soggiorno fiorentino del Giordano (1680-83 almeno) ed era noto in più redazioni; ne avevano in grande formato i Del Rosso e Lord Exeter, in formato piccolo i Gerini. Il quadro fa coppia col Ratto di Deianira inv. 1890 n. 1564.

S.M.T.

P716. Il dipinto, pagato al Giordano 500 scudi nel 1685, eseguito verosimilmente a Firenze, è sfuggito agli studi in questo secolo sino a quando, riconosciuto come opera del Giordano (Borea 1975) non è stato, da un magazzino fuori sede, ricollocato in galleria. Il documento di pagamento ora rinvenuto (Meloni Trkulja, com. or. 1979; ASF Guard. 903, c. 29r) consente di stabilire la data, prima ritenuta alquanto più tarda. Lo stesso documento informa che il dipinto in origine fu collocato in una cornice già appartenuta al- l' 'Andromeda' di Vincenzo Mannozzi, opera non pervenuta.

E.B.

P717. Creduto in antico bozzetto per la decorazione dell'Escorial, come afferma il De Dominici che lo vide (con altri quattro: cfr. inv. 1890 nn. da 9469 a 9472) presso Aniello Rossi, allievo del Giordano e suo collaboratore in Spagna, è invece la copia — che Luca riportò in patria per memoria — del bozzetto per la decorazione dell'Alcazar di Madrid, bozzetto che si trova tuttora in Spagna, a La Granja. Passato attraverso diverse collezioni napoletane, è stato acquistato nel 1970 per la galleria degli Uffizi con gli altri della serie.

S.M.T.

P718. 'Quadretti sopra cristallo' unanimemente identificati con questo e il suo pendant (inv. 1890, n. 7013) sono citati nella biografia giordanesca di B. De Dominici, come dipinti a Livorno per il Gran Principe Ferdinando de' Medici da Luca Giordano durante il suo viaggio di ritorno dalla Spagna, nel maggio 1702. Figurano a Pitti per tutto il Settecento e sono menzionati nell'inventario dell'eredità del Gran Principe (1713). Benché intesi per ornare uno stipo, è documentato che furono sempre trattati come dipinti.

S.M.T.

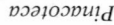

	P719	P720	P721	P722
AUTORE	Giordano, Luca (Napoli 1632-1705).	Giordano, Luca (Napoli 1632-1705), copia da.	Giordano, Luca (Napoli 1632-1705), copia da.	Giordano, Luca (Napoli 1632-1705), copia da.
TITOLO	Sacra Famiglia con San Giovannino.	Costruzione del tempio.	David mostra a Salomone il disegno del tempio.	Salomone presenzia alla costruzione del tempio.
DATAZIONE	1702.	1700 ca.	1700 ca.	1700 ca.
DATI TECNICI	Olio su vetro, 54x55, restauro 1969.	Olio su tela, 70x148.	Olio su tela, 64 x 103.	Olio su tela, 70x148.
CORNICE	Salvadora dorata, sec. XVIII.	Salvadora dorata, sec. XIX.	Salvadora dorata, sec. XIX.	Salvadora dorata, sec. XIX.
UBICAZIONI	Livorno (1702); Gran Principe Ferdinando de' Medici (1702-13); Pitti, Uffizi.	Aniello Rossi, Napoli (1728); Coll. Laticcia, Napoli; Coll. Carelli, Napoli; Uffizi (1970).	Aniello Rossi, Napoli (1728); Coll. Laticcia, Napoli; Coll. Carelli, Napoli; Uffizi (1970).	Aniello Rossi, Napoli (1728); Coll. Laticcia, Napoli; Coll. Carelli, Napoli; Uffizi (1970).
ATTRIBUZIONI	—	—	—	—
ESPOSIZIONI	Artisti alla corte granducale, Firenze 1969, n. 87.	—	—	—
BIBLIOGRAFIA	O. Ferrari, G. Scavizzi, Luca Giordano, Napoli 1966. Cat. Firenze 1969, n. 87, p. 59, S. Meloni Trkulja, in Paragone 276, 1972.	S. Meloni Trkulja, in Paragone 267, 1972, O. Ferrari, G. Scavizzi, Luca Giordano, Napoli 1967.	S. Meloni Trkulja, in Paragone 267, 1972, O. Ferrari, G. Scavizzi, Luca Giordano, Napoli 1967.	S. Meloni Trkulja, in Paragone 267, 1972, O. Ferrari, G. Scavizzi, Luca Giordano, Napoli 1967.
INVENTARIO	7013.	9471.	9469.	9472.
FOTO	127038.	165594.	165592.	165595.
NOTE	A pendant con una Fuga in Egitto (inv. 1890, n. 7012), e perciò spesso indicato come "Riposo" della S. Famiglia durante la fuga (ma si sarebbe incongruo il San Giovannino) è un dipinto a olio su vetro destinato ad esser visto a rovescio e inserito sulla facciata di uno stipo, uso napoletano di larga diffusione. Fu eseguito per il Gran Principe Ferdinando de' Medici nel 1702 a Livorno, quando il Giordano vi si fermò ritornando dalla Spagna a Napoli. Entrambi i pezzi sono documentati a Pitti per tutto il Settecento almeno. S.M.T.	Tornando dalla Spagna (e fermandosi a Livorno, nel maggio 1702), il Giordano portò con sé cinque copie (cfr. inv. 1890 nn. 9469-72 e 9473) dei bozzetti della decorazione da lui realizzata nella Real Capilla' dell'Alcazar di Madrid, che trent'anni dopo sarebbe stata distrutta da un incendio. Persi anche, tranne uno, i bozzetti originali, questa serie acquistata per gli Uffizi dopo vari passaggi in collezioni napoletane (prima fra tutte quella dell'allievo e collaboraore di Luca in Spagna Aniello Rossi, che ne è verosimilmente l'autore) resta insostituibile documento dell'importante opera spagnola. S.M.T.	Di ritorno dalla Spagna nel 1702, Luca Giordano portò con sé cinque copie dei bozzetti della decorazione nell'Alcazar di Madrid, che, rimasti a Napoli, sono stati acquistati nel 1970 per la galleria degli Uffizi; dei bozzetti originali, rimasti in Spagna, uno solo è sopravvissuto (cfr. inv. 1890 n. 9473). Questo e un altro (inv. 1890, n. 9470) sono probabilmente relativi alle tele della 'Real Capilla' mentre tre agli affreschi, di la'; i restanti tre agli affreschi. Due dei cinque furono esposti a Napoli nel 1938: certamente il n. 9473 e uno degli altri quattro. S.M.T.	Parte di una serie di cinque bozzetti (cfr. inv. 1890 nn. 9469-71 e 9473) relativi alla decorazione della cappella reale dell'Alcazar di Madrid, non i bozzetti originali, pur perduti tranne uno, ma 'le copie delle macchie' che B. De Dominici, biografo dell'allievo di questi Aniello Rossi, compagno del maestro in Spagna e loro possibile autore. Si ritiene che questo modello e altri due (n. 9471 e 9473) siano relativi agli affreschi della cupola. Passati attraverso varie collezioni napoletane, furono acquistati per gli Uffizi nel 1970. S.M.T.

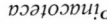

Pinacoteca

	P723	P724	P725	P726

AUTORE	Giorgione, Zorzon da Castelfranco, detto (Castelfranco Veneto 1477 ca. - Venezia 1510).	Giorgione, Zorzon da Castelfranco, detto (Castelfranco Veneto 1477 ca. - Venezia 1510).	Giottino, Giotto di Stefano, detto (Firenze 1320-30 ca. - post 1369).	Giotto (Vespignano, Vicchio di Mugello 1267? - Firenze 1337).
TITOLO	Il giudizio di Salomone.	La prova di Mosè.	Pietà di S. Remigio.	Madonna di Ognissanti.
DATAZIONE	1502-03 ca. (Fiocco 1941), 1508 ca. (Pignatti 1969).	1502-03 ca. (Fiocco 1941), 1505 ca. (Pignatti 1969).	1360-65 ca.	1300-1305 ca. (Toesca 1929, Marcucci 1965), 1302-1305 (Cavalcaselle 1864, Thode 1885, Previtali 1967) 1305-1307 (Rintelen 1912, Beenken 1934), 1310 ca. (Kauffmann 1926, Gnudi 1958).
DATI TECNICI	Olio su tavola, 89x72.	Olio su tavola, 89x72, restauro 1965.	Tempera su tavola, 195x134, restauro 1935.	Tempera su tavola, 325x204.
CORNICE	Ottocentesca (?) in legno dorato, liscia.	Ottocentesca (?) in legno dorato, liscia.	Falsa.	Originale.
UBICAZIONI	Poggio Imperiale (cit. inv. 1692); Uffizi (1795).	Poggio Imperiale (cit. inv. 1692; Uffizi (1795).	Chiesa di S. Remigio (dall'origine); Gallerie Fiorentine (1842); Uffizi (1851).	Chiesa di Ognissanti (dall'origine); Convento di Ognissanti (1564-74?); Accademia (1810); Uffizi (1919).
ATTRIBUZIONI	Anonimo (inv. 1692 P. Imperiale). Giorgione e aiuti (Cavalcaselle 1871). Giorgione e Campagnola (Fiocco 1941). Giorgione e ferrarese (Longhi 1946). Anonimo (L. Venturi 1913).	Anonimo (inv. 1692 P. Imperiale). Giorgione e aiuti (Cavalcaselle 1871). Giorgione e Campagnola (Fiocco 1941). Giorgione e ferrarese (Longhi 1946). Anonimo (L. Venturi 1913).	Giottino (Vasari 1568, Cavalcaselle 1864, Thode 1885 e gran parte della critica posteriore). Pietro Chellini (Rumohr 1827), Nardo di Cione (Berenson 1932 e 1963). Maestro della Pietà di S. Remigio (Coletti 1924-25).	Giotto (doc. 1417, Ghiberti 1425-55, Vasari 1550, 1568 e tutta la critica posteriore).
ESPOSIZIONI	Giorgione e i giorgioneschi, Venezia 1955.	Giorgione e i giorgioneschi, Venezia 1955.	Exposition de l'art italien de Cimabue à Tiepolo, Paris 1935, Mostra Giottesca, Firenze 1937.	Mostra Giottesca, Firenze 1937.
BIBLIOGRAFIA	T. Pignatti: Giorgione, Venezia 1969 (1978). Cat., Venezia 1955 (a cura di P. Zampetti) n. 6.	T. Pignatti: Giorgione, Venezia 1969 (1978). Cat., Venezia 1955 (a cura di P. Zampetti) n. 6.	Cat., Firenze 1937 (1943), n. 154. O. Sirén: Giottino, Lipsia 1908. L. Marcucci: I dipinti toscani del XIV secolo, Roma 1965, n. 50.	G. Previtali: Giotto e la sua bottega, Milano 1967. Cat. Firenze 1937 (1943), n. 99. L. Marcucci: I dipinti toscani del secolo XIV, Roma 1965, n. 1.
INVENTARIO	947 (C.P., p. 201, n. 630).	945 (C.P., p. 201, n. 630).	454.	8344.
FOTO	280560 (e particolari).	280555 (e particolari).	20491-2.	26887 (e particolari).
NOTE	Entrato agli Uffizi, insieme al suo 'pendant' n. 945 già con l'attribuzione a Giorgione (registrazione del 1795 e inv. 1825) la critica moderna a cominciare da Cavalcaselle (A history of painting in North Italy, London 1871) ha soprattutto dibattuto il problema della datazione e delle identifica- zione degli eventuali aiuti, indicati nelle figure. Nel verso: nr. 1763 dell'Imperiale e decorazione pittorica raffigurante fronda di alloro e di palma incrociate. Inciso da Lasinio (R. Galleria, Firenze 1828, vol. III). A.P.	È entrato agli Uffizi, insieme al suo 'pendant' n. 947 con l'attribuzione a Giorgione (registrazione del 1795 e inv. 1825). La critica moderna, a cominciare da Cavalcaselle (A history of painting in North Italy, London 1871) ha soprattutto dibattuto il problema della datazione e della identificazione degli eventuali aiuti, indicati nelle figure. Nel verso: nr. 1763 dell'Imperiale, e decorazione pittorica raffigurante ramo di vite e di alloro incrociati. Inciso da Lasinio (R. Galleria. Firenze 1828, vol. III). A.P.	Uno dei capolavori della pittura fiorentina del Trecento. Oltre ai personaggi tradizionalmente facenti parte della figurazione, vi compaiono anche S. Benedetto e S. Remigio che introducono le due committenti: un'anziana monaca benedettina e una giovane donna vestita all'ultima moda. Da- tabile tra il 1360-65 ca. L'attribuzione a Giottino, generalmente accettata, si basa unicamente sulla testimonianza del Vasari il quale confonde questo pittore con Maso di Banco. L. Bell.	Eseguita per l'altar maggiore della Chiesa di Ognissanti, allora degli Umiliati; la presenza ai lati del trono, in mezzo agli angeli, di quattro Santi e due Sante non ben identificabili, allude al titolo della chiesa, dedicata a tutti i Santi. La tavola dovette essere sostituita verso il 1360-70 dal polittico di Giovanni da Milano parzialmente conservato agli Uffizi (vedi scheda). La sua datazione ha come punto di riferimento gli affreschi della Cappella degli Scrovegni di Padova eseguiti tra il 1305 e il 1305. L. Bell.

Pinacoteca

	P727	P728	P729
AUTORE	Giotto (Vespignano, Vecchio di Mugello 1267? - Firenze 1337).	Giotto (Vespignano, Vecchio di Mugello 1267? - Firenze 1337), scuola di.	Giovanni da Milano (Como 1325 ca. - post 1369).
TITOLO	Politico di Badia.	Testa virile di profilo.	Politico di Ognissanti.
DATAZIONE	1301 ca. (Baldini 1958).	Primo decennio sec. XIV.	1350-60 (Vavalà 1948), 1360-65 (Marcucci 1965), 1565-69.
DATI TECNICI	Tempera su tavola, 91x334, restaurt 1937, 1938.	Affresco staccato, 21x20,5.	Opera composita. Tempera su tavola, 132x39 (ogni pannello), 49x39 (ogni formella).
CORNICE	Modanata, dorata e centinata in alto.	Velluto verde e rosso scuro con filetti in metallo dorato.	Originale.
UBICAZIONI	Altar Maggiore della Badia Fiorentina (dall'origine); Convento della Badia (1568); Convento di S. Croce (1810); Uffizi (1937).	Signor Miniati Paoli; Uffizi (1970).	Chiesa di Ognissanti, altar maggiore (dall'origine); cappella SS. Nome di Gesù (ante 1866); cappella Gucci o di S. Antonio (post 1866); Uffizi (1881).
ATTRIBUZIONI	Giotto e Maestro della Santa Cecilia (Meloni 1966).	—	Giovanni da Milano (Vasari 1568, Lami 1758, Rumohr 1827 e tutta la critica posteriore).
ESPOSIZIONI	Mostra Giottesca, Firenze 1937. Dodici capolavori restaurati, Firenze 1958, Mostra d'Arte sacra antica, Firenze 1961, Mostra di Firenze ai tempi di Dante, Firenze 1965-66, Dipinti salvati dalla piena dell'Arno, Firenze 1966.	—	Arte lombarda dai Visconti agli Sforza, Milano 1958.
BIBLIOGRAFIA	L. Berti, Mostra di Firenze ai tempi di Dante, Firenze 1966, tav. XIV, n. 172, pp. 128-29, S. Meloni, in Cat. Firenze 1966, tav. I, n. 1, p. 6; G. Previtali, Giotto, Milano 1967.	AA.VV., Giotto e Giotteschi in Assisi, Roma 1969.	Cat. Milano 1958, nn. 54-57, L. Marcucci: I dipinti toscani del secolo XIV, Roma 1965, n. 48, L. Marcucci: Del Polittico di Giovanni da Milano in "Antichità Viva", 1962, M. Gregori: Giovanni da Milano: storia di un polittico in Paragone, 265, 1972.
INVENTARIO	9464.	—	20985 (e particolari).
FOTO	—	325052.	459.
NOTE	L'opera fu eseguita per l'altar Maggiore della Badia Fiorentina; nel 1568 fu trasferita nel convento in seguito alle trasformazioni vasariane della Chiesa. Durante la soppressione napoleonica dei conventi, nel 1810, il polittico fu portato nel convento di S. Croce dove rimase fino al 1937 allorché furono eseguiti i restauri e da allora è esposto nella Galleria degli Uffizi. L'opera è ritenuta quasi interamente autografa eccetto gli angioli dei tondini delle cuspidi e parzialmente i santi Nicola e Giovanni Evangelista, dovuti probabilmente al maestro della Santa Cecilia. Col restauro furono eliminate le aggiunte fatte da Jacopo d'Antonio nel 1451-53, dovute forse alle cattive condizioni della tavola che nel corso del '300 aveva subito danni per l'alluvione e per incendi in chiesa. L.B.B.	Il dipinto, che è un pezzo di intonaco caduto da una parete interna della Cappella della Fortezza di Assisi, affrescata da Giotto e la sua scuola (cfr. Cartellino sul retro del dipinto), fu acquistato nel 1970 dal Signor Miniati Paoli per L. 150.000. Attualmente è custodito nei depositi degli Uffizi. L.B.B.	I cinque pannelli e le cinque formelle di predella sono quanto resta del polittico che, eseguito da Giovanni da Milano per la chiesa di Ognissanti, sostituì la-vola di Giotto (vedi scheda P726). Già sul finire del Seicento l'aspetto originario dell'opera doveva risultare alterato (Terrinca 1680-91) e al tempo del Lami era già nelle attuali condizioni. Da sinistra a destra i Santi raffigurati nei pannelli sono: Caterina e Lucia, Stefano e Lorenzo, Giovanni Battista e Luca, Pietro e Benedetto, Jacopo Maggiore e Gregorio; nei tondi in alto: il Padre Eterno e il Caos, la Separazione della luce dalle tenebre, la Separazione della terra dalle acque e la Creazione delle piante, la Creazione degli astri, la Creazione degli animali. Le cinque formelle della predella raffigurano: il Coro delle Vergini, il Coro dei Martiri, il Coro degli Apostoli, il Coro dei Patriarchi e il Coro dei Profeti. Il polittico presenta va in origine sette scomparti, forse due ordini di predella e al centro l'Incoronazione della Vergine, quest'ultima in parte con un frammento con-servato all'Istituto di Telle a Buenos Aires (Gregori 1972); la cimasa centrale sembra essere stata il dipinto raffigurante il "Thronum gratiae" e i Santi Giovanni Evangelista e Paolo (Coll. privata, Boskovits 1971). L. Bell.

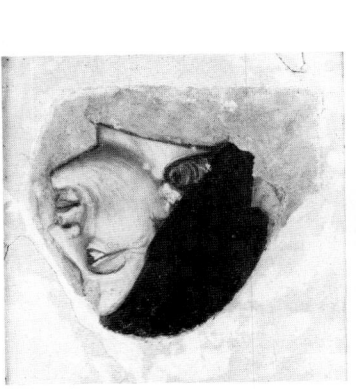

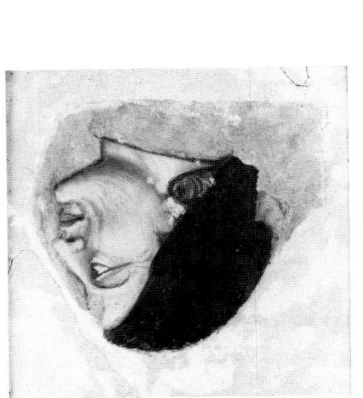

	P730	P731	P732	P733
AUTORE	Giovanni da San Giovanni, Mannozzi G., detto (San Giovanni Valdarno 1590 - Firenze 1636).	Giovanni da San Giovanni, Mannozzi G., detto (San Giovanni Valdarno 1590 - Firenze 1636).	Giovanni da San Giovanni, Mannozzi G., detto (San Giovanni Valdarno 1590 - Firenze 1636).	Giovanni da San Giovanni, Mannozzi G., detto (San Giovanni Valdarno 1590 - Firenze 1636).
TITOLO	La prima notte di nozze.	Cristo servito dagli angeli.	Venere che pettina Amore o 'le cure materne'.	Amore e Pan.
DATAZIONE	1620 ca. (Giglioli 1949), 1621 ca. (Banti-Mannini 1977).	1630 ca. (Banti-Mannini, 1977).	1630 ca.	1634 ca. (Borea 1976).
DATI TECNICI	Olio su tela, 231x348.	Olio su rame, 36x44.	Olio su tela, 229x173.	Affresco su stuoia, diam. 62, restauro 1922.
CORNICE	Ottocentesca, sagomata e dorata.	Originale, intagliata e dorata.	—	Liscia dorata, con striscia interna in tinteggiato.
UBICAZIONI	Guardaroba, Pitti (1637); Uffizi (1773); Pitti (1928).	Uffizi (cit. 1904); Pitti (1928).	Castello (1663); Pitti (1710 ca.); Uffizi (1769); Pitti (1928).	La Petraia (1649); Uffizi (1796).
ATTRIBUZIONI	—	—	—	—
ESPOSIZIONI	—	—	—	Mostra della Pittura italiana del Seicento e Settecento, Firenze 1922. La quadreria di don Lorenzo de' Medici, Poggio a Caiano 1977.
BIBLIOGRAFIA	*A. Banti - M. P. Mannini, Giovanni da San Giovanni, Firenze 1977, p. 57.*	*A. Banti - M. P. Mannini, Giovanni da San Giovanni, Firenze 1977.*	A. Banti - M. P. Mannini, Giovanni da San Giovanni, Firenze 1977.	A. Banti - M. P. Mannini, Giovanni da San Giovanni, Firenze 1977, p. 75. *E. Borea, in Cat., Poggio a Cajano, 1977, n. 19, p. 49.*
INVENTARIO	2120 (C.P., p. 82, n. 1555).	1529 (C.P., p. 163, n. 1188).	2123 (C.P., p. 83, n. 1556).	5420.
FOTO	53976.	10053.	152966.	229590.
NOTE	Altri titoli: 'La sposa novella', 'La sposa ritrosa'. Eseguito per Don Lorenzo de' Medici alla villa di Castello (F. Baldinucci, ed. 1846, IV, pp. 217-8), fu trasferito a Palazzo Pitti quando passò in proprietà del Granduca Ferdinando II. Non sembra databile anteriormente agli affreschi romani del Palazzo Pallavicini-Rospigliosi (1622-24 ca.). M.G.	Il Giglioli (1949) lo collega all'affresco dello stesso soggetto alla Badia Fiesolana (datato 1629). Di recente (Banti-Mannini 1977) è stato erroneamente riferito al numero d'inventario Castello 513 che corrisponde invece a un altro dipinto su rame dello stesso soggetto già attribuito al Mannozzi e ora restituito a Cristofano Allori. M.G.	Ricordato dal Baldinucci come eseguito per don Lorenzo de' Medici e situato in origine nella villa di questi a Castello (Borea 1979: ASF Miscellanea 31, f. 10) il dipinto nel 1769 veniva inventariato agli Uffizi come 'Venere che spidocchia Amore', titolo che evidentemente dispiacque ai futuri catalogatori della galleria. E.B.	Reca a tergo il cartellino antico: '12 novembre 1779 dalla guardaroba della Petraia'. Fa parte di un gruppo di otto tondi, in origine nove, con soggetti mitologici ad eccezione di uno, biblico, dipinti con la medesima tecnica ed eseguiti verosimilmente per don Lorenzo de' Medici nella cui collezione si trovavano nel 1649 (Borea 1976). Riscoperti al tempo della mostra del 1922 in un deposito degli Uffizi, gli otto 'capricci' insieme ad altri simili dello stesso autore furono da allora sempre esposti a documentare il vivace estro neo-ellenistico di Giovanni da San Giovanni. E.B.

	P734	P735	P736	P737
AUTORE	Giovanni da San Giovanni, Mannozzi G., detto (San Giovanni Val-Valdarno 1590 - Firenze 1636).	Giovanni da San Giovanni, Mannozzi G., detto (San Giovanni Valdarno 1590 - Firenze 1636).	Giovanni da San Giovanni, Mannozzi G., detto (San Giovanni Valdarno 1590 - Firenze 1636).	Giovanni da San Giovanni, Mannozzi G., detto (San Giovanni Valdarno 1590 - Firenze 1636).
TITOLO	Apollo e Fetonte.	Apollo e Marsia.	Apollo e Marsia.	Aurora e il Sonno.
DATAZIONE	1634 ca. (Borea 1976).	1634 ca. (Borea 1976).	1634 ca. (Borea 1976).	1634 ca. (Borea 1976).
DATI TECNICI	Affresco su stuoia, diam. 62, restauro 1922.	Affresco su stuoia, diam. 62, restauro 1922.	Affresco su embrice, 58x77.	Affresco su embrice, 58x77.
CORNICE	Liscia dorata.	Liscia dorata.	Dorata liscia a gola.	Dorata liscia a gola.
UBICAZIONI	La Petraia (1649); Uffizi (1796).	La Petraia (1649); Uffizi (1796).	Pitti (1670); Uffizi (1796).	Pitti (1670); Uffizi (1796).
ATTRIBUZIONI	—	—	—	—
ESPOSIZIONI	Mostra della Pittura Italiana del Seicento e Settecento, Firenze 1922. La quadreria di don Lorenzo de' Medici, Poggio a Caiano, 1977.	La Quadreria di don Lorenzo de' Medici, Poggio a Caiano 1977.	—	—
BIBLIOGRAFIA	A. Banti - M. P. Mannini, Giovanni da San Giovanni, Firenze 1977, p. 75. *E. Borea, in Cat., Poggio a Caiano, 1977, n. 23, p. 49.*	A. Banti - M. P. Mannini, Giovanni da San Giovanni, Firenze 1977, p. 75. *E. Borea, in Cat., Poggio a Caiano 1977, n. 17, p. 49.*	A. Banti - M. P. Mannini, Giovanni da San Giovanni, Firenze 1977, p. 74. *E. Borea, Nota sui 'capricci' di Giovanni da San Giovanni agli Uffizi, in Prospettiva 4, 1976, pp. 35-38.*	A. Banti - M. P. Mannini, Giovanni da San Giovanni, Firenze 1977, p. 74. *E. Borea, Nota sui 'capricci' di Giovanni da San Giovanni agli Uffizi, in Prospettiva 4, 1976, pp. pp. 35-38;*
INVENTARIO	5419.	5415.	5429.	5423.
FOTO	229586.	5472; 229588.	229596.	229587.
NOTE	Reca a tergo un cartellino antico con: 'dalla guardaroba della Petraia'. Fa parte di un gruppo di otto tondi, in origine nove, con soggetti mitologici ad eccezione di uno, biblico, dipinti con la medesima tecnica ed eseguiti verosimilmente per don Lorenzo de' Medici, nella cui collezione si trovavano nel 1649 (Borea 1976). Riscoperti al tempo della mostra del 1922 in un deposito degli Uffizi gli otto 'capricci' insieme ad altri simili dello stesso autore furono da allora sempre esposti a documentare il vivace estro neoellenistico di Giovanni da San Giovanni. E.B.	Reca a tergo un cartellino antico con: 'dalla guardaroba di Castello'. Fa parte di un gruppo di otto tondi, in origine nove, con soggetti mitologici ad eccezione di uno, biblico, dipinti con la medesima tecnica ed eseguiti verosimilmente per don Lorenzo de' Medici nella cui collezione si trovavano nel 1649 (Borea 1976). Riscoperti al tempo della mostra 'Pittura italiana del Seicento e Settecento', Firenze 1922, in un deposito degli Uffizi, gli otto 'capricci' insieme ad altri simili dello stesso autore furono da allora sempre esposti a documentare il vivace estro neoellenistico di Giovanni da San Giovanni. E.B.	Reca sul retro un cartellino antico con 'dalla Petraia'. Fa parte di una serie di sei pezzi di provenienza ignota che nel 1675 figurano descritti come di Giovanni da San Giovanni nell'inventario della collezione di Leopoldo de' Medici e si trovavano a Palazzo Pitti già da cinque anni almeno. (Borea in Banti - Mannini 1977). Cinque dei sei pezzi tra cui questo sono stati pubblicati dal Giglioli (1949). Si datano in contiguità di altri 'capricci' analoghi dell'artista documentati del 1634. E.B.	Reca sul retro un cartellino antico con '12 Novembre 1779 dal guardaroba della Petraia'. Fa parte di una serie di sei pezzi di provenienza ignota che nel 1675 figurano descritti come di Giovanni da San Giovanni nell'inventario della collezione di Leopoldo de' Medici e si trovavano a Palazzo Pitti già da cinque anni almeno (Borea in Banti - Mannini 1977). Il passaggio dalla villa della Petraia non è altrimenti indicato che dalla scritta sul retro. Cinque dei sei pezzi tra cui questo sono stati pubblicati dal Giglioli (1949). Si datano in contiguità di altri 'capricci' analoghi dell'artista documentati del 1634. E.B.

	P738	P739	P740	P741
AUTORE	Giovanni da San Giovanni, Mannozzi G., detto (San Giovanni Valdarno 1590 - Firenze 1636).	Giovanni da San Giovanni, Mannozzi G., detto (San Giovanni Valdarno 1590 - Firenze 1636).	Giovanni da San Giovanni, Mannozzi G., detto (San Giovanni Valdarno 1590 - Firenze 1636).	Giovanni da San Giovanni, Mannozzi G., detto (San Giovanni Valdarno 1590 - Firenze 1636).
TITOLO	Aurora e Titone.	Bacco e Arianna.	Bacco e Arianna.	Cacciata dal Paradiso.
DATAZIONE	1634 ca. (Borea 1976).	1634 ca. (Borea 1976).	1634 ca. (Borea).	1634 ca. (Borea).
DATI TECNICI	Affresco su stuoia, diam. 62, restauro 1922.	Affresco su stuoia, diam. 62, restauro 1922.	Affresco su embrice, 58x77.	Affresco su embrice, 58x77.
CORNICE	Liscia dorata.	Liscia dorata.	Dorata liscia a gola.	Dorata liscia a gola.
UBICAZIONI	La Petraia (1649); Uffizi (1796).	La Petraia (1649); Uffizi (1796).	Pitti (1670); Uffizi (1796).	Pitti (1670); Uffizi (1796).
ATTRIBUZIONI	—	—	—	—
ESPOSIZIONI	Mostra della Pittura italiana del Seicento e Settecento, Firenze 1922. La quadreria di don Lorenzo de' Medici, Poggio a Caiano 1977.	La quadreria di don Lorenzo de' Medici, Poggio a Caiano 1977.	—	—
BIBLIOGRAFIA	A. Banti - M. P. Mannini, Giovanni da San Giovanni, Firenze 1977, p. 75. *E. Borea, in Cat., Poggio a Caiano 1977, n. 22, p. 49.*	A. Banti - M. P. Mannini, Giovanni da San Giovanni, Firenze 1977, p. 75. *E. Borea, in Cat., Poggio a Caiano 1977, n. 18, p. 49.*	A. Banti - M. P. Mannini, Giovanni da San Giovanni, Firenze 1977, p. 74. *E. Borea, Nota sui 'capricci' di Giovanni da San Giovanni agli Uffizi, in Prospettiva 4, 1976, pp. 35-38.*	A. Banti - M. P. Mannini, Giovanni da San Giovanni, Firenze 1977, p. 74. *E. Borea, Nota sui 'capricci' di Giovanni da San Giovanni agli Uffizi, in Prospettiva 4, 1976, pp. 35-38.*
INVENTARIO	5417.	5425.	5428.	5422.
FOTO	229599.	229593.	229589.	229594.
NOTE	Reca a tergo un cartellino antico con: '12 novembre 1779 dalla guardaroba di Castello'. Fa parte di un gruppo di otto tondi, in origine nove, con soggetti mitologici ad eccezione di uno, biblico, dipinti con la medesima tecnica ed eseguiti verosimilmente per don Lorenzo de' Medici nella cui collezione si trovavano nel 1649 (Borea 1976). Riscoperti al tempo della Mostra del 1922 in un deposito degli Uffizi gli otto 'capricci' insieme ad altri simili dello stesso autore furono da allora sempre esposti a documentare il vivace estro neo-ellenistico di Giovanni da San Giovanni. E.B.	Reca a tergo cartellino antico con: '12 Novembre 1779 dalla guardaroba della villa di Castello. Fa parte di un gruppo di otto tondi, in origine nove, con soggetti mitologici ad eccezione di uno, biblico, dipinti con la medesima tecnica ed eseguiti verosimilmente per don Lorenzo de' Medici nella cui collezione si trovavano nel 1649 (Borea 1976). Riscoperti al tempo della mostra della Pittura italiana del sei e settecento (1922) in un deposito degli Uffizi, gli otto 'capricci' insieme ad altri simili dello stesso autore furono da allora sempre esposti a documentare il vivace estro neo-ellenistico di Giovanni da San Giovanni. E.B.	Reca a tergo un cartellino antico con 'Dalla Guardaroba...'. Fa parte di una serie di sei pezzi di provenienza ignota che nel 1675 figurano descritti come di Giovanni da San Giovanni nell'inventario della collezione di Leopoldo de' Medici e si trovavano a Palazzo Pitti già da cinque anni almeno (Borea in Banti - Mannini). Cinque dei sei pezzi tra cui questo sono stati pubblicati dal Giglioli (1949). Si datano in contiguità di altri 'capricci' analoghi dell'artista documentati del 1634. E.B.	Reca sul retro un cartellino antico con 'Guardaroba Petraia'. Fa parte di una serie di sei pezzi di provenienza ignota che nel 1675 figurano descritti come di Giovanni da San Giovanni nell'inventario della collezione di Leopoldo de' Medici e si trovavano a Palazzo Pitti già da cinque anni almeno (Borea in Banti - Mannini 1977). Il passaggio dalla villa della Petraia non è altrimenti indicato che dalla scritta sul retro. Cinque dei sei pezzi tra cui questo sono stati pubblicati dal Giglioli (1649). Si datano in contiguità di altri 'capricci' analoghi dell'artista documentati del 1634. E.B.

	P742	P743	P744	P745
AUTORE	Giovanni da San Giovanni, Mannozzi G., detto (San Giovanni Valdarno 1590 - Firenze 1636).	Giovanni da San Giovanni, Mannozzi G., detto (San Giovanni Valdarno 1590 - Firenze 1636).	Giovanni da San Giovanni, Mannozzi G., detto (San Giovanni Valdarno 1590 - Firenze 1636).	Giovanni da San Giovanni, Mannozzi G. detto (San Giovanni Valdarno 1590 - Firenze 1636).
TITOLO	Ercole e Onfale.	Giudizio di Paride.	La Pittura.	Narciso al fonte.
DATAZIONE	1634 (Borea).	1634 ca. (Borea 1976).	1634 ca. (Giglioli 1949).	1634 ca. (Borea 1976).
DATI TECNICI	Affresco su embrice, 58x77.	Affresco su stuoia, diam. 62, restauro 1922.	Affresco su embrice, 52,5x38.	Affresco su stuoia, diam. 62, restauro 1922.
CORNICE	Dorata liscia a gola.	Liscia dorata con striscia interna in tinteggiato.	Originale, intagliata e dorata.	Liscia dorata.
UBICAZIONI	Pitti (1670); Uffizi (1796).	La Petraia (1649); Uffizi (1796).	Pitti (inizio sec. XVIII); Poggio a Caiano (fino al 1773); Uffizi (1773); Pitti (1928).	La Petraia (1649); Uffizi (1796).
ATTRIBUZIONI	—	—	—	—
ESPOSIZIONI	—	Mostra della Pittura del Seicento e Settecento, Firenze 1922. La quadreria di don Lorenzo de' Medici, Poggio a Caiano 1977.	Mostra della Pittura italiana del Seicento e Settecento, Firenze 1922. 1533 (C.P., p. 164, n. 1151).	La quadreria di don Lorenzo de' Medici, Poggio a Caiano, 1977.
BIBLIOGRAFIA	A. Banti - M. P. Mannini, Giovanni da San Giovanni, Firenze 1977, p. 74. *E. Borea, Nota sui 'capricci' di Giovanni da San Giovanni agli Uffizi, in Prospettiva 4, 1976, pp. 35-38.*	A. Banti - M. P. Mannini, Giovanni da San Giovanni, Firenze 1977, p. 75. *E. Borea, in Cat., Mostra Poggio a Caiano 1977, n. 24, p. 49.*	*A. Banti - M. P. Mannini, Giovanni da San Giovanni, Firenze 1977,* p. 72.	A. Banti - M. P. Mannini, Giovanni da San Giovanni, Firenze 1977, p. 75. *E. Borea, in Cat., Mostra Poggio a Caiano 1977, n. 20, p. 49.*
INVENTARIO	5414.	5416.	1533. (C.P., p. 164 n. 1151).	5427.
FOTO	229585.	2295995.	10028.	229598.
NOTE	Reca sul retro un cartellino antico con '16 luglio dalla guardaroba della villa di Castello'. Fa parte di una serie di sei pezzi di provenienza ignota che nel 1675 figurano descritti come opera di Giovanni da San Giovanni nell'inventario della collezione di Leopoldo de' Medici, e si trovavano a Palazzo Pitti già da cinque anni almeno (Borea in Banti - Mannini 1977). Il passaggio da villa di Castello non è altrimenti indicato che dalla scritta sul retro. Cinque dei sei pezzi, tra cui questo, sono stati pubblicati dal Giglioli (1949). Si datano in contiguità di altri 'capricci' analoghi del pittore documentati del 1634. E.B.	Reca a tergo un cartellino antico con: '12 novembre 1779 dalla guardaroba di Castello'. Fa parte di un gruppo di otto tondi, in origine nove, con soggetti mitologici ad eccezione di uno, biblico, dipinti con la medesima tecnica ed eseguiti verosimilmente per don Lorenzo de' Medici nella cui collezione si trovavano nel 1649 (Borea 1976). Riscoperti al tempo della mostra del 1922 in un deposito degli Uffizi, gli otto 'capricci' insieme ad altri simili dello stesso autore furono da allora sempre esposti a documentare il vivace estro neo-ellenistico di Giovanni da San Giovanni. E.B.	Sul cavalletto la firma: 'Gio. da S. Gio.'. Sul tergo, in grafia antica "Gio. da S. Gio.". Stessa figurazione in piccolo in un ovale della Villa del Pozzino a Castello, datato 1630. Stilisticamente appare vicino ai tondi di tema mitologico in affresco su stuoia per Don Lorenzo de' Medici e oggi agli Uffizi (databili 1634 ca.). M.G.	Reca a tergo un cartellino antico con '12 novembre 1779 dalla guardaroba di Castello'. Fa parte di un gruppo di otto tondi, in origine nove, con soggetti mitologici ad eccezione di uno, biblico, dipinti con la medesima tecnica ed eseguiti verosimilmente per don Lorenzo de' Medici nella cui collezione si trovavano nel 1649 (Borea 1976). Riscoperti al tempo della Mostra della Pittura italiana dei Sei e Settecento (1922) in un deposito degli Uffizi' gli otto 'capricci' insieme ad altri simili dello stesso autore furono da allora sempre esposti a documentare il vivace estro neo-ellenistico di Giovanni da San Giovanni. E.B.

	P746	P747	P748	P749
AUTORE	Giovanni da San Giovanni, Mannozzi G., detto (San Giovanni Valdarno 1590 - Firenze 1636).	Giovanni da San Giovanni, Mannozzi G., detto (San Giovanni Valdarno 1590 - Firenze 1636).	Giovanni da San Giovanni, Mannozzi G., detto (San Giovanni Valdarno 1590 - Firenze 1636).	Giovanni da San Giovanni, Mannozzi G., detto (San Giovanni Valdarno 1590 - Firenze 1636).
TITOLO	Sansone e Dalila.	Scena di evirazione.	Sposalizio mistico di Santa Caterina.	Susanna e i vecchi.
DATAZIONE	1634 ca. (Borea).	1634.	1634 (Borea 1975).	1634 ca. (Borea 1976).
DATI TECNICI	Affresco su embrice, 58x77, restauro integrativo nell'angolo a destra in alto in epoca moderna imprecisabile.	Affresco su stuoia, diam. 82, restauro in moderna epoca imprecisabile con ispessimento dello strato di intonaco e sostituzione della stuoia originale con rete in filo di ferro.	Olio su tela 137x204, restauro 1977.	Affresco su stuoia, diam. 62, restauro 1922.
CORNICE	Dorata liscia a gola.	Dorata liscia.	Dorata e intagliata.	Liscia dorata.
UBICAZIONI	Pitti (1670); Uffizi (1796).	Pratolino (1634); Uffizi (1825).	La Petraia (1649); Uffizi (1798); Pitti (1928).	La Petraia (1649); Uffizi (1796).
ATTRIBUZIONI	—	—	—	—
ESPOSIZIONI	—	—	La quadreria di don Lorenzo de' Medici, Poggio a Caiano 1977.	Pittura Italiana del Seicento e Settecento, Firenze 1922. La quadreria di don Lorenzo de' Medici, Poggio a Caiano 1977.
BIBLIOGRAFIA	A. Banti - M. P. Mannini, Giovanni da San Giovanni, Firenze 1977, p. 74. *E. Borea, Nota sui 'capricci' di Giovanni da San Giovanni agli Uffizi, in Prospettiva 4, 1976, pp. 35-38.*	G. Poggi, Di alcuni affreschi di Giovanni da San Giovanni nelle ville di Pratolino e di Mezzomonte, in Rivista d'arte 1910, pp. 36-38. A. Banti - M. P. Mannini, Giovanni da San Giovanni, Firenze 1977, p. 75.	A. Banti - M. P. Mannini, Giovanni da San Giovanni, Firenze 1977, p. 71. *E. Borea, in Cat., Poggio a Caiano 1977, n. 25, p. 50.*	A. Banti - M. P. Mannini, Giovanni da San Giovanni, Firenze 1977, p. 75. *E. Borea, in Cat., Mostra Poggio a Caiano 1977, n. 21, p. 49.*
INVENTARIO	5424.	5426.	1595.	5418.
FOTO	229591.	229600.	278400.	229584.
NOTE	Reca sul retro un cartellino antico con '16 luglio dalla guardaroba della villa di Castello'. Fa parte di una serie di sei pezzi di provenienza ignota che nel 1675 figurano descritti come opera di Giovanni da San Giovanni nell'inventario della collezione di Leopoldo de' Medici, e si trovavano a Palazzo Pitti già da cinque anni almeno (Borea in Banti - Mannini 1977). Sansone e Dalila era sfuggito all'attenzione del Giglioli (1949) che pubblicò gli altri pezzi della serie. Si datano in contiguità di altri pezzi analoghi del pittore documentati del 1634. E.B.	Si riferisce a questo dipinto e al suo pendant con 'Ubbriacatura di Sileno' una lettera del 1634 che descrive i due 'capricci' allora nella villa medicea di Pratolino (Poggi), presumibilmente appena collocativi. E.B.	L'opera fu eseguita per don Lorenzo de' Medici e destinata alla villa della Petraia (Borea 1975). È uno dei rari dipinti di soggetto sacro dell'artista, e l'interpretazione ha carattere profano. Disegni preparatori sono nel Gabinetto Disegni e Stampe degli Uffizi. E.B.	Reca a tergo un cartellino antico con '12 novembre 1779 dalla guardaroba della villa della Petraia'. Fa parte di un gruppo di otto tondi. in origine nove, con soggetti mitologici ad eccezione di questo, dipinti con la medesima tecnica ed eseguiti verosimilmente per don Lorenzo de' Medici, nella cui collezione si trovavano nel 1649 (Borea 1976). Riscoperti al tempo della mostra del 1922, in un deposito degli Uffizi gli otto 'capricci' insieme ad altri simili dello stesso autore furono da allora sempre esposti a documentare il vivace estro neo-ellenistico di Giovanni da San Giovanni. E.B.

	P750	P751	P752
AUTORE	Giovanni da San Giovanni, Mannozzi G., detto (San Giovanni Valdarno 1590 - Firenze 1636).	Giovanni da San Giovanni, Mannozzi G., detto (San Giovanni Valno 1592 - Firenze 1636), attr. a.	Giovanni del Biondo (Firenze, notizie 1356-1399).
TITOLO	Ubbriacatura di Sileno.	Gesù servito dagli angeli.	S. Giovanni Evangelista in trono e Ascensione di S. Giovanni Evangelista (predella).
DATAZIONE	1634.	1629 ca.? (Berti 1952). 1620 ca. (Pizzorusso 1978).	1380 ca. (Vitzthum-Volbach 1924, Van Marle 1924, Marcucci 1965).
DATI TECNICI	Affresco su stuoia, diam. 82, integrazioni moderne a tempera nella parte superiore.	Olio su rame, 45x56.	Opera composita. Tempera su tavola, 280x112 (la tavola), 55x115 (la predella).
CORNICE	Dorata liscia.	Sagomata, dorata, sec. XVII.	Neogotica (sec. XIX).
UBICAZIONI	Pratolino (1634); Uffizi (1825).	Castello (sec. XIX); Uffizi (sec. XIX-XX).	Orsammichele (all'origine); Camera di Commercio (sec. XVIII); Gallerie Fiorentine (1782); Uffizi (1784 solo la predella, 1881 anche la pala); Magazzini (ante 1962); Accademia (1962).
ATTRIBUZIONI	—	Giovanni da S. Giovanni (Berti 1952, Banti 1977). C. Allori (Pizzorusso 1978).	Scuola di Giotto (Rigoni). Scuola dell'Orcagna (Pieraccini 1901). Maestro dell'Altare Rinuccini (Suida 1905) cioè Giovanni del Biondo.
ESPOSIZIONI	—	Bozzetti delle Gallerie di Firenze, Firenze 1952.	—
BIBLIOGRAFIA	G. Poggi, Di alcuni affreschi di Giovanni da San Giovanni nelle ville di Pratolino e di Mezzomonte, in Rivista d'arte 1910, pp. 36-38. A. Banti - M. P. Mannini, Giovanni da San Giovanni, Firenze 1977, p. 75.	O. H. Giglioli: Giovanni da S. Giovanni, Firenze 1949. A. Banti - M.P. Mannini, Giovanni da S. Giovanni, Firenze 1977. Cat., Firenze 1952, n. 64. C. Pizzorusso: in Paragone, 337, 1978, pp. 62-3.	R. Offner - K. Steinweg: A Critical and Historical Corpus of Florentine Painting, sez. IV, vol. IV, New York 1969. M. Boskovits: Pittura Fiorentina alla vigilia del Rinascimento, Firenze 1975. L. Marcucci: I dipinti toscani del secolo XIV, Roma 1965, n. 79.
INVENTARIO	5444.	Castello 513.	444, 446.
FOTO	229597.	68195.	115075-76.
NOTE	Si riferisce a questo dipinto e al suo pendant con 'Scena di evirazione' una lettera del 1634 che descrive i due 'capricci' allora nella villa medicea di Pratolino (Poggi), presumibilmente appena collocativi. E.B.	Il quadretto, la cui provenienza non è documentata, è riferibile per tema all'affresco compiuto nel refettorio della Badia Fiesolana, di Giovanni da S. Giovanni, al quale lo riferiscono il Berti e la Banti. Tuttavia più recentemente il Pizzorusso assegna il dipinto a Cristofano Allori sulla base di una lista di dipinti del pittore consegnati al granduca Cosimo II de' Medici nell'aprile 1620. Di questa composizione si conoscono altre due versioni, una nella Galleria Palatina, l'altra della coll. Feroni. M.C.	Originariamente in Orsammichele questa interessante figurazione del S. Giovanni Evangelista con in alto il Padre Eterno benedicente affiancato da angeli e in basso le figure allegoriche dei tre vizi (la Superbia, la Avarizia e la Vanagloria) reca una predella con l'Ascensione del Santo che è stata attribuita a Cenni di Francesco (Boskovits 1975). L. Bell.

	P753	P754	P755
AUTORE	Giovanni del Biondo (Firenze, notizie 1356-1399).	Giovanni del Ponte, G. di Marco, detto (Firenze 1385-1437).	Giovanni del Ponte, G. di Marco, detto (Firenze 1385-1437).
TITOLO	S. Giovanni Battista e undici storie della sua vita.	Incoronazione della Vergine.	Storie di San Pietro (predella).
DATAZIONE	Sec. XIV (Vavalà 1929).	1430-35 ca. (Toesca 1904).	1430-35 ca. (Toesca 1904).
DATI TECNICI	Opera composita, tempera su tavola, 275x180.	Tempera su tavola a forma di trittico, 194x214 (con la cornice).	Tempera su tavola, 42,5x237.
CORNICE	Originale, dorata con scanalature e punzonatura a rosette.	Parzialmente originale, a tre cuspidi mistilinee, dorata.	—
UBICAZIONI	Cappella Ginori in S. Lorenzo (cit. ancora dal Richa 1757); Coll. Fairfax Murray, Londra; Coll. Achillito Chiesa, Milano (venduta nel 1926); Coll. Contini Bonacossi (cit. 1951); Uffizi (1974), Dep. Meridiana di Pitti.	Ufficio del Monte di Pietà (sec. XVIII); Uffizi (1786); Accademia (1933).	Chiesa di S. Piero Scheraggio (dall'origine); Gallerie Fiorentine (1781); Uffizi (1867); Depositi (1954); Uffizi (1971).
ATTRIBUZIONI	Orcagna (Cat. vendita 1926 American Art Association, New York). Giovanni del Biondo sotto l'influsso dell'Orcagna (Sandberg - Vavalà 1929, Berenson 1930-31, Toesca 1951).	Giovanni del Ponte (Gamba 1904 e tutta la critica successiva).	Giovanni del Ponte (Gamba 1904 e tutta la critica successiva).
ESPOSIZIONI	—	—	—
BIBLIOGRAFIA	*B. Berenson, in Dedalo XI 1930-31; M. Salmi, in Bollettino d'Arte, 4, 1969. M. Boskovits, Pitture fiorentine alla vigilia del Rinascimento, 1370-1400, Firenze 1975, p. 298.*	F. Guidi: in Paragone, 223, 1968. R. Fremantle, Florentine Gothic Painters, Londra 1975, pp. 355 sgg.	R. Fremantle: Florentine Gothic Painters, Londra 1975, pp. 355 sgg.
INVENTARIO	Contini Bonacossi 27.	458 (C.P., p. 62, n. 31).	1620 (C.P., p. 62, n. 1292).
FOTO	217259 e part.	322252.	10412 (e particolari).
NOTE	Nel pannello centrale il Battista, che regge un cartiglio con la scritta 'Ego. vox clamantis in deserto', schiaccia Erode sotto ai piedi; da sinistra in alto: Annuncio a Zaccaria, Visitazione, Nascita, Imposizione del nome. Nella predella: il Santo si avvia nel deserto, Cristo trae dal Limbo i progenitori e lo stesso Battista, presentazione della testa a Erodiade. A destra dall'alto: il Battista presenta Cristo, Battesimo di Cristo, Festino di Erode, Decapitazione. Tutta la critica è concorde nel riconoscere in quest'opera un forte influsso orcagnesco. L'opera è entrata nelle collezioni della Galleria in seguito a una donazione accompagnata da una convenzione con gli eredi del conte Alessandro Contini Bonacossi (1969). C.C.	Nel pannello centrale ai piedi della Vergine e di Cristo stanno quattro angeli musicanti; ai lati i SS. Francesco, Giovanni Battista, Ivo e Domenico. Nelle cuspidi, la Discesa di Cristo al Limbo (al centro), l'Angelo Annunziante (a sinistra) e la Vergine Annunziata (a destra). Scritte in basso: S. FRANCISCUS, S. IOHANNES, REGINA CELI LETARE ALLELUIA QUIA MERUISTI PORTARE A., S. IBUS, S. DOMENICUS. L. Bell.	La predella, che si trovava originariamente sull'altar maggiore della chiesa di S. Piero Scheraggio, è stata ricollocata nel 1971 nello spazio originario recuperato al piano terreno della Galleria degli Uffizi. Essa raffigura: i SS. Tommaso, Giacomo minore, Luca e Giacomo maggiore (come indicano le scritte), la Liberazione di S. Pietro dal carcere, S. Pietro in cattedra, il Martirio di S. Pietro, i SS. Andrea, Giovanni Evangelista, Matteo e Filippo (come indicano le scritte). L. Bell.

	P756	P757	P758	P759
AUTORE	Giovanni di Francesco (Rovezzano 1428 ca. - Firenze 1454 ca.).	Giovanni di Paolo (Siena 1403-82).	Girolamo da Carpi (Ferrara 1501-1556).	Girolamo da Carpi (Ferrara 1501-1556).
TITOLO	Madonna in trono col Bambino e due teste d'angelo.	Madonna con Bambino e santi.	Adorazione dei pastori.	Gesù in casa di Marta e Maria.
DATAZIONE	1450 ca. (Salmi 1959).	1445.		1520 ca. (Mezzetti 1977).
DATI TECNICI	Tempera su tavola, 105x59.	Tempera su tavola, 247x212.		Olio su tavola, 59,5x39,5.
CORNICE	In legno, dorata a gole, non pertinente.	Sagomata intagliata e dorata.		Dorata liscia a gola.
UBICAZIONI	Coll. Contini Bonacossi (cit. 1959); (Uffizi 1974), Dep. Meridiana di Pitti.	Ing. N. Giaccione; Uffizi (1904); Pitti (1954); Uffizi (1955).		Pitti; Uffizi (cit. Giornale 1796).
ATTRIBUZIONI	Giovanni di Francesco (Salmi 1959, Berenson 1963).	—		Girolamo da Carpi (Gruyer 1897, Longhi 1940). Battista Dossi (Berenson 1936).
ESPOSIZIONI	—	—		—
BIBLIOGRAFIA	M. Salmi, in Rivista D'Arte, XXXIV, 1959, pp. 22-23. B. Berenson, Elenchi, II, 1963, p. 88.	C. Brandi, Giovanni di Paolo, Firenze 1947. A. Chastel, La grande officina, Arte italiana 1460-1500, Milano 1979.		A. Mezzetti, Girolamo da Carpi da Ferrara, Milano 1977, p. 12 e p. 87.
INVENTARIO	Contini Bonacossi 5.	3255 (C.P., p. 182, n. 1551).		1354.
FOTO	217274.	131675.		321802.
NOTE	Scomparto centrale di una pala smembrata di cui facevano parte un S. Antonio Abate nella collezione Brizio a Milano e un S. Giacomo al Museo di Lione. Il Salmi, pubblicando l'opera nel 1959, ne rilevava oltre alla datazione tarda, il gusto affine alla contemporanea scuola padovana. I festoni di frutta, ad esempio, di comune origine donatelliana, si ritrovano simili nelle opere di Marco Zoppo o di Giorgio Schiavone. L'opera è entrata nelle collezioni della Galleria in seguito a un atto di donazione, accompagnato da una convenzione, da parte degli eredi del conte Alessandro Contini Bonacossi (1969). C.C.	Il dipinto diviso in cinque parti separate da colonnine tortili dorate, raffigura al centro la Vergine col Bambino, ai lati San Pietro e san Paolo e all'esterno san Domenico e s. Tommaso d'Aquino, al centro in basso si legge: Opus iohannis pauli de Senis - MCCCCXLV. Fu acquistato nel 1904 dall'ing. Niccolò Giaccone per la Gallera degli Uffizi dal direttore Corrado Ricci. Rimase esposto agli Uffizi fino al 1954 quando fu inviato a Pitti da dove ritornò nel 1955. È esposto in Galleria. L.B.B.	Vedi: Salviati Cecchino. Adorazione dei pastori. Scheda P1410.	Sembra che il dipinto iniziato da Girolamo sia stato compiuto da altra mano, forse di Biagio Pupini (Mezzetti 1977). Un disegno preparatorio di Girolamo è nel Gabinetto Disegni e Stampe degli Uffizi (Canedy 1970). E.B.

	P760	P761	P762	P763
Autore	Girolamo del Pacchia (Siena 1477-? 1535 ca.).	Giulio Romano, Pippi G., detto (Roma 1492 o 1499 - Mantova 1546).	Goubau, Anton (Anversa 1616-1698).	Goubau, Anton (Anversa 1616-1698).
Titolo	Madonna con bambino e S. Giovannino.	Madonna con Bambino.	Suonatore di chitarra.	Il suonatore del villaggio.
Datazione	Primo quarto, sec. XVI.	Terzo decennio sec. XVI.	Prima del 1644.	1645 ca. (Bodart 1977).
Dati tecnici	Olio su tavola, diam. 89.	Olio su tavola, 105x77.	Olio su tavola, 21,5x18,8.	Olio su tavola, 50x75, restauro 1977.
Cornice	Sagomata e decorata con ghirlanda vegetale dorata.	Legno intagliato a motivi vegetali, modanato e dorato.	Ebano, sec. XIX-XX.	Liscia, dorata, sec. XVII-XVIII.
Ubicazioni	Coll. Ciaccheri Bellandi; Uffizi (1909); Accademia (1954).	Accademia Imperiale, Vienna; Guardaroba (1793); Uffizi (1793); Pitti (1956); Uffizi, Tribuna (1970).	Pitti (inizi sec. XVIII); Poggio a Caiano (1713); Uffizi (1773).	Pitti (inizi sec. XVIII); Uffizi (1753 ca.); Pitti (1928).
Attribuzioni	—	—	—	—
Esposizioni	—	—	—	Rubens e la pittura fiamminga del Seicento nelle collezioni pubbliche fiorentine, Firenze 1977.
Bibliografia	Thieme-Becker, XXVI, 1932. M. Salmi, Il Palazzo e la Collezione Chigi Saracini, Siena 1967.	F. Hartt, Giulio Romano, New Haven 1958. G. Briganti, La maniera italiana, Firenze 1961. *B. Berenson, Italian Pictures of the Renaissance. Central Italian and North Italian Schools, London 1968, vol. I, p. 196.*	D. Bodart: Les peintres des Pays-Bas méridionaux et de la principauté de Liège à Rome au XVIIe siècle, Bruxelles-Roma 1970. *Id.: Cat. Rubens e la pittura fiamminga del Seicento nelle collezioni fiorentine, Firenze 1977, p. 325-26, n. LXII.*	D. Bodart: Les peintres des Pays-Bas méridionaux et de la principauté de Liège à Rome au XVIIe siècle, Bruxelles-Roma 1970. *Cat., Firenze 1977, n. 46.*
Inventario	3441 (C.P., p. 177, n. 3441).	2147 (C.P., p. 90, n. 1144).	1078 (C.P., p. 118, n. 756).	1041 (C.P., p. 126, n. 721).
Foto	5523.	27392.	158106.	217659.
Note	La tavola è stata restaurata in tempi recenti e parchettata. Sul cartiglio sorretto da S. Giovannino la scritta: Ecce Angnus. Il dipinto fu acquistato nel 1909 dai fratelli Ciaccheri Bellandi per 1500 lire (AGF, Arte 750). L'opera risulta attribuita al Pacchia già nel cat. Pieraccini, e questa attribuzione è stata confermata dal Brandi (nella voce del Thieme-Becker cit.) e dal Berenson (1968). Il dipinto, mai studiato in particolare, ma al massimo citato nei rari studi sull'artista, sembra accostabile ad opere verso il 1520, quando il pittore risente maggiormente dell'attività di Fra' Bartolomeo, dell'Albertinelli e del Sodoma. L'opera è attualmente esposta nella Galleria dell'Accademia. E.S.	Il dipinto pervenne agli Uffizi dalla Guardaroba il 18-2-1793 (AGF ms 114 c. 40v) dove poco prima era giunto dall'Accademia Imperiale di Vienna in conseguenza dello scambio concordato fra le due Gallerie dopo mesi di trattative. Nel 1848 era esposto nella Tribuna (cfr. S. Rudolph-A. Biancalani, Mostra storica della Tribuna degli Uffizi, Firenze 1970, p. 35). Nel 1956 passò alla Galleria di Palazzo Pitti, da qui ritornò agli Uffizi nel 1970 ed è stato nuovamente esposto nella Tribuna, dove si trova tutt'ora. L.B.B.	L'antica attribuzionet al Goubau è per il Bodart da mettere in dubbio, dato che il dipinto differisce dagli esempi noti dell'artista. Tuttavia il Mariette (Abecedario) afferma che il Goubau era stato un seguace di A. Brouwer e I. Van Ostade i cui caratteri si riscontrano nel dipinto. Per queste ragioni esso sarebbe da datare prima che l'artista si recasse in Italia (1644). M.C.	Firmato in basso: A. gebau F. Per il Bodart il dipinto va datato verso il 1645, nel periodo italiano dell'artista, quando è influenzato da P. Van Laer e M. Cerquozzi, e anche da J. Miel, al quale sembra ispirarsi direttamente in quest'opera. M.C.

	P764	P765	P766	P767
Autore	Goya y Lucientes, Francisco (Fuendetodos, Saragozza, 1746 - Bordeaux 1828).	Goya y Lucientes, Francisco (Fuendetodos, Saragozza 1746 - Bordeaux 1828).	Goya y Lucientes, Francisco (Fuendetodos, Saragozza, 1746 - Bordeaux 1828).	Gozzoli Benozzo, di Lese (Firenze 1420-97).
Titolo	Ritratto di Maria Teresa de Vallabriga a cavallo.	Ritratto di torero.	Ritratto della contessa de Chinchòn in piedi.	Predella di pala d'altare.
Datazione	1783.	1795-1800 (Mayer 1923), verso il 1797 (Longhi (1930), 1800 ca. Gudial.	1801 ca. (Gaya Nuño 1958). 1797-1801? (De Angelis 1974).	1459 ca. (Padoa-Rizzo); assai tarda (Contaldi, Cuppini).
Dati tecnici	Olio su tela, 82,5x61,7.	Olio su tela, 53x42.	Olio su tela, 220x140.	Tempera su legno, 25x224.
Cornice	Sagomata, intagliata e dorata, sec. XIX.	Intagliata con motivi vegetali, nera e oro, sec. XVII?	Sagomata, dorata, sec. XX.	A sagoma, dorata, moderna.
Ubicazioni	Boadilla del Monte (1783); Coll. Ruspoli (1904); Uffizi (1974).	Knoedler and Co, Londra; Coll. A. Stern, New York; Coll. Contini Bonacossi (cit. 1930); Uffizi (1974), Dep. Meridiana di Pitti.	Boadilla del Monte (fine sec. XVIII); Firenze, Coll. Ruspoli (1904); Uffizi (1974).	Opera di S. Croce; Uffizi (1847).
Attribuzioni	—		—	Anche negata (Cavalcaselle 1898) o incerta (Venturi 1911).
Esposizioni	—	Gli antichi pittori spagnoli della coll. Contini Bonacossi, Roma 1930. Biennale internazionale d'arte, Venezia 1952.	—	—
Bibliografia	*Conde de la Vinaza: Goya, Madrid 1887, p. 231. J. Gudiol: Goya, Barcelona 1970, I, p. 249, N. 155. R. De Angelis: L'opera pittorica... di Goya, Milano 1974, 166.*	R. Longhi e A. L. Mayer, in Cat. Roma, 1930. J. Gudiol, Goya, I, Barcelona 1971, p. 296. R. De Angelis: L'opera pittorica... di Goya, Milano 1974.	Conde de la Viñaza: Goya, Madrid 1887. J. Gudiol: Goya, Barcelona 1970. *I. A. Gaya Nuño: La pintura española fuera de España, Madrid 1958, p. 157, n. 880. R. De Angelis: L'opera pittorica... di Goya, Milano 1974, 369.*	A. Padoa-Rizzo. Benozzo Gozzoli pittore fiorentino, Firenze 1972, p. 125.
Inventario	9485.	Contini Bonacossi 22.	9484.	886 (C.P., p. 183, n. 1302).
Foto	137443.	225590.	252575.	325042.
Note	Il dipinto, ricordato in una lettera dello stesso Goya del 2 luglio 1784 a Zapater (cfr. F. Zapater: Goya..., Zaragoza 1868, p. 31), fu eseguito nel 1783 durante il soggiorno dell'artista a Boadilla del Monte, residenza di Don Luis de Borbòn a Arena de S. Pedro. Don Luis, sesto figlio di Filippo V di Spagna e di Elisabetta Farnese, invitò Goya ad eseguire una serie di ritratti suoi e dei suoi familiari che poi andarono smembrati fra i vari eredi. Questo, che rappresenta Maria Teresa de Vallabriga, moglie di Don Luis che la sposò nel 1771, passò per via ereditaria a Firenze presso la famiglia Ruspoli, dalla quale fu acquistato nel 1974. Invisibile alla critica fino alla sua esposizione agli Uffizi, aspetta ancora una completa illustrazione. La De Angelis ritiene che il dipinto rimase allo stato di abbozzo e che fu completato da altra mano, ciò che tuttavia non risulta dal suo stato attuale. M.C.	L'identità dell'effigiato è stata stabilita da Young: si tratterebbe di Pedro Romero che, all'epoca del ritratto doveva avere circa quarantadue anni. Accolto quale autografo dal Longhi e Mayer (1930) e dal Gudiol che lo riferisce agli anni 1796-98. La datazione del Catalogo Roma 1930 è basata sull'affinità col ritratto nelle Collezioni della Galleria dello Zapater. L'opera è entrata tramite una donazione accompagnata da una convenzione con gli eredi del Conte Alessandro Contini Bonacossi. C.C.	Maria Teresa de Borbòn y Vallabriga, figlia di Don Luis, contessa de Chinchòn, sposò nel 1797 don Manuel Godoy, primo ministro del re di Spagna, che cadde in disgrazia nel 1808. Sembra che il dipinto abbia fatto parte del gruppo di opere del Goya che alla fine del Settecento si trovavano nel palazzo di Boadilla del Monte, a Arena de S. Pedro, residenza di Don Luis de Borbòn, fratello di Carlo III di Spagna. Per questa ragione si è in genere pensato che esso fosse stato eseguito durante la permanenza dell'artista a Boadilla del Monte (1783), ma ciò è impossibile in rapporto all'età dimostrata dalla Chinchòn. Il Gaya Nuño invece propone di datare il ritratto a poco dopo quello eseguito da Goya alla contessa nel 1800 (Madrid, coll. de Sueca), mentre la De Angelis ritiene che risalga al momento delle nozze con il Godoy (1797). M.C.	In buono stato di conservazione. Non è noto a quale complesso appartenesse. Raffigura lo sposalizio di S. Caterina, Cristo in pietà, S. Antonio abate e S. Benedetto. G.M.

		P768	P769	P770
AUTORE		Granacci, Francesco (Firenze 1477-1543).	Granacci, Francesco (Firenze 1477-1543).	Granacci, Francesco (Firenze 1477-1543).
TITOLO		Madonna con i SS. Zanobi e Francesco.	Giuseppe condotto in prigione.	Giuseppe ordina la ricerca della coppa.
DATAZIONE		1505 (Morelli 1890), 1515-16 (Freedberg 1961).	1515 ca. (Bertani 1979).	1515 ca. (Bertani 1979).
DATI TECNICI		Olio su tavola, 192,5x174.	Olio su tavola, 130x96, restauro 1952).	Chiaroscuro su tavola, 64x46, restauro 1951.
CORNICE		Sagomata e dorata.	Legno modanato, intagliato a motivi vegetali.	Legno nero con filettature d'oro.
UBICAZIONI		Chiesa di San Gallo (dall'origine); San Iacopo tra' Fossi (1530 ca.); Accademia (1849); Coll. Covoni-Girolami (1853); Uffizi (1903); Accademia (1930).	Pier Francesco Borgherini (1515 ca.); Uffizi, Tribuna (1589), altra sala (1638); Accademia (1954); Davanzati (1960).	Guardaroba (1796); Uffizi (1796); Casa Vasari, Arezzo (1950); Palazzo Davanzati (1969).
ATTRIBUZIONI		—	Granacci (Inv. 1589). Anonimo (Inv. 1704). Andrea del Sarto (Invv. 1753, 1769). Pontormo (Invv. 1784, 1825, 1890). Granacci (Baldini 1956).	Ligozzi (AGF ms. 114); Fantozzi 1842. Anonimo (Inv. 1890). Granacci (Berti 1952, Baldini 1956, Sherman 1965). Granacci? (Berti 1971).
ESPOSIZIONI		—	Mostra del Pontormo e del primo Manierismo fiorentino, Firenze, 1956.	—
BIBLIOGRAFIA		*Ch. Von Holst, Francesco Granacci, Monaco 1974, pp. 137-39.*	*Vasari-Milanesi, Vite..., Firenze, 1881, vol. V, p. 342; U. Baldini, in Cat., Firenze, 1956, n. 10, p. 108; L. Berti, Il Museo di Palazzo Davanzati a Firenze, Firenze 1971, p. 217, n. 180.*	U. Baldini, Mostra del Pontormo e del primo Manierismo fiorentino, Firenze 1956, pp. 107-111. *L. Berti, Il Museo di Palazzo Davanzati a Firenze, Firenze 1971, p. 217.*
INVENTARIO		3247 (C.P., p. 178, n. 1541).	2150 (C.P., p. 70, n. 1249).	538.
FOTO		310048.	—	28773.
NOTE	Illustrazione relativa alla scheda precedente.	Il dipinto venne eseguito per la cappella Girolami nella chiesa di S. Gallo; quando la chiesa venne distrutta in occasione dell'assedio di Firenze, la tavola fu trasportata a S. Iacopo tra' Fossi, ove è testimoniata dal Vasari (V, p. 343-44). Alla soppressione di questa chiesa (1849) il dipinto passò all'Accademia e poi venne concesso in deposito ai discendenti dei Girolami, alla morte dell'ultimo dei quali (il marchese Girolamo Covoni, morto nel 1903) il dipinto venne riconsegnato agli Uffizi (AGF, Arte 310). Nel GDSU esiste un disegno in relazione con questo dipinto (N. 189F). La posizione della Madonna, come spesso avviene nelle opere del Granacci, è ripetuta, fra l'altro, nella pala del Museo della Collegiata di Santa Verdiana a Castelfiorentino. E.S.	La presente tavola venduta da Niccolò di Francesco Borgherini a Francesco I de' Medici nel 1584 insieme all'altra, Inv. 1890 n. 2152 si trovava nella Tribuna già nel 1589 (cfr. AGF, ms 71, n. 1, c. 28). Nel 1638 le due tavole non erano più nella Tribuna ma in Galleria. Il Vasari ci ricorda che furono eseguite per la camera nuziale di Pier Francesco Borgherini e Margherita Acciaioli insieme ad altre tavole di Andrea del Sarto, del Pontormo e del Bachiacca; oltre a queste su ricordate, due, di Andrea del Sarto, si conservano a Pitti, una del Bachiacca è a Dresda, e tre del Pontormo sono in Inghilterra, una alla National Gallery e due nella raccolta Cooper a Panshauger. Disegni al Gabinetto Disegni o Stampe nn. 345, 347, 349. L.B.B.	Il quadro fu collegato in un primo tempo dal Berti al congresso dei dipinti per la Camera Borgherini, ricordate dal Vasari come del Granacci (Cfr. Boll. d'Arte 1952, pp. 258-60) e successivamente riconosciuto dallo stesso Berti come opera a sé stante. Anzi riprendendo le registrazione degli archivi antichi (AGF ms. 114c.), lo studio ha considerato di recente la pubblicità di attribuzione al Ligozzi (Berti 1971). L.B.B.

	P771	P772	P773	P774
AUTORE	Granacci, Francesco (Firenze 1477-1543).	Granacci, Francesco (Firenze 1477-1543).	Granacci, Francesco (Firenze 1477-1543).	Graziani, Francesco, detto Ciccio Napoletano (Napoli, seconda metà sec. XVII).
TITOLO	Giuseppe presenta al Faraone il padre e i fratelli.	Ingresso di Carlo VIII a Firenze.	La Madonna consegna la cintola a S. Tommaso.	Assalto di cavalleria.
DATAZIONE	1515 ca.	1518 ca. (Venturi). Post 1527 (von Holst).	Sec. XVI (primo-secondo decennio).	Seconda metà sec. XVII.
DATI TECNICI	Olio su tavola, 95x224.	Olio su tavola, 76x122.	Olio su tavola, 300x181.	Olio su rame, 17,5x23.
CORNICE	Legno dorato, modanato e aggettante.	Dorata con rilievi in pastiglia, sec. XIX.	Sagomata e dorata, centinata e riquadrata in alto, sec. XIX.	Intagliata e dorata, sec. XVII-XVIII.
UBICAZIONI	Pier Francesco Borgherini (1515 ca.); Uffizi, Tribuna (1589), altra sala (1638).	Coll. Crespi, Milano (1900); Uffizi (1914); Museo Mediceo (1930); Uffizi, depositi (1973).	S. Elisabetta (già S. Michele delle Trombe) (dall'origine?); Accademia (1785); Uffizi (1803); Accademia (1952).	Coll. Feroni (ante 1850); Uffizi (1866); Cenacolo di Foligno (1894).
ATTRIBUZIONI	Granacci (Inv. 1589); Anonimo (Inv. 1704); Andrea del Sarto (Invv. 1753, 1769); Pontormo (Invv. 1784, 1825, 1890); Granacci (Baldini 1956).	—	Albertinelli (Del Migliore, 1684). Ridolfo del Ghirlandaio (Richa 1759). Granacci (Crowe-Cavalcaselle 1866, Berenson 1963). Ignoto fiorentino 1° o 2° decennio sec. XVI (von Holst 1974).	Pietro Graziani (Cat. Feroni 1895).
ESPOSIZIONI	Mostra del Pontormo e del primo Manierismo fiorentino, Firenze 1956.	Mostra medicea, Firenze 1939. Mostra machiavelliana, Firenze 1969. Il tesoro di Lorenzo il Magnifico, Firenze 1972.	—	—
BIBLIOGRAFIA	*Vasari-Milanesi, Vite..., Firenze, 1881, vol. V, p. 342; U. Baldini, in Cat., Firenze, 1956, 11, p. 109.*	*A. Venturi, La Galleria Crespi a Milano, Milano 1900. C. von Holst, Francesco Granacci, München 1974.*	*Ch. Von Holst, Francesco Granacci, Monaco 1974, pp. 188-89.*	R. Wittkower, Art and Architecture in Italy 1600-1750, Harmondsworth 1965. F. Zeri, La Galleria Pallavicini, Firenze 1959. Id., Italian Paintings in the Walters Art Gallery, Baltimore 1976, II. *Catalogo della Galleria Feroni, Firenze 1895, p. 5.*
INVENTARIO	2152 (C.P., p. 70, n. 1282).	3908.	1596 (C.P., p. 177, n. 1280).	S. Marco e Cenacoli 29.
FOTO	323333.	161919.	5483.	159992.
NOTE	La presente tavola venduta da Niccolò di Francesco Borgherini a Francesco I de' Medici nel 1584 insieme all'altra Inv. 1890 n .2150, si trovava già nella Tribuna nel 1589 (cfr. AGF, ms 71, c. 28). Nel 1638 i due dipinti non erano più nella Tribuna ma nella Galleria. Il Vasari ci ricorda che furono eseguiti insieme ad altri quadri di A. del Sarto; del Pontormo e del Bachiacca, per la camera nuziale di Pier Francesco Borgherini e Margherita Acciaioli; oltre a queste su ricordate, due di A. Del Sarto, si conservano a Pitti, una del Bachiacca è a Dresda, tre del Pontormo sono in Inghilterra una alla National Gallery e due nella raccolta Cooper a Panshauger. Disegni e Stampe nn. 345, 347, 349. L.B.B.	Il dipinto è stato sempre apprezzato, più che come opera d'arte, come documento storico: dà infatti una veduta del palazzo Medici prima della chiusura della loggia d'angolo e dell'ampliamento seicentesco dei Riccardi, L'avvenimento ritratto è del 17 novembre 1494 (cfr. E. Borsook in Mitteilungen des Kunsthistorischen Instituts in Florenz X, 1961), ma il quadro si suppone dipinto o verso il 1518, in connessione col matrimonio francese di Lorenzo de' Medici duca d'Urbino, o dopo il 1527, in seguito alla seconda cacciata dei Medici. S.M.T.	Il dipinto, come sottolineato dai Paatz (IV, p. 655, n. 66), è stato a volte confuso in passato con quello di soggetto analogo proveniente da S. Pier Maggiore, documentato dal Bocchi-Cinelli. Quest'ultimo dipinto è stato identificato da Von Holst (op. cit., p. 148-49) con quello oggi a Sarasota, (Ringling Museum) che dalla chiesa di S. Pier Maggiore passò nel 1784 in palazzo Rinuccini ove rimase fino al 1878 quando venne venduto all'estero. La tavola oggi all'Accademia, che pure era stata autorevolmente attribuita a Granacci, è stata recentemente ridotta da Von Holst al rango di una variante, di anonimo artista, delle tavole del Granacci oggi a Sarasota e a Warwick. L'opera è attualmente esposta nella Galleria dell'Accademia. E.S.	Le fonti parlano di un pittore di battaglie Francesco Graziani, detto anche Ciccio Napoletano, seguace del Borgognone, che però avrebbe un omonimo di nome Pietro. Lo Zeri (1976), indicando l'incongruenza, affacciava l'ipotesi di uno sdoppiamento di personalità, cosa che verrebbe accreditata anche dal nome dato per i presenti dipinti dal catalogo Feroni e data, per contrario, l'identità di mano dei quadri che passano sotto il nome di Graziani. Il nome del Graziani ricorre nei documenti per due quadri nella Galleria Pallavicini, che sono il punto di partenza per l'attribuzione di altre opere: ad essi si sono aggiunti recentemente i quattro quadri di Baltimora ad opera dello Zeri, attribuzione che trova conferma anche nei dipinti Feroni. M.C.

	P775	P776	P777	P778
AUTORE	Graziani, Francesco, detto Ciccio Napoletano (Napoli, seconda metà sec. XVII).	Graziani, Francesco, detto Ciccio Napoletano (Napoli, seconda metà sec. XVII).	Graziani, Francesco, detto Ciccio Napoletano (Napoli, seconda metà sec. XVII).	Grazzini, Gaetano (Firenze 1786-1858).
TITOLO	Assalto di cavalleria.	Battaglia di cavalleria.	Battaglia di cavalleria.	Diana cacciatrice.
DATAZIONE	Seconda metà sec. XVII.	Seconda metà sec. XVII.	Seconda metà sec. XVII.	1820-30 ca.
DATI TECNICI	Olio su rame, 17,5x23.	Olio su rame, 17,5x23.	Olio su rame, 17,5x23.	Marmo, h. 133,5.
CORNICE	Intagliata e dorata, sec. XVII-XVIII.	Intagliata e dorata, sec. XVII-XVIII.	Intagliata e dorata, sec. XVII-XVIII.	Base moderna in legno dipinto a imitazione di granito, in stile neoclassico.
UBICAZIONI	Coll. Feroni (ante 1850); Uffizi (1866); Cenacolo di Foligno (1894).	Coll. Feroni (ante 1850); Uffizi (1866); Cenacolo di Foligno (1894).	Coll. Feroni (ante 1850); Uffizi (1866); Cenacolo di Foligno (1894).	Coll. Feroni (ante 1850); Uffizi (1866); Cenacolo di Foligno (1894); Pitti (ante 1971); Accademia (1971).
ATTRIBUZIONI	Pietro Graziani (Cat. Feroni 1895).	Pietro Graziani (Cat. Feroni 1895).	Pietro Graziani (Cat. Feroni 1895).	—
ESPOSIZIONI	—	—	—	—
BIBLIOGRAFIA	R. Wittkower, Art and Architecture in Italy 1600-1750, Harmondsworth 1965. F. Zeri, La Galleria Pallavicini, Firenze 1959. Id., Italian Paintings in the Walters Art Gallery, Baltimore 1976, II. *Catalogo della Galleria Feroni, Firenze 1895, p. 5.*	R. Wittkower, Art and Architecture in Italy 1600-1750, Harmondsworth 1965. F. Zeri, La Galleria Pallavicini, Firenze 1959. Id., Italian Paintings in the Walters Art Gallery, Baltimore 1976, II. *Catalogo della Galleria Feroni, Firenze 1895, p. 5.*	R. Wittkower, Art and Architecture in Italy 1600-1750, Harmondsworth 1965. F. Zeri, La Galleria Pallavicini, Firenze 1959. Id., Italian Paintings in the Walters Art Gallery, Baltimore 1976, II. *Catalogo della Galleria Feroni, Firenze 1895, p. 5.*	Thieme-Becker, XIV, 1921. *Catalogo della Galleria Feroni, Firenze 1895, n. 164.*
INVENTARIO	S. Marco e Cenacoli 30.	S. Marco e Cenacoli 32.	S. Marco e Cenacoli 33.	S. Marco e Cenacoli 163.
FOTO	159991.	159990.	159989.	Brogi 18012. Alinari 49028.
NOTE	Con i nn. 29, 32, 33, fa parte di una serie di quattro dipinti che sono vicini in stile agli esemplari della Walters Art Gallery di Baltimora (vedi Zeri 1976). Per le notizie sull'artista, vedi il n. 29. M.C.	Con i nn. 29, 30, 33, forma una serie che trova rispondenza stilistica in quella della Walters Art Gallery di Baltimora (vedi Zeri 1976). Per le notizie sull'artista, vedi il n. 29. M.C.	Con i nn. 29, 30, 32, forma una serie che trova rispondenza in quella della Walters Art Gallery di Baltimora (vedi Zeri 1976). Per le notizie sull'artista, vedi il n. 29. M.C.	Lo scultore è oggi pochissimo studiato, malgrado sia l'autore di alcuni monumenti molto in vista come le statue del Magnifico e di Vespucci nel portico degli Uffizi, il Bonaventura Cavalieri nella Tribuna di Galileo e altre opere in San Torpé a Pisa e, ancora a Firenze, all'Annunziata. S.P.

	P779	P780	P781	P782
AUTORE	Greco, Theotokòpulos Domenico, detto El (Candia 1541 - Toledo 1614).	Greco, Theotokòpulos Domenico, detto El (Candia 1541 - Toledo 1614).	Grimou, Alexis (Argenteuil 1678 - Parigi 1733).	Grimou, Alexis (Argenteuil 1678 - Parigi 1733).
TITOLO	Le lacrime di S. Pietro.	I santi Giovanni Evangelista e Francesco.	Un giovane pellegrino.	Una giovane pellegrina.
DATAZIONE	1582-86 (Camon Aznar 1950), 1587-89 (Mayer 1930), 1650 ca. (Wethey 1967).	1600 ca. (Wethey 1977).	1725.	1725/26.
DATI TECNICI	Olio su tela, 163x125,5.	Olio su tela, 110x86.	Olio su tela, 81x63.	Olio su tela, 82x63,5.
CORNICE	In legno intagliato a gole e parzialmente decorata in oro, con motivi a perline e dentelli.	Intagliata, dorata, sec. XVIII.	Intagliata, dorata, sec. XVIII.	Intagliata, dorata, sec. XVIII.
UBICAZIONI	T. Harris, Londra (cit. 1913-14); Coll. Contini Bonacossi (cit. 1930); Uffizi (1974), Dep. Meridiana di Pitti.	Boadilla del Monte, Spagna (sec. XVIII); coll. Ruspoli y Godoy (1904); Uffizi (1973).	Parigi; Uffizi (1793).	Parigi; Uffizi (1793).
ATTRIBUZIONI	El Greco (Longhi-Mayer 1930, Camon Aznar 1950). Tardo seguace di E. G. (Wethey 1967). Non considerato dal Gudiol (1971).	—	—	—
ESPOSIZIONI	Gli antichi pittori spagnoli della Collezione Contini Bonacossi, Roma 1930.	—	La peinture française à Florence, Firenze 1945. Pittura francese nelle collezioni pubbliche fiorentine, Firenze 1977.	La peinture française à Florence, Firenze 1945. Pittura francese nelle collezioni pubbliche fiorentine, Firenze 1977.
BIBLIOGRAFIA	*A. Mayer, in Cat. Roma 1930, p. 28. H. E. Wethey, El Greco y su Escuela, Madrid 1967, II, p. 271.*	*M. Cossio, El Greco, Madrid 1908, I, n. 36. H. E. Wethey, El Greco and His School, Princeton 1962, II, p. 224. Id., El Greco's St. John the Evangelist with St. Francis at the Uffizi, in Pantheon, 1977, p. 205ss.*	G. Levitine, The Eighteenth C.: Rediscovery of Alexis Grimou, Eighteenth C. Studies, II, 1968-69. *Cat., Firenze 1977, n. 66.*	G. Levitine, The Eighteenth C.: Rediscovery of Alexis Grimou, Eighteenth C. Studies, II, 1968-69. *Cat., Firenze 1977, n. 67.*
INVENTARIO	Contini Bonacossi 21.	9493.	992 (C.P., p. 113, n. 672).	1016 (C.P., p. 113, n. 696).
FOTO	52031 e part.	251961.	248656.	248655.
NOTE	Il Santo è raffigurato in una grotta insieme alla Maddalena e all'angelo della Resurrezione. Si conoscono 17 varianti di El Greco su questo tema, classificati da Camon Aznar (1950). Secondo il Wethey, l'opera risulta composta da elementi tratti da quadri del Greco, ma collazionati secondo il gusto dei tardi seguaci del maestro, forse nel secolo XVII. L'opera è entrata nelle collezioni della Galleria in seguito a una donazione, accompagnata da una convenzione con gli eredi del conte Alessandro Contini Bonacossi (1969). C.C.	Firmato al centro, sul sasso: Dominicos Théotokópulos epoiese. In basso a destra i nn. 14-15. La firma era già stata letta dal Cossio, ma smentita da Wethey (1977). Il dipinto, secondo quanto inferisce Wethey (1977), appartenne fin dagli inizi (lo studioso lo data al tardo periodo toledano, intorno al 1600) alla famiglia dei duchi di Sueca, dai quali passò per eredità a quella Ruspoli y Godoy. Pervenuto a Firenze per via ereditaria nel 1904, il dipinto non era stato più visto da nessuno studioso dopo il Cossio. Il Wethey ne rimarca l'eccezionale stato di conservazione. M.C.	Firmato e datato in basso a destra. Fa parte dei dipinti francesi acquistati a Parigi nel 1793 da F. Favi per ordine del granduca Ferdinando III di Toscana. Il suo 'pendant' è il n. 1016. M.C.	Firmato e datato in basso a destra (Rosenberg, Cat., Firenze 1977, legge 1726 piuttosto che 1725). 'Pendant' del n. 992, col quale fu acquistato a Parigi da F. Favi per ordine del granduca Ferdinando III di Toscana. M.C.

	P783	P784	P785	P786
AUTORE	Guardi, Francesco (Venezia 1712-1793).	Guardi, Francesco (Venezia 1712-1793).	Guercino, Barbieri Giovan Francesco, detto il (Cento 1591 - Bologna 1666).	Guercino, Barbieri Giovan Francesco, detto il (Cento 1591 - Bologna 1666).
TITOLO	Capriccio con arco e pontile.	Capriccio con ponti su di un canale.	Concerto campestre.	San Pietro.
DATAZIONE	1750 ca.? (Morassi 1973), 1780 ca.? (Zampetti 1967).	1750 ca.? (Morassi 1973), 1780 ca. (Zampetti 1967).	1617 ca. (Mahon 1968).	1620-30 (Borea 1975).
DATI TECNICI	Olio su tela, 30x53.	Olio su tela 30x53.	Rame, 34x46, restauro 1968.	Olio su tela, 63,4x47,7.
CORNICE	Ottocentesca in legno intagliato e dorato.	Ottocentesca, in legno intagliato e dorato.	Dorata a gola.	Dorata, larga, a più gole.
UBICAZIONI	Coll. Luigi Grassi; Uffizi (1906).	Coll. Luigi Grassi; Uffizi (1906).	Pitti (1700 ca.); Poggio a Caiano (1710 ca.); Uffizi (1773).	Card. Leopoldo de' Medici, Pitti (ante 1675); Uffizi (1863).
ATTRIBUZIONI	—	—	—	—
ESPOSIZIONI	La peinture italienne au XVIIIᵉ siècle, 1960-61. I vedutisti veneziani del Settecento, Venezia 1967.	I vedutisti veneziani del Settecento, Venezia 1967.	Il Guercino, Bologna 1968. Pittori bolognesi del Seicento nelle Gallerie di Firenze, Firenze 1975.	Pittori bolognesi del Seicento nelle Gallerie di Firenze, Firenze 1975.
BIBLIOGRAFIA	*Cat., Venezia 1967 (a cura di P. Zampetti) n. 154. A. Morassi, Guardi, Venezia s.d. (ma 1973) 2 voll.*	*Cat., Venezia 1967 (a cura di P. Zampetti) n. 154. A. Morassi, Guardi, Venezia s.d. (ma 1973) 2 voll.*	D. Mahon, Cat., Bologna 1968 p. 52. M. L. Strocchi, Il gabinetto d' 'opere in piccolo' del Gran Principe Ferdinando a Poggio a Cajano, in Paragone 311, 1976, n. 99. *E. Borea, in Cat., Firenze 1975, pp. 184-85.*	*E. Borea, in Cat., Firenze 1975, n. 135, p. 188.*
INVENTARIO	3358 (C.P., p. 206, n. 1570).	3359 (C.P., p. 206, n. 1571).	1379 (C.P., p. 143 n. 1040).	771 (C.P., p. 87, n. 187).
FOTO	207801.	112682.	227153.	219999.
NOTE	Fu acquistato insieme al suo 'pendant' che raffigura 'Capriccio con ponti su di un canale' (inv. 1890 n. 3359) nel 1906 per la somma di L. 10.000 (cfr. C. Gamba: Nuovi acquisti di dipinti veneti nelle Gallerie degli Uffizi, su Boll. d'Arte 1907 nr. 2). Considerato relativamente giovanile dal Morassi, è collocato dallo Zampetti fra le opere tarde. Con il 'pendant' costituiva probabilmente serie con due paesaggi di fantasia già nella collezione Serristori di Firenze (cfr. nr. 880 e 1002 della monografia di Morassi). A.P.	Fu acquistato insieme al suo 'pendant' che raffigura 'Capriccio con arco e pontile' (inv. 1890 n. 3358) nel 1906 per la somma di L. 10.000 (cfr. C. Gamba: Nuovi acquisti di dipinti veneti nelle Gallerie degli Uffizi, su Boll. d'Arte 1907 nr. 2). Considerato relativamente giovanile dal Morassi, è collocato dallo Zampetti fra le opere tarde. Con il 'pendant' costituiva probabilmente serie con due paesaggi di fantasia già nella collezione Serristori di Firenze (cfr. nr. 880 e 1002 della monografia di Morassi). A.P.	Reca a tergo sul controfrondo di legno la scritta antica: Gio. Franco Barbieri d. il Guercino del P. A Cajano dalla Guardaroba 29 dicembre 1773. Fu acquistato probabilmente dal gran principe Ferdinando. Opera giovanile il quadretto costituisce l'apice poetico della produzione paesaggistica del Guercino, orientata in senso naturalistico ma con ricordi del cinquecento ferrarese. E.B.	Il dipinto è descritto nell'inventario della collezione di Leopoldo de' Medici (1675). E.B.

	P787	P788	P789	P790
AUTORE	Guercino, Barbieri Giovan Francesco, detto il (Cento 1591 - Bologna 1666).	Guercino, Barbieri Giovan Francesco, detto il (Cento 1591 - Bologna 1666).	Guercino, Barbieri Giovan Francesco, detto il (Cento 1591 - Bologna 1666), copia da.	Guercino, Barbieri Giovan Francesco, detto il (Cento 1591 - Bologna 1666), copia da.
TITOLO	Endimione.	Sibilla Samia.	Cristo morto pianto da due angeli.	Marte.
DATAZIONE	1640-50 (Borea 1975).	1644.	Sec. XVII.	Sec. XVII.
DATI TECNICI	Tela 118,5x100.	Olio su tela, 114x95.	Olio su rame, 23x31.	Tela, 69,5x60.
CORNICE	Riccamente intagliata e dorata.	Riccamente intagliata e dorata.	Dorata a gole.	Liscia e dorata.
UBICAZIONI	Antiquario Volpini; Uffizi (1785).	Casa Albergotti, Bologna; Uffizi (1777).	Coll. Feroni; Uffizi (1865).	Uffizi (1795).
ATTRIBUZIONI	—	—	Guercino (1895). Anonimo da Guercino (Borea 1975).	Guercino (1795). Copia da Guercino (Borea 1975).
ESPOSIZIONI	Pittori bolognesi del Seicento nelle Gallerie di Firenze, Firenze 1975.	Pittori bolognesi del Seicento nelle Gallerie di Firenze, Firenze 1975.	—	Dipinti bolognesi del Seicento nelle Gallerie di Firenze, Firenze 1975.
BIBLIOGRAFIA	*E. Borea, in Cat., Firenze 1975, n. 140, pp. 192-3.*	D. Mahon, Il Guercino. Bologna 1968, p. 198. *E. Borea, in Cat., Firenze 1975, n. 139, pp. 1-92.*	*E. Borea, in Cat. mostra Pittori bolognesi del Seicento nelle gallerie di Firenze, Firenze 1975, p. 199.*	*E. Borea, in Cat., Firenze 1975, n. 148, p. 200.*
INVENTARIO	1461 (C.P., p. 156 n. 1137).	1430 (C.P., p. 87 n. 1114).	San Marco e Cenacoli 89.	522.
FOTO	297590.	207586.	204560.	226600.
NOTE	Scritta a tergo: 'dal Volpini a di 10 Ottobre 1785 del Guercino'. Risulta infatti che il dipinto è stato acquistato nel 1785 dal Volpini antiquario. Il Guercino ha dipinto più quadri di questo soggetto secondo le fonti, ma non è possibile proporre una identificazione. L'opera è tarda, stilisticamente prossima alla 'Sibilla' negli stessi Uffizi. E.B.	La seguente scritta, letta sul retro del quadro dal Poggi (1926): 'Di mano del Guercino da Cento, Bologna 1644, n. CXXIIII', non è più visibile. L'opera fu acquistata nel 1777 a Bologna da casa Albergotti e subito destinata agli Uffizi. È stilisticamente prossimo a dipinti della maturità come la 'Madonna' di 'Senigallia', pertanto la data 1644 letta sul retro appare conveniente. E.B.	È una copia di minori dimensioni del rame del Guercino ora a Londra, National Gallery, datata 1617-18. E.B.	Acquisito come originale del Guercino essendo la trattazione del soggetto tipicamente guercinesca (una versione originale è a Tatton Park, Inghilterra), a cagione della scarsa qualità appare piuttosto una copia da opera della maturità dell'artista. E.B.

	P791	P792	P793	P794
Autore	Guido da Siena (Siena, seconda metà del sec. XIII), bottega di.	Hans Maler zu Schwaz (Schwaz, not. 1500-10).	Heeremans, Thomas (Haarlem, notizie tra il 1660 e il 1697).	Helmbrecker, Theodor (Haarlem 1633 - Roma 1696).
Titolo	Madonna in trono col Bambino.	Ritratto di Ferdinando di Castiglia.	Fiera di villaggio.	Mascherata in un villaggio.
Datazione	1270-75 ca. (Marcucci 1958).	1524.	1660-90 ca.	1660-70 ca.?
Dati tecnici	Tempera su tavola cuspidata, 115x66.	Olio su tavola, 33x23.	Olio su tela, 61x83,5.	Olio su tela, 72x97,8.
Cornice	Originale.	Legno nero, forse ottocentesca.	Sagomata, dorata, sec. XVII-XVIII.	Liscia, dorata, sec. XVII?
Ubicazioni	Proprietà Charles Murray (sec. XIX); Uffizi (1889); Accademia (1919).	Pitti (sec. XVI-XVII); Uffizi (1796).	Coll. Hugford; Uffizi (1779).	Acquistato da Marcantonio e Gaetano Taddei (Filza XI, ins. 86). Uffizi (1778); Pitti; Ist. Italiano per il Medio e Estremo Oriente, Roma (1935); Magazzino Soprintendenza; Poggio a Caiano (1951); Pitti (1971).
Attribuzioni		Luca di Leida (Inv. Palazzo Pitti. Cat. Uffizi 1881). Bernhard Strigel (L. Scheibler 1881). Scuola tedesca (Bode, 1910). Bernard Van Orley (L. Collobi Ragghianti 1948). Hans Maler (O. Benesch. 1954, comunicazione al direttore della Galleria R. Salvini).	—	Hoogewerff (1923) rifiuta l'attribuzione.
Esposizioni	Guido da Siena (Garrison, 1947, 1949). Scuola di Guido da Siena (Zimmermann 1899, Coletti 1941, Sinibaldi 1943, Offner 1950 e la critica successiva). Copia da Guido da Siena (Marcucci 1958).	Arte Fiamminga e olandese dei sec. XV e XVI, Firenze 1947.	—	—
Bibliografia	*L. Marcucci, I dipinti toscani del secolo XIII..., Roma 1958, n. 21. J. H. Stubblebine, Guido da Siena, Princeton 1964, n. XI.*	H. v. Mackovitz, Der Maler Haus von Schwatz, Innsbruck 1960. *M.J. Friedländer, 'Reportorium für Kunstwisseuschaft', XVIII, 1895, 415. L. Collobi Ragghianti, in Cat., Firenze, 1948. R. Salvini, Cat. Uffizi, Firenze, 1952.*	J. Rosenberg - S. Slive - E. H. Ter Kuile. Dutch Art and Architecture, 1600-1800, Harmondsworth 1966. *J. Fleming, The Hugfords of Florence, The Connoisseur, 1955, p. 206.*	Würzbach, Niederländische Künstlerlex., I, 1906, p. 669. E. Pieraccini, Catalogo della Galleria degli Uffizi, 1905 ca., p. 74, n. 79. G.J. Hoogewerff, Thieme-Becker Kunstlerlex., XVI, 1923, p.
Inventario	435 (C.P., p. 57 n. 5).	1215 (C.P., p. 96, n. 895).	1104.	519 (C.P., p. 74, n. 79).
Foto	310058.	11399.	176822.	105828.
Note	Il dipinto presenta una caduta di colore lungo tutta una linea verticale che corrisponde alla commessura delle tavole. Il catalogo Pieraccini (1914) ne indicava l'autore in Coppo di Marcovaldo. L. Bell.	In alto il dipinto reca la scritta: 'EFFIG. FERDIN. PRINCIP. ET INFANT. HISPAN. ARCH. AUSTR. RO. IMP. AN° ETAT. SUE. XXI. VICAR'. Si tratta di Ferdinando (1503-1564), figlio di Filippo di Spagna e di Giovanna di Castiglia e d'Aragona, re d'Ungheria e di Boemia, re dei Paesi Bassi, Imperatore dal 1558 dopo l'abdicazione del fratello Carlo V. Il dipinto è siglato H.M. A tergo è la scritta 'Palazzo Pitti 12 maggio 1796'. Una replica del dipinto si trova all'Accademia dei Concordi a Rovigo. La data di esecuzione si ricava dall'età del giovane, nato nel 1503, che porta al collo l'insegna del Toson d'oro. E.M.	Firmato in basso a sinistra: TH.-Mans. Acquistato per la Galleria degli Uffizi nel 1779 dagli eredi del pittore Ignazio Hugford, al quale il dipinto appartenne. M.C.	Una copia del dipinto nelle Gallerie di Firenze (Inv. 1890, n. 6462). M.C.

	P795	P796	P797	P798
AUTORE	Holbein, Hans, il giovane (Augusta in Baviera 1497-98 - Londra 1543).	Holbein, Hans, il giovane (Augusta in Baviera 1497-98 - Londra 1543), scuola di.	Hondius, Abraham (Rotterdam 1625 - Londra 1695), attr. a.	Horemans, Jan Joseph il vecchio (Anversa 1682-1759).
TITOLO	Ritratto di Sir Richard Southwell.	Ritratto virile, detto di Tommaso Moro.	Caccia al cinghiale.	Rissa tra giocatori di carte.
DATAZIONE	1536.	Sec. XVI.	Seconda metà sec. XVII.	Prima metà sec. XVIII.
DATI TECNICI	Olio su tavola, 47,5x38.	Olio su tavola, 42x36.	Olio su tela, 87x107.	Olio su tela, 51x60.
CORNICE	Moderna (1952).	Moderna (1952).	Sagomata, tinta di nero, sec. XVII.	Liscia, dorata, sec. XVIII.
UBICAZIONI	Thomas Howard Earl of Arundel (ante 1620); Guardaroba (1621); Uffizi (ante 1638).	Guardaroba; Uffizi (1773).	Pitti (sec. XVIII); Uffizi (1796); Pitti (1928).	Uffizi (1905 ca.); Roma (1930).
ATTRIBUZIONI	—	Scuola tedesca (inv. 1784, n. 10), Holbein (inv. 1825, n. 888, Benoit, s.d., ma ca. 1910).	Hondius (Pieraccini 1905, Wurzbach 1906, Rusconi 1937, Francini Ciaranfi 1964). Anonimo (Hentzen (1963).	—
ESPOSIZIONI	Firenze e l'Inghilterra, Firenze 1971.	—	—	—
BIBLIOGRAFIA	R. Salvini - H. W. Grohn, L'Opera pittorica completa di Holbein il G., Milano 1971. *A. M. Crinò, in Rivista d'Arte, 1960. Cat., Firenze 1971, n. 28.*	R. Salvini - H. W. Grohn, L'opera pittorica completa di H. H. il G., Milano 1971. *F. Benoit, Holbein, Paris s.a., 162.*	*A. I. Rusconi, La Galleria Pitti in Firenze, Roma 1937, p. 154. A. Hentzen, Abraham Hondius, Jahrb. der Hamburger Kunstsamml., VIII, 1963, p. 55, n. 91.*	Thieme-Becker, XVII, 1924. H. Gerson-E.H. Ter Kuile: Art and Architecture in Belgium 1600-1800, Harmondsworth 1960. *R.H. Wilenski: Flemish Painters, London 1960.*
INVENTARIO	1087 (C.P., p. 125 n. 765).	1120 (C.P., p. 124 n. 799).	1304 (C.P.,p. 136, n. 980).	1156 (C.P., p. 122, n. 836).
FOTO	249065.	193550.	153348.	20064.
NOTE	Dono di Thomas Howard Earl of Arundel a Cosimo II in risposta a sua richiesta del 12.9.1620. Il dipinto, entro ricca cornice di ebano adorna di quattro medaglioni d'argento recanti rispettivamente lo stemma mediceo, quello degli Arundel, il nome del pittore e quello del personaggio, appositamente eseguiti in Inghilterra, giunse a Firenze nell'aprile 1621, dopo la morte del Granduca (28.2.1621). Scomparsa in epoca imprecisata la cornice originale, i quattro medaglioni sono esposti in una teca sotto il quadro. La data risulta dall'iscrizione sul fondo X° IVLII ANNO H. VIII XXVIII° (a sinistra) ETATIS SVAE ANNO XXXIII (a destra). Disegno preparatorio nel castello di Windsor. R.S.	Generalmente passato sotto silenzio dagli studiosi di Holbein. La tradizionale identificazione del personaggio ritratto con Tommaso Moro (Sir Thomas More) appare infondata. R.S.	Sul retro scritta: Pitti 12 maggio 1796. La provenienza del dipinto non è ulteriormente documentata, e l'attribuzione all'Hondius non trova conferma nelle opere sicure dell'artista, come ha sottolineato più recentemente l'Hentzen. M.C.	La provenienza del dipinto non è documentata. Firmato: Horemans. Concesso in deposito temporaneo al Senato nel 1930. M.C.

	P799	P800	P801	P802
Autore	Horemans, Jan Joseph il vecchio (Anversa 1682-1759).	Horemans, Jan Joseph il vecchio (Anversa 1682-1759).	Horemans, Jan Joseph il vecchio (Anversa 1682-1759).	Horemans, Jan Joseph il vecchio (Anversa 1682-1759).
Titolo	Ballo in una taverna.	Giocatori di birilli.	Persone in un'osteria.	Persone in una taverna.
Datazione	Prima metà sec. XVIII.	Prima metà sec. XVIII.	Prima metà sec. XVIII.	Prima metà sec. XVIII.
Dati tecnici	Olio su tela, 37x32.	Olio su tela, 38x33.	Olio su tela, 36x31.	Olio su tela, 37x32.
Cornice	Liscia, dorata, sec. XVIII.	Ebano, sec. XIX-XX.	Ebano, sec. XIX-XX.	Liscia, dorata, sec. XVIII.
Ubicazioni	Uffizi (1905 ca.).	Uffizi (1905 ca.).	Uffizi (1905 ca.).	Uffizi (1905 ca.).
Attribuzioni	Peter Jacob Horemans (Pieraccini 1905 ca.).	Peter Jacob Horemans (Pieraccini 1905 ca.).	Peter Jacob Horemans (Pieraccini 1905 ca.).	Peter Jacob Horemans (Pieraccini 1905 ca.).
Esposizioni	—	—	—	—
Bibliografia	Thieme-Becker, XVII, 1924. H. Gerson-E.H. Ter Kuile: Art and Architecture in Belgium 1600-1800, Harmondsworth 1960. R.H. Wilenski: Flemish Painters, London 1960.	Thieme-Becker, XVII, 1924. H. Gerson-E.H. Ter Kuile: Art and Architecture in Belgium 1600-1800, Harmondsworth 1960. R.H. Wilenski: Flemish Painters, London 1960.	Thieme-Becker, XVII, 1924. H. Gerson-E.H. Ter Kuile: Art and Architecture in Belgium 1600-1800, Harmondsworth 1960. R.H. Wilenski: Flemish Painters, London 1960.	Thieme-Becker, XVII, 1924. H. Gerson-E.H. Ter Kuile: Art and Architecture in Belgium 1600-1800, Harmondsworth 1960. R.H. Wilenski: Flemish Painters, London 1960.
Inventario	1295 (C.P., p. 127, n. 971).	1269 (C.P., p. 126, n. 947).	1286 (C.P., p. 126, n. 962).	1311 (C.P., p. 127, n. 988).
Foto	186081.	110305.	321839.	186087.
Note	Firmato in basso a destra: J. Horemans. La firma e lo stile del dipinto confermano l'attribuzione al più vecchio degli Horemans, contrariamente a quanto ritenuto dal Pieraccini. La provenienza del dipinto non è documentata. M.C.	Firmato in basso a sinistra. J. Horemans. La firma e lo stile del dipinto confermano l'attribuzione al più vecchio degli Horemans, contrariamente a quanto ritenuto dal Pieraccini. M.C.	Firmato in basso a destra: J. Horemans. Il dipinto, la cui provenienza non è documentata, forma 'pendant' col n. 1269, anch'esso da attribuire a Horemans il Vecchio, contrariamente a quanto propone il Pieraccini. Il quadro, infatti (che non rappresenta dei giocatori di dadi, come lo intitola sempre il Pieraccini) si lega anche stilisticamente alle opere dell'artista anversese. M.C.	La provenienza del dipinto non è documentata. Questo dipinto, che è 'pendant' del n. 1295, firmato dall'artista, va attribuito allo stesso, contrariamente a quanto ritenuto dal Pieraccini. M.C.

	P803	P804	P805	P806
AUTORE	Horemans, Peter Jacob (Anversa 1700 - Monaco 1776).	Horemans, Peter Jacob (Anversa 1700 - Monaco 1776).	Horemans, Peter Jacob (Anversa 1700 - Monaco 1776).	Horemans, Peter Jacob (Anversa 1700 - Monaco 1776).
TITOLO	Interno di cucina con figure.	La famiglia del calzolaio.	La famiglia di un sarto.	La preghiera prima del pasto.
DATAZIONE	Prima metà sec. XVIII.	Prima metà sec. XVIII.	Prima metà sec. XVIII.	Prima metà sec. XVIII.
DATI TECNICI	Olio su tela, 57x82.	Olio su tela, 40x53.	Olio su tela, 41x53.	Olio su tela, 40x52.
CORNICE	Liscia, dorata, sec. XVIII.	Liscia, dorata, sec. XVIII.	Liscia, dorata, sec. XVIII.	Liscia, dorata, sec. XVIII.
UBICAZIONI	Uffizi (1905 ca.); Roma (1930).	Uffizi (1905 ca.); Roma (1930).	Uffizi (1905 ca.); Roma (1930).	Uffizi (1905 ca.); Roma (1930).
ATTRIBUZIONI	—	Pieraccini (1905 ca.).	Pieraccini (1905 ca.).	Pieraccini (1905 ca.).
ESPOSIZIONI	—	—	—	—
BIBLIOGRAFIA	Thieme-Becker, XVII, 1924. R.H. Wilenski: Flemish Painters, London 1960.	Thieme-Becker, XVII, 1924. R.H. Wilenski: Flemish Painters, London 1960.	Thieme-Becker, XVII, 1924. R.H. Wilenski: Flemish Painters, London 1960.	Thieme-Becker, XVII, 1924. R.H. Wilenski: Flemish Painters, London 1960.
INVENTARIO	1125 (C.P., p. 127, n. 803).	1146 (C.P., p. 126, n. 827).	1141 (C.P., p. 126, n. 823).	1162 (C.P., p. 127, n. 840).
FOTO	20073.	176112.	20071.	20074.
NOTE	Firmato: P. Horemans. La provenienza del dipinto non è documentata. Concesso in temporaneo deposito al Senato nel 1930. M.C.	La provenienza del dipinto non è documenatata. L'attribuzione all'artista avanzata dal catalogo del Pieraccini sembra appoggiata dallo stile. Concesso in temporaneo deposito al Senato nel 1930. M.C.	La provenienza del dipinto non è documentata. L'attribuzione all'artista, avanzata dal catalogo del Pieraccini, sembra appoggiata dallo stile. Concesso in temporaneo deposito al Senato nel 1930. M.C.	La provenienza del dipinto non è documentata. L'attribuzione all'artista, avanzata nel catalogo Pieraccini, sembra appoggiata dallo stile. Concesso in temporaneo deposito al Senato nel 1930. M.C.

	P807	P808	P809	P810
AUTORE	Horemans, Peter Jacob (Anversa 1700 - Monaco 1776).	Horemans, Peter Jacob (Anversa 1700 - Monaco 1776).	Hubert Robert (Parigi 1733-1808), scuola di.	Hugford, Ignazio (Firenze 1703-1778).
TITOLO	La venditrice di tè.	Scuola di bambini.	L'arco di Tito a Roma.	Trionfo di Flora.
DATAZIONE	Prima metà sec. XVIII.	Prima metà sec. XVIII.	Seconda metà sec. XVIII.	
DATI TECNICI	Olio su tela, 40x53.	Olio su tela, 54x82.	Olio su tela, 38x30.	
CORNICE	Liscia, dorata, sec. XVIII.	Liscia, dorata, sec. XVIII.	Sagomata, dorata, sec. XVIII.	
UBICAZIONI	Uffizi (1905 ca.); Roma (1930).	Uffizi (1905 ca.); Roma (1930).	Uffizi (1914).	
ATTRIBUZIONI	Pieraccini (1905 ca.).	—	G. P. Panini (Poggi 1927). Robert (Voss 1927-28, Arisi 1961). Cerchia di H. Robert (Rosenberg 1977).	
ESPOSIZIONI	—	—	La peinture française à Florence, Firenze 1945. Pittura francese nelle collezioni pubbliche fiorentine, Firenze 1977.	
BIBLIOGRAFIA	Thieme-Becker, XVII, 1924. R.H. Wilenski: Flemish Painters, London 1960.	Thieme-Becker, XVII, 1924. R.H. Wilenski: Flemish Painters, London 1960.	H. Voss: *Opere giovanili di Hubert Robert in Gallerie italiane*, in *Dedalo, 1927-28, p. 743ss. Cat., Firenze 1977, n. 141*	
INVENTARIO	1158 (C.P., p. 126, n. 835).	1111 (C.P., p. 127, n. 789).	3915.	Petraia 272.
FOTO	20065.	20078.	183994.	144304.
NOTE	La provenienza del dipinto non è documentata. L'attribuzione all'artista, fratello di Jan Joseph il vecchio, che troviamo nel catalogo del Pieraccini sembra appoggiata dallo stile. Concesso in temporaneo deposito al Senato nel 1930. M.C.	La provenienza del dipinto non è documentata. L'attribuizone all'artista, avanzata nel catalogo Pieraccini, è appoggiata dallo stile e dal fatto che probabilmente il dipinto è 'pendant' del n. 1125 (firmato). Concesso in temporaneo deposito al Senato nel 1930. M.C.	Il dipinto fu acquistato nel 1914 per la Galleria degli Uffizi, insieme con un altro di dimensioni molto più grandi poi passato per scambio a Parma nel 1926, con l'attribuzione al Panini. Il Voss pubblicò poi il quadro attribuendolo agli anni giovanili del Robert, attribuzione che fu accettata nel catalogo della mostra del 1945. Tuttavia il Rosenberg (cat., Firenze 1977) non ravvisa nel dipinto lo stile del Robert, ma piuttosto quello di uno dei seguaci francesi del Panini attivi a Roma nell'ambito dell'Accademia di Francia: pittore comunque ancora da identificare. M.C.	Pendant del 'Trionfo di Bacco e Arianna', alla scheda P811 (vedi).

	P811	P812	P813	P814
AUTORE	Hugford, Ignazio (Firenze 1703-1778).	Induno, Domenico (Milano 1815-1878).	Ingegno, Andrea di Luigi da Assisi, detto l' (attivo in Umbria, 1484-1516).	Jacopino del Conte (Firenze 1510-98).
TITOLO	Trionfo di Bacco e Arianna.	L'usuraio.	La Madonna che adora il Bambino.	Madonna con Bambino.
DATAZIONE	1736.	1853.	Inizi sec. XVI?	Prima metà del secolo XVI.
DATI TECNICI	Olio su tela, 59x73.	Olio su tela, 81x55.	Olio su tavola, diam. 83.	Olio su tavola, 126x94.
CORNICE	Intagliata, dorata, originale.	D'epoca, dorata.	Intagliata, dorata, sec. XIX.	Salvadora dorata modanata e aggettante.
UBICAZIONI	Coll. Hugford; Uffizi (1779); La Petraia.	Coll. Giuseppe Martelli; Uffizi (1876); Accademia (1888); Galleria d'Arte Moderna, Pitti (1924).	Coll. Feroni (ante 1850); Uffizi (1866); Cenacolo di Foligno (1894).	Chiesa di S. Ambrogio (sec. XVI); Uffizi (1881).
ATTRIBUZIONI	—	—	Ingegno, Francesco? (Cat. Feroni 1895).	Scuola di Michelangelo (Inventari antichi). Jacopino del Conte (Zeri 1948; Salvini 1952; Berti 1971).
ESPOSIZIONI	Firenze e l'Inghilterra. Rapporti artistici e culturali dal XVI al XX secolo, Firenze 1971.	Società Promotrice, Firenze 1853.	—	—
BIBLIOGRAFIA	J. Fleming: The Hugfords of Florence, in The Connoisseur, 1955, p. 197ss. *Cat., Firenze 1971, n. 101.*	G. Nicodemi, Girolamo e Domenico Induno, Milano 1945; *C. Bon, in: Cultura toscana dell'Unità (1859-70) e primi cenacoli dei Macchiaioli, Firenze 1976.*	A. Venturi: Storia dell'arte italiana, VII, 2, 1913. U. Gnoli in: Rassegna d'arte, 1919, p. 33 ss. *Catalogo della Galleria Feroni, Firenze 1895, p. 10.*	I. H. Cheney, Notes on Jacopino del Conte, in The Art Bulletin 1970. *F. Zeri, Salviati e Jacopino del Conte, in Proporzioni 1948, pp. 180-82.*
INVENTARIO	6196.	Accademia 357. GAM Cat. Gen. 93.	S. Marco e Cenacoli 105.	6009.
FOTO	175030.	156167.	204563.	48920.
NOTE	Scritta sul retro della tela (moderna, ma ricalcante quella antica): Ignazio Hugford f: 1736. Insieme con il suo 'pendant', rappresentante il Trionfo di Flora, attualmente esposto in una sala della Villa della Petraia, il dipinto fu acquistato per la Galleria degli Uffizi nel 1779 dagli eredi del pittore. M.C.	Firmato in basso a destra: D°. Induno. Pervenuto alle collezioni moderne, assieme alle quali si è ininterrottamente conservato, dal lascito dell'architetto Martelli agli Uffizi (AGF, 1976, filza A, I, 53, inv. n. 78). Il dipinto, identificabile con il n. 38 della terza sala esposto alla Società Promotrice fiorentina del 1853 con il titolo 'L'usuraio pegnatario in mezzo alla sua anticaglia, sta esaminando gli ultimi gioielli presentati da una Signora caduta in bassa fortuna', è un documento importante della divulgazione in Toscana dei modi della pittura di genere lombarda, che a Firenze lasceranno il segno su diversi giovani artisti, dal Moricci all'immigrato Cabianca. L'Induno riparò in Toscana verso il 1851. Attualmente l'opera è esposta nella Galleria d'arte moderna di Palazzo Pitti. S.P.	Opera di fattura debole e influenzata dal Perugino, la cui attribuzione all'Ingegno è puramente ipotetica. M.C.	Il dipinto proviene dal convento di S. Ambrogio ed è pervenuto agli Uffizi prima del 1880 quando fu inventariato fra le opere di Galleria. Ritenuto di scuola di Michelangelo, fu riconosciuto dallo Zeri opera di Jacopino; l'attribuzione è accettata dalla critica. L.B.B.

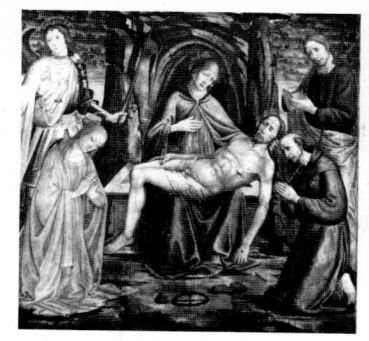

	P815	P816	P817	P818
AUTORE	Jacopo del Casentino (? 1290 ca. - Firenze post 1358).	Jacopo del Casentino (? 1290 ca. - Firenze post 1358).	Jacopo del Sellaio (Firenze 1442-1493).	Jacopo del Sellaio (Firenze 1442-1493).
TITOLO	Madonna in trono con Angeli e Santi.	San Bartolomeo in trono.	Deposizione.	Il Convito di Assuero.
DATAZIONE	1320-30 (Offner 1923-24), 1340 ca. (Suida 1923, Marcucci 1965).	1330-40 ca. (Marcucci 1965), 1340-50 ca. (Vavalà 1948), 1350 ca. (Offner 1923-24, 1927).	Dopo il 1480 (van Marle).	Dopo il 1490?
DATI TECNICI	Opera composita. Tempera su tavola, 39x42.	Tempera su tavola, 266x122.	Tempera su legno, 170-175.	Tempera su legno, 45x63.
CORNICE	Parzialmente originale.	Parzialmente originale.	A sagoma, settecentesca?	Intagliata, ottocentesca, dorata.
UBICAZIONI	Coll. Guido Cagnola, Milano (1890); Uffizi (1948).	Orsanmichele (dall'origine); Camera di Commercio (sec. XVIII); Uffizi (1782); Accademia (1954).	Chiesa di S. Jacopo dei Barbetti; già nei Depositi delle Gallerie (?) (1800); Uffizi (primi sec. XX); Accademia (1942).	Coll. privata; Uffizi (1781).
ATTRIBUZIONI	—	—	—	—
ESPOSIZIONI	Exhibition of Italian Art 1200-1900, London 1930.	Cimabue, scuola toscana sec. XIV (Cavalcaselle 1875), Jacopo del Casentino (Sirén 1914, Khvoshinsky e Salmi 1914, e tutta la critica successiva).	Botticelli (la critica ottocentesca); Jacopo del Sellaio (van Marle, 1931 e la maggioranza degli studiosi).	Scuola di Botticelli (esposto in Galleria). Jacopo del Sellaio (Mackowsky 1899 e tutta la critica).
BIBLIOGRAFIA	R. Offner: A Critical and Historical Corpus of Florentine Painting, sez. III, vol. II, part. II, New York 1930. *Cat.*, London 1930, n. 11. L. Marcucci: *I dipinti toscani del Secolo XIV*, Roma 1965, n. 28.	R. Offner: Corpus of Florentine Painting, sez. III, vol. II, p. 11, 1930. *L. Marcucci, I dipinti toscani del secolo XIV, Roma 1965, n. 26.*	B. Berenson: The Florentine painters 1912), p. 184; Id. Italian pict. of the Renaiss., Oxford (1932 e 1963), p. 199; R. van Marle. The Development... XII 1931), p. 374 sg. H. Marckwosky. J.d.S. in Jahrb. d. preuss. Kstsamml., (1899) 192, 207.	B. Berenson: Indici ..., 1910; P. Schubring, Cassoni, Leipzig 1915, 123. *H. Mackowsky, J.d.S., in Jahrb. d. preuss. Kst-samml., 1899, 199.*
INVENTARIO	9258	440 (C.P., p. 57, n. 10).	5069 (C.P. 178, 153).	492 (C.P., 69, 67).
FOTO	106599-600.	106601.	322249.	5389.
NOTE	Quest'opera fu donata da Guido Cagnola alle Gallerie Fiorentine nel 1947. Si tratta di un prezioso tabernacolo portatile a sportelli. Nello scomparto centrale è la Madonna in trono col Bambino, quattro Angeli e i Santi Bernardo e Giovanni Battista; nell'interno dei due sportelli, le Stimmate di S. Francesco e due Santi a sinistra, la Crocifissione a destra. Alla base del pannello centrale è la scritta: 'IACOBUS. DE. CASENTINO. ME. FECIT.' È la sola opera firmata di Jacopo del Casentino. L. Bell.	La tavola, dalla superficie pittorica molto consunta, fu eseguita per l'Arte dei Pizzicaioli e collocata originariamente su uno dei pilastri di Orsanmichele (Cohn 1956). A questa circostanza si deve la forma allungata della tavola e la rara raffigurazione di un Santo in trono circondato da Angeli: San Bartolomeo, protettore appunto dell'Arte dei Pizzicaioli. L. Bell.	In buono stato di conservazione. Per l'iconografia: i Ss. sono: Jacopo Maggiore, Francesco, Michele, Maria Maddalena. G.M.	In origine parte di uno stesso cassone con i n. 491, 493. In buono stato di conservazione. Fu acquistato nel 1781 da un privato per le Gallerie. G.M.

	P819	P820	P821	P822
AUTORE	Jacopo del Sellaio (Firenze 1442-1493).	Jacopo del Sellaio (Firenze 1442-1493).	Jacopo di Cione (Firenze doc. 1365-1400).	Jacopo di Cione (Firenze doc. 1365-1400) e Orcagna, Andrea di Cione, detto l' (Firenze 1320 ca. - 1368).
TITOLO	Il trionfo di Mardocheo.	Morte della regina Vasti.	Incoronazione della Vergine.	S. Matteo e storia della sua vita. 3163.
DATAZIONE	Dopo il 1490?	Dopo 1490?	1372-73.	
DATI TECNICI	Tempera su legno, 45x60.	Tempera su legno, 69x67.	Opera composita. Tempera su tavola, 350x190, saggio di pulitura 1962.	
CORNICE	Intagliata, ottocentesca, dorata.	Intagliata, ottocentesca, dorata.	Parzialmente originale, intagliata e dorata.	
UBICAZIONI	Coll. privata; Uffizi (1781).	Coll. privata; Uffizi (1781).	Ufficio della Zecca (1373); Gallerie Fiorentine (1863), Uffizi (ante 1891); Accademia (1920).	
ATTRIBUZIONI	Scuola di Botticelli (esposto in Galleria). Jacopo del Sellaio (Mackowsky 1899 e tutta la critica).	Scuola di Botticelli (esposto in Galleria). Jacopo del Sellaio (Mackowsky 1899 e tutta la critica).	Niccolò Gerini (Gaye 1840). Niccolò Gerini - Simone - Jacopo Cini (Cavalcaselle 1964). Jacopo di Cione (Sirén 1908, Offner 1921, 1965 e tutta la critica posteriore.	
ESPOSIZIONI	—	—	—	
BIBLIOGRAFIA	B. Berenson, Indici ..., 1910; P. Schubring, Cassoni, Leipzig 1915, 123. *H. Mackowsky, J.d.S., in Jahrb. d. preuss. Kst-samml., 1899, 199.*	B. Berenson, Indici ..., 1910; P. Schubring, Cassoni, Leipzig 1915, 123. *H. Mackowsky, J.d.S., in Jahrb. d. preuss. Kst-samml., 1899, 199.*	R. Offner-K. Steinweg, A critical and historical Corpus of Florentine Painting, sez. IV, vol. III, New York 1965. *L. Marcucci: I dipinti toscani del secolo XIV, Roma 1965, n. 58.*	
INVENTARIO	493 (C.P., p. 68, n. 68).	491 (C.P., p. 78, n. 66).	456.	
FOTO	5387.	5388.	115823.	
NOTE	In origine parte di uno stesso cassone con i n. 491, 492. Acquistato da un privato per la Galleria nel 1781. G.M.	In origine parte di uno stesso cassone con i nn. 492, 493. In buono stato di convervazione. Acquistato da un privato per la Galleria degli Uffizi nel 1781. G.M.	Nella tavola cuspidata e riquadrata l'Incoronazione della Vergine è sormontata dai Profeti Isaia ed Ezechiele e presenziata da S. Giov. Battista e S. Giov. Evangelista in piedi e, inginocchiati, Caterina, Anna, Matteo, Vittore papa, Zanobi, Barnaba, Antonio abate e Reparata protettori di Firenze. Nel gradino, gli stemmi della Zecca Fiorentina, nella cui sede il dipinto rimase fino al 1863. Ad esso si riferiscono due documenti: uno del 30 ottobre 1372 e un altro del 31 ottobre 1373; il primo menziona un pittore di nome Simone (non altrimenti noto) ed uno di nome Niccolò (il Gerini), il secondo documento un Jacopo Cini, evidentemente Jacopo di Cione cui la critica tende ad assegnare la responsabilità totale del dipinto. L. Bell.	Vedi: Orcagna, Andrea di Cione, detto l'.

	P823	P824	P825	P826
AUTORE	Joli (o Jolli), Antonio (Modena 1700 ca. - Napoli 1777), bottega di.	Jordaens, Jacob (Anversa 1593-1678).	Jordaens, Jacob (Anversa 1593-1678), attr. a.	Jouvenet, Jean (Rouen 1644 - Parigi 1717).
TITOLO	Parata di Piedigrotta.	Nettuno crea il cavallo.	Ritratto di gentildonna.	S. Anna insegna a leggere alla Vergine.
DATAZIONE	1755-59 ca.	1644 ca. (Jaffé 1968-69). 1640-50 ca. (Bodart 1977).	1660 ca.	1700 ca. (Schnapper 1974).
DATI TECNICI	Olio su tela, 77x125, restauro (rintela) 1971.	Olio su tela, 67x131, restauro 1967.	Olio su tela, 68x50.	Olio su tela, 102x71.
CORNICE	—	Ebano, sec. XIX.	Barocca, dorata.	Liscia, dorata, sec. XVIII.
UBICAZIONI	Uffizi (1890); Pitti (1979).	Pitti (ante 1728); Uffizi (1728); Pitti (1928).	Uffizi (1902).	Parigi; Uffizi (1793).
ATTRIBUZIONI	G. M. Terreni (inv. 1890).	—	Jordaens (Ridolfi 1905, Poggi 1926). Sustermans (Puyvelde 1953).	—
ESPOSIZIONI	—	Jacob Jordaens, Ottawa 1968-69. Rubens e la pittura fiamminga del Seicento nelle collezioni pubbliche fiorentine, Firenze 1977.	Rubens e la pittura fiamminga del Seicento nelle collezioni pubbliche fiorentine, Firenze 1977.	La peinture française à Florence, Firenze 1945. Mostra temporanea di alcune pitture straniere, Firenze 1964. Pittura francese nelle collezioni pubbliche fiorentine, Firenze 1977.
BIBLIOGRAFIA	J. Urrea Fernandez: La pittura italiana del siglo XVIII en Espana, Valladolid 1977.	M. Rooses: Jacob Jordaens, Antwerpen 1906. *Cat., Ottawa 1968-69, n. 81. Cat., Firenze 1977, n. 55.*	M. Rooses: Jacob Jordaens. Leven en Werken, Antwerpen, 1906. *Cat., Firenze 1977, n. 57.*	A. Schnapper: Jean Jouvenet, Paris 1974. *Cat., Firenze 1977, n. 63.*
INVENTARIO	2613.	1234.	3141 (C.P., p. 92, n. 1536).	998 (C.P., p. 114, n. 677).
FOTO	175397.	148821.	279019.	146347.
NOTE	L'opera, che non è firmata o datata, reca tre numeri di vecchi inventari non rintracciati ed è documentata con certezza per la prima volta nella sala del bagno degli Uffizi nel 1890 con la generica attribuzione, che accomuna quasi tutte le vedute esposte in tale ambiente, a Giuseppe Maria Terreni. In realtà si tratta di una delle numerose repliche di bottega della serie di parate di Piedigrotta di Antonio Joli (o Jolli), modenese, ma attivo alla corte borbonica di Carlo III. Una coppia di quadri di identico soggetto esiste al Museo di San Martino e uno dei due è riprodotto nella Storia di Napoli, vol. VIII, fra le pagine 184 e 185. Carlo III era il suocero di Pietro Leopoldo granduca di Toscana dal 1765; il quadro pertanto potrebbe essere giunto in dono in quel periodo; altri analoghi, per le stesse ragioni di parentela si conservano infatti, come comunica N. Spinosa, a Vienna, a Madrid, e in altre regge europee. S.P.	Modello per un arazzo della serie dell'Educazione equestre, tessuta a Bruxelles da Everard Leyniers e conservata a Vienna (Kunsthist. Museum). Il Bodart indica differenze tra il modello e l'arazzo di Vienna, che manca di tutta la parte a sinistra di Galatea, che compare invece in altri due esemplari in arazzo, uno sempre del Leyniers in Cecoslovacchia (Castello di Hludokà), l'altro di H. Rydams a Bruxelles (Musei reali d'arte e di storia). Mentre il Jaffè (cat., mostra Ottawa 1968-69) data il quadro al 1644 ca., notandovi un influsso di Annibale Carracci, il Bodart ritiene che il dipinto, databile tra il '40 e il '50, mostri un più diretto influsso di opere del Rubens come la Nascita di Venere a Potsdam. M.C.	Il dipinto fu acquistato per la Galleria degli Uffizi nel 1902 con l'attribuzione al Jordaens, accettata da Ridolfi e Poggi. Il Puyvelde avanzò invece l'attribuzione al Sustermans, mentre il Bodart non si pronuncia sulla paternità del dipinto. M.C.	Acquistato, insieme con altri quadri francesi, a Parigi da Francesco Favi nel 1793, per il granduca Ferdinando III di Toscana. Del dipinto esiste un'altra versione: quella nella chiesa di Haramonto (Aisne), firmata e datata 1699, che viene considerata dallo Schnapper di poco precedente a quella fiorentina. Di quest'ultima esistono diverse copie, una parziale al Jewish Museum di New York. M.C.

	P827	P828	P829	P830
AUTORE	Kauffmann, Angelika (Coira 1741 - Roma 1807).	La Haye, Corneille de, detto Corneille de Lyon (L'Aja 1510 ca. - Lione 1575).	La Hyre, Laurent de (Parigi 1606-1656), attr. a.	La Hyre, Laurent (Parigi 1606-1656), scuola di.
TITOLO	Ritratto di Fortunata Sulgher Fantastici.	Ritratto di Carlo duca d'Angoulême.	S. Pietro guarisce gli ammalati con la sua ombra.	Paesaggio con rovine.
DATAZIONE	1792.	1536 ca. (Rosenberg 1977).	1650 ca. (Ronsenberg 1977).	Prima metà sec. XVII?
DATI TECNICI	Olio su tela, 96x80.	Olio su tavola, 15,5x12,5.	Olio su tela, 115x97.	Olio su tela, 43x54,5, restauro 1976-77.
CORNICE	D'epoca, a fascia, con ornati nero e oro.	Dorata, sec. XVI.	Liscia, dorata, sec. XVIII.	Sagomata, dorata, sec. XVIII.
UBICAZIONI	Coll. Fantastici (1792); Uffizi (1815); Pitti (1928 ca.).	Firenze (1589?); Uffizi (1905 ca.); Pitti (1928); Uffizi (1972).	Parigi; Uffizi (1793).	Coll. Favi, Parivi (1793); Uffizi (1797).
ATTRIBUZIONI	Angelika Kauffmann und ihre Zeitgenossen, Bregenz-Vienna 1968-69.	François Clouet (Pieraccini 1905 ca., Cat., Firenze 1945). Corneille del Lyon (Bouchot 1892, Rosenberg 1977).	La Hyre (Favi 1793). Scuola Francese del XVII sec. (Rosenberg 1977).	—
ESPOSIZIONI	—	La peinture française à Florence, Firenze 1945. Pittura francese nelle collezioni pubbliche fiorentine, Firenze 1977.	La peinture française à Florence, Firenze 1945. Pittura francese nelle collezioni pubbliche fiorentine, Firenze 1977.	Pittura francese nelle collezioni pubbliche fiorentine, Firenze 1977.
BIBLIOGRAFIA	*V. Manners - G. C. Williamson, Angelica Kauffmann R. A. Her Life and her Works, Londra 1924, p. 90, 162, 215. A. Busiri Vici in: Palatino set.-dic. 1962, p. 189. Cat. Bregenz - Vienna 1968-69, n. 39, p. 61.*	A. de Groer, Corneille de la Haye, peintre de Lyon, Paris 1975 (tesi di laurea). *Cat., Firenze 1977, n. 84.*	Thieme-Becker, XXI, 1928. *Cat., Firenze 1977, n. 60.*	A. Blunt, Art and Architecture in France, 1500-1700, Harmondsworth 1954. *Cat., Firenze 1977, n. 73.*
INVENTARIO	4339 (C.P., p. 83, n. 3542).	1003 (C.P., p. 116, n. 682).	1018 (C.P., p. 115, n. 697).	5088.
FOTO	248852.	155922.	169178.	278469.
NOTE	Nel rotolo a destra un sonetto in lode della pittrice da parte della ritrattata e la data 1792. Nelle note della pittrice il ritratto è detto dipinto nel 1792 in segno di amicizia e una replica della sola testa fu tenuta per ricordo dalla Kauffmann. Fortunata Sulgher (Livorno 1755 - Firenze 1824), arcade con il nome di Temira Parasside, sposata Fantastici (nel 1777), poi Marchesini, fu amica del Monti e sua confidente in occasione di un amore giovanile del poeta, la Carlotta cui sono dedicati i 'Pensieri d'amore' e gli sciolti 'Al principe Sigismondo Chigi'. Del ritratto esiste una incisione di Morghen. La Fantastici fu anche ritratta a Firenze dal pittore Guttenbrunn suo ospite nel 1783. La poetessa donò questo ritratto nel 1815 (AGF, filza XXXIX del 1815, 23). Il quadro è attualmente esposto negli Appartamenti monumentali di Pitti.	Nonostante che il Bouchot (1892) avesse attribuito a Corneille de Lyon questo ritratto, esso è ancora riferito a François Clouet nel catalogo Pieraccini, dov'è descritto come ritratto d'ignoto. Si tratta, invece, come afferma A. De Groer (1975), del ritratto di Carlo, duca d'Angoulême (1523-1545), figlio di Francesco I e Claudia di Francia. Il dipinto giunse a Firenze probabilmente con la dote di Cristina di Lorena, erede di una parte dei beni di Caterina de' Medici, moglie di Enrico II, fratello di Carlo.	Acquistato a Parigi nel 1793, con altri quadri francesi, da Francesco Favi per conto del granduca di Toscana Ferdinando III. Attribuito in quell'occasione al La Hyre, l'attribuzione è stata rifiutata dal Rosenberg che pensa e un pittore francese intorno alla metà del sec. XVII. Inciso in Imperiale e Reale Galleria, II.	Il dipinto entrò agli Uffizi nel febbraio 1797 dopo essere stato per qualche tempo in casa di F. Favi, rappresentante del granduca a Parigi. Il Rosenberg non sembra convinto dell'attribuzione al La Hyre con la quale il dipinto raggiunse Firenze, e propende piuttosto verso l'esecuzione di un'altra mano su motivi o addirittura disegni dell'artista francese.
	S.P.	M.C.	M.C.	M.C.

	P831	P832	P833	P834
AUTORE	Lambrechts, Jan Baptist (Anversa 1680 - ? dopo il 1731).	Lambrechts, Jan Baptist (Anversa 1680 - ? dopo, il 1731).	Lampi, Giovanni Battista (Romeno, Trento 1751 - Vienna 1830).	Landi, Gaspare (Piacenza 1756-1830).
TITOLO	Conversazione di famiglia.	Conversazione di famiglia.	Elisabetta Guglielmina del Württemberg.	Le Marie al sepolcro.
DATAZIONE	Prima metà sec. XVIII.	Prima metà sec. XVIII.	1784.	1812 ca. (Pinto 1972).
DATI TECNICI	Olio su tavola, 26x21.	Olio su tavola, 26x21.	Olio su tela, 142,5x101.	Olio su tela, 210x305.
CORNICE	Liscia, dorata, sec. XVIII.	Liscia, dorata, sec. XVIII.	Nera e oro, barocca.	D'epoca, sgusciata e dorata, con bordo intagliato e perlinatura.
UBICAZIONI	Uffizi (1905 ca.).	Uffizi (1905 ca.).	Uffizi (cit. 1890).	Uffizi (1815); Pitti (1832); Palazzo della Crocetta (1851); Accademia (1867); Galleria d'Arte Moderna, Pitti (1924).
ATTRIBUZIONI	—	—	—	—
ESPOSIZIONI	—	—	Il ritratto italiano nei secoli, Belgrado 1938. Il ritratto veneto, Varsavia 1956.	Firenze 1815. Cultura neoclassica e romantica nella Toscana granducale, Firenze 1972.
BIBLIOGRAFIA	Thieme-Becker, XXII, 1928. H. Gerson-E.H. Ter Kuile: *Art and Architecture in Belgium 1600-1800*, Harmonsworth 1960. *R.H. Wilenski: Flemish Painters, London 1960.*	Thieme-Becker, XXII, 1928. H. Gerson-E.H. Ter Kuile: *Art and Architecture in Belgium 1600-1800*, Harmonsworth 1960. *R.H. Wilenski: Flemish Painters, London 1960.*	*N. Rasmo, Giovan Battista Lampi pittore, Trento 1957 p. 27. Porträtgalerie zur Geschichte Österreichs von 1400 bis 1800, Kat. der Gemäldegal. Wien, 1976, sub n. 216.*	L. e F. Luciani, Dizionario dei pittori italiani dell'800, Firenze 1974; *Cat., Firenze 1972, p. 37-38, 204-205.*
INVENTARIO	1063 (C.P., p. 128, n. 739).	1070 (C.P., p. 128, n. 746).	2821 (C.P., p. 82, n. 305).	Accademia 312.
FOTO	325095.	186079.	102390.	155211.
NOTE	Firmato in basso a destra: Lambrechts. La provenienza del dipinto non è documentata. M.C.	Firmato in basso a sinistra: Lambrechts. La provenienza del dipinto non è documentata. M.C.	Firmato e datato a sinistra: Lampi Pinxit Amo 1784. Elisabetta Guglielmina, figlia del duca Federico Eugenio del Würtemberg e di Dorotea di Brandenburg-Schwedt, nacque nel 1767. Sposò nel 1781 l'arciduca Francesco d'Austria, nipote dell'imperatore Giuseppe II, che lo aveva designato suo successore. Elisabetta morì di parto nel 1790, prima di diventare imperatrice. Il ritratto, firmato e datato 1784, fu eseguito in quell'anno a Vienna: piacque tanto a Giuseppe II, che volle inviarlo al fratello Pietro Leopoldo, Granduca di Toscana (Rasmo 1957). Una seconda versione, eseguita subito dopo (1785), è nelle collezioni statali di Vienna (Cat., 1976). M.C.	Dipinto a Roma per commissione del piacentino conte Mandelli, che rinunciò al quadro a favore di Luigi Bonaparte. A causa del mutare degli eventi politici il pittore, privo di acquirente, offerse il dipinto in dono a Ferdinando III che lo espose agli Uffizi (AGF, XXIX, 21 e Gazzetta di Firenze n. 112, 1815). Più tardi il dipinto appare collocato nella Galleria Palatina; successivamente ha seguito gli spostamenti delle opere moderne ed è attualmente esposto nella Galleria d'arte moderna di Palazzo Pitti. Incisione al tratto nel tomo VII della Storia della pittura italiana di G. Rosini, Pisa 1847. S.P.

	P835	P836	P837
AUTORE	Landi, Neroccio di Bartolomeo (Siena 1447-1500) e Martini, Francesco di Giorgio (Siena 1439-1502).	Lanfranco, Giovanni (Terenzo, Parma, 1582 - Roma 1647), attr. a.	Langetti, Giambattista (Genova 1621-25 - Venezia 1676).
TITOLO	Tre storie di S. Benedetto.	La Maddalena.	Giocatori di carte.
DATAZIONE	Opera giovanile.	Sec. XVII.	1650-70 ca.
DATI TECNICI	Tempera su legno, 28x193. Probabile predella.	Olio su tela, 33,8x27,5.	Olio su tela, 96x96.
CORNICE	—	Sagomata, dorata, sec. XVII.	Sagomata, dorata, con rapporti intagliati, sec. XVII.
UBICAZIONI	Monteoliveto maggiore (?) (dall'origine); Granduca Pietro Leopoldo; Uffizi (1780).	Poggio a Caiano (inizi sec. XVIII); Uffizi (1773).	Pitti (sec. XVII-XVIII); Uffizi (sec. XIX).
ATTRIBUZIONI	Andrea del Castagno (originariamente). Martini (Crowe e Cavalcaselle, 1866). Solo Neroccio (Berenson dal 1897).	Lanfranco (inv. Pitti 1700 ca.). Anonimo (Borea 1975). Scuola emiliana sec. XVII (Strocchi 1976).	—
ESPOSIZIONI	—	—	—
BIBLIOGRAFIA	A.S. Weller, Francesco di Giorgio, Chicago 1943; G. Coor. Neroccio de' Landi. Princeton 1961, p. 33 e 167.	H. Voss Die Malerei des Barock in Roma, Berlin 1924. E. Borea: in cat. Pittori bolognesi del Seicento nelle Gallerie di Firenze, Firenze 1975, p. 169. M. L. Strocchi: Il gabinetto delle opere in piccolo del Gran Principe Ferdinando a Poggio a Caiano, in Paragone, n. 311, 1976, p. 88.	G.V. Castelnovi in: La pittura a Genova e in Liguria dal Seicento al primo Novecento, Genova 1971. G. Poggi: Gall. degli Uffizi. Cat. dei dipinti, 1927, p. 131. C. Donzelli - G.M. Pilo: I pittori del Seicento veneto, Firenze 1967, p. 213 ss. M. Chiarini: I quadri della collezione del principe Ferdinando di Toscana, in Paragone, n. 303, 1975, p. 95.
INVENTARIO	1602.	755.	5134.
FOTO	99148.	179519.	412543.
NOTE	In buono stato di conservazione. È creduta predella dell'Incoronazione della Vergine del Martini per Monteoliveto maggiore (1471-72), comunque del tempo della compagnia di Neroccio col Martini. La maggior parte degli studiosi moderni assegnano le architetture (almeno in parte) al Martini. G.M.	La Borea identifica questo dipinto attribuito al Lanfranco, e la cui provenienza non è documentata, con quello dello stesso soggetto descritto nell'inventario generale dei quadri di Pitti steso tra il XVII e il XVIII sec., ma rifiutandone l'attribuzione al pittore emiliano. Come ha riconosciuto la Strocchi, si tratta infatti del quadro che faceva parte della raccolta adunata nella Villa di Poggio a Caiano dal principe Ferdinando de' Medici agli inizi del sec. XVIII. M.C.	Sappiamo dalla corrispondenza intercorsa tra il principe Ferdinando de' Medici e il pittore Niccolò Cassana che quest'ultimo era in cerca di un quadro del Langetti per il Medici negli ultimi anni del Seicento (vedi G. Fogolari: Lettere pittoriche del G. Principe Ferdinando di Toscana..., in Riv. dell'Ist. di Archeol. e Storia dell'arte, VI, 1937). Il dipinto, che fu poi inventariato al momento della morte del principe (1713; vedi Chiarini 1975), è probabilmente quello qui catalogato e passato agli Uffizi da Pitti nel XIX secolo. M.C.

	P838	P839	P840	P841
AUTORE	Largillière, Nicolas de (Parigi 1656-1746).	Largillière, Nicolas de (Parigi 1656-1756), attr.	Lauri, Filippo (Roma 1623-1694).	Lauri, Filippo (Roma 1623-94), attr. a.
TITOLO	Ritratto del poeta Jean-Baptiste Rousseau.	Ritratto dei figli di Giacomo II d'Inghilterra.	Paesaggio con ninfe e satiri.	Adorazione dei magi.
DATAZIONE	1710.	1695 ca.	1660-70 ca.	1670-90 ca.?
DATI TECNICI	Olio su tela, 90x72,5.	Olio su tela, 194x144.	Olio su tela, 40x64.	Olio su tela, 41x52.
CORNICE	Intagliata, dorata, sec. XVIII.	Liscia, dorata, sec. XVII.	Sagomata, dorata, sec. XVII.	Intagliata e dorata, sec. XVII.
UBICAZIONI	Coll. Ignazio Hugford (cit. 1767); Uffizi (1779).	Pitti (1696); Uffizi (1905 ca.); Pitti (1928?).	Coll. Feroni (1850); Uffizi (1866); Cenacolo di Foligno (1894).	Coll. Feroni (1850); Uffizi (1866); Cenacolo di Foligno (1894).
ATTRIBUZIONI	—	—	Nicolas Poussin (Rigoni 1891, Cat. Feroni 1895).	P.F. Mola (Cat. Feroni 1895).
ESPOSIZIONI	Chiostro della SS. Annunziata, 1767. La peinture française à Florence, Firenze 1945. Pittura francese nelle collezioni pubbliche fiorentine, Firenze 1977.	La peinture française à Florence, Firenze 1945. Firenze e l'Inghilterra. Rapporti artistici e culturali dal XVI al XX secolo, Firenze 1971. Pittura francese nelle collezioni pubbliche fiorentine, Firenze 1977.	—	—
BIBLIOGRAFIA	G. Pascal: Largillierre, Paris 1928. *Cat., Firenze 1977, n. 128.*	G. Pascal: Largillierre, Paris 1928. *Cat., Firenze 1977, n. 125.*	H. Voss: Die Malerei des Barock in Rom, Berlin 1924. D. Bodart: Les peintres des Pays-Bas méridionaux... à Rome au XVIIme siècle, Bruxelles-Rome 1970, vol. I. L. Salerno: Pittori di paesaggio del Seiceno a Roma, II, Roma 1976. *C. Rigoni: Cat. Galleria Uffizi, Firenze 1891, p. 109. Catalogo della Galleria Feroni, Firenze 1895, p. 13.*	H. Voss: Die Malerei des Barock in Roma, Berlin 1924. D. Bodart: Les peintres des Pays-Bas méridionaux... à Rome au XVIIme siècle, Bruxelles-Rome 1970, vol. I. Cocke: Pier Francesco Mola, London 1972. L. Salerno: Pittori di paesaggio del Seicento a Roma, vol. II, Roma 1976. *Catalogo della Galleria Feroni, Firenze 1895, p. 14.*
INVENTARIO	977 (C.P., p. 115, n. 674).	2721 (C.P., p. 76, n. 1532).	S. Marco e Cenacoli 47.	S. Marco e Cenacoli 135.
FOTO	171360.	133459.	204547.	168524.
NOTE	Sul retro etichetta con scritta: Eredità Hugford. Dipinto da M. De Largillierre 1710. Il dipinto fu acquistato, con altri della collezione Hugford, nel 1779 per 20 scudi. Nel ritratto viene in genere identificato il poeta Jean-Baptiste Rousseau (1670-1741), talvolta confondendolo col filosofo Jean-Jacques (vedi Pieraccini 1905 ca.), anche se l'identificazione è talvolta messa in dubbio. Del dipinto esiste una versione più debole nella National Gallery di Londra. M.C.	Iscritto sul vaso: Jacobus Walliae Principes / an ae 7 / Ludovica Princip. a / an 3. N.d. Larg... p. 16.. Il dipinto rappresenta Giacomo Edoardo Stuart (1688-1766) e sua sorella Luisa (1692-1712), figli del re Giacomo II d'Inghilterra e Scozia. Per il Rosenberg (Cat., Firenze 1977) è solo una replica di bottega dell'originale conservato alla National Portrait Gallery di Londra, datato 1695. Il dipinto, arrivato a palazzo Pitti nel febbraio 1696 (ASF, Guard. 968, c. 210r.), è ricordato poi nella sala da pranzo dell'appartamento di Cosimo III de' Medici in un inventario degli inizi del Settecento. M.C.	Sul retro della cornice cartellino con scritta sei-settecentesca: n. 90/ Filippo Laori. Il dipinto, che reca un'attribuzione interrogativa al Poussin nel catalogo della collezione di Provenienza, a nostro avviso va con molta probabilità attribuito al Lauri, sia per la scritta antica apposta al quadro, sia per i caratteri stilistici che in particolare rinviano al 'Sacrificio a Pan' del Museo del Louvre (riprodotto in Voss, 1924). M.C.	Per il commento del dipinto, vedi n. 129. M.C.

	P842	P843	P844	P845
AUTORE	Lauri, Filippo (Roma 1623-94), attr. a.	Lawson, J. Kerr (Glasgow 1868-Carmunnock 1909).	Le Brun, Charles (Parigi 1619-1690).	Lelienbergh, Cornelis (L'Aja 1626 ca. - 1676 ca.), attr. a.
TITOLO	Adorazione dei pastori.	Ritratto del restauratore C. Coppoli.	Il sacrificio di Jefte.	Uccelli morti in un paesaggio.
DATAZIONE	1670-90 ca.?	Sec. XIX-XX.	1656 ca. (Thuillier 1963).	1650-60 ca.
DATI TECNICI	Olio su tela, 41x52.	Olio su tela, 64,5x45.	Olio su tela (tondo), diam. 132.	Olio su tela, 123x99.
CORNICE	Intagliata e dorata, sec. XVII.	Dipinta di nero e dorata.	Neoclassica, dorata.	Ebano, sec. XIX-XX.
UBICAZIONI	Coll. Feroni (1850); Uffizi (1866); Cenacolo di Foligno (1894).	Londra; Uffizi (1949).	Parigi; Uffizi (1793).	Pitti (inizi sec. XVIII); Palazzo della Crocetta (sec. XIX); Uffizi (1861).
ATTRIBUZIONI	P.F. Mola (Cat. Feroni 1895).	J. Kerr Lawson (Inv. 1890).	—	Scuola olandese (Pieraccini 1905 ca., Poggi 1927).
ESPOSIZIONI	—	—	La peinture française à Florence, Firenze 1945. Charles Le Brun, Versailles 1963. Pittura francese nelle collezioni pubbliche fiorentine, Firenze 1977.	—
BIBLIOGRAFIA	H. Voss: Die Malerei des Barock in Rom, Berlin 1924. D. Bodart: Les peintres des Pays-Bas méridionaux... à Rome au XVIIme siècle, Bruxelles-Cocke: Pier Francesco Mola, London 197 Rome, 1970, vol. I.L. Salerno: Pittori di paesaggio del Seicento a Roma, II, 1976. *Catalogo della Galleria Feroni, Firenze 1895, p. 14.*	—	Autori vari: Charles Le Brun, Cat. della mostra, Parigi 1963. *Cat., Firenze 1977, n. 53.*	G. Poggi: *Galleria degli Uffizi. Cat. dei dipinti, Firenze 1927, p. 192. M. Chiarini: La collezione dei quadri del principe Ferdinando di Toscana, Paragone, n. 303, 1975, p. 82.*
INVENTARIO	S. Marco e Cenacoli 129.	9267.	1066 (C.P., p. 117, n. 685).	1279 (C.P., p. 138, n. 956).
FOTO	168522.	323297.	156062.	321837.
NOTE	Il dipinto, con il suo 'pendant' n. 135, porta un'attribuzione a P.F. Mola nel catalogo di provenienza che è difficilmente mantenibile, soprattutto alla luce degli ultimi studi sul pittore. La fattura più minuziosa dei dettagli, le figure dalle espressioni quasi caricaturali, la tipologia del paesaggio, rinviano piuttosto a Filippo Lauri, che fu fortemente influenzato dal Mola, e al quale si propone di attribuire i due dipinti. M.C.	Il dipinto pervenne in Galleria tramite l'Ambasciata italiana a Londra nel maggio del 1949, donato dalla vedova del pittore, signora Caterina Kerr Lawson. Raffigura il restauratore C. Coppoli, morto a Firenze nel 1947. Dietro il dipinto, su due cartelli, è scritto a macchina: 'Portrait of Sig. C. Coppoli painted by J. Kerr Lawson' e 'Prof. G. Poggi - Sop. Gallerie per la Provincia di Firenze'. Gr. Red. 3	Il dipinto fa parte del gruppo di quadri francesi acquistati a Parigi nel 1793 da Francesco Favi per ordine del granduca di Toscana, Ferdinando III. Non è certa la provenienza del quadro, poiché due quadri che potrebbero corrispondere a questo furono dipinti dall'artista per il signor Poncet e per il Loménie de Brienne. Una replica è nel Museo di Serpukov (Mosca). Il dipinto rappresenta il momento prima dell'immolazione della figlia di Jefte, e non, come indica il Pieraccini, la promessa fatta alla divinità dal capo biblico. M.C.	La provenienza del dipinto, che nell'inventario della collezione di Ferdinando de' Medici (1713) risulta anonimo, non è documentata. Per affinità notevoli con le opere del Lelienbergh (si vedano in particolare gli 'Uccelli morti' del Gemeente Museum dell'Aja, Cat. 1935, n. 300, e del Rijksmuseum di Amsterdaf, Cat. 1976, n. A 1454-55) ci sembra che il dipinto vada assegnato a questo artista, specializzato nel genere. M.C.

	P846	P847	P848	P849
AUTORE	Lely, sir Peter, o Pieter van der Faes (Soest, Utrecht, 1618 - Londra 1680).	Lely, sir Peter, o Pieter van der Faes (Soest, Utrecht, 1618 - Londra 1680).	Lely, sir Peter, o Pieter Van der Faes (Soest, Utrecht, 1618 - Londra 1680).	Lely, sir Peter, o Pieter van der Faes (Soest, Utrecht, 1618 - Londra 1680).
TITOLO	Ritratto di Barbara Villiers, duchessa di Cleveland.	Ritratto di Mary Butler, lady Cavendish.	Ritratto di Mrs. Cheke, nata Russel.	Ritratto di Elisabeth Wriothesley, contessa di Northumberland.
DATAZIONE	1669-72 ca.	1669-72 ca.	1669-72 ca.	1673-74.
DATI TECNICI	Olio su tela, 122x100.	Olio su tela, 126x101.	Olio su tela, 124x101,5.	Olio su tela, 124x101,5.
CORNICE	Barocca, dorata.	Barocca, dorata.	Barocca, dorata.	Barocca, dorata.
UBICAZIONI	Pitti (1673); Uffizi (1905 ca.); Ambasciata d'Italia, Londra (1934).	Pitti (1673); Uffizi (1905 ca.); Ambasciata d'Italia, Londra (1934).	Pitti (1673); Uffizi (1905 ca.); Ambasciata d'Italia, Londra (1934).	Pitti (1673); Uffizi (1905 ca.); Ambasciata d'Italia, Londra (1934).
ATTRIBUZIONI	—	—	—	—
ESPOSIZIONI	→	—	—	—
BIBLIOGRAFIA	R.B. Beckett: Lely, London 1951. O. Millar: Lely, Cat. mostra, London 1978. *A. Crinò - O. Millar, Sir Peter Lely and the Grand Duke of Tuscany, The Burlington Magazine, C, 1958, p. 124 ss., fig. 21.*	R.B. Beckett: Lely, London 1951. O. Millar: Lely, Cat. mostra, London 1978. *A. Crinò - O. Millar, Sir Peter Lely and the Grand Duke Tuscany, The Burlington Magazine, C, 1958, p. 124 ss., fig. 23.*	R.B. Beckett: Lely, London 1951. O. Millar: Lely, Cat. mostra, London 1978. *A. Crinò - O. Millar, Sir Peter Lely and the Grand Duke Tuscany, The Burlington Magazine, C, 1958, p. 124 ss., fig. 22.*	R.B. Beckett: Lely, London 1951. O. Millar: Lely, Cat. mostra, London 1978. *A. Crinò - O. Millar, Sir Peter Lely and the Grand Duke Tuscany, The Burlington Magazine, C, 1958, p. 124 ss., fig. 24.*
INVENTARIO	2555 (C.P., p. 83, n. 134: Eleanor Cwyn).	2535 (C.P., p. 83, n. 114: Barbara Villiers).	2544 (C.P., p. 83, n. 123: Jane Middleton).	2564 (C.P., p. 83, n. 149: Enrichetta Boyle).
FOTO	—	—	—	—
NOTE	Il ritratto, insieme con gli altri due di 'bellezze' della corte inglese, fu ordinato al Lely da Cosimo de' Medici durante la sua visita a Londra nel 1669. Tuttavia non fu, con gli altri, terminato fino al 1672: la cassa con i quadri, poi, cadde nelle mani di pirati olandesi e raggiunse Firenze solo grazie all'intercessione del Principe di Orange l'anno successivo. I dipinti, insieme col n. 2564, furono concessi in deposito all'Ambasciata d'Italia a Londra nel 1934. M.C.	Per le notizie, vedi n. 2555. M.C.	Per le notizie, vedi n. 2555. M.C.	Diversamente dagli altri tre ritratti (vedi n. 2555), questo dipinto fu ordinato al Lely da Cosimo III tramite il suo agente a Londra nel 1673, e venne spedito nel giugno 1674 insieme con un ritratto di Lord Arlington (smarrito). Tuttavia, poiché le dimensioni sono pressoché identiche, è evidente che anch'esso era inteso far parte della stessa serie. M.C.

	P850	P851	P852	P853
AUTORE	Lely, sir Peter, o Pieter van der Faes (Soest, Utrecht, 1618 - Londra 1680).	Lely, sir Peter, o Pieter van der Faes (Soest, Utrecht, 1618 - Londra 1680).	Lemberger, Georg (Landshut ca. 1490-95 - Magdeburg ? ca. 1540).	Le Nain (sec. XVII), scuola dei.
TITOLO	Ritratto del principe Rupert.	Ritratto di Thomas Butler, Earl di Ossory.	S. Giorgio libera la principessa dal drago.	L'adorazione dei pastori.
DATAZIONE	1674-1677.	1674-1677.	1520.	Seconda metà sec. XVII.
DATI TECNICI	Olio su tela, 125x103.	Olio su tela, 126,5x102.	Olio su tavola, 19x18.	Olio su tela, 93x113, restauro 1976-77.
CORNICE	Liscia, dorata, sec. XVII.	Liscia, dorata, sec. XVII.	Semplice nera, già citata nel 1796.	Sagomata, dorata, sec. XVII.
UBICAZIONI	Pitti (1677); Uffizi (1905 ca.); Pitti (1928 ca.).	Pitti (1677); Uffizi (1905 ca.); Pitti (1928).	Uffizi, Tribuna (1635); Guardaroba; Uffizi (1796).	Uffizi (1793).
ATTRIBUZIONI	—	—	Anonimo (inv. 1635, giornale di Galleria 1796). Lukas Cranach il V. (inv. 1825 e sgg.).	Jean Le Nain (attr. tradizionale). Scuola dei Le Nain (Rosenberg 1977).
ESPOSIZIONI	Firenze e l'Inghilterra. Rapporti artistici e culturali dal XVI al XX secolo, Firenze 1971.	Firenze e l'Inghilterra. Rapporti artistici e culturali dal XVI al XX secolo, Firenze 1971.	Die Kunst der Donau-Schule, St. Florian & Linz 1965.	Pittura francese nelle collezioni pubbliche fiorentine, Firenze 197.
BIBLIOGRAFIA	R.B. Beckett, Lely, London 1951. O. Millar, Lely, Cat. mostra, London 1978. *A. Crinò - O. Millar, Sir Peter Lely and the Grand Duke Tuscany, The Burlington Magazine, C, 1958, p. 128. Cat., Firenze 1971, n. 34.*	R.B. Beckett, Lely, London 1951. O. Millar, Lely, Cat. mostra, London 1978. *A. Crinò - O. Millar, Sir Peter Lely and the Grand Duke Tuscany, The Burlington Magazine, C, 1958, p. 128. Cat., Firenze 1971, n. 34.*	F. Winzinger, in 'Zeitschrift für Kunstwissenschaft' 1958, 87. *Cat. St. Florian-Linz 1965, n. 171a.*	Les Frères Le Nain, Cat. mostra, Parigi 1978. *Cat., Firenze 1977, n. 59.*
INVENTARIO	724 (C.P., p. 80, n. 142).	727 (C.P., p. 79, n. 145).	1056 (C.P., p. 123 n. 751).	978.
FOTO	133271.	171245.	—	159301.
NOTE	Il quadro, con il suo 'pendant' (n. 727), fu commissionato da Cosimo III de' Medici nel 1674 per una serie di ritratti di 'comandanti': fu terminato e giunse a Firenze nel 1677. Il principe Rupert (1619-1672), terzo figlio di Federico del Palatinato e di Elisabetta di Boemia, sorella di Giacomo I d'Inghilterra, fu tra i realisti durante la guerra civile inglese ed ebbe comandi negli eserciti di Carlo I e Carlo II. Fu amatore di ricerche scientifiche e di incisioni. M.C.	Sul retro del dipinto scritta tardo seicentesca che identifica il ritrattato e l'autore. Il quadro, col suo 'pendant' (n. 724) fu commissionato da Cosimo III de' Medici nel 1677. Thomas Butler, Earl di Ossory (1634-1680) fu ammiraglio della flotta di Carlo II d'Inghilterra, che accompagnò al suo ritorno in Inghilterra nel 1660. Il re lo ricompensò con i suoi favori. M.C.	A tergo testa di Cristo coronato di spine. A destra in basso, sopra la coda del cavallo, la data 1520, finora sfuggita agli studiosi. Deriva dalla xilografia di ugual soggetto, del 1520, di Wolf Huber. Stemma non identificato, a sin., ma localizzabile in Svevia fra Kaufbeuren e Nördlingen. R.S.	Il dipinto fu acquistato, insieme ad altri quadri francesi, per commissione del granduca Ferdinando III a Parigi nel 1793 con l'attribuzione a un inesistente 'Jean' Le Nain. Giudicato di scarsa qualità dal Rosenberg, che lo assegna a un seguace dei tre fratelli pittori. M.C.

	P854	P855	P856	P857
AUTORE	Leonardo da Vinci (Vinci 1452 - Amboise 1519).	Leonardo da Vinci (Vinci 1452- Amboise 1519).	Leonardo da Vinci (Vinci, Firenze 1452 - Amboise 1519) e Verrocchio, Andrea di Cava detto il (Firenze 1453 - Venezia 1483).	Leonbruno, Lorenzo, L. de Liombeni (Mantova 1489-1537?).
TITOLO	Annunciazione.	L'Adorazione dei Magi.	Battesimo di Cristo.	Allegoria.
DATAZIONE	1472-5 ca. (per chi l'attribuisce a Leonardo).	Commessa nel 1480, lasciata incompiuta nel 1481-82.		1522-23 (Gamba).
DATI TECNICI	Olio su legno, 98x217.	Tavola, tempera mista ad olio con parti in lacche rosse e verdastre, o biacca (analisi Sanpaolesi 1952), 243x246. Rigenerazione delle vernici nel 1914 (restauratore Lucarini).		Olio su tavola, 38,4x31.
CORNICE	Listello di legno dorato moderno.	Legno filettato d'oro, moderna.		—
UBICAZIONI	Sagrestia della chiesa di Monteoliveto (dall'origine); Uffizi (1867).	Casa di Amerigo Benci (1568, cit. Vasari); eredità di Don Antonio de' Medici (1621); Uffizi (1670).		Farnesina, Parma (1680 ca.); Coll. Grandi, Milano (1908 ca.); Uffizi (1909).
ATTRIBUZIONI	Dom. Ghirlandaio o Ridolfo (Morelli 1883, Cavalvaselle 1908, Calvi 1936). Verrocchio (Crutwell 1904, Reymond 1906). Lor. di Credi (Frizzoni 1907, Mc Curdy 1933). Altri (Woermann 1905, Seidlitz 1909). Leonardo (Liphart e cat. Uffizi 1869, Lumke 1870 e '79; Bode 1882; Venturi 1911; Berenson 1916; Poggi 1919; Guida 1929; Clark 1939 e '52; Goldscheider 1845; Castelfranco 1966; C. Gould e J. Wassermann 1975).	Leonardo (Vasari 1568), attribuzione confermata dai documenti di commissione.		—
ESPOSIZIONI	Mostra di L. da V., Milano 1939.	—		—
BIBLIOGRAFIA	A. Ottino della Chiesa, L. Pittore, Milano 1967. P. Sanpaolesi, I dipinti di L. agli Uffizi in AA.VV. Leonardo, Milano 1954, p. 44. C. Gould, Leonardo, London 1975, p. 24. *K. Clark, L. da V., Cambridge 1952, p. 52.*	*L. Becherucci, L'Adorazione dei Magi in: Leonardo, La pittura, Firenze 1977, p. 69 e ss.*		C. Gamba, in Rass. d'Arte IX, 1909, p. 30. *G. Gronau, Il quadro di Lorenzo Leonbruno agli Uffizi, in Riv. d'Arte XI, 1929, p. 292.*
INVENTARIO	1618 (C.P., p. 189, n. 1288).	1594 (C.P., p. 188, n. 1252).		1348 (C.P., p. 142, n. 1582).
FOTO	59904.	69031 - 69062.		131400.
NOTE	Pentimenti nella testa della Madonna (che fu rifatta) e dell'angelo (meno inclinata); cadute di colore spec. in corrispondenza del busto della Verg. e qualche ridipintura. A Oxford (Christ Church, A41) un disegno per la manica dell'angelo (Colvin 1907) e al Louvre (n. 2255) per il manto della Madonna (ivi altri similari). Generalmente oggi considerata opera sorta nella bottega del Verrocchio, non di getto, e — pur con la prevalente partecipazione di L. — non ancora improntata dallo "sfumato". G.M.	L'indicazione del Vasari che Leonardo aveva lasciata incompiuta un'adorazione dei Magi in casa di Amerigo Benci, fu precisata dal Milanesi che la pose in relazione con una commissione registrata dai frati di San Donato a Scopeto nel marzo 1480. La si ritenne da allora interrotta pe il viaggio di L. a Milano (1481-82) con qualche dubbio da parte di studiosi ottocenteschi (Rumohr 1827-Passavant Rigollot 1849-Strzygowski 1887-Müntz 1892) per la maturità stilistica che parve eccessiva per un periodo giovanile. Oggi per altro la datazione è concordemente accettata. La cornice cinquecentesca in noce con lumeggiature d'oro fu tolta nel 1681. L.Bec.	Vedi: Verrocchio, Andrea di Cione, detto il.	In buono stato di conservazione. Difficile l'interpretazione del significato dell'allegoria. Cfr. con le pitture della sala della Scalcheria nel Palazzo Ducale di Mantova (1522-23) per Isabella d'Este. G.M.

	P858	P859	P860	P861
AUTORE	Liberi, Pietro (Padova 1614 - Venezia 1687).	Licinio, Bernardino (Pascante 1490 ca. - 1565 ca.).	Ligozzi, Jacopo (Verona 1547 - Firenze 1626).	Ligozzi, Jacopo (Verona 1547 - Firenze 1626).
TITOLO	Diana e Callisto.	Madonna col Bambino e S. Francesco.	Il sacrificio di Isacco.	La Fortuna.
DATAZIONE	Terzo quarto sec. XVII.	1540 ca. (Venturi 1928).	1596 ca. (Bacci, 1963).	
DATI TECNICI	Olio su tela, 69x45,5.	Olio su tavola, 76x111.	Olio su tavola, 51x37,5.	
CORNICE	—	Settecentesca, in legno intagliato e dorato, senza decorazioni.	Settecentesca, sagomata e dorata.	
UBICAZIONI	Pitti (ante 1710); Poggio a Cajano (ante 1713); Uffizi (1773); ubicazione ignota; Uffizi, depositi (1969).	Gran Principe Ferdinando de' Medici, Pitti (cit. 1713); Uffizi (cit. 1769).	Uffizi (1635); Pitti (dal 1773?); Uffizi (1828).	
ATTRIBUZIONI	—	Giorgione (inv. Pitti 1713). Palma il Vecchio (inv. Uffizi 1784). Polidoro Veneziano (inv. Uffizi 1825).	—	
ESPOSIZIONI	—	—	—	
BIBLIOGRAFIA	T. Fomiciova in Arte veneta XV, 1961. *M. L. Strocchi in Paragone 311, 1976.*	*L. Vertova, I pittori bergamaschi dal XIII al XIX secolo, Bergamo 1975.*	A. Venturi, Storia dell'Arte italiana, VII, 9, 1934. *M. Bacci, in Proporzioni, IV, 1963, p. 60-1, 79.*	
INVENTARIO	9462.	892 (C.P., p. 202, n. 574).	1337 (C.P., p. 167, n. 1041).	
FOTO	178533 (tergo: 138177).	217226.	179729.	
NOTE	A tergo cartellino: 'Dal P° a Cajano Dalla R. Guard.ª 29 Xbre 1773'. Presente in palazzo Pitti nel primo decennio del '700 (ASF, Guard. 1185, III c. 1071), fece poi parte del 'gabinetto di opere in piccolo' del Gran Principe Ferdinando de' Medici a Poggio a Cajano, disfatto e trasferito in galleria il 29 dicembre 1773. Sottratto in circostanze imprecisate, fu recuperato per le cure di Ugo Procacci e Marcello Guidi e rientrò agli Uffizi nel 1969. È l'abbozzo di un soggetto trattato dal Liberi in due grandi tele all'Ermitage di Leningrado: inv. 217 (per traverso); inv. 7796 (per alto), quest'ultima di composizione identica al bozzetto. S.M.T.	È registrato fra i dipinti del Gran Principe Ferdinando (cfr. M. ne del Principe Ferdinando di Toscana, in 'Paragone' n. 303, 1975) con il nome di Giorgione. Attribuito al Licinio da Cavalcaselle (Crowe-Cavalcaselle: A history of painting in North-Italy, London 1871 voll. 2) che ne diede un giudizio solo in parte positivo, è collocato da A. Venturi verso il 1540. Quest'ultimo critico lo considera fra le opere più vicine ai modelli del Palma (A. Venturi: Storia, Milano 1928, 9, III). A.P.	Siglato dall'autore sul tergo della tavola: le due iniziali 'I' e 'L' sono unite fra loro da un tratto orizzontale sormontato da una croce. Sempre sul tergo in grafia antica i numeri: '1575' e '887' e una ceralacca lorenese. Presente nelle gallerie fiorentine dal 1635 (Inv. Uffizi, 1635-38, c. 96, n. 245). La Bacci (1963) ritiene che il dipinto fosse elaborato per il concorso, ricordato dal Baldinucci (1846, III, p. 9), per un 'Sacrificio di Isacco' per la cappella Serragli in San Marco (dopo il 1594) che sarà vinto dall'Empoli e al quale parteciparono i migliori artisti del momento. M.G.	Vedi: Scuola italiana sec. XVI.

	P862	P863	P864	P865
AUTORE	Lingelbach, Johannes (Amsterdam Francoforte 1622-74).	Liotard, Jean-Etienne (Ginevra 1702-1789).	Lippi, Filippino (Prato 1457 - Firenze 1504).	Lippi, Filippino (Prato 1457 - Firenze 1504).
TITOLO	Il riposo dopo la caccia.	Ritratto detto di Maria Adelaide di Francia vestita alla turca.	Ritratto di vecchio.	Adorazione del Bambino.
DATAZIONE	1665-70 ca.	1753.	Opera giovanile (Salvini); 1485 ca. (Baldini).	1477-78 (Neilson); 1479-80 (Colasanti); c. 1483 (Berti-Baldini); non oltre 1485 (altri).
DATI TECNICI	Olio su tela, applicata su tavola, 47,5x37.	Olio su tela, 50x56.	Affresco su embrice, 47x38.	A olio su tavola, 96x71.
CORNICE	Ebano, sec. XIX-XX.	Dorata, sec. XVIII.	A cassetta, con inquadratura molto semplice in noce, c. 1950?	A tabernacolo rinascimentale con lesene e architrave intagliate e dorate, e basamento iscritto; ma presumibilmente imitazione del sec. XIX.
UBICAZIONI	Uffizi (1825).	Parma?; Uffizi (1932).	Coll. Card. Leopoldo de' Medici; Guardaroba (1675); Uffizi (1773).	Coll. padre scolopio Giuseppe Manni e Ferroni; Uffizi (1902, per acquisto).
ATTRIBUZIONI	—	—	Anonimo (eredità Leopoldo dei Medici). Masaccio (inv. 1784 e 1825, Delaborde 1876). Maniera del Botticelli (Cavalcaselle). Filippino (Morelli 1891, Berenson ecc.). Andrea del Castagno? (Van Marle 1928). Scuola del Ghirlandaio (Scharf e Neilson).	Filippino (Burckhardt). Amico di Sandro (Berenson, 1920). Filippino (la critica posteriore).
ESPOSIZIONI	Paesisti, Bamboccianti e vedutisti nella Roma seicentesca, Firenze 1967.	Pittura francese nelle collezioni pubbliche fiorentine, Firenze 1977.	—	—
BIBLIOGRAFIA	J. Rosenberg - S. Slive - E. H. Ter Kuile, Dutch Art and Architecture 1600-1800, Harmondsworth 1966. *Cat., Firenze 1967, n. 40.*	F. Fosca, La vie, les oeuvres de J.-E. Liotard..., Lausanne - Paris 1956. *Cat., Firenze 1977, n. 138.*	F. Gamba, Filippino Lippi nella storia della critica, Firenze 1958. *A. Scharf, Filippino Lippi, Vienna 1955. L. Berti - U. Baldini, Filippino Lippi, Firenze 1957 p. 82.*	F. Gamba, Filippino Lippi nella storia della critica, Firenze 1958. *A. Schar, Filippino Lippi, Vienna 1955. L. Berti - U. Baldini, Filippino Lippi, Firenze p. 79.*
INVENTARIO	1297 (C.P., p. 129, n. 973).	1055.	1485 (C.P., p. 159, n. 1167).	3246 (C.P., p. 192, n. 1547).
FOTO	321870.	19160.	74259.	91675.
NOTE	Firmato in basso a destra: J. Ling... Iscrizioni sul retro: 'Gio. Lingelbais e (frammentaria)... ingelbach... ollandoy'. Per il tipo di iscrizioni che compaiono sul retro, il dipinto sembra provenire da un acquisto del periodo lorenese, ma la provenienza non è documentata. Il dipinto appartiene al periodo tardo e presenta affinità con altre opere di questo genere (Amsterdam, Rijksmus., A227, A700). M.C.	A tergo la scritta: Madame Marie-Adélaïde de France MDCCLIII. Il dipinto fu scoperto da C. Gamba che lo pubblicò attribuendolo a Liotard; affermando che proveniva da Parma (1931). Tuttavia le recenti ricerche del Rosenberg hanno potuto stabilire che la provenienza del quadro non è per ora documentabile. L'autografia del dipinto è sostenuta dal Rosenberg, che cita altre sue due versioni più deboli (Algeri, Berlino 1926). Incerta resta l'identificazione del personaggio ritratto, cioè Maria-Adelaide di Francia, del quale gli Uffizi posseggono il ritratto fatto dal Nattier (n. 21 dep.). M.C.	L'effigiato è stato ritenuto un certosino, o creduto il ritratto del portinaio del Carmine che compariva nella 'Sagra' di Masaccio. Secondo il Cavalcaselle questo dipinto si trovava un tempo presso la famiglia Corboli valdarnese; per il Knudtzon rappresenterebbe Bartolomeo Valori (cfr. M. Salmi, Masaccio, 1947, pp. 162-3). L. Berti (1957, p. 25) si domanda invece se questo ritratto su embrice e così pure il cosiddetto 'autoritratto' (cfr. n. 1711), non siano addirittura due falsificazioni-imitazioni fiorentine del XVII-XVIII secolo. L.B.	Il prezzo pagato per l'acquisto nel 1902 fu di L. 37.000. Quanto alle affinità botticelliane, il dipinto è particolarmente accostabile al tondo di Botticelli a Piacenza (Pinacoteca Civica) del 1480c. L.B.

	P866	P867	P868	P869
AUTORE	Lippi, Filippino (Prato 1457 - Firenze 1504).	Lippi, Filippino (Prato 1457 - Firenze 1504).	Lippi, Filippino (Prato 1457 - Firenze 1504).	Lippi, Filippino (Prato 1457 - Firenze 1504).
TITOLO	S. Girolamo in penitenza.	Allegoria.	Pala della Signoria (o Pala degli Otto).	L'Adorazione dei Magi.
DATAZIONE	1480 (Puccinelli 1664), 1485 (Scharf 1935, Berti - Baldini 1957), c. 1496 (Neilson 1938), c. 1485 o 1490-1500 (Salvini 1952).	Ante 1485 (Collobi - Ragghianti 1949), 1485-90 (Koncdy 1905, Bombe 1906, Scharf 1935), 1498c. (Berti - Baldini 1957).	1486.	1496.
DATI TECNICI	Olio su tavola, 136x71.	Olio su tavola, 29x22.	Tempera su tavola, 355x255, restauro 1975.	A olio su tavola, 258x243.
CORNICE	Moderna, a due gole semplici dorate con interposto riquadro in rosso, sec. XX.	Intagliata e dorata in stile barocco, probabilmente del primo sec. XVIII.	Grande cornice decorata a pastiglia e dorata (cinquecentesca?).	Grande cornice dorata complessa e decorata, presumibilmente seconda metà sec. XIX.
UBICAZIONI	Badia fiorentina (origine); Villa della Campora appartenente alla Badia (post 1664); S. Procolo (tempo napoleonico); Accademia (1810 ca), Uffizi (c. 1935).	Guardaroba mediceo (primi sec. XVIII); Pitti (sec. XIX); Uffizi (1919).	Palazzo dei Signori (dall'origine); Uffizi (1782).	Chiesa di S. Donato agli Scopeti (fino al 1529); ubicazione successiva ignota; Coll. Card. Carlo de' Medici (sec. XVII); Uffizi (1666).
ATTRIBUZIONI	Filippino (menzione del Vasari); Andrea del Castagno (Crowe - Cavalcaselle 1870), fra Filippo (?), Filippino (Burckhardt 1901 e la critica posteriore).	Leonardo da Vinci. Ignoto quattrocentista fiorentino (Bardi, 1839). Filippino Lippi (Morelli 1897, Berenson 1903 ecc.) un miniatore (A. Venturi 1911).	Filippino Lippi su dis. di Leonardo (Anonimo Magliabechiano 1537-42). D. Ghirlandaio (Inventari Uffizi dal 1782 al 1823). Filippino Lippi (Gaye 1838). Filippino su dis. di Leonardo (Cavalcaselle 1864). Filippino Lippi (Poggi 1909, Scharf 1935). Filippino Lippi su dis. di Leonardo (Valentiner 1930, Ragghianti 1940, F. Gamba 1958). Filippino Lippi (Berti-Baldini 1957, Dal Poggetto 1975).	Fra Filippo Lippi (inv. 1666, 1704, 1753, 1769, 1784). Filippino (inv. 1825 e tutti i seguenti).
ESPOSIZIONI	Art Italien de Cimabue a Tiepolo, Paris 1935.	Mostra di Lorenzo il Magnifico e le Arti, Firenze 1949.	Capolavori degli Uffizi restaurati nel 1975, Firenze 1975.	—
BIBLIOGRAFIA	F. Gamba, Filippino Lippi nella storia dello critica, Firenze 1958. *L. Berti - U. Baldini, Filippino Lippi, Firenze 1957, p. 83, n. 46.*	*Cat., Firenze 1949, n. 6. L. Berti - U. Baldini, Filippino Lippi, Firenze 1957, n. 75.*	A. Scharf, Filippino Lippi, Wien 1950. *F. Gamba, Filippino Lippi nella storia della critica, Firenze 1958, p. 97. Cat., Firenze 1975, n. 4.*	F. Gamba, Filippino Lippi nella storia della critica, Firenze 1958. A. Scharf, Filippino Lippi, Vienna 1935. *L. Berti - U. Baldini, Filippino Lippi, Firenze 1957, n. 62.*
INVENTARIO	8652.	8378.	1568 (C.P., p. 170, n. 1268).	1566 (C.P., p. 170, n. 1257).
FOTO	23624.	145154.	249710 (e particolari), 298941.	5494.
NOTE	'Fece per la chiesa della Badia di Firenze un S. Girolamo bellissimo' è il riferimento del Vasari per quest'opera, che la cronaca del Puccinelli (1664) ricorda ancora in Badia nella Cappella Ferrantini, le cui armi (rimosse in un restauro di questo secolo) apparivano, insieme a quelle del Conte Ugo, nella parte alta del dipinto (cfr. Supino, Les deux Lippi, 1904, p. 145). Una copia parziale al Museo Bardini di Firenze e un'altra, ma scadente, già segnalata in un collezione privata fiorentina. L.B.	Ai piedi di un albero è seduto Dio Padre o meglio Giove con il fulmine, due giovanetti sono assaliti dai serpenti, una scritta dice: 'NULLA DETERIOR PESTIS Q FAMILIARIS INIMICUS'. Nello sfondo Firenze (?) con la cupola del Duomo. Il soggetto è stato da alcuni interpretato come una storia di Laocoonte, o un'allegoria dei fratelli nemici. L. Berti (1957) ha supposto un'allusione alle lotte intestine fiorentine del tempo savonaroliano. A tergo della tavoletta è scritto 'Leonardo da Vinci'. L.B.	Datata in basso: ANO SALUTIS MCCCCLXXXV DIE XX FEBRUARI (stile fiorentino: cioè 1486). Rappresenta la Madonna col Bambino incoronata simbolicamente da due angeli, e i Santi Giovanni Battista, Vittore, Bernardo e Zanobi. Conosciuta anche come Pala degli Otto di Pratica. Eseguita per la sala minore del Consiglio del Palazzo dei Signori (Anonimo Magliabechiano) o, più probabilmente, per l'attuale Salone dei Duecento (Poggi). Sarebbe stata iniziata da Leonardo (id.), ma la maggior parte della critica moderna lo esclude, o accetta al massimo il riferimento a un disegno di Leonardo. P.D.P.	A tergo, firma e data in rosso: 'Filippus me pinsit / De Lipis florentinus / addì 29 di marzo / 1496'. Citata dalle fonti più antiche e dal Vasari, la tavola risulta ordinata a Filippino per rimpiazzare l'Adorazione dei Magi già allogata a Leonardo nel 1481 ma dal Vinci non condotta a termine. Fu pagata 300 fiorini d'oro (cfr. documentazione in Mesnil 1906 e Poggi 1910). Tra i personaggi raffigurati, si sono identificati fin dal Vasari, Pier Francesco de' Medici il Vecchio, i suoi figli Lorenzo il Popolano e Giovanni il Popolano, padre di Giovanni delle Bande Nere e Piero del Pugliese. Un disegno relativo alla testa del giovane inginocchiato è agli Uffizi. L.B.

	P870	P871	P872	P873
AUTORE	Lippi, Filippino? (Prato 1457 - Firenze 1504).	Lippi, Filippino (Prato 1457 - Firenze 1504), attr. a.	Lippi Filippino (Prato 1457 - Firenze 1504) e Perugino, Vannucci Pietro, detto il, (Città della Pieve 1440-50 - Fontignano 1523).	Lippi, Filippo (Firenze 1406 ca. - Spoleto 1469).
TITOLO	Ritratto di giovane.	Madonna e S. Giovannino che adorano il Bambino.	La deposizione.	Incoronazione della Vergine.
DATAZIONE	Sec. XV.	1480-90 ca.		1441 (commissionata) - 1447 (pagata).
DATI TECNICI	Olio su legno, 53x35, restauro 1977.	Olio su tavola centinata, 100x58.		Tempera su tavola, 200x287, restauro 1975-78.
CORNICE	Listello di legno, sec. XX.	Intagliata e dorata, sec. XVII?		Moderna, listello in legno, dorato nella parte superiore e trittico.
UBICAZIONI	Card. Leopoldo de' Medici; Pitti; Uffizi (1861).	Coll. Feroni (ante 1850); Uffizi (1866); Cenacolo di Foligno (1894).		Chiesa di Sant'Ambrogio (dall'origine; prima altar maggiore poi sagrestia) (cit. Richa, 1762); trafugata (ante 1810); negoziante Angelo Volpini; Accademia (1813); Uffizi (1919).
ATTRIBUZIONI	Masaccio. Anonimo. Piero di Cosimo come ritratto di Masaccio. Lorenzo di Credi (Rigoni 1891, Berenson 1896, 1932). Bugiardini (Dami 1915). Cianfanini tardo (Degenhart 1932). Altro autore (Dalli Regoli 1966).	Scuola fiorentina sec. XV (Cat. Feroni 1895). Filippino Lippi (Berenson 1936).		—
ESPOSIZIONI	—	—		Dipinti salvati dalla piena dell'Arno, Firenze 1966, n. 13.
BIBLIOGRAFIA	B. Degenhart, Die Schüle des L. di Credi, in Münchner Jahrb. d. bild. Künste, IX, 1932, 142. Dalli Regoli, Lorenzo di Credi, Cremona 1966, p. 199.	A. Scharf, Filippino Lippi, Wien 1950. L. Berti-U. Baldini, Filippino Lippi, Firenze 1957. *B. Berenson, Pitture italiane del Rinascimento, Milano 1936. Catalogo della Galleria Feroni, Firenze 1895, p. 9.*		*G. Marchini, F. Lippi, Milano 1975, n. 13.*
INVENTARIO	1490 (C.P., p. 160, n. 34).	S. Marco e Cenacoli 114.		8352.
FOTO	321798.	204566.		53772.
NOTE	In non ottime condizioni di conservazione. Già offuscato da pesanti vernici, dopo il restauro viene presentato in Galleria con l'attribuzione (dubitativa, suggerita da U. Baldini) a Filippino Lippi. G.M.	Il dipinto, considerato di anonimo nel catalogo della collezione di provenienza, fu attribuito nelle 'liste' del Berenson nel 1936 e nelle edizioni successive a Filippino Lippi e considerato opera giovanile, come effettivamente si può dedurre dallo stile. M.C.	Vedi: Perugino, Vannucci Pietro, detto il.	L'opera è sormontata nella ricostruzione attuale da due Santi con l'Annunciazione, non pertinenti. La predella, pagata nel 1447 (BNF. Magliab. XXXVII n. 301 c. 33) è dispersa. In piedi ai lati della composizione i SS. Ambrogio e Gio. Battista. Nelle due figure di frati carmelitani a sinistra si riconoscono tradizionalmente l'autoritratto del pittore (in secondo piano) e il committente F. Maringhi, procuratore di Sant'Ambrogio (morto nel 1441). Il frate a destra è il cappellano di S. Ambrogio Dom. Maringhi che curò l'esecuzione del dipinto, insignito nel 1444 del canonicato di San Lorenzo. Durante il restauro è riemersa sotto la cornice la scritta citata dal Borghini 'Frater Filippus'. Esiste un disegno autografo del Lippi per il manto di San Giovanni (GDSU 190 F) oltre a varie copie in disegno di particolari (Oxford, Windsor, Berlino). C.C.

	P874	P875	P876
AUTORE	Lippi, Filippo (Firenze 1406 ca. - Spoleto 1469).	Lippi, Filippo (Firenze 1406 ca. - Spoleto 1469).	Lippi Filippo, (Firenze 1406 ca. - Spoleto 1469).
TITOLO	Predella della pala Barbadori.	Madonna col Bambino e quattro Santi.	L'Annunciazione, S. Antonio Abate e S. Giovanni Battista.
DATAZIONE	La pala allogata nel 1437, compiuta qualche anno dopo.	Fra 1442 (Mendelsohn 1909, Gronau 1929 e 1938, Pudelko 1936) o poco prima (Berenson 1932). 1440 (Supino 1902). 1445 ca. (Oertel 1942, Pittaluga 1949, Marchini 1975).	1450 ca. (Pudelko 1936). 1450-52 (Berenson 1932-33). 1463 (Olrtel).
DATI TECNICI	Tre pannelli dipinti a tempera su legno, 40x235.	Tempera su legno, 196x196.	Due pannelli di polittico, tempera su tavola, 57x24 ciascuno.
CORNICE	A listello sagomato e dorato, moderna.	Listello dorato moderno.	Originale.
UBICAZIONI	Chiesa di S. Spirito (dall'origine), poi in sagrestia; sec. XVI; Accademia (1810); Uffizi (1819).	Altare della cappella del Noviziato nel convento di S. Croce (dall'origine); Accademia (per le soppressioni); Uffizi (1919).	Accademia; Uffizi (1919).
ATTRIBUZIONI	Lippi e Pesellino (Berenson 1932; Pudelko 1936). Uffizi (Volpe 1956).	Il Codice magliabechiano vi annota 'correzioni' di Andrea del Castagno.	Opera di scuola (Mendelsohn 1913). F. Lippi (Berenson 1932-33, Pudelko 1936 e tutta la critica).
ESPOSIZIONI	—	—	—
BIBLIOGRAFIA	Pudelko 1936). Lippi (Volpe 1956). R. Oertel, Filippo Lippi, Wien 1943. M. Pittaluga, Filippo Lippi, Firenze 1949. G. Marchini, Filippo Lippi, Milano 1975. *C. Volpe, ragone 83, 1956, p. 38.*	R. Oertel, Filippo Lippi, Wien 1942. M. Pittaluga, Filippo Lippi, Firenze 1949. E. Micheletti, Primo rinascimento in S. Croce, Firenze 1967, p. 112. *G. Marchini, Filippo Lippi, Milano 1975, p. 204.*	*M. Pittaluga, F. Lippi, Firenze 1949, p. 177. G. Marchini, F. Lippi, Milano 1975, n. 35.*
INVENTARIO	8351.	8354.	8356-8357.
FOTO	145155-7 e partic.	321804.	324957.
NOTE	La pala Barbadori si trova oggi al Louvre. Le tre scene che compongono la predella raffigurano in relazione ai santi della pala: S. Frediano che devia il corso del Serchio, l'annuncio della morte alla Vergine, S. Agostino nello studio. Novità iconografiche sono annotate dal Meiss (1966) e dal Marchini (1975). In buono stato di conservazione. G.M.	Presumibilmente dotata all'origine di una cornice di tipo architettonico, con predella in basso. I dipinti della predella, del Pesellino, ora in parte agli Uffizi e in parte al Louvre. In non buone condizioni, immune da recenti restauri. G.M.	Pannelli di polittico o di altarolo a lungo trascurati dalla critica, che generalmente li data alla fine del periodo angelichiano dell'artista (Marchini 1975). C.C.

	P877	P878	P879	P880
Autore	Lippi, Filippo (Firenze 1406 ca - Spoleto 1469).	Lippi, Filippo (Firenze 1406 ca. - Spoleto 1469).	Lippi, Filippo (Firenze 1406 ca. - Spoleto 1469).	Lippi, Filippo (Firenze 1406 ca. - Spoleto 1469).
Titolo	L'Adorazione del Bambino coi Santi Giuseppe, Gerolamo, Maddalena e Ilarione.	Madonna col Bambino e storie della vita di S. Anna.	La Madonna col Bambino e angeli.	L'Adorazione del Bambino.
Datazione	1453 ca.	1453 ca.	Opera tarda (Venturi 1911), 1455 ca. (Berenson 1932-33); 1457 ca. (Pudelko 1936).	Dopo il 1463.
Dati tecnici	Tempera su tavola, 137x134.	Tondo, tempera su tavola, diam. 135.	Tempera su tavola, 95x62.	Tempera su legno, 140x130.
Cornice	Originale.	—	Intagliata e dorata a festoni di foglie e frutta, sec. XVI.	A sagoma, dorata, ottocentesca.
Ubicazioni	Convento di Annalena (?) (dall'origine); Accademia; Uffizi (1919).	Depositi (cit. 1761); Uffizi (1825); Pitti (1945).	Poggio Imperiale; Uffizi (1796).	Eremo di Camaldoli (dall'origine); Uffizi.
Attribuzioni	—	—	'Forse del Ghirlandaio' (AGF, f. 58, 1796); F. Lippi (Inv. 1825).	Sempre al Lippi, ma fino al Pudelko (1936) ritenuta giovanile.
Esposizioni	—	Mostra della Pittura del Rinascimento, Stati Uniti. L'Art Italien de Cimabue a Tiepolo, Parigi 1935.	—	—
Bibliografia	G. Marchini, Filippo Lippi, Milano 1975, n. 48.	G. Marchini, F. Lippi, Milano 1975, n. 43.	G. Marchini, Filippo Lippi, Milano 1975, n. 58.	G. Pudelko in Riv. d'Arte, XVIII 1936; R. Oertel, Filippo Lippi, 1942; G. Marchini, Filippo Lippi, 1975. M. Pittaluga, Filippo Lippi, 1949, p. 126.
Inventario	8350.	Palatina 343.	1598 (C.P., p. 190, n. 1307).	8353.
Foto	56819.	52942.	—	105935.
Note	Identificato col dipinto citato dall'Alberti e dal Vasari nel Convento d'Annalena. Il Richa descrivendolo ancora in loco afferma che nel S. Ilarione sarebbe da riconoscere Roberto Malatesta eremita, fratello di Annalena fondatrice del Convento (1453), ipotesi accettata dal Milanesi e dal Cavalcaselle, non dal Supino. C.C.	In secondo piano: nascita della Vergine e incontro di Giovacchino e Anna (?). Sul retro disegno in nero di uno scudo con grifone, riconosciuto come autografo (Dalli Regoli 1960). Il Guasti (1888) propose di identificare il tondo con quello commissionato da Leonardo Bartolini, al quale il Lippi lavorava ancora nell'aprile del 1453. Solo il Poggi (1908) dissente da questa versione poiché lo stemma sul retro non è quello del Bartolini. Pope-Hennessy rileva che questo tondo deve essere servito di spunto ad Antonio Pesellino per il tondo col presepe ora al Bargello. C.C.	La datazione è stata assai discussa dalla critica che vi ha riconosciuto o i ritratti di Lucrezia Buti e Filippino (n. 1457 ca.) o un dono a Giovanni de' Medici per l'appoggio dato all'artista presso il re di Napoli. Sul retro è uno schizzo di una testa e d'un busto a carboncino; oltre a un cartellino con la scritta 'Imperiale, 13 maggio 1796', data d'ingresso del quadro in Galleria come probabile opera del Ghirlandaio. Generalmente considerato un capolavoro fino a quando il Marangoni non espresse qualche riserva sull'aggruppamento degli angeli. C.C.	In buono stato di conservazione. Vi figurano oltre alla Vergine e al B. il S. Giovannino con l'abituale cartiglio (ECCE AGNUS DEI EC...), un Santo Camaldolese forse S. Bernardo (in relazione a composizioni di letteratura popolare coeve: vedi Aronberg-Lavin, in The Art Bulletin 1955). G.M.

	P881	P882	P883	P884
AUTORE	Lippi, Lorenzo (Firenze 1606-1665).	Liss, Johann (Oldenburg 1595 ca. - Venezia 1629).	Liss, Johann (Oldenburg 1595 ca. - Venezia 1629).	Liss, Johann (Oldenburg 1595 ca. - Venezia 1629).
TITOLO	Lot e le figlie.	Il figliuol prodigo.	Venere allo specchio.	Il sacrificio d'Isacco.
DATAZIONE	1650 ca. (Sricchia 1952).	1622-23 (Steinbart 1940), 1620 ca. (A. T. Lurie 1975-76).	1624-25 (Steinbart 1940), 1626 (A. T. Lurie 1975-76).	1625-26 (Steinbart 1940).
DATI TECNICI	Olio su tela 185x148, restauro 1970.	Olio su tela, 115x93.	Olio su tela, 88x69.	Olio su tela, 88x69,5.
CORNICE	Dorata riccamente intagliata con grappoli d'uva e palme.	Salvadora dorata, sec XVII-XVIII.	Nera e oro, barocca.	Intagliata, dorata, sec. XVII.
UBICAZIONI	Coll. Feroni (1850); Uffizi (1866).	Giovanni Antonio Armano, Venezia (1778); Uffizi (1778).	Castello? (1663); Pitti (sec. XVII-XVIII); Uffizi (1727).	Card. Leopoldo de' Medici, Pitti (ante 1675); Poggio a Caiano (sec. XVIII-XIX); Uffizi (1836).
ATTRIBUZIONI	—	—	Rubens (Inv. Uffizi 1784). Jordaens (Inv. Uffizi 1825).	—
ESPOSIZIONI	Caravaggio e Caravaggeschi nelle Gallerie di Firenze, Firenze 1970.	Johann Liss, Augsburg-Cleveland 1975-76.	De Venetiaanse Meesters, Amsterdam 1953. La pittura del Seicento a Venezia, Venezia 1959.	Mostra della pittura italiana del Sei e Settecento, Firenze 1922. Johann Liss, Augsburg-Cleveland 1975-76.
BIBLIOGRAFIA	F. Sricchia, *Lorenzo Lippi nello svolgimento della pittura fiorentina della prima metà del Seicento (1952), in 'Proporzioni' 1963, p. n. 67, p. 103.*	K. Steinbart, Johann Liss, Berlin 1940. Id., Johann Liss, Wien 1946. Id., Das Werk des Johann Liss in Alter und Neuer Sicht, in Saggi e memorie di storia dell'arte, n. 2, 1958-59, Venezia 1959. *Cat., Augsburg-Cleveland 1975-76, n. A11.*	K. Steinbart, Johann Liss, Berlin 1940. Id., Johann Liss, Wien 1946. Id., Das Werk des Johann Liss in Alter und Neuer Sicht, in Saggi e Memorie di Storia dell'arte, n. 2, 1958-59, Venezia 1959. *Cat., Augsburg-Cleveland 1975-76, p. 98 ss.*	K. Steinbart, Johann Liss, Berlin 1940. Id., Johann Liss, Wien 1946. Id., Das Werk des Johann Liss in Alter unde Neuer Sicht, in Saggi e memorie di storia dell'arte, n. 2, 1958-59, Venezia 1959. *Cat., Augsburg-Cleveland 1975-76, n. A35.*
INVENTARIO	San Marco e Cenacoli 55.	1169 (C.P., p. 164, n. 849).	2179 (C.P., p. 126, n. 775).	1376 (C.P, p. 161, n. 1052).
FOTO	163007.	88345.	230210.	86764.
NOTE	Fu donato agli Uffizi, dopo un passaggio traverso il Comune di Firenze, per lascito del marchese Feroni insieme a tutta la quadreria di quella famiglia. La datazione è difficile a stabilirsi. E.B.	Il quadro fu acquistato per la Galleria degli Uffizi su offerta di Giovanni Antonio Armano, collezionista veneziano, che lo fece giungere a Firenze, come attesta una sua lettera del 7 aprile 1778, attraverso gli uffici del pittore bolognese Antonio Beccadelli. Nella stessa lettera l'Armano afferma che il quadro proveniva dalle collezioni di Costantino Franceschi (esiste una incisione di questa composizione derivata dal quadro della coll. Franceschi), di casa Sagredo e di Bartolomeo Vitturi. Il direttore degli Uffizi, Pelli-Bencivenni, dopo averne chiesta l'autorizzazione al granduca di Toscana, formalizzava l'acquisto per 40 zecchini d'oro (la documentazione è conservata presso l'archivio degli Uffizi, Filza XI, N. 32). M.C.	Il dipinto, la cui provenienza non è documentata, è da identificarsi con molta probabilità in uno di questo soggetto, che appartenne alla collezione del cardinal Gian Carlo de' Medici nella Villa di Castello accuratamente descritto in un inventario steso alla sua morte (ASF, Misc. Medicea 31-10, 1663). Passato in seguito a Pitti, da qui venne portato agli Uffizi nel 1727 (ASF, Guard. 1277, c. 226v), dove compare a partire dal 1784 negli inventari di Galleria. Datato dallo Steinbart prima della versione della collezione Schönborn a Pommersfelden, la Lurie (in cat., Augsburg-Cleveland 1975-76) pensa che invece vada posposto a quella redazione per la più intensa e sfatta qualità pittorica. M.C.	Il quadro appartenne alla collezione del cardinal Leopoldo de' Medici in palazzo Pitti ed è elencato nell'inventario dei suoi beni steso alla sua morte (1675). Inciso da Cosimo Mogalli quando si trovava ancora a Pitti (inizi XVIII sec.), il quadro fu quindi portato nella Villa, di Poggio a Caiano nel XVIII-XIX secolo. Giunse agli Uffizi nel 1836. Datato dallo Steinbart intorno al 1625-26. M.C.

	P885	P886	P887	P888
AUTORE	Locatelli, Andrea (Roma 1695-1741), attr. a.	Locatelli, Andrea (Roma 1695-1751), attr. a.	Loir, Nicolas (Parigi 1624-1679).	Longhi Alessandro, Falca A., detto (Venezia 1733-1813).
TITOLO	Paesaggio con cacciatori.	Paesaggio con figure.	Madonna col Bambino e S. Giovannino.	Ritratto di prelato.
DATAZIONE	Prima metà sec. XVIII.	Prima metà sec. XVIII.	Seconda metà sec. XVII.	1776.
DATI TECNICI	Olio su tela, 33x51.	Olio su tela, 32x52.	Olio su tela, 106x87, restauro 1977.	Olio su tela 94x78.
CORNICE	Intagliata e dorata, sec. XVIII.	Intagliata e dorata, sec. XVIII.	Liscia, dorata, sec. XVIII.	Settecentesca, legno intagliato e dorato.
UBICAZIONI	Coll. Feroni (ante 1850); Uffizi (1866); Cenacolo di Foligno (1894).	Coll. Feroni (ante 1850); Uffizi (1866); Cenacolo di Foligno (1894).	Parigi (ante 1792); Uffizi (1797).	Coll. Italico Brass, Venezia; Uffizi, (1931).
ATTRIBUZIONI	—	—	—	—
ESPOSIZIONI	—	—	Pittura francese nelle collezioni pubbliche fiorentine, Firenze 1977.	Il ritratto veneto da Tiziano a Tiepolo, Varsavia 1956. Arte e Scienza in Toscana, Firenze 1969.
BIBLIOGRAFIA	A. Zwollo, Vlaamse en Hollandse Veduteschilders te Rome, Assen 1973. A. Busiri Vici, Andrea Locatelli, Roma 1974. L. Salerno, Pittori di paesaggio del Seicento a Roma, Roma 1976. *Catalogo della Galleria Feroni, Firenze 1895, p. 5.*	A. Zwoll, Vlaamse en Hollandse Veduteschilders te Rome, Assen 1973. A. Busiri Vici, Andrea Locatelli, Roma 1974. L. Salerno, Pittori di paesaggio del Seicento a Roma, Roma 1976. *Catalogo della Galleria Feroni, Firenze 1895, p. 5.*	Thieme-Becker, XXIII, 1929. G. Wildenstein, Les Vierges de Nicolas Loir, in Gazette des Beaux-Arts, I, 1959. *Cat., Firenze 1977, n. 71.*	V. Moschini, Per lo studio di Alessandro Longhi, in L'Arte 1932, XXXV. *Cat., Firenze 1969, fig. 30.*
INVENTARIO	S. Marco e Cenacoli 96.	S. Marco e Cenacoli 85.	980 (C.P., p. 115, n. 661).	9181.
FOTO	204553.	168537.	252793.	131748.
NOTE	Il dipinto è 'pendant' del n. 85 (cfr. scheda P886). M.C.	Il dipinto, con il suo 'pendant' n. 96, è attribuito al Locatelli nel catalogo della collezione di provenienza. Tuttavia tale attribuzione, alla luce delle opere documentate e degli ultimi studi sull'artista, non risulta convincente. La fattura più minuziosa, la tipologia del paesaggio sembrano rimandare piuttosto alla mano di un nordico attivo a Roma nella prima metà del Settecento (cfr. Zwollo 1973, e Salerno 1976), sul tipo di J. de Heusch, C. Reder, ecc. Tuttavia è difficile per ora passare da questa indicazione di massima alla formulazione di un nome preciso. M.C.	Il dipinto fu acquistato a Parigi nel 1792 da Francesco Favi per conto del granduca Ferdinando III di Toscana: la data non è sicura, ma il dipinto venne inviato agli Uffizi nel 1797, come risulta dal Giornale d'Entrata. L'attribuzione del quadro è resa certa dal fatto chet ne esiste l'incisione relativa (Wildenstein 1959). Il disegno preparatorio è nel Museo Atger di Montpellier. M.C.	Il dipinto è attualmente foderato (intervento documentato di Italico Brass nel 1910). Come risulta dalle iscrizioni nei cartellini a tergo, la tela originale porta la scritta 'Alessandro Longhi pinx. an. 1776'. Già nella collezione veneziana del pittore Italico Brass, venne acquisito per donazione al patrimonio degli Uffizi (Autorizzazione Ministeriale del 31 Agosto 1931, n. 7915). A.P.

	P889	P890	P891	P892
AUTORE	Longhi Alessandro, Falca A., detto (Venezia 1733-1813).	Longhi Pietro, Falca P., detto (Venezia 1702-85).	Longhi Pietro, Falca P., detto (Venezia 1702-85), attr. a.	Lopez, Gaspare, detto Lopez dei Fiori (Napoli ? - Firenze 1732 ca.), attr. a.
TITOLO	Ritratto di gentildonna.	La confessione.	Ritratto di donna in atto di cucire.	Natura morta di frutta e fiori.
DATAZIONE	1770 ca. (Moschini 1932).	1755 ca. (Pignatti 1974).	Metà sec. XVIII.	1700-1730 ca.?
DATI TECNICI	Olio su tela, 100x80.	Olio su tela, 61x49,5, restauro 1969.	Olio su tela, 57x43.	Olio su tela, 118x206.
CORNICE	Novecentesca in stile rococò, legno intagliato e dorato.	Novecentesca, legno dorato.	Modanata e dorata.	Sagomata, intagliata e dorata, sec. XVIII.
UBICAZIONI	Coll. Artelli, Trieste; Uffizi (1911).	Coll. E. Pallavicino; Uffizi (1951).	Ufficio Esportazione (1927); Uffizi (1927); Pitti (1954); Uffizi (1965).	Coll. Feroni (ante 1850); Uffizi (1866); Cenacolo di Foligno (1894).
ATTRIBUZIONI	Maestro degli affreschi di Palazzo Grassi (Arslan 1943).	—	Pietro Longhi (Scheda Esportazione 1927).	—
ESPOSIZIONI	Mostra del ritratto italiano, Firenze 1911. La moda in cinque secoli di pittura, Torino 1951.	—	—	—
BIBLIOGRAFIA	G. Damerini, I pittori veneziani del '700, Bologna 1928. V. Moschini, Per lo studio di Alessandro Longhi, su l'Arte 1932. *Cat., Torino 1951, n. 134.*	Dal Ricci al Tiepolo, Venezia 1969. V. Moschini, Pietro Longhi, Milano 1956. *T. Pignatti: l'opera completa di Pietro Longhi, Milano 1974.*	G. Fiocco, la pittura veneziana del '600 e 1700, Verona 1929.	G. De Logu, La natura morta italiana, Bergamo 1962. Catalogo della mostra della natura morta italiana, Napoli 1964. R. Causa, in Storia di Napoli, vol. V., 1972. *Catalogo della Galleria Feroni, Firenze 1895, p. 4.*
INVENTARIO	3573 (C.P., p. 205, n. 3573).	9275.	8729.	S. Marco e Cenacoli 34.
FOTO	321885.	67326.	154073.	168679.
NOTE	Essendo stato esposto alla mostra fiorentina del ritratto italiano, fu acquistato dalla direzione degli Uffizi per la somma di L. 5.000. L'attribuzione del dipinto ad Alessandro Longhi è valutata con dubbio dal Damerini; è considerata «probabile o almeno possibile» dal Moschini. Per Arslan il ritratto femminile degli Uffizi è attribuibile all'autore degli affreschi di Palazzo Grassi a Venezia (cfr. E. Arslan: Di Alessandro e di Pietro Longhi, su Emporium 1943), forse da identificare con Michelangelo Morlaiter (cfr. R. Pallucchini, La pittura veneziana del Settecento, Venezia-Roma 1960). A.P.	Entrato agli Uffizi nel 1951 per esercizio del diritto di prelazione proposto dall'Ufficio Esportazione della Soprintendenza di Firenze. Fa parte del gruppo dei 7 Sacramenti derivato per l'iconografia della serie del Crespi e realizzato dal Longhi fra il 1755 e il 1760 (cfr. incisioni di Marco Pitteri). Il prototipo della Confessione sembra da identificare nel dipinto della Pinacoteca Querini-Stampalia (n. 13267). Una variante è nella coll. Albertini di Roma, un'altra è citata dal Moschini nella raccolta Scotti di Bergamo. Un disegno preparatorio per le mani della donna è nel Museo Correr di Venezia (nr. 565 r.). A.P.	Il dipinto fu acquistato il 2 aprile 1927 e collocato nella Galleria degli Uffizi. Dopo un periodo nei magazzini di Palazzo Pitti, è attualmente negli uffici della Soprintendenza. L'attribuzione a Pietro Longhi appare piuttosto dubbia. L.B.B.	La ricostruzione della figura dell'artista si basa su un'unica opera documentata, e cioè un quadro del 1712 nel Museo della Certosa di S. Martino a Napoli (vedi Cat. mostra della natura morta, 1964). Altre poche opere si possono riferire alla stessa mano, tra le quali tre del Kunsthist. Museum di Vienna, su base stilistica. Il quadro Feroni, insieme con gli altri esemplari, reca un'attribuzione all'artista nel catalogo di provenienza, resa probabile per il confronto col quadro di Napoli. Data la provenienza, una datazione nel periodo fiorentino sembra la più probabile. M.C.

	P893	P894	P895	P896
AUTORE	Lopez, Gaspare, detto Lopez dei Fiori (Napoli ? - Firenze 1732 ca.), attr. a.	Lopez, Gaspare, detto Lopez dei Fiori (Napoli ? - Firenze 1732 ca.), attr. a.	Lopez, Gaspare, detto Lopez dei Fiori (Napoli ? - Firenze 1732 ca.), attr. a.	Lopez, Gaspare, detto Lopez dei Fiori (Napoli ? - Firenze 1732 ca.), attr. a.
TITOLO	Natura morta di frutta e fiori.	Natura morta di frutta e fiori.	Natura morta di frutta e fiori.	Vaso di fiori.
DATAZIONE	1700-1730 ca.?	1700-1730 ca.?	1700-1730 ca.?	1700-1730 ca.?
DATI TECNICI	Olio su tela, 57x85.	Olio su tela, 56x86.	Olio su tela, 115x205.	Olio su tela, 102-111.
CORNICE	Sagomata, intagliata e dorata, sec. XVIII.	Sagomata, intagliata e dorata, sec. XVIII.	Sagomata, intagliata e dorata, sec. XVIII.	Sagomata, intagliata e dorata, sec. XVIII.
UBICAZIONI	Coll. Feroni (ante 1850); Uffizi (1866); Cenacolo di Foligno (1894).	Coll. Feroni (ante 1850); Uffizi (1866); Cenacolo di Foligno (1894).	Coll. Feroni (ante 1850); Uffizi (1866); Cenacolo di Foligno (1894).	Coll. Feroni (ante 1850); Uffizi (1866); Cenacolo di Foligno (1894).
ATTRIBUZIONI	—	—	—	—
ESPOSIZIONI	—	—	—	—
BIBLIOGRAFIA	G. De Logu: La natura morta italiana, Bergamo 1962. Catalogo della mostra della natura morta italiana, Napoli 1964. R. Causa: in Storia di Napoli, vol. V., 1972. *Catalogo della Galleria Feroni, Firenze 1895, p. 12.*	G. De Logu: La natura morta italiana, Bergamo 1962. Catalogo della mostra della natura morta italiana, Napoli 1964. R. Causa: in Storia di Napoli, vol. V., 1972. *Catalogo della Galleria Feroni, Firenze 1895, p. 12.*	G. De Logu: La natura morta italiana, Bergamo 1962. Catalogo della mostra della natura morta italiana, Napoli 1964. R. Causa: in Storia di Napoli, vol. V., 1972. *Catalogo della Galleria Feroni, Firenze 1895, p. 7.*	G. De Logu: La natura morta italiana, Bergamo 1962. Catalogo della mostra della natura morta italiana, Napoli 1964. R. Causa: in Storia di Napoli, vol. V., 1972. *Catalogo della Galleria Feroni, Firenze 1895, p. 13.*
INVENTARIO	S. Marco e Cenacoli 77.	S. Marco e Cenacoli 92.	S. Marco e Cenacoli 112.	S. Marco e Cenacoli 66.
FOTO	168677.	160010.	168528 .	168678.
NOTE	Col suo 'pendant' n. 92, il dipinto si può confrontare stilisticamente con l'unica opera firmata e datata dall'artista (Napoli, Museo della Certosa di S. Martino). M.C.	Il dipinto è 'pendant' del n. 77 M.C.	Il dipinto è 'pendant' del n. 34. M.C.	La fattura del dipinto trova riscontro nelle opere attribuite al Lopez, anche se vi si riscontrano caratteristiche pittoriche simili a quelle della scuola fiorentina (B. Bimbi), spiegabili col fatto che l'artista visse a lungo a Firenze, dove morì. M.C.

	P897	P898	P899
AUTORE	Lorenzetti, Pietro (Siena 1280 ca. - 1348?).	Lorenzetti, Pietro (Siena 1280 ca. - 1348?).	Lorenzetti, Ambrogio (Siena, 1285 ca. - 1348?).
TITOLO	Madonna in trono col Bambino e Angeli.	Pala della Beata Umiltà.	Quattro storie di S. Nicola.
DATAZIONE	1315 (Berenson 1911, Toesca 1951), 1340 (Cavalcaselle 1864, Milanesi 1878).	1316 (Cavalcaselle 1864, Thode 1888), 1335-40 (Marcucci 1965), 1341 (Schubring 1901 e gran parte della critica posteriore).	1327 ca. (Volpe 1960; Previtali 1961); 1332 (Toesca 1951, Becherucci 1961); dopo il 1330 (Dal Poggetto 1975).
DATI TECNICI	Tempera su tavola, 145x122., restauro 1929.	Opera composita. Tempera su tavola, 128x57 (centro), 45x32 (ogni formella), 51x21 (ogni pinnacolo), diametro 18 (ogni tondo della predella, restauri 1841, 1956-58.	Due pannelli a tempera su tavola con due scene ciascuno; 96x35 ciascuno; restauro 1961-62 e 1975.
CORNICE	Quattrocentesca, dorata.	—	In parte originale.
UBICAZIONI	Compagnia di S. Bartolomeo, Pistoia (sec. XVI); Gallerie Fiorentine (1799); Uffizi (1815).	S. Giovanni Evangelista delle Donne di Faenza (sec. XIV); Convento di S. Salvi (1534); Gallerie fiorentine (1808); Accademia (sec. XIX), Uffizi (1919).	Chiesa di S. Procolo (dall'origine?); Badia (1778); Accademia 1810); Uffizi (1919).
ATTRIBUZIONI	—	Buffalmacco (attribuzione tradizionale). Scuola senese (Cavalcaselle 1864). Pietro Lorenzetti (Cavalcaselle 1885 e gran parte critica posteriore).	A. Lorenzetti (Dal Ghiberti, 1452 ca., in poi).
ESPOSIZIONI	Exposition de l'art italien de Cimabue à Tiepolo, Parigi 1935. Tresors d'Art du Moyen Age en Italie, Parigi 1952.	—	Trésors d'art du Moyen Age en Italie, Parigi 1952. Capolavori degli Uffizi restaurati nel 1975, Firenze 1975.
BIBLIOGRAFIA	*Cat., Parigi 1935, n. 253. Cat., Parigi 1952, n. 222. L. Marcucci: I dipinti toscani del secolo XIV, Roma 1965, n. 110.*	E. Carli, I pittori senesi, 1971. *L. Marcucci: I dipinti toscani del secolo XIV, Roma 1965, n. 109.*	*L. Marcucci, I dipinti toscani del secolo XIV, Roma 1965, n. 112. P. Dal Poggetto in Cat., Firenze 1975, n. 2.*
INVENTARIO	445.	8347, 6129-31, 6120-26.	8348-8349.
FOTO	19394.	113456 (e particolari), 118674 (e particolari).	30788 (prima del restauro)?
NOTE	Sulla pedana del trono si legge il nome dell'autore e la data: 'PETRUS. LAURENTI. DE. SENIS. ME. PINXIT. ANNO. DOMINI. M. CCC.XL'. Pare che l'iscrizione continuasse e che la decorazione sulla destra sia un'aggiunta. La data poteva dunque risultare un po' diversa; 1343, ad es., come indica il Giornale di entrata di Galleria (Marcucci 1965). L'opera fu ceduta nel 1799 alle Gallerie Fiorentine da Giovan Battista Cellesi in cambio di un dipinto di Santi di Tito. Della predella, vista dal Vasari, non si hanno notizie. L. Bell.	La pala reca al centro la figura intera e ai lati dieci storie della B. Umiltà, la fondatrice del Convento fiorentino vallombrosano delle Donne di Faenza, morta nel 1310. La ricostruzione del complesso, comprendente originariamente anche due tavolette oggi nei Musei di Berlino, è stata fatta dalla Marcucci sulla base di un disegno settecentesco. Dei quattro Evangelisti delle cuspidi le Gallerie Fiorentine ne conservano soltanto tre. Sette tondi con il Cristo in Pietà, i due dolenti e i Santi Benedetto, Paolo, Pietro e Giovanni Gualberto ne componevano la predella. L'iscrizione con la data interpretata come 1316 o 1341 non è originale e la datazione, da stabilire su basi stilistiche, sembra assai tarda nel percorso di Pietro Lorenzetti. Non tutta la critica è concorde nell'attribuzione; ciò in conformità con gli orientamenti diversificati nel giudizio sull'intero catalogo del grande pittore senese. L. Bell.	Scartata l'ipotesi che le storie facessero parte di una predella per il trittico della Madonna tra i SS. Nicola e Procolo, ora agli Uffizi, la critica più recente considera queste due tavole come parti di un dossale a tabernacolo con storie di S. Nicola (Marcucci 1965). La datazione oscilla tra il 1327 e il '32 ma comunque non troppo anteriore agli affreschi del palazzo Pubblico di Siena (1338-40). I pannelli (che furono tra i dipinti sfregiati agli Uffizi nel 1965) rappresentano: S. Nicola che offre la dote a tre fanciulle povere; è eletto vescovo di Mira; resuscita un fanciullo strozzato dal diavolo; libera Mira dalla carestia. C.C.

		P900	P901	P902
AUTORE		Lorenzetti, Ambrogio (Siena 1285-1348 ca.).	Lorenzetti, Ambrogio (Siena 1285-1348 ca.).	Lorenzetti, Ambrogio (Siena 1285-1348 ca.).
TITOLO		Madonna con Bambino; nella cuspide: il Redentore.	S. Niccolò; nella cuspide: S. Giovanni Evangelista.	S. Procolo; nella cuspide: S. Giovanni Battista.
DATAZIONE		1332.	1332.	1332.
DATI TECNICI		Tempera su tavola, 171x57, restauro 1959.	Tempera su tavola, 141x43, restauri 1959, 1965.	Tempera su tavola, 141x43, restauri 1959, 1965.
CORNICE		Solo sulla cuspide; legno modanato, dorato e tinteggiato di rosa.	Solo sulla cuspide, modanata, dorata e tinteggiata di rosa.	Solo sulla cuspide, modanata, dorata e tinteggiata di rosa.
UBICAZIONI		Chiesa di San Procolo (1332-1677); Berenson (1959); Uffizi (1959).	Chiesa di S. Procolo (1332); Badia Fiorentina (1779); Uffizi (1810); Accademia (1855); Museo Bandini Fiesole (1914); Uffizi (1948).	Chiesa di S. Procolo (1332); Badia Fiorentina (1779); Uffizi (1810); Accademia (1855); Museo Bandini Fiesole (1914); Uffizi (1948).
ATTRIBUZIONI		—	Ignoto (Inventari antichi); A. Lorenzetti (Perkins 1918; Marcucci 1965).	Ignoto (Inventari antichi); A. Lorenzetti (Perkins 1918; Marcucci 1965).
ESPOSIZIONI		Arte e Scienza in Toscana, Firenze 1969.	—	—
BIBLIOGRAFIA		E. Carli, Pietro e Ambrogio Lorenzetti, Milano 1970. *G. De Nicola, Il soggiorno fiorentino di A. Lorenzetti, in 'Bollettino d'Arte' II, 1922, p. 52. L. Marcucci, I dipinti toscani del secolo XIV, Roma 1965, tav. 112, pp. 159-161. E. Borsook, A. Lorenzetti, Firenze 1966, tavv. 17-18, pp. 30-31.*	E. Carli, Pietro e Ambrogio Lorenzetti, Milano 1970. *F. M. Perkins, Alcune opere d'arte ignorate, in Rassegna d'arte 1918, pp. 105-109. L. Marcucci, I dipinti toscani del secolo XIV, Roma 1965, pp. 159-61, tav. 112. E. Borsook, A. Lorenzetti, Firenze 1966, tav. 17, pp. 30-31.*	E. Carli, Pietro e Ambrogio Lorenzetti, Milano 1970. *F. M. Perkins, Alcune opere d'arte ignorate, in Rassegna d'arte 1918, pp. 105-109. L. Marcucci, I dipinti toscani del secolo XIV, Roma 1965, pp. 159-61, tav. 112. E. Borsook, A. Lorenzetti, Firenze 1966, tav. 17, pp. 30-31.*
INVENTARIO		9411.	8731.	8732.
FOTO		110209, 111406, part. 116468-69; 111461-62, 110208.	111406 e part.	131883, 111406, e part.
NOTE	Illustrazione relativa alla scheda precedente.	Sull'aureola della Madonna: AVE GRATIA PLENA DOMINVS TECVM. La tavola, con la cuspide, è la parte centrale del trittico che A. Lorenzetti eseguì nel 1332 (parti laterali nn. 8731-8732 inv. 1890) per la chiesa di san Procolo a Firenze. L'opera è ricordata dal Ghiberti (1459-55 ca.), dall'Anonimo Magliabechiano (1537-42 ca.), da Vasari (1550, 1568). Il trittico nel 1677 doveva essere già smembrato poiché il Cinelli (Bellezze... 1677) cita solo una Vergine di mano di Ambrogio dove c'era un'iscrizione, ora perduta, 'Ambrosius Laurentij de Senis 1332'. L'identificazione di questa Madonna quale centro dei santi Nicola e Procolo (Inv. 1890 8731, 8732) è del De Nicola (1922). La Vergine, di proprietà di B. Berenson, fu donata dallo studioso nel marzo del 1959, da allora è esposta agli Uffizi.

L.B.B. | Sull'aureola: SANTVS NICCHOLAVS. Il dipinto inventariato anche 8716, inv. 1890, è il pannello laterale sinistro di un trittico che A. Lorenzetti eseguì nel 1332 per la chiesa di S. Procolo a Firenze. La tavola è ricordata dal Ghiberti (Comm. 1452-55 ca.), dall'Anonimo Magliabechiano (1537-42 ca.), dal Vasari (1550, 1568) e dal Cinelli (1677). Nel 1779 la Chiesa di san Procolo fu soppressa da Pietro Leopoldo e la tavola fu trasportata alla Badia fiorentina; di qui nel 1810 i due santi (cfr. il n. 8732, inv. 1890) senza la parte centrale, furono inviati agli Uffizi e nel 1855 ca. esposti alla Galleria dell'Accademia da dove furono tolti e inviati al Museo Bandini di Fiesole nel 1914, nel 1948 furono ritirati dal Bandini ed esposti agli Uffizi.

L.B.B. | Sull'aureola del santo: SANTVS PROCHVLVS; nel cartiglio di san Giovanni Battista: ECCE AGNVS DEI EC... QVI TOL... Il dipinto, inventariato anche Inv. 1890, 8717, è il pannello laterale destro di un trittico ora smembrato che l'artista eseguì nel 1332 per la chiesa di san Procolo a Firenze. La tavola è ricordata dal Ghiberti (Comm. 1452-55 ca.), dall'Anonimo Magliabechiano (1537-42), dal Vasari (1550-1568) e dal Cinelli (1677); nel 1779 la chiesa di S. Procolo fu soppressa da Pietro Leopoldo e la tavola fu trasportata alla Badia fiorentina; di qui nel 1810, due santi (cfr. Inv. 1890 n. 8371,) senza la parte centrale, furono inviati agli Uffizi e nel 1855 ca. esposti alla Galleria dell'Accademia da dove furono tolti e inviati al museo Bandini di Fiesole, nel 1948 ritornarono agli Uffizi.

L.B.B. |

	P903	P904	P905	P906
Autore	Lorenzetti, Ambrogio (Siena, doc. 1319-1347).	Lorenzo di Alessandro da Sanseverino(Sanseverino Marche, doc. 1468-1503).	Lorenzo di Bicci (Firenze 1350 ca. - 1427).	Lorenzo di Bicci (Firenze 1350 ca. - 1427).
Titolo	Presentazione al tempio.	Pietà.	Elemosina di S. Martino.	Madonna del latte.
Datazione	1342.	1491 ca. (Paolucci 1974).	Post 1380 (Cohn 1956), 1390-1400 (Gronau 1953).	Ante 1398 (Gronau 1933), 1399 ca. (Sinibaldi 1950), inizi '400? (Marcucci 1965).
Dati tecnici	Parte di trittico, tempera su tavola, 257x168.	Tempera su tavola, 62x158.	Tempera su tavola, 256x100.	Opera composita. Tempera su tavola, 129x203.
Cornice	In parte originale, dorata e policroma.	Originale? in legno intagliato e dorato.	—	Originale.
Ubicazioni	Altare di S. Crescenzio, Duomo, Siena (dall'origine); Ospedaletto di Monna Agnese, Siena (cit. Vasari 1550); Accademia (1822); Uffizi (1913).	Chiesa di S. Lucia, Fabriano, (dall'origine); Coll. Emilio Costantini; Uffizi (1902).	Orsanmichele (dall'origine); Camera di Commercio (sec. XVIII); Gallerie Fiorentine (1782); Magazzini Uffizi (1891 ca.); Accademia (1954); Depositi Uffizi (1975).	Arcispedale di S. Maria Nuova; Uffizi (1900); Magazzini Gallerie; S. Maria Assunta, Loro Ciuffenna (1927).
Attribuzioni	A. Lorenzetti (sono documentati i pagamenti del 1339 e 40, cfr. Milanesi 1854).	C. Crivelli (inv. Uffizi 1890).	Bicci di Lorenzo (Berenson 1932). Lorenzo di Bicci (Gronau 1933; Cohn 1956).	Scuola fiorentina XV secolo, seguace dell'Orcagna (Salmi 1913). Scuola del Gerini e di Mariotto di Nardo (Van Marle 1924). Bottega di Mariotto di Nardo (Berenson 1932). Lorenzo di Bicci (Gronau 1933, Sinibaldi 1950 ecc.).
Esposizioni	—	—	Europäische Kunst um 1400, Vienna 1962.	—
Bibliografia	*L. Marcucci, I dipinti toscani del sec. XIV, Roma 1965, n. 113.*	*A. Paolucci, Lorenzo di Alessandro da Sanseverino e alcune considerazioni sulla pittura marchigiana del tardo quattrocento, in 'Paragone' n. 291, 1974.*	*Cat. Vienna 1962, n. 32. L. Marcucci, I dipinti toscani del secolo XIV, Roma 1965, n. 88.*	*M. Boskovits, La pittura fiorentina alla vigilia del Rinascimento, Firenze 1975. L. Marcucci, I dipinti toscani del Secolo XIV, Roma 1965, n. 89.*
Inventario	8346.	3142.	462.	3148.
Foto	145519.	182933.	102744.	18764.
Note	Datato e firmato in basso: AMBROSIUS LAURENTII. DE SENIS. FECIT. HOC. OPUS. ANNO. DOMINI. M.CCC. XLII. È parte centrale di trittico, i cui laterali coi SS. Crescenzio e Michele arcangelo sono andati perduti, e sono citati comunque negli inventari del Duomo di Siena (1429 e 1458). Dopo il trasferimento nell'ospedaletto di Monna Agnese il trittico risulta intero fino al 1785 allorché il Della Valle vide solo la Presentazione, trasferita nel 1822 a Firenze per ordine del granduca Ferdinando III. Il soggetto fu ripreso da Sano di Pietro (Duomo, Siena), da Giovanni di Paolo (Accademia, Siena), da Barna (Londra). C.C.	Per concordanza di stile e di misure si può ritenere che il dipinto costituisse la parte superiore di una pala ora nella National Gallery di Londra (nr. 249) raffigurante 'Il matrimonio mistico di S. Caterina fra santi' e proveniente dalla chiesa domenicana di S. Lucia in Fabriano (cfr. M. Davies: National Gallery Catalogue. The earlier italian schools, London 1961). A.P.	Questo pannello con gli stemmi dell'Arte dei Vinattieri è stato identificato come la predella della tavola con S. Martino in trono (inv. 174 delle Gallerie Fiorentine, già depositate presso la chiesa interno di Orsammichele, di cui l'Arte dei Vinettieri aveva ottenuto l'uso nel 1390 (Cohn 1956). L. Bell.	Si tratta di un politico con al centro la Madonna dell'Umiltà che si accinge ad allattare il Bambino alla presenza di angeli volanti e dell'Eterno pure in volo. Nei laterali sono i Santi Pietro, Giovanni Battista, Michele, Gabriele, Antonio Abate, Paolo, Niccolò e Francesco. Nella cuspide centrale raffigurata l'Incoronazione della Vergine e nelle laterali i quattro Evangelisti a mezzo busto. La figurazione principale è una trascrizione dalla Madonna del latte di Jacopo di Cione, oggi nella Galleria Nazionale di Washington. L. Bell.

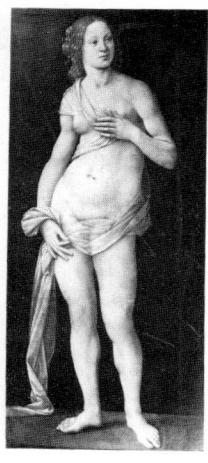

	P907	P908	P909	P910
AUTORE	Lorenzo di Credi (Firenze 1459 ? - 1537).	Lorenzo di Credi (Firenze 1459 ? - 1537).	Lorenzo di Credi (Firenze 1459 ? - 1537).	Lorenzo di Credi (Firenze 1459 ? - 1537).
TITOLO	Ritratto del Perugino.	Venere.	Studio per una Madonna dell'Umiltà.	Adorazione del Bambino.
DATAZIONE	1485 ca. (Dalli Regoli 1966), 1494 ca. (Venturi 1922), 1504 ca. (Ciaranfi 1966, Becherucci 1968).	Coeva alla Venere di Botticelli (Ridolfi 1893-94); c. 1490 (Berenson).	1498 ca. (Bertani 1979).	Sec. XV.
DATI TECNICI	Olio su tavola, 51x37, restauro 1965.	Olio su tela, 151x69.	Bozzetto, olio su carta incollata su cartone, 33,3x24,1.	Tempera grassa su legno, tondo diam. 115, restauro 1964.
CORNICE	In legno intagliato riccamente e dorato in stile barocco, ma probabilmente del sec. XIX. Nel retro, un cartellino con la scritta Inv. 1890 n. 1955, corrispondente all'Autoritratto del Ciseri. Per adattarla al dipinto è occorsa una ulteriore cornice, posta all'interno.	Legno intagliato con lumeggiature d'oro, moderna, di imitazione.	Legno nero con filetto d'oro.	—
UBICAZIONI	Uffizi, Tribuna (1704); Uffizi (1753).	Villa di Cafaggiolo (dall'origine); Depositi (1869 ca.); Uffizi (1893); Palazzo Davanzati (1952); Uffizi (1960 ca.).	Gabinetto Disegni e Stampe (1880); Uffizi (1914).	Guardaroba Mediceo; Uffizi (1796). Museo Horme (1936).
ATTRIBUZIONI	Holbein (Baldinucci 1681 e Inventari sec. XVIII). Lorenzo di Credi (Bettini 1858, Milanesi 1878, Invent. 1881 e tutta la restante critica ottocentesca). Perugino (Venturi 1922, Lietzmann 1934). Raffaello (Offner 1934, Beenken 1935, Degenhart 1935, Ortolani 1942, Salvini 1956). Perugino (Camesasca 1959). Rafiaello (Berti 1961). Perugino (Dussler 1966). Lorenzo di Credi (Dalli Regoli 1966, Becherucci 1968).	—	Cima da Conegliano (Inv. Antichi). Lorenzo di Credi (Brunetti 1952).	Antonio del Ceraiolo (Degennart 1932). Lorenzo di Credi (tutta la critica). Bottega del Credi (Dalli Regoli 1966).
ESPOSIZIONI	Mostra Medicea, Firenze 1939. Mostra di Lorenzo il Magnifico, Firenze 1949.	Lorenzo il Magnifico e le Arti, Firenze 1949.	Bozzetti delle Gallerie di Firenze, Firenze, 1952-53.	—
BIBLIOGRAFIA	*L. Dussler, Raphael, München 1966, n. 43. G. Dalli Regoli, Lorenzo di Credi, Venezia 1966, cat. 53.*	E. Ridolfi, Le Gallerie di Firenze, in 'Le Gall. Naz. It.' 1893-94. E. Jacobsen, Dernières acquisitions de la Galerie des Offices à Florence, in 'Gazette des B.A.' 1901; M. Maragoni, Come si guarda un quadro, Firenze 1935. *G. Dalli Regoli, Lorenzo di Credi, Cremona 1966, pp. 138 sgg.*	G. Dalli Regoli, Lorenzo di Credi, Cremona, 1966. *G. Brunetti, Cat., Firenze, 1952-53, n. 66, p. 35.*	G. Dalli Regoli, Lorenzo di Credi, Cremona 1966, p. 192.
INVENTARIO	1482 (C.P., p. 112, n. 1163).	3094 (C.P., p. 188, n. 3452).	GDSU 20565.	1599 (C.P., p. 71, n. 1287).
FOTO	142709.	150480.	157053.	52441.
NOTE	Nel Sei-Settecento era considerato ritratto di Martin Lutero, opera di Holbein. Nell'Ottocento lo si attribuì a Lorenzo di Credi e lo si credette il ritratto del Verrocchio. Risale al Cartwright (1901) l'ipotesi che si tratti del ritratto del Perugino. Copie: Londra, coll. White; Vienna, coll. Privata; Lovere (BG), Galleria Tadini; Roma, Asta Castellani n. 1093; Venezia, Galleria dell'Accademia n. 241. M.G.C.D.	In buono stato di conservazione fu scoperta nel 1869 in un sottoscala della villa medicea di Cafaggiolo. A. M. Trombetti (1936) pubblica come studio preparatorio la Giovinetta di Vienna, Albertina, S.R. 105. Ridolfi (1893-94) e Jacobsen (1901) ritengono l'opera incompiuta perché la 'pelle' del dipinto è sottilissima. G.M.	In basso a sinistra, con caratteri settecenteschi: Gio. B. ta da Conelliano; cfr. GDSU n. 493. È assai affine a questo con Allegoria dell'Astronomia. Compare nell'inv. 1880, cat. IIª, n. 64. L.B.B.	Ripete la composizione del tondo n. 131 dell'Alte Pinakotek di Monaco di Baviera. G.M.

	P911	P912	P913	P914
AUTORE	Lorenzo di Credi (Firenze 1459 ? - 1537).	Lorenzo di Credi (Firenze 1459 ? - 1537).	Lorenzo di Credi, e aiuti (Firenze 1459 ?-1537).	Lorenzo di Credi (Firenze 1459 ? - 1537).
TITOLO	Madonna col Bambino e S. Giovannino fra due angeli.	Adorazione dei pastori.	Adorazione del Bambino.	Annunciazione.
DATAZIONE	Sec. XV.	1510 ca. (Albertini 1510); periodo maturo (Cavalcaselle 1864); passaggio dal XV al XVI sec. (Degenhart 1932); prima del 1510 (Dalli Regoli 1966).	Primi del sec. XVI.	Opera tarda (Rio 1836); opera giovanile (tutta la critica: 1480-85 ca.).
DATI TECNICI	Tempera su legno, tondo dm. 71, restauro 1902 (O. Vermehren).	Olio su legno. 224-196.	Tempera su legno, tondo dm. 87.	Olio su tavola, 88x71, pulitura nel 1964.
CORNICE	Intagliata, oro e azzurra, originale.	—	Intagliata e (ri)dorata originale?	A sagoma, dorata, ottocentesca.
UBICAZIONI	Arcispedale di S. Maria Nuova; Depositi Gallerie; Uffizi (1901).	Chiesa di S. Chiara (dall'origine); Accademia (1808); Uffizi (1919).	Uffizi (primi sec. XVIII); Depositi (1952).	Cardinal Leopoldo de' Medici (Inv. 1675); Guardaroba; Uffizi (1798).
ATTRIBUZIONI	Lorenzo di Credi (Berenson 1896 'in parte', Ridolfi 1902 Ferri 1909). Cianfanini (Degenhart 1932). Lorenzo e aiuti? (Van Marle 1931). Bottega (Hauptmann 1936, Dalli Regoli 1966).	—	—	—
ESPOSIZIONI	—	—	Lorenzo di Credi (Inv. 1704, Catal. e Guide dell'800, Cavalcaselle 1864, Layard 1902, Zucker 1913). Lorenzo e aiuti (Berenson 1896). Antonio del Ceraiolo (Degenhart 1932).	—
BIBLIOGRAFIA	*G. Dalli Regoli, Lorenzo di Credi, Cremona 1966,* p. 187.	F. Albertini. Memoriale, Firenze 1510. G. Vasari, Le vite III, 1550 e 1568. E. Lastri, Etruria pittrice 1791. G. Dalli Regoli, Lorenzo di Credi, Cremona 1966, p. 147.	*G. Dalli Regoli, Lorenzo di Credi, Cremona 1966,* p. 182.	A.F. Rio, L'Art Chrétien, 1836. *G. Dalli Regoli, Lorenzo di Credi, Cremona 1966,* p. 142.
INVENTARIO	3244 (C.P., p. 176, n. 1528).	8399.	883 (C.P., p. 176, n. 24).	1597 (C.P., 191, n. 1160).
FOTO	321869.	24623.	321868.	127406.
NOTE	W. e E. Paatz (1953-55) identicano l'opera con altra passata nell'800 dal Conv. dell'Annunziata all'Accademia. In non perfetto stato di conservazione. Un disegno relativo, alla bibl. Marucelliana. G.M.	In buono stato di conservazione è stato pulito e restaurato in epoca recente. Il Memoriale dell'Albertini costituisce terminus ante quem. L'opera è citata dalle principali Guide del Seicento, del Settecento e dell'Ottocento nonché dai critici e storici. L'angelo col dito alzato è stato confrontato alla testa di giovanetta dell'Albertina (Gronau 1913, Degenhart 1932); il pastore a sinistra con una testa di vecchio del Louvre (Degenhart 1931, Berenson 1938); l'agnello con una testa d'agnello G.D.S.U. n. 789 (A.M. Trombetti Bioli 1936) e il pastore che lo tiene in braccio con una testa di giovane ex coll. G. Gruyer, ora in località sconosciuta (Berenson 1938). Di quest'opera esisteva una copia, perduta nell'ultima guerra, a Kassel, proveniente dalla chiesa di S. Salvatore al Monte, eseguita dal Sogliani. G.M.	In alcune parti l'opera risulta incompiuta, probabilmente per questo è stata ritoccata in epoca posteriore: vedi il manto della Vergine e le ali dell'angelo. Composizioni analoghe in collezioni private di Londra, USA, Danimarca e nell'Archivio notarile di Firenze. G.M.	In basso: simulata predella divisa in tre riquadri: Creazione di Eva, Peccato originale, Cacciata dal Paradiso terrestre. In buono stato di conservazione. la recente pulitura (1964) consente di rilevare traccia di progetto inciso sulla preparazione e poi abbandonato. Sui pilastrini divisori dei tre riquadri è lo stemma con aquila araldica di non chiara lettura (cfr. l'opera con Studio per cappella G.D.S.U. n. 1436E. esposto anche nel 1951, n. 62 catalogo di Disegni d'arte decorativa). G.M.

	P927	P928	P929	P930
AUTORE	Lorrain, Claude Gellée C., detto (Champagne, Nancy 1600 - Roma 1682).	Lorrain, Claude Gellée C., detto (Champagne, Nancy 1600 - Roma 1682).	Loth, Johann Carl (Monaco 1632 - Venezia 1698).	Loth, Johann Carl (Monaco 1632 - Venezia 1698).
TITOLO	Paesaggio con danza di contadini.	Porto con Villa Medici.	Adorazione dei pastori.	Resurrezione di Cristo.
DATAZIONE	1637 (Roethlisberger 1961).	1637.	1685 ca.	1685 ca.
DATI TECNICI	Olio su tela, 72x97,5.	Olio su tela, 102x133.	Olio su tela, 74x99.	Bozzetto, olio su tela, 75x98, restauro 1979.
CORNICE	Intagliata, dorata, sec. XVII.	Intagliata, dorata, sec. XVIII.	—	—
UBICAZIONI	Pitti (1675); Uffizi (1796).	Medici, Pitti (1675); Uffizi (1773).	Abate Baglioni, Venezia (1704); Gran Principe Ferdinando de' Medici (ante 1710); Depositi Uffizi, depositi (1971).	Abate Baglioni, Venezia (1704); Gran Principe Ferdinando de' Medici (ante 1710); depositi Uffizi.
ATTRIBUZIONI	—	—	—	—
ESPOSIZIONI	La peinture française à Florence, Firenze 1945. Das 17. Jahrhundert in der Französische Malerei, Berna 1959. Pittura francese nelle collezioni pubbliche fiorentine, Firenze 1977.	Exsposition du Paysage français de Poussin à Corot, Parigi 1925. Exhibition of French Art, 1200-1900, Londra 1932. La peinture française à Florence, Firenze 1945. L'ideale classico e la pittura di paesaggio, Bologna 1962. Pittura francese nelle collezioni pubbliche fiorentine, Firenze 1977.	—	—
BIBLIOGRAFIA	M. Roethlisberger, Claude Lorrain. The Paintings, New Haven 1961, Cat., Firenze 1977, n. 108.	M. Roethlisberger, Claude Lorrain, New Haven 1961, Cat., Firenze 1977, n. 109.	G. Ewald, Johann Carl Loth, Amsterdam 1965. E. Borea in Burlington Magazine, CXVI, 1974.	G. Ewald, Johann Carl Loth, Amsterdam 1965, M. Chiarini in Paragone, 301, 1975.
INVENTARIO	1168 (C.P., p. 113, n. 848).	1096 (C.P., p. 114, n. 774).	5671.	5674.
FOTO	96147.	120109.	208284.	177777.
NOTE	Tracce di firma in basso a destra: C... GELL... Il dipinto proviene dalla collezione del card. Leopoldo de' Medici, e rimase a palazzo Pitti fino al 1796, quando passò alla Galleria degli Uffizi. Datato 1672 da alcuni studiosi che leggevano questa data sul dipinto, il Roethlisberger lo ritiene opera giovanile intorno al 1637. Esistono, in rapporto alla composizione, un disegno e un'incisione, e una replica a olio nella collezione del duca di Westminster. M.C.	Firmato e datato su uno dei piatti in basso al centro: ROMAE 1637 CLA... Dipinto, come documentato dallo stesso artista nel disegno relativo del Liber Veritatis (British Museum) per il card. Carlo de' Medici, ne esistono numerosissime copie e due disegni preparatori (M. Roethlisberger: Claude de Lorrain. The Drawings, 1968, nn. 185-86). M.C.	Noto al Gran Principe Ferdinando de' Medici quando era presso l'abate Baglioni a Venezia (1704), questo « modellino » appare nell'appartamento del Gran Principe a Palazzo Pitti poco dopo, entro il 1710 (ASF, Guard. 1185, I, c. 57) e figura poi nell'inventario della sua eredità (cfr. M. Chiarini in Paragone 301, 1975). La citazione in esso fu riportata dall'Ewald, che senza conoscere il quadro lo suppose bozzetto per il Presepio nella cappella della Crocifissione del Duomo di Trento, ipotesi confermata dal suo ritrovamento successivo. Esiste anche il bozzetto per la Resurrezione di Cristo nella stessa chiesa (inv. 1890 n. 5674), pubblicato dal Chiarini. S.M.T.	Bozzetto, a pendant con un'Adorazione dei pastori (inv. 1890 n. 5671), per una tela del Duomo di Trento, acquistato dal Gran Principe Ferdinando de' Medici che dimostra di saperlo nel 1704 presso l'abate Baglioni di Venezia; figura nell'appartamento del Gran Principe Ferdinando a Palazzo Pitti prima del 1710 (ASF, Guard. 1185, I, c. 57, n. 56) e poi nell'inventario della sua eredità. Dato per perso da E. Borea (in Burlington Magazine, CXVI, 1974) è stato rintracciato e pubblicato da M. Chiarini. S.M.T.

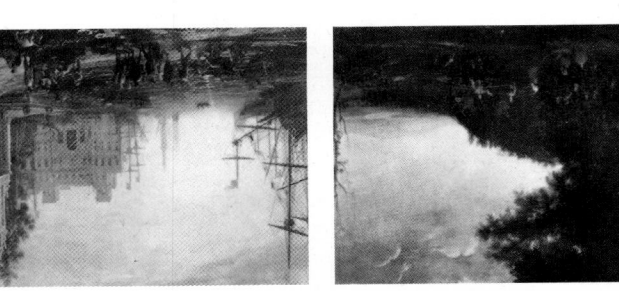

	P923	P924	P925	P926
AUTORE	Lorenzo Monaco, al secolo Piero di Giovanni (Siena? 1370 ca. - Firenze 1425 ca.).	Lorenzo Monaco, al secolo Piero di Giovanni (Siena? 1370 ca. - Firenze 1425 ca.).	Lorenzo Monaco, al secolo Piero di Giovanni (Siena? 1370 ca. - Firenze 1425 ca.).	Lorenzo Monaco, al secolo Piero di Giovanni (Siena? 1370 ca. - Firenze 1425 ca.) e Rosselli Cosimo, (Firenze 1439-1507).
TITOLO	Cristo in Pietà.	Madonna col Bambino e Santi.	Incoronazione della Vergine.	Adorazione dei Magi.
DATAZIONE	1404.	1408.	1414.	1421-22 (Milanesi 1878 e tutta la critica successiva).
DATI TECNICI	Tempera su tavola cuspidata, 265×170 (con la cornice).	Tempera su tavola, 89×49 (la sola superficie dipinta, restauro 1978).	Opera composita, tempera su tavola, 450×350.	Tempera su tavola, 115×170.
CORNICE	Originale.	Neogotica, cuspidata, dorata.	In gran parte falsa.	Originale (con «riquadratura» della seconda metà del Quattrocento).
UBICAZIONI	Coll. Caravana (sec. XIX); Guglielmo Spence (sec. XIX); Uffizi (1882); Accademia (1933).	Padova (avanti XIX sec.?); collezione Toscanelli, Pontedera (sec. XIX); Uffizi (1883); Accademia (1933).	Chiesa del Convento degli Angioli (dall'origine); Badia di S. Pietro, Cerreto (1593?); Uffizi (1866).	Chiesa di S. Egidio (?) (dall'origine); Accademia (XIX sec.); Uffizi (1844).
ATTRIBUZIONI	Lorenzo Monaco (Berenson 1896; Sirèn 1905, e tutta la critica successiva).	Cennino Cennini. Cerchia di Lorenzo Monaco (Cavalcaselle 1885). Lorenzo Monaco (Sirèn 1905, Suida 1929, Pudelko 1939 e la critica successiva).	—	Angelico (fino a 1844). Lorenzo Monaco (Milanesi 1844, Cavalcaselle 1864 e tutta la critica successiva).
ESPOSIZIONI	—	—	—	—
BIBLIOGRAFIA	O. Sirèn, Don Lorenzo Monaco, Strasburgo 1905; G. Pudelko, in The Burlington Magazine, 1938-39; Dizionario Bolaffi, VII, Torino 1975.	M. Boskovits, Pittura fiorentina alla vigilia del Rinascimento, Firenze 1975.	O. Sirèn, Don Lorenzo Monaco, Strasburgo 1905; Dizionario Bolaffi, VII, Torino 1975.	O. Sirèn, Don Lorenzo Monaco, Strasburgo 1905; G. Pudelko, in The Burlington Magazine, 1939; Dizionario Bolaffi, VII, Torino 1975.
INVENTARIO	467 (C.P., p. 63, n. 40).	470 (C.P., p. 64, n. 167).	885 (C.P., p. 180, n. 1309).	466 (C.P., p. 184, n. 39).
FOTO	111652 (e particolari).	322233.	112697 (e particolari).	113304 (e particolari).
NOTE	Già appartenente alla collezione del Cav. Caravana, passò al pittore inglese W.G. Spence, dal quale le Gallerie Fiorentine lo acquistarono per 3000 lire il 5 luglio 1882. La tavola reca la scritta: AB ANNO SUE INCARNATIONIS M. CCCC.IIII; raffigura Cristo in Pietà tra Maria e Giovanni ed è simbolo della Passione. Si tratta di una singolare iconografia, molto diffusa nella seconda metà del Trecento e basata su una leggendaria visione di S. Gregorio il Grande.	Proveniente da Padova, la tavola fu acquistata nel 1883 alla vendita della collezione Toscanelli per 2750 lire. Attribuita anticamente a Cennino Cennini per via della firma falsa sul gradino della cornice, fu il Cavalcaselle ad avvicinarla a Lorenzo Monaco. Ai lati della Madonna col Bambino stanno i SS. Giovanni Battista, Caterina, una giovane non identificabile e Pietro. In basso è la scritta: A.D. MCCCCVIII; nel gradino della cornice, un'altra, evidentemente falsa: CCNVS. DE. ANDAE CENNI. ME PINXIT.	È l'unico dipinto firmato di Lorenzo Monaco. La sua struttura composita fornisce un esempio di polittico tardo-gotico. La firma e la data (febbraio 1413, che è 1414 secondo il calendario moderno) sono all'interno di una scritta lacunosa che, ricostruita, si legge così: HEC. TABULA. FACTA. EST. PRO. ANIMA. IN. RECOMPENSATIONEM. UNIUS. ALTERIUS. TABULE. IN. HOC. TEMPLO. POSITA. EST. PER. OPERAM. (LA) URENTII. IOHANNIS. ET. SUORUM. MONACI. HUIUS. ORDINIS. QUI. EAM. DEPINXIT. ANNO. DOMINI. MCCCCXIII. MENSE. FEBRUARII. TEMPORE. DOMINI. BRUARII. TEMPORE. DOMINI. MATHEI. PRIORIS. HUIUS. MONASTERII. La parte centrale della tavola è stata segata via per far posto ad un tabernacolo togliendo così gran parte della figura togliendo così gran parte della figura di un angelo.	Il dipinto è sempre stato identificato con la tavola per l'altare di Sant'Egidio, per cui esistono documenti di pagamento a Lorenzo Monaco del 1421-22. È stato 'riquadrato' nella seconda metà del Quattrocento, quando furono aggiunti l'Annunciata e i Profeti da Cosimo Rosselli, come già aveva capito il Cavalcaselle (1864). Originariamente, la tavola terminava in alto con le tre cuspidi nelle quali il Lorenzo Monaco aveva dipinto due Profeti e l'Eterno benedicente.
	L. Bell.	L. Bell.	L. Bell.	L. Bell.

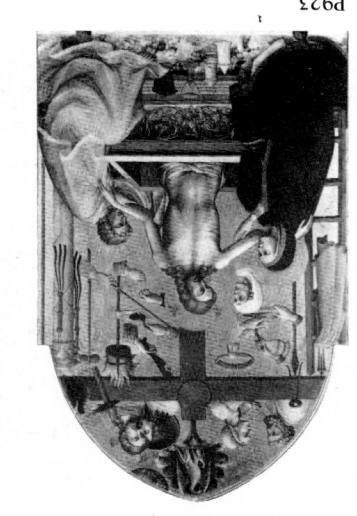

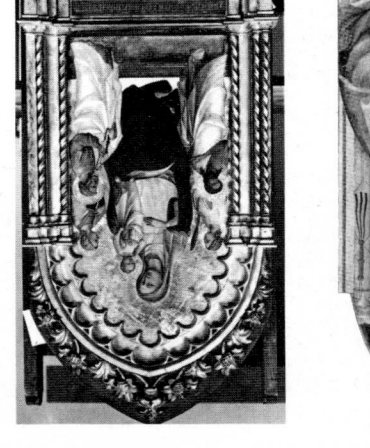

	P919	P920	P921	P922
AUTORE	Lorenzo di Credi (Firenze 1459-1537).	Lorenzo di Credi (Firenze 1459-1537), scuola di.	Lorenzo Monaco, al secolo Piero di Giovanni (Siena? 1370 ca. - Firenze 1425 ca.).	Lorenzo Monaco, al secolo Piero di Giovanni (Siena? 1370 ca. - Firenze 1425 ca.).
TITOLO	Ritratto di giovane.	Madonna con Bambino.	Gesù crocifisso con la Madonna, la Maddalena e S. Giovanni Ev.	Orazione nell'Orto.
DATAZIONE		Sec. XV, 1490 ca. (Gamba 1907).	1395-1400 (Boskovits 1975).	1396 ca. (Gronau 1950), 1400 ca. (Pudelko 1938).
DATI TECNICI		Olio su tavola, 74x55, restauro 1976.	Miniatura ritagliata e incollata su tavola, 24x16.	Tempera su tavola cuspidata, 222x 109, restauro 1938.
CORNICE		Sagomata e dorata.	—	—
UBICAZIONI		Convento di Sant'Ambrogio (sec. XV); Uffizi (1890); Archivio Notarile (1915).	Coll. Feroni (ante 1850); Uffizi (1866); Cenacolo di Foligno (1894).	Convento di S. Maria degli Angeli (dall'origine); Accademia (1810); Uffizi (1814); Accademia (1933).
ATTRIBUZIONI		Raffaellino del Garbo (Inv. 1890). (Gamba 1907). Bottega di Lorenzo di Credi (Degenhart 1932); Dalli Regoli 1966).	Taddeo Gaddi (Cat. Galleria Feroni 1895). Lorenzo Monaco (Sirén 1909, Berenson 1932, Boskovits 1975).	Giotto (Burckhardt 1855). Lorenzo Monaco (Cavalcaselle 1874, Toesca 1904, Pudelko 1938 e tutta la critica successiva). Scuola di Lorenzo Monaco (Sirén 1905, Van Marle 1927, Suida 1929).
ESPOSIZIONI		—	—	Mostra d'opere d'arte restaurate, Firenze, 1938.
BIBLIOGRAFIA		C. Gamba, Rassegna d'Arte 1907, p. 106 G. Dalli Regoli, Lorenzo di Credi, in Rass. di Credi, Milano 1966, pp. 173, 188.	Catalogo della Galleria Feroni, Firenze 1895, p. 11. O. Sirén, Opere sconosciute di L.M., in Rass. d'arte, 1909, p. 35. V. Golzio, Lorenzo Monaco, Roma 1931, p. 62 s. B. Berenson, Quadri senza casa, in Dedalo, 1932, p. 31. M. Boskovits, Pittura fiorentina alla vigilia del Rinascimento, Firenze 1975, p. 345.	M. Boskovits, Pittura fiorentina alla vigilia del Rinascimento, Firenze 1975, Cat. Firenze 1938, n. 6.
INVENTARIO		501.	S. Marco e Cenacoli 126.	438.
FOTO		2420, 249879, 276574.	108855.	114096 (e particolari).
NOTE	Vedi: Lippi Filippo, Ritratto di giovane.	L'opera proviene dal Convento di S. Ambrogio e pervenne in data imprecisata agli Uffizi; attualmente si trova nell'Archivio Notarile in deposito, ma l'opera non compare già nel Catalogo Pieraccini. La Dalli Regoli che, sulla scia del Degenhart, attribuisce l'opera alla Bottega di Lorenzo di Credi, ci informa che il dipinto deriva da un cartone di L. di Credi, che ha dato origine a più versioni di questo soggetto, la più importante delle quali si trova nella Collezione Scott di Londra. L.B.B.	Accettato dalla critica dopo la segnalazione del Sirén, meno che dal Golzio, è generalmente datato alla fine del XIV secolo, e quindi considerato opera giovanile dell'artista. M.C.	Nella tavola, insieme a Cristo, sono raffigurati gli apostoli Pietro, Giacomo e Giovanni addormentati; nella predella, a cornici mistilinee, il Bacio di Giuda e Cristo spogliato delle vesti. La critica è ora concorde nel riconoscervi un'opera rappresentativa dell'attività giovanile di Lorenzo Monaco, tra il 1395 e il 1400. L. Bell.

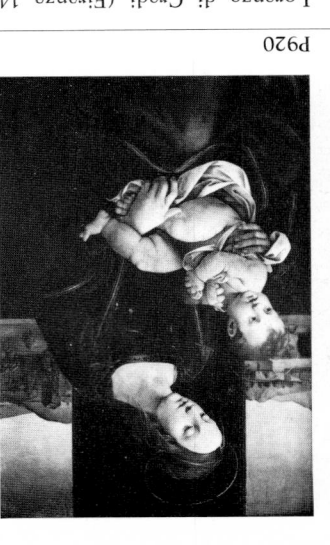

Pinacoteca

	P915	P916	P917	P918
AUTORE	Lorenzo di Credi (Firenze 1459 ? - 1537).	Lorenzo di Credi (Firenze 1459 ? - 1537).	Lorenzo di Credi (Firenze 1459 ? - 1537).	Lorenzo di Credi (Firenze 1459 ? - 1537).
TITOLO	Annunciazione.	Gesù e la Samaritana.	Il Salvatore appare alla Maddalena (Noli me tangere).	Vergine e S. Giovanni dolenti.
DATAZIONE	Opera tarda.	Opera tarda.	Opera tarda.	Opera tarda.
DATI TECNICI	Tempera su tavola, 36x57; frammenti ricomposti e integrati in alto.	Tempera su legno, 58x34.	Tempera su legno, 58x34.	Tempera su legno, 44x52.
CORNICE	A sagoma intagliata e a pastiglia, dorata dell'Ottocento.	A sagoma intagliata e a pastiglia, dorata, dell'Ottocento.	A sagoma intagliata e a pastiglia, dorata, dell'800.	A sagoma intagliata e a pastiglia, dorata, dell'800.
UBICAZIONI	Monache di S. Gaggio; mercato antiquario; Uffizi (1818).	Convento di S. Gaggio (dall'origine); mercato antiquario; Uffizi (1818).	Convento di S. Gaggio (dall'origine); mercato antiquario; Uffizi (1818).	Convento di S. Gaggio (dall'origine); mercato antiquario; Uffizi (1818).
ATTRIBUZIONI	Lorenzo di Credi (Catalogo e guide fiorentine), Antonio del Ceraiolo (Degenhart 1932).	Lorenzo di Credi (tutta la critica), Antonio del Ceraiolo (Degenhart 1932).	Lorenzo di Credi (tutta la critica), Antonio del Ceraiolo (Degenhart 1932).	Lorenzo di Credi (tutta la critica), Antonio del Ceraiolo (Degenhart 1932).
ESPOSIZIONI	—	—	—	—
BIBLIOGRAFIA	G. Dalli Regoli, Lorenzo di Credi, Cremona 1966, p. 171.	G. Dalli Regoli, Lorenzo di Credi, Cremona 1966, p. 171.	G. Dalli Regoli, Lorenzo di Credi, Cremona 1966, p. 171.	G. Dalli Regoli, Lorenzo di Credi, Cremona 1966, p. 171.
INVENTARIO	1603 (C.P., p. 157, n. 1314).	1614 (C.P., p. 161, n. 1313).	1616 (C.P., p. 160, n. 1311).	1604 (C.P., p. 165, n. 1168).
FOTO	321816	321800.	321886.	321805.
NOTE	Fu acquistato per gli Uffizi sul mercato antiquario. In buono stato di conservazione, la tavoletta fa serie con altre tre consimili — Cristo e la Samaritana; Cristo e la Maddalena (Noli me Tangere); la Vergine e S. Giovanni Evangelista — avendo appartenuto a un tabernacolo, poi disfatto, di un antico Crocifisso conservato in S. Gaggio; di cui formava l'alto degli sportelli lunettati. Purtroppo il Moreni (1792) non ne fa cenno nella sua descrizione del Convento; secondo G. Dalli Regoli (1966) è utile un confronto con la Annunciazione del Louvre, acquistata da Napoleone III alle Campora, di cui sarebbe una versione. Il tergo reca, come gli altri pezzi di cui ai nn. 1604, 1614 e 1616, una decorazione geometrica. G.M.	In buono stato di conservazione. Frammento di un tabernacolo col Crocifisso che fu distrutto. V. in relazione al n. 1603. Decorazione geometrica a tergo. Fu acquistato per gli Uffizi sul mercato antiquario nel 1818. G.M.	In buono stato di conservazione. Parte di un complesso a incorniciatura di un Crocifisso. Vedi in relazione al n. 1603. Decorazione geometrica a tergo. Fu acquistato per gli Uffizi sul mercato antiquario nel 1818. G.M.	In buono stato di conservazione. Frammento di un tabernacolo col Crocifisso, che fu disfatto. V. in relazione al n. 1603. Decorazioni geometriche a tergo. Fu acquistato per gli Uffizi sul mercato antiquario nel 1818. Dei critici solo il Degenhart non riconosce l'opera a Lorenzo di Credi, assegnandola ad Antonio del Ceraiolo. G.M.

	P931	P932	P933	P934
AUTORE	Loth, Johann Carl (Monaco di Baviera 1632 - Venezia 1698).	Loth, Johann Carl (Monaco di Baviera 1632 - Venezia 1698).	Lotto, Lorenzo (Venezia 1480 ca.- Loreto 1556 ca.).	Lotto, Lorenzo (Venezia 1480 ca. - Loreto 1556 ca.).
TITOLO	Adamo piange Abele morto.	Ecce Homo.	Ritratto di giovanetto.	La castità di Susanna, restauro 1975.
DATAZIONE	1690 ca.	1690 ca.	1505 (Banti-Boschetto 1953, Bianconi 1955), 1506 (Mariani Canova 1975), ca. 1524 (Coletti 1953).	1517.
DATI TECNICI	Olio su tela, 156x206.	Olio su tela, 120x105.	Olio su tavola 28x22, restauro 1965.	Olio su tavola, 66x50.
CORNICE	Sagomata e dorata, sec. XVII.	Sagomata, dorata, sec. XVII.	Novecentesca, legno a vista e dorato.	Ottocentesca? legno dorato e parzialmente dipinto.
UBICAZIONI	Pitti (ante 1713), Uffizi (1773).	Pitti (ante 1713), Uffizi (sec. XIX).	Casa Cornaro, Venezia (fino 1669); Eredità card. Leopoldo de' Medici, Uffizi (1675).	Mercato antiquario, Parigi, (fino 1903); coll. Benson, Londra (cit. 1914); coll. Contini-Bonacossi; Uffizi (1975).
ATTRIBUZIONI	—	—	Leonardo da Vinci (agli Uffizi come tale, inv. card. Leopoldo, inv. 1704, 1753, 1769, 1784, 1825, 1890). Ignoto veneto (cat. Pieraccini).	Burlington Fine Arts Club, London 1903. Burlington Fine Arts Club, London 1905. R. A. Winter Exhibition, London 1910. Mostra di Lorenzo Lotto, Venezia 1953.
ESPOSIZIONI	—	—	Mostra di Lorenzo Lotto, Venezia 1953.	—
BIBLIOGRAFIA	G. Fogolari: in Riv. dell'Ist. di Archeol. e storia dell'arte, Roma 1937, p. 150s. G. Ewald: Johann Carl Loth, Amsterdam 1965, p. 56, n. 15. M. Chiarini: in Paragone, n. 301, 1975.	G. Ewald: Johann Carl Loth, Amsterdam 1965, p. 79, n. 192. M. Chiarini: in Paragone, n. 301, 1975, p. 85.	A. Banti - A. Boschetto: Lorenzo Lotto, Firenze s. d. (ma 1953). P. Zampetti, in Cat., Venezia 1953 n. 7. G. Mariani-Canova, Lotto, Milano 1975.	A. Banti-A. Boschetto: Lorenzo Lotto, Firenze s.d. (ma 1953). Catalogue of italian pictures... collected by Robert and Evelyn Benson. London 1914. Cat., Venezia 1953, n. 37.
INVENTARIO	731.	5629.	1481 (C.P., p. 203, n. 1157).	9491.
FOTO	167612.	167612.	179718.	249855 e particolare.
NOTE	Il dipinto faceva parte della collezione del principe Ferdinando de' Medici in palazzo Pitti, ed è elencato nell'inventario dei beni del principe stesso alla sua morte (1713). Non sappiamo la data esatta del suo ingresso a Pitti, ma si può supporre che ciò sia avvenuto nel momento di più stretto contatto tra il Medici e l'artista intorno al 1690, come testimoniato dalla corrispondenza pubblicata dal Fogolari, periodo nel quale il quadro fu probabilmente eseguito. Fu inciso da C. Mogalli e F. Petrucci (ma l'incisione fu stampata solo nel 1778) e da G.R. Le Villain e J.B. Wicar (1789-1821). M.C.	Il dipinto è ricordato negli inventari medicei di palazzo Pitti, e come tale fu citato dall'Ewald, prima che esso fosse rintracciato nei magazzini delle Gallerie. Probabile opera tarda del pittore tedesco naturalizzatosi veneziano, che dipinse vari quadri per il principe Ferdinando de' Medici nella cui collezione è menzionato agli inizi del Settecento. Databile intorno al 1690, quando i rapporti tra il principe e l'artista si fecero più fitti con la richiesta e l'invio di numerose opere (G. Fogolari: Lettere pittoriche del Gran Principe Ferdinando di Toscana..., in Riv. Ist. Archeol. e Storia dell'arte, 1937). M.C.	Già in casa Cornaro a Venezia, fu acquistato dal card. Leopoldo, per interessamento di Del Sera, nel 1669. Collocato in Tribuna, figura negli inventari settecenteschi come il ritratto di Raffaello eseguito da Leonardo (cfr. inv. 1704 n. 1914, inv. 1753 n. 1534, inv. 1769 n. 1074). Attribuito al Lotto nel 1910 (da G. Glück, in Kunstgeschichtliches Jahrbuch) a seguito di recenti indagini radiografiche ha rivelato l'esistenza, sotto il pigmento attuale, di un precedente ritratto diverso per impostazione e stile. Si veda, anche per le vicende storiche del dipinto: U. Baldini, su La Nazione del 7-4-1966. A.P.	Entrato agli Uffizi nel 1975, per esercizio del diritto di acquisto proposto dall'Ufficio Esportazione della Soprintendenza di Firenze (L. 750.000.000) e caldeggiato dal Soprintendente. Il dipinto è datato e firmato nel bordo interno della piscina: Lotus pictor 1517. Nel cartiglio esplicativo sostenuto da uno dei vecchioni si legge: vidimus eam cum juvene commisceri/ni nobis assenteas testimoîo ñto... Nel cartiglio cha ha in mano Susanna si legge: satius duco mori quam peccare heu me. (cfr. Daniele 13). A.P.

	P935	P936	P937	P938
AUTORE	Lotto, Lorenzo (Venezia 1480 ca. - Loreto 1556 ca.).	Lotto, Lorenzo (Venezia 1480 ca. - Loreto 1556), copia da.	Luca da Leida (Leida 1489-1533).	Luini, Aurelio (Milano 1530 ca. - 1593).
TITOLO	Sacra Famiglia coi santi Girolamo, Anna, Giovacchino.	Natività.	Cristo coronato di spine.	Madonna col Bambino, S. Anna e due Sante.
DATAZIONE	1534.	1527 ca.	Sec. XVI.	Sec. XVI.
DATI TECNICI	Olio su tela, 69x87,5.	Olio su tavola, 63x78,5.	Olio su tavola,130x85.	Olio su tavola, 279x174.
CORNICE	Ottocentesca (?) liscia in legno dorato.	Salvadora dorata, sec. XIX.	Intagliata e dorata.	Uffizi 1793.
UBICAZIONI	Gran Principe Ferdinando de' Medici (cit. 1713); Uffizi (1798).	Coll. Feroni (ante 1850); Uffizi (1866); Cenacolo di Foligno (1894); Uffizi, depositi.	Coll. Cosimo III de' Medici; Uffizi (1795); Poggio a Caiano (1940); Pitti (1945); Uffizi (1951); Pitti (1954).	—
ATTRIBUZIONI	—	Scuola fiamminga sec. XVII (cat. Feroni).	A. Durer (Baldinucci, IV, p. 114). Luca di Leyda (Inv. 1890).	—
ESPOSIZIONI	Mostra di Lorenzo Lotto, Venezia 1953.	—	—	—
BIBLIOGRAFIA	A. Banti - A. Boschetto, Lorenzo Lotto, Firenze s.d. (ma 1953). *P. Bianconi, Tutta la pittura di Lorenzo Lotto, Milano 1955.*	*A. Banti, A. Boschetto, Lorenzo Lotto, Firenze 1953.*	M. J. Friedlander, Lucas van Leyden, Lipsia 1924, *Poggi, Catalogo della R. Galleria degli Uffizi, Firenze 1926.*	A. Venturi. Storia dell'Arte, XI, 7, 1934, pp. 485, 486, 489. G. Gamulin, Qualche aggiunta alla pittura lombarda, in Arte Lombarda, VIII, 1963, pp. 260 sg. *L. Beltrami. Luini..., Milano 1911, spec.: appendice e p. 517.*
INVENTARIO	893 (C.P., p. 203, n. 575).	Cenacoli e S. Marco n. 54.	1460 (C.P., p. 156, n. 1143).	788 (C.P., p. 88, n. 204).
FOTO	321875	2741 (tergo: 96446).	157770.	142241, 193045.
NOTE	Nel cuscino sul quale riposano S. Anna e la Vergine si legge la seguente iscrizione: «Lorenzo Loto 1534». Il dipinto figura nell'inventario palatino del 1713 fra le opere del Gran Principe Ferdinando (cfr. M. Chiarini: I quadri della collezione del Principe Ferdinando di Toscana, Paragone nr. 301, 1975). Una versione con qualche variante, ritenuta autografa e datata 153.., è segnalata dal Berenson nella collezione Seilern di Londra. (B. Berenson: Lorenzo Lotto, III ed. Milano 1955, e: Pitture italiane del Rinascimento - La scuola veneta, London-Firenze 1958). A.P.	A tergo scritta cinquecentesca malleggibile di cui si distinguono le parole « ...to quadro... Lotto... rarità... che sono perfetta... ». È una buona copia antica della Natività oggi nella Pinacoteca di Siena, databile intorno al 1527; ve ne sono altre a Washington (National Gallery) e a Venezia, opera del Moretto (Gallerie dell'Accademia). S.M.T.	Il Baldinucci (1681) descrive l'opera in esame, attribuendola al Durer, già nella Galleria del Granduca Cosimo III de' Medici. Il dipinto, 'già della gloriosa memoria del Card. Carlo de' Medici, trasportato in Galleria il 12 febbraio 1795 da Palazzo Pitti, (cfr. Filza 48 Inv. 1825, n. 1051), è stato successivamente attribuito a Luca di Leyda, pur con le riserve del Bode (Cicerone, 1910, p. 1145). Gr. Red. 3	In buono stato di conservazione. Le due sante sono: Margherita e la Maddalena. G.M.

	P939	P940	P941	P942
AUTORE	Luini, Bernardino (Luino 1460 ca. - attivo fino al 1532).	Maccagnino, Angelo (Siena, attivo sec. XV).	Macpherson, Giuseppe (Firenze 1726-79 o 80), attr. a.	Maes, Nicolas (Dordrecht 1634 - Amsterdam 1693), attr. a.
TITOLO	Erodiade.	S. Girolamo.	Scena di conversazione.	Ritratto di giovane donna.
DATAZIONE	1527-1531.	1450-60.	1772-1778 ca.	Seconda metà sec. XVII?
DATI TECNICI	Tempera grassa su legno, 51x58, restauro 1977 (O. Vermeheren).	Tempera su tavola, 44x31.	Olio su tela, 50x64, restauro 1971.	Olio su tela, 40x30.
CORNICE	Legno intagliato lumeggiato d'oro, moderna di imitazione rinascimentale.	Legno modanato e dorato, entro cornice più grande in legno chiaro, moderna.	D'epoca, in legno sagomato e tinteggiato.	Ebano, sec. XIX-XX.
UBICAZIONI	Vienna; Uffizi (1793).	Uffizi (1959).	Coll. Salvadori; Uffizi (1909); Pitti (1971).	Uffizi (1905 ca.).
ATTRIBUZIONI	Leonardo(nel Settecento). Luini (Beltrami 1911, e la critica seguente).	Maccagnino (Longhi 1940-55, Berti, Salvini 1971).	Zoffany (1909, confermato da Webster 1971).	Maes (Pieraccini 1905 ca.). Netscher (Wurzbach 1912).
ESPOSIZIONI	Bernardino Luini, Como 1953.	—	Firenze e l'Inghilterra, Firenze 1971.	—
BIBLIOGRAFIA	L. Beltrami. Luini, Milano 1911, p. 564. A. Bertini. Revisioni critiche in Critica d'Arte 1962. M. L. Ferrari. Zenale, Cesariano e Luini in Paragone, 211, 1967. *A. Ottino della Chiesa. Luini, Milano 1960.*	B. Berenson, Italian Pictures of the Renaissance. Venetian School, London 1963. *R. Longhi, Officina Ferrarese, Firenze 1968, p. 177, tav. 396* (rist.).	J. Fleming, in, Connoisseur, 1959, pp. 166-167. *Cat. Firenze 1971, nn. 59 e 105.*	J. Rosenberg - S. Slive - H. Ter Kuile, Dutch Art and Architecture 1600-1800, Harmondsworth 1966. *A. von Wurzbach, Niederl. Künstler-Lexikon, Wien-Leipzig 1906-11, vol. II, p. 227.*
INVENTARIO	1454 (C.P., p. 150, n. 1135).	9410.	3404.	1251 (C.P., p. 134, n. 885).
FOTO	250256.	182934.	177060.	321831.
NOTE	Confronta questa con le altre versioni di Vienna, Napoli, Parigi, Milano, Madrid (tutte riprodotte dal Beltrami 1911). Attribuzione non certissima per alcune debolezze nella mano e figura del carnefice. Buono stato di conservazione. Secondo il Gauthier e il catalogo del 1897 scoperto in quell'anno nei magazzini degli Uffizi. Il restauro di O. Vermeheren ha eliminato nelle parti superiore e inferiore due aggiunte posteriori. G.M.	Il dipinto fu presentato all'Ufficio Esportazione di Firenze per conto del Sig. Grassi nel 1959; fu esercitato il diritto di prelazione e acquistato dal Ministero della Pubblica Istruzione in data 30-1-1959. Fu collocato nella Galleria degli Uffizi, con l'attribuzione a Ignoto artista Veneto. L.B.B.	Acquistato da Giuseppe Salvadori nel 1909 per 800 lire come autoritratto di Zoffany al cavalletto, in compagnia di amici fiorentini in visita nel suo studio. In realtà l'identificazione del pittore al cavalletto può non essere messa in dubbio e il dipinto quindi può datarsi durante il soggiorno fiorentino dello Zoffany (1772-1778); sembra invece di dover mettere in dubbio la mano dell'autore di questa scena di conversazione. Essa presenta sì forti connotati anglicizzanti, ma questi, nell'ottavo decennio del Setteceno, erano comuni a molti artisti attivi a Firenze. Uno di essi era il Benigni, autore, nel 1777, del ritratto della famiglia del Balì Martelli (Firenze, casa Martelli). Come il Benigni, allievo a Roma del Batoni e autore a Firenze di numerosi ritratti di gruppo, soprattutto di forestieri, era il fiorentino, di padre scozzese, Giuseppe Macpherson, oggi documentato soltanto come miniaturista. Il suo autoritratto del 1778 nelle collezioni degli Uffizi presenta stringenti somiglianze stilistiche con questo quadro che, attualmente, è ubicato Palazzo Pitti. S.P.	Il dipinto è un caso difficile. Attribuito al Maes nel Catalogo Pieraccini, venne assegnato da Wurzbach al Netscher, mentre non è ricordato in nessun'altra pubblicazione. Non risultandone documentata la provenienza, è difficile avanzare un'attribuzione più convincente delle due proposte, anche perché H. Gerson (com.or.) non lo considerava olandese, ma piuttosto italiano. M.C.

	P943	P944	P945	P946
Autore	Maestro dei ritratti Baroncelli (Fiandre sec. XV).	Maestro dei Ritratti Baroncelli (Fiandre sec. XV).	Maestro del Cassone Adimari (Scuola fiorentina sec. XV).	Maestro del Crocifisso Corsi (Firenze, primi decenni del Trecento).
Titolo	Ritratto di Pierantonio Baroncelli.	Ritratto di Maria Bonciani.	Due giovani che giocano al Civettino.	Croce dipinta.
Datazione	1489 ca.	1489 ca.	Metà sec. XV (Berti 1971).	Ante 1325 ca. (Offner 1931).
Dati tecnici	Parte di dittico, olio su tavola, 56x31.	Parte di dittico, olio su tavola, 56x31.	Tempera su tavola, diametro 60.	Tempera su tavola, 308x229, restauro 1959.
Cornice	Legno nero, forse ottocentesca.	Legno nero (forse ottocentesca).	Intagliata e dorata, quadrangolare o luce circolare.	Originale.
Ubicazioni	Ospedale di Santa Maria Nuova (sec. XVII); Uffizi (1845).	Ospedale di S. Maria Nuova (sec. XVI); Uffizi (1843).	Uffizi (1784); Museo Horne (1936); Uffizi (1955); Palazzo Davanzati (1962).	Chiesa di S. Piero Scheraggio (sec. XVII); Gallerie Fiorentine (1782); Accademia (1919).
Attribuzioni	Petrus Christus (Bode 1904). Scuola di Bruges (A. Warburg 1902). Maestro dei Ritratti Baroncelli (ipotizzato da Friedländer, 1902).	Petrus Christus (Bode, 1904). Scuola di Bruges (Warburg 1902). Maestro dei Ritratti Baroncelli (ipotizzato da Friedländer, 1902).	Bottega del Maestro del Cassone degli Adimari (Schiapparelli 1908). Maestro del Cassone degli Adimari (Berti 1971). Francesco D'Antonio (Berenson 1963).	Puccio Capanna (Sirén 1905). Affine al Maestro della S. Cecilia (Suida 1905 e parte della critica posteriore). Maestro del Crocifisso Corsi (Offner 1931). Buffalmacco? (Zeri 1971).
Esposizioni	Arte fiamminga e olandese dei sec. XV e XVI, Firenze 1947.	Arte fiamminga e olandese dei sec. XV e XVI, Firenze 1947.	Mostra del Tessuto antico e moderno, Losanna 1954. Mostra documentaria e iconografica, Firenze 1962.	—
Bibliografia	*M. Friedländer, Die Altniederländische Malerei, Berlin 1928 VI p. 65ss. Idem, Early Netherlandisch Painting, Leyden Bruxelles 1971: VIb, p. 123; VIa, p. 41. Corpus Primitifs Flamands, Bruxelles (in corso di stampa).*	*M. Friedländer, Die Altniederländische Malerei, Berlin 1928 VI. M. Friedländer, Early Netherlandish Painting, Leyden Bruxelles 1971, VI b. Corpus Primitifs Flamands, Bruxelles (in corso di stampa).*	*L. Berti, Il Museo di Palazzo Davanzati a Firenze, Firenze 1971, n. 242, p. 216. B. Berenson, Italian Pictures of the Renaissance. Florentine School, vol. I, p. 63, vol. II, tav. 731, London 1963.*	R. Offner, Corpus..., sez. III, vol. I, New York 1931. F. Zeri, Un'ipotesi per Buffalmacco, in Diari di lavoro Bergamo 1971. *L. Marcucci, I dipinti toscani del secolo XIV, Roma 1965, n. 8.*
Inventario	1036 (C.P., p. 94, n. 749).	8405 (C.P., p. 94, n. 749).	488 (C.P., p. 68, n. 62).	436 (C.P., p. 57 n. 6).
Foto	116392.	116395.	101720.	111316 (e particolari).
Note	Il dipinto entrò agli Uffizi il 29 novembre 1845 e fu riunito col n. 8405, raffigurante Maria Bonciani, nel 1896. Il Baroncelli fu rappresentante dei Pazzi, e poi dei Medici a Bruges, dopo il fallimento di Tommaso Portinari. Sullo sfondo, nel vetro della finestra è lo stemma Baroncelli. Sul retro è dipinto l'Angelo Annunziante. Questo e il n. 8405 furono dipinti in occasione delle nozze, avvenute nel 1489, tra Pierantonio Baroncelli e Maria Bonciani. Il Friedländer (1971, VIa, p. 41) ha ipotizzato che i due ritratti siano le ante laterali di un dittico, visto che nei retri è dipinta una Annunciazione. Si deve al Warburg (1902) l'identificazione dei personaggi ritratti, attraverso lo studio degli stemmi. E.M.	Il dipinto entrò agli Uffizi il 29 aprile 1843 e fu riunito al n. 1036 nel 1896. Maria Bonciani fu moglie di Pierantonio Bandini Baroncelli. Sullo sfondo, nel vetro della finestra è lo stemma Bonciani. Sul retro della Tavola è dipinta la Vergine Annunciata, in monocromato. Le nozze Baroncelli-Bonciani avvennero nel 1489 e in tale occasione probabilmente furono dipinti i due ritratti. E.M.	Il dipinto, probabile desco di parto, compare per la prima volta nell'inventario del 1784 (AGF ms. 113, n. 635). È attribuito al Maestro del Cassone Adimari identificato dal Bellosi con il fratello di Masaccio detto lo Scheggia (Bellosi 1969). L.B.B.	Si tratta di un notevole esempio di un prodotto caratteristico della pittura dell'Italia Centrale del Due e Trecento. Il Cristo è raffigurato appeso ad una croce che è incorniciata da una più complessa sagomatura in cui vengono inseriti dei tabelloni alle estremità — in questo caso con i due dolenti il pellicano e il committente inginocchiato — e due superfici verticali lungo i fianchi. La Croce è stata sottoposta ad un delicato intervento di restauro nel 1959, ad opera di Mario del Prete. Il Maestro del Crocifisso Corsi è un anonimo pittore fiorentino attivo nei primi decenni del Trecento, solo parzialmente legato alla corrente giottesca, così denominato dall'Offner a causa di una sua opera - anch'essa una Croce dipinta - nella coll. Corsi a Firenze. L. Bell.

	P947	P948	P949	P950
AUTORE	Maestro dell'Annunciazione dei Legnaioli (Firenze, metà sec. XIV) e Ambrogio di Baldese (?) (Firenze 1352 ca. - 1429).	Maestro del S. Francesco Bardi (attivo fra il 1240 e il 1270).	Maestro del S. Francesco Bardi (attivo fra il 1240 e il 1270).	Maestro della Maddalena (attivo a Firenze, fine sec. XIII).
TITOLO	Annunciazione.	Stimmate di S. Francesco.	Crocifisso e otto storie della Passione.	S. Luca.
DATAZIONE	Metà sec. XIV e 1380 ca. (Boskovits 1975), dopo 1380 (Cohn 1956).	1240 ca. (Longhi 1948), 1240-50 (Garrison 1949).	Metà sec. XIII (Garrison 1946, Longhi 1948, Marcucci 1958).	1270 ca. (Kaftal 1952), 1275-85 (Garrison 1939), 1280-90 (Weinberger 1939).
DATI TECNICI	Tempera su tavola, 237x117.	Tempera su tavola, 81x51.	Tempera su tavola, 250x200, restauro 1964.	Tempera su tavola, 132x50, restauro 1935-36.
CORNICE	Parzialmente originale.	Originale.	—	Mancante. Quella attuale è di restauro.
UBICAZIONI	Chiesa di Orsanmichele (dall'origine); Camera di Commercio (XVIII sec.); Uffizi (1782); Accademia (1919).	Coll. Ugo Baldi; Accademia di Belle Arti (1863); Accademia (1872); Uffizi (1948).	Uffizi (1888); Accademia (1919); Uffizi (1948).	Convento della SS. Annunziata; Gallerie Fiorentine (1881); Accademia (1936); Uffizi (1948).
ATTRIBUZIONI	Agnolo Gaddi (Sirén 1908, Van Marle 1924). Bottega del Gaddi e Maestro Vaticano (Salvini 1934, Procacci 1936). Andrea da Firenze e Lorenzo di Niccolò (Berenson 1932). Maestro dell'Annunciazione dei Legnaioli e Ambrogio di Baldese (Boskovits 1975).	'Barone Berlinghieri' (Sirén 1922). Seguace di Bonaventura Berlinghieri (Van Marle 1923, Lazareff 1927, Toesca 1927, Sinibaldi 1943). Maestro del S. Francesco Bardi (Garrison 1949, Ragghianti 1955, Marcucci 1958).	'Barone Berlinghieri' (Sirén 1922, Vavalà 1939). Scuola fiorentina XIII secolo (Vitzthum-Volbach 1924, Toesca 1927, Offner 1933, Coletti 1937-38, Garrison 1946, Longhi 1948, Ragghianti 1955). Maestro del S. Francesco Bardi (Salmi 1931, Marcucci 1958).	Maestro della Maddalena (Procacci 1935-36, Longhi 1948). Scuola fiorentina XIII secolo (Toesca 1936, Garrison 1939). Seguace del Maestro della Maddalena (Weinberger 1939).
ESPOSIZIONI	—	Mostra Giottesca, Firenze 1937. Trésor d'Art du Moyen Age in Italie, Paris 1952.	Mostra Giottesca, Firenze 1937. Firenze Restaura, Firenze 1972.	Exposition de l'art italien de Cimabue à Tiepolo, Paris 1935. Mostra Giottesca, Firenze 1937. Opere d'arte restaurate, Firenze 1946. Firenze Restaura, Firenze 1972.
BIBLIOGRAFIA	M. Boskovits, Pittura fiorentina alla vigilia del Rinascimento, Firenze 1975. L. Marcucci, I dipinti toscani del secolo XIV, Roma 1965, n. 57.	*Cat., Firenze 1937 (1943), n. 6. Cat., Paris 1952, n. 159. L. Marcucci, I dipinti toscani del secolo XIII, Roma 1958, n. 7.*	*Cat., Firenze 1937 (1943), n. 6. L. Marcucci, I dipinti toscani del secolo XIII, Roma 1958, n. 6.*	*Cat., Paris 1935, n. 164. Cat., Firenze 1937 (1943), n. 71. Cat., Firenze 1946, n. 4. L. Marcucci, I dipinti toscani del secolo XIII, Roma 1958, n. 17.*
INVENTARIO	455 e 6098.	8574.	434.	3493.
FOTO	199239 (e particolari).	26707.	102996-999.	24923.
NOTE	Appeso originariamente al pilastro di Orsanmichele assegnato nel 1380 all'Arte dei Legnaioli, la cui protettrice era la Vergine Annunziata (Cohn 1956), oltre alla Annucizione reca in alto i Profeti Isaia e Daniele e nella predella l'Adorazione dei Pastori, l'Adorazione dei Magi e la Presentazione al Tempio. La scena maggiore sembra di epoca più antica, forse databile verso la metà del Trecento, e fu probabilmente riutilizzata per Orsanmichele dall'Arte dei Legnaioli nel 1380 con l'aggiunta dei due Profeti in alto e della predella, dovuti al possibile Ambrogio di Baldese (Boskovits 1975). L. Bell.	Evidentemente valva di un dittico francescano portatile. È stato messo in rapporto di frequente con la scuola lucchese, anche da chi ne accettava il collegamento col S. Francesco della cappella Bardi in S. Croce. In realtà sembra caratterizzare molto bene, insieme con quel dipinto e col Crocifisso n. 434 degli Uffizi la produzione fiorentina tra l'inizio dei lavori ai mosaici della cupola del Battistero e l'operosità di Coppo di Marcovaldo. L. Bell.	Durante il restauro è stato rimesso in luce l'aspetto originario alterato da una ripassatura sistematica che interessava soprattutto la figura del Cristo. Il dipinto si è dimostrato un'opera di qualità assai notevole e ancora più evidenti sono apparsi i rapporti col S. Francesco della Cappella Bardi in S. Croce a Firenze. L. Bell.	In basso ai lati sono state dipinte le due figure dei committenti. La tavola presenta una stretta relazione stilistica con il dossale del Museo delle Arti Decorative di Parigi. L'opera subì due ridipinture: una parziale agli inizi del XIV secolo, che aveva mutato radicalmente la testa facendola diventare molto più giovanile, incorniciata da una grande chierica e da una corta barba scura; una ridipintura in epoca più recente ne aveva degradata di molto la qualità. Lo stato attuale del dipinto fu recuperato nel corso del restauro eseguito da G. Lo Vullo nel 1935-36. L. Bell.

	P951	P952	P953	P954
AUTORE	Maestro della Madonna Straus (Firenze, fine sec. XIV - inizi sec. XV).	Maestro della Misericordia dell'Accademia (Firenze, seconda metà sec. XIV).	Maestro della S. Cecilia (attivo a Firenze 1300-20 ca.).	Maestro della Virgo inter Virgines (attivo a Delft 1470-1500 ca.).
TITOLO	S. Caterina e S. Francesco.	Madonna con S. Pietro e S. Paolo.	Dossale di S. Cecilia	La Crocifissione.
DATAZIONE	1405-10 (Boskovits 1975).	1355-60 (Boskovits 1975), 1365 ca. (Marcucci 1965).	Ante 1304 (Offner 1931), post 1304 (Bellosi 1977).	Sec. XV.
DATI TECNICI	Tempera su tavola, 56x23 ciascuno.	Opera composita, tempera su tavola 116x62, restauro 1960-62.	Tempera su tavola, 85x181.	Olio su tavola, 57x47.
CORNICE	Moderna, modanata, tinteggiata di giallo.	Originale.	Originale.	Moderna in legno chiaro.
UBICAZIONI	Convento di S. Jacopo de' Barbetti (dall'origine?); Uffizi (1867); Accademia (1933).	Camera di Commercio (XVIII secolo); Uffizi (1782); Accademia (1933).	Chiesa di S. Cecilia (dall'origine); Chiesa di S. Stefano (1783?-1795); Uffizi (1845).	Poggio Imperiale (sec. XVII); Uffizi (1796).
ATTRIBUZIONI	Parri Spinelli (Sirén 1905, Catalogo Pieraccini 1912). Maestro del Bambino Vispo (Berenson 1932). Maestro della Madonna Straus (Longhi 1928, Offner 1933 e tutta la critica successiva).	Andrea Orcagna (attribuzione tradizionale). Ignoto fiorentino della metà del XIV secolo (Procacci 1936). Matteo Pacini? (Marcucci 1965). Maestro della Misericordia (Boskovits 1975).	Cimabue (Vasari 1550, 1568). Scuola di Giotto (Cavalcaselle 1864, Thode 1885). Maestro di S. Cecilia (Fry 1900 e tutta la critica poteriore).	Anonimo tedesco (Inv. 1825). Hubert van Eyck (Durand Greville, 1904). Meister Virgo inter Virgines (M. Friedländer 1906, Voss 1909).
ESPOSIZIONI	—	—	Exposition de l'art italien de Cimabue à Tiepolo, Parigi 1935. Mostra Giottesca, Firenze 1935.	Arte fiamminga e olandese dei sec. XV e XVI, Firenze 1947. Arte Olandese del Medio Evo, Amsterdam 1958.
BIBLIOGRAFIA	*M. Boskovits, La pittura fiorentina alla vigilia del Rinascimento, Firenze 1975, p. 363.*	M. Boskovits, La pittura fiorentina alla vigilia del Rinascimento, Firenze 1975. *L. Marcucci, I dipinti toscani del Secolo XIV, Roma 1965, n. 52.*	*Cat., Parigi 1935, n. 278. Cat., Firenze 1937 (1943), n. 117. L. Marcucci, I dipinti toscani del secolo XIV, Roma 1965, n. 2.*	*M. Friedländer, Jahr. der Preuss. Kunstsamm. Berlin, 1906, XXXI, p. 66. Cat., Amsterdam 1958. L. Collobi Ragghianti, in Cat., Firenze 1948.*
INVENTARIO	476 e 477 (C.P., p. 66, nn. 49 e 50).	437 (C.P., p. 57, n. 7).	449.	1237 (C.P., p. 95, n. 906).
FOTO	322227-322226.	112716 (e particolari).	10628 (e particolari).	104556.
NOTE	L'allungamento quasi sperticato delle due figurette ha fatto pensare in un primo tempo a Parri Spinelli. Ma esse mostrano un garbo e una gentilezza di atteggiamento che si accordano perfettamente con il gruppo anonimo noto con la denominazione di Maestro della Madonna Straus, formato da opere di un pittore fiorentino attivo — evidentemente — già alla fine del Trecento e poi agli inizi del Quattrocento, epoca cui risalgono anche le presenti due tavolette. L. Bell.	La tavola, cuspidata, reca anche una predella col Martirio di S. Caterina, il Cristo in Pietà e il Martirio di S. Agata. È proprio dalle figurazioni della predella che appare evidente il rapporto col Maestro della Misericordia dell'Accademia, cioè con un anonimo fiorentino della seconda metà del Trecento i cui dipinti sono stati raggruppati intorno alla tavola n. 8562 della Galleria dell'Accademia di Firenze. L. Bell.	Il dipinto, nella forma del dossale col Santo protagonista al centro e storie della vita ai lati, raffigura S. Cecilia in trono col le otto storie seguenti: Banchetto nunziale di C. e Valeriano, C. converte Valeriano, Valeriano rispetta la verginità di C., C. istruisce Valeriano e il cognato Tiburzio, Tiburzio battezzato da papa Urbano, Predica di C., C. davanti al perfetto Almachio, Martirio di C. Il dipinto dovette essere eseguito subito dopo l'incendio che la chiesa subì nel 1304. Al suo autore anonimo vanno riferite anche due tavole della chiesa di S. Margherita a Montici, mentre stanno sorgendo non pochi dubbi (Previtali 1967), sulla sua partecipazione diretta alle Storie di S. Francesco ad Assisi. L. Bell.	Fu il Friedländer ad assegnare quest'opera al 'Maestro della Virgo inter Virgines' (L'Art. flam. et Holland., 1906, p. 6) e a ricondurla nell'ambito olandese dopo le precedenti attribuzioni a maestri tedeschi e fiamminghi. La Collobi Ragghianti (1948) sottolinea nel dipinto l'antico schema vanderweydiano. Una replica si trovava ai primi del Novecento nella Coll. Merzenich di Aachen e fu esposta ad Utrecht nel 1913. E.M.

	P955	P956	P957	P958
AUTORE	Maestro di Hoogstraeten (attivo 1490 ca - 1530).	Maestro di S. Martino alla Palma (attivo a Firenze nei primi decenni del sec. XIV).	Maestro di San Miniato (sec. XV).	Maganza, Alessandro (Vicenza 1556-1640 ca.).
TITOLO	Madonna col Bambino e le SS. Caterina e Barbara.	Madonna incoronata da due angeli, detta 'la Ninna'.	Madonna con Bambino (Tabernacolo).	Ritratto d'uomo e di fanciullo.
DATAZIONE	Sec. XV.	1340 ca. (Marcucci 1965).	1465 ca. (Bertani 1979).	1588.
DATI TECNICI	Olio su tela, 84x70, restauro 1976 (A. Vermeheren).	Tempera su tavola, 230x117, restauro 1952-53 (Rossi, Del Sera e Turchi).	Tempera su tavola, 42,5x30.	Olio su tela, 117x99.
CORNICE	Moderna in legno chiaro e oro.	Parzialmente originale.	Legno a forma di tabernacolo con architrave aggettate, intagliato, dorato e tinteggiato di azzurro.	Barocca, in legno dorato con rapporti in rilievo agli spigoli.
UBICAZIONI	Guardaroba Granducale (primi sec. XVIII); Uffizi (1802).	S. Piero Scheraggio (dall'origine); Gallerie Fiorentine (1781); Uffizi (1959).	Signora Maria Luisa Musetti (1951); Uffizi (1958); Pitti (1967); Uffizi (1976).	Eredità card. Leopoldo de' Medici (1675); Uffizi, Tribuna (cit. 1704).
ATTRIBUZIONI	A. Dürer (Guard. MDCCLXXXV c. 548). M. Schongauer (Gior. Galleria 1784-1825). H. Van der Goes (Inv. 1825, Wauters 1864, Rigoni 1891, Würzbach 1906). Il Civetta (Bode 1910). M. di Hoogstraeten (Friedländer 1929. L. Collobi Ragghianti 1948).	Jacopo del Casentino (Sirén 1914). Scuola di Bernardo Daddi (Van Marle 1925). Maestro di S. Martino alla Palma (Offner 1933).	—	Tintoretto (inv. Uffizi 1704, 1753 e 1769). G. Battista Maganza (inv. Uffizi 1784-1825).
ESPOSIZIONI	Arte fiamminga e olandese dei sec. XV-XVI, Firenze 1947. L'Italia e Fiamminghi, Bruges 1951.	Mostra Giottesca, Firenze 1937. Opere d'arte restaurate, Firenze 1953.	—	—
BIBLIOGRAFIA	M. Friedländer, Die Altniederlandische Malerei, VII, Berlin 1929 p. 135. Idem, Early Netherlandish Painting, Lejden/Bruxelles 1971, VII, p. 74. Corpus Primitifs Flamands, Bruxelles (in corso di stampa).	R. Offner, A Critical and Historical Corpus of Florentine Painting, sez. III, vol. VIII, New York 1958. *L. Marcucci, I dipinti toscani del secolo XIV, Roma 1965, n. 37.*	B. Berenson, Italian Pictures... London 1963 XX, Vol. I. G. Castelfranco, Opere d'arte inedite alla mostra del tesoro di Firenze, in Rivista d'Arte 1933, II, V, pp. 88-92. R. Fremantle, Florentine Gothie Painters, London 1975, p. 603.	G. Donzelli - G. M. Pilo, I pittori del Seicento Veneto, Firenze 1967. F. Lodi, Un tardo manierista vicentino etc... in Arte Veneta, 1965. XIX.
INVENTARIO	1019 (C.P., p. 96, n. 698).	6165.	9391.	940 (C.P., p. 193, n. 620).
FOTO	522215.	94474, 94686-7.	325045.	323298.
NOTE	L'attribuzione dell'opera ha oscillato a lungo tra Hugo van der Goes (fortemente confutata da Crowe-Cavalcaselle, 1899) e il Civetta. Per primo il Friedländer (1929) ha attribuito il dipinto al Maestro di Hoogstraeten, accostandolo alla tavola della collezione Benda a Vienna. Più tardi la Collobi Ragghianti (1948) e lo stesso Friedländer (1967) hanno sottolineato anche precisi riferimenti a R. van der Weyden. Nell'inventario 1825, si parla di una replica presso la principessa Radziwill a Berlino. E.M.	La tavola durante il restauro fu ricondotta alla originaria forma cuspidata. L'iconografia fa pensare che possa trattarsi della Madonna del parto. Nel Settecento il dipinto era ancora collocato nella seconda cappella a destra della chiesa di S. Piero Scheraggio, della Compagnia della Ninna o della Madonna del Cantone. Recentemente è stato ricollocato nei locali di S. Piero Scheraggio agli Uffizi. La datazione proposta intorno al 1340 sembrerebbe un po' troppo tarda alla luce delle più recenti considerazioni sulla precocità del pittore anonimo. L. Bell.	Il dipinto a forma di tabernacolo, fu lasciato in eredità allo Stato dalla Sig.ra Maria Luisa Musetti con testamento datato 27-6-1951. Si trova attualmente nei depositi. L.B.B.	In basso a destra è la data 1588, a sinistra uno stemma. Entrato agli Uffizi con l'eredità del card. Leopoldo conservò l'attribuzione iniziale al Tintoretto fino alla fine del '700 (inv. card. Leopoldo 1675 c. 55 n. 22, inv. 1704 n. 1879, inv. 1753 n. 1597, inv. 1769 n. 1137). Nell'inv. del 1784 (n. 587) e in quello del 1825 (n. 608) l'attribuzione è spostata in favore di G. Battista Maganza, padre di Alessandro, al quale ultimo correttamente lo ascrive l'inv. 1890. A.P.

	P959	P960	P961	P962
AUTORE	Magnasco, Alessandro, detto il Lissandrino (Genova 1667-1749), e Peruzzini, Antonio Francesco (Milano, seconda metà sec. XVII - prima metà sec. XVIII).	Magnasco, Alessandro, detto il Lissandrino (Genova 1667-1749), e Peruzzini, Antonio Francesco (Milano, seconda metà sec. XVII - prima metà sec. XVIII).	Magnasco, Alessandro, detto il Lissandrino (Genova 1667-1749).	Magnasco, Alessandro, detto il Lissandrino (Genova 1667-1749).
TITOLO	S. Francesco contempla il teschio.	Estasi di S. Francesco.	Accampamento di zingari.	La gazza ammaestrata.
DATAZIONE	1703 ca.	1703 ca.	1703-10 ca.	1703-10 ca.
DATI TECNICI	Olio su tela, 96x76.	Olio su tela, 96x76.	Olio su tela, 125x172,5.	Olio su tela, 47x61.
CORNICE	Intagliata, dorata, sec. XVIII.	Intagliata, dorata, sec. XVIII.	Intagliata, dorata, sec. XVIII.	Sagomata, dorata, sec. XVIII.
UBICAZIONI	Pitti (1713); Uffizi (sec. XIX).	Pitti (1713); Uffizi (sec. XIX).	Uffizi (1925).	Pitti (1713); Uffizi (1925).
ATTRIBUZIONI	Sebastiano Ricci (Pospisil 1945). Magnasco (Geiger 1949). Magnasco e Peruzzini (Chiarini 1969, Franchini Guelfi 1977).	Sebastiano Ricci (Pospisil). Magnasco (Geiger 1949). Magnasco e Peruzzini (Chiarini 1969, Franchini Guelfi 1977).	—	—
ESPOSIZIONI	Mostra di pittori genovesi del Seicento e del Settecento, Genova 1938. Artisti alla corte granducale, Firenze 1969.	Artisti alla corte granducale, Firenze 1969.	Artisti alla corte granducale, Firenze 1969.	Mostra del Magnasco, Genova 1949.
BIBLIOGRAFIA	F. Franchini Guelfi: in La pittura a Genova e in Liguria dal Seicento agli inizi del Novecento, Genova 1971. *Cat., Firenze 1969, n. 122. F. Franchini Guelfi: Alessandro Magnasco, Genova 1977, p. 63s.*	F. Franchini Guelfi: in La pittura a Genova e in Liguria dal Seicento agli inizi del Novecento, Genova 1971. *Cat., Firenze 1969, n. 123. F. Franchini Guelfi: Alessandro Magnasco, Genova 1977, p. 63s.*	F. Franchini Guelfi: in La pittura a Genova e in Liguria dal Seicento agli inizi del Novecento, Genova 1971. *B. Geiger: Magnasco, Bergamo 1949, p. 86. Cat., Firenze 1969, n. 119. F. Franchini Guelfi: Alessandro Magnasco, Genova 1977, p. 96.*	F. Franchini Guelfi: in La pittura a Genova e in Liguria dal Seicento agli inizi del Novecento, Genova 1971. *Cat., Genova 1949, n. 2. B. Geiger: Magnasco, Bergamo 1949, n. 85. F. Franchini Guelfi: Alessandro Magnasco, Genova 1977, n. 103.*
INVENTARIO	6247.	5870.	6249.	5051.
FOTO	129853.	129851.	157776.	193549.
NOTE	Il dipinto, col suo 'pendant' al n. seguente, fece parte della collezione del principe Ferdinando de' Medici in palazzo Pitti nel cui inventario, steso alla sua morte (1713), entrambi i quadri sono descritti sotto il nome del Magnasco per le figure e di Antonio Francesco Peruzzini per i paesaggi. Quando questo documento non era ancora noto, i due quadri sollevarono dubbi sulla loro autografia, e la Pospisil li ritenne addirittura contraffazioni di Sebastiano Ricci. Oggi che conosciamo meglio lo stile del Peruzzini (vedi Paragone, N. 307, 1975), possiamo affermare che l'indicazione inventariale viene confermata dalle opere documentate dell'artista. Poiché sappiamo che egli, insieme col Magnasco, eseguì quadri per il principe Ferdinando nel 1703, possiamo datare i nn. 6247 e 5870, anche su basi stilistiche, a quell'anno. M.C.	Per le vicende storico-critiche di questo quadro, che è 'pendant' del n. 6247, vedi il n. precedente. M.C.	Il dipinto, la cui provenienza non è documentata, venne esposto a partire dal 1925 agli Uffizi, proveniente dai depositi. È opera considerata del periodo toscano dell'artista, e quindi con tutta probabilità eseguita per i Medici. M.C.	Il dipinto, con il suo 'pendant' (n. 5053) fece parte della raccolta del principe Ferdinando de' Medici in palazzo Pitti, ed è ricordato nell'inventario dei beni del principe steso alla sua morte (1713). Ritenuto da tutta la critica autografo del maestro e del suo periodo fiorentino. M.C.

	P963	P964	P965	P966
AUTORE	Magnasco, Alessandro, detto il Lissandrino (Genova 1667-1749).	Magnasco, Alessandro, detto il Lissandrino (Genova 1667-1749).	Magnasco, Alessandro, detto il Lissandrino (Genova 1667-1749).	Magnasco, Alessandro, detto il Lissandrino (Genova 1667-1749), attr. a.
TITOLO	Famiglia di zingari.	Interno di sinagoga.	Riunione di quaccheri.	Frati in preghiera.
DATAZIONE	1703-10 ca.	1703-10 ca.	1703-10 ca.	1706-07 ca. (Chiarini 1976).
DATI TECNICI	Olio su tela, 47x61.	Olio su tela, 68x97.	Olio su tela, 66x98,5.	Olio su tela, 66,5x47, pulitura 1969.
CORNICE	Sagomata, dorata, sec. XVIII.	Sagomata, dorata, sec. XVIII.	Sagomata, dorata, sec. XVIII.	Sagomata, dorata, sec. XVIII-XIX.
UBICAZIONI	Pitti (1713); Uffizi (1925).	Pitti (1761); Uffizi (1925).	Pitti (1761); Uffizi (1925).	Pitti (1762); Uffizi (1861).
ATTRIBUZIONI	—	—	—	Magnasco (Inghirami 1832, Geiger 1923 e 1949, Poggi 1926 e 1927). Marco Ricci (Pospsil 1945). Peruzzini (Collobi Ragghianti 1952, Chiarini 1969). Marco e Sebastiano Ricci (Chiarini 1976).
ESPOSIZIONI	Mostra di Alessandro Magnasco, Genova 1949.	Mostra di pittori genovesi del Seicento e del Settecento, Genova 1938.	—	Artisti alla corte granducale, Firenze 1969.
BIBLIOGRAFIA	F. Franchini Guelfi, in La pittura a Genova e in Liguria dal Seicento al primo Novecento, Genova 1971. *Cat., Genova 1949, n. 3.* B. Geiger, Magnasco, Bergamo 1949, p. 85. *F. Franchini Guelfi, Alessandro Magnasco, Genova 1977, p. 103 s.*	F. Franchini Guelfi, in La pittura a Genova e in Liguria dal Seicento al primo Novecento, Genova 1971. *M. Pospisil, Alessandro Magnasco. Firenze 1945, p. XXIX.* B. Geiger, Magnasco, Bergamo 1949, p. 86. *F. Franchini Guelfi, Alessandro Magnasco, Genova 1977, p. 71 s.*	F. Franchini Guelfi, in La pittura a Genova e in Liguria dal Seicento al primo Novecento, Genova 1971. *M. Pospisil, Alessandro Magnasco, Firenze 1945, p. XXIX.* B. Geiger, Magnasco, Bergamo 1949, p. 86. *F. Franchini Guelfi, Alessandro Magnasco, Genova 1977, p. 71 s.*	F. Franchini Guelfi, in La pittura a Genova e in Liguria dal Seicento al primo Novecento, Genova 1971. *Cat., Firenze 1969, p. 71, n. 118.* M. Chiarini, Ricci o Magnasco?, in Atti del Congr. internaz. di studi su Sebastiano Ricci..., Milano 1976, p. 148.
INVENTARIO	5053.	5059.	5992.	1332 (C.P., p. 146, n. 1048).
FOTO	129852.	105824.	183545.	153636.
NOTE	Per questo quadro, che è il 'pendant' del n. 5051, si rimanda al commento di quello per le analoghe vicende storico-critiche. M.C.	Il dipinto fu esposto agli Uffizi, proveniente dai magazzini, nel 1925; nel Settecento era conservato a Pitti (ASF, Guard. 94 App., c654). Considerato autografo da tutta la critica, meno che dalla Pospisil, che lo definisce di 'incerta autenticità', ad eseguito nel periodo fiorentino. La Franchini Guelfi propone una data intorno al 1704. M.C.	Il dipinto, come il n. 5059 del quale è generalmente considerato il 'pendant', fu esposto agli Uffizi dal 1925: prima era a Pitti, dove è citato in un documento del 1761, ma la provenienza non è documentata. Come il n. 5059, è considerato del Magnasco e del suo periodo fiorentino (la Franchini Guelfi suggerisce una data intorno al 1704), meno che dalla Pospisil che lo definisce 'compromesso fra il Magnasco e il Crespi'. M.C.	Per le vicende storico-critiche del dipinto, cfr. il n. 1323, scheda P968. M.C.

	P967	P968	P969	P970
AUTORE	Magnasco, Alessandro, detto il Lissandrino (Genova 1667-1749), attr. a.	Magnasco, Alessandro, detto il Lissandrino (Genova 1667-1749), attr. a.	Magnasco, Alessandro, detto il Lissandrino (Genova 1667-1749), attr. a.	Magnasco, Alessandro, detto il Lissandrino (Genova 1667-1749).
TITOLO	Frati in preghiera.	Predica del Battista.	S. Girolamo contempla il teschio?	Refezione di zingari.
DATAZIONE	1706-07 ca.	1706-07 ca. (Chiarini 1976).	1706-07 ca.	1710 ca.? (Morassi 1949).
DATI TECNICI	Olio su tela, 58,5x43,5, pulitura 1969.	Olio su tela, 66,5x47, pulitura 1969.	Olio su tela, 58,5x43,5, pulitura 1969.	Olio su tela, 56x71.
CORNICE	—	Sagomata, dorata, sec. XVIII-XIX.	—	Intagliata, dorata, sec. XVIII.
UBICAZIONI	Uffizi (sec. XIX).	Pitti (1761); Uffizi (1861).	Uffizi (sec. XIX).	Uffizi (1923).
ATTRIBUZIONI	Magnasco (Inv. Uffizi 1890, Geiger 1923). Peruzzini (Collobi Ragghianti 1952, Chiarini 1969). Montanini (Longhi 1953). Marco Ricci (Chiarini 1978).	Magnasco (Inghirami 1832, Geiger 1923 e 1949, Poggi 1926 e 1927). Marco Ricci (Pospisil 1945). Peruzzini (Collobi Ragghianti 1952, Chiarini 1969). Marco e Sebastiano Ricci (Chiarini 1976).	Magnasco (Inv. Uffizi 1890, Geiger 1923). Peruzzini (Collobi Ragghianti 1952, Chiarini 1969). Montanini (Longhi 1953). Marco Ricci (Chiarini 1978).	—
ESPOSIZIONI	Bozzetti delle Gallerie di Firenze, Firenze 1952. Artisti alla corte granducale, Firenze 1969.	Artisti alla corte granducale, Firenze 1969.	Bozzetti delle Gallerie di Firenze, Firenze 1952. Artisti alla corte granducale, Firenze 1969.	Mostra del Magnasco, Genova 1949.
BIBLIOGRAFIA	F. Franchini Guelfi, in La pittura a Genova e in Liguria dal Seicento al primo Novecento, Genova 1971. *Cat., Firenze 1952, p. 43 n. 85. F. Sricchia, in Paragone, n. 39, 1953, p. 62. Cat., Firenze 1969, p. 70, n. 113. M. Chiarini, Nuove proposte per Marco Ricci, in Arte Veneta, XXXII, 1978, p. 375, nota 7.*	F. Franchini Guelfi, in La pittura a Genova e in Liguria dal Seicento al primo Novecento, Genova 1971. *Cat., Firenze 1969, p. 71, n. 117. M. Chiarini, Ricci o Magnasco?, in Atti del Congr. internaz. di studi su Sebastiano Ricci..., Milano 1976, n. 148.*	F. Franchini Guelfi, in La pittura a Genova e in Liguria dal Seicento al primo Novecento, Genova 1971. *Cat., Firenze 1952, p. 43, n. 86. F. Sricchia, in Paragone, n. 39, 1953, p. 62. Cat., Firenze 1969, p. 70, n. 114. M. Chiarini, Nuove proposte per Marco Ricci, in Arte Veneta, XXXII, 1978, p. 375.*	F. Franchini Guelfi, in La pittura a Genova e in Liguria dal Seicento al primo Novecento, Genova 1971. *Cat., Genova 1949, n. 50. B. Geiger, Magnasco, Bergamo 1949, p. 86.*
INVENTARIO	6177.	1323 (C.P., p. 146, n. 1054).	6179.	8470.
FOTO	157166.	18187.	157175.	11883.
NOTE	La provenienza del dipinto non è documentata, anche se il sigillo della Guardaroba lorenese ne accerta una sosta a palazzo Pitti fra XVIII e XIX secolo. Con il suo 'pendant' n. 6179, il quadro ha avuto alterne vicende attributive che lo legano ai nn. 1323 e 1332, anch'essi attribuiti al Magnasco. Tuttavia per questi due esemplari l'appartenenza alla mano del pittore genovese appare sempre meno probabile: già il Geiger ne indicava i prototipi nella collezione Canossa di Verona. Appare più verosimile ascrivere i due bozzetti a Marco Ricci in un momento di accostamento al Magnasco. M.C.	Il quadro, con il n. seg. col quale forma una coppia, è citato in un inventario di Pitti del 1761 (ASF, App. 94, c. 10), e quindi nel volume dell'Inghirami su palazzo Pitti del 1832 con l'attribuzione al Magnasco. Il dipinto, con il suo 'pendant', apre il problema dei rapporti tra Magnasco, Sebastiano e Marco Ricci, e il Peruzzini, tutti attivi a Firenze nei primi anni del '700 per il principe Ferdinando di Toscana. Come indica la vicenda critica, l'attribuzione dei due dipinti non è ancora completamente chiarita, ed è ulteriormente complicata dalla presenza di repliche o copie sia nelle gallerie fiorentine (nn. 5450-51: v. cat., Firenze 1969, nn. 115-16), sia in altre collezioni (Geiger 1949). M.C.	Per le vicende storico-critiche di questo quadro, cfr. il n. 6177, scheda P967. M.C.	Il dipinto fu acquistato nel 1923, ma la sua provenienza non è documentata. Opera unanimemente ritenuta del Magnasco, e di alta qualità, viene assegnata ipoteticamente dal Morassi agli ultimi anni del periodo toscano dell'artista (1703 ca. - 1710-11 ca.). M.C.

	P971	P972	P973	P974
AUTORE	Mainardi, Sebastiano (San Gimignano c. 1460 - Firenze 1514), attr. a.	Maineri, Francesco (Parma, 1489-1506).	Manetti, Domenico (Siena 1609-1663).	Manetti, Rutilio (Siena 1571-1639).
TITOLO	Tre Santi.	Cristo portacroce.	Martirio di alcuni frati.	San Michele appare a San Galgano.
DATAZIONE	1495c. (De Francovich).	Dopo 1506 (Zamboni 1975).	1646 ca.	1609 ca. (Bagnoli 1978).
DATI TECNICI	Tempera su legno, 175x174, restauro 1865.	Olio su legno, 42x50.	Bozzetto, carta dipinta a olio monocromato e incollata su cartone, 22,7x28,7.	Olio su rame, 27x20,5.
CORNICE	Intagliata e dorata, barocca.	Coll. Elia Volpi; Uffizi (1906).	Legno modanato e dorato nella filettatura interna.	Ottocentesca, dorata.
UBICAZIONI	Chiesa di S. Maria Maddalena dei Pazzi (1815); Uffizi (1865); Accademia (1942).	Uffizi (cit. 1890). Maineri (Venturi 1907). 'Maineri (after Solario)' (Berenson 1932).	Gabinetto Disegni e Stampe (1793); Uffizi (1914).	Famiglia Sani, Siena; Uffizi (1778).
ATTRIBUZIONI	—	—	R. Manetti (Inv. Antichi); D. Manetti (Brandi 1931, Francini Ciaranfi 1952).	Ventura Salimbeni (Inv. 1890). Manetti (Del Bravo 1966).
ESPOSIZIONI	—	—	Bozzetti delle Gallerie di Firenze, Firenze, 1952-53.	Rutilio Manetti, Siena 1978.
BIBLIOGRAFIA	—	A. Venturi, Gian Francesco de' Maineri da Parma pittore e miniatore in, L'Arte, 1907, pp. 33 e 148. S. Zamboni, *Pittori di Ercole I d'Este*, Milano 1975, p. 46.	A. Bagnoli, Mostra di Rutilio Manetti, Siena 1978. C. Brandi, *Rutilio Manetti, Siena-Firenze*, 1951, p. 184; A.M. Francini Ciaranfi, *Cat., Firenze 1952-53*, n. 73, p. 38.	C. Del Bravo, in Pantheon, XXIV, 1966. *Cat. mostra Siena 1978*, n. 9, p. 74.
INVENTARIO	322248.	3348 (C.P., p. 144, n. 1572).	GDSU n. 19126.	1522 (C.P., p. 166 n. 1234).
FOTO	1621 (C.P., p. 190, n. 1315).	5503.	157013.	229583.
NOTE	In buono stato di conservazione. I santi raffigurati: Giacomo, Stefano e Pietro. Sul S. Stefano era stato ridipinto a olio un S. Girolamo. G.M.	Portava già la corretta ascrizione nella collezione di Elia Volpi, che lo donò agli Uffizi nel 1906. 'Essendo molto diverso dalle versioni di Modena e Mantova è da ritenersi più maturo, dell'ultimo periodo del pittore. Nella Art Gallery dell'Università di Nôtre Dame (Indiana) è una replica di scuola o di bottega' (Fredericksen-Zeri. Census etc., Cambridge 1972, p. 117). G.M.	Sul retro in caratteri ottocenteschi: Rutilio Manetti. Si tratta del bozzetto per un'opera perduta o mai eseguita. Il presente bozzetto compare nell'inventario del 1793 (cfr. GDSU Inv. generale... 1793, vol. II, n. 3 ad vocem) tuttavia nella Listra figurano 7 disegni di Rutilio Manetti (cfr. P. Barocchi, in F. Baldinucci, Notizie..., vol. VI, App., Firenze, 1975, p. 199). Sul retro cartellino dell'inv. 1881, II² cat., n. 31. L.B.B.	Tradizionalmente attribuito al Salimbeni, è stato riferito al Manetti dal Del Bravo (1966) e come tale è stato esposto da A. Bagnoli alla mostra senese del 1978. M.G.

	P975	P976	P977	P978
AUTORE	Manetti, Rutilio (Siena 1571-1639).	Manetti, Rutilio (Siena 1571-1639).	Manetti, Rutilio (Siena 1571-1639).	Manetti, Rutilio (Siena 1571-1639).
TITOLO	S. Sebastiano.	Stemma per un Cardinale Tolomei con la Fede e la Scienza.	Massinissa e Sofonisba.	Natività di Maria.
DATAZIONE	Sec. XVI-XVII.	Secondo decennio sec. XVII.	1624-25 (Borea 1970).	1625 ca.
DATI TECNICI	Olio su tela, 102x75, restauro 1969.	Bozzetto, carta dipinta a monocromato a olio e incollata su cartone, 20,5x30,2.	Olio su tela, 168x265. Molti pentimenti, restauro 1970.	Bozzetto, olio su carta su tela, 40x26,8.
CORNICE	Intagliata e dorata.	Legno modanato.	Dorata e liscia.	—
UBICAZIONI	Uffizi; Depositi Pitti; S. Lorenzo (1939); Cenacolo di Foligno (1977).	Gabinetto Disegni e Stampe (1793); Uffizi (1914).	Poggio Imperiale (1625); Uffizi (1881).	Fanani Sig. Augusto (1908); Gabinetto Disegni e Stampa (1908).
ATTRIBUZIONI	R. Manetti (Inv. 1890).	—	Manetti (inv. 1625). Scuola genovese (inv. 1881). Manetti (inv. 1890).	V. Salimbeni (Riedl 1959). R. Manetti (Riedl 1960, Bagnoli 1978).
ESPOSIZIONI	—	Bozzetti delle Gallerie di Firenze, Firenze, 1952-53.	Caravaggio e Caravaggeschi nelle Gallerie di Firenze, Firenze 1970; Rutilio Manetti, Siena 1978.	Mostra di Rutilio Manetti, Siena 1978.
BIBLIOGRAFIA	C. Brandi, Rutilio Manetti. Siena. A. Bagnoli, Rutilio Manetti, Siena 1978.	A. Bagnoli, Rutilio Manetti, Siena 1978. *A.M. Francini Ciaranfi, Cat., Firenze n. 71, pp. 36-37.*	*A. Bagnoli, in Cat. Siena 1978, n. 37, p. 102.*	*A. Bagnoli, in Cat. Siena, 1978, n. 82 e n. 42, p. 142.*
INVENTARIO	2127.	GDSU 19128.	5484.	GDSU 20768.
FOTO	125079.	157051.	163176.	110681.
NOTE	Il dipinto è attribuito al Manetti nell'Inventario del 1890. Si tratta di un'opera poco conosciuta, ignorata negli studi relativi al pittore senese. Gr. Red. 3.	Sul retro di mano ottocentesca: Rutilio Manetti. È il bozzetto preparatorio per una delle incisioni del Florimi; compare nell'inv. 1793 (cfr. GDSU, Inv. generale... 1793, vol. II, n. 5 ad vocem), tuttavia nella Listra compilata dal Baldinucci a partire dal 1675, figurano 7 disegni di R. Manetti (cfr. P. Barocchi, in F. Baldinucci, Notizie..., Vol. VI, App., Firenze, 1975, p. 199). È esposto nel Corridoio Vasariano. L.B.B.	Era originalmente in una sala della villa di Poggio Imperiale in un complesso di quattro tele dedicate a donne celebri dell'antichità (le altre: Lucrezia, del Rustici, Artemisia, del Curradi, Semiramide, del Rosselli), smembrato alla fine del Settecento. La fama del ciclo è testimoniata dalle copie seicentesche tuttora in Palazzo Giugni. E.B.	Si tratta del Bozzetto preparatorio della Natività di Maria per Santa Maria dei Servi a Siena, datata 1625, eseguita per Calidonia Bindi. L'opera fu acquistata dal signor Aug. Fanani il 3 giugno 1908 per £ 50 (cfr. verso del Bozzetto) e fu collocato nel Gabinetto Disegni e Stampe. L.B.B.

	P979	P980	P981	P982
AUTORE	Manetti, Rutilio (Siena 1571-1639).	Manetti, Rutilio (Siena 1571-1639).	Manetti, Rutilio (Siena 1571-1639).	Manetti, Rutilio (Siena 1571-1639).
TITOLO	S. Antonio di Vienna libera un'indemoniata.	Banchetto con figura inginocchiata di fronte a un santo.	Estati di San Girolamo.	Decapitazione di S. Giovanni Battista.
DATAZIONE	1627 (Brandi 1931, Francini Ciaranfi 1952); 1605-10 ca. (Bagnoli 1978.	1630 ca. (Bertani 1979).	1630 (Bagnoli 1978).	Primi anni del quarto decennio sec. XVII.
DATI TECNICI	Bozzetto, olio su carta a monocromo incollata su cartone, 40x24, restauro 1979.	Bozzetto, olio su carta su tela, sinistra, 22,6x24,7; destra, 23x24,7.	Bozzetto, olio su carta applicato su tela, 27x18.	Bozzetto, carta dipinta a olio a monocromo incollata su cartone, 12,5x14,5.
CORNICE	—	—	Entro passepartout.	Legno dorato.
UBICAZIONI	Gabinetto Disegni e Stampe (1793); Uffizi (1914); Gabinetto Disegni e Stampe (1978).	Signor Mascelli 1908); Gabinetto Disegni e Stampe (1908).	Gabinetto Disegni e Stampe (1880); Uffizi (1914); Gabinetto Disegni e Stampe (1978).	Gabinetto Disegni e Stampe (1793); Uffizi (1914).
ATTRIBUZIONI	—	—	Scuola bolognese sec. XVII (Inv. Antichi, AA.VV. 1952). R. Manetti (Bagnoli 1978).	R. Manetti (Inv. Antichi, A. Bagnoli 1978). D. Manetti (Brandi 1931, Francini Ciaranfi 1952).
ESPOSIZIONI	Bozzetti delle Gallerie di Firenze, Firenze, 1952-53. Rutilio Manetti, Siena, 1978.	—	Bozzetti delle Gallerie di Firenze, Firenze, 1952-53. Mostra di R. Manetti, Siena, 1978.	—
BIBLIOGRAFIA	*A.M. Francini Ciaranfi, in Cat., Firenze, n. 67, p. 35. A. Bagnoli, in Cat., Siena 1978, n. 74, p. 138.*	A. Bagnoli, Mostra di Rutilio Manetti, Siena, 1978.	*Cat., Firenze, 1952-53, n. 131, p. 62. A. Bagnoli, in Cat., Siena 1978, n. 102, p. 153.*	*C. Brandi, Rutilio Manetti, Siena-Firenze, 1931, pp. 182-184. A.M. Francini Ciaranfi, in Cat., Firenze, 1952-53, n. 72, p. 38. A. Bagnoli, in Cat., Siena, 1978, n. 101, p. 153.*
INVENTARIO	GDSU 19130.	GDSU 20926.	GDSU 19192.	GDSU 19172.
FOTO	157054.	—	68610.	157034.
NOTE	Sul retro a penna: Rutilio Manetti; si tratta del bozzetto per il dipinto della Cappella Guelfi di San Domenico di Siena, iniziata nel 1627 per volontà testamentaria del cav. Ostilio Guelfi, firmato e datato 1628. Il presente bozzetto compare nell'inventario del 1793 (cfr. GDSU, Inv. generale... 1793, vol. II, n. 1 ad vocem); tuttavia nella Lista dei disegni compilata dal Baldinucci a partire dal 1645, compaiono 7 disegni di R. Manetti cfr. P. Barocchi, in F. Baldinucci, Notizie..., vol. VI, App., Firenze, 1975, p. 199). Si confrontino i disegni per la figura dell'indemoniata della Biblioteca Comunale di Siena, S. III 9/12v-13r. L.B.B.	Il presente bozzetto fu acquistato dal signor Mascelli per £ 30, nel 1908 e collocato nel GDSU (cfr. retro del bozzetto); diviso a metà, è probabile studio per una lunetta da eseguirsi in affresco, lo scorcio è di sotto in su; il soggetto è di difficile identificazione, a sinistra un banchetto con figure in costume dell'epoca, a destra un giovane cavaliere inginocchiato di fronte a un Santo. L.B.B.	È il bozzetto di Rutilio Manetti che è servito al figlio Domenico per l'Estasi di san Girolamo, in san Girolamo di Siena. Compare negli inventari quale opera di scuola bolognese; di recente è stato restituito a R. Manetti. Figura nell'inv. 1880, IIIª cat., n. 329. L.B.B.	Si tratta del Bozzetto per la Decollazione del Battista, già a S. Giovanni sotto il Duomo di Siena, ora disperso. Compare come opera di R. Manetti nell'Inv. del 1793 (cfr. GDSU Inv. generale... 1793, vol. II, n. 4 ad vocem); nella Lista compilata dal Baldinucci dal 1675, figurano 7 disegni di R. Manetti (cfr. P. Barocchi, in F. Baldinucci, Notizie... vol. VI, App., Firenze, 1975, p. 199). È esposto incorniciato insieme al n. 19204, nel Corridoio Vasariano. L.B.B.

	P983	P984	P985	P986
AUTORE	Manetti, Rutilio (Siena 1571-1639).	Manetti, Rutilio (Siena 1571-1639).	Manetti, Rutilio (Siena 1571-1639).	Manfredi, Bartolomeo (Ostiano 1587 ca. - Roma 1620 ca.).
TITOLO	Miracolo del Beato Salvatore da Orta.	Sacra Famiglia con angioletto.	Due figure allegoriche.	Concerto.
DATAZIONE	1634-35 (Francini Ciaranfi 1952).	1635 (A. Bagnoli, 1978).	1636-37 (Francini Ciaranfi 1952).	1610-20.
DATI TECNICI	Bozzetto, olio su carta su tela, 32,5x23, restauro 1979.	Bozzetto, olio su carta a monocromo, diam. del tondo 20,2, bozzetto 23x23.	Bozzetto, carta dipinta a olio a monocromo incollata su tela, 27x 18,2.	Olio su tela, 130x189,5, restauro 1950.
CORNICE	—	Legno dorato.	Legno modanato e dorato.	Ebano a incrostazioni in oro.
UBICAZIONI	Gabinetto Disegni e Stampe (1881); Uffizi (1914); Gabinetto Disegni e Stampe (1978).	Gabinetto Disegni e Stampe (1793); Uffizi (1914).	Cardinal Leopoldo de' Medici (1676); Pitti (1676); Gabinetto Disegni e Stampe (1881); Uffizi (1914).	Poggio Imperiale (1625); Uffizi (1910 ca.).
ATTRIBUZIONI	—	—	—	Manfredi (1625). Caravaggio (1695). Manfredi (Longhi 1943).
ESPOSIZIONI	Bozzetti delle Gallerie di Firenze, Firenze, 1952-53.	Bozzetti delle Gallerie di Firenze, Firenze, 1952-53. Mostra di R. Manetti, Siena 1978.	Bozzetti delle Gallerie di Firenze, Firenze, 1952-53.	Il Caravaggio, Milano 1951. Il Seicento Europeo, Roma 1956. Caravaggio e Caravaggeschi nelle Gallerie di Firenze, Firenze 1970.
BIBLIOGRAFIA	A. Bagnoli, Mostra di Rutilio Manetti, Siena 1978. *C. Brandi, R. Manetti, Siena-Firenze, 1931, pp. 49-50, 128-129, tav. XXX. A.M. Francini Ciaranfi, Cat., Firenze 1952-53, n. 69, pp. 36-37.*	*A.M. Francini Ciaranfi, Cat., Firenze 1952-53, n. 68, p. 36. A. Bagnoli, R. Manetti, Siena 1978, p. 153.*	A.M. Francini Ciaranfi, Cit., Firenze, 1952-53, n. 70, p. 37. A. Bagnoli, R. Manetti, Siena 1978. *C. Brandi, R. Manetti, Siena-Firenze, 1931, p. 134.*	A. Conti, Francesco Petrarca e Monna Laura, in 'Prospettiva' n. 5, 1976, pp. 60-61. *E. Borea, in Cat., Firenze 1970, n. 9, pp. 18-19.*
INVENTARIO	GDSU 19129.	GDSU 19204.	GDSU 19127.	Depositi 155 (C.P., p. 89, n. 1517).
FOTO	—	94174.	157063.	154407-8.
NOTE	Si tratta del Bozzetto privo delle due figure di regnanti del dipinto già in san Francesco di Lucca, ora nella Pinacoteca di quella città, firmato e datato 1635. Compare nell'Inv. 1881, cat. IIª, n. 56; tuttavia nella Listra compilata dal Baldinucci a partire dal 1675 figurano 7 disegni di R. Manetti (cfr. P. Barocchi, in F. Baldinucci, Notizie..., vol. VI, App., Firenze, 1975, p. 199). L.B.B.	Il bozzetto figura nell'inv. del 1793 (cfr. GDSU, Inv. generale... 1793, vol. II, n. 2 ad vocem), tuttavia nella Listra compilata dal Baldinucci dal 1675, sono elencati 7 disegni di R. Manetti (cfr. P. Barocchi, in F. Baldinucci, Notizie... Vol. VI, App., Firenze, 1975, p. 199); la presente opera è preparazione per una tela comparsa a Berlino sul Mercato Antiquario nel 1917, erroneamente attribuita a Guido Reni. Il bozzetto, incorniciato insieme al n. 19172 GDSU, attribuito a D. Manetti, è esposto nel Corridoio Vasariano. L.B.B.	Sul retro a caratteri ottocenteschi Rutilio Manetti; si tratta del bozzetto per il gruppo di fanciulle del Trionfo di David già in Palazzo Pitti, oggi alla Pinacoteca di Lucca, firmato e datato 1637. Il timbro impresso nell'angolo destro attesta la provenienza del dipinto dalle raccolte del Cardinal Leopoldo de' Medici, sul retro c'è il cartellino dell'inventario del 1881, IIª cat., n. 35, è esposto nel Corridoio Vasariano. Nella Listra di disegni compilata dal Baldinucci dal 1675, compaiono 7 disegni di R. Manetti (cfr. P. Barocchi in F. Baldinucci, Notizie..., vol. VI, App., Firenze 1975, p. 199). L.B.B.	Fu donato alla granduchessa Maria Maddalena dal figlio Ferdinando II de' Medici nel capodanno 1626 (Conti 1976) insieme al suo pendant con 'Giocatori di carte' e con il corretto riferimento al Manfredi Mantovano. Ma questo nome fu presto dimenticato, attribuendosi il quadro al Caravaggio. Nel 1943 su base induttiva, essendo allora assai scarsi i dati sul Manfredi, il Longhi propose l'opera a quel pittore. Molte copie ne accertano la fama, nelle stesse raccolte fiorentine, proveniente da Poggio Imperiale (n. 6529), altre in vari musei e collezioni, tra cui ad Aix en Provence e a Caen. Costituisce un caposaldo, oggi finalmente documentato, per la conoscenza dell'arte del Manfredi. E.B.

	P987	P988	P989	P990
AUTORE	Manfredi, Bartolomeo (Ostiano 1587 ca. - Roma 1620 ca.).	Manfredi, Bartolomeo (Ostiano 1587 ca. - Roma 1620 ca).	Manfredi, Bartolomeo (Ostiano 1587 ca. - Roma 1620 ca.).	Manfredi Bartolomeo (Ostiano 1587 ca. - Roma 1620 ca.), copia da (?)
TITOLO	Disputa con i dottori.	Giocatori di carte.	Il tributo a Cesare.	Suonatore di chitarra.
DATAZIONE	1610-20.	1610-20.	1610-20.	1620 ca. (Borea 1970).
DATI TECNICI	Olio su tela, 129,5x190, restauro 1970.	Olio su tela, 130x191,5, restauro 1970, in cattive condizioni.	Olio su tela 130x191, restauro 1970.	Olio su tela 97x73, restauro 1970.
CORNICE	Dorata intagliata a ricchi motivi vegetali.	Ebano a incrostazioni dorate.	Dorata e intagliata a ricchi motivi vegetali.	Dorata a gole.
UBICAZIONI	Card. Carlo de' Medici, Casino Mediceo (1666); Pitti (1667); Uffizi (1753).	Poggio Imperiale (1625); Uffizi (1973).	Card. Carlo de' Medici, Casino Mediceo (1666); Pitti (1667); Uffizi (1753).	Pitti (1698); Uffizi (1797).
ATTRIBUZIONI	Caravaggio (inv. 1666). Manfredi (Voss 1924). Scuola del Caravaggio (Poggi 1926). Manfredi (Longhi 1943).	Manfredi (1625). Caravaggio (1695). Manfredi (**Borea** 1970).	Caravaggio (inv. 1666). Manfredi (Voss 1924, Longhi 1943). Scuola del Caravaggio (Poggi 1926).	Valentin (inv. 1698, cat., 1810). Moroni (giorn. 1797). Tournier (Longhi 1943). Copia da Tournier (Longhi 1958). Seguace di Manfredi (Borea 1970).
ESPOSIZIONI	Caravaggio e Caravaggeschi nelle Gallerie di Firenze, Firenze 1970.	Caravaggio e Caravaggeschi nelle Gallerie di Firenze, Firenze 1970. A. Conti, Francesco Petrarca e Maria Laura, in Prospettiva n. 5, 1976, pp.60-61.	Caravaggio e Caravaggeschi nelle Gallerie di Firenze, Firenze 1970.	Caravaggio e Caravaggeschi nelle Gallerie di Firenze, Firenze 1970.
BIBLIOGRAFIA	H. Voss, Die Malerei des Barock in Rom, Berlino, p. 453. *E. Borea, Cat., Firenze 1970, n. 13, p. 22.*	*E. Borea, in Cat., Firenze 1970, n. 8, pp. 17-18.*	H. Voss, Die Malerei des Barock in Rom, Berlino 1924, p. 453. *E. Borea, Cat. Firenze 1970, n. 12, pp. 21-22.*	*E. Borea, Cat., Firenze 1970, n. 22, p. 37.*
INVENTARIO	767 (C.P., p. 87, n. 184).	—	778 (C.P., p. 88, n. 195).	979.
FOTO	162995.	160106.	162989.	158707.
NOTE	Con il suo pendant, il 'Tributo a Cesare', (n. 778) proviene dalla collezione di Carlo de' Medici. L'attribuzione prestigiosa portava all'esposizione nella Tribuna degli Uffizi. Solo in questo secolo appariva evidente, sulla base di confronti stilistici, l'appartenenza alla mano del caravaggesco Manfredi, di cui per altro i Medici possedevano altri quadri. E.B.	Rinvenuto in pessime condizioni in un sotterraneo di Palazzo Pitti e identificato col pendant del 'Concerto' (Dep. 155) sinora noto solo attraverso copie (Borea 1970). Successivamente si apprendeva (Conti 1976) che i due quadri erano stati donati alla granduchessa Maria Maddalena dal figlio granduca Ferdinando II nel 1626 per capodanno e col corretto riferimento al Manfredi. Le molte copie accertano la fama dell'opera unitamente al suo pendant: tra le altre, quella delle raccolte statali di Firenze (n. 6609) proveniente da Poggio Imperiale. Un quadro di questo soggetto era nella collezione di Leopoldo d'Asburgo nel 1660. Costituisce col suo pendant un caposaldo ora finalmente documentato per la conoscenza del Manfredi. E.B.	Con il suo pendant, la 'Disputa con i dottori', (n. 767), proviene dalla collezione di Carlo de' Medici. L'attribuzione prestigiosa portava all'esposizione nella Tribuna degli Uffizi. Solo in questo secolo appariva evidente, sulla base di confronti stilistici, l'appartenenza alla mano del caravaggesco Manfredi, di cui per altro i Medici possedevano molti altri quadri. E.B.	Ha i caratteri della copia, e sembra da originale del Manfredi piuttosto che del Tournier. E.B.

	P991	P992	P993	P994
AUTORE	Mannozzi, Vincenzo (Firenze ? - 1657).	Mansueti, Giovanni (Venezia ? not. 1485-1527).	Mantegna, Andrea (Isola di Carturo 1431 - Mantova 1506).	Mantegna, Andrea (Isola di Carturo 1431 - Mantova 1506).
TITOLO	Inferno.	Cristo fra i dottori.	Trittico raffigurante: L'Epifania, la Circoncisione, l'Ascensione.	Ritratto del Card. Carlo de' Medici.
DATAZIONE	1634 ca.	1500 ca.	1463-64 (Longhi 1934), ante 1464 (Kristeller 1901), 1466 ca. (Fiocco 1937), 1460 ca. Ascensione, 1462-63 Epifania, 1464-70 Circoncisione (Camesasca 1964).	Presumibile 1466, altrimenti 1459.
DATI TECNICI	Pietra di paragone ovale, 43,5x58,8, controfondo in legno.	Olio su tela, 108x214.	Opera composita. Tempera su tavola, 86x161,5 in totale, restauro 1955.	Tempera? su legno, 40,5x29,5.
CORNICE	Doppia cornice: ovale interna in ebano a onde, rettangolare esterna in ebano a onde e pietre dure.	Settecentesca, legno intagliato e dorato.	Ottocentesca, in legno intagliato e dorato, databile al 1827.	Legno intagliato e traforato, dorato, barocca.
UBICAZIONI	La Petraia (1649); Poggio Imperiale (sec. XVIII); Uffizi (1861); Montecitorio, Roma (1925); Uffizi (1977).	Coll. Niccolò Puccini, Pistoia; Uffizi (1852).	Cappella del Castello, Mantova? (dall'origine); Coll. don Antonio de' Medici (primo sec. XVII); Uffizi (1632).	Collezioni medicee (dall'origine); Uffizi.
ATTRIBUZIONI	Vincenzo Mannozzi (1649). Anonimo (1861). Anonimo fiammingo (1890). Filippo Napoletano? (Chiarini 1970). Mannozzi (Borea 1975).	—	Botticelli, la tavola con Epifania (inventari Uffizi fino 1769).	Copia da originale cinquecentesco (Kristeller 1901-2). Incerta autografia (Tietze-Conrat 1955). Mantegna (per tutta la critica).
ESPOSIZIONI	La quadreria di don Lorenzo de' Medici, Poggio a Caiano 1977.	—	Andrea Mantegna, Mantova 1961.	Rassegna iconografica dei Gonzaga, Mantova 1937. A. Mantegna, Mantova 1961, cat. 25.
BIBLIOGRAFIA	*E. Borea, Cat., Mostra Poggio a Caiano, 1977, n. 27, p. 53.*	*F. Heinemann, Giovanni Bellini e i Belliniani, Venezia 1962 2 voll. F. Heinemann, 'Spaetwerke des Giovanni Mansueti' su Arte Veneta 1965.*	E. Camesasca. Mantegna, Milano 1964. *Cat., Mantova 1961, nn. 19-20-21.*	N. Garavaglia. L'opera completa di A. Mantegna, Milano 1967, p. 99. E. Schäffer, Monatshefte für Kunstwissenschaft 1912. *E. Tietze-Conrat, London 1955, p. 199.*
INVENTARIO	4973.	523 (C.P., p. 201, n. 94).	910 (C.P., p. 200, n. 111).	8540.
FOTO	278304-6.	321803.	53930 (insieme), Epifania (117632), Circoncisione (113428), Ascensione (117548).	117723.
NOTE	Reca a tergo sul controfondo la scritta: 262. Insieme al suo pendant, l'Incendio di Troia, di Stefano della Bella, fu eseguito per don Lorenzo de' Medici. Perduta memoria del suo autore, sconosciuto agli studi sino ad oggi, veniva identificato su base documentaria (Borea 1975). Vincenzo Mannozzi, pittore sinora non considerato, si ispira qui alle scene teatrali del tempo. E.B.	Il dipinto è entrato agli Uffizi nel 1852 per legato del nobile collezionista pistoiese Niccolò Puccini, (cfr. A.S.F., Filza 1852 n. 30). È considerato da Berenson opera tarda (cfr. Pitture italiane del Rinascimento. La scuola veneta. London-Firenze 1958). Le architetture di sfondo portano l'iscrizione: Templum Salomonis. Mediocri le condizioni conservative. La tela è attraversata da una vistosa piega orizzontale. Firmato in basso, sulla base della scalinata: Johannes de Mansuetis faciebat. A.P.	L'ipotesi che il trittico fosse in origine nella cappella del palazzo ducale di Mantova è assai probabile. La critica moderna ha notato una certa incongruenza nell'assemblaggio dei pezzi, diversi per forma e dimensioni (Epifania 76x76,5; Ascensione e Circoncisione 86x42,5). Il Longhi (Pan, 1934) suppone che la Morte della Vergine, oggi divisa fra il Museo del Prado (nr. 248) e la coll. Vendeghini-Baldi di Ferrara, fosse stata concepita inizialmente come anta del trittico degli Uffizi, al posto della Circoncisione. Inciso dal Lasinio (su Gallerie di Firenze illustrate, 1824 S. I vol. II). A.P.	Il personaggio, sempre creduto un Gonzaga, fu identificato dallo Schäffer. Le incertezze sull'autografia sono dovute al cattivo stato di conservazione, per la consunzione del colore. E. Borsook suppone anche la possibilità che il ritratto sia stato fatto a Mantova durante il concilio del 1459 ('Mitteilungen des Kunsthist. Institut in Florenz' XIX 1975, p. 56) e non nel soggiorno fiorentino del pittore; e abbia servito per l'effigie sul cenotafio, a preferenza del ritratto esistente negli affreschi di Filippo Lippi, nel Duomo di Prato. G.M.

  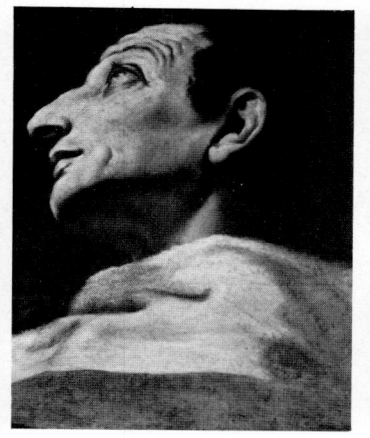 

	P995	P996	P997	P998
AUTORE	Mantegna, Andrea (Isola di Carturo 1435 - Mantova 1506).	Maratta, Carlo (Camerano, Ancona, 1625 - Roma 1713), copia da.	Maratta, Carlo (Camerano, Ancona, 1625 - Roma 1713), copia da.	Mariano da Pescia, Graziadei M., detto (Pescia?-?1520).
TITOLO	Madonna delle Cave.	Testa di Cristo.	Testa di S. Carlo Borromeo.	Madonna col Bambino e Santi.
DATAZIONE	Molto controversa: 1488-90 (Vasari), 1466 (Knapp, Kristeller, Paccagnini), 1484 (Tietze-Conrat).	Sec. XVII-XVIII.	Sec. XVII-XVIII.	Ante 1514.
DATI TECNICI	Tempera su legno, 29x21,5.	Olio su tela, 75x62.	Olio su tela, 75x66.	Olio su tavola, 125x98.
CORNICE	Intagliata e dorata, barocca.	Sagomata, dorata, sec. XVII-XVIII.	Sagomata, gialla e oro, sec. XVII-XVIII.	Intagliata e dorata.
UBICAZIONI	Coll. Medicee (dall'origine); Uffizi.	Coll. Feroni (ante 1850); Uffizi (1866); Cenacolo di Foligno (1894).	Coll. Feroni (ante 1850); Uffizi (1866); Cenacolo di Foligno (1894).	Palazzo Vecchio; Uffizi; Palazzo Vecchio (1911).
ATTRIBUZIONI	Maniera antica (inventario 1784). A. Mantegna in seguito.	—	—	M. Graziadei (A.G.F. Filza LXVIII n. 7).
ESPOSIZIONI	A. Mantegna, Mantova 1961.	—	—	—
BIBLIOGRAFIA	N. Garavaglia, L'opera completa di A. M. Milano 1967. E. Tietze-Conrat, Mantegna, London-Firenze 1955, F. Hartt, in 'Gazette des Beaux Arts' 1952. *Cat., Mantova 1961, n. 24.*	R. Wittkower, Art and Architecture in Italy 1600-1750, Harmondsworth 1965. A. Mezzetti, Contributo a Carlo Maratta, in Riv. Dell'Ist. di Archeol. e Storia dell'arte, 1955. *Catalogo della Galleria Feroni, Firenze 1895, p. 3.*	R. Wittkower, Art and Architecture in Italy 1600-1750, Harmondsworth 1965. A. Mezzetti, Contributo a Carlo Maratta, in Riv. dell'Ist. di Archeol. e Storia dell'arte, 1955. *Catalogo della Galleria Feroni, Firenze 1895, p. 4.*	*A.G.F. Filza LXVIII n. 7. Dizionario Bolaffi, VII, Torino 1975, p. 198.*
INVENTARIO	1348 (C.P., p. 202, n. 1025).	S. Marco e Cenacoli 60.	S. Marco e Cenacoli 21.	1573.
FOTO	117722.	204544.	204541.	—
NOTE	In buone condizioni. Non compare nell'Inv. mediceo del 1492. Complessa interpretazione iconografica da parte dello Hartt. G.M.	Si tratta di una copia della testa di Cristo nel dipinto rappresentante il Battesimo dipinto dal Maratta per la chiesa di S. Maria degli Angeli a Roma. M.C.	È la copia della testa della figura di S. Carlo Borromeo che compare nell'altare dipinto dal Maratta per la chiesa di S. Maria in Vallicella a Roma. M.C.	Il dipinto fu eseguito per la Cappella della Signoria in Palazzo Vecchio (cfr. Filza LXVIII n. 7), finita di decorare nel 1514. Si può considerare l'unica opera autentica che ci resta del pittore, allievo di Ridolfo del Ghirlandaio e morto in giovane età. Gr. Red. 3

	P999	P1000	P1001	P1002
AUTORE	Marinari, Onorio (Firenze 1627-1715).	Marinari, Onorio (Firenze 1627-1715).	Marinari, Onorio (Firenze 1627-1715).	Marinari, Onorio (Firenze 1627-1715).
TITOLO	Diana cacciatrice.	Venere vincitrice.	Sant'Agata.	Santa Caterina d'Alessandria.
DATAZIONE	1670-80 ca.?	1670-80 ca.?	Seconda metà XVII sec.	Seconda metà XVII sec.
DATI TECNICI	Olio su tela, 116x85, restauro 1930 ca.	Olio su tela, 116x85.	Olio su tela ovale, 79x56.	Olio su tela ovale, 79x56.
CORNICE	Sagomata, dorata, sec. XVII.	Sagomata, dorata, sec. XVII.	Originale, intagliata e dorata.	Originale, intagliata e dorata.
UBICAZIONI	Coll. Feroni (ante 1850); Uffizi (1866); Cenacolo di Foligno (1894).	Coll. Feroni (ante 1850); Uffizi (1866); Cenacolo di Foligno (1894).	Accademia di Belle Arti; Uffizi (1853); Pitti (dal 1955).	Accademia di Belle Arti (fino al 1853); Uffizi (1853); Palatina (dal 1955).
ATTRIBUZIONI	—	—	Anonimo fiorentino del Seicento (Suppl. Inv. 1825). Lorenzo Lippi (Inv. 1890, Alterocca 1914, Pieraccini 1914). Verso Curradi? (erroneamente come 'Santa Chiara', Sricchia 1963).	Anonimo fiorentino del Seicento (Suppl. Inv. 1825). Lorenzo Lippi (Inv. 1890, Alterocca 1914, Pieraccini 1914). Verso Curradi? (Sricchia 1963). O. Marinari (Cantelli, 1971).
ESPOSIZIONI	—	—	—	—
BIBLIOGRAFIA	G. Cantelli, Precisazioni sulla pittura fiorentina del Seicento: i Furiniani, Antichità Viva, 1971, n. 4. Dizionario Bolaffi, Torino 1975. *Catalogo della Galleria Feroni, Firenze 1895, p. 3.*	G. Cantelli, Precisazioni sulla pittura fiorentina del Seicento: i Furiniani, Antichità Viva, 1971, n. 4. Dizionario Bolaffi, Torino 1975. *Catalogo della Galleria Feroni, Firenze 1895, p. 5.*	G. Cantelli, in Antichità viva, XIV, 1975. *A. Alterocca, La vita e l'opera poetica e pittorica di Lorenzo Lippi, Catania 1914, p. 183. F. Sricchia, in Proporzioni, IV, 1963, p. 270, nota 49.*	Id., in Antichità viva, XIV, 1975. *A. Alterocca, La vita e l'opera poetica e pittorica di Lorenzo Lippi, Catania 1914, p. 183. F. Sricchia, in Proporzioni, IV, 1963, p. 270 nota 49. G. Cantelli, in Antichità viva, X, 1971.*
INVENTARIO	S. Marco e Cenacoli 116.	S. Marco e Cenacoli 110.	803 (C.P., p. 89 n. 218).	802 (C.P., p. 89 n. 214).
FOTO	168547.	160015.	248854.	248853.
NOTE	Lo stile del dipinto corrisponde a quello del Marinari, che qui si dimostra influenzato da Carlo Dolci e dal Pignoni. 'Pendant' del n. 110 (cfr. P1000). M.C.	Il dipinto è 'pendant' del n. 116 (cfr. P999). M.C.	Insieme al suo pendant raffigurante Santa Caterina d'Alessandria (inv. 1890, n. 802) è citato per la prima volta nelle Gallerie fiorentine nel 1853 (A.G.F., Inv. 1825, supp.to II, n. 266) proveniente dall'Accademia di Belle Arti come 'Anonimo fiorentino del Seicento'. Porta sul tergo un cartellino: "235". Già rifiutata dalla Sricchia (1963) la tradizionale attribuzione a Lorenzo Lippi, si può ricondurre anche questa tela, per motivi stilistici, ad Onorio Marinari, autore secondo il Cantelli (1975) della Santa Caterina. M.G.	Insieme al suo pendant raffigurante Sant'Agata (inv. 1890, n. 803) è citato per la prima volta nel 1853 nelle Gallerie fiorentine (AGF, Inv. 1825, supp. to II, n. 265) proveniente dall'Accademia di Belle Arti come 'Anonimo fiorentino del Seicento'. Porta sul tergo un cartellino col numero "483" e un altro "Soprintendenza alle Regie Gallerie - Santa Caterina da Siena". M.G.

	P1003	P1004	P1005
AUTORE	Marini, Giulia (Prato 1800-1869).	Mariotto di Cristofano (S. Giovanni Valdarno 1393 - Firenze 1457).	Mariotto di Nardo (doc. Firenze 1394-1424).
TITOLO	Paese.	Sposalizio di S. Caterina e Resurrezione.	Angelo Annunciante.
DATAZIONE	1826.	1445-47.	1390-95 (Boskovits 1975).
DATI TECNICI	Olio su tela incollata su tavola, 27,5x22, restauro 1979.	Tempera su tavola a doppia faccia, 156x155, restauro 1960.	Tempera su tavola, 102x35, restauro 1951.
CORNICE	D'epoca, sagomata e dorata.	—	Modanata, cuspidata, sagomata in basso con motivo trilobato.
UBICAZIONI	Coll. Giuseppe Martelli; Uffizi (1876); Galleria d'Arte Moderna, Pitti (1979).	Ospedale di S. Matteo (dall'origine); Arcispedale di S. Maria Nuova (sec. XIX); Uffizi (1900); Accademia (ante 1945).	Chiesa di S. Gaggio, Firenze (dall'origine); Accademia (? sec. XIX); Uffizi (1901); Accademia (1951); Pitti (1976).
ATTRIBUZIONI	—	Zanobi Machiavelli (Ridolfi 1899). Ventura di Moro (A. Venturi 1911). Scuola di Rossello di Jacopo (Van Marle 1927). Zanobi Strozzi (Berenson 1932). Mariotto di Cristofano (Cohn e critica successiva).	Lorenzo di Niccolò (Sirén 1904). Mariotto di Nardo (Sirén 1908; Boskovits 1975).
ESPOSIZIONI	—	—	—
BIBLIOGRAFIA	Cultura neoclassica e romantica nella Toscana granducale, Cat. mostra, Firenze 1972. p. 51 e 206.	W. Cohn, in Bollettino d'Arte, 1958. M. Boskovits, in Arte illustrata, 13-14, 1969.	M. Moriondo Lenzini, Arte in Valdichiana dal XIII e XVIII secolo, Cortona 1970, pp. 17-18. M. Boskovits, Pittura fiorentina alla vigilia del Rinascimento, 1370-1400, Firenze 1975, p. 393.
INVENTARIO	5598.	3162 e 3164 (C.P., p. 67, n. 19 e p. 179, n. 61).	3260.
FOTO	—	117561 e 117560.	117700.
NOTE	A tergo sulla tavola: Giulia Marini, fece nel 1826. A penna su un controfondo in carta l'iscrizione: N. 39. Paese, della pittrice Giulia Marini. Giulia Nuti, figlia di Antonio pittore, sposò il conterraneo Antonio Marini allievo del padre, nel 1822. Pittrice di paesaggio, espone frequentemente a Firenze ma i suoi quadri (ad eccezione di alcuni bozzetti con fiori nel Museo di Prato) sono oggi pressoché sconosciuti. Il pittore svizzero Stürler, allievo di Ingres, ne fu innamorato e la ritrasse nel 1835 (un ritratto e uno studio in tre pose, oggi nel Museo Civico di Prato). Il dipinto - esempio molto tradiziorini fece nel 1826. A penna su nale di paesaggio pittoresco, vale a dire una foresta con cascata con figura di Maddalena penitente - fa parte della collezione dell'architetto Giuseppe Martelli da questi legata agli Uffizi nel 1876, di cui fu steso inventario da Nerino Ferri (AGF 1876, filza A, I, 53). Si trova attualmente nelle riserve della Galleria d'arte moderna. S.P.	La faccia anteriore di questo dipinto raffigura la Madonna col Bambino in trono davanti alla quale S. Caterina riceve l'anello del mistico matrimonio, alla presenza di quattro Sante (Dorotea, Agnese, Maria Maddalena e Elisabetta). La faccia posteriore raffigura la Resurrezione. La tavola fu data a dipingere a Mariotto di Cristofano nel 1445 e finita nel 1447 per il reparto femminile dell'Ospedale di S. Matteo di Firenze. In epoca imprecisata la tavola fu segata lungo lo spessore, dividendola in due dipinti, che furono acquistati separatamente dalle Gallerie Fiorentine nel 1900. Nel 1960 le due tavole furono ricongiunte, dopo che il Cohn ne aveva riscoperta la storia e il nome dell'autore. L. Bell.	L'Angelo annunciante, insieme alla Crocifissione e alla Vergine Annunciata dei depositi di Pitti, inv. 1890 nn. 3258 e 3259, e i nn. 8612 e 8613 dell'Inv. 1890 che si trovano all'Accademia con la Vergine e il Bambino e una predella con cinque storie della vita della Madonna, facevano parte di un polittico ora smembrato che si trovava in origine nel convento di S. Gaggio a Firenze (cfr. Masselli nn. 60 e 62). Fu eseguito per la famiglia di Tommaso Corsini come risulta dallo Stemma della predella (Inv. 1890, n. 8613); collocato inizialmente sopra l'altar maggiore della chiesa poi nel coro delle Monache per far posto a un quadro del Cigoli, fu tolto dal Convento durante il governo dei francesi agli inizi del sec. XIX. Il presente dipinto giunse in Galleria nel 1901, nel 1951 fu inviato alla Galleria dell'Accademia e nel 1976 nei magazzini della Galleria Palatina. L.B.B.

	P1006	P1007	P1008	P1009
AUTORE	Mariotto di Nardo (doc. Firenze 1394-1424).	Mariotto di Nardo (doc. Firenze 1394-1424).	Mariotto di Nardo (doc. Firenze 1394-1424).	Mariotto di Nardo (doc. Firenze 1394-1424).
TITOLO	Madonna Annunciata.	Crocifissione.	Annunciazione.	Madonna col Bambino e Santi.
DATAZIONE	1390-95 (Boskovits 1975).	1390-95 (Boskovits 1975).	1405-10 (Boskovits 1975).	1418.
DATI TECNICI	Tempera su tavola, 102x35, restauro 1951.	Tempera su tavola, 102x35, restauro 1951.	Opera composita, 137x136.	Tempera su tavola, 224x119.
CORNICE	Modanata, triangolare in alto, sagomata in basso con motivo trilobato all'interno.	Incorporata alla tavola, modanata e dorata, di forma triangolare in alto.	Neogotica, a doppia cuspide, dorata.	Originale, cuspidata.
UBICAZIONI	Chiesa di S. Gaggio, Firenze (dall'origine); Accademia (? sec. XIX); Uffizi (1901); Accademia (1951); Pitti (1976).	Chiesa di S. Gaggio, Firenze (dall'origine); Accademia (? sec. XIX); Uffizi (1901); Accademia (1951); Pitti (1976).	Chiesa di S. Remigio (dall'origine?); Uffizi (1842); Accademia (1933).	Camera di Commercio (sec. XVIII); Uffizi (1782); Accademia (1933).
ATTRIBUZIONI	Lorenzo di Nicolò (Sirén 1904). Mariotto di Nardo (Sirén 1908; Boskovits 1975).	Lorenzo di Nicolò (Sirén 1904). Mariotto di Nardo (Sirén 1908; Boskovits 1975).	Lorenzo di Niccolò (Sirén 1904). Miotto di Nardo (Sirén 1908 e tutta la critica successiva).	Lorenzo di Niccolò (Sirén 1904). Mariotto di Nardo (Sirén 1908 e tutta la critica successiva).
ESPOSIZIONI	—	—	—	—
BIBLIOGRAFIA	M. Moriondo Lenzini, Arte in Valdichiana dal XIII e XVIII secolo, Cortona 1970, pp. 17-18. *M. Boskovits, Pittura fiorentina alla vigilia del Rinascimento, 1370-1400, Firenze 1975, p. 393.*	M. Moriondo Lenzini, Arte in Valdichiana dal XIII e XVIII secolo, Cortona 1970, pp. 17-18. *M. Boskovits, Pittura fiorentina alla vigilia del Rinascimento, 1370-1400, Firenze 1975, p. 393.*	M. Boskovits, Pittura fiorentina alla vigilia del Rinascimento 1370-1400, Firenze 1975, p. 392.	M. Boskovits, Pittura fiorentina alla vigilia del Rinascimento 1370-1400, Firenze 1975, pp. 392-93.
INVENTARIO	3259.	3258.	463 (C.P., p. 63 n. 36).	473 (C.P., p. 66 n. 46).
FOTO	117701.	117699.	322251.	322234.
NOTE	La Madonna Annunciata, insieme alla Crocifissione e all'Angelo, inv. 1890, nn. 3258 e 3260 che si trovano a Pitti e 8612, 8613, inv. 1890, che trovano all'Accademia, con La Vergine col Bambino e una predella con cinque storie della Vergine, faceva parte di un medesimo politico ora smembrato che si trovava in origine nel Convento di S. Gaggio (cfr. Masselli nn. 60 e 61). Fu eseguito per la famiglia di Tommaso Corsini come risulta dallo Stemma della predella (Inv. 1890 n. 8613); collocato inizialmente sopra l'altar maggiore della Chiesa poi nel coro delle Monache per far posto a un quadro del Cigoli fu tolto dal convento durante il governo dei francesi ai primi del sec. XIX. L.B.B.	La Crocifissione, insieme all'Annunciata e l'Angelo, inv. 1890, nn. 3259 e 3260, che si trovano a Pitti e i nn. 8612 e 8613 Inv. 1890 dell'Accademia con la Vergine col Bambino e la predella con cinque storie della Vergine, faceva parte di un medesimo politico, ora smembrato che si trovava in origine nel convento di S. Gaggio a Firenze (cfr. Masselli nn. 60 e 62). Fu eseguito per la famiglia di Tommaso Corsini come risulta dallo Stemma della predella (Inv. 1890 n. 8613); collocato inizialmente sopra l'altar maggiore della Chiesa poi nel coro delle Monache per far posto a un quadro del Cigoli, fu tolto dal Convento durante il governo dei francesi ai primi del sec. XIX. La presente tavola giunse in Galleria nel 1901, fu collocata all'Accademia e successivamente, nel 1976, nei Magazzini del Palazzo Pitti. L.B.B.	Nel gradino posticcio della tavola si legge: ECCE ANCILLA DOMINI. L. Bell.	Il dipinto raffigura la Madonna col Bambino tra i Santi Filippo e Giovanni Battista. Nello zoccolo si legge la data MCCCCXVIII. Facevano forse parte della predella due pannelli col Martirio di S. Filippo e la Decapitazione del Battista, inseriti arbitrariamente nella predella dell'attuale pala dell'altar maggiore della chiesa di Santa Croce (Marcucci 1965). L. Bell.

	P1010	P1011	P1012	P1013
AUTORE	Marseus van Schrieck, Otho, detto Ottone Marcellis (Nimega 1619 ca.-Amsterdam 1678).	Marseus van Schrieck, Otho, detto Ottone Marcellis (Nimega 1619 ca.-Amsterdam 1678).	Marseus van Schrieck, Otho, detto Ottone Marcellis (Nimega 1619 ca.-Amsterdam 1678).	Marseus van Schrieck, Otho, detto Ottone Marcellis (Nimega 1619 ca.-Amsterdam 1678).
TITOLO	Funghi e farfalle.	Paesaggio con ramarro, farfalle e chiocciola.	Sottobosco con serpente e farfalle.	Fiori, insetti e rettili.
DATAZIONE	1650-60 ca.	1650-60 ca.	1660 ca.	1672.
DATI TECNICI	Olio su tavola, 18,5x26,5.	Olio su tela, 38,5x47,5.	Olio su tela, 37,7x46,2.	Olio su tavola, 33x41, pulitura 1969.
CORNICE	Sagomata, dorata, sec. XVII.	Ebano, sec. XIX-XX.	Ebano, sec. XIX-XX.	Sagomata, dorata, sec. XVII.
UBICAZIONI	Poggio a Caiano (fine sec. XVII - inizi XVIII); Uffizi (1773).	Card. Leopoldo de' Medici, Pitti (ante 1675); Uffizi (sec. XIX).	Card. Leopoldo de' Medici, Pitti (ante 1675); Uffizi (1905 ca.).	Coll. Feroni (ante 1850); Uffizi (1866); Cenacolo di Foligno (1894).
ATTRIBUZIONI	—	—	—	—
ESPOSIZIONI	—	—	—	Artisti alla corte granducale, Firenze 1969.
BIBLIOGRAFIA	L.J. Bol: Holländische Maler des 17. Jahrh. nahe den grossen meistern, Braunschweig 1969. M. Chiarini: Artisti alla corte granducale, cat. mostra, Firenze 1969. *M.L. Strocchi: in Paragone, 311, 1976, p. 107. F. Franchini Guelfi: Otto Marseus..., a Firenze..., in Antichità Viva, 2, 1977, nota 53.*	L.J. Bol: Holländische Maler des 17. Jahrh. nahe den grossen meister, Braunschweig 1969. M. Chiarini: in Cat. mostra, Artisti alla corte granducale, Firenze 1949. *F. Franchini Guelfi: Otto Marseus... a Firenze..., in Antichità Viva, 2, 1977, nota 53.*	L. Bol: Holländische Maler des 17. Jahrhunderts nahe den grossen Meistern..., Braunschweig 1969. *F. Franchini Guelfi: Otto Marseus van Schrieck a Firenze, in Antichità Viva, 2, 1977, fig. 7.*	L. J. Bol: Holländische Maler des 17. Jahrhundnahe den grossen Meistern, Braunschweig 1969. F. Franchini Guelfi: Otto Marseus van Schrieck a Firenze, in Antichità Viva, 1977, n. 2 e 4. *Cat. Galleria Feroni, Firenze 1895, p. 7. Cat., Firenze 1969, n. 69.*
INVENTARIO	1232.	1262.	1184 (C.P., p. 135, n. 864).	S. Marco e Cenacoli 59.
FOTO	174581.	174582.	181627.	153628.
NOTE	Il dipinto è ricordato in un inventario generale dei quadri appartenenti ai Medici degli inizi del Settecento, e quindi risulta nella raccolta formata dal principe Ferdinando di Toscana nella Villa di Poggio a Caiano (Strocchi 1976). Fu portato agli Uffizi, insieme con gli altri dipinti della raccolta, nel 1773, come attesta il cartellino sul retro della tavola. È probabile che esso sia stato dipinto dal Marseus — al quale a noi sembra che spetti con certezza, nonostante il dubbio sollevato dalla Franchini Guelfi — durante il suo soggiorno italiano, a Roma o a Firenze. M.C.	Il dipinto è inventariato come parte della collezione del card. Leopoldo de' Medici in palazzo Pitti nel 1675 (anno della sua morte) con la attribuzione al Marseus, e come tale è stato pubblicato dalla Franchini Guelfi. Si tratta molto probabilmente di un'opera dipinta durante il soggiorno italiano dell'artista, o a Roma o a Firenze. M.C.	Il dipinto fece parte della collezione del cardinal Leopoldo de' Medici in palazzo Pitti, e fu probabilmente eseguito durante il soggiorno dell'artista in Italia (1648-63 ca.). M.C.	Firmato e datato in basso a destra: Otho Marseus 1672-9-15. Diversamente da quanto ipotizzato in cat. Firenze 1969, il dipinto fu eseguito dall'artista dopo il suo ritorno in Olanda, dove è documentato a partire dal 1663. M.C.

	P1014	P1015	P1016	P1017
AUTORE	Marseus van Schrieck, Otho, detto Ottone Marcellis (Nimega 1619 ca.-Amsterdam 1678), attr. a.	Marseus van Schrieck, Otho, detto Ottone Marcellis (Nimega 1619 ca.-Amsterdam 1678).	Martinelli, Giovanni (Firenze 1610 ca. - 1668 ca.).	Martinelli, Giovanni (Firenze 1610 ca. - 1668 ca.).
TITOLO	Fiori, rettili, insetti e uccelli.	Piante, fiori e insetti.	Convito di Baldassarre.	Figura femminile (Sibilla?).
DATAZIONE	1672.	1682?	1630 ca. (Cantelli 1978), 1643 (Pelli Bencivenni 1779).	1635-40.
DATI TECNICI	Olio su tela, 109x80, pulitura 1969.	Olio su tela, 114x88,5.	Olio su tela 228,x341,5, restauro 1970.	Olio su tela, 64x46.
CORNICE	Sagomata, dorata, XVII sec.?	Ebano, sec. XIX-XX.	Listello moderno.	Sagomata, dorata, sec. XVII.
UBICAZIONI	Coll. Feroni (ante 1850); Uffizi 1866); Cenacolo di Foligno (1894).	Uffizi (1772).	Benedetto Vanni; Uffizi (1777).	Coll. Feroni (ante 1850); Uffizi (1866); Cenacolo di Foligno (1894).
ATTRIBUZIONI	—	—	Martinelli (Pelli Bencivenni 1777).	—
ESPOSIZIONI	Artisti alla corte granducale, Firenze 1969.	—	Caravaggio e Caravaggeschi nelle Gallerie di Firenze, Firenze 1970.	—
BIBLIOGRAFIA	L. J. Bol: Holländische Maler des 17. Jahrhundnahe den grossen Meistern, Braunschweig 1969. F. Franchini Guelfi: Otto Marseus van Schrieck a Firenze, in Antichità Viva, 1977, n. 2 e 4. *Cat. Galleria Feroni, Firenze 1895, p. 7. Cat., Firenze 1969, n. 70.*	M. Chiarini: cat. Artisti alla corte granducale, Firenze 1969. *F. Franchini Guelfi: O. Marseus van Schrieck a Firenze..., in Antichità Viva, 2, 1977, nota 53.*	G. Pelli Bencivenni: Saggio istorico della Real Galleria di Firenze, Firenze 1779, II, pp. 237-38. G. Cantelli: Proposte per Giovanni Martinelli, in Paradigma 1978, p. 138. *E. Borea: in Cat., Firenze 1970, n. 68, pp. 104-5.*	F. Sricchia: Giovanni Martinelli, in Paragone, 1953, 39. G. Cantelli: Proposte per Giovanni Martinelli, in Paradigma, 1978, 2. *Catalogo della Galleria Feroni, Firenze 1895, p. 2.*
INVENTARIO	S. Marco e Cenacoli 149.	1253 (C.P., p. 140, n. 932).	2125.	S. Marco e Cenacoli 15.
FOTO	174585.	167643.	160102.	168538.
NOTE	Firmato e datato in basso a destra: Otho Marseus 1672-10-8. Dipinto sicuramente dopo il ritrono in Olanda dell'artista, nel 1663. È evidente il significato allegorico sulla fragilità della vita rivestito dal quadro. M.C.	Il dipinto presenta, a destra, tracce di una firma e una data (1682?). Esso fu acquistato nel 1772 con l'attribuzione al Marseus, ma non trova corrispondenza oltre il soggetto con le opere documentate del pittore. È rifiutato dalla Franchini Guelfi. M.C.	Pervenne agli Uffizi nel 1777 per acquisto da Benedetto Vanni con interessamento dell'allora direttore Pelli Bencivenni. Una copia di minori dimensioni era nel 1970 sul mercato fiorentino. E.B.	Il dipinto, attribuito al Martinelli nella collezione di provenienza, fa serie con il n. 7 e il n. 10, ai quali si accompagna stilisticamente. Non citato dal Cantelli, va però datato con gli altri due, come proposto dallo studioso, alla fine del quarto decennio del Seicento. Difficile l'interpretazione del soggetto, che, per la presenza dei libri, potrebbe rappresentare una Sibilla. M.C.

	P1018	P1019	P1020	P1021
AUTORE	Martinelli, Giovanni (Firenze 1610 ca. - 1668 ca.).	Martinelli, Giovanni (Firenze 1610 ca. - 1668 ca.).	Martinelli, Giovanni (Firenze 1610 ca. - 1668 ca.).	Martinelli, Giovanni (Firenze 1610 ca. - 1668 ca.).
TITOLO	La regina Artemisia?	Una regina (Tomiri?).	Allegoria della Musica?	Allegoria della Scultura?
DATAZIONE	1635-40 (Cantelli 1978).	1635-40 (Cantelli 1978).	1640-50 (Cantelli 1978).	Metà del sec. XVII.
DATI TECNICI	Olio su tela, 64x47.	Olio su tela, 65x48.	Olio su tela, 65x48.	Olio su tela, 78x66.
CORNICE	Sagomata, dorata, sec. XVII.	Sagomata, dorata, sec. XVII.	Sagomata, dorata, sec. XVII.	Sagomata e dorata.
UBICAZIONI	Coll. Feroni (ante 1850); Uffizi (1866); Cenacolo di Foligno (1894).	Coll. Feroni (ante 1850); Uffizi (1866); Cenacolo di Foligno (1894).	Coll. Feroni (ante 1850); Uffizi (1866); Cenacolo di Foligno (1894).	Uffizi (1880); Corte d'Appello (1927).
ATTRIBUZIONI	—	—	—	Ignoto sec. XVII (Inv. Antichi). G. Martinelli (Cantelli 1978).
ESPOSIZIONI	—	—	—	—
BIBLIOGRAFIA	F. Sricchia: Giovanni Martinelli, in Paragone, 1953, 39. *Catalogo della Galleria Feroni, Firenze 1895, p. 2. G. Cantelli: Proposte per Giovanni Martinelli, in Paradigma, 1978, 2, p. 142.*	F. Sricchia: Giovanni Martinelli, in Paragone, 1953, 39. *Catalogo della Galleria Feroni, Firenze 1895, p. 2. G. Cantelli: Proposte per Giovanni Martinelli, in Paradigma, 1978, 2, p. 142.*	F. Sricchia: Giovanni Martinelli, in Paragone, 1953, 39. *Catalogo della Galleria Feroni, Firenze 1895, p. 2. G. Cantelli: Proposte per Giovanni Martinelli, in Paradigma, 1978, 2, p. 143.*	F. Sricchia, Giovanni Martinelli, in Paragone 39, 1953, pp. 29-34. E. Borea in Cat., Caravaggio e Caravaggeschi nelle Gallerie di Firenze, Firenze 1975, pp. 104-105. G. Cantelli, in Prospettiva 2, 1978.
INVENTARIO	S. Marco e Cenacoli 7.	S. Marco e Cenacoli 10.	S. Marco e Cenacoli 12.	4673.
FOTO	158922.	159984.	159985.	185756.
NOTE	Il dipinto è attribuito al Martinelli nella collezione di provenienza, e tale attribuzione è stata accetta dal Cantelli, che lo data, insieme al n. 10, Inv. S. Marco e Cenacoli, alla fine del quarto decennio del Seicento. Lo studioso pensa che il soggetto possa interpretarsi come Allegoria della Bellezza, ma a noi sembra che si tratti piuttosto della regina Artemisia sul punto di ingoiare le ceneri del marito Mausolo. M.C.	Il dipinto è 'pendant' del n. 7 e fa serie col n. 15, Inv. S. Marco e Cenacoli, con i quali è attribuito al pittore fiorentino nella collezione di provenienza. L'attribuzione è stata accetta dal Cantelli, che data il dipinto, con il n. 7, alla fine del quarto decennio del Seicento. Lo stesso studioso interpreta la figura come quella di una santa, ma tale riconoscimento sembra ostacolato dagli attributi che le sono imposti, e che alludono a una regina: potrebbe trattarsi forse di Tomiri. M.C.	Il dipinto è attribuito al Martinelli nella collezione di provenienza, e l'attribuzione è confermata dal suo stile. Il Cantelli lo data al decennio 1640-50, vedendovi un influsso dello stile di Pietro da Cortona, attivo in quel tempo a Firenze. M.C.	Il dipinto compare anonimo nell'Inventario del 1880, IIIª Cat. n. 741; mai esposto agli Uffizi il 28-2-1927 fu inviato in deposito alla Corte di Appello di Firenze, dove tutt'ora si trova. L'attribuzione al Martinelli è recente (Cantelli 1978). Conosciuto quale ritratto femminile con statua potrebbe in realtà raffigurare l'Allegoria della scultura. L.B.B.

	P1022	P1023	P1024	P1025
AUTORE	Martinelli, Giovanni (Firenze 1610 ca. - 1668 ca.).	Martini, Francesco di Giorgio (Siena 1439-1502) e Landi, Neroccio di Bartolomeo (Siena 1447-1500).	Martini, Simone (Siena 1284 ca. - Avignone 1344) e Memmi, Lippo (? 1290 ca. - ? 1347 ca.).	Masaccio, Cassai Tommaso, detto (S. Giovanni Valdarno 1401 - Roma 1428), e Masolino (S. Giovanni Valdarno 1383?-1440).
TITOLO	Ecce Homo.	Tre storie di S. Benedetto.	Annunciazione e due Santi.	S. Anna, la Madonna col Bambino e cinque angeli.
DATAZIONE	1645 ca. (Bertani 1979).		1333.	1420 ca. (Procacci 1936), 1422-23 (Salmi 1952), 1423 (Escher 1922, Lindberg 1931, Pittaluga 1935), 1424 (Longhi 1940), 1424-25 (Berti 1964).
DATI TECNICI	Bozzetto, olio su tela, 40x29.		Opera composita. Tempera su tavola, 184x210.	Tempera su tavola, 175x103, restauro 1935-54 (Vermeheren, Sokolow, Masini).
CORNICE	Ebano con filetto d'oro, modanata e aggettante.		Neogotica.	—
UBICAZIONI	Gabinetto Disegni e Stampe (1880); Uffizi (1890).		Duomo, Altare di S. Ansano, Siena (1333); chiesa di Castelvecchio (fine sec. XVI); Uffizi (1799).	Chiesa di S. Ambrogio (cit. Vasari 1568); Accademia; Uffizi (1919).
ATTRIBUZIONI	—		—	Masaccio (dal Vasari, 1568, in poi). Opera di collaborazione (D'Ancona 1903, Lindberg 1931). Masaccio e Masolino (Longhi 1940, e tutta la critica posteriore).
ESPOSIZIONI	Bozzetti delle Gallerie di Firenze, Firenze, 1952-53.		—	Mostra di quattro maestri del primo Rinascimento fiorentino, Firenze 1954.
BIBLIOGRAFIA	E. Borea: Caravaggio e caravaggeschi nelle Gallerie di Firenze, Firenze 1970, pp. 104-105. *L. Berti: in Cat., Firenze 1952-53, n. 137, p. 67. F. Sricchia: Giovanni Martinelli, in Paragone 39, 1953, pp. 29-34, tav. 13.*		G. Paccagnini, S. M., Milano 1955. *L. Marcucci, I dipinti toscani del Sec. XIV, Roma 1965, n. 108. M. C. Gozzoli, L'opera completa di S. M., Milano 1970.*	L. Berti, Masacio, 1964. *U. Baldini, in Cat., Firenze 1954, n. 1. L. Berti, L'opera completa di Masaccio, Milano 1968, n. 2.*
INVENTARIO	590.		451, 452, 453 (C.P., p. 181, n. 23).	8386.
FOTO	94754		107726 (e particolari).	97490.
NOTE	Sul retro del dipinto su garza: 'del Martinelli'. Compare nell'inventario del 1880 cat. II, n. 6. Si tratta del bozzetto per una tela non identificata eseguita dall'artista forse per una chiesa dei dintorni di Firenze, come si può arguire dal cartellino parzialmente leggibile e scritto con la medesima grafia dell'iscrizione sopra ricordata, dove si legge: 'fuor di Firenze'. L.B.B.	Vedi: Landi, Neroccio di Bartolomeo. Scheda P835.	L'opera pervenne alle Gallerie Fiorentine nel 1799 per ordine del Granduca Pietro Leopoldo e a seguito di un cambio con due dipinti di Luca Giordano. La tavola raffigura l'Annunciazione con ai lati S. Ansano e una Santa che probabilmente è da identificare con Margherita; in basso reca l'iscrizione 'SYMON MARTINI ET LIPPUS MEMMI DE SENIS ME PINCXERVNT ANNO DOMINI MCCCXXXIII'. I documenti relativi vanno infatti dal luglio al dicembre 1333; per la collaborazione di Lippo Memmi si è orientati nel considerarla limitata alle figure laterali (Gosche 1899, Langton Douglas 1902, Berenson 1909, Cecchi 1928 ecc.). La cornice, di cui sono noti gli autori, era andata perduta assai per tempo e fu completamente rifatta nel sec. XIX. L. Bell.	Sulla base del trono, in lettere capitali 'AVE MARIA'. Nell'aureola di S. Anna 'S. Anna è di Nostra Donna fast(igio)'. La distinzioni di mani proposta dal Longhi (1940), che attribuì a Masaccio la Vergine col Bambino e l'angelo in alto a sinistra, e tutto il resto a Masolino, è stata accolta quasi concordemente dalla critica. L'opera è da collocare certamente dopo il 1422 (Politico di S. Giovenale, datato), e con probabilità tra il 1424 e il 1425, in un periodo in cui Masolino prima di abbandonare Firenze per L'Ungheria, dovette assumersi un compagno per far fronte agli impegni presi (Berti 1968). C.C.

	P1026	P1027	P1028	P1029
AUTORE	Masaccio, Cassai Tommaso, detto (S. Giovanni Valdarno 1401 - Roma 1428), copia da.	Maso da San Friano, Manzuoli Tommaso, detto (Firenze 1532 ca. - 1571).	Maso da San Friano?, Manzuoli Tommaso, detto (Firenze 1532 ca. - 1571).	Maso da San Friano, Manzuoli Tommaso, detto (Firenze 1532 ca.- 1571).
TITOLO	Ritratto di Giovanni di Bicci de' Medici.	La caduta di Icaro.	L'arcangelo Raffaele e Tobiolo.	Ritratto di Elena Gaddi Quaratesi.
DATAZIONE	Seconda metà sec. XV (?).	Dopo il 1571 (Collobi Ragghianti 1952), 1570 (Bertani 1979).	Terzo quarto sec. XVI.	Sec. XVI.
DATI TECNICI	Tempera su tavola a forma di lunetta, 73x75.	Bozzetto, olio su tavola, 55,5x 40,2.	Olio su tavola, 89x49.	Olio su tavola, 24x17,5.
CORNICE	Archiacuta del sec. XVI, intagliata e dorata, con base.	Legno ovale aggettante e modanato.	—	Dorata e intagliata.
UBICAZIONI	Coll. Medicee (dall'origine?); Uffizi (sec. XIX); Museo Mediceo (1930); Palazzo Davanzati (1972).	Gabinetto Disegni e Stampe (1880); Uffizi (1890); Pitti (1953); Uffizi (1971).	Uffizi (ante 1863); Disperso durante l'ultima guerra (1944).	Uffizi; Pitti; S. Leonardo-Alto Adige; Pitti (1945).
ATTRIBUZIONI	Zanobi Strozzi (Inventari delle Gallerie Fiorentine Pieraccini 1924). Masaccio (?) (Schaeffer 1902, Trapesnikoff 1909).	Maso da San Friano (Inv. 1890).	Scuola del Granacci (Guida Uffizi 1863). Granacci (Guida Uffizi 1881). Maso da San Friano (Berti 1963). Ignoto fiorentino del terzo quarto del '500 (Von Holst 1974).	Maso da San Friano (Inv. 1890).
ESPOSIZIONI		Bozzetti delle Gallerie di Firenze, Firenze 1952-53.	—	—
BIBLIOGRAFIA	K. Langedijk, De Portretten van de Medici..., Amsterdam 1968.	L. Berti, Il Principe dello studiolo. Francesco I de' Medici e la fine del Rinascimento fiorentino, Firenze 1967. L. Collobi Ragghianti, in Cat., Firenze 1952-53, n. 127, pp. 60-61.	L. Berti, in Scritti di Storia dell'arte in onore di Mario Salmi, III, Roma 1963, p. 84, n. 9. Ch. Von Holst, Francesco Granacci, Monaco 1974, p. 189.	L. Berti, in 'Scritti di Storia dell'Arte in onore di Mario Salmi', Roma 1963. Pace, in Bollettino d'arte, 1976. A. John Rusconi, La R. Galleria Pitti, in Firenze, Roma 1937.
INVENTARIO	469 (C.P., p. 65, n. 43).	6233.	2154.	1552 (C.P., p. 166, n. 1214).
FOTO	219846.	157047.	28995.	249423.
NOTE	Gli Inventari delle Gallerie Fiorentine identificano questo ritratto con quello che il Vasari (1568) vide nella Guardaroba Medicea, eseguito da Zanobi Strozzi e raffigurante Giovanni di Bicci e Bartolomeo Valori. Il Milanesi (1878) accetta questa identificazione, pensando ad un più tardo rifacimento e riadattamento (nel dipinto è oggi evidente la presenza di una parte del busto di un'altra figura, a sinistra). Ma lo Schaeffer e il Trapesnikoff, facendo notare che Zanobi era troppo giovane quando il Valori morì per poter aver dipinto un simile ritratto, e che fino al 1553 negli Inventari della Guardaroba si cita un ritratto singolo di Giovanni di Bicci, cercano una spiegazione in un altro passo del Vasari, quando, nella Vita di Masaccio, dice che il pittore aveva dipinto nella Sagra del Carmine 'Niccolò da Uzzano, Giovanni di Bicci de' Medici, Bartolomeo Valori, i quali sono anche del medelanesi 1878). Nella base è la scritta cinquecentesca: IOHANES BICCI DE MEDICIS. L. Bell.	Si tratta senza dubbio del bozzetto per la caduta di Icaro che l'artista dipinse per lo studiolo di Francesco I in Palazzo Vecchio, non come afferma la Ragghianti, di una derivazione di qualche anno posteriore e quindi non autografa. Compare negli inventari dal 1880 cat. III, n. 530. Dal 1971 è nei depositi degli Uffizi. L.B.B.	Il dipinto, ricoverato nella villa Cisterna durante la seconda guerra mondiale, risultò mancante al controllo del 1944. L'attribuzione dell'opera al Granacci (o alla sua scuola) risale ai cataloghi di Galleria pubblicati nel 1863 (p. 14, n. 49) e nel 1881 (p. 84, n. 49). L'attribuzione a Maso da San Friano (condivisa anche dalla Barocchi nel 1964) è sostenuta dal Berti sulla base del confronto con una tavola di analogo soggetto nella chiesa fiorentina dei SS. Apostoli; questa attribuzione è valutata con scetticismo da Von Holst che preferisce assegnare l'opera a un anonimo fiorentino del terzo quarto del '500. E.S.	Sul retro della tavoletta leggiamo: 'Elena Gaddi, anno XVIII, moglie di Andrea Quaratesi. Tommaso di San Friano'. Il pittore, scolaro di Pier Francesco di Jacopo di Sandro, lavorò allo Studiolo mediceo in Palazzo Vecchio. Gr. Red. 3

	P1030	P1031	P1032	P1033
AUTORE	Masolino (S. Giovanni Valdarno 1383?-1440). e Masaccio, Cassai Tommaso, detto (S. Giovanni Valdarno 1401 - Roma 1428).	Massari, Lucio (Bologna 1569-1633).	Massari, Lucio (Bologna 1569-1633).	Massari, Lucio (Bologna 1569-1633) attr. a.
TITOLO	S. Anna, La Madonna col Bambino e cinque angeli.	S. Famiglia con S. Giovannino.	Sacra Famiglia detta del bucato.	Annunciazione.
DATAZIONE		1610 ca. (Volpe 1959).	1620 ca.	Primo Seicento (Borea 1975).
DATI TECNICI		Olio su rame, 29x37, controfondo in legno.	Olio su tela 52,7x38,8, controfondo in legno, restauro 1973.	Olio su rame, 35x27,4, restauro 1973.
CORNICE		Dorata, damaschinata con intagli a baccelli.	—	—
UBICAZIONI		Uffizi (1825); Palatina (1915 ca.); Uffizi (1973).	Card. Leopoldo de' Medici (ante 1675); Gran Principe Ferdinando de' Medici, Poggio a Caiano; (ante 1773); Uffizi (1974).	Signora Bianca Gondi; Uffizi (1913).
ATTRIBUZIONI		—	Francesco Albani (inv. 1675); Massari (inv. 1710 ca.).	Senza attribuzione (scheda di provenienza 1913). Bolognese del primo Seicento: Lucio Massari? (Borea 1975).
ESPOSIZIONI		Maestri del Seicento Emiliano, Bologna 1959. Pittori bolognesi del Seicento nelle Gallerie di Firenze, Firenze 1975.	Pittori bolognesi del Seicento nelle Gallerie di Firenze, Firenze 1975.	Pittori Bolognesi del Seicento nelle Galleria di Firenze, Firenze 1975.
BIBLIOGRAFIA		C. Volpe, in Cat., Bologna 1959, n. 34, p. 88. E. Borea, in Cat., Firenze 1975, pp. 87.	M. L. Strocchi, in Paragone, 311, 1976, p. 112. E. Borea, in Cat., Firenze 1975, n. 65.	E. Borea, in Cat., Firenze 1975, n. 7.
INVENTARIO		1317 C.P., p. 144, n. 1034).	6719.	4996.
FOTO		225345.	217621.	216638.
NOTE	Vedi: Masaccio, Cassai Tommaso, detto. Scheda P1025.	Scritte antiche a tergo: cartellino con dalla guardaroba di Pitti 21 agosto 1798. Modesta operetta del lindo maestro bolognese nel momento dell'adesione alla tendenza classicista. E.B.	Reca a tergo in scritta antica: Lucio Massari. Proviene dalla collezione di Leopoldo de' Medici (1675); successivamente fece parte del 'gabinetto di opere in piccolo' del principe Ferdinando a Poggio a Cajano (Strocchi 1976). La composizione deriva da un'incisione oggi attribuita a Ludovico Carracci, ma per la quale il Malvasia distingueva la mano dell'inventore da quella dell'incisore (1678). La stampa ebbe gran fortuna, ispirò anche l'Albani in un quadro detto 'la laveuse', già nella collezione Orléans e quindi passato in Inghilterra, ove scomparve. L'incisione trattane evidenzia che si trattava di un dipinto assai diverso da quello di Firenze. Viceversa è simile l'esemplare oggi a Dresda, Gemäldegalerie, inventariato come Albani e pubblicato poi come Antonio Carracci. Non vi è dubbio che il quadro di Firenze è di qualità assai migliore e che l'attribuzione al Massari, accolta anche dal Lanzi (1782), appare sostenibile.	Il dipinto è entrato agli Uffizi l'8 gennaio 1913, per lascito della signora Bianca Gondi. Non è mai stato esposto. Evelina Borea vi riscontra evidenti derivazioni carraccesche e lo attribuisce per 'tipologia e stile - classicisti, con manierate rotondità -' a Lucio Massari. C.C.

E.B.

	P1034	P1035	P1036	P1037
AUTORE	Mastelletta, Donducci Giovanni Andrea, detto il (Bologna 1575-1655).	Mastelletta, Donducci Giovanni Andrea, detto il, (Bologna 1575-1655).	Matteo di Giovanni (?) (Sansepolcro 1435? - Siena 1495).	Matteo di Giovanni (Sansepolcro 1435? - Siena 1495).
TITOLO	La Carità.	Vergine col Bambino e quattro santi.	Madonna col Bambino e angeli.	Madonna col Bambino.
DATAZIONE	1630 ca. (Borea 1975).	Sec. XVII.	Seconda metà del sec. XV.	Sec. XV.
DATI TECNICI	Olio su tela, 49,5x63,5.	Bozzetto, olio su carta su tela, 30,5x26.	Tempera su tavola, centinata in alto, 64x47.	Tempera su tavola centinata in alto max. 64x48.
CORNICE	Dorata e intagliata.	—	A sagoma con pastiglia, dorata, ottocentesca.	Moderna a sagoma dorata, di imitazione.
UBICAZIONI	Pitti (1665); Uffizi (1753).	Uffizi (1880); Pitti (1962).	Mercato antiquario (1911) Uffizi (1948).	Oratorio della Selva, Siena; Uffizi (1915).
ATTRIBUZIONI	Scuola veneta (1753). Mastelletta (1769).	Parmigiano (Inv. 1880) Mastelletta (L. Collobi Ragghianti, 1952).	Giovanni Boccati (tradizionale). Matteo di Giovanni? (Bacci 1969).	—
ESPOSIZIONI	Pittori bolognesi del Seicento nelle Gallerie di Firenze, Firenze 1975.	Bozzetti nelle Gallerie di Firenze, Firenze 1952.	—	Mostra d'arte antica senese, Siena 1904.
BIBLIOGRAFIA	E. Borea, in Cat., Firenze 1975, n. 68, p. 90; G. Agostini, in Tiziano nelle Gallerie fiorentine, Firenze 1979, pp. 252-54.	Cat., Firenze 1952, n. 74, Tav. XV.	G. Vitalini Sacconi, La scuola camerinese, Trieste 1968, p. 120; M. Bacci, Il punto su Giov. Boccati in Paragone 233, 1969, p. 21.	E. Jacobsen, Das 400 in Siena, Strassburg 1908, 58; R. Van Marle, The Development of the Italian Schools of Painting vol. XVI (1937), p. 319 sg.
INVENTARIO	757 (C.P., p. 86, n. 176).	GDSU 19135.	3578.	3949.
FOTO	111337.	157041.	14778.	321874.
NOTE	Scritta antica a tergo: 'Tiziano'. È possibile che si tratti di un equivoco da parte dello scrivente, il quale avrebbe letto in qualche inventario 'Tiziano' invece di 'Tiarino'. D'altra parte è documentato mediceo della fine del seicento una 'Carità' era indicata come del 'Tiarino'. D'altra parte è documentato l'acquisto per Cosimo III nel 1665 di una 'Carità' del Mastelletta, che probabilmente si identifica con questo dipinto. Stilisticamente l'opera sembra appartenere alla maturità del pittore. E.B.	Nell'Inventario del 1880 il bozzetto era attribuito al Parmigianino. Nel Catalogo della Mostra, L. Collobi Ragghianti (1952) sostiene l'attribuzione del bozzetto a 'un emiliano dei primi anni del 600, molto probabilmente il Mastelletta'. Gr. Red. 3	'Molto restaurata', recentemente attribuita (M. Bacci). G.M.	In buono stato di conservazione. Fu già incorniciata in ovale. Passò dall'oratorio delle Selve agli Uffizi per acquisto. G.M.

Pinacoteca

	P1038	P1039	P1040	P1041
AUTORE	Matteo di Pacino (Firenze, notizie 1360-74).	Mauperché, Henri (Parigi ? 1602-10 ca. - 1686), attr. a.	Mazzolino, Ludovico (Ferrara 1480 ca. - 1528).	Mazzolino, Ludovico (Ferrara 1480 ca. - 1528).
TITOLO	Elemosina di S. Antonio abate.	Paesaggio con pastori.	Adorazione dei pastori.	Madonna col Bambino e Santi.
DATAZIONE	1365-70 ca. (Boskovits 1975).	1670 ca.	1520-24 (Zamboni 1968).	1522-23 (Zamboni 1968).
DATI TECNICI	Tempera su tavola, 39x33, restauro 1957.	Olio su tela, 71x93, restauro 1976-77.	Olio su tavola 79,5x60,5.	Olio su tavola, 29,5x22,8.
CORNICE	—	Sagomata, dorata, sec. XVIII.	Dorata liscia a gola.	Dorata a tabernacolo con colonnine a candelabro.
UBICAZIONI	Gallerie Fiorentine (1881); Uffizi (1891); Accademia (1933).	Coll. Favi, Parigi (1793); Uffizi (1797); Uffizi (1800).	—	Poggio a Caiano (1710 ca.); Uffizi (1773).
ATTRIBUZIONI	Scuola toscana del secolo XIV (attribuzione tradizionale). Maestro della Cappella Rinuccini (Antal 1947, Marcucci 1965 e quasi tutta la critica posteriore).	L. de la Hyre (Cat. Uffizi 1807). — Mauperché (Rosenberg 1977).	—	Gaudenzio Ferrari (1773). Mazzolino (1784). Gaudenzio Ferrari (Zacchiroli 1790). Mazzolino (1795-96).
ESPOSIZIONI	—	Pittura francese nelle collezioni pubbliche fiorentine, Firenze 1977.	Milano 1968, n. 24, p. 42.	—
BIBLIOGRAFIA	L. Bellosi, Due note per la pittura fiorentina di secondo Trecento, in 'Mitteilungen des Kunsthistorischen Institutes in Florenz', XVII, 1973. L. Marcucci, I dipinti toscani del secolo XIV, Roma 1965, n. 55.	A. Blunt, Art and Architecture in France, 1500-1700, Harmondsworth 1954. Cat. Firenze 1977, n. 76.	S. Zamboni, Ludovico Mazzolino, Milano 1968, n. 24, p. 42.	S. Zamboni, Ludovico Mazzolino, Milano 1968, n. 25, p. 41. M. L. Strocchi, il Gabinetto delle 'opere in piccolo' del Gran Principe Ferdinando a Poggio a Caiano, in Paragone 311, 1976, n. 32.
INVENTARIO	460.	5091.	1552.	1347 (C.P., p. 145 n. 1032).
FOTO	105536.	277663.	321880.	321872.
NOTE	La tavoletta, in non buono stato di conservazione e con cadute di colore, era stata segata sulla destra. Non se ne conosce la provenienza. Il sicuro riferimento all'anonimo Maestro della Cappella Rinuccini va ora modificato dopo l'identificazione di questo pittore con Matteo di Pacino (Bellosi 1973). L. Bell.	Il Rosenberg ha identificato il dipinto con uno, attribuito al La Hyre, che nel 1793 si trovava nella collezione di Francesco Favi, rappresentante del granduca di Toscana a Parigi. Questo quadro entrò nel 1797 agli Uffizi, con la stessa attribuzione. Il Rosenberg nota, tuttavia, che essa non può essere mantenuta, e che deve essere cambiata a favore di H. Mauperché, sulla base di raffronti con le opere certe di quest'ultimo, come i paesaggi per l'Hôtel Lambert di Parigi e un altro nel Museo Calvet di Avignone. M.C.	Sempre esposto in Galleria. E.B.	Probabilmente acquistato dal gran Principe Ferdinando. È un esempio tipico della propensione dell'artista per figurazioni che lasciano largo spazio all'ornato degli sfondi. E.B.

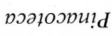

	P1042	P1043	P1044	P1045
AUTORE	Mazzolino, Ludovico (Ferrara 1480 ca. - 1528).	Mazzolino, Ludovico (Ferrara 1480 ca. - 1528).	Meglio Jacopo, Coppi J., detto del (Peretola [Fi] 1523 - Firenze 1591).	Mehus, Livio (Oudenarde 1630 - Firenze 1691).
TITOLO	Circoncisione.	Strage degli Innocenti.	Battesimo di un Imperatore.	Le sabine separano i romani dai sabini.
DATAZIONE	1526 (Zamboni 1968).	1528 ca. (Zamboni 1968).	1576-79 (Baldini 1952).	1660-70 (Gregori 1978).
DATI TECNICI	Tavola centinata, 40x29, restauri ottocenteschi.	Tavola, 49x59.	Bozzetto, olio e disegno su carta, 34,4x23,8.	Olio su tela, 59,5x71,8.
CORNICE	Dorata a piccoli intagli stilizzati.	Dorata, liscia a gola.	Modanata in legno, un po' aggettante e dorata nel filetto interno.	Salvadora dorata, sec. XVIII.
UBICAZIONI	Pitti; Uffizi (1796).	Uffizi (1704).	Gabinetto Disegni e Stampe (1793); Uffizi (1914).	Pitti (1698); Poggio a Caiano (ante 1713); Uffizi (1773).
ATTRIBUZIONI	—	Breughel (1704), Gaudenzio Ferrari (1735) Dosso (1825), Mazzolino (A. Venturi 1890), Battista Dossi? (Zamboni 1968).	—	Valerio Castello (L. Collobi Ragghianti 1952).
ESPOSIZIONI	—	—	Bozzetti delle Gallerie di Firenze, Firenze, 1952-53, n. 36.	Bozzetti delle gallerie di Firenze, Firenze 1952.
BIBLIOGRAFIA	S. Zamboni, Ludovico Mazzolino, Milano 1968, n. 25, p. 42.	S. Zamboni, Ludovico Mazzolino, Milano 1968, n. 26, p. 42.	G. Galante Garrone, Dizionario Bolaffi, Torino 1973; U. Baldini, in Cat., Firenze 1952-53, n. 36, p. 24.	M. Gregori, in Paradigma, 2, 1978; E. Borea in Burlington Magazine CXVI, 1974, M.L. Strocchi, in Paragone, 311, 1976.
INVENTARIO	1355.	1350.	GDSU 19124.	595.
FOTO	321876.	195892.	157031.	159906.
NOTE	Nel secolo scorso ha subito una drastica pulitura. È comunque un'opera tarda alquanto stanca. E.B.	Il Mazzolino ha trattato altre due volte questo tema (Roma, Galleria Doria, Amsterdam Rijksmuseum). Per lo Zamboni la versione degli Uffizi, data la prevalenza della cultura raffaellesca, potrebbe spettare ad altro pittore, forse Battista Dossi. E.B.	Il bozzetto figura nell'inventario del 1793 quale opera di Jacopo del Meglio (cfr. GDSU Inv. 3, ad vocem). Presumibilmente è disegno preparatorio per una tavola non identificata o andata perduta. Nella Lisira compilata dal Baldinucci dal 1675 in poi, figurano 3 disegni di J. del Meglio (cfr. P. Barocchi, in F. Baldinucci, Notizie..., vol. VI, App., Firenze, 1975, p. 185). È esposto nel Corridoio Vasariano. L.B.B.	A tergo cartellino antico: "Dal P. a Caiano dalla Guard.ª 29 Xbre 1773". Il dipinto è documentato in palazzo Pitti fin dal 1698 (ASF, Guard. 1067, c. 11) e fu poi scelto dal Gran Principe Ferdinando de' Medici per il suo gabinetto di Poggio a Caiano, donde tornò agli Uffizi nel 1773. Persa la sua identità fu attribuito nel 1952 a Valerio Castello, ma E. Borea ne ha ristabilito la paternità e M. Gregori ne ha precisato la datazione. S.M.T.

Pinacoteca

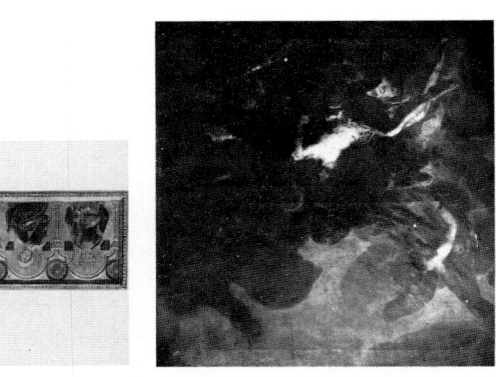
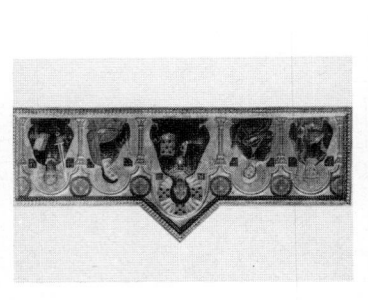

	P1046	P1047	P1048	P1049
AUTORE	Mehus, Livio (Oudenarde 1630 - Firenze 1691).	Meliore (doc. Firenze 1260).	Melozzo da Forlì, degli Ambrosi M., detto (Forlì 1438-1494).	Melozzo da Forlì, degli Ambrosi M., detto (Forlì 1438-1494).
TITOLO	Sacrificio d'Isacco.	Il Redentore e quattro Santi.	Angelo annunciante.	Figura incompleta di Santo. (Verso dell'opera P1048).
DATAZIONE	1670 ca. (Gregori 1978).	1271.	1466-1470 c.	
DATI TECNICI	Olio su tela, 258x241.	Tempera su tavola, 85x210.	Tempera su tavola, 116x60.	
CORNICE	Sagomata e dorata, sec. XVII.	Originale. Forma un dossale rettangolare con la parte centrale elevata.	Listello dorato moderno.	
UBICAZIONI	Pitti (ante 1713); Uffizi (sec. XVIII).	Coll. Taccoli Canacci (1790); chiesa di Vigheffio, Parma (1792); Galleria, Parma (1840); Accademia (1928); Uffizi (1948).	Famiglia Guarini, Forlì; mercato antiquario; Uffizi (1906).	
ATTRIBUZIONI	—	—	Autografo di Melozzo (tutta la critica salvo A. Venturi 1913). Aiuto di Melozzo (O. Okkonen 1910).	
ESPOSIZIONI	Mostra di Pietro da Cortona, Cortona 1958.	Mostra Giottesca, Firenze 1937.	Mostra di Melozzo, Forlì 1938.	
BIBLIOGRAFIA	M. Gregori, Livio Mehus o la sconfitta del dissenso, in Paragone, ma, 2, 1965, p. Bigongiari, ivi, p. 157ss.	Cat. Firenze 1937 (1943), n. 65. L. Marcucci, I dipinti toscani del secolo XIII, Roma 1958, n. 9.	R. Buscaroli, Melozzo da Forlì, Roma 1938, p. 33. R. Buscaroli, Melozzo e il Melozzismo, Bologna 1955, p. 74.	
INVENTARIO	527.	9153.	3341 (C.P., p. 175, n. 1563).	
FOTO	15464, 75513.	102992-93.	91309.	
NOTE	Il dipinto faceva parte della collezione del principe Ferdinando de' Medici in palazzo Pitti e fu inventariato tra le cose di sua appartenenza al momento della morte del principe (1713): vedi Paragone, 301, 1975, p. 87). Il De Brosses lo vide poi agli Uffizi nel 1730. Esistono varie versioni del soggetto (Bigongiari 1978). M.C.	Forse il più antico esempio italiano di dossale rettangolare con la parte centrale elevata, a mezze figure allineate sotto archi (Marcucci 1958). Reca un'iscrizione con la firma e la data: « AD MCC MELIOR ME FECIT LXXI'. I Santi laterali indicati da scritte, sono (da sinistra a destra): Pietro, la Madonna, Giovanni Evangelista e Paolo. I cherubini entro ghirlanda circolare dipinti tra gli archetti sono aggiunte della seconda metà del Quattrocento. L. Bell.	Tavola mutila, nella parte superiore, probabilmente già anta d'organo. La figura dell'Angelo non finita è stata ridipinta a olio, perché in origine monocroma, verso la fine del secolo XVI, probabilmente da P. P. Menzocchi o G. Modigliani. Dietro l'Angelo è la figura di S. Prosdocimo (o S. Benedetto) ben conservata nell'originale colore, vedi spec. la tunica bianca. V. il suo 'pendant' al n. 3343. Fu acquistato per gli Uffizi sul mercato antiquario nel 1906. Per il verso vedi scheda P1049. G.M.	Vedi: Melozzo da Forlì, degli Ambrosi M., detto, Angelo annunciante. Scheda P1048.

Pinacoteca

	P1050	P1051	P1052	P1053
AUTORE	Melozzo da Forlì, degli Ambrosi M., detto (Forlì 1438-1494).	Melozzo da Forlì, degli Ambrosi M., detto (Forlì 1438-1494).	Memling, Hans (Seligenstadt 1435 ca. - Bruges 1494).	Memling, Hans (Seligenstadt 1435 ca - Bruges 1494).
TITOLO	Annunziata.	Figura incompleta di Santo. (Verso dell'opera P1050).	Ritratto d'uomo con paesaggio.	Madonna col Bambino e due Angeli.
DATAZIONE	1466-70 ca.		1470 ca. (Ragghianti Collobi Ragghianti 1948).	1480 ca.
DATI TECNICI	Tempera su tavola, 116x60.		Olio su tavola 38x27.	Olio su tavola, 57x42.
CORNICE	Listello dorato moderno.		Legno nero (forse ottocentesca).	In legno nero (forse ottocentesca).
UBICAZIONI	Famiglia Guarini, Forlì; mercato antiquario; Uffizi (1906).		Coll. Abate Celotti; Uffizi (1836).	Coll. Ignazio Hugford; Uffizi (1779).
ATTRIBUZIONI	Autogr. di Melozzo (tutta la critica salvo A. Venturi, 1913). Aiuto di Melozzo (O. Okkonen 1910).		Antonello da Messina (AGF: Filza LX, n. 54, Inv. 1825, suppl. 2366). Anonimo Fiammingo (Inv. 2560). Hans Memling Galleria 1863). Hans Memling (Michel 1912, Friedländer 1928).	—
ESPOSIZIONI	Mostra di Melozzo, Forlì 1938.		Arte fiamminga e olandese dei secc. XV e XVI, Firenze 1947.	Arte fiamminga e olandese dei secc. XV, XVI, Firenze 1947. I Fiamminghi e l'Italia, Brugges 1951.
BIBLIOGRAFIA	R. Buscaroli, Melozzo da Forlì, Roma 1938, p. 53. R. Buscaroli, Melozzo e il Melozzismo, Bologna 1955, p. 74.		K. B. Farlane, Hans Memling Oxford 1971, G. Faggin, L'opera completa di H. M. Milano 1969. Corpus Primitifs Flamands, Bruxelles (in corso di stampa).	G. Faggin, L'opera completa di H. M. Milano 1969. Corpus Primitifs Flamands, Bruxelles (in corso di stampa).
INVENTARIO	3343 (C.P., p. 175, n. 1564).		1102 (C.P., p. 95, n. 801 bis)	1024 (C.P., p. 94, n. 703).
FOTO	54125.		26288.	141099.
NOTE	Tavola mutila nella parte superiore, probabilmente già anta d'oriore. La figura dell'Annunziata è stata ridipinta ad olio, perché originariamente monocroma, verso la fine del sec. XVI, probabilmente da P. P. Menzocchi o G. Modigliani. Dietro l'Annunziata vi è la mezza figura di un S. Giov. Evangelista (?) intatto fuorché nella mano sinistra, ridipinta. V. il suo 'pendant' al n. 3341. Fu acquistato per gli Uffizi sul mercato antiquario nel 1906. Per il verso vedi scheda P1051. G.M.	Vedi: Melozzo da Forlì, degli Ambrosi M., detto Annunziata. Scheda da P1050. E.M.	Dipinto probabilmente verso il 1470. Non se ne conoscono le vicende fino all'acquisto dall'abate Luigi Celotti per 144 zecchini, il 3 dicembre 1836, come opera di Antonello. Il Friedländer lo considera opera certa di Memling. E.M.	Fu venduta ai Lorena dagli eredi del pittore Ignazio Hugford. Databile verso il 1480, è uno dei più belli esemplari di questa iconografia di Memling. Una replica si trova nella Casa Gotica di Wörlitz. La prima idea dell'angelo che porge al Bambino una mela si trova nel dipinto di Memling della raccolta del Duca di Devonshire a Chatsworth. La composizione è del tutto simile a quella della tavola centrale del Trittico di Vienna (Kunsthistorisches Museum), dove però al posto dell'angelo di destra si trova rappresentato un devoto in ginocchio. E.M.

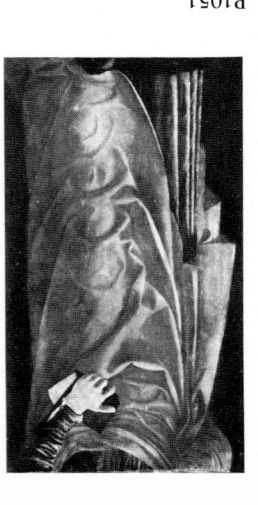

Pinacoteca

	P1054	P1055	P1056	P1057
AUTORE	Memling, Hans (Seligenstadt 1435 ca. - Bruges 1494).	Memling, Hans (Seligenstadt 1435 ca. - Bruges 1494).	Memling, Hans (Seligenstadt 1435 ca. - Bruges 1494).	Memling, Hans (Seligenstadt 1435 ca. - Bruges 1494).
TITOLO	Ritratto di Benedetto di Tommaso Portinari.	San Benedetto.	Ritratto d'ignoto.	Ritratto d'ignoto.
DATAZIONE	1487.	1487.	1490 ca.	1490 ca.
DATI TECNICI	Sportello di trittico. Olio su tavola 45x34.	Sportello di trittico. Olio su tavola 45,5x34,5.	Olio su tavola 55x25.	Olio su tavola, 55x24.
CORNICE	Legno nero, forse ottocentesca.	In legno nero (forse ottocentesca).	In legno nero, forse ottocentesca.	—
UBICAZIONI	Famiglia Portinari (1480 ca.): Arcispedale di Santa Maria Nuova (secc. XVII-XVIII); Uffizi (1825).	Famiglia Portinari (1480 ca.): Arcispedale di S. Maria Nuova (sec. XVI-XVIII); Uffizi (1825).	Coll. Abate L. Celotti? Uffizi (1863).	Coll. Abate Celotti; Uffizi (1836); trafugato (1944).
ATTRIBUZIONI	—	—	Ignoto tedesco (Cat. Galleria 1863). Hans Memling (Ridolfi, 1895-1905; Friedländer 1928).	Scuola tedesca (Cat. Galleria 1863), Scuola di Memling (Ridolfi), Memling (Friedländer 1928).
ESPOSIZIONI	Arte fiamminga e olandese dei secc. XV-XVI, Firenze 1947. Mostra del ritratto fiammingo, Bruges 1953.	Arte fiamminga e olandese dei sec. XV e XVI, Firenze 1947. Arte fiamminga, Sciaffusa 1955.	Arte fiamminga e olandese dei secc. XV e XVII, Firenze, 1947.	Arte fiamminga e olandese dei secc. XV e XVII, Firenze, 1947.
BIBLIOGRAFIA	G. Faggin, *L'Opera completa di H. M.*, Milano 1969 n. 14. *Corpus Primitifs Flamands, Bruxelles* (in corso di stampa).	G. Faggin, *L'Opera completa di H. M.*, Milano 1969. *Corpus Primitifs Flamands, Bruxelles* (in corso di stampa).	K. B. Farraen, *Hans Memling*, Oxford 1971 p. 140. *Corpus Primitifs Flamands, Bruxelles* (in corso di stampa).	L. Collobi Ragghianti, in Cat. *Arte fiamminga e olandese del sec. XV-XVI*, Firenze 1948, p. 15. G. Faggin, *L'opera completa di H. M.*, Milano 1969, p. 110.
	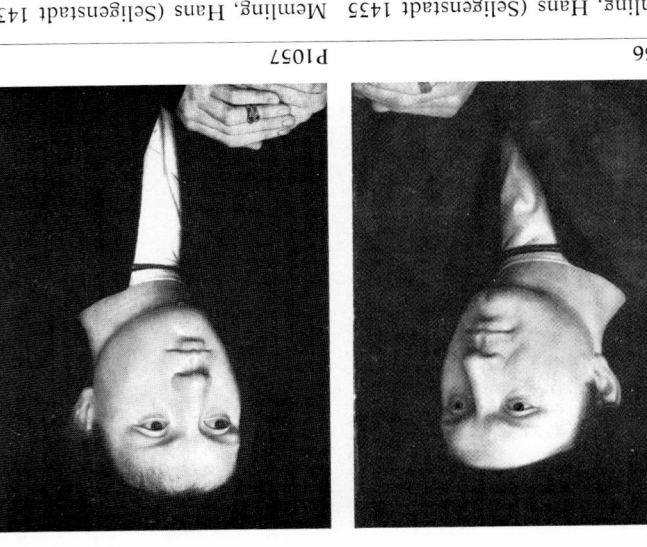			
INVENTARIO	1100 (C.P., p. 96, n. 769).	1090 (C.P., p. 95, n. 780).	1101 (C.P., p. 96, n. 778).	1123 (C.P., p. 95, n. 801 bis).
FOTO	26285.	26286.	22687.	26289.
NOTE	Probabile sportello destro del cosiddetto 'Trittichetto Portinari' cui appartengono anche il 'S. Benedetto', sempre agli Uffizi, e la Madonna col Bambino di Berlino (Staatliche Museum) al centro. Il trittico, proveniente dall'Ospedale di Santa Maria Nuova, fu probabilmente commissionato dalla famiglia Portinari, molto legata all'Ospedale e particolarmente in contatto con artisti fiamminghi. L'identificazione del personaggio con Benedetto Portinari (nato nel 1466) si deve al Warburg (1902). Sul parapetto si legge la data '1487'. Sul retro è dipinto una quercia con un cartiglio dal motto 'De bonus in melius'. E.M.	È lo sportello sinistro del cosiddetto 'Trittichetto Portinari' cui appartiene anche il ritratto di Benedetto Portinari sempre agli Uffizi (cfr. Inv. 1890 n. 1100). Sul parapetto in basso è scritto: SANCTUS BENEDICTUS. E.M.	Questo dipinto non ha storia. Si trova citato in Galleria nel 1863. La critica più recente lo accetta come opera di Hans Memling. Come specificato nel Cat. alla mostra del 1947 da Ragghianti e Collobi Ragghianti, fa parte del gruppetto di ritratti dell'artista conservati agli Uffizi, tutti di alta qualità, ma a torto trascurati dalla critica. Il Friedländer, ad esempio, pur avendoli catalogati tutti come opere del Memling (1928), non ne riprodusse alcuno. E.M.	L'opera è stata razziata dalle truppe tedesche durante l'ultima guerra e non è più ricomparsa. Dai vecchi cataloghi si ricava che sul retro era dipinta su fondo nero una quercia con cartiglio svolazzante sul quale era scritto il motto 'De bien en mieulx' che è la traduzione francese del motto in latino sul retro del ritratto n. 1090. È il numero 90 del Catalogo del Friedländer (1928). C.C.

	P1058	P1059	P1060	P1061
AUTORE	Memling, Hans (Seligenstadt 1435 ca. - Bruges 1494), attr. a.	Memmi, Lippo (?1290 ca. - ?1347 ca.) e Martini, Simone (Siena 1284 ca. - Avignone 1344).	Mengs, Anton Raphael (Aussig, Boemia, 1728 - Roma 1779), scuola di.	Mera, Pietro, detto il Fiammingo (Bruxelles 1571 ca. - 1611 ca.).
TITOLO	'Mater dolorosa'.	Annunciazione a due Santi.	Maria Luisa di Parma, principessa delle Asturie.	Pan e Siringa.
DATAZIONE	Sec. XV.		1765 ca.	1590-1600 ca.
DATI TECNICI	Olio su tavola, 55x53.		Olio su tela, 126x93.	Olio su rame, 31x41.
CORNICE	Moderna a listello dorato.		Intagliata, dorata, sec. XVIII.	Sagomata, dorata, sec. XVII-XVIII.
UBICAZIONI	Card. Leopoldo de' Medici; Guardaroba Granducale (1675); Uffizi (1774).		Pitti (1865 ca.); Uffizi (1905 ca.).	Pitti (sec. XVIII); Uffizi (1774); Pitti (1928).
ATTRIBUZIONI	A. Dürer (Inv. 1675-1774), L. Cranach (Inv. 1784), M. Albertinelli (Inv. 1825), Joos van Cleve (Wauters 1907), H. Memling (Friedländer 1928).	—	Rigaud (Inv. 1890), Pecheux (Pieraccini 1905 ca.).	—
ESPOSIZIONI	Arte fiamminga e olandese dei secc. XV-XVI, Firenze 1947.	—	—	
BIBLIOGRAFIA	Friedländer M., Die Altniederländische Malerei, Berlino 1928 L. Collobi Ragghianti in Cat., Firenze 1948; G. Faggin, L'opera completa di H. Memling, Milano 1969, n. 55.		Catalogo mostra Antonio Rafael Mengs 1727-1779, Madrid, Museo del Prado, 1929, D. Honisch, Anton Raphael Mengs, Recklinghausen 1965.	G. Donzelli - G. M. Pilo, I pittori veneti del Seicento, Venezia 1960. L. Puppi, Pietro Mera, in Bollettino dei Musei Civici veneziani, 1968, A. I. Rusconi: La Galleria Pitti, Roma, 1937, p. 169 s.
FOTO	321794.		138536.	101182.
INVENTARIO	1084 (C.P., p. 95, n. 762).		2816 (C.P., p. 79, n. 2816).	1147 (C.P., p. 128, n. 828).
NOTE	Nella collezione del card. Leopoldo de' Medici l'opera era assegnata a Dürer, ma l'attribuzione più resistente è stata quella a Joos van Cleve. Fu il Friedländer (1928) ad avanzare, pur con qualche dubbio il nome di Memling, al quale ora concordemente la critica assegna il dipinto riconoscendovi la migliore tra molte versioni (Gall. Corsini, Roma; Museo di Strasburgo; Coll. Lemmonier, Parigi). La tavola è stata decurtata e ristretta: secondo il Faggin (1969) faceva parte di un dittico che aveva nello sportello sinistro un Cristo coronato di spine. E.M.	Vedi Martini, Simone. Scheda P1024.	Maria Luisa di Borbone (1751-1819), figlia di Filippo di Borbone duca di Parma e di Luisa Elisabetta di Francia, sposo Carlo, principe delle Asturie, nel 1765, e divenne regina di Spagna nel 1788. Morì in Roma. Il dipinto pervenne a Pitti probabilmente da Parma, con altri trasportati a Firenze dai Savoia quando la città fu capitale d'Italia. Il Pieraccini attribuì il dipinto a L. Pecheux scambiandolo probabilmente con un altro ritratto di Maria Luisa, quest'ultimo firmato e datato 1765 dal pittore piemontese (Inv. Pitti, n. 1391). Il presente dipinto è invece replica o copia di bottega dell'originale del Museo del Prado a Madrid (1765 ca.). M.C.	Firmato (?) in basso al centro: P.o Mera F. (?). M.C.

Pinacoteca

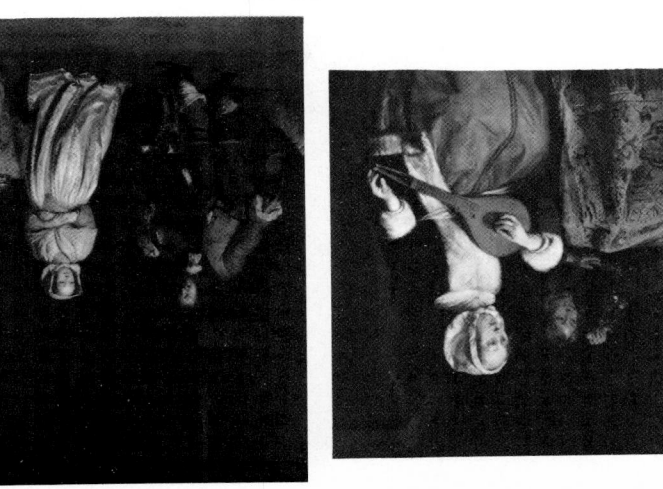

	P1062	P1063	P1064	P1065
AUTORE	Metsu, Gabriel (Leida 1629 - Amsterdam 1667).	Metsu, Gabriel (Leida 1629 - Amsterdam 1667).	Metsys, Quentin (Lovanio 1466 - Anversa 1530), copia da.	Metsys, Quentin (Lovanio 1466 - Anversa 1530).
TITOLO	Donna che accorda un mandolino.	Signora e cavaliere.	S. Girolamo nello studio.	San Girolamo.
DATAZIONE	1660-65 ca. (Robinson 1974).	1660-65 ca. (Robinson 1974).	Prima metà sec. XV?	Sec. XV.
DATI TECNICI	Olio su tavola, 31x27,5.	Olio su tavola, 56x50.	Olio su tavola, 36x50.	Olio su tavola, 35x20.
CORNICE	Ebano, sec. XIX-XX.	Ebano, sec. XIX-XX.	Sagomata, dorata, sec. XVII.	Moderna in legno chiaro e oro.
UBICAZIONI	Uffizi (1704).	Poggio a Caiano (inizi sec. XVIII); Uffizi (1779).	Coll. Feroni (ante 1850); Uffizi (1866); Cenacolo di Foligno (1894).	Pitti, Guardaroba (sec. XVII-XVIII); Uffizi (1774).
ATTRIBUZIONI	—	—	Scuola olandese sec. XVI (Cat. Feroni 1893).	Jan van Eyck (Inv. 1825); O. Metsys (Wurzbach 1910).
ESPOSIZIONI	Pittura olandese del Seicento, Roma 1928. Mostra di pittura olandese del 600, Roma 1954.	Mostra di pittura olandese del Seicento, Roma 1954.	—	Arte fiamminga e olandese dei sec. XV e XVI, Firenze 1947.
BIBLIOGRAFIA	J. Rosenberg - S. Slive - E. H. Ter Kuile, Dutch Art and Architecture 1600-1800, Harmondsworth 1966. F. W. Robinson, Gabriel Metsu, New York 1974, pp. 56-7, 180, fig. 132.	J. Rosenberg - S. Slive - E. H. Ter Kuile, Dutch Art and Architecture 1600-1800, Harmondsworth 1966. F. W. Robinson, Gabriel Metsu, New York 1974, pp. 85, 215, fig. 202.	M. J. Friedländer, Die Altniederländische Malerei, vol. VII, Berlino 1929, Catalogo della Galleria Feroni, Firenze 1895, p. 7.	R. Salvini, Arte fiamminga, Milano 1938, L. Collobi Ragghianti: in Cat., Firenze, 1948.
FOTO	96144.	140138.	168543.	151431.
INVENTARIO	1238 (C.P., p. 137, n. 918).	1296 (C.P., p. 134, n. 972).	S. Marco e Cenacoli 53.	1092 (C.P., p. 95, n. 779).
NOTE	La provenienza del dipinto non è documentata ma si può supporre, come hanno fatto Hoogewerff (1919) e Gerson (1942) che sia stato acquistato da Cosimo de' Medici in uno dei suoi due viaggi nei Paesi Bassi. Quadro molto noto e del quale esistono varie copie antiche. M.C.	Il quadro, la cui provenienza non è documentata, faceva parte agli inizi del Settecento della collezione del principe Ferdinando de' Medici nella villa di Poggio a Caiano (vedi M. L. Strocchi, in Paragone, N. 311, 1976, p. 101). Questo dato farebbe supporre che il dipinto possa essere stato inviato in dono a Ferdinando da suo cognato, Elettore Palatino del Reno, che gli inviò quadri fiamminghi e olandesi in due riprese (com. or. di M. L. Strocchi). Hoogewerff (1919) e Gerson (1942) supposero invece che esso fosse stato acquistato da Cosimo III de' Medici in uno dei due viaggi da lui fatti nei Paesi Bassi. M.C.	Il dipinto è copia dell'esemplare attribuito a Quentin Metsys nel Kunsthistorisches Museum di Vienna (Cat. 1973, n. 691). L'attribuzione all'artista fiammingo è però messa in dubbio dal Friedländer (1929, n. 70), che pensa piuttosto al figlio Jan. Il dipinto Feroni, di non grande qualità, ha uno stile molto più secco che denuncia la copia. Secondo il catalogo della collezione di provenienza, fu acquistato con l'attribuzione a Luca di Leida. M.C.	Pervenne agli Uffizi dalla Guardaroba Granducale il 20 maggio 1774. Roberto Salvini (Cat. Galleria Uffizi 1952), la ritiene replica di un dipinto di cui non conosciamo l'originale. Del resto il San Girolamo è un tema frequente nell'opera del Metsys. E.M.

	P1066	P1067	P1068	P1069
AUTORE	Michelangelo Buonarroti (Caprese, Firenze 1475 - Roma 1564).	Michele di Ridolfo del Ghirlandaio, Tosini M., detto (Firenze 1503-77).	Miel, Jan (Anversa 1599 - Torino 1663), attr. a.	Miel, Jan (Anversa 1599 - Torino 1663).
TITOLO	Sacra Famiglia con S. Giovannino (Tondo Doni).	Seppellimento di una monaca.	La famiglia del contadino.	Pastori e animali.
DATAZIONE	1504-6, ante 1503 (Grimm 1868), 1503-4 (Poggi 1907), 1504-6 (Tolnay 1943-1960), 1506 (Wilde 1953); 1508-12 (Baumgart 1934-35 e Bottari 1941).	Metà del sec. XVI.	1630-40 ca.	1645-50 ca.
DATI TECNICI	Tempera su tavola, diam. 120.	Olio su tavola, 55x151.	Olio su tela, 34x25,5.	Olio su tavola, 17x32,5.
CORNICE	Originale, dorata e intagliata a racemi e volute, con teste a rilievo, tra gli intagli le armi, mezzelune, degli Strozzi. Attr. a Baccio di Montelupo per le teste in rilievo (Lisner 1965, Von Einem 1973, Tolnay 1975).	—	Sagomata, dorata, sec. XVII.	Ebano, sec. XIX-XX.
UBICAZIONI	Casa Doni (dall'origine; Uffizi Tribuna (1635); altre sale (post 1848).	Uffizi (1881); Pitti (1951); Uffizi (1976).	Uffizi (sec. XVIII).	Pitti (ante 1675); Poggio a Caiano (inizi sec. XVIII); Uffizi (1773).
ATTRIBUZIONI	Opera considerata universalmente autografa.	—	—	Bamboccio (inv. coll. card. Leopoldo de' Medici, 1675). Miel (inv. Poggio a Caiano 1713, inv. Uffizi 1773, Pieraccini 1905 ca., Chiarini 1967, Strocchi 1976). Seguace o imitatore del Miel (Bodart 1977).
ESPOSIZIONI	L'art italien de Cimabue a Tiepolo, Paris 1935. Mostra del Cinquecento toscano, Firenze 1940.	—	Paesisti, Bamboccianti e vedutisti nella Roma seicentesca, Firenze 1967.	Paesisti, Bamboccianti e vedutisti nella Roma seicentesca, Firenze 1967.
BIBLIOGRAFIA	F. Steinmann - R. Wittkower, Michelangelo Bibliographie 1510-1927, Leipzig 1927. L. Dussler, Michelangelo - Bibliographie, 1927-1970, Wiesbaden 1974. *Cat., Paris 1935, n. 113. Cat., Firenze 1940, n. 14. A. Pinna, Michelangelo, Milano 1964. E. Camesasca, Michelangelo 1966, n. 8.*	C. Gamba, Ridolfo e Michele del Ghirlandaio, in Dedalo IX, 1928-1929, pp. 463-490; 544-561. S. J. Freedberg, Painting of the Hight Renaissance in Rome and Florence, Cambridge (Mass.) 1961.	H. Gerson - E. H. Ter Kuile, Art and Architecture in Belgium, 1600-1800, Harmondsworth 1960. *D. Bodart, in Cat. Rubens e la pittura fiamminga del Seicento nelle collezioni pubbliche fiorentine, Firenze 1977, p. 330, n. LXXVIII.*	H. Gerson - E. H. Ter Kuile, Art and Architecture in Belgium 1600-1800, Harmondsworth 1960. *D. Bodart, in Cat. Rubens e la pittura fiamminga del Seicento..., Firenze 1977, p. 330, n. LXVII.*
INVENTARIO	1456 (C.P., n. 1139, p. 191).	6081.	1062.	1236 (C.P., p. 130, n. 916).
FOTO	53075 (e particolari).	325043.	156245.	156147.
NOTE	Il dipinto, già ricordato in Casa Doni dall'Anonimo Magliabechiano (1537-42) e da A.F. Doni (1549), citato fin dalla I edizione dal Vasari (1550), fu eseguito secondo il Poggi (1907), che scoprì lo stemma degli Strozzi fra gli intagli della cornice originale, in occasione delle nozze di Agnolo Doni con Maddalena Strozzi. Ricordato ancora dal Bocchi (1591) in Casa Doni in Via S. Niccolò, il Cinelli (1677) lo descrive già nella Tribuna. Ne esiste una copia in formato rettangolare di Anonimo Fiammingo nel Fogg Museum al Cambridge (Mass.). Interessante la copia del Bachiacca di ubicazione ignota, pubblicata negli indici del Berenson (1963, n. 1238).	Il dipinto con il seppellimento di una monaca, a destra un gruppo di figure con Gesù e santi, è probabilmente parte di anta di armadio. Compare negli inventari degli Uffizi nel 1881 cat. IVª n. 897.	L'attribuzione al Miel risale allo Zacchiroli (1783), il primo a menzionare il quadro. Nelle sue condizioni insoddisfacenti di conservazione è difficile giudicare se questa attribuzione può essere mantenuta.	Sul retro iscrizione: Giovanni Mie... Il dipinto è ricordato per la prima volta nell'inventario della collezione del card. Leopoldo de' Medici in palazzo Pitti, steso alla sua morte (1675), con l'attribuzione al Bamboccio (P. Van Laer). L'attribuzione fu poi cambiata in quella al Miel in un inventario generale dei quadri della Guardaroba e in quello della Villa di Poggio a Caiano, dove era stato trasportato agli inizi del Settecento. Ritenuto da chi se ne è occupato successivamente dell'artista, non è considerato autografo dal Bodart.
	R.P.P.	L.B.B.	M.C.	M.C.

	P1070	P1071	P1072	P1073
AUTORE	Mignard, Pierre (Troyes 1612 - Parigi 1695), attr. a.	Mignon, Abraham (Francoforte 1640 - Wetzlar ? 1679).	Molenaer, Jan Miense (Haarlem 1609 ca. - 1668).	Molenaer, Jan Miense (Haarlem 1609 ca. - 1668).
TITOLO	Ritratto femminile, detto della contessa di Grignan.	Natura morta.	Il cavadenti.	Scena di taverna.
DATAZIONE	Seconda metà XVII sec. (Rosenberg 1977).	Seconda metà sec. XVII.	1635 ca.	1635 ca. (Zoege von Manteuffel).
DATI TECNICI	Olio su tela, 67,5x55,5.	Olio su tavola, 36,5x47,5.	Olio su tavola, 30,5x28,5.	Olio su tavola, 69,5x115.
CORNICE	Intagliata, dorata, sec. XVIII.	Ebano, sec. XIX-XX.	Ebano, sec. XIX-XX.	Sagomata, nera, sec. XVII-XVIII?
UBICAZIONI	Parigi (ante 1793); Uffizi (1793).	Pitti (inizi sec. XVIII); Uffizi (1794).	Uffizi (1796?).	Pitti (seconda metà sec. XVIII); Uffizi (1770).
ATTRIBUZIONI	Mignard (Favi 1793). Scuola Francese del XVII sec. (Rosenberg 1977).	—	Molenaer (Pieraccini 1905, Poggi 1927). Teniers (Zoege von Manteuffel 1921).	Brouwer (AGF, Filza II, 1769-70, n. 82, Real Galleria illustrata 1824, Wurzbach 1906, Pieraccini 1905 ca., Poggi 1927). Molenaer (Zoege von Manteuffel 1921, Salvini 1954, Bodart 1977).
ESPOSIZIONI	La peinture française à Florence, Firenze 1945. Pittura francese nelle collezioni pubbliche fiorentine, Firenze 1977.	—	—	—
BIBLIOGRAFIA	Thieme-Becker, XVI, 1930. *Cat., Firenze 1977, n. 62.*	L.J. Bol: Holländische Maler des 17. Jahrh. nahe den grossen meistern, Braunschweig 1969. *G. Poggi: Galleria degli Uffizi. Cat. dei dipinti, Firenze 1927, p. 186.*	A. Bredius: Jan Miense Molenaer..., in Oud Holland, 1908. *G. Poggi: Galleria degli Uffizi, 1927, p. 194.*	A. Bredius: Jan Miense Molenaer..., in Oud Holland, 1908. *D. Bodart: in Cat. Rubens e la pittura fiamminga del Seicento... Firenze 1977, p. 318, n. XL.*
INVENTARIO	989 (C.P., p. 115, n. 670).	1115(C.P., p. 127, n. 792).	1309 (C.P., p. 140, n. 984).	1278 (C.P., p. 134, n. 955).
FOTO	171362.	184282.	109167.	23696.
NOTE	Il dipinto fu acquistato nel 1793 a Parigi da Francesco Favi insieme ad altri quadri francesi, per conto del granduca Ferdinando III di Toscana. Attribuito allora al Mignard, tale attribuzione è stata messa in dubbio dal Rosenberg (1977), che nega anche l'identificazione della dama ritratta con la contessa di Grignan. M.C.	Firmato in basso a sinistra: A. Mignon f. sul retro scritta: Mignon. Il dipinto è ricordato in palazzo Pitti a partire dagli inizi del Settecento, ma la provenienza del dipinto non è documentata. Passò alla Galleria degli Uffizi nel 1794. Ne esiste una versione identica e firmata in una collezione privata di Città del Capo, mentre una copia attribuita a D.C. de Heem fu esposta alla Mostra internazionale dell'antiquariato di Firenze nel 1975 (Gall. Finck, Bruxelles). M.C.	Firmato in basso a sinistra: Jan Molenaer. La provenienza del quadro non è documentata, e non è certo che sia questo il dipinto entrato agli Uffizi nel 1796, così come non documentate risultano le notizie datene dal Poggi (da Pitti portato agli Uffizi nel 1681). Poco studiato, il dipinto sembra spettare al Molenaer, mentre inspiegabile appare il riferimento al Teniers proposto dal Manteuffel (in Monatsh. f. Kunstwiss., I, 1921, p. 47). M.C.	Resti di firma sul bordo del tavolo, che confermerebbero l'attribuzione all'artista proposta dal Manteuffel, che data l'opera intorno al 1635. La provenienza del dipinto non è documentata. M.C.

	P1074	P1075	P1076	P1077
Autore	Momper, Jan de (Anversa 1614 - Roma, post 1688).	Momper, Jan de (Anversa 1614 - Roma, post 1688).	Monogrammista G.C.	Monsù Alto (Olanda? - Roma, inizi sec. XVIII).
Titolo	Paesaggio con mandriano.	Paesaggio fluviale.	Concerto di putti.	Marina con figure.
Datazione	1660-80 ca.	1660-80 ca.	1628.	Inizi sec. XVIII.
Dati tecnici	Olio su tela, 18x25,6.	Olio su tela, 16,8x34,8.	Olio su tela, 136x187, restauro 1975.	Olio su tela, 55x163.
Cornice	Sagomata, dorata, sec. XVII-XVIII.	Sagomata, dorata, sec. XVII.	Intagliata e dorata.	Sagomata, intagliata e dorata, sec. XVII-XVIII.
Ubicazioni	Uffizi (sec. XIX).	Poggio a Caiano (inizi sec. XVIII); Uffizi (1773).	Pitti (1761); Uffizi (1890).	Coll. Feroni (ante 1850); Uffizi (1866); Cenacolo di Foligno (1894).
Attribuzioni	Scuola fiamminga (Inv. Uffizi sec. XIX). Momper (Chiarini 1967, Bodart 1977).	Scuola fiamminga (Inv. Uffizi sec. XIX).	Anonimo (inv. 1761). Giacinto Campana (inv. 1890). Monogrammista G.C. (Borea 1975).	Locatelli (Cat. Feroni 1895).
Esposizioni	Paesisti, Bamboccianti e vedutisti nella Roma seicentesca, Firenze 1967.	Paesisti, Bamboccianti e vedutisti nella Roma seicentesca, Firenze 1967.	Pittori bolognesi del Seicento nelle Gallerie di Firenze, Firenze 1975.	—
Bibliografia	L. Salerno: Pittori di paesaggio del Seicento a Roma, vol. II, Roma 1976. *Cat., Firenze 1967, n. 45. D. Bodart: in cat. Rubens e la pittura fiamminga del Seicento nelle collezioni pubbliche fiorentine, Firenze 1977, p. 332, n. LXXXII.*	L. Salerno: Pittori di paesaggio del Seicento a Roma, vol. II, Roma 1976. *D. Bodart: in Cat. Rubens e la pittura fiamminga del Seicento nelle collezioni pubbliche fiorentine, Firenze 1977, p. 330, n. LXXXI.*	Pittori bolognesi del Seicento nelle Gallerie di Firenze, Firenze 1975. E. Borea, in Cat., Firenze 1975, pp. 166-67.	*Catalogo della Galleria Feroni, Firenze 1895, p. 3. M. Chiarini: Monsù Alto, le maître de Locatelli, in Revue de l'art, n. 7, 1970, p. 18. A. Busiri Vici: Andrea Locatelli, Roma 1974, p. 5. L. Salerno: Pittori di paesaggio del Seicento a Roma, vol. II, Roma 1976.*
Inventario	1054.	6205.	6275.	S. Marco e Cenacoli 78.
Foto	156244.	156243.	216641.	160007.
Note	Inventariato come di scuola o ignoto fiammingo del sec. XVII nell'Ottocento, è stato attribuito al Momper da Chiarini (cat., Firenze 1967) e Bodart. M.C.	Il quadretto fece parte della collezione radunata dal principe Ferdinando de' Medici nella Villa di Poggio a Caiano agli inizi del Settecento, e con gli altri fu quindi portato agli Uffizi nel 1773. Ricordato come del Momper negli inventari medicei settecenteschi, nel sec. XIX fu elencato come di scuola fiamminga. M.C.	È siglato e datato in basso a destra: G.C. (intrecciate) 1628. L'attribuzione ottocentesca a Giacinto Campana, pittore bolognese, non è provata. E.B.	Sul retro della cornice, cartellino con scritta sei-settecentesca: 112 / Paese di Monsù Alto. Sulla base di questa scritta e degli elementi stilistici, il Chiarini ha attribuito il quadro e il suo 'pendant' n. 85 a questo artista, la cui personalità è conosciuta solo per la citazione quale maestro di Andrea Locatelli nelle biografie settecentesche di quest'ultimo. In tali fonti non si dice di quale nazionalità sia 'Monsù Alto', che sembrerebbe legato a un tipo di cultura che ha per massimo esponente Jan Frans van Bloemen. Il riferimento nel catalogo della collezione di provenienza al Locatelli ha così una sua precisa ragione nei caratteri stilistici da quest'ultimo ripresi dal suo maestro. M.C.

	P1078	P1079	P1080	P1081
AUTORE	Monsù Alto (Olanda? - Roma, inizi sec. XVIII).	Monsù Bernardo, Keil Eberhard, detto (Helsingör 1624 - Roma 1687), attr. a.	Monsù Bernardo, Keil Eberhard, detto (Helsingör 1624 - Roma 1687), attr. a.	Montemezzano, Francesco (Verona 1540 ca. - post 1602), attr. a.
TITOLO	Paesaggio costiero con figure.	Giovane contadino.	Ragazzo con cane.	La cacciata dal Paradiso Terrestre.
DATAZIONE	Inizi sec. XVIII.	Seconda metà sec. XVII.	Seconda metà sec. XVII.	Fine sec. XVI (Collobi Ragghianti 1952).
DATI TECNICI	Olio su tela, 63x166.	Olio su tela, 97x73.	Olio su tela, 96x72.	Olio su tela, 31x38.
CORNICE	Sagomata, intagliata, dorata, sec. XVII-XVIII.	Sagomata, intagliata e dorata, sec. XVII.	Sagomata, intagliata e dorata, sec. XVII.	—
UBICAZIONI	Coll. Feroni (ante 1850); Uffizi (1866); Cenacolo di Foligno (1894). Locatelli (Cat. Feroni 1895).	Coll. Feroni (ante 1850); Uffizi (1866); Cenacolo di Foligno (1894).	Coll. Feroni (ante 1850); Uffizi (1866); Cenacolo di Foligno (1894).	Pitti (1713); Uffizi (sec. XIX).
ATTRIBUZIONI	—	Caciolli, G.B. (Cat. Feroni 1895). Antonio Amorosi (Voss 1924).	Lailon, Bernardo (Cat. Feroni 1895). Antonio Amorosi (Voss 1924).	Montemezzano (Inv. 1713). Scuola Fiamminga del XVI sec. (Collobi Ragghianti 1952). Frans Floris? (Collobi Ragghianti 1954).
ESPOSIZIONI	—	—	—	Bozzetti delle Gallerie di Firenze, Firenze 1952.
BIBLIOGRAFIA	*Catalogo della Galleria Feroni, Firenze 1895, p. 3. M. Chiarini: Monsù Alto, le maître de Locatelli, in Revue de l'art, n. 7, 1970, p. 18. A. Busiri Vici: Andrea Locatelli, Roma 1974, p. 5. L. Salerno: Pittori di paesaggio del Seicento a Roma, vol. II, Roma 1976.*	R. Longhi: Monsù Bernardo, in Critica d'arte. 1938, p. 121ss. *Catalogo della Galleria Feroni, Firenze 1895, p. 2. H. Voss: Die Malerei des Barock in Roma, Berlin 1924, p. 637.*	R. Longhi: Monsù Bernardo, in Critica d'arte, 1938, p. 121ss. *Catalogo della Galleria Feroni, 1895, p. 3. H. Voss: Die Malerei des Barock in Roma, Berlin 1924.*	L. Larcher Crosato: Proposte per Francesco Montemezzano, in Arte Veneta, 1972. *Cat., Firenze 1952, n. 55. L. Collobi Ragghianti: in Critica d'arte, 1954, p. 484.*
INVENTARIO	S. Marco e Cenacoli 94.	S. Marco e Cenacoli 18.	S. Marco e Cenacoli 22.	3905.
FOTO	160001.	168528.	159986.	68221.
NOTE	Il dipinto è 'pendant' del n. 78 inv. 1890. M.C.	Sul retro della cornice cartellino con scritta antica indecifrabile. Il dipinto può essere riferito al pittore danese E. Keil, che fu allievo di Rembrandt e si trasferì quindi in Italia, sulla base dei confronti con le sue opere sicure. L'attribuzione avanzata nel catalogo Feroni è infatti del tutto inattendibile, mentre la scritta che compare sul retro del n. 22 'pendant' del presente dipinto, indirizza anch'essa, pur nella sua storpiatura, sul nome del Keil, al quale il Longhi attribuì i dipinti che il Voss aveva raccolto sotto il nome dell'Amorosi. Per un più recente dibattito sulla 'vexata quaestio', vedi E. Battisti in Commentari, 1953, p. 155ss., 1954, p. 79ss. M.C.	Sul retro della cornice cartellino con scritta: N. 314. Bernardo Lailon. 'Pendant' del n. 18 il dipinto va attribuito al pittore danese, che fu allievo di Rembrandt e si trasferì quindi in Italia, sia sulla base dello stile, sia anche per l'indicazione della scritta antica che, pur storpiandolo, allude al suo nome. Per ulteriori notizie, si veda il n. 18. M.C.	Sul retro (telaio) una scritta antica attribuisce il quadro al Montemezzano, attribuzione che ritorna nell'inventario della collezione del principe Ferdinando de' Medici in palazzo Pitti (1713). La Collobi Ragghianti, tuttavia, pur notandovi accenti veneti, preferiva attribuirlo a un pittore fiammingo italianizzante, avanzando il nome di F. Floris (1954), che tuttavia non convince. M.C.

	P1082	P1083	P1084	P1085
AUTORE	Morales, Luis de (Badajoz? 1509 ca. - Badajoz 1586).	Morandi, Giovanni Maria (Firenze 1622 - Roma 1717).	Morazzone, Mazzucchelli Pier Francesco, detto il (Morazzone 1573 - Piacenza 1626).	Morone, Francesco (Verona 1471 ca. - 1529) attr. a.
TITOLO	Cristo con la Croce.	Visitazione della Vergine.	Perseo e Andromeda.	Vergine Annunziata.
DATAZIONE	1550-60 ca.?	Ante 1692.	1610 ca.	Primo decennio sec. XVI.
DATI TECNICI	Olio su tavola, 59,5x56.	Olio su rame, 37x28.	Olio su tela, 119x92,5, restauro 1959.	Olio su tela, 208x94.
CORNICE	Sagomata, dorata.	Originale.	Nera e oro dipinta a finto intaglio, sec. XVII (?).	Intagliata e dorata, non pertinente.
UBICAZIONI	Coll. A. De Noè Wolker; Uffizi (1898).	Poggio Imperiale (citazioni 1692); Uffizi (dal 1773); Prefettura di Firenze (dal 1947).	Guardaroba; Uffizi (1771); Petraia; Uffizi (1925).	Coll. Contini-Bonacossi (cit. 1932); Uffizi (1974), Dep. Meridiana di Pitti.
ATTRIBUZIONI	Morales (Gaya Nuño 1958-61). Bottega o copia (Bäcksbarka 1962).	Anonimo (Inv. Poggio Imperiale 1692; nell'atto di cessione dal Poggio I. alla R. Galleria, 1773). G.M. Morandi (Inv. 1784).	—	F. Morone? (Berenson 1932).
ESPOSIZIONI	—	—	Dipinti italiani del Sei e Settecento, Firenze 1959. Mostra del Morazzone, Varese 1692.	—
BIBLIOGRAFIA	*J. Antonio Gaya Nuño, La pintura española fuera e España, Madrid 1958, p. 238, n. 1822. Id.: Luis de Morales, Madrid 1961, p. 42, n. 11. I. Bäcksbacka: Luis de Morales, Helsinki 1962, p. 195, n. 11.*	Thieme-Becker, XXV, 1931, p. 120; E. Waterhouse, in 'Studies in Renaissance... presented to A. Blunt', London-New York 1967, p. 118.	*M. Gregori, in Cat., Milano 1962, pp. 49-50.*	B. Berenson, Italian Pictures... I, 1932, p. 282. M. Salmi, in Bollettino d'Arte, 4, 1967.
INVENTARIO	3112 (C.P., p. 86, n. 1519).	1542 (C.P., p. 167, n. 1242).	5403.	Contini Bonacossi 11.
FOTO	252077.	167650.	111330.	225573.
NOTE	Il dipinto fu donato nel 1898 dal sig. De Noè Walker alla Galleria degli Uffizi con la tradizionale attribuzione al Morales. È uno dei tanti esemplari di questo soggetto dipinti dall'artista, e dei quali solo pichi sono accettati dal Meyer come autentici. Il Morales derivò il soggetto da Sebastiano del Piombo, come è stato di nuovo sottolineato da Bäcksbacka, che tuttavia elenca il quadro fra le opere di bottega, copie e imitazioni. M.C.	Proviene dalla Villa del Poggio Imperiale nella quale è già citato nel 1692 (A.S.F., Guard. 995, c. 113 n. 414). Replica di un dipinto in tela eseguito dal pittore a Roma in Santa Maria del Popolo nel 1659 (Waterhouse, 1967), è tuttavia più tardo e di tono più domestico. Dopo la morte del Sustermans (1682) il Morandi, a Roma già da tempo, dimorò per un breve periodo alla Corte fiorentina (L. Pascoli, *Vite de' pittori...*, II, Roma 1736, p. 132) richiamatovi come ritrattista ufficiale: è probabile che durante tale soggiorno eseguisse anche questo dipinto. M.G.	Da identificare con un quadro, di cui è indicato con grande precisione il soggetto ma non l'autore, venuto dalla guardaroba agli Uffizi nel 1771 e di qui rimandato alla Petraia (AGF, Filza III a 27). Emerso dai magazzini ed esposto in galleria nel 1925 con la generica ascrizione a scuola lombarda, fu riconosciuto dal Suida (1931) come opera del Morazzone, e da allora sempre accettato come tale. Si noti che un'altra opera del Morazzone delle collezioni medicee, l'Annunciazione oggi nella Pinacoteca di Lucca (inv. 72), perse pure la sua identità (era creduta del Pomarancio); evidentemente la personalità dell'artista lombardo non era a fuoco a Firenze. S.M.T.	Il Berenson per primo ha inserito questo dipinto, sia pur con riserva, tra le opere del Moroni. Con l'Angelo annunziate (Inv. Contini Bonacossi n. 12) componeva probabilmente due ante d'organo. Secondo il Salmi può essere avvicinata a una Madonna e quattro Santi della collezione Johnson di Philadelphia, anche essa attribuita al Morone (Salmi). L'opera è entrata nelle collezioni della Galleria in seguito a una donazione, accompagnata da una convenzione, da parte degli eredi del conte Alessandro Contini Bonacossi (1969). C.C.

	P1086	P1087	P1088	P1089
AUTORE	Morone, Francesco (Verona 1471 ca. - 1529) attr. a.	Moroni, Giovanni Battista (Albino 1529/30 - Bergamo 1578).	Moroni, Giovanni Battista (Albino 1529-30 - Bergamo 1578).	Moroni, Giovanni Battista (Albino 1529-30 - Bergamo 1578).
TITOLO	Angelo Annunziante.	Ritratto di Secco Suarolo.	Ritratto del poeta Giovanni Antonio Pantera.	Ritratto di un dotto.
DATAZIONE	Primo decennio sec. XVI.	1563.	1571-72 (Merten 1928), 1562-63 (Lendorff 1933), 1558 (Cugini 1939), 1560 ca. (Cat. Milano 1953).	1571-72 (Merten 1928), 1561-63 (Lendorff 1933), 1550-53 ca. (Cat., Milano 1953).
DATI TECNICI		Olio su tela, 183x104.	Olio su tela, 81x63.	Olio su tela, 71x56.
CORNICE		Barocca in legno intagliato e dorato a decoro di volute e mascheroni.	Barocca, in legno intagliato e dorato.	Barocca, in legno intagliato e dorato.
UBICAZIONI		Gran Principe Ferdinando de' Medici (cit. 1713); Uffizi (1797).	Eredità card. Leopoldo de' Medici (1675); Pitti (cit. 1688); Poggio Imperiale; Uffizi (1795).	Antiquario Giovanni di Udine (fino 1660); Eredità card. Leopoldo; Uffizi, Tribuna (cit. inv. 1704).
ATTRIBUZIONI		—	Ignoto pittore cremonese (inv. Card. Leopoldo 1675).	—
ESPOSIZIONI		—	I pittori della realtà in Lombardia, Milano 1953. G. Battista Moroni, Bergamo 1979.	I pittori della realtà in Lombardia, Milano 1953. G. Battista Moroni, Bergamo 1979.
BIBLIOGRAFIA		G. Lendorff, Giovanni Battista Moroni der porträtmäler von Bergamo, Winterthur 1933 (ed. italiana: Giovanni Battista Moroni, il ritrattista Bergamasco, Bergamo 1939).	G. Lendorff, Giovanni Battista Moroni der porträtmaler von Bergamo, Winterthur 1933 ed. it. 1939). *Cat., Milano, 1953, n. 16. Cat., Bergamo 1979 (a cura di M. Gregori) n. 25.*	G. Lendorff, Giovanni Battista Moroni der porträtmaler von Bergamo, Winterthur 1933 (ed. it. 1939). *Cat., Milano 1953, n. 4. Cat., Bergamo 1979 (a cura di M. Gregori) n. 24.*
INVENTARIO	Contini Bonacossi 12.	906 (C.P., p. 198, n. 586).	941 (C.P., p. 198, n. 642).	933 (C.P., p. 199, n. 629).
FOTO	225574.	185680-117472 (particolare).	184674.	184673.
NOTE	Cfr. scheda P1085	Il dipinto è datato e firmato. Sulla base che sostiene il vaso con la fiamma indicata dal personaggio si legge il motto: «et quid volo nisi ut ardeat». Più sotto è la data in lettere romane (MDLXIII) con la firma «Io. Bap. Moronus p.». Il Merten identifica il ritrattato nel conte Pietro Secco Suardo e con questo titolo il quadro è comunemente noto. Per l'inventario del 1713 trattasi del ritratto di S. Ignazio da Loyola in abito secolare con la città di Pamplona sullo sfondo (cfr. M. Chiarini: I quadri della collezione del Principe Ferdinando di Toscana, Paragone nr. 301, 1975, p. 88). Inciso da Lasinio (R. Galleria, Firenze 1824 vol. II). A.P.	Il ritrattato tiene un libro in evidenza così da permettere la lettura del titolo: Monar. di Christo. Ciò ha consentito di identificare il personaggio nel poeta Giovanni Antonio Pantera, il cui poema spirituale 'La monarchia di Cristo' conobbe notevole successo e varie edizioni fra il 1545 e il 1586. L'attribuzione al Moroni già presente nella prima registrazione di Galleria (G.le di Galleria 1784 c. 49) non è mai stata contestata dalla critica. Inciso da Lasinio su: Reale Galleria di Firenze illustrata, S.I vol. II Firenze 1824. Una copia della testa è indicata dalla Gregori nel Museo Nacional de Belas Artes di Rio de Janerio. A.P.	Già in possesso di un antiquario udinese, nell'agosto del 1660 per tramite di Paolo del Sera, il dipinto venne acquistato dal cardinal Leopoldo, come di mano del Moroni, per la somma di 110 piastre (cfr. per l'intera vicenda A.S.F. Cart. d'Art. V, c. 354 e segg. Nell'inventario dell'eredità di Leopoldo (inv. 1675, c. 66, n. 192) e nei successivi inventari degli Uffizi (inv. 1704, 1753, 1769, 1784) figura l'attribuzione al Morazzone, rettificata in quella attuale soltanto nell'inv. 1825 (n. 622). Inciso dal Pazzi nel Museo Fiorentino (1754). A.P.

	P1090	P1091	P1092	P1093
AUTORE	Munari, Cristoforo (Reggio Emilia 1667 - Pisa 1720).	Muttoni, Pietro, detto P. della Vecchia (Venezia 1605-1678).	Muziano, Girolamo (Acquafredda 1528 o 1532, Roma 1592).	Naldini, Giovan Battista (Firenze 1537-91).
TITOLO	Natura morta di frutta, vasellame, libri e flauto.	Ritratto di guerriero.	Ritratto virile.	Madonna in trono fra santi.
DATAZIONE	1706-15 ca. (Chiarini 1974).	1650-70 ca.?	1560? ca.	1560-70 ca.
DATI TECNICI	Olio su tela, 42x67.	Olio su tela, 36x28.	Olio su tela, 75x60.	Bozzetto, olio su carta su tela, 28,4x20,2.
CORNICE	Sagomata, dorata, sec. XX.	Intagliata e dorata, sec. XVII.	Barocca, in legno intagliato e dorato a decoro di volute.	—
UBICAZIONI	Poggio Imperiale (sec. XIX); Uffizi (1960 ca.).	Uffizi (sec. XIX).	Guardaroba; Uffizi (1798).	Gabinetto Disegni e Stampe (Inizi sec. XX).
ATTRIBUZIONI	—	—	—	—
ESPOSIZIONI	Cristoforo Munari e la natura morta emiliana, Parma 1964. Gli ultimi Medici. Il tardo Barocco a Firenze 1670-1743, Detroit-Firenze 1974.	—	—	—
BIBLIOGRAFIA	G. De Logu, Natura morta italiana, Bergamo 1962. La natura morta italiana, Cat. della mostra, Napoli 1964, p. 101s. *Cat., Detroit-Firenze 1974, n. 171.*	N. Ivanoff, in Emporium, 1944-45. C. Donzelli-G.M. Pilo, I pittori del Seicento veneto, Firenze 1967.	U. Procacci, Una vita inedita del Muziano, in Arte Veneta 1954, VIII. U. Da Como, Girolamo Muziano, Bergamo 1930. *A. Venturi, Storia dell'Arte, 9-VII, Milano 1934.*	P. Barocchi, Itinerario di Giovambattista Naldini, in Arte Antica e Moderna, 1965, nn. 31-33, pp. 244-288.
INVENTARIO	Poggio Imperiale 423.	534.	891 (C.P., p. 200, n. 573).	GDSU 93724.
FOTO	156562.	183062.	156264.	—
NOTE	L'artista emiliano fu attivo a Firenze tra il 1706 e il 1715 al servizio del principer Ferdinando de' Medici e del cardinal Francesco M. de' Medici. È quindi probabile che l'esecuzione di questo dipinto vada collocata fra queste due date. Si trovava nel XIX sec. nella Villa del Poggio Imperiale, ma la sua precedente collocazione è ancora da accertare. M.C.	La provenienza del dipinto non è documentata, né sappiamo a chi risalga l'attribuzione al pittore veneziano; attribuzione che sembra concordare con lo stile noto dell'artista. M.C.	Ugo da Como, monografo del Muziano, ha avanzato l'ipotesi che possa trattarsi del ritratto del cav. Gaddi, ricordato dal Borghini come importante committente del pittore. La proposta appare però, allo stato delle conoscenze, del tutto indimostrabile. Il Venturi sottolinea tangenze con la ritrattistica di Sebastiano del Piombo. A.P.	Si tratta di un bozzetto di G.B. Naldini ispirato alla tavola che il Rosso eseguì per la famiglia Dei in S. Spirito di Firenze, il dipinto già nei primi anni del sec. XVIII alla Palatina (cfr. Inv. Pal. 237), fu sostituito da una copia di Francesco Petrucci. Il presente bozzetto fu acquistato agli inizi di questo secolo. L.B.B.

	P1094	P1095	P1096	P1097
AUTORE	Naldini, Giovan Battista (Firenze 1537-1591).	Naldini, Giovan Battista (Firenze 1537-1591).	Naldini, Giovan Battista (Firenze 1537-1591).	Naldini, Giovan Battista (Firenze 1537-1591).
TITOLO	S. Famiglia con S. Giovannino.	S. Famiglia con S. Giovannino.	Tre monaci.	Madonna con Bambino, Santi e Angeli.
DATAZIONE	1564 ca. (Bertani 1979).	1570-80 ca.	1573-75 ca. (Bertani 1979).	1575 (Baldini 1952).
DATI TECNICI	Bozzetto, olio a chiaroscuro su carta, 27x21.	Olio su tavola, 117x90.	Bozzetto, olio su tavola, 41,5x37, restauro 1951.	Bozzetto, olio su carta, 21x27.
CORNICE	Legno modanato e dorato nella filettatura interna.	Sagomata, dorata, sec. XVII.	Ebano e oro, modanata e aggettante.	Legno modanato e dorato nella filettatura interna.
UBICAZIONI	Gabinetto Disegni e Stampe (1793); Uffizi (1914).	Coll. Feroni (ante 1850); Uffizi (1866); Cenacolo di Foligno (1894).	S. Apollonia (1880); Gab. Disegni e Stampe (1880); Uffizi (1890); Pitti (1935); Uffizi (1971).	Gab. Disegni e Stampe (1793); Uffizi (1914).
ATTRIBUZIONI	—	—	Scuola del Sogliani (Inv. Antichi). B. Naldini? (Berti 1952). B. Naldini (Bertani 1979).	—
ESPOSIZIONI	Mostra del Cinquecento toscano, Firenze, 1940. Bozzetti delle Gallerie di Firenze, Firenze, 1952-53.	—	Bozzetti delle Gallerie di Firenze, Firenze, 1952-53.	Mostra del Cinquecento toscano, Firenze, 1940, p. 151. Bozzetti delle Gallerie di Firenze, Firenze, 1952-53.
BIBLIOGRAFIA	P. Barocchi, Itinerario di Giovambattista Naldini, in Arte Antica e Moderna, 1965. *U. Baldini, in Cat., Firenze 1952-53, n. 76, p. 40.*	*Catalogo della Galleria Feroni, Firenze 1895. P. Voss, Die Malerei der Spätrenaissance in Rom und Florenz, Berlin 1920, p. 308. A. Venturi, Storia dell'arte italiana, IX, 5, p. 267.*	P Barocchi, Itinerario di Giovambattista Naldini, in Arte Antica e Moderna 1965, nn. 31-32, pp. 244.288. *L. Berti, Cat., Firenze, 1952-53, n. 138, n. 64.*	P Barocchi, Itinerario di Giovambattista Naldini, in Arte Antica e Moderna 1965, nn. 31-32, pp. 244-288. *U. Baldini, Cat., Firenze, 1952-53, n. 77, p. 40.*
INVENTARIO	GDSU 191133.	S. Marco e Cenacoli 111.	6227.	GDSU 19132.
FOTO	157029.	204565.	157014.	157037.
NOTE	È il bozzetto, con alcune varianti, (manca infatti sant'Anna) per la tavola raffigurante la Sacra Famiglia, già all'Accademia, inv. 1890 n. 8703, e dal 1929 alla scuola Normale di Pisa, dipinto che negli inventari (Masselli 1955, 1890) è attribuito ad Andrea Sguazzella, pittore allievo di Andrea del Sarto. Il bozzetto invece compare nell'inventario del GDSU (9713) quale opera di Naldini. È incorniciato insieme ai nn. 19131 e 19132 sempre del Naldini.

L.B.B. | Tipica composizione dell'artista, che trova riscontro in altre, ma appesantita da un probabile intervento di aiuti.

M.C. | Sul retro timbro rosso in ceralacca: "ACCADEMIA DI BELLE ARTI FIRENZE"; il bozzetto proviene da S. Apollonia, compare nell'inventario del 1880 (cfr. cartellino sul retro n. 484 IIIª cat.). Nel 1953 passò a Pitti e ritornò agli Uffizi nel 1971. È probabilmente lo studio preparatorio per una tavola mai realizzata o andata perduta.

L.B.B. | Bozzetto per il quadro eseguito dal Naldini nel 1575 per i frati di Camaldoli. Il presente dipinto figura nell'inventario del 1793 (cfr. GDSU Inventario generale... 1793 vol. III, n. 110 ad vocem), tuttavia nella Listra, compilata dal Baldinucci dal 1675, compaiono numerosi dsegni del Naldini (cfr. P. Barocchi, in F. Baldinucci, Notizie..., vol. VI, App., Firenze, 1975, p. 196). È incorniciato insieme ai nn. 19131 e 19133, GDSU.

L.B.B. |

	P1098	P1099	P1100	P1101
AUTORE	Naldini, Giovan Battista (Firenze 1537-1591).	Nardo di Cione (Firenze 1320 ca. - 1365-66).	Nattier, Jean-Marc (Parigi 1685-1766).	Nattier, Jean-Marc (Parigi 1685-1766).
TITOLO	Deposizione.	Crocifissione.	Enrichetta di Francia rappresentata come Flora.	Maria Adelaide di Francia rappresentata come Diana.
DATAZIONE	1577 ca. (Bertani 1979).	1350-60 ca. (Sirén 1908).	1742.	1745.
DATI TECNICI	Bozzetto, olio a chiaroscuro su tela, 26x20.	Tempera su tavola, 145x71, ripulitura 1934-35.	Olio su tela, 94,5x128,5.	Olio su tela, 95x128.
CORNICE	Legno modanato e dorato nella filettatura interna.	Parzialmente originale. Quasi tutte le colonnine tortili sono di restauro.	Francese, originale.	Francese, originale.
UBICAZIONI	Gab. Disegni e Stampe (1793); Uffizi (1914).	Accademia (1842); Magazzini Uffizi (1893); Museo Bandini, Fiesole (1914); Uffizi (1948).	Madrid (1746 ca.); Parma (1749 ca.); Pitti (1865 ca.); Uffizi (1922).	Madrid (1746 ca.); Parma (1749 ca.); Pitti (1865 ca.); Uffizi (1922).
ATTRIBUZIONI	—	Giottino (Masselli 1859). Nardo di Cione (Sirén 1908).	—	—
ESPOSIZIONI	Mostra del Cinquecento toscano, Firenze, 1940, p. 151. Bozzetti delle Gallerie di Firenze, Firenze, 1952-53.	Exposition de l'art italien de Cimabue à Tiepolo, Paris 1935.	La peinture française à Florence, Firenze 1945. Europäische Rokoko, Monaco di Baviera, 1958. Höfische Bildnisse des Spätbarock, Berlino 1966. Pittura francese nelle collezioni pubbliche fiorentine, Firenze 1977.	La peinture française à Florence, Firenze 1945. Europäische Rokoko, Monaco di Baviera, 1958. France in the Eighteenth Century, Londra 1968. Pittura francese nelle collezioni pubbliche fiorentine, Firenze 1977.
BIBLIOGRAFIA	P Barocchi, Itinerario di Giovambattista Naldini, in Arte Antica e Moderna 1965, nn. 31-32, pp. 244-288. U. Baldini, Cat., Firenze, 1952-53, n. 75, p. 39.	R. Offner, A Critical and Historical Corpus of Florentine Painting, sez. IV, vol. II, New York 1960. Cat., Paris 1935, n. 326. L. Marcucci, I dipinti toscani del Sec. XIV, Roma 1965, n. 42.	G. Huard, in Les Peintres français du XVIIIe siècle, Paris 1930. Cat., Firenze 1977, n. 134.	G. Huard, in Les Peintres français du XVIIIe siècle, Paris 1930. Cat., Firenze 1977, n. 135.
INVENTARIO	GDSU 19131.	3515.	Depositi 23.	Depositi 21.
FOTO	157039.	68966.	182891.	52292.
NOTE	Bozzetto forse eseguito per la Deposizione di S. Maria Novella, o quella dell'Ospedale degli Innocenti alle quali opere la presente opera si avvicina di più. Figura nell'inventario del 1793 (cfr. GDSU Inventario generale... 1793, vol. III, n. 87 ad vocem), tuttavia nella Listra compilata dal Baldinucci dal 1675, compaiono numerosi disegni di G.B. Naldini (cfr. P. Barocchi in F. Baldinucci, Notizie..., vol. VI, App., Firenze, 1975, p. 196). È incorniciato insieme ai nn. 19132 e 19133. L.B.B.	Nella predella mezze figure dei Santi: Girolamo, Giacomo minore, Paolo, Giacomo maggiore, Pietro martire. Nel suo complesso l'opera si presenta come una delle più importanti fra quelle prodotte a Firenze verso la metà del Trecento. Forse era il centro di un tabernacolo (Offner 1960). L. Bell.	Firmato e datato in basso a destra: Nattier pinxit 1742. Il dipinto ritrae Enrichetta di Francia (1727-1752), detta 'Madame Seconde', figlia di Luigi XV e sorella gemella di Luisa Elisabetta, sposa dell'Infante don Filippo. Il quadro, con il suo 'pendant' (Ritratto di Maria Adelaide di Francia come Diana, n. 21 dep.), fu inviato in Spagna nel 1746, donde passò a Parma quando don Filippo di Borbone ne assunse il ducato (1748-49). Da qui passò a palazzo Pitti intorno al 1865, al tempo di Firenze capitale. Il quadro è replica originale del dipinto eseguito dall'artista per il gabinetto della regina a Versailles. Se ne conoscono altre repliche (S. Paolo del Brasile, Orléans). M.C.	Firmato e datato in basso a sinistra: Nattier pinxit 1745. Il dipinto ritrae Maria Adelaide di Francia (1732-1800), terza figlia di Luigi XV. È replica autografa del dipinto oggi a Versaillers, e con il suo 'pendant', rappresentante Enrichetta di Francia sua sorella (n. 23 dep.) fu inviato in Spagna intorno al 1746, donde passò a Parma nel 1749 ca., e quindi a Firenze, quando la città fu capitale d'Italia. Se ne conoscono varie repliche (S. Paolo, Madrid, Niort). M.C.

	P1102	P1103	P1104	P1105
AUTORE	Nattier, Jean-Marc (Parigi 1685-1766).	Neeffs, Peeter, il giovane (Anversa 1620-1675), e Francken, Frans III (Anversa 1603-1667).	Neeffs, Peeter, il vecchio (Anversa 1578 ca. - 1660 ca.).	Neeffs, Peeter, il vecchio (Anversa 1578 ca. - 1660 ca.).
TITOLO	Maria Zeffirina di Francia bambina.	Interno di una chiesa di notte.	Interno di una chiesa di notte.	Interno di una chiesa di notte.
DATAZIONE	1751.	1659.	1636.	1636 ca.? (Bodart 1977).
DATI TECNICI	Olio su tela, 70x82.	Olio su tela, 39,5x53.	Olio su tavola, 52x83, restauro 1977.	Olio su tavola, 39x53, restauro 1977.
CORNICE	Francese, originale.	Ebano, sec. XIX-XX.	Ebano, sec. XIX-XX.	Ebano, sec. XIX-XX.
UBICAZIONI	Parma (sec. XVIII); Pitti (1865 ca.); Uffizi (1922).	Palazzo Mediceo, Livorno (ante 1796); Uffizi (1796).	Uffizi (1796); Pitti (1977).	Uffizi (1753).
ATTRIBUZIONI	—	P. Neeffs il Vecchio (Pieraccini 1905 ca.). P. Neeffs il Giovane (Jantzen 1910, Manteuffel 1921, Bodart 1977).	—	Francken (Inv. 1769). Steenwijk (Zacchiroli 1783). Neeffs il Vecchio (Jantzen 1910, Manteuffel 1921, Bodart 1977).
ESPOSIZIONI	Salon, Parigi 1753. La peinture française à Florence, Firenze 1945. Il ritratto francese da Clouet a Degas, Roma 1962. Pittura francese nelle collezioni pubbliche fiorentine, Firenze 1977.	—	Rubens e la pittura fiamminga del Seicento nelle collezioni pubbliche fiorentine, Firenze 1977.	Rubens e la pittura fiamminga del Seicento nelle collezioni pubbliche fiorentine, Firenze 1977.
BIBLIOGRAFIA	G. Huard, in Les Peintres français du XVIIIe siècle, Paris 1930. *Cat., Firenze 1977, n. 136.*	Thieme-Becker, XXV, 1931. *D. Bodart, in Cat. Rubens e la pittura fiamminga del Seicento nelle collezioni pubbliche fiorentine Firenze 1977, p. 333, n. LXXXVIII.*	Thieme-Becker, XXV, 1931. *Cat., Firenze 1977 n. 71.*	Thieme-Becker, XXV, 1931. *Cat., Firenze 1977, n. 72.*
INVENTARIO	Depositi 22.	4445 (C.P., p. 124, n. 1526).	1039 (C.P., p. 119, n. 717).	1098 (C.P., p. 125, n. 776).
FOTO	182890.	109165.	279013.	109170.
NOTE	Il dipinto rappresenta Maria Zeffirina (1750-1755), nipote di Luigi XV e figlia del Delfino e di Maria Giuseppina di Sassonia, a un anno. Il quadro pervenne a Pitti da Parma insieme con gli altri due del Nattier (Inv. dep. 21 e 23), ma non sappiamo se, come quelli, la sua origine è spagnola. M.C.	Firmato sulla base del pilastro: F. franck... Pieter Neeffs 1659. Come documenta la firma, le figure spettano a F. Francken III. Il dipinto pervenne agli Uffizi dal palazzo mediceo di Livorno. M.C.	Firmato e datato in basso a destra: Nefs 1636. Per il Bodart (1977) le figure sono probabilmente di Frans Francken II. Incisioni: D. Cellesi/J. Thomas 1846. M.C.	L'attribuzione dell'inventario degli Uffizi del 1769 a F. Francken allude evidentemente alle figure che spettano, come conferma il Bodart (Cat., Firenze 1977), a quest'ultimo, mentre è caduta l'attribuzione dello Zacchiroli a H. Steenwijk il Giovane. Il gruppo centrale di figure compare anche in un altro quadro del Neeffs (Amsterdam, Rijksmuseum) datato 1636. M.C.

	P1106	P1107	P1108	P1109
AUTORE	Neeffs, Peeter, il vecchio (Anversa 1578 ca. - 1660 ca.).	Neeffs, Peeter, il vecchio (Anversa, 1578 ca. - 1660 ca.), attr. a.	Neeffs, Peeter, il vecchio (Anversa 1578 ca. - 1660 ca.), attr. a.	Neri di Bicci (Firenze 1418-1492).
TITOLO	Sotterraneo con Seneca morente.	Interno della Cattedrale d'Anversa.	Interno della Cattedrale d'Anversa.	Annunciazione e Santi.
DATAZIONE	1640-50 ca.?	1660 ca.	1660 ca.	1458-59.
DATI TECNICI	Olio su rame, 40x54.	Olio su tavola, 29,5x43,5.	Olio su tavola, 30x44.	Tempera su tavola, 156x156 (la sola parte centrale).
CORNICE	Ebano, sec. XIX.	Ebano, sec. XIX-XX.	Ebano, sec. XIX-XX.	—
UBICAZIONI	Uffizi (sec. XVIII); Roma (1925 ca.).	Uffizi (1784).	Uffizi (1905 ca.).	Compagnia del Sacramento di S. Andrea a Mosciano (dall'origine); Uffizi (1856); Accademia (1933).
ATTRIBUZIONI	—	P. Neeffs il Giovane (Jantzen 1910, Z. von Manteuffel 1921, Bodart 1977).	P. Neeffs il Giovane (Jantzen 1910, Z. von Manteuffel 1921, Bodart 1977).	Neri di Bicci (Milanesi 1878, Van Marle 1928 e tutta la critica successiva).
ESPOSIZIONI	—	—	—	—
BIBLIOGRAFIA	H. Gerson - E. H. Ter Kuile: Art and Architecture in Belgium, 1600-1800, Harmondsworth 1960. *D. Bodart, in cat. Rubens e la pittura fiamminga del Seicento nelle collezioni pubbliche fiorentine, Firenze 1977, p. 332, n. LXXXV.*	Thieme-Becker, XXV, 1931. *D. Bodart, in cat. Rubens e la pittura fiamminga del Seicento nelle collezioni pubbliche fiorentine, Firenze 1977, p. 332, n. LXXXVI.*	Thieme-Becker, XXV, 1931. *D. Bodart, in cat. Rubens e la pittura fiamminga del Seicento nelle collezioni pubbliche fiorentine, Firenze 1977, p. 332, n. LXXXVII.*	Neri di Bicci, Le Ricordanze, a cura di B. Santi, Pisa 1976.
INVENTARIO	1088.	1021 (C.P., p. 118, n. 702).	1026 (C.P., p. 118, n. 707).	480 (C.P., p. 68, n. 53).
FOTO	20076.	278973.	278974.	88068.
NOTE	Firmato in alto a destra: Peeter/Neefs. Assegnato ab antiquo a P. Neefs il Vecchio, al quale lo conserva il Bodart. Inciso da De Lalaisse/D. Cellesi, in F. Ranalli, Imperiale e Reale Galleria di Firenze..., II, 1846, tav. 72c. Dato in deposito al Senato della Repubblica nel 1925 ca. M.C.	Attribuito tradizionalmente a P. Neeffs il Vecchio, Jantzen e Manteuffel hanno attribuito il dipinto a suo figlio, P. Neeffs il Giovane (1620-1675), al quale spetta anche secondo il Bodart. M.C.	Firmato: Peeter Neeffs. Attribuito tradizionalmente a P. Neeffs il Vecchio, Jantzen e Manteuffel hanno attribuito il dipinto a suo figlio, P. Neeffs il Giovane (1620-1675), al quale spetta anche secondo il Bodart. M.C.	Il dipinto è citato nelle Ricordanze di Neri di Bicci come commissionatogli il 13 dicembre 1458 dalla Compagnia di S. Maria di Mosciano (presso Firenze) per la cifra globale di 28 fiorini che fu stabilito dovesse essere pagata entro l'ottobre del 1459. Il 19 settembre 1459 lo stesso Neri ne allogò la cornice, oggi perduta, a Giuliano da Maiano. Scritta in basso: QUESTA TAVOLA A FACTA FARI LA COMPAGNIA DELLA ANNUNTIATA DI SCO ANDREA AMMOSCIANO. L. Bell.

	P1110	P1111	P1112	P1113
AUTORE	Neri di Bicci (Firenze 1418-1492).	Netscher, Caspar (Heidelberg 1639-L'Aja 1684).	Netscher, Caspar (Heidelberg 1639-L'Aja 1684).	Netscher, Caspar (Heidelberg 1639-L'Aja 1684).
TITOLO	Madonna con Bambino.	La cuoca.	La famiglia dell'artista.	Offerta a Venere.
DATAZIONE	Seconda metà del sec. XV.	1664.	1664.	1665-68 ca.
DATI TECNICI	Tempera su tavola, 97x68.	Tela incollata su legno, 30x22,7.	Olio su tela, 46x41.	Olio su tavola, 44,8x37,5.
CORNICE	Legno dorato e modanato.	Ebano, sec. XIX-XX.	Ebano, sec. XIX-XX.	Ebano, sec. XIX-XX.
UBICAZIONI	Uffizi (1881); Museo Horne (1936).	Pitti? (1669?); Uffizi (1796).	Pitti? (1669?); Uffizi (1704).	Pitti? (1669?); Uffizi (1704).
ATTRIBUZIONI	—	—	—	—
ESPOSIZIONI	Firenze restaura, Firenze 1972.	—	—	—
BIBLIOGRAFIA	U. Galletti - E. Camesasca, Enciclopedia della pittura italiana, vol. II, Cerusco sul Naviglio, 1950, pp. 1764-65. B. Berenson, *Italian Pictures of the Renaissance. Florentine School, London 1963, p. 154. F. Rossi, Il Museo Horne, Firenze 1966, p. 140.*	J. Rosenberg - S. Slive - E. H. Ter Kuile, Dutch Art and Architecture 1600-1800, Harmondsworth 1966. *C. Hofstede de Groot, Beschr. u. krit. Verzeichnis..., Esslingen 1907-28, vol. V.*	J. Rosenberg - S. Slive - E. H. Ter Kuile, Dutch Art and Architecture 1600-1800, Harmondsworth 1966. *C. Hofstede de Groot, Beschr. u. krit. Verzeichnis..., Esslingen 1907-28, vol. V.*	J. Rosenberg - S. Slive - E. H. Ter Kuile, Dutch Art and Architecture 1600-1800, Harmondsworth 1966. *C. Hofstede de Groot, Beschr. u. krit. Verzeichnis..., Esslingen 1907-28, vol. V.*
INVENTARIO	482 (C.P., 67, n. 54).	1288 (C.P., p. 139, n. 964).	1272 (C.P., p. 138, n. 950).	1271 (C.P., p. 138, n. 949).
FOTO	—	321811.	321827.	321826
NOTE	Il dipinto compare nell'inventario del 1881, n. 19 E.; rimase in Galleria degli Uffizi fino al 1936 quando fu inviato in deposito al Museo Horne. Ha subìto gravi danni durante l'alluvione del 1966. L.B.B.	Firmato e datato sul davanzale a sinistra: C. Netscher 1664. È probabile, come suppone lo Hoogewerff (1919) che il dipinto sia stato acquistato direttamente presso l'artista da Cosimo III de' Medici durante il secondo dei suoi due viaggi nei Paesi Bassi (1669). M.C.	Firmato e datato in basso a sinistra: C. Netscher fecit 1664. È probabile che questo dipinto sia stato acquistato da Cosimo III de' Medici durante il secondo dei suoi due viaggi nei Paesi Bassi (1669). M.C.	Scritta sul verso: Nestscher (sic). È probabile, come pensa l'Hoogewerff (1919), che il dipinto sia stato acquistato presso il pittore da Cosimo III de' Medici durante il suo secondo viaggio nei Paesi Bassi (1669). M.C.

	P1114	P1115	P1116	P1117
AUTORE	Netscher, Caspar (Heidelberg 1639-L'Aja 1684).	Niccolò di Bonaccorso (Siena, not. dal 1372 al 1388).	Niccolò di Ser Sozzo (Siena, doc. 1334-1363).	Nicola di Guardiagrele, N. di Andrea di Pasquale, detto (prima metà del sec. XV).
TITOLO	La suonatrice di liuto.	Presentazione della Vergine al Tempio.	Madonna col Bambino.	Madonna col Bambino e angeli.
DATAZIONE	1668.	1380 ca. (Marcucci 1965).	Dopo 1350 (Brandi 1932, Zeri 1958).	Prima metà sec. XV.
DATI TECNICI	Olio su tavola, 43,4x34,7.	Tempera su tavola, 50x34. Pulitura 1941.	Tempera su tavola, 85x55, restauro 1922.	Tempera su tavola, 67x51.
CORNICE	Ebano, sec. XIX-XX.	Originale. Sul verso presenta una decorazione geometrica a rombi.	—	Legno tinto di azzurro a fiorami dorati.
UBICAZIONI	Pitti? (1669?); Uffizi (1704).	Convento di S. Maria Nuova; Uffizi (1900).	S. Antonio in Bosco, presso Poggibonsi (dall'origine?); Uffizi (1921).	G. Salvatori; Uffizi (1906).
ATTRIBUZIONI	—	—	Bartolo di Fredi (Vavasour Elder 1909). Niccolò di Ser Sozzo (Brandi 1932 e quasi tutta la critica successiva).	—
ESPOSIZIONI	—	Niccolò di Bonaccorso (Cavalcaselle 1885).	Mostra della miniatura, Roma, 1954.	Lorenzo Ghiberti, 'materia e ragionamenti', Firenze 1978-79, fuori catalogo.
BIBLIOGRAFIA	J. Rosenberg - S. Slive - E. H. Ter Kuile, Dutch Art and Architecture 1600-1800, Harmondsworth 1966. *C. Hofstede de Groot: Beschr. u. krit. Verzeichnis..., Esslingen 1907-28, vol. V.*	Dizionario Bolaffi VIII, Torino, 1975. *L. Marcucci, I dipinti toscani del Secolo XIV, Roma 1965, n. 117.*	*Muzzioli, in Cat. Roma 1954, n. XIII. L. Marcucci, I dipinti toscani del secolo XIV, Roma 1965, n. 116.*	D. Liscia Bemporad, Lorenzo Ghiberti e l'Abruzzo, in cat., Firenze 1978, pp. 117-121.
INVENTARIO	1280 (C.P., p. 137, n. 957).	3157 (C.P., p. 66, n. 14).	8439.	3338 (C.P., p. 64, n. 1567).
FOTO	321833.	69944.	20688.	144152.
NOTE	Firmato e datato in basso a sinistra: C. Netscher fe. 1668. È molto probabile, come suggerisce Hoogewerff (1919), che il dipinto sia stato acquistato direttamente presso il pittore da Cosimo III de' Medici durante il suo secondo viaggio (1669) nei Paesi Bassi. M.C.	Il dipinto è stato collegato dal Cavalcaselle (1885) con lo Sposalizio della Vergine della Galleria Nazionale di Londra, analogo per misure, incorniciatura e stile, che reca la scritta 'NICCHOLAUS. BONACHURSI. DE SENIS. ME PIXT'. A questi due pannelli è da unire un terzo con l'Incoronazione della Vergine della Coll. Lehman di New York (Perkins 1914). Facevano parte, evidentemente, di un complesso unitario di cui è difficile immaginare la struttura. L. Bell.	Il dipinto, forse centro di un trittico, fu rubato nel 1919 dalla chiesa di S. Antonio in Bosco presso Poggibonsi. Recuperato a Parigi nello stesso anno, fu destinato agli Uffizi, dove entrò nel 1922 e vi fu esposto nel 1933. Come opera di Niccolò di Ser Sozzo, va collocato nella fase più tarda della sua attività. L. Bell.	Sulla cornice in alto: O(P)US NICOLAY DE GUARDIA GRELIS. Il dipinto, firmato da un artista noto soprattutto quale orafo, fu acquistato dall'Antiquario G. Salvatori nel Gennaio del 1906. Attualmente è nei depositi della Galleria degli Uffizi. L.B.B.

	P1118	P1119	P1120	P1121
AUTORE	Oliverio, Alessandro (Bergamo, prima metà sec. XVI).	Onofri, Crescenzio (Roma 1632? - Firenze, dopo il 1712).	Orcagna, Andrea di Cione, detto l' (Firenze 1320 ca. - 1368). Jacopo di Cione (Firenze 1330 ca. - 1398).	Pace (o Pase) Gian Paolo, detto l'Olmo (Venezia 1528-60).
TITOLO	Ritratto di ignoto.	Paesaggio con figure.	S. Matteo e Storie della sua vita.	Ritratto di Giovanni de' Medici, detto Giovanni dalle Bande nere.
DATAZIONE	Sec. XVI.	Fine sec. XVII - inizi XVIII.	1367-70 ca.	1545.
DATI TECNICI	Olio su tela, 78x60.	Olio su tela.	Opera composita. Tempera su tavola, 291x265.	Olio su tela, 97x89.
CORNICE	Intagliata e dorata, a gole, sec. XVI.	Sagomata, dorata, sec. XVII-XVIII.	Originale.	Modanata e dorata, con intagli a motivi floreali correnti.
UBICAZIONI	Uffizi (1691).	Poggio a Caiano? (sec. XVII-XVIII); Uffizi (sec. XIX); Roma (1926 ca.).	Orsammichele (dall'origine); Ospedale di S. Matteo (1402); Arcispedale di S. Maria Nuova (1790 ca.); Uffizi (1899).	Palazzo Vecchio (1560); Palazzo Pitti (1687); Uffizi (1815); Uffizi, Nuovi Depositi (1977).
ATTRIBUZIONI	Sodoma (Inv. 1704). Oliverio (Fiocco 1916, Gamba 1924-25). Sebastiano del Piombo (Berenson 1932). Amico friulano del Dosso (Longhi 1960).	Ignoto (Inv. Uffizi sec. XIX).	Stile dell'Orcagna (Cavalcaselle 1864). Andrea Orcagna e Jacopo di Cione (Milanesi 1885).	Tiziano (inv. Pal. Vecchio 1560). Gian Paolo Pase (Gronau 1905).
ESPOSIZIONI	Mostra del Sodoma, Vercelli - Siena 1950.	—	—	—
BIBLIOGRAFIA	R. Longhi, in Paragone 131, 1960.	M. Chiarini, Crescenzio Onofri a Firenze, in Boll. d'arte, 1967, n. 1. Id., in Cat. Artisti alla corte granducale, Firenze 1969. Id., in Disegni italiani di paesaggio 1600-1750, Treviso 1972.	R. Offner, A Critical and Historical Corpus of Florentine Painting, sez. IV, vol. I. New York 1962. Dizionario Bolaffi, VIII, Torino 1975. *L. Marcucci, I dipinti toscani del Secolo XIV, Roma 1965, n. 46.*	E. Camesasca, Lettere sull'arte di Pietro Aretino, Milano 1957, III, t. II, pp. 394-397. *Cat. Mostra Tiziano nelle Gallerie fiorentine, Firenze 1978, n. 5.*
INVENTARIO	1688.	2198.	3163 (C.P., p. 179, n. 20).	934 (C.P., p. 193, n. 614).
FOTO	—	GFN, E 65518.	111464-65.	305950.
NOTE	Mandato in Galleria da Cosimo III de' Medici il 3 Gennaio come autoritratto del Sodoma. Il Fiocco lo attribuì all'Oliverio, in rapporto con un altro ritratto dello stesso autore conservato a Dublino, e prossimo alla grande tavola di Glasgow. Il Longhi invece lo assegna all' 'Amico friulano del Dosso'. C.C.	Il dipinto fa parte di una serie, forse da identificarsi con quella ricordata in un inventario della fine del sec. XVII nella Villa di Poggio a Caiano, eseguita dall'Onofri per il principe Ferdinando de' Medici e alla quale le figure furono aggiunte da Antonio Giusti. I quadri sono documentati nelle filze della guardaroba medicea con il giusto riferimento all'artista, ma persero la loro identità nel sec. XIX. Il dipinto, con altri della serie, fu concesso in deposito alla Camera dei Deputati nel 1926 ca. M.C.	Il trittico, sostanzialmente integro, raffigura S. Matteo in piedi con quattro storie della sua vita nei laterali. Rappresentano: la Chiamata di Matteo, il Miracolo dei draghi, la Resurrezione di un morto, il Martirio di S. Matteo. Fu commissionato dall'Arte del Cambio ad Andrea Orcagna nel 1367 per un pilastro di Orsammichele, l'anno dopo, essendo malato Andrea, è il fratello Jacopo che prende l'impegno di compiere il dipinto. L'ampiezza dei rispettivi interventi dei due fratelli è assai discussa. Sembra ragionevole pensare ad una ideazione di Andrea e ad una esecuzione pressoché totale di Jacopo (Offner 1962, Marcucci 1965). L. Bell.	Commissionato a Gian Paolo Pace da Pietro Aretino, fu eseguito nel 1545 e donato da quest'ultimo a Cosimo I de' Medici, come documentano due lettere dello stesso Aretino. L'immagine del volto fu tratta da una maschera eseguita da Giulio Romano sul volto di Giovanni de' Medici subito dopo la sua morte avvenuta a Mantova nel 1526. Sul retro il cartellino con l'iscrizione: 'Tiziano R. Guard.a Gen.o 1815'. La tela è stata foderata in epoca abbastanza recente e la superficie del dipinto reca tracce di vecchi restauri. Gr. Red. 2.

	P1122	P1123	P1124	P1125
AUTORE	Pagani, Gregorio (Firenze 1558-1605).	Pagani, Gregorio (Firenze 1558-1605).	Pagani, Gregorio (Firenze 1558-1605).	Pagani, Gregorio (Firenze 1558-1605).
TITOLO	Tobia rende la vista al padre.	Lot e le figlie.	Castità di Giuseppe.	Susanna al bagno.
DATAZIONE	1604.	1604-05.		
DATI TECNICI	Olio su tela, 98,5x81.	Olio su tela, 230x180.		
CORNICE	Originale, intagliata e dorata.	Intagliata e dorata, sec. XVII.		
UBICAZIONI	Poggio Imperiale; Uffizi (1796); Pitti (1928).	Ferdinando I de' Medici; Pitti (1637); Guardaroba (sec. XVIII); Casino mediceo; Uffizi (1913).		
ATTRIBUZIONI	—	—		
ESPOSIZIONI	Mostra del Cigoli e del suo ambiente, San Miniato 1959.	—		
BIBLIOGRAFIA	C. Thiem, Gregorio Pagani, Stuttgart 1970, p. 40, 51.	C. Thiem, Gregorio Pagani, Stuttgart 1970.		
INVENTARIO	1539 (C.P., p. 165, n. 1237).	3829.		
FOTO	83335.	121909.		
NOTE	Sul bracciolo: 'GREGORIO PAGANI 1604'. Si tratta di una delle ultime opere dell'artista, morto l'anno successivo; forse l'ultima interamente autografa, poiché, come ricorda il Baldinucci, molti dipinti rimasero incompiuti e furono portati a termine da Matteo Rosselli, la cui mano qui non compare. M.G.	Il dipinto fu uno degli ultimi eseguiti dal pittore; come narra il Baldinucci fu acquistato per palazzo Pitti da Ferdinando I de' Medici (quindi prima del 1609, anno della morte di questo granduca). È documentato almeno dal 1637 al 1687 nella sala delle nicchie; dovette passare in guardaroba agli inizi del '700 (non è più menzionato fra i quadri di Pitti nell'inventario del primo decennio del secolo) e fu poi depositato nel Casino mediceo, donde ritornò agli Uffizi nel 1913. È custodito oggi nei locali della biblioteca. S.M.T.	Vedi: Samacchini, Orazio. Castità di Giuseppe.	Vedi: Samacchini, Orazio. Susanna al bagno.

	P1126	P1127	P1128	P1129
AUTORE	Palma il Vecchio, Negretti Jacopo, detto (Serina ca. 1480 - Venezia 1528).	Palma il Vecchio, Negretti Jacopo, detto (Serina ca. 1480 - Venezia 1528) e bottega.	Palma il Vecchio, Negretti Jacopo, detto (Serina ca. 1480 - Venezia 1528).	Palma il Vecchio (Bergamo 1480 ca. - Venezia 1528).
TITOLO	Resurrezione di Lazzaro.	Sacra Famiglia con S. Giovannino e S. Maria Maddalena.	Giuditta.	Madonna col Bambino.
DATAZIONE	1508-10 ca. (Mariacher 1968), ca. 1510 (Gombosi).	1508-12 (Spahn 1932), 1520-25 (Gombosi 1937).	1525-28 (Gombosi 1937), post. 1525 (Mariacher 1968).	Sec. XVI.
DATI TECNICI	Olio su tavola, 94x110.	Olio su tavola, 87x117.	Olio su tavola, 90x71.	Olio su tavola, 30x43.
CORNICE	Barocca, legno intagliato e dorato a decoro di fogliame e volute.	Barocca, in legno intagliato, dorato e dipinto, a decoro di volute e foglie di alloro.	Barocca, in legno intagliato e dorato a decoro di volute e fogliame.	Dorata.
UBICAZIONI	Coll. Salvadori, Venezia; Uffizi (1916).	Gallerie Imperiali, Vienna; Uffizi (1793).	Palazzo Ducale, Urbino (dall'origine); Collezioni medicee (1631, eredità Della Rovere); Guardaroba; Uffizi (1798).	Guardaroba; Uffizi (1798); Pitti Depositi; Poggio a Caiano (1951); Pitti Dep. (1971).
ATTRIBUZIONI	Scuola del Palma (Spahn 1932).	Copia antica da originale di Palma (Morelli 1890).	Tiziano e Palma il Vecchio (cit. inv. 1631). Pordenone (agli Uffizi come tale. G.le Galleria 1798 e inv. 1825).	Palma il Vecchio (Inv. 1881, 1890).
ESPOSIZIONI	I miracoli di Cristo, Utrecht 1962.	—	—	—
BIBLIOGRAFIA	G. Mariacher, Palma il vecchio, Milano 1968.	A. Spahn, Palma Vecchio, Leipzig 1932. G. Gombosi, Palma Vecchio Stuttgart-Berlin 1937. *G. Mariacher: Palma il Vecchio, Milano 1968.*	G. Gombosi, Palma Vecchio, Stuttgart-Berlin 1937. *G. Mariacher: Palma il Vecchio, Milano 1968.*	—
INVENTARIO	3256.	950.	939 (C.P., p. 204, n. 619).	1340.
FOTO	120180.	53982.	150482.	186090.
NOTE	È firmato a caratteri lapidari romani lungo il bordo del coperchio del sarcofago (IACOBUS PALMA P.). Una variante dello stesso soggetto, con notevoli diversità nelle misure, nella composizione e nelle pose dei personaggi, (tavola 52x61) si conserva a Philadelphia, Art Museum, Johnson Collection (nr. 187). L'incisione di Q. Boel sul Theatrum Pictorium del Teniers (1658) non si riferisce a questo dipinto né a quello di Philadelphia, ma, forse, ad una ulteriore variante. Fu acquistato nel 1916 per L. 33.000. A.P.	Già nelle Gallerie imperiali di Vienan, passò agli Uffizi per cambio nel 1793. Da una stampa di Teniers per il «Theatrum pictorium» (Anversa 1658) risulta che il dipinto era in origine più largo e più alto. L'ipotesi di una collaborazione di bottega, sostenuta da Mariacher e da Berenson (cfr. Pitture italiane del Rinascimento. La scuola veneta. London-Firenze 1958) sembra la più plausibile. Inciso da Lasinio (R. Galleria, Firenze 1828, vol. III). A.P.	L'attribuzione a Palma il Vecchio, oggi universalmente accettata, è di Cavalcaselle (cfr. «Geschichte der italienischen Malerei, vol. VI, Leipzig 1876). La critica è concorde nel ritenere il dipinto opera della maturità. Discrete le condizioni conservative, ad eccezione di qualche punto (come la testa decollata di Oloferne) in cui già il Cavalcaselle notava i danni di antiche ripuliture. A.P.	Attribuito a Palma il Vecchio sia dall'Inv. 1881, sia dall'Inv. 1890. Non si hanno notizie precise di questo dipinto. Gr. Red. 3

	P1130	P1131	P1132	P1133
AUTORE	Palma il Vecchio (Bergamo 1480 ca. - Venezia 1528).	Palma il Giovane, Negretti Jacopo, detto (Venezia 1544-1628).	Palmezzano, Marco (Forlì 1460 ca.-1539).	Palmezzano, Marco (Forlì 1460 ca.-1539).
TITOLO	Ritratto d'uomo.	Episodio Evangelico (?).	Ritratto di Caterina Sforza-Medici?	Crocifissione.
DATAZIONE	Sec. XVI.	1590-1600 (Becherucci 1952).	Sec. XV-XVI.	1510 ca. (C. Grigioni), 1500 (Milanesi e Calzini).
DATI TECNICI	Olio su tela, 42x40, restauro 1970.	Olio su tela 32x23.	Olio su tavola, 47x36.	Tempera su tavola, 112x90.
CORNICE	—	Settecentesca (?) legno dorato e tinto di nero.	Intagliata e dorata.	—
UBICAZIONI	Guardaroba (1675); Uffizi; Pitti (1954); Pitti (1971).	Uffizi (cit. inv. 1890).	Uffizi (1881); Pitti (1928); Poggio a Caiano (1942); Pitti (1944).	Sacrestia della chiesa di Monte Oliveto fuori Porta S. Frediano (1600); Uffizi (1844).
ATTRIBUZIONI	Palma il Vecchio (Inv. 1675). Ignoto (Inv. 1890).	Bozzetti delle Gallerie di Firenze, Firenze 1952.	Ignoto (Inv. 1890). Ignoto artista fiammingo (Ricci, 1928). M. Palmezzano (Tarchiani, 1934). Palmezzano? (Grigioni, 1956).	—
ESPOSIZIONI	—	—	—	Mostra di Melozzo e del Quattrocento romagnolo, Forlì 1938.
BIBLIOGRAFIA	A. Spahn, Palma il Vecchio, Lipsia 1932, G. Mariacher, Palma il Vecchio, Milano 1968.	C. Donzelli - G. M. Pilo, I pittori del Seicento Veneto, Firenze 1967. L. Becherucci, in Cat., Firenze 1952, n. 78.	C. Ricci, in 'Forum Livii', 1928, pp. 5-12. N. Tarchiani, La R. Galleria Pitti in Firenze, Roma 1934. C. Grigioni, Marco Palmezzano, Faenza 1956.	R. Buscaroli, La pitt. romagnola del '400, Bologna 1931. F. Heinemann, G. Bellini e i belliniani, Venezia 1962. C. Grigioni, M. Palmezzano, Faenza 1956, 637.
INVENTARIO	528.	588.	604 (C.P., p. 162, n. 3414).	1418 (C.P., p. 148, n. 1095).
FOTO	185583.	157104.	19344.	321877.
NOTE	Nell'Inv. dell'eredità del Cardinale Leopoldo (ASF, Guard. 826, c. 57v) il quadro è descritto come opera di Palma il Vecchio, senza precisare il nome del personaggio ivi ritratto e appare destinato agli Uffizi. La notizia, comunicata dalla dott. Meloni, non era conosciuta dai compilatori dell'Inv. 1890 che attribuivano genericamente il dipinto ad Ignoto del sec. XVI. Gr. Red. 3	L'episodio, certamente riferito alla vita di Cristo, non sembra esattamente identificabile (Il tributo a Cesare? Il Centurione di Cafarnao?) - È probabile (anche se al livello attuale delle ricerche archivistiche non ancora dimostrato) che il bozzetto facesse parte delle raccolte del card. Leopoldo. A.P.	Il dipinto non figura nell'Inv. 1825, mentre appare in quello del 1881. Non risultando che sia stato acquistato è presumibile che provenga da qualche edificio demaniale e che, riconosciuto di pregio, sia stato successivamente inviato agli Uffizi. Il Ricci per primo (1928) nega l'identificazione tradizionale del personaggio in Caterina Sforza dei Medici, mentre il Tarchiani (1934) parla dell' 'interessante ritratto di Caterina Sforza' come 'opera del Palmezzano'. Il Grigioni (1956), infine, riapre il problema dubitando della identificazione tradizionale. '... E, se non è la Sforza - afferma lo studioso-, viene a mancare l'unico tenuissimo filo che poteva legare il ritratto al nome del Palmezzano...' (p. 708). Gr. Red. 3.	Nel cartellino ai piedi della croce, la scritta "Marchus palmi/zanus torolivie/sis fatiebat". Buono stato di conservazione. Vi furono notati influssi umbri (Calzini), del Francia (Venturi), di Giov. Bellini (Heinemann). G.M.

	P1134	P1135	P1136	P1137
AUTORE	Panfi, Romolo (Firenze 1632-1690), attr. a.	Paolo Uccello, P. di Dono, detto (Firenze 1397-1475).	Paolo Veneziano (Venezia, attivo nella prima metà del sec. XIV).	Paolo Veneziano, (Venezia, attivo nella prima metà del sec. XIV).
TITOLO	Paesaggio pastorale.	La Battaglia di San Romano.	Elemosina di S. Nicola.	Nascita di S. Nicola.
DATAZIONE	1670-80 ca.	Post 1452 (Crowe - Cavalcaselle 1911, Antal 1924-25, Marangoni 1931-32, Boccia 1970), 1456 ca. (Pudelko 1934, Salmi 1938, Boeck 1939, Longhi 1940, Pope-Hennessy 1950).	1321-1333 (Fiocco 1930-31), 1345 ca. (Sandberg Vavalà 1930, Lasareff 1954), 1346 (Pallucchini 1964).	1321--1333 (Fiocco 1930-31), ca. 1345 (Sendberg-Vavalà 1930, Lasareff 1954), 1346 (Pallucchini 1964).
DATI TECNICI	Olio su tela, 200x344.	Tempera su tavola, 182x220, restauro 1954.	Tempera su tavola, 73x53.	Tempera su tavola 74,5x54,5.
CORNICE	Originale.	—	In stile gotico, in legno intagliato e dorato (rimaneggiata).	In stile gotico, in legno intagliato e dorato (rimaneggiata).
UBICAZIONI	Coll. De Noè Walker; Uffizi (1893); Palazzo della Provincia, Livorno (1934).	Palazzo Medici Riccardi (dall'origine?); Uffizi (tra il 1769 e il 1784).	Vendita coll. Achillito Chiesa (N. York 1925); coll. Contini-Bonacossi; Uffizi (1974). Dep. Meridiana di Pitti.	Vendita coll. Achillito Chiesa (N. York 1925); coll. Contini Bonacossi; Uffizi (1974); dep. Meridiana di Pitti.
ATTRIBUZIONI	Rosa (Pieraccini 1905 ca.). Panfi (Chiarini in Roethlisberger 1970).	—	Lorenzo Veneziano (cat. vendita Chiesa, N. York 1925, Berenson 1958).	Lorenzo Veneziano (cat., vendita Chiesa, N. York 1925, Berenson 1958).
ESPOSIZIONI	—	Mostra di quattro maestri del primo Rinascimento, Firenze, 1954.	—	—
BIBLIOGRAFIA	M. Roethlisberger: Cavalier Pietro Tempesta and His Time, Delaware 1970. M. Chiarini: Pandolfo Reschi in Toscana, in 'Pantheon', 1973, n. 2. *M. Roethlisberger: Notes sur P. Tempesta..., in 'Genava', n.s. vol. XIX, 1971.*	J. Pope-Hennessy: P.U., London 1959 (2ª ed. 1969). L. Tongiorgi Tomasi: P.U., Milano 1971. *Cat., Firenze 1954, n. 13.*	R. Pallucchini: La pittura veneziana del Trecento, Venezia-Roma 1964. *E. Sandberg-Vavalà: Maestro Paolo Veneziano, in The Burlington Magazine, LII, 1930.*	R. Pallucchini: La pittura veneziana del Trecento, Venezia-Roma 1964. *E. Sandberg-Vavalà: Maestro Paolo Veneziano, in The Burlington Magazine, LII, 1930.*
INVENTARIO	3086 (C.P., p. 80, n. 3393).	479 (C.P., p. 189, n. 52).	Contini-Bonacossi 7.	Contini-Bonacossi 6.
FOTO	23743.	97499 (e particolari).	225567.	225566.
NOTE	Il dipinto pervenne agli Uffizi per dono De Noè Walker, con l'attribuzione al Rosa accettata dal Catalogo Pieraccini. Trasferito in deposito al palazzo della Provincia di Livorno, è stato studiato dal Chiarini che lo ha messo in relazione con un quadro firmato e cumentato del pittore fiorentino Romolo Panfi, attribuzione accettata dal Roethlisberger. M.C.	Firmato in basso a sinistra 'PAVLI VGIELI OPVS', il dipinto raffigura un episodio della Battaglia di S. Romano, forse il disarcionamento di Bernardino della Ciarda. Esso fa serie con altre due tavole: una nella Galleria Nazionale di Londra, l'altra al Louvre. Un inventario della proprietà di Lorenzo de' Medici del 1492 (pubblicato da H. Horne, 1901) attesta che i tre pannelli si trovavano in una sala a terreno di Palazzo Medici (dove rimasero fino al 1598) e raffiguravano la Battaglia di S. Romano vinta dai fiorentini il 1 giugno 1432 guidati da Niccolò da Tolentino e Micheletto da Cotignola, contro i senesi guidati da Bernardino della Ciarda. Ritenuti di solito non precedenti alla costruzione di Palazzo Medici, che fu terminato sostanzialmente nel 1451, di recente sono stati invece supposti vicini nel tempo alla battaglia (Boccia). Le armature oggi molto scure, erano argentate. L. Bell.	Con esposizione temporanea nei locali della Meridiana di Palazzo Pitti, il dipinto fu acquisito ufficialmente al patrimonio dello Stato nel 1974, a seguito di convenzione intervenuta nel 1969 con gli eredi Contini-Bonacossi. Va insieme alla tavoletta raffigurante la Nascita di S. Nicola (Inv. Contini Bonacossi 6). Per Pallucchini è possibile che i due scomparti facessero parte dell'ancona eseguita da Paolo Veneziano nel 1346 per la cappella di S. Nicola in Palazzo Ducale di Venezia; secondo i documenti bruciata nel 1483, forse però non completamente distrutta. A.P.	Con esposizione temporanea nei locali della Meridiana di Palazzo Pitti, il dipinto fu acquisito ufficialmente al patrimonio dello Stato nel 1974, a seguito della convenzione intervenuta nel 1969 con gli eredi Contini Bonacossi. Va insieme alla tavoletta raffigurante 'L'elemosina di S. Nicola' (Inv. Contini Bonacossi 7). Per Pallucchini è possibile che i due scomparti facessero parte dell'ancona eseguita da Paolo Veneziano nel 1346 per la cappella di S. Nicola in Palazzo Ducale di Venezia; secondo i documenti bruciata nel 1483, forse però non completamente distrutta. A.P.

	P1138	P1139	P1140	P1141
AUTORE	Parmigianino, Mazzola Francesco, detto il (Parma 1504 - Casalmaggiore 1540).	Parmigianino, Mazzola Francesco, detto il (Parma 1504 - Casalmaggiore 1540).	Parmigianino, Mazzola Francesco, detto il (Parma 1504-Casalmaggiore 1540).	Parmigianino, Mazzola Francesco, detto il (Parma 1504-Casalmaggiore 1540), scuola del.
TITOLO	Madonna con Bambino e Santi, detta di San Zaccaria.	Madonna con Bambino e angeli, detta Madonna dal collo lungo.	La schiava turca.	Madonna col Bambino.
DATAZIONE	1527 (Berenson 1907); 1530 ca. (cat. Mostra 1955).	1534-40.	1535-40 (Bertani 1979).	Sec. XVI.
DATI TECNICI	Olio su tavola 75,5x60.	Olio su tavola, 219-135, restauro 1896.	Olio su tavola, 64x52,3.	Olio su tavola, 44x38, restauro 1964.
CORNICE	Barocca, dorata e modanata, con festone di alloro, cartiglio ai lati e al centro.	Intagliata e a grandi foglie di acanto, traforata con motivo a cartiglio, sec. XVI.	—	Dorata.
UBICAZIONI	Palazzo Manzuoli, Bologna (1560); Uffizi, Tribuna (1605-1848, poi altre sale).	Chiesa dei Servi, Parma (1542); Pitti (1698); Parigi (1799); Pitti (1815); Uffizi (1948).	Card. Leopoldo de' Medici (ante 1675); Guardaroba (1676); Uffizi (1704); Galleria Parma, (1928).	Uffizi; Pitti (1928).
ATTRIBUZIONI	—	—	—	M. A. Anselmi (?); Parmigianino, scuola del (Inv. 1890). J. Bertoia (Jahn Rusconi, 1937).
ESPOSIZIONI	Mostra del Trionfo del Manierismo Europeo, Amsterdam 1955.	—	—	—
BIBLIOGRAFIA	S.J. Freedberg, Parmigianino, 1950; A. Ghidiglia Quintavalle, Parmigianino, 1964. Cat. Amsterdam 1955, n. 90, p. 82. M. Fagiolo dell'Arco, Il Parmigianino. Un saggio sull'ermetismo nel '500, Roma 1970.	Vasari (vol. V, p. 231), S.J. Freedberg Parmigianino, 1950. A. Ghidiglia Quintavalle, Parmigianino, 1964. M. Fagiolo dell'Arco, Il Parmigianino. Un saggio sull'ermetismo nel '500, Roma 1970.	A. Ghidiglia Quintavalle, Parmigianino, Milano 1964, p. III. M. Fagiolo dell'Arco, Il Parmigianino. Un saggio sull'ermetismo nel '500, Roma 1970, tav. 294, p. 80.	A. Jahn Rusconi. La R. Galleria Pitti in Firenze, Roma 1937.
INVENTARIO	1328 (C.P., p. 143, n. 1006).	Galleria Palatina 230.	782 (C.P., p. 87, n. 182).	1367 (C.P., p. 142, n. 1001).
FOTO	321801.	48675, part. 157235, 48677, 68678.	Foto Anderson 30170.	248038.
NOTE	La tavola, conosciuta anche come Madonna di San Zaccaria, fu dipinta dall'artista per il conte Giorgio Manzuoli (Vasari). Nel 1605 era esposta nella Tribuna (cfr. Inv. Tribuna 1589, agg; 19 giugno 1605); figura ancora nella Tribuna negli anni 1782-1798 e nel 1848 (cfr. S. Rudolph-A. Biancalani in: Mostra storica della Tribuna degli Uffizi, 1970-71, p. 37). Disegni del dipinto al Gabinetto Disegni e Stampe degli Uffizi. L.B.B.	Davanti in basso a destra: FATO PRAENTUS / F. MAZZOLI PARME/NSIS ABSOLVERE NEQVIVIT. Il dipinto noto anche come la Madonna dal collo lungo, fu ordinato all'artista da Elena Bajardi figlia di Andrea e moglie di Francesco Tagliaferri il 23-12-1534 e collocato nella cappella di S. Maria dei Servi a Parma due anni dopo la morte dell'artista. Nel 1674 i padri serviti lo offrirono in vendita al Cardinal Leopoldo de' Medici, fu acquistato nel 1698 da Ferdinando dei Medici (cfr. ASF, Cart. Art. XIV, cc. 596, 601, 606, 618, 620, 630, 635) malgrado l'opposizione dei Cerati eredi dei Bajardi (cfr. E. Robiony in "Rivista d'Arte" I, 1904, p. 19). Nel 1799 fu portato a Parigi da dove tornò nel 1815. Copia settecentesca nei dep. di Pitti (foto 249424). Disegni al Louvre. L.B.B.	Il dipinto pervenne alla Guardaroba dall'eredità del Cardinal Leopoldo de' Medici (cfr. ASF Guard. 826, c. 57r, n. 51); compare in Galleria negli inventari dal 1704 al 1890. Nel 1928 il quadro fu ceduto alla Galleria di Parma come da verbale del 5 settembre (cfr. Verbali del. 639, n. 183). L.B.B.	Dal Rusconi sappiamo che il dipinto, già esposto agli Uffizi col numero d'inventario 1001, pervenne alla Galleria Palatina nel 1928 ed era già stato attribuito a M. A. Anselmi (Lucca 1491? - Parma 1555?). Il Rusconi propende invece per una attribuzione a Jacopo Bertoia (Parma 1544-1574). Gr. Red. 3

	P1142	P1143	P1144	P1145
Autore	Parrocel, Joseph (Brignoles 1646 - Parigi 1704) ?	Parrocel, Joseph (Brignoles 1646 - Parigi 1704).	Passignano, Cresti Domenico, detto il (Passignano 1560 ca. - Firenze 1636).	Passignano, Cresti Domenico detto il (Passignano 1560 ca. - Firenze 1636).
Titolo	Caccia al cinghiale.	Battaglia di cavalleria.	Martirio di Santo Stefano.	Adorazione dei Pastori.
Datazione	Seconda metà sec. XVII.	Fine sec. XVII.	1601-02 (Bertani 1979).	Inizi del sec. XVII.
Dati tecnici	Olio su tela, 80x101, restauro 197.	Olio su tela, 50x67.	Bozzetto, olio a chiaroscuro su carta, 29x22.	Bozzetto, olio a chiaroscuro su carta, 26x20.
Cornice	Sagomata, dorata, sec. XVIII.	Intagliata, dorata, sec. XVIII.	Ebano, modanato con filettature all'esterno e all'interno.	Legno modanato, aggettante e dorato nei filetti interni ed esterni.
Ubicazioni	Coll. Favi, Parigi (1793); Uffizi (1797).	Parigi; Uffizi (1793).	Gabinetto Disegni e Stampe (1793); Uffizi (1890).	Gabinetto Disegni e Stampe (1880); Uffizi (1914).
Attribuzioni	Scuola francese sec. XVIII (cat., Firenze 1945). Parrocel (Laclotte, comunicazione orale. Rosenberg 1977).	—	Cigoli (Inv. Antichi). Passignano (Berti 1952).	—
Esposizioni	La peinture française à Florence, Firenze 1945. Mostra temporanea di alcune pitture straniere, Firenze 1964. Pittura francese nelle collezioni pubbliche fiorentine, Firenze 1977.	La peinture française à Florence, Firenze 1945. Mostra temporanea di alcune pitture straniere. Firenze 1964. Pittura francese nelle collezioni pubbliche fiorentine, Firenze 1977.	Bozzetti delle Gallerie di Firenze, Firenze, 1952-53.	Bozzetti delle Gallerie di Firenze, Firenze, 1952-53.
Bibliografia	A. Blunt, Art and Architecture in France, 1500-1700, Harmondsworth 1954. *Cat., Firenze 1977, n. 6276.*	A. Schnapper, Quelques oeuvres de Joseph Parrocel, La Revue des Arts, 4-5, 1959. *Cat., Firenze 1977, n. 64.*	M. Gregori, in Cat. Mostra del Cigoli e del suo ambiente, S. Miniato, 1959, pp. 206-207. Idem, Avant-propos sulla pittura fiorentina del '600, in Paragone, 1962, n. 145, pp. 21-40. *L. Berti, in Cat., Firenze, 1952-53, n. 82, p. 42.*	M. Gregori, in Cat. Mostra del Cigoli e del suo ambiente, S. Miniato, 1959, pp. 206-207. Idem, Avant-propos sulla pittura fiorentina del '600, in Paragone, 1962, n. 145, pp. 21-40. *U. Baldini, in Cat., Firenze, 1952-53, n. 84, p. 42-43.*
Inventario	6276.	974 (C.P., p. 115, n. 653).	610.	GDSU 19200.
Foto	263362.	146342.	68181.	68185.
Note	Il quadro si trovava, con l'attribuzione al Parrocel, nella casa di Francesco Favi, rappresentante del granduca di Toscana a Parigi nel 1793. Ricomparve poi agli Uffizi nel 1797 con la stessa attribuzione, ma perse poi la propria identità anche se fu sempre riconosciuto di scuola francese. Il Laclotte (comunicazione orale) e il Rosenberg lo hanno restituito all'artista su base stilistica confermata dai documenti. M.C.	Acquistato a Parigi nel 1793 da Francesco Favi per conto del granduca Ferdinando III di Toscana con l'attribuzione al battaglista francese, questa è stata confermata da Schnapper e Rosenberg. M.C.	Bozzetto preparatorio per la tela con lo stesso soggetto eseguita dal Passignano per la Chiesa di Santo Spirito a Firenze. La presente opera figura nell'inv. del 1793 attribuita al Cigoli (cfr. GDSU Inv. Generale... 1793, vol. I, n. 9? ad vocem). L.B.B.	Si tratta del bozzetto per una Adorazione dei Pastori, probabilmente mai eseguita o andata perduta; compare nell'Inv. del 1793 (cfr. GDSU Inv. Generale... 1793, vol. III, n. 9, ad vocem), tuttavia potrebbe aver fatto parte della Coll. del Cardinal Leopoldo de' Medici, nella Lista iniziata dal Baldinucci nel 1675 infatti compaiono numerosissimi disegni del Passignano (cfr. P. Barocchi, in F. Baldinucci, Notizie..., vol. VI, App., Firenze, 1975, p. 198). L.B.B.

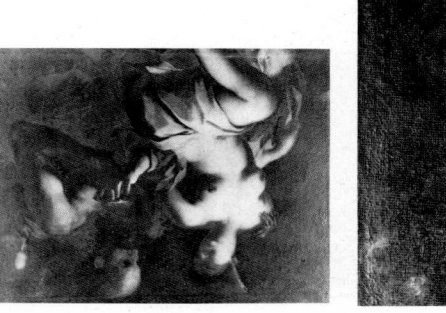
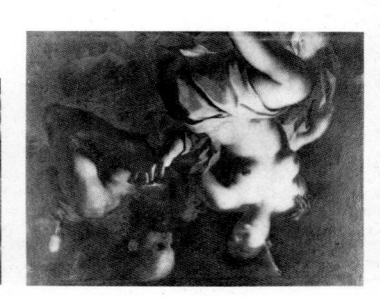
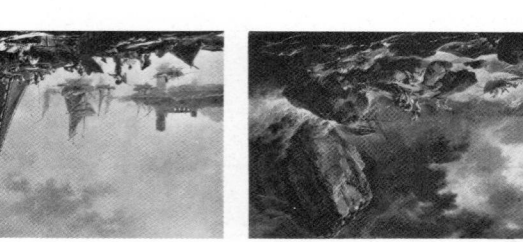

	P1192	P1193	P1194	P1195
AUTORE	Pignoni, Simone (Firenze 1611-1689)), attr. a.	Pignoni, Simone (Firenze 1611-1689), attr. a.	Pillement, Jean (Lione 1728-1808).	Pillement, Jean (Lione 1728-1808).
TITOLO	Clorinda?	Lot e le figlie.	Marina.	Porto.
DATAZIONE	1670-80 ca.?	Seconda metà sec. XVII.	1785-90 ca. (Rosenberg 1977).	1785-90 ca. (Rosenberg 1977).
DATI TECNICI	Olio su tela, 74x58.	Olio su tela, 98x132.	Pastello su carta, 57x89.	Pastello su carta, 57x89.
CORNICE	Sagomata, dorata, sec. XVII		Intagliata e dorata, sec. XVIII-XIX.	Intagliata e dorata, sec. XVIII-XIX.
UBICAZIONI	Coll. Feroni (ante 1850); Uffizi (1866); Cenacolo di Foligno (1894).	Coll. Feroni (ante 1850); Uffizi (1866); Cenacolo di Foligno (1894).	Uffizi (1796), Pitti (1928).	Uffizi (1791), Pitti (1928).
ATTRIBUZIONI	Guercino (Cat. Galleria Ferroni 1895).	—	—	—
ESPOSIZIONI	—	—	La peinture française à Florence, Firenze 1945. Mostra temporanea di alcune pitture straniere, Firenze 1964. Pittura francese nelle collezioni pubbliche fiorentine, Firenze 1977.	La peinture française à Florence, Firenze 1945. Mostra temporanea di alcune pitture straniere, Firenze 1964. Pittura francese nelle collezioni pubbliche fiorentine, Firenze 1977.
BIBLIOGRAFIA	G. Ewald: Simone Pignoni, in The Burlington Mag., 1964, Catalogo della Galleria Feroni, Firenze 1895, p. 6.	G. Ewald: Simone Pignoni, in The Burlington Mag., 1964, p. 218ss. G. Cantelli: Per Simone Pignoni, in Antichità Viva, 1974, n. 2. Catalogo della Galleria Feroni, Firenze 1895, p. 13.	G. Pillement: Jean Pillement, Paris 1945. Cat., Firenze 1977, n. 146.	G. Pillement: Jean Pillement, Paris 1945. Cat., Firenze 1977, n. 145.
INVENTARIO	S. Marco e Cenacoli 98.	S. Marco e Cenacoli 161.	1007 (C.P., p. 71, n. 686).	1001 (C.P., p. 71, n. 681).
FOTO	112654.	168556.	51750.	51749.
NOTE	Il dipinto porta un'attribuzione al Guercino nel catalogo della collezione di provenienza, ma tale attribuzione è di per sé inaccettabile. Lo stile furinesco del quadro, la fattura disinvolta in certi passaggi, come il morione, lo spallaccio, ecc., indicano lo stile del Pignoni, al quale si propone di attribuirlo. M.C.	L'attribuzione al Pignoni, avanzata nel catalogo della collezione di appartenenza, non è accettata dall'Ewald, che lo giudica non collegabile allo stile dell'artista. M.C.	Il pastello, del quale non si conosce la provenienza esatta, pervenne agli Uffizi dalla Guardaroba nel 1796, ma doveva essere a Firenze, con il suo 'pendant' al n. prec., già nel 1791. Passo, con l'altro, alla Galleria Palatina nel 1928. P. Rosenberg, che mette in luce la difficoltà di datare le opere del pittore, propone di datare questo pastello e il 'pendant' a poco prima dell'anno d'ingresso agli Uffizi. M.C.	Il pastello, del quale non si conosce la provenienza esatta, era esposto agli Uffizi nel 1791. Passo alla Galleria Palatina nel 1928. P. Rosenberg, che mette in luce la difficoltà di datare le opere del pittore, propone di datare questo pastello e il 'pendant' al n. seg. poco prima dell'anno d'ingresso agli Uffizi. M.C.

	P1196	P1197	P1198	P1199
AUTORE	Pino, o Pini, Paolo (Venezia, attivo intorno alla metà del sec. XVI).	Piola, Pellegrino (Genova 1617-1640).	Pisano, Niccolò (doc. tra il 1484 e il 1538).	Pittoni, Giovan Battista (Venezia 1687-1767).
TITOLO	Ritratto del medico Coignati.	Madonna col Bambino e S. Giovannino.	Sacra Famiglia.	David davanti all'Arca.
DATAZIONE	1534?	Sec. XVII.	Inizi sec. XVI.	1725-27 ca. (Zava Boccazzi 1979).
DATI TECNICI	Olio su tela, 89x74.	Dipinto su tavola, 49x37.	Olio su tavola, 61,8x49,7.	Olio su tela, 58x126, pulitura 1952.
CORNICE	Barocca, in legno intagliato e dorato.	Intagliata e dorata.	Barocca intagliata, traforata e dorata.	Sagomata, intagliata e dorata, sec. XVIII.
UBICAZIONI	Pitti, Guardaroba (ante 1798); Uffizi (esposto 1817).	Guardaroba; Uffizi (1796) (1928).	Intendenza di Finanza, Pitti (1911); Uffizi (1925).	Palazzo S. Bonifacio, Padova (XVIII-XIX sec.); Venezia (mercato antiquario ante 1914); Uffizi (1914).
ATTRIBUZIONI	—	P. Piola (Inv. 1890, Bonzi 1963).	—	Tiepolo (attr. tradizionale), Pittoni (Coggiola Pittoni 1914, Zava Boccazzi 1979).
ESPOSIZIONI	—	—	—	—
BIBLIOGRAFIA	R. e A. Pallucchini: Dialogo di pittura, di Paolo Pino, ed. critica Venezia 1946.	A. Jahn Rusconi, La R. Galleria Pitti in Firenze, Roma 1937, M. Bonzi, Pellegro Piola e Bartolomeo Biscaino, Genova 1963.	A. Emiliani, La Pinacoteca Nazionale di Bologna, 1967.	R. Pallucchini: La pittura veneziana del Settecento, Roma-Venezia 1962. L. Coggiola iPittoni: Pittoriana, Venezia 1914, pp. 178-80. Id: Opere inedite... di G. Pittoni, Venezia 1932, p. 7. F. Zava Boccazzi: Pittoni, Venezia 1979, cat. n. 61.
INVENTARIO	968 (C.P., p. 198, n. 644).	1372 (C.P. p. 147 n. 996).	8543.	3940.
FOTO	321813.	248036.	—	14472.
NOTE	Il dipinto è firmato. Nel cartiglio a sinistra in basso, è leggibile una iscrizione non molto chiara e in parte deteriorata: «PAULUS D PINNIS VEN FACIEBAT AN XXXIII M V... MXXXIIII». L'ultimo numero dovrebbe indicare l'anno di esecuzione dell'opera (1534). A tergo è scritto: il medico Coignati. È una delle pochissime opere certe del Pino, noto soprattutto come teorico d'arte (Dialogo di pittura, Venezia 1548). Pallucchini sottolinea la cultura veneta di terraferma (preancisciana) dell'opera. A.P.	Il dipinto compare già nell'Inventario del 1890 con l'attribuzione tuttora tradizionalmente accettata al pittore genovese Pellegrino Piola. Il Rusconi ci ricorda che la tavola, già esposta 'agli Uffizi (n. 996) dove venne nel 1796 da Palazzo Pitti, fu portata alla Palatina nel 1928* (1937 p. 191). 'È opera — prosegue il Rusconi — povera di disegno; ma gaia di colore'. Gr. Red. 3 L.B.	Il quadro è stato inventariato anche col n. 8768, mentre sul retro c'è un cartellino con l'Inv. 1890, n. 8787, tale numero di inventario corrisponde al numero di una miniatura. Pervenne alla Palatina dall'Intendenza di Finanza il 11-12-1911; dalla Palatina passò agli Uffizi nel 1925.	Sembra che il dipinto provenga dal palazzo di S. Bonifacio di Padova, dove aveva un'attribuzione al Tiepolo (Zava Boccazzi 1979). Passato presso l'antiquario Salvadori di Venezia, venne acquistato nel 1914 per la Galleria degli Uffizi (G. Poggi: Catalogo dei dipinti, Firenze 1927, p. 134). Fu riconosciuto come oper del Pittoni dalla Coggiola Pittoni nel 1914, e da allora accettato unanimemente dalla critica. Datato dalla Zava Boccazzi, su basi stilistiche, nella seconda metà del terzo decennio del Settecento. M.C.

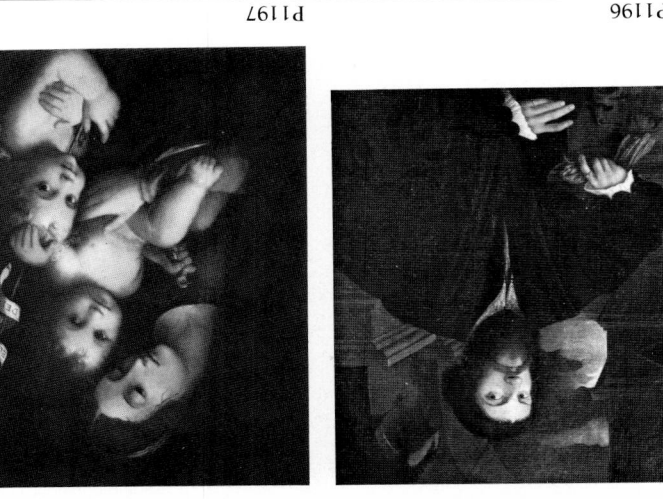

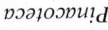

	P1200	P1201	P1202	P1203
AUTORE	Poelenburg, Cornelis van (Utrecht 1586 ca. - 1667).	Poelenburg, Cornelis van (Utrecht 1586 ca. - 1667).	Poelenburg, Corneilis van (Utrecht 1586 ca. - 1667).	Poelenburg, Cornelis van (Utrecht 1586 ca. - 1667).
TITOLO	L'angelo appare alla moglie di Manoah.	Paesaggio.	Paesaggio lacustre con rovine e pastori.	Cinque pannelli rappresentanti santi.
DATAZIONE	1620 ca.	1620-22 ca.	1620-22 ca.	1620-25 ca.
DATI TECNICI	Olio su rame, 10,7x14,6.	Olio su rame, 31x45, restauro 1974.	Olio su rame, 30,5x43, restauro 1975.	Olio su rame, ciascuno 10,5x7,5.
CORNICE	Sagomata, dorata, sec. XVIII-XIX.	Ebano, sec. XIX-XX.	Ebano, sec. XIX-XX.	Sagomata, dorata, sec. XVIII-XIX. Castello (1761), Uffizi (1796), Pitti (1928).
UBICAZIONI	Castello (sec. XVIII); Uffizi (1796); Pitti (1928).	Pitti (ante 1675); Uffizi (1796); Pitti (1928).	Pitti (ante 1675); Uffizi (1796); Pitti (1928).	Elsheimer (inv. Uffizi 1796); Poelenburg (inv. Uffizi 1825 e 1890, Pieraccini 1905 ca., Rusconi 1937, Francini Ciaranfi 1964, Andrews 1977).
ATTRIBUZIONI	Elsheimer (inv. Uffizi 1796). Poelenburg (inv. Uffizi 1825 e 1890, Pieraccini 1905 ca., Rusconi 1937, Schaar 1959-60, Francini Ciaranfi 1964).	—	—	—
ESPOSIZIONI	—	—	—	—
BIBLIOGRAFIA	E. Schaar, Poelenburg u. Breenbergh in Italien..., Mitteil. des Kunsthist. Inst. in Florenz, 1959-60. *A. I. Rusconi, La Galleria Pitti, Roma 1937, n. 193.*	*E. Schaar, Poelenburg u. Breenbergh in Italien..., Mitteilungen des kunsthist. Inst. in Florenz, 1959-60.* Nederlandse 17e Eeuwse Italianiserende Lanschapschilders, Catalogo della mostra, Utrecht 1965.	E. Schaar, Poelenburg u. Breenenbergh in Italien..., Mitteil. des Kunsthist. Inst. in Florenz, 1959-60. *Cat. mostra, Nederlandse 17e Eeuwse Italianiserende Landschapschilders, Utrecht 1965, n. 22a.*	E. Schaar, Poelenburg u. Breenbergh in Italien..., Mitteil. Des Kunsthist. Inst. in Florenz, 1959-60. *K. Andrews, Adam Elsheimer, London 1977, p. 148.*
INVENTARIO	1094 (C.P., p. 132, n. 772).	1176 (C.P., p. 129, n. 855).	1195 (C.P., p. 130, n. 875).	1093, 8260, 8261, 8262, 8263 (C.P., p. 131, n. 771).
FOTO	185610.	207287.	205565.	185686, 185685, 185690, 185693, 185688.
NOTE	La provenienza del dipinto non è documentata. Nell'inventario della Villa di Castello del 1761 il quadretto è ricordato insieme a tre altri dipinti delle stesse misure. Inventariato col nome dell'Elsheimer nel 1796, è ormai unanimemente attribuito al Poelenburg e datato intorno al 1620. Il soggetto biblico rappresentato è quello dell'annuncio della nascita del figlio Simone alla moglie di Manoah. M.C.	Il dipinto è elencato nell'inventario della collezione del card. Leopoldo de' Medici, steso l'anno della sua morte (1675), con l'attribuzione, dovuta a una svista, a Cornelis Schut (pittore belga). La provenienza del dipinto non è ulteriormente documentata, ma poiché sappiamo che intorno al 1620-22 il Poelenburgh si trovava a Firenze, è probabile che il quadretto sia stato dipinto in quel periodo. M.C.	La provenienza del dipinto non è documentata. Esso è ricordato per la prima volta nell'inventario della collezione del card. Leopoldo de' Medici in palazzo Pitti, steso alla sua morte (1675): per un equivoco col pittore belga Cornelis Schut, il quadro, col suo 'pendant' n. 1176, fu attribuito a quest'ultimo. Da datarsi con probabilità al soggiorno fiorentino dell'artista. M.C.	I santi rappresentati in ciascun pannello, da destra a sinistra, sono: S. Giovanni Battista giovinetto, S. Giuseppe con Gesù Bambino, S. Anna con la Vergine bambina, l'Arcangelo Raffaele con Tobiolo, Abramo e Isacco. La provenienza dei pannelli non è documentata. L'attribuzione all'Elsheimer è spiegata col fatto che i rami sono copia di una serie dipinta dall'artista tedesco e i cui pezzi residui sono oggi a Petworth House (Inghilterra) e nel Museo di Montpellier. M.C.

	P1204	P1205	P1206	P1207
AUTORE	Poelenburg, Cornelis van (Utrecht 1586 ca. - 1667).	Poelenburg, Cornelis van (Utrecht 1586 ca. - 1667).	Poelenburg, Cornelis van (Utrecht 1586 ca. - 1667).	Poelenburg, Cornelis van (Utrecht 1586 ca. - 1667).
TITOLO	Cinque pannelli rappresentanti santi.	Grotte nella campagna romana.	Paesaggio con rovine antiche.	Paesaggio con rovine antiche.
DATAZIONE	1620-25 ca.	1620-25 ca.	1620-25 ca.	1620-25 ca.
DATI TECNICI	Olio su rame, ciascuno 10,5x7,5.	Olio su tavola, 10x16.	Olio su rame, 16,8x22.	Olio su rame, 16,7x22.
CORNICE	Sagomata, dorata, sec. XVIII-XIX.	Legno, tinta di nero, sec. XIX-XX.	Liscia, dorata, sec. XIX.	Liscia, dorata, sec. XIX.
UBICAZIONI	Castello (1761); Uffizi (1796); Pitti (1928).	Castello (1761); Uffizi (1796); Pitti (1928).	Uffizi (1704); Pitti (1928).	Uffizi (1704); Pitti (1928).
ATTRIBUZIONI	Elsheimer (inv. Uffizi 1796). Poelenburg (inv. Uffizi 1825 e 1890, Pieraccini 1905 ca., Rusconi 1937, Francini Ciaranfi 1964, Andrews 1977).	Anonimo olandese (inv. 1761 e 1796). Poelenburg (inv. 1825, Pieraccini 1905 ca., Rusconi 1937, Schaar 1959-60), Breenbergh (Roethlisberger 1969).	Poelenburg (inv. Uffizi 1704, Rusconi 1937, Schaar 1959-60, Francini Ciaran 1964). Breenbergh (Roethlisberger 1969, Salerno 1976).	Poelenburg (inv. Uffizi 1704, Rusconi 1937, Schaar 1959-60, Francini Ciaranfi 1964). Breenbergh (Salerno 1976).
ESPOSIZIONI	—	—	—	—
BIBLIOGRAFIA	E. Schaar, Poelenburg u. Breenbergh in Italien..., Mitteil. Des Kunsthist. Inst. in Florenz, 1959-60. *K. Andrews, Adam Elsheimer, London 1977, p. 148.*	*A. I. Rusconi, La Galleria Pitti, Roma 1937, p. 193. E. Schaar: Poelenburg und Breenbergh in Italien..., Mitteil. des Kunsthist. Inst. in Florenz, 1959-60. M. Roethlisberger, Bartholomäus Breenbergh. Handzeichnungen, Berlin 1969, n. 114.*	L. Salerno, *Pittori di paesaggio del Seicento a Roma, vol. I, Roma 1978. E. Schaar, Poelenburg u. Breenbergh in Italien..., Mitteil. des Kunsthist. Inst. in Florenz, 1959-60. M. Roethlisberger, Bartholomäus Breenbergh. Handzeichnungen, Berlin 1969, n. 31.*	*A. I. Rusconi, La Galleria Pitti, Roma 1937, n. 195. E. Schaar, Poelenburg u. Breenbergh in Italien..., Mitteil. des Kunsthist. Inst. in Florenz, 1959-60. L. Salerno, Pittori di paesaggio del Seicento a Roma, Roma 1976.*
INVENTARIO	1095, 8264, 8265, 8266, 8267 (C.P., p. 133, n. 773).	1194 (C.P., n. 130, n. 880).	1197 (C. P., p. 132, n. 877).	1218 (C.P., p. 132, n. 900).
FOTO	185689, 185692, 18587, 185694, 185691.	185611.	185600.	101195.
NOTE	I santi rappresentati in ciascun pannello, da destra a sinistra, sono: S. Tommaso d'Aquino, S. Lorenzo, S. Giovanni Evangelista, S. Paolo, S. Pietro. La provenienza dei pannelli non è documentata. L'attribuzione all'Elsheimer è spiegata col fatto che i rami sono copia di una serie dipinta dall'artista tedesco e i cui pezzi residui sono, oggi a Petworth House (Inghilterra) e nel Museo di Montpellier. Il n. 8264 (S. Lorenzo) sembra che stato separato dalla serie per un certo tempo se è identificabile con un quadretto di questo soggetto attribuito all'Elsheimer e ricordato nell'inv. degli Uffizi nel 1704 e dal Cochin nel suo diario di viaggio (ed. Parigi 1773, p. 9). M.C.	Sul retro, iscrizione del XIX sec.: Bartolomeo Breenberg. La provenienza del dipinto non è documentata. Esiste un disegno del Breenbergh a Francoforte (Städelsches Kunstinst., n. 3793) che presenta analogie con il motivo di questo quadretto, che viene attribuito in relazione dal Roethlisberger. Tuttavia, per la difficoltà di distinzione fra le due mani in tanti casi, si mantiene per ora l'attribuzione al Poelenburg. M.C.	La provenienza del dipinto non è documentata. Come il suo 'pendant' (n. 1218) una scritta sul retro lo ascrive a Cornelio Satiro (soprannome col quale il Poelenburg era iscritto alla società degli artisti olandesi e fiamminghi a Roma). La composizione è in rapporto con un disegno che rappresenta la stessa rovina (per il Roethlisberger forse rovine del Palatino) che si trova a Monaco (n. 1925) e che è siglato da B. Breenbergh e datato 1625. Per questa ragione il Roethlisberger (seguito dal Salerno) ritiene molto probabile che anche il dipinto spetti a quest'ultimo: vi nota, inoltre, rapporti con un dipinto di F. Napoletano (già attr. a Tassi). M.C.	La provenienza del dipinto non è documentata. Esso va posto in relazione al suo 'pendant' n. 1197, la cui attribuzione al Poelenburg è ivi discussa. È interessante notare che entrambi i dipinti recano sul retro una scritta antica (Cornelio Satiro) che la ascrive a questo artista. Si riscontrano affinità notevoli con le opere di Filippo Napoletano. M.C.

	P1208	P1209	P1210	1211
AUTORE	Poelenburg, Cornelis van (Utrecht 1586-1667).	Poelenburg, Cornelis van (Utrecht 1586 ca. - 1667).	Poelenburg, Cornelis van (Utrecht 1586 ca. - 1667).	Poelenburg, Cornelis van (Utrecht 1586 ca. - 1667).
TITOLO	Mercurio e Batto.	Il ritrovamento di Mosè.	Mosè fa scaturire le acque.	Pastori che danzano tra rovine antiche.
DATAZIONE	1621 ca. (Schaar).	1621-22 ca.	1621-22 ca.	1621-22 ca.
DATI TECNICI	Olio su rame (ovale), 35,5x48.	Olio su rame, 45x63.	Olio su rame, 45,5x63,5.	Olio su rame, 44x62.
CORNICE	Ebano, sec. XIX-XX.	Ebano, sec. XIX-XX.	Ebano, sec. XIX-XX.	Ebano, sec. XIX-XX.
UBICAZIONI	Poggio Imperiale (1654); Uffizi (1773).	Pitti (1621-22 ca.); Uffizi (1774); Pitti (1928).	Pitti (1621-22 ca.); Uffizi (1774); Pitti (1928).	Pitti (1621-22 ca.); Uffizi (1774); Pitti (1928).
ATTRIBUZIONI	Breenbergh (Inv. Uffizi 1773). Poelenburg (Inv. Uffizi 1825 e 1890, Pieraccini 1905 ca., Poggi 1927, Schaar 1959-60, Chiarini 1967).	Albani (inv. 1687). Poelenburg (inv. 1796).	Albani (inv. 1687). Poelenburg (inv. 1796).	Albani (1687). Poelenburg (inv. 1796).
ESPOSIZIONI	Paesisti, Bamboccianti e vedutisti nella Roma seicentesca, Firenze 1967.	Artisti alla corte granducale, Firenze 1969.	Artisti alla corte granducale, Firenze 1969.	Artisti alla corte granducale, Firenze 1969.
BIBLIOGRAFIA	*E. Schaar, Poelenburg u. Breenbergh in Italien..., Mitteil. des Kunsthist. Inst. in Florenz, 1959-60. Cat., Firenze 1967, n. 14.*	E. Schaar, Poelenburg u. Breenbergh in Italien..., Mitteil. des Kunsthist. Inst. in Florenz, 1959-60. *Cat., Firenze 1969, n. 34.*	E. Schaar, Poelenburg u. Breenbergh in Italien..., Mitteil. des Kunsthist. Inst. in Florenz, 1959-60. *Cat., Firenze 1969, n. 35.*	E. Schaar, Poelenburg u. Breenbergh in Italien..., Mitteil. des Kunsthist. Inst. in Florenz, 1959-60. *Cat. mostra, Nederlandse 17e Eeuwse Italianiserende Landschapsschilders, Utrecht 1965, n. 14.*
INVENTARIO	1231 (C.P., p. 130, n. 911).	1203 (C.P., p. 132, n. 883).	1220 (C.P., n. 133, n. 901).	1200 (C.P., p. 131, n. 878).
FOTO	321881.	185604.	185599.	185606.
NOTE	La provenienza del quadro non è documentata, ma è probabile che il dipinto sia stato eseguito dall'artista durante il documentato soggiorno a Firenze intorno al 1620-22. Lo Schaar data il quadro intorno al 1621, per analogie con un dipinto datato in quell'anno (Madrid, Prado). Il soggetto è tratto da Ovidio, Metamorfosi, II, 687 ss. M.C.	Per le vicende storico-critiche del dipinto, si veda il n. 1200. M.C.	Per le vicende storico-critiche del dipinto, si veda il n. 1200. Una copia antica è nel Museo Bardini (Coll. Corsi) di Firenze. M.C.	Il dipinto, con i nn. 1203, 1220, 1221, con i quali fa serie, è sempre ricordato negli inventari di palazzo Pitti a partire dal 1638 (in questo caso senza nome d'autore) in una delle stanze dell'appartamento del granduca e insieme a quadri di Filippo Napoletano: poiché sappiamo che quest'ultimo lavorò per Cosimo II, possiamo dedurne che anche i quadri del Poelenburgh furono eseguiti per lui. Lo stile dei dipinti, infatti, è vicino al più grande dipinto dell'artista a Firenze, una Danza di contadini (n. 1233) che è datata 1622. I quattro quadri furono curiosamente attribuiti, a partire da un inventario del 1687, al bolognese Francesco Albani. M.C.

	P1212	P1213	P1214	P1215
AUTORE	Poelenburg, Cornelis van (Utrecht 1586 ca. - 1667).	Poelenburg, Cornelis van (Utrecht 1586 ca. - 1667).	Poelenburg, Cornelis van (Utrecht 1586 ca. - 1667).	Poelenburg, Cornelis van (Utrecht 1586 ca. - 1667), attr. a.
TITOLO	Paesaggio con satiri danzanti.	Paesaggio con danza di contadini.	Adorazione dei pastori.	Paesaggio con due figure.
DATAZIONE	1621-22 ca.	1622.	1630-40 ca.	1630-40 ca.?
DATI TECNICI	Olio su rame, 44,5x63.	Olio su rame, 66x85.	Olio su rame centinato, 32,5x24,5.	Olio su rame, 21x14.
CORNICE	Ebano, sec. XIX-XX.	Ebano, sec. XIX.	Ebano, sec. XIX-XX.	Ebano, sec. XIX-XX.
UBICAZIONI	Pitti (1621-22 ca.); Uffizi (1774); Pitti (1928).	Poggio Imperiale (1654); Pitti (1761); Uffizi (1796).	Poggio a Caiano (inizi sec. XVIII); Uffizi (1773); Pitti (1928).	Card. Leopoldo de' Medici, Pitti (ante 1675); Uffizi (1796); Pitti (1928).
ATTRIBUZIONI	Albani (inv. 1687), Poelenburg (inv. 1796).	—	—	Cerquozzi (inv. 1675). Poelenburg (inv. 1890, Pieraccini 1905 ca., Rusconi 1937, Francini Ciaranfi 1964).
ESPOSIZIONI	Artisti alla corte granducale, Firenze 1969.	Dipinti del Seicento fiammingo e olandese, Firenze 1958. Paesisti, Bamboccianti e vedutisti nella Roma seicentesca, Firenze 1967.	—	—
BIBLIOGRAFIA	E. Schaar, Poelenburg u. Breenbergh in Italien..., Mitteil. des Kunsthist. Inst. in Florenz, 1959-60. *Cat., Firenze* 1969, n. 37.	J. Rosenberg - S. Slive - E. H. Ter Kuile, Dutch Art and Architecture 1600-1800, Harmondsworth 1966. L. Salerno, Pittori di paesaggio a Roma nel Seicento, Roma 1976-78. *E. Schaar, Poelenburgh u. Breenbergh in Italien..., in Mitt. des Kunsthist. Inst. in Florenze, 1959-60, p. 39. Cat.,* Firenze 1967, 1959-60, p. 39. *Cat.,* Firenze 1967, n. 15.	J. Rosenberg - S. Slive - E. H. Ter Kuile, Dutch Art and Architecture 1600-1800, Harmondsworth 1966. *A. I. Rusconi, La Galleria Pitti, Roma 1937, p. 195. M. L. Strocchi, La collezione d' 'opere in piccolo del Gran Principe Ferdinando a Poggio a Caiano, Paragone, N. 311, 1976 p. 89.*	J. Rosenberg - S. Slive - E. H. Ter Kuile, Dutch Art and Architecture 1600-1800, Harmondsworth 1966. *A. I. Rusconi, La Galleria Pitti, Roma 1937, p. 195-96.*
INVENTARIO	1221 (C.P., p. 131, n. 898).	1233.	1224 (C.P., p. 133, n. 904).	1283 (C.P., p. 134, n. 869).
FOTO	185605.	95749.	185608.	128327.
NOTE	Per le vicende storico-critiche del dipinto, si veda il n. 1200. Una copia antica è nelle Gallerie dell'Accademia di Venezia (v. S. Moschini Marconi: Gallerie dell'Accademia di Venezia. Opere d'arte dei secoli XVII, XVIII, XIX, Roma 1970, n. 382), e un'altra, a scarsissima qualità, nelle Gallerie fiorentine. M.C.	Il dipinto è datato in basso a sinistra: 1622. La sua provenienza non è documentata, e la prima menzione del quadro è in un inventario della Villa del Poggio Imperiole del 1654. È tuttavia probabile che l'opera sia stata eseguita dal pittore durante il suo soggiorno fiorentino, documentato dal Sandrart. È il rame più grande dell'ingente serie di opere del Poelenburgh presenti nelle collezioni fiorentine. Sul retro cartellino con scritta: Pitti 12 Maggio 1796, attestante il passaggio agli Uffizi. M.C.	Siglato su una traversa della mangiatoia: C.P. Il dipinto apparteneva alla collezione del principe Ferdinando de' Medici, figlio di Cosimo III, a Poggio a Caiano, e gli può essere stato inviato da Düsseldorf dal cognato, Elettore Palatino del Reno, che in due tempi (1706 e 1708) mandò in dono a Ferdinando quadri olandesi e fiamminghi (com. di M. L. Strocchi). Infatti il dipinto, diversamente dagli altri del Poelenburgh, non sembra appartenere al suo periodo italiano (1617-25 ca.), e va datato ipoteticamente nel quarto decennio del secolo. M.C.	Il dipinto appartenne alla collezione del card. Leopoldo de' Medici in palazzo Pitti, nel cui inventario (1675) è attribuito a M. Cerquozzi. Questa attribuzione anche se da prendere con cautela, indica tuttavia le differenze di stile col Poelenburg, al quale il dipinto fu successivamente attribuito. Infatti sia le figure, sia la tipologia del paesaggio, non sono poelenburghiani; anche la datazione sembra più tarda del soggiorno italiano (1617-25) del pittore olandese. M.C.

	P1216	P1217	P1218	P1219
AUTORE	Poelenburg, Cornelis van (Utrecht 1586 ca. - 1667), attr. a.	Poelenburg, Cornelis van (Utrecht 1586 ca. - 1667), scuola di.	Poelenburg, Cornelis van (Utrecht 1586 ca. - 1667), scuola di.	Poelenburg, Cornelis van (Utrecht 1586 ca. - 1667), scuola di.
TITOLO	Paesaggio con pastore e due vacche.	Il ritrovamento di Mosè.	Paesaggio con pescatori.	Paesaggio con ninfe e satiri che ballano.
DATAZIONE	1660-65 ca. (Chiarini 1967).	1625-35 ca.	1625-35 ca.	1650 ca.?
DATI TECNICI	Olio su rame, 14x19.	Olio su tela, 37,5x58.	Olio su tela, 37x57,5.	Olio su tela, 23x34, restauro 1973.
CORNICE	Ebano, sec. XIX-XX.	Ebano, sec. XIX-XX.	Ebano, sec. XIX-XX.	Ebano, sec XIX-XX.
UBICAZIONI	Uffizi (seconda metà sec. XIX); Pitti (1928).	Casino di S. Marco (prima metà sec. XVII); Uffizi (1666); Pitti (1928).	Casino di S. Marco (prima metà sec. XVII); Uffizi (1666).	Uffizi (1800); Pitti (1928).
ATTRIBUZIONI	Poelenburg (Inv. 1890, Pieraccini 1905 ca., Rusconi 1937, Ciaranfi 1964). De Momper (Chiarini 1967).	'Armano fiammingo' (H. Van Swanevelt?, inv. coll. card. Carlo de' Medici). P. Bril (inv. Uffizi 1704). Poelenburg (inv. Uffizi 1825 e 1890, Pieraccini 1905 ca., Rusconi 1937, Francini Ciaranfi 1964).	P. Bril (1704). Waterloo (inv. Uffizi 1890, Pieraccini 1905 ca., Poggi 1927).	Poelenburg (Pieraccini 1905 ca., Rusconi 1937, Francini Ciaranfi 1964). Vertangens (Schaar 1959-60).
ESPOSIZIONI	—	—	—	—
BIBLIOGRAFIA	A. J. Rusconi, La Galleria Pitti, Roma 1937, p. 193. M. Chiarini, in cat. Paesisti, Bamboccianti e vedutisti nella Roma seicentesca, Firenze 1967 p. 30.	E. Schaar, Poelenburg u. Breenbergh in Italien..., Mitteil. des Kunsthist. Inst. in Florenz, 1959-60, p. 46.	J. Rosenberg - S. Slive - E. H. Ter Kuile, Dutch Art and Architecture 1600-1800, Harmondsworth 1966. G. Poggi, Galleria degli Uffizi. Catalogo dei dipinti, ed. 1927, p. 188-89.	A. J. Rusconi, La Galleria Pitti, Roma 1937, p. 196. E. Schaar: Poelenburgh u. Breenbergh in Italien..., Mitteil. des Kunsthist. Inst. in Florenz, 1959-60, p. 46.
INVENTARIO	1175 (C. P., n. 129, n. 899).	1196 (C.P., p. 131, n. 876).	1177 (C.P., p. 133, n. 856).	1307 (C.P., p. 132, n. 983).
FOTO	128326.	101186.	321824.	109349.
NOTE	La provenienza del dipinto non è documenta. Generalmente accolta, l'attribuzione al Poelenburg è stata rifiutata dal Chiarini che mette il quadretto in rapporto con le opere documentate di Jan de Momper, attivo a Roma tra il 1661-65 ca. M.C.	Questo quadro, col suo 'pendant' n. 1177, si trovava nella collezione del card. Carlo de' Medici nel Casino di S. Marco, e fu inventariato con i suoi beni l'anno della morte (1666) col nome di 'Armano Fiammingo' (forse H. Van Swanevelt?). Attribuito al Bril nel 1704, fu quindi successivamente ritenuto del Poelenburg e a Pitti esposto dal 1928 come quarto di una serie di rami (v.n. 1200). Giustamente lo Schaar lo rifiuta al Poelenburg, a un seguace del quale, influenzato anche dal Breenbergh, può essere attribuito. M.C.	Il dipinto, col suo 'pendant' n. 1196, si trovava nella collezione del card. Carlo de' Medici nel Casino di S. Marco, e fu inventariato, ma senza nome d'autore, con i suoi beni l'anno della morte (1666). Attribuito al Bril nel 1704, l'attribuzione al Waterloo compare solo alla fine del secolo, ma non si sa fatta da chi. Sia per la datazione, sia per lo stile, il dipinto non ha nulla a che fare col Waterloo, e va assegnato allo stesso seguace del Poelenburg che ha dipinto il n. 1196. M.C.	La provenienza del dipinto non è documentata. L'attribuzione al Poelenburg è giustificata solo dal tema, non dallo stile, e il quadretto va ascritto a un seguace del pittore che lo imita negli anni tardi della sua produzione, per lo Schaar da identificarsi in Daniel Vertangens. M.C.

	P1220	P1221	P1222	P1223
AUTORE	Polidoro da Caravaggio, Caldara P., detto (Caravaggio 1495-1546).	Polidoro da Lanciano (Lanciano 1514 - Venezia 1565), attr. a.	Pollaiolo, Benci Antonio, detto il (Firenze 1431 ca. - Roma 1498).	Pollaiolo, Benci Antonio, detto il (Firenze 1431 ca. - Roma 1498).
TITOLO	Licurgo presenta le leggi al popolo.	Paesaggio con Venere dormiente.	Ercole e Anteo.	Ercole e l'idra.
DATAZIONE	Sec. XVI.	1540-50 ca.	1460 c. (Crowe e Cavalcaselle 1894, Berenson 1938, Cruttwell 1907), 1470 c. (Toesca 1935), dopo 1475 (Argan 1937), incerta (Ettlinger 1978).	1460 ca. (Crowe e Cavalcaselle 1894, Berenson 1938, Cruttwell 1907); 1470 ca. (Toesca 1935); dopo 1475 (Argan 1937); incerta (Ettlinger 1978).
DATI TECNICI	Bozzetto, olio su carta applicata su cartone, monocromo, 27,8x36,5.	Olio su tela, 65,5x81,8.	Tempera grassa su tavoletta, 16x9, restauro 1965.	Tempera grassa su legno 17x12, restauro 1965.
CORNICE	—	Tinta di giallo, profilata d'oro, sec. XVII.	—	—
UBICAZIONI	Uffizi (1880); Pitti (1962).	Pitti (1678); Uffizi (sec. XIX).	Pitti; Uffizi (1798); disperso durante la guerra (1943); recuperato a Los Angeles (1963); Uffizi (1975).	Pitti; Uffizi (1798); disperso durante la guerra (1943); recuperato a Los Angeles (1963); Uffizi (1975).
ATTRIBUZIONI	P. Da Caravaggio (Inv. Antichi).	Tiziano (Inv. 1666). Polidoro da Lanciano (Gregori e Zeri 1978).	Unanimemente attribuito ad Antonio. Copia di Ridolfo del Ghirlandaio (Parronchi 1974).	Unanimemente attribuito ad Antonio. Copia di Ridolfo del Ghilandaio (Parronchi 1974).
ESPOSIZIONI	Bozzetti nelle Gallerie di Firenze, Firenze 1952.	Tiziano nelle Gallerie fiorentine, Firenze 1978-79.	—	—
BIBLIOGRAFIA	*Cat., Firenze 1952, n. 139.*	J. S. Freedberg, Painting in Italy, 1500-1600, Harmondsworth 1971. *Cat., Firenze 1978-79, n. 51.*	L. D. Ettlinger, A. and P. Pollaiuolo, Oxford-New York 1978, p. 141. M. Chiarini in, Dizionario Biografico degli Italiani, VIII, Roma 1966. *S. Ortolani, Il Pollaiuolo, Milano 1948.*	M. Chiarini, in Dizionario Biografico degli Italiani, VIII, 1966. A. Sabatini. A. e P. Pollaiolo, Firenze 1944. A. Busignani, Pollaiolo, Firenze 1970. D. L. Ettlinger. A. and P. Pollaiuolo, Oxford-New York 1978, p. 141. *S. Ortolani, Il Pollaiolo, Milano 1948.*
INVENTARIO	G.D.S.U. 19137.	5050.	1478 (C.P., p. 160, n. 1153).	8268 (C.P., p. 160, n. 1153).
FOTO	157049.	137478.	121728.	44560-1.
NOTE	Nell'Inventario del 1880 il bozzetto appare coll'attribuzione a Polidoro da Caravaggio tra le opere di 2° Categoria (n. 58). Tale attribuzione è stata recentemente confermata da L. Collobi Ragghianti nel Catalogo della mostra del 1952. Gr. Red. 3	Il dipinto è ricordato per la prima volta come opera di Tiziano nell'inventario delle proprietà del cardinal Carlo de' Medici steso alla sua morte (1666). Nel 1678, sempre con l'attribuzione a Tiziano, veniva portato a Pitti. Non più studiato, lo è stato in occasione della mostra Firenze 1978-79, e attribuito, su indicazione di Mina Gregori e Federico Zeri, a Polidoro da Lanciano, con le cui opere certe ha inequivocabili affinità. M.C.	Non buono lo stato di conservazione per alcune lacune. Modello o copia delle tele dipinte da A. e P. per il Palazzo Medici (Crowe - Cavalcaselle VI p. 102; Berenson. Drawings I 1938 p. 19; Schottmüller, P. Thieme-Becker XXVII 1933; Berenson. Disegni 1961 p. 49). Il soggetto è ripetuto in un'incisione del Robetta. Nota il rapporto col bronzetto del Bargello, oltre che con il n. 8268. Come di questo ne è mensione in una lettera dell'archivio Orsini datata 'a di XIII da luglio 1494' (L. Borsari 1891 e 'L'Arte' 1892, p. 208). G.M.	Vi si notano piccole lacune. Modello o copia delle tele dipinte da A. e P. per il Palazzo Medici (Crowe-Cavalcaselle VI p. 102; Berenson, Drawings I 1938, p. 19; Schottmüller, P., Thieme-Becker, XXVII 1933: Berenson, Disegni 1961 p. 49). Un disegno in relazione al British Museum di Londra. Una lettera dell'archivio Orsini, datata 'a di Xiij de luglio 1494' nomina questa tavoletta e il n. 1478 (L. Borsari 1891 e 'L'Arte' 1892, p. 208). G.M.

	P1224	P1225	P1226	P1227
Autore	Pollaiolo, Benci Antonio, detto il (Firenze 1431 ca. - Roma 1498).	Pollaiolo, Benci Antonio, detto il (Firenze 1431 ca. - Roma 1498), scuola del.	Pollaiolo, Benci Piero, detto il (Firenze 1443 ca. - Roma 1496).	Pollaiolo, Benci Piero, detto il (Firenze 1443 ca. - Roma 1496).
Titolo	Ritratto muliebre.	La Giustizia.	Pala dei tre Santi.	La Carità.
Datazione	1475 ca.	1475 ca. (Bertani 1979).	1467 (A. Venturi); 1467-8 (Ettlinger).	1469.
Dati tecnici	Tempera su legno, 55x34, restauro 1968.	Olio su tavola, 157x100,4 con la cornice.	Tempera grassa su legno, 172x179.	Tempera grassa su tavola centinata in alto, max. 167x88 c., restauro 1896 (Ridolfi, 'Le Gall. Naz.' III, 179).
Cornice	Coeva, sagomata e dorata non originale.	Incorporata al quadro, modanata e intagliata in alto.	Originale, architettonica oro e azzurra, stemma del Cardinale del Portogallo in alto.	Piccolo listello dorato, moderno.
Ubicazioni	Pitti; Uffizi (1861).	Magazzino del Sale e Tabacco (1863); Uffizi (1863); Palazzo di Parte Guelfa (1923); Uffizi (1977).	Cappella del Cardinale del Portogallo, S. Miniato al Monte (dall'origine); Uffizi (1800).	Sede della Mercatanzia dall'origine; Palazzo degli Uffizi; Uffizi (1717).
Attribuzioni	Attr. ad A. dalla Cruttuvell (1907), Toesca (con collaborazione 1935), Salmi (1935), a Domenico Veneziano (Van Marle 1929), Piero del P. (Ortolani 1948). Oggi: Antonio (Busignani, Berti).	—	Piero (Albertini 1510). Antonio (Billi, ed. Frey p. 27; Magliabechiano ed. Frey p. 103; Ettlinger). Antonio e Piero (Vasari - Milanesi III, 291 e generalmente tutta la critica).	Piero (Cruttwell 1907, Van Marle 1929, Toesca 1935, Sabatini 1944, Ettlinger 1978). Piero e Antonio (Vasari, Berenson 1963).
Esposizioni	—	—	—	—
Bibliografia	M. Cruttwell, A. Pollaiolo, London-New York 1907, n. 180. L. Berti, Gli Uffizi, Firenze 1975. *A. Busignani, Pollaiuolo, Firenze 1969, p. 150.*	A. Sabatini, Antonio e Piero del Pollaiolo, Firenze 1944. A. Chastel, Arte e Umanesimo a Firenze al tempo di Lorenzo il Magnifico, Torino 1964. B. Berenson, Italian Pictures of the Renaissance, Florentine school, London 1963. A. Busignani, Pollaiolo, Firenze, 1969.	M. Chiarini, in Dizionario Biografico degli Italiani, VIII, Roma 1966. A. Venturi, Storia dell'Arte vol. VII, 1, 1911, p. 545 sgg.; L. D. Ettlinger, Antonio and Piero Pollaiuolo, New York 1978, p. 139. *F. Hartt, G. Corti, C. Kennedy. The Chapel of the Cardinal of Portugal, Philadelphia 1964.*	M. Chiarini, in Dizionario Biografico degli Italiani, VIII, Roma 1966. J. Mesnil, 'Miscellanea d'Arte' 1907; M. Cruttwell, A. P. London 1907. A. Busignani, A. P., Firenze 1970. L. D. Ettlinger, A. and P. Pollaiuolo, Oxford-New York 1978. *S. Ortolani, Il Pollaiolo, Milano 1948.*
Inventario	1491.	4665	1617 (C.P., p. 190, n. 1301).	1610 (C.P., p. 185, n. 73).
Foto	108866.	325046.	108498.	252192.
Note	In buono stato di conservazione. Un'attribuzione antica per Piero della Francesca; altra a Cosimo Rosselli dal cartellino di Galleria. Perfino un riferimento del Suida (in 'Belvedere', VIII 1929) a Leonardo giovane. Mai però considerata a fondo. G.M.	Il quadro è pervenuto anonimo alla Galleria degli Uffizi il 27 Agosto 1863 dal Magazzino di Sale e Tabacchi (cfr. cartellino sul retro del dipinto). È eseguito su una tavola che comprende anche la cornice. Nel 1923 il 9 Maggio fu dato in deposito al Palazzo di Parte Guelfa da dove fu ritirato l'11 ottobre 1977; non è mai stato esposto e si trova nei depositi degli Uffizi. Sebbene nell'inventario del 1890 compaia quale opera di Antonio del Pollaiolo, tuttavia non è da attribuire al maestro ma ad uno stretto seguace ed è databile intorno al 1475 ca. L.B.B.	In buono stato di conservazione. Sull'altare della Cappella del Cardinale del Portogallo è ora una copia. Stando all'Ettlinger, l'opera originale non può esser stata collocata sull'altare prima del 1° ottobre 1467 e non oltre l'aprile 1468 (cfr. Hartt, Corti e Kennedy, 1964, p. 59). Per la collaborazione si ritiene che il disegno (ca. il 20 ottobre 1466 sia di entrambi, ma la pittura spetta a Piero. L'iconografia (Vasari) identifica nei tre Santi Giacomo apostolo tra Eustachio e Vincenzo. G.M.	In non buono stato di conservazione. Il 18 agosto 1469 l'arte della Mercatanzia commissionava a Piero in tavole a olio le 'Virtù' per le spalliere dell'Udienza. La prima eseguita fu la 'Carità' che reca a tergo un disegno per la stessa figura, di Antonio (v. spec. Cruttwell e Ortolani). G.M.

	P1228	P1229	P1230	P1231
AUTORE	Pollaiolo, Benci Piero, detto il (Firenze 1443 ca. - Roma 1496).	Pollaiolo, Benci Piero, detto il (Firenze 1443 ca. - Roma 1496).	Pollaiolo, Benci Piero, detto il (Firenze 1443 ca. - Roma 1496).	Pollaiolo, Benci Piero, detto il (Firenze 1443 ca. - Roma 1496).
TITOLO	La Fede.	La Giustizia.	La Prudenza.	La Speranza.
DATAZIONE	1470.	1470 ca.	1470 ca.	1470 ca.
DATI TECNICI	Tempera grassa su tavola centinata in alto, max. 167x88 c., restauro 1896 (Ridolfi, 'Le Gall. Naz.', III, 179).	Tempera grassa su tavola centinata in alto, max. 167x88 c., restauro 1896 (Ridolfi 'Le Gall. Naz.' III, 179).	Tempera grassa su tavola centinata in alto, max. 167x88 c., restauro 1896 (Ridolfi 'Le Gall. Naz.' III, 179).	Tempera grassa su tavola centinata in alto, max. 167x88 c., restauro 1896 (Ridolfi, 'Le Gall. Naz.', III, 179).
CORNICE	Piccolo listello dorato, moderno.	Piccolo listello dorato, moderno.	Piccolo listello dorato, moderno.	Piccolo listello dorato, moderno.
UBICAZIONI	Sede della Mercatanzia (dall'origine); Palazzo degli Uffizi; Uffizi (1717).	Sede della Mercatanzia (dall'origine); Palazzo degli Uffizi; Uffizi (1717).	Sede della Mercatanzia (dall'origine); Palazzo degli Uffizi; Uffizi (1717).	Sede della Mercatanzia (dall'origine); Palazzo degli Uffizi; Uffizi (1717).
ATTRIBUZIONI	Piero e Antonio (Vasari, Berenson 1963). Piero (Cruttwell 1907, Van Marle 1929, Toesca 1955, Sabatini 1944, Ettlinger 1978).	Piero e Antonio (Vasari, Berenson 1963). Piero (Cruttwell 1907, Van Marle 1929, Toesca 1955, Sabatini 1944, Ettlinger 1978).	Piero e Antonio (Vasari, Berenson 1963). Piero (Cruttwell 1907, Van Marle 1929, Toesca 1955, Sabatini 1944, Ettlinger 1978).	Piero e Antonio (Vasari, Berenson 1963). Piero (Cruttwell 1907, Van Marle 1929, Toesca 1955, Sabatini 1944, Ettlinger 1978).
ESPOSIZIONI	—	—	—	—
BIBLIOGRAFIA	M. Chiarini, in Dizionario Biografico degli Italiani, VIII, Roma 1966. J. Mesnil, 'Miscatanea d'Arte' 1903; M. Cruttwell, A. P. London 1907. A. Busignani, A. P., Firenze 1970. L. D. Ettlinger, A. and P. Pollaiuolo, Oxford-New York 1978, 142. S. Ortolani. Il Pollaiuolo, Milano 1948.	M. Chiarini, in Dizionario Biografico degli Italiani, VIII, Roma 1966. J. Mesnil, 'Miscellanea d'Arte' 1903; M. Cruttwell, A. P. London 1907. A. Busignani, A. P., Firenze 1970. L. D. Ettlinger, A. and P. Pollaiuolo, Oxford-New York 1978, 142. S. Ortolani. Il Pollaiuolo, Milano 1948.	M. Chiarini, in Dizionario Biografico degli Italiani, VIII, Roma 1966. J. Mesnil, 'Miscellanea d'Arte' 1903; M. Cruttwell, A. P. London 1907. A. Busignani, A. P., Firenze 1970. L. D. Ettlinger, A. and P. Pollaiuolo, Oxford-New York 1978, 142. S. Ortolani. Il Pollaiuolo, Milano 1948.	M. Chiarini, in Dizionario Biografico degli Italiani, VIII, Roma 1966. J. Mesnil, 'Miscellanea d'Arte' 1903; M. Cruttwell, A. P. London 1907. A. Busignani, A. P., Firenze 1970. L. D. Ettlinger, A. and P. Pollaiuolo, Oxford-New York 1978, 142. S. Ortolani. Il Pollaiuolo, Milano 1948.
INVENTARIO	498 (C.P., p. 188, n. 72).	497 (C.P., p. 184, n. 70).	496 (C.P., p. 185, n. 1306).	499 (C.P., p. 189, n. 69).
FOTO	252190.	252189.	252188.	252191.
NOTE	In non buono stato di conservazione con varie ridipinture; eseguita con la 'Temperanza' dopo la 'Carità' (prima della serie) per la sede dell'Arte della Mercatanzia. Vedi ai nn. 1610 e 495-497, 499. Un disegno a spolvero per la testa: GDSU 14506; altro con l'intera figura (ivi 208 E) variamente giudicato (Cruttwell e Passavant 1969). G.M.	In non buono stato di conservazione. Eseguita per la sede dell'arte della Mercatanzia. V. ai nn. 1610 e 495-6 e 498-9. G.M.	In stato di conservazione migliore delle altre tavole della serie. Eseguita per la sede dell'Arte della Mercatanzia. V. ai nn. 1610 e 495, 497-499. G.M.	In non buono stato di conservazione. Eseguita per la sede dell'Arte della Mercatanzia. Vedi ai nn. 1610 e 495-498. G.M.

	P1232	P1233	P1234	P1235
AUTORE	Pollaiolo, Benci Piero, detto il (Firenze 1443 ca. - Roma 1496).	Pollaiolo, Benci Piero, detto il (Firenze 1443 ca. - Roma 1496).	Pomarancio, Cristofano Roncalli, detto il (Pomarance 1552 - Roma 1626).	Pomarancio, Cristofano Roncalli, detto il (Pomarance 1552 - Roma 1626).
TITOLO	La Temperanza.	Ritratto di Galeazzo M. Sforza.	La nascita di Maria.	La Visitazione.
DATAZIONE	1470.	1471?	1605 ca.	1605-06.
DATI TECNICI	Tempera grassa su tavola centinata in alto, max. 167x88 c., restauro 1896 (Ridolfi, 'Le Gall. Naz.', III, 179).	Tempera su tavola, 65x42.	Bozzetto, carta dipinta a olio su tela, 32,3x25.	Bozzetto, carta dipinta a olio e applicata su tela 26x32,2.
CORNICE	Piccolo listello dorato, moderno.	Legno intagliato con dorature, di imitazione, sec. XX.	—	—
UBICAZIONI	Sede della Mercatanzia (dall'origine); pianterreno degli Uffizi (cit., 1677); Uffizi 1717.	Palazzo Medici (Inv. 1492); Palazzo Vecchio (Inv. 1553); Depositi Gallerie (1880); Uffizi.	—	Gabinetto Disegni e Stampe (1793; Uffizi (1914).
ATTRIBUZIONI	Piero e Antonio (Vasari, Berenson 1963). Piero (Cruttwell 1907, Van Marle 1929, Toesca 1935, Sabatini 1944, Ettlinger 1978).	Piero (inventari antichi e la maggioranza degli studiosi). Antonio e Piero (Salmi 1941 e Berenson 1961).	—	—
ESPOSIZIONI	—	—	Bozzetti delle Gallerie fiorentine, Firenze 1952.	Bozzetti delle Gallerie di Firenze 1952.
BIBLIOGRAFIA	M. Chiarini, in Dizionario Biografico degli Italiani, VIII, Roma 1966. J. Mesnil, 'Miscellanea d'Arte' 1903; M. Cruttwell, A. P. London 1907. A. Busignani, A. P., Firenze 1970. L. D. Ettlinger, A. and P. Pollaiuolo. Oxford-New York 1978, 142. S. Ortolani. Il Pollaiuolo, Milano 1948.	M. Chiarini, in Dizionario Biografico degli Italiani, VIII, Roma 1966. U. Rossi, in Arch. stor. dell'Arte, III 1890, 160. L. D. Ettlinger, A. and P. Pollaiuolo, Oxford-New York 1978, 145. *E. Schäffer. Das flor. Bildniss, München 1904, 221.*	A.M. Ciaranfi in cat. Firenze 1952, p. 44. F. Grimaldi, Loreto. Basilica Santa Casa, Bologna, 1975, fig. 464. W. Ch. Kirwin, Paragone, 1978, 335, p. 59.	Inv. GDSU 1793, Vol. III, ad vocem, n. 181. A.M. Ciaranfi, in cat. Firenze 1952, p. 45. F. Grimaldi, Loreto, Basilica Santa Casa, Bologna 1975, fig. 473. W.C. Kirwin, Paragone, 1978, 335, p. 59.
INVENTARIO	495 (C.P., p. 118, n. 71).	1492 (C.P., p. 159, n. 30).	G.D.S.U. 19148.	G.D.S.U. 19145.
FOTO	252187.	125027.	Bazzechi 157059.	Bazzechi 157006.
NOTE	In non buono stato di conservazione. Eseguita, con la 'Fede', dopo la 'Carità' (prima della serie) per la sede dell'Arte della Mercatanzia. Vedi ai nn. 1610 e 496-499. Sul retro scrittovi: 'Furono staccate queste sette virtù il 9 ottobre 1777 ... la mercatanzia ... io Bastiano Magherini attesto mano propria'. G.M.	In non buone condizioni di conservazione. Eseguito probabilmente a Firenze durante una visita dello Sforza. Ne esiste copia con scritta: GALEACTUS M SFORZA MED DUX (Cruttwell e Schäffer). L'opera è citata nell'invetario di Palazzo Medici del 1492, negli inventari medicei del 1510 e nell'inventario di Palazzo Vecchio del 1553. G.M.	Bozzetto dell'affresco nella Sacrestia del Tesoro della Santa Casa di Loreto .Il bozzetto presenta lo schizzo di un cane che nel dipinto è sostituito da un amorino. M.M.	Bozzetto per il riquadro analogo affrescato nella Sacrestia del Tesoro a Loreto, più felice dell'affresco corrispondente. Come gl'altro bozzetto raffigurante lo Sposalizio della Vergine è citato nell'Inventario dei disegni del 1793 al nr. 181 ad vocem. M.M.

	P1236	P1237	P1238	P1239
AUTORE	Pomarancio, Cristofano Roncalli, detto il (Pomarance 1552 - Roma 1626).	Pomarancio, Cristofano Roncalli, detto il (Pomarance 1552 - Roma 1626).	Pomarancio, Cristofano Roncalli, detto il (Pomarance 1552 - Roma 1626), attr. a.	Pomarancio, Cristofano Roncalli, detto il (Pomarance 1552 - Roma 1626), attr. a.
TITOLO	Gesù tra i dottori.	Lo sposalizio della Vergine.	Angelo sulle nubi che accenna in alto.	Figure allegorica di donne con amorino.
DATAZIONE	1606.	1606.	—	—
DATI TECNICI	Bozzetto, carta dipinta a olio applicata su tela, 26x33,5.	Bozzetto, carta dipinta a olio applicata su tela, 26x32,2.	Bozzetto, carta dipinta a olio a monocromato e applicata su tela, 20,8x20.	Bozzetto, carta dipinta a olio a monocromato e applicata su tela, 19x14,5.
CORNICE	—	—	—	—
UBICAZIONI	—	Gabinetto Disegni e Stampe (1793); Uffizi (1914).	Gabinetto Disegni e Stampe (1793); Uffizi (1914).	Gabinetto Disegni e Stampe (1793); Uffizi (1914).
ATTRIBUZIONI	—	—	—	Circignani (F. Sricchia, 1953).
ESPOSIZIONI	Bozzetti delle Gallerie di Firenze, Firenze 1952.	Bozzetti delle Gallerie di Firenze, 1952.	Bozzetti delle Gallerie di Firenze, Firenze 1952.	Bozzetti delle Gallerie di Firenze, Firenze 1952.
BIBLIOGRAFIA	A.M. Ciaranfi, in Cat. Firenze 1952, p. 45. G. Grimald. Loreto, Basilica. Santa Casa, Bologna 1975, fig. 477. W. Ch. Kirwin, in Paragone, 29, 1978, 335, p. 59.	GDSU Inv. 1793, Vol. III, ad vocem, n. 181. A.M. Ciaranfi in cat. Firenze 1952, p. 44. F. Grimaldi, Loreto. Basilica. Santa Casa, Bologna 1975, fig. 467. W. Ch. Kirwin, in Paragone 1978, n. 335, p. 59.	GDSU Inv. 1793, Vol. III, ad vocem. Inv. 1881, II cat., n. 42. A.M. Ciaranfi in cat. Firenze 1952, p. 48.	GDSU Inv. 1793, Vol. III, ad vocem. Inv. 1881, II cat., n. 32. A.M.C. in cat. Firenze 1952, p. 48. S. Sricchia in Paragone, 1953, n. 39, p. 62.
INVENTARIO	G.D.S.U. 19146.	G.D.S.U. 19147.	G.D.S.U. 19144.	G.D.S.U. 19142.
FOTO	Bazzechi 157046.	Bazzechi 157017.	Bazzechi 157064.	Bazzechi 157042.
NOTE	Bozzetto per il riquadro analogo nella Sagrestia del Tesoro a Loreto. Rispetto al dipinto il bozzetto presenta alcune varianti come la figura del Cristo adulta, e l'edicola architettonica facente da sfondo, nonché l'assenza di una figura in primo piano a sinistra. È tra i migliori bozzetti della serie. M.M.	Bozzetto del riquadro analogo nella Sagrestia del Tesoro a Loreto, con evidenti ricordi del Parmigianino e del Beccafumi. M.M.	Accostato dalla Ciaranfi all'angelo a sanguigna del G.D.S.N., nr10016 F del Pomarancio. L'attribuzione non è condivisa dalla scrivente né da W. C. Kirwin (com. orale). M.M.	Indicato nell'Inv. 1881 come "da Guido Reni" e attribuito già dal 1793 al Pomarancio fino alla mostra del 1952. Tale attribuzione come quella al Circignani non sono avvalorate secondo la scrivente né da confronti testuali né da dati stilistici. M.M.

	P1240	P1241	P1242	P1243
Autore	Pomarancio, Cristofano Roncalli, detto il (Pomarance 1552 - Roma 1626), attr. a.	Pomarancio, Cristofano Roncalli, detto il (Pomarance 1552 - Roma 1626), attr. a.	Pomarancio, Cristofano Roncalli, detto il (Pomarance 1552 - Roma 1626).	Pomarancio, Cristofano Roncalli, detto il (Pomarance 1552 - Roma 1626), attr. a.
Titolo	Figura allegorica di donna con angioletto.	Figura allegorica di donna con faretra e amorino.	La Giustizia.	La Pittura.
Datazione	—	—	—	—
Dati tecnici	Bozzetto, carta dipinta a olio a monocromato applicata su tela, 20,5x14.	Bozzetto, carta dipinta a olio e applicata su tela 20,6x14,2.	Bozzetto, carta dipinta a olio a monocromato e applicate su tela, 14,7x14,5.	Bozzetto, carta dipinta a olio monocromato e applicato su tela, 15x11.
Cornice	—	—	—	—
Ubicazioni	Gabinetto Disegni e Stampe (1793); Uffizi (1914).	Gabinetto Disegni e Stampe (1793); Uffizi (1914).	Gabinetto Disegni e Stampe (1793); Uffizi (1914).	Gabinetto Disegni e Stampe (1793); Uffizi (1914).
Attribuzioni	Circignani (F. Sricchia, 1953).	Circignani (F. Sricchia, 1953).	—	—
Esposizioni	Bozzetti delle Gallerie di Firenze, Firenze 1952.	Bozzetto delle Gallerie di Firenze, 1952.	Bozzetti delle Gallerie di Firenze, 1952.	Bozzetti delle Gallerie di Firenze, 1952.
Bibliografia	GDSU Inv. 1793, Vol. III, ad vocem. A.M. Ciaranfi in cat. Firenze 1952, p. 46. F. Sricchia in Paragone 1953, n. 39, p. 62.	GDSU Inv. 1793, Vol. III, ad vocem. Inv. 1881, II cat. n. 28. A.M. Ciaranfi in cat. Firenze 1952, pp. 46-47. F. Sricchia in Paragone, 1963, n. 39, p. 62.	GDSU Inv. 1793, Vol. III, ad vocem. A.M. Ciaranfi in cat. Firenze 1952, p. 47.	GDSU Inv. 1793, Vol. III, ad vocem. Inv. 1881, II cat. 42. A.M. Ciaranfi in cat. Firenze 1952, p. 47.
Inventario	G.D.S.U. 19139.	G.D.S.U. 19141.	G.D.S.U. 19201.	G.D.S.U. 19202.
Foto	Bazzechi, 160950.	Bazzechi 157067.	Bazzechi 157007.	Bazzechi 157064.
Note	Come per gli altri bozzetti di soggetto allegorico l'attribuzione non è accettabile. Probabile studio per l'altro bozzetto con scritta "l'Occasione". M.M.	Sul lato scritta ottocentesca " Fortuna del Guido". Come per gli altri bozzetti allegorici, l'attribuzione al Roncalli o al Circignani non è suffragata a nostro avviso da dati stilistici pur trattandosi di un pittore di scuola manieristica. M.M.	Nel G.D.S.U. esiste un disegno (10189 F) di analogo soggetto ma non identico, già attribuito al Roncalli. In questo bozzetto lo studio del panneggio ricorda quello del disegno per l'affresco della S. Cecilia a Roma, in S. Maria in Vallicella. Cfr. Disegni dei toscani a Roma (1580-1620) Firenze 1979, Catalogo della mostra, fig. 15. M.M.	Anche per questo bozzetto l'attribuzione al Pomarancio non è accettabile. M.M.

	P1244	P1245	P1246	P1247
AUTORE	Pomarancio, Cristofano Roncalli, detto il (Pomarance 1552 - Roma 1626), attr. a.	Pomarancio, Cristofano Roncalli, detto il (Pomarance 1552 - Roma 1626).	Pontormo, Carrucci Iacopo, detto il (Pontorme, Empoli 1494 - Firenze 1556)?	Pontormo, Carrucci Iacopo, detto il (Pontorme, Empoli, 1494 - Firenze 1556).
TITOLO	L'Occasione.	Quattro figurette volanti.	Leda.	La dama col cestello di fusi.
DATAZIONE	—	—	1512-13? (Gamba 1921, Becherucci 1944, Berti 1964), 1518 ca. (A. Venturi, 1932).	1514-17c. (Gamba 1921), 1516c. (Berti 1973), 1517 (Forster 1966).
DATI TECNICI	Bozzetto, carta dipinta a olio monocromato e incollata su tela, 19,2x13,5.	Bozzetto, carta dipinta a olio applicata su tela 27,5x18,5.	Olio su tavola, 55x40, restauro 1965.	Olio su tavola, 76x54.
CORNICE	—	—	Semplice a listelli dorati, sec. XIX.	Sec. XIX, dorata e intagliata.
UBICAZIONI	Gabinetto Disegni e Stampe (1793); Uffizi (1914).	Coll. medicee.	Uffizi, già in Tribuna (1589).	Pitti; Uffizi (1773).
ATTRIBUZIONI	Circignani (F. Sricchia, 1953).	—	Andrea del Sarto (1589). Pontormo (inv. 1635-8). Perin del Vaga, Scuola del Pontormo (Clapp 1916). Pontormo (Gamba, fino a Salvini 1952). Forse Bachiacca o meglio Puligo (Berti in Cat. 1956). Puligo post 1519 (Berti 1966).	Andrea del Sarto. Bachiacca (Crowe-Cavalcaselle). Pontormo (Gamba 1921 e la letteratura principale seguente). Puligo (Berenson 1963).
ESPOSIZIONI	Bozzetti delle gallerie di Firenze, Firenze 1952.	Bozzetti delle Gallerie di Firenze, Firenze 1952.	Mostra del Pontormo e del primo Manierismo fiorentino, Firenze 1956.	Mostra del Pontormo e del primo Manierismo fiorentino, Firenze 1956.
BIBLIOGRAFIA	A.M. Ciaranfi in cat. Mostra 1952, p. 47. F. Sricchia in Paragone, 1953, n. 39, p. 62.	GDSU Inv. 1793, Vol. III, ad vocem. A.M. Ciaranfi in cat. Firenze 1952, p. 46.	*Cat., Firenze, 1956, n. 12. L. Berti, Pontormo, Milano 1973, n. 3.*	L. Berti, Pontormo, Milano 1973. *K. W. Forster, Pontormo, München 1966, n. 12.*
INVENTARIO	G.D.S.U. 19140.	G.D.S.U. 19143.	1556 (C.P., p. 158, n. 1148).	1480.
FOTO	Bazzechi 157025.	Bazzechi 155874-73-72-71.	171586 (dopo il restauro).	96175.
NOTE	Sul lato scritta ottocentesca "L'Occasione". Il bozzetto, come gli altri di soggetto allegorico, si trova catalogato nell'Inventario dei disegni del 1793, vol. III, ad vocem, con questa scritta 'vi sono ancora delle bellissime teste e mani e graziose figure di angioli e femmine, che costrano l'abilità del Pomarancio tanto nello stile sublime che nel delicato e vero'. In realtà la attribuzione al Pomarancio, come quella al Circignani, non sono convalidate da motivi stilistici, pur trattandosi sempre di un pittore appartenente secondo C. Kirwin 'alla cerchia del Cavalier d'Arpino' (com. orale). M.M.	Ogni riquadro raffigura un amorino con faretra e corona. In basso a ogni riquadro è visibile un bollo con lo stemma mediceo, il che fa pensare che siano appartenuti a qualche principe mediceo, probabilmente il card. Giancarlo raccoglitore di disegni e bozzetti. Non è escluso che i bozzetti siano da ricollegarsi a studi preparatori per i puttini nei pennacchi della cupola di S. Pietro. Cfr. 'Disegni dei toscani a Roma (1580-1620)' Firenze 1979, catalogo della mostra figg. 20-21. M.M.	Già esclusa dal Clapp nel 1916, quest'opera è stata poi assegnata al Puligo - specie per le qualità coloristiche - dal Berti dopo il restauro susseguito allo sfregio che il dipinto subì, con altri, nel 1965. Anche il Forster (1966) la esclude dalla produzione del Pontormo. L.B.	Un'etichetta nel retro reca: '1773.8 Luglio. D'all'Archivio Segreto Del Palazzo dei Pitti'. L.B.

	P 1248	P 1249	P 1250	P 1251
AUTORE	Pontormo, Carrucci Iacopo, detto il (Pontorme, Empoli 1494 - Firenze 1556).	Pontormo, Carrucci Iacopo, detto il (Pontorme, Empoli 1494 - Firenze 1556).	Pontormo, Carrucci Iacopo, detto il (Pontorme, Empoli 1494 - Firenze 1556).	Pontormo, Carrucci Iacopo, detto il (Pontorme, Empoli 1494 - Firenze 1556).
TITOLO	Madonna col Bambino, due santi e due angeli.	Ritratto di musicista.	Ritratto di Cosimo il Vecchio dei Medici.	S. Antonio Abate.
DATAZIONE	1517-18 (Clapp 1916), 1520-21 (Gamba 1921, Sanminiatelli 1956), 1522c. (Berti 1973), 1525c. (Cox-Rearick 1964), 1525-30 (Catalogo 1956).	1518 ca. (Gamba 1921), 1518-19c. (Berti 1973).	1518-19 (Forster 1966), 1518-20 (Gamba 1921; Berti 1964).	1518-19c. (Gamba 1921, Freedberg 1961, Berti 1964, Forster 1966), 1535-45c. (Cat. Mostra 1956), 1540-45c. (Clapp 1916), opera tarda (Salvini 1952).
DATI TECNICI	Olio su tavola, 73x61.	Olio su tavola, 88x67.	Olio su tavola, 86x65.	Olio su tela, 78x66.
CORNICE	A due gole con decorazione a racemi, intagliata e dorata, forse sec. XVII.	Moderna, semplice, sec. XX.	Intagliata in noce con baccellature e dorature, identica a quello del n. 1578, forse autentica del sec. XVI.	Ricca cornice intagliata e dorata, con marcate punte angolari in stile barocco, sec. XVIII?
UBICAZIONI	Coll. Card. Carlo de' Medici; Gallerie fiorentine (1666).	Coll. card. Leopoldo dei Medici; Guardaroba (1675); Poggio Imperiale (1773); Uffizi (1836).	Coll. Ottaviano de' Medici e poi di suo figlio Alessandro; Uffizi, Tribuna (1638, 1704); Cella di Cosimo de' Medici nel convento di S. Marco (1869); Uffizi (1914).	Pitti (1864); Uffizi (1919).
ATTRIBUZIONI	Pontormo (inv. 1666). Rosso (inv. 1825). Pontormo (Berenson 1911 e Clapp 1916). Pontormo e Bronzino (Berti 1956, Cox-Rearick 1964, Forster 1966).	Andrea del Sarto (in antico). Pontormo (Gamba 1921, seguito dalla principale letteratura).	—	—
ESPOSIZIONI	Mostra del Pontormo e del primo Manierismo fiorentino, Firenze 1956.	Mostra del Pontormo e del primo Manierismo fiorentino, Firenze 1956.	Exposition de l'Art Italien de Cimabue à Tiepolo, Paris 1935. Mostra Medicea, Firenze 1939. Mostra del Pontormo e del primo Manierismo fiorentino, Firenze 1956.	Mostra del Pontormo e del primo Manierismo fiorentino, Firenze 1956.
BIBLIOGRAFIA	L. Berti, Pontormo, Milano 1973. *Cat., Firenze 1956, 2ª ed. 41., I. Cox - Rearick, The Drawings of Pontormo, Cambridge USA 1964, I, pp. 231-2.*	K. W. Forster, Pontormo, München 1966. L. Berti, Pontormo, Milano 1973, *L. Berti, Pontormo, Firenze 196, LXII.*	L. Berti, Pontormo, Milano 1973. *K. W. Forster, Pontormo, München 1966, n. 16. Cat., Firenze 1956, n. 34 (2ª ed. n. 37).*	L. Berti, Pontormo, Milano 1973. *L. Berti, Pontormo, Firenze 1964, LXVI. K. W. Forster Pontormo, München 1966, n. 17.*
INVENTARIO	1538 (C.P., p. 165, n. 1177).	743.	3574.	8379.
FOTO	48919.	10408.	10407.	281568.
NOTE	I due santi con la Madonna sono S. Francesco e S. Girolamo. Per quest'ultimo esiste un disegno relativo, autografo del Pontormo, nella Count Seilern Collection di Londra. La collaborazione del giovane Bronzino, allora allievo del Pontormo, prospettata dal Berti è stata accolta dalla Cox - Rearick, dal Forster, e dallo Smyth. L.B.	Indicato in antico come ritratto di mano di Andrea del Sarto del musico Francesco dell'Ajolle (n. 1492; nel 1530 passato in Francia). Il Keutner (Mitteilungen des Kunsth. Institut in Florenz, 1959, pp. 140 sgg.) ha escluso questa identificazione, mentre le sembianze dell'Ajolle sarebbero testimoniate diversamente, nell'Adorazione dei Magi del Sarto alla SS. Annunziata e nel ritratto del Rosso Fiorentino a Washington, coll. Kress. Nel retro del dipinto una scritta reca 'Demaniale 744 anno 1836', il che indica forse un passaggio ulteriore tra il Poggio Imperiale e l'arrivo agli Uffizi. L.B.	Iscrizione sullo schienale: COSM. MEDICES. P.P.P. Iscrizione nel cartiglio arrotolato sul ramo di alloro: UNO AVULSO NO (N) DEFICIT ALTER. Il ritratto è ricordato dal Vasari come dipinto per conto di Goro Gheri, quando questi era segretario di Lorenzo dei Medici (m. nel maggio 1519); a ciò seguì la commissione al Pontormo per l'affresco di Poggio a Caiano. Per questo ritratto postumo il Pontormo si attenne all'iconografia di medaglie quattrocentesche. L.B.	Scritta nel rotolo: ... ES. DEI. ESTO... LITATE. VICT... L'identificazione del Forster non in un S. Antonio ma in un S. Antonino da Firenze è iconograficamente inaccettabile. L.B.

	P1252	P1253	P1254	P1255
AUTORE	Pontormo, Carrucci Iacopo, detto il (Pontorme, Empoli 1494 - Firenze 1556).	Pontormo, Carrucci Iacopo, detto il (Pontorme, Empoli 1494 - Firenze 1556).	Pontormo, Carrucci Iacopo, detto il (Pontorme, Empoli 1494 - Firenze 1556).	Pontormo, Carrucci Iacopo, detto il (Pontorme, Empoli 1494 - Firenze 1556).
TITOLO	Adamo ed Eva cacciati dal Paradiso terrestre.	Madonna con Bambino.	Cena in Emmaus.	Madonna col Bambino e S. Giovannino.
DATAZIONE	1519c. (Cox-Rearick 1964, Berti 1973), 1530c. (Salvini 1952), 1535c. (Catalogo 1956).	Secondo decennio sec. XVI (Bertani 1979).	1525.	1525-28 (Clapp 1916 e altri), 1527-28c. (Cox-Rearick 1964, Berti 1973), 1530 (Gamba 1907, Becherucci 1944), 1430-2 (Forster 1966).
DATI TECNICI	Olio su tavola, 43x31.	Olio su tavola, 85x67.	Olio su tela, 230x173.	Olio su tavola, 89x74.
CORNICE	Ricca cornice barocca dorata e intagliata con motivi di capriccio, sec. XVII.	Legno intagliato a motivi vegetali, dorato.	Barocca, con fregio dorato con cartelle angolari, mediane e centrali, su rigiro in fondo rosso, sec. XVIII?	A sguscio, tinta tipo noce e oro con decorazioni, forse sec. XVI.
UBICAZIONI	Coll. Don Antonio de' Medici; Coll. card. Leopoldo de' Medici (1632); Poggio Imperiale; Uffizi (1796).	Legato Vaj Geppy (1940); Uffizi (1946); Palazzo Davanzati (1955); Uffizi (1977).	Certosa del Galluzzo (Foresteria); Accademia (sec. XIX e ancora 1921); Uffizi (1948).	Uffizi, Tribuna (1589); Guardaroba (1713); Pitti, Uffizi, Depositi Uffizi (1907).
ATTRIBUZIONI	Pontormo. Salviati (inv. 1796). Pontormo (dal 1825). Non autografo del Pontormo (Clapp 1916, Forster 1966).	Scuola toscana sec. XVI (Inv. 1890 supp.). Pontormo (Berti 1966).	—	—
ESPOSIZIONI	Mostra del Pontormo e del primo Manierismo fiorentino, Firenze 1956.	—	Le triomphe du Maniérisme européen, Amsterdam 1955. Mostra del Pontormo e del primo Manierismo fiorentino, Firenze 1956.	Mostra del Pontormo e del primo Manierismo fiorentino, Firenze 1956.
BIBLIOGRAFIA	L. Berti, Pontormo, Milano 1973. *L. Berti, Pontormo, Firenze 1944, p. CLXXXII.*	L. Becherucci, Manieristi Toscani, Bergamo 1944. L. Berti, Il Pontormo, Firenze 1966.	*I. Cox-Rearick, The Drawings of Pontormo, Cambridge USA, 1964, I, pp. 226 sgg. L. Berti, Pontormo, Milano 1973, n. 85.*	L. Berti, Pontormo, Milano 1973. *I. Cox - Rearick, The Drawings of Pontormo, Cambridge USA 1964, I, pp. 264 sgg.*
INVENTARIO	1517.	9255.	8740.	4347.
FOTO	100077.	101483.	10497.	101689.
NOTE	Il quadretto è pendant di un disegno del Gabinetto degli Uffizi (465 Fr) con lo studio di una 'Creazione di Adamo ed Eva', disegno molto discusso come data ma dalla Cox-Rearick (1964) più convincentemente riferito al 1519-20c. L.B.	Il dipinto pervenne anonimo insieme a un folto gruppo di opere dal Lascito Vaj Geppy del 1940, la donazione fu perfezionata nel 1946 e in tale data le opere giunsero nella Galleria degli Uffizi. Nel 1955 il dipinto fu inviato al Museo di Palazzo Davanzati da dove fu ritirato e riportato agli Uffizi nel 1977. Attualmente è nei depositi degli Uffizi. L.B.B.	Iscrizione nel cartellino ai piedi del pellegrino di destra con la data 1525, confermata anche da un documento di pagamenti. Lesse erroneamente 1528 il Milanesi seguito dal Goldschmidt e dal Gamba (1921). Una copia eseguita dall'Empoli (ancora alla Certosa) mostra il dipinto inquadrato in un'arcata architettonica di portale (forse eseguita a fresco intorno alla tela, oppure vera cornice) sì da ampliare la scena e 'allontanarla in uno spazio preciso' (G. Nicco Fasola, 1957). La stessa studiosa supponeva che l'occhio trinitario in alto fosse stato aggiunto (è infatti su una toppa) per successivi scrupoli controriformistici, parendo troppo familiarmente umana la scena pontormesca (è possibile anche che il Pontormo avesse dipinto la divinità tricipite, poi condannata dalla Controriforma). Disegni relativi sono agli Uffizi, a Londra, a Monaco; inoltre uno studio di gatto a Stoccolma. L.B.	Il quadro, talora menzionato come Carità, venne riscoperto dal Gamba nel 1907. Due disegni di studio relativi sono al Gabinetto Disegni e Stampe degli Uffizi. L'incurvarsi rotante della figura della Vergine, è affine a quello del 'S. Girolamo' di Hannover. L.B.

	P1256	P1257	P1258	P1259
Autore	Pontormo, Carrucci Iacopo, detto il (Pontorme, Empoli 1494 - Firenze 1556).	Pontormo, Carrucci Iacopo, detto il (Pontorme, Empoli 1494 - Firenze 1556).	Pontormo, Carrucci Iacopo, detto il (Pontorme, Empoli 1494 - Firenze 1556).	Pontormo, Carrucci Iacopo, detto il (Pontorme, Empoli 1494 - Firenze 1556).
Titolo	Natività del Battista.	I diecimila Martiri.	Venere e Amore (da cartone di Michelangelo).	Profilo di Cosimo I giovanetto.
Datazione	1526 (Gamba 1921, Becherucci 1944, Berti 1964 e 1973, Forster 1966), 1529c. (Cox-Rearick 1964), 1529-30 (Clapp 1916).	1529-30 (Cox-Rearick), poco dopo il 1530 (Smyth), 1529-31c. (Berti 1973).	1532-34.	1537 (Gamba 1910, Berti 1973); 1538-43 (Clapp 1916).
Dati tecnici	Olio su tavola, dm. 59.	Olio su tavola, 46x45, restauro 1966.	Olio su tavola, 128x197, restauro poco dopo il 1850.	Olio su tavola, 47x31, restauro 1910 ca.
Cornice	Il desco termina in un bordo dorato.	A una sola gola, intagliata e dorata, sec. XVIII.	—	—
Ubicazioni	Proprietà Della Casa?; Uffizi (già cit. 1704).	Proprietà di Carlo Neroni (?); Gallerie fiorentine (con attestazione dal 1704).	Coll. Duca Alessandro de' Medici; Guardaroba di Palazzo Vecchio (1553); Guardaroba; Accademia (1850); Uffizi (1861); Galleria dell'Accademia (1954); Uffizi (1974).	Coll. medicee; Magazzini Gallerie; Corridoio Vasariano (primi del Novecento); Uffizi (poco dopo il 1910); Museo Mediceo (1939); Uffizi, Depositi (1974).
Attribuzioni	—	Pontormo (di consueto). Pontormo con ampia collaborazione del Bronzino giovane (Berti 1966 e 1973). Interamente eseguito dal Bronzino (Smyth 1955, Cox-Rearick 1964, Forster 1966).	Pontormo o replica da Pontormo.	Bottega del Vasari (Keutner 1959); Pontormo; copia da (Cox-Rearick 1964); Pontormo forse con la collaborazione di P. F. Foschi (Berti 1965).
Esposizioni	Le triomphe du Maniérisme Européen, Amsterdam 1955. Mostra del Pontormo e del primo Manierismo fiorentino, Firenze 1956.	Mostra del Pontormo e del primo Manierismo fiorentino, Firenze 1956.	Mostra del Pontormo e del primo Manierismo fiorentino, Firenze 1956.	Mostra Medicea, Firenze 1939. Mostra del Pontormo e del primo Manierismo fiorentino, Firenze 1956.
Bibliografia	*Cat. Firenze 1956, n. 53. L. Berti, Pontormo, Milano 1973, n. 89.*	*L. Berti, Pontormo, Firenze 1964, CXXXVIII. J. Cox-Rearick, The Drawings of Pontormo, Cambridge USA 1964, pp. 210-11. L. Berti, Pontormo, Milano 1973, nn. 111-12.*	*L. Berti, Pontormo, Milano 1973. L. Berti, Pontormo, Firenze 1964, CLIV. K. W. Forster, Pontormo, München 1966, n. 41.*	*I. Cox-Rearick, The Drawings of Pontormo, Cambridge USA 1964, pp. 229-30. L. Berti, Pontormo, Milano 1973, n. 123.*
Inventario	1532 C.P., p. 158, n. 1198).	—	1570 (C.P., p. 168, n. 1284).	—
Foto	5532.	1525.	—	5052.
Note	Il tondo reca nel retro su fondo nero gli stemmi Della Casa - Tornaquinci, e viene riferito alla nascita nel 1526 - da Girolamo Della Casa e Lisabetta di Giovanni Tornaquinci sposatisi nel 1521 - del primogenito Aldighieri. Un disegno relativo alla prima donna da sinistra (testa e spalle) era in coll. Lamponi a Firenze. La composizione ritorna identica, salvo varianti nel colore, in un secondo tondo già in Palazzo Davanzati e ora presso il Fogg Art Museum di Cambridge USA, che Clapp giudicava pure autografo, e che nel retro reca le armi Antinori e di S. Giovanni oppure Ughi: Forster (1966) lo considera però una copia contemporanea. L.B.	131886 (dopo il restauro). Si tratta probabilmente della replica fatta a Carlo Neroni (citata dal Vasari) dei 'Diecimila Martiri' del Pontormo, oggi alla Galleria Palatina, in origine dipinto per lo Spedale degli Innocenti. Un disegno del Pontormo ad Amburgo è rispecchiato più fedelmente in questo dipinto degli Uffizi che in quello a scena ampliata di Pitti. La collaborazione del Bronzino è avvalorata dal tipo del paesaggio (in cui si intravede l'alto di Palazzo Pitti). È forse un ritratto o autoritratto del Pontormo la figura che si autoindica a fianco del tamburino, sul lato destro. L.B.	Identificabile nel dipinto del Pontormo su cartone di Michelangelo (1532-34) fatto per Bartolomeo Bettini; ma poi ottenuto dal Duca Alessandro (Vasari). Nel 1850 questo quadro fu rinvenuto nei depositi della Guardaroba e restaurato liberandolo di un panno bianco ridipinto sul corpo della Venere. Esistono però varie altre repliche all'Italia e all'estero, e dell'autografia di questo esemplare hanno dubitato il Gamba e altri. L.B.	Corrispondente a un disegno degli Uffizi (652F), è stato identificato nel ritratto che Pontormo, secondo il Vasari, fece di Cosimo I dopo la vittoria di Montemurlo (agosto 1537): 'Sua Eccellenza... così giovinetta come era...'. Il Gamba, che lo riscoprì, lo datò nel primo 1537 per l'assenza della barba, che il Duca diciottenne cominciò a farsi crescere alla fine dello stesso anno. Keutner e Forster hanno invece identificato l'opera citata dal Vasari nell'Alabardiere Stilmann di New York. L.B.

	P1260	P1261	P1262	P1263
AUTORE	Pontormo, Carrucci Iacopo, detto il (Pontorme, Empoli 1494 - Firenze 1556).	Pontormo, Carrucci Jacopo, detto il (Pontorme, Empoli, 1494 - Firenze 1556), copia da.	Poppi, Morandini Francesco, detto il (Poppi 1544 - Firenze 1597).	Poppi, Morandini Francesco, detto il (Poppi 1544 - Firenze 1597).
TITOLO	Ritratto di Maria Salviati.	Madonna col Bambino.	Lo studio di Apelle.	Le tre Grazie.
DATAZIONE	1537-43 (Lányi 1933), 1543-45 (Berti 1956, Cox-Rearick 1964).	1530 ca.	Prima del 1570 (Barocchi 1964).	Sec. XVI.
DATI TECNICI	Olio su tavola, 87x71.	Olio su tavola, 123x102.	Bozzetto, olio a chiaroscuro su carta, 30,5x15,2.	Olio su rame, 30x25.
CORNICE	Moderna, dorata, a più gole, abbastanza semplice. sec. XIX.	Sagomata, dorata, sec. XVII.	Legno dorato.	Intagliata e dorata.
UBICAZIONI	Proprietà Ciaccheri Bellanti, Siena; Uffizi (1911).	Coll. Feroni (ante 1850); Uffizi (1866); Cenacolo di Foligno (1894).	Gabinetto Disegni e Stampe (1880); Uffizi (1914).	Guardaroba; Pitti (1798); Poppiano (1943); Uffizi (1948).
ATTRIBUZIONI	Scuola senese; Beccafumi; Pontormo (Berenson 1932, Lányi 1933, e altri seguenti). Artista senese (Gamba 1956). Non Pontormo, forse senese su disegno del Pontormo (Berti 1956, 1964, Forster 1966).	—	Vasari (Inv. Antichi). (AA.VV. 1940). Baldini 1950, 1952). Poppi (Barocchi 1964).	Anonimo (Inv. 1798). Poppi (Inv. 1825, Inv. 1890).
ESPOSIZIONI	Le triomphe du Maniérisme Européen, Amsterdam 1955; Mostra del Pontormo e del primo Manierismo fiorentino, Firenze 1956.	—	Mostra del '500 toscano, Firenze, 1940, n. 10. Mostra Vasariana, Firenze, 1950. Bozzetti delle Gallerie di Firenze, Firenze 1952-53, n. 122. Mostra di disegni del Vasari e della sua cerchia, Firenze, 1964, n. 99.	Mostra del Cinquecento toscano in Palazzo Strozzi, Firenze 1940.
BIBLIOGRAFIA	*Cat., Firenze 1956, n. 82. L. Berti, Pontormo, Milano 1973, n. 128.*	S. J. Freedberg, Painting of the High Renaissance in Rome and Florence, Cambridge (Mass.), 1961. L. Berti, L'opera completa del Pontormo, Milano 1973. *Catalogo della Galleria Feroni, Firenze 1895, p. 6.*	*P. Barocchi, Il Vasari pittore, in 'Rinascimento', VII, 1956, p. 204. P. Barocchi, Mostra di disegni del Vasari e della sua cerchia, Firenze, 1964, n. 99, tav. 16, p. 73.*	Dizionario Bolaffi, Torino 1975. *Cat., Firenze, 1940, n. 20.*
INVENTARIO	3565.	S. Marco e Cenacoli 117.	GDSU 19166.	1471 (C.P. p. 157 n. 1240).
FOTO	102823.	204567.	68189.	248612.
NOTE	Identificato dal Lányi nel ritratto di Maria Salviati dipinto dal Pontormo e citato dal Vasari e indubbiamente collegato ai disegni 6680F e 6503F degli Uffizi (studi del Pontormo per il ritratto della Salviati) il dipinto - almeno nelle attuali condizioni di leggibilità - ha caratteristiche però che fanno pensare piuttosto a una replica senese di un originale pontormesco, che a un autografo del maestro fiorentino. Esiste altresì l'altro ritratto della Salviati (con un bimbo) della Walters Art Gallery di Baltimora, che da diversi studiosi viene accettato come un originale di Pontormo. L.B.	Di questa composizione pontormesca si conoscono dodici esemplari, nessuno dei quali è ritenuto concordemente originale dalla critica, e la cui versione migliore è considerata quella di Monaco, Alte Pinakothek. Il Vasari cita varie Madonne dipinte in varie occasioni dall'artista, ma non è ancora stato stabilito di quale si tratti in questo caso. La versione Feroni, fin'ora passata inosservata, ha tutte le caratteristiche di una copia, forse sempre del XVI sec. Per una discussione più dettagliata, cfr. Berti 1973, p. 129, n. 109. M.C.	Il bozzetto è copia dell'affresco di G. Vasari che si trova nella casa Vasari in Borgo S. Croce a Firenze, donata all'artista dal Granduca Cosimo I nel 1561. Si confronti il n. 1180E del GDSU con lo stesso soggetto. Il presente bozzetto è esposto nel Corridoio Vasariano insieme al n. 19099 col quale è incorniciato; compare nell'inventario del 1881 cat. IIª, n. 37 (cfr. cartellino sul retro). L.B.B.	Già attribuito ad Anonimo (Inv. 1798). Nell'Inv. del 1825 (n. 830) in margine fu aggiunto che il quadro era stato riconosciuto come opera del Poppi riscontrandolo con un disegno di questo artista presente agli Uffizi. A tergo è scritto 'Del Poppi'. *Gr. Red. 3*

	P1264	P1265	P1266	P1267
Autore	Portelli, Carlo (Loro Ciuffenna (?) - Firenze 1574), attr. a.	Pot, Hendrick (Haarlem 1585 ca. - Amsterdam 1657), attr. a.	Pourbus, Frans, il vecchio (Bruges 1542 ca - 1580).	Pourbus, Frans, il vecchio (Bruges 1542 ca - Anversa 1580).
Titolo	Visione di S. Giovanni Gualberto.	L'avaro.	Ritratto di Viglius von Aytta.	Orfeo.
Datazione	1555-1574 (Venturi 1934). Fine del sec. XVI (Pace 1973).	1640-50 ca.	1566-67 ca.	1570.
Dati tecnici	Olio su tavola, 43x33.	Olio su tavola, 36x32,7.	Olio su tavola, di rovere 49x36.	Olio su tavola, 129x188.
Cornice	Sagomata, intagliata e dorata, sec. XVII?	Ebano, sec. XIX-XX.	Moderna, in legno chiaro e oro.	Sagomata, noce e oro, sec. XVII.
Ubicazioni	Coll. Ferroni (ante 1850); Uffizi (1866); Cenacolo di Foligno (1894).	Pitti (sec. XVIII); Uffizi (1796).	Card. Leopoldo de' Medici (ante 1675); Uffizi (1675).	Villa Ferdinanda, Artimino? (fine sec. XVI-inizi XVII?); Uffizi (XIX sec.); Pitti (1928).
Attribuzioni	Portelli (Cat. Feroni 1894, Venturi 1934). Scuola toscana fine sec. XVI (Pace 1973).	H. Paulyn (Inv. Uffizi 1796, Wurzbach 1910). H. Pot (Frizzoni 1903, Pieraccini 1905 ca., Poggi 1927).	Correggio (Inv. 1675, 1704, 1759). Holbein (Inv. 1769, 1784, 1825). Lucidel (Durand Greville 1903, Salvini 1952). A. Moro (Jacobsen 1911). F. Pourbous (Schaarschmidt 1900, Hoogewerff 1957).	—
Esposizioni	—	—	Arte fiamminga e olandese dei sec. XV e XVI, Firenze 1947.	Mostra di arte fiamminga, Firenze 1947.
Bibliografia	*Catalogo della Galleria Feroni, Firenze 1895, p. 14. A. Venturi, Storia dell'arte italiana, vol. IX, 5, p. 280. V. Pace, Carlo Portelli, in Boll. d'arte, 1973, n. 1, p. 32.*	J. Rosenberg - S. Slive - E. H. Ter Kuile, Dutch Art and Architecture 1600-1800, Harmondsworth 1966. *G. Frizzoni, in Rassegna d'arte, V, 1903, p. 86.*	R. Salvini, Cat. Uffizi, Firenze 1952. *G. Hoogewerf, in Mitteil. d. Kunsthistorisches Institutes in Florenz, 1957, p. 63.*	*G. Faggin, La pittura ad Anversa nel Cinquecento, Firenze 1968, pp. 57, 63 nota 68. A.I. Rusconi. La Galleria Pitti, Roma 1937, p. 200s.*
Inventario	S. Marco e Cenacoli 155.	1284 (C.P., p. 138, n. 960).	1108 (C.P., p. 94, n. 1108).	5409.
Foto	204584.	109187.	137208.	124824.
Note	Questa tavoletta, per la quale il Venturi accettò l'attribuzione della collezione di provenienza, è giustamente rifiutata dal Pace al Portelli. Tuttavia, a noi sembra che, più che a una 'modestissima operetta, forse tardo cinquecentesca', come dice quest'ultimo autore, ci troviamo in presenza di un falso ottocentesco, che forse ripete una composizione più antica. M.C.	Siglato in basso a sinistra: HP. La sigla corrisponde anche a quella del pittore Horatius Paulyn, col nome del quale fu esposto agli Uffizi dal 1796, fino a quando il Frizzoni, su suggerimento di C. Hofstede de Groot, non cambiò l'attribuzione in quella attuale. La provenienza del dipinto non è documentata. M.C.	Il dipinto è stato variamente interpretato e attribuito: da ritratto dell'Abate Grimani di Correggio (Inv. 1675) a ritratto di Zwingli di Holbein (Inv. 1969). Si tratta invece di Viglius von Aytta di Zwichem (1507-77), studioso olandese di diritto amico di Erasmo da Zotterdam, diplomatico di Carlo V; nel 1568 rinunciò alle sue cariche e si ritirò nella Badia di S. Bavone a Gand, alla quale donò un trittico dello stesso Frans Pourbous. Tale identificazione risale allo Hoogewerff (1957) che ha accostato il dipinto a una incisione firmata 'FR. POURBOUS PINXIT PH. GALLE EXCUDIT' (prima Ed. 1572) compresa nella Serie 'Virorum doctorum effigies'. Una replica più rifinita del ritratto si trova a Düsseldorf (Accad. Belle Arti), altre due versioni sono a Vienna (Accd. Belle Arti) e a Genova (Palazzo Rosso). E.M.	Il dipinto è firmato e datato su un sasso a sinistra: FR POVRBVS 1570. Secondo C. Piacenti (Mostra temporanea di alcuni dipinti stranieri, Settimana dei Musei, Galleria Palatina, 1964. N. 2), che tuttavia non indica la fonte della notizia, il quadro proverrebbe dalla Villa Ferdinanda di Artimino, cosa che indicherebbe un probabile ingresso nelle collezioni medicee già nel XVI-XVII secolo. M.C.

	P1268	P1269	P1270	P1271
AUTORE	Pourbus, Frans, il giovane (Anversa 1569 - Parigi 1622).	Pourbus, Frans, il giovane (Anversa 1569 - Parigi 1622).	Pourbus, Frans, il Giovane (Anversa 1569 - Parigi 1622).	Pourbus, Frans, il giovane (Anversa 1569 - Parigi 1622).
TITOLO	Ritratto di Margherita Gonzaga.	Ritratto di Elisabetta di Francia.	Ritratto di Luigi XIII di Francia a dieci anni.	Ritratto di Maria de' Medici, regina di Francia.
DATAZIONE	1605.	1611.	1611.	1611.
DATI TECNICI	Olio su tela, 193x115.	Olio su tela, 185x100.	Olio su tela, 165x100.	Olio su tela, 142x127.
CORNICE	Intagliata, dorata, sec. XVII.	Liscia, dorata, sec. XVII.	Intagliata, dorata, sec. XVII.	Liscia, dorata, sec. XVII.
UBICAZIONI	Mantova (1605); Pitti (?); Uffizi (1905 ca.); Pitti (1928 ca.).	Madrid (1671); Parma?; Uffizi (1905 ca.).	Madrid? (1611); Parma? (XVIII sec.); Uffizi (XIX sec.); Pitti (1928 ca.).	Pitti (1613); Uffizi 1905 ca.); Pitti (1928 ca.).
ATTRIBUZIONI	—	—	—	—
ESPOSIZIONI	Rubens e la pittura fiamminga del Seicento, Firenze 1977.	Mostra Medicea, Firenze 1939. Pittura Francese nelle collezioni pubbliche fiorentine, Firenze 1977.	Pittura francese nelle collezioni pubbliche fiorentine, Firenze 1977.	Mostra Medicea, Firenze 1939. Pittura francese nelle collezioni pubbliche fiorentine, Firenze 1977.
BIBLIOGRAFIA	*L. Burchard, in Thieme-Becker XXVII, 1933. Cat., Firenze 1977, n. 78.*	L. Burchard, in Thieme-Becker XXVII, 1933. *Cat., Firenze 1977, n. 94.*	H. Gerson - E. H. Ter Kuile: Art and Architecture in Belgium 1600-1800, Harmondsworth 1960. *Cat., Firenze 1977, n. 93.*	L. Burchard, in Thieme-Becker XXVII, 1933. *Cat., Firenze 1977, n. 92.*
INVENTARIO	2279 (C.P., p. 80, n. 3428).	2399 (C.P., p. 93, n. 91).	2405 (C.P., p. 93, n. 3415).	2259 (C.P., p. 74, n. 2259).
FOTO	128678.	23789.	248837.	95751.
NOTE	Firmato sulla balaustra a destra: FRAN. VS POVRBVS IVNIOR ANTVERP. FACIEBAT/MANT. 1605. Nell'inventario Gonzaga del 1627 si ricordano ritratti di Margherita (1591-1632) figlia di Vincenzo Gonzaga e di Eleonora de' Medici, che andò sposa nel 1606 a Enrico, duca di Lorena. Il ritratto molto probabilmente fu inviato a Firenze da Eleonora de' Medici, duchessa di Mantova. M.C.	Elisabetta di Francia (1602-1644), figlia di Enrico IV e Maria de' Medici, sposò nel 1615 Filippo IV re di Spagna. Il dipinto, che sembra 'pendant' dell'Inv. 1890, n. 2405 (Luigi XIII), reca in basso a destra la scritta: An. o Sal. 1611. Secondo il Rosenberg (cat., Firenze 1977), è possibile che questo ritratto, inviato nel 1611 alla corte spagnola, abbia raggiunto Firenze da Parma seguendo il percorso di altri quadri francesi. Un altro ritratto di Elisabetta, ma solo testa e spalle, è l'Inv. 1890, n. 2403 (v. Rosenberg, 1977, p. 224, n. LXIII). M.C.	La tela, che non è firmata, reca la scritta a destra: An° Sal. 1611. Aeta. Suae. An° 10. Sappiamo, per notizie di archivio, che il Pourbus, ritrattista della corte di Francia, eseguì un ritratto di Luigi XIII a figura intera nel 1611, e che esso fu inviato alla corte di Spagna nello stesso anno. Poiché anche altri ritratti di personaggi reali francesi, portati a Parma nel XVIII sec., giunsero a Firenze dopo il 1860, il Rosenberg (1977), che sottolinea come la provenienza del dipinto fiorentino non sia documentata, pensa che esso possa ipoteticamente identificarsi proprio con il ritratto inviato in Spagna. M.C.	Il dipinto è siglato FPF e datato 1611. Fu ordinato, con un ritratto di Luigi XIII (probabilmente l'Inv. 1890, n. 2405), dal marchese Botti, ambasciatore di Toscana a Parigi. È il 'pendant' del Ritratto di Enrico IV, Inv. 1890, n. 2260, col quale sembra che sia giunto a Firenze nel 1613. Nelle gallerie fiorentine ne esistono altre due repliche o copie (Inv. 1890, nn. 2244 e 5467). M.C.

	P1272	P1273	P1274	P1275
AUTORE	Pourbus, Frans, il giovane (Anversa 1569 - Parigi 1622).	Pourbus, Frans, il giovane (Anversa 1569 - Parigi 1622).	Pourbus, Frans, il giovane (Anversa 1569 - Parigi 1622).	Pourbus, Frans, il giovane (Anversa 1569 - Parigi 1622).
TITOLO	Ritratto di Elisabetta di Francia fanciulla.	Ritratto di Luigi XIII giovinetto.	Ritratto di Cristina di Francia, duchessa di Savoia.	Ritratto di Gastone d'Orléans.
DATAZIONE	1611 ca.	1611 ca.	1612 ca.	1612 ca. (Burchard 1933).
DATI TECNICI	Olio su tela, 52,5x42.	Olio su tavola, 51x41,5.	Olio su tela, 50,5x41.	Olio su tela, 49,5x40,5.
CORNICE	Barocca.	Barocca.	Intagliata e dorata, sec. XVII.	Liscia, dorata, sec. XVII.
UBICAZIONI	Pitti? (inizi sec. XVII?); Uffizi (1905 ca.); Pitti (1970).	Pitti (1675); Uffizi (1905 ca.); Pitti (1970).	Parigi (ante 1613); Pitti (1613 ca.); Uffizi (1905 ca.).	Parigi (ante 1612); Pitti (1612 ca.); Uffizi (1905 ca.).
ATTRIBUZIONI	—	—	—	—
ESPOSIZIONI	—	—	—	Mostra Medicea, Firenze 1939. Pittura francese nelle collezioni pubbliche fiorentine, Firenze 1977.
BIBLIOGRAFIA	L. Burchard, in Thieme-Becker XXVII, 1933. *P. Rosenberg, in Cat. Pittura francese nelle collezioni pubbliche fiorentine, Firenze 1977, n. LXIII.*	L. Burchard, in Thieme-Becker XXVII, 1933.	L. Burchard, in Thieme-Becker XXVII, 1933. *P. Rosenberg, in Cat. Pittura francese nelle collezioni pubbliche fiorentine, Firenze 1977, p. 225, n. LXV.*	L. Burchard, in Thieme-Becker XXVII, 1933. *Cat., Firenze 1977, n. 96.*
INVENTARIO	2403 (C.P., p. 77, n. 3448).	2400 (C.P., p. 76, n. 3447).	2407 (C.P., p. 77; n. 3411).	3799 (C.P., p. 74, n. 3404).
FOTO	249658.	26331.	301827.	185576.
NOTE	Elisabetta di Francia (1602-1644) dimostra in questo ritratto all'incirca l'età del ritratto a figura intera, sempre del Pourbus (n. 2399), del 1611, e quindi può essere datato intorno a quell'anno. È evidentemente il 'pendant' del n. 2400, rappresentante il fratello Luigi XIII, e come quello giunse probabilmente a Firenze agli inizi del Seicento. M.C.	Il dipinto rappresenta Luigi XIII di Francia (1601-1643) a un'età molto vicina a quella dimostrata nel ritratto in piedi, sempre del Pourbus (n. 2405), del 1611, e quindi può essere datato intorno a quell'anno. Il quadro, che ha per 'pedant' il ritratto della sorella Elisabetta (n. 2403), proviene dalla raccolta del card. Leopoldo de' Medici, ma molto probabilmente era giunto a Firenze già agli inizi del Seicento. M.C.	Cristina di Francia (1606-1663), figlia di Enrico IV e Maria de' Medici, sposò nel 1619 Vittorio Amedeo I, duca di Savoia. Fu chiamata Madama Reale. Basandosi sull'età e sul fatto che i ritratti della famiglia reale francese furono mandati a Firenze da Maria de' Medici, regina di Francia, nel 1613, il dipinto può essere datato a circa il 1612. Ne esiste un'altra versione nelle gallerie fiorentine (Inv. P.I. 4555). M.C.	È la migliore delle versioni di questo ritratto esistenti presso le collezioni fiorentine (un'altra è l'Inv. 1890, n. 2406: vedi Cat., Firenze 1977, n. LXXII). Il dipinto pervenne a Firenze per invio di Maria de' Medici, moglie di Enrico IV di Francia, madre di Gastone (1608-1660). M.C.

	P1276	P1277	P1278	P1279
AUTORE	Pourbus, Frans, il giovane (Anversa 1569 - Parigi 1622).	Pourbus, Frans, il giovane (Anversa 1569 - Parigi 1622).	Pourbus, Frans, il giovane (Anversa 1569 - Parigi 1622), attr. a.	Poussin, Nicolas (Les Andelys 1594 - Roma 1665), attr. a.
TITOLO	Ritratto di Enrico IV, re di Francia.	Ritratto di Elisabetta di Francia?	Ritratto di Enrichetta-Maria di Francia.	Venere e Adone sul monte Ida.
DATAZIONE	1612-13 ca.	1615 ca.	1615 ca. (Webster 1971).	1625 ca. (Thuillier 1974).
DATI TECNICI	Olio su tela, 144x121.	Olio su tela, 205x115.	Olio su tela, 133x105.	Olio su tela, 71x106.
CORNICE	Liscia, dorata, sec. XVII.	Intagliata, dorata, sec. XVII.	Dorata, sec. XVII.	Liscia, dorata, sec. XVIII.
UBICAZIONI	Parigi (ante 1613); Pitti (1613); Uffizi (1905 ca.); Pitti (1928 ca.).	Uffizi (1905 ca.); Pitti (1928 ca.).	Uffizi (1905 ca.).	Parigi (ante 1793); Uffizi (1793).
ATTRIBUZIONI	—	—	—	Poussin (Favi 1793). Verdier (Grautoff 1914). Copia da Poussin (Thuillier 1974). Imitatore (Blunt 1974, Rosenberg 1977).
ESPOSIZIONI	Mostra Medicea, Firenze 1939. Pittura francese nelle collezioni pubbliche fiorentine, Firenze 1977.	—	Firenze e l'Inghilterra. Rapporti artistici e culturali dal XVI al XX secolo, Firenze 1971.	Pittura francese nelle collezioni pubbliche fiorentine, Firenze 1977.
BIBLIOGRAFIA	L. Burchard, in Thieme-Becker XXVII, 1933. *Cat., Firenze 1977, n. 91.*	*L. Burchard, in Thieme-Becker XXVII, 1933. P. Rosenberg, in Cat. Pittura francese nelle collezioni fiorentine, Firenze 1977, n. LXIV. Le siècle de Rubens, Cat. mostra, Parigi 1977, al n. 100.*	L. Burchard, in T.B., 1933. *Cat., Firenze 1971, n. 15.*	A. Blunt, Nicolas Poussin, London 1966. J. Thuillier, L'opera completa di N. Poussin, Milano 1974. *Cat., Firenze 1977, n. 52.*
INVENTARIO	2260 (C.P., p. 74, n. 2260).	4337 (C.P., p. 93, n. 1527).	2385 (C.P., p. 77, n. 3410).	1014 (C.P., p. 114, n. 693).
FOTO	95750.	166039.	22331.	25634.
NOTE	Sembra che il dipinto giungesse per errore nelle mani del marchese Botti, ambasciatore a Parigi della corte di Toscana, che ne fu talmente colpito da inviarlo a Firenze, con altri due ritratti del pittore, nel 1613. Il dipinto, siglato in basso F.P., è 'pendant' del ritratto di Maria de' Medici (Inv. 1890, n. 2259), che è datato 1611. M.C.	L'originale di questo ritratto, inventariato come Elisabetta di Francia (vedi, sempre del Pourbus, il n. 2399), e del quale esiste un'altra replica a Schleissheim (n. 3960), è il ritratto del Museo di Valenciennes, datato 1615 e con un'iscrizione che lo identifica come Dorothée de Croy, seconda moglie del duca Charles de Croy. Tuttavia in occasione della mostra Parigi 1977, tale identificazione è stata rifiutata, preferendo vedervi, come anche nelle repliche, il ritratto di Elisabetta di Francia, divenuta regina di Spagna col matrimonio con Filippo IV. M.C.	Enrichetta-Maria (1609-1669), la più giovane dei figli di Enrico IV e Maria de' Medici, sposò Carlo I d'Inghilterra: dopo l'esecuzione del marito, fu costretta a riparare in Francia dove rimase fino alla Restaurazione. Tornò definitivamente in Francia nel 1665, dove restò fino alla morte. Un suo ritratto infantile, sempre del Pourbus, è il n. 2401 (Cat., Firenze 1971, n. 14). Il presente ritratto, di fattura meno buona, è, come suggerisce M. Webster, dello studio dell'artista. M.C.	Fa parte di un gruppo di quadri francesi acquistati a Parigi nel 1793 da Francesco Favi per il granduca Ferdinando III di Toscana. La critica è orientata a vedervi o una copia di un originale giovanile smarrito del Poussin (Thuillier), o l'opera di un imitatore dell'artista (Blunt, Rosenberg). M.C.

	P1280	P1281	P1282	P1283
AUTORE	Poussin, Nicolas (Les Andelys 1594 - Roma 1665), attr. a.	Poussin, Nicolas (Les Andelys 1594 - Roma 1665), attr. a.	Preti, Mattia (Taverna 1613 - Malta 1699).	Preti, Mattia (Taverna 1613 - Malta 1699).
TITOLO	Paesaggio con fanciullo che coglie fiori.	Scena di sacrificio.	Vanità.	Cristo e l'ossesso.
DATAZIONE	1650-70 ca.	1650-70 ca.	1650-70 ca.	1660-90 ca.
DATI TECNICI	Olio su tela, 25x32.	Olio su tela, 75x97.	Olio su tela, 93,5x65.	Olio su tela, 133x123,5.
CORNICE	Sagomata, dorata, sec. XVII.	Sagomata, dorata, sec. XVII.	Dorata e intagliata.	Nera con intagli dorati a fogliami.
UBICAZIONI	Coll. Feroni (ante 1850); Uffizi (1866); Cenacolo di Foligno (1894).	Coll. Feroni (ante 1850); Uffizi (1866); Cenacolo di Foligno (1894).	Coll. privata; Uffizi 1951).	Coll. L. Albrighi; Uffizi 1930).
ATTRIBUZIONI	—	—	—	—
ESPOSIZIONI	—	—	Caravaggio e Caravaggeschi nelle Gallerie di Firenze, Firenze 1970.	Caravaggio e Caravaggeschi nelle Gallerie di Firenze, Firenze 1970.
BIBLIOGRAFIA	A. Blunt, Nicolas Poussin. Catalogue of the Painings, London 1966. J. Thuillier, L'opera completa di Nicolas Poussin, Milano 1974. *Catalogo della Galleria Feroni, Firenze 1895, p. 14.*	A. Blunt, Nicolas Poussin. Catalogue of the Painings, London 1966. J. Thuillier, L'opera completa di Nicolas Poussin, Milano 1974. *Catalogo della Galleria Feroni, Firenze 1895, p. 13.*	*E. Borea, in Cat., Firenze 1970, pp. 115-16, n. 76.*	*E. Borea, in Cat., Firenze 1970, pp. 116-17, n. 77.*
INVENTARIO	S. Marco e Cenacoli 41.	S. Marco e Cenacoli 158.	9283.	9172.
FOTO	204546.	168555.	161358.	161380.
NOTE	L'attribuzione proposta nel catalogo della collezione di provenienza non ha nessuna consistenza, oltre un generico riferimento nel dipinto a caratteristiche e temi dell'artista francese. Il quadretto, di modesta qualità, sembra piuttosto italiano e ricorda nella fattura il Mola e il Lauri, a un seguace dei quali può essere ascritto. M.C.	L'attribuzione proposta dal catalogo della collezione di provenienza rinvia soltanto ai generici caratteri classicheggianti del dipinto, che è di scarsa qualità. Probabilmente di un minore seguace italiano di P. F. Mola e soprattutto di F. Lauri. M.C.	Fu acquistato da privati per gli Uffizi. La datazione è difficile a stabilirsi. Appare prossimo stilisticamente alla Giuditta del Museo Nazionale di Capodimonte. Data la rarità delle pitture a una sola figura del Preti sorge il dubbio che si tratti di un frammento di composizione più grande. E.B.	È stato donato agli Uffizi nel 1930 da Luigi Albrighi. La datazione è difficile da stabilirsi, si tratta comunque di una opera della maturità. E.B.

	P1284	P1285	P1286	P1287
AUTORE	Procaccini, Giulio Cesare (Bologna 1574 - Milano 1625), attr. a.	Puligo, Ubaldini Domenico, detto (Firenze 1492-1527).	Puligo, Ubaldini Domenico, detto (Firenze 1492-1527).	Puligo, Ubaldini Domenico, detto (Firenze 1492-1527), attr. a.
TITOLO	La Madonna col Bambino e S. Giovannino.	Ritratto di Piero Carnesecchi.	Ritratto di donna.	Ritratto di letterato?
DATAZIONE	1610-20 ca.?	1527 (Gamba 1909).	Sec. XVI.	1520-25 ca.
DATI TECNICI	Olio su tavola, 39x29.	Olio su tavola, 59,5x39,5.	Olio su tavola, 88x77, restauro 1967.	Olio su tavola, 83x64, restauro 1979.
CORNICE	Sagomata, dorata, sec. XVII.	Sagomata, intagliata e dorata, sec. XIX.	Intagliata e dorata.	Sagomata, dorata, sec. XVII.
UBICAZIONI	Pitti (1713); Uffizi (sec. XVIII); Pitti (1928); Uffizi (1972).	Guardaroba; Uffizi (1797).	Guardaroba; Uffizi (1773); Depositi (1930); Museo di S. Marco (1967); Pitti (1969).	Coll. Ferroni (ante 1850); Uffizi (1866); Cenacolo di Foligno (1894).
ATTRIBUZIONI	Camillo Procaccini (Pieraccini 1905 ca.). G. C. Procaccini (Rusconi 1937).	Andrea del Sarto (attr. tradiz.). Puligo (Gamba 1909).	Scuola di Andrea del Sarto (Inv. 1890). D. Puligo (Berenson 1963).	Andrea del Sarto (Cat. Galleria Feroni 1895).
ESPOSIZIONI	—	—	—	—
BIBLIOGRAFIA	Il Seicento lombardo, Cat. della mostra, Milano 1973. A. I. Rusconi, La R. Galleria Pitti, Roma 1937, p. 204. M. Chiarini, I quadri della collezione del principe Ferdinando di Toscana, in Paragone, n. 303, 1975, p. 99.	S.J. Freedberg, Painting of The High renaissance etc., Cambridge 1961, pp. 241-42, 497-500. C. Gamba, in Rivista d'arte, 5-6, 1909, pp. 277-78. E. Schaefer, in Monathefte für Kunstwissenschaft, 1909, pp. 405-12.	B. Berenson, Italian pictures of the Reinassance, Florentine School, London, 1963.	A. Venturi, Storia dell'arte italiana, vol. IX, 5. Cat. Galleria Feroni, 1895, p. 9.
INVENTARIO	1368 (C.P., p. 142, n. 1096).	1489 (C.P., p. 158, n. 1169).	2149.	S. Marco e Cenacoli 106.
FOTO	146340.	177961.	56652.	204538.
NOTE	Il dipinto compare, senza nome di autore, nell'inventario delle proprietà del principe Ferdinando de' Medici in palazzo Pitti (1713). Nell'inventario si annota che il quadretto venne inviato in Galleria, cioè agli Uffizi. Ricompare nel catalogo del Pieraccini con l'attribuzione a Camillo Procaccini, che tuttavia come ha indicato il Rusconi, va cambiata in quella a Giulio Cesare per ragioni stilistiche. Per le stesse ragioni e per la vicinanza ad altri bozzetti analoghi, il quadretto andrà posto nel secondo decennio del Seicento. M.C.	Il dipinto è stato ingrandito ai lati con l'aggiunta di listelli di legno, ed è stato restaurato negli ultimi anni. Il passaggio del dipinto dalla Guardaroba agli Uffizi avvenne, a quanto risulta, nel 1797 ma non sono ancora stati rintracciati documenti certi su questo passaggio. Il dipinto era attribuito tradizionalmente a Andrea del Sarto; fu il Gamba, sulla base del Vasari (IV, 465), a riconoscere il personaggio raffigurato e a attribuire il dipinto al Puligo, attribuzione confermata dalla critica successiva. Un altro ritratto supposto del Carnesecchi — sempre attribuito al Puligo — è quello dell'Inv. Palatina 184. L'opera è esposta attualmente nelle sale del '500 fiorentino. E.S.	Nell'inventario del 1890 il dipinto è attribuito alla scuola di Andrea del Sarto, ed è considerato il ritratto della moglie del pittore, Lucrezia del Fede. Il Berenson assegna invece l'opera a Domenico Puligo, stretto seguace e allievo di Andrea (1963, I, p. 184; II, tav. 142). Gr. Red. 3	Il dipinto, di notevole qualità, non è mai stato preso in considerazione dagli studiosi ed è attribuito, sia pure interrogativamente, ad Andrea del Sarto nel catalogo della collezione di appartenenza. Lo stile, tuttavia, indica in certe parti (le mani, ad esempio) l'influsso del Rosso Fiorentino, mentre l'ombreggiatura del volto e il trattamento morbido delle superfici rinviano al Puligo, al quale si propone di attribuirlo per confronto con i suoi ritratti documentati (ad esempio, quello di giovane in atto di scrivere a Firle Place, Sussex, coll. Viscount Gage). M.C.

	P1288	P1289	P1290	P1291
AUTORE	Pynacker, Adam (Pijnacker, Delft 1622 - Amsterdam 1673).	Pynas, Jacob (Haarlem 1585 - Delft, dopo il 1648).	Quast Pietro, (Amsterdam 1606-1647).	Quellin, Erasmus II (Anversa 1607-1678).
TITOLO	Paesaggio fluviale con pastori e una torre.	Mercurio ed Erse.	Paesaggio.	Immacolata Concezione.
DATAZIONE	1650-55 ca.	1605-08 ca.	Sec. XVII.	1655 ca.
DATI TECNICI	Olio su tela, 47,5x45, pulitura 1969.	Olio su rame, 21x27,8.	Olio su tela, 68x112.	Olio su tela, 260x195.
CORNICE	Ebano, sec. XIX-XX.	Ebano, sec. XIX-XX.	Dipinta di giallo e dorata.	—
UBICAZIONI	Uffizi (1753).	Villa di Castello (1761); Uffizi (1796).	Uffizi; Depositi; Museo archeologico (1925).	Bruxelles, Vienna (1661); Uffizi (1792).
ATTRIBUZIONI	—	Paolo Bril (sec. XVIII). Elsheimer (Pieraccini 1905 ca., Weizsäcker 1936-52, Holzinger 1951). Pynas (Waddingham 1963, Klessmann 1965, Andrews 1977).	P. Quast (Inv. 1890).	Van Dyck (Von Mechel 1783). De Crayer (Inv. Uffizi 1825). Seghers (Inv. Uffizi, nata ms. 1842, Pieraccini 1905 ca., Zoege von Manteuffel 1921, Bodart 1977). Quellin (Foucart, com. scr. 1977).
ESPOSIZIONI	—	Aufgang der Neuzeit, Norimberga 1952. L'ideale classico del Seicento in Italia e la pittura di paesaggio, Bologna 1962. Adam Elsheimer, Francoforte 1966-67. Paesisti, Bamboccianti e vedutisti nella Roma seicentesca, Firenze 1967.	—	Rubens e la pittura fiamminga del Seicento nelle collezioni pubbliche fiorentine, Firenze 1977.
BIBLIOGRAFIA	J. Rosenberg - S. Slive - E. H. Ter Kuile, Dutch Art and Architecture 1600-1800, Harmondsworth 1966. C. Hofstede de Groot, Beschr. u. krit. Verzichnis..., 1907-28, vol. IX.	K. Andrews, Adam Elsheimer, London 1977. *Cat., Francoforte 1966-67, n. 89. Cat., Firenze 1967, n. 11.*	H. Vollmer, in Thieme-Becker, XXVII 1933.	*Cat., Firenze 1977, n. 112.*
INVENTARIO	1306 (C.P., p. 130, n. 982).	1116 (C.P., p. 125, n. 793).	2213.	797 (C.P., p. 73, n. 217).
FOTO	154651.	120107.	196644.	253360.
NOTE	La provenienza del dipinto non è documentata; l'attribuzione tradizionale è generalmente accettata. Il dipinto è stato impiccolito in passato, forse per adattarlo a una cornice più piccola. Una replica è a Vienna, Kunsthist. Museum (n. 463). M.C.	In basso a sinistra: PBP. PA. BR...I. Sul retro iscrizione: «Di Paolo Brillo costa scudi 20». Il dipinto è citato in un inventario della Villa di Castello del 1761 senza nome di autore. Fu portato agli Uffizi nel 1796. Riconosciuto il suo rapporto con un'incisione parziale di W. Hollar che reca la scritta A. Elsheimer pinxit, fu attribuito unanimemente al pittore tedesco finché Waddingham e poi Klessmann non lo attribuirono convincentemente al soggiorno romano del Pynas (1605-8), attribuzione ormai concordemente accettata dalla critica. Il soggetto è preso da Ovidio, Metamorfosi, II, 708 ss. M.C.	Inventariato nel 1881 come dipinto di 1ª Categoria. Attualmente si trova al Museo Archeologico (Verbale di consegna dell'8 febbraio 1910). Gr. Red. 3	Appartenne alla collezione dell'arciduca Leopoldo Guglielmo a Bruxelles fino al 1661, quando fu trasportato nella Galleria del Belvedere a Vienna, dove venne esposto con l'attribuzione al Van Dyck. Agli Uffizi — dove pervenne col gruppo di quadri inviati per scambio da Vienna nel 1792 — fu attribuito al Seghers. Tuttavia J. Foucart (com. scritta) ha posto il dipinto in rapporto con una variante di questa composizione dipinta dal Quellin nel 1655 (Lovanio, Chiesa di S. Michele). M.C.

	P1292	P1293	P1294	P1295
AUTORE	Raffaellino del Garbo, Carli (o Capponi) Raffaello de', detto (San Lorenzo a Vigliano?, Firenze 1466 ca. - Firenze? 1524).	Raffaellino del Garbo, Carli (o Capponi) Raffaello de', detto (San Lorenzo a Vigliano?, Firenze 1466 ca. - Firenze? 1524).	Raffaellino del Garbo, Carli (o Capponi), Raffaello de', detto (San Lorenzo a Vigliano?, Firenze 1466 ca. - Firenze? 1524).	Raffaellino del Garbo, Carli (o Capponi), Raffaello de', detto (San Lorenzo a Vigliano?, Firenze 1466 ca. - Firenze? 1524).
TITOLO	Annunciazione.	Madonna in gloria che appare a quattro Santi.	Resurrezione di Cristo.	Madonna in trono fra Santi e Donatori.
DATAZIONE	1490 ca. (Gamba 1907).	1490-1500 ca. (Gamba 1907), 1520 ca. (Carpaneto 1971).	Sec. XV, fine (Ullmann 1894, Scharf 1933), 1504-1505 (Carpaneto 1971).	1500.
DATI TECNICI	Olio su tavola, 170x172, restauro 1956.	Olio su tavola centinata, 240x140.	Olio su tavola, 174,5x186,5.	Tempera grassa? su tavola, 200x 144.
CORNICE	Listello dorato moderno.	Originale, centinata a tabernacolo, con gradino decorato a grottesche.	Cinquecentesca (ma restaurata) a tabernacolo in bianco e oro, gradino decorato a finto marmo.	Settecentesca, sagomata e dorata.
UBICAZIONI	Convento di S. Donato in Polverosa (dall'origine?); Uffizi (ante 1880); Museo Civico, Pistoia (1956).	Convento di S. Vivaldo, Montaione (dall'origine); Uffizi (1876 ca.); Convento di S. Vivaldo (1923); Gabinetto Restauri (1971).	Convento di Monteoliveto (dall'origine); Accademia (ante 1817); Uffizi (1919); Accademia (1954).	Villa Girolami a Marignolle (dall'origine?); Arcispedale di Santa Maria Nuova (1870 ca. ?); Uffizi (1900).
ATTRIBUZIONI	—	Raffaellino Carli (Gamba 1907). Bottega di Raffaellino del Garbo (Carpaneto 1971).	—	—
ESPOSIZIONI	—	—	—	—
BIBLIOGRAFIA	A. Padoa Rizzo, in Dizionario biografico degli Italiani, XX, Roma 1977. *C. Gamba, in Rassegna d'arte, 1907, pp. 106-107.*	A. Padoa Rizzo, in Dizionario biografico degli Italiani, XX, Roma 1977. *C. Gamba, in Rassegna d'arte, 7, 1907, pp. 104-107. AGF, scheda min. 1930. M.G. Carpaneto, in Antichità Viva, 1, 1971, p. 19.*	A. Padoa Rizzo, in Dizionario biografico degli Italiani, XX, Roma 1977. *M. G. Carpaneto, in Antichità Viva, 1, 1971, pp. 3-9.*	A. Padoa Rizzo, in Dizionario biografico degli Italiani, XX, Roma 1977. *Paatz, IV, 1952, p. 33. M.G. Carpaneto, in Antichità Viva, 4, 1970, pp. 13-15.*
INVENTARIO	5057.	3071 (C.P., p. 70, n. 90).	8363.	3165 (C.P., p. 177, n. 22).
FOTO	103348.	5612.	322247.	325048.
NOTE	Non è risultata documentabile la data d'ingresso del dipinto agli Uffizi; comunque esso figurava già nell'Inv. 1880 (Cat. III, n. 1373). Il Gamba ha giudicato l'opera tipica della fase giovanile di Raffaello Carli — che egli distingueva da Raffaellino del Garbo —, con influssi di Lorenzo di Credi e di Filippino. Il Dipinto si trova attualmente in deposito presso il Museo civico di Pistoia. E.S.	I santi raffigurati sono Girolamo, Giovanni e, inginocchiati, Francesco e Bernardo. Nel gradino della cornice, entro un ovale, è raffigurato Cristo in pietà. Non è certa la data di ingresso del dipinto agli Uffizi. L'opera è attualmente in corso di restauro. Il dipinto è stato attribuito a Raffaellino per la prima volta dal Gamba (che tuttavia distingueva fra il Carli, Raffaellino del Garbo e Raffaello de' Capponi). Il dipinto si trova attualmente nei laboratori di Restauro della Soprintendenza. E.S.	Nel tondo al centro del sarcofago scritta relativa alla Resurrezione di Cristo. Il dipinto è citato dalle fonti (Vasari e Anonimo Gaddiano) come una delle opere più importanti di Raffaellino del Garbo. Non è risultata documentabile la data di ingresso della tavola all'Accademia; essa comunque figura già nel catalogo a stampa del 1817 di quel museo. La critica ha generalmente considerato questa tavola come opera giovanile di Raffaellino, ancora entro il '400; la Carpaneto, sottolineando gli influssi di Leonardo e di Pietro di Cosimo da lei ravvisati in quest'opera, avanza sia pure con prudenza una datazione verso il 1504-1505. Il dipinto è attualmente esposto nella Galleria dell'Accademia. E.S.	Firmato e datato sulla base del tabernacoletto in basso con il Crocifisso: Raphael de Caponibus me pinsit AD MCCCCC. I santi raffigurati sono San Francesco e San Zanobi che presentano alla Madonna i due committenti, identificati dal Gronau (1911) in due membri della famiglia Girolami che, secondo Vasari, possedevano due dipinti di Raffaellino nella loro villa di Marignolle fra cui — come è stato ipotizzato — questa pala. È stata di recente sottolineata la connessione compositiva e stilistica di questa opera con alcuni dipinti di Filippino. La tavola si trova temporaneamente nei Depositi degli Uffizi. E.S.

	P1296	P1297	P1298	P1299
Autore	Raffaello Sanzio (Urbino 1483 - Roma 1520).	Raffaello Sanzio (Urbino 1483 - Roma 1520).	Raffaello Sanzio (Urbino 1483 - Roma 1520).	Raffaello Sanzio (Urbino 1483 - Roma 1520).
Titolo	Ritratto di donna detto 'La muta'.	Ritratto di giovane.	Ritratto di Elisabetta Gonzaga.	Madonna del Cardellino.
Datazione	1500 ca. (Offner 1934), 1504 (Gamba 1932), fine 1505 (Becherucci 1968), 1506 ca. (Serra 1941, Dussler 1966), 1506-07 (Beck 1976), 1507 ca. (Fischel 1948, Longhi 1955, Volpe 1956, Camesasca 1956, Berti 1961, De Vecchi 1966).	1500 (Offner 1934, Beenken 1935), 1503 ca. (Ciaranfi 1966), 1504 ca. (Longhi 1955, Camesasca 1956, Dussler 1966), 1504-05 (Volpe 1956), 1506 ca. (Becherucci 1968).	1504 (Ortolani 1942), 1505 (Becherucci), 1505-06 (Gronau 1924-25).	1506 (Passavant 1860 e tutta la critica posteriore).
Dati tecnici	Olio su tavola, 64x48.	Olio su tavola, 48x35,5.	Olio su tavola, 52,5x37,3, restauro 1975.	Olio su tavola, 107x77, restauro nel 1547.
Cornice	In legno intagliato e dorato, sec. XVII-XVIII.	In legno intagliato e dorato, prima metà sec. XVII.	In legno riccamente intagliata e dorata. Sec. XVII.	In legno riccamente intagliato e dorato, sec. XVII.
Ubicazioni	Pitti (1710); Poggio a Caiano; Uffizi, Tribuna (1773); altre sale (1784, 1825, 1881, 1890-1926); Galleria Nazionale delle Marche, Urbino (1927). Trafugata il 6-2-1975, recuperata in Svizzera il 23-31976.	Palazzo Ducale, Urbino dall'origine ?); Pitti (1631, eredità Della Rovere); Uffizi (1928).	Palazzo Ducale, Urbino (dall'origine); Uffizi, Tribuna (1631); Uffizi (1773).	Casa Nasi a Costa San Giorgio (dall'origine); card. Carlo de' Medici (sec. XVII); Uffizi (1666); Uffizi, Tribuna (1704-1848); Uffizi, altre sale.
Attribuzioni	Raffaello (Passavant 1939, Müntz 1886). 'non di R.' (Crowe e Cavalcaselle 1885, Morelli 1897). Raffaello (Gronau 1923, Venturi 1926). Perugino (Berenson 1932, Offner 1934, Suida 1954-36). Leonardo (Ridolfi, 1891). Raffaello (Serra 1941, Ortolani 1942, Fischel 1948, Longhi 1955, Volpe 1956, Camesasca 1956, Berti 1961, Brizio 1963, Dussler 1966, De Vecchi 1966, Becherucci 1968, Beck 1976).	Francesco Francia (Venturi 1914). Raffaello (Durand-Gréville 1905, Gronau 1909). Tamaroccio (Filippini 1925). Raffaello (Gamba 1932, Berenson 1932). 'non di Raffaello' (Lietzmann 1934, Offner 1934, Serra 1941). Raffaello (Fischel 1948, Longhi 1955, Volpe 1956, Camesasca 1956, Berti 1961, Brizio 1963, Dussler 1966, Becherucci 1968, F. Sangiorgi 1970).	Mantegna (Inv. 1631). Caroto o Bonsignori (Burckhardt 1955). Caroto (Morelli 1890). Bonsignori (Delaruelle 1900). Raffaello (Durand-Gréville 1905). Bonsignori (Cavalcaselle e Crowe 1886 e 1912). Cerchia del Francia (Venturi 1914). Raffaello (Gronau 1924-25). Tamarocci (Filippini 1925). Bonsignori ? (Mayer 1929). Raffaello (Berenson 1932). Giovanni Santi e Raffaello (Ortolani 1942). Raffaello (Salvini 1952, Longhi 1955, Volpe 1956, Camasasca 1956, Berti 1961). Bonsignori (Schmitt 1961). 'non di R.' (Brizio 1963, Ciaranfi 1966, Dussler 1966, De Vecchi 1966). Raffaello (Becherucci 1968, F. Sangiorgi 1970).	Raffaello (Vasari 1550 e 1568 e tutta la critica posteriore).
Esposizioni	Mostra del Cinquecento Toscano, Firenze 1940.	—	Mostra Iconografica Gonzaghesca, Mantova.	—
Bibliografia	E. Camesasca, Raffaello. I quadri, Milano 1962. J. Beck, R., New York 1976. *L. Dussler, R., München 1966, n. 128.*	E. Camesasca, R. I quadri, Milano 1962, tav. 36. A. M. Brizio, in E. U. A., 1963. L. Becherucci in Raffaello, I, Novara 1968. *L. Dussler, R., München 1966, n. 45.*	E. Camesasca, R. I quadri, Milano 1962, tav. 34. L. Berti, R., Firenze 1961. *L. Dussler, R., München 1966, n. 40.*	L. Becherucci, in Raffaello, I, Novara 1968. J. Pope - Hennessy, Raphael 1971. J. Beck, Raphael, New York 1976. *L. Dussler, Raphael, München 1966, n. 41.*
Inventario	1440 (C.P., p. 152, n. 1120).	8760 (già Palatina n. 44).	1441 (C.P., p. 150, n. 1121).	1447 (C.P., p. 154, n. 1129).
Foto	102679.	142760.	152418, 249064.	142711 (e particolari).
Note	Il dipinto è chiamato anche Ritratto di 'Donna in verde'. È stata identificata senza fondamento con Magia Ciarla, Maddalena Strozzi Doni, Elisabetta Gonzaga. Appartiene al periodo fiorentino, come dimostra il chiaro influsso di Leonardo. Le ripetute attribuzioni al Perugino da parte di illustri conoscitori possono essere spiegate col datare il dipinto, come voleva il Gamba (1932), all'inizio del periodo fiorentino. M.G.C.D.	Conosciuto come Ritratto di Francesco Maria della Rovere (Gronau 1907, poi Fischel e molti altri). Il Lietzmann (1934) ha invece proposto l'identificazione con Guidobaldo da Montefeltro: così anche la Becherucci (1968). Giustamente la Ciaranfi (1966) respinge ambedue le ipotesi. M.G.C.D.	Sul retro un cartellino reca scritto da mano cinquecentesca: 'Duchessa Isabetta Mantovana moglie del duca Guido'. A partire dal Serra, la critica ha lamentato il cattivo stato di conservazione quale causa prima dell'incertezza attributiva. La recente pulitura conferma a mio avviso che si tratta di un'opera del maestro, da collocarsi vicino alla Pala Ansidei e quindi nel 1506. M.G.C.D.	Eseguita per Lorenzo Nasi a Firenze (Vasari). Gravemente danneggiata dal crollo della casa del committente avvenuto il 12 novembre 1547, fu restaurata da Michele di Ridolfo (Gamba e la critica posteriore). Le radiografie eseguite (S.G.F.) hanno confermato che la tavola andò in pezzi e che fu riattaccata con chiodi (Cat., Firenze restaura 1972). Disegni originali relativi si trovano a Oxford, Ashmolean Museum. M.G.C.D.

	P1300	P1301	P1302	P1303
AUTORE	Raffaello Sanzio (Urbino 1483 - Roma 1520).	Raffaello Sanzio (Urbino 1483 - Roma 1520).	Raffaello Sanzio (Urbino 1483 - Roma 1520).	Raffaello Sanzio (Urbino 1483 - Roma 1520).
TITOLO	Visione di Ezechiele.	Madonna della Seggiola.	Madonna dell'Impannata.	Ritratto di Leone X coi card. Luigi de' Rossi e Giulio de' Medici.
DATAZIONE	1510 (Malvasia 1678, Filippini Raffaello, Sanzio (Urbino 1483 - 1925), 1513 (Passavant 1869, Venturi 1920), 1514 (Beck 1976), 1516 ca. (Ciaranfi 1966), 1517 (Crowe e Cavalcaselle 1891, Gamba 1932, Dussler 1909, Camesasca 1962).	1511-13 (Crowe e Cavalcaselle 1885), 1512 (Ciardi Dupré 1966), 1513 (Serra 1941), 1513-14 (Gamba 1920, Dussler 1966), 1514-15 (Venturi 1920, Ortolani 1942, Fishel 1948, Beck 1976) 1515 (Pope-Hennessy 1971), 1515-16 (Francini Ciaranfi 1955, Camesasca 1956), 1516 (J. Rusconi 1937).	1512-13 (De Vecchi 1966), 1513-14 (Müntz 1881 e la critica posteriore).	1518 (ragioni documentarie. Passavant e tutta la critica posteriore).
DATI TECNICI	Olio su tavola, 40,5x30.	Olio su tavola, tondo, 72,5x71,5.	Olio su tela, 160x126,5.	Olio su tavola, 155,5x119,5.
CORNICE	Legno intagliato e dorato. Terzo decennio sec. XIX.	In legno, riccamente intagliata e dorata, metà sec. XVIII.	In legno, riccamente intagliata e dorata, sec. XVII.	In legno intagliato e dorato, riccamente ornato, sec. XVII.
UBICAZIONI	Conte Vincenzo Hercolani, Bologna (dall'origine); Uffizi, Tribuna (1589, 1638); Pitti (1649); Parigi (1799-1815); Pitti (dal 1815).	Uffizi, Tribuna (1589, 1638, 1649, 1779); Pitti (fine sec. XVIII), Parigi (1799-1815); Pitti.	Bindo Altoviti, Roma (dall'origine); Palazzo Altoviti (prima del 1550); Palazzo Vecchio (1568); Uffizi, Tribuna (1589, 1638); Pitti (1713; 1723, 1761); Palais du Luxemburg, Parigi (1799-1815); Pitti.	Papa Leone X, Roma (dall'origine); Palazzo Medici Riccardi (1524-25); Palazzo Vecchio (1553, 1560); Uffizi, Tribuna (1589, 1638); Pitti, camera dell'alcova (1713, 1723, 1738); Palais du Luxenburg, Parigi (1797-1815); Pitti (1815); Uffizi (1952).
ATTRIBUZIONI	Raffaello (Vasari 1550 e 1568) Giulio Romano (Giornaletto A-GF). Esecuzione di Giulio Romano (Morelli 1886, Crowe e Cavalcaselle 1891). Raffaello (Dollmayr 1895). Bottega di Raffaello (Gronau 1932). R. e Giulio Romano (Berenson 1932). R. e Vincidor (Fischel 1948), R. e Giulio Romano (Camesasca (1956). Raffaello (Berti 1961, Micheletti 1962, Brizio 1963, Ciaranfi 1966). Bottega di Raffaello (Dussler 1966). Raffaello (Beck 1976).	Raffaello (Inventario del 1589 e tutta la critica posteriore).	Raffaello (Vasari 1550, 1568). Raffaello e parziale esecuzione di Giulio Romano (Gruyer 1869). Giulio Romano e Penni (Crowe e Cavalcaselle 1885). Penni (Dollmayr 1895. Venturi 1926, Fischel 1948, Dussler 1966). Esecuzione parzialmente di bottega (Gronau 1923, Gamba 1932, Berenson 1932, Ortolani 1942, Brizio 1963, Becherucci 1968, Pope-Hennessy 1971).	Raffaello (Vasari e tutta la critica posteriore). Esecuzione di Giulio Romano (Rosenberg-Gronau 1909 e Gamba 1932).
ESPOSIZIONI	—	Mostra d'arte italiana, Parigi 1930. Mostra d'arte italiana, New York 1939.	—	Mostra Medicea, Firenze 1939.
BIBLIOGRAFIA	J. Beck, Raphael, New York 1976. *E. Camesasca, Raffaello. I quadri, Milano 1962, tav. 152. L. Dussler, Raphael, München 1966.*	L. Becherucci, in Raffaello, I. Novara 1968. J. Pope-Hennessy, Raphael, New York 1971. J. Beck, Raphael, New York 1976. *L. Dussler, Raphael, München 1966, n. 31.*	J. Pope-Hennessy, Raphael, New York 1971. *J. D. Passavant, Raphael, 1860, II, pp. 328-29. L. Dussler, Raphael, München 1966, n. 30.*	J. Pope-Hennessy, Raphael, New York 1971. I. Beck, Raphael, New York 1976. *A. M. Brizio, in E.U.A., 1963. L. Dussler, Raphael, München 1966, n. 46.*
INVENTARIO	Palatina Galleria 174.	Galleria Palatina 151.	Galleria Palatina 94.	Galleria Palatina 40.
FOTO	53158.	53217, 154112 (e particolari).	53153, 56890.	47730, 142712 (e particolari).
NOTE	La data 1510 risale ad un pagamento — scoperto dal Malvasia — di otto ducati per questo quadretto. Il Vasari lo dice eseguito dopo la 'S. Cecilia' oggi nella Pinacoteca Nazionale di Bologna. Il Loewy (1896) lo ha messo in relazione con una stampa di M. A. Raimondi, raffigurante un Giove a sua volta desunto da un disegno di Raffaello. M.G.C.D.	Il dipinto è considerato generalmente del tempo della Stanza di Eliodoro e l'apice delle ricerche coloristiche e compositive del tema delle Madonne. Disegni relativi: due schizzi nel Museo Wicar a Lille; altri nella collezione von Hirsch a Basilea (Serra 1941, pp. 105-06). Una copia, in arazzo, nel Museo di Bordeaux. M.G.C.D.	Fu dipinta per Bindo Altoviti a Roma. Dopo la congiura del 1552 fu confiscata da Cosimo I e collocata in Palazzo Vecchio. Le radiografie hanno dimostrato che, sotto l'attuale, esiste una prima versione assai diversa (Sampaolesi, in Boll. d'Arte 1938, pp. 496-505). Esistono disegni autografi sia per la prima versione (Windsor Castle) sia per la seconda (Berlino, Kupferstichkabinett). M.G.C.D.	La data del dipinto si situa fra la seconda metà del 1517 (elevazione al cardinalato di Luigi de' Rossi) e l'agosto 1519 (morte del de' Rossi). L'ipotesi dell'esecuzione di Giulio Romano si basa su di un passo del Vasari (ed. Milanesi V, 41), cui peraltro restante la critica non ha giustamente prestato fede. M.G.C.D.

	P1304	P1305	P1306	P1307
Autore	Raffaello Sanzio (Urbino 1483 - Roma 1520), e bottega.	Raffaello Sanzio (Urbino 1483 - Roma 1520), attr. a.	Raffaello Sanzio (Urbino 1483 - Roma 1520), copia antica da.	Raffaello Sanzio (Urbino 1483 - Roma 1520), copia da.
Titolo	San Giovanni nel deserto.	Ritratto di Guidobaldo da Montefeltro.	Ritratto del papa Giulio II.	La Madonna del Cardellino.
Datazione	1518-20 (Passavant 1860 e la critica posteriore).	1506 (Passavant 1860 e la critica posteriore), 1507-08 (Volpe 1966).	1512 ca.	Sec. XVIII.
Dati tecnici	Olio su tela, 165x147.	Olio su tavola, 70,5x49,9, restauro 1976-77.	Olio su tavola, 108,5x80, restauro 1975 (Gaetano Lo Vullo).	Olio su tavola, 111x77,5, restauri 1962 e 1970 (A. Vermehren).
Cornice	In legno, sagomata e dorata, sec. XVIII.	—	Intagliata a fogliami e dorata, sec. XIX.	—
Ubicazioni	Card. Jacopo Colonna, Roma; Jacopo da Carpi, Carpi (?) o Ferrara (?); casa di Francesco Benintendi, Firenze (1550, 1568), Guardaroba (1579); Uffizi, Tribuna (1589-1848); Uffizi; Accademia (1954); Uffizi, Tribuna (1970).	Palazzo Ducale, Urbino (dall'origine); Pitti (1631, eredità Della Rovere); Uffizi (1925).	Coll. Duchi di Urbino (ante 1631); Guardaroba di Vittoria della Rovere (1631); Uffizi (1704).	Convento di Vallombrosa (1812); Accademia (1812); Uffizi (1881); Palazzo Ducale, Massa Carrara (1939); Uffizi, Depositi (1962).
Attribuzioni	Raffaello (Vasari 1550, 1568). Esecuzione di Giulio Romano e Penni (Crowe e Cavalcaselle 1885). Penni (Dollmayr 1895). Giulio Romano (Gamba 1932). Penni (Ortolani 1942, Fischel 1948, Camesasca 1956, Freedberg 1961, Ciaranfi 1966). Giulio Romano e Penni (Dussler 1966).	Giacomo Francia (Invent. Urbino 1631). Bonsignori (Delaruelle 1900). Raffaello (Durand-Gréville 1905). Bonsignori (Crowe e Cavalcaselle, ed. 1912). Scuola di F. Francia (Venturi 1914). Raffaello Gronau (1924-25). Tamaroccio (Filippini 1925). Copia (?) da Bonsignori (Mayer 1929). Raffaello (Berenson 1932). Giovanni Santi e Raffaello (Ortolani 1942). Raffaello (Longhi 1955, Camesasca 1956, Volpe 1956, Berti 1961, Ciaranfi 1966), Cerchia di F. Francia (Schmitt 1961, Dussler 1966). Raffaello (Becherucci 1968, Fert Sangiorgi 1970).	Raffaello (Gronau 1904, Berenson 1932, Ciaranfi 1956). Copia da Raffaello (Dussler 1966). F. Penni? (Camesasca 1971).	—
Esposizioni	—	—	Capolavori degli Uffizi restaurati nel 1975, Firenze 1975.	—
Bibliografia	L. Becherucci in Raffaello, I, Novara 1968. *T. Rosselli Del Turco Sassatelli, San Giovanni nel deserto, Firenze 1925.* L. Dussler, Raphael, München 1966, n. 27.	E. Camesasca, Raffaello. I quadri, Milano 1962, tav. 92. L. Becherucci, in R., I, Novara 1968. *L. Dussler, R., München 1966, n. 44.*	*L. Dussler, Raffael, Monaco 1966, pp. 32-33. P. Dal Poggetto, in Cat., Firenze 1975, n. 7.*	P. De Vecchi, L'opera completa di Raffaello, Milano 1966.
Inventario	1446 (C.P., p. 154, n. 1127).	8538.	1450.	5952.
Foto	251093.	103639.	142756.	26162.
Note	Il Vasari ricorda che fu eseguito per commissione del cardinale Jacopo Colonna, che lo donò al proprio medico Jacopo da Carpi. Difficile è stabilire se il dipinto sia da identificare col 'S. Giovanni in tela' ricordato (Inventari della Guardaroba, 1553 e 1554) in Palazzo Vecchio, senza però il nome di Raffaello. Un chiaroscuro di Ugo da Carpi, che reca la scritta Rapha. Ur. In., testimonia che la composizione è da ascriversi a Raffaello. Disegni relativi: Uffizi, Gabinetto Disegni e Stampe (per il Dollmayr, Fischel e Dussler è una copia).	Il Passavant (1860, II, n. 40, p. 45) riporta un brano di una lettera di Pietro Bembo a Bernardino da Bibbiena del 19 aprile 1510, nella quale è scritto che il ritratto del Castiglione e 'della sempre da me venerata memoria' del duca, 'potrebbero essere di mano di un dei garzoni di Raphaelo'. Secondo il Passavant, R. lo avrebbe dipinto durante il soggiorno a Urbino del 1506. L'identificazione del duca, proposta dal Delaruelle (in L'arte 1900) è stata resa definitiva dal Panofski (in Studien Bibl. Warburg XVIII, Leipzig 1930).	La storia del dipinto è tracciata da Dal Poggetto nel Cat. cit., a cui si rinvia. Del ritratto di Giulio II dipinto da Raffaello e testimoniato da Vasari esistono molte copie, oltre a questa degli Uffizi; fra le più importanti: una a Pitti ritenuta replica da Tiziano; una, su cartone, nella Galleria Corsini a Firenze, anch'essa di provenienza urbinate e citata nell'inventario di Pesaro del 1623; un'altra alla National Gallery di Londra, acquistata nel 1824 alla vendita Angerstein. Quest'ultimo dipinto è stato recentemente ritenuto da C. Gould come l'originale di Raffaello del 1511-13.	Il dipinto è copia della Madonna del Cardellino di Raffaello che si trova agli Uffizi (Inv. 1890 n. 1447); proviene dal convento di Vallombrosa dal quale fu ritirato nel 1812 e posto nella Galleria dell'Accademia (cfr. timbro in ceralacca rossa sul retro: REGIO UFFIZIO DELLE REVISIONI E SINDACATI E ACCADEMIA DI BELLE ARTI); nel 1881 figura nell'inventario degli Uffizi III cat. n. 296. Nel 1939 fu inviato in deposito a Massa Carrara nel Palazzo Ducale, nel 1962 fu ritirato e restaurato; dal 1977 è nei depositi degli Uffizi.
	M.G.C.D.	M.G.C.D.	E.S.	L.B.B.

	P1308	P1309	P1310	P1311
AUTORE	Ramaciotti, Giovanni Battista (Siena 1628-71).	Recco, Giuseppe (Napoli 1634 - Alicante 1695).	Recco, Giuseppe (Napoli 1634 - Alicante 1695).	Reder, Christian, detto Monsù Leandro (Lipsia 1656 ca. - Roma 1729).
TITOLO	Nascita della Vergine.	Pesci.	Pesci e attrezzi da pesca sulla spiaggia.	Battaglia fra Cristiani e Turchi.
DATAZIONE	1650-60 ca.	1670-80 ca.?	1691.	1710-30 ca.
DATI TECNICI	Olio su tela, 31x65.	Olio su tela, 51x63,5.	Olio su tela, 127x153.	Olio su tela, 56x165.
CORNICE	Intagliata, dorata, sec. XVII.	Sagomata, intagliata e dorata, sec. XVIII.	Sagomata, tinta di giallo, sec. XVII-XVIII.	Sagomata, intagliata e dorata, sec. XVIII.
UBICAZIONI	Coll. Sani, Siena (sec. XVIII); Uffizi (1778); Pitti (1928).	Poggio a Caiano (inizi sec. XVIII); Uffizi (sec. XIX).	Pitti (XVII-XVIII sec.); Uffizi (XIX sec.).	Coll. Feroni (ante 1850); Uffizi (1866); Cenacolo di Foligno (1894).
ATTRIBUZIONI	—	—	—	Scuola del Borgognone (Cat. Feroni 1895).
ESPOSIZIONI	—	—	—	—
BIBLIOGRAFIA	*Thieme-Becker, XXVIII, 1933. A. I. Rusconi, La R. Galleria Pitti, Roma 1937, p. 228.*	R. Causa, La natura morta a Napoli nel Sei e Settecento, in Storia di Napoli, vol. V, 1972. *M. Marangoni, Natura morta, in Riv. d'arte, 1917. G. De Logu, Natura morta italiana, Bergamo 1962, pp. 140. M.L. Strocchi, Il gabinetto di opere in piccolo del Gran Principe Ferdinando a Poggio a Caiano, in Paragone, 311, 1976, p. 92.*	M. Marangoni, Natura morta, in Riv. d'arte, 1917. *S. Bottari, Appunti sui Recco, Arte antica e moderna, 1961, p. 360. G. De Logu, Natura morta italiana, Bergamo 1962, p. 140. R. Causa, in Storia di Napoli, vol. VI, 1972, p. 1022. M. Chiarini, in Paragone, 301, 1975, p. 65.*	F. Zeri, La Galleria Pallavicini, Firenze 1959. L. Salerno, Pittori di paesaggio del Seicento a Roma, Roma 1976, vol. II. *Catalogo della Galleria Feroni, Firenze 1895, p. 4.*
INVENTARIO	1516 (C.P., p. 163, n. 1197).	7119.	4862.	S. Marco e Cenacoli 40.
FOTO	160912.	174586.	82802.	159997.
NOTE	Scritta sul verso: Ramaciotti. Il dipinto fu acquistato a Siena presso la famiglia Sani nel 1778. Non conosciamo la destinazione di questo quadro, che sembra un modello per un'opera di più grandi dimensioni. Date le scarsissime conoscenze sull'artista, ancora da studiare, la cronologia proposta è del tutto ipotetica e basata sui dati stilistici, fondamentalmente cortoneschi. M.C.	Firmato in basso a destra: Gios. Recco. Rintracciato dal Marangoni nei depositi della Galleria, la Strocchi ne ha localizzato la provenienza dalla raccolta di quadri formata dal principe Ferdinando de' Medici nella Villa di Poggio a Caiano agli inizi del Settecento. Considerato dal De Logu "fra i più brillanti e vivaci quadri del pittore". Lo stesso critico indica la difficoltà di datare i quadri del Recco, e non propone una data per questo quadro. Esso sembra da mettere in relazione alla produzione matura del pittore, per affinità con la Cucina dell'Akademie der Bild. Künste di Vienna, datata 1675. M.C.	Firmato e datato in basso a destra: EQS (Eques) R.^{co} 1691. Il dipinto faceva parte della collezione radunata dal principe Ferdinando de' Medici in palazzo Pitti tra la fine del XVII e gli inizi del XVIII sec.: è probabile che il quadro vi sia entrato poco tempo dopo che l'artista lo aveva eseguito, firmandolo e datandolo 1691. È comunque menzionato e descritto nell'inventario steso alla morte del principe (1713). Passato agli Uffizi nel XIX sec., fu rintracciato nei magazzini dal Marangoni, e quindi citato da tutta la letteratura successiva sull'artista. M.C.	Il dipinto reca sul retro un cartellino con scritta settecentesca: Battaglia di Monsù Leandro. Questa scritta ci permette di ascrivere con certezza al pittore tedesco naturalizzatosi romano questo dipinto considerato fin'ora anonimo, con il suo 'pendant' N. 28. Anche questo numero si avvicina stilisticamente al quadro Pallavicini databile a ca. il 1707, e va datato però posteriormente sulla base dei caratteri stilistici. M.C.

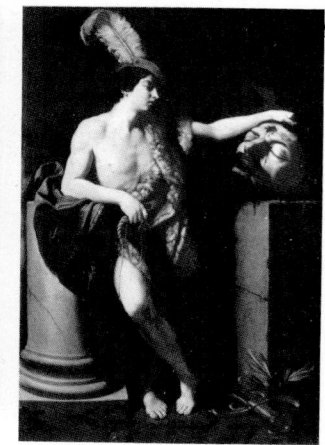

	P1312	P1313	P1314	P1315
Autore	Reder, Christian, detto Monsù Leandro (Lipsia 1656 ca. - Roma 1729).	Rembrandt, Harmenszoon van Rijn (Leida 1606 - Amsterdam 1669).	Rembrandt, Harmenszoon van Rijn (Leida 1606 - Amsterdam 1669), copia da.	Reni, Guido (Bologna 1575- 1642).
Titolo	Dopo la battaglia.	Ritratto di vecchio.	S. Famiglia in una stanza.	David vincitore.
Datazione	1710-30 ca.	1665.	Seconda metà sec. XVII.	1605 ca. (Borea 1970).
Dati tecnici	Olio su tela, 56x165.	Olio su tela, 104x86.	Olio su tavola, 41x34.	Olio su tela, 222x147, restauro 1970.
Cornice	Sagomata, intagliata e dorata, sec. XVIII.	—	Ebano, sec. XIX-XX.	Nera con listello e racemi dorati.
Ubicazioni	Coll. Feroni (ante 1850); Uffizi (1866); Cenacolo di Foligno (1894).	Gran Principe Ferdinando de' Medici, Pitti (inizi sec. XVIII); Uffizi (1922).	Düsseldorf? (sec. XVII-XVIII); Pitti (1716?); Uffizi (1753).	Casino di San Marco (1666); Pitti (1667); Palazzo Buontalenti; Uffizi (1913).
Attribuzioni	Scuola del Borgognone (Cat. Feroni 1895).	Pittura olandese del Seicento, Roma-Milano 1954. Rembrandt Tentoonstelling, Amsterdam - Rotterdam 1956.	—	Reni (inventario 1666 e Borea 1970). Anonimo (Pepper 1971, Schleier 1971). Bottega del Reni (Spear 1971). Reni (Rudolph 1974 e Borea 1975).
Esposizioni	—	—	—	Caravaggio e Caravaggeschi nelle Gallerie di Firenze, Firenze 1970.
Bibliografia	F. Zeri, La Galleria Pallavicini, Firenze 1959. L. Salerno, Pittori di paesaggio del Seicento a Roma, vol. II, Roma 1976. *Catalogo della Galleria Feroni, Firenze 1895, p. 4.*	J. Rosenberg - S. Slive - E.H. Ter Kuile, Dutch Art and Architecture 1600-1800, Harmondsworth 1966. *A. Bredius - H. Gerson, Rembrandt Gemälde. Gesamtwerk, Amsterdam 1968, p. 439, n. 391.*	J. Rosenberg - S. Slive - E. H. Ter Kuile, Dutch Art and Architecture 1600-1800, Harmondsworth 1966. A. Bredius -H. Gerson, The Paintings of Rembrandt, London 1968. *C. Hofstede de Groot, Beschr. u. Krit. Verzeichnis..., Esslingen 1907-28, vol. V.*	E. Borea, Pittori bolognesi del Seicento nelle Gallerie di Firenze, Firenze 1975, pp. 134-35.
Inventario	S. Marco e Cenacoli 28.	8435.	1242 (C.P., p. 140, n. 922).	3830.
Foto	159988.	103038.	—	162987.
Note	Il dipinto, attribuito genericamente a scuola del Borgognone, può essere invece assegnato con certezza a Christian Reder, detto Monsù Leandro, sia per via di confronti stilistici, sia per la scritta settecentesca che compare sul suo 'pendant' n. 40. I due quadri trovano riscontri stilistici con il dipinto della Galleria Pallavicini a Roma che è databile al 1707 ca., e del quale i due esemplari Feroni sembrano più tardi. M.C.	Firmato e datato: Rembrandt f. 1665. Sul retro della tela Cartellino con scritta: Florence / Palais Pitti. La provenienza del dipinto non è documentata (M. Chiarini: in Paragone, n. 301, 1975, p. 68). Fu portato a Parigi dai francesi tra il 1799 e il 1815. Esposto dal 1834 al 1922 nella Galleria di palazzo Pitti, fu portato agli Uffizi in quell'anno. Datato in genere intorno al 1657 (cat., Amsterdam 1956), Gerson legge nella terza cifra della data un 6, e riporta stilisticamente il dipinto alla serie degli Apostoli degli inizi del settimo decennio. Per lo studioso l'autenticità della firma è dubbia. Non documentabile l'identificazione del personaggio con il rabbino Haham Saul Levy Morteyra, avanzata da Zwarts e Silva Rosa. M.C.	In basso al centro: Rembrandt f. Sul retro: Della Serena: a Elettrice/Rembrandt. La scritta sul retro indica che il dipinto appartenne ad Anna Maria Luisa de' Medici, moglie dell'Elettore Palatino del Reno, e probabilmente fu da lei portato da Düsseldorf a Firenze quando divenne vedova (1716). Il quadro è copia antica dell'originale di Rembrandt al Museo del Louvre, datato 1640. M.C.	Appartenuto a Carlo de' Medici (morto nel 1666) il dipinto è sfuggito agli studi sino al 1970 quando è stato presentato come variante autografa del celebre David del Louvre, e come quello interpretato come saggio del Reni nella giovanile fase filocaravaggesca (Borea 1970 e 1975). Ma per alcuni studiosi non si tratta di originale, bensì di copia, derivazione o altro. Resta che di questo quadro si conoscono molte copie, tra cui quella firmata da P. F. Gavazza nella Pinacoteca di Bologna. E.B.

	P1316	P1317	P1318	P1319
AUTORE	Reni, Guido (Bolofina 1575-1642).	Reni, Guido (Bologna 1575-1642), scuola di.	Reni, Guido (Bologna 1575-1642) copia da.	Renier, Nicolas (Maubeuge 1590 ca. - Venezia 1667).
TITOLO	Madonna col Bambino e le Sante Lucia e Maddalena, detta la Madonna della Neve.	Sibilla.	Susanna e i vecchioni.	Scena di gioco con indovina.
DATAZIONE	1623 ca. (Borea 1975).	Sec. XVII.	Sec. XVII.	1620-25 ca. (Borea 1970).
DATI TECNICI	Olio su tela, 280x176, restauro 1975.	Olio su rame, 59x43.	Tela 155x150, restauro 1973.	Olio su tela, 172x232.
CORNICE	Dorata a gole con volute agli angoli e nei centro-lati.	—	Damaschinata, dorata e intagliata agli angoli.	Dorata liscia.
UBICAZIONI	Santa Maria di orte Orlandini, Lucca 1623 ca.; mercato antiquario, Londra (1840); A. De Noè Walker; Uffizi (1893).	Card. Giovan Carlo de' Medici (eredità 1663); Uffizi (1784); Depositi (post 1940).	Coll. A. De Noè Walker, Londra; Uffizi (1893).	Coll. privata; Uffizi (1969).
ATTRIBUZIONI	Reni (1893). Copia da Reni (Baccheschi 1971). Reni (Borea 1975). Reni? (Spear 1975).	G. Reni (cit. 1663; inv. 1784). Bottega di G. Reni Brea 1975).	Guido Reni (1893). Copia da Guido Reni (Kurz 1937).	Caravaggio e Caravaggeschi nelle Gallerie di Firenze, Firenze 1970.
ESPOSIZIONI	Pittori bolognesi del Seicento nelle gallerie di Firenze, Firenze 1975.	Pittori Bolognesi del Seicento nelle Gallerie di Firenze, Firenze 1975.	Pittori bolognesi del Seicento nelle Gallerie di Firenze, Firenze 1975.	—
BIBLIOGRAFIA	E. Baccheschi, L'opera completa di Guido Reni, Milano 1971, p. 116. R. Spear, Bolognese Painting in Florence ,in The Burlington Magazine, 1976, July, pp. 503-4. *E. Borea, in Cat., Firenze 1975, pp. 137-41*; R. Spear, Bolognese	*E. Borea, in Cat., Firenze 1975, n. 117.*	*E. Borea, Cat., Firenze 1975, n. 106, pp. 147-48.*	*E. Borea, in Cat., Firenze 1970, n. 20, p. 34.*
INVENTARIO	3088 (C.P., p. 90, n. 3994).	762 (C.P., p. 82, n. 162).	3085 (C.P., p. 83 n. 3399).	9460.
FOTO	216633-34-35.	180361.	207594.	161356.
NOTE	Fu posto nella cappella dedicata alla Madonna della Neve in Santa Maria di Corte Orlandini a Lucca insieme al penadnt con il Crocifisso, Santi Giulio e Caterina, ora nel Museo di Villa Guinigi a Lucca. Nel 1829 dei due quadri si appropriò il duca di Lucca Carlo di Borbone, che li sostituì in loco con copie tuttora in situ. La Madonna della Neve fu poi venduta a Londra nel 1840, di dove la riportò in Italia, donandola agli Uffizi. A. de Noé Walker. Qui sfuggì all'attenzione critica sino al 1971, quando fu giudicato una copia neoclassica (Baccheschi 1971). Restaurato e riesaminato nel 1975, è stato indicato come un capolavoro di Guida Reni. L'attribuzione è discussa con qualche perplessità dallo Spear (1975), che tuttavia non la nega. La datazione è desunta da documenti nella chiesa di Lucca (Borea 1975). E.B.	Nel cartiglio è scritto 'Noscituz de Virgine'. Sembra che l'opera sia da identificare con 'il busto di una Sibilla scollacciata con asciugatoio avvolto in testa', attribuito a Reni, che compare nell'inventario dell'eredità del card. Giovan Carlo de' Medici. La Borea cita nel catalogo della mostra (Firenze 1975), una Sibilla acquistata a Bologna nel 1659. C.C.	Fu donato agli Uffizi come originale del Reni da A. de Noé Walker di Londra. Sembra potersi identificare con il quadro che nel 1786 era a Parigi nella collezione Orléans (incisione in 'Galerie du Palais Royal') collezione che nel 1792 andò in asta a Londra. Per solito è indicato, con la 'Susanna' di Londra, National Gallery, come derivazione da un perduto originale giovanile di Guido Reni, menzionato nel suo Libro di Conti. L'opera benché non degna della mano di Guido è di buona qualità. E.B.	Fu acquistata da privati nel 1969 per gli Uffizi a cura dell'allora direttore L. Becherucci. E.B.

	P1320	P1321	P1322	P1323
Autore	Reschi, Pondolfo (Danzica 1640 ca. - Firenze 1696).	Reschi, Pandolfo (Danzica 1640 ca. - Firenze 1696).	Reschi, Pandolfo (Danzica 1640 ca. - Firenze 1696).	Reschi, Pandolfo (Danzica 1640 ca. - Firenze 1696), attr. a.
Titolo	Assalto al convento.	Un miracolo di S. Giovanni Battista.	Ritorno dalla caccia.	Battaglia di cavalleria.
Datazione	1685-90 ca. (Chiarini 1973).	1685-90 ca. (Chiarini 1973).	1690-95 ca.	1670-80 ca.
Dati tecnici	Olio su tela, 92x135.	Olio su tela, 108x131.	Olio su tela, 162x121.	Olio su tela, 86x113.
Cornice	Nera e oro, originale.	Nera e oro, originale.	Intagliata e bulinata, dorata, sec. XVII.	Sagomata, intagliata e dorata, sec. XVII.
Ubicazioni	Poggio Imperiale (1691); Uffizi (1905 ca.); Pitti (1974).	Poggio Imperiale (1691); Uffizi (1905 ca.); Pitti (1974).	Pitti (1713); Uffizi (1972).	Coll. Feroni (ante 1850); Uffizi (1866); Cenacolo di Foligno (1894).
Attribuzioni	—	—	—	Borgognone (Cat. Feroni 1895).
Esposizioni	Artisti alla corte granducale, Firenze 1969. Gli Ultimi Medici. Il tardo barocco a Firenze 1670-1743, Detroit - Firenze 1974.	Artisti alla corte granducale, Firenze 1969. Gli Ultimi Medici. Il tardo barocco a Firenze 1670-1743, Detroit-Firenze 1974.	Artisti alla corte granducale, Firenze 1969.	—
Bibliografia	M. Chiarini, *Pandolfo Reschi in Toscana, Pantheon, XXX, 1973, n. 2, p. 154 ss. Cat., Detroit-Firenze 1974, n. 177b.*	M. Chiarini, *Pandolfo Reschi in Toscana, Pantheon, XXX, n. 2, 1973, p. 154 ss. Cat., Detroit-Firenze 1974, n. 177a.*	M. Chiarini, *Pandolfo Reschi in Toscana, in Pantheon, n. 2, 1973. Cat., Firenze 1969, n. 90.*	R. Wittkower, Art and Architecture in Italy, 1600-1750, Harmondsworth 1965. M. Chiarini, Pandolfo Reschi in Toscana, in Pantheon, 1973, 2. L. Salerno, Pittori di paesaggio del Seicento a Roma, vol. II, Roma 1976. *Catalogo della Galleria Feroni, Firenze 1895, p. 3.*
Inventario	583 (C.P., p. 79, n. 134).	573 (C.P., p. 78, n. 129).	5405.	S. Marco e Cenacoli 36.
Foto	29785.	157465.	15488.	159995.
Note	Con il suo 'pendant' (n. 573) appartenne al cardinal Francesco Maria de' Medici, per il cui appartamento nella villa del Poggio Imperiale fu dipinto. M.C.	L'evento miracoloso rappresentato è inidentificato, ma probabilmente in relazione con lo stesso fatto raffigurato nel n. 583. Con questo suo 'pendant', il quadro appartenne al cardinal Francesco Maria de' Medici, per il cui appartamento nella villa del Poggio Imperiale fu dipinto. M.C.	Il dipinto è elencato, insieme al suo 'pendant' (n. 4745: vedi in Paragone, n. 273, 1972, fig. 44) nell'inventario della collezione del principe Ferdinando de' Medici in palazzo Pitti (1713) con l'attribuzione al pittore polacco-italiano: è possibile che nel cavaliere al centro l'artista abbia raffigurato lo stesso principe Ferdinando. Databile, per ragioni stilistiche, tra il 1690 e il '95. M.C.	Il dipinto è attribuito a Jacques Courtois, detto il Borgognone, nel catalogo della collezione di provenienza. Tuttavia tale attribuzione non può essere mantenuta: infatti il quadro ha tutte le caratteristiche stilistiche del maggiore seguace del pittore di battaglie francese, e cioè il pittore tedesco-polacco Reschi, naturalizzatosi italiano e vissuto a lungo a Firenze dove morì. Poiché l'influenza del Borgognone è ancora molto evidente, si propone di assegnare l'opera all'inizio del periodo toscano del pittore. M.C.

	P1324	P1325	P1326	P1327
AUTORE	Ribera, Jusepe de, detto lo Spagnoletto (Jativa de Valencia 1591 - Napoli 1652), attr. a.	Ribera, Jusepe de, detto lo Spagnoletto (Jàtiva di Valencia 1591 - Napoli 1652), copia da.	Ribera, Jusepe de, detto lo Spagnoletto (Jativa di Valencia 1589 - Napoli 1652) scuola di.	Ricci, Marco (Belluno 1676 - Venezia 1729), attr. a.
TITOLO	San Gerolamo.	Diogene.	S. Paolo.	Paesaggio con figure.
DATAZIONE	1640-45 c.	Seconda metà sec. XVII.	Sec. XVII.	1705 ca. (Chiarini 1978).
DATI TECNICI	Olio su tela, 127,5x100,5.	Olio su tela, 76x62.	Olio su tela, 74x38, restauro 1956.	Olio su tela, 47x60.
CORNICE	Barocca, intagliata e dorata con motivi antropomorfici agli angoli e mascheroni al centro.	Sagomata, dorata, sec. XVII.	Dorata e dipinta.	Intagliata, dorata, sec. XVIII.
UBICAZIONI	Uffizi (1774); Pitti (1945); Uffizi (1951); Pitti (1954); Uffizi (1972).	Coll. Feroni (ante 1850); Uffizi (1866); Cenacolo di Foligno (1894).	Uffizi; Depositi; Palazzo Vecchio; Uffizi (1976).	Uffizi (1912).
ATTRIBUZIONI	Opera di bottega (A. L. Mayer 1908).	S. Rosa (Cat., Gall. Feroni 1895).	—	Zuccarelli (Poggi 1927). M. Ricci (Chiarini 1978).
ESPOSIZIONI	—	—	—	—
BIBLIOGRAFIA	A. L. Mayer, Jusepe de Ribera, Leipzig 1908; J. Brown, Jusepe de Ribera: Prints and drawings, Princeton 1973. A. E. Perez Sanchez - N. Spinosa, Ribera, Milano 1978.	R. Wittkower, Art and Architecture worth 1965. A. E. Pérez Sanchez - N. Spinosa. L'opera completa del Ribera, Milano 1978. *Catalogo della Galleria Feroni, Firenze 1895, p. 11.*	—	R. Pallucchini, La pittura veneziana del Settecento, Venezia-Roma 1960. G. M. Pilo, Marco Ricci, cat. della mostra, Bassano 1965. *G. Poggi, Galleria degli Uffizi. Cat. dei dipinti, Firenze 1927, p. 138. M. Chiarini, Nuove proposte per Marco Ricci, in Arte Veneta, XXXII, 1978, p. 375.*
INVENTARIO	1427 (C.P., p. 156, n. 1104).	S. Marco e Cenacoli 63.	5691.	3796.
FOTO	—	204543.	249976.	48516.
NOTE	Pervenuto dalla Guardaroba in data 20 maggio 1774 (Filza VII, a 22 n. 295) come opera di Ribera, l'attribuzione al pittore spagnolo è giustificata dalle numerosissime figurazioni dello stesso santo che il maestro fece lungo tutto l'arco della sua attività e per la ripresa di alcuni moduli iconografici da altri dipinti famosi ed incisioni. La qualità del dipinto induce ad una discussione su questa attribuzione tradizionale e propone pur nell'ambito riberesco la mano di qualche collaboratore o imitatore. Si può ipotizzare che si tratti di una replica di un originale del maestro andato poi smarrito. R.P.P.	Il dipinto è attribuito a S. Rosa nel catalogo della collezione di provenienza, ma si tratta invece di una copia dell'esemplare, iscritto però in un ovale, del Ribera nella Galleria di Dresda, firmato e datato 1637 (Pérez Sànchez-Spinosa 1978, n.110). Di esso esistono altre copie, elencate dai suddetti studiosi. L'esemplare Feroni non può essere considerato autografo, nonostante che vi compaia il dettaglio, assente nel quadro di Dresda, dei libri retti nella destra dal filsofo, per la tecnica troppo liscia e diversa da quella del Ribera. M.C.	Il dipinto, nel quale il Santo è raffigurato secondo l'iconografia tradizionale, era classificato nell'Inventario del 1881 (n. 835) tra le opere di III Categoria. È comunemente accettata l'attribuzione proposta nell'Inventario del 1890 alla Scuola del Ribera. Gr. Red. 3	Questo dipinto, la cui provenienza non è documentata oltre il 1912, quando fu riportato agli Uffizi da un ufficio dello Stato dove era stato depositato, fu attribuito dal Poggi allo Zuccarelli e quindi non più studiato. Recentemente il Chiarini ne ha indicato le affinità con le opere documentate di Marco Ricci, indicando come il quadro possa essere stato acquisito alle collezioni fiorentine attraverso quella del principe Ferdinando de' Medici, protettore di Marco e dello zio di questi, Sebastiano, entrambi i quali lavorarono per il Medici. Sia per lo stile, sia per ragioni documentarie, il dipinto va datato intorno al 1705. M.C.

	P1328	P1329	P1330	P1331
AUTORE	Ricci, Sebastiano (Belluno 1659 - Venezia 1734).	Ricci, Sebastiano (Belluno 1659 - Venezia 1734).	Ricci, Sebastiano (Belluno 1659 - Venezia 1734).	Ricci, Sebastiano (Belluno 1659 - Venezia 1734).
TITOLO	Cristo in croce fra la Madonna e S. Giovanni, con S. Carlo Borromeo e S. Francesco.	Riposo nella fuga in Egitto.	Allegoria della Toscana.	Ercole e Caco.
DATAZIONE	1704.	1705 ca.	1706 ca.	1706 c.
DATI TECNICI	Olio su tela, 235x144.	Olio su tela ovale, 97,5x80, restauro 1968.	Olio su tela, 90x70,5, restauro 1973.	Olio su tela, 65x38.
CORNICE	Sagomata, dorata, moderna.	Sagomata, dorata, sec. XX.	Sagomata, dorata, sec. XVIII.	—
UBICAZIONI	Chiesa di S. Francesco de' Macci (1704); Uffizi (1966).	Collegiata, Empoli (sec. XX); Uffizi (1972).	Pitti (1713); Uffizi (1925).	Poggio Imperiale (sec. XIX); Uffizi (1924).
ATTRIBUZIONI	—	Anonimo (Inv. Villa di Castello 1911). S. Ricci (Chiarini 1969, Daniels 1976).	Giaquinto (Poggi 1927). S. Ricci (Chiarini 1973, Daniels 1976).	—
ESPOSIZIONI	Dipinti salvati dalla piena dell'Arno, Firenze 1966. Artisti alla corte granducale, Firenze 1969.	Dipinti restaurati delle Gallerie fiorentine, Firenze 1969. Artisti alla corte granducale, Firenze 1969.	Gli Ultimi Medici. Il tardo Barocco a Firenze 1670-1743, Detroit-Firenze 1974.	Artisti alla corte granducale, Firenze 1969. Gli ultimi Medici. Il tardo Barocco a Firenze 1670-1743, Detroit- Firenze 1974.
BIBLIOGRAFIA	J. Daniels, Sebastiano Ricci, Hove 1976. *Cat., Firenze 1966, n. 34. Cat., Firenze 1969, n. 125. J. Daniels, L'opera completa di Sebastiano Ricci, Milano 1976, n. 147.*	J. Daniels, Sebastiano Ricci, Hove 1976. *Cat., Firenze 1969, n. 11. Id., n. 127. J. Daniels, L'opera completa di Sebastiano Ricci, Milano 1976, n. 192.*	J. Daniels, Sebastiano Ricci, Hove 1976. *Id.: L'opera completa di Sebastiano Ricci, Milano 1976, n. 193. M. Chiarini, Un'allegoria della Toscana di Sebastiano Ricci, in Arte Illustrata, VI, 1973, p. 229ss. Cat., Detroit-Firenze 1974, n. 180.*	J. Daniels, Sebastiano Ricci, Hove 1976. *C. Gamba, Sebastiano Ricci e la sua opera fiorentina, in Dedalo, 1924-25, p. 300. Cat., Firenze 1969, n. 128. Cat., Detroit-Firenze 1974, n. 181a. J. Daniels, L'opera completa di Sebastiano Ricci, Milano 1976, n. 226.*
INVENTARIO	Dep. dalla Chiesa di S. Francesco de' Macci (1966).	Castello 518.	3234.	520.
FOTO	—	145184.	225422.	129854.
NOTE	Il quadro, come documentato da lettere del principe Ferdinando de' Medici che lo aveva commissionato al pittore, fu dipinto dal Ricci tra il 30 agosto e il 14 ottobre 1704 (Fogolari 1937; la critica precedente lo aveva datato invece al 1695 ca.), e collocato sull'altare della cappella di S. Carlo nella chiesa di S. Francesco de' Macci a Firenze, dove è rimasto fino al 1966 ca., quando è stato depositato presso gli Uffizi. La figura inginocchiata a sinistra dietro S. Carlo, più che essere quella di S. Giuseppe d'Arimatea, come suggerito dal Daniels, sembra essere quella di S. Francesco, al quale è dedicata la chiesa alla quale la pala era destinata. M.C.	Il dipinto compare per la prima volta, come di anonimo, nell'inventario della Villa Medicea di Castello del 1911. Dato quindi in prestito alla Collegiata di Empoli, è stato riconosciuto del Ricci dal Chiarini e datato al tempo degli affreschi di palazzo Marucelli, datazione accettata dal Daniels. Non si conosce la provenienza del dipinto, ma dato che il Ricci fu almeno due volte a Firenze e lavorò per il principe Ferdinando de' Medici, è probabile che il quadro appartenga alla produzione dell'artista per il Medici. M.C.	Il dipinto è elencato nell'inventario della collezione del principe Ferdinando de' Medici col nome del Ricci (ASF, Guard. 1222, 1713, c. 23v) e con la spiegazione del soggetto. Inoltre un disegno anonimo nella Biblioteca Marucelliana di Firenze, copia del presente dipinto, dice che questo fu fatto per un soffitto che doveva essere dipinto dal Ricci in palazzo Gaddi ma mai eseguito. Non sappiamo quando il quadro entrò nella collezione del Medici. Portato agli Uffizi nel 1925, fu catalogato dal Poggi come di Corrado Giaquinto. Eseguito probabilmente durante il soggiorno fiorentino del Ricci nel 1706. M.C.	È il bozzetto preparatorio per uno degli affreschi nel salone d'Ercole di palazzo Marucelli a Firenze, probabilmente affrescato dal Ricci intorno al 1706. Il bozzetto, con il suo 'pendant' n. 9156, fu ritrovato dal Gamba nel 1924 nella Villa del Poggio Imperiale dove non sappiamo come e quando fosse giunto. Il Daniels, che indica le notevoli varianti del dipinto in rapporto all'affresco, pensa che possa essere uno dei due 'sfondi' inviati dal pittore nel maggio 1706 al principe Ferdinando de' Medici per essere consegnati ai Marucelli, ma a questa identificazione si oppone il termine che suggerisce una collocazione in volta e non in parete. M.C.

	P1332	P1333	P1334	P1335
AUTORE	Ricci, Sebastiano (Belluno 1659 - Venezia 1734).	Ricci, Sebastiano (Belluno 1659 - Venezia 1734), attr. a.	Ricci, Sebastiano (Belluno 1659 - Venezia 1734), attr. a.	Rigaud, Hyacinthe (Perpignano 1659 - Parigi 1743).
TITOLO	Ercole al bivio.	Due putti.	S. Margherita in carcere.	Ritratto di Jacques-Bénigne Bossuet.
DATAZIONE	1706 ca.	1706 ca.	1707 ca. (Chiarini 1969).	1698.
DATI TECNICI	Olio su tela, 65x38.	Bozzetto, olio su tela, 17x20.	Olio su tela centinata, 65x50.	Olio su tela, 72x58,5.
CORNICE	—	—	—	Intagliata, dorata, sec. XVIII.
UBICAZIONI	Poggio Imperiale (sec. XIX); Uffizi (1924).	Uffizi (sec. XIX-XX).	Coll. Bandini, (sec. XVIII); Uffizi (sec. XIX).	Pitti (1698); Poggio Imperiale (XIX sec.); Uffizi (1851).
ATTRIBUZIONI	—	Anonimo (Inv. Gabinetto Disegni e Stampe). S. Ricci (Chiarini 1969, Daniels 1976).	Pittoni (Brandi-Berti 1952). Ricci (Donzelli-Pilo 1967, Chiarini 1969, Daniels 1976).	—
ESPOSIZIONI	Artisti alla corte granducale, Firenze 1969. Gli Ultimi Medici. Il tardo Barocco a Firenze 1670-1743, Detroit-Firenze 1974.	Artisti alla corte granducale, Firenze 1969.	Mostra di bozzetti delle gallerie fiorentine, Firenze 1952. Artisti alla corte granducale, Firenze 1969.	La peinture française à Florence, Firenze 1945. Pittura francese nelle collezioni pubbliche fiorentine, Firenze 1977.
BIBLIOGRAFIA	J. Daniels, Sebastiano Ricci, Hove 1976. C. Gamba, *Sebastiano Ricci e la sua opera fiorentina*, in *Dedalo 1924-25, p. 300. Cat., Firenze 1969, n. 129. Cat., Detroit-Firenze 1974, n. 181b. J. Daniels, L'opera completa di Sebastiano Ricci, Milano 1976, n. 224.*	J. Daniels, Sebastiano Ricci, Hove 1976. *Cat., Firenze 1969, n. 132. Id., J. Daniels, L'opera completa di Sebastiano Ricci, Milano 1976, n. 253.*	J. Daniels, Sebastiano Ricci, Hove 1976. *Cat., Firenze 1952, n. 128. Id., 1969, n. 131. J. Daniels, L'opera completa di Sebastiano Ricci, Milano 1976, n. 252.*	C. Colomar, *Hyacinthe Rigaud*, Perpignan 1973. *Cat., Firenze 1977, n. 126.*
INVENTARIO	9156.	GDSU, 19099.	6286.	995 (C.P., p. 113, n. 684).
FOTO	141698.	321866.	152944.	171369.
NOTE	È il bozzetto preparatorio per uno degli affreschi nel salone d'Ercole di palazzo Marucelli a Firenze, probabilmente affrescato dal Ricci intorno al 1706. Per le vicende storico-critiche del dipinto, si rinvia alla scheda del suo 'pendant' n. 520. Il bozzetto per il terzo affresco nella stessa sala è in collezione privata (vedi J. Daniels, Milano 1976, n. 228). M.C.	Questo bozzetto, inventariato come di anonimo nel XIX-XX secolo, appartiene all'omonima collezione ma fin'ora non ne è stata individuata la provenienza. Secondo il Chiarini è probabile che esso sia studio di S. Ricci per uno dei gruppi di putti che compaiono sul cornicione della decorazione a fresco dell'anticamera dell'appartamento estivo del principe Ferdinando de' Medici in palazzo Pitti, affrescata dall'artista con la collaborazione del quadraturista fiorentino Giuseppe Tonelli intorno al 1706-07. Tale ipotesi sembra condivisa dal Daniels. M.C.	La tela, che fa parte della raccolta dei bozzetti della Galleria, è forse quella citata dall'Oretti (in J. von Derschau: Sebastiano Ricci, Heidelberg 1922, p. 144) in casa Bandini a Firenze, passata poi in epoca imprecisata nelle collezioni granducali fiorentine. Attribuita dal Berti, su suggerimento di C. Brandi, a G. B. Pittoni (cat., Firenze 1952), è stata attribuita al Ricci da quanti se ne sono successivamente occupati. Stilisticamente vicina agli affreschi di palazzo Pitti, 1706-07 ca. (Chiarini). M.C.	Iscrizione sul retro: Hyacintus Rigaud pictor Regius pinxit 1698. J.-B. Bossuet (1627-1704), vescovo di Meaux, fu celebre oratore. Il ritratto, dipinto per Cosimo III de' Medici, lo presenta a mezzo busto, prima del 1702, anno del ritratto a figura intera al Louvre, come attestano le fonti e la scritta sul retro del dipinto. Secondo il libro dei conti dell'artista, fu pagato 140 'livres', ed egli ne trasse cinque copie. Il ritratto fu inciso innumerevoli volte e divenne presto celebre. M.C.

	P1336	P1337	P1338	P1339
AUTORE	Rigaud, Hyacinthe (Perpignano 1659 - Parigi 1743), attr. a.	Rigaud, Hyacinthe (Perpignano 1659 - Parigi 1743), attr. a.	Rinaldo Veronese (Verona? seconda metà sec. XVII).	Roberti, Ercole de', detto Ercole da Ferrara (Ferrara 1456-96).
TITOLO	Ritratto di Filippo V di Spagna.	Ritratto di Luigi XV bambino.	Battesimo di Cristo.	S. Sebastiano.
DATAZIONE	1700.	1715.	Seconda metà sec. XVII.	1490 ca. (Gamba 1933).
DATI TECNICI	Olio su tela, 80x63.	Olio su tela, 81x65.	Olio su tavola, ovale, 11,5x17,5.	Olio su tavola, 205x86, restauro post 1957.
CORNICE	Liscia, nera e oro, sec. XVIII.	Liscia, nera e oro, sec. XVIII.	Sagomata, dorata, sec. XVII.	Intagliata e dorata.
UBICAZIONI	Parma?; Uffizi (1905 ca.).	Parma (sec. XVIII); Pitti (1865 ca.); Uffizi (1905 ca.); Pitti (1928 ca.).	Pitti (ante 1713); Uffizi (sec. XIX).	Poggio Imperiale; Pitti (1800); Uffizi (1925); Pitti (1945); Uffizi (1948); Museo Horne (1957).
ATTRIBUZIONI	—	—	—	Antonio del Pollaiolo. Scuola veneta. Ercole de Roberti (Gamba 1933). Copista imitatore di Ercole (Longhi).
ESPOSIZIONI	—	—	—	Pittura ferrarese del Rinascimento, Ferrara 1934.
BIBLIOGRAFIA	C. Colomer, *Hyacinthe Rigaud*, Perpignan 1973. *P. Rosenberg, in Cat. Pittura francese nelle collezioni pubbliche fiorentine, Firenze 1977, p. 229, n. XCV.*	C. Colomer, *Hyacinthe Rigaud*, Perpignan 1973. *P. Rosenberg, in Cat. Pittura francese nelle collezioni pubbliche fiorentine, Firenze 1977, p. 229, n. XCVIII.*	*M. Chiarini, in Paragone, n. 303, 1975, p. 99 e 107, nota 293.*	*C. Gamba, Ercole da Ferrara, Ferrara 1933. Cat., Ferrara 1934, n. 123. F. Rossi, Il Museo Horne, Firenze 1966, p. 145.*
INVENTARIO	2793 (C.P., p. 82, n. 277).	2860 (C.P., p. 82, n. 878).	1375.	6562.
FOTO	301821.	107340.	11183.	49276.
NOTE	Filippo di Borbone (1683-1776), figlio del gran delfino Luigi e di Maria Anna di Baviera, divenne re di Spagna alla morte di Carlo II, che lo lasciò suo erede. Il ritratto è copia parziale del quadro del 1700 al Louvre (Rosenberg 1977). Il dipinto pervenne a Firenze probabilmente nel periodo che era capitale, portatovi da Parma dai Savoia. M.C.	Replica (Rosenberg 1977) del dipinto a Versailles datato 1715, ne esiste almeno un'altra versione presso le Gallerie di Firenze (Pitti, N. 707). Passò a palazzo Pitti da Parma, portatovi dai Savoia al tempo di Firenze capitale. Luigi (1710-1774), figlio di Luigi, duca di Borgogna, e di Maria Adelaide di Savoia, divenne re di Francia alla morte (1715) del nonno, Luigi XIV. M.C.	Il dipinto forma 'pendant' con un altro rappresentante la Fuga in Egitto (n. 7318 attualmente a Pitti): entrambi sono elencati, con l'attribuzione a questo artista noto solo per queste due opere, nell'inventario delle proprietà del principe Ferdinando de' Medici in palazzo Pitti, steso alla sua morte (1713: Chiarini 1975). M.C.	Già attribuito al Pollaiolo e da altri alla scuola veneta, fu dal Gamba ascritto a Ercole de Roberti, e come tale esposto alla Mostra della pittura ferrarese del Rinascimento. L'attribuzione era stata accettata dal Berenson. Il Longhi, tuttavia, ritiene che non possa trattarsi che di una copia libera da un esemplare di Ercole per mano di qualche anonimo emiliano. In seguito a questa comunicazione il Gamba ha espresso che possa trattarsi di un lavoro di un discepolo su disegno del Maestro (F. Rossi, Il museo Horne, 1966). Gr. Red. 3

	P1340	P1341	P1342	P1343
AUTORE	Romanelli, Giovan Francesco (Viterbo 1617-1662).	Romei, Giuseppe (Firenze 1714 - dopo 1780).	Rosa da Tivoli, Roos, detto (Francoforte 1655-1705).	Rosa da Tivoli, Roos Philipp Peter detto (Francoforte 1655/57 - Roma 1706).
TITOLO	Mosé fa scaturire le acque dalla rupe.	Elia rapito al cielo.	Paesaggio con armenti.	Animali in un paesaggio.
DATAZIONE	1657 (Collobi Ragghianti 1952).	1780.	1690 ca.	Fine sec. XVII - inizi XVIII.
DATI TECNICI	Bozzetto, penna, bistro, carta su tela, 38,5x24.	Bozzetto, olio su tela, 72x85, restauro 1951.	Olio su tela, 130x215.	Olio su tela, 138x215.
CORNICE	Legno modanato e dorato nella filettatura interna.	—	Sagomata, dorata, sec. XVII-XVIII.	Intagliata e dorata, originale.
UBICAZIONI	Gabinetto Disegni e Stampe (1880); Uffizi (1914).	—	Pitti (fine sec. XVII?); Uffizi (1905 ca.).	Pitti (ante 1713); Uffizi (sec. XIX).
ATTRIBUZIONI	—	—	—	—
ESPOSIZIONI	Bozzetti delle Gallerie di Firenze, Firenze, 1952-53.	Bozzetti delle Gallerie di Firenze, Firenze 1952.	—	—
BIBLIOGRAFIA	H. Voss, Die Malerei des Barok in Rom, Berlin 1924. I. Faldi, Pittori viterbesi di cinque secoli, Viterbo 1970. *L. Collobi Ragghianti, in Cat., Firenze 1952-53, n. 141, pp. 65-66.*	L. Berti, in cat. Firenze 1952, n. 103, pp. 48-49.	L. Salerno, Pittori di paesaggio del Seicento a Roma, Roma 1976. M. Chiarini, *I quadri della collezione del principe Ferdinando di Toscana, in Paragone, n. 305, 1975, n. 57-58, nota 320, tav. 37a.*	L. Salerno, Pittori di paesaggio del Seicento a Roma, vol. II, Roma 1976. M. Chiarini, *in Paragone, n. 305, 1975, p. 57 e 81, nota 320.*
INVENTARIO	GDSU n. 19138.	5725.	555 (C.P., p. 76, n. 114).	560.
FOTO	178977.	157048.	157459.	175070.
NOTE	Sul retro, sulla cornice con grafia secentesca: Romanelli, e timbro a fuoco G R con corona. È presumibilmente il bozzetto per una delle sette storie della vita di Mosè con le quali l'artista decorò nel 1657 il Cabinet sur l'eau, durante il secondo soggiorno a Parigi. Quattro di queste scene si conservano al Louvre e nel castello di Compiègne. Figura nell'inventario del 1880 II categoria n. 60, tuttavia poteva far parte della collezione del Cardinale Leopoldo de' Medici: sarebbe da identificarsi con uno dei quattro disegni del Romanelli che compaiono nella Listra, iniziata dal Baldinucci (cfr. P. Barocchi in F. Baldinucci, Notizie ... vol. VI, App., Firenze 1975, p. 199). L.B.B.	Bozzetto per l'affresco nell'abside di S. Maria del Carmine a Firenze, realizzato dal Romei insieme a quello ricoprente il soffitto della navata della chiesa (1780). M.M.	Il dipinto faceva parte, con altri quattro delle stesse dimensioni (tutti appartenenti alle Gallerie fiorentine: Nn. Inv. 1890, 560, 5477, 6494), della collezione in palazzo Pitti di Ferdinando, figlio del granduca Cosimo III de' Medici. Essi sono infatti ricordati nell'inventario steso alla morte del principe nel 1713, ma debbono essere stati comprati parecchio tempo prima, verso la fine del Seicento, quando Ferdinando acquistava opere in gran numero. M.C.	Insieme ad altri tre delle stesse dimensioni e soggetti, faceva parte della collezione del principe Ferdinando de' Medici in palazzo Pitti, come risulta dall'inventario delle sue proprietà steso alla sua morte (1713: Chiarini 1975). Opere tipiche della produzione di questo animalista-paesista della seconda metà del sec. XVII. M.C.

	P1344	P1345	P1346	P1347
AUTORE	Rosa, Salvatore (Napoli 1615 - Roma 1673).	Rosa, Salvatore (Napoli 1615 - Roma 1673).	Rosa, Salvatore (Napoli 1615 - Roma 1673).	Rosa, Salvatore (Napoli 1615 - Roma 1673).
TITOLO	Paesaggio con arco naturale e cascata.	Paesaggio con arco naturale e golfo di mare.	Paesaggio con figure.	Battaglia.
DATAZIONE	1640 ca. (Salerno 1963 e 1975).	1640-49 ca.	1640-49 (Salerno 1975).	1641-42 (Salerno 1963 e 1975). 1648 ca. (Chiarini 1969).
DATI TECNICI	Olio su tela, 65x49, restauro 1958.	Olio su tela, 15x44.	Olio su tela, 50x94, restauro 1976.	Olio su tela, 95x145.
CORNICE	Sagomata e dorata, sec. XVII.	Originale.	Barocca, originale.	Intagliata, dorata, sec. XVII.
UBICAZIONI	Pitti (ante 1675); Uffizi (sec. XIX); Pitti (1928).	Pitti (1713); Uffizi (1796); Pitti (1928).	Pitti (1713); Uffizi (1753).	Pitti (sec. XVIII-XIX); Uffizi (1922-28 ca.).
ATTRIBUZIONI	—	—	—	—
ESPOSIZIONI	—	—	—	Artisti alla corte granducale, Firenze 1969.
BIBLIOGRAFIA	L. Salerno, Pittori di paesaggio del Seicento a Roma, vol. II, Roma 1976. *Id., Salvator Rosa, Milano 1963. Id., L'opera completa di Salvator Rosa, Milano 1975, n. 70.*	L. Salerno, L'opera completa di Salvator Rosa, Milano 1975. *A.J. Rusconi, La Galleria Pitti, Roma 1937, p. 237.*	L. Salerno, L'opera completa di 1963 (con numero d'inv. errato). *Id., L'opera completa di Salvator Rosa, Milano 1975, n. 15* (erroneamente indicato a Pitti).	*L. Salerno, Salvator Rosa, Milano 1963, p. 142. Id., L'opera completa di S. Rosa, Milano 1975, n. 89. Cat., Firenze 1969, n. 52.*
INVENTARIO	1319.	1325 (C.P., p. 146, n. 1003).	1327 (C.P., p. 146, n. 1005).	8385.
FOTO	153340.	183526.	252713.	38282.
NOTE	Siglato in basso, sul muretto diruto: SR. È ricordato per la prima volta nell'inventario della collezione del cardinal Leopoldo de' Medici in palazzo Pitti steso alla sua morte (1675). Datato dal Salerno agli inizi del soggiorno toscano del pittore (1640-1649). M.C.	Firmato in basso a sinistra: Rosa. Ricordato nel 1713 a palazzo Pitti nella collezione del principe Ferdinando de' Medici. M.C.	Il dipinto è firmato in basso a sinistra: ROSA. Ricordato a Pitti nel 1713 nell'inventario della collezione del principe Ferdinando de' Medici. Assegnato dal Salerno al periodo toscano dell'artista. M.C.	Firmato sulla cornice del tempio a destra: SALVATOR ROSA. La provenienza del dipinto non è documentata. Si trova a Pitti fra il XVIII e il XIX secolo, ed è ricordato esposto nella Galleria a partire dal primo catalogo dell'Inghirami (1834). Passò agli Uffizi tra il 1922 e il 1928. Opera sicuramente eseguita dal pittore nel suo soggiorno in Toscana (1641-49), dal Salerno è posta agli inizi dello stesso, mentre il Chiarini, notandovi affinità con affreschi del Rosa in palazzo Pitti databili a dopo il 1644, ritiene che sia opera degli ultimi anni del periodo fiorentino. M.C.

	P1348	P1349	P1350	P1351
AUTORE	Rosa, Salvatore (Napoli 1615 - Roma 1673).	Rosa, Salvatore (Napoli 1615 - Roma 1673).	Rosa, Salvatore (Napoli 1615 - Roma 1673).	Rosa, Salvatore (Napoli 1615 - Roma 1673).
TITOLO	Paesaggio con due figure.	Uomo seduto in un paesaggio.	Uomo seduto e alberi.	Paesaggio con alberi e figura stante.
DATAZIONE	1649 ca. (Becherucci 1952). 1665-70 (Mahoney 1977).	1649 ca. (Becherucci 1952). 1665-70 (Malroney 1977).	1649 ca. (Becherucci 1952, Langdon 1973). 1660-65 (Malroney 1977).	1649 ca. (Becherucci 1952, Langdon 1973). 1660-65 (Malroney 1977).
DATI TECNICI	Bozzetto, penna e inchiostro, con lumeggiature a biacca, su tavola, 27,5x50,5.	Bozzetto, penna e inchiostro, con lumeggiature a bianca, su legno 27,5x50.	Bozzetto, penna e inchiostro, con lumeggiature a biacca, su tavola, 33,5x27.	Bozzetto, penna e inchiostro, con lumeggiature a biacca, su legno, 33x27.
CORNICE	—	Legno, moderna.	—	—
UBICAZIONI	Pitti (sec. XVIII); Uffizi (1779); Pitti (1958).	Pitti (sec. XVIII); Uffizi (1779); Pitti (1958).	Uffizi (sec. XIX-XX); Pitti (1958).	Uffizi (sec. XIX-XX); Pitti (1958).
ATTRIBUZIONI	—	—	—	—
ESPOSIZIONI	Bozzetti delle gallerie di Firenze, Firenze 1952. Alcune opere di Salvator Rosa, Firenze 1958.	Bozzetti delle gallerie di Firenze, Firenze 1952. Alcune pitture di Salvator Rosa, Firenze 1958.	Bozzetti delle gallerie di Firenze. Firenze 1952. Alcune pitture di Salvator Rosa, Firenze 1958. Salvator Rosa, Londra 1973.	Bozzetti delle Gallerie di Firenze, Firenze 1952. Alcune opere di Salvator Rosa, Firenze 1958. Salvator Rosa, Londra 1973.
BIBLIOGRAFIA	L. Salerno, *L'opera completa di Salvator Rosa*, Milano 1975. *Cat., Firenze 1952, n. 104. M. Mahoney, The Drawings of Salvator Rosa, New York-London 1977, n. 80.14.*	L. Salerno, *L'opera completa di Salvator Rosa*, Milano 1975. *Cat., Firenze 1952, n. 105. M. Chiarini, Disegni italiani di paesaggio 1600-1750, Treviso 1972, n. 83. M. Mahoney, The Drawings of Salvator Rosa, New York-London 1977, n. 80-15.*	L. Salerno, *L'opera completa di Salvator Rosa*, Milano 1975. *Cat., Firenze 1952, n. 106. Cat., Londra 1973, n. 13. M. Mahoney, The Drawings of Salvator Rosa, New York-London 1977, n. 68.6.*	L. Salerno, *L'opera completa di Salvator Rosa*, Milano 1975. *Cat., Firenze 1952, n. 107. Cat., Londra 1973, n. 14. M. Mahoney, The Drawings of Salvator Rosa, New York-London, 1977, n. 68.7.*
INVENTARIO	GDSU 19149.	G.D.S.U., 19150.	G.D.S.U., 19173.	G.D.S.U., 19174.
FOTO	68231.	153336.	153334.	153333.
NOTE	Sul retro scritta su cartellino: 28 8bre 1779. Dalla Guardaroba... 373. Con gli altri cinque quadri della stessa tecnica, considerato unanimemente autografo dell'artista napoletano. Datato da L. Becherucci alla fine del soggiorno fiorentino del Rosa, il Mahoney lo data, insieme con il n. 19150 tra il 1665 e il 1670. M.C.	Sul retro scritta su cartellino: 28 8bre 1779. Dalla Guardaroba. 1373. 'Pendant' del n. 19149, al quale si rimanda per le notizie storico-critiche. M.C.	'Pendant' del n. 19174 è datato dalla Becherucci alla fine del periodo fiorentino dell'artista napoletano, seguita da H. Langdon (Cat., Londra 1973). Il Malroney, invece, lo ritiene più tardi, dei primi anni del settimo decennio del Seicento, insieme con i nn. 19174 e 19151. La provenienza dei due dipinti non è documentata, ma evidentemente subirono le stesse vicende dei nn. 19149-50. M.C.	Per il commento storico-critico, vedi il n. 19173, del quale il presente numero è 'pendant'. M.C.

	P1352	P1353	P1354	P1355
AUTORE	Rosa, Salvatore (Napoli 1615 - Roma 1673).	Rosa Salvator (Napoli 1615 - Roma 1673), scuola di.	Rosa, Salvatore (Napoli 1615 - Roma 1673).	Rosa, Salvatore (Napoli 1615 - Roma 1673).
TITOLO	Paesaggio con tre figure (Lo spavento).	Paesaggio costiero con figure e animali.	Empedocle si getta nella voragine.	Filosofo in un paesaggio.
DATAZIONE	1649 ca. (Salerno 1963, Chiarini 1969).	1650-60 ca.	1660-65 (Malroney 1977).	1660-65 ca. (Malroney 1977).
DATI TECNICI	Olio su tela, 48,5x38.	Olio su tela, 97,5x131, pulitura 1969.	Bozzetto, penna e inchiostro, con lumeggiature a biacca, su tavola, 86,5x63,5.	Bozzetto, penna e inchiostro, con lumeggiature a biacca, su tavola, 86,5x63.
CORNICE	Originale.	Sagomata, dorata, sec. XVII.	—	—
UBICAZIONI	Pitti (1713); Uffizi (1905 ca.).	Coll. Feroni (ante 1850); Uffizi (1866); Cenacolo di Foligno (1894).	Uffizi (sec. XIX-XX); Pitti (1958).	Uffizi (sec. XIV-XX sec.); Pitti (1958).
ATTRIBUZIONI	—	—	—	—
ESPOSIZIONI	Artisti alla corte granducale, Firenze 1969.	Artisti alla corte granducale, Firenze 1969.	Alcune opere di Salvator Rosa, Firenze 1958. Salvator Rosa, Londra 1973.	Alcune opere di Salvator Rosa, Firenze 1958. Salvator Rosa, Londra 1973.
BIBLIOGRAFIA	*L. Salerno, Salvator Rosa, Milano 1963, p. 34. Cat., Firenze 1969, n. 53. L. Salerno, L'opera completa di Salvator Rosa, Milano 1975, n. 71.*	L. Salerno, L'opera completa di Salvator Rosa, Milano 1975. *Catalogo della Galleria Feroni, Firenze 1895, p. 5. Cat., Firenze 1969, n. 50.*	L. Salerno, L'opera completa di Salvator Rosa, Milano 1975. *Cat., Londra 1973, n. 45. M. Mahoney, The Drawings of Salvator Rosa, New York-London, 1977, n. 68.5.*	Cat., Londra 1973, n. 34. L. Salerno, L'opera completa di Salvator Rosa, Milano 1975. *M. Mahoney, The Drawings of Salvator Rosa, New York-London 1977, n. 68.4.*
INVENTARIO	1423 (C.P., p. 146, n. 1101).	San Marco e Cenacoli 27.	GDSU 19152.	GDSU, 19151.
FOTO	111331.	168540.	153332.	153335.
NOTE	Il dipinto risale agli ultimi tempi del soggiorno fiorentino dell'artista e viene menzionato a Pitti nel 1713 (coll. principe Ferdinando de' Medici). Inciso da J.B. Wicar e L.J. Masquelier in Galerie de Florence, Paris 1789, col titolo L'effroi. M.C.	Definito copia di Salvator Rosa nel catalogo della collezione di provenienza, il dipinto è stato attribuito all'artista napoletano nel cat., Firenze 1969, attribuzione che tuttavia non sembra più accettabile, lasciando il dipinto, per altro in cattive condizioni, all'anonimato e sia pure nella cerchia del Rosa. M.C.	Sul retro scritte a penna: Al Sig.r Cosimo Fabretti / fiorenza per Pisa / franca. Al s.r Salvatore / Rosa mio s.re Sing.mo / franca. Roma. Come indicano questi indirizzi, il Rosa schizzò la sua composizione sul coperchio di un cassetta per spedizioni. 'Pendant' del n. 19151, al quale si rinvia per le notizie storico - critiche, (cfr. scheda P1358). M.C.	Il soggetto potrebbe forse essere identificato con quello di Diogene che getta la scodella. Il quadro, che è 'pendant' del n. seg., fa parte della serie di sei disegni su legno unanimemente assegnati al pittore napoletano, anche se ritenuti di periodi diversi: il Malrony lo data, col n. 19152, nei primi anni del settimo decennio del Seicento. La provenienza del quadro non è documentata, ma si può fondamente supporre che anche esso come i nn. 19149-50, provenga dalle collezioni di palazzo Pitti. M.C.

	P1356	P1357	P1358	P1359
AUTORE	Rosa, Salvatore (Napoli 1615 - Roma 1673).	Rosa Salvatore (Napoli 1615 - Roma 1673), copia da.	Rosa, Salvatore (Napoli 1615 - Roma 1673), copia da.	Rosa, Salvatore (Napoli 1615 - Roma 1673), copia da.
TITOLO	Giobbe.	Marina con pescatori.	Paesaggio con figure e armenti.	Paesaggio con ponte.
DATAZIONE	1663 ca. (Salerno 1963).	Metà sec. XVII.	Metà sec. XVII.	Seconda metà sec. XVII.
DATI TECNICI	Olio su tela, 125x200.	Olio su tela, 85,5x128,5, pulitura 1969.	Olio su tela, 86x130, pulitura 1969.	Olio su tela, 99x132.
CORNICE	Barocca, intagliata e dorata.	Sagomata, dorata, sec. XVII.	Sagomata, dorata, sec. XVII.	Sagomata, dorata, sec. XVII.
UBICAZIONI	Coll. A. De Noè Walker; Uffizi (1898).	Coll. Feroni (ante 1850); Uffizi (1866); Cenacolo di Foligno (1894).	Coll. Feroni (ante 1850); Uffizi (1866); Cenacolo di Foligno (1894).	Coll. Feroni (ante 1850); Uffizi (1866); Cenacolo di Foligno (1894).
ATTRIBUZIONI	—	Abate Lancia (Cat. Feroni 1895). Salvator Rosa (Chiarini 1969).	Abate Lancia (Cat. Feroni 1895). Salvator Rosa (Chiarini 1969).	—
ESPOSIZIONI	—	Artisti alla corte granducale, Firenze 1969.	Artisti alla corte granducale, Firenze 1969.	—
BIBLIOGRAFIA	*L. Salerno, Salvator Rosa, Milano 1963, pp. 57, 137. Id., L'opera completa di Salvator Rosa, Milano 1975, n. 222.*	L. Salerno, *L'opera completa di Salvator Rosa, Milano 1975. Catalogo della Galleria Feroni, Firenze 1895, p. 13. Cat., Firenze 1969, n. 49.*	L. Salerno, *L'opera completa di Salvator Rosa, Milano 1975. Catalogo della Galleria Feroni, Firenze 1895, p. 12. Cat., Firenze 1969, n. 48.*	L. Salerno, Salvator Rosa, Milano 1965. Id., *L'opera completa di Salvator Rosa, Milano 1975. Catalogo della Galleria Feroni, Firenze 1895, p. 5.*
INVENTARIO	3083 (C.P., p. 82, n. 3387).	S. Marco e Cenacoli 151.	S. Marco e Cenacoli 154.	S. Marco e Cenacoli 38.
FOTO	155857.	168558.	168557.	158924.
NOTE	Il dipinto pervenne agli Uffizi per dono De Noè Walker. Studi preparatori: Musei di Lipsia e Rennes (vedi M. Mahoney: The Drawings of Salvator Rosa, New York 1977). M.C.	Il dipinto, che è 'pendant' del n. 154, è attribuito, nel catalogo della collezione di provenienza, all'Abate Lancia (o Lanci), che fu nella cerchia del cardinale Giancarlo e Leopoldo de' Medici, poeta e letterato e forse pittore dilettante, ma della cui produzione, per altro citata negli inventari medicei, non conosciamo alcuna opera. Esposto nel 1969 con l'attribuzione al Rosa stesso, il quadro, col suo 'pendant', è risultato invece copia di un possibile originale del Rosa noto in due versioni in collezioni private inglesi (Visc. Ugage, Firle Place, Sussex; Conte di Moray, Donaway Castle, Scozia). M.C.	Il dipinto, con il suo 'pendant' n. 151, è attribuito all'Abate Lancia, una personalità non ancora ricostruita e ricordata nelle fonti e negli inventari dei quadri medicei. Tuttavia, come il suo 'pendant', anche questo quadro deriva direttamente da un originale di Salvator Rosa che potrebbe essere uno dei due quadri conservati in collezioni private inglesi (Coll. Visc. Ugage, Firle Place, Sussex; Coll. conte di Moray, Donaway Castle, Scozia). M.C.	Il dipinto, come anche affermato dal catalogo della collezione di provenienza, è copia dell'originale del Rosa nella Galleria di Palazzo Pitti, databile al soggiorno fiorentino dell'artista (1640-49). Questa copia appartiene ancora al XVII secolo. M.C.

	P1360	P1361	P1362	P1363
AUTORE	Rosa Salvatore (Napoli 1615 - Roma 1673), paesaggio.	Rosselli, Cosimo (Firenze 1439-1507).	Rosselli, Cosimo (Firenze 1439-1507).	Rosselli, Cosimo (Firenze 1439-1507).
TITOLO		Madonna col Bambino e due angeli.	Madonna con bambino e due santi.	Adorazione dei Magi.
DATAZIONE		Opera giovanile.	1468 ca.	1480 ca.
DATI TECNICI		Tempera su tavola, 57,5x87.	Olio su tavola, 155x187.	Tempera grassa su tavola, 101x217.
CORNICE		Listello intagliato e dorato originale.	—	Sagomata e dorata con decorazioni geometriche in oro su fondo blu, sec. XIX.
UBICAZIONI		La Zecca o Arcispedale di S. Maria Nuova (dall'origine); Uffizi, (Depositi 1863).	San Piero Scheraggio (dall'origine); Uffizi (ante 1784); Chiesa parrocchiale, Barberino Val d'Elsa (1914); Uffizi (1976).	Uffizi (1784).
ATTRIBUZIONI		Ignoto sec. XV (la critica ottocentesca e R. Musatti, 1950). C.R. (la critica moderna).	—	Scuola del Ghirlandaio (Inv. 1784). Anonimo (Inv. 1825). Pesello e Pesellino (Lanzi 1795-96, Pini 1848, Milanesi 1878). Cosimo Rosselli (Morelli 1890, inv. 1890, Cavalcaselle 1894, Berenson 1963).
ESPOSIZIONI		—	—	—
BIBLIOGRAFIA		R. Musatti, Cat. giovanile di C.R. in 'Riv. d'A.' XVI, 1950. A. Padoa Rizzo, La cappella Salutati e l'attività giovanile di C.R., in 'Antichità viva' 1977, 3, p. 4.	A. Lorenzoni, Cosimo Rosselli, Firenze 1921. Thieme-Becker, XXIX, 1935. A. Padoa Rizzo, in Antichità Viva, 16, 1977, pp. 3-4, 10.	A. Lorenzoni, Cosimo Rosselli, Firenze 1921. B. Berenson, Italian Pictures of the Renaissance. Florentine School, London 1963, vol. I, p. 190, vol. II, tav. 999.
INVENTARIO		489 (C.P., p. 69, n. 59).	3941 (C.P., p. 179, n. 64).	494 (C.P., p. 189, n. 65).
FOTO		321806.	325036.	324965.
NOTE	Vedi: Panfi, Romolo. Paesaggio.	Stando al Lorenzoni, quand'era alla Zecca la tavola "era racchiusa in una cornice ad altarino; a due colonne scannellate, con una gran colomba entro l'arco del termine" (pp. 48-49). La Padoa Rizzo vi riscontra influenze pollaiolesche. G.M.	I due santi sono S. Antonio abate e S. Nicola vescovo. Non è risultata documentabile con precisione la data di ingresso del dipinto agli Uffizi; esso, comunque, risulta già inserito nell'Inv. del 1784 (n. 685). Dopo il deposito nella parrocchiale di Barberino Val d'Elsa il dipinto fu ritirato nel 1953 e restaurato. Il Gronau (in Thieme-Becker cit.) ha rintracciato il documento di allogagione dell'opera, che risulta così databile con buona approssimazione. È stato recentemente sottolineato (A. Padoa Rizzo cit.) come questa sia la prima opera nota dell'artista, anche se è sempre stata pochissimo considerata dalla critica. Il dipinto si trova temporaneamente nei Depositi degli Uffizi. E.S.	Il dipinto è ricordato agli Uffizi a partire dal 1784 (AGF ms 113 vol. I c. 135r n. 74), è detto di scuola del Ghirlandaio; nell'inventario del 1825 figura quale opera di anonimo fiorentino', nell'inv. del 1890 invece compare quale opera di osimo Rosselli. Il Lanzi, il Pini, seguiti più tardi dal Milanesi, credettero di riconoscere nell'opera la tavola che il Vasari narra fosse stata dipinta da Giuliano Pesello e Francesco Pesellino per il Palazzo della Signoria a Firenze e che era collocata a metà scala. Il Morelli per primo riconobbe la mano di Cosimo Rosselli. Tale attribuzione è accettata modernamente. L.B.B.

	P1364	P1365	P1366	P1367
AUTORE	Rosselli, Cosimo (Firenze 1439-1507).	Rosselli, Cosimo (Firenze 1439-1507), bottega di.	Rosselli, Cosimo (Firenze 1439-1507).	Roselli Cosimo (Firenze 1439-1507).
TITOLO	Madonna col Bambino e due Santi.	Madonna con bambino (La Madonna della stella).	Incoronazione della Vergine.	Adorazione dei Magi.
DATAZIONE	1492.	Fine sec. XV.	Inizi sec. XVI.	
DATI TECNICI	Tempera su legno, 230x190.	Tempera su tavola centinata, 189x131.	Olio su tavola, 159x93?	
CORNICE	Sagomata con intagli e dorata, settecentesca?	Centinata in alto, sagomata e dorata.	Modanata e centinata in alto.	
UBICAZIONI	Chiesa di S. Maria Maddalena dei Pazzi (dall'origine); Uffizi (1867); Accademia (1945).	Arcispedale di S. Maria Nova (1870 ca.); Uffizi (1900); San Marco (1924); Accademia (ante 1936).	Uffizi (1881); Museo Civico, Pistoia (1915).	
ATTRIBUZIONI	—	Iacopo del Sellaio (Mac Kowsky 1899, Van Marle 1931). Cosimo Rosselli (Crowe-Cavalcaselle 1866, Berenson 1896, Venturi 1911, Lorenzoni 1921, Van Marle 1929). Bottega di C. Rosselli (Procacci 1936).	—	
ESPOSIZIONI	—	—	—	
BIBLIOGRAFIA	Thieme-Becker, XXIX, 1935. U. Procacci, La Gall. d. Accademia, 1936. *R. Van Marle, The development, XI, 1929, p. 607.*	A. Lorenzoni, Cosimo Rosselli, Firenze 1921. Thieme-Becker, XXIX, 1936. *Paatz, Kirchen etc., 1952, pp. 33, 61.*	A. Lorenzoni, Cosimo Rosselli, Firenze 1921. *B. Berenson, Italian Pictures of the Renaissance. Florentine School. London 1963, vol. I, p. 191.*	
INVENTARIO	1562 (C.P., p. 169, n. 1280 bis).	3205 (C.P., p. 179, n. 65 bis).	490 (C.P., p. 68, n. 63).	
FOTO	322250.	310047.	154573.	
NOTE	Commissionata nel 1492 dai Salviati fu la pala dell'altar maggiore della chiesa fino alla sua trasformazione (Vasari-Milanesi, III, 185). I santi sono: Jacopo ap. e Pietro ma vi compare anche il piccolo Giovannino. In ottimo stato di conservazione. G.M.	Sul retro cartellini relativi alla provenienza del dipinto da Santa Maria Nova e all'ingresso dell'opera in Galleria. Non è nota la storia del dipinto prima del suo passaggio alla Galleria dell'Arcispedale di S. Maria Nova, da cui passò agli Uffizi; il trasferimento all'Accademia è documentato per la prima volta nel catalogo del museo pubblicato nel 1936 a cura di U. Procacci. Il dipinto è attualmente esposto nella Galleria dell'Accademia. E.S.	Il dipinto, che non figura fra le opere di Cosimo Rosselli che Vasari elenca nella 'Vita' dedicata a questo artista, compare inventariato nel 1881 n. 23 E, fra le opere degli Uffizi, è registrato dal Pieraccini fra i quadri esposti in Galleria. Nel 1915 fu inviato in deposito presso il Museo Civico di Pistoia dove tuttora si trova. L.B.B.	Vedi: Lorenzo Monaco. Adorazione dei Magi.

	P1368	P1369	P1370	P1371
AUTORE	Rosselli, Matteo (Firenze 1578-1650).	Rosselli, Matteo (Firenze, 1578-1650).	Rossello di Jacopo (Firenze 1377 ca. - 1456).	Rossi, Nicola Maria (Napoli 1699 ca. - 1755 ca.).
TITOLO	Vendita di Giuseppe	San Giovanni Battista nel deserto.	Madonna col Bambino e Santi.	Diana e Callisto.
DATAZIONE	1620-25.	1620-30.	1420-30 ca.	Secondo quarto sec. XVIII.
DATI TECNICI	Bozzetto, olio a chiaroscuro su carta, 26x36.	Olio su rame, 30x24.	Opera composita. Tempera su tavola, 238x190.	Olio su tela, 138x164,5, restauro 1959.
CORNICE	Originale in ebano con filettature d'oro.	Settecentesca dorata.	Parzialmente originale, con tre pinnacoli, quello centrale cuspidato, quelli laterali ovali.	Intagliata e dorata, sec. XVIII.
UBICAZIONI	Gabinetto Disegni e Stampe (1793); Uffizi (1914).	Coll. Del Sera (fino al 1777); Uffizi (1777); Pitti (1928).	Da Pisa (?); Uffizi (sec. XIX); Accademia (1933).	Uffizi (1774).
ATTRIBUZIONI	Passignano (Inv. Antichi). Matteo Rosselli (Baldini (1952).	Caravaggio (1777; AGF, filza X, ins. 54, n. 11). Michelangelo (nv. 1784). Fontebuoni (Inv. 1825), Rosselli (Gregori 1969). Fontebuoni (Sricchia 1974).	Rossello di Jacopo (Cavalcaselle 1885 e tutta la critica successiva).	Solimena (Inv. 1784). S. Conca? (Bologna 1958).
ESPOSIZIONI	Bozzetti delle Gallerie di Firenze, Firenze, 1952-53.	—	—	Dipinti Italiani del Sei e Settecento, Firenze 1959. La caccia e le arti, Firenze 1960.
BIBLIOGRAFIA	F. Faini Guazzelli, I disegni di M. Rosselli al Louvre, in Antichità Viva, Maggio-Giugno 1969, pp. 19-35. U. Baldini, in Cat. Firenze, 1952-53, n. 108, p. 50.	M. Gregori, in 'Burlington Magazine', CXI, 1969, p. 452. F. Sricchia Santoro, in 'Commentari', XXV, 1974, pp. 42, 46 nota 26.	Thieme-Becker, XIII, 1916. Dizionario Bolaffi, X, 1975.	F. Bologna, Francesco Solimena, Napoli 1958. E. Micheletti in Cat., Firenze 1959.
INVENTARIO	GDSU 19198.	1465 (C.P., p. 157, n. 1186).	475 (C.P., p. 66 n. 48).	1395 (C.P., p. 147 n. 1074).
FOTO	157018.	249420.	322205.	153030.
NOTE	Sul retro del Bozzetto è scritto: Passignano; compare nell'inventario del 1793 (cfr. GDSU inv. Generale ... 1973, vol. III n. 68 ad vocem Passignano); tuttavia potrebbe aver fatto parte della collezione del cardinal Leopoldo de' Medici: nella Lista del Baldinucci, iniziata nel 1675, figurano infatti numerosissimi disegni del Passignano (cfr. P. Barocchi, in F. Baldinucci, Notizie ... vol. VI, App. Firenze, 1975, p. 178). È esposto nel Corridoio Vasariano. L.B.B.	Iscrizione sul cartiglio: "ECCE AGNUS DEI". L'attribuzione al Fontebuoni, divenuta tradizionale dall'Ottocento, è stata forse causata da un'erronea identificazione con un *San Giovanni Battista predicante* citato dal Baldinucci (ed. 1847, IV, p. 336) nella vita del pittore. Il dipinto ricordato dal biografo è stato collegato (Gregori 1969) con un rame della Palatina (Inv. 366) già assegnato all'Elsheimer. In questo dipinto, la dolcezza del volto, lo sfondo del paesaggio, e, soprattutto, lo scatto compositivo del corpo, rimandano all'attività del Rosselli degli anni '20. Copia o replica alla Cook Collection di Richmond, n. 44 Cat. Borenius. M.G.	Si tratta di un trittico di cui sono conservate anche le tre cuspidi (le due laterali hanno una sagomatura del tutto eccezionale). Al centro vi si vede la Madonna col Bambino in trono con due angeli inginocchiati in primo piano presso un vaso di gigli; nel laterale sinistro, i Santi Giovanni Battista e Francesco; in quello destro, la Maddalena e Matteo (?). Nelle cuspidi: a sinistra S. Paolo, al centro la Crocifissione, a destra S. Pietro. Non se ne conosce la collocazione originaria, ma la presenza di un bollo della dogana di Pisa sul retro del dipinto ha fatto pensare a una provenienza da quella città (Procacci). Scritta in basso al centro: AVE VIRGHO MATERXPI QUE PER AVREM CONCEPISTI. L. Bell.	Giunto in galleria dalla guardaba il 20 maggio 1774 (AGF, filza VII a 22, n. 129) senza indicazione d'autore: ma attribuito al Solimena fin dell'inventario del 1784. Il Bologna lo ritiene invece opera di un seguace, forse Sebastiano Conca, mentre Nicola Spinosa (com. orale) lo attribuisce con certezza a Nicola Maria Rossi. Si trova oggi nei depositi. S.M.T.

	P1372	P1373	P1374	P1375
AUTORE	Rosso Fiorentino, Giovan Battista di Jacopo, detto il (Firenze 1495-Fontainebleau 1540).	Rosso Fiorentino, Giovan Battista di Jacopo, detto il (Firenze 1495-Fontainebleau 1540).	Rosso Fiorentino, Giovan Battista di Jacopo, detto il (Firenze 1495-Fontainebleau 1540).	Rosso Fiorentino, Giovan Battista di Jacopo, detto il (Firenze 1495-Fontainebleau 1540).
TITOLO	Ritratto di giovanetta.	La Madonna col figlio in trono tra quattro Santi (Giov. Battista, Antonio Abate, Stefano e Girolamo).	Angioletto musicante.	Mosè che difende le figlie di Jetro.
DATAZIONE	1514-15 ca.	Commessa nel 1518.	Incerta; 1522 (Venturi 1932, Becherucci 1944); 1514-15 ca. (Barocchi 1950).	Probabilmente 1523.
DATI TECNICI	Olio su tavola 45x33, restauro con eliminazione di ridipinture 1894.	Olio su tavola, 112x141.	Olio su tavola, 47x39.	Olio su tela, 160x117, restauro prima del 1910 (Fabrizio Lucarini).
CORNICE	Legno intagliato e dorato, probabilmente di uno dei maestri seicenteschi attivi nelle gallerie fiorentine.	In legno dipinto a marmo, di epoca imprecisabile.	Legno scanalato e dorato, forse del sec. XVII.	In legno fortemente scanalato e dorato, sec. XVII (?).
UBICAZIONI	Depositi; Uffizi (esposto 1894).	Arcispedale di S. Maria Nuova; Uffizi (1900).	Uffizi, Tribuna (cit. 1605).	Eredità di Don Antonio de' Medici (1632); Uffizi.
ATTRIBUZIONI	'Scuola di Andrea del Sarto' (Ridolfi 1896). Rosso (tutta la critica, tranne il Kusenberg 1931),	Dal documento di commissione.	Rosso (Inv. 1605). 'Mecarino da Siena' (Inv. 1635 e segg.). Rosso (Inv. 1769). F. Vanni (Inv. 1784).	L'attribuzione risale al Vasari (1568).
ESPOSIZIONI	Fontainebleau e la Maniera italiana, Napoli 1952. Mostra del Pontormo e del primo Manierismo fiorentino, Firenze 1956.	Esposizione di Arte Antica Fontainebleau. Napoli 1952.	—	L'Art Italien de Cimabue à Tiepolo - Paris 1935, n. 410. Mostra del Cinquecento Toscano, Firenze 1940. Mostra del Pontormo e del Primo Manierismo Fiorentino, Firenze 1956. Le Triomphe du Manierisme européen, Amsterdam 1955.
BIBLIOGRAFIA	L. Becherucci, Manieristi Toscani, Bergamo 1944. P. Barocchi, Il Rosso Fiorentino, Roma s.a. (1950).	*P. Barocchi, Il Rosso fiorentino, Roma 1950.*	L. Becherucci, Manieristi toscani, Bergamo 1944, 27. P. Barocchi, Il Rosso Fior., Roma s.a. (1950), 26-27.	L. Becherucci, Manieristi Toscani, Bergamo 1944. P. Barocchi, Il Rosso Fiorentino, Roma 1950. *U. Baldini, Cat. della Mostra del Pontormo, 1956, n. 166.*
INVENTARIO	3245 (C.P., p. 161, n. 3435).	3190 (C.P., p. 171, n. 47).	1505 (C.P., p. 61, n. 1241).	2151 (C.P., p. 84, n. 1583).
FOTO	102838.	5548 (con la cornice); 144296.	53095.	5549; 19919; 19920; 72195.
NOTE	La qualità dell'opera fu riconosciuta dal Direttore degli Uffizi E. Ridolfi che, ritenendola della scuola di Andrea del Sarto, la tolse dai depositi, dove allora si trovava da provenienza ignota e, dopo un restauro inteso a eliminare ridipinture specie sul fondo, l'espose in Galleria nel 1894. Il seguente riferimento al Rosso, respinto dal Kusenberg (1931, 130), fu accettato dalla Becherucci (1944, 24), in un periodo assai giovanile, che la Barocchi (1950, 25) precisa a ca. il 1514-16. L.Bec.	La notizia del Vasari, che l'opera fu commessa dallo spedalingo di S. Maria Nuova, dove si trovava fino al suo passaggio in Galleria, fu confermata dal doc. ritrovato dal Milanesi, secondo il quale lo spedalingo, Mons. Leonardo Buonafede, ne incaricò il Rosso il 30 Gen. 1518 in nome dell'Ospedale. Nel doc., conservato nell'Arch. di Stato di Firenze, si specificano i nomi dei Santi, la si dice destinata a Ognissanti, e si accenna ad una controversia il cui arbitrato si affida al Bugiardini e al Granacci, e che poté essere quella stessa di cui parla il Vasari, circa la bizzarria dello stile del Rosso, che avrebbe scontentato il committente. L.Bec.	Il nome del Rosso è dato dagli Inventari di Galleria fino dal 1605, salvo sporadici riferimenti ad artisti senesi: il Beccafumi e Francesco Vanni, e la critica lo ha concordemente accettato. Qualche divergenza d'opinione sulla data, che alcuni (A. Venturi 1932; L. Becherucci 1944) vorrebbe prossima ai capolavori maturi del 1522, altri invece (Barocchi 1950) alle opere d'influsso sartesco del primo periodo (c. 1514). L.Bec.	Il Vasari ricorda che il R. 'fece ancora a Giovanni Bandini un quadro d'alcuni ignudi bellissimi in una storia di Mosè, quando ammazza l'Egizio...' e crede che fosse mandato in Francia, ma il Milanesi invece precisa che è agli Uffizi e rappresenta Mosè e le figlie di Jetro. Il Gamba dà notizia del restauro ed accetta l'identificazione del Milanesi. La data 1523 è suggerita da quella, certa, dello sposalizio di San Lorenzo, affine per stile, anche se il Golschmidt e il Pevsner vorrebbero riferire l'opera al seguente periodo romano. L.Bec.

	P1376	P1377	P1378	P1379
AUTORE	Rosso Fiorentino, Giovanni Battista di Iacopo, detto il (Firenze 1495 - Fontainebleau 1540), attr. a.	Rubens, Pieter Paul (Siegen, Vestfalia, 1577 - Anversa 1640).	Rubens, Pieter Paul (Siegen, Vestfalia, 1577 - Anversa 1640).	Rubens, Pieter Paul (Siegen, Vestfalia 1577 - Anversa 1640).
TITOLO	Ritratto di giovane uomo.	Cristo risorto.	Le tre Grazie.	Ritratto di Isabella Brant.
DATAZIONE	1520-30 ca.?	1616 ca. (Bodart 1977).	1620-23 ca. (Oldenburg 1921).	1625-26 ca. (Bodart 1977).
DATI TECNICI	Olio su tavola, 63x49.	Olio su tela, 183x155.	Olio su tavola, 47,5x35.	Olio su tavola, 86x62, restauro 1977.
CORNICE	Intagliata e dorata, sec. XVII.	Sagomata, dorata, sec. XVIII-XIX.	Ebano, sec. XIX-XX.	Ebano, sec. XIX-XX.
UBICAZIONI	Coll. Feroni (ante 1850); Uffizi (1866); Cenacolo di Foligno (1894).	Pitti (fine sec. XVII); Uffizi (1925 ca.); Pitti (1977).	Pitti (1671); Uffizi (1753); Pitti (1928).	Poggio a Caiano (1705); Uffizi (1773).
ATTRIBUZIONI	—	—	—	—
ESPOSIZIONI	—	Rubens e la pittura fiamminga del Seicento nelle collezioni pubbliche fiorentine, Firenze 1977.	P.P. Rubens: Schilderijen-Oliverfschetsen-Tekeningen, Anversa 1977.	Rubens e la pittura fiamminga del Seicento nelle collezioni pubbliche fiorentine, Firenze 1977.
BIBLIOGRAFIA	A. Venturi, Storia dell'arte italiana, vol. IX, 5, 1932. P. Barocchi, Il Rosso Fiorentino, Roma 1950. G. Catalogo della Galleria Feroni, Firenze 1895, p. 5.	H. Gerson - E. H. Ter Kuile, Art and Architecture in Belgium 1600-1800, Harmondsworth 1960. G. Poggi, Galleria degli Uffizi. Cat. dei dipinti, Firenze 1926, p. 158. Cat., Firenze 1977, n. 89.	R. Oldenburg, P.P. Rubens, Des Meisters Gemälde, Berlin-Leipzig 1921. D. Bodart, Cat. Rubens e la pittura fiamminga del Seicento..., Firenze 1977, p. 216.	R. Oldenburg, P.P. Rubens, Des Meisters Gemälde, Berlin-Leipzig 1921. Cat., Firenze 1977, n. 85.
INVENTARIO	S. Marco e Cenacoli 124.	Oggetti d'arte Pitti, 479.	1165 (C.P., p. 125, n. 842).	779 (C.P., p. 156, n. 197).
FOTO	128096.	157769.	278958.	279004-05.
NOTE	Il ritratto non è mai stato discusso dalla critica ma è difficilmente giudicabile nella presente condizione (è coperto da un fitto strato di vecchie vernici e sporco). Tuttavia il disegno ne appare piuttosto debole, e l'attribuzione al Rosso sembra improbabile, anche se il dipinto gravita nella sua orbita. M.C.	Il quadro è probabilmente da identificarsi con un dipinto di Rubens inviato al principe Ferdinando di Toscana da suo cognato, l'Elettore Palatino di Düsseldorf, e ricordato in una corrispondenza fra i due personaggi. Esso è comunque elencato nell'inventario delle proprietà in palazzo Pitti steso alla morte del principe Ferdinando (1713: vedi M. Chiarini, in Paragone, n. 301, 1975, p. 88). Datato dal Bodart intorno al 1616 e considerato opera completamente autografa. M.C.	Il dipinto fu donato nel 1671 al card. Leopoldo de' Medici dal nunzio a Bruxelles, mons. Francesco Airoldi. È talvolta considerato (Cat., Anversa 1977, n. 57) bozzetto per un rilievo da eseguire in avorio. Incisioni: Massard; D. Testa/G. Marubini, 1846. Con altri quadri l'opera è stata trafugata da Pitti il 21-4-1978, ma tutta la refurtiva veniva recuperata tre giorni dopo. M.C.	Il quadro fu inviato in dono a Ferdinando de' Medici dal cognato, Elettore di Düsseldorf, nel 1705, e fu collocato nella collezione adunata dal principe nella Villa di Poggio a Caiano. Il ritratto è datato dal Bodart (Cat., Firenze 1977) a poco prima della morte della prima moglie di Rubens. Disegno preparatorio: Londra, British Museum. Copie: Nantes, Museo; Roma, coll. Ruffo della Scaletta. Incisioni: P. Lasinio/ V. Gozzini, 1828. M.C.

	P1380	P1381	P1382	P1383
AUTORE	Rubens, Pieter Paul (Siegen, Vestfalia, 1577 - Anversa 1640).	Rubens, Pieter Paul (Siegen, Vestfalia, 1577 - Anversa 1640).	Rubens, Pieter Paul (Siegen, Vestfalia, 1577 - Anversa 1640), attr. a.	Rubens, Pieter Paul (Sieben, Vestfalia, 1577 - Anversa 1640), scuola di.
TITOLO	Enrico IV alla battaglia d'Ivry.	Ingresso trionfale di Enrico IV a Parigi.	Bacco sul barile.	Ritratto equestre di Filippo IV di Spagna.
DATAZIONE	1627-30.	1627-30.	1640 ca.	1645 ca. (Bodart 1977).
DATI TECNICI	Olio su tela, 367x693.	Olio su tela, 380x692.	Olio su tela, 152x118.	Olio su tela, 337x263, restauro 1787.
CORNICE	Barocca, dorata.	Barocca, dorata.	Barocca, dorata.	Barocca, dorata.
UBICAZIONI	Pitti (1687); Uffizi (1773).	Pitti (1687); Uffizi (1773).	Roma (1689); Parigi (sec. XVIII); Vienna (sec. XVIII); Uffizi (1792).	Madrid (1651)? Firenze (fine sec. XVII); Pitti (1713); Uffizi (1753).
ATTRIBUZIONI	—	—	—	Velàzquez (1651, 1713). Van Dyck (Mogalli 1778), Carreno (1888). Scuola di Rubens (Pieraccini 1905 ca.). Scuola di Velàzquez (Lopez-Rey 1963).
ESPOSIZIONI	—	—	—	—
BIBLIOGRAFIA	R. Oldenburg, P.P. Rubens, Des Meisters Gemälde, Berlin-Leipzig 1921. *D. Bodart, Cat. Rubens e la pittura fiamminga del Seicento...,* Firenze 1977, p. 220, n. 93.	R. Oldenburg, P.P. Rubens, Des Meisters Gemälde, Berlin-Leipzig 1921. *D. Bodart, Cat. Rubens e la pittura fiamminga del Seicento...,* Firenze 1977, pp. 222, n. 94.	R. Oldenburg, P.P. Rubens, Des Meisters Gemälde, Berlin-Leipzig 1921. *D. Bodart, Cat. Rubens e la pittura fiamminga del Seicento...,* Firenze 1977, p. 230, n. 98.	R. Oldenburg, P.P. Rubens, Des Maisters Gemälde, Berlin-Leipzig 1921. *J. Lopez-Rey, Velasquez, London 1963, pp. 191-92, n. 198. D. Bodart, in Cat. Rubens e la pittura fiamminga del Seicento..,* Firenze 1977, p. 234.
INVENTARIO	722 (C.P., p. 92, n. 140).	729 (C.P., p. 91, n. 147).	796 (C.P., p. 91, n. 216).	792 (C.P., p. 92, n. 210).
FOTO	Anderson, 9306.	Anderson, 9305.	178546.	103896.
NOTE	Questa tela, con il suo 'pendant' n. 729, fa parte di una serie di dipinti rappresentanti la storia di Enrico IV di Francia ordinata da Maria de' Medici per il Lussemburgo e rimasta incompiuta. I due dipinti degli Uffizi furono acquistati da Cosimo III de' Medici nel 1686, e provengono dall'Abbazia del S. Sepolcro a Cambrai (Francia). Bozzetto preparatorio: Bayonne, Museo Bonnat. Incisioni: Lauwers/Lorenzini, 1778. Le due grandi tele furono esposte fino al 1895 nella sala della Niobe. M.C.	Questa tela, con il 'pendant' n. 722 sempre agli Uffizi, fa parte di una serie di dipinti rappresentanti la storia di Enrico IV di Francia ordinata all'artista da Maria de' Medici per il Lussemburgo e rimasta incompiuta. I due dipinti degli Uffizi furono acquistati da Cosimo III de' Medici nel 1686, e provengono dall'Abbazia del S. Sepolcro a Cambrai (Francia). Incisioni: Lauwers/Lorenzini, 1778. Bozzetti preparatori: Londra, Wallace Collection; Bayonne, Mus. Bonnat; New York, Metropolitan Mus. M.C.	Il dipinto, posseduto da Cristina di Svezia nel 1689, quindi passato a Parigi nella collezione Orléans, fu acquistato da Carlo VI per la Galleria di Vienna, donde pervenne per scambio agli Uffizi nel 1792. È generalmente ritenuto versione di bottega dell'originale oggi nel Museo dell'Ermitage a Leningrado (1635-40 ca.). Altre versioni a Dresda, Gemäldegalerie, e già Anversa, coll. Huybrechts. Incisioni: J. Schmutzer, 1792. M.C.	Forse nella collezione del marchese di Eliche a Madrid nel 1651 (Lopez-Rey 1963), è a Firenze verso la fine del Seicento, nella collezione del principe Ferdinando de' Medici (Inv. 1713), come Velàzquez. È ora ritenuto copia di scuola spagnola del ritratto allegorico di Filippo IV dipinto dal Rubens nel 1628 e perduto nell'incendio dell'Alcazar di Madrid nel 1734. Secondo il Lopez-Rey la figura del re spetterebbe allo stesso Velàzquez, e ciò porterebbe a datare il dipinto attorno al 1645 (Bodart 1977). M.C.

	P 1384	P 1385	P 1386	P 1387
AUTORE	Rubens, Pieter Paul (Siegen, Vestfalia, 1577 - Anversa 1640), attr. a.	Rubens, Pieter Paul (Siegen, Vestfalia, 1577 - Anversa 1640), copia da.	Rubens, Pieter Paul (Siegen, Vestfalia, 1577 - Anversa 1640), copia da.	Rubens, Pieter Paul (Siegen, Vestfalia, 1577 - Anversa 1640), copia da.
TITOLO	Venere nasconde Amore.	Ritratto femminile, detto di Helène Fourment.	Sileno ebbro.	La nascita di Erittonio.
DATAZIONE	Sec. XVII.	1620 ca. (Oldenburg 1921).	1642 ca.	Seconda metà sec. XVII.
DATI TECNICI	Olio su tavola, 32x42.	Olio su tavola, 64x46.	Olio su tela, 32x61, restauro 1971.	Olio su tavola, 37x51, restauro 1973.
CORNICE	—	Barocca, dorata.	Barocca, dorata.	Intagliata e dorata, barocca.
UBICAZIONI	Uffizi (1753).	Pitti (1675); Uffizi (1753); Pitti (1928).	Uffizi (1753).	Pitti (sec. XVIII); Uffizi (1796).
ATTRIBUZIONI	—	Rubens (1675). Copia (Oldenburg 1921).	Cornelis Schut (Inv. 1769). Scuola di Rubens (Pieraccini 1905 ca.). Copia (Bodart 1977).	—
ESPOSIZIONI	—	Firenze e l'Inghilterra. Rapporti artistici e culturali dal XVI al XX secolo, Firenze 1971. Rubens e la pittura fiamminga del Seicento, Firenze 1977.	—	—
BIBLIOGRAFIA	H. Gerson - E. H. Ter Kuile, Art and Architecture in Belgium 1600-1800, Harmondsworth 1960. D. Bodart, in Cat. Rubens e la pittura fiamminga del Seicento..., Firenze 1977, p. 339, n. CXII.	R. Oldenburg, P.P. Rubens, Des Meisters Gemälde, Berlin-Leipzig 1921. *Cat., Firenze 1977, n. 100.*	C.-N. Cochin, Voyage d'Italie..., ed. 1769, II. *D. Bodart, Cat. Rubens e la pittura fiamminga del Seicento nelle collezioni pubbliche fiorentine, Firenze 1977, p. 340, n. CXVIII.*	R. Oldenburg, P. P. Rubens. Die Masters Gemälde, Berlin-Leipzig 1921. *D. Bodart, in Cat. Rubens e la pittura fiamminga del Seicento..., Firenze 1977, p. 338, n. CVI.*
INVENTARIO	1166.	761 (C.P., p. 85, n. 180).	1154 (C.P., p. 125, n. 810).	1163.
FOTO	216525.	155910.	193934.	193995.
NOTE	Dipinto di estrema modestia, come già notato nel sec. XVIII, e classificato di scuola dal Bodart. M.C.	Il ritratto proviene dalla collezione del card. Leopoldo de' Medici in palazzo Pitti, dov'era identificato come quello di Caterina Manners, duchessa di Buckingham, e dove faceva da 'pendant' al ritratto del duca di Buckingham (Inv. Palatina n. 324). Portato agli Uffizi, xenne descritto come ritratto della seconda moglie del Rubens, Helène Fourment, nell'inv. del 1825. Come tale fu inciso nel 1828 (P. Lasinio/V. Gozzini, in P. Benvenuti, Quadri di Storia, III, p. 25). L'Oldenburg (1921) vi vedeva piuttosto una replica o copia parziale di un esemplare smarrito del Rubens. L'identificazione con i due personaggi è stata confutata da M. Webster (Cat. Firenze 1971) e da D. Bodart (Cat. Firenze 1977). M.C.	Il dipinto, che venne anche esposto nella Tribuna degli Uffizi nel Settecento con l'attribuzione a Cornelis Schut, è stato riconosciuto dal Bodart copia di un'incisione di Pieter Soutman del 1642, tratta dal Baccanale di Rubens oggi nel Museo Pushkin di Mosca. M.C.	Come ha indicato il Bodart, si tratta di una modesta copia dal quadro del Rubens nella collezione Liechtenstein a Vaduz (Oldenburg, p. 124). M.C.

	P1388	P1389	P1390	P1391
AUTORE	Rubens, Pieter Paul (Siegen, Vestfalia, 1577 - Anversa 1640) copia da.	Rubens, Pieter Paul (Siegen, Vestfalia, 1577 - Anversa 1640).	Rubens, Pieter Paul Siegen, Vestfalia, 1577 - Anversa 1640).	Rustici, Francesco detto il Rustichino (Siena fine sec. XVI-1626).
TITOLO	Adorazione dei Magi.	Ercole fra il Vizio e la Virtù.	Venere e Adone.	Allegoria della Pittura e Architettura.
DATAZIONE	Sec. XVII.			1620 ca.
DATI TECNICI	Olio su tela, 147x107.			Olio su tela 129,7x97, restauro 1970.
CORNICE	Sagomata, dorata, sec. XVII.			Dorata e scolpita riccamente con emblemi delle arti.
UBICAZIONI	Uffizi (1778); Accademia (1794).			Pitti (ante 1975); Uffizi (1773).
ATTRIBUZIONI	Sustermans (Arch. Soprint. Gall., Relaz. Magni 1778). Copia da Rubens (Zacchiroli 1783, Bodart 1977).			Rustici (inv. 1675).
ESPOSIZIONI	—			Dipinti salvati dalla piena dell'Arno, Firenze 1966. Caravaggio e Caravaggeschi nelle Gallerie di Firenze, Firenze 1970.
BIBLIOGRAFIA	H. Gerson - E. H. Ter Kuile, Art and Architecture in Belgium, 1600-1800, Harmondsworth 1960. *D. Bodart, in Cat. Rubens e la pittura fiamminga del Seicento..., Firenze 1977, p. 336, n. CIV.*			*E. Borea, in Cat., Firenze 1970, n. 32, pp. 54-5.*
INVENTARIO	5733.			1588. (C.P., p. 173, n. 1255).
FOTO	186170.			161376.
NOTE	Acquistato nel 1778 presso la Galleria Taddei come opera del Sustermans, è stato poi riconosciuto come copia della pala d'altare della chiesa di S. Giovanni di Malines dipinta dal Rubens intorno al 1618. M.C.	Vedi: Van den Hoecke, Jan. Ercole fra il vizio e la virtù.	Vedi: Wouters, Frans. Venere e Adone.	Era nella collezione del Cardinal Leopoldo de' Medici. Fu riprodotto in una inciisone della Etruria Pittrice (1795). E.B.

	P1392	P1393	P1394	P1395
AUTORE	Rustici, Francesco, detto il Rustichino, Siena fine sec. XVI - 1626). 1626).	Rustici, Francesco, detto il Rustichino (Siena fine sec. XVI-1626).	Ruysch, Rachel (Amsterdam 1664-1750).	Ruysch, Rachel (Amsterdam 1664-1750).
TITOLO	Maddalena morente.	Morte di Lucrezia.	Frutta e insetti.	Fiori e insetti.
DATAZIONE	1624 ca. (Borea 1970).	1624-25 (Borea 1970).	1711.	1711.
DATI TECNICI	Olio su tela, 121x169,5.	Olio su tela, 175x259,5, restauro 1970.	Olio su tavola, 44x60.	Olio su tavola, 46,2x61,6.
CORNICE	Listello moderno.	Dorata e liscia.	Ebano, sec. XIX-XX.	Ebano, sec. XIX-XX.
UBICAZIONI	Uffizi (1784); Santa Maria del Sasso (1955); Bibbiena; Uffizi (1969).	Poggio Imperiale (1625); Uffizi (1890); Santa Maria del Sasso, Bibbiena (1955); Uffizi (1969).	Pitti (1712?); Uffizi (1753).	Pitti (1712?); Uffizi (1753).
ATTRIBUZIONI	Rustici (Wicar 1784).	Rustici (inv. 1625); anonimo (inv. 1890); Rustici (Borea 1970).	—	—
ESPOSIZIONI	Caravaggio e Caravaggeschi nelle Gallerie di Firenze, Firenze 1970.	Caravaggio e Caravaggeschi nelle Gallerie di Firenze, Firenze 1970.	—	—
BIBLIOGRAFIA	E. Borea, Cat., Firenze 1970, n. 33, pp. 55-6.	E. Borea, in Cat., Firenze 1970, n. 35, pp. 57-58.	J. Rosenberg - S. Slive - E. H. Ter Kuile, Dutch Art and Architecture 1600-1800, Harmondsworth 1966. M. H. Grant, Rachel Ruysch, Leigh-on-Sea, 1956, p. 40, n. 167.	J. Rosenberg - S. Slive - E. H. Ter Kuile, Dutch Art and Architecture 1600-1800, Harmondsworth 1966. M. H. Grant, Rachel Ruysch, Leigh-on-Sea 1956, p. 40, n. 171.
INVENTARIO	5667.	6421.	1276 (C.P., p. 137, n. 961).	1285 (C.P., p. 139, n. 953).
FOTO	160129, 160131.	160096.	219861.	321828.
NOTE	È riprodotto in incisione nel 1784 da G.B. Wicar come opera del Rustici nella 'Gallerie de Florence'. Il tema è stato trattato dal pittore anche in un'altra versione, già nella villa di Poggio Imperiale, di maggiori dimensioni e miglior qualità inv. Ogg. d'Arte n. 481). E.B.	Era originalmente in una sala della villa di Poggio Imperiale in un complesso di quattro tele dedicate a donne celebri dell'antichità (le altre: Sofonisba del Manetti, Artemisia del Curradi, Semiramide del Rosselli), smembrato alla fine del settecento. La fama del ciclo è testimoniata dalle copie seicentesche tuttora in Palazzo Giugni. Questo quadro è in condizioni cattive cui il restauro può scarsamente ovviare. E.B.	Firmato e datato in basso a sinistra: Rachel Ruysch 1711. La provenienza del dipinto, e del suo 'pendant' 1285, non è documentata, ma molto probabilmente essi furono inviati nel 1711 o '12 dall'Elettore Palatino del Reno, per il quale la pittrice lavorava in quel periodo, a Cosimo III de' Medici, suo suocero, poiché uno scrittore contemporaneo che visitò quell'anno lo studio della pittrice li vide in via di esecuzione e seppe che erano destinati al granduca di Toscana. M.C.	Firmato nel fondo a destra: Rachel Ruysch. Questo dipinto è il 'pendant' del n. 1276, al quale si rinvia per la storia della provenienza. M.C.

	P1396	P1397	P1398	P1399
AUTORE	Ryckaert, David III (Anversa 1612-1661).	Ryckaert, David III (Anversa 1612-1661).	Ryckaert, Maerten (Anversa 1581-1631).	Sacchi, Andrea (Nettuno 1599 - Roma 1661).
TITOLO	Le tentazioni di S. Antonio.	Le tentazioni di S. Antonio.	Paesaggio con le cascate di Tivoli.	Le tre Maddalene.
DATAZIONE	1650-60 ca.	1650-60 ca.	1616.	1633 (Sutherland Harris 1977).
DATI TECNICI	Olio su tavola, 58x83, restauro 1965.	Olio su tavola, 49x63, restauro 1977.	Olio su rame, 43x66, restauro 1977.	Olio su tela, 293x197, restauro 1976.
CORNICE	Liscia, dorata, sec. XVII-XVIII.	Liscia, dorata, sec. XVII-XVIII.	Ebano, sec. XIX-XX.	Sagomata, dorata, moderna.
UBICAZIONI	Uffizi (1753); Pitti (1928).	Pitti (inizi sec. XVIII); Uffizi (1784); Pitti (1928).	Coll. del Sera (sec. XVIII); Uffizi (1777).	Convento di S. Maria Maddalena de' Pazzi (1634); Uffizi (sec. XIX).
ATTRIBUZIONI	David Rosa (Inv. 1753). Teniers (Inv. 1825). Ryckaert (Zacchiroli 1790, Pieraccini 1905 ca., Würzbach 1906, Manteuffel 1921, Legrand 1963, Bodart 1977).	Teniers (Inv. 1825). Ryckaert (Zacchiroli 1790, Pieraccini 1905 ca., Würzbach 1906, Manteuffel 1921, Legrand 1963, Bodart 1977).	Brueghel (Inv. 1777). Ryckaert (Zacchiroli 1783, Pieraccini 1905 ca.).	—
ESPOSIZIONI	Rubens e la pittura fiamminga del Seicento nelle collezioni pubbliche fiorentine, Firenze 1977.	Rubens e la pittura fiamminga del Seicento nelle collezioni pubbliche fiorentine, Firenze 1977.	Rubens e la pittura fiamminga del Seicento nelle collezioni pubbliche fiorentine, Firenze 1977.	—
BIBLIOGRAFIA	F.C. Legrand, Les peintres flamands de genre au XVIIe siècle, Bruxelles 1963. *Cat., Firenze 1977, n. 105.*	F.C. Legrand, Les peintres flamands de genre au XVIIe siècle, Bruxelles 1963. *Cat., Firenze 1977, n. 104.*	H. Gerson - E. H. Ter Kuile, Art and Architecture in Belgium 1600-1800, Harmondsworth 1960. *Cat., Firenze 1977, n. 106.*	H. Voss, Die Malerei des Barock in Roma, Berlin 1924. *A. Sutherland Harris, Andrea Sacchi, London 1977, p. 67, n. 30.*
INVENTARIO	1091 (C.P., p. 122, n. 770).	1144 (C.P., p. 126, n. 819).	1159 (C.P., p. 122, n. 833).	8764.
FOTO	130762.	279001.	279015.	208339.
NOTE	Iscrizione sul retro: David Rosa. Per il primo lo Zacchiroli corresse l'attribuzione a un inesistente 'David Rosa' in quella esatta a D. Ryckaert, poi unanimemente accettata. La provenienza del dipinto non è documentata. M.C.	La provenienza del dipinto non è documentata. Opera tipica dell'artista che si dedicò, secondo la testimonianza del Descamps, a questo tipo di rappresentazioni dopo il 1650. M.C.	Siglato e datato in basso a sinistra: MR 1616. Il soggetto rappresentato è in realtà quello del Ritrovamento di Mosè, anche se il tema del dipinto sono le cascate di Tivoli. Il quadro fu acquistato nel 1777 per la Galleria degli Uffizi dalla collezione di Carlo del Sera e catalogato come Brueghel, nonostante che fosse siglato. M.C.	Nel quadro sono rappresentate (da sin.) S. Maria Maddalena del Giappone (che reca sulla manica e sulla cintura le api, stemma dei Barberini), S. Maria Maddalena de' Pazzi, secondo quanto scrive il Bellori, unica fonte antica che citi l'opera. La Sutherland H. ha ricostruito la vicenda cronologica e storica del dipinto, eseguito dall'artista nel 1633 su incarico del papa Urbano VIII Barberini, due delle cui sorelle erano suore nel convento fiorentino di S. Maria Madd. de' Pazzi. Dopo la soppressione dei conventi, il dipinto dovette passare alla Galleria degli Uffizi, nei cui depositi fu riconosciuto da R. Longhi che lo mise in rapporto al modello ora nella Gall. Naz. d'arte antica di Roma. E. Borea (commento a G. Bellori: Vite..., Torino 1976, p. 566, nota 2) crede invece che si tratti di due quadri distinti, che raggiunsero Firenze in tempi diversi. La Sutherland H. enumera i disegni preparatori per l'opera (Windsor Castle e Düsseldorf) e le versioni ricordate dalle fonti o esistenti. M.C.

	P1400	P1401	P1402	P1403
AUTORE	Sacconi, Carlo Antonio (Firenze, seconda metà sec. XVII-1747?).	Sacconi, Carlo Antonio (Firenze, seconda metà sec. XVII-1747?).	Sagrestani, Giovanni Camillo (Firenze 1660-1731).	Sagrestani, Giovanni Camillo (Firenze 1660-1731).
TITOLO	Ritratto di santone turco.	Ritratto del P. Giunta servita.	Lo sposalizio della Madonna.	Pietà.
DATAZIONE	Fine sec. XVII - inizi XVIII.	Ante 1713.	1713 ca.	1720 ca.
DATI TECNICI	Olio su tela, 115x93.	Olio su tela, 145x116.	Olio su tela, 145x112.	Olio su tela, 145x111,5 restauro 1974.
CORNICE	Sagomata, dorata, sec. XVII-XVIII.	Settecentesca, sagomata e dorata.	—	Sagomata, dorata, sec. XVIII.
UBICAZIONI	Pitti (ante 1713); Uffizi (sec. XIX); Pitti (1928).	Pitti (fino al 1794); Uffizi (1794); Pitti (1928 ?).	Palazzo della Crocetta (sec. XVIII); Uffizi (sec. XIX).	Poggio Imperiale (sec. XVIII-XIX); Uffizi (sec. XX).
ATTRIBUZIONI	Volterrano (Inv. Uffizi sec. XIX, Rusconi 1937, Ciaranfi 1964).	Sacconi (Inv. Gran Principe Ferdinando 1713). Anonimo (Inv. 1794). Volterrano (Inv. 1890). Sacconi (Chiarini 1975).	Maniera di Luca Giordano (Inv. GDS Uffizi). Sagrestani (Berti 1952, Ewald 1974).	—
ESPOSIZIONI	—	—	Bozzetti delle Gallerie di Firenze, Firenze 1952.	Gli Ultimi Medici. Il tardo barocco a Firenze 1670-1743, Detroit-Firenze 1974.
BIBLIOGRAFIA	Dizionario Bolaffi VI, Torino 1975. *M. Chiarini, in Paragone, n. 301, 1975, p. 73. S. Rudolf: in Kunst des Barock in der Toskana, München 1976, p. 325.*	Thieme-Becker, XXIX, 1935. *M. Chiarini, in Paragone, 301, 1975, pp. 85, 97 nota 154.*	M. Marangoni, La pittura fiorentina del Settecento, in Riv. d'arte, VIII, 1912. *Cat., Firenze 1952, n. 109. G. Ewald, in Cat. Gli Ultimi Medici. Il tardo Barocco a Firenze 1670-1743, Firenze 1974, n. 183.*	M. Marangoni, La pittura fiorentina del Settecento, in Riv. d'arte, 1912. *Cat., Firenze 1974, n. 184.*
INVENTARIO	2370 (C.P., p. 80, n. 2370).	1582 (C.P., p. 171, n. 1251).	7783.	Poggio Imperiale 6.
FOTO	104414.	182163.	157177.	—
NOTE	Il dipinto fece parte della collezione del principe Ferdinando di Toscana in palazzo Pitti, ed esso compare con l'attribuzione al Sacconi nell'inventario steso alla morte del Medici (1713). Poiché il pittore fu protetto di Ferdinando, non c'è da dubitare di tale attribuzione: quella al Volterrano, data negli inventari ottocenteschi degli Uffizi, era stata accolta dal Rusconi e dalla Francini Ciaranfi nei cataloghi della Galleria Pitti. Per la data di esecuzione potrebbe essere probante quella del 1698, se a questo quadro si riferisce il documento riportato da Rudolf, 1976, p. 332, nota 29. M.C.	Attribuito in epoca moderna al Volterrano per la presenza di elementi tipici del barocco fiorentino; la restituzione per via documentaria al Sacconi di questo ritratto e del suo *pendant* (*Ritratto di turco*, inv. 1890, n. 2370), ripropone una notevole personalità finora trascurata. M.G.	Il dipinto, proveniente dal convento soppresso della Crocetta, è replica della pala d'altare dipinta dal Sagrestani nel 1713 per la cappella Capponi in S. Spirito. Fa parte di una serie di tre tele con storie della Madonna: oltre questa, nelle gallerie si trovano l'Annunciazione (inv. 1890, n. 7396: ripr. in Antichità Viva, X, n. 6, 1971, p. 8, fig. 1) e la Pietà (vedi catalogo Gli Ultimi Medici. Il tardo Barocco a Firenze 1670-1743, Firenze 1974, n. 184). M.C.	Il dipinto, con un'Annunciazione e un Matrimonio della Madonna, appartenenti anche questi alle Gallerie di Firenze, forma una serie di storie di Maria. Questa Pietà sembra ispirata all'analogo gruppo di bronzo di M. Soldani Benzi noto in varie repliche e versioni e databile al 1715-20 ca. M.C.

	P1404	P1405	P1406	P1407
AUTORE	Sagrestani, Giovanni Camillo (Firenze 1660-1731).	Salaino o Salaj ,Andrea (Milano 1480 ca. - ante 1524).	Salimbeni, Ventura (Siena 1567-1613).	Salvestrini, Bartolomeo (Firenze 1600 ca.-1630).
TITOLO	Annunciazione.	Madonna col Bambino e S. Anna.	Santo che resuscita un fanciullo.	La Pittura intenta a disegnare in un paesaggio.
DATAZIONE	1720 ca.		1598 ca. (Bertani 1979).	1624.
DATI TECNICI	Olio su tela, 146x110, restauro 1972.		Bozzetto, olio su carta su tela, 43,3x60,5.	Olio su tela, 183x143, restauro 1977.
CORNICE	—		Legno modanato e dorato nella filettatura interna.	—
UBICAZIONI	Palazzo della Crocetta; Uffizi (1867); Depositi.		Gabinetto Disegni e Stampe (1880); Uffizi (1914).	Accademia di Belle Arti; Uffizi (1853); Montecitorio, Roma (1925); Uffizi, Depositi (1959).
ATTRIBUZIONI	—		—	Maniera del Curradi (inv. 1890).
ESPOSIZIONI	—		Bozzetti delle Gallerie di Firenze, Firenze, 1952-53.	—
BIBLIOGRAFIA	M. Marangoni, La pittura fiorentina del Settecento, in Riv. d'Arte, 1912. Cat. Mostra Gli Ultimi Medici 1974.		P.A. Riedl, Disegni dei barocceschi senesi Francesco Vanni e Ventura Salimbeni, Firenze, 1976. *A.M. Francini Ciaranfi, in Cat., Firenze, 1952-53, n. 110, p. 51.*	C. Thiem, Florentiner Zeichner der Frühbarock, München 1977.
INVENTARIO	—		GDSU 19153.	5656.
FOTO	7376.		157040.	252787.
NOTE	Vedi: Sagresani, Giovanni Camillo. Pietà. Scheda P1403.	Vedi: Caprotti, Gian Giacopo. Madonna col Bambino.	Si tratta del bozzetto per una lunetta da eseguirsi in affresco, si confronti GDSU n. 833 Esp. con ugual soggetto, che è disegno preparatorio per la lunetta dell'oratorio di S. Bernardino a Siena. Figura nell'Inventario 1880, cat. IIª n. 152. L.B.B.	Inventariato come 'maniera del Curradi', è stato riconosciuto e verrà pubblicato da Anna Barsanti (com. or.) come l'allegoria della Pittura dipinta dal raro Bartolomeo Salvestrini, su commissione dell'Accademia del disegno del 29 maggio 1624, a concorrenza col Furini (La Pittura e la Poesia, inv. 6466) e altri quattro autori: fu l'unico dei dipinti ad esser consegnato in tempo per la festa di San Luca di quell'anno (18 ottobre) ed è rimasto presso l'Accademia fino al 1853. Vi si riferisce un disegno sul mercato fiorentino, correttamente attribuito al Salvestrini dalla Thiem sulla scorta della descrizione della tela già resa nota dalla Barsanti (in 'Paragone' 291, 1974). S.M.T.

	P1408	P1409	P1410	P1411
AUTORE	Salviati De Rossi, Francesco, detto Cecchino S. (Firenze 1510 - Roma 1563).	Salviati De Rossi, Francesco, detto Cecchino S. (Firenze 1510 - Roma 1563).	Salviati De Rossi, Francesco, detto Cecchino S. (Firenze 1510 - Roma 1563).	Salviati De Rossi, Francesco, detto Cecchino S. (Firenze 1510 - Roma 1563).
TITOLO	Cristo portacroce.	Carità.	Artemisia piange Mausolo.	Ritratto di giovane uomo.
DATAZIONE	1540-43 (Cheney 1963).	1543-45 (Cheney 1963).	1545 ca. (Cheney 1963).	1545 ca. (Cheney 1963).
DATI TECNICI	Olio su tavola, 66x45.	Olio su tavola, 156x122.	Olio su tavola, 55x24,5.	Olio su tavola, 100x77.
CORNICE	Dorata e riccamente intagliata.	Dorata, riccamente intagliata a baccelli.	—	—
UBICAZIONI	Poggio Imperiale; Uffizi (1862).	Poggio Imperiale; Uffizi (1778).	Uffizi (1704).	Poggio Imperiale; Uffizi (1773).
ATTRIBUZIONI	—	—	—	—
ESPOSIZIONI	—	—	—	Le portrait florentin de Botticelli a Bronzino, Parigi 1938.
BIBLIOGRAFIA	J. H. Cheney, Francesco Salviati, New York 1963, p. 00.	C. Gamba, Quadri nuovamente esposti agli Uffizi in Bollettino d'Arte, 1907 p. J. H. Cheney, Francesco Salviati, New York 1963 p.	J. H. Cheney, Francesco Salviati, New York 1963 p.	C. Gamba, in Rivista d'Arte, 1909, p. J. H. Cheney, Francesco Salviati, New York 1963, p.
INVENTARIO	801 (C.P., p. 90, n. 919).	2157 (C.P., p. 89, n. 1579).	1528 (C.P., p. 158, n. 1232).	1581 (C.P., p. 90, n. 1256).
FOTO	322241.	5555.	230514.	128566.
NOTE	Un dipinto attribuito al Salviati di questo soggetto era nella chiesa fiorentina di Badia (Bocchi-Cinelli 1677). E.B.	Il Vasari menziona una Carità del Salviati nell'Ufficio della Decima (1568); il Borghini una per Rodolfo Lodi (1584): non è certo di quale si tratti. Un disegno per questo quadro è a Vienna, Albertina (Cheney 1963). Un'altra Carità attribuita al Salviati è a Torino, Accademia Albertina (Grisseri 1938). E.B.	È la prima opera del Salviati esposta in Galleria. La datazione è difficile. E.B.	Reca una scritta antica a tergo: Francesco Salviati fece. E.B.

	P1412	P1413	P1414	P1415
AUTORE	Salviati De Rossi, Francesco, detto Cecchino S. (Firenze 1510 - Roma 1563), attr. a.	Samacchini, Orazio (Bologna 1532-1577), attr. a.	Samacchini, Orazio (Bologna 1532-1577), attr. a.	Sandrart, Joachim von (Francoforte 1606 - Norimberga 1688).
TITOLO	Natività.	Castità di Giuseppe.	Susanna al bagno.	Apollo e il serpente Pitone.
DATAZIONE	1525 ca. (Longhi 1969), 1549-54 (Salvini 1954).	1570-75 ca.	1570-75 ca.	1630-60 ca.?
DATI TECNICI	Olio su tavola, 85x108.	Olio su tavola, 34x29.	Olio su tavola, 34,5x29.	Olio su tela, 80x109.
CORNICE	Intagliata e dorata, barocca.	Originale, modanata e dorata.	Originale, modanata e dorata.	Sagomata, dorata, sec. XVII.
UBICAZIONI	Pitti (sec. XVIII); Uffizi (1948 ca.).	Pitti (Inv. 1640, c. 211); Uffizi (1770); Poggio a Caiano (1940).	Pitti (Inv. 1640, c. 211); Uffizi (1770).	Uffizi (sec. XIX); Pitti (1928); Uffizi (1972).
ATTRIBUZIONI	Jacopo Bassano (Raccolta di quadri... 1778), Lelio Orsi (Inghirami 1834, Chiavacci 1894, Venturi 1933, Rusconi 1937), Salviati (Voss 1920, Antal 1951), Perin del Vaga? (Longhi 1969).	Bronzino (Inv. 1784), A. Allori (Inv. 1825), Pagani? (Cat. 1926), Pagani (Venturi 1933), Anonimo (Thiem 1970).	A. Allori (Inv. 1784 e 1825), Pagani? (Cat. 1926), Pagani (Venturi 1933 e Cat. Mostra Firenze 1940), Anonimo (Thiem 1970).	—
ESPOSIZIONI	Mostra di Lelio Orsi, Reggio Emilia 1950.		Mostra del 500 toscano, Firenze 1940.	—
BIBLIOGRAFIA	Cat. Mostra Reggio Emilia 1950, p. 68, F. Antal, in *The Burlington Mag.*, aprile 1951, R. Salvini, *Gall. degli Uffizi. Cat. dei dipinti*, Firenze 1954, p. 68, R. Longhi, in *Paragone*, n. 231, 1969, p. 57, A. Mezzetti, *Girolamo da Ferrara detto da Carpi*, Ferrara 1977, p. 87, n. 87.	A. Venturi, IX, VI, 1933, pp. 145-6. C. Thiem, *Gregorio Pagani*, Stuttgart 1970, pp. 64-5, n. A.5. J. B. Shaw, *Drawings by Old Masters at Christ Church Oxford*, Oxford 1976, p. 240, ill. 545.	A. Venturi, IX, VI, 1933, pp. 145-6, *Cat. mostra*, Firenze 1940, n. 11, C. Thiem, *Gregorio Pagani*, Stuttgart 1970, p. 64, n. A. 4.	A. von Schneider, *Caravaggio und die Niederländer*, Amsterdam 1967. *Cat. Mostra Deutsche Maler und Zeichner des 17. Jahrhund.*, Berlin 1966. I. Kutter, *I. von Sandrart als Künstler*, 1907, A.I. Rusconi, *La Galleria Pitti*, Roma 1937, p. 256.
INVENTARIO	Galleria Palatina 114.	1515 (C.P., p. 162, n. 1214).	1511 (C.P., p. 164, n. 1194).	1097 (C.P., p. 126, n. 831).
FOTO	157467.	53897.	145941.	101175.
NOTE	Il dipinto, che in un volume di incisioni del 1778 è attribuito a Jacopo Bassano e la cui provenienza non è documentata, compare con l'attribuzione a Lelio Orsi nel catalogo della Galleria di Palazzo Pitti dell'Inghirami (1834). Tale attribuzione gli fu conservata nei cataloghi successivi del Chiavacci (1894) del Venturi (1933) e del Rusconi (1937), nonostante che il Voss (1920) lo avesse attribuito al Salviati. L'attribuzione all'Orsi fu rifiutata dal Salvini nel catalogo della mostra sull'artista (1950), dove tuttavia il quadro fu esposto con l'attribuzione tradizionale. Il Salvini propose il nome di Girolamo da Carpi, che è stato rifiutato da Rusconi (1937), nonostante che il dalla Mezzetti. Il Longhi nel 1969 proponeva un'attribuzione interrogativa a Perin del Vaga, che non è sorretta dallo stile del quadro. L'Antal (1951) ritornava invece sulla tesi del Voss, che appare la più convincente per i caratteri fiorentini del dipinto che rinviano a Francesco Salviati con le cui opere documentate dimostra affinità convincenti. M.C.	Inaccettabili le attribuzioni a Bronzino e Alessandro Allori fornite dagli inventari antichi, resistava ancora da smentire quella a Gregorio Pagani proposta dubitativamente nel catalogo degli Uffizi del 1926 e ripresa con decisione dal Venturi (1933). Il problema attributivo è reso ancora più complesso dalla indubbia presenza di elementi stilistici non strettamente fiorentini ma piuttosto di radice settentrionale, in particolare emiliana. Questa nuova traccia è sostenuta da un disegno preparatorio per questo quadro (Oxford, Christ Church, n. 1346) che J. B. Shaw ha attribuito a Orazio Samacchini. Questo dipinto appare molto vicino alla produzione tarda del pittore bolognese, quando l'ormai prolungata frequentazione dei manieristi tosco-romani aveva sviluppato la sua originaria cultura emiliana. Un utile confronto può essere stabilito con la 'Presentazione al Tempio' di San Giacomo Maggiore (1575) e con il 'Venere e Amore' in collezione privata di Zagabria (anni '70). M.G.	Vedi scheda P1417. M.G.	La provenienza del dipinto non è documentata. Esso entrò agli Uffizi nel sec. XIX ed è ricordato per la prima volta col nome del Sandrart dal Pieraccini. L'artista tedesco è soprattutto noto per aver scritto una importante opera di storia dell'arte apparsa nel 1675: *Teutsche Academie der Edlen Bau- und Mahlerey-Künste.* M.C.

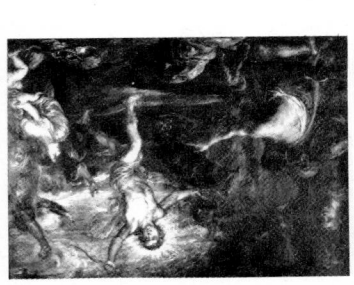

	P1416	P1417	P1418	P1419
AUTORE	Santi di Tito (Sansepolcro 1536 - Firenze 1603).	Santi di Tito (Sansepolcro 1536 - Firenze 1603), attr. a.	Santi di Tito (Sansepolcro 1536 - Firenze 1603), attr. a.	Sassetta, Stefano di Giovanni detto il (Cortona? 1400 ca. - Siena 1450).
TITOLO	Ritratto di bambina.	Ritratto virile.	S. Antonio Abate.	Pala della Madonna della neve.
DATAZIONE	1590 ca. (Arnolds 1934).	Seconda metà sec. XVI.	Seconda metà sec. XVI.	1430-32.
DATI TECNICI	Olio su tavola, 32,5x29,5.	Olio su tavola, 67x49.	Olio su tavola, 87x65.	Tempera su tavola, 240x256, restauro dopo il 1936.
CORNICE	Ottocentesca, dorata.	Sagomata, dorata, sec. XVII.	Sagomata, dorata, sec. XVII.	In gran parte originale con tracce di decorazione oricroma.
UBICAZIONI	Pitti (inizio sec. XVIII); Poggio a Caiano (fino al 1773); Uffizi (citazioni 1773, 1784).	Coll. Feroni (ante 1850); Uffizi (1866); Cenacolo di Foligno (1894).	Coll. Feroni (ante 1850); Uffizi (1866); Cenacolo di Foligno (1894).	Cappella di S. Bonifacio, Duomo, Siena (dall'origine); Opera del Duomo, Siena (1591); Chiesa di S. Martino, Chiusdino (1592, doc. fino al 1897); Comune, Chiusdino: Coll. Contini - Bonacossi (1936); Uffizi (1974); Dep. Meridiana di Pitti.
ATTRIBUZIONI	—	—	—	—
ESPOSIZIONI	Mostra del Cinquecento toscano in Palazzo Strozzi, Firenze 1940.	—	—	—
BIBLIOGRAFIA	G. Arnolds, Santi di Tito, pittore di San Sepolcro, Arezzo 1934. Cat., Mostra Firenze 1940, p. 155. M. L. Strocchi in Paragone 311, 1976.	G. Arnolds: Santi di Tito.... Arezzo 1934. A. Venturi: Storia dell'arte italiana, vol. IX, 7, 1934. Scuola fiorentina sec. XVI?).	G. Arnolds: Santi di Tito.... Arezzo 1934. Feroni, Firenze 1895. Catalogo della Galleria Feroni, Firenze 1895, p. 10.	M. Salmi, in Bollettino d'arte, 1967, 4. E. Carli, I pittori senesi, Siena 1971, pp. 25, 148.
INVENTARIO	1468 (C.P., p. 157, n. 1175).	S. Marco e Cenacoli 121.	S. Marco e Cenacoli 123.	Contini Bonacossi 1.
FOTO	324992.	204569.	204570.	203201 e part.
NOTE	Identificabile col n. 227 dell'Inventario di Palazzo Pitti del primo Settecento (A.S.F., Guard. 1185, I, c. 394), fece poi parte del 'gabinetto di opere in piccolo' del Gran Principe Ferdinando de' Medici a Poggio a Caiano, come attestano un cartellino a tergo in grafia antica: 'Sann. di Tito n. 28'. Trasferito in galleria nel 1773 vi è sempre rimasto. M.G.	Sul retro del dipinto cartellino con scritta settecentesca (?): Uno dei quattro ritratti in legno di mano di Santi di Tito (che ritorna anche sul retro del dipinto inv. Cenacoli 31, Scuola fiorentina sec. XVI?). Il dipinto, non discusso dalla critica, ha una fattura che ricorda Santi di Tito, senza che tuttavia possa essere attribuito all'artista stesso. M.C.	Attribuito del catalogo di provenienza e dal Venturi a S. di Tito, il Berenson ha avanzato, nelle sue Pitture italiane del Rinascimento, una attribuzione al veneto Francesco Torbido che male concorda con lo stile toscano del quadro. M.C.	Firmata nella predella 'Stefanis da Senis... pinxit'. L'opera rappresenta la Madonna in trono col Bambino e i SS. Gio. Battista, Pietro, Francesco, Paolo e quattro angeli. È perduto il pannello centrale della cornice col Redentore; i due pannelli laterali con l'Annunciata e l'Angelo si trovano rispettivamente nella coll. e nel museo comunale di Massa e nel museo comunale di Massa Marittima (già nel 1913 presso la scuola comunale di Massa). Le storie della predella, di cui la seconda e la terza assai danneggiate, narrano la fondazione della basilica romana di S. Maria Maggiore su un'area miracolosamente coperta di neve nel mese di agosto (di qui la denominazione della pala). I danni subiti dall'opera sono dovuti alla permanenza in ambiente umido nella chiesa di Chiusdino, cosa che già il Brogi denunciava nel 1897 (Inv. Gen. Oggetti d'arte della provincia di Siena). L'opera è entrata nelle collezioni della Galleria in seguito a un atto di donazione. C.C.

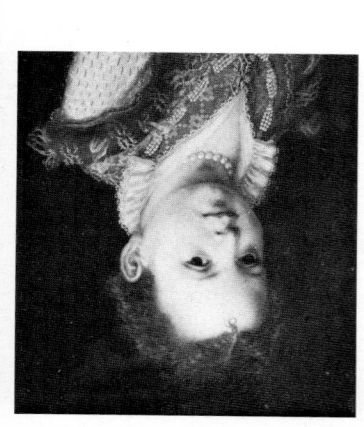

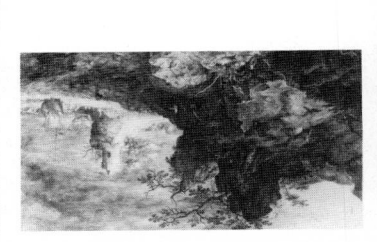

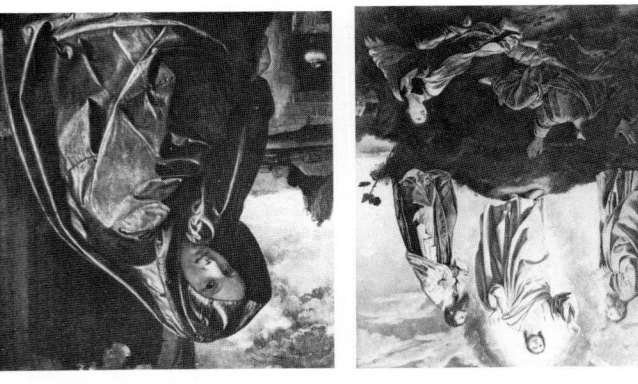
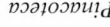

	P1420	P1421	P1422	P1423
AUTORE	Sassoferrato, Salvi Giovan Battista, detto (Sassoferrato 1609 - Roma o Firenze 1685).	Savery, Roelant (Courtrai 1576 - Utrecht 1639).	Savoldo, Giovanni Girolamo (Brescia 1480 ca. - Venezia o Brescia 1548).	Savoldo, Giovanni Girolamo (Brescia 1480 ca. - Venezia o Brescia 1548).
TITOLO	La Vergine Addolorata.	Paesaggio con marina.	La Trasfigurazione.	La Maddalena.
DATAZIONE	Sec. XVII, opera tarda (Zeri 1959).	1614.	Ante 1521 (Longhi 1917), 1527-33 (Longhi 1927), 1527 ca. (Guida 1955), 1535 ca. (Venturi 1928, Boschetto 1963).	1527-33 (Venturi 1928), 1533-34 (Gilbert 1955).
DATI TECNICI	Olio su tela, 62x58.	Olio su tavola, 40x71, restauro 1969.	Olio su tavola, 139x126.	Olio su tela, 84x77,5.
CORNICE	Intagliata a motivi vegetali traforata e dorata sec. XVII.	Ebano, sec. XIX-XX.	Barocca, in legno intagliato e dorato con decoro di volute.	Ottocentesca ? in legno intagliato e dorato.
UBICAZIONI	Pitti; Uffizi (1792).	Pitti (1713); Uffizi (1753).	Coll. Del Sera, Venezia (cit. Boschini 1660); Eredità card. Leopoldo (cit. 1675); Guardaroba; Uffizi (1798).	Coll. Giovannelli, Venezia (fino 1932); Coll. Contini-Bonacossi; Uffizi (1974), dep. Meridiana di Pitti.
ATTRIBUZIONI	— Sassoferrato (Inv. Antichi). Replica da Sassoferrato (Zeri 1959).		Anonimo veneto (inv. card. Leopoldo 1673); Tintoretto (agli Uffizi come tale, 1798).	—
ESPOSIZIONI	Dipinti salvati dalla piena dell'Arno, 1966.	Mostra di capolavori di pittura olandese, Roma 1928, Roelandt Savery, Gand 1954. Rubens e la pittura fiamminga del Seicento nelle collezioni pubbliche fiorentine, Firenze 1977.	La pittura bresciana del Rinascimento, Brescia 1939.	La pittura bresciana del Rinascimento, Brescia 1939; Giorgione e i giorgioneschi, Venezia 1955.
BIBLIOGRAFIA	R. Roli, I disegni italiani del Seicento. Scuole emiliana, toscana, marchigiana e umbra, Treviso 1969. F. Zeri, La Galleria Pallavicini in Roma, Firenze 1959, p. 240.	Cat. mostra Herdenking Roeland Saverij, Courtrai 1976. Cat., Firenze 1977, n. 107.	A. Boschetto, Giovan Girolamo Savoldo, Milano 1963. Cat., Brescia 1939 (a cura di Fausto Lechi) nr. 169.	A. Boschetto: Giovanni Gerolamo Savoldo, Milano 1963. C. Gilbert, The works of Girolamo Savoldo, New York 1955.
INVENTARIO	773 (C.P., p. 87, n. 191).	1138 (C.P., p. 119, n. 825).	930 (C.P., p. 203, n. 645).	Contini Bonacossi 17.
FOTO	56545.	156290.	278673.	225585.
NOTE	Il quadro si trovava a Pitti e pervenne agli Uffizi il 16 ottobre 1792. Numerose sono le repliche di questa Madonna fra cui quella della Galleria di Harrach e Liechtenstein di Vienna e quella della Chiesa della Salute a Venezia.	Firmato e datato in basso al centro: R. Savery 1614. Il dipinto è ricordato nell'inventario della collezione del principe Ferdinando de' Medici in palazzo Pitti steso nel 1713. Esistono varie varianti di questo motivo paesistico elencate dal Bodart (Cat., Firenze 1977).	Il dipinto è ricordato dal Boschini che ne diede una suggestiva descrizione: «Gerolamo Bressan quà no' te lasso. Perché ti rafeguri in gran splendor Christo trasfigurà, e venerando sasso...» (cfr. La carta del navigar pittoresco, Venezia 1660). Una copia di maggiori dimensioni, di antica attribuzione al Lomazzo, è nella Pinacoteca Ambrosiana di Milano. Sono noti due disegni parziali, relativi a una testa di apostolo (GDSU), Firenze nr. 12805) e a uno studio di panneggio (coll. Pontus de la Gardie, Svezia).	Il dipinto è stato acquisito nel 1974, a seguito della convenzione intercorsa nel 1969 con gli eredi Contini-Bonacossi. È stato supposto (Boschetto) che il dipinto sia lo stesso citato dal Ridolfi nella collezione veneziana dell'ambasciatrice francese, Madame D'Ardier (cfr. C. Ridolfi: Le Maraviglie dell'Arte voll. 2, ed. von Hadeln Berlin 1914-24). Altre varianti autografe si conservano nel Museo di Berlino (Cat. n. 307 a) e alla National Gallery di Londra (Cat. nr. 1031). Copie sono ricordate dal Gilbert in U.S.A. (Louisville), già coll. Walter) e in Inghilterra (Warwick, Castello).
	L.B.B.	M.C.	A.P.	A.P.

Pinacoteca

	P1424	P1425	P1426	P1427
AUTORE	Savonanzi, Emilio (Bologna 1580 - Camerino 1660 ca.).	Savonanzi, Emilio (Bologna 1580 - Camerino 1660 ca.).	Scaminossi, Raffaello (Borgo S. Sepolcro 1575?-1622?).	Scarsellino, Scarsella Ippolito, detto lo (Ferrara 1550 ca.-1620).
TITOLO	Seppellimento di Cristo.	S. Famiglia con S. Giovannino.	Sfondo architettonico.	Il giudizio di Paride.
DATAZIONE	1610 ca. (Borea 1975).	1615 ca. (Borea 1975).	Sec. XVI-XVII.	1590 ca. (M.A. Novelli 1964, Bertani 1979).
DATI TECNICI	Olio su tavola, 53,8x55,3, restauro 1973.	Olio su rame, 16,5x21,2.	Bozzetto a chiaroscuro; 38x22.	Olio su rame, 51x73,5.
CORNICE	Dorata e intagliata a motivi vegetali stilizzati rigonfi.	Dorato a gole.	—	Modanata un poco aggettante e dorata, sec. XVII.
UBICAZIONI	Pitti (1675); Uffizi (1796); Pitti (1928); Uffizi (1974).	Pitti (inizi sec. XVIII); Poggio a Cajano (1710 ca.); Uffizi (1773).	Uffizi (1880).	Pitti; Uffizi (1796).
ATTRIBUZIONI	Ludovico Carracci (1675); Anonimo (1825); Savonanzi (1863).	—	R. Scaminossi (Inv. 1880).	—
ESPOSIZIONI	Pittori Bolognesi del Seicento nelle Gallerie di Firenze, Firenze 1975.	Mostra dei bozzetti, Firenze 1952 Pittori bolognesi del Seicento nelle Gallerie di Firenze, Firenze 1975.	—	—
BIBLIOGRAFIA	V. Fortunati, Emilio Savonanzi, in 'Arte Antica e Moderna', 30, 1965, pp. 148 e 159-60; E. Borea, in Cat., Firenze 1975, n. 70, pp. 92-3.	V. Fortunati, Emilio Savonanzi, in 'Arte Antica e Moderna', 30, 1965, pp. 150-1, 161-2. M. Strocchi, Il Gabinetto di 'opere in piccolo' del Gran Principe Ferdinando a Poggio a Caiano, in 'Paragone', 311, 1976, n. 71. E. Borea, in Cat., Firenze 1975, n. 69, p. 92.	—	M.A. Novelli, Lo Scarsellino, 1964, p. 54.
INVENTARIO	531 (C.P., p. 146, n. 86).	1339.	G.D.S.U. 19194.	1382 (C.P., p. 144, n. 1038).
FOTO	214948.	184002, 225056.	—	157475.
NOTE	Sul retro: un cartellino con scritta a penna: Pitti 12 Maggio 1796; e una ceralacca con sigillo granducale. L'attribuzione ottocentesca, di fonte non precisabile, è confermata dal disegno preparatorio per il quadro (Kurz, 1955). E.B.	Scritte antiche a tergo: Emilio Savonanzi, e 71; tracce di cartellino con scritta: 'Poggio a Cajano di Guardaroba 17...' Date le piccole dimensioni è considerato un bozzetto, ma in realtà ha i caratteri del dipinto finito; stilisticamente prossimo alla maniera del Guercino giovane. E.B.	Nell'Inventario del 1880 il bozzetto appare tra le opere di III Cat. (n. 370) coll'attribuzione allo Scaminossi, ed è descritto come 'Sfondo architettonico per soffitto, nello spartito di mezzo una gloria d'angeli'. L.B.B. Gr. Red. 3	A tergo leggesi: 'il giudizio di paris'. Proviene dalla Guardaroba il 18 Maggio 1796 (GF, ms 114, c. 61, n. 555). L.B.B.

	P1428	P1429	P1430	P1431
AUTORE	Scarsella Ippolito, detto lo Scarsellino (Ferrara 1551-1621).	Schalcken, Godfried (Made 1643 - L'Aja 1706).	Schalcken, Godfried (Made 1643 - L'Aja 1706).	Schalcken, Godfried (Made 1643 - L'Aja 1706).
TITOLO	Santa Famiglia.	Donna che cuce in un interno.	Pigmalione.	Giovane donna con candela.
DATAZIONE	Sec. XVI.	1660-70 ca.	1665-75 ca.	1670-75 ca.
DATI TECNICI	Olio su tavola, 27x20.	Olio su tavola centinata, 44x34.	Olio su tavola, 44x37.	Olio su tela, 60x47,5.
CORNICE	Liscia e dorata.	Ebano, sec. XIX-XX.	Ebano, sec. XIX-XX.	Ebano, sec. XIX-XX.
UBICAZIONI	Guardaroba; Uffizi (1795); Poggio a Caiano (1951); Uffizi.	Uffizi (1704).	Pitti (1761); Uffizi (1784).	Pitti (sec. XVII); Uffizi (1698); Poggio a Caiano (inizi sec. XVIII); Uffizi (1773); Pitti (1928).
ATTRIBUZIONI	Scarsella (Inv. 1890; Novelli 1964).	Carlo d'Anù (cioè G. Dou; inv. 1704, 1753, 1769), Schalcken (inv. 1825 e 1890, Wurzbach 1910, De Groot 1912, Pieraccini 1905 ca., Poggi 1927, Gerson 1942), Van Mieris (Smith 1842).	—	—
ESPOSIZIONI	—	—	—	—
BIBLIOGRAFIA	M. A. Novelli, Lo Scarsellino, Ferrara 1964, p. 38.	J. Rosenberg - S. Slive - E. H. Ter Kuile: Dutch Art and Architecture 1600-1800, Harmondsworth 1966, C. Hofstede de Groot: Beschr. u. Krit. Verzeichnis...., Esslingen 1907-28, vol. V.	J. Rosenberg - S. Slive - E. H. Ter Kuile: Dutch Art and Architecture 1600-1800, Harmondsworth 1966, C. Hofstede de Groot: Beschr. u. Krit. Verzeichnis...., Esslingen 1907-28, vol. V.	J. Rosenberg - S. Slive - E. H. Ter Kuile: Dutch Art and Architecture 1600-1800, Harmondsworth 1966, C. Hofstede de Groot: Beschr. u. Krit. Verzeichnis...., Esslingen 1907-28, vol. V.
INVENTARIO	1374 (C.P., p. 144, n. 1084).	1255 (C.P., p. 131, n. 934).	1122 (C.P., p. 140, n. 797).	1118 (C.P., p. 129, n. 800).
FOTO	126100.	307721.	307720.	101177.
NOTE	Già attribuito allo Scarsellino negli Inventari del 1816 e 1881 (n. 1165 E), il dipinto è stato recentemente riconfermato all'artista ferrarese dalla Novelli (1964), che lo data al periodo giovanile, confrontandolo con le due repliche di Bologna (Coll. Molinari-Prandelli) e Londra (Coll. Mahon). Gr. Red. 3	La provenienza del dipinto non è documentata; il Gerson (Ausbreitung u. Nachwirkung der Holländischen Malerei des 17. Jahrhundert's, Haarlem 1942, p. 182) pensa che il dipinto sia stato acquistato da Cosimo III de' Medici in uno dei suoi viaggi nei Paesi Bassi. Nel 1704 il quadro è esposto nella Tribuna degli Uffizi con l'attribuzione a G. Dou, comprensibile in quanto lo Schalcken riflette ancora l'influsso del pittore in questa fase giovanile. A parte l'attribuzione a F. Van Mieris il Vecchio dello Smith, successivamente il dipinto è unanimemente considerato dello Schalcken. M.C.	La provenienza del dipinto non è documentata: Hoogewerff (1919) e Gerson (1942) pensano che possa essere stato acquistato da Cosimo III durante uno dei suoi due viaggi nei Paesi Bassi. Per H. de Groot replica dell'esemplare migliore a Dresda. Databile avanti il 1675, quando lo Schalcken si dedicò in prevalenza alla pittura mitologica. M.C.	Firmato in basso a sinistra: G. Schalcken. Secondo un documento della Guardaroba, il dipinto passò da Pitti agli Uffizi il 10 giugno 1698 (com. di S. Meloni Trkulja). Entrato a far parte della collezione di quadri di piccolo formato posseduta dal principe Ferdinando de' Medici nella Villa di Poggio a Caiano (M. L. Strocchi in Paragone, N. 309, 1975, e N. 311, 1976), il quadro passò agli Uffizi nel 1773 da dove fu riportato a Pitti nel 1928. Databile a prima del 1675, quando l'artista cominciò a dedicarsi soprattutto ad argomenti tratti dalla letteratura classica. M.C.

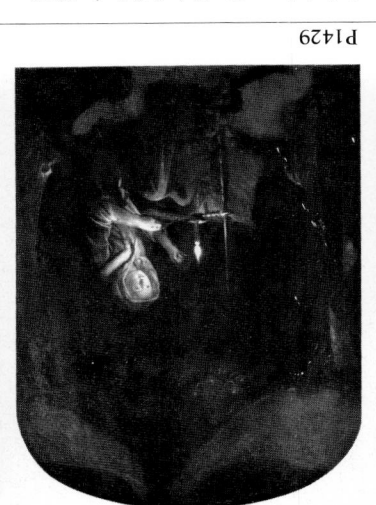

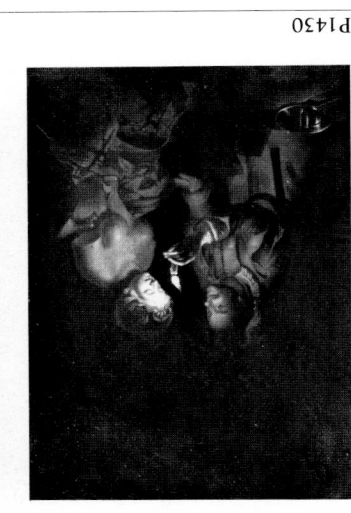

	P1432	P1433	P1434	P1435
AUTORE	Schalcken, Godfried (Made 1643 - L'Aja 1706).	Schalcken, Godfried (Made 1643 - L'Aja 1706).	Schedoni, Bartolomeo (Modena 1578-1615), da.	Schedoni, Bartolomeo (Modena 1578-1615).
TITOLO	La Fama.	La Pietà.	Sacra Famiglia con S. Giovannino.	S. Famiglia con S. Giovannino e due angeli.
DATAZIONE	1670-75 ca.	1704-06?	1600 ca.	1600 ca. (Borea 1975).
DATI TECNICI	Olio su tela, 69,5x60, restauro 1974.	Olio su tavola centinata, 53x36.	Olio su tavola, 29x24,8, restauro 1973.	Olio su tavola, 96,5x79,8 restauro 1974.
CORNICE	Ebano, sec. XIX-XX.	Ebano, sec. XIX-XX.	Dorata a baccelli.	Dorata, linea a gola.
UBICAZIONI	Uffizi (1753).	Düsseldorf? (post 1704); Uffizi (1753).	Pitti (1675); Uffizi (1795).	Pitti (1705 ca.); Uffizi (Cat. 1810).
ATTRIBUZIONI	—	—	Schiavone (1675). Schedoni (1825).	Da Schedoni (Borea 1975).
ESPOSIZIONI	—	—	Pittori bolognesi del Seicento nelle Gallerie di Firenze, Firenze 1975.	Pittori bolognesi del Seicento nelle Gallerie di Firenze, Firenze 1975.
BIBLIOGRAFIA	J. Rosenberg - S. Slive - E. H. Ter Kuile: Dutch Art and Architecture 1600-1800, Harmondsworth 1966, C. Hofstede de Groot: Beschr. u. Krit. Verzeichnis..., Esslingen 1907-28, vol. V.	J. Rosenberg - S. Slive - E. H. Ter Kuile: Dutch Art and Architecture 1600-1800, Harmondsworth 1966, C. Hofstede de Groot: Beschr. u. Krit. Verzeichnis..., Esslingen 1907-28, vol. V.	E. Borea, in Cat. Firenze 1975, n. 54.	E. Borea, in Cat. Firenze 1975, n. 49, pp. 65-6.
INVENTARIO	1192 (C.P., p. 130, n. 873).	1292 (C.P., p. 141, n. 968).	1388 (C.P., p. 143, n. 1100).	2162.
FOTO	193938.	307722.	206864.	214888.
NOTE	Firmato in basso a sinistra: G. Schalcken. La provenienza del dipinto non è documentata, ma Hoogewerff (1919) e Gerson (1942) credono che possa essere stato acquistato da Cosimo III de' Medici durante uno dei suoi due viaggi nei Paesi Bassi. Databile, per le ricerche di luce, al periodo che precede i soggetti di argomento classico (dal 1675). M.C.	La provenienza del dipinto non è documentata, ma da una scritta sul retro del quadro sappiamo che esso appartenne a Anna Maria Luisa de' Medici, moglie dell'Elettore Palatino del Reno, e può darsi che esso sia stato dipinto quando, a partire dal 1704, l'artista fu attivo alla corte di Düsseldorf. Ciò comporterebbe una datazione tarda, che contrasterebbe con l'opinione di Hoogewerff (1919) e Gerson (1942) che il dipinto fosse acquistato in Olanda da Cosimo III de' Medici durante uno dei due viaggi nei Paesi Bassi (1667 e 1669). M.C.	Un disegno dello Schedoni per questo quadro si trova a Parma, Galleria Nazionale (n. 929). Il dipinto originale non è conosciuto e non è dato sapere se è mai esistito. Questo potrebbe essere opera di G. C. Amidano. E.B.	Sul retro resti di un sigillo di ceralacca. Fu esposto nella Cappella dei Pittori alla S. S. Annunziata nel 1706 per mostra temporanea. È opera tipica dell'artista che privilegia il gruppo della Madonna col Bambino, più spesso in formato minore. E.B.

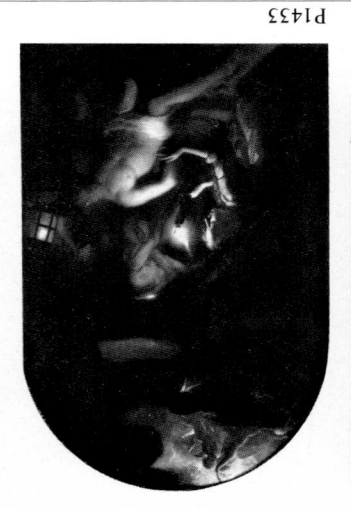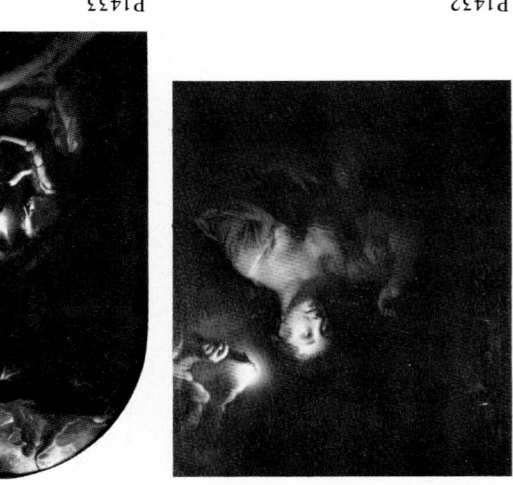

	P1436	P1437	P1438	P1439
AUTORE	Schedoni, Bartolomeo (Modena 1578-1615).	Schiavone, Meldolla Andrea, detto lo (Sebenico 1500 ca. - Venezia 1563), attr. a.	Schoevaerts, Matthijs (Bruxelles 1665 ca. - inizi sec. XVIII).	Schut, Cornelis (Anversa 1597-1655).
TITOLO	Santa Famiglia con S. Giovannino.	Ritratto di vecchio in pelliccia.	Villaggio fiammingo.	Trionfo di Galatea.
DATAZIONE	1610 ca.	1570-80 (von der Bercken 1942).	Fine sec. XVII.	1628-30 ca. (Bodart 1977).
DATI TECNICI	Olio su tavola 25,5x20,2, restauro 1974.	Olio su tela, 95x76.	Olio su tavola, 21x37.	Olio su tela, 203x290.
CORNICE	Dorata e intagliata a motivi vegetali stilizzati.	Barocca, in legno intagliato lavorato a giorno e dorato.	Ebano, sec. XIX-XX.	Nera e oro, barocca.
UBICAZIONI	Coll. Feroni; Uffizi (1865).	Eredità car. Leopoldo de' Medici (1675); Guardaroba; Uffizi (1798).	Poggio Imperiale (sec. XVIII); Uffizi (1796); Pitti (1928).	Poggio a Caiano? (sec. XVII); Uffizi (sec. XIX), Montecitorio, Roma (1925 ca.).
ATTRIBUZIONI	—	Tintoretto Jacopo (agli Uffizi come tale, G.le di Galleria 1798, Inv. 1825 e 1890, Pittaluga 1925, Berenson 1932 e 1958, Von der Bercken 1942).	—	Anonimo bolognese (Inv. Uffizi sec. XIX), Schut (Borea 1975, Bodart 1977).
ESPOSIZIONI	Pittori bolognesi del Seicento nelle Gallerie di Firenze, Firenze 1975.	—	—	—
BIBLIOGRAFIA	E. Borea, in Cat., Firenze 1975, n. 52, p. 69.	P. Rossi, Jacopo Tintoretto. I Ritratti, Venezia 1975.	H. Gerson-E.H. Ter Kuile: Art and Architecture in Belgium 1600-1800, Harmondsworth 1960. D. Bodart: Rubens e la pittura fiamminga del Seicento..., Firenze 1977, p. 339.	H. Gerson - E. H. Ter Kuile: Art and Architecture in Belgium, 1600-1800, Hamodsworth 1960. D. Bodart, in Cat., Rubens e la pittura fiamminga del Seicento nelle collezioni pubbliche fiorentine, Firenze 1977, p. 250.
INVENTARIO	Cenacoli e San Marco 91.	935 (C.P., p. 194, n. 615).	1112 (C.P., p. 124, n. 790).	2145.
FOTO	217658.	323323.	101176.	—
NOTE	Il dipinto faceva parte della raccolta Feroni donata nel 1865 al Comune di Firenze e subito ceduta agli Uffizi. Si conoscono due varianti ritenute autografe di questa composizione (Londra, collezione Mahon; Oxford, Ashmolean Museum). Sembrano invece copie gli esemplari di Modena, Galleria Estense, e Melbourne, Derbyshire, Dover House, di composizione pressoché identiche. E.B.	L'attribuzione dubitativa allo Schiavone è stata proposta dalla Rossi per confronto con il ritratto virile già nella collezione Arnot di Londra (A. Venturi, Storia Arte Milano 1929 9/IV, p. 736, fig. 525). Il nome del Tintoretto figura costantemente nella tradizione degli Uffizi (Inventari e cataloghi a stampa). A.P.	Firmato in basso a destra: M. Schoevaerts. Esempio caratteristico di questo artista minore seguace di A.F. Baudewijns. La provenienza del quadro non è documentata. M.C.	Il dipinto fa parte di una serie di quattro rappresentanti i Quattro Elementi, e l'attribuzione a C. Schut è basata sul fatto che le due delle scene sono repliche di suoi affreschi documentati nel Casino Pescatore di Frascati. Poiché questi ultimi sono databili al 1626-27, il Bodart propende, per le quattro tele, a una datazione posteriore, intorno al 1628. Il dipinto, con il Trionfo di Cerere (Inv. 1890, N. 8046), è attualmente depositato presso la Camera dei Deputati a Roma. La provenienza dei quattro quadri non è documentata: sappiamo solo che una serie degli Elementi, ma di misure non perfettamente corrispondenti, fu inviata alla Villa di Poggio a Caiano nel 1698. M.C.

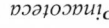

	P1440	P1441	P1442	P1443
AUTORE	Scuola bizantina sec. XII.	Scuola bolognese (?) sec. XVI.	Scuola bolognese sec. XVI.	Scuola bolognese (?) sec. XVI.
TITOLO	Il Redentore.	Cristo portacroce.	Riposo durante la fuga in Egitto.	San Francesco.
DATAZIONE	Sec. X (Muratoff 1928), sec. XII (Talbot Rice 1935, Demus 1949, Marcucci 1958), sec. XIII (Bettini 1939).	Fine sec. XVI.	Fine sec. XVI.	Fine sec. XVI.
DATI TECNICI	Mosaico, 54x41.	Olio su tela, 64x48.	Bozzetto, penna bianca su carta verniciata e riportata su cartone, 32x21,5.	Olio su tela, 27,4x22,3.
CORNICE	In ebano: sec. XVI.	Dorata a gole.	Legno modanato e leggera doratura.	Dorata a gole.
UBICAZIONI	Coll. Lorenzo il Magnifico (?); Uffizi, Tribuna (1605); Uffizi (sec. XVIII); Bargello (1865); Uffizi (1978).	Pitti (1698); Uffizi (1834).	Gabinetto Disegni e Stampe (1880); Uffizi (1914).	Pitti (1705 co.); Poggio a Caiano (1710 ca.); Uffizi (1773).
ATTRIBUZIONI	Gaddo Gaddi (Campani (1884). Scuola bizantina sec. X (Muratoff 1928). Scuola veneziana sec. XIII (Bettini 1939). Scuola italo-bizantina sec. XII (Talbot Rice 1935, Demus 1949). Scuola bizantina sec. XII (Marcucci 1958).	Ludovico Carracci (inv. 1698). Iacopo Ligozzi (inv. 1881). Anonimo (Borea 1975).	Agostino Carracci (Inv. Antichi). Scuola bolognese fine sec. XVI (Collobi Ragghianti 1952).	Ludovico Carracci (inv. 1705 ca.). Anonimo (Borea 1975).
ESPOSIZIONI	Trésors d'Art, Parigi 1952.	—	Bozzetti delle Gallerie di Firenze, Firenze, 1952-53.	—
BIBLIOGRAFIA	*Cat., Parigi 1952, n. 153. L. Marcucci: I dipinti toscani del secolo XIII..., Roma 1958, n. 25.*	E. Borea, Pittori bolognesi del Seicento nelle Gallerie di Firenze, Firenze 1975, p. 48.	*L. Collobi Ragghianti, in Cat., Firenze 1952-53, n. 22, p. 18.*	E. Borea, Pittori bolognesi del seicento nelle gallerie di Firenze, Firenze 1975, p. 49; M.L. Strocchi, Il Gabinetto d''opere in piccolo' del Gran Principe Ferdinando a Poggio a Caiano, in Paragone 311, 1976, p. 90.
INVENTARIO	Inv. Mosaici 3.	559.	GDSU 191102.	1399.
FOTO	321882.	167559.	157058.	159865.
NOTE	Si tratta di un'icona portatile in mosaico a tessere sottilissime disposte su un fondo di cera. Lo stato di conservaizone è assai cattivo: numerose cadute di colore, soprattutto lungo una fascia verticale che tocca i capelli a destra e interessa il libro aperto. Questo reca un'iscrizione frammentaria in greco con un brano del Vangelo di Giovanni (VIII, 12) del seguente tenore: 'Io sono la luce del mondo, chi mi seguirà non camminerà nelle tenebre ma avrà la luce della vita, Giovanni'. In due formelle in alto, le sigle IC XC. L. Bell.	Sembra trattarsi, date le condizioni, di un frammento, ed è comunque difficile discuterne lo stile a causa della cattiva conservazione. Il tipo del Cristo appare simile a quello dell'"Ecce Homo' di Annibale Carracci nella Pinacoteca di Bologna. E.B.	Il bozzetto, noto anche come Sacra Famiglia con san Giovannino, compare nell'inventario del 1880 cat. II. Nel 1914 dal Gabinetto Disegni e Stampe passò alla Galleria degli Uffizi (depositi). L.B.B.	La scritta sul retro 'da Poggio a Cajano dalla guardaroba 29 marzo 1773' attesta la provenienza dalla collezione di quadri piccoli di Ferdinando de' Medici; un cartellino sempre sul retro sembra provare anche un avvenuto passaggio per la villa di Castello nel 1796. Non si può identificarlo con certezza in un quadro di questo soggetto posseduto da Leopoldo de' Medici. D'altra parte la paternità di Ludovico Carracci non è dimostrabile per via stilistica data la cattiva conservazione dell'opra. E.B.

	P1444	P1445	P1446	P1447
AUTORE	Scuola bolognese sec. XVII.	Scuola bolognese (?) sec. XVII.	Scuola bolognese sec. XVII.	Scuola bolognese sec. XVII.
TITOLO	Vergine con Bambino e santo monaco.	Cristo in gloria e Santi.	Bradamante e Fiordispina.	Madonna Addolorata.
DATAZIONE	1607-10 (Bertani 1979).	Inizi sec. XVII.	1630-40.	1640-50 ca.
DATI TECNICI	Bozzetto, olio su carta, 25,2x23,5.	Olio su rame, 25x20, controfondo in legno, restauro 1974.	Tela, 119x152, restauro 1974.	Tela, 86,3x69,5.
CORNICE	Legno modanato.	Dorata a gole.	Dorata e intagliata.	Dorata e intagliata a motivi vegetali.
UBICAZIONI	Gabinetto Disegni e Stampe (1880); Uffizi (1914); Pitti (1962); Uffizi (1971).	Pitti (1705 ca.); Poggio a Caiano (1710 ca.); Uffizi (1773).	Casino Mediceo (1666); Uffizi (1704).	Pitti (1687); Uffizi (1769).
ATTRIBUZIONI	Vicino a Bartolomeo Schedoni (Bertani 1979).	Faccini (inv. 1710 ca.). Anonimo (Borea 1975).	Guido Reni (1666).Scuola bolognese vicino a G. A. Sirani (Borea 1975).	Guido Reni (1687). Scuola bolognese (Borea 1975).
ESPOSIZIONI	Bozzetti delle Gallerie di Firenze, Firenze, 1952-53.	Pittori bolognesi del Seicento nelle Gallerie di Firenze, Firenze 1975.	Pittori bolognesi del Seicento nelle Gallerie di Firenze, Firenze 1975.	Pittori bolognesi del Seicento nelle Gallerie di Firenze, Firenze 1975.
BIBLIOGRAFIA	E. Borea, Pittori bolognesi del Seicento nelle Gallerie di Firenze, Firenze, 1975. *AA.VV., Cat., Firenze, 1952-53, n. 132, p. 62.*	M.L. Strocchi, Il Gabinetto di 'opere in piccolo' del Gran Principe Ferdinando a Poggio a Cajano, in Paragone 311, 1976, p. 107. *E. Borea, in Cat., Firenze 1975, n. 48, pp. 62-3.*	*E. Borea, in Cat., Firenze 1975, n. 114, 155-56.*	*E. Borea, in Cat., Firenze 1975, n. 115, p. 156.*
INVENTARIO	GDSU 19103.	568.	787 (C.P., p. 78 n. 203).	795.
FOTO	157032.	226617.	226584.	215255.
NOTE	Bozzetto per una Madonna con Bambino san Giovannino e santo Monaco. Compare nell'inventario del 1880 IIª cat. n. 44; passò a Pitti nel 1962 e infine agli Uffizi nel 1971. L.B.B.	Reca a tergo: Pietro Faccini; e inoltre un cartellino incollato con 'del P. a Cajano dalla R. Guardaroba 29 dicembre 1773'. Infine, un sigillo in ceralacca con la sigla G.C. (Gian Carlo de' Medici?). L'attribuzione tradizionale non regge al confronto stilistico con le opere certe del Faccini. Il dipinto rappresenta, oltre la Vergine e Gesù Cristo, i seguenti Santi: Scolastica, Giuseppe, Benedetto, Gertrude, Placido, Mauro, Bernardino, Agata, Caterina da Siena, Tommaso d'Aquino, Apollonio, Luigi di Francia, Isidoro e una santa non identificata. E.B.	Interpretato come favola di Ruggero e Fiordispina e poi come raffigurante Rinaldo e Armida, il dipinto illustra invece un episodio dell"Orlando Furioso' (XXV, 28-31). È sfuggito agli studi sino al 1975 quando indicandosi l'erronea attribuzione tradizionale al Reni, con la quale il cardinale Carlo de' Medici l'aveva posseduto, lo si collocava dubitativamente nella sfera di Giovan Andrea Sirani (Borea 1975). E.B.	Appartenuto probabilmente al gran principe Ferdinando con la prestigiosa attribuzione al Reni, in cui credeva ancora lo Zoffany quando lo rappresentò nella sua celebre 'Tribuna degli Uffizi' (Windsor Castle), il dipinto, una modesta immagine devozionale, fu eseguito certamente nella bottega del Reni ma con ricordi anche del Sassoferrato. E.B.

	P1448	P1449	P1450	P1451
AUTORE	Scuola bolognese sec. XVII.	Scuola bolognese sec. XVII.	Scuola bolognese del sec. XVII?	Scuola bolognese sec. XVII.
TITOLO	San Pietro.	Il bagno di Diana.	Diana dormiente.	L'elemosina di S. Domenico.
DATAZIONE	1640-50 ca.	Prima metà sec. XVII?	1665.	Fine sec. XVII (Collobi Ragghianti 1952).
DATI TECNICI	Tela, ovale 74x59.	Olio su tela, 35x45.	Olio su tela, 150x220.	Bozzetto, olio su tela, 58x71.
CORNICE	Dorata con intagli a palmette.	Sagomata, dorata, sec. XVII.	Sagomata, dorata, sec. XVII.	Legno modanato.
UBICAZIONI	Coll. A. De Noè Walker; Uffizi (1893).	Coll. Feroni (ante 1850); Uffizi (1866); Cenacolo di Foligno (1894).	Coll. Feroni (ante 1850); Uffizi (1866); Cenacolo di Foligno (1894).	Gabinetto Disegni e Stampe (1890); Pitti (1952); Uffizi (1971).
ATTRIBUZIONI	Guido Reni (1893). Scuola bolognese (Borea 1975).	Furini (Cat. Feroni 1895).	Scuola toscana del sec. XVII (Cat. Feroni 1895).	Ignoto fiorentino (Inv. Antichi). Ignoto bolognese? (Collobi Ragghianti 1952).
ESPOSIZIONI	Pittori bolognesi del Seicento nelle Gallerie di Firenze, Firenze 1975.	—	—	Bozzetti delle Gallerie di Firenze, Firenze, 1952-53.
BIBLIOGRAFIA	E. Borea, in Cat., Firenze 1975, n. 116, p. 157.	R. Wittkower, Art and Architecture in Italy, 1600-1750, Harmondsworth 1965. *Catalogo della Galleria Feroni, Firenze 1895, p. 4.*	R. Poli, Pittura bolognese 1650-1800, Bologna 1977. *Catalogo della Galleria Feroni, Firenze 1895, p. 2.*	E. Borea, Pittori bolognesi del seicento nelle Gallerie di Firenze, Catalogo Mostra, Firenze, 1975. *L. Collobi Ragghianti, Cat., Firenze, 1952-53, n. 23, p. 18.*
INVENTARIO	3120 (C.P., p. 84 n. 1531).	S. Marco e Cenacoli 99.	S. Marco e Cenacoli 16.	601.
FOTO	71590.	168548.	168536.	68194.
NOTE	Donata agli Uffizi come originale del Reni da Arthur de Noè Walker, è una mediocre opera devozionistica di bottega. E.B.	Il dipinto reca un'attribuzione al Furini nel catalogo della collezione di provenienza, ma tale attribuzione è insostenibile dal punto di vista stilistico. Infatti il dipinto, per altro di molto modesta qualità, è evidentemente di cultura bolognese, e unisce temi domenichiniani (come le due ninfe bagnanti a sinistra) ad altri tolti dall'Albani, al quale la composizione è ispirata. M.C.	Siglato e datato sulla pietra a sinistra: M.A.: 1665. Il dipinto è attribuito a Scuola toscana nel catalogo della collezione di provenienza, ma tale attribuzione non è giustificata dallo stile, che piuttosto sembra indicare la Scuola bolognese. M.C.	Trattasi di un bozzetto con un episodio della vita di San Domenico. Compare nelli'nventario del 1890, nel 1952 passò a Pitti, e nel 1971 ritornò agli Uffizi. L.B.B.

	P1452	P1453	P1454	P1455
AUTORE	Scuola bolognese sec. XVII.	Scuola bolognese - romana sec. XVII.	Scuola caravaggesca sec. XVI.	Scuola caravaggesca sec. XVII.
TITOLO	Madonna col Bambino e San Giovannino.	Ritratto di uomo.	Doppio ritratto.	Liberazione di San Pietro.
DATAZIONE	Sec. XVII.	1630-50 ca.	1520 ca. Borea 1970).	1615-20 (Borea 1970); 1640 (Volpe 1974).
DATI TECNICI	Rame, 19,5x15.	Olio su tela 55,5x41,5, restauro 1975.	Olio su tela 50x66, restauro 1970.	Olio su tela, 1,47x1,90.
CORNICE	Dorata e intagliata.	Dorato a gole.	Listello moderno.	Dorata, damaschinata, con racemi agli angoli.
UBICAZIONI	Pitti (1698); Poggio a Caiano (1710 ca.); Uffizi (1773).	Coll. Feroni; Uffizi (1865).	Uffizi (1836).	Pitti (1637); Uffizi (1774).
ATTRIBUZIONI	Simone Cantarini (1698). Guido Reni (1824). Anonimo di scuola bolognese (Borea 1975).	Annibale Carracci (cat. 1895). Anonimo bolognese o romano (Borea 1975).	Anonimo (Giorn. 1836). Ignoto caravaggesco (Borea 1970).	Anonimo (inv. 1637). Guercino (inv. 1784). Carlo Bononi (inv. 1825). Orazio Gentileschi (Longhi 1916). Anonimo non italiano (Longhi 1927). Anonimo italiano (Borea 1970). Bernardo Cavallino (Volpe 1970 e 1974). Simon Vouet? (Schleier 1971). Claude Vignon? (Perez Sanchez 1971). Anonimo francese (Brejon-Cuzin 1973-74). Anonimo francese? (Rosenberg 1977).
ESPOSIZIONI	Pittori bolognesi del Seicento nelle Gallerie di Firenze, Firenze 1975.	Pittori bolognesi del Seicento nelle Gallerie di Firenze, Firenze 1975.	Caravaggio e Caravaggeschi nelle Gallerie di Firenze, Firenze 1970.	Il Caravaggio, Milano 1951, n. 100; Caravaggio e Caravaggeschi nelle Gallerie di Firenze, Firenze 1970, n. 17; I Caravaggeschi Francesi, Roma 1973, n. 71; Parigi 1974, n. 75; Pittura francese nelle collezioni pubbliche fiorentine, Firenze 1977, n. 97.
BIBLIOGRAFIA	M. L. Strocchi, Il gabinetto di « opere in piccolo » del gran Principe Ferdinando a Poggio a Cajano, in Paragone 31, 1976, n. 167. *E. Borea, Cat., Firenze 1975, n. 12, pp. 152-53.*	*E. Borea, Cat., Firenze 1975, n. 119, p. 159.*	E. Borea, in Cat., Firenze 1970, n. 24, p. 40. P. Rosenberg, Pittura francese nelle collezioni pubbliche fiorentine, Firenze 1977, p. 226.	*E. Borea, Cat., Firenze 1970, pp. 28-29. A. Brejon de Lavergnée-J. P. Cuzin, Cat., Roma 1973, pp. 230-31, Parigi 1974, pp. 238-40.*
INVENTARIO	1320.	Cenacoli e San Marco 95.	4235.	578 (C.P., p. 78, n. 112).
FOTO	206865.	214953.	158714.	160132.
NOTE	È una derivazione di mano delicata, che non può escludersi essere quella del Cantarini come vuole la tradizione antica, da una acquaforte ovale di Guido eni (B. 7). Un dipinto del tutto simile attribuito al Reni, in una collezione inglese, veniva inciso nel settecento (Borea 1975): il che dimostra che la composizione certamente reniana era assai celebre. E.B.	Il personaggio effigiato a men che mezzo busto e raffigurato entro ovale. Faceva parte della raccolta Feroni donata nel 1850 al Comune di Firenze e successivamente passata agli Uffizi. L'ambito culturale è bolognese-romano, tra Guido Reni e Andrea Sacchi. E.B.	Presentato in collegamento con opere di ambiente caravaggesco, il dipinto è stato successivamente proposto come ritratto di Poussin e di sua moglie (Resenberg 1972) ma senza che l'ipotesi ottenesse consensi (Rosenberg 1977). E.B.	È uno dei dipinti più apprezzati e insieme più discussi fra quanti prodotti nell'ambiente caravaggesco. L'arco di nomi proposti quali possibili autori costituisce di per sé la prova delle implicazioni stilistiche e del significato complesso dell'opera, di cui sfugge perfino la certezza sulla nazione. La copia un tempo a Richmond, Galleria Coch, ricevette attribuzione non meno significativa a Velazquez e al Cano. Un'altra copia o replica a Madrid, collezione Medina, era attribuita a Zurbaran. Sono stati fatti, per il quadro degli Uffizi, riferimenti anche a Terbrugghen, Orazio Riminaldi, Saraceni. Una incisione del Lorenzini (1778) ne ricorda inoltre un altro esemplare già nella Galleria Reale di Vienna. E.B.

	P1456	P1457	P1458	P1459
AUTORE	Scuola caravaggesca sec. XVII.	Scuola caravaggesca sec. XVII.	Scuola cretese-veneziana sec. XV.	Scuola emiliana sec. XVI.
TITOLO	Natura morta con cedro.	Maddalena penitente.	Madonna in trono e Santi.	Visione di Santa Aldegonda.
DATAZIONE	1620 ca. (Becherucci 1960).	Sec. XVII.	Sec. XIV (Muñoz 1907, Diehl 1926), sec. XV (Schweinfurth 1930, Bettini 1933).	1530-40 (Mezzetti 1965).
DATI TECNICI	Olio su tela, 60x65,5.	Olio su tela, 62x78, restauro 1972.	Tempera su tavola, 60x57, restauro 1954-55.	Tempera su tavola 21x34.
CORNICE	Legno modanato e dorato.	—	Originale.	Dorata liscia a gola.
UBICAZIONI	Uffizi (1957); Palazzo Davanzati (1959); Uffizi (1960).	Poggio a Caiano (1773); Uffizi; Depositi; Pitti Depositi (1954); Uffizi Depositi (1972).	Nicole Gennari; Uffizi (1888); Accademia (1919).	Pitti (1705 ca.); Poggio a Caiano (1710 ca.); Uffizi (1773).
ATTRIBUZIONI	Artista caravaggesco romane (Becherucci 1960).	Già esposto come Rustici. Ignoto sec. XVII (Inv. 1890).	Arte bizantina sec. XIV (Muñoz 1907, Diehl 1927). Scuola cretese-veneziana secolo XV (Schweinfurth 1930, Bettini 1933).	Dosso Dossi (1705 inv. ca.). Battista Dossi (1773). Scuola parmense (Mezzetti 1965).
ESPOSIZIONI	Nuovi acquisti delle Gallerie di Firenze, Firenze 1960.	—	—	—
BIBLIOGRAFIA	*Ragguaglio delle Arti, incremento al patrimonio artistico italiano, vol. I, 1957-58, p. 22*L. L. Becheducci, in Cat. Firenze 1960, n. 5.	M. L. Strocchi, in Paragone 1976, p. 85, Tav. 132.	L. Marcucci, *I dipinti toscani del secolo XVII. Scuola bizantina e russa*, Roma 1958, n. 27.	A. Mezzetti, Il Dosso e Battista ferraresi, Milano 1965, p. 87; M. L. Strocchi, Il gabinetto d'‘opere in piccolo' del Gran Principe Ferdinando a Poggio a Caiano, in Paragone 311, 1975, n. 132.
INVENTARIO	9378.	6522.	431.	1327 (C.P., p. 146, n. 1005).
FOTO	102861.	183560.	100101.	252713.
NOTE	Il dipinto fu presentato all'Ufficio esportazione di Firenze il 5-4-1956, il 25-5-1956(fu esercitato il diritto di prelazione con lettera Ministeriale Prot. n. 4422. Dopo essere stato all'inizio nella Galleria degli Uffizi, passò nel 1959 al Museo di Palazzo Davanzati, nel 1960 fu ritirato dal Museo e nuovamente collocato nella Galleria degli Uffizi, nei locali della Direzione. L.B.B.	Attribuito ad Ignoto del Sec. XVII, maniera del Caravaggio, nell'Inv. 1890, era stato inventariato nel 1881 come opera di IV Categoria. Gr. Red. 3	La Madonna in trono è affiancata dagli Arcangeli Michele e Gabriele come indicano le scritte in greco. Tuttintorno, nella cornice, sono dipinti sedici busti di Santi e Profeti. Il dipinto fu acquistato il 19 dicembre 1888 da Nicola Gennari. Fu inizialmente ritenuto di un ignoto greco-bizantino del secolo X. L. Bell.	Il dipinto non è menzionato nel più recente volume dedicato ai Dossi, di F. Gibbons, Dosso and Battista Dossi, Princeton 1968. La lettura in chiave parmense ossia correggesca di A. Mezzetti ci sembra corretta (1965). E.B.

	P1460	P1461	P1462	P1463
AUTORE	Scuola emiliana sec. XVI.	Scuola emiliana sec. XVI.	Scuola emiliana sec. XVI.	Scuola emiliana sec. XVII.
TITOLO	Ritratto di fanciullo.	Creduto ritratto di Torquato Tasso (1544-95).	Sposalizio di Santa Caterina.	Gesù fra i Dottori.
DATAZIONE	1540 (Ferrari 1961).	Terzo quarto sec. XVI.	Fine del sec. XVI (Collobi Ragghianti 1952).	Sec. XVII.
DATI TECNICI	Olio su tavola, 58x44.	Olio su tavola, 103x81.	Bozzetto, olio su rame, 23x19.	Olio su tela, 107x102, restauro 1973.
CORNICE	Settecentesca, intagliata a motivi fitomorfi e correnti, dorata.	Sagomata e dorata, sec. XVII.	Salvadora dorata.	—
UBICAZIONI	Uffizi (1646).	Niccolò Fontani (almeno dal 1895); Uffizi (1899); Palatina (ante 1937).	Uffizi (1932); Pitti (1935); Uffizi (1971).	Uffizi, Depositi; Pitti, Depositi (1954); Uffizi (1971).
ATTRIBUZIONI	Tiziano (Monconys 1646, Inv. 1704). Paris Bordone (Inv. 1784). Girolamo Romanino (Frizzoni 1905, Nicodemi 1925).	Scuola veronese (A. Venturi, 1896). Alessandro Allori (Fontani 1899).	Copia dal Parmigianino vicino a Lelio Orsi (Collobi Ragghianti 1952).	Scuola fiamminga sec. XVII (Inv. 1890).
ESPOSIZIONI	—	Mostra tassiana, Roma, S. Onofrio, 1895.	Bozzetti delle Gallerie di Firenze, Firenze 1952-53.	—
BIBLIOGRAFIA	*Cat. Tiziano nelle Gallerie fiorentine, Firenze 1978, n. 16.*	*A. Solerti in Emporium III, 1896. C. Caversazzi in Emporium LXXIV, 1931. L. Locatelli in Bergomum XXVIII, 1934. A. Jahn-Rusconi, La Reale Galleria Pitti in Firenze, Roma 1937.*	A. O. Quintavalle, Il Parmigianino, 1949, pp. 6364. A. Ghidiglia Quintavalle, Parmigianino, Milano 1964. *L. Collobi Ragghianti, in Cat., Firenze 1952-53, n. 45.*	—
INVENTARIO	896 (C.P., p. 195, n. 578).	3143 (C.P., p. 75, n. 1543).	9190.	5697.
FOTO	Alinari 435; Brogi 2036.	128309.	157101.	160929.
NOTE	S'ignora la provenienza di questo dipinto che è citato in Tribuna fin dal 1646 come opera di Tiziano. Sul retro della tavola la scritta ottocentesca 'di Paris Bordone'. Attualmente il dipinto è in buono stato di conservazione. Gr. Red. 2	Il quadro, esposto agli Uffizi fin dal 1899, fu donato nel 1902 dal pittore Niccolò Fontani, che lo possedeva già nel 1895, quando lo espose alla mostra tassiana. La somiglianza col poeta fu però subito negata dal Solerti, a cui si accordarono il Caversazzi e il Locatelli, che equivocano però fra questo e l'altro presunto ritratto del Tasso (inv. 1890 n. 763). Ritratti autentici del Tasso sono piuttosto quello del 1577 di proprietà Thurn und Taxis, il ritrattino del 1584 nella Biblioteca Civica di Bergamo, un ritratto del Pulzone (Nizza, musée Cheret) e uno di Federico Zuccari, del 1594 (Bergamo, coll. Locatelli Milesi). S.M.T.	Il bozzetto fu presentato all'Ufficio esportazione di Firenze nel 1932 e fu acquistato con l'autorizzazione Ministeriale del 6-10-1932. Il bozzetto è copia di un'opera perduta del Parmigianino di cui esistono varie copie fra cui a Bologna Pinacoteca n. 143 i, e a Londra Coll. Wellington. L.B.B.	Già attribuito a Scuola fiamminga del XVII secolo (Inv. 1890), attualmente è considerato di Scuola emiliana del sec. XVII e non ufficialmente attribuito a Francesco Albani. Nell'Inventario del 1881 il dipinto era classificato come opera di III Categoria (n. 1019). Gr. Red. 3

	P1464	P1465	P1466	P1467
AUTORE	Scuola emiliana del sec. XVIII.	Scuola emiliano-romana sec. XVII.	Scuola fiamminga sec. XVI.	Scuola fiamminga sec. XVI (?).
TITOLO	Allegoria della Fede.	Natività.	Epifania.	Ritratto di giovane donna.
DATAZIONE	Seconda metà sec. XVIII?	1620-30 ca.?	Sec. XVI.	Sec. XVI.
DATI TECNICI	Olio su tela, 43x37.	Olio su tela (tondo), 30x30.	Olio su tavola a tabernacolo con sportelli, 105x69.	Olio su tavola, 28x21,5.
CORNICE	Sagomata, dorata, sec. XVIII.	Sagomata, dorata, sec. XVII.	Di legno scuro, intagliata.	Intagliata e dorata.
UBICAZIONI	Coll. Feroni (ante 1850); Uffizi (1866); Cenacolo di Foligno (1894).	Coll. Feroni (ante 1850); Uffizi (1866); Cenacolo di Foligno (1894).	Pitti; Uffizi (1861); Pitti; (1945); Uffizi (1951); Pitti, Depositi (1954); Uffizi, Depositi (1970).	Uffizi (1880); Uffizi (1957); Pitti (1967); Uffizi (1972).
ATTRIBUZIONI	Maratta (Cat. Galleria Feroni 1895).	Correggio (Cat. Feroni 1895).	Jan van Eyck (Inv. 1890). Scuola fiamminga sec. XVI (Cat. Uffizi 1926).	—
ESPOSIZIONI	—	—	—	—
BIBLIOGRAFIA	R. Roli, Pittura bolognese 1650-1800, Bologna 1977. *Cat. Galleria Feroni, Firenze 1895, p. 3.*	R. Wittkower, Art and Architecture in Italy, 1600-1750, Harmondsworth 1965. *Catalogo della Galleria Feroni, Firenze 1895, p. 8.*	*Poggi, Cat. delle R; Gallerie degli Uffizi, Firenze 1926, p. 142.*	—
INVENTARIO	S. Marco e Cenacoli 71.	S. Marco e Cenacoli 90.	1037.	3138.
FOTO	204554.	168519.	323304.	182827.
NOTE	Opera di un debole seguace di Ubaldo Gandolfi, del quale ricalca le composizioni (cfr. Roli 1977, fig. 76b). M.C.	L'attribuzione al Correggio nel catalogo della collezione di provenienza è del tutto inattendibile, ma indica nel dipinto caratteristiche emiliane, miste tuttavia a elementi romani. Il quadretto mostra, infatti, nella sua qualità mediocre, di essere influenzato dallo stile del Lanfranco. M.C.	Tavola a forma di tabernacolo con sportelli. Attribuito a Jan Van Eyck nell'Inv. 1890 ma piuttosto considerato come opera di scuola databile al sec. XVI. Un raffronto si può istituire con le opere del Maestro (cfr. il re mago inginocchiato con il donatore della pala raffigurante la 'Madonna' del canonico Van der Paele, datata 1436). Gr. Red. 3	Sul retro della cornice, una targhetta metallica con scritta 'Scuola fiamminga sec. XVI. Ritratto di gentildonna'. In basso, sul dipinto, scritta in lettere capitali 'Sposa fiaminga'. In effetti l'abito e l'acconciature bianchi potrebbero far pensare al ritratto di una sposa. Luisa Becherucci pensa si tratti di un dipinto di scuola francese (com. orale). Gr. Red. 3

	P1468	P1469	P1470	P1471
AUTORE	Scuola fiamminga sec. XVI-XVII.	Scuola fiamminga sec. XVI-XVII.	Scuola fiamminga sec. XVI-XVII, attr. a.	Scuola fiamminga sec. XVII.
TITOLO	Ritratto di cavaliere.	Ritratto virile.	Ritratto di giovane uomo.	Ballo di nozze.
DATAZIONE	1590-1600 ca.	Fine sec. XVI-inizi sec. XVII.	Fine sec. XVI - inizi sec. XVII.	1620 ca.
DATI TECNICI	Olio su tela, 55x44.	Olio su tela, 44x37.	Olio su tela, 39x34.	Olio su tavola, 62x92.
CORNICE	Sagomata, dorata, sec. XVII.	Sagomata, intagliata e dorata, sec. XVII.	Intagliata e dorata, barocca.	Dorata, liscia, sec. XVII.
UBICAZIONI	Coll. Feroni (ante 1850); Uffizi (1866); Cenacolo di Foligno (1894).	Coll. Feroni (ante 1850); Uffizi (1866); Cenacolo di Foligno (1894).	Uffizi (sec. XIX).	Uffizi (1905 ca.).
ATTRIBUZIONI	Scuola dei Pourbus (Cat. Feroni 1895).	Lionello Spada (Cat. Feroni 1895).	Ignoto toscano (Inv. 1890).	—
ESPOSIZIONI	—	—	—	—
BIBLIOGRAFIA	H. Gerson - E. H. Ter Kuile, Art and Architecture in Belgium 1600-1800, Harmondsworth 1960. *Catalogo Galleria Feroni, Firenze 1895, p. 4.*	H. Gerson - E.H. Ter Kuile, Art and Architecture in Belgium, 1600-1800, Harmondsworth 1960. R. Wittkower, Art and Architecture in Italy, 1600-1750, Harmondsworth 1965. F. Frisoni, Lionello Spada, in Paragone, n. 299, 1975. *Catalogo della Galleria Feroni, Firenze 1895, p. 4.*	H. Gerson - E. H. Ter Kuile, Art and Architecture in Belgium, 1600-1800, Harmondsworth 1960.	Catalogo Pieraccini (1905 ca.), p. 73.
INVENTARIO	S. Marco e Cenacoli 19.	Cenacoli e S. Marco 74.	784.	2146 (C.P., p. 73, n. 796).
FOTO	158921.	160018.	178560.	301740.
NOTE	Il dipinto, anche se probabilmente di scuola fiamminga, non ha affinità di stile con i due Pourbus, alla cui scuola è attribuito nel catalogo della collezione di provenienza. Di scarsa qualità, ha caratteristiche stilistiche indefinibili. M.C.	L'attribuzione avanzata allo Spada nel catalogo della collezione di provenienza non è accettabile per questo dipinto, non preso in considerazione dagli studi recenti sul pittore bolognese. Infatti lo stile del dipinto rimanda piuttosto alla pittura fiamminga tra il Cinque e il Seicento, in particolare all'ambiente di F. Pourbus il vecchio. M.C.	L'attribuzione a ignoto toscano dell'inventario del 1890 è inaccettabile per questo ritratto, la cui provenienza non è documentata. Lo stile del dipinto rinvia, infatti, ai modi di Frans Pourbus il giovane, alla cui cerchia appartiene il quadro. M.C.	Dipinto di genere nell'ambito di Louis de Caulery (Cambrai 1580 ca. - Anversa 1622 ca.). M.C.

	P1472	P1473	P1474	P1475
AUTORE	Scuola fiamminga sec. XVII.	Scuola fiamminga sec. XVII.	Scuola fiamminga sec. XVII, attr.	Scuola fiorentina metà sec. XIII.
TITOLO	Testa di Medusa.	Natura morta.	Gesù risuscita il figlio della vedova di Naim.	Madonna col Bambino e due Angeli.
DATAZIONE	1620-30 ca.?	Sec. XVII.	Seconda metà sec. XVII.	1260 ca.?
DATI TECNICI	Olio su tavola, 49x74.	Olio su tela, 179x146.	Olio su tavola, 16,5x21,5, restauro 1972.	Tempera su tavola, 130x73.
CORNICE	Dorata, barocca.		Intagliata, dorata, sec. XVII-XVIII.	Originale, parzialmente rovinata e decurtata.
UBICAZIONI	Pitti (sec. XVII), Uffizi (1753).	Pitti; S. Petroio, Empoli (1948);	Uffizi (sec. XIX).	Convento di S. Francesco, S. Miniato al Tedesco; Gallerie Fiorentine (1873); Uffizi (1883); Accademia (1919).
ATTRIBUZIONI	Scuola fiamminga (Inv. Pitti 1666). Leonardo da Vinci (Zacchiroli 1783). Scuola fiamminga (Pieraccini 1907 ca., Voll 1908, Poggi 1926, Ottino della Chiesa 1967, Bodart 1977).	Maniera fiamminga (Inv. 1890).	—	Bottega di Berlinghiero Berlinghieri (Sirén 1922). Scuola fiorentina (Van Marle 1923, Vitzthum-Volbach 1924, Vavalà 1929, Sinibaldi 1943, Longhi 1948, Marcucci 1958). Seguace di Berlinghiero (Garrison 1946, Oertel 1958).
ESPOSIZIONI	Rubens e la pittura fiamminga del Seicento nelle collezioni pubbliche fiorentine, Firenze 1977.	—	—	Mostra Giottesca, Firenze 1937.
BIBLIOGRAFIA	Zacchiroli F., Description de la Galerie Royale de Florence. Firenze 1783, II, p. 123, n. 137; II ed. 1790, p. 217, G. Poggi, Galleria degli Uffizi, Cat. dei dipinti, Firenze 1926, p. 181, Cat., Firenze 1977, n. 137.	H. Gerson - E. H. Ter Kuile, Art and Architecture in Belgium, 1600-1800, Harmondsworth 1960.	—	Cat. Firenze 1937 (1943), n. 77, L. Marcucci, I dipinti toscani del secolo XIII..., Roma 1958, n. 11.
INVENTARIO	1479 (C.P., p. 118, n. 1159).	5912.	1050.	455.
FOTO	5818.	155417.	—	26789.
NOTE	Il dipinto fu donato al granduca Ferdinando II de' Medici per volontà testamentaria di Hippolyte de Vicq (C. Ricci, in Il Marzocco, 17-XII-1905) ed è probabilmente da identificarsi con il quadro descritto in due inventari di palazzo Pitti, del 1666 e del 1695. Compare quindi nell'Inventario degli Uffizi del 1753. Fu identificato da F. Zacchiroli con una 'testa di Medusa' dipinta secondo il Vasari, da Leonardo da Vinci, ma questa attribuzione non ha avuto alcun seguito. M.C.	Il dipinto, in pessimo stato di conservazione, raffigura una «cucina con sopra della carne cruda, un'anatra morta, delle sporte e dei fiaschi di vino. In basso dei recipienti di rame, dei sedani, dei cavoli e della frutta» (Inv. 1890). Descrizione). Attribuito genericamente nell'Inventario del 1890 a Maniera fiamminga, il dipinto fu concesso in deposito alla Chiesa di Petroio ad Empoli il 24 Gennaio 1948. Gr. Red. 3 M.C.	Questo dipinto, la provenienza del quale non è documentata, presenta caratteristiche stilistiche ibride e di difficile definizione, tuttavia non tipicamente fiamminghe come vorrebbe l'attribuzione ottocentesca. In esso si notano caratteristiche compositive e cromatiche che sembrano indicare piuttosto la scuola francese della seconda metà del sec. XVII. M.C.	Il dipinto è decurtato in basso di una striscia di circa 10 cm.; è assai sporco. La qualità assai modesta. L. Bell.

Pinacoteca

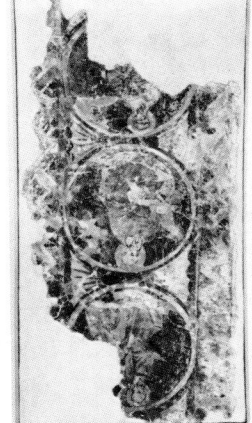

	P1476	P1477	P1478
AUTORE	Scuola fiorentina metà sec. XIII.	Scuola fiorentina sec. XIII.	Scuola fiorentina sec. XIV.
TITOLO	Madonna col Bambino.	Affreschi di S. Piero Scheraggio.	Madonna col Bambino e due Santi.
DATAZIONE	1270 ca. (Sinibaldi 1943, Coor-Achenbach 1950), 1250 ca. (Longhi 1948, Marcucci 1958).	Ultimo quarto sec. XII (Sanpaolesi 1933), metà sec. XIII (Ragghianti 1955), fine sec. XIII (Salmi 1954, Longhi-Marcucci 1958).	Primi sec. XIV (Salmi 1967), 1315 ca. (Bellosi 1974).
CORNICE	Parzialmente originale.	S. Piero Scheraggio (secondo arco a sinistra, navata di mezzo); Magazzini Uffizi (1939).	In gran parte originale.
DATI TECNICI	Tempera su tavola preparata con tela, 98x60, restauro 1956.	Cinque affreschi staccati, 189x86, 171x86, 104x60, 60x48, 47x43, restauro 1953.	Parti di polittico, tempera su tavola, 103x176.
UBICAZIONI	Coll. Luigi Pisa; Accademia (1933); Uffizi (1948).	—	Coll. U. Jandolo, Roma (1924 ca.); Coll. Contini Bonacossi (cit. 1956); Uffizi (1974); Dep. Meridiana di Pitti.
ATTRIBUZIONI	Scuola fiorentina (tutta la critica), Maestro della Madonna del Carmine (Coor-Achenbach 1950).	Arte bizantina con ricordi siriaci (Sanpaolesi 1933). Pittore nocellenizzante (Ragghianti 1955). Fiorentino con influssi bolognesi (Salmi 1954, Longhi-Marcucci 1958).	Pittore aretino (Salmi 1967), Lippo di Benivieni e aiuti (Offner 1956), Lippo di Benivieni? (Bellosi 1974).
ESPOSIZIONI	Mostra Giottesca, Firenze 1937.	Trésors d'art du Moyen Age en Italie, Paris 1952.	—
BIBLIOGRAFIA	Cat. Firenze 1937 (1943), n. 62. L. Marcucci, I dipinti toscani del secolo XIII... Roma 1958, n. 15.	Cat. Paris 1952, n. 171. L. Marcucci, I dipinti toscani del Sec. XIII, Roma 1958, n. 8.	R. Offner, Corpus of Florentine Painting, 1956, V, pp. 35-6.
INVENTARIO	9213.	9372, 9373, 9374, 9375, 9376.	Contini Bonacossi 31.
FOTO	68822.	101949-101953.	225614.
NOTE	Stilisticamente il dipinto è stato messo in rapporto con i primi mosaici della cupola del Battistero e con Coppo di Marcovaldo (Sinibaldi 1943, Longhi 1948). Il fondo era d'argento. I segni sul retro dimostrano che si tratta del centro di un tabernacolo. Pervenne alle Gallerie per donazione degli eredi di Luigi Pisa. L. Bell.	Staccati nel 1939 a cura del Sanpaolesi, furono revisionati a fondo da L. Tintori nel 1953. La chiesa di S. Piero Scheraggio, incorporata nella fabbrica degli Uffizi dal Vasari, era stata restaurata nel 1294 e riconsacrata nel 1299. La Marcucci suggerisce che fosse questa l'occasione per la decorazione ad affresco in parte tuttora esistente. Questi affreschi staccati, di una stessa mano delle Storie di Cristo negli sguanci delle finestre dell'abside, sembrano davvero alludere a quella rinascita della miniatura bolognese caratteristica della fine del Duecento. L. Bell.	L'opera in pessime condizioni per pulitura troppo energiche e larghe cadute di colore, è stato assegnato dall'Offner a Lippo di Benivieni e aiuti; attribuzione che il Bellosi (1974) mette in dubbio. I due Santi identificati dal Salmi con Gregorio e Donato, protettori di Arezzo, hanno fatto ipotizzare allo studioso un autore aretino. L'opera è entrata nelle collezioni degli Uffizi attraverso una donazione accompagnata da una convenzione con gli eredi del conte Alessandro Contini Bonacossi (1969). C.C.

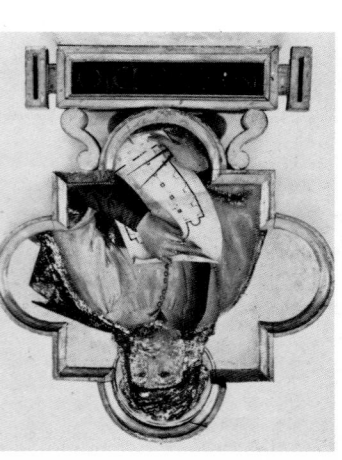
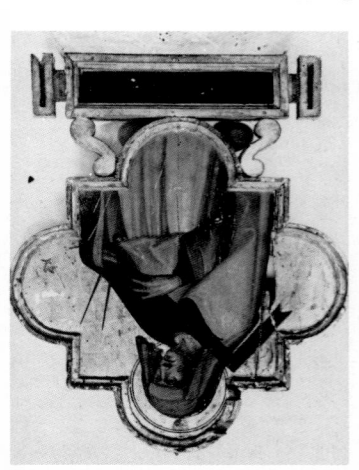

	P1479	P1480	P1481	P1482
AUTORE	Scuola fiorentina primo quarto sec. XV.	Scuola fiorentina sec. XV.	Scuola fiorentina sec. XV.	Scuola fiorentina sec. XV.
TITOLO	La Tebaide.	S. Castorio.	S. Claudio.	S. Nicostrato.
DATAZIONE	1410 ca. (Procacci 1933-36), 1420 ca. (Longhi 1940), 1425-35 ca. (Callman 1975).	1435 ca. (Bertani 1979).	1435 ca. (Bertani 1979).	1435 ca. (Bertani 1979).
DATI TECNICI	Tempera su tavola, 80x216.	Tempera su tavola, 71x71, restauro 1951.	Tempera su tavola, 71x71, restauro 1951.	Tempera su tavola, 71x71, restauro 1951.
CORNICE	Moderna.	Modanata e dorata a forma quadriloba con scritta in basso, tinteggiata di scuro.	Modanata e dorata a forma quadriloba con scritta in basso, tinteggiata di scuro.	Modanata e dorata a forma quadriloba con scritta in basso, tinteggiata di scuro.
UBICAZIONI	Coll. Ignazio Hugford (sec. XVIII); Cristiano Gori (sec. XVIII); Uffizi (1780); Museo degli Argenti (dopo 1943); Uffizi (1948).	Camera di Commercio (1972); Uffizi (1782); Pitti (1960); Accademia (1961); Pitti (1979).	Camera di Commercio (1782); Uffizi (1782); Pitti (1960); Accademia (1961); Pitti (1976).	Camera di Commercio (1782); Uffizi (1782); Pitti (1960); Accademia (1961); Pitti (1976).
ATTRIBUZIONI	Starnina (sec. XVIII). Pietro Lorenzetti (Lanzi 1782). Starnina (Gamba 1932, Procacci 1933-36). Angelico (Longhi 1940). Anonimo fiorentino verso il 1325-35 (Callman 1975).	—	—	—
ESPOSIZIONI	—	—	—	—
BIBLIOGRAFIA	U. Procacci, Gherardo Starnina, in Rivista d'Arte, 1933, 1935, 1936; A. Parronchi, Paolo Uccello, Bologna 1974; E. Callman, in Antichità viva, 1975.	B. Berenson, Italian Pictures of the Renaissance. Florentine School, London 1963, voll. I, II. M. Boskovits, Pittura fiorentina alla vigilia del Rinascimento, 1370-1400, Firenze 1975.	B. Berenson, Italian Pictures of the Renaissance. Florentine School, London 1963, voll. I, II. M. Boskovits, Pittura fiorentina alla vigilia del Rinascimento, 1370-1400, Firenze 1975.	B. Berenson, Italian Pictures of the Renaissance. Florentine School, London 1963, voll. I, II. M. Boskovits, Pittura fiorentina gotica alla vigilia del Rinascimento, 1370-1400, Firenze 1975.
INVENTARIO	447 (C.P., p. 59, n. 16).	6097.	6095.	6096.
FOTO	140949 (e particolari).	117687.	117685.	117686.
NOTE	Identificato da taluno (Longhi 1940) con un dipinto di questo soggetto ricordato come opera dell'Angelico nell'inventario mediceo del 1492, da altri (Procacci in Parronchi 1974) creduto proveniente dalla cappella Serragli nella chiesa del Carmine di Firenze, si trovava nel Settecento nella collezione fiorentina del pittore e conoscitore di 'primitivi' Ignazio Hugford e poi di L. Cristiano Gori. Di una qualità pittorica straordinaria, il dipinto va apprezzato al di là dell'arcaico impianto compositivo per il quale il pittore si è dovuto attendere a precisi precedenti, come la tavola del Museo di Esztergom che è di una data certamente anteriore in quanto riferibile ad un pittore di formazione ancora trecentesca — probabilmente Mariotto di Nardo (Boskovits 1968) —; mentre il presente dipinto per alcuni segni inequivocabili, come le piccole nubi nel cielo, non può essere anteriore al terzo decennio del Quattrocento (lo Starnina risulta invece già morto nel 1413). L. Bell.	In basso entro un riquadro su fondo celeste scuro: S. CASTORIO. Il dipinto insieme ai nn. 6095, 6096, 6100, inv. 1890, a pendant fra loro, proviene dalla soppressa Camera del Commercio di Firenze e giunse in Galleria il 6 Maggio 1782 (cfr. AGF, filza XV, ins. 35). Furono tutti esposti nella Galleria degli Uffizi e in seguito posti nei magazzini. Nel 1960 furono inviati a Pitti, un anno dopo esposti nella Galleria dell'Accademia. Dal 1976 sono nei depositi di Pitti. L.B.B.	In basso entro un riquadro su fondo celeste scuro: S. CLAVDIO. Il dipinto proviene dalla soppressa Camera di Commercio e giunse in Galleria nel 1782 il 6 maggio (cfr. AGF, filza XV ins. 35). Fu esposto nella Galleria degli Uffizi ma in seguito fu posto nei depositi. Nel 1960 fu inviato nei depositi di Pitti dopo un anno esposto all'Accademia. Dal 1976 è nei depositi di Pitti. Si cfr. i nn. 6096, 6097, 6100, inv. 1890. L.B.B.	Il basso entro un riquadro su fondo celeste scuro: S. NICOSTRATO. Il dipinto insieme ai nn. 6095, 6097, 6100, inv. 1890, a pendant fra loro, proviene dalla soppressa Camera di Commercio di Firenze e giunse in Galleria il 6 maggio 1782 (cfr. AGF, filza XV ins. 35). Furono tutti esposti nella Galleria degli Uffizi e in seguito posti nei magazzini. Nel 1960 furono inviati a Pitti e dopo un anno esposti nella Galleria dell'Accademia. Dal 1976 sono nei depositi di Pitti. L.B.B.

	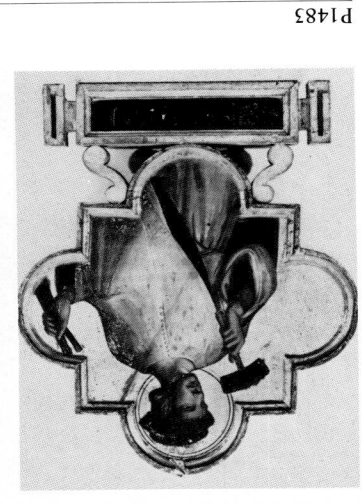P1483	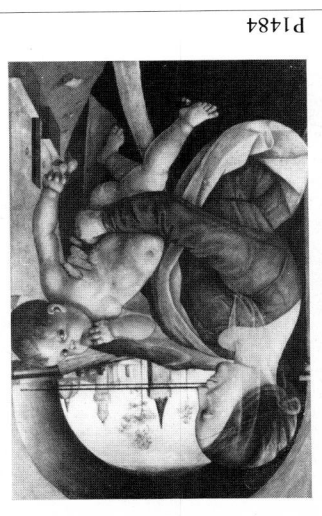P1484	P1485	P1486
AUTORE	Scuola fiorentina sec. XV.	Scuola fiorentina sec. XV.	Scuola fiorentina sec. XV.	Scuola fiorentina sec. XV.
TITOLO	S. Sinforiano.	Madonna con Bambino.	Passione di Cristo, Annunciazione e due angeli.	Vergine con Bambino.
DATAZIONE	1455 ca. (Bertani 1979).	Metà sec. XV ca.	Metà del sec. XV (Berti 1971).	1459.
DATI TECNICI	Tempera su tavola, 71x71, restauro 1951.	Tempera su tavola, 71x52, restauri 1968.	Tempera su tavola, 63x27.	Tempera su tavola, 156x104,5.
CORNICE	Modanata e dorata a forma quadriloba con scritta in basso tinteggiata di scuro.	—	A tabernacolo con frontone centinato con due riccioli ai lati, dorato.	A tabernacolo dorato con frontone aggettante e lesene ai lati, in basso azzurro.
UBICAZIONI	Camera di Commercio (1782); Uffizi (1782); Pitti (1960); Accademia (1961); Pitti (1976).	R. Corte di Appello (sec. XV); Uffizi (1889); Pitti (1944); Uffizi (1968).	Arcispedale di S. Maria Nuova (1900); Uffizi (1900); Palazzo Davanzati (1963).	Uffici della Zecca (1863); Uffizi (1963); Poggio a Caiano (?); Uffizi (1950).
ATTRIBUZIONI	—	—	Scuola toscana secolo XV (Pieraccini 1914), Scuola fiorentina della metà del secolo XV (Berti 1971).	G. Scheggini detto il Graffione (Cavalcaselle 1898). Pier Francesco fiorentino (Berenson 1909).
ESPOSIZIONI	—	—	—	—
BIBLIOGRAFIA	B. Berenson, Italian Pictures of the Renaissance. Florentine School. London 1963, voll. I, II. M. Boskovits, Pittura fiorentina alla vigilia del Rinascimento, 1370-1400, Firenze 1975.	B. Berenson, Italian Pictures of the Renaissance. Florentine School. Voll. I, II, London 1963. A. Chastel, La grande officina. Arte Italiana 1460-1500, Milano 1979.	R. Fremantle, Florentine Gothic Painters, London 1975. L. Berti, Il Museo di Palazzo Davanzati a Firenze, Firenze 1971, tav. 171, p. 216.	B. Berenson, Italian Pictures of the Renaissance. Florentine School. London 1963, voll. I, II. M. Boskovits, Pittura fiorentina alla vigilia del Rinascimento. Firenze 1975; R. Fremantle, Florentine Gothic Painters, London 1975.
INVENTARIO	6100.	508 (C.P., p. 68, n. 86).	5155 (C.P., p. 64, n. 12).	486 (C.P., p. 67, n. 61).
FOTO	117689.	—	66219.	325062.
NOTE	In basso entro un riquadro su fondo azzurro scuro: S. SINFORIANO. Il dipinto insieme ai nn. 6095, 6096, 6097, inv. 1890, a pendant fra loro, proviene dalla soppressa Camera del Commercio di Firenze e giunse in Galleria il 6 maggio 1782 (cfr. AGF, filza XV, ins. 35). Furono tutti esposti nella Galleria degli Uffizi e in seguito posti nei magazzini. Nel 1960 furono inviati a Pitti e un anno dopo esposti nella Galleria dell'Accademia. Dal 1976 sono nei depositi di Palazzo Pitti. L.B.B.	Il dipinto proviene dall'Ufficio della Corte d'Appello di Firenze, nel 1880 compare nell'inventario degli Uffizi, II cat., n. 232. Nel 1944 si trovava nei locali in uso di Mons. Basetti-Sani cappellano di Palazzo Pitti, dopo il restauro del 1968 fu inviato nuovamente agli Uffizi, attualmente è nei magazzini degli Uffizi. L.B.B.	Il dipinto a forma di tabernacolo con due sportelli su cui sono dipinti a chiaroscuro due angeli sui lati esterni, pervenne alla Galleria degli Uffizi il 1-4-1900 dall'Arcispedale di Santa Maria Nuova; esposto agli Uffizi, nel 1963 fu collocato nel Museo di Palazzo Davanzati dove tuttora è esposto. L.B.B.	Sul basamento: AVE MARIA GRATIA PLENA. A tergo è scritto: A dì 24 Settembre 1459 / f. op... a dì 29 Luglio. Il dipinto pervenne agli Uffizi dagli Uffici della Zecca il 3-9-1863, fu collocato nella Galleria degli Uffizi, in un periodo imprecisato fu inviato alla Villa del Poggio a Caiano da dove ritornò agli Uffizi nel 1950. Attualmente si trova nei depositi della Galleria degli Uffizi. L.B.B.

Pinacoteca

	P1487	P1488	P1489	P1490
AUTORE	Scuola fiorentina sec. XV.	Scuola fiorentina sec. XV.	Scuola fiorentina sec. XV.	Scuola fiorentina sec. XV.
TITOLO	Ritratto di giovane: Leon Battista Alberti?	Madonna col Bambino e Santi.	Madonna con Bambino.	Madonna col Bambino e due Santi.
DATAZIONE	1465-70 ca. (Bertani 1979).	1480-90 (Bertani 1979).	Seconda metà sec. XV (Bertani 1979).	Ultimo quarto sec. XV (Berti 1971).
DATI TECNICI	Bozzetto, olio su carta su cartone, 21,2x15,5.	Tempera trasportata su tela, 177x 205, restauro 1892, 1974.	Tempera su tavola, 93x43.	Olio su tavola, diametro 135.
CORNICE	—	—	A tabernacolo con lesene laterali, timpano e base.	Intagliata a festoni e dorata.
UBICAZIONI	Gabinetto Disegni e Stampe (1880); Uffizi (1914); Pitti (1962); Gabinetto Disegni e Stampe (1971).	Oratorio del Trebbio, San Piero a Sieve (1783); Uffizi (1893); Accademia (1936 ca.); Uffizi (1953); Accademia (1953).	Camera di Commercio (1782); Uffizi (1782); San Marco (1925); Palazzo Davanzati (1955).	Legato Vaj Geppy (1940); Uffizi (1946); Pal. Davanzati (1955).
ATTRIBUZIONI	—	Bottega di Alessandro Botticelli (Procacci, 1936).	—	—
ESPOSIZIONI	—	—	—	—
BIBLIOGRAFIA	M. Pittaluga, Filippo Lippi, Firenze 1949. A. Chastel, La grande officina. Arte italiana, 1460-1500, Milano 1966.	R. Salvini, La pittura del Botticelli, Milano 1958. A. Chastel, La grande officina. Arte Italiane 1460-1500, Milano 1979 (rist.). U. Procacci, La R. Galleria dell'Accademia di Firenze, Roma 1936, p. 44.	R. Fremantle, Florentine Gothic Painters, London 1975. L. Berti, Il Museo di Palazzo Davanzati a Firenze, Firenze 1971, p. 216.	B. Berenson, Italian Pictures of the Renaissance. Florentine School, London 1963. L. Berti, Il museo di Palazzo Davanzati a Firenze, Firenze 1971, tav. 172, n. 244, p. 216.
INVENTARIO	GDSU 19099.	4344.	6288.	9257.
FOTO	—	310055.	101719.	—
NOTE	Si tratta di un bozzetto con il ritratto di un giovane uomo, forse Leon Battista Alberti. Compare nell'inventario del 1880 III cat., n. 427. Nel 1914 passò agli Uffizi, in seguito a Pitti (1962), infine ai Gabinetto Disegni e Stampe nel 1971. Nel corridoio Vasariano è esposto un bozzetto che ha lo stesso numero di inventario del presente bozzetto. L.B.B.	Il dipinto raffigurante la Vergine, il Bambino fra i Santi Domenico, Cosma e Damiano, Francesco, Lorenzo e Giovanni Battista, pervenne agli Uffizi il 12 Maggio 1783 dall'oratorio annesso alla fattoria del Trebbio presso San Piero a Sieve: il Castello del Trebbio apparteneva nel '400 e nel '500 alla famiglia de' Medici; nel 1648 pervenne ai padri Filippini dai quali fu sicuramente aggiunta la figura di san Filippo Neri e altre ridipinture del quadro tolte nel restauro del 1894. L.B.B.	Il dipinto a forma di tabernacolo con la Madonna con Bambino sullo sfondo di un paesaggio faceva parte di un gruppo di opere provenienti dalla Camera di Commercio di Firenze nel 1782 (cfr. AGF filza XV, ins. 35); esposto agli Uffizi nel 1925 fu inviato nel Museo di S. Marco da dove fu ritirato nel 1955 e posto nel Museo di Palazzo Davanzati dove tuttora si trova. L.B.B.	Il tondo con la Madonna con Bambino, San Giuseppe e un santo, forse Girolamo, fa parte del gruppo di opere pervenute agli Uffizi nel 1946 dal Lascito Vaj Geppy del 1940. Nel 1955 l'opera fu inviata al Museo di Palazzo Davanzati dove tuttora è esposto; appartiene a un pittore seguace di Botticelli. L.B.B.

	P1491	P1492	P1493	P1494
AUTORE	Scuola fiorentina sec. XVI.	Scuola fiorentina sec. XVI.	Scuola fiorentina sec. XVI?	Scuola fiorentina sec. XVI.
TITOLO	Annunciazione.	Puttini.	Ritratto di vecchio.	Ritratto di Bianca Cappello.
DATAZIONE	Inizi del sec. XVI.	Prima metà sec. XVI.	1570-80 ca.	1590 ca.
DATI TECNICI	Tempera su tavola, 170x136.	Bozzetto, olio su carta 21,3x15,6.	Olio su tavola, 69x52.	Olio su tela, 66x51, restauro 1973.
CORNICE	—	Legno dorato entro una cornice in legno marrone, modanata.	Sagomata, dorata, sec. XVII.	Tinta di giallo, XVII sec.
UBICAZIONI	Uffizi (1964).	Gabinetto Disegni e Stampe (1880); Uffizi (1914); Pitti (1961); Uffizi (1971).	Coll. Feroni (ante 1850); Uffizi (1866); Cenacolo di Foligno (1894).	Uffizi (1905 ca.).
ATTRIBUZIONI	—	Vasari (Inventari antichi). Scuola fiorentina sec. XVI (Bertani 1979).	Holbein? (Cat. Feroni 1895).	—
ESPOSIZIONI	—	—	—	—
BIBLIOGRAFIA	S. J. Freedberg, Painting of the Hight Renaissance in Rome and Florence, Cambridge (Mass.) 1961. B. Berenson, Italian Pictures of the Renaissance. Florentine School, London 1963, voll. I, II.	P. Barocchi, Il Vasari pittore, in Rinascimento VII, 1956. P. Barocchi, Mostra di disegni del Vasari e della sua cerchia, Firenze 1964.	G. Arnolds, Santi di Tito..., Arezzo 1934. A. Venturi: Storia dell'arte italiana, vol. IX, 7, 1934. *Catalogo della Galleria Feroni, Firenze 1895, p. 7.*	G. Pieraccini, Galleria degli Uffizi, Cat. dei dipinti, 1905 ca., p. 73, n. 1207.
INVENTARIO	9447.	G.D.S.U. 19099.	S. Marco e Cenacoli 31.	2317 (C.P., p. 73, n. 1207).
FOTO	325050.	—	204539.	215324.
NOTE	La tavola fu presentata all'Ufficio esportazione di Firenze il 25-7-1964, fu esercitato il diritto di prelazione e acquistata il 21-9-1964; nel 1967 fu inviato in deposito al convento della Maddalena alle Caldine e subito dopo ritirata. Attualmente si trova nei depositi degli Uffizi. L.B.B.	Il bozzetto, incorniciato insieme al G.D.S.U. n. 19166, è esposto nel corridoio Vasariano; nel Gabinetto Disegni e Stampe c'è un altro bozzetto che porta lo stesso numero di inventario. Il presente bozzetto compare nell'inv. 1880 attribuito al Vasari, tuttavia si può supporre che sia entrato già molto prima e registrato insieme ai numerosi disegni che compaiono nell'inventario del 1793 di mano del Maestro (cfr. G.D.S.U. Inv. generale... vol. IV ad vocem). L.B.B.	Sul retro del dipinto, cartellino con scritta settecentesca (?): 103. Uno di quattro ritratti in legno di questa scritta, il ritratto faceva, a quanto pare, parte di una serie di quattro attribuiti nel Settecento (?) al pittore di Sansepolcro (per un altro dipinto Feroni che reca la stessa scritta, vedi il n. 121). Tale ascrizione, sia per lo stile del dipinto, sia per la data che si può desumere anche dal costume (1570-80 ca.), sembra più verosimile che non quella, ingiustificata, all'Holbein (senza specificare quale di questa famiglia di pittori) avanzata nel catalogo di provenienza. M.C.	Bianca Cappello (1548-1587), di famiglia veneziana, a quindici anni fuggì a Firenze sposandosi con un fiorentino protetto dal granduca. Divenuta l'amante di Francesco, figlio di Cosimo I de' Medici, lo sposò alla morte della prima moglie, Giovanna d'Austria (1579), divenendo granduchessa di Toscana. Morì a un giorno di distanza dal marito durante un soggiorno nella villa di Poggio a Caiano. Il ritratto, che appare di scuola fiorentina, deriva da un noto prototipo dipinto da S. Pulzone nel 1584 (Vienna, Kunsthist. Museum: vedi Kat. der Gemäldegalerie. Porträtgalerie zur Geschichte Oesterreichs, 1400-1800, Wien 1976, n. 238). M.C.

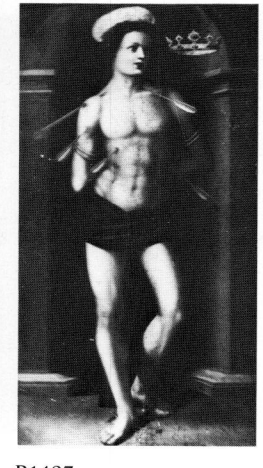

	P1495	P1496	P1497	P1498
AUTORE	Scuola fiorentina sec. XVI.	Scuola fiorentina sec. XVI?	Scuola fiorentina, sec. XVI.	Scuola fiorentina sec. XVI-XVII.
TITOLO	Peccato originale.	Ritratto di monaco.	S. Sebastiano.	La cena in casa del Fariseo.
DATAZIONE	Ultimo decennio sec. XVI.	Seconda metà sec. XVI.	Sec. XVI.	Fine XVI - inizi sec. XVII.
DATI TECNICI	Bozzetto, olio su tela, 28x34,1, rintelato.	Olio su tavola, 67x50.	Olio su tavola, 110x60, restauro 1951.	Olio su tela, 100x144.
CORNICE	Legno modanato, aggettante e dorato, sec. XVII.	Intagliata, dorata, sec. XVII.	Arcispedale di S. M. Nuova; Uffizi (1900); Accademia (1945); Pitti (1971).	Sagomata, dorata, sec. XVII.
UBICAZIONI	Gabinetto Disegni e Stampe (1880); Uffizi (1890); Pitti (1954); Uffizi (1971).	Coll. Feroni (ante 1850); Uffizi (1866); Cenacolo di Foligno (1894).	Scuola fiorentina sec. XVI (Inv. 1890).	Coll. Feroni (ante 1850); Uffizi (1866); Cenacolo di Foligno (1894).
ATTRIBUZIONI		Maniera del Bronzino (Cat. Gall. Feroni 1895).	—	Stradano (Cat. Feroni 1895).
ESPOSIZIONI	—	—	—	—
BIBLIOGRAFIA	A. Hauser, Il Manierismo, Torino 1965. L. Berti, Il principe dello Studiolo. Francesco I de' Medici e la fine del Rinascimento fiorentino, Firenze 1967.	*Catalogo della Galleria Feroni, Firenze 1895, p. 10.* A. Venturi, Storia dell'arte italiana, vol. IX, La pittura del Cinquecento.		*Catalogo della Galleria Feroni, Firenze 1895, p. 10.* A. Venturi, Storia dell'arte italiana, vol. IX, La pittura del Cinquecento. Catalogo della mostra del Cigoli, S. Miniato 1959.
INVENTARIO	5982.	S. Marco e Cenacoli 119.	3168 (C.P., p. 177, n. 25).	S. Marco e Cenacoli 127.
FOTO	—	128097.	5613.	204589.
NOTE	Il bozzetto figura anonimo già nell'inventario del 1880, cat. III, n. 424; fu inventariato in seguito nel 1890. Nel 1954 il dipinto passò alla Palatina, in seguito ritornò agli Uffizi (1971), attualmente si trova nei depositi degli Uffizi. L.B.B.	Nel catalogo della Galleria Feroni è detto che il quadro era precedentemente attribuito a Sebastiano del Piombo, attribuzione cambiata in quella a Maniera del Bronzino. Opera forse di ambito fiorentino, ma di difficile ascrizione, presenta anche caratteri emiliani. M.C.	Il dipinto, pervenuto in Galleria nel 1900 dall'Ospedale di S. Maria Nuova ed esposto nella 3ª Sala della Scuola Toscana, è databile al sec. XVI e avvicinabile per via stilistica all'ambiente di Fra' Bartolomeo (Firenze 1475-1517). Gr. Red. 3	Il quadro è evidentemente esemplato sulla tela di uguale soggetto di Ludovico Cigoli oggi nella Galleria Doria di Roma, datata 1596 (cfr .il cat. della Mostra del Cigoli, S. Miniato 1959, n. 19). Tuttavia i caratteri stilistici indicano un artista che non può identificarsi con lo Stradano, come proposto nel catalogo della Galleria Feroni. Tratti del dipinto rimandano a C. Allori e a G. Pagani, ma per il momento è impossibile avanzare un nome preciso. M.C.

	P1499	P1500	P1501	P1502
AUTORE	Scuola fiorentina sec. XVII.	Scuola fiorentina sec. XVII.	Scuola fiorentina sec. XVII.	Scuola fiorentina sec. XVII.
TITOLO	Il banchetto del ricco Epulone.	Processione.	Vestizione di un monaco.	Episodio della Gerusalemme liberata.
DATAZIONE	Inizi sec. XVII.	Inizi del sec. XVII.	Inizi del sec. XVII.	1620-25 ca. (Bertani 1979).
DATI TECNICI	Bozzetto, olio su rame, 34x43,5.	Bozzetto, olio su tavola, 21,5x45,4.	Bozzetto, olio su tavola, 23x45,7.	Bozzetto, olio su tela 44x52, rintelato.
CORNICE	Dorata liscia.	Legno a perlinatura dorata.	Legno a perlinatura dorata.	Legno modanato, aggettante e dorato.
UBICAZIONI	La Petraia (1649); Uffizi (1890).	Accademia (sec. XIX); Uffizi (1881); S. Salvi (?); Uffizi, Depositi (1971).	Accademia (sec. XIX); Uffizi (1881); S. Salvi; Uffizi (1971).	Gabinetto Disegni e Stampe (1880); Uffizi (1890).
ATTRIBUZIONI	Anonimo (inv. 1890).	Maniera del Cigoli? (Bertani 1979).	Maniera del Cigoli? (Bertani 1979).	—
ESPOSIZIONI	Mostra dei bozzetti, Firenze 1952, La quadreria di don Lorenzo de' Medici, Poggio a Caiano 1977.	—	—	Bozzetti delle Gallerie di Firenze, Firenze, 1952-53.
BIBLIOGRAFIA	E. Borea, in Cat., Poggio a Caiano 1977, p. 71.	M. Gregori, Avant-propos sulla pittura fiorentina, in Paragone 145, 1962, pp. 21-40. P. Bigongiari, Il Seicento fiorentino, Milano 1974.	M. Gregori, Avant-propos sulla pittura fiorentina, in Paragone 145, 1962, pp. 21-40. P. Bigongiari, Il Seicento fiorentino, Milano 1974.	M. Gregori, Avant-propos sulla pittura fiorentina del '600, in Paragone, 1962, n. 145, pp. 21-40. *L. Berti, Cat., Firenze, 1952-53, n. 123, p. 59.*
INVENTARIO	6273.	6926.	6925.	7573.
FOTO	66412.	171234.	171240.	94176.
NOTE	Gravemente menomata dalle cadute del colore, fa ora parte della cosiddetta collezione dei bozzetti, ma è accertata la provenienza dalla collezione di don Lorenzo de' Medici nella villa della Petraia (Borea). È stata intesa in ambito fiorentino sotto l'influenza del Callot (Berti 1952). E.B.	Sul retro due timbri in ceralacca rossa: ACCADEMIA DI BELLE ARTI... VISIONE E SINDACATI... e un altro con uno stemma. Il bozzetto è a pendant con il n. 6925 inv. 1890. È probabile che si tratti di un ornamento per mobile o parte altra di un quadro smembrato. Dal timbro del retro sembra che sia stato agli inizi del sec. XIX alla Galleria dell'Accademia. Negli inventari degli Uffizi compare nel 1881 cat. IVª 1376. La tavoletta potrebbe essere opera di un pittore vicino alla maniera del Cigoli intorno al 1603-1605 ca. L.B.B.	Il bozzetto è a pendant con il n. 6926 inv. 1890. Sul retro due timbri in ceralacca rossa: ACCADEMIA DI BELLE ARTI REVISIONE E SINDACATI e l'altro con uno stemma. È probabile che si tratti di un ornamento per un mobile o parte alta di un quadro ora smembrato. Dal timbro sul retro sembra sia stato agli inizi del secolo XIX nella Galleria dell'Accademia. Negli inventari degli Uffizi del 1881 compare cat. IVª n. 1375. La tavoletta potrebbe essere opera di un pittore vicino alla maniera del Cigoli intorno al 1603-05 ca. L.B.B.	Il bozzetto compare nell'inv. del 1881 cat. IVª, n. 278 (cfr. Cartellino sul retro della tela). Si confronti anche l'altro bozzetto Inv. 1890 n. 6705 in stretta relazione con il presente. L.B.B.

	P1503	P1504	P1505	P1506
Autore	Scuola fiorentina sec. XVII.	Scuola fiorentina sec. XVII.	Scuola fiorentina sec. XVII.	Scuola fiorentina sec. XVII?
Titolo	Giuseppe in carcere spiega i sogni.	Gesù Bambino che dorme sulla croce.	David con la testa di Golia.	Ritratto di giovane donna.
Datazione	1620-30.	1630 ca.	1630-40.	1650-60 ca.
Dati tecnici	Bozzetto, olio su rame, 21x26.	Olio su tavola, 34,5x43,5.	Olio su rame, 46,5x35,5, restauro 1958 ca.	Olio su rame, 20x15.
Cornice	Dorata a gole.	Settecentesca sagomata e dorata.	Ottocentesca intagliata e dorata.	Sagomata, intagliata e dorata, sec. XVII.
Ubicazioni	Uffizi (1890).	Castello; Uffizi (1779); Pitti (1928).	La Petraia; Uffizi 1796); Palatina (1928).	Coll. Feroni (ante 1850); Uffizi (1866); Cenacolo di Foligno (1894).
Attribuzioni	Anonimo (1890). Lecler (Collobi Ragghianti 1952). Anonimo fiorentino (Borea 1970).	Barocci (iscrizione a tergo, Inv. 1784). C. Allori (Inv. 1825). Bilivert (Matteoli 1970).	Onorio Marinari (Inv. 1825).	Maniera di Van Dyck (Cat. Feroni 1895).
Esposizioni	Mostra dei bozzetti, Firenze 1952. Caravaggio e Caravaggeschi nelle Gallerine di Firenze, Firenze 1970.	—	—	—
Bibliografia	E. Borea, in Cat., Firenze 1970, n. 61, p. 93.	A. Matteoli, in 'Commentari', XXI, 1970, p. 362 nota 101.	—	R. Wittkower, Art and Architecture in Italy, 1600-1750, Harmondsworth 1965. Catalogo della Galleria Feroni, Firenze 1895, p. 8.
Inventario	6511.	1358 (C.P., p. 161, n. 1165).	1555 (C.P., p. 167, n. 1247).	S. Marco e Cenacoli 46.
Foto	161378.	52934.	146343.	160001.
Note	Fa parte della cosiddetta collezione dei bozzetti. La composizione deriva letteralmente da una stampa di Luca di Leyda. Il dipinto è di mano fiorentina, vicino a Giovanni da San Giovanni (Borea 1970). E.B.	Iscrizione sul braccio della croce: 'COR MEUM VIGILAT'; a tergo: '16 Luglio 1779. Dalla Guardaroba della Villa di Castello del Barocci'. La superficie dipinta presenta infestazioni e cadute di colore. Insostenibile l'antica attribuzione al Barocci, giustamente respinta quella a Cristofano Allori dalla Matteoli (1970), restano tuttavia forti dubbi sul riferimento al Bilivert, pur sostenuto da antiche biografie, che questa studiosa ha proposto: in particolare il volto del Bambino non sembra riconducibile alla abituale pittura morbida e più fantasiosa di questo artista. Potrebbe trattarsi quindi di una derivazione, di mano ignota, dal prototipo bilivertiano ricordato dalle fonti, oggi sconosciuto. M.G.	Le attuali conoscenze sul Marinari non permettono di avvallare l'attribuzione tradizionale del dipinto a questo artista, solitamente noto per la sua dipendenza dal Dolci e per le sue affinità con Simone Pignoni. I caratteri prevalenti di questo rame sembrano piuttosto di derivazione bilivertiana e, per certi aspetti, non dissimili dallo stile di Bartolomeo Salvestrini, anche se la sinuosità e le deformazioni dell'anatomia fanno escludere il nome di questo allievo del Bilivert. M.G.	In questo dipinto, come nel suo 'pendant' n. 45, si notano influssi fiamminghi ma lo stile del quadro rinvia a un ambiente italiano e possibilmente fiorentino. L'artista che presenta queste caratteristiche è l'anversese, naturalizzato toscano, Justus Sustermans, al quale si potrebbero ascrivere i due quadri in via ipotetica. M.C.

	P1507	P1508	P1509	P1510
AUTORE	Scuola fiorentina sec. XVII?	Scuola fiorentina sec. XVII-XVIII.	Scuola fiorentina sec. XVII-XVIII?	Scuola fiorentina sec. XVIII, attr. a.
TITOLO	Ritratto di un cavaliere di Malta.	Ghirlanda di fiori.	Venere e Cupido.	Allegoria della Primavera?
DATAZIONE	1650-60 ca.	Fine sec. XVII-inizi XVIII.	Sec. XVII-XVIII.	1720-50 ca.
DATI TECNICI	Olio su rame, 20x15.	Olio su tela ovale, 152x121.	Olio su tela, 36x47.	Olio su tavola, 57,5x99.
CORNICE	Sagomata, intagliata e dorata, sec. XVII.	Intagliata e dorata, sec. XVII-XVIII.	Sagomata, dorata, sec. XVII-XVIII.	Sagomata, gialla e oro, sec. XVIII.
UBICAZIONI	Coll. Feroni (ante 1850); Uffizi (1866); Cenacolo di Foligno (1894).	Castello (sec. XIX); Uffizi (1972).	Coll. Feroni (ante 1850); Uffizi (1866); Cenacolo di Foligno (1894).	Uffizi (sec. XIX).
ATTRIBUZIONI	Scuola fiamminga sec. XVII (Cat. Feroni 1895).	Ignoto (Inv. Castello 1910).	Volterrano (Cat. Feroni 1895).	Scuola francese sec. XVIII (Inv. 1890).
ESPOSIZIONI	—	—	—	—
BIBLIOGRAFIA	R. Wittkower, Art and Architecture in Italy, 1600-1750, Harmondsworth 1965. *Catalogo della Galleria Feroni, Firenze 1895, p. 8.*	Cat. Mostra La natura morta italiana, Napoli 1964. M. Gregori: in Antichità Viva, 4, 1965.	R. Wittkower, Art and Architecture in Italy, 1600-1750, Harmondsworth 1965. *Catalogo della Galleria Feroni, Firenze 1895, p. 3.*	—
INVENTARIO	S. Marco e Cenacoli 45.	Castello 575.	S. Marco e Cenacoli 86.	594.
FOTO	160000.	176167.	204559.	248044.
NOTE	Il dipinto presenta caratteristiche stilistiche che non sono propriamente fiamminghe e che indirizzano piuttosto verso un ambito fiorentino, per affinità col il pittore anverese naturalizzatosi toscano Justus Sustermans (1619-81). M.C.	Il quadro fa coppia con il N. 579, del quale ha lo stesso tipo di cornice, ma è di mano diversa. Esso fa serie con altri quadri analoghi dell'inventario Castello. È probabile che l'autore di queste ghirlande sia fiorentino, e lo stile si avvicina molto a quello di Andrea Scacciati, artista che lavorò per i Medici tra la fine del XVII e gli inizi del XVIII secolo (vedi Diz. Bolaffi dei pittori e incisori italiani, 1973). M.C.	L'attribuzione al Volterrano (B. Franceschini) data dal catalogo della collezione di provenienza non ha fondamento: tuttavia il dipinto, opera assai modesta, sembra di scuola fiorentina del tardo XVII - inizi del XVIII secolo. M.C.	Il dipinto, la cui provenienza non è documentata, fa serie con altri due verticali e di misure più piccole (Inv. 1890, Nn. 3879-80). Attribuito nell'inventario degli Uffizi del 1890 a Scuola francese, forse anche per l'insolita tecnica a monocromo azzurro che lo caratterizza, il dipinto, con i due altri compagni, è piuttosto da vedere in rapporto alla produzione pittorica fiorentina dei primi decenni del Settecento, nell'ambito del Sagrestani e del Bonechi. M.C.

	P1511	P1512	P1513	P1514
Autore	Scuola francese sec. XVI.	Scuola francese sec. XVII?	Scuola francese seconda metà sec. XVII.	Scuola francese seconda metà sec. XVII.
Titolo	Ritratto di Cristina di Lorena.	Ritratto di dama.	Ritratto detto della marchesa di Sévigné.	Ritratto di giovane in armatura.
Datazione	1588.	1680 ca.	Seconda metà sec. XVII.	Seconda metà sec. XVII.
Dati tecnici	Olio su tavola, 39,5x32,5.	Olio su tela, ovale, 73x58.	Olio su tavola, 36,5x27.	Olio su tela, 70x57.
Cornice	Originale.	Sagomata, dorata, sec. XVII.	Intagliata e dorata, sec. XVII.	Intagliata, dorata, barocca.
Ubicazioni	Pitti (1588); Uffizi (1861).	Coll. Feroni (ante 1850); Uffizi (1866); Cenacolo di Foligno (1894).	Uffizi (1793); Pitti (1928).	Pitti (1834); Uffizi (1928).
Attribuzioni	—	P. Lely (Cat. Feroni 1895).	Mignard (Inv. Uffizi 1793, Dussieux 1876, Rusconi 1937, Beaucamp 1939, Boyer 1956, Francini Ciaranfi 1964). Scuola francese (Rosenberg 1977). Fernand Elle? (J. Wilhelm, in cat. Firenze 1977). La peinture française à Florence, Firenze 1945.	Philippe de Champaigne (Inghirami 1834, Chiavacci 1894, Rusconi 1937). Scuola francese (Dorival 1976, Rosenberg 1977).
Esposizioni	Pittura francese nelle collezioni pubbliche fiorentine, Firenze 1977.	—	Pittura francese nelle collezioni pubbliche fiorentine, Firenze 1977.	La peinture française à Florence, Firenze 1945. Tableaux français en Italie, tableaux italiens en France, Roma 1946. Pittura francese nelle collezioni pubbliche fiorentine, Firenze 1977.
Bibliografia	L. Dimier, Histoire de la peinture de portrait en France au XVIe siècle, Paris 1924-26. *Cat., Firenze 1977, n. 90.*	Catalogo della Galleria Feroni, Firenze 1895, p. 14.	A. Blunt, Art and Architecture in France 1500-1700, Harmondsworth 1954. *Cat., Firenze 1977, n. 61.*	B. Dorival, *Philippe de Champaigne, Paris 1976, p. 320, n. 747. Cat., Firenze 1977, n. 72.*
Inventario	4338 (C.P., p. 115, n. 3460).	S. Marco e Cenacoli 156.	1010.	8431.
Foto	248616.	158923.	108304.	248616.
Note	Questo ritratto, creduto dal Pieraccini (1905 ca.) di Margherita di Valois e dal Dimier della duchessa di Joyeuse, rappresenta Cristina di Lorena (1565-1637), figlia del duca Carlo III e di Claudia di Francia, nipote di Caterina de' Medici, che divenne granduchessa di Toscana nel 1589 col matrimonio con Ferdinando I de' Medici. Il dipinto è stato avvicinato dal Rosenberg ai nomi del Dumonstier e del Quesnel. M.C.	Il ritratto ha solo generiche affinità con lo stile del Lely al quale è attribuito nel Catalogo della collezione. Esso va piuttosto visto in rapporto con la ritrattistica aulica francese rappresentata dal Mignard e da J. F. Voet. In particolare il ritratto è molto simile a un altro appartenente alle Gallerie di Firenze, dal Bodart attribuito a mano francese vicina a quella del Mignard (vedi D. Bodart: cat. Rubens e la pittura fiamminga del Seicento nelle collezioni pubbliche fiorentine, Firenze 1977, p. 344, n. CXXXIV), ma dipendente, nel tipo, dai ritratti del Voet. M.C.	Il dipinto fu acquistato, con altri, dall'inviato a Parigi Favi per il granduca di Toscana nel 1793, con l'attribuzione al Mignard, poi concordemente accettata da quanti se ne sono occupati. Tuttavia il Rosenberg (cat., Firenze 1977) ha messo in dubbio sia la paternità del pittore francese, sia il soggetto (in quest'ultimo caso facendo osservare che il Lanzi chiamò il ritratto semplicemente 'Amazzone'). J. Wilhelm (com. orale) suggerisce una possibile attribuzione a Fernand Elle. M.C.	Il dipinto compare per la prima volta nella Galleria di Palazzo Pitti, con l'attribuzione allo Champaigne, nel 1834 (Cat. Inghirami, N. 127). Tale attribuzione ricompare nel Cat. Chiavacci del 1894 (N. 126), e quindi il quadro viene citato nel Cat. Rusconi (1937, p. 16) tra quelli passati, tra il 1922 e il 1928, alla Galleria degli Uffizi. Come dello Champaigne il dipinto venne esposto a Firenze e Roma nel 1945-46. Tuttavia tale attribuzione è stata rifiutata, su base stilistica, dal Dorival e dal Rosenberg. Quest'ultimo, però, nel catalogare il quadro in occasione della mostra Firenze 1977, incorreva in una svista, comprensibile, scambiandolo con il cosiddetto Ritratto di Fouquet (N. 1017), acquistato a Parigi nel 1797 con l'attribuzione allo Champaigne, e al quale si riferiscono le notizie inventariali date nel relativo catalogo. M.C.

	P1515	P1516	P1517	P1518
AUTORE	Scuola francese seconda metà sec. XVII.	Scuola francese fine sec. XVII, attr. a.	Scuola francese fine sec. XVII, attr. a.	Scuola genovese sec. XVII.
TITOLO	Ritrovamento del corpo di Zenobia.	Ritratto di gentildonna.	Ritratto di gentildonna.	Ritratto di ignoto.
DATAZIONE	Seconda metà sec. XVIII (Rosenbey 1977).	1695 ca.	1695 ca.	Sec. XVII.
DATI TECNICI	Olio su tela, ovale, 88x116, restauro 1976-77.	Olio su tela (ovale), 89x66, restauro 1975.	Olio su tela (ovale), 89x66, restauro 1975.	Olio su tela, 66x58, restauro 1971.
CORNICE	Sagomata, dorata, sec. XVIII.	Liscia, dorata, sec. XVIII.	Liscia, dorata, sec. XVIII.	—
UBICAZIONI	Uffizi (1793).	Uffizi (1905 ca.).	Uffizi (1905 ca.).	Uffizi; Pitti (1951); Uffizi (1976).
ATTRIBUZIONI	De la Fosse (attr. tradizionale). Scuola francese sec. XVII (Rosenberg 1977).	Taddeo Baldini (Inv. 1890).	Pierazzini (Inv. 1890).	Scuola genovese sec. XVII (Inv. 1890).
ESPOSIZIONI	Pittura francese nelle collezioni pubbliche fiorentine, Firenze 1977.	La peinture française à Florence, Firenze 1945.	La peinture française à Florence, Firenze 1945.	—
BIBLIOGRAFIA	A. Blunt, Art and Architecture in France, 1500-1700, Harmondsworth 1954. *Cat., Firenze 1977, n. 58.*	*P. Rosenberg, in Cat. Pittura francese nelle collezioni pubbliche fiorentine, Firenze 1977, p. 227, n. LXXX.*	*P. Rosenberg, in Cat. Pittura francese nelle collezioni pubbliche fiorentine, Firenze 1977, p. 227, n. LXXX.*	—
INVENTARIO	3852.	2954(C.P., p. 82, n. 960).	2948 (C.P., p. 83, n. 972).	5815.
FOTO	278466.	208185.	228186.	185584.
NOTE	Il dipinto fu acquistato, con altri quadri francesi, su commissione del granduca Ferdinando III a Parigi nel 1793. Entrò agli Uffizi con l'attribuzione a Charles de la Fosse (Parigi 1636-1716), ricordata nei cataloghi degli inizi del sec. XIX. Riconosciuto dal Rosenberg come il dipinto di provenienza parigina, da questi non fu tuttavia accettata l'attribuzione al de la Fosse, preferendogli un'attribuzione di scuola francese del Seicento. M.C.	Si ignora la provenienza del dipinto e di un suo 'pendant' (Inv. 1890, n. 2948), che furono esposti nel 1945 con l'attribuzione a Scuola francese, rifiutata dal Rosenberg, che cita l'attribuzione dell'Inv. 1890. M.C.	Si ignora la provenienza del dipinto e di un suo 'pendant' (Inv. 1890, n. 2954), che furono esposti nel 1945 con l'attribuzione a Scuola francese rifiutata dal Rosenberg, che cita l'attribuzione dell'Inv. 1890. M.C.	Il dipinto è ricordato nell'Inventario del 1881 tra le opere di III Categoria (n. 902) e si trova descritto nell'Inv. del 1890 come 'Ritratto di profilo di vecchio'. È in buono stato di conservazione, avendo subìto nel 1971 restauro di rintelatura, rintelaiatura e ripulitura. Gr. Red. 3

	P1519	P1520	P1521	P1522
AUTORE	Scuola greca antica, attr. a.	Scuola italiana sec. XV (nord-Italia).	Scuola italiana sec. XVI.	Scuola italiana sec. XVI.
TITOLO	Menelao e Elena.	Storia di S. Benedetto.	Uomo in armatura.	La Fortuna.
DATAZIONE	Sec. XIX?		Metà sec. XVI.	Fine sec. XVI.
DATI TECNICI	Encausto su intonaco?, 48x37.		Olio su tavola, 71,5x58.	Olio su tavola centinata, 46x27.
CORNICE	Sagomata, dorata, sec. XVII?		Intagliata e dorata, sec. XVIII.	Di noce intagliato e filettato d'oro sec. XVI, originale.
UBICAZIONI	Coll. Feroni (ante 1850); Uffizi (1866); Cenacolo di Foligno (1894).		Uffizi (1881); Senato, Roma (1930); Uffizi (1932).	La Petraia (1649); Accademia (1912); Uffizi (1925).
ATTRIBUZIONI	—		Bronzino (Schulze 1911). Scuola francese.	Jacopo Ligozzi (post 1771).
ESPOSIZIONI	—		—	Le triomphe du Maniérisme Européen, Amsterdam 1955.
BIBLIOGRAFIA	*Catalogo della Galleria Feroni, Firenze 1895, p. 13.*		*H. Schulze, Die Werke Angelo Bronzinos, Strassburg 1911.*	*M. Bacci in Proporzioni IV, 1963. AGF: F. Schultze Ruberto, Scheda ministeriale 1973.*
INVENTARIO	S. Marco e Cenacoli 122.		1504 (C.P., p. 161, n. 1166).	8023.
FOTO	204595.	9606-9603-05.	248614.	248615.
NOTE	Il dipinto, che nel catalogo della collezione di provenienza reca un'attribuzione interrogativa ad arte greca antica, sembra un falso dell'Ottocento, tempo nel quale non erano rare contraffazioni di questo genere. Il soggetto rappresenta Menelao che cerca di uccidere Elena presso una statua di Venere. Secondo il catalogo Feroni, il dipinto proverrebbe dagli scavi di Ercolano della seconda metà del sec. XVIII.	Vedi: Venceslao di Boemia (attr. a), Storie di S. Benedetto (Schede P1863, P1864, P1865).	Il ritratto è stato attribuito al Bronzino dallo Schulze, che lo crede opera tarda e di collaborazione; è stato dato anche ad Alessandro Allori, e successivamente trascurato. Un'attribuzione a scuola francese (di cui non rintracciamo l'origine) non viene accettata da P. Rosenberg (Pittura francese nelle collezioni pubbliche fiorentine, Firenze 1977, p. 219). Forse una ricerca che partisse dall'importante armatura cesellata e dorata, con figure di Minerva e di un cavaliere sul petto, avrebbe maggiori probabilità di definire in modo attendibile il quadro, di cui non si hanno neppure notizie antiche (appare inventariato per la prima volta nel 1881).	A tergo undici numeri antichi in vari colori e due strisce di ferro, fissate con cinque chiodi e terminanti in anelli da incardinare: la tavoletta faceva da sportello di un mobile o di uno specchio. Figura nelle collezioni medicee almeno dal 1649, quando è inventariata alla Petraia senza indicazione d'autore (ASF, Guard. 628, c. 6r); viene poi identificata erroneamente con una Fortuna del Ligozzi che entra agli Uffizi, proveniente dalla guardaroba, nel 1771 (AGF, filza III a 27, n. 1029), ma che è su rame, senza cornice, di misure diverse (soldi 9 X 1/3, cioè 27x15 ca.) e descritta come "con ruota sotto e vela nelle mani". Questa invece è la Fortuna instabile, in piedi su un globo, che spande intorno a sé i suoi fragili simboli di prosperità (corona, denaro, boccale) volgendo le spalle al 'memento mori' (clessidra, rose) portole sul vassoio da un'imprecisata 'figura alata' (il Tempo? la Morte?). Più insolita è la presenza del campanello. L'attribuzione al Ligozzi, già rifiutata dalla Bacci, non ha quindi ragion d'essere.
	M.C.		S.M.T.	S.M.T.

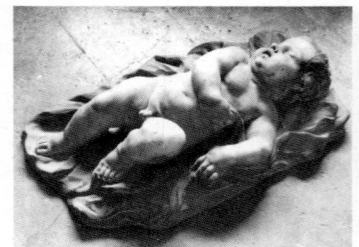   

	P1523	P1524	P1525	P1526
AUTORE	Scuola italiana sec. XVII.	Scuola italiana sec. XVII.	Scuola italiana sec. XVII.	Scuola italiana sec. XVII.
TITOLO	Putto dormiente.	Natura morta di fiori e frutta.	Natura morta di fiori e melagrana.	Apparizione dell'angelo alla Sacra famiglia.
DATAZIONE	Metà sec. XVII ca.	Seconda metà sec. XVII.	Seconda metà sec. XVII.	Sec. XVII.
DATI TECNICI	Marmo, 63x37x18.	Olio su tela, 69x49.	Olio su tela, 65x48.	Olio su tela, 75x58.
CORNICE	—	Sagomata, dorata, sec. XVII.	Sagomata, dorata, sec. XVII.	Intagliata e dorata.
UBICAZIONI	Coll. Feroni (ante 1850); Uffizi (1860); Cenacolo di Foligno (1894).	Coll. Feroni (ante 1850); Uffizi (1866); Cenacolo di Foligno (1894).	Coll. Feroni (ante 1850); Uffizi (1866); Cenacolo di Foligno (1894).	Castello; Pitti (1910); Uffizi (1976).
ATTRIBUZIONI	—	Scuola fiamminga sec. XVII (Cat., Feroni 1895).	Scuola fiamminga sec. XVII (Cat. Feroni 1895).	Ignoto sec. XVII (Inv. 1890).
ESPOSIZIONI	—	—	—	—
BIBLIOGRAFIA	R. Wittkower Art and Architecture in Italy, 1600-1750, Harmondsworth 1965. *Catalogo della Galleria Feroni, Firenze 1895, p. 15.*	G. De Logu: La natura morta italiana, Bergamo 1962. La natura morta italiana, cat. della mostra, Napoli 1964. *Catalogo della Galleria Feroni, Firenze 1895, p. 12.*	G. De Logu: La natura morta italiana, Bergamo 1962. La natura morta italiana, cat. della mostra, Napoli 1964. *Catalogo della Galleria Feroni, Firenze 1895 p. 15.*	—
INVENTARIO	Cenacoli e S. Marco 164.	Cenacoli e S. Marco 17.	Cenacoli 23.	Castello, 419.
FOTO	204586.	204587.	204542.	174039.
NOTE	Scultura con caratteristiche berniniane che la farebbero collocare in ambito romano ma di difficile ascrizione. M.C.	Il dipinto, con il suo 'pendant' N. 23, è attribuito a Scuola fiamminga nel catalogo della collezione di provenienza. Tale attribuzione, tuttavia, non è convalidata dallo stile dele due tele, che sono della stessa mano e che sembra italiana. Rapporti con l'ambiente fiorentino, soprattutto con le opere di B. Bimbi, suggerirebbero, in via di ipotesi, una collocazione in quell'ambito. M.C.	'Pendant' del N. 17, al quale si rinvia per il commento. M.C.	Nell'Inv. di Castello del 14 giugno 1910 leggiamo a p. 65: 'Un quadro in tela dipintovi Maria Santissima con Gesù Bambino in collo; con cornice intagliata e dorata' Gr. Red. 3

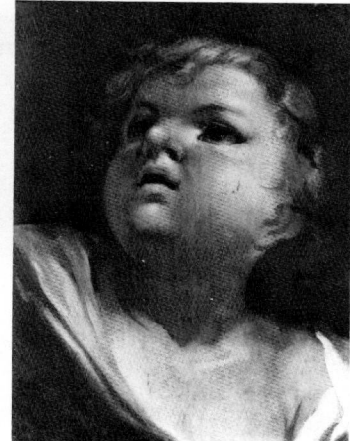

	P1527	P1528	P1529	P1530
AUTORE	Scuola italiana sec. XVII.	Scuola italiana sec. XVII-XVIII?	Scuola italiana sec. XVIII.	Scuola italiana sec. XVIII.
TITOLO	Scena domestica.	Testa di putto.	Natura morta con pollame e brocca.	Natura morta con pollame e fiasco.
DATAZIONE	Sec. XVII.	Sec. XVII-XVIII.	Prima metà sec. XVIII.	Prima metà sec. XVIII.
DATI TECNICI	Olio su tela, 101x129.	Olio su tela, 39x29.	Olio su tela, 68x96.	Olio su tela, 68x96.
CORNICE	Moderna, liscia e dipinta di marrone.	Sagomata, dorata, sec. XVII.	—	—
UBICAZIONI	Uffizi; Comune, Bagno a Ripoli (1917); Uffizi Depositi (1958).	Coll. Feroni (ante 1850); Uffizi (1866); Cenacolo di Foligno (1894).	Uffizi (1956).	Uffizi (1956).
ATTRIBUZIONI	Maniera di S. Rosa (Inv. 1881). Anonimo sec. XVII (Inv. 1890).	Daniele da Volterra (Cat. Feroni 1895).	Caravaggesco olandese (Becherucci 1960).	Caravaggesco olandese (Becherucci 1960).
ESPOSIZIONI	—	—	Nuovi acquisti delle Gallerie fiorentine, Firenze 1960.	Nuovi acquisti delle Gallerie fiorentine, Firenze 1960.
BIBLIOGRAFIA	—	*Catalogo della Galleria Feroni, Firenze 1895, p. 5.*	*Cat., Firenze 1960, n. 6.*	*Cat., Firenze 1960, n. 7.*
INVENTARIO	6382.	S. Marco e Cenacoli 97.	9379.	9380.
FOTO	168576.	204561.	102859.	102860.
NOTE	Attribuito nell'Inv. 1881 alla Maniera di Salvator Rosa come opera di 4ª Categoria; l'Inv. 1890 lo considera opera di Anonimo del sec. XVII. Recentemente è stata avanzata una attribuzione non ufficiale alla Bottega dei Bassano. Gr. Red. 3	L'attribuzione a Daniele da Volterra data nel catalogo della collezione di provenienza non ha alcun fondamento, e il dipinto è molto più tardo di quanto essa suggerisca. Lo stile del dipinto, tuttavia, è indefinibile, e si resta anche in dubbio circa il riferimento a scuola italiana. M.C.	Il dipinto forma coppia col N. 9380: la provenienza di entrambi non è documentata. Acquistati per gli Uffizi nel 1956, furono esposti con un'attribuzione a Scuola olandese intorno al 1630, che tuttavia non ci sembra si debba mantenere. Infatti i due quadri, dipinti con estrema scioltezza di pennellata, a tratti quasi liquida, non trovano confronto nella produzione olandese di nature morte, con la quale non presentano affinità di fattura. Anche la datazione proposta in cat., Firenze 1960, è troppo precoce, poiché lo stile dei due dipinti è molto più mosso e barocco di quello dei pittori caravaggeschi. Allo stato attuale delle nostre conoscenze è difficile orientare i due dipinti, che tuttavia sembrano affini ai prodotti di G. M. Crespi a Bologna e del Piazzetta a Venezia. M.C.	Soprattutto in questa tela, più fortemente chiaroscurata dell'altra N. 9379, si avverte un richiamo alla pittura pastosa del Piazzetta e del Crespi. M.C.

	P1531	P1532	P1533	P1534
Autore	Scuola italiana sec. XVIII.	Scuola italiana sec. XIX?	Scuola lombarda (?) sec. XVI-XVII.	Scuola lombarda sec. XVII.
Titolo	Toelette di femmine turche.	Ritratto di vecchio.	Cristo sulla via del Calvario.	Ritratto di poeta.
Datazione	Sec. XVIII.	Sec. XIX?	Seconda metà sec. XVI-inizi sec. XVII.	1640-50 ca.?
Dati tecnici	Olio su tela, 43x34.	Olio su tavola, 31x23.	Olio su rame, 34x43.	Olio su tela, 68x51.
Cornice	—	Sagomata, intagliata e dorata, sec. XVIII.	Intagliata e dorata, sec. XIX.	Sagomata, dorata, sec. XVII.
Ubicazioni	Coll. Granducali; Pitti, Depositi; Uffizi (1976).	Coll. Feroni (ante 1850); Uffizi (1866); Cenacolo di Foligno (1894).	Coll. Feroni (ante 1850); Uffizi (1866); Cenacolo di Foligno (1894).	Coll. Feroni (ante 1850); Uffizi (1866); Cenacolo di Foligno (1894).
Attribuzioni	Ignoto sec. XVIII (Inv. 1890).	Masaccio? (Cat. Feroni 1895).	Meus, Livio (Cat. Feroni 1895).	Scuola bolognese sec. XVIII (Cat. Feroni 1895).
Esposizioni	—	—	—	—
Bibliografia	A.G.F.: S. Turrini, *Scheda ministeriale 1974.*	*Catalogo della Galleria Feroni, Firenze 1895, p. 10.*	A. Venturi, *Storia dell'arte italiana*, Vol. IX, La pittura del Cinquecento. *Catalogo della Galleria Feroni, Firenze 1895, p. 14.*	*La pittura del Seicento in Lombardia*, Catalogo della mostra, Milano 1973. *Catalogo della Galleria Feroni, Firenze 1895, p. 5.*
Inventario	6553.	S. Marco e Cenacoli 125.	S. Marco e Cenacoli 44.	S. Marco e Cenacoli 81.
Foto	218151.	217294.	159999.	158919-20.
Note	Inventariata come opera del sec. XVIII, la tela è una figurazione in qualche modo ispirata alle note composizioni di Caravaggio e Manfredi. Impossibile una più precisa analisi per il pessimo stato di conservazione. Gr. Red. 3	Opera modestissima, probabilmente del sec. XIX, nella quale l'ignoto pittore ha cercato di contraffare un dipinto del XV sec. M.C.	L'attribuzione a Livio Mehus, proposta dal catalogo della collezione di provenienza, non ha nessun fondamento, anche perché il quadro appare più antico rispetto all'epoca nella quale visse il pittore di origine olandese. I caratteri stilistici, inoltre, rinviano all'ambiente lombardo della seconda metà del sec. XVI-inizi del XVII, con particolare riguardo al Mocalvo, come suggerisce P. Pouncey (com. orale). Tuttavia per ora è difficile stabilire una paternità precisa per l'opera. M.C.	Il dipinto è catalogato come ritratto del Petrarca, ma tale identificazione non è certa. Attribuito a scuola bolognese nel catalogo della galleria (1895), il quadro è invece della stessa mano di un altro esemplare di questo soggetto (ma la figura in quel caso non ha la corona d'alloro) che si trova nel Museo del Castello Sforzesco di Milano e che è stato attribuito a Francesco del Cairo da R. Longhi nel 1916 (vedi *Scritti giovanili*, Firenze 1961, p. 319, tav. 144), attribuzione che ci sembra possibile anche per l'esemplare già Feroni. M.C.

	P1535	P1536	P1537	P1538
Autore	Scuola lombardo-veneta sec. XVII.	Scuola napoletana sec. XVII.	Scuola napoletana sec. XVII?	Scuola olandese sec. XVII.
Titolo	Ritratto di donna.	Un filosofo?	**S**. Girolamo nel deserto.	Vanitas.
Datazione	Seconda metà sec. XVII.	1650 ca.?	1650-60 ca.?	1650-70 ca.
Dati tecnici	Olio su tela, 79x61.	Olio su tela, 75x61.	Olio su tela, 160x110.	Olio su tela, 98x72,5.
Cornice	Intagliata e dorata.	Sagomata, dorata, sec. XVII.	Sagomata, dorata, sec. XIX.	Sagomata, dorata, XVII sec.?
Ubicazioni	Badia a Rivalta Scrivia; Uffizi Depositi (1951).	Coll. Feroni (ante 1850); Uffizi (1866); Cenacolo di Foligno (1894).	Coll. Feroni (ante 1850); Uffizi (1666); Cenacolo di Foligno (1894).	Coll. Feroni (ante 1850); Uffizi (1866); Cenacolo di Foligno (1894).
Attribuzioni	Scuola lombardo-veneta sec. XVII (Inv. 1890).	Caravaggio? (Cat. Feroni 1895).	Van Kamm G. D. (Cat. Feroni 1895).	Scuola Fiamminga sec. XVII (Cat. Feroni 1895).
Esposizioni	—	—	—	—
Bibliografia	—	R. Wittkower, Art and Architecture in Italy, 1600-1750, Harmondsworth 1965. L. Salerno, L'opera completa di Salvator Rosa, Milano 1975. *Catalogo della Galleria Feroni, Firenze 1895, p. 9.*	*Catalogo della Galleria Feroni, Firenze 1895, p. 4.*	L. J. Bol, Holländische Maler des 17. Jahrhundnahe den grossen Meistern, Braunschweig 1969. *Catalogo della Galleria Feroni, Firenze 1895, p. 7.*
Inventario	9276.	S. Marco e Cenacoli 56.	S. Marco e Cenacoli 35.	S. Marco e Cenacoli 152.
Foto	67327.	158917.	159993, 168539.	204591.
Note	Il dipinto, per il quale è stata recentemente proposta una attribuzione non ufficiale a G. B. Piazzetta (Venezia 1682-1754), proviene dalla Badia di Rivalta Scrivia. Gr. Red. 3	Il dipinto reca nel catalogo della collezione di provenienza un'attribuzione al Caravaggio che è da scartare. L'opera si avvicina molto a quanto dipinto da Salvator Rosa di questo genere nel decennio 1640-50, e cioè quelle 'teste di fantasia' che furono anche oggetto d'interesse da parte del Ribera. Il quadro si può quindi ricondurre all'ambiente napoletano, anche se la sua fattura piuttosto liscia non fa escludere che ci troviamo difronte a una copia. M.C.	Il dipinto è attribuito dal Catalogo della collezione a un inesistente pittore fiammingo Van Kamm, la cui firma irrintracciabile, comparirebbe su uno dei libri. I suoi caratteri stilistici, tuttavia, con ricordi evidenti da Giuseppe Ribera, del quale ripete motivi compositivi e fattura realistica dei dettagli, indicano per il quadro un ambito italiano e probabilmente napoletano. M.C.	Il tema del dipinto — un sottobosco con cardo, teschio di cavallo, una farfalla morta e un serpente che si appresta ad ingoiarla — allude con evidenza al tema della 'vanitas', cioè della fragilità della vita. Questo tipo di dipinto fu comune alla pittura olandese, e il Marseus ne fece oggetto quasi esclusivo della sua pittura. Tuttavia il quadro, attribuito a Scuola fiamminga nella collezione di provenienza, non sembra appartenere alla mano del Marseus, e presenta affinità stilistiche con il Van Aelst, del quale conosciamo un dipinto di tema analogo e di stile corrispondente nel Museo di Schwerin (Cat. 1951, n. 3). M.C.

	P1539	P1540	P1541	P1542
AUTORE	Scuola olandese sec. XVII.	Scuola olandese sec. XVII.	Scuola parmense sec. XVII.	Scuola piemontese sec. XVIII, attr. a.
TITOLO	Paesaggio.	Paesaggio.	Santa Famiglia.	Cacciatori in sosta davanti all'osteria.
DATAZIONE	Metà sec. XVII ca.	Sec. XVII.	Inizi sec. XVII.	Metà sec. XVIII ca.
DATI TECNICI	Olio su tavola, 53x108,5.	Olio su tela; 34x41.	Olio su tavola, 40x30.	Olio su tela, 121x106.
CORNICE	Sagomata, noce e oro, sec. XVII.	—	Dorata e intagliata.	—
UBICAZIONI	Pitti (sec. XVIII); Uffizi (1773 ca.).	Uffizi, Depositi (?); Pitti, Depositi (?); Uffizi, Depositi (1976).	Segreteria di guerra; Uffizi (1800); Depositi; S. Miniato, Signa (1946).	Uffizi (1951).
ATTRIBUZIONI	—	Scuola olandese sec. XVII (Inv. 1890).	Schedoni (inv. 1800). Anonimo da Schedoni (Borea 1975).	—
ESPOSIZIONI	—	—	Pittori bolognesi del Seicento nelle gallerie di Firenze, Firenze 1975. n. 56.	Nuovi acquisti delle Gallerie fiorentine, Firenze 1960.
BIBLIOGRAFIA	J. Rosenberg - S. Slive - E. H. Ter Kuile, Dutch Art and Architecture, 1600-1800, Harmondsworth 1966. *M. Chiarini, in Paragone, 301, 1975, p. 80.*	—	*E. Borea, Cat., Firenze 1975, n. 56, p. 72.*	Mostra del Barocco piemontese, cat., Pittura, Scultura, Arazzi, Torino 1963. *Cat., Firenze 1960, n. 15.*
INVENTARIO	6003.	5089.	1398 (C.P., p. 143, n. 110).	9277.
FOTO	251408.	323310.	44433.	67329.
NOTE	Il dipinto è riconoscibile in uno descritto nell'inventario della collezione del principe Ferdinando de' Medici in palazzo Pitti, redatto alla sua morte (1713; Chiarini 1975). Il quadro, che rammenta le composizioni e la cromia sobria del van Goyen, non è per ora attribuibile a una personalità precisa. M.C.	Il dipinto è inventariato come 'Scuola olandese del sec. XVII'. L'apprezzamento della qualità è gravemente compromesso dallo stato di conservazione. Risulta da epoca imprecisata nel Magazzino Lambertesca. Nel 1881 era inventariato come opera di III categoria (n. 396). Gr. Red. 3	Pervenne agli Uffizi nel 1800 per interessamento dell'allora direttore Tommaso Puccini che lo ritrovò in un pubblico ufficio (segreteria di guerra). Fu tolto presto alla galleria essendosene notata la mediocre qualità. Trattasi infatti di modesta opera parmense di cui non è noto l'originale schedoniano da cui probabilmente deriva. E.B.	Il dipinto, con i suoi due compagni con i quali fa serie, fu acquistato nel 1951 ed esposto nel 1960 con l'attribuzione a Scuola piemontese del XVIII sec.: nel catalogo si faceva riferimento in particolare a un pittore nella cerchia di P.D. Olivero (Torino 1680-1755), con i cui soggetti in effetti i tre dipinti hanno punti di contatto. Tuttavia, e pur tenendo conto della provenienza da un castello piemontese segnalata nel catalogo, lo stile dei tre quadri rinvia anche al gusto comune presente anche a Firenze nello stesso secolo, ad esempio nelle opere di Giuseppe Zocchi (Firenze 1711-67), con le cui opere presenti in numero nel Museo delle opere di Giuseppe Zocchi (Firenze si possono stabilire raffronti indicativi. M.C.

	P1543	P1544	P1545	P1546
Autore	Scuola piemontese sec. XVIII, attr. a.	Scuola piemontese sec. XVIII, attr. a.	Scuola pisana, fine sec. XII.	Scuola romana sec. XVII.
Titolo	Cavalieri e zingari.	Scena di porto.	Croce dipinta.	Santo Domenicano orante.
Datazione	Metà sec. XVIII ca.	Metà sec. XVIII ca.	Fine sec. XII inizi sec. XIII.	1650 ca.
Dati tecnici	Olio su tela, 121x106.	Olio su tela, 121x106.	Tempera su tavola, 377x231, restauro 1958-60.	Olio su tela, 115x86.
Cornice	—	—	Originale, con parti di restauro.	Dorata e intagliata a motivi vegetali.
Ubicazioni	Uffizi (1951).	Uffizi (1951).	Provenienza sconosciuta; Uffizi (sec. XIX); Accademia (1919); Uffizi (1948).	Coll. privata, Costantino Tuilio; Uffizi (1904).
Attribuzioni	—	—	Maestro Tedice (Sirén 1922). Scuola pisana (Vavalà 1929, Salmi 1931, Lazareff 1936). Scuola armena (Toesca 1927, Longhi 1948). Scuola fiorentina (Vitzthum-Volbach 1924, Ocner 1933, Sinibaldi 1943, Meiss 1951).	Guido Reni (1904). Anonimo (Borea 1975).
Esposizioni	Nuovi acquisti delle Gallerie fiorentine, Firenze 1960.	Nuovi acquisti delle Gallerie fiorentine, Firenze 1960.	Exposition de l'art italien de Cimabue à Tiepolo, Parigi 1935. Mostra Giottesca, Firenze 1937.	—
Bibliografia	Mostra del Barocco piemontese, cat. Pittura, Scultura, Arazzi, Torino 1963. *Cat., Firenze 1960, n. 16.*	Mostra del Barocco piemontese, cat., Pittura, Scultura, Arazzi, Torino 1963. *Cat., Firenze 1960, n. 17.*	*Cat. Parigi 1935, n. 160; Cat., Firenze 1937, n. 49; U. Baldini, La croce 432 degli Uffizi, Milano 1962.*	E. Borea, in Cat. Pittori Bolognesi del Seicento nelle Gallerie di Firenze, Firenze 1975, p. 158.
Inventario	9278.	9279.	432 (C.P., p. 56 n. 3).	3253 (C.P., p. 81 n. 1554).
Foto	67328.	673330.	26770 (e particolari), 102994-5.	204988.
Note	Per il commento, si veda il n. 9277. M.C.	Per il commento si veda il n. 9277. M.C.	La croce era stata ridipinta assai profondamente, soprattutto nel volto di Cristo. La situazione originaria è stata recuperata con un restauro eseguito nel 1958-60, che ha lasciato in vista le lacune della superficie pittorica. Il tabellone in alto e quello del braccio destro sono ricostruzioni. L'origine pisana della presente croce sembrerebbe confermata dalle somiglianze con quella oggi nel santuario cateriniano di Siena, proveniente dalla chiesa di S. Caterina a Pisa. Lungo i fianchi di Cristo sono sei Storie della Passione; nei tabelloni dei bracci della croce, figure intere di dolenti. L. Bell.	Acquistato per gli Uffizi da certo Emilio Costantino nel 1904 come originale del Reni, è opera mediocre che non sembra appartenere ad ambiente bolognese, databile con approssimazione sulla metà del seicento, forse romana. E.B.

	P1547	P1548	P1549	P1550
Autore	Scuola romana sec. XVII.	Scuola romana sec. XVII	Scuola romana sec. XVII.	Scuola romana (?) sec. XVII.
Titolo	Paesaggio con danza di pastori.	San Pietro.	Vaso di fiori e due putti.	Ritratto di abate rocchettino.
Datazione	Metà sec. XVII.	Seconda metà sec. XVII.	Seconda metà sec. XVII.	1650 ca.
Dati tecnici	Olio su tavola, 59x55.	Olio su tela 135x114, restauro 1973.	Olio su tela, 75x159.	Olio su tela 66x53,5, restauro 1973.
Cornice	Sagomata, dorata, sec. XVII.	Dorata a gole.	Intagliata e dorata, tinta di giallo, sec. XVII-XVIII.	Dorata a gole.
Ubicazioni	Coll. Feroni (ante 1850); Uffizi (1866); Cenacolo di Foligno (1894).	Eleonora Venturi ved. Albizi; Uffizi (1778).	Coll. Feroni (ante 1850); Uffizi (1866); Cenacolo di Foligno (1894).	Pitti (1705 ca.); Uffizi (1753).
Attribuzioni	Scuola Veneta sec. XVII (Cat. Feroni 1895).	Lanfranco (1778). Anonimo (Borea 1975).	Passeri, G. B. (Cat. Feroni 1895).	Guercino (inv. 1705 ca.). Annibale Carracci (Lanzi ms. 1784). Anonimo (Borea 1975).
Esposizioni	—	—	—	—
Bibliografia	R. Wittkower, Art and Architecture in Italy, 1600-1750, Harmondsworth 1965. L. Salerno, Pittori di paesaggio del Seicento a Roma, vol. II, Roma 1976. *Catalogo della Galleria Feroni, Firenze 1895, p. 13.*	E. Borea, Pittori bolognesi del Seicento nelle Gallerie di Firenze, Firenze 1975, pp. 177-78.	R. De Logu, La natura morta italiana, Bergamo 1962. Catalogo della mostra della natura morta italiana, Napoli 1964. S. Wittkower, Art and Architecture in Italy, 1600-1750? Harmondsworth 1965. *Catalogo della Galleria Feroni, Firenze 1895, p. 14.*	*E. Borea, Pittori Bolognesi del Seicento nelle Gallerie di Firenze, Firenze 1975, pp. 27-28.*
Inventario	S. Marco e Cenacoli 143.	2160 (C.P., p. 76 n. 1106).	S. Marco e Cenacoli 140.	800 (C.P., p. 86 n. 170).
Foto	168675.	207583.	168521.	206868.
Note	Sulla cornice, cartellino con scritta seisettecentesca: Gaspare Pusino. L'attribuzione generica e infondata avanzata dal catalogo della collezione di provenienza, forse influenzata da una precedente attribuzione, riportata dal catalogo stesso, al Tintoretto, risulta inaccettabile. Come documenta il cartellino antico apposto sul retro della cornice, il quadro è piuttosto di ambito romano, con ricordi di Gapsrad Dughet (il Pussino) ma anche più antichi, come nelle figure, che riflettono lo stile del Poelenburgh. M.C.	Il dipinto è stato acquistato nel 1778 da Eleonora Venturi vedova Albizi. Sempre passivamente accettato come opera del Lanfranco, non compete a questo maestro, è forse di ambiente romano e comunque della seconda metà del secolo. E.B.	Il dipinto reca un'attribuzione a G. B. Passeri nel catalogo della collezione di provenienza che tuttavia non è stilisticamente accettabile. Il quadro è evidentemente di due mani: mentre l'autore del vaso di fiori è da mettersi in rapporto con la cultura romana del tardo XVII secolo (Mario de' Fiori, Gasparo Lopez, ecc.), i due putti sono stati dipinti da un artista di cultura marattesca. M.C.	Sempre esposto come opera di Annibale Carracci è tuttavia ignorato nella letteratura su questo pittore (anche negli elenchi delle attribuzioni respinte). Esso è opera più tarda, la cui qualità è stata rivelata dal recente restauro, forse di ambiente romano intorno a Pietro da Cortona. E.B.

  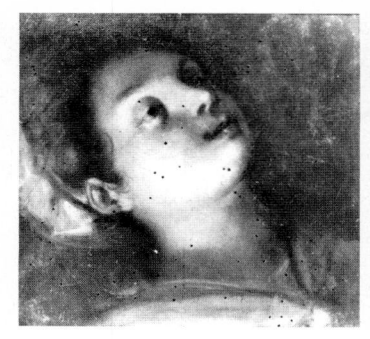 

	P1551	P1552	P1553
AUTORE	Scuola russa.	Scuola senese sec. XVI.	Scuola tedesca sec. XVI?
TITOLO	Menologio (e settantasette icone).	**Testa** femminile.	Libro aperto.
DATAZIONE	Dal XVI al XVIII secolo.	1590-1600.	Primo quarto sec. XVI?
DATI TECNICI	Tempera su tavola, 70x54 e più piccole. Restauri Vermeheren e Tintori, 1946.	Pastelli policromi su carta incollata su tavola, 28x26.	Olio su tavola, 70,2x65.
CORNICE	Originali.	Ottocentesca dorata.	Listello grecco sec. XX.
UBICAZIONI	Guardaroba dei Granduchi di Lorena (1761); Uffizi (1780-82); Depositi e Castello (1796); Accademia (1950 ca.).	Uffizi, coll. disegni (fino al 1829); Uffizi (1829).	Lappeggi (1669; guardaroba (ante 1696); Museo civico, Pistoia (1951); Uffizi (1969).
ATTRIBUZIONI	Scuole russe di Mosca, Novgorod, Stroganow, ecc. (Marcucci 1958).	Cigoli (Inv. 1825). F. Vanni (Ciaranfi 1952). Cigoli (Chelazzi Dini 1973).	Ludger tom Ring (T. J. Mc. Cormick 1965). Maestro di Grossgmain (E Herzog 1969).
ESPOSIZIONI	Opere d'arte restaurate, Firenze 1946 (il n. 5959).	Bozzetti delle Gallerie di Firenze, Firenze 1952.	—
BIBLIOGRAFIA	S. Bettini, Il Museo Nazionale di Ravenna, 1940. *L. Marcucci, I dipinti Toscani... del secolo XIII... Roma 1958, nn. 30-108.*	*A. M. Ciaranfi, in Cat. mostra, 1952. AGF, G. Chelazzi Dini, scheda ministeriale, 1973.*	C. Sterling, La nature morte de l'antiquité à nos jours, Paris 1952. T. J. Mc Cormick, Problem Pictures, Paintings without authors, Poughkeepsie 1965.
INVENTARIO	5955 e vari.	1527 (C.P., p. 166, n. 1174).	6191.
FOTO	102387-88 e vari.	68248.	154578.
NOTE	Si tratta di un gruppo di 78 dipinti su tavola, di epoca variabile tra il XVI e il XVIII secolo, di qualità abbastanza varia, per la maggior parte eseguiti a scopo di mera divulgazione devozionale. Entrarono in blocco nell'ambito delle Galleria Fiorentine con l'arrivo dei Lorena nel XVIII secolo alla guida del Granducato di Toscana. L. Bell.	Il dipinto, incollato su tavola probabilmente quando entrò in Galleria dalle raccolte di disegni, presenta attualmente notevoli infestazioni e qualche caduta di colore. L'antica attribuzione al Cigoli, ripresa recentemente dalla Chelazzi Dini (1973), non pare accettabile, neanche in rapporto alle opere più baroccesche del maestro fiorentino: le deformazioni dei piani del volto, il carattere più nervoso del disegno dell'orecchio, non si riscontrano negli analoghi pastelli del Cardi. Il riferimento a Francesco Vanni (Ciaranfi 1952), se non pienamente convincente, sembra più corretto almeno per l'orientamento verso l'ambiente baroccesco senese. M.G.	Da identificare con quella 'tavola... entrovj il ritratto un Libro, in Carentrovj il ritratto un Libro, in Cartapecora' che era nel 1669 a Lappeggi (ASF, Med. 5869a, ins. 7, p. 46) e doveva riflettere i gusti del principe Mattias piuttosto che del successivo abitante della villa, Francesco Maria de' Medici (non è più presente nell'inventario del 1696). Ne esiste una replica identica, un po' più piccola (59,6x59), nel Vassar College di Poughkeepsie, attribuita a Ludger tom Ring il vecchio (ma cfr. B. Nicholson in Burlington Magazine CVII, 1965, p. 642). Di un dipinto che pare il pendant di questo, con le cinghie a destra, esistono versioni a Kassel, Gemäldegalerie der Staatlichen Kunstsammlungen (forse il prototipo, attribuita al Maestro di Grossgmain), nella collezione Thyssen e altrove: se ne veda la discussione nel libro di Sterling, che di queste curiose nature morte offre una fonte verosimile (tarsie italiane del terzo quarto del '400) e una probabile destinazione: gli sportelli di una libreria. S.M.T.

	P1554	P1555	P1556	P1557
AUTORE	Scuola tedesca sec. XVI-XVII.	Scuola toscana sec. XIV.	Scuola toscana sec. XIV.	Scuola toscana sec. XV (vicina a Mariotto di Nardo).
TITOLO	Crocifissione di Cristo.	San Nicola di Bari e santa Caterina Martire.	Madonna in trono fra Santi.	Madonna con Bambino e Annunciazione.
DATAZIONE	1600 ca.?	1370 ca. (Bertani 1979).	Prima metà del sec. XIV.	1450 (Annunciazione: Procacci 1936). Primo decennio sec. XV. (Madonna con Bambino: Bertani 1979).
DATI TECNICI	Olio su rame, 34x48.	Tempera su tavola, 78x112,5, restauri 1951, 1965, 1970.	Tempera su tavola, 139x195, restauro 1966.	Tempera su tavola, 74x107,5; (con la cornice 114x135).
CORNICE	Sagomata, dorata, sec. XVII.	—	Trittico.	Originale cuspidata con intagli a foglie dorate e altra rettangolare dorata.
UBICAZIONI	Coll. Feroni (ante 1850); Uffizi (1866); Cenacolo di Foligno (1894).	Uffizi (1880); Pitti (1960); Accademia (1970); Uffizi (1977).	Chiesa di Sant'Angelo, Nebbiano (1889); Uffizi (1889); Chiesa di S. Giuseppe (1921); Gabinetto Restauri (1966).	Tribunale di Giustizia? (sec. XV); Uffizi (1880); Accademia (1933).
ATTRIBUZIONI	E. Bloemeaert (Cat. Feroni 1895).	Pittore fiorentino vicino a Giovanni da Milano (Bertani (1979).	—	Inquadratura della lunetta: Giovanni del Ponte (Gamba 1904). Mariotto di Nardo (Berenson 1963). Lunetta: Mariotto di Nardo? (Berenson 1932, 1963).
ESPOSIZIONI	—	—	—	—
BIBLIOGRAFIA	*Catalogo della Galleria Feroni, Firenze 1895, p. 8.*	L. Bellosi, Da Spinello Aretino a Lorenzo Monaco, in Paragone 187, 1965, pp. 18-51. M. Boskovits, Pittura fiorentina alla vigilia del Rinascimento, 1370-1400, Firenze 1975.	R. Fremantle, Florentine Gothic Painters, London 1975.	M. Boskovits, Pittura fiorentina alla vigilia del Rinascimento. Firenze 1975. R. Fremantle, Florentine Gothic Painters, London 1975. AGF: M. Simari, Scheda Ministeriale, 1975. *B. Berenson, Italian Pictures of the Renaissance. Florentine School, vol. I, p. 130.*
INVENTARIO	S. Marco e Cenacoli 52.	6166.	3072 (C.P., p. 60, n. 21).	450 (C.P., p. 60, n. 22).
FOTO	168925.	325053.	143722.	282865 (part. 282866; 296718-19).
NOTE	Il dipinto è attribuito nel catalogo della galleria all'olandese Enrico Bloemaert, figlio del più noto Abraham. Tale attribuzione è tuttavia improbabile, e il quadro va piuttosto riferito all'ambito di Hans von Aachen per la quasi identità con un altro esemplare di questo soggetto nel Kunsthistorisches Museum di Vienna, ivi attribuito allo studio del pittore tedesco (Inv. n. 1118: vedi Kunsthist. Mus., Wien, Verzeichnis der Gemälde, Wien 1973, p. 3). M.C.	Il dipinto, assai sciupato per cadute di colore e privo di cornice, non è mai stato esposto. Compare nell'inventario del 1880, cat. II, n. 300; nel 1960 fu inviato nei magazzini di Palazzo Pitti e poco dopo alla Galleria dell'Accademia (1970); dal 1977 si trova nei Magazzini degli Uffizi. L.B.B.	Il trittico fu ceduto dal Parroco della Chiesa di S. Angelo a Nebbiano ed entrò in Galleria il 15-10-1889; nel 1912 il 28 agosto, fu dato in deposito alla Chiesa di S. Giuseppe per la Confraternita di S. Maria alla Croce, da qui fu ritirato a seguito dell'alluvione nel 1966 e depositato nei locali del Gabinetto Restauri della Fortezza di Firenze, dove tuttora si trova. L.B.B.	Sulla cornice in basso una mano indica la scritta: ODILALTRA PARTE. La tavola è la parte superiore di un tabernacolo ora smembrato, è formato da una parte centrale staccata con la Madonna con Bambino, e da una cornice con l'Annunciazione. Compare nell'inventario del 1880, II categoria, n. 347, doveva però appartenere, come fa fede la scritta, al Tribunale di Giustizia; nel 1933 fu inviato nella Galleria dell'Accademia dove tuttora si trova. L.B.B.

	P1558	P1559	P1560	P1561
Autore	Scuola toscana sec. XV.	Scuola toscana sec. XVI.	Scuola toscana sec. XVI.	Scuola toscana sec. XVI.
Titolo	Madonna con Bambino.	La Vergine fra le Sibille Persica e Libica.	Cristo portacroce.	Madonna col Bambino e i santi Domenico e Caterina.
Datazione	Metà sec. XV.	Primo decennio sec. XVI.	Primo quarto sec. XVI.	1540 ca.?
Dati tecnici	Tempera su tavola, 64,5x45, restauro 1959 ca.	Olio su tavola, 32x24.	Olio su tavola, 58,5x47,5, restauro 1956.	Olio su tavola, 47x35.
Cornice	—	—	Sagomata con decorazioni a baccellature in nero e oro, sec. XIX.	Sagomata, dorata, XVII sec.
Ubicazioni	Convento di S. Teresa; Uffizi (1880); Museo Horne (1936); Uffizi (1959); San Marco (1967); Pitti (1969).	Uffizi (1881); Poggio a Caiano (1951); Pitti (1971).	Coll. Spranger; Uffizi (1926).	Coll. Feroni (ante 1850); Uffizi (1866); Cenacolo di Foligno (1894).
Attribuzioni	—	—	Fra Bartolomeo (attribuz. tradiz.).	Rosso Fiorentino (Cat. Feroni 1895). Giovan Paolo Rossetti? (Voss 1920). Puligo (Venturi 1934).
Esposizioni	—	—	—	—
Bibliografia	B. Berenson, Italian Pictures of the Renaissance. Central Italian and North Italian Schools. London 1968, voll. I e II.	L. Becherucci, Manieristi toscani, Bergamo 1944. L. Berti, Il principe dello Studiolo. Francesco I de' Medici e la fine del Rinascimento fiorentino, Firenze 1967.	—	*Catalogo della Galleria Feroni, Firenze 1895, p. 6. H. Voss: Die Malerei der Spätrenaissance in Rom und Florenz, Berlin 1920, p. 136. A. Venturi: Storia dell'arte italiana, vol. IX, 5, p. 248.*
Inventario	4333 (C.P., p. 68, n. 3457).	1466 (C.P., p. 164, n. 1243).	8761.	S. Marco e Cenacoli 57.
Foto	325009.	124401.	325007.	204548.
Note	Il dipinto pervenne in Galleria in data imprecisata, dal convento di S. Teresa di Firenze; compare negli inventari degli Uffizi dal 1880, cat. II, n. 256; nel 1936 fu inviato in deposito al Museo Horne da dove fu ritirato nel 1959, nel 1967 fu inviato nei magazzini di San Marco, nel 1969 fu posto nei depositi di Palazzo Pitti. L.B.B.	Il dipinto raffigurante la Vergine fra la Sibilla Persica a sinistra e la Sibilla Libica a destra, compare nell'inventario del 1881 agli Uffizi; nel 1951 fu inviato in deposito alla Villa di Poggio a Caiano, nel 1971, ritirato dal deposito, fu posto nei magazzini di Palazzo Pitti. La Madonna è seduta e affiancata dalle due Sibille che si crede abbiano profetizzato la venuta di Cristo: le due profetesse sono sedute sullo sfondo di un paesaggio: su un gradino a sinistra si legge: SIBILLA PERSICA; sotto entro un cartiglio: GREMIUS VIRGINIS ERIT / POPULORUM. A destra su un gradino: SIBILLA LIBICA, entro un cartiglio: VIDENT REGEM... ET TENENT / ILLVM IN GREMIO VIRGO DOMINA GENTIUM. L.B.B.	Sul retro della tavola e della cornice bolli della Dogana di Firenze del maggio 1926. Il dipinto venne donato agli Uffizi nel 1926 dalla signora Henriette Robertson su legato testamentario del signor Spranger. L'opera è praticamente inedita, e a quanto risulta non è mai stata studiata in particolare. L'attribuzione a fra' Bartolomeo non pare suffragata dallo stile del dipinto, che in attesa di ulteriori ricerche è più prudente assegnare genericamente a un ignoto toscano del primo quarto del '500. L'opera si trova temporaneamente nei Depositi di palazzo Pitti. E.S.	Come indicano le varie attribuzioni finora avanzate, il dipinto va situato in area toscana. Tuttavia nessuno dei nomi proposti sembra convincente, anche se le attribuzioni al Rosso Fiorentino e al volterrano Rossetti indicano la cultura del quadro, che sarà anche da mettere in rapporto allo stile di Pietro Candido. M.C.

	P1562	P1563	P1564	P1565
				Dipinto non reperibile
AUTORE	Scuola toscana sec. XVI.	Scuola toscana sec. XVI.	Scuola toscana sec. XVI.	Scuola toscana sec. XVI-XVII?
TITOLO	Ritratto di Dante Alighieri.	Ritratto di Francesco Petrarca.	Sacra famiglia con San Giovannino.	Vecchio con statuetta.
DATAZIONE	1550-70 ca.	1550-70 ca.	Seconda metà del sec. XVI.	Sec. XVI-XVII?
DATI TECNICI	Olio su tavola (parchettata), 22x17.	Olio su tavola (parchettata), 22x17.	Olio su tavola, 97,4x69.	Olio su tela, 57x44.
CORNICE	Coeva, intagliata e dorata con quattro cartigli.	Coeva, intagliata e dorata con quattro cartigli.	—	Intagliata e dorata.
UBICAZIONI	Coll. Gran Principe Ferdinando (1713); Uffizi (1807); Casa del Petrarca, Arezzo (1937).	Coll. Gran Principe Ferdinando de' Medici (1713); Uffizi (1807); Casa del Petrarca, Arezzo (1937).	Legato Vaj Geppy (1940); Uffizi (1946); Palazzo Davanzati (1955); Uffizi (1977).	Guardaroba; Uffizi (1797).
ATTRIBUZIONI	Scuola del Perugino (1713). Cerchia del Vasari (Pinto, 1977).	Scuola del Perugino (1713). Cerchia del Vasari (Pinto, 1977).	—	—
ESPOSIZIONI	—	—	—	—
BIBLIOGRAFIA	*S. Pinto, in: Per Maria Cionini Visani. Scritti di amici, Torino 1977, p. 142, 144.*	*S. Pinto, in: Per Maria Cionini Visani. Scritti di amici, Torino 1977, p. 142, 144, ill. 85.*	L. Becherucci, Manieristi toscani, Bergamo 1944. B. Berenson, Italian Pictures of the Renaissance. Central Italian and North Italian Schools, London 1968.	—
INVENTARIO	1517 (C.P., p. 163, n. 1207).	1519 (C.P., p. 164, n. 1203).	9256.	781 (C.P., p. 90, n. 200).
FOTO	—	—	101484.	—
NOTE	V. pendant (Ritratto di Francesco Petrarca, inv. 1890, n. 1519). S.P.	L'opera, identificabile, assieme al pendant (ritratto dell'Alighieri), nell'inventario della collezione del Gran Principe Ferdinando (pubblicato da M. Chiarini, in Paragone, luglio 1975) del 1713, lì indicata come di scuola del Perugino, risulta esposta agli Uffizi in epoca francese (guida del 1807) proprio negli anni in cui un'altra redazione del medesimo ritratto (apparentemente un falso settecentesco) era documentata nella collezione del cardinal Fesch zio di Napoleone. L'iconografia, tanto del Petrarca quanto del Dante, cui si collegano una serie di altre opere (v. Pinto, 1977, cit.) nonché nella serie di trenta copie di ritratti degli Uffizi del Museo Morpurgo di Trieste, deriva dalla tavola vasariana 'dei sei poeti antichi', commessa all'aretino da Luca Martini nel 1543, replicata per Paolo Giovio nel 1548. Attualmente in deposito, assieme al pendant, ad Arezzo presso la casa del Petrarca. S.P.	Il presente dipinto fa parte del Legato Vaj Geppy del 20-11-1940 ed entrò in Galleria insieme a un gruppo di opere nel 1946. Attualmente è nei depositi degli Uffizi. L.B.B.	Il dipinto è attualmente irreperibile, e non sembra sia stato fotografato. Venne agli Uffizi dalla Guardaroba il 14 febbraio 1797 (AGF, ms. 114, c. 67r) descritto come vecchio vestito di nero all'antica, con un modellino di figurina nella sinistra. Nell'inventario del 1890 figura come 'in men che mezza figura... il viso e lo sguardo in avanti. Ha capelli a zazzera, baffi e pizzetto, grandiglia al collo e tiene in mano una piccola Venere in cera'. Nel catalogo Pieraccini (che lo dice però del XV secolo) si specifica che la statuetta raffigura la Venere dei Medici. S.M.T.

	P1565 bis	P1566	P1567	P1568
AUTORE	Scuola toscana sec. XVII.	Scuola toscana sec. XVII.	Scuola toscana sec. XVII.	Scuola toscana sec. XVII.
TITOLO	Madonna col Bambino.	Ritratto di giovinetta.	La Gioventù sorpresa dalla Morte.	Sacra Famiglia.
DATAZIONE	Sec. XVII.	Inizi del sec. XVII.	Primo decennio sec. XVII.	1638-40 ca. (Bertani 1979).
DATI TECNICI	Olio su tavola, 70x50.	Olio su tela, 47x35.	Olio su tela, 60x82, restaurato.	Bozzetto, olio su tela, 17,2x13,3.
CORNICE	—	Legno dorato.	Salvadora dorata e tinteggiata di rosa.	Legno modanato aggettante, dorato.
UBICAZIONI	Uffizi (cit. 1890); Prefettura, Firenze.	Uffizi (1890); Poggio a Caiano (1951); Pitti (1971).	Arcispedale di Santa Maria Nuova; Uffizi (1900); Pitti (1968); Uffizi (post 1968).	Gabinetto Disegni e Stampe (1880); Uffizi (1890); Pitti (1954); Uffizi, Depositi (1971).
ATTRIBUZIONI	Ignoto toscano sec. XVII (Inv. 1890).	—	J. Vignali (Inv. 1890). Ignoto toscano (Schultze 1973).	—
ESPOSIZIONI	—	—	—	—
BIBLIOGRAFIA	—	M. Gregori, Avant-propos sulla pittura fiorentina del '600, in Paragone 13, 1962, pp. 21-40.	E. Borea, Considerazioni sulla mostra: Caravaggio e i suoi seguaci a Cleveland in Bollettino d'arte 1972, p. 154-164. *AGF: R. Schultze, Scheda Ministeriale, 1973.*	F. Zeri, La Galleria Pallavicini in Roma, Firenze 1956, pp. 132-34. R. Wittkower, Arte e Architettura in Italia 1600-1750, Torino 1972.
INVENTARIO	1530 (C.P., p. 163, n. 1193).	2404 (C.P., p. 72, n. 3430).	3185.	605.
FOTO	—	178462.	192664.	157043.
NOTE	Il dipinto, attribuito alla scuola Toscana del sec. XVII e descritto dal Pieraccini nel Catalogo della Galleria ('La Vergine sedente col Bambino Gesù, e due religiosi in piedi vestiti di bianco'), è attualmente in deposito presso la Prefettura di Firenze.	Il dipinto compare nell'inventario del 1890; nel 1951 il 10 febbraio, fu inviato alla Villa del Poggio a Caiano da dove fu ritirato nel 1971 e posto nei magazzini di Palazzo Pitti (Staffieri).	Il dipinto pervenne in Galleria dall'Arcispedale di Santa Maria Nuova nel maggio del 1900; nel 1968 fu inviato nella Galleria Palatina, da dove ritornò poco dopo. Non è mai stato esposto.	Il bozzetto raffigurante una Sacra Famiglia, figura anonimo nell'inventario del 1880, cat. II, n. 42, di buon livello artistico, non è stato identificato il dipinto per cui è stato eseguito. Come opera di scuola toscana, vicino a G. Grimignani, è databile al quarto decennio del secolo XVII.
	Gr. Red. 3	L.B.B.	L.B.B.	L.B.B.

Dipinto non reperibile

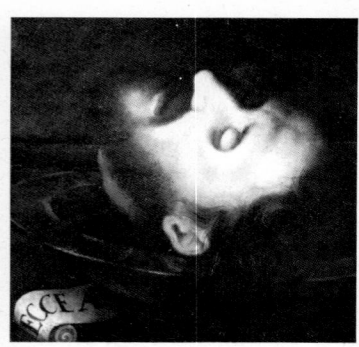

	P1569	P1570	P1571	P1572
AUTORE	Scuola toscana sec. XVII.	Scuola toscana sec. XIX.	Scuola umbro-toscana sec. XVI.	Scuola veneta sec. XVI.
TITOLO	Diluvio Universale.	Copia dell'autoritratto del 1839 di Giuseppe Bezzuoli.	Sacra Famiglia.	S. Giovanni decollato.
DATAZIONE	Sec. XVII.	1839-1876 ca.	Sec. XVI.	Prima metà del sec. XVI (Bertani 1979).
DATI TECNICI	Olio su tela, 50x68.	Olio su tela, 45x35,5.	Olio su tavola, 101x76.	Olio su tavola, 40x33,5, restauro 1951.
CORNICE	Senza cornice.	D'epoca, dorata.	Intagliata e dorata.	Cornice liscia dorata, sec. XVIII.
UBICAZIONI	Uffizi; Pitti; Uffizi Depositi (1971).	Coll. Giuseppe Martelli; Uffizi (1876); Galleria d'Arte Moderna, Pitti 1976).	Uffizi; Poggio a Caiano (1940); Uffizi Depositi (1948); Convento della Maddalena - Pian del Mugnone (1967); Pitti Depositi (1968).	Uffizi, Tribuna (1638); Poggio Imperiale (1795); Uffizi (1795); Poggio a Caiano (1940); Pitti (1954); Uffizi (1976).
ATTRIBUZIONI	Ignoto sec. XVII (Inv. 1890).	—	Bernardino Luini (Inv. 1704 n. 697). Orazio Alfani (Inv. 1881). Scuola umbro-toscana (Inv. 1890).	Correggio (inv. Antichi). Scuola veneta (Ms 114). (Poggi 1926). Copia dal Catena (Rossi? 1948).
ESPOSIZIONI	—	—	—	—
BIBLIOGRAFIA	—	—	*Cat. della R. Galleria degli Uffizi in Firenze, Firenze 1926, p. 42.*	*A. Morassi, Giorgione, Milano 1942, pp. 146-47. S. Rudolph - A. Biancalani, Mostra storica della Tribuna degli Uffizi, Firenze, 1970-71, pp. 34, 40.*
INVENTARIO	5748.	5354.	1432 C.P., p. 154, n. 1110).	1451 (C.P., p. 153, n. 1132).
FOTO	157146.	179586.	—	179718.
NOTE	Nell'Inventario del 1890 il dipinto è attribuito ad Ignoto del sec. XVII. Il mediocre stato di conservazione (tela strappata e allentata; annerimenti superficiali) ne impedisce una completa e definitiva lettura. Gr. Red. 3	Sembra identificabile con il n. 49 dell'elenco inventariale della collezione dell'architetto Giuseppe Martelli, legata agli Uffizi, collezione che annovera anche un bell'autoritratto di Bezzuoli di data leggermente antecedente. Questa copia dell'autoritratto del 1839 oggi agli Uffizi è un'altra prova del successo che tale autoritratto, esposto nell'anno dell'esecuzione all'Accademia, riscosse, tanto è vero che il Direttore della Galleria, Ramirez de Montalvo, si indusse a chiedere al Bezzuoli di cedere tale ritratto agli Uffizi in cambio di quello precedentemente donato nel 1827. Questa copia è attualmente esposta nella Galleria d'Arte Moderna. S.P.	Compare già nell'Inv. manoscritto del 1704 al n. 697 con l'attribuzione a B. Luini. Il Mariotti (1788) credette essere questa tavola eseguita nel 1534 da Domenico di Paris Alfani per la chiesa di Castel Rigone nel contado perugino. In seguito la tavola venne ritirata da Ferdinando II Granduca di Toscana nell'anno 1643. Gr. Red. 3	Sul bacile è scritto: ECCE A. Il dipinto riferito al Correggio negli inventari antichi, è replica della testa recisa portata dalla Giuditta della Galleria Querini Stampalia di Venezia, per molto tempo attribuita al Giorgione ora ritenuta del Catena. Esposto nella Tribuna nel 1638, in data imprecisata passò alla Villa del Poggio Imperiale da dove ritornò in Galleria il 28-2-1795 e gli fu tolta la cornice originale intagliata e dorata (cfr. AGF, ms. 114 c. 49r). Nel 1848 è esposto di nuovo nella Tribuna, in seguito passò nei Magazzini di Pitti (1954) da qui in quelli degli Uffizi nel 1976. L.B.B.

	P1573	P1574	P1575	P1576
AUTORE	Scuola veneta sec. XVI.	Scuola veneta sec. XVI.	Scuola veneta sec. XVI.	Scuola veneta sec. XVI.
TITOLO	Ritratto di Teofilo Folengo?	Ritratto virile.	Ritratto di geometra.	Ritratto virile.
DATAZIONE	Prima metà sec. XVI.	Prima metà, sec. XVI.	1555.	1550-60 ca.
DATI TECNICI	Olio su tavola, 83x79.	Olio su tavola, 34x25,5.	Tavola di ardesia semicircolare, diam. 102.	Olio su tela, 95x76.
CORNICE	Barocca in legno intagliato e dorato.	Barocca, in legno intagliato, lavorato a giorno e dorato.	Intagliata e dorata.	Barocca in legno intagliato e dorato a decoro di fogliame.
UBICAZIONI	Uffizi (doc. nel 1763).	Uffizi (cit. inv. 1881 e 1890).	Guardaroba; Uffizi (1795); Pitti (1943); Uffizi (1951).	Eredità Card. Leopoldo de' Medici (1675); Guardaroba, Uffizi (1798).
ATTRIBUZIONI	Cranach (inv. Uffizi 1769). Ignoto toscano (inv. Uffizi 1890). Romanino (Gamba 1924, Berenson 1932). Licinio (Berenson 1936, 1958, Vertova 1975).	—	Scuola veneta del XVI sec.? (Inv. 1890).	Tintoretto (inv. card. Leopoldo, Berenson 1932 e 1958). Tintoretto? (Salvini 1966). Schiavone (inv. Uffizi 1825 e 1890, cat. Pieraccini).
ESPOSIZIONI	—	—	—	La casa italiana nei secoli, Firenze 1948.
BIBLIOGRAFIA	G. Gamba, *Nuove attribuzioni di ritratti*, in Boll. d'Arte IV, 1924. L. Vertova, *Bernardino Licinio*, in I pittori bergamaschi dal XIII al XIX secolo, Bergamo 1975.	—	—	P. Rossi, *Jacopo Tintoretto, I ritratti*, Venezia 1973.
INVENTARIO	791 (C.P., p. 85, n. 155).	1420 (C.P., p. 203, n. 356).	970 (C.P., p. 208, n. 650).	966 (C.P., p. 196, n. 649).
FOTO	217227.	182414.	131769.	323322.
NOTE	Il quadro è documentato in Tribuna nel 1763 (incisioni del De Greyss). L'attribuzione al Romanino proposta dal Gamba non è accettabile ed è stata respinta dalla Ferrari (Il Romanino, Milano 1961) e dal Berenson il quale la spostò in favore del Licinio già nel 1936 e poi negli indici più recenti (Pitture italiane del Rinascimento. La scuola veneta, London-Firenze 1958, 2 voll.). La paternità del Licinio è accettata dalla Vertova, sia pure con notevoli perplessità. In basso a sinistra traccia di iscrizione abrasa, illeggibile. A.P.	Sul retro scritta antica: mano di Tiziano. Di cultura veneziana del primo '500, vicino ai modi del Basaiti. A.P.	Il personaggio ritratto nel dipinto regge nella mano destra un compasso con il quale indica la data 1555. È stato esposto nella sala dei pittori veneti (primi XX sec.). Gr. Red. 3	L'attribuzione a Tintoretto, presente nell'inventario del cardinal Leopoldo (c. 54, n. 5) non sembra del tutto convincente. Anche il nome dello Schiavone, costante nella tradizione degli Uffizi a partire dalla registrazione del 1798 (cfr. G.le di Galleria del 1784 c. 76) solleva notevoli perplessità. Tant'è che il dipinto non è preso in considerazione dal più recente monografo del Meldolla (cfr. F. Richardson, Andrea Schiavone, voll. 2, University microfilms international, Ann Arbor Michigan U.S.A. - London 1979). A.P.

	P1577	P1578	P1579	P1580
AUTORE	Scuola veneta sec. XVI.	Scuola veneta sec. XVI.	Scuola veneta sec. XVI.	Scuola veneta sec. XVI.
TITOLO	Ritratto virile.	S. Paolo.	Battaglia.	Circoncisione.
DATAZIONE	Seconda metà sec. XVI.	Sec. XVI (fine)?	Sec. XVI (Crowe e Cavalcaselle 1877-78).	Sec. XVI.
DATI TECNICI	Olio su tela, 47x39.	Olio su tela, 59x45.	Olio su tela, 121x134.	Olio su tela; 28,4x42,7.
CORNICE	Seicentesca (?), legno intagliato e dorato.	—	Neoclassica con motivo di nastro avvolto a un bastone.	—
UBICAZIONI	Uffizi (cit. 1704).	Uffizi (cit. inv. 1784); Amministrazione Provinciale, Massa Carrara (dep. 1931).	Card. Leopoldo de' Medici (1658); Gran Principe Ferdinando de' Medici (1688); Uffizi (1700).	Uffizi (1880); Pitti (1953); Uffizi (1971).
ATTRIBUZIONI	Veronese (inv. Uffizi 1825 e 1890, cat. Pieraccini).	Paolo Veronese (agli Uffizi come tale: inv. 1784, 1825, 1890, Cat. Pieraccini, Caliari 1888, Meissner 1897).	Tiziano (Carteggio d'Artisti 1658). Leonardo Corona (Crowe-Cavalcaselle 1877). Scuola veneta (Gronau 1904).	F. Fenzoni (Inv. 1880, Inv. 1890). Veneto sec. XVI (Cat., Firenze 1952).
ESPOSIZIONI	—	—	—	Bozzetti nelle Gallerie di Firenze, Firenze 1952.
BIBLIOGRAFIA	—	T. Pignatti, *Veronese*, 2 voll., Venezia 1976.	R. Pallucchini, Tiziano, Firenze 1969, n. 619. H. E. Wethey; The Paintings of Titian, III, London 1975. *Cat., Tiziano nelle Gallerie fiorentine, Firenze 1978, n. 60.*	*Cat., Firenze 1952, n. 142.*
INVENTARIO	897 (C.P., p. 198, n. 578).	932 (C.P., p. 199, n. 612).	964 (C.P., p. 194, n. 609).	569.
FOTO	323335.	—	253392.	94758.
NOTE	L'attribuzione al Veronese compare solo negli inventari ottocenteschi (1825 n. 675 e 1890 n. 897). Gli inventari precedenti mantengono l'anonimato (cfr. inv. 1704 n. 1848, inv. 1753 n. 1630, inv. 1769 n. 1170, inv. 1784 n. 27). A.P.	Opera autografa per la tradizione antica degli Uffizi e per i vecchi monografi del Veronese, viene esclusa dal catalogo dell'artista dalla critica recente. Da notare che il Pignatti cita erroneamente per questo dipinto il n. 7103 dell'inv. 1890. A.P.	Si tratta di una copia in piccolo del dipinto commissionato a Tiziano per la sala del Maggior Consiglio del Palazzo Ducale di Venezia, terminato nel 1538, distrutto da un incendio nel 1577 ed il cui soggetto è ancora d'incerta identificazione. Il titolo di 'Battaglia di Spoleto' (E. Tietze-Conrat 1945) sembra oggi più probabile di quello di 'Battaglia di Ghiaradadda' o Agnadello avanzato dal Vasari (1568) o di 'Cadore' proposto dal Ridolfi (1648). Gr. Red. 2	Nell'Inventario del 1880 il dipinto appare coll'attribuzione a Ferraù Fenzoni (Faenza 1562-1645), cofermata nell'Inventario del 1890, e oggi messa in dubbio (v. il catalogo della Mostra del 1952; '...sembra piuttosto opera di un veneto del sec. XVI'). Gr. Red. 3

	P1581	P1582	P1583	P1584
AUTORE	Scuola veneta sec. XVI.	Scuola veneta sec. XVI.	Scuola veneta sec. XVI, attr. a.	Scuola veneta sec. XVI-XVII.
TITOLO	Ritratto virile.	Testa di vecchio.	Erminia al campo dei crociati.	Donna nuda di schiena.
DATAZIONE	Sec. XVI.	Fine sec. XVI.	Sec. XVI.	Sec. XVI-XVII.
DATI TECNICI	Olio su tela, 72x57.	Carta su tavola, 57x40.	Bozzetto, olio su tela, 44x51,5, restauro 1951.	Olio su tela, 52x35.
CORNICE	—	Ottocentesca (?) in legno intagliato e dorato.	—	Sagomata, dorata, sec. XVII.
UBICAZIONI	Poggio a Caiano (fino 1773); Guardaroba; Uffizi (1798).	Uffizi (cit. inv. 1890).	S. Salvi; Uffizi (1865); Pitti (1951); Uffizi (1971).	Coll. Feroni (ante 1850); Uffizi (1866); Cenacolo di Foligno (1894).
ATTRIBUZIONI	Bordone (inv. 1890). Tintoretto (Cat. Pieraccini).	Pordenone (agli Uffizi come tale, cit. inv. 1890). Scuola di Jacopo Bassano (Fiocco 1939).	A. Tiarini (L.C. Ragghianti 1952). Scuola fiorentina (Sricchia, 1953). Non Tiarini (Borea, 1975).	Palma il Vecchio? (Cat. Feroni 1895).
ESPOSIZIONI	—	—	Bozzetti delle Gallerie di Firenze 1952.	—
BIBLIOGRAFIA	*M.L. Strocchi, Il Gabinetto d'opere in piccolo del Gran Principe Ferdinando a Poggio a Caiano, in Paragone 1975 e 1976, nn. 309 e 311.*	*G. Fiocco, G. Antonio Pordenone, Udine 1939.*	L.C. Ragghianti in cat., Firenze 1952, n. 116; F. Sricchia, in Paragone 1953, n. 39, p. 62. E. Borea, Pittori bolognesi delle Gallerie Statali di Firenze, 1975, p. 94.	Catalogo della mostra della pittura del Seicento a Venezia. C. Donzelli - G. M. Pilo, I pittori del Seicento veneto, Firenze 1967. *Catalogo della Galleria Feroni, Firenze 1895, p. 4.*
INVENTARIO	961.	7103.	6705.	S. Marco e Cenacoli 70.
FOTO	214578.	79094.	68169.	204593.
NOTE	Secondo i documenti pubblicati dalla Strocchi il dipinto faceva parte della raccolta organizzata dal Gran Principe Ferdinando in Poggio a Caiano. In una lettera del Principe di Toscana a Niccolò Cassana in data 12 dic. 1699 si accenna probabilmente al dipinto (cfr. G. Fogolari: Lettere pittoriche del G. Principe Ferdinando di Toscana etc. su Riv. del R. Istituto d'Archeologia e Storia dell'Arte. 1937, VI). Sul retro cartellino manoscritto 'Dal Poggio a Caiano Dalla R. Guardaroba 29 dicembre 1773'. Sul telaio scritta antica 'Paris Bordone'. A.P.	L'attribuzione al Pordenone presente nell'Inventario degli Uffizi non ha avuto seguito ed è stata confutata dal Fiocco il quale propone piuttosto l'ambiente di Jacopo Bassano. A.P.	Lo stesso soggetto del bozzetto risulta ripetuto al n. 7573 dello Inv. 1890 (n. 278 dell'Inv. 1881, cat. IV). I dati stilistici del bozzetto inducono a escludere il riferimento proposto dalla Ragghianti agli affreschi del Tiarini a Parma, e piuttosto a suggerire l'attribuzione a scuola veneta del XVI secolo. M.M.	Il dipinto è più tardo di quanto dica l'attribuzione dubitativa a Palma il Vecchio del catalogo della collezione di provenienza. È possibile che il dipinto sia la copia di un originale palmesco, tuttavia la tecnica indica lo stile di un pittore ormai già seicentesco come il Padovanino o Pietro della Vecchia. M.C.

	P1585	P1586	P1587	P1588
AUTORE	Scuola veneta sec. XVI.	Scuola veneta sec. XVII-XVIII, attr. a.	Scuola veneta sec. XVII.	Scuola veneta sec. XVIII.
TITOLO	Il Riposo nella fuga in Egitto.	Allegoria della Fede?	Le nozze di Cana.	Ritratto di giovane.
DATAZIONE	Sec. XVI.	Fine sec. XVII - inizi XVIII.	Sec. XVII.	Sec. XVIII.
DATI TECNICI	Olio su tela, 84x91.	Olio su tela, 55,5x73,5.	Olio su tela, 181x282.	Olio su rame, 21,5x16
CORNICE	Barocca, legno dorato.	Intagliata e dorata, barocca.	Settecentesca? legno dorato.	—
UBICAZIONI	Coll. card. Pier Francesco Maria (fino 1685); Pitti, coll. Principe Ferdinando; Uffizi (1797); Palatina.	Uffizi (sec. XIX).	Guardaroba; Uffizi (1798).	Galleria Feroni; Uffizi; Pitti; Poggio a Caiano (1951); Pitti (1971).
ATTRIBUZIONI	Tiziano (cit. inv. 1713). Maniera veneta (agli Uffizi come tale registr. di Gallerie del 5 luglio 1797). Bonifazio Veronese (inv. Uffizi e Cat. Pieraccini).	Tiepolo (Inv. Uffizi, sec. XIX).	Jacopo Robusti (agli Uffizi come tale, registrazione di Galleria del 1798, inv. 1825 n. 640 e 1890 n. 937).	Scuola dell'Alta Italia del '700 (inv. 1890).
ESPOSIZIONI	—	—	Cat. Pieraccini.	—
BIBLIOGRAFIA	N. Cipriani, La Galleria Palatina, repertorio illustrato, Firenze 1966. Tiziano nelle Gallerie Fiorentine, Cat. della Mostra n. 87, Firenze 1978.	R. Pallucchini, La pittura veneziana del Settecento, Venezia - Roma 1962. A. Morassi, Tiepolo, The Complete Catalogue of the Paintings, London 1962.	937 (C.P., p. 205, n. 617).	—
INVENTARIO	607 (C.P., n. 102, p. 197).	2172.	192995.	570
FOTO	180930.	183995.		11008; 178452.
NOTE	L'attribuzione tradizionale a Tiziano non è sostenibile e neppure quella più recente a Bonifazio Veronese. Il dipinto non è citato dalla Westphal, moderna monografa del pittore (cfr. D. Westphal, Bonifazio Veronese, München 1931 e E. Arslan, recensione alla Westphal su Riv. d'Arte a XIV, 1932) e non figura negli Indici del Berenson (La Scuola Veneta, 1958). Sembra abbastanza vicino a composizione nota di Polidoro da Lanciano. Il cat. di Firenze segnala versioni del tema. A.P.	Il soggetto di questo bozzetto, la cui provenienza non è documentata, forse per un soffitto non identificato, è di difficile spiegazione. La figura biancovestita inginocchiata sembra quella della Fede, alla quale appare, in alto a sinistra, la visione di S. Giovanni Evangelista in gloria. Lo stile del dipinto, che sembra certamente veneto, non giustifica l'attribuzione a G. B. Tiepolo, anche se essa è spiegabile per l'interesse alla visione di scorcio impressa alla composizione (il dipinto non è comunque ricordato dal Morassi, 1962). Le caratteristiche pittoriche del dipinto rinviano tuttavia a un periodo precedente, e cioè alla fine del XVII - inizi del XVIII secolo, verso artisti come il Fumiani e lo Zanchi. M.C.	Copia del noto dipinto di Tintoretto conservato a Venezia in Santa Maria della Salute e databile al 1561 (cfr. P. Luigi De Vecchi - L'opera completa del Tintoretto - Milano 1970). Nelle Gallerie fiorentine si conservano altre due copie antiche dello stesso originale; una attribuita al Maffei in deposito a Montecitorio (inv. 1890 n. 6480) l'altra di mano di Antonio Zanoni (inv. 1890 n. 3831). A.P.	Il dipinto, già facente parte della Galleria Feroni, è ricordato come 'ritratto di giovane uomo con cappello a tre punte'. È attribuibile ad Ignoto di Scuola Veneta del XVIII secolo. Gr. Red. 3

	P1589	P1590	P1591	P1592
AUTORE	Scuola veneziana sec. XVIII.	Scuola veneta sec. XVIII.	Scuola veronese sec. XVII?	Sebastiano del Piombo, Luciani S., detto (Venezia 1485 ca. - Roma 1547).
TITOLO	Madonna col Bambino, adorati da santi.	Piazza S. Marco.	Enea fugge da Troia incendiata.	La morte di Adone.
DATAZIONE	Prima metà sec. XVIII?	Sec. XVIII (prima metà).	Prima metà sec. XVII.	1511-12 ca. (Pallucchini 1944), 1512 ca. (Dussler 1942), 1514-15 (Benkard 1908).
DATI TECNICI	Olio su tela, 25,5x38.	Olio su tela, 79x130, restauro 1964.	Olio su lavagna, 26x30.	Olio su tela, 189x285, restauro 1914-15.
CORNICE	Sagomata, dorata, sec. XVIII.	Settecentesca, legno intagliato dorato e dipinto di nero. Decoro di volute agli spigoli.	Sagomata, dorata, sec. XVII.	Ottocentesca (?) in legno dorato senza decorazioni.
UBICAZIONI	Uffizi (sec. XIX-XX).	Uffizi (cit. inv. 1890); Accademia della Crusca (1915); Intendenza di Finanza (1958).	Coll. Feroni (ante 1850); Uffizi (1866); Cenacolo di Foligno (1894).	Eredità card. Leopoldo de' Medici (1675); Pitti (cit. inv. 1716-23) Guardaroba; Uffizi (1798).
ATTRIBUZIONI	Lanfranco (Inventari sec. XIX-XX). Sebastiano Ricci? (Collobi Ragghianti 1952).	— —	Alessandro Allori (Cat. Feroni 1895, Venturi 1934).	Anonimo veneziano (inv. card. Leopoldo 1675). Moretto (Uffizi, inv. 1825). Anonimo morettiano (Nicodemi 1925). G. Campagnola (Sutter 1926-27).
ESPOSIZIONI	Bozzetti delle Gallerie di Firenze, Firenze 1952.	Cat. Pieraccini.	—	—
BIBLIOGRAFIA	R. Pallucchini, La pittura veneziana del Settecento, Venezia - Roma 1960. *Cat., Firenze 1952, n. 140.*	—	*Catalogo della Galleria Feroni, Firenze 1895, p. 15. A. Venturi, Storia dell'arte italiana, vol. IX, 6, p. 113.*	L. Dussler, Sebastiano del Piombo, Basel 1942. R. Pallucchini, Sebastian Viniziano, Milano 1944.
INVENTARIO	G.D.S.U., 19125.	551 (C.P., 106, p. 75).	S. Marco e Cenacoli 107.	916 (C.P., p. 204, n. 592).
FOTO	157015.	—	204564.	10453.
NOTE	Il piccolo dipinto, vero e proprio 'bozzetto', negli inventari otto-novecenteschi è riferito a Giovanni Lanfranco, attribuzione giustamente rifiutata dalla Collobi Ragghianti. La stessa studiosa avanzava, con interrogativo, il nome del Ricci, spostando così l'attribuzione in area veneta. Mentre il nome del Ricci non sembra attagliarsi allo stile del bozzetto, l'attribuzione a scuola veneziana appare confermata dai dati stilistici offerti dal dipinto. M.C.	Attualmente lesionato a sinistra. Di buon livello, pur ripetendo un taglio visuale assai apprezzato dal Canaletto, non sembra attribuibile al maestro. A.P.	Nonostante che l'attribuzione ad Alessandro Allori nel catalogo della collezione di provenienza sia stata accettata dal Venturi, lo stile di questo modesto quadretto esclude che esso si possa riferire non solo all'artista, ma anche alla cultura fiorentina. Il dipinto, anche per la sua tecnica, sembra riferibile piuttosto a un seguace del veronese Orbetto ed eseguito nei primi decenni del XVII secolo. M.C.	L'attribuzione a Sebastiano del Piombo, in passato contestata, è del Morelli (cfr. I. Lermolieff: Die Galerien Borghese und Doria Panfili, Lipsia 1890). La critica moderna è concorde nel ritenere il dipinto opera giovanile, colmo di suggestioni giorgionesche, databile ai primi tempi del soggiorno romano. Un disegno preparativo per la figura della Venere, si conserva all'Ambrosiana di Milano (O. Fischel: A new Approach to Sebastiano del Piombo as a Draughtsman, su Old Master Drawings, 1939-40). A.P.

	P1593	P1594	P1595	P1596
Autore	Sebastiano del Piombo, Luciani S., detto (Venezia 1485 ca. - Roma 1547).	Sebastiano del Piombo, Luciani S., detto (Venezia 1485 ca. - Roma 1547).	Seghers, Daniel (Anversa 1591-1661).	Seghers, Hercules Pietersz (Haarlem 1589-90 ca. - Amsterdam 1638 ca.).
Titolo	Ritratto di donna.	L'uomo malato.	Ghirlanda di fiori con busto marmoreo.	Paesaggio montuoso.
Datazione	1512.		1647? (Mechel 1783).	1620-30 ca.
Dati tecnici	Olio su tavola, 68x55, restauro 1975.		Olio su rame, 117x96, restauro 1978.	Tela incollata su tavola, 55x99.
Cornice	Barocca, riccamente intagliata e dorata.		Liscia, dorata, sec. XVII-XVIII.	Ebano, sec. XIX-XX.
Ubicazioni	Uffizi, Tribuna (dal 1589, poi in altre sale).		Bruxelles (1647-51); Vienna (1662); Uffizi (1793).	Coll. di Rembrandt Harmensz. van Rijn, Amsterdam? (1656); Coll. Baronessa Hadfield Cosway, Firenze (inizi sec. XIX); Uffizi (1838).
Attribuzioni	Raffaello (Inv. 1589). Giorgione (nv. Uffizi dal 1704 al 1784). Raffaello (Passavant 1839, Burckhardt 1855). Sebastiano del Piombo (Missirini 1839, ecc. Dussler 1942, Pallucchini 1944, ecc.).		—	Rembrandt (attribuzione di provenienza). Seghers (Bode 1871, e tutta la letteratura successiva).
Esposizioni	Capolavori degli Uffizi restaurati nel 1975, Firenze 1975.		Rubens e la pittura fiamminga del Seicento nelle collezioni pubbliche fiorentine, Firenze 1977.	Pittura olandese del Seicento, Roma 1928. Dutch Art, Londra 1929. Holl. Kunst des 17. Jahrhunderts, Zurigo 1953. Hercules Seghers, Rotterdam 1954. Il Seicento Europeo, Roma 1959. Pittura olandese del Seicento, Roma-Milano 1954. Rembrandt et son temps, Bruxelles 1971.
Bibliografia	L. Dussler, Sebastiano del Piombo, Basel 1942. *R. Pallucchini, Sebastian Viniziano, Milano 1944, p. 158. Cat., Firenze 1975, n. 5.*		M.L. Hairs, Les peintres flamandes de fleurs au XVIIᵉ siècle, Bruxelles 1965. *Cat., Firenze 1977, n. 111.*	J. Rosenberg - S. Slive - E. H. Ter Kuile: Dutch Art and Architecture 1600-1800, Harmondsworth 1966. *Cat., Rotterdam 1954, n. 4. E. Havercamp-Begeman, H. S. The Complete Etchings, Amsterdam-Den Haag 1973.*
Inventario	1443 (C.P., p. 152, n. 1123).		1085 (C.P., p. 122, n. 830).	1303 (C.P., p. 138, n. 979).
Foto	277783 (e particolari).		159921.	112836.
Note	Datata 1512 (in oro sul fondo scuro a sinistra sopra la manica). È stata a lungo ritenuta il ritratto della Fornarina: solo recentemente la famosa Fornarina è stata identificata con la senese Margherita figlia del fornaio Francesco Luti, ritratta nella 'Fornarina' della Galleria Borghese di Roma, ritenuta di Raffaello (Astolfi, 1952). P.D.P.	Vedi: Tiziano Vecellio. L'uomo malato.	Firmato in basso a destra: D. Seghers Soc.tis Jesu. Secondo quanto affermato dal Mechel, sul quadro compariva anche la data 1647, oggi non più visibile. Nel busto al centro è riconoscibile il ritratto dell'arciduca Leopoldo Guglielmo che possedette l'opera a Bruxelles e che la lasciò in eredità all'imperatore Leopoldo I. Per quanto riguarda questa parte del dipinto, l'inventario della collezione dell'arciduca, del 1659, la attribuisce a Jan Van den Hoecke (attribuzione accettata dal Bodart 1977, ma messa in dubbio da J. Foucart, in Cat. mostra Le siècle de Rubens, Parigi 1977, n. 165). Il dipinto fu inviato da Vienna per scambio (1793). M.C.	Il dipinto, che non è documentato dalle fonti, entrò nel 1838 agli Uffizi come legato della baronessa Maria Hadfield Cosway con l'attribuzione a Rembrandt. Tuttavia nel 1871 il Bode lo attribuì a H. Seghers, attribuzione universalmente accettata. Si è messo il quadro in relazione a un dipinto la cui descrizione corrisponde a questo, già posseduto da Rembrandt ed elencato nell'inventario della sua collezione (1656). Molti critici ritengono che Rembrandt sia intervenuto sul dipinto, dipingendovi il gruppo di figure e carro con cavalli a sinistra e qualche dettaglio delle montagne e del cielo. M.C.

	P1597	P1598	P1599	P1600
AUTORE	Signorelli, Luca (Cortona 1445 ca.-1523).	Signorelli, Luca (Cortona 1445 ca.-1523) - Perugino, Vannucci Pietro, detto il (Città della Pieve 1445-50 - Fontignano 1523).	Signorelli, Luca (Cortona 1445 ca.-1523).	Signorelli, Luca (Cortona 1445 ca.-1523).
TITOLO	Sacra Famiglia.	Crocifisso con santi.	Annunciazione, Natività, Adorazione dei Magi.	La Vergine on Bambino e Figure
DATAZIONE	Ante 1479 (A. Venturi 1923), 1495 (Dussler 1927), tra 1484-1490-91 (Van Marle 1937).	1482 (Bode 1910), 1492 (Bertani 1979).	1485-90 (Dussler 1927), fine sec. XV (Scarpellini 1964, 1497-98 (Bertani 1979).	1490-95 (Dussler 1927), 1490 (Van Marle 1937; M. Salmi 1953).
DATI TECNICI	Olio su tavola, diam. 124.	Olio su tavola, 203x180.	Olio su tavola, 21x210.	Olio su tavola, 170x117,5.
CORNICE	Legno dorato intagliato a motivo a festone con frutta, sec. XVI.	Intagliata a motivi vegetali stilizzati aggettante e dorata.	Legno aggettante, dorato intagliato a motivi vegetali.	Legno intagliato e dorato in alcune parti, originale.
UBICAZIONI	Sala delle Udienze dei Capitani di Parte Guelfa (sec. XV); Camera della Comunità (1802); Uffizi (1802).	S. Giusto (sec. XV); San Giovannino alla Calza (1529); Uffizi (1904).	Confraternita dei Neri della Misericordia, Montepulciano (sec. XV); Uffizi (1831).	Lorenzo di Pier Francesco de' Medici (sec. XV); Castello (1638); Uffizi (1779).
ATTRIBUZIONI	—	Perugino (Vasari, Berenson 1911). Scarpellini 1964). P. Perugino e Luca Signorelli (Bode 1910, Poggi 1926, Bertani 1979).	L. Signorelli (Inv. Antichi, Berenson 1897-1963, Salmi 1953, Scarpellini 1964). Scuola di L. Signorelli (Venturi 1913-23).	L. Signorelli (Inv. Antichi, Berenson 1897-1963). Scuola di L. Signorelli (A. Venturi 1913-1923, Salmi 1953, Scarpellini 1964).
ESPOSIZIONI	Mostra di Luca Signorelli, Cortona-Firenze 1953.	—	Mostra di Luca Signorelli, Cortona-Firenze 1953.	Mostra Medicea, Firenze 1939, sala XI, Mostra di Luca Signorelli, Cortona-Firenze 1953.
BIBLIOGRAFIA	M. Salmi, Luca Signorelli, Novara 1953, tavv. VI e 38. M. Moriondo, Cat., Cortona-Firenze 1953, n. 28. P. Scarpellini, Luca Signorelli, Firenze 1964, tav. 36, p. 131.	G. Castellana - E. Camesasca, L'opera del Perugino, Milano 1969. G. Vasari - G. Milanesi, Vite... III, pp. 573-74. P. Scarpellini, Luca Signorelli, Firenze 1964, p. 144.	M. Salmi, Luca Signorelli, Novara 1953, tav. 28, p. 54. M. Moriondo, Cat. Mostra Cortona-Firenze 1953, n. 25. P. Luca Signorelli, Firenze 1964, p. 141.	M. Salmi, Luca Signorelli, Novara 1953, tav. 16a, pp. 49-50. M. Moriondo, in Cat., Cortona-Firenze 1953, n. 7. P. Scarpellini, Luca Signorelli, Firenze 1964, tavv. VIII e 27, pp. 121-22.
INVENTARIO	1605 (C.P., p. 192, n. 1291).	3254 (C.P., p. 192, n. 1547).	1613 (C.P., p. 192, n. 1298).	502 (C.P., p. 192, n. 74).
FOTO	323336.	—	325057/76/77/78.	323331.
NOTE	L'opera sembra sia stata eseguita dal Signorelli per la sala delle Udienze dei Capitani di Parte Guelfa di Firenze (Vasari) pervenne alla Galleria il 27 Gennaio 1802 dalla Camera della Comunità (cfr. AGF 1784-1825, ms 114 c. 85r) l'autorizzazione a rimuovere il quadro è dell'11 settembre 1800 (cfr. AGF filza XXX ins. 22). È esposto nella Galleria degli Uffizi. L.B.B.	La tavola, secondo quanto ci informa il Vasari, fu eseguita dal Perugino per la Chiesa di San Giusto del Convento dei Gesuati fuori porta Pinti; tuttavia fu ritenuta da molti di collaborazione il Perugino e il Signorelli in virtù di una maggiore incisività nel disegno e per la brillantezza dei colori. Fu eseguita intorno al 1492 (Bertani 1979). Nel 1529, demolito il convento a causa dell'assedio, l'opera fu trasportata nella Chiesa di San Giovannino alla Porta a San Piero, detta della Calza. Nel 1904 acquistata dalla Galleria degli Uffizi dove tuttora è esposta. L.B.B.	La predella fu acquistata dalla Chiesa di Santa Lucia a Montepulciano, presso la Compagnia o confraternita dei Neri della Misericordia (AGF, 1831, filza LV ins. 17); è probabile che facesse parte di quel gruppo di opere inviate a Montepulciano dall'artista (cfr. Vasari). L'opera compare negli inventari del 1825. L.B.B.	In alto entro un cartiglio: ECCE AGNVS DEI; sul retro: 16 Luglio 17... Dalla Guardaroba della Villa di Castello Luca Signorelli... La tavola, descritta nell'inventario della Villa di Castello del 1638 (cfr. ASF Guard. 537, Inv. Castello, c. 18v) fu dipinta per Pier Lorenzo de' Medici (Vasari) che la pose nella sua villa di Castello, da qui il 16 Luglio 1779 fu portata in Galleria (AGF filza XII ins. 40, n. 86). L.B.B.

	P1601	P1602	P1603	P1604
AUTORE	Signorelli, Luca (Cortona 1445 ca.-1523).	Signorelli, Luca (Cortona 1445 ca.-1523).	Signorelli, Luca (Cortona 1445 ca.-1523).	Signorelli, Luca (Cortona 1445 ca.-1523).
TITOLO	Allegoria della Fecondità e dell'Abbondanza.	Crocifisso con la Maddalena.	La Trinità, la Vergine e due santi.	Ultima Cena, Gesù nell'orto, Flagellazione. (Predella).
DATAZIONE	1500-1502 (Dussler 1927), (Van Marle 1937), (Moriondo 1953), 1510 (Salmi 1953), 1500 ca. (Scarpellini 1964).	1500-1505 (Dussler 1927); 1502-1505 (Salmi 1953).	1505-1508 (Salmi 1953); 1510 (Scarpellini 1964).	1505-1508 (Salmi 1953), 1510 (Scarpellini 1964).
DATI TECNICI	Olio su tavola, 58x105,5.	Olio su tela, 247x165), restauro 1953.	Olio su tavola, centinata, 272x180.	Olio su tavola, 32,5x204,5.
CORNICE	Salvadora dorata.	Legno modanato.	Legno modanato e intagliato a motivi vegetali, dorato.	Legno dorato un poco aggettante, modanata.
UBICAZIONI	Casa Tommasi, Cortona; Uffizi (1894).	Convento di Annalena (sec. XVI); Accademia (1810); Uffizi (1814); Accademia (1853); Uffizi (1919).	Chiesa della Trinità, Cortona (sec. XVI); Accademia (1810); Uffizi (1919).	Chiesa della Trinità di Cortona (sec. XVI); Accademia (1810); Uffizi (1919).
ATTRIBUZIONI	L. Signorelli (A. Venturi 1894, Cavalcaselle 1898, Mancini 1903, Berenson 1932-36, Scarpellini 1964). Scuola di L. Signorelli (Dussler 1927, Van Marle 1937). F. Signorelli (Salmi 1953).	Andrea del Castagno (Invv. 1784-1825, Masselli 1855). L. Signorelli (Inv. 1890, Salmi 1935, Moriondo 1953, Scarpellini 1964).	L. Signorelli (Inv. Antichi, Mancini 1903, Van Marle 1937, Berenson 1937-1963). G. Genga e F. Signorelli (Salmi 1963). L. Signorelli e aiuti (Scarpellini 1964).	—
ESPOSIZIONI	Mostra di Luca Signorelli, Cortona-Firenze 1935.	Mostra di Luca Signorelli, Cortona-Firenze 1953.	Mostra di Luca Signorelli, Cortona-Firenze 1953.	Mostra di Luca Signorelli, Cortona-Firenze 1953.
BIBLIOGRAFIA	*M. Salmi, Luca Signorelli, Novara 1953. M. Moriondo, in Cat. Mostra, Cortona-Firenze 1953, n. 41. P. Scarpellini, Firenze 1964, p. 141.*	*M. Salmi, Luca Signorelli, Novara 1953, tavv. 68-69, p. 61. M. Moriondo, in Cat. Mostra, Cortona-Firenze 1953, n. 35. P. Scarpellini, Luca Signorelli, Firenze 1964, tavv. XXI, 81, p. 124.*	*M. Salmi, Luca Signorelli, Novara 1953, tav. 70, p. 62. M. Moriondo, in Cat., Cortona-Firenze, 1953, n. 42. P. Scarpellini, Luca Signorelli, Firenze 1964, p. 141.*	*M. Salmi, Luca Signorelli, Novara 1953, p. 62. M. Moriondo, in Cat., Cortona-Firenze 1953, n. 43. P. Scarpellini, Luca Signorelli, Firenze 1964, p. 141.*
INVENTARIO	3107 (C.P., p. 192, n. 3418).	8368.	8369.	8371.
FOTO	325051.	323328.	323339.	325037/8/44/74.
NOTE	Il dipinto fu acquistato da Casa Tommasi di Cortona nel 1894, su segnalazione di Adolfo Venturi (cfr. Arch. Stor. dell'Arte, 1894), dal Ministero dell'Istruzione Pubblica sotto la direzione di Enrico Ridolfi. L.B.B.	Sul retro della tela a matita nera disegno raffigurante San Girolamo: è stato scoperto durante il restauro del 1953, eseguito in occasione della Mostra di Cortona-Firenze. Il dipinto pervenne alla Galleria dell'Accademia dal Convento di Annalena nel 1810 (cfr. AGF ms 114, 1784-1825, cc. 100v-101r); nel 1814 fu portato nella Galleria dell'Accademia (cfr. Masselli 1855, n. 63), nel 1919 ritornò agli Uffizi dove è esposto. L.B.B.	L'opera fu commissionata all'artista dalla Confraternita della Trinità dei Pellegrini di Cortona (cfr. Salmi, cit.) pervenne infatti dalla Chiesa della Trinità di Cortona nel 1810 ca. e fu posta nella Galleria dell'Accademia (cfr. Masselli 1855, n. 97); nel 1919 passò alla Galleria degli Uffizi, la predella, staccata, è negli Uffizi inventariata n. 8371, inv. 1890. L.B.B.	La predella, che faceva parte in origine della tavola con la Trinità, la Vergine e due Santi, inv. 1890, n. 8369, fu commissionata all'artista dalla Fraternita della Trinità dei Pellegrini di Cortona (Salmi, cit.); nel 1810 fu ritirata dalla Chiesa della Trinità di Cortona e posta nella Galleria dell'Accademia, nel 1919 fu rimossa dall'Accademia e trasportata nella Galleria degli Uffizi. Attualmente si trova nei Depositi degli Uffizi. L.B.B.

	P1605	P1606	P1607	P1608
AUTORE	Simone dei Crocifissi (Bologna not. 1355-1399).	Sirani, Elisabetta (Bologna 1638-1665), attr. a.	Snyders, Frans (Anversa 1579-1657).	Sodoma, Bazzi Giovanni Antonio, detto il (Vercelli 1477 - Siena 1549).
TITOLO	Natività.	Amore dormiente.	Caccia al cinghiale.	S. Sebastiano.
DATAZIONE	1380 ca. (Marcucci 1965).	1660 ca.?	1640 ca.	1525.
DATI TECNICI	Tempera su tavola, 25x47.	Olio su tela, 52x68.	Olio su tela, 214x311.	Tela a olio dipinta su le due parti, 204x145.
CORNICE	Neogotica.	Sagomata, dorata, sec. XVII.	Intagliata, dorata, sec. XVII.	Intagliata e dorata, barocca.
UBICAZIONI	Coll. Ugo Baldi; Accademia (1863); Uffizi (1906).	Coll. Feroni (ante 1850); Uffizi (1866); Cenacolo di Foligno (1894).	Praga; Vienna (1737); Uffizi (1821).	Compagnia di S. Sebastiano in Camollia, Siena (1531); Pietro Leopoldo I, Firenze (1786); Uffizi; Pitti (1928).
ATTRIBUZIONI	—	—	—	Probabile intervento nel tergo del Beccafumi (Romagnoli, Cust, Hauvette).
ESPOSIZIONI	Mostra della pittura bolognese del Trecento, Bologna 1950.	—	Rubens e la pittura fiamminga del Seicento nelle collezioni pubbliche fiorentine, Firenze 1977.	Mostra del Sodoma, Vercelli 1950, scheda 15-16.
BIBLIOGRAFIA	*Cat., Bologna 1950, n. 81. L. Marcucci, I dipinti toscani del Secolo XIV, Roma 1965, n. 123.*	Cat. mostra Maestri della pittura del Seicento emiliano, Bologna 1959. Cat. mostra, Women Artists: 1550-1950, Los Angeles 1976. *Catalogo della Galleria Feroni, Firenze 1895, p. 11.*	Ch. Brodley, Rubens ou Snyders, Paris 1956. *Cat., Firenze 1977, n. 114.*	G. Milanesi, Documenti per la Storia dell'Arte Senese III, Siena 1856, pp. 8-82. B. Berenson. Drawings of the Florentine Painters, London 1903 p. 163. Thieme-Becker, XXXI, 1937. *H. Cust, G. A. Bazzi, London 1906, pp. 172-75 e 300-3.*
INVENTARIO	3475.	S. Marco e Cenacoli 68.	805 (C.P., p. 74, n. 220).	1590 (C.P., p. 173, n. 1297).
FOTO	99150.	204558.	153328.	51676.
NOTE	Il piccolo dipinto reca in basso la firma: 'Symon pin[xit]'. Si tratta di uno dei migliori risultati dell'artista bolognese, in cui i ricordi di Vitale sono ancora molto evidenti nella vivacità della scena, nella libertà dell'impaginazione, nelle toccanti osservazioni dal vero. L. Bell.	Il riferimento alla pittrice bolognese dato nel catalogo di provenienza non è stato finora discusso. Il dipinto ha indubbi caratteri bolognesi e reniani — dal Reni sembra essere anche ispirato il soggetto —, ma la debolezza di fattura indirizzerebbe verso un artista molto modesto della cerchia Reni-Sirani. M.C.	Ne esistono altre versioni, tra cui una nella Galleria Naz. d'arte antica a Roma. Il dipinto, giunto da Praga a Vienna nel 1737, fece poi parte dei quadri mandati per scambio a Firenze nel 1821. Incisioni dell'opera furono tratte da Lasinio-Gozzini (7824) e Marchi-Tricca (1846). M.C.	Buona conservazione. Nel verso: Mad. col B. e i Santi Rocco e Sigismondo con sei fratelli della Compagnia di S. Sebastiano, in cui probabile intervento di Beccafumi (Romagnoli, Cust, Hauvette). Stendardo per la Compagnia di S. Sebastiano in Camollia di Siena (v. doc. pubblicati da Milanesi 1856, e Cust 1906). G.M.

		P1609	P1610	P1611	P1612
AUTORE		Sodoma, Bazzi Giovanni Antonio, detto il (Vercelli 1477 - Siena 1549).	Sodoma, Bazzi Giovanni Antonio, detto il (Vercelli 1477 - Siena 1549).	Sogliani, Giovanni Antonio (Firenze 1492-1544).	Sogliani, Giovanni Antonio (Firenze 1492-1544).
TITOLO		Madonna col Bambino e i Santi Rocco e Sigismondo e sei fratelli della compagnia di S. Sebastiano. (Retro dell'opera P1608).	Cristo fra gli sgherri.	Annunciazione della Vergine.	La Trinità.
DATAZIONE			Secondo quarto sec. XVI.	1517.	1520 ca.
DATI TECNICI			Olio su legno, 85x60.	Olio su tavola, 200x13.	Olio su tavola, 336x225, restauro 1969.
CORNICE			Intagliata e dorata, barocca.	—	Settecentesca, sagomata e dorata.
UBICAZIONI			Uffizi, Tribuna (1589); Guardaroba mediceo; Uffizi (1800).	Ospedale di San Bonifacio (sec. XVI); S. Maria Nuova (1870?) Uffizi (1900); Chiesa dell'Ospedale degli Innocenti (1920).	Convento di S. Iacopo sopr'Arno (dall'origine); Uffizi (1867); Museo di S. Marco (1907); Accademia (ante 1936).
ATTRIBUZIONI			Replica d'autore (Cust 1906, Segard 1910); Opera di scuola (Berenson 1932 e Cat., Vercelli 1950).	Albertinelli (Venturi 1925). Albertinelli e Sogliani (Berenson 1963). Sogliani (Paatz 1941, Van Holst 1971).	—
ESPOSIZIONI			Mostra del Sodoma. Vercelli 1950.	—	—
BIBLIOGRAFIA			H. Cust, G. A. Bazzi, London 1906, p. 351. Thieme-Becker, XXXI, 1937. A. Segard, Sodoma, Paris 1910, p. 223.	Ospedale di San Bonifacio (sec. *Paatz, ... II pp. 449-454, IV, pp. 34, 62. C. Van Holst, in Mittelungen des Kunsthistorischen Institutes in Florenz, 1971, pp. 27-30.*	Thieme-Becker, XXXI, 1937. *A. Gotti, Le Gallerie di Firenze, Firenze 1872, p. 282. Paatz, Kirchen etc., II, 1941, pp. 393, 399.*
INVENTARIO			738 (C.P. p. 70, n. 156).	3212 (C.P., p. 178, n. 72).	4647.
FOTO			321809.	5564.	277618
NOTE		Vedi: Sodoma, Bazzi Giovanni Antonio, detto il. S. Sebastiano.	In buone condizioni di conservazione. Scritta sul tergo: 'guardaroba, 19 luglio 1800'. Una replica a Pitti. G.M.	Il dipinto datato sulla base del leggio: A.D.M. ORATE/PRO-PICTORE CCCCCXVII, fu eseguito dal Sogliani per la Chiesa dell'Ospedale di San Bonifacio di Firenze, nel 1870 circa passò all'Ospedale di santa Maria Nuova da qui nel 1900 pervenne agli Uffizi; nel 1920 venne dato in deposito alla chiesa dello Spedale degli Innocenti di Firenze e collocato al di sopra dell'altare maggiore. La data, secondo il Berenson che attribuisce l'opera ad Albertinelli con la collaborazione del Sogliani, è di incerta lettura (1515, 1517, 1526). L.B.B.	Dietro la tavola, cartellino con la scritta: Estratto dal soppresso convento di S. Iacopo detto de' Barbetti, di Firenze nel luglio 1867. I santi raffigurati nella parte inferiore sono Maddalena Caterina e Iacopo. La tavola, nella sua collocazione originaria, era inserita in una decorazione a fresco con i SS. Gerolamo e Giovanni, ed era completata da una predela, eseguita da Iacopo del Sandrino, come ricordato dal Vasari (V, 126); gli affreschi e la predella sono perduti. L'opera viene generalmente datata dalla critica verso il 1520. Il dipinto si trova attualmente nei Depositi delle Gallerie a Palazzo Pitti. E.S.

	P1613	P1614	P1615	P1616
AUTORE	Sogliani, Giovanni Antonio (Firenze 1492-1544).	Sogliani, Giovanni Antonio (Firenze 1492-1544).	Sogliani, Giovanni Antonio (Firenze 1492-1544).	Sogliani, Giovanni Antonio (Firenze 1492-1544).
TITOLO	Santa Brigida impone la Regola.	Disputa dei Dottori sull'Immacolata Concezione.	Due scene della passione di Cristo.	Madonna con bambino e S. Giovannino.
DATAZIONE	1522.	1522 o 1528 (Degenhart 1937).	Terzo-quarto decennio, sec. XVI.	Terzo-quarto decennio? sec. XVI.
DATI TECNICI	Olio su tavola, 202x276.	Olio su tavola, 347x230.	Olio su tela, 110x281.	Olio su tavola, 89x84, restauro 1952 ca.
CORNICE	Sagomata e dorata (sec. XVIII).	Sagomata e dorata, con decorazioni a baccellatura, sec. XIX.	Sagomata e dorata.	Settecentesca, intagliata e dorata con decorazioni a fogliami.
UBICAZIONI	Chiesa di S. Brigida (dall'origine); Spedale di S. Bonifazio (1734); Arcispedale di S. Maria Nova (1870); Uffizi (1900).	Chiesa delle monache di S. Luca (dall'origine); Chiesa di S. Bonifazio (1734); Galleria dell'Arcispedale di S. Maria Nuova (1870 ca.); Uffizi (1900); Accademia (ante 1936).	Galleria dello Spedale di S. Maria Nova (1870 ca.); Uffizi (1900).	Uffici della Dogana; Uffizi (1798).
ATTRIBUZIONI	Scuola di Fra' Paolino (attribuz. tradiz.). Sogliani o Innocenzo da Imola (Crowe-Cavalcaselle 1866). Sogliani (Gabelentz 1922, Berenson 1932, Degenhart 1937).	—	Scuola di Mariotto Albertinelli (Cat. Uffizi 1902). Sogliani (Borenius 1911, Berenson 1963).	—
ESPOSIZIONI	—	—	—	—
BIBLIOGRAFIA	Thieme-Becker, XXXI, 1937. *Paatz, Kirchen etc., I, 1940, pp. 400, 403. S.J. Freedberg, Painting of The High Renaissance etc., Cambridge 1961, p. 496.*	Thieme-Becker, XXXI, 1937. *Paatz, Kirchen etc., I, 1940, pp. 400, 404; II, 1941, pp. 598-99.*	Thieme-Becker, XXXI, 1937. *Paatz, Kirchen etc., IV, 1952, pp. 34, 62.*	Thieme Becker, XXXI, 1937. *A. Venturi, Storia dell'arte italiana, IX, I, Milano 1925, pp. 396-99.*
INVENTARIO	3202 (C.P., p. 177, n. 62).	3203 (C.P., p. 178, n. 63).	3213 (C.P., p. 177, n. 13).	753 (C.P., p. 69, n. 166).
FOTO	277613.	310053.	249553.	315103.
NOTE	Datato sul piedistallo ove sta la santa: Orate pro pictore 1522. Altre iscrizioni, relative alla Regola di S. Brigida, sul libro che la Santa porge ai frati e sul rotulo che porge alle suore. Freedberg ha espresso un giudizio assai severo su questa opera, da lui giudicata come il punto di arrivo di un processo di pietrificazione dello stile di fra' Bartolomeo. La tavola si trova attualmente nei laboratori di restauro della Soprintendenza. E.S.	I santi in basso e gli angeli in alto sorreggono cartigli e volumi recanti iscrizioni referentesi al dogma dell'Immacolata. Vasari ricorda come l'opera fosse iniziata per Giovanni Serristori e poi destinata dal suo erede Alamanno di Iacopo Salviati al convento di S. Luca (Vasari, V, 130-31). Alla riunione del convento con la chiesa di S. Bonifazio (1734) il dipinto fu trasferito in quest'ultima chiesa, donde passò prima alla Galleria dello Spedale di S. Maria Nuova e poi agli Uffizi. Il dipinto figura all'Accademia già nel catalogo pubblicato nel 1936. La critica ha considerato questa tavola come opera tipica del periodo maturo del Sogliani, più evidentemente influenzato dal contemporaneo manierismo. Il dipinto è attualmente esposto nella Galleria dell'Accademia. E.S.	Le scene raffigurate sono l'Incontro di Cristo con le Marie e S. Giovanni e la Flagellazione di Cristo. Non è risultata documentabile la collocazione originaria dell'opera, prima della sua accessione alla Galleria dello Spedale di S. Maria Nova. Il dipinto non è mai stato studiato, ma è soltanto citato sporadicamente in studi generali sul periodo o sull'artista. L'opera si trova attualmente nei Depositi delle Gallerie a Palazzo Pitti. E.S.	Sul cartiglio di San Giovannino la scritta: Ecce Agnus Dei. Il dipinto pervenne agli Uffizi nel marzo 1798, prelevato dagli Uffici della Dogana (AGF, Filza XXIX, 1798,8). Da sottolineare che il dipinto (a parte una fugace attribuzione dubitativa al Pontormo) figura attribuito al Sogliani anche negli inventari sette-ottocenteschi di Galleria. Questa attribuzione è stata finora confermata in quei pochi scritti in cui il dipinto è citato, ed è accolta anche negli Indici di Berenson. L'opera si trova temporaneamente nei Depositi degli Uffizi. E.S.

	P1617	P1618	P1619	P1620
AUTORE	Sorri, Pietro (S. Giosuè, Siena 1556-1622 ca.).	Sorri, Pietro (S. Giosuè, Siena 1556-1622 ca.).	Sorri, Pietro (S. Giosuè, Siena 1556-1622 ca.).	Spinelli, Giovan Battista (Napoli?-1647 ca.).
TITOLO	Madonna con Santi e Popolo.	Presentazione della Vergine al Tempio.	Il miracolo dei pani e dei pesci.	David festeggiato dalle fanciulle ebree.
DATAZIONE	Sec. XVI, opera giovanile (Francini Ciaranfi 1952), 1576 ca. (Bertani 1979).	1616-17 ca. (Bertani 1799).	Sec. XVII; opera tarda (Francini Ciaranfi 1952).	1635-40 ca.
DATI TECNICI	Bozzetto, cartone dipinto a olio a monocromato color seppia, su tela, 46x33.	Bozzetto, cartoncino a olio monocromato e applicato su tela, 42x27.	Bozzetto, cartone dipinto a olio monocromato e incollato su tela 24x42,5.	Olio su tela, 259x308.
CORNICE	Legno modanato e dorato nel filetto interno.	Legno modanato e dorato nella filettatura interna.	Legno modanato e dorato nella parte interna.	Listello moderno.
UBICAZIONI	Gabinetto Disegni e Stampe (1793); Uffizi (1914).	Gabinetto Disegni e Stampe (1793); Uffizi (1914).	Gabinetto Disegni e Stampe (1793); Uffizi (1914).	Coll. privata; Uffizi (1970).
ATTRIBUZIONI	—	—	—	Spinelli (Longhi 1969).
ESPOSIZIONI	Bozzetti delle Gallerie di Firenze, Firenze, 1952-53.	Bozzetti delle Gallerie di Firenze, Firenze, 1952-53.	Bozzetti delle Gallerie di Firenze, Firenze, 1952-53.	Caravaggio e Caravaggeschi nelle Gallerie di Firenze, Firenze 1970 n. 74.
BIBLIOGRAFIA	E. Carli, I pittori senesi, Siena 1971. A. Bagnoli, Rutilio Manetti, Siena 1978. *A.M. Francini Ciaranfi, in Cat., Firenze, 1952-53, n. 112, p. 52.*	E. Carli, I pittori senesi, Siena 1971. A. Bagnoli, Rutilio Manetti, Siena 1978. *A.M. Francini Ciaranfi, in Cat., Firenze, 1952-53, n. 114, p. 53.*	E. Carli, I pittori senesi, Siena 1971. A. Bagnoli, Rutilio Manetti, Siena 1978. *A.M. Francini Ciaranfi, in Cat., Firenze 1952-53, n. 113, pp. 52-53.*	R. Longhi, Gian Battista Spinelli e i naturalisti napoletani del Seicento, in Paragone n. 227, 1969, pp. 42-48. E. Borea, in Cat., Firenze 1970, pp. 112-13.
INVENTARIO	GDSU 19205.	GDSU 19156.	GDSU 19154.	9468.
FOTO	157097.	157096.	157098.	163138.
NOTE	Sul retro a penna con scritta del sec. XIX: Pietro Sorri. Il bozzetto, probabile studio preparatorio per una tavola d'altare con la Madonna che distribuisce le cintole a una santa e un vescovo che le porgono a prelati, a religiosi e popolo, centinata in alto, compare nell'inventario del 1793 (cfr. GDSU Inventario Generale... 1793, Vol. III Universale X, n. 1 ad vocem). Non è stata identificata la pala di altare della quale il presente bozzetto doveva essere uno studio. L.B.B.	Sul retro scritto con grafia del sec. XIX Sorri Pietro il presente bozzetto probabile studio per una grande pala d'altare, compare nell'inventario del 1793 (cfr. GDSU Inventario Generale... vol. III, Universale X, n. 6, ad vocem). L.B.B.	Sul retro scritto a penna con caratteri del sec. XIX: Pietro Sorri. Il bozzetto è da identificarsi con il disegno "soggetto con molte figure" che compare nell'inventario del 1793 (cfr. vol. III, Universale X, n. 5 ad vocem); si tratta forse del bozzetto per una tela decorativa, non identificata o andata perduta. L.B.B.	Acquistato da collezione privata fiorentina per gli Uffizi nel 1970 insieme al suo pendant che raffigura anch'esso una scena biblica (n. 9467). Un disegno preparatorio è nel Gabinetto Disegni e Stampe degli Uffizi (Longhi 1969). La datazione è difficile, non conoscendosi gli estremi del pittore. E.B.

	P 1621	P 1622	P 1623	P 1624
AUTORE	Spinelli, Giovan Battista (Napoli?-1647 ca.).	Spinello Aretino (Arezzo 1350-52-1410).	Starnina, Gherardo (Firenze, attivo sec. XIV-XV).	Starnina, Gherardo (Firenze, attivo sec. XIV-XV).
TITOLO	David placa con l'arpa le angosce di Saul.	Santo Stefano.	Madonna con Bambino.	Madonna in trono fra santi e Crocifissione.
DATAZIONE	1635-40.	1400-1405 (Boskovits 1975).	1405-1410 (Bellosi 1978).	1410 ca. (Bertani 1979).
DATI TECNICI	Olio su tela, 253x309.	Tempera su tavola, 92x33.	Tempera su tavola, 99x52.	Tempera su tavola, 178x80.
CORNICE	Listello moderno.	A tabernacolo.	Rettangolare modanata e intagliata a fascicole dorate.	Cuspidata, modanata e intagliata.
UBICAZIONI	Coll. privata; Uffizi (1970).	Camera di Commercio (1782); Uffizi (1782); Museo di San Marco (1925); Palazzo Davanzati (1955).	Signor Vincenzo Ferrari; Uffizi (1781); Accademia (1933).	Ufficio del Fisco (1822); Uffizi (1822); Accademia (1933).
ATTRIBUZIONI	Spinelli (Longhi 1969).	Ignoto sec. XIV (Inv. Antichi). Spinello Aretino (Previtali, Bellosi 1965, Berti 1971).	Maestro del Bambino Vispo (Sirén 1904, Procacci 1936, Fremantle 1975). Gherardo Starnina (Bellosi 1978).	Artista del gruppo del Maestro del Bambino Vispo (Procacci 1936). C. Starnina? (Bertani 1979).
ESPOSIZIONI	Caravaggio e Caravaggeschi nelle Gallerie di Firenze, Firenze 1970.	—	Gherardo Starnina (Bellosi 1978). Lorenzo Ghiberti, Firenze 1978-79.	—
BIBLIOGRAFIA	R. Longhi, Gian Battista Spinelli e i naturalisti napoletani del Seicento, in Paragone n. 227, 1969, pp. 42-48. E. Borea, in Cat., Firenze 1970, n. 75, pp. 112-13.	L. Bellosi, Da Spinello Aretino a Lorenzo Monaco, in Paragone 187, 1965, 16, p. 42. L. Berti, Il Museo di Palazzo Davanzati a Firenze, Firenze 1971, tav. 166, p. 215. M. Boskovits, Pittura fiorentina alla vigilia del Rinascimento, Firenze 1975, p. 436.	U. Procacci, La R. Galleria dell'Accademia di Firenze, Roma 1936, p. 36. R. Fremantle, Florentine Gothic Painters, London 1975, n. 919, pp. 441-450. L. Bellosi, in Cat., Ghiberti, 'materia e ragionamenti', Firenze 1978-79, pp. 146-47.	R. Fremantle, Florentine Gothic Painters, London 1975. L. Bellosi, L. Ghiberti, 'materia e ragionamenti', Firenze 1978, pp. 141-42; 144-47. U. Procacci, La R. Galleria dell'Accademia di Firenze, Roma 1936, p. 36.
INVENTARIO	9467.	6287.	441 (C.P., p. 58, n. 11).	478 (C.P., p. 67, n. 51).
FOTO	163140.	101719.	322223.	322222.
NOTE	Acquistato da collezione privata fiorentina per gli Uffizi nel 1970 insieme al suo pendant che raffigura anch'esso una scena biblica (n. 9468). La datazione è difficile, non conoscendosi gli estremi del pittore. E.B.	Il dipinto a forma di tabernacolo con in alto la Crocifissione e nella predella due stemmi, pervenne anonimo in Galleria nel 1782 il 6 maggio, dalla soppressa Camera del Commercio (cfr. AGF, filza XV, ins. 35); compare negli inventari dal 1784 al 1890. L.B.B.	Il dipinto fu comprato per dodici zecchini d'oro dal Signor Vincenzo Ferranti il 10-7-1781 (cfr. AGF filza XIV, ins. 51); fu esposto nella Galleria degli Uffizi fino al 1933. La composizione è una combinazione del motivo iconografico della Madonna in gloria entro una mandorla di Cherubini e la Madonna col Bambino in trono fra Angeli e Santi (Bellosi: cit. v. 146). La tavola fu eseguita dall'artista dopo il suo viaggio in Spagna; l'esibizione della stoffa preziosa nel piviale di S. Nicola, la prospettiva del pavimento collocano l'opera nell'ambito del 'gotico internazionale'. L.B.B.	Il dipinto raffigurante la Vergine con Bambino fra i Santi Antonio, Giovanni Battista, Lorenzo e Pietro e nella cuspide il Crocifisso fra i santi Sebastiano e Giuliano, dello stesso Maestro del n. 441 inv. 1890, pervenne alla Galleria dall'Ufficio del Fisco di Firenze il 30-3-1822. L.B.B.

	P1625	P1626	P1627	P1628
AUTORE	Steen, Jan (Leida 1626-79).	Steenwijk, Hendrick, il giovane (Anversa 1580 ca. - Londra 1649 ca.), e Van Bronchorst, Jan Gerritz (Utrecht 1603-77 ca.).	Stella, Jacques (Lione 1596 - Parigi 1657).	Strozzi, Bernardo (Genova 1581-1644).
TITOLO	La colazione, o Il piccolo violinista.	La decollazione del Battista.	Cristo servito dagli angeli.	Tributo della moneta.
DATAZIONE	1650-60 ca.	1630 ca.? (Bodart 1977).	1650 ca. (Rosenberg 1977).	1630 ca. (Mortari 1966).
DATI TECNICI	Olio su tavola, 41x49,5.	Olio su tavola, 60,5-72, restauro 1972.	Olio su tela, 111x158, restauro 1977.	Olio su tela 158x225.
CORNICE	Ebano, sec. XIX-XX.	Ebano, sec. XIX.	Liscia, dorata, sec. XVIII.	Dorata larga liscia, orlata di piccoli baccelli.
UBICAZIONI	Poggio a Caiano (inizi sec. XVIII); Uffizi (1773).	Pitti (inizi sec. XVIII); Uffizi (1716).	Parigi; Uffizi (1793).	Card. Carlo de' Medici, Casino Mediceo (1666); Pitti (1667); Uffizi (1769).
ATTRIBUZIONI	—	—	—	—
ESPOSIZIONI	Jan Steen, Leida 1926. Il Seicento olandese, Roma 1928. Pittura del Seicento olandese, Roma-Milano 1954.	Rubens e la pittura fiamminga del Seicento nelle collezioni pubbliche fiorentine, Firenze 1977.	Mostra temporanea di alcune pitture straniere, Firenze 1964. Pittura francese nelle collezioni pubbliche fiorentine, Firenze 1977.	—
BIBLIOGRAFIA	J. Rosenberg - S. Slive - E. H. Ter Kuile: Dutch Art and Architecture 1600-1800, Harmondsworth 1966. *F. Schmidt Degener - H. E. van Gelder, Jan Steen, Amsterdam 1927, p. 76.*	J. Rosenberg - S. Slive - E. H. Ter Kuile: Dutch Art and Architecture 1600-1800, Harmondsworth 1966. *Cat., Firenze 1977, n. 116.*	J. Thuillier, Poussin et ses premiers compagnons français à Rome, Colloque Poussin, I, 1960. *Cat., Firenze 1977, n. 56.*	L. Mortari, Bernardo Strozzi, Roma 1966, p. 51 e p. 105.
INVENTARIO	1301 (C.P., p. 140, n. 977).	1225.	996 (C.P., p. 113, n. 675).	808 (C.P. p. 90, n. 224).
FOTO	15214.	193921.	124826.	10817, 70567.
NOTE	Firmato in alto a sinistra, sull'arco della porta: J. Steen. Il dipinto è ricordato in un inventario generale dei quadri della Guardaroba di Pitti degli inizi del Settecento e quindi nella Villa di Poggio a Caiano, tra le opere ivi radunate dal principe Ferdinando de' Medici, figlio di Cosimo III. È possibile che il quadro abbia fatto parte di un invio di opere fiamminghe al principe Ferdinando, nel 1706, da parte del cognato, Elettore Palatino del Reno (com. di M. L. Strocchi). Tale ipotesi verrebbe avvalorata da una scritta in francese apposta sul retro del quadro su striscia di carta: Jean Steen Hollandais. M.C.	Cartellino frammentario sul retro con l'attribuzione ai due pittori. In questo quadro infatti le architetture sono dello Steenwijk il Giovane, mentre le figure spettano al Bronchorst. Tenendo conto dell'età di quest'ultimo e dell'anno di morte del primo, il quadro è presumibilmente databile, come ha suggerito il Bodart, intorno al 1630. Il dipinto fu inviato a incorniciare e quindi agli Uffizi nel 1716, cioè ancora in epoca medicea: non è escluso che si tratti di uno dei quadri giunti da Düsseldorf per invio dell'Elettore Palatino. M.C.	Il dipinto, insieme ad altri quadri francesi, fu acquistato a Parigi nel 1793 da Francesco Favi per conto del granduca Ferdinando III di Toscana. Identificato dal Rosenberg (Cat. Firenze 1977) con il dipinto ricordato nell'inventario del 1693 di Claudine Bouzonnet-Stella, nipote dell'artista. Datato, per ragioni stilistiche, dal Rosenberg intorno al 1650. M.C.	Il dipinto appartenne al cardinal Carlo de' Medici (1666). Per la presenza di residui delle caratteristiche fiamminche che caratterizzano la prima fase dello artista, è stato probabilmente dipinto a Genova. Una replica autografa, giudicata alquanto più tarda, è a Budapest, Museo di Belle Arti. Una variante sempre autografa è a Monaco, Alte Pinakothek. E.B.

	P1629	P1630	P1631	P1632
AUTORE	Strozzi, Bernardo (Genova 1581-1644).	Strozzi, Zanobi (Firenze 1412-68).	Sturrini, Marco (Firenze?, attivo intorno alla metà sec. XVII).	Süss von Kulmbach, Hans (Kulmbach 1480 ca. - Norimberga 1522).
TITOLO	Parabola dell'invitato a nozze.	Madonna col Bambino e angeli.	La Maddalena in penitenza.	La Vocazione di S. Pietro.
DATAZIONE	1635 ca. (Mortari 1966).	1434-39?, 1436 (Collobi - Ragghianti 1950).	1654.	1507 (Koelitz 1891), ante 1510 (Winkler 1959, Strieder 1961), 1515 (Buchner 1928).
DATI TECNICI	Olio su tela, ovale, 127x190.	—	Olio su tela, 145,8x98.	Olio su tavola, 128,5x95,5.
CORNICE	Dorata liscia a gola.	Tempera su tavola, 118x104.	—	Moderna (1952).
UBICAZIONI	Uffizi (1825-81).	S. Maria Nuova (dall'origine); Uffizi (1900); Museo di S. Marco (1924?).	Coll. Hugford (ante 1779); Uffizi (1779).	Cracovia (?); Palazzo Vecchio; Uffizi (1843).
ATTRIBUZIONI	—	Angelico (Cat. Pieraccini c. 1910). Scuola dell'Angelico (Schottmüller 1911). Domenico di Michelino (Berenson 1913 e 1932, Van Marle 1928). Zanobi Strozzi (Salmi 1950, Collobi - Ragghianti 1950).	—	Hans Schäuffelein (attribuzione di Galleria, 1843). Süss v. K. (Bode 1892).
ESPOSIZIONI	Mostra della pittura italiana del '600 e '700, Firenze 1922.	Mostra dell'Angelico, Città del Vaticano - Firenze 1955.	—	Meister um Albrecht Dürer, Norimberga 1961.
BIBLIOGRAFIA	L. Mortari, Bernardo Strozzi, Roma 1966, p. 105.	M. Levi D'Ancona, Miniatura e miniatori a Firenze dal XVI al XVI secolo, Firenze 1961. *Cat., Firenze 1955, 2ª ed. n. 86; M. Levi D'Ancona, in Rivista d'Arte 1960, 103 sgg. L. Berti, Miniature dell'Angelico (e altro) in Acropoli 1962, 303, n. 19.*	*Thieme-Becker XXI, 1938. J. Fleming, The Hugfords of Florence, in The Connoisseur, 1955, p. 206.*	F. Winkler, Hans von Kulmbach, Kulmbach-Bayreuth 1959. *Cat. Norimberga 1961, n. 152 a.*
INVENTARIO	2191.	3204 (C.P., p. 181, n. 64).	554.	1034 (C.P., p. 121 n. 713).
FOTO	30402.	100373.	280928.	—
NOTE	È uno dei bozzetti per la tela già a Venezia, Chiesa degli Incurabili, ora perduta, eseguita verso il 1636. L'altra assai simile, meno svolta, si conserva a Genova, Accademia Ligustica. E.B.	La Collobi - Ragghianti (1950) identificava il dipinto in quello pagato (nel 1436) 25 fiorini a Zanobi Strozzi, e citato forse erroneamente dal Vasari in S. Maria Novella (per S. Maria Nuova): 'una tavola posta oggi nel tramezzo di Santa Maria Novella allato a quella di fra Giovanni'. Notava difatti che la Madonna sembra un pendant (per centinatura e misure dell'Incoronazione della Vergine degli Uffizi pure proveniente da S. Maria Nuova. Ma la Levi d'Ancona trovava che la documentazione relativa si estende dal 1434 al 1439 e concerne una tavola di Zanobi per l'altare di S. Agnese, quindi doveva rappresentare tale santa. Comunque il dipinto è di scuola dell'Angelico, e può tornare con lo stile di Zanobi Strozzi, ne è detto che la tavola per l'altare di S. Agnese dovesse raffigurare proprio la santa titolare. L.B.	Firmato e datato in basso a sinistra: OPVS MARCI STVRRINI 1654. È l'unica opera nota di questo artista, stilisticamente legato alla scuola fiorentina. Pervenuta per acquisto, nel 1779, dalla collezione di Ignazio Hugford. M.C.	Detto anche 'L'Apparizione di Gesù sul lago di Genezareth'. Insieme con le altre tavole, sportello di un polittico ad ante girevoli (Flügelaltar) dedicato ai Ss. Pietro e Paolo. Sul tergo la metà superiore di un S. Pietro di mano e tradizione stilistica diversa e probabilmente polacca (Stadler 1936): donde l'ipotesi che il polittico sia stato eseguito per una chiesa di Cracovia, dove il pittore operò nel 1511 e nel 1514-16. Prima di venire agli Uffizi, le tavole sono state nella Guardaroba e poi nella Sala dei Gigli di Palazzo Vecchio. L'attribuzione al Kulmbach, poi universalmente accolta, è di W. Bode nell'edizione del 1892 del 'Cicerone' del Burckhardt. R.S.

	P1633	P1634	P1635	P1636
AUTORE	Süss von Kulmbach, Hans (Kulmbach ca. 1480 - Norimberga 1522).	Süss von Kulmbach, Hans (Kulmbach ca. 1480 - Norimberga 1522).	Süss von Kulmbach, Hans (Kulmbach ca. 1480 - Norimberga 1522).	Süss von Kulmbach, Hans (Kulmbach ca. 1480 - Norimberga 1522).
TITOLO	S. Paolo rapito in cielo.	Il Martirio di S. Paolo.	La Cattura dei Ss. Pietro e Paolo.	Il Martirio di S. Pietro.
DATAZIONE	1514-16 (?).			
DATI TECNICI	Olio su tavola, 130x96.	Olio su tavola, 130x95.	Olio su tavola, 132x96.	Olio su tavola, 132x96.
CORNICE	Moderna (1952).			
UBICAZIONI	Da una chiesa di Cracovia (sec. XVI) (?); Guardaroba Pitti (sec. XVIII); Uffizi (1773).			
ATTRIBUZIONI	—			
ESPOSIZIONI	Meister um Albrecht Dürer, Norimberga 1961.			
BIBLIOGRAFIA	F. Winkler, Hans von Kulmbach, Bayreuth 1959.			
INVENTARIO	1058 (C.P., p. 120, n. 740 bis).	1044 (C.P., p. 121 n. 724).	1072 (C.P., p. 121 n. 748).	1030 (C.P., p. 121 n. 713 bis).
FOTO	—	—	—	—
NOTE	A tergo la metà superiore di una figura di S. Paolo, di mano probabilmente polacca: donde l'ipotesi che il polittico sia stato eseguito per una chiesa di Cracovia, dove il pittore operò nel 1511 e nel 1514-16. R.S.	A tergo la metà inferiore di una figura di S. Paolo. Per la nota storica e gli altri dati della scheda, vedi P1632. R.S.	Detta anche 'Il Congedo dei Ss. Pietro e Paolo'. Per la nota storica e gli altri dati della scheda, vedi P1632. R.S.	Per la nota storica e gli altri dati della scheda, vedi P1632. R.S.

	P1637	P1638	P1639	P1640
AUTORE	Süss von Kulmbach, Hans (Kulmbach ca. 1480 - Norimberga 1522).	Süss von Kulmbach, Hans (Kulmbach ca. 1480 - Norimberga 1522).	Süss von Kulmbach, Hans (Kulmbach ca. 1480 - Norimberga 1522).	Süss von Kulmbach, Hans (Kulmbach ca. 1480 - Norimberga 1522).
TITOLO	La Predica di S. Pietro.	S. Pietro liberato dal carcere.	La Conversione di S. Paolo.	Crocifissione con Maddalena e committenti.
DATAZIONE				1511-14 ca. (cat. Norimberga 1961).
DATI TECNICI	Olio su tavola, 130x95,5.	Olio su tavola, 131,5x95,5.	Olio su tavola, 130x96.	Olio su tavola, 167x92.
CORNICE				—
UBICAZIONI				Eredità Del Sera; Uffizi (1777).
ATTRIBUZIONI				Anonimo tedesco (attribuzione di Galleria dal 1777 al 1961).
ESPOSIZIONI				Meister um Albrecht Dürer, Norimberga 1961.
BIBLIOGRAFIA				F. Winkler, Hans von Kulmbach, Bayreuth 1959. *Cat., Norimberga 1961, n. 160.*
INVENTARIO	1060 (C.P., p. 120 n. 740).	1047 (C.P., p. 120, n. 729).	1020 (C.P., p. 121 n. 709).	1025.
FOTO	—	—	—	—
NOTE	Per la nota storica e gli altri dati della scheda, vedi P1632. R.S.	Sul tergo la metà inferiore di una figura di S. Pietro. Per la nota storica e gli altri dati della scheda, vedi P1632. R.S.	Per la nota storica e gli altri dati della scheda, vedi P1632. R.S.	Reca la sigla originaria HK, più tardi trasformata in MR, ciò che a lungo ha ostacolato il riconoscimento della sigla di Hans von Kulmbach. R.S.

	P1641	P1642	P1643	P1644
AUTORE	Sustermans, Justus (Anversa 1597 - Firenze 1681).	Sustermans, Justus (Anversa 1597-Firenze 1681).	Sustermans, Justus (Anversa 1597-Firenze 1681).	Sustermans, Justus (Anversa 1597-Firenze 1681).
TITOLO	Il senato fiorentino rende omaggio a Ferdinando II de' Medici.	S. Maria Maddalena.	Ritratto di Ferdinando II de' Medici.	Ritratto di giovanetto.
DATAZIONE	1621.	1620-25 ca.	1625 ca.	1625 ca.
DATI TECNICI	Olio su tela, 392x618.	Olio su tela, 168x90.	Olio su tela, 52x36,5.	Olio su tela, 73,5x60,5.
CORNICE	—	Liscia, dorata, sec. XVII.	Liscia, dorata, sec. XVII.	Barocca, originale.
UBICAZIONI	Pitti (1621); Uffizi (sec. XIX).	Pitti (1625 ca.); Uffizi (1863); Pitti (1928 ca.).	Uffizi (1905 ca.).	Uffizi (1905 ca.); Pitti (1928 ca.).
ATTRIBUZIONI	—	—	—	—
ESPOSIZIONI	—	—	—	—
BIBLIOGRAFIA	*J. Bautier, Juste Suttermans, Bruxelles-Paris 1912, p. 13ss. M. Campbell, Pietro da Cortona at the Pitti Palace, Princeton 1977, p. 68, nota 19. C. Mac-Corquodale, in Cat., Painting in Florence 1600-1700, London 1979, n. 52, p. 112.*	J. Lavalleye, in Thieme-Becker, XXVII, 1938. *P. Bautier, Juste Suttermans, Bruxelles 1912, p. 44. A.I. Rusconi, La R. Galleria Pitti, Roma 1937, p. 291.*	E. Pieraccini, Cat. della Galleria degli Uffizi, Firenze 1905 ca., p. 80, n. 3430. *P. Bautier, Juste Suttermans, Bruxelles 1912, pp. 20, 125.*	J. Lavalleye, in Thieme-Becker, XXVII, 1938. *P. Bautier, Juste Suttermans, Bruxelles, 1912, pp. 95, 126.*
INVENTARIO	721. (5468).	563 (C.P., p. 79, n. 101).	2501 (C. P., p. 80, n. 3430).	2200 (C.P., p. 76, n. 3397).
FOTO	—	153327.	173999.	301749.
NOTE	La grande tela era originariamente a forma di lunetta in quanto collocata al disopra della porta d'accesso dall'anticamera degli staffieri alla galleria della guardia al piano nobile di palazzo Pitti, ingresso dell'allora appartamento granducale mediceo (odierna galleria delle statue). Essa fu eseguita dal Sustermans nel 1621, quando Ferdinando II, undicenne, successe al padre Cosimo II morto nel febbraio di quell'anno. Sotto la tutela della madre, Maddalena d'Austria, e della nonna, Cristina di Lorenza, raffigurate ai suoi lati, egli riceve l'omaggio da parte dei senatori fiorentini. Il dipinto stette nel suo posto originario fino al 1693, quando il pittore J. Chiavistelli venne pagato per ridurlo al suo stato attuale, cioè di forma rettangolare, con l'aggiunta di una architettura nel fondo, poiché il quadro, con altri dell'artista, fu collocato in una sala del secondo piano del palazzo per volontà di Cosimo III de' Medici. Tolto da questa sede, fu trasportato agli Uffizi in epoca lorense. Ne esiste il bozzetto, che presenta varianti considerevoli, nell'Ashmolean Museum di Oxford (McCorquodale 1979). M.C.	Ritenuto rappresentare, sotto le spoglie della Maddalena, il ritratto di Vittoria della Rovere, fu riconosciuto dal Bautier quale ritratto invece di Maria Maddalena d'Austria (1587-1631), figlia dell'arciduca Carlo di Stiria e sorella dell'imperatore Ferdinando II, che sposò Cosimo II de' Medici nel 1608. Il quadro fu esposto, con altri appartenuti ai Medici, per la festa di S. Luca del 1681 (v. S. Meloni Trkulja, in Scritti di Storia dell'arte in onore di U. Procacci, Venezia 1976, p. 579 ss.). M.C.	Catalogato come 'Ritratto di giovane ignoto' dal Pieraccini, il Bautier vi ravvisò l'immagine di Ferdinando II de' Medici da giovinetto. Definendolo di cattiva qualità vi individuava evidentemente l'opera dello studio dell'artista. M.C.	'Pendant' del n. 2208 (Ritratto di giovanetta), databile stilisticamente nel terzo decennio del Seicento. La provenienza non è documentata, né identificata il ritrattato. M.C.

	P 1645	P 1646	P 1647	P 1648
AUTORE	Sustermans, Justus (Anversa 1597-Firenze 1681).	Sustermans, Justus (Anversa 1597-Firenze 1681).	Sustermans, Justus (Anversa 1597-Firenze 1681).	Sustermans, Justus (Anversa 1597 - Firenze 1681).
TITOLO	Ritratto di Claudia de' Medici.	Ritratto di Claudia de' Medici.	Margherita de' Medici nelle vesti di S. Margherita.	Ritratto di Francesco de' Medici.
DATAZIONE	1626 ca.	1626 ca.	1628 ca.	1630-34 ca.
DATI TECNICI	Olio su tela, 113x86.	Olio su tela, 204x116.	Olio su tela, 187x115.	Olio su tela, 64x52.
CORNICE	Intagliata, dorata, originale.	Intagliata, dorata, originale.	Intagliata e dorata, originale.	Intagliata, dorata, barocca.
UBICAZIONI	Pitti (?); Uffizi (1905 ca.); Pitti (1928 ca.).	Pitti (?); Uffizi (1905 ca.); Pitti (1928 ca.).	Pitti (?); Uffizi (1905 ca.); Pitti (1928 ca.).	Uffizi (sec. XIX); Pitti (1928 ca.).
ATTRIBUZIONI	—	—	—	—
ESPOSIZIONI	Rubens e la pittura fiamminga del Seicento nelle collezioni pubbliche fiorentine, Firenze 1977.	—	—	—
BIBLIOGRAFIA	P. Bautier, Juste Suttermans, Bruxelles 1912, p. 28. J. Lavalleye, in Thieme-Becker, XXV, 1938. Cat., Firenze 1977, n. 120 (con riferimento sbagliato all'inventario di Pitti).	J. Lavalleye, in Thieme-Becker, XXV, 19338.	S. Meloni Trkulja, Omaggio a Leopoldo de' Medici. Ritrattini, Firenze 1976, sub n. 7. P. Bautier, Juste Suttermans, Bruxelles 1912, p. 44. J. Lavalleye, in Thieme-Becker, XXV, 1938.	H. Gerson - E. H. Ter Kuile, Art and Architecture in Belgium, 1600-1800, Harmondsworth 1960. P. Bautier, Justus Suttermans, Bruxelles 1912.
INVENTARIO	752 (C.P., p. 93, n. 763).	2267 (C.P., p. 81, n. 1242).	4357 (C.P., p. 93, n. 3400).	4349.
FOTO	178558.	249664.	229129.	301748.
NOTE	Claudia de' Medici (1604-1648), figlia di Ferdinando I e di Cristina di Lorena, sposò nel 1620 Federigo della Rovere, duca di Urbino, dal quale ebbe Vittoria. Morto Federigo nel 1622, si risposò nel 1626 coll'arciduca Leopoldo del Tirolo. Questo ritratto ritrae la principessa in busto, in una veste simile ma non così sontuosa come nel ritratto a figura intera Inv. Poggio a Caiano 142. Il gioiello appuntato sulla spalla sinistra ricompare in quel ritratto e nel n. 2267. Databile per l'età dimostrata e per analogia stilistica come i due ritratti suddetti. M.C.	In questo dipinto Claudia de' Medici (1604-1648) è rappresentata in un abito rosa pesca più semplice di quello del ritratto n. 142 (Inv. Poggio a Caiano) ma nella stessa posa e con lo stesso gioiello appuntato sulla spalla sinistra che compare anche in un altro ritratto in busto, sempre a Pitti (Inv. 1890, n. 752). Contemporaneo al ritratto Inv. P. a C. 142, datato dal Gamba (Il ritratto italiano dal Caravaggio al Tiepolo, Milano 1922) a poco prima delle seconde nozze di Claudia. M.C.	Margherita de' Medici (1612-1679), figlia del granduca Cosimo II e Maria Maddalena d'Austria, sposò nel 1629 Odoardo Farnese duca di Parma. Un suo ritratto da giovinetta, a figura intera, è il n. 139 dell'Inv. Poggio a Caiano (Pitti), mentre sempre il Sustermans in una miniatura degli Uffizi (Meloni Trkulja 1976) la rappresentò ancora come santa. Nel caso presente il drago posto ai piedi della figura e la croce alludono chiaramente a S. Margherita. La presenza del quadro o Pitti nel 1687 è attestata da un inventario dell'Archivio di Stato, Firenze (Guardaroba Mediceo 932, c. 134). Anche Vittoria della Rovere amò farsi rappresentare dal pittore sotto le spoglie di questa santa. M.C.	Francesco, figlio di Cosimo II de' Medici e di Maria Maddalena d'Austria, nacque nel 1614 e morì a vent'anni. Il ritratto deve risalire a poco prima della morte. M.C.

	P1649	P1650	P1651	P1652
AUTORE	Sustermans, Justus (Anversa 1597-Firenze 1681).	Sustermans, Justus (Anversa 1597-Firenze 1681).	Sustermans, Justus (Anversa 1597-Firenze 1681).	Sustermans, Justus (Anversa 1597-Firenze 1681).
TITOLO	Ritratto di Carlo di Lorena, duca di Guisa.	Ritratto di Galileo Galilei.	Due uccelli acquatici appiccati.	Ritratto di Ferdinando II de' Medici vestito da turco.
DATAZIONE	1635 ca.	1636.	1640 ca.	1640 ca.
DATI TECNICI	Olio su tela, 65x52.	Olio su tela, 6x56.	Olio su tela 82x69,8, restauro 1964.	Olio su tela, 64,5x50,5.
CORNICE	Intagliata, dorata, originale.	Intagliata e dorata.	Listello moderno.	Liscia, dorata, sec. XVII.
UBICAZIONI	Pitti (1663); Uffizi (1905 ca.); Pitti (1928 ca.).	Firenze (1636); in Tribuna 1704 e 1763) Parigi (1636); Pitti (1643 ca); Uffizi (1678 ca.).	La Petraia (1649); Uffizi (1972).	Pitti (?); Uffizi (1905 ca.); Museo Mediceo (1929); Pitti (1978).
ATTRIBUZIONI	—	—	Sustermans (1649). Anonimo (inv. 1890). Sustermans (Gregori 1964).	—
ESPOSIZIONI	—	Mostra Medicea, Firenze 1939.	La natura morta italiana, Napoli 1964. La quadreria di don Lorenzo de' Medici, Poggio a Caiano 1977.	Curiosità di una reggia. Vicende della guardaroba di palazzo Pitti, Firenze 1979.
BIBLIOGRAFIA	P. Bautier, Juste Suttermans, Bruxelles 1912, p. 40. J. Lavalleye, in Thieme-Becker, XXV, 1938. S. Meloni Trkulja, in Pittura francese nelle colleizoni pubbliche fiorentine, Firenze 1977, sub n. 207.	F. Baldinucci, Notizie dei professori del disegno..., Ed. Ranalli, IV, 1846, p. 491. P. Bautier, Juste Suttermans, Bruxelles 1912, p. 47. Cat., Firenze 1939, p. 138.	Cat., Napoli 1964, n. 163. E. Borea, in Cat., Poggio a Caiano 1977, n. 34.	P. Bautier, Juste Suttermans, Bruxelles 1912, p. 125. J. Lavalleye, in Thieme-Becker, XXV, 1938. Cat., Firenze 1979, p. 56, n. 24.
INVENTARIO	2341 (C.P., p. 3, n. 13917).	745 (C.P., p. 85, n. 163).	4716.	2334 (C.P., p. 77, n. 1188).
FOTO	178537.	53882.	278260.	141890.
NOTE	Carlo di Lorena, quarto duca di Guisa (1571-1640), fu protetto da Enrico IV ma la sua opposizione al Richelieu lo costrinse all'esilio nel 1632. Si stabilì a Firenze, dove il Sustermans lo ritrasse dopo questa data, ma morì a Cona, presso Siena. Il dipinto è ricordato in palazzo Pitti nel 1663. M.C.	Come narra il Baldinucci, il ritratto del grande matematico e astronomo (1564-1642), protetto da Cosimo II, Ferdinando II e Leopoldo de' Medici, fu dipinto nel 1636 e quindi inviato in Francia dallo stesso Galilei a un "letterato" di quella nazione suo corrispondente e suo grande ammiratore. Da quest'ultimo lo ottenne per Ferdinando II, granduca di Toscana, lo scienziato Vincenzo Viviani. Il ritratto risulta esposto nella Tribuna degli Uffizi nel 1704 e nel 1763, e lo si scorge anche nel noto quadro dello Zoffany (1772-74) che raffigura la Tribuna (Windsor Castle). M.C.	Pubblicato come opera del Sustermans (Gregori 1964) sulla traccia della citazione nell'inventario della collezione di don Lorenzo de' Medici nella villa della Petraio (1649) e accolto come tale successivamente (Borea 1977), sorge ora il dubbio (com. orale di M. Chiarini) che il dipinto debba identificarsi invece con il quadro raffigurante 'due germani appesi ad un viticcio' di Cesare Dandini che nel 1663 era nella villa di Castello (Borea 1977). E.B.	Questo insolito ritratto di Ferdinando II de' Medici (1610-1670) figlio di Cosimo II e Maria Maddalena d'Austria, può essere datato, basandosi sull'età dimostrata dal soggetto, intorno al 1640. Non sappiamo per quale occasione Ferdinando si sia mascherato da turco. Il Pieraccini identifica il personaggio con Francesco (1614-1634), fratello di Ferdinando, mentre il Bautier è incerto fra i due. Tuttavia non sembra dubbio che qui sia ritratto Ferdinando a circa trent'anni. M.C.

	P1653	P1654	P1655	P1656
AUTORE	Sustermans, Justus (Anversa 1597-Firenze 1681).	Sustermans, Justus (Anversa 1597-Firenze 1681).	Sustermans, Justus (Anversa 1597 - Firenze 1681).	Sustermans, Justus (Anversa 1597-Firenze 1681).
TITOLO	Ritratto di Francesco di Lorena, principe di Joinville.	Ritratto di Vittoria della Rovere, granduchessa di Toscana.	Ritratto femminile.	S. Margherita.
DATAZIONE	1640 ca.	1640 ca.	1640 ca.	1640 ca.
DATI TECNICI	Olio su tela, 63,5x46.	Olio su tela, 62x51.	Olio su tela ovale, 64x48.	Rame, 29,5x21,5.
CORNICE	Intagliata, dorata, originale.	—	Intagliata, parzialmente dorata, originale.	Liscia, dorata, originale.
UBICAZIONI	Uffizi (1905 ca.); Pitti (1928 ca.).	Uffizi (1905 ca.).	La Petraia (1649); Uffizi (1905 ca.); Direzione Costruzioni Cantieri Navali, La Spezia (1928); scomparso durante la guerra 1940-45.	Pitti (?); Uffizi (1773).
ATTRIBUZIONI	—	—	—	—
ESPOSIZIONI	—	—	—	Rubens e la pittura fiamminga del Seicento nelle collezioni pubbliche fiorentine, Firenze 1977.
BIBLIOGRAFIA	*P. Bautier, Juste Suttermans, Bruxelles 1912, p. 40. S. Meloni Trkulja, in Cat., Pittura francese nelle collezioni pubbliche fiorentine, Firenze 1977, sub n. 207.*	J. Lavalley, in Thieme-Becker, XXV, 1938. *P. Bautier, Juste Suttermans, Bruxelles 1912, p. 87.*	*P. Bautier, Juste Suttermans, Bruxelles 1912, p. 87. J. Lavalleye, in Thieme-Becker, XXXII, 1938. E. Borea, in Cat. La quadreria di don Lorenzo de' Medici, Firenze 1977, p. 60 s.*	*P. Bautier, Juste Suttermans, Bruxelles 1912, p. 44 s. J. Lavalleye, in Thieme-Becker, XXV, 1938. Cat., Firenze 1977, n. 119.*
INVENTARIO	2447 (C.P., p. 73, n. 3402).	5741 (C.P., p. 77, n. 3453).	2795 (C.P., p. 77, n. 3427).	1038 (C.P., p. 121, n. 116).
FOTO	253303.	253303.	19216.	248839.
NOTE	Francesco di Lorena, principe di Joinville, figlio di Carlo duca di Guisa (vedi n. 2341), nacque nel 1612. Emigrato in Toscana col padre nel 1632, nel 1639 partecipò a una campagna militare in Piemonte. Tornato a Firenze nel 1639, vi morì in data imprecisata. Di questo ritratto esiste una copia nel castello di Versailles (M. V. 3430) e una versione in miniatura agli Uffizi (vedi S. Meloni Trkulja, 1977, n. 207). M.C.	In questo ritratto femminile, che il Pieraccini definiva 'd'ignota gentildonna', si può riconoscere quello di Vittoria della Rovere (1622-1694), che nel 1634 sposò Ferdinando II de' Medici. Qui l'artista l'ha rappresentata in una posa inconsueta e molto libera, vista di spalle e nell'atto di reggere un libro nella sinistra. M.C.	Si tratta probabilmente di un personaggio idealizzato e non di un ritratto, come hanno osservato (pur notando la somiglianza con Vittoria della Rovere) Bautier e Borea: quest'ultima identificava l'opera come già appartenente alla collezione di don Lorenzo de' Medici nella villa della Petraia. Il dipinto è oggi noto solo attraverso la fotografia, poiché - ceduto in deposito alla Spezia - è andato disperso durante la guerra 1940-45. M.C.	Nella figura della santa è riconoscibile Vittoria della Rovere (1622-1694), figlia di Federigo e di Claudia de' Medici, che nel 1634 sposò Ferdinando II de' Medici. Con la sua dote passarono a Firenze i capolavori pittorici della collezione urbinate. Protesse il pittore Carlo Dolci. Un disegno preparatorio è nel Gabinetto dei Disegni agli Uffizi (n. 2377F). M.C.

	P 1657	P 1658	P 1659	P 1660
AUTORE	Sustermans, Justus (Anversa 1597-Firenze 1681).	Sustermans, Justus (Anversa 1597-Firenze 1681).	Sustermans, Justus (Anversa 1597 - Firenze 1681).	Sustermans, Justus (Anversa 1597-Firenze 1681).
TITOLO	Ritratto di fanciulla.	Ritratto di ignoto.	Ritratto di giovane donna.	Ritratto di gentiluomo.
DATAZIONE	1640-45 ca.	1640-45 ca.	1640-50 ca.	1645-50 ca.
DATI TECNICI	Olio su tela, 73,5x60,5.	Olio su tela, 63,5x51,5.	Olio su tela, 63x50.	Olio su tela, 73,5x59.
CORNICE	Intagliata, dorata, originale.	Liscia, dorata, sec. XVII.	Intagliata e dorata, barocca.	Intagliata, dorata, originale.
UBICAZIONI	Pitti (?); Uffizi (1905 ca.); Pitti (1928 ca.).	Uffizi (1905 ca.).	Coll. Feroni (ante 1850); Uffizi (1866); Cenacolo di Foligno (1894).	Uffizi (1704); Pitti (1928)
ATTRIBUZIONI	—	—	—	—
ESPOSIZIONI	—	—	—	—
BIBLIOGRAFIA	J. Lavalleye, in Thieme-Becker, XXV, 1938. *P. Bautier, Juste Sutermans, Bruxelles 1912, p. 95.*	J. Lavalley, in Thieme-Becker, XXV, 1938. *P. Bautier, Juste Sutermans, Bruxelles 1912, p. 86.*	P. Bautier, Juste Suttermans..., Paris-Bruxelles 1912. H. Gerson - E. H. Ter Kuile, Art and Architecture in Belgium, 1600-1800, Harmondsworth 1960. *Catalogo della Galleria Feroni, Firenze 1895, p. 10.*	A. Michiels, Van Dyck et ses elèves, Paris 1881, p. 125. *P. Bautier, Juste Suttermans, Bruxelles, 1912, p. 85 s. A.I. Rusconi, La R. Galleria Pitti, Roma 1937, p. 291. J. Lavalleye, T.B., 1938.*
INVENTARIO	2208 (C.P., p. 76, n. 3398).	2271 (C.P., p. 77, n. 3406).	S. Marco e Cenacoli 43.	769 (C.P., p. 84, n. 192).
FOTO	167573.	157973.	204542.	128303.
NOTE	L'identità della ritrattata è rimasta finora ignota. Il dipinto ha un 'pendant' con il ritratto di un fanciullo, anch'esso ignoto (Inv. 1890, n. 2200). M.C.	I tratti del viso ricordano quelli di don Lorenzo de' Medici (1599-1648), figlio di Ferdinando I, anche se l'età dimostrata dal ritrattato sembrerebbe escludere questa possibilità. M.C.	Sul retro del quadro, scritta (seicentesca?): di Giusto (ripetuto due volte) Suttermani. La scritta antica, lo stile e la qualità del dipinto confermano l'attribuzione al pittore fiammingo, ritrattista dei Medici dal 1619 alla morte, avanzata nel catalogo della collezione di appartenenza. La data si ricava in base allo stile, che rivela un'accostamento al Rubens, del quale l'artista era amico e dal quale ricevette, nel 1638, una delle sue ultime opere, le 'Conseguenze della guerra', oggi nella Galleria di palazzo Pitti. In particolare affinità si riscontrano con l'autoritratto dell'artista agli Uffizi datato dal Bodart al 1640-50 ca. (cfr. D. Bodart: in cat. Rubens e la pittura fiamminga del Seicento..., Firenze 1977, n. 117). M.C.	Da notare la sontuosità dell'abito trinciato e del colletto di pizzo. La medaglia rappresenta il profilo di una dama. Michiels e Bautier definiscono il ritrattato 'gentiluomo in costume svizzero'. Rusconi. ma senza citare la fonte, scrive che il dipinto era esposto agli Uffizi nel 1704. M.C.

	P1661	P1662	P1663	P1664
AUTORE	Sustermans, Justus (Anversa 1597-Firenze 1681).	Sustermans, Justus (Anversa 1597-Firenze 1681).	Sustermans, Justus (Anversa 1597-Firenze 1681).	Sustermans, Justus (Anversa 1597-Firenze 1681).
TITOLO	Ritratto di Leopoldo de' Medici.	Ritratto di un buffone.	Ritratto virile.	Ritratto di Ferdinando II de' Medici.
DATAZIONE	1650 ca.	1650 ca.	1650 ca.	1655 ca.
DATI TECNICI	Olio su tela, 70x59.	Olio su tela, 63x53.	Olio su tela, 65x50.	Olio su tela, 142x119.
CORNICE	Nera e oro, sec. XVII.	Intagliata, dorata, originale.	Dorata, sec. XX.	Nera e oro, originale.
UBICAZIONI	Pitti (?); Uffizi (1905 ca.); Pitti (1911?).	Pitti (1687); Uffizi (1905 ca.).	Uffizi (1905 ca.).	Uffizi (1655 ca.).
ATTRIBUZIONI	—	—	—	—
ESPOSIZIONI	—	—	Artisti alla corte granducale, Firenze 1969.	Mostra Medicea, Firenze 1939.
BIBLIOGRAFIA	P. Bautier, Juste Suttermans, Bruxelles 1912. A.I. Rusconi, La R. J. Lavalleye, in Thieme-Becker, XXV, 1938.	P. Bautier, Juste Suttermans, Bruxelles 1912, p. 40. L. Lavalleye, in Thieme-Becker, XXV, 1938.	P. Bautier, Juste Suttermans, Bruxelles 1912, p. 86. J. Lavalleye, in Thieme-Becker, XXV, 1938. Cat., Firenze 1969, n. 60.	F. Baldinucci, Notizie dei Professori del disegno..., Ed. Ranalli, vol. IV, Firenze 1846, p. 500. P. Bautier, Juste Suttermans, Bruxelles 1912, p. 22. J. Lavallaye, in Thieme-Becker, XXV, 1938. Cat., Firenze 1939, p. 54, n. 4.
INVENTARIO	4343 (C.P., p. 76, n. 740).	2187 (C.P., p. 73, n. 3455).	2335 (C.P., p. 73, n. 1190).	2249 (C.P., p. 93, n. 3426).
FOTO	184270.	178455.	165995.	Brogi 1109.
NOTE	Leopoldo de' Medici (1617-1675), figlio di Cosimo II e Maria Maddalena d'Austria, fu il più colto membro della famiglia nel XVII sec. Amante delle scienze e dell'arte, fondò nel 1657 l'Accademia del Cimento e formò nel suo appartamento di Palazzo Pitti una vasta collezione di dipinti e disegni, dando inizio anche a quella degli autoritratti di artisti, oggi agli Uffizi. Fu nominato cardinale nel 1667. Qui Leopoldo dimostra una trentina d'anni, e quindi il quadro può essere datato intorno al 1640. Una copia nelle Gallerie fiorentine (n. 2128). M.C.	Un ritratto di un certo Meo Matto (evidentemente un buffone della corte medicea) corrispondente a questo è ricordato a Pitti in un inventario della Guardaroba (Arch. di Stato, Firenze, Guard. Mediceo 932, 1687, c. 130). Da datarsi, per la scioltezza cromatica e della pennellata, intorno al 1650. M.C.	Il ritratto reca una attribuzione tradizionale al Sustermans che è stata confermata nel 1969. La provenienza non è documentata. M.C.	Il Baldinucci scrive che il ritratto venne dipinto dopo il 1653, e rappresentava Ferdinando con in testa un grande cappello piumato, come si può vedere in un'incisione trattane da François Spierre nel 1659, e da due repliche e copie di bottega delle Gallerie fiorentine (Nn. 2247 e 5243). Il cappello, quindi, fu eliminato, come testimonia il Baldinucci, dopo quell'anno per ordine di un ministro del granduca. Per il 'pendant', rappresentante la granduchessa, vedi, n. 2251. M.C.

	P1665	P1666	P1667	P1668
AUTORE	Sustermans, Justus (Anversa 1597-Firenze 1681).	Sustermans, Justus (Anversa 1597-Firenze 1681).	Sustermans, Justus (Anversa 1597-Firenze 1681).	Sustermans, Justus (Anversa 1597-Firenze 1681).
TITOLO	Ritratto di Ferdinando II de' Medici.	Ritratto di Vittoria della Rovere, granduchessa di Toscana.	Ritratto di Ivan Czomodanoff, ambasciatore moscovita.	Due contadine e un negro.
DATAZIONE	1655 ca.	1655 ca.	1657-58 ca.	1650-60 ca. (Chiarini 1977).
DATI TECNICI	Olio su tela, 60x40.	Olio su tela, 142x119, restauro 1978.	Olio su tela, 120x97.	Olio su tela, 118x115.
CORNICE	Liscia, dorata, sec. XVII.	Nera e oro, originale.	Liscia, dorata, sec. XVII.	Sagomata, dorata, sec. XVII.
UBICAZIONI	Uffizi (1905 ca.).	Uffizi (1655 ca.).	Pitti (inizi sec. XVIII); Uffizi (1882); Pitti (1928).	Casino di S. Marco (1666); Pitti (sec. XVII-XVIII); Poggio Imperiale (sec. XIX-XX); Uffizi (1972).
ATTRIBUZIONI	—	—	—	—
ESPOSIZIONI	—	Mostra Medicea, Firenze 1939.	—	—
BIBLIOGRAFIA	J. Lavalleye, in Thieme-Becker, XXV, 1938. P. Bautier, *Juste Sustermans, Bruxelles 1912*, p. 20.	P. Bautier, *Juste Suttermans, Bruxelles 1912*, p. 27. J. Lavalleye, in *Thieme-Becker, XXV, 1938. Cat., Firenze 1939*, p. 54, n. 5.	P. Bautier, *Juste Suttermans, Bruxelles 1912*. J. Lavallaye, in *Thieme-Becker, XXV, 1938*. A.I. Rusconi, *La R. Galleria Pitti, Roma 1937*, p. 292.	P. Bautier, *Juste Suttermans, Bruxelles 1912*. M. Chiarini, *An Unusual Subject by Justus Sustermans, in Burlington Magazine, Gennaio 1977*, p. 40s.
INVENTARIO	2922 (C.P., p. 73, n. 3456).	2251 (C.P., p. 93, n. 3424).	2371 (C.P., p. 81, n. 2371).	Poggio Imperiale 3635.
FOTO	141910.	—	15377.	176824.
NOTE	È replica parziale della testa e delle spalle del più noto ritratto a mezza figura Inv. 1890, n. 2249, e quindi può essere datato in prossimità di quello. Il dipinto è probabilmente opera dello studio dell'artista. Non se ne conosce l'originaria collocazione. M.C.	È, per l'identità delle misure e della cornice, il 'pendant' del ritratto del granduca Ferdinando II (n. 2249), del quale seguì le vicende. Qui la granduchessa è rappresentata in un ritratto di parata e con le insegne e i gioielli granducali. Vittoria (1622-1694), figlia di Federigo della Rovere e di Claudia de' Medici, ebbe carattere altero e bigotto. La sua dote comprese i tesori artistici della corte urbinate. M.C.	Si ha notizia (vedi G. Vivoli, Annali di Livorno, vol. IV, Livorno 1846, p. 303 ss.: segnalazione di S. Meloni Trkulja) che due ambasciatori moscoviti sbarcarono a Livorno e si recarono quindi a Firenze, cordialmente accolti dal granduca Ferdinando II, nel 1657-58. Uno dei due ambasciatori si fece ritrarre, o fu ritratto per ordine del granduca, dal Sustermans. Il dipinto è ricordato a Pitti agli inizi del Settecento, nella collezione del principe Ferdinando (Arch. di Stato, Firenze, Guardaroba Med. 1185 e 1222). M.C.	Il dipinto è stato identificato con uno appartenuto al card. Carlo de' Medici e rappresentante due contadine delle fattorie medicee e un negro rappresentato e ricordato in documenti altre volte e facente parte della servitù di casa Medici. Portato a Pitti dopo la morte del cardinale (1666), fece parte di un gruppo di quadri dell'artista che furono sistemati in una sala al secondo piano del palazzo. Dopo essere stato portato nella Villa dell'Ambrogiana vicino Firenze, e quindi in quella del Poggio Imperiale, il quadro è stato esposto agli Uffizi dal 1972 (Corridoio vasariano). M.C.

	P1669	P1670	P1671	P1672
AUTORE	Sustermans, Justus (Anversa 1597-Firenze 1681).	Sustermans, Justus (Anversa 1597-Firenze 1681).	Sustermans, Justus (Anversa 1597-Firenze 1681).	Sustermans, Justus (Anversa 1597-Firenze 1681).
TITOLO	Ritratto di Cosimo III de' Medici.	Ritratto di Ferdinando de' Medici bambino?	Ritratto della signora Caterina Puliciani.	Ritratto del signor Puliciani.
DATAZIONE	1665 ca.	1667 ca.	1670 ca.	1670 ca.
DATI TECNICI	Olio su tela, 72x58.	Olio su tela, 77x69.	Olio su tela, 63x49.	Olio su tela, 64x49.
CORNICE	Nera e oro, sec. XVII.	Barocca, originale.	Intagliata, dorata, originale.	Intagliata, dorata, originale.
UBICAZIONI	Pitti (1660-65 ca.); Uffizi (1826); Pitti (1928).	Pitti (inizi sec. XVIII); Uffizi (1905 ca.); Pitti (1970).	Convento di S. Marco (1704); Uffizi (1862); Pitti (1928).	Convento di S. Marco (1704); Uffizi (1862); Pitti (1928).
ATTRIBUZIONI	—	—	—	—
ESPOSIZIONI	Artisti alla corte granducale, Firenze 1969.	Artisti alla corte granducale, Firenze 1969.	—	—
BIBLIOGRAFIA	E. Ridolfi, Le Gallerie nazionali italiane, a. II, p. 6 s. *P. Bautier, Juste Suttermans, Bruxelles 1912, p. 93. A.I. Rusconi, La R. Galleria Pitti, Roma 1937, p. 293.*	P. Bautier, Juste Suttermans, Bruxelles 1912, p. 96. J. Lavalleye, in Thieme-Becker, XXV, 1938. *Cat., Firenze 1969, n. 85.*	*P. Bautier, Juste Suttermans, Bruxelles 1912, p. 84. A.I. Rusconi, La R. Galleria Pitti, Roma 1937, p. 292. J. Lavalleye, in Thieme-Becker, XXV, 1938.*	*P. Bautier, Juste Suttermans, Bruxelles 1912, p. 84. A.I. Rusconi, La R. Galleria Pitti, Roma 1937, p. 292. J. Lavalleye, in Thieme-Becker, XXV, 1938.*
INVENTARIO	2875 (C.P., p. 75, n. 893).	2203 (C.P., p. 76, n. 3396).	1071 (C.P., p. 121, n. 709).	1509 (C.P., p. 120, n. 699).
FOTO	128358.	107676.	166038.	183083.
NOTE	Cosimo de' Medici (1642-1723), figlio di Ferdinando II e Vittoria della Rovere, divenne granduca nel 1670. Qui il pittore lo rappresentò in vesti borghesi all'età di circa venticinque anni, forse poco dopo il suo matrimonio con Marguerite-Louise d'Orléans e al tempo dei suoi viaggi in Europa (1667-69), che fruttarono alle Gallerie fiorentine l'acquisizione di cospicue collezioni di arte fiamminga, olandese, inglese e francese. Carattere bigotto e poco illuminato, dominato dalla madre, tuttavia ebbe sempre un vivo interesse per le scienze e le arti, preoccupandosi della formazione di nuovi talenti con la creazione a Roma di una piccola accademia. M.C.	Il dipinto è ricordato, come ritratto del principe Ferdinando de' Medici (1663-1713), figlio del granduca di Toscana Cosimo III, in un inventario di palazzo Pitti degli inizi del Settecento. Dato che qui Ferdinando dimostra circa quattro anni, il quadro è databile intorno al 1667. M.C.	A tergo la scritta: Estratto dal Convento di S. Marco. Secondo il Bautier, il nome di famiglia della ritrattata era Carini. 'Pendant' del n. 1059. M.C.	A tergo la scritta: Estratto dal convento di S. Marco. Ricordo che non si può levare né vendere le ville sotto pena di pagare alle monache di SS. Ricovero... con testamento della Signora Caterina Puliciani, anno 1704. Per il ritratto della signora Puliciani, vedi il n. 1071. M.C.

	P1673	P1674	P1675	P1676
AUTORE	Sustermans, Justus (Anversa 1597 - Firenze 1681), attr. a.	Sustermans, Justus (Anversa 1597 - Firenze 1681), attr. a.	Sustermans, Justus (Anversa 1597- Firenze 1681), attr. a.	Sweerts, Michiel (Bruxelles 1624 - Goa 1664), attr. a.
TITOLO	Ritratto di Ferdinando II de' Medici in armatura.	Ritratto di don Lorenzo de' Medici.	Ritratto d'ignoto.	Vecchia filatrice.
DATAZIONE	1625-30 ca.	1630 ca. (Langedijk 1977).	1650 ca.	1650 ca.
DATI TECNICI	Olio su tela, 59x47, restauro 1950 ca.	Olio su tela, 58x48.	Olio su tela, 63x51.	Olio su tela, 43x34.
CORNICE	Sagomata, tinta di giallo, XVII-XVIII sec.	Intagliata, dorata, sec. XVII.	Senza cornice.	Intagliata, dorata, sec. XVII.
UBICAZIONI	Poggio Imperiale (1836); Uffizi (XIX-XX sec.).	Coll. Balducci, Certaldo, Uffizi (1967).	Uffizi (1905 ca.).	Uffizi (sec. XIX).
ATTRIBUZIONI	Ignoto sec. XVII (Inv. 1890). Sustermans (Pieraccini 1905 ca.).	—	—	Cerquozzi (Inv. Uffizi sec. XIX).
ESPOSIZIONI	—	La quadreria di Don Lorenzo de' Medici, Poggio a Caiano 1977.	—	Paesisti, Bamboccianti e vedutisti nella Roma seicentesca, Firenze 1967.
BIBLIOGRAFIA	P. Bauti: Juste Suttermans..., Paris-Bruxelles 1912. E. Pieraccini: Galleria degli Uffizi. Catalogo, Firenze 1905 ca., p. 73, n. 3456.	P. Bautier, Juste Suttermans, Paris-Bruxelles 1912. Cat., Poggio a Caiano 1977, p. 141.	J. Lavalleye, in Thieme-Becker, XXV, 1938. P. Bautier, Juste Sustermans, Bruxelles 1912, p. 21.	R. Kultzen, in Cat. Michael Sweerts e i Bamboccianti, Roma 1958, p. 34, n. 6. Cat., Firenze 1967, n. 39. D. Bodart, in Cat. Rubens e la pittura fiamminga del Seicento nelle collezioni pubbliche fiorentine, Firenze 1977, p. 340, n. CXIX.
INVENTARIO	2462 (C.P., p. 73, n. 3456).	9454.	5361 (C.P., p. 76, n. 3401).	1425.
FOTO	22901.	182144.	182144.	301816.
NOTE	La provenienza del dipinto non è documentata. Nel sec. XIX si trovava nella Villa del Poggio Imperiale. È replica più debole del quadro di dimensioni più grandi appartenente alla Galleria di Palazzo Pitti (n. 415): anche in esso Ferdinando dimostra una ventina d'anni e quindi va datato intorno al 1625-30. M.C.	Il dipinto è entrato nella Galleria degli Uffizi nel 1967 per lascito del Sig. Rolando Balducci di Certaldo con l'attribuzione al Sustermans, accettata dalla Langedijk (Cat. Poggio a Caiano 1977). La studiosa data il ritratto, per ragioni cronologiche, intorno al 1630. La fattura e la qualità della tela lasciano tuttavia in qualche dubbio circa l'autografia del pittore fiammingo, e ci si domanda se non si tratti piuttosto di una copia da un ritratto forse eseguito dal Sustermans. Don Lorenzo de' Medici (1599-1648) era il figlio più giovane di Ferdinando de' Medici e Cristina di Lorena. M.C.	Il Bautier accetta l'attribuzione al Sustermans, che invece è da respingere per ragioni stilistiche, così come è da escludere che il ritratto rappresenti Ferdinando II de' Medici. Infatti il giovane in corazza, sciarpa e una croce sul petto, sembra uno straniero, anche se ne è difficile l'identificazione. M.C.	È replica di studio, o copia, del quadro di uguale soggetto nella Pinacoteca Capitolina di Roma (N. 170). M.C.

	P1677	P1678	P1679	P1680
AUTORE	Tempesti, Domenico (Fiesole o Rovezzano 1655 ca. - Firenze 1737), copia da.	Teniers, David, il vecchio (Anversa 1582-1649), attr. a.	Teniers, David, il giovane (Anversa 1610 - Bruxelles 1690).	Teniers, David, il giovane (Anversa 1610 - Bruxelles 1690).
TITOLO	Antonio Cocchi (1695-1758).	Il medico.	Interno con contadini.	Interno di casa rustica con contadini.
DATAZIONE	1728.	1645 ca. (Manteuffel), seconda metà sec. XVII (Bodart 1977).	1640 ca. (Bodart 1977).	1640 ca.
DATI TECNICI	Olio su tela, 62x46.	Olio su tavola, 26x18.	Olio su tavola, 25x21, pulitura 1977.	Olio su tavola, 64x87.
CORNICE	—	Ebano, sec. XIX-XX.	Ebano, sec. XIX?	Intagliata, sagomata e dorata, sec. XVII.
UBICAZIONI	Giovanni degli Alessandri; Uffizi (1816).	Pitti (inizi sec. XVIII); Poggio a Caiano (1713), Uffizi (1773).	Poggio Imperiale (sec. XVIII); Uffizi (1796).	Coll. Feroni (ante 1850); Uffizi (1866); Cenacolo di Foligno (1894).
ATTRIBUZIONI	Antonio Cocchi (inv. galleria).	Teniers il Vecchio (inv. 1713, Manteuffel 1921). Imitatore di Teniers il Giovane (Bodart 1977).	—	—
ESPOSIZIONI	—	—	Rubens e la pittura fiamminga del Seicento nelle collezioni pubbliche fiorentine, Firenze 1977.	Rubens e la pittura fiamminga del Seicento nelle collezioni pubbliche fiorentine, Firenze 1977.
BIBLIOGRAFIA	A. Corsini, in Rivista d'arte X, 1918.	H. Gerson - E. H. Ter Kuile, Art and Architecture in Belgium 1600-1800, Harmondsworth 1960. *D. Badart, Rubens e la pittura fiamminga del Seicento nelle collezioni pubbliche fiorentine, Firenze 1977, p. 341, n. CXXIII.*	H. Gerson - E. H. Ter Kuile, Art and Architecture in Belgium 1600-1800, Harmondsworth 1960. *Cat., Firenze 1977, n. 123.*	H. Gerson - E. H. Ter Kuile, Art and Architecture in Belgium, 1600-1800, Harmondsworth 1960. *C. Rigoni, Cat. della Gall. degli Uffizi..., Firenze 1891, p. 108. Cat. Galleria Feroni, Firenze 1895, p. 8. Cat., Firenze 1977, n. 124.*
INVENTARIO	5192.	1028 (C.P., p. 119, n. 705).	1023 (C.P., p. 119, n. 700).	S. Marco e Cenacoli 48.
FOTO	183072.	278972.	109168.	168542.
NOTE	A tergo sul telaio: 'Addì 26 febbraio 1816. Dono di S. E. il Sig. Senator Consigliere Alessandri Direttore della Galleria'. Ciò è confermato dalla notizia inventariale (AGF, ms. 114, c. 112r), che lo dice copia di un pastello 'eseguito dal med.mo Cocchi ed esistente presso la di lui figlia Eugenia Bellini'. In realtà il pastello, pubblicato da A. Corsini e presso di lui, è un'opera tarda del Tempesti, documentata al 1728, di cui esistono anche incisioni; ma è possibile che del Cocchi — antiquario del granduca dal 1738 e riordinatore della Biblioteca Magliabechiana — sia questa copia a olio, oggi nei depositi degli Uffizi. S.M.T.	Il dipinto entrò nella collezione del principe Ferdinando de' Medici nella villa di Poggio a Caiano con l'attribuizone a Teniers il Vecchio. L'attribuzione fu accettata dal Manteuffel, ma il Bodart fa notare che, dopo i recenti studi di Duverger e Vlieghe (1967) «non è più possibile attribuire a David Teniers il Vecchio opere derivanti dalla maniera di suo figlio». Il Bodart giudica il dipinto opera di un seguace di Teniers il Giovane attivo nella seconda metà del XVII secolo, forse H. Herdebout. M.C.	Firmato: D. Tenier, sullo sgabello dov'è seduta la donna. Per il Bodart il dipinto fu concepito come 'pendant' degli Innamorati in una locanda dell'Ermitage di Leningrado (N. 573), e come quello va datato intorno al 1640, quando il Teniers risente ancora l'influsso di A. Brouwer. Incisioni: Lasinio, 1824. J. De Mare, 1846. M.C.	Firmato in basso a sinistra: D. Teniers. Secondo il Rigoni e il Cat. Feroni, il dipinto sarebbe anche datato 1640, ma tale scritta è oggi invisibile. Considerato dal Bodart (cat., Firenze 1977) di qualità superiore alla versione su tela e di dimensioni più piccole nella Galleria Naz. di Roma. M.C.

   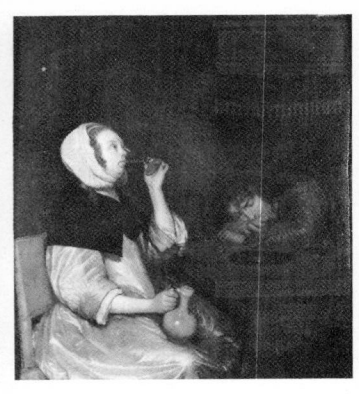

	P1681	P1682	P1683	P1684
AUTORE	Teniers, David, il giovane (Anversa 1610 - Bruxelles 1690).	Teniers, David, il giovane (Anversa 1610 - Bruxelles 1690), attr. a	Teniers, David, il giovane (Anversa 1610 - Bruxelles 1690).	Terborch, o Ter Borch, Gerard (Zwolle 1617 - Deventer 1681), attr. a.
TITOLO	Baccanale.	L'alchimista.	S. Pietro piangente.	Donna e soldato.
DATAZIONE	1640-60 ca.	1650 ca.?	1651-58 ca. (Bodart 1977).	1660-70 ca. (Gudlaugsson 1959).
DATI TECNICI	Olio su tavola, 36x48.	Olio su tela, 44x58, restauro 1976.	Olio su tavola, 22x16, pulitura 1977.	Olio su tela, 37,8x34,3.
CORNICE	Sagomata, dorata, sec. XVII.	Sagomata, dorata, sec. XVII-XVIII.	Ebano, sec. XIX-XX.	Ebano, sec. XIX-XX sec.
UBICAZIONI	Uffizi (sec. XIX).	Pitti (1778); Uffizi (1796); Pitti (1928).	Pitti (1780); Uffizi (1784).	Pitti (1668?); Uffizi (1704).
ATTRIBUZIONI	Scuola di Rubens (Inv. Uffizi 1890). Teniers (Bodart 1977).	Teniers il Vecchio (Zacchiroli 1783, Rusconi 1937, Francini Ciaranfi 1964). Teniers il Giovane Bodart 1977).	—	Ter Borch (Smith 1833, Pieraccini 1905 ca., Wurzbach 1906, Hofstede de Groot 1907-28, Hoogewerff 1913, Poggi 1927, Gerson 1942, Plietzsch 1944). Copia, di C. Netscher? (Gudlaugsson 1959-60).
ESPOSIZIONI	Rubens e la pittura fiamminga del Seicento nelle collezioni pubbliche fiorentine, Firenze 1977.	Rubens e la pittura fiamminga del Seicento nelle collezioni pubbliche fiorentine, Firenze 1977.	Rubens e la pittura fiamminga del Seicento nelle collezioni pubbliche fiorentine, Firenze 1977.	—
BIBLIOGRAFIA	H. Gerson - E. H. Ter Kuile, Art and Architecture in Belgium, 1600-1800, Harmondsworth 1960. *Cat., Firenze 1977, n. 127.*	H. Gerson - E. H. Ter Kuile, Art and Architecture in Belgium, 1600-1800, Harmondsworth 1960. *Cat., Firenze 1977, n. 128.*	H. Gerson - E. H. Ter Kuile, Art and Architecture in Belgium 1600-1800, Harmondsworth 1960. *Cat., Firenze 1977, n. 126.*	J. Rosenberg - S. Slive - E. H. Ter Kuile, Dutch Aart and Architecture 1600-1800, Harmondsworth 1966. *S. J. Gudlaugsson, Gerard Ter Borch, Den Haag 1959-60, p. 159, n. 146 a.*
INVENTARIO	1040.	1067.	1027 (C.P., p. 118, n. 706).	1281 (C.P., p. 137, n. 958).
FOTO	186074.	155854, 217614.	122970.	109186.
NOTE	Il dipinto, la cui provenienza non è documentata, compare per la prima volta nell'inventario degli Uffizi del 1825. Considerato di Scuola del Rubens, il Bodart (cat., Firenze 1977) lo ha assegnato al Teniers, che si sarebbe ispirato a una copia eseguita da P. P. Rubens dal Baccanale di Tiziano, oggi al Prado, durante il suo soggiorno spagnolo. M.C.	Il quadro fu acquistato nel 1778 con l'attribuzione a David Teniers: attribuzione che fino al 1977 è stata creduta indicare Teniers il Vecchio, mentre il Bodart (Cat., Firenze 1977) propende piuttosto per il Giovane, anche se avanza dubbi sull'autografia del quadro, che gli ricorda anche la maniera di D. Ryckaert il Giovane e di M. van Hellemont. M.C.	Il dipinto è il modello da riprodurre in incisione di un dipinto di scuola del Ribera posseduto dall'arciduca Leopoldo Guglielmo, e fa parte delle più che duecento copie eseguite dal Teniers dai quadri della collezione dell'arciduca destinati ad essere incisi tra il 1651 e il 1658 nel Theatrum Pictorium Davidis Teniers antverpiensis che fu pubblicato a Bruxelles nel 1658. M.C.	La provenienza del dipinto non è documentata, ma è ritenuto in generale che esso sia stato acquistato da Cosimo III de' Medici durante uno dei suoi due viaggi nei Paesi Bassi (1667 e 1669). Fin'ora considerato autografo, anche se non la migliore delle numerose versioni del soggetto (elencate da Hofstede de Groot), il Gudlaugsson ha espunto il dipinto dalle opere autografe dell'artista, ritenendolo una copia forse di mano di C. Netscher, dall'esemplare di Ter Borch nella coll. Van den Bergh a Wassenaar. M.C.

	P1685	P1686	P1687	P1688
AUTORE	Terreni, Giuseppe Maria (Livorno 1739-1811).	Terreni, Giuseppe Maria (Livorno 1739-1811).	Terreni, Giuseppe Maria (Livorno 1739-1811).	Terreni, Giuseppe Maria (Livorno 1739-1811).
TITOLO	Festa alle Cascine dell'Isola in onore di Ferdinando III (Il Vulcano di notte).	Festa alle Cascine dell'Isola in onore di Ferdinando III (Il Vulcano).	Festa alle Cascine dell'Isola in onore di Ferdinando III (Concerto notturno nel cortile del casino).	Festa alle Cascine dell'Isola in onore di Ferdinando III (Giochi nel prato del quercione).
DATAZIONE	1791.	1791.	1791.	1791.
DATI TECNICI	Tempera su carta, 67x123.	Tempera su carta, 67x123.	Tempera su carta, 67x123.	Tempera su carta, 67x123.
CORNICE	Dorata d'epoca, con vetro.	Dorata d'epoca, con vetro.	Dorata d'epoca, con vetro.	Dorata d'epoca, con vetro.
UBICAZIONI	Pitti (1791); Uffizi (1890); Museo di Firenze com'era (1932 ca.).	Pitti (1791); Uffizi (1890); Museo di Firenze com'era (1923 ca.).	Pitti 1791); Uffizi (1890); Museo di Firenze com'era (1932 ca.).	Pitti (1791); Museo di Firenze com'era (1932 ca.).
ATTRIBUZIONI	—	—	—	—
ESPOSIZIONI	—	—	—	—
BIBLIOGRAFIA	P. Magi, Firenze di una volta, Firenze 1973, ripr. p. 93; B. Cinelli, in Cat. mostra, Curiosità di una reggia, Firenze 1979.	P. Magi, Firenze di una volta, Firenze 1973, ripr. p. 93; B. Cinelli, in Cat. mostra, Curiosità di una reggia, Firenze 1979.	P. Magi, Firenze di una volta, Firenze 1973, ripr. p. 92, B. Cinelli, in Cat. mostra, Curiosità di una reggia, Firenze 1979.	P. Magi, Firenze di una volta, Firenze 1973, ripr. p. 91, B. Cinelli, in Cat. mostra, Curiosità di una reggia, Firenze 1979.
INVENTARIO	2596.	2614.	2615.	6310.
FOTO	325031.	—	325024.	325030.
NOTE	Le feste alle Cascine dell'Isola per l'insediamento di Ferdinando III come granduca si svolsero dal 3 al 5 luglio 1791. Il giorno 4 si svolse il ballo, la cui Rappresentanza allegorica venne pubblicata dalla stamperia Grazioli di Firenze, e prevedeva la presenza di Bacco col suo corteo di Baccanti, i carri di Diana, Cerere e Flora. Particolare sensazione destò la pirotecnia del finto Vesuvio (la sposa del granduca era figlia del re di Napoli) e il pittore livornese Terreni è anche questa volta come in molte occasioni precedenti l'illustratore (oltre che probabilmente il principale scenografo) delle feste. I sei quadri che ricordano la festa delle Cascine si trovano già nel 1791 negli appartamenti granducali al secondo piano di Palazzo Pitti (ASF, I. e R. Corte lorenese 1393, n. 3612). Più tardi alcuni di essi, fra i quali questo, sono esposti nella sala del bagno degli Uffizi; infine l'intera serie viene riunita ed esposta nel museo topografico fiorentino. S.P.	Per la storia del gruppo di sei tempere che illustrano i festeggiamenti per l'insediamento di Ferdinando III come granduca nel 1791 v. il n. 2596. Attualmente in deposito presso il Museo di Firenze com'era. S.P.	Per la storia del gruppo di sei tempere che illustrano i festeggiamenti per l'insediamento di Ferdinando III come granduca nel 1791 v. 2596. Attualmente in deposito presso il Museo di Firenze com'era. S.P.	Per la storia del gruppo di tempere che illustrano i festeggiamenti per l'insediamento di Ferdinando III come granduca nel 1791, v. il n. 2596. Attualmente in deposito presso il Museo di Firenze com'era. S.P.

	P1689	P1690	P1691	P1692
AUTORE	Terreni, Giuseppe Maria (Livorno 1739-1811).	Terreni, Giuseppe Maria (Livorno 1739-1811).	Testa, Pietro, detto il Lucchesino (Lucca 1611-17 - Roma 1650).	Tiarini, Alessandro (Bologna 1577-1668).
TITOLO	Festa alle Cascine dell'Isola in onore di Ferdinando III (La corsa dei barberi di fronte al Casino).	Festa alle Cascine dell'Isola in onore di Ferdinando III (La corsa dei barberi).	La morte di Didone.	Natività.
DATAZIONE	1791.	1791.	1645-50 ca. (Brigstocke 1978).	1600-10 (Calvesi 1959).
DATI TECNICI	Tempera su carta, 67x123.	Tempera su carta, 67x123.	Olio su tela, 236x368.	Olio su rame, 33x42,7.
CORNICE	Dorata d'epoca, con vetro.	Dorata d'epoca con vetro.	—	Dorata, liscia, a gole.
UBICAZIONI	Pitti (1791); Uffizi (1890); Museo di Firenze com'era (1923 ca.).	Pitti (1791); Uffizi (1890); Museo di Firenze com'era (1923 ca.).	Pitti (ante 1773); Uffizi (1773).	Pitti (1705 ca.); Poggio a Caiano (1710 ca.); Uffizi (1773); Galleria Palatina (1928); Uffizi (1974).
ATTRIBUZIONI	—	—	—	—
ESPOSIZIONI	—	—	—	Maestri della Pittura del Seicento Emiliano, Bologna 1959. Pittori bolognesi del Seicento nelle Gallerie di Firenze, Firenze 1975.
BIBLIOGRAFIA	P. Magi, Firenze di una volta, renze 1973, ripr. p. 92; B. Cinelli, in Cat., mostra, Curiosità di una reggia, Firenze 1979.	P. Magi, Firenze di una volta, renze 1973, ripr. p. 91, B. Cinelli, in, Cat. mostra, Curiosità di una reggia, Firenze 1979.	L. Lopresti, in L'Arte, 1921. A. Marobottini, in Commentari, 1954. A. Sutherland Harris, in Paragone, n. 213, 1967. H. Brigstocke, in Münch. Jahrb. der Bild. Künste, 1978, p. 125.	M. L Strocchi, Il gabinetto d' 'opere in piccolo' del Gran Principe Ferdinando a Poggio a Cajano, in Paragone 311, 1976, n. 107. E. Borea, Cat., Firenze 1975, n. 71.
INVENTARIO	6311.	6312.	8294.	1371.
FOTO	—	—	277589.	107938.
NOTE	Per la storia del gruppo di sei tempere che illustrano i festeggiamenti per l'insediamento di Ferdinando III come granduca nel 1791 v. n. 2596. Attualmente in deposito presso il Museo di Firenze com'era. S.P.	Per la storia del gruppo di sei tempere che illustrano i festeggiamenti per l'insediamento di Ferdinando III come granduca nel 1791, v. n. 2596. Attualmente in deposito presso il Museo di Firenze com'era. S.P.	La provenienza del dipinto non è documenta: sappiamo solo che nel 1773 passava dalla Guardaroba di Pitti alla Galleria degli Uffizi. Il dipinto è in pessime condizioni ed è stato studiato solo dal Brigstocke, che pensa che la composizione sia basata su un perso disegno del Testa riflesso da un'incisione, in controparte rispetto al dipinto, di Giovanni Cesare Testa. Il Brigstocke, che inclina a ritenere l'opera autografo del pittore, la data a poco prima della sua morte. M.C.	Scritte sul retro: cartellino antico con 'Dal Poggio a Cajano dalla R. Guardaroba ottobre 1773'. Vi si manifesta qualche legame stilistico con la pittura claustrale fiorentina dei primi del secolo, spiegabile col soggiorno a Firenze dell'artista nel periodo giovanile e le sue collaborazioni con il Poccetti. E.B.

	P1693	P1694	P1695	P1696
AUTORE	Tiepolo, Giovanni Battista (Venezia 1696 - Madrid 1770).	Tiepolo, Giovanni Battista (Venezia 1696 - Madrid 1770).	Tiepolo, Gian Domenico (Venezia 1727-1804).	Tierce, Jean-Baptiste (Rouen 1737-Italia dopo il 1794).
TITOLO	Erezione di una statua a un imperatore.	Due putti.	Ritratto di paggio.	Cascata di Tivoli con cavalieri, cacciatori e lavandaie.
DATAZIONE	1730 (Sack 1910), 1734-36 (Rizzi 1966).	1733-35 ca. (Molmenti 1909), 1740-50 (Morassi 1962).	1762-1770 (Mariuz 1971).	1782.
DATI TECNICI	Olio su tela, 420x175.	Olio su tela, 78x67.	Olio su tela, 64x46.	Olio su tela, 124x173, restauro 1976-1977.
CORNICE	Novecentesca, in listello di legno a vista.	Novecentesca, in legno dorato senza decorazioni.	Ottocentesca, legno intagliato e dorato.	Neoclassica sgusciata e dorata.
UBICAZIONI	Seminario Arcivescovile, Udine (dall'origine); Uffizi (1900).	Palazzo Grimani ai Servi, Venezia (dall'origine); Coll. G. Favretto, Venezia; Coll. L. Nono, Venezia; Uffizi (1900).	Coll. A. De Noè Walker (1893); Uffizi (1898).	Uffizi (1782); Accademia della Crusca (1915); Uffici Soprintendenza (1949); Ente Provinciale Turismo (1965); Galleria d'Arte Moderna, Pitti (1977).
ATTRIBUZIONI	Menescardi (Morassi 1962).	—	Tiepolo Giambattista (Sack 1910).	—
ESPOSIZIONI	Mostra della pittura veneta del Settecento in Friuli, Udine 1966.	—	Mostra del Tiepolo, Udine 1971.	Pittura francese nelle collezioni pubbliche fiorentine, Firenze 1977.
BIBLIOGRAFIA	A. Morassi, A complete catalogue of G.B. Tiepolo, London 1962. Cat., Udine 1966 (a cura di A. Rizzi) n. 82.	A. Morassi, A complete catalogue of G.B. Tiepolo, London 1962.	A. Mariuz, G.D. Tiepolo, Venezia 1971. Cat., Udine 1971 (a cura di A. Rizzi) n. 84.	F. Zacchiroli, Description de la Galerie Royale de Florence, Firenze 1783. Cat., Firenze 1977, n. 144.
INVENTARIO	3139 (C.P., p. 205, n. 1521).	3140 (C.P., p. 206, n. 1522).	3111 (C.P., p. 35, n. 1520).	556 (C.P., p. 76, n. 132).
FOTO	122151.	157759.	131671.	248826.
NOTE	L'acquisto, realizzato con i proventi della tassa d'ingresso, fu presentato dal Ridolfi nel 1905 (cfr. E. Ridolfi: Il mio direttorato delle RR. Gallerie Fiorentine, Firenze 1905). Pubblicata dal Molmenti e dal Sack, la tela è considerata dal Morassi opera di bottega ed assegnata all'allievo e imitatore di Tiepolo, Giustino Menescardi. Il Rizzi conferma la paternità tradizionale sulla scorta di documenti udinesi che registrano pagamenti al Tiepolo, per questo dipinto e per i quattro ovati che gli facevano corona, nel 1735 e 1736. A.P.	Il dipinto è parte di un più vasta decorazione dipinta dal Tiepolo per Palazzo Grimani ai Servi. Fu acquistato nel 1900 per la somma di L. 3.000 con i proventi della tassa di ingresso (cfr. E. Ridolfi: Il mio direttorato delle RR. Gallerie di Firenze, Firenze 1905). Altro elemento del medesimo ciclo raffigurante l'Angelo della Fama, era nella raccolta Ventura di Firenze. A.P.	Il dipinto è entrato agli Uffizi con il lascito De Noé Walker (cfr. E. Ridolfi: Le Gallerie di Firenze, su Le Gallerie Nazionali italiane, Roma 1894). Per il Mariuz l'opera, databile all'interno del periodo spagnolo, si colloca accanto ad altri ritratti immaginari di giovani in costume dispersi in varie collezioni private. Si vedano in particolare i ritratti di paggi della coll. Van Horne, Montreal; della coll. Koplan, New York; della coll. French, New York. A.P.	Firmato e datato in basso a destra: J B Tierce 1782. Inviato da Roma al Granduca Pietro Leopoldo, il quale ricambiò con un anello (AGF, filza XV, 60). Dopo il restauro e la mostra del 1977 è esposto nella Galleria d'arte moderna di Palazzo Pitti. S.P.

	P1697	P1698	P1699	P1700
Autore	Tinelli, Tiberio (Venezia 1586-1638).	Tinelli, Tiberio (Venezia 1586-1638).	Tinelli, Tiberio (Venezia 1586-1638).	Tintoretto, Robusti Domenico, detto (Venezia 1560-1635), attr. a
Titolo	Figure in volo con una donna.	Figure volanti di scorcio.	Ritratto del poeta Giulio Strozzi.	S. Agostino risana gli sciancati.
Datazione	Secondo decennio del sec. XVII.	Secondo decennio del sec. XVII.	1630 ca. (Pallucchini 1962).	Inizio sec. XVII.
Dati tecnici	Bozzetto, olio su carta, 13x17.	Bozzetto, olio su carta, 28x21.	Olio su tela, 83x64.	Olio su tela, 186x108.
Cornice	Legno dorato, entro una cornice più grande nera.	Legno dorato, entro una cornice più grande nera.	Seicentesca, legno dorato e intagliato a baccellature e perlinature.	Barocca, in legno intagliato e dorato. Decoro di volute, fogliame e mascheroni agli spigoli.
Ubicazioni	Card. Leopoldo de' Medici (ante 1675); Gabinetto Disegni e Stampe (1793); Uffizi (1914); Pitti (1962); Uffizi (1971).	Card. Leopoldo de' Medici (ante 1675); Gab. Disegni e Stampe (1793); Uffizi (1914); Pitti (1962); Uffizi (1971).	Coll. Del Sera, Venezia (fino 1672); Card. Leopoldo de' Medici (1675); Poggio Imperiale; Uffizi (1795).	Eredità card. Leopoldo de' Medici (1675); Pitti (cit. inv. 1716-1723); Guardaroba; Uffizi (1798).
Attribuzioni	—	—	—	Tintoretto Jacopo (inv. card. Leopoldo, inv. Pitti 1716-23, G.le di Galleria 1784, Soulier 1911). Copista seicentesco? (Pallucchini 1950).
Esposizioni	Bozzetti delle Gallerie di Firenze, Firenze 1952-53.	Bozzetti delle Gallerie di Firenze, Firenze, 1952-53.	Ritratto veneto da Tiziano al Tiepolo. Varsavia 1956.	—
Bibliografia	C. Donzelli, G. M. Pilo, I pittori del Seicento veneto, Firenze 1967. P. Zampetti, A Dictionary of Venetian Painters, vol. II, London 1970. *L. Collobi Ragghianti, in Cat. Firenze 1952-53, n. 118, p.55.*	C. Donzelli, G. M. Pilo, I pittori del Seicento veneto, Firenze 1967. P. Zampetti, A Dictionary of Venetian Painters, vol. II, London 1970. *L. Collobi Ragghianti, in Cat., Firenze 1952-53, n. 117, p. 55.*	C. Donzelli, G. M. Pilo, I pittori del Seicento veneto, Firenze 1967; *Cat., Varsavia n. 19 (a cura di F. Valcanover). R. Pallucchini, Contributi alla pittura veneziana del seicento. Nuovi ritratti di Tiberio Tinelli, in Arte Veneta 1962 - XVI.*	C. Donzelli, G. M. Pilo, I pittori del Seicento veneto, Firenze 1967; *F. Barbieri, Il Museo Civico di Vicenza, Venezia 1962, 2 voll.*
Inventario	G.D.S.U. 19157.	G.D.S.U. 19158.	962 (C.P., p. 205, n. 647).	914 (C.P., p. 207, n. 594).
Foto	157028.	157020.	102389.	77139.
Note	Il presente bozzetto, insieme al n. 19158 G.D.S.U., doveva far parte della Collezione del Cardinal Leopoldo de' Medici: compare infatti nella Listra del Baldinucci, compilata ad iniziare dal 1675, insieme ad altri cinque disegni del Cavalier Tinelli (cfr. P. Barocchi in Baldinucci F., Notizie... App., vol. VI, Firenze 1975, p. 202); tutti e sei i disegni figurano poi nell'Inventario del Gabinetto Disegni e Stampe del 1793 (Inv. Generale vol. III, n. 1 e segg. ad vocem). L.B.B.	Il presente bozzetto doveva far parte della collezione del Cardinal Leopoldo de' Medici: compare infatti nella Listra del Baldinucci, compilata ad iniziare dal 1675, insieme ad altri cinque disegni del Cavalier Tinelli (cfr. P. Barocchi in F. Baldinucci, Notizie... App., Vol. VI, Firenze 1975, p. 202); tutti e sei i disegni figurano poi nell'inventario del Gabinetto Disegni e Stampe del 1793 (Inv. generale, vol. III, n. 2 e segg. ad vocem). È esposto nel Corridoio Vasariano. L.B.B.	Lasciato a titolo di legato da Paolo del Sera al cardinal Leopoldo nel 1672, figura nell'inventario dell'eredità del cardinale (inv. 1675 c. 75, n. 342) con il titolo e l'attribuzione attuali, rimasti in seguito immutati. A.P.	L'attribuzione iniziale a Jacopo appare rettificata in quella a Domenico Tintoretto già nei cataloghi a stampa dell'inizio del secolo XIX e nell'inventario del 1825 (n. 688) e poi mantenuta negli inventari e cataloghi a stampa successivi. Si tratta di una copia dal noto soggetto di maggiori dimensioni (255x175) dipinto da Jacopo circa il 1549-50 per l'altare della famiglia de' Gondi in S. Michele di Vicenza ed oggi nel museo di quella città (A.74). Altra copia di minori dimensioni (56x44) si conserva nei depositi del Museo di Vicenza (Inv. A.N.69). A.P.

	P1701	P1702	P1703	P1704
AUTORE	Tintoretto, Robusti Jacopo, detto il (Venezia 1518-1594).	Tintoretto, Robusti Jacopo, detto il (Venezia 1518-1594).	Tintoretto, Robusti Jacopo, detto il (Venezia 1518-1594).	Tintoretto, Robusti Jacopo, detto il (Venezia 1518-1594).
TITOLO	Ritratto d'ignoto.	Ritratto d'ignoto con barba rossa.	Ritratto di gentiluomo con pelliccia.	Adamo ed Eva scacciati dal Paradiso terrestre.
DATAZIONE	1546.	1546-48 (Rossi).	Ante 1548 (Coletti 1940), 1547-54 (v. der Bercken 1942) ca. 1553 (Pallucchini 1950), ca. 1554 (De Vecchi 1970).	1550-1553 ca. (P. De Vecchi, 1970).
DATI TECNICI	Olio su tavola, 30x22.	Olio su tela, 52,5x45,5.	Olio su tela, 110x91,5.	Olio su tela, 90x110 (probabilmente frammentario), restauro 1952.
CORNICE	Ottocentesca? in legno intagliato e dorato.	A cassetta, intagliata a motivi fitomorfi e correnti e dorata, sec. XIX.	Legno intagliato e dorato; forse di ricostruzione ottocentesca con materiale antico.	—
UBICAZIONI	Pitti; Uffizi (1798).	Gran Principe Ferdinando de' Medici (1702); Uffizi (1798).	Coll. Paolini, Roma; coll. Contini-Bonacossi; Uffizi (1974); Dep. Meridiana di Pitti.	Coll. Natale Schiavoni; Uffizi; Poggio a Caiano (1940); Pitti (1943); Uffizi (1951); Pitti, Depositi (1954); Uffizi, Depositi (1972).
ATTRIBUZIONI	—	Tiziano (Inv. 1702-10). Paris Bordone (Inv. 1825 e 1890). Tintoretto (Berenson 1894, Rossi 1969, 1973).		Tintoretto (Inv. 1890).
ESPOSIZIONI	—	—		—
BIBLIOGRAFIA	P. Luigi de Vecchi, L'opera completa del Tintoretto, Milano 1970. *P. Rossi, Jacopo Tintoretto, I Ritratti, Venezia 1974.*	B. Berenson, The venetian painters of the Renaissance, New York, 1894, n. 577. P. Rossi, Jacopo Tintoretto, vol. I, I ritratti, Venezia, 1973, p. 105, fig. 8. *Cat. Tiziano nelle gallerie fiorentine, Firenze, 1978, n. 90.*	P. Luigi de Vecchi, L'opera completa del Tintoretto, Milano 1970. *P. Rossi, Jacopo Tintoretto, I Ritratti, Venezia 1974.*	R. Pallucchini - P. Rossi, L'opera completa di J. Tintoretto, Venezia 1973. *P. De Vecchi, L'opera completa del Tintoretto, Milano 1970.*
INVENTARIO	1387 (C.P., p. 148, n. 1065).	924 (C.P., p. 195, n. 577).	Contini-Bonacossi 33.	8428.
FOTO	49329.	142890.	225622.	131697.
NOTE	In basso, parzialmente coperta dalla cornice, assai deteriorata e quasi illeggibile, è dipinta la seguente iscrizione: "M.D.XL.VI AET. XXXIX/IAC. FEC." Sul retro è inciso nella tavola un monogramma (MC) entro un cuore, sormontato da croce di Lorena. L'autografia del dipinto è universalmente riconosciuta dalla letteratura. A.P.	Entrato nella collezione del Gran Principe Ferdinando agli inizi del Settecento, il ritratto venne attribuito a Tiziano; esposto a Pitti in vari ambienti, venne spostato nel 1798 agli Uffizi. Dopo un'attribuzione a Paris Bordone, il dipinto venne riferito dal Berenson al Tintoretto. Più recentemente Paola Rossi lo ha collocato nel 'primissimo periodo dell'attività dell'artista'. Gr. Red. 2	Con esposizione temporanea nei locali della Meridiana di Palazzo Pitti, il dipinto fu acquisito ufficialmente al patrimonio dello Stato nel 1974, a seguito di convenzione intervenuta nel 1969 con gli eredi Contini Bonacossi. La critica è concorde nel proporre una datazione giovanile, risultando evidenti i rapporti con la ritrattistica tizianesca (cfr. R. Pallucchini: La giovinezza di Tintoretto, Milano 1950). È nel catalogo dei ritratti autografi della Rossi. A.P.	Dai documenti resi noti dal Ludwig (1905) e da Hadeln (1911) risulta che fin dal gennaio 1545 erano stati commissionati a Francesco Torbido, dalla scuola della Trinità, quattro dipinti. L'opera fu in seguito completata dal Tintoretto che iniziò a lavorare entro il 1550. Il ciclo, rappresentante la creazione del mondo e le storie bibliche, venne smembrato probabilmente in epoca napoleonica con la soppressione delle chiese, quando i dipinti passarono in proprietà demaniale. Secondo le informazioni dello Zanotto (1883) l'Adamo ed Eva passarono prima alla Collezione di Natale Schiavoni quindi all'ubicazione attuale. Gr. Red. 3

	P1705	P1706	P1707	P1708
AUTORE	Tintoretto, Rubusti Jacopo, detto il (Venezia 1518-1594).	Tintoretto, Robusti Jacopo, detto il (Venezia 1518-1594).	Tintoretto, Robusti Jacopo, detto il (Venezia, 1518-1594).	Tintoretto, Robusti Jacopo, detto il (Venezia 1518-1594).
TITOLO	Cristo al pozzo della Samaritana.	La Samaritana al pozzo.	Ritratto di Jacopo Sansovino.	Atena e Aracne.
DATAZIONE	1560 ca. (Pittaluga 1925), 1578 ca. (De Vecchi 1970).	1560 ca. (Pittaluga 1925), 1578 ca. (De Vecchi 1970).	1566 ca. (Rossi 1974).	1575-85 (von der Bercken 1942) 1580 ca. (Pittaluga 1925) 1579 ca. (De Vecchi 1970).
DATI TECNICI	Olio su tela, 116x93.	Olio su tela, 116x93.	Olio su tela, 70x65,5.	Olio su tela, 145x272.
CORNICE	Otto-novecentesca in legno dorato senza decorazioni.	Otto-novecentesca in legno dorato senza decorazioni.	Barocca, in legno intagliato e dorato, con motivo di nastro di alloro.	Ottocentesca, legno intagliato dipinto e lumeggiato d'oro.
UBICAZIONI	Chiesa di S. Benedetto, Venezia (dall'origine); coll. Algarotti, Venezia (documentato nel 1776); Uffizi (1910).	Chiesa di S. Benedetto, Venezia (dall'origine); coll. Algarotti, Venezia (documentato nel 1776); Uffizi (1910).	Coll. medicee (dall'origine, cit. 1584); Tribuna Uffizi (doc. dal 1635 al 1677); Guardaroba (1677); Uffizi (1798).	Palazzo Donà delle Rose, Venezia (cit. 1925); coll. Contini-Bonacossi; Uffizi (1974), Dep. Meridiana di Pitti.
ATTRIBUZIONI	—	—	—	
ESPOSIZIONI	—	—	Il Tintoretto, Venezia 1937.	
BIBLIOGRAFIA	M. Pittaluga, Il Tintoretto, Bologna 1925. *P. Luigi De Vecchi, L'opera completa del Tintoretto, Milano 1970.*	M. Pittaluga, Il Tintoretto, Bologna 1925. *P. Luigi De Vecchi, L'opera completa del Tintoretto, Milano 1970.*	*G. Fiocco, Il ritratto del Sansovino di Jacopo Tintoretto, su Dedalo VIII, 1927-28. P. Rossi, Jacopo Tintoretto. I Ritratti, Venezia 1974.*	P. Luigi de Vecchi, L'opera completa del Tintoretto, Milano 1970. *M. Pittaluga, Il Tintoretto, Bologna 1925. E. von der Berchen, Die Gemälde des Jacopo Tintoretto, München 1942.*
INVENTARIO	3497 (C.P., p. 197, n. 3497).	3498 (C.P., p. 196, n. 3498).	957 (C.P., p. 194, n. 638).	Contini-Bonacossi 35.
FOTO	72203.	5570.	252577.	225624.
NOTE	Agli Uffizi nel 1910 per acquisto esercitato dall'Ufficio Esportazione di Firenze. Con il 'pendant' 3498 (inv. 1890) ed insieme ai due dipinti della Annunciazione già nella raccolta Lanz di Amsterdam ed oggi nel Rijksmuseum (nr. 2302-E4), faceva parte delle portelle d'organo di S. Benedetto a Venezia (doc. nel 1749). Le fonti veneziane considerano le tele di S. Benedetto opera giovanili; la critica recente propone una collocazione matura. È possibile che la figura in origine fosse intera. Una replica più ricca di paesaggio è ricordata sul mercato da E. von der Berchen e A.L. Mayer (1923). A.P.	Agli Uffizi nel 1910 per acquisto esercitato dall'Ufficio Esportazione di Firenze. Con il 'pendant' 3497 (inv. 1890) ed insieme ai due dipinti della Annunciazione già nella raccolta Lanz di Amsterdam ed oggi nel Rijksmuseum, (nr. 2302-E4), faceva parte delle portelle di organo di S. Benedetto a Venezia (doc. nel 1749). Le fonti veneziane considerano le tele di S. Benedetto opere giovanili; la critica recente propone una collocazione matura. È possibile che la figura in origine fosse intera. Una replica più ricca di paesaggio è ricordata sul mercato da E. von der Bercken e A.L. Mayer (1923). A.P.	Reca sul fondo la scritta: Iacopo Tatti Sansovino. È ricordato nel «Riposo» del Borghini come proprietà di Francesco de' Medici. Una datazione al 1566 circa sembra probabile perché in quell'anno Tintoretto fu nominato membro della Accademia fiorentina delle Arti del Disegno. Nello Staatliche Kunstsammlungen di Weimar si conserva un dipinto (G. 418; 50,8x38) che è forse il modello autografo di questo. Altra replica (48x40) pubblicata dal Fiocco, era nella coll. Volterra di Firenze. Inciso da Lasinio (R. Galleria, Firenze 1817 vol. I). A.P.	Con esposizione temporanea nei locali della Meridiana di Palazzo Pitti, il dipinto fu acquisito ufficialmente al patrimonio dello Stato nel 1974, a seguito della convenzione intervenuta nel 1969 con gli eredi Contini-Bonacossi. Insieme al suo 'pendant' raffigurante Diana ed Endimione (C.B. 34) era destinato a decorazione di soffitto ed aveva, in origine, forma con ogni probabilità ottagonale. Le indicazioni iconografiche fornite dalla Pittaluga (l'Amor terreno) e del Berenson (Allegoria dell'industria) vanno sostituite con il titolo mitologico che qui si indica. A.P.

	P1709	P1710	P1711	P1712
AUTORE	Tintoretto, Robusti Jacopo, detto il (Venezia 1518-1594).	Tintoretto, Robusti Jacopo, detto il (Venezia 1518-1594).	Tintoretto, Robusti Jacopo, detto il (Venezia 1518-1594).	Tintoretto Robusti Jacopo detto il (Venezia 1518-94).
TITOLO	Diana ed Endimione.	Apparizione di Gesù alla Maddalena e Ascensione della medesima.	Cattura di Cristo.	Deposizione.
DATAZIONE	1575-85 (von der Bercken 1942), 1580 ca. (Pittalunga 1925), 1579 ca. (De Vecchi 1970).	Sec. XVI.	Sec. XVI.	1590 ca. (Becherucci 1952).
DATI TECNICI	Olio su tela, 145x272.	Bozzetto, matita rossa, acquerello e biacca su carta gialletta; 57x33.	Bozzetto, penna, bistro e biacca su carta gialletta, 51x36.	Bozzetto, olio su carta su tela, 43x24.
CORNICE	Ottocentesca, legno intagliato, dipinto e lumeggiato d'oro.	—	—	—
UBICAZIONI	Palazzo Donà delle Rose, Venezia (cit., 1925); Coll. Contini Bonacossi; Uffizi (1974), Dep. Meridiana di Pitti.	Uffizi (1880); Pitti (1968).	Uffizi (1880); Pitti (1968).	Uffizi (1880).
ATTRIBUZIONI		Tintoretto (Inv. 1880).	Tintoretto (Inv. 1880).	Tintoretto (Inv. Antichi). Palma il Giovane (Becherucci, 1952).
ESPOSIZIONI		—	—	Bozzetti nelle Gallerie di Firenze, Firenze 1952.
BIBLIOGRAFIA	P. Luigi De Vecchi, L'opera completa del Tintoretto, Milano 1970. M. Pittaluga, Il Tintoretto, Bologna 1925. E. von der Berchen, Die Gemälde des Jacopo Tintoretto, München, 1942.	—	—	L. Becherucci, in Cat., Firenze 1952, p. 41, n. 81, Tav. IX.
INVENTARIO	Contini-Bonacossi 34.	G.D.S.U. 19164.	G.D.S.U. 19163.	G.D.S.U. 19161.
FOTO	225623.	225623.	219673.	219673.
NOTE	Con esposizione temporanea nei locali della Meridiana di Pitti, il dipinto fu acquisito al patrimonio dello Stato nel 1974, a seguito della convenzione intervenuta nel 1969 con gli eredi Contini Bonacossi. Insieme al 'pendant' raffigurante Atena e Aracne (C.B. 35) era destinato a decorazione di soffitto ed aveva, in origine, forma con ogni probabilità ottagonale. La Pittaluga accenna a pesanti ridipinture soprattutto evidenti nella Diana giacente. L'indicazione iconografica tradizionale (Venere e Adone) va sostituita con quella che qui si presenta. A.P.	Il bozzetto, che appare centinato in alto, è classificato nell'Inventario del 1880 tra le opere di II Categoria col numero 84 ed è attribuito al Tintoretto. Gr. Red. 3	Il bozzetto appare nell'Inventario del 1880 tra le opere di II Categoria, col numero 83. È qui attribuito al Tintoretto, ma tale attribuzione non è stata recentemente confermata. Gr. Red. 3	Il bozzetto reca sul tergo, in scrittura sei-cettecentesca, il nome 'Tintoretto'. Tale attribuzione era sostenuta dagli Inventari antichi. Nel 1952, in occasione della mostra, la Becherucci lo assegna piuttosto a Palma il Giovane, 'in un momento intorno al 1590'. Gr. Red. 3

	P1713	P1714	P1715	P1716
AUTORE	Tintoretto, Robusti Jacopo, detto il (Venezia 1518-94).	Tintoretto, Robusti Jacopo, detto il (Venezia 1518-94), attr. a.	Tintoretto, Robusti Jacopo, detto il (Venezia, 1518-1594), e bottega.	Tintoretto, Robusti Jacopo, detto il (Venezia 1518-1594), e bottega.
TITOLO	Muzio Scevola davanti a Porsenna?	S. Giovanni Evangelista.	Leda e il cigno.	Ritratto di ammiraglio veneziano.
DATAZIONE	Sec. XVI.	Sec. XVI.	1545-47 (Bercken - Mayer 1923), 1550-60 (Tietze 1948), 1570 ca. (De Vecchi 1970).	1565-75 (von der Bercken 1942), 1570 (Tietze 1948, De Vecchi 1970, Rossi 1974).
DATI TECNICI	Bozzetto, olio su carta su tela, 20,5x31,2.	Bozzetto, olio su carta, 37x34.	Olio su tela, 162x218.	Olio su tela, 127x99.
CORNICE	—	—	Barocca, in legno intagliato e dorato, a decoro di volute e mascheroni.	Barocca; legno intagliato e dorato, a decoro di conchiglie e trofei militari.
UBICAZIONI	Uffizi (1880); Pitti (1962).	Uffizi (1880), Pitti.	Coll. Duca di Orleans, Parigi; coll. Duca di Bridgewater, Londra; coll. P. Norton, Londra (cit. 1857); coll. A. De Noè Walker, (ante 1892); Uffizi (1893).	Coll. Celesti, Venezia (fino 1657); coll. Del Sera, Venezia; Uffizi (eredità card. Leopoldo de' Medici, 1675).
ATTRIBUZIONI	Tintoretto (Inv. 1880).	Tintoretto (Inv. Antichi). Palma il Giovane (L. Becherucci, 1952).		Palma il Giovane (invv. Uffizi 1704 e 1753).
			—	
ESPOSIZIONI	Bozzetti nelle Gallerie di Firenze, Firenze 1952.	Bozzetti nelle Gallerie di Firenze, Firenze 1952.	Art treasures of the united Kingdom, Manchester 1857.	La mostra del Tintoretto, Venezia 1937.
BIBLIOGRAFIA	*L. Becherucci, in Cat., Firenze 1952, n. 119.*	*L. Becherucci, in Cat., Firenze 1952, n. 80.*	H. Tietze, Tintoretto, London 1948. *P. Luigi De Vecchi, Tintoretto, Milano 1970.*	P. Luigi De Vecchi, L'opera completa del Tintoretto, Milano 1970. *P. Rossi, Jacopo Tintoretto, I Ritratti, Venezia 1974.*
INVENTARIO	G.D.S.U. 19159.	G.D.S.U. 19162.	3084 (C.P., p. 207, n. 3388).	921 (C.P., p. 197, n. 601).
FOTO	68217.	68218.	144301.	321810.
NOTE	A tergo del disegno è scritto, in corsivo sei-settecentesco, il nome 'Tintoretto'. La Becherucci (1952) riconosce nel soggetto l'episodio storico di Muzio Scevola davanti a Porsenna, accostandolo al dipinto dello stesso soggetto e autore oggi al Kunsthistorisches Museum di Vienna. Nei precedenti Inventari il soggetto era infatti mantenuto con titoli generici ('Scena imprecista', 'Varie figure in atteggiamenti diversi'). Il bozzetto appare tra l'altro quadrettato per la trasposizione in scala maggiore. Gr. Red. 3	Sul telaio, a tergo, è scritto, in corsivo sei-settecentesco, il nome 'Tintoretto'. La Becherucci (1952) pensa piuttosto a Palma il Giovane, in un 'periodo sulla fine del sec. XVI, nel quale l'artista è ancora memore del pittoricismo tizianesco, come, ad esempio, nella Visitazione di S. Maria Zobenigo a Venezia'. Il bozzetto, sempre secondo la Becherucci, per la forma sembra destinato ai pennacchi di una cupola. Gr. Red. 3	Entrato agli Uffizi con il lascito De Noè Walker (cfr. E. Ridolfi: Le Gallerie di Firenze, su Le Gallerie Nazionali Italiane, Roma 1894) il dipinto appare schedato e inciso nel monumentale catalogo parigino della Galleria del Duca di Orleans (3 voll. Parigi 1786-1808). La critica moderna è orientata a considerarlo opera in parte di collaborazione, variante del prototipo autografo, più vecchio di circa dieci anni, già nella collezione Contini Bonacossi di Firenze. Inciso da Glairon Mondet. A.P.	Il ritrattato, certo un ammiraglio veneziano, è stato identificato con Sebastiano Venier oppure con Agostino Barbarigo, caduto a Lepanto nel 1571. Ma nessuna delle due identificazioni sembra convincente. La critica recente, mentre concorda nel proporre una datazione avanzata, verso il 1570, considera rilevante la presenza della bottega. W. Arslan, nella sua recensione alla mostra del 1937 (Critica d'Arte, 1937. II) definiva il dipinto 'non di prima qualità'. Per Rossi l'intervento della scuola appare soprattutto evidente nella resa del paesaggio. A.P.

	P1717	**P1718**	**P1719**	**P1720**
AUTORE	Tintoretto, Robusti Jacopo, detto il (Venezia 1518-1594), scuola di.	Tintoretto, Robusti Jacopo, detto il (Venezia 1518-1594), copia da.	Tiziano Vecellio (Pieve di Cadore 1488 ca. - Venezia 1576).	Tiziano Vecellio (Pieve di Cadore 1488 ca. - Venezia 1576).
TITOLO	Il Sacrificio di Isacco.	L'Entrata di Cristo in Gerusalemme.	Madonna col Bambino, S. Giovannino e Sant'Antonio Abate.	Ritratto di un cavaliere di Malta
DATAZIONE	Seconda metà sec. XVI.	Sec. XV.	1506 (Gronau 1904), 1520 ca. (Wethey 1969) 1530 ca. (Tietze 1949, Pallucchini 1969).	1510 ca. (Wethey 1971), 1515 ca. (Pallucchini 1969, Valcanover 1969).
DATI TECNICI	Olio su tela, 138x116.	Olio su tela, 118,5x213,3.	Olio su tavola, 67x95; restauri 1804, 1831, 1877 ca., 1903 ca., 1978.	Olio su tela, 80x64.
CORNICE	Barocca, in legno lavorato a giorno e dorato.	Ottocentesca? liscia, in legno dorato.	Ottocentesca, con modanature e intagli anche applicati e dorata.	Secentesca con intagli zoomorfi di gusto tardo manierista.
UBICAZIONI	Eredità card. Leopoldo de' Medici (1675); Uffizi, Tribuna (1677); Guardaroba (1769); Uffizi (1798).	Eredità card. Leopoldo (1675); Uffizi (1798); Pitti (1928); Prefettura.	Coll. Leopoldo Guglielmo d'Austria, Bruxelles (1659); Galleria Imperiale, Vienna (1735); Uffizi (1793).	Card. Leopoldo de' Medici (1654); Uffizi (1677); Poggio a Caiano (1709); Uffizi (1773); Pitti (1781); Uffizi (1798).
ATTRIBUZIONI	Tintoretto (agli Uffizi come tale).	Tintoretto (Cat. Uffizi 1825). Domenico Tintoretto (Cat. Uffizi 1890). Scuola del Tintoretto (Cat. Pieraccini 1906). Tintoretto (Weddigen 1970).	Tiziano (Inv. 1659, Mechel 1783, Cat. Uffizi dal 1793, Suida 1933, Tietze 1949, Pallucchini 1969, Wethey 1969). Scuola di Tiziano (Hetzer 1920).	Tiziano (elenco di quadri 1654, Justi 1908, Pallucchini 1969, Wethey 1971). Giorgione (quaderno della Guardaroba 1709, Castelfranco 1955). Pietro della Vecchia (Mündler 1869). Paris Bordone (Longhi 1946).
ESPOSIZIONI	—	—	—	Mostra del ritratto italiano nei secoli, Belgrado 1938. Giorgione e i Giorgioneschi, Venezia 1955.
BIBLIOGRAFIA	P. Luigi De Vecchi, L'opera completa del Tintoretto, Milano 1970.	R. Pallucchini, La giovinezza del Tintoretto Milano 1950. *E. Weddigen, L'Adultera del Tintoretto etc., in Arte Veneta 1970 A. XXIV.*	R. Pallucchini, Tiziano, Firenze 1969, n. 194. H. E. Wethey, The Paintings of Titian, I, London, 1969, n. 58. *Cat., Tiziano nelle Gallerie fiorentine, Firenze 1978, n. 99.*	R. Pallucchini, Tiziano, Firenze 1969, n. 97. H. E. Wethey, The Paintings of Titian, London 1971, II, n. 56. *Cat., Tiziano nelle Gallerie fiorentine, Firenze 1978, n. 58.*
INVENTARIO	931 (C.P., p. 199, n. 646).	917 (C.P., p. 193, n. 597).	952 (C.P., p. 208, n. 633).	942 (C.P., p. 201, n. 622).
FOTO	323305.	160900.	53118-52366-50036-51680.	305945.
NOTE	L'attribuzione a Jacopo è antica e costante nella documentazione di Galleria (inv. card. Leopoldo, c. 59, n. 85, G.le di Galleria 1784 c. 74, inv. 1825, n. 639, inv. 1890, n. 931) e nei cataloghi a stampa. I monografi moderni del pittore tendono a considerare la tela opera di scuola (E. von der Bercken, Die Gemälde des Jacopo Tintoretto, München 1942) e a non elencarla fra i dipinti autografi (M. Pittaluga, Il Tintoretto, Bologna 1925). Per Berenson è opera di autografia parziale (cfr. Italian Pictures of the Renaissance Venetian school, London 1957, voll. 2). A.P.	Copia da un perduto prototipo di Jacopo Tintoretto, descritto dal Ridolfi nella casa di Vincenzo Zeno dove faceva "pendant" con l'Adultera attualmente nella Galleria Nazionale di Roma (cfr. C. Ridolfi: Le Maraviglie dell'Arte, ed. von Hadeln, voll. 2, Berlin 1914-24). Recentemente è stata proposta dallo Weddigen (cfr. bibl.) la riabilitazione del dipinto ritenuto autografo di Jacopo. Nei depositi degli Uffizi (inv. 1881 f. nr. 218 cat. IV) esiste una ulteriore variante, di più debole livello, fortemente accorciata a destra (cm. 117x146). A.P.	Conosciuto anche come 'Madonna delle rose', è citato per la prima volta nel 1659, nella collezione dell'Arciduca d'Austria Leopoldo Guglielmo. Passato nella Galleria Imperiale di Vienna, giunse agli Uffizi nel 1793 in occasione di uno scambio di quadri fra le due gallerie. La sua conservazione ha spesso creato dei problemi, come testimoniano i molti interventi subiti in passato e la lunga permanenza presso i Laboratori della Soprintendenza in occasione del recente restauro. Reca la scritta: 'Ticianus fecit' sulla veste del S. Giovannino. Gr. Red. 2	Nel 1893 il Dickes propose l'identificazione del personaggio con Stefano Colonna, ritenuta attualmente poco probabile. Sul dipinto l'iscrizione 'XXXV', riferita all'età del personaggio, sopra l'ultimo grano del rosario. A tergo l'iscrizione settecentesca 'Giorgio da Castelfranco d.o Giorgione' e il cartellino con la scritta 'Dal P. Cajano alla R. Guardaroba 29 ...bre 1773'. L'opera è ricoperta da una spessa vernice e da vari restauri che contribuiscono a renderne problematica l'attribuzione. Gr. Red. 2

	P1721	P1722	P1723	P1724
Autore	Tiziano, Vecellio (Pieve di Cadore 1488 ca. - Venezia 1576).	Tiziano Vecellio (Pieve di Cadore 1488 ca. - Venezia 1576).	Tiziano Vecellio (Pieve di Cadore 1488 ca. - Venezia 1576).	Tiziano Vecellio (Pieve di Cadore 1488 ca. - Venezia 1576).
Titolo	L'Uomo malato.	Flora.	Ritratto di Francesco Maria della Rovere.	Ritratto di Eleonora Gonzaga della Rovere.
Datazione	1514 (?).	1514-15 ca. (Pallucchini 1969), 1515 (Valcanover 1969), 1520-22 (Wethey 1975).	1536-38.	1537-38.
Dati tecnici	Olio su tela, 81x60, restauro 1975.	Olio su tela, 79,7x63,5.	Olio su tela, 114x103.	Olio su tela, 114x103.
Cornice	Barocca, riccamente intagliata e dorata.	Tardo settecentesca, dorata, a motivi di grandi volute, ovoli e baccellature.	Ottocentesca, intagliata a volute e dorata.	Ottocentesca, intagliata e dorata.
Ubicazioni	Card. Leopoldo de' Medici; Guardaroba (1675); Uffizi, Tribuna (1704); Uffizi (1896).	Coll. Alfonso Lopez, Amsterdam (1640 ca.); Galleria Imperiale, Vienna (1728); Uffizi (1793).	Palazzo Ducale, Pesaro (1538); Guard. Vittoria della Rovere (1631); Poggio Imperiale (1652); Pitti (1716-23); Uffizi (1795).	Palazzo Ducale, Pesaro (1538); Guard. Vittoria della Rovere (1631); Poggio Imperiale (1652); Pitti (1716-23); Uffizi (1795).
Attribuzioni	Leonardo (Inv. Antichi). Sebastiano del Piombo (Ridolfi 1897, Venturi 1928, Berenson 1936). Vittore Belliniano (Pallucchini 1944). Tiziano ? (Morassi 1954, Salvini 1954, Zampetti 1955). Tiziano (Suida 1956, Valcanover 1960 e 1969, Dal Poggetto 1975).	Tiziano (Sandrart 1640, Mechel 1783, Cat. Uffizi 1793, Tietze 1949, Wethey 1975). Palma il Vecchio (Prenner 1728, elenco quadri da Vienna 1793).	—	—
Esposizioni	Giorgione e giorgioneschi, Venezia 1955. Capolavori degli Uffizi restaurati nel 1975, Firenze 1975.	Art Italien de Cimabue à Tiepolo, Parigi 1935; Mostra di Tiziano, Venezia 1935; Die Venetiaanse Meesters, Amsterdam 1953; Peinture Vénitienne, Bruxelles 1953; De Veronese à Tintoret, Parigi 1954.	Mostra di Tiziano, Venezia 1935.	—
Bibliografia	F. Valcanover, L'opera completa di Tiziano, Milano 1969. *Cat., Firenze 1975, n. 6.*	R. Pallucchini, Tiziano, Firenze 1969, n. 94. H. E. Wethey, The Paintings of Titian, III, London 1975, n. 17. *Cat., Tiziano nelle Gallerie fiorentine, Firenze 1978, n. 100.*	R. Pallucchini, Tiziano, Firenze 1969, n. 231. H. E. Wethey, The Paintings of Titian, II, London 1971, n. 89. *Cat., Tiziano nelle Gallerie fiorentine, Firenze 1978, n. 28.*	R. Pallucchini, Tiziano, Firenze 1969, n. 2332. H. E. Wethey, The Paintings of Titian, II, London 1971, n. 87. *Cat., Tiziano nelle Gallerie fiorentine, Firenze 1978, n. 29.*
Inventario	2183 (C.P., p. 195, n. 3458).	1462, (C.P., p. 208, n. 626).	926 (C.P., p. 307, n. 605).	919 (C.P., p. 207, n. 599).
Foto	249709 (e particolari).	156258.	305946.	156254.
Note	Reca in alto la scritta: MDXIIII. AN ETATIS XXIII (data e scritta di cui in passato è stata messa in dubbio la contemporaneità col dipinto). Il recupero dell'opera tramite il recente restauro è stato di risultati eccezionali. Il personaggio effigiato è ignoto. P.D.P.	Tradizionalmente indicato come il ritratto di una cortigiana o di una donna amata da Tiziano (Violante figlia di Palma il Vecchio). Oggi ritenuto una interpretazione rinascimentale del mito classico di Flora. Appartenne fino al 1641 ad Alfonso Lopez, agente spagnolo residente ad Amsterdam. Si pensa che poi sia passato nella collezione dell'Arciduca d'Austria Leopoldo Guglielmo e da essa alla Galleria Imperiale di Vienna, dove è documentato dal 1728. Giunse agli Uffizi nel 1793 in occasione di uno scambio di quadri fra le due gallerie. Gr. Red. 2	Firmato 'TITIANUS F.' sulla tela in basso a sin. e 'TICIAN' a destra. Ordinato a Tiziano forse dal 1532. Il della Rovere inviò la sua armatura perché fosse copiata. Un disegno relativo alla progettazione, a figura intera, è agli Uffizi. Il dipinto non fu però mai tagliato come sostengono alcuni studiosi. Giunse a Firenze con l'eredità roveresca nel 1631. Dalla radiografia si accerta la presenza di un dipinto sottostante che rappresenta un giovane di tre quarti. Il quadro necessita di pulitura e restauro. Gr. Red. 2	Commissionato forse nel 1532. Eseguito nel 1537, quando la duchessa si recò a Venezia. A Firenze dal 1631 con l'eredità roveresca. Gr. Red. 2

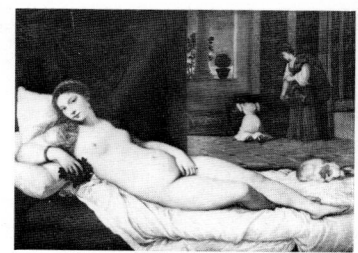   

	P1725	P1726	P1727	P1728
AUTORE	Tiziano Vecellio (Pieve di Cadore 1488 ca. - Venezia 1576).	Tiziano Vecellio (Pieve di Cadore 1488 ca. - Venezia 1576).	Tiziano Vecellio (Pieve di Cadore 1488 ca. - Venezia 1576).	Tiziano Vecellio (Pieve di Cadore 1488 ca. - Venezia 1576) e bottega.
TITOLO	Venere d'Urbino.	Caterina Cornaro, come S. Caterina d'Alessandria.	Ritratto del Vescovo Ludovico Beccadelli.	Ritratto del Papa Sisto IV.
DATAZIONE	1538.	1542 (?)	1552.	1540 ca. (Tietze 1950. Pallucchini 1969), 1545 ca. (Wethey 1971).
DATI TECNICI	Olio su tela, 119x165, restauro 1821 e fine del sec. XIX.	Olio su tela, 102,5x72, restauro 1773.	Olio su tela, 117,5x97.	Olio su tavola, 109,5x87, restauro 1977.
CORNICE	Settecentesca, intagliata a scartocci e dorata.	Intagliata e dorata, barocca.	Secentesca, intagliata a motivi tardo manieristi zoomorfi e fitomorfi, dorata.	Barocca, intagliata a scartocci e dorata.
UBICAZIONI	Palazzo Ducale, Pesaro (1624); Firenze (1631); Guard. Vittoria della Rovere (1652); Uffizi (1736).	Coll. Medicee; Archivio Segreto, Pitti; Uffizi (1773); Uffizi, Tribuna (1777-98), poi altre sale.	Venezia (1552); Cardinal Leopoldo de' Medici (1653); Uffizi (1704).	Palazzo Ducale, Urbino (ante 1631); Guardaroba di Vittoria della Rovere (1631-1694); Pitti (1716-1897); Uffizi (1897-1907); Depositi (1940).
ATTRIBUZIONI	—	P. Veronese (1773, AGF, VI, n. 45) Tiziano (Inv. 1825 e segg., Buckhardt 1855, Suida 1933). Copia da Tiziano di Marco Vecellio (Crowe-Cavalcaselle 1877-8 e la critica successiva). Tiziano solo in parte (Berenson 1932-1957).	Tiziano (Aretino 1552, Ridolfi 1648, coll. Cardinal Leopoldo 1675, Cat., Uffizi dal 1704, Pallucchini 1969, Wethey 1971). Copia da Tiziano (Salvini 1952). Copia antica (Berti 1971).	Tiziano (Urbino 1631). Raffaello Sanzio (Inv. 1694-1802). Bottega di Tiziano (Pallucchini 1969).
ESPOSIZIONI	Exposition de l'art italien de Cimabue à Tiepolo, Parigi 1935. Mostra di Tiziano, Venezia 1935.	Le Terre d'Oltremare e l'Arte italiana dal Quattrocento all'Ottocento, Napoli 1940.	—	—
BIBLIOGRAFIA	R. Pallucchini, Tiziano, Firenze 1969. H. E. Wethey, The Paintings of Titian, III, London 1975, n. 54. *Cat., Tiziano nelle Gallerie fiorentine, Firenze 1978, n. 30.*	*Cat., Tiziano nelle Gallerie fiorentine, Firenze 1978, n. 94.*	R. Pallucchini, Tiziano, Firenze 1969, n. 376. H. E. Wethey, The Paintings of Titian, II, London 1971, n. 13. *Cat., Tiziano nelle Gallerie fiorentine, Firenze 1978, n. 56.*	R. Pallucchini, Tiziano, Firenze 1969, n. 253. H. E. Wethey, The Paintings of Titian, II, London 1971, n. 97. *Cat., Tiziano nelle Gallerie fiorentine, Firenze 1978, n. 32.*
INVENTARIO	1437 (C.P., p. 151, n. 1117).	909 (C.P., p. 196, n. 648).	1457 (C.P., p. 197, n. 1116).	744 (C.P., p. 197, n. 1540).
FOTO	156257.	156260.	156259 e 5577 (part. documento).	306375.
NOTE	Acquistato nel 1538 da Guidubaldo della Rovere, duca d'Urbino. Passò nel 1631 a Firenze insieme ai beni di Vittoria della Rovere. Fra le innumerevoli copie citiamo quella di Ingres (Walters Art Gallery, Baltimora), quella di Manet (Coll. Rouart, Parigi) e quella di Constantin, ad olio su porcellana (Galleria Sabauda, Torino). Tra le derivazioni ricordiamo quella di Sustris (Rijskmuseum, Amsterdam), di Pietro Liberi (Museo Nazionale, Stoccolma) e una scultura di Bartolini (gesso: Gipsoteca Bartoliniana; marmo: Musée Fabre, Montpellier). Gr. Red. 2	Sul telaio, la scritta: 'TITIANI OPUS 1542. Così era questa memoria sul telaio vecchio riportato da me Giuseppe Magni 5 luglio 1773' (incollato). La figura femminile descritta negli inventari con 'abbigliamento all'orientale' è stata identificata dal momento del suo ingresso in Galleria come S. Caterina d'Alessandria, e solo dal 1792 in poi come Caterina Cornaro regina di Cipro. La critica più recente ha però messo in dubbio questa identificazione, e nel Cat. Firenze 1978, viene ripresa l'ipotesi del Grabsky secondo la quale potrebbe trattarsi di una regina orientale (Rossellane?) cui la ruota dentata sia stata aggiunta in seguito per motivi devozionali. C.C.	Firmata e datata nel documento che il prelato spiega tra le mani: IULIUS. PP. III. / Venerabili fratri Ludovico Epo Ravelleñ. apud Dominium Venetorum nostro, et Aplica sedis Nuntio. / Cum annum ageret LII. Titianus Vecelius faciebat. Venetijs M. D. LII. Mense Julij / (segue di altra mano) Translatus deinde MDLV. die XVIIJ. septembris à Paulo Quinto Pont. Maximo ad / Archiepiscopatum Ragusinum; quo pervenit die IX. Decembris proxime subsequenti. Si tratta forse del dipinto acquistato da Leopoldo de' Medici a Bologna nel 1653 tramite fra' Bonaventura Bisi e il marchese Ferdinando Cospi. Gr. Red. 2	Giunto a Firenze con i beni di Vittoria della Rovere, nel 1694 passò in eredità a Francesco Maria de' Medici e nel 1710 al Granduca Cosimo III entrando così a far parte delle collezioni medicee. Come ipotizzato dal Crowe e dal Cavalcaselle il dipinto fu probabilmente ricavato da una medaglia o dal ritratto del papa che Melozzo da Forlì eseguì nell'affresco vaticano 'Sisto IV nomina il Platina bibliotecario della Vaticana'. Gr. Red. 2

	P1729	P1730	P1731	P1732
Autore	Tiziano Vecellio (Pieve di Cadore 1488 ca. - Venezia 1576) e bottega.	Tiziano Vecellio (Piere di Cadore 1488 ca. - Venezia 1576) e bottega.	Tiziano Vecellio (Pieve di Cadore 1488 ca. - Venezia 1576), bottega di.	Tiziano Vecellio (Pieve di Cadore 1488 ca. - Venezia 1576), bottega di.
Titolo	Santa Margherita.	Venere e Cupido.	Madonna con Bambino e San Giovannino.	Madonna con Bambino e Santa Caterina.
Datazione	1560 ca. (Longhi 1925), 1570 ca. (Fischer 1977), 1565-70 (Cat. Firenze, 1978).	1550 (Suida 1933), 1560 (Salvini 1952), 1548 (Panofski 1969).	1550 ca.	1550 ca.
Dati tecnici	Olio su tela, 116,5x98.	Olio su tela, 139,2x195,5, restauro 1823-27-69.	Olio su tela, 100x83.	Olio su tela, 73x60.
Cornice	Secentesca con intagli zoomorfi di gusto tardo-manierista, dorata.	A cassetta, con intagli a festone e nastro di tipo neoclassico, dorata, inizi sec. XIX.	Inizi sec. XX, decorata a pastiglia e dorata.	Ottocentesca, intagliata e dorata.
Ubicazioni	Card. Leopoldo de' Medici (ante 1675); Pitti (1688); Uffizi (1798).	Paolo Giordano Orsini; Cosimo II de' Medici (1619); Uffizi (1635).	Card. Leopoldo de' Medici, Pitti (ante 1675); Gran principe Ferdinando de' Medici; Uffizi (1697); Depositi (dopo il 1930).	Card. Carlo de' Medici, Casino Mediceo (ante 1666); Uffizi (1677); Depositi (post 1930).
Attribuzioni	Tiziano (Inv. 1675, Longhi 1925, Suida 1933). Palma il Giovane (Giornale Uffizi 1798). G. B. Zelotti (Cat., Uffizi 1804). Palma il Giovane (Tietze 1936, Salvini 1964, Wethey 1969, Fischer 1977). Bottega di Tiziano (Tietze Conrat 1946). Tiziano? (Valcanover 1960). Tiziano e bottega (Tiziano nelle Gallerie fiorentine 1978).	Tiziano (fino al 1960). Tiziano e bottega (Salvini 1952, Valcanover 1960, Pallucchini 1969). Bottega di Tiziano con intervento del maestro (Wethey 1969-75).	Tiziano (Inv. 1675; inv. 1704). Scuola di Tiziano (Crowe-Cavalcaselle 1877).	Tiziano (Inv. 1666, inv. 1677, Suida 1952). Marco Vecellio (Crowe e Cavalcaselle 1877). Scuola di Tiziano (Cat. Uffizi 1926). Copia (Wethey 1969).
Esposizioni	—	—	—	—
Bibliografia	R. Longhi, Giunte a Tiziano, in L'Arte XXVIII, 1925. H. E. Wethey, The Paintings of Titian, I, London 1969, n. X-35. M. Roy Fischer, Titian's Assistants during the later years, New York-London 1977. *Cat., Tiziano nelle Gallerie fiorentine, Firenze 1978, n. 57.*	R. Pallucchini, Tiziano, Firenze, 1969, n. 350. H. E. Wethey, The Paintings of Titian, II, London 1971, n. 49. *Cat., Tiziano nelle Gallerie fiorentine, Firenze 1978, n. 9.*	H. E. Wethey, The Paintings of Titian, I, London 1969, X, 26. *Cat., Tiziano nelle Gallerie fiorentine, Firenze 1978, n. 61.*	*Cat., Tiziano nelle Gallerie fiorentine, Firenze 1978, n. 50.*
Inventario	928 (C.P., p. 198, n. 608).	1431 (C.P., p. 150 n. 1108).	967 (C.P., p. 194, n. 590).	949 (C.P., p. 203, n. 625).
Foto	150481.	252578.	131659.	131655.
Note	La scena raffigura l'incontro di Santa Margherita d'Antiochia, martirizzata sotto Diocleziano, con il drago, che essa riuscì a debellare mediante il segno della croce. Esposto fin dal 1798 nella Galleria degli Uffizi con l'attribuzione a Palma il Giovane, il Longhi (1925) ne propose per primo l'attribuzione a Tiziano, sotto il nome del quale il quadro faceva parte della collezione del Cardinale Leopoldo. Per confronti con il 'San Sebastiano' dell'Hermitage la datazione probabile è nei primi anni dell'ottavo decennio del XVI° secolo. Gr. Red. 2	Già nella coll. di Paolo Giordano Orsini (?) che la donò a Cosimo II de Medici nel 1619, fu talvolta confuso con una 'Venere' esistente agli Uffizi e proveniente dalla collezione di Don Antonio de' Medici. Il soggetto mitologico-allegorico ha avuto talvolta ipotetici riferimenti di iconografia ritrattistica. La figura di Venere Giacente è modellata su una immagine classica e sulla composizione michelangiolesca di Venere con Amore del 1532-3. Gr. Red. 2	Sul cartiglio tenuto da San Giovannino la scritta 'Ecce Agnus Dei'. Proviene dalla collezione del Cardinal Leopoldo ed è ricordato sia negli inventari seicenteschi della sua residenza a Pitti, sia in quello della sua eredità (1675). Passò poi nella collezione del G. P. Ferdinando e da questa agli Uffizi. Il suo stato di conservazione era già scadente nel 1824, ma non si hanno notizie di interventi di restauro. Altri esemplari della stessa composizione si conservavano a Roma (Palazzo Barberini, 1631; Palazzo Giustiniani, 1638) e a Vienna (Stalburg, 1735). Gr. Red. 2	Fece parte della collezione del Cardinal Decano Carlo de' Medici ed è citato nell'inventario della sua eredità (1666). Passato agli Uffizi come una delle più belle opere di Tiziano fu riprodotto dallo Zoffany nella celebre 'Veduta ideale della Tribuna degli Uffizi' (1772). Probabilmente restaurato alla fine del Settecento, il dipinto è oggi in precario stato di conservazione. Esistono molti quadri che ripetono questa composizione, ma con Santa Maria Maddalena al posto di Santa Caterina (Ermitage, Leningrado; Galleria Nazionale, Napoli; Coll. privata, New York). Gr. Red. 2

	P1733	P1734	P1735	P1736
AUTORE	Tiziano Vecellio (Pieve di Cadore 1488 ca. - Venezia 1576), copia da.	Tiziano Vecellio (Pieve di Cadore 1488 ca. - Venezia 1576), copia da.	Tiziano Vecellio (Pieve di Cadore 1488 ca. - Venezia 1576), copia da.	Toscani, Giovanni (Firenze 1370-80 ca. - 1430).
TITOLO	Madonna col Bambino.	Ritratto di donna.	La Vergine Addolorata.	Incredulità di San Tommaso.
DATAZIONE	1519 ca. (perizia 1862), sec. XVII (Cat., Uffizi 1926), sec. XVIII (Cat., Firenze 1978).	1534 ?	Sec. XVI.	1419-20 ca. (Bellosi 1966).
DATI TECNICI	Olio su tela, 74x60.	Olio su tavola, 39,5x28,5.	Olio su tela, 79x59.	Tempera su tavola, 215x109 (242x 116 con la cornice).
CORNICE	Ottocentesca.	—	A cassetta, dorata, con intagli fitomorfi, motivi correnti e perle.	Originale, a cuspide riquadrata.
UBICAZIONI	Uffizi (1863); Depositi (1930 ca.).	Pitti, Depositi (1972); Uffizi, Depositi (1976).	Coll. Walker, Inghilterra, (ante 1893); Uffizi (1898).	Tribunale della Mercanzia (?) (dall'origine); Soprasindacato della Camera della Comunità (sec. XVIII); Uffizi (1815); Accademia (1933).
ATTRIBUZIONI	Tiziano (agli Uffizi come tale dal 1863). Copia da Tiziano (Philips 1897, Wethey 1969).	Tiziano Vecellio (copia da) (Inv. 1890).	Tiziano (inv. Uffizi 1898, inv. Uffizi 1913, Gerspach, 1901). Scuola di Tiziano (Amandry, 1904, Gerola 1909).	Maestro della Crocifissione Griggs (Offner 1933, Cohn 1957). Giovanni Toscani (Bellosi 1966 e tutta la critica successiva).
ESPOSIZIONI	—	—		—
BIBLIOGRAFIA	*Cat., Tiziano nelle Gallerie fiorentine 1978, n. 102.*	*F. Valcanover, L'opera completa di Tiziano, Milano 1969.*	E. Gerspach, in Archivio Storico Italiano, Serie V, XXVII, 1901. G. Gerola in L'Arte, XII, 1909. *Cat., Tiziano nelle Gallerie fiorentine, Firenze 1978, n. 103.*	L. Bellosi, in Paragone, 193, 1966. Dizionario Bolaffi, XI, Torino 1976.
INVENTARIO	938 (C.P., p. 206, n. 618).	5993.	3114 (C.P., p. 204, n. 1524).	457 (C.P., p. 62, n. 30).
FOTO	131653.	167617.	5573.	322209.
NOTE	Acquistato tramite Giuseppe Restoni per gli Uffizi nel 1863 come bozzetto preparatorio per la Pala Pesaro di Tiziano. Considerato autografo fino alla fine dell'Ottocento è in realtà una copia tardo settecentesca. Gr. Red. 2	Si potrebbe trattare del dipinto di cui Tiziano scrive il 20 dicembre 1534 a Vendramano, ciambellano di Ippolito dei Medici. Lo avverte, infatti, di avere a disposizione del Cardinale 'un quadro di una donna di cui il Cardinale desidera avere una copia' (Ticozzi, 1817). Gr. Red. 3	Donata nel 1893 da Arturo De Noè Walker, cittadino inglese, fu trasferita dalla Inghilterra con altre opere ed entrò in Galleria nel 1898. Considerata una delle varianti più importanti della produzione tizianesca di questo soggetto, come compromesso fra le due Addolorate del Prado, quella a mani giunte e l'altra a mani aperte, deriva da un esemplare perduto già nella collezione veneziana di Bartolomeo della Nave ed in seguito in quella del Duca ai Hamilton e dell'arciduca Leopoldo Guglielmo dove è documentata nell'inventario del 1659, dalle incisioni e da un dipinto del Teniers. Gr. Red. 2	L'incredulità di S. Tommaso, raffigurata a figure intere, è sormontata in alto, nello spazio sopra la cornice interna archiacuta, dalle figure dei Profeti Geremia e Isaia che reggono cartigli con iscritti i loro nomi. Si tratta dello stesso soggetto raffigurato dal Verrocchio tra il 1465 e il 1483 per il tabernacolo di Orsanmichele che era stato assegnato al Tribunale della Mercanzia. Il dipinto fu dunque eseguito per un ambiente di rappresentanza di questo Tribunale. Del resto, la sua singolare struttura sarebbe troppo inusitata per l'altare di una chiesa e anche la scritta ha un sapore molto laico: TOCCATE IL VERO COM'IO E CREDETE NELLA SOMMA GIUSTIZIA IN TRE PERSONE CHE SEMPRE EXALTA O-GNUN CHE FA RAGIONE. L. Bell.

	P1737	P1738	P1739	P1740
Autore	Tournier, Nicolas (Montbéliard 1590 - Toulouse 1639).	Travi, Antonio, detto il Sestri (Sestri, Genova 1608-1665), attr. a.	Trevisani, Francesco (Capodistria 1656 - Roma 1746).	Trevisani, Francesco (Capodistria 1656 - Roma 1746).
Titolo	L'ipocrita.	Scena pastorale.	Il sogno di S. Giuseppe.	Madonna col Bambino in atto di cucire.
Datazione	1632-35 (Rosenberg 1977).	1630 ca. (Collobi Ragghianti 1952).	1690-1700 (Di Federico 1977).	1690-1700 (Di Federico 1977).
Dati tecnici	Olio su tela, 110x128, restauro 1970.	Olio su tavola, 25x37.	Olio su rame 39x30, restauro 1952.	Olio su rame, 38x30.
Cornice	Parigi; Uffizi (1793).	Sagomata, dorata, sec. XVII.	Settecentesca, in legno intagliato e dorato.	Settecentesca, in legno intagliato e dorato.
Ubicazioni	Dorata e intagliata a palmette.	Uffizi (sec. XIX).	Gran Principe Ferdinando de' Medici (cit. 1713); Uffizi (cit. 1753).	Gran Principe Ferdinando de' Medici (cit. 1713); Uffizi (cit. 1753).
Attribuzioni	Valentin (Lanzi 1793). Tournier (Borea 1970, Rosenberg 1977). Tournier? (Volpe 1970). Brejon de Lavergne-Cuzin 1974).	Scuola napoletana (Inv. Uffizi sec. XIX). Travi (Collobi Ragghianti 1952).	—	—
Esposizioni	Caravaggio e Caravaggeschi nelle Gallerie di Firenze, Firenze 1970. Pittura francese nelle gallerie pubbliche fiorentine, Firenze 1977.	Bozzetti delle Gallerie di Firenze, Firenze 1952.	Mostra storica dei pittori istriani, Trieste 1950. Il settecento a Roma, Roma 1959.	Mostra storica dei pittori istriani, Trieste 1950. Dipinti italiani del Sei e Settecento, Firenze 1959.
Bibliografia	P. Rosenberg, Cat., Firenze 1977, n. 70, p. 119. *E. Borea, Cat., Firenze 1970, n. 21, 35-36.*	P. Torriti, in La pittura a Genova e in Liguria dal Seicento al primo Novecento, Genova 1971. *Cat., Firenze 1952, n. 120. L. Collobi Ragghianti, in Critica d'arte, 1954, p. 484 .*	F. R. Di Federico, Francesco Trevisani, Washington 1977. *Cat., Roma (Iª e IIª ed.), 1959, n. 617.*	*F. R. Di Federico Francesco Trevisani, Washington 1977.*
Inventario	999 (C.P., p. 72, n. 678).	6706.	1378 (C.P., p. 148, n. 1059).	1362 (C.P., p. 149, n. 1058).
Foto	161352.	68200.	321812.	131662.
Note	Il dipinto fu acquistato a Parigi nel 1793 insieme a un folto gruppo di quadri di scuola francese per cura dell'ora direttore degli Uffizi Pelli Bencivenni. Il soggetto si ispira al detto evangelico: 'Tu vedi la pagliuzza nell'occhio del tuo prossimo e non scorgi la trave nel tuo'. E.B.	Questo piccolo dipinto, attribuito negli inventari di Galleria a scuola napoletana, è stato spostato nell'ambito genovese da L. Collobi Ragghianti, che ne segnalava le affinità con la pittura di Antonio Travi, datandolo agli inizi della sua attività. La provenienza del dipinto non è documentata. M.C.	Insieme al pendant «Madonna col Bambino in atto di cucire» (inv. 1890 n. 1362) è citato nell'inventario della collezione del Gran Principe Ferdinando (cfr. M. Chiarini: I quadri della collezione del Principe Ferdinando di Toscana, Paragone nr. 301, 1975). Gli Uffizi conservano una copia di questo soggetto, di analoghe dimensioni (38,5x30,5), a pastello su carta (inv. 1890 n. 5557). La Griseri, nella scheda del catalogo della mostra di Roma, segnala un'altra versione nel Museo di Sorrento. Inciso da Sanglois. A.P.	Insieme al pendant «Il sogno di S. Giuseppe» (inv. 1890 n. 1378) figura nell'inventario della collezione del Gran Principe Ferdinando (cfr. M. Chiarini: I quadri della collezione del Principe Ferdinando di Toscana, Paragone n. 301, 1975). Il soggetto è noto in due altre versioni: un rame in raccolta privata romana esposto al n. 614 della mostra «Il settecento a Roma» (Roma 1959) e un pastello di proprietà Antonioni, Trieste, esposto al n. 15 della «Mostra storica dei pittori istriani». Inciso da P. Lasinio (R. Galleria Firenze 1828 vol. III). A.P.

	P1741	P1742	P1743	P1744
Autore	Trevisani, Francesco (Capodistria 1656 - Roma 1746).	Trevisani, Francesco (Capodistria 1656 - Roma 1746).	Tura, Cosmé (Ferrara 1432-1495).	Turchi, Alessandro detto l'Orbetto (Verona 1590 ca. - Roma 1649).
Titolo	Il banchetto di Marcantonio e Cleopatra.	Cristo e la Maddalena.	San Domenico.	Allegoria della città di Verona.
Datazione	Ante 1717 (Zeri 1954, Griseri 1962). 1705-10 (Di Federico 1977).	1730-40 ca.	Sec. XV.	1610-20.
Dati tecnici	Olio su tela, 65x63.	Olio su tela, 41,7x27,5, restauro 1950.	Frammento di polittico, tempera su tavola, 51x32.	Olio su pietra di paragone, 38,5x 30,4.
Cornice	Intagliata e dorata, originale.	Intagliata, dorata, originale.	Moderna in velluto e legno.	Dorata liscia.
Ubicazioni	Pitti (XVIII sec.), Uffizi (sec. XIX).	Uffizi (sec. XIX).	Coll. Canonici, Ferrara; Mercato antiquario; Uffizi (1905).	Pitti (1700 ca.); Poggio a Caiano (1710 ca.); Uffizi (1773).
Attribuzioni	—	—	—	Turchi (inv. 1700 ca.). Brusasorci (inv. 1825). Turchi (Micheletti 1959).
Esposizioni	Pitti (XVIII sec.); Uffizi (sec. XIX).	Pittori istriani, Trieste 1950.	Pittura ferrarese del Rinascimento, Ferrara 1933. Arte italiana dei secc. XIV e XV, Parigi 1956.	Dipinti italiani del seicento e settecento agli Uffizi, Firenze 1959. Caravaggio e Caravaggeschi nelle Gallerie di Firenze, Firenze 1970. Cinquant'anni di pittura veronese, 1580-1630, Verona 1974.
Bibliografia	F. Zeri, *La Galleria Spada, Firenze 1954, p. 141. A. Griseri, in Paragone, 153, 1962, p. 33. F. Di Federico, Francesco Trevisani, Washington 1977, p. 47, n. 32.*	D. Gioseffi, *L'opera di Francesco Trevisani, Pagine istriane, 1950.* F. Di Federico, *Francesco Trevisani, Washington 1977. Cat., Trieste 1950, n. 11.*	M. Salmi, C.T., Milano 1963. Cat., Ferrara 1933. Cat., Parigi 1956. *R. Molajoli, L'opera completa di C.T., Milano 1974, n. 22.*	M.L. Strocchi, Il Gabinetto di 'opere in piccolo' del Gran Principe Ferdinando a Poggio a Caiano, in *Paragone* 311, 1976, p. 112. *E. Borea, in Cat., Firenze 1970, n. 43, p. 70. D. Kelescian Scaglietti, in Cat., Verona 1974, p. 112-13.*
Inventario	6242.	530.	3273 (C.P., p. 144, n. 557).	1409 (C.P., p. 149, n. 1000).
Foto	111348.	111327.	123818.	161362.
Note	Siglato F. T. sul collare del cane. È il modello per il dipinto eseguito dal pittore per il cardinale Fabbrizio Spada-Veralli (v. Zeri 1954), inviato, secondo il Pascoli (Vita ms nella Biblioteca Augusta di Perugia) al principe Ferdinando de' Medici dal Trevisani. È ricordato per la prima volta in un inventario generale di palazzo Pitti del 1761. Il quadro Spada è databile a prima del 1717, ma senza specificare l'anno, per Zeri e Griseri, mentre il Di Federico ha ristretto gli anni dell'esecuzione al 1705-10, basandosi sulle analogie stilistiche con opere di questo periodo: quindi anche il modello andrebbe datato in quegli anni. L'autore indica le marginali differenze tra quest'ultimo e la redazione finale del soggetto. Ne esiste una versione leggermente più grande, identificata da P. Pouncey (com. orale), nel Museo di Sibin. M.C.	Sul retro della tela scritta settecentesca: Trevisani. Sulla traversa inferiore della cornice (retro) scritta settecentesca: Di mano del Trevisani. La provenienza del dipinto non è documentata, né esso è segnalato negli inventari medicei: ciò lascia pensare che il quadro sia entrato nelle collezioni fiorentine in epoca lorenese. Opera tarda. M.C.	La tavola, segata nella parte inferiore, appartiene a una serie di sei pannelli (divisi in musei diversi) di dimensioni simili, che la critica accosta variamente considerandoli parti di uno o più polittici smembrati: in particolare quello di S. Luca in Borgo a Ferrara o quello di S. Giacomo ad Argenta. Secondo Ricci (1905), A. Venturi (1914) e Longhi (1934), il dipinto degli Uffizi apparterebbe al primo polittico citato, mentre il Salmi (1957) propende per il secondo. Per questione di carattere stilistico il S. Domenico sembra comunque da doversi accostare al S. Antonio da Padova del Louvre e al S. Giacomo del Musée des Beaux Arts di Caen. E.M.	In basso a destra si legge con difficoltà: Alexan...f. Sul retro un cartellino con scritta antica specifica: di Alessandro Turchi detto l'Orbetto. Il dipinto è descritto come allegoria della città di Verona nell'inventario dei quadri in palazzo Pitti ai primi del settecento. Apparteneva alla raccolta personale di Ferdinando de' Medici, che lo fece portare tra le 'opere in piccolo' a Poggio a Cajano (Strocchi 1976). Più tardi vi si vide un'allegoria del battesimo del figlio di giovanni Cornaro (Venturi 1929), ma con attribuzione al Brusasorci. citato per un 'paragone' di questo soggetto dal Ridolfi (1648). E.B.

	P1745	P1746	P1747	P1748
AUTORE	Turchi, Alessandro detto l'Orbetto (Verona 1590 ca. - Roma 1649).	Ugolino di Neri, detto Ugolino da Siena (Siena, prima metà sec. XIV).	Valdés Leal, Juan de (Siviglia 1622-96).	Valentin de Boulogne (Coulommiers 1591 - Bologna 1632), copia da.
TITOLO	Cristo al Limbo.	Madonna col Bambino fra i SS. Pietro e Paolo.	Allegoria della Vanità.	Giocatori di dadi.
DATAZIONE	1620 ca. (Borea 1970).	Prima metà sec. XIV.		
DATI TECNICI	Olio su pietra di paragone, 46x37,2.	Tempera su tavola, 148x152, restauro 1913.		
CORNICE	Dorata liscia.	Listello moderno di legno chiaro e resti della cornice originale in ciliegio con tracce di policromia.		
UBICAZIONI	Pitti (1700 ca.); Poggio a Caiano (1710 ca.); Uffizi (1773).	Chiesa di S. Pietro in Villore, S. Giovanni d'Asso (Siena); Coll. Pannilini, S. Giovanni d'Asso; Coll. Contini Bonacossi; Uffizi (1974), Dep. Meridiana di Pitti.		
ATTRIBUZIONI	Moretto (inv. 1700 ca.). Turchi (inv. 1890). Pasquale Ottino (Brunetti 1960). Turchi (Borea 1970).	Scuola di Duccio (Cat. Siena 1904). Affine a Ugolino (Cat. Siena 1913, Brandi 1951). Ugolino (Salmi 1969, Bellosi 1974).		
ESPOSIZIONI	Caravaggio e Caravaggeschi nelle Gallerie di Firenze, Firenze 1970.	Antica arte senese, Siena 1904. In onore di Duccio di Boninsegna, Siena 1913.		
BIBLIOGRAFIA	E. Brunetti, La terza settimana dei musei a Firenze, in 'Arte Antica e Moderna' 1960, p. 214. M.L. Strocchi, Il gabinetto di 'opere in piccolo' del Gran Principe Ferdinando a Poggio a Caiano, in Paragone 311, 1976, p. 100. *E. Borea, in Cat., Firenze 1970, p. 42.*	C. Brandi, Duccio, Firenze 1951, p. 155. M. Salmi, in Bollettino d'arte, 4, 1967.		
INVENTARIO	1426 (C.P., p. 158, n. 1009).	Contini Bonacossi 4.		
FOTO	161374.	317240 e part.		
NOTE	Reca a tergo le seguenti scritte: Poggio a Cajano dalla R. Guardaroba ag. 1773; Pitti 12 Maggio 1796; Buonvicino detto il Moretto. Questi dati e attribuzioni sono confermati negli inventari relativi al quadro. Il dipinto faceva parte della raccolta di opere in piccolo di Ferdinando de' Medici (Strocchi 1976). Come tutti i quadretti su pietra del Turchi è di difficile datazione. E.B.	Il trittico, che comprende nelle cuspidi le figure dell'Eterno benedicente e di due Santi (Stefano e Giovanni evangelista?), passò dalla chiesetta di S. Pietro in Vincoli, detto Villore, presso S. Giovanni d'Asso, di patronato della famiglia Pannilini, nelle collezioni di quest'ultima. Il Salmi lo mette in relazione col trittico di Ugolino già esistente in Santa Croce. Mentre il Brandi, ipotizzando un 'Maestro del trittico della Pieve di S. Giovanni d'Asso', affine a Ugolino, ma attento anche alle novità del giovane Simone Martini, lo collega al polittico n. 38 della Pinacoteca di Siena e alla Madonna col Bambino della Pieve di Pilli. L'opera è entrata nelle collezioni della Galleria in seguito a un atto di donazione, accompagnato da una convenzione, da parte degli ere di del conte Alessandro Contini Bonacossi (1969). C.C.	Vedi: Pereda, Antonio de. Allegoria della vanità.	Vedi: Giambologna. Giocatori di dadi, Scheda P706.

	P1749	P1750	P1751	P1752
AUTORE	Van Aelst, Willem (Delft 1627 - Amsterdam? 1683).	Van Aelst, Willem (Delft 1627 - Amsterdam? 1683).	Van Balen, Hendrick (Anversa 1575-1632).	Van Berghen, Dirk (Haarlem 1638 - post 1690).
TITOLO	Uccelli morti.	Uccelli morti.	Sposalizio della Madonna.	Paesaggio con pastora e animali.
DATAZIONE	1650 ca.	1652.	1600 ca.	1670 ca.?
DATI TECNICI	Olio su tela, 22,5x27,5.	Olio su tela, 50,5x67,3.	Olio su tavola, 51x66,5, restauro 1975.	Olio su tavola, 28x35,5.
CORNICE	Ebano, sec. XIX-XX.	Ebano, sec. XIX-XX.	Liscia, dorata, sec. XVII-XVIII.	Ebano, sec. XIX-XX.
UBICAZIONI	Casino di Via della Scala (1663); Poggio a Caiano (inizi sec. XVIII); Uffizi (1773); Pitti (1928).	Pitti (ante 16775); Uffizi (1796).	Uffizi (1753); Pitti (1977).	Pitti (inizi sec. XVIII); Uffizi (1753).
ATTRIBUZIONI	—	—	—	—
ESPOSIZIONI	—	Artisti alla corte granducale, Firenze 1969.	Rubens e la pittura fiamminga del Seicento nelle collezioni pubbliche fiorentine, Firenze 1977.	Paesisti, Bamboccianti e vedutisti nella Roma seicentesca, Firenze 1967.
BIBLIOGRAFIA	J. Rosenberg - S. Slive - E. H. Ter Kuile, Dutch Art and Architecture 1600-1800, Harmondsworth 1966. M. Chiarini, in Cat., Artisti alla corte granducale, Firenze 1969. *A. I. Rusconi, La Galleria Pitti, Roma 1937, p. 20. M. L. Strocchi, in Paragone, 311, 1976, p. 106.*	J. Rosenberg - S. Slive - E. H. Ter Kuile, Dutch Art and Architecture 1600-1800, Harmondsworth 1966. *Cat., Firenze 1969, n. 73.*	H. Gerson-E.H. Ter Kuile, Art and Architecture in Belgium 1600-1800, Harmondsworth 1960. *Cat., Firenze 1977, n. 2.*	Thieme-Becker, III, 1938. *Cat., Firenze 1967, n. 41.*
INVENTARIO	1209 (C.P., p. 141, n. 889).	1245 (C.P., p. 139, n. 925).	1142 (C.P., p. 119, n. 820).	1257 (C.P., p. 133, n. 935).
FOTO	101191.	321834.	193662.	307710.
NOTE	Scritta sul telaio: Monsu Vanast. Probabilmente acquistato direttamente presso l'artista dal cardinal Giancarlo de' Medici intorno al 1650, quando anche altri quadri di quel periodo del Van Aelst entrarono nella sua collezione. Successivamente il quadretto fece parte della collezione del principe Ferdinando de' Medici nella Villa di Poggio a Caiano (Strocchi, 1976). M.C.	Firmato e datato sul bordo della tovaglia: W. V. Aelst 1652. Il dipinto fece parte della collezione del cardinal Leopoldo de' Medici (inventario steso alla sua morte, 1675). Probabilmente dipinto durante il soggiorno a Roma dell'artista, dal quale fu forse acquistato direttamente. M.C.	L'attribuzione al van Balen risale all'inventario della Galleria degli Uffizi del 1753. L'opera non ha molti riscontri con la maniera abituale del pittore, ma il Bodart (Cat., Firenze 1977), che vi nota notevoli influssi della pittura italiana, lo avvicina ad opere della giovinezza come l'Assunta del Kunsthist. Museum di Vienna, databile intorno al 1600. Incisioni: Lasinio/Gozzini, 1824. M.C.	Firmato in basso al centro: D. v. Berghen. La provenienza del dipinto non è documentata. Si trovava in palazzo Pitti, nella collezione del principe Ferdinando figlio di Cosimo III de' Medici, nel cui inventario è descritto (v. Paragone, n. 303, 1975, p. 91-2). Forse acquistato da Cosimo III in uno dei due viaggi compiuti nei Paesi Bassi. Agli Uffizi fu esposto per qualche tempo nella Tribuna. M.C.

	P1753	P1754	P1755	P1756
AUTORE	Van Berghen, Dirk (Haarlem 1638 - post 1690).	Van Bloemen, Jan Frans (Anversa 1662 - Roma 1749).	Van Bloemen, Jan Frans (Anversa 1662 - Roma 1749).	Van Bloemen, Jan Frans (Anversa 1662 - Roma 1749).
TITOLO	Paesaggio con animali.	Paesaggio con cascata.	Paesaggio con due figure.	Paesaggio con due figure presso una cascata.
DATAZIONE	1680-90 ca.?	1690-1700 ca. (Busiri Vici 1974).	1690-1700 ca. (Busiri Vici 1974).	1690-1700 ca.
DATI TECNICI	Olio su tela, 32x36.	Tempera su tela, 58x152.	Tempera su tela, 58,5x178,5.	Tempera su tela, 58x179.
CORNICE	Ebano, sec. XIX-XX.	Sagomata, intagliata e dorata, sec. XVII-XVIII.	Sagomata, intagliata e dorata, sec. XVII-XVIII.	Sagomata, intagliata e dorata, sec. XVII-XVIII.
UBICAZIONI	Uffizi (1784).	Coll. Feroni (ante 1850); Uffizi (1866); Cenacolo di Foligno (1894).	Coll. Feroni (ante 1850); Uffizi (1866); Cenacolo di Foligno (1894).	Coll. Feroni (ante 1850); Uffizi (1866); Cenacolo di Foligno (1894).
ATTRIBUZIONI	—	—	—	—
ESPOSIZIONI	—	—	Paesisti, bamboccianti e vedutisti nella Ropa seicentesca, Firenze 1967.	—
BIBLIOGRAFIA	*Thieme-Becker, III, 1938. G. Poggi, Gall. degli Uffizi, Cat. dei dipinti, 1927, p. 185.*	L. Salerno, *Pittori di paesaggio del Seicento a Roma, vol. II. Roma 1976. Catalogo della Galleria Feroni, Firenze 1895, p. 11. M. Chiarini, in Cat., Paesisti, bamboccianti e vedutisti nella Roma seicentesca, Firenze 1967, p. 32s. A. Busiri Vici, Orizzonte, Roma 1974, cat. n. 29.*	L. Salerno, *Pittori di paesaggio del Seicento a Roma, vol. II, Roma 1976. Catalogo della Galleria Feroni, Firenze 1895, p. 11. Cat., Firenze 1967, n. 47. A. Busiri Vici, Orizzonte, Roma 1974, cat. n. 30.*	L. Salerno, *Pittori di paesaggio del Seicento a Roma, vol. II, Roma 1976. Catalogo della Galleria Feroni, Firenze 1895, p. 11. M. Chiarini, in Cat., Paesisti, bamboccianti e vedutisti nella Roma seicentesca, Firenze 1967, p. 32s. A. Busiri Vici, Orizzonte, Roma 1974, cat. n. 28.*
INVENTARIO	1260 (C.P., p. 135, n. 938).	S. Marco e Cenacoli 139.	S. Marco e Cenacoli 136.	S. Marco e Cenacoli 162.
FOTO	307709.	152946.	204578.	152948, 204582.
NOTE	Firmato in basso a destra: DV Berghen. La provenienza del dipinto, che compare per la prima volta in un inv. degli Uffizi del 1784, non è documentata. Il Poggi, confondendolo con il quadro di A. Van de Velde, n. 1273, afferma che il dipinto si trovava a Poggio a Caiano. M.C.	Per il commento, si veda il n. 136. Anche questo dipinto reca sul retro il cartellino con la scritta settecentesca: Monsù Orizzonte. M.C.	Sul retro cartellino con scritta settecentesca: Monsù Orizzonte. Non vi è da dubitare sull'attribuzione di questo quadro e sugli altri sei con i quali fa serie, e che probabilmente appartennero alla decorazione di una sala di un palazzo romano. Ancora molto vicini al Dughet nell'impostazione spaziale e nella tecnica a tempera, inaugurata dal Pussino nelle tempere per palazzo Colonna a Roma, vanno datati, come pensa anche il Busiri Vici, ancora entro il XVII secolo. M.C.	Per il commento, si veda il n. 136, Scheda P1759. M.C.

	P1757	P1758	P1759	P1760
AUTORE	Van Bloemen, Jan Frans (Anversa 1662 - Roma 1749).	Van Bloemen, Jan Frans (Anversa 1662 - Roma 1749).	Van Bloemen, Jan Frans (Anversa 1662 - Roma 1749).	Van Bloemen, Jan Frans (Anversa 1662 - Roma 1749).
TITOLO	Paesaggio con due viandanti.	Paesaggio con pellegrino e due figure.	Paesaggio con tre figure.	Paesaggio con viandanti.
DATAZIONE	1690-1700 ca. (Busiri Vici 1974).	1690-1700 ca. (Busiri Vici 1974).	1690-1700 (Busiri Vici 1974).	1690-1700 ca. (Busiri Vici 1974).
DATI TECNICI	Tempera su tela, 58x159.	Tempera su tela, 57,5x178,5.	Tempera su tela, 58x179.	Tempera su tela, 58,5x215.
CORNICE	Sagomata, intagliata e dorata, sec. XVII-XVIII.	Sagomata, intagliata e dorata, sec. XVII-XVIII.	Sagomata, intagliata e dorata, sec. XVII-XVIII.	Sagomata, intagliata e dorata, sec. XVII-XVIII.
UBICAZIONI	Coll. Feroni (ante 1850); Uffizi (1866); Cenacolo di Foligno (1894).	Coll. Feroni (ante 1850); Uffizi (1866); Cenacolo di Foligno (1894).	Coll. Feroni (ante 1850); Uffizi (1866); Cenacolo di Foligno (1894).	Coll. Feroni (ante 1850); Uffizi (1866); Cenacolo di Foligno (1894).
ATTRIBUZIONI	—	—	—	—
ESPOSIZIONI	—	Paesisti, bamboccianti e vedutisti nella Roma seicentesca, Firenze 1967.	—	Paesistai, bamboccianti e vedutisti nella Roma seicentesca, Firenze 1967.
BIBLIOGRAFIA	L. Salerno, *Pittori di paesaggio del Seicento a Roma*, vol. II, Roma 1976. *Catalogo della Galleria Feroni, Firenze 1895, p. 11. Chiarini, in Cat., Paesisti, bamboccianti e vedutisti nella Roma seicentesca, Firenze 1967, p. 32s. A. Busiri Vici, Orizzonte, Roma 1974, cat. n. 27.*	L. Salerno, *Pittori di paesaggio del Seicento a Roma*, vol. II, Roma 1976. *Catalogo della Galleria Feroni, Firenze 1895, p. 11. Cat., Firenze 1967, n. 49. A. Busiri Vici, Orizzonte, Roma 1974, cat. n. 31.*	L. Salerno, *Pittori di paesaggio Seicento a Roma*, vol. II, Roma 1976. *Catalogo della Galleria Feroni, Firenze 1895, p. 11. M. Chiarini, in Cat., Paesisti, bamboccianti e vedutisti nella Roma seicentesca, Firenze 1967, p. 32s. A. Busiri Vici, Orizzonte, Roma 1974, cat. n. 26.*	L. Salerno, *Pittori di paesaggio del Seicento a Roma*, vol. II, Roma 1976. *Catalogo della Galleria Feroni, Firenze 1895, p. 15, in Cat., Firenze 1967, n. 48. A. Busiri Vici, Orizzonte, Roma 1974, cat. n. 32.*
INVENTARIO	S. Marco e Cenacoli 159.	S. Marco e Cenacoli 153.	S. Marco e Cenacoli 147.	S. Marco e Cenacoli 142.
FOTO	152945.	217295.	152947.	204579.
NOTE	Per il commento, si veda il n. 136, Scheda P1759. M.C.	Sul retro cartellino con scritta settecentesca: Monsù Orizzonte. Per il commento, si veda il n. 136, Scheda P1759. M.C.	Sul retro cartellino con scritta settecentesca: Monsù Orizzonte. Per il commento, si veda il n. 136, Scheda P1759. M.C.	Sul retro cartellino con scritta settecentesca: Monsù Orizzonte. È il dipinto più lungo della serie e probabilmente costituiva il centro della parete. Per maggiori precisazioni, si veda il n. 136, Scheda P1759. M.C.

	P1761	P1762	P1763	P1764
Autore	Van Clève, Joos (Anversa 1485 ca. - 1540-41).	Van Clève, Joos (Anversa 1485 ca. - 1540-41).	Van Clève, Joos (Anversa 1485 ca. - 1540-41.	Van Coninxloo, Gillis (Anversa 1544 ca. - Amsterdam 1607), attr. a.
Titolo	Ritratto virile.	Ritratto d'ignoto.	Ritratto d'ignota.	Paesaggio con caccia alle anatre.
Datazione	1510 (Baldass 1925). 1512 ca. (Fiedlander 1972).	1520 (Baldass 1925, Friedländer 1931).	1527.	Fine sec. XVI (Bodart 1977).
Dati tecnici	Olio su tavola, 31x20.	Parte di dittico, olio su tavola, 57x42, restauro 1970-71.		Olio su rame, 17x22,5.
Cornice	Moderna in legno chiaro.	Moderna in legno chiaro e oro.		Sagomata, dorata, sec. XVII-XVIII.
Ubicazioni	Card. Leopoldo de' Medici (ante 1675); Uffizi (1952).	Uffizi (Inv. 1753).		Pitti (fine sec. XVII); Poggio a Caiano (ante 1713); Uffizi (1773).
Attribuzioni	Quinten Metsys (Inv. 1675 e seguenti). J. Van Clève (Friedländer, Leyden 1972).	Q. Metsys (Inv. 1753). Scuola fiamminga sec. XVI (Ridolfi, 1905). Joos van Clève (Bode 1884, Baldass 1925, Friedländer 1931).		Pieter Brueghel (Inv. sec. XVIII). Jan Brueghel dei Velluti (Inv. Uffizi 1796). P. Bril (Chiarini 1967). Coninxloo (Bodart 1977).
Esposizioni	Arte fiamminga e olandese dei sec. XV-XVI, Firenze 1947.	Arte fiamminga e olandese dei sec. XV, XVI, Firenze 1947.		Paesisti, Bamboccianti e vedutisti nella Roma seicentesca, Firenze 1967. Rubens e la pittura fiamminga del Seicento nelle collezioni pubbliche fiorentine, Firenze 1977.
Bibliografia	Ludwig Baldass, J. Van Clève, Wien 1925. R. Salvini, Cat. Galleria Uffizi, Firenze, 1952. Friedländer, Lieden 1972 (IXa).	Van Clève, Joos (Anversa 1485 *M. Friedländer, Altniederlandische Malerei IX, Berlin 1931. L. Collobi - Ragghianti, in Cat., Firenze 1948, p. 43.*		G. van der Osten - H. Vey, Painting and Sculpture in Germany a the Netherlands, 1500-1600, Harmondsworth 1969. *Cat., Firenze 1977, n. 26.*
Inventario	1645 (C.P., p. 106, n. 237).	1643 (C.P., p. 94, n. 237).	1644 (C.P., p. 94, n. 237).	1230.
Foto	142751.	144054.	144058.	176113.
Note	Fu ritenuto lungamente autoritratto di Quinten Metsys, (vedi anche Catalogo Pieraccini), di proprietà Card. Leopoldo dei Medici. Fu esposto agli Uffizi nel 1952 con l'attribuzione a Joos van Clève e come ritratto di ignoto. E.M.	Forma dittico col n. 1644. Presente nell'inventario 1753 come autoritratto di Quentin Metsys con la moglie, già il Ridolfi (1905) ne correggeva l'attribuzione ascrivendolo alla scuola fiamminga del sec. XVI. Il Bode lo assegnò invece al 'Maestro della Morte di Maria' poi identificato con Joos Van Clève il vecchio. Lo stemma inciso sull'anello del ritrattato è stato variamente riconosciuto come quello dei van de Beke o dei Desmidt (L. Collobi Ragghianti 1948). E.M.	Sul muro di fondo una sigla e la data 1527. Forma dittico col n. 1643. Vedi: Scheda P1762. E.M.	Scritta antica sul retro: Hans Brughel. La provenienza del dipinto non è documentata: sappiamo che era a Pitti alla fine del Seicento ed entrò poi, agli inizi del secolo successivo, nella collezione radunata dal principe Ferdinando de' Medici nella Villa di Poggio a Caiano (M. L. Strocchi: in Paragone, N. 309, 1975, e N. 311, 1976). Passato poi agli Uffizi, è stato studiato solo recentemente. L'attribuzione avanzata dal Bodart (1977) sembra la più convincente. M.C.

	P1765	P1766	P1767	P1768
AUTORE	Van Daellen, F. (Olanda?, metà sec. XVII ca.).	Van Dalem, Jan (Anversa? 1610 ca. - dopo il 1653).	Van den Hoecke, Jan (Anversa 1611 - Bruxelles? 1651).	Van den Hoecke, Jan (Anversa 1611 - Bruxelles? 1651).
TITOLO	Vanitas.	Bacco.	Ingresso trionfale del cardinale-infante Ferdinando di Spagna ad Anversa.	Ercole tra il Vizio e la Virtù.
DATAZIONE	1650-60 ca.?	1630-50 ca.	1634-35.	1647-51 ca. (Bodart 1977).
DATI TECNICI	Olio su tavola, 24,4x19,6, restauro 1959-60.	Olio su tela, 59x48, restauro 1973.	Olio su tela, 405x328, restauro 1792 e 1978-79.	Olio su tela, 145,5x194.
CORNICE	Sagomata, dorata, sec. XIX.	Sagomata, dorata, sec. XVII.	Liscia, sagomata e sgusciata, sec. XVII-XVIII.	Barocca, dorata.
UBICAZIONI	Pitti; Petraia (1686); Uffizi (1772); Poggio Imperiale; Uffizi (1796); Dep. Pitti.	Coll. Feroni (ante 1850); Uffizi (1866); Cenacolo di Foligno (1894).	Coll. card. infante Ferdinando, Anversa (1635); Coll. Venier, Venezia (1710 ca.); Coll. Udny, Livorno (1770 ca.); Uffizi (1791).	Pitti (1713); Uffizi (1753).
ATTRIBUZIONI	Gio. Van Dael (Inv. Uffizi sec. XVIII-XIX).	Ludovico Carracci (Cat. Feroni 1895). Ignoto bolognese sec. XVII (Borea 1975). Van Dalem (Chiarini e Bodart 1977).	P. P. Rubens (attr. tradizionale). Copia da Rubens (Inv. Uffizi 1825). Van den Hoecke (Bodart 1977).	Van den Hoeck (Inv. 1713). Rubens (Cochin 1769, Inv. 1769, Rooses 1890). Van den Hoeck (Bodart 1977).
ESPOSIZIONI	—	Pittori bolognesi del Seicento nelle Gallerie di Firenze, Firenze 1975. Rubens e la pittura fiamminga del Seicento nelle collezioni pubbliche fiorentine, Firenze 1977.	—	—
BIBLIOGRAFIA	J. Rosenberg - S. Slive - E. H. Ter Kuile, Dutch Art and Architecture, 1600-1800, Harmondsworth 1966.	H. Gerson - E. H. Ter Kuile, Art and Architecture in Belgium 1600-1800, Harmondsworth 1960. *Catalogo della Galleria Feroni, Firenze 1895, p. 3. Cat., Firenze 1975, n. 37. Cat., Firenze 1977, n. 28.*	H. Gerson - E. H. Ter Kuile, Art and Architecture in Belgium, 1600-1800, Harmondsworth 1960. *D. Bodart, in Cat. Rubens e la pittura fiamminga del Seicento nelle collezioni pubbliche fiorentine, Firenze 1977, n. 49.*	M. Rooses, L'oeuvre de P.P. Rubens Anversa 1886-1892. G. Heintz, Studien über Jan van den Hoecke..., Jahrb. d. Kunsthist. Samml. Wien, 1967. *D. Bodart, in Cat. Rubens e la pittura fiamminga del Seicento..., Firenze 1977, p. 150, n. 50.*
INVENTARIO	1077.	S. Marco e Cenacoli 101.	5404.	1442 (C.P., p. 152, n. 1140).
FOTO	112053.	216063.	152770.	171359.
NOTE	Il dipinto forma coppia con un altro di uguale soggetto (Inv. 1890, N. 1081), che è firmato in basso a destra: F. V. Daellen. Nulla si sa di questo artista, probabilmente olandese dati i caratteri stilistici dei due dipinti, e che potrebbe aver fatto parte della più nota famiglia di pittori Van Dalen, alcuni dei quali sembra che abbiano coltivato il genere della natura morta. Oltre i due quadri degli Uffizi, si conosce solo un altro dipinto di questo artista, anch'esso rappresentante una Vanitas, nell'Institut of Arts di Detroit. M.C.	Il dipinto reca un'attribuzione a Ludovico Carracci nel catalogo della collezione di provenienza che non fu accettata da E. Borea (1975), che lo classificava come ignoto bolognese. Il quadro è stato però confrontato, su un suggerimento orale di M. Chiarini, a un altro di soggetto analogo (firmato e datato 1648) del pittore fiammingo J. van Dalem nel Museo di Vienna da D. Bodart (1977). Questo studioso indicava anche un'altra versione anteriore (1631) del soggetto nella coll. Liechtenstein, proponendo di datare l'esemplare Feroni tra questi due limiti cronologici. M.C.	Il dipinto fece parte della decorazione di un arco trionfale eretto in onore del cardinale infante Ferdinando, fratello di Filippo IV di Spagna, che divenne governatore dei Paesi Bassi nel 1634. L'arco di trionfo fu innalzato per l'ingresso ufficiale di Ferdinando ad Anversa, che ebbe luogo il 17 aprile 1635. I bozzetti della decorazione furono eseguiti da P. P. Rubens, ma l'esecuzione fu affidata a diversi artisti: l'Ingresso trionfale risulta assegnato, con contratto del 28 novembre 1634, al Van den Hoecke, ma Bodart pensa a una probabile collaborazione di J. Jordaens. Il bozzetto relativo del Rubens è nell'Ermitage di Leningrado, e il Van Thulden incise la composizione nel 1642. Il grande dipinto, posseduto dal cardinale infante, finì, dopo altri passaggi, nelle mani del console inglese a Livorno John Udny che lo vendette al Granduca di Toscana nel 1791.	Il dipinto è ricordato con la corretta attribuzione nell'inventario steso alla morte di Ferdinando, principe di Toscana, nel 1713; essa venne cambiata una volta trasportato agli Uffizi, ma il Bodart (1977) ha accettato l'antica attribuzione collegando l'opera con altre del Van den Hoecke a Vienna. Il quadro fu molto probabilmente eseguito dopo che l'artista divenne (1647) pittore di corte dell'arciduca Leopoldo Guglielmo. M.C.

	P1769	P1770	P1771	P1772
Autore	Van der Cabel, Adriaen (Rijswijk 1630-31 - Lione 1698 o 1705).	Van der Cabel, Adriaen (Rijswijk 1630-31 - Lione 1698 o 1705).	Van der Goes, Hugo (Gand 1440 ca. - Audergem 1482).	Van der Goes, Hugo (Gand 1440 ca. - Audergem 1482).
Titolo	Veduta di un porto.	Veduta di un porto.	Adorazione dei pastori (Trittico Portinari); sui retri dei laterali: Annunciazione (in grisaille).	Annunciazione (Retro dell'opera P1771).
Datazione	1660-65 ca.	1660-65 ca.	1473-5 (Friedländer 1971). 1475-6 (Winkler 1964). 1478 (Hatfield Strens 1968).	
Dati tecnici	Olio su tela, 50x99, restauro 1977.	Olio su tela, 45x99, restauro 1978.	Opera composita, olio su tavola, 253x586 in totale (pannello centrale 253x304, laterali 253x141 ciascuno).	
Cornice	Liscia, dorata, sec. XVII.	Liscia, dorata, sec. XVII.	—	
Ubicazioni	Uffizi (1905 ca.).	Uffizi (1905 ca.).	Famiglia Portinari, Bruges (dall'origine); Chiesa di S. Egidio (1483); Galleria Arcispedale di S. Maria Nuova (1871); Uffizi (1900).	
Attribuzioni	Manglard (Pieraccini 1905 ca., Boyer 1936). Van der Cabel (Rosenberg 1977).	Manglard (Pieraccini 1905 ca., Boyer 1936). Van der Cabel (Rosenberg 1977).	—	
Esposizioni	—	—	Pittura fiamminga e olandese dei secc. XV e XVI, Firenze 1947. Mostra del Ritratto fiammingo, Bruges 1953 (i due laterali).	
Bibliografia	F. Boyer, Les artistes français et les amateurs italiens au XVIIIe siècle, Bull. de la Soc. de l'Hist. de l'Art français, 1936, p. 219. *P. Rosenberg, in Cat. Pittura francese nelle collezioni pubbliche fiorentine, Firenze 1977, p. 228, n. XCII.*	F. Boyer, Les artistes français et les amateurs italiens au XVIIIe siècle, Bull. de la Soc. de l'Hist. de l'Art français, 1936, p. 219. *P. Rosenberg, in Cat., Pittura francese nelle collezioni pubbliche fiorentine, Firenze 1977, p. 228, n. XCIII.*	M. Friedländer, Early Netherlandish Painting, IV, Leyden-Bruxelles 1971. Corpus Peintres Primitifs Flamands, in corso di stampa. *B. Hatfield Strens, in Commentari XIX, 1968.*	
Inventario	533 (C.P., p. 81, n. 88).	535 (C.P., p. 81, n. 103).	3191-2-3 (C.P., p. 95, n. 1525).	
Foto	278996.	306059.	33888 e part.	
Note	Il Van der Cabel fu un pittore minore attivo soprattutto in Francia ma anche in Italia che ebbe il ruolo di trasmettere determinati temi seicenteschi, come quello del porto al tramonto, derivato da Claude Lorrain, agli artisti del secolo successivo. La sua influenza si estese soprattutto ai pittori lionesi, in particolare al Manglard al quale erano attribuiti i due quadri, che invece presentano le caratteristiche stilistiche del Van der Cabel. Eseguito probabilmente, col suo 'pendant' al n. seg., nel periodo romano dell'artista (1660-65). M.C.	Per il commento, si rinvia al n. 533, del quale il dipinto è 'pendant'. Vedi: Scheda P1779. M.C.	Dipinta a Bruges per Tommaso Portinari, agente mediceo, colà residente con la famiglia, che è ritratta al completo negli sportelli laterali: a sinistra Tommaso con i figli Antonio e Pigello, a destra la moglie Maria Bonciani con la figlia Margherita. In secondo piano i santi protettori dei Portinari e sullo sfondo Maria e Giuseppe a sinistra, i re Magi a destra. La Hatfield Strens (1968) ha reso note le vicende del trasporto per nave delle tavole da Bruges a Firenze, arrivate il 28 maggio 1483 e collocate sull'altar maggiore della chiesa di S. Egidio dell'Arcispedale di S. Maria Nuova, di patronato della famiglia Portinari. Nel 1567 il dipinto fu smembrato e a seguito della contemporanea distruzione di affreschi colà esistenti di Domenico Veneziano e A. del Castagno, col tempo si generò l'opinione che le tavole fossero opere dei due artisti italiani. E.M.	Vedi: Van der Goes, Hugo. Adorazione dei Pastori.

	P1773	P1774	P1775	P1776
AUTORE	Van der Heyden, Jan (Gorkum 1637 - Amsterdam 1712).	Van der Neer, Eglon Hendrick (Amsterdam 1634? - Düsseldorf 1703).	Van der Neer, Eglon Hendrick (Amsterdam 1634? - Düsseldorf 1703).	Van der Neer, Eglon Hendrick (Amsterdam 1634? - Düsseldorf 1703).
TITOLO	Il palazzo di città ad Amsterdam.	Ester davanti ad Assuero.	Paesaggio con lavandaie.	Paesaggio con pastori e armenti.
DATAZIONE	1667.	1696.	1697?	1697?
DATI TECNICI	Olio su tela, 85x92.	Olio su tela, 70,5x54, restauro 1975.	Olio su tavola, 28x41, restauro 1974.	Olio su tavola, 28x41, restauro 1974.
CORNICE	Ebano, sec. XIX-XX.	Sagomata, dorata, sec. XVIII?	Ebano, sec. XIX-XX.	Ebano, sec. XIX-XX.
UBICAZIONI	Pitti (1668); Uffizi (1787).	Uffizi (1704).	Pitti (inizi sec. XVIII); Uffizi (1753); Pitti (1970).	Pitti (inizi sec. XVIII); Uffizi (1753); Pitti (1928).
ATTRIBUZIONI	—	—	—	—
ESPOSIZIONI	—	—	—	—
BIBLIOGRAFIA	J. Rosenberg - S. Slive - E. H. Ter Kuile, Dutch Art and Architecture 1600-1800, Harmondsworth 1966. *H. Wagner, Jan van der Heyden, Amsterdam-Haarlem 1971, cat. n. 1.*	J. Rosenberg - S. Slive - E. H. Ter Kuile, Dutch Art and Architecture 1600-1800, Harmondsworth 1966. *C. Hofstede de Groot, Beschr. u. Krit. Verzeichnis..., Esslingen 1907-28, vol. V.*	J. Rosenberg - S. Slive - E. H. Ter Kuile, Dutch Art and Architecture 1600-1800, Harmondsworth 1966. *C. Hofstede Groot, Beschr. u. Krit. Verzeichnis..., Esslingen 1907-28, vol. V.*	J. Rosenberg - S. Slive - E. H. Ter Kuile, Dutch Art and Architecture 1600-1800, Harmondsworth 1966. *C. Hofstede de Groot, Beschr. u. Krit. Verzeichnis..., Esslingen 1907-28, vol. V.*
INVENTARIO	1211 (C.P., p. 135, n. 891).	1186 (C.P., p. 130, n. 866).	1205 (C.P., p. 134, n. 893).	1213 (C.P., p. 134, n. 1205).
FOTO	109178-79.	248472.	205566.	217616.
NOTE	Il quadro è firmato e datato sulla facciata della casa a sinistra: Jan van der Heyde.f.A°1667. Esso fu acquistato ad Amsterdam da Cosimo de' Medici nel gennaio 1668 durante un suo viaggio nei Paesi Bassi: il dipinto gli fu proposto dal pittore Adriaen van de Velde, che molto probabilmente vi aveva dipinto le figure. Al centro della veduta il palazzo di città costruito da Jan van Campen nel 1648-55 (poi palazzo reale), a destra nello sfondo la Nieuwekerk. Un'altra versione del dipinto, datata 1668, è al Louvre. M.C.	Firmato e datato in basso a sinistra: 'Eglon Hendrick van der Neer fec. 1696'. È possibile che il quadro sia stato inviato a Cosimo III de' Medici dal genero, Elettore Palatino del Reno dato che il pittore era attivo allora a Düsseldorf come pittore di corte. M.C.	Per il Pieraccini (1905 ca.) che deriva la notizia dall'Inv. Uffizi 1825, il dipinto risultava firmato e datato: Van der Neer 1697, ma tale scritta è ora invisibile. Sulla tavoletta di chiusura del retro scritta settecentesca: Van der Neer. Il quadretto, con il suo 'pendant' n. 1213, era forse tra quelli di artisti fiamminghi e olandesi inviati in due occasioni dall'Elettore Palatino di Düsseldorf a suo cognato, Ferdinando de' Medici, agli inizi del XVIII secolo: tale ipotesi è avvalorata dal fatto che in quel periodo l'artista si trovava alla corte del Palatinato e che il quadro è elencato tra quelli della collezione del principe Ferdinando. M.C.	Secondo il Pieraccini (1905 ca.) firmato: Van der Neer, ma tale firma è ora invisibile. Sulla tavoletta di chiusura del retro, scritta settecentesca: di Van der Neer. Per la provenienza e la storia del dipinto, si veda alla scheda precedente (n. 1205).

	P1777	P1778	P1779	P1780
AUTORE	Van der Werff, Adriaen (Kralingen 1659 - Rotterdam 1722).	Van der Werff, Adriaen (Kralingen 1659 - Rotterdam 1722).	Van der Werff, Pieter (Rotterdam 1665-1722).	Van der Weyden, Rogier (Tournai 1400 ca. - Bruxelles 1464).
TITOLO	Il giudizio di Salomone.	Adorazione dei pastori.	Giochi di fanciulli.	La Deposizione nel Sepolcro.
DATAZIONE	1697.	1703.	1690-1700 ca.	1450 ca.
DATI TECNICI	Olio su tavola, 70,5x53, restauro 1977.	Olio su tavola centinata, 53x36.	Olio su tavola centinata, 46,5x34,5.	Olio su tavola, 110x96, restauro 1978 (A. Vermehren).
CORNICE	Ebano, sec. XIX-XX.	Ebano, sec. XIX-XX.	Ebano, sec. XIX-XX.	Legno nero forse ottocentesca.
UBICAZIONI	Pitti (1697); Uffizi (1704).	Düsseldorf (1703); Pitti (1716); Uffizi (1753).	Poggio a Caiano (inizi sec. XVII); Uffizi (1773).	Card. Carlo de' Medici (Inv. 1666); Uffizi (1666).
ATTRIBUZIONI	—	—	—	—
ESPOSIZIONI	—	—	—	A. Dürer (Inv. 1666, 1704, 1753, 1769). A. Solario (Inv. 1825, corretto in R.v.d. W.). R.v.d. Weyden (Crowe-Cavalcaselle 1899, Friedländer 1924, Lavalleye 1939, L. Collobi Ragghianti 1948). Z. Bugatto (Fierens-Gevaert 1909, Lafond 1912).
BIBLIOGRAFIA	J. Rosenberg - S. Slive - E. H. Ter Kuile, Dutch Art and Architecture 1600-1800, Harmondsworth 1966. Cat. mostra, Adriaen van der Werff, Rotterdam 1973. *A. Mayer-Meintschel, Zur künstlerischen Herkunft eines niederl. Bilder. Das Urteil Salomons..., Dresdener Kunstblätter, 1969, n. 1, p. 16ss.*	J. Rosenberg - S. Slive - E. H. Ter Kuile, Dutch Art and Architecture 1600-1800, Harmondsworth 1966. Cat. mostra, Adriaen van der Werff, Rotterdam 1973. *C. Hofstede de Groot, Beschr. u. Krit. Verzeichnis..., Esslingen 1907-28, vol. X.*	J. Rosenberg - S. Slive - E.H. Ter Kuile, Dutch Art and Architecture 1600-1800, Harmondsworth 1966. *C. Hofstede de Groot, Beschr. u. Krit. Verzeichnis..., Esslingen 1907-28, vol. X (al n. 166).*	M. Davies, R. Van der Weyden. An essay..., London 1972. Corpus Primitifs Flamands, Bruxelles, in corso di stampa.
INVENTARIO	1185 (C.P., p. 134, n. 905).	1313 (C.P., p. 132, n. 985).	1259 (C.P., p. 133, n. 937).	1114 (C.P., p. 96, n. 795).
FOTO	253299.	157775.	109183.	148092.
NOTE	Iscrizione sul retro: 'Adriano Vander Verff di Roterdam 1697'. Secondo la tastimonianza dell'Houbraken, il quadro fu eseguito dall'artista su ordinazione dell'Elettore Palatino del Reno, Johann W. von der Pfalz, che lo inviò in dono a suo suocero, Cosimo III de' Medici granduca di Toscana. Il dipinto fu esposto agli Uffizi nel 1704. Ne esistono varie versioni e copie, una delle quali, in 'grisaille', nella Pinacoteca di Monaco di Baviera. M.C.	Firmato e datato in basso a sinistra: Adr.ⁿ v.ʳ Werff fec. An° 1703. Scritte sul retro: Della Ser.ma Elettrice. Adriano Van der Werff. Il dipinto è ricordato nelle memorie del pittore all'anno 1702, come eseguito per l'Elettrice Palatina, Anna Maria Luisa de' Medici, che lo portò con sé a Firenze da Düsseldorf quando divenne vedova (1716). Il quadro fu esposto per qualche tempo nella Tribuna degli Uffizi. M.C.	Sul retro (tavola di chiusura) scritta: Van der Werff. n. 108. Il quadro, che è copia con varianti di uno di Adriaen van der Werff (oggi nella Pinacoteca di Monaco) datato 1687, appartenne al principe Ferdinando de' Medici che lo collocò nella sua raccolta di quadri nella villa di Poggio a Caiano (vedi M. L. Strocchi in Paragone, n. 311, 1976, p. 103). Può darsi che il dipinto abbia fatto parte del gruppo di opere olandesi e fiamminghe inviate a Ferdinando da suo cognato, Elettore Palatino del Reno, in due riprese nel 1706 e nel 1708, come testimoniato da lettere nell'Archivio di Stato a Firenze (com. di M. L. Strocchi). M.C.	Citato dal Baldinucci, come opera del Dürer, nella collezione di Cosimo III de' Medici. Secondo Crowe-Cavalcaselle la tavola doveva far parte del trittico appartenuto a Lionello d'Este (cit., 1449), ora scomparso; opinione questa a lungo discussa dalla critica e ora superata. Fu probabilmente dipinta a Firenze durante il soggiorno italiano dell'artista per il Giubileo del 1450. Le componenti italiane del dipinto, tra cui la stessa composizione che deriva probabilmente da un soggetto analogo dell'Angelico, ora a Monaco (1440 ca.) hanno fatto avanzare da alcuni critici in nome di Zanetto Bugatto, allievo lombardo di Rogier, ma attualmente l'attribuzione a quest'ultimo è concordemente accettata. Il personaggio di Nicodemo è tradizionalmente considerato un autoritratto. E.M.

	P1781	P1782	P1783	P1784
AUTORE	Van de Velde, Adriaen (Amsterdam 1636-1672).	Van de Velde, Adriaen (Amsterdam 1636-1672).	Van Diepenbeeck, Abraham ('s Hertogenbosch 1596 - Anversa 1675).	Van Douven, Jan Frans (Roermond 1656 - Düsseldorf 1727).
TITOLO	Paesaggio con animali.	Paesaggio con animali.	La Vergine dell'Apocalisse.	Ritratto di Giovanni Guglielmo, Elettore Palatino.
DATAZIONE	1660 ca.	1660 ca.	1645 ca. (Bodart 1977).	Fine sec. XVII - inizi sec. XVIII.
DATI TECNICI	Olio su tela, 42,8x38,7.	Olio su tela, 24x30,8.	Olio su tela, 73x54,5.	Olio su tela ovale, 85x65,5.
CORNICE	—	Ebano, sec. XIX-XX.	Liscia, dorata, sec. XVIII?	Intagliata, dorata, sec. XVII-XVIII.
UBICAZIONI	Pitti (sec. XVIII); Uffizi (1774).	Poggio a Caiano (inizi sec. XVIII); Uffizi (1773).	Bruxelles (1647); Vienna (1656); Uffizi (1793); Pitti (1928).	Düsseldorf (fine sec. XVII - inizi sec. XVIII); Pitti (1716); Uffizi (1905 ca.).
ATTRIBUZIONI	—	—	Van Dyck (Inv. Uffizi, Rusconi 1937), Diepenbeelck (Inv. coll. Arciduca Leopoldo Guglielmo, Zoege von Manteuffel 1921, Bodart 1977).	—
ESPOSIZIONI	—	D. Van Berghen (Inv. Pitti inizi XVIII sec.). Van de Velde (Galerie de Florence 1745-1807, Pieraccini 1906 ca., Hofstede de Groot 1911, Poggi 1927).	Rubens e la pittura fiamminga del Seicento nelle collezioni pubbliche fiorentine, Firenze 1977.	—
BIBLIOGRAFIA	J. Rosenberg - S. Slive - E. H. Ter Kuile, Dutch Art and Architecture 1600-1800, Harmondsworth 1966. *C. Hofstede de Groot, Beschr. u. Krit. Verzeichnis..., Esslingen 1907-28, vol. IV.*	J. Rosenberg - S. Slive - E. H. Ter Kuile, Dutch Art and Architecture 1600-1800, Harmondsworth 1966. *C. Hofstede de Groot, Beschr. u. Krit. Verzeichnis..., Esslingen 1907-28, vol. IV, M. L. Strocchi, in Paragone, n. 311, 1976, p. 114.*	Thieme-Becker, XXXIV, 1913. *Cat., Firenze 1977, n. 30.*	T. Levin, Lebensweg und Lebenswerk von J.F. von Douven, in Düsseldorfer Jhb., 1941. *H. Kühn-Steinhausen, Die Bildnisse... J.W. von der Pfalz und... A.M. Luisa de' Medici, Düsseldorfer Jhb., 1939, p. 135, n. 24.*
INVENTARIO	1258 (C.P., p. 141, n. 936).	1273 (C.P., p. 141, n. 951).	1105 (C.P., p. 124, n. 783).	4348 (C.P., p. 78, n. 3416).
FOTO	307724.	307725.	155852.	166010.
NOTE	La provenienza del dipinto non è documentata. L'attribuzione all'artista è accettata con riserva dall'Hofstede de Groot.	La provenienza del dipinto non è documentata, ma esso potrebbe essere stato tra quelli inviati in dono, in due diverse occasioni, al principe Ferdinando de' Medici da suo cognato, Elettore Palatino del Reno. Infatti il quadretto fece parte della raccolta allestita da Ferdinando con l'attribuzione a Dirk Van Berghen (questo nome compare a tergo del dipinto, insieme con la più recente attribuzione al Van de Velde). Come notò l'Hofstede de Groot, il giudizio sull'autografia è reso difficile dalle condizioni poco buone del dipinto.	Il dipinto, che è a monocromo, si trovava tra il 1647 e il 1656 nella collezione dell'arciduca Leopoldo Guglielmo con l'attribuzione al Diepenbeeck. Passato a Vienna, fu inviato per scambio a Firenze nel 1793, dove fu classificato come del Van Dyck. È stato attribuito di nuovo al Diepenbeeck da Zoege von Manteuffel e da Bodart. Come ha riconosciuto il Bodart, il dipinto doveva servire quale bozzetto per un frontespizio a stampa. Disegno preparatorio: Braunschweig, Herzog-Anton-Ulrich-Museum.	Sul retro scritte: Gio: Guglielmo Elettore Palatino/Douven. Inciso da G.D. Ferretti. Una copia si trova nel Museo di Düsseldorf.
	M.C.	M.C.	M.C.	M.C.

	P1785	P1786	P1787	P1788
AUTORE	Van Douven, Jan Frans (Roermond 1656 - Düsseldorf 1727).	Van Douven, Jan Frans (Roermond 1656 - Düsseldorf 1727).	Van Douven, Jan Frans (Roermond 1656 - Düsseldorf 1727).	Van Douven, Jan Frans (Roermond 1656 - Düsseldorf 1727).
TITOLO	S. Anna insegna a leggere alla Vergine.	Dedicazione di Anna Maria Luisa de' Medici a S. Anna.	Ritratto dell'Elettore Palatino Giovanni Guglielmo.	Ritratto di Anna Maria Luisa de' Medici.
DATAZIONE	1703.	1704.	Inizi sec. XVIII.	Inizi sec. XVIII.
DATI TECNICI	Olio su tavola centinata, 53,5x36,5.	Olio su tela, 56x42.	Olio su tela, 76x54.	Olio su tela, 76x54.
CORNICE	Ebano, sec. XIX-XX.	Ebano, sec. XIX.	Intagliata e dorata, sec. XVIII.	Intagliata, dorata, sec. XVIII.
UBICAZIONI	Düsseldorf (1703); Pitti (1716); Uffizi (1753).	Düsseldorf (1704); Pitti (1717); Uffizi (1732).	Düsseldorf (inizi sec. XVIII); Pitti (1716); Uffizi (1732).	Düsseldorf (inizi sec. XVIII); Pitti (1716); Uffizi (1732); Pitti (1978).
ATTRIBUZIONI	—	—	Bartholomeus Van Douven (Kühn-Steinhausen 1939).	Bartholomeus Van Douven (Kühn-Steinhausen 1939).
ESPOSIZIONI	—	—	—	—
BIBLIOGRAFIA	*G. Poggi, Galleria degli Uffizi. Catalogo dei dipinti, ed. 1927, p. 199.*	H. Kühn - Steinhausen, Jan Frans van Douven..., in Düsseldorfer Jahrbuch, 43, 1941.	T. Levin, Lebensweg und Lebenswerk von J.F. van Douven, in Düsseldorfer Jhb., 1941. *H. Kühn-Steinhausen, Die Bildnisse... J.W. von der Pfalz und... A.M. Luisa de' Medici, Düsseldorfer Jhb., 1939, p. 131-32, n. 10.*	T. Levin, Lebensweg u. Lebenswerk von J.F. van Douven, in Düsseldorf. Jhb., 1941. *H. Kühn-Steinhausen, Die Bildnisse... J.W. von der Pfalz und... A.M. Luisa de' Medici, Düsseldorfer Jhb., 1939, p. 144, n. 60.*
INVENTARIO	1193 (C.P., p. 130, n. 874).	1240.	4342 (C.P., p. 79, n. 1581).	4341 (C.P., p. 79, n. 1580).
FOTO	307711.	172249.	185577.	25166.
NOTE	Sul retro scritta: Jh. F. Douven. Pinxit et dedicavit...A°1703. Su cartellino: Della Seren[a]: Elettrice 1582. Il dipinto, come dice la scritta sul retro, appartenne a Düsseldorf ad Anna Maria Luisa de' Medici, moglie dell'Elettore Palatino del Reno. Il soggetto allude al nome della principessa. Il quadro fu esposto, a partire dal 1753 e per un certo tempo, nella Tribuna degli Uffizi. M.C.	Firmato in basso al centro: J. F. Douven Fecit A°: 1704. Sul retro scritta originale dell'artista: Seren:ma Elettrice Palatina Anna Maria Luisa il giorno di S.ta Anna A° 1704 dal Suo u.mo Servo Jaan Fran: Douven. Come dice questa scritta, il dipinto fu un dono personale dell'artista, pittore della corte di Düsseldorf, all'Elettrice Palatina. Il quadro giunse a Firenze al ritorno, come vedova, di A.M.L. de' Medici, e fu inviato poi in Galleria nel 1732. M.C.	Siglato sul retro in basso a sinistra: J.F.D.P. (Jan Frans Douven Pinxit). Scritta: Gio: Guglielmo Elettore Palatino. Johann Wilhelm von der Pfalz, Elettore Palatino di Düsseldorf (1658-1716) sposò nel 1691 A.M. Luisa de' Medici, dalla quale non ebbe figli. La vedova tornò a Firenze l'anno della morte del marito, e il dipinto giunse a Firenze in quel momento. La sigla sul retro (che compare anche sul 'pendant' n. 4341) smentisce l'attribuzione, avanzata dalla Kühn-Steinhausen, al figlio dell'artista, Bartholomeus. Il dipinto è copia da un originale di A. Van der Werff datato 1700 (Bonaco, Alte Pin.). M.C.	Siglato sul retro, in basso a sinistra: J.F.D.P. (Jan Frans Douven Pinxit). Scritta: Anna Maria Luisa di Toscana Elettrice Palatina. La sigla apposta sul retro di questa tela e del suo 'pendant' (n. 4342) dà torto alla Kühn-Steinhausen che le attribuiva al figlio del Douven, Bartholomeus. L'Elettrice Palatina è qui ritratta in abito di corte, e il dipinto è copia di un ritratto di A. Van der Werff (Monaco, Alte Pin.) datato 1700. Il quadro giunse a Firenze al rientro di A.M. Luisa, rimasta vedova, nel 1716, e passò col suo 'pendant' agli Uffizi nel 1732. M.C.

	P1789	P1790	P1791	P1792
AUTORE	Van Douven, Jan Frans (Roermond 1656 - Düsseldorf 1727), attr. a.	Van Douven, Bartholomeus (Düsseldorf 1688-post 1726).	Van Dyck, Antonie (Anversa 1599 - Londra 1641).	Van Dyck, Antonie (Antwerpen 1599 - Londra 1641).
TITOLO	Ritratto di Giovanni Guglielmo, Elettore Palatino?	Allegoria delle Arti e glorificazione degli Elettori Palatini di Düsseldorf.	Carlo V a cavallo.	Ritratto di Jean de Montfort.
DATAZIONE	Inizi sec. XVIII.	1722.	1620 ca.? (Bodart 1977).	1628 ca. (Bodart 1977).
DATI TECNICI	Olio su tela, 118x98.	Olio su tela, 83x58,5.	Olio su tela, 191x123, restauro 1804.	Olio su tela, 123x86.
CORNICE	Sagomata, dorata, sec. XVIII.	Ebano, sec. XIX.	Barocca, dorata.	—
UBICAZIONI	Düsseldorf? (inizi sec. XVIII); Pitti (1716); Uffizi (1905 ca.).	Düsseldorf (1722-32 ca.); Uffizi (1732).	Pitti (1713); Uffizi (1753).	Anversa (dall'origine); Uffizi, Tribuna (1794, poi altre sale).
ATTRIBUZIONI	Van Douven (Pieraccini 1905 ca.). Anonimo (Kühn-Steinhausen 1939).	—	Rubens (inventario 1704). Van Dyck (inventari posteriori).	—
ESPOSIZIONI	—	—	—	Rubens e la pittura fiamminga del Seicento nella collezione pubbliche fiorentine, Firenze 1977.
BIBLIOGRAFIA	T. Levin, Lebensweg und Lebenswerk von J.F. von Douven, in Düsseldorf. Jhb., vol. 23, 1911. *H. Kühn-Steinhausen, Die Bildnisse... J.W. von der Pfalz... und... A.M. Luisa de' Medici, ivi, 1939, p. 131, n. 8.*	H. Kühn - Steinhausen, Johann Wilhelm..., Düsseldorf 1958. *Cat. mostra Adriaen van der Werff, Monaco 1972, n. 32.*	G. Glück, Van Dyck, Berlin-Leipzig 1931. *D. Bodart, Cat. Rubens e la pittura fiamminga del Seicento nelle collezioni pubbliche fiorentine, Firenze 1977, p. 118, n. 34.*	*Cat., Firenze 1977, n. 35.*
INVENTARIO	2687 (C.P., p. 80, n. 673).	1239.	1439 (C.P., p. 155, n. 1128).	1436.
FOTO	137392.	186080.	178547.	53943.
NOTE	Non sembra possibile poter identificare nella persona rappresentata in questo ritratto l'Elettore Palatino Giovanni Guglielmo di Düsseldorf, la cui iconografia è attestata dai numerosissimi ritratti documentati eseguiti dal Douven e presenti anche a Firenze. L'identificazione sembra essere del Pieraccini, che tuttavia non ne dà una giustificazione documentaria, mentre l'attribuzione è giustamente rifiutata dalla Kühn-Steinhausen. D'altra parte anche il riconoscimento del quadro descritto dal Pieraccini con il presente dipinto risulta problematico. M.C.	Sul retro del telaio scritta settecentesca: Ce tableaux a esté copié par Bartolomy Douven d'après son Maître le Chevalier Van Der Werff l'an. 1722. Come dice questa scritta, il dipinto è copia di un originale del van der Werff del 1716, oggi conservato nella Pinacoteca di Monaco. Esso presenta Johann Wilhelm von der Pfalz, Elettore Palatino del Reno, e sua moglie, Anna Maria Luisa de' Medici, quali protettori delle Arti. Il quadro del Douven dovette giungere a Firenze, forse come dono, dopo il 1722 e prima del 1732, quando, secondo un documento dell'ASF, venne inviato con altri alla Galleria degli Uffizi per ordine dell'Elettrice, Anna Maria Luisa de' Medici. M.C.	L'arrivo a Firenze del dipinto, che fece parte della collezione del principe Ferdinando de' Medici in palazzo Pitti (1713), non è documentato né se ne conosce la storia precedente. Per il Bodart il dipinto è da porsi prima di analoghe composizioni equestri eseguite dal giovane artista a Genova (1621-22). M.C.	Il ritratto di Jean de Montfort, incisore di medaglie, consigliere e maestro della Zecca di corte di Bruxelles dal 1596 al 1649, fu eseguito poco dopo il ritorno ad Anversa dell'artista dall'Italia. È una replica ingrandita del ritratto al Kunsthistorisehes Museum di Vienna; una versione più piccola si trova invece nella Pinacoteca di Parma. Ne esiste anche un'incisione nell'iconografia di Van Dyck (Manquoy-Hendrickx, 1955, n. 139). C.C.

	P1793	P1794	P1795	P1796
AUTORE	Van Dyck, Antonie (Anversa 1599 - Londra 1641).	Van Dyck, Antoine (Anversa 1599 - Londra 1641), attr. a.	Van Dyck, Antoine (Anversa 1599 - Londra 1641), copia da.	Van Dyck, Antoine (Anversa 1599 - Londra 1641).
TITOLO	Ritratto di Margherita di Lorena, duchessa d'Orléans.	Ritratto detto della madre del Sustermans.	Ritratto dei lords Giovanni e Bernardo Stuart.	La Vergine dell'Apocalisse.
DATAZIONE	1634 ca.	1640-50 ca.	1640 ca.	
DATI TECNICI	Olio su tela, 204x117.	Olio su tela, 81x63, restauro 1977.	Olio su tela, 147x116.	
CORNICE	Barocca, dorata.	Barocca, dorata.	—	
UBICAZIONI	—	Poggio a Caiano (1705 ca.); Uffizi (1773).	Uffizi (1896).	
ATTRIBUZIONI	—	Van Dyck (Inv. Poggio a Caiano, Inv. Uffizi 1798, Pieraccini 1905 ca.), T. Bosschaert? (Bodart 1977).	—	
ESPOSIZIONI	Cento opere di Van Dyck, Genova 1955. Ile-de-France - Brabant, Sceaux-Bruxelles 1962.	Rubens e la pittura fiamminga del Seicento nelle collezioni pubbliche fiorentine, Firenze 1977.	—	
BIBLIOGRAFIA	G. Glück, Van Dyck, Berlin-Leipzig 1931. *D. Bodart, Cat. Rubens e la pittura fiamminga del Seicento, Firenze 1977, p. 122.*	G. Glück, Van Dyck, Berlin-Leipzig 1931. *Cat., Firenze 1977, n. 38.*	G. Glück, Van Dyck, Berlin-Leipzig, 1931. *D. Bodart, Cat. Rubens e la pittura fiamminga del Seicento, Firenze 1977, p. 324, n. L.*	
INVENTARIO	777 (C.P., p. 93, n. 196).	726 (C.P., p. 92, n. 144).	3289 C.P., p. 29, n. 1523).	
FOTO	165466.	279022.	182528.	
NOTE	Il dipinto è citato per la prima volta nell'inventario degli Uffizi del 1753. Margherita di Lorena (1615-1672) sposò Gastone d'Orléans, fratello di Luigi XIV, nel 1632. Il ritratto è concordemente datato dalla critica al 1634, ultimo soggiorno del pittore nelle Fiandre dove gli Orléans risiedettero in quel tempo. Incisioni: Schelte a Bolswert, P. de Jode il Vecchio. Replica nella coll. del duca di Bedford, copie a Vienna, Hampton Court e Vendita Wertheimer (1926). M.C.	Scritta sul retro: Pictor tanto celebre quanto merita. Il dipinto, col nome del Van Dyck, fece parte della collezione adunata nella villa di Poggio a Caiano dal principe Ferdinando de' Medici ai primi del Settecento. Tradizionalmente ritenuto dell'artista, ma poco studiato, il ritratto è stato considerato dal Bodart (Cat., Firenze 1977) di scuola del Van Dyck, e avvicinabile all'opera di T. Bosschaert. M.C.	Il dipinto, acquistato per la Galleria degli Uffizi da una collezione fiorentina, è copia parziale di un dipinto del Van Dyck già nella collezione dell'Earl of Darney, e ora in Collezione privata inglese. M.C.	Vedi: Diepenbeeck, Abram van. La Vergine dell'Apocalisse.

	P1797	P1798	P1799	P1800
AUTORE	Van Heemskerck, Egbert (Haarlem 1634 ca. - Londra 1704).	Van Heemskerck, Egbert (Haarlem 1634 ca. - Londra 1704).	Van Heemskerck, Egbert (Haarlem 1634 ca. - Londra 1704).	Van Heemskerck, Egbert (Haarlem 1634 ca. - Londra 1704).
TITOLO	Persone che giocano a carte in un'osteria.	Persone che suonano e cantano intorno a un tavolo.	Ritratto di vecchia a mezzo busto.	Ritratto di vecchio a mezzo busto.
DATAZIONE	1655-60 ca.	1655-60 ca.	1660-70 ca.	1660-70 ca.
DATI TECNICI	Olio su tela applicata su tavola, 21x25.	Olio su tela applicata su tavola, 21x25.	Olio su tavola, 30,5x23,5, restauro 1976.	Olio su tavola, 30x23,5, restauro 1976.
CORNICE	Ebano, sec. XIX-XX.	Ebano, sec. XIX-XX.	Ebano, sec. XIX-XX.	Ebano, sec. XIX-XX.
UBICAZIONI	Poggio a Caiano (inizi sec. XVIII); Uffizi (1773).	Poggio a Caiano (inizi sec. XVIII); Uffizi (1773).	Pitti (ante 1675); Uffizi (1796); Pitti (1928).	Pitti (ante 1675); Uffizi (1796); Pitti (1928).
ATTRIBUZIONI	—	—	'Maniera todesca' (inv. 1675). Heemskerck (inv. Uffizi 1825, Pieraccini 1905 ca., Wurzbach 1906, Rusconi 1937, Francini Ciaranfi 1964).	'Maniera todesca' (inv. 1675). Heemskerck (inv. Uffizi 1825, Pieraccini 1905 ca., Wurzbach 1906, Rusconi 1937, Francini Ciaranfi 1964).
ESPOSIZIONI	—	—	—	—
BIBLIOGRAFIA	J. Rosenberg - S. Slive - E. H. Ter Kuile, Dutch Art and Architecture 1600-1800, Harmondsworth 1966. *M. L. Strocchi, Il gabinetto d'"opere in piccolo' del Gran Principe Ferdinando a Poggio a Caiano, Paragone, 311, 1976, n. 113.*	J. Rosenberg - S. Slive - E. H. Ter Kuile, Dutch Art and Architecture 1600-1800, Harmondsworth 1966. *M. L. Strocchi, Il gabinetto d'"opere in piccolo' del Gran Principe Ferdinando a Poggio a Caiano, Paragone, 311, 1976, p. 115.*	J. Rosenberg - S. Slive - E. H. Ter Kuile, Dutch Art and Architecture 1600-1800, Harmondsworth 1966. *A. I. Rusconi, La Galleria Pitti, Roma 1937, p. 153.*	J. Rosenberg - S. Slive - E. H. Ter Kuile, Dutch Art and Architecture 1600-1800, Harmondsworth 1966. *A. I. Rusconi, La Galleria Pitti, Roma 1937, p. 153.*
INVENTARIO	1289 (C.P., p. 141, n. 965).	1264 (C.P., p. 139, n. 942).	1188 (C.P., p. 132, n. 870).	1178 (C.P., p. 131, n. 857).
FOTO	307712.	307713.	252592.	252591.
NOTE	Siglato sulla traversa del tavolo: HK. Per le notizie storico critiche del dipinto, si veda il n. 1264, Scheda P1802. M.C.	Siglato (HK) sulla gamba dello sgabello a sinistra. La provenienza del dipinto con il suo 'pendant' n. 1289 non è documentata, ma è possibile che entrambi i dipinti — posseduti dal principe Ferdinando de' Medici, figlio di Cosimo III, nella sua collezione nella Villa di Poggio a Caiano, — siano pervenuti a Firenze come dono del cognato di Ferdinando, Elettore Palatino del Reno, che effettuò invii di quadri olandesi e fiamminghi in due riprese nel 1706 e 1708, come testimoniato da due lettere conservate all'Archivio di Stato di Firenze (com. di M. L. Strocchi). M.C.	Per le notizie storico-critiche del dipinto, vedi il n. 1178, Scheda P1804. M.C.	Elencato, insieme al suo 'pendant' n. 1188, nella collezione del card. Leopoldo de' Medici in palazzo Pitti (inv. 1675) con l'attribuzione a 'maniera todesca', è stato in seguito unanimemente attribuito allo Heemskerck. Va datato a prima del 1675, e, per ragioni di stile, nel settimo decennio del secolo. M.C.

	P1801	P1802	P1803	P1804
AUTORE	Van Honthorst, Gerrit, detto Gherardo delle Notti (Utrecht 1590 - 1656).	Van Honthorst, Gerrit, detto Gherardo delle Notti (Utrecht 1590 - 1656).	Van Honthorst, Gerrit, detto Gherardo delle Notti (Utrecht 1590 - 1656).	Van Honthorst, Gerrit, detto Gherardo delle Notti (Utrecht 1590 - 1656).
TITOLO	Adorazione dei pastori.	Cena con sponsali.	Cena con suonatore di liuto.	La buona ventura.
DATAZIONE	1617.	1617 ca. (Borea 1970).	1617 ca. (Borea 1970).	1617 ca. (Borea 1970).
DATI TECNICI	Olio su tela, 338,5x198,5, restauro 1970.	Olio su tela, 138x203, restauro 1970.	Olio su tela, 144x212, restauro 1970.	Olio su tela, 137x204, restauro 1970.
CORNICE	Dorata, liscia, pesante.	Nera con intagli a conchiglie e racemi.	Nera con racemi dorati agli angoli e nei centri.	Nera con motivi vegetali dorati.
UBICAZIONI	Cappella Guicciardini, Santa Felicita (1617); Uffizi (1836).	Poggio Imperiale (1695); Uffizi (1773).	Pitti; Uffizi (1774).	Poggio Imperiale (1695); Uffizi (1773).
ATTRIBUZIONI	Honthorst (Richa 1761).	Caravaggio (1695). Honthorst (Lanzi 1782, Voss 1924, Borea 1970). seguace di Honthorst (Hoogewerff 1917, Schneider 1933).	'Golben Fiam.' (doc. 1774). Honthorst (Lanzi 1782).	Caravaggio (inv. 1695, cat. 1810). Honthorst (Hoogewerff 1917, Sch-1927, Nicolson 1958). Seguace di Honthorst (Hogewerff 1917, Schneider 1933). Terbrugghen (Hoogewerff 1924).
ESPOSIZIONI	Caravaggio en de Nederlanden, Anversa-Utrech 1952; Caravaggio e Caravaggeschi nelle Gallerie di Firenze, Firenze 1970.	Caravaggio e Caravaggeschi, Atene-Napoli 1963. Dipinti salvati dalla piena dell'Arno, Firenze 1966; Caravaggio e Caravaggeschi nelle Gallerie di Firenze, Firenze 1970. renze 1970, n. 27.	Il Caravaggio, Milano 1951. Caravaggio e Caravaggeschi nelle Gallerie di Firenze, Firenze 1970.	Il Caravaggio, Milano 1951. Caravaggio e Caravaggeschi nelle Gallerie di Firenze, Firenze 1970.
BIBLIOGRAFIA	J.R. Judson, Gerrit van Honthorst, L'Aja 1959, pp. 151-52. *E. Borea, in Cat., Firenze 1970, n. 29, pp. 48-49.*	*E. Borea, in Cat., Firenze 1970, n. 27, pp. 45-6.*	J.R. Judson, Gerrit van Henthorst, L'Aja 1959, pp. 244-46. *E. Borea, in Cat., Firenze 1970, n. 28, pp. 47-48.*	*E. Borea, in Cat., Firenze 1970, n. 26, 44-45.*
INVENTARIO	772 (C.P., p. 190, n. 87).	735 (C.P., p. 74, n. 1518).	730 (C.P., p. 92 n. 148).	734 (C.P., p. 92, n. 152).
FOTO	163002-3.	163000.	163009.	160117.
NOTE	Il dipinto fu eseguito per Piero Guicciardini, ambasciatore granducale a Roma e pervenne a Firenze nel 1617, collocato nella cappella della famiglia in Santa Felicita (Richa 1761). A seguito dell'uscita di un opuscolo elogiativo, (Monti 1835) fu acquistato dalla Galleria nel 1836, dandosi in cambio un dipinto di Santi di Tito (Borea 1970). E.B.	Reca a tergo cartellino antico con: dalla guardaroba 14 agosto 1773 venuto dall'Imperiale. È con ogni probabilità uno dei dipinti di Gherardo che nel 1620 il segretario granducale Andrea Cioli, incaricatone da Cosimo II, trattava a Roma per l'acquisto (Borea 1970). Malgrado i dubbi che la sua autografia ha suscitato, il quadro è da vedersi in stretta relazione, tematica e stilistica, con la indiscussa 'Cena' n. 730, ricordata, sembra, dal Mancini nel 1620 o 1621 come dipinta per il granduca Cosimo II. E.B.	Probabilmente il Mancini si riferisce a questo quadro quando nel 1620 o poco dopo così descrive un dipinto di Gherardo per il granduca di Toscana: una cena di boffonarie che piglian il lume da due lumi artifiziati...; ed è probabile che esso facesse parte del gruppo di quadri di Honthorst che nel 1620 il segretario granducale Andrea Cioli trattava per l'acquisto a Roma. È una delle più famose 'cene' di Gherardo e a differenza dei nn. 734 e 735 degli Uffizi, non ha mai provocato dubbi circa l'autografia. Una copia è a Sarasota, Ringling Museum, una è a Leicester, Art Gallery. E.B.	A tergo, cartellino antico con: Dalla guardaroba il 14 agosto 1733 venuto dall'Imperiale. È con ogni probabilità uno dei dipinti di Gherardo che nel 1620 il segretario granducale Andrea Cioli, incaricatone da Cosimo II, trattava a Roma per acquisto (Borea 1970). Malgrado i dubbi che la sua autografia ha suscitato, il quadro è da vedersi in stretta relazione, tematica e stilistica, con la indiscussa (Cena) di Gherardo n. 730, e con la (Cena) n. 735; la prima delle quali è ricordata dal Mancini, nel 1620 o 21, come dipinta per il granduca di Toscana. E.B.

 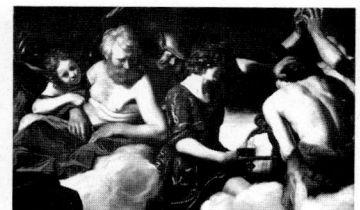  

	P1805	P1806	P1807	P1808
AUTORE	Van Honthorst, Gerrit, detto Gherardo delle Notti (Utrecht 1590-1656).	Van Honthorst, Gerrit, detto Gherardo delle Notti (Utrecht 1590-1656), attr. a.	Van Hulsdonck, Jacques (Anversa 1582-1647), attr. a.	Van Kessel, Jan (Anversa 1626-1679).
TITOLO	Adorazione del Bambino.	Brindisi in Olimpo.	Natura morta di frutta.	Natura morta con frutta e frutti di mare.
DATAZIONE	1620 ca. (Borea 1970).	1620-30.	Prima metà sec. XVII.	1653.
DATI TECNICI	Olio su tela, 95,5x131, restauro 1970.	Olio su tela, 124x193,5, restauro 1970.	Olio su tavola, 61x93.	Olio su tela, 31x44, restauro 1977.
CORNICE	Intagliata ad altorilievo con motivi vegetali, dorata.	Intagliata a motivi geometrici, dorata.	Sagomata, intagliata e dorata, sec. XVII.	Liscia, dorata, sec. XVII?
UBICAZIONI	Uffizi (1796).	Vienna; Uffizi (1973); Museo Civico, Pistoia (1951); Uffizi (1970).	Coll. A. De Noè Walker; Uffizi (1896).	Uffizi (1818).
ATTRIBUZIONI	—	Cagnacci (doc. 1793). Honthorst. (Borea 1970). Giacomo Galli detto lo Spadarino (Schleier 1971); Busiri Vici 1974).	J. Fyt (Ridolfi 1905). Hulsdonck (Bodart 1977).	—
ESPOSIZIONI	Il Caravaggio, Milano 1951. Caravaggio e Caravaggeschi nelle Gallerie di Firenze, Firenze 1970.	Caravaggio e Caravaggeschi nelle Gallerie di Firenze, Firenze 1970.	Rubens e la pittura fiamminga del Seicento nelle collezioni pubbliche fiorentine, Firenze 1977.	Rubens e la pittura fiamminga del Seicento nelle collezioni pubbliche fiorentine, Firenze 1977.
BIBLIOGRAFIA	J.R. Judson, Gerrit van Honthorst, L'Aja 1959, p. 151. *E. Borea in Cat., Firenze 1970, n. 30, p. 50.*	A. Busiri Vici, in Antichità viva, 1974, n. 5, pp. 22-23 e p. 28. E. Borea, Pittori bolognesi dei Seicento nelle Gallerie di Firenze, Firenze 1975, p. 211. *E. Borea, Cat., Firenze 1970.*	H. Gerson - E. H. Ter Kuile, Art and Architecture in Belgium, 1600-1800, Harmondsworth 1960. *Cat., Firenze 1977, n. 53.*	H. Gerson-E.H. Ter Kuile, Art and Architecture in Belgium 1600-1800, Harmondsworth 1960. *Cat., Firenze 1977, n. 66.*
INVENTARIO	739 (C.P., p. 84, n. 157).	2119.	3118.	1119 (C.P., p. 123, n. 798).
FOTO	163184.	161350.	174577.	279021.
NOTE	È probabile che il Mancini si riferisse a questo quadro, nominandone uno di questo soggetto in corso di completamento a Roma al momento in cui scriveva (1620 o 1621) ìa sua nota su Honthorst. Il tema, caro al pittore, fu da lui trattato in un'altra tela ora a Colonia, Wallraf Richartz Museum, datata 1622, che è una sintesi tra le due versioni degli Uffizi (vedi n. 772). Una copia esatta di questo era venduta a Londra presso Christie nel 1938 (Borea 1970). E.B.	Accertata la provenienza dalla collezione Imperiale di Vienna, nel 1793, per scambio con un quadro degli Uffizi (Borea 1975), diminuisce la probabilità che esso si identifichi con il quadro dello stesso soggetto riferito nel settecento dal Gaburri allo Spadarino nella collezione Marucelli a Firenze (Busiri Vici 1974). L'attribuzione allo Honthorst tuttavia, pur accolta da altri studiosi (Volpe 1970; Perez Sanchez 1971) non è sufficientemente provata. E.B.	Entrato agli Uffizi per dono di A. De Noè Walker nel 1896, con l'attribuzione a Jan Fyt, questo dipinto è stato attribuito all'Hulsdonck dal Bodart (cat., Firenze 1977), che lo avvicina a nature morte analoghe, come quelle del Fogg Art Museum di Cambridge (Mass.) e del Museo di Orléans. M.C.	Firmato in alto, a sinistra: J. v. Kessel f. A. 1653. Il dipinto fu acquistato per gli Uffizi dal direttore Alessandri nel 1818. M.C.

	P1809	P1810	P1811	P1812
AUTORE	Van Kessel, Jan (Anversa 1626-1679).	Van Kessel, Jan (Anversa 1626-1679).	Van Kessel, Jan (Anversa 1626-1679).	Van Kessel, Jan (Anversa 1626-1679).
TITOLO	Frutta e erbaggi in un paesaggio.	Pesci sulla riva del mare.	Frutta e pesci con tre bambini.	Studio di un naturalista.
DATAZIONE	1660 ca.	1661.	1664.	1664.
DATI TECNICI	Olio su rame, 15,5x22, restauro 1977.	Olio su rame, 18x28, restauro 1977.	Olio su rame, 19x25.	Olio su rame, 19x25.
CORNICE	Liscia, dorata, sec. XVII.	Liscia, dorata, sec. XVII.	Liscia, nera e oro, sec. XVII.	Liscia, nera e oro, sec. XVII.
UBICAZIONI	Pitti (seconda metà sec. XVII); Uffizi (1753); Pitti (1977).	Pitti (seconda metà sec. XVII); Uffizi (1753).	Pitti (1668?); Uffizi (1861); Pitti (1928).	Pitti (1668?); Uffizi (1861); Pitti (1928).
ATTRIBUZIONI	—	—	—	—
ESPOSIZIONI	Rubens e la pittura fiamminga del Seicento nelle collezioni pubbliche fiorentine, Firenze 1977.	Rubens e la pittura fiamminga del Seicento nelle collezioni pubbliche fiorentine, Firenze 1977.	Rubens e la pittura fiamminga del Seicento nelle collezioni pubbliche fiorentine, Firenze 1977.	Rubens e la pittura fiamminga del Seicento nelle collezioni pubbliche fiorentine, Firenze 1977.
BIBLIOGRAFIA	H. Gerson-E.H. Ter Kuile, Art and Architecture in Belgium 1600-1800, Harmondsworth 1960. Jan van Kessel, Cat. mostra, München 1973. *Cat., Firenze 1977, n. 59.*	H. Gerson - E. H. Ter Kuile, Art and Architecture in Belgium 1600-1800, Harmondsworth 1960. Jan van Kessel, Cat. mostra, München 1973. *Cat., Firenze 1977, n. 58.*	H. Gerson - E. H. Ter Kuile, Art and Architecture in Belgium 1600-1800, Harmondsworth 1960. Jan van Kessel, Cat. mostra, München 1973. *Cat., Firenze 1977, n. 61.*	H. Gerson - E. H. Ter Kuile, Art and Architecture in Belgium 1600-1800, Harmondsworth 1960. Jan van Kessel, Cat. mostra, München 1973. *Cat., Firenze 1977, n. 60.*
INVENTARIO	1228 (C.P., p. 199, n. 908).	1069 (C.P., p. 119, n. 745).	1199 (C.P., p. 124, n. 881).	1216 (C.P., p. 123, n. 896).
FOTO	278993.	278991.	278959.	278960.
NOTE	Firmato in basso al centro: I.V. KESSEL F. È probabile che il dipinto sia stato acquistato da Cosimo III de' Medici durante la sua visita allo studio dell'artista ad Anversa nel 1668. Databile in prossimità del n. 1069, datato 1661.

M.C. | Firmato e datato in basso al centro: I.V. KESSEL. FECIT. ANNO. 1661. Sul retro: Della Serenissima Elettrice/I.V. Kessel F. Il dipinto fu probabilmente acquistato da Cosimo III de' Medici durante la sua visita allo studio del pittore in Anversa nel 1668. Passò quindi nella collezione della figlia, Anna Maria Luisa, Elettrice Palatina. È probabile che il quadretto facesse parte di una serie rappresentante le Quattro Parti del Mondo (Bodart, Cat., Firenze 1977).

M.C. | Il dipinto è forse uno dei tre rami del van Kessel acquistati da Cosimo III nella sua visita ad Anversa nel 1668. Va datato allo stesso anno del suo 'pendant', che è firmato e datato 1664.

M.C. | Firmato e datato sulla colonna nel fondo: I.V. Kessel/FECIT ANNO/1664. Col suo 'pendant' n. 1199, fu forse acquistato da Cosimo III de' Medici durante la sua visita ad Anversa nel 1668.

M.C. |

P1813   P1814   P1815   P1816

	P1813	P1814	P1815	P1816
AUTORE	Van Loo o Vonloo, Carle (Nizza 1705 - Parigi 1765).	Van Miereveld, Michiel (Delft 1567-1641).	Van Miereveld, Michiel (Delft 1567-1641).	Van Mieris, Frans, il vecchio (Leida 1635-1681).
TITOLO	Madonna col Bambino.	Ritratto di donna.	Ritratto di uomo.	Il ciarlatano olandese.
DATAZIONE	1740 ca. (Rosenberg 1977).	1615-25 ca.	1615-25 ca.	1650-55 ca.
DATI TECNICI	Olio su tela, 147x115, restauro 1977.	Olio su tavola, 106x73.	Olio su tavola, 106x73.	Olio su tavola, 48,6x37,7.
CORNICE	Dorata, sec. XVIII.	Nera e oro, barocca.	Nera e oro, barocca.	Ebano, sec. XIX-XX.
UBICAZIONI	Uffizi (1793); Pitti (1928); Uffizi (1977).	Uffizi (1825); Palazzo Chigi, Roma (1926).	Uffizi (ante 1825); Palazzo Chigi, Roma (1926).	Düsseldorf (sec. XVII-XVIII); Pitti (1716); Uffizi (1732).
ATTRIBUZIONI	—	—	—	—
ESPOSIZIONI	La peinture française à Florence, Firenze 1945. Mostra temporanea di alcune pitture straniere, Firenze 1964. Pittura francese nelle collezioni pubbliche fiorentine, Firenze 1977.	—	—	—
BIBLIOGRAFIA	P. Rosenberg - M.C. Sahut, Carle Vanloo, Nice-Clermont Ferrand-Nancy, 1977. *Cat., Firenze 1977*, n. 68.	J. Rosenberg - S. Slive - E. H. Ter Kuile, Dutch Art and Architecture 1600-1800, Harmondsworth 1966.	J. Rosenberg - S. Slive - E. H. Ter Kuile, Dutch Art and Architecture 1600-1800, Harmondsworth 1966.	J. Rosenberg - S. Slive - E. H. Ter Kuile, Dutch Art and Architecture 1600-1800, Harmondsworth 1966. *C. Hofstede de Groot, Beschr. u. krit. Verzeichnis...*, Esslingen 1907-28, vol. X.
INVENTARIO	977 (C.P., p. 71, n. 657).	725 (C.P., p. 91, n. 143).	728 (C.P., p. 92, n. 146).	1174 (C.P., p. 129, n. 854).
FOTO	253363.	15486.	15487.	165407.
NOTE	Firmato in basso: Carle Vanloo. Acquistato a Parigi, insieme con altri quadri francesi, per Ferdinando III di Lorena nel 1793. Il Lanzi all'arrivo lo giudicò severamente: «A prima vista impone, esaminato poi dimostra in tutte le sue parti l'agonia della Scuola francese». M.C.	La provenienza del dipinto, come del 'pendant' n. 728, non è documentata. I due dipinti, esposti ancora agli Uffizi nel 1905 ca., furono concessi in temporaneo deposito alla Presidenza del Consiglio dei Ministri (Pal. Chigi) nel 1926. La data 1615-25 è suggerita dai costumi dei personaggi. M.C.	La provenienza di questo dipinto, col 'pendant' n. 725, non è documentata: entrambi i dipinti risultano agli Uffizi nel 1825 (Nn. 1059-06). Esposti ancora nel 1905 ca., furono dati in temporaneo deposito alla Presidenza del Consiglio dei Ministri (Pal. Chigi) nel 1926. L'attribuzione tradizionale è appoggiata dal confronto con opere documentate dell'artista (Rijksmus., Amsterdam). La data 1615-25 è suggerita dai costumi dei personaggi. M.C.	Firmato in basso a sinistra: FV Mieris. Iscrizione sul retro: Francesco Mieris. Il dipinto giunse a Firenze nel 1716 con le proprietà di Anna Maria Luisa de' Medici, vedova dell'Elettore di Düsseldorf. Da Pitti passò agli Uffizi nel 1732. Nel ritratto del giovane sorridente a sinistra nel fondo si riconosce l'autoritratto dell'artista, che qui dimostra circa vent'anni: da ciò se ne deduce una datazione tra il 1650 e il '55. M.C.

	P1817	P1818	P1819	P1820
AUTORE	Van Mieris, Frans, il vecchio (Leida 1635-1681).	Van Mieris, Frans, il vecchio (Leida 1635-1681).	Van Mieris, Frans, il vecchio (Leida 1635-1681).	Van Mieris, Frans, il vecchio (Leida 1635-1681).
TITOLO	Donna in un interno che carica un orologio.	Ritratto di giovane uomo.	Il giovane ubriacone.	La cortigiana olandese.
DATAZIONE	1660 ca.	1663.	1665-70 ca. (Gerson 1942).	1669.
DATI TECNICI	Olio su tavola, 21,6x17,9, restauro 1976.	Olio su tavola, 19,5x14,5, restauro 1976.	Olio su tavola, 25,7x19,6, restauro 1976.	Olio su rame, 27,5x22,5, restauro 1976.
CORNICE	Ebano, sec. XIX-XX.	Ebano, sec. XIX-XX.	Ebano, sec. XIX-XX.	Ebano, sec. XIX-XX.
UBICAZIONI	Düsseldor? (inizi sec. XVIII); Pitti (1713); Uffizi (1753).	Pitti? (1668?); Pitti (1713); Uffizi (1753).	Pitti (1670-75 ca.); Uffizi (1704).	Pitti (1669); Uffizi (1753).
ATTRIBUZIONI	Mieris (Inv. Pitti 1713). Netscher (Inv. Uffizi 1753, Pieraccini 1906 ca., Wurzbach 1910, Hofstede de Groot 1912, Poggi 1927). Mieris (Chiarini 1975).	—	—	—
ESPOSIZIONI	—	—	—	—
BIBLIOGRAFIA	J. Rosenberg - S. Slive - E. H. Ter Kuile, Dutch Art and Architecture 1600-1800, Harmondsworth 1966. *C. Hoftede de Groot, Beschr. u. Krit. Verzeichnis..., Esslingen 1907-28, vol. XII. M. Chiarini, I quadri della collezione del principe Ferdinando di Toscana, in Paragone, n. 303, 1975, p. 102.*	J. Rosenberg - S. Slive - E. H. Ter Kuile, Dutch Art and Architecture 1600-1800, Harmondsworth 1966. *C. Hoftede de Groot, Beschr. u. Krit. Verzeichnis..., Esslingen 1907-28, vol. X.*	J. Rosenberg - S. Slive - E. H. Ter Kuile, Dutch Art and Architecture 1600-1800, Harmondsworth 1966. *H. Gerson, Ausbreitung u. Nachwirkung der Holl. Malerei, 1942, p. 182.*	J. Rosenberg - S. Slive - E. H. Ter Kuile, Dutch Art and Architecture, Harmondsworth 1966. *C. Hofstede de Groot, Beschr. u. Krit. Verzeichnis..., Esslingen 1907-28, vol. X.*
INVENTARIO	1189 (C.P., p. 140, n. 867).	1183 (C.P., p. 138, n. 960).	1277 (C.P., p. 138, n. 954).	1263 (C.P., p. 136, n. 941).
FOTO	249603.	249607.	249606.	249604.
NOTE	Il dipinto, attribuito nell'inventario della collezione del principe Ferdinando in palazzo Pitti a F. Van Mieris (1713), fece forse parte del gruppo di opere fiamminghe inviate a Ferdinando dal cognato, Elettore Palatino di Düsseldorf, agli inizi del Settecento. Il quadro fu esposto, nel 1753, nella Tribuna degli Uffizi con l'attribuzione a C. Netscher, accettata successivamente da tutti gli storici che se ne sono occupati. Tuttavia il dipinto può essere attribuito di nuovo al Van Mieris non solo sulla base del documento del 1713, ma anche per i riferimenti stilistici che lo fanno datare a un'epoca nella quale l'artista è ancora sotto l'influenza del Dou. M.C.	Firmato e datato nell'angolo inf. sin.: F. van Mieris A° 1663. Sul retro scritta: Francesco Miris. Probabilmente acquistato da Cosimo de' Medici nel suo primo viaggio nei Paesi Bassi (1667). Il personaggio rappresentato è stato identificato dal Moes (Iconographia Batava, 5062, 1) come uno dei figli del Van Mieris, Jan, mentre H. de Groot, basandosi su un'incisione di B. Vaillant dal quadro, lo identifica in Jan van der Spelt. M.C.	Firmato in alto a destra: FV Mieris. fe. Sul retro: Francesco Miris. Per il Gerson probabilmente acquistato da Cosimo de' Medici nel suo primo viaggio nei Paesi Bassi (1667). Inciso da J.B. Wicar e Villain. M.C.	Sul retro (tavola di chiusura): Francesco Miris 1669. Dalla Guardaroba di Pitti 1753. È molto probabile che questo dipinto sia stato acquistato da Cosimo de' Medici durante una sua visita nello studio dell'artista a Leida nel 1669. Fu copiato dal figlio del pittore, Willem (vedi Hofstede de Groot, vol. X, p. 329) e inciso nel XVIII secolo dal Villain. M.C.

	P1821	P1822	P1823	P1824
Autore	Van Mieris, Frans, il vecchio (Leida 1635-1681).	Van Mieris, Frans, il vecchio (Leida 1635-1681).	Van Mieris, Frans, il vecchio (Leida 1635-1681), attr. a.	Van Mieris, Willem (Leida 1662-1747).
Titolo	Il vecchio amoroso.	Il pittore con la sua famiglia.	Due vecchi a tavola.	La Maddalena penitente.
Datazione	1673.	1675.	1655-60 ca.?	1697.
Dati tecnici	Olio su tavola, 28,4x22,6, restauro 1976.	Olio su tavola, 52x40.	Olio su tavola, 36x31,5.	Olio su tavola, 26,5x22.
Cornice	Ebano, sec. XIX-XX.	Ebano, sec. XIX-XX.	Ebano, sec. XIX-XX.	Ebano, sec. XIX-XX.
Ubicazioni	Pitti (1674); Uffizi (1704).	Pitti (1675), Uffizi (1704).	Poggio a Caiano (inizi sec. XVIII); Pitti (1773); Uffizi (1825).	Castello (1772); Uffizi (1825). (1825).
Attribuzioni	Carlo d'Aw (Inv. Uffizi 1704: probabile scambio con G. Dou). Netscher (Inv. 1753). Mieris (De Jongh 1878).	Carlo d'Aw olandese (Inv. Uffizi 1704: probabile scambio con G. Dou). F. Van Mieris (Inv. Uffizi 1753).	Dou (inizi sec. XVIII, H. de Groot 1907). De Pape (Martin 1913). Van Mieris (Wurzbach 1909-11).	—
Esposizioni	—	—	—	—
Bibliografia	J. Rosenberg - S. Slive - E. H. Ter Kuile, Dutch Art and Architecture 1600-1800, Harmondsworth 1966. *W. M. Le Jonghe, in Nederlands Spectator, 1878.*	J. Rosenberg - S. Slive - E. H. Ter Kuile, Dutch Art and Architecture 1600-1800, Harmondsworth 1966. *C. Hofstede de Groot, Beschr. u. krit. Verzeichnis..., Esslingen 1907-28, vol. X.*	J. Rosenberg - S. Slive - E. H. Ter Kuile, Dutch Art and Architecture, Harmondsforth 1966. *C. Hofstede de Groot, Beschr. u. Nrit. Verveichnis, Esslingen 1907-28, vol. I. G. Martin, Gerard Dou (KdK), 1913, p. XXI.*	J. Rosenberg - S. Slive - E. H. Ter Kuile, Ducht Art and Architecture 1600-1800, Harmondsworth 1966. *C. Hofstede de Groot, Beschr. u. krit. Verzeichnis..., Esslingen 1907-28, vol. X.*
Inventario	1275 (C.P., p. 137, n. 952).	1305 (C.P., p. 130, n. 981).	1267 (C.P., p. 136, n. 945).	1207 (C.P., p. 139, n. 887).
Foto	249605.	109189.	109185.	101190.
Note	Iscrizione sull'architrave del camino: OVDT MAL: is niet metal (Questa volta non è il metallo). Sul retro: GC. DOW. Mieris (?) ..16.. (?). Nel vecchio spasimante è stato talvolta riconosciuto il poeta olandese Brederode. Il De Jongh ha pubblicato la documentazione concernente la commissione del quadro al Van Mieris da parte di Cosimo III de' Medici nel 1673. Il dipinto giunse a Firenze l'anno dopo. Inviato agli Uffizi, fu curiosamente scambiato prima per un'opera di Gerrit Dou, e quindi di Caspar Netscher. M.C.	Firmato in basso a destra: F. van Mieris fecit 1675. I documenti e la corrispondenza tra Cosimo de' Medici e il suo rappresentante in Olanda circa la commissione del quadretto sono stati pubblicati da W.M. de Jongh, in De Nederlandse Spectator, 1878, e dal Geisenheimer in Jhb. der Preuss. Kunstsamml., 1911. M.C.	Firmato sul bordo del tavolo: F.V. Mieris (firma generalmente ritenuta falsa). Il quadro pervenne, forse come dono dell'Elettore Palatino Giovanni Guglielmo, nella collezione del principe Ferdinando de' Medici (Villa di Poggio a Caiano) agli inizi del Settecento, con l'attribuzione a G. Dou. Tale attribuzione fu accettata dall'H. de Groot, ma rifiutata, in favore del suo imitatore A. De Pape (Leida 1620-66) dal Martin, nella sua monografia sull'artista. Le affinità col De Pape non escludono, tuttavia, che si tratti di un'opera giovanile del Van Mieris, come ritiene il Wurzbach. M.C.	Firmato e datato in basso a destra: W. Van Mieris Fecit Anno 1697. La provenienza del dipinto non è documentata. M.C.

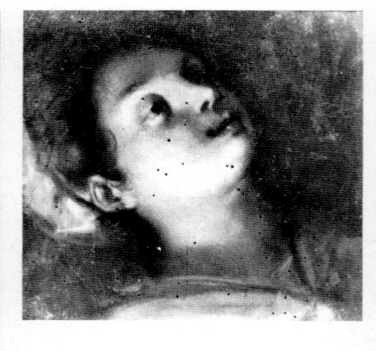

	P1825	P1826	P1827	P1828
AUTORE	Van Nieulandt, Willem (Anversa 1584 - Amsterdam 1636), attr. a.	Vanni, Francesco (Siena 1563 - Siena 1610).	Vanni, Francesco (Siena 1563-1610).	Vanni, Raffaello (Siena 1587-1673).
TITOLO	Paesaggio pastorale.	Visione di S. Francesco.	Testa femminile.	Sacra famiglia con San Giovannino.
DATAZIONE	1610-20 ca.	1595 ca. (Riedl 1976).		Sec. XVII.
DATI TECNICI	Olio su tavola, 94x125,5.	Bozzetto, lapis, penna e biacca su carta tinta, 28,1x23,8, restauro 1974.		Olio su tela, 55x40, restauro 1974.
CORNICE	Sagomata, dorata, sec. XVII.	Legno con listello dorato.		Intagliata e dorata a foglie di acanto, sec. XVIII.
UBICAZIONI	Coll. Feroni (ante 1850); Uffizi (1866); Cenacolo di Foligno (1894).	Uffizi (1881).		Castello (1860); Depositi (1944); Questura (1945); Uffizi (1952); Pitti (1967); Uffizi (1971).
ATTRIBUZIONI	—	Vanni (1881). Carracci Ludovico (C. L. Ragghianti 1952). Riedl 1976).		—
ESPOSIZIONI	—	Mostra dei bozzetti, Firenze 1952; Pittori bolognesi del Seicento nelle Gallerie di Firenze, Firenze 1975; Disegni dei barocceschi senesi, Firenze 1976.		—
BIBLIOGRAFIA	H. Gerson - E. H. Ter Kuile, Art and Architecture in Belgium, 1600-1800, Harmondsworth 1960. *Catalogo della Galleria Feroni, Firenze 1895, p. 8.*	*P. A. Rield, in Cat., Firenze 1976, p. 32, n. 15.*		E. Carli, I pittori senesi, Milano 1971. Cat., Mostra di opere d'arte restaurate nelle province di Siena e Grosseto, Genova 1979.
INVENTARIO	S. Marco e Cenacoli 131.	G.D.S.U. 19165.		Castello 427.
FOTO	168548.	219672.		157156; 206445.
NOTE	Il dipinto reca l'attribuzione al pittore fiammingo-olandese nel catalogo della collezione di provenienza: essa sembra appoggiata dallo stile, ma il soggetto è insolito per il Nieulandt. M.C.	Appartiene alla cosiddetta raccolta dei bozzetti, trattandosi comunque di un disegno. La scritta antica sul retro che lo dichiara opera di Francesco Vanni (ma vi si legge anche 'd'Annibale Carazzi') non è stata creduta attendibile da chi ha attribuito il bozzetto a Ludovico Carracci sulla base del confronto con il dipinto di eguale composizione, concordemente ritenuto di Ludovico Carracci, oggi ad Amsterdam, Rijksmuseum, in cui però il santo è Sant'Antonio. Viceversa sembra oggi doversi ribadire che l'attribuzione tradizionale è corretta. Due studi preliminari si conservano al Louvre (Riedl 1976). E.B.	Vedi: Scuola senese sec. XVI. Testa femminile. Scheda P1552.	Nei vecchi inventari non si fa menzione dell'autore, l'accostamento al nome di Francesco Vanni sembra superato da una visione più avanzata e luministica che semmai rimanderebbe al figlio Raffaello. Opera della maturità dello artista anche perché abbastanza svincolata dalla matrice paterna e per una maggiore vicinanza ai modi del Mei, le difficoltà di un'attribuzione e di una datazione certa sorgono anche dalla mancanza di uno studio sistematico sul percorso stilistico del pittore senese. R.P.P.

  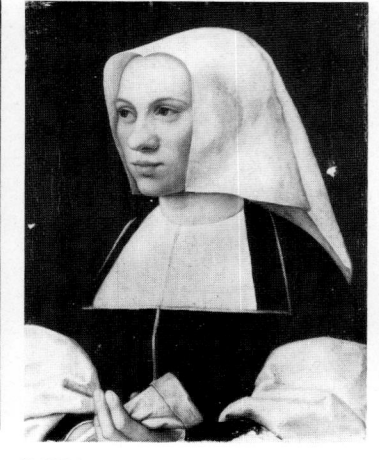 

	P1829	P1830	P1831	P1832
AUTORE	Van Oosterwyck, Maria (Noortdorp 1630 - Uitdam 1693).	Van Orley, Bernart (Bruxelles 1488 ca. - 1541).	Van Orley, Bernart (Bruxelles 1488 ca. - 1541).	Van Ostade, Adriaen (Haarlem 1610-1685).
TITOLO	Fiori, frutti e insetti.	Ritratto d'ignoto.	Ritratto d'ignota.	Uomo con lanterna.
DATAZIONE	1670 ca.?	1521-25 ca. (Friedländer 1972).	1521-25 ca. (Friedländer, 1972).	1640 ca. (Hofstede de Groot).
DATI TECNICI	Olio su tavola, 38x30,4.	Parte di dittico, olio su tavola, 32x29, restauro 1973.	Parte di dittico, olio su tavola 37x29.	Olio su tavola, 22,7x19,2.
CORNICE	Intagliata, dorata, sec. XVIII.	Moderna in legno chiaro e oro.	Moderna in legno chiaro e oro.	Ebano, sec. XIX-XX.
UBICAZIONI	Pitti (sec. XVIII - XIX); Uffizi (1811).	Guardaroba granducale (primi sec. XVII); Poggio a Caiano; Uffizi (1773).	Guardaroba granducale (sec. XVII); Uffizi, Tribuna (1769).	Pitti (sec. XVIII); Uffizi (1797).
ATTRIBUZIONI	—	H. Holbein (Inv. Guardaroba 1185, II, Inv. 1773, 1784, 1825), Van Orley (Friedländer 1909, Collobi Ragghianti 1948). Van Clève (Baldass 1925, C.L. Ragghianti 1948).	H. Holbein (Inv. Guardaroba 1185, II; Inv. 1753, 1769, 1784, 1825). Van Orley (Friedländer, 1909, Baldass 1925). Van Clève (C. L. Ragghianti 1948).	—
ESPOSIZIONI	—	Arte fiamminga e olandese dei sec. XV e XVI, Firenze 1947.		—
BIBLIOGRAFIA	J. Rosenberg - S. Slive - E.H. Ter Kuile, Dutch Art and Architecture 1600-1800, Harmondsworth 1966. *Cat. mostra, Women Artists: 1500-1950, Los Angeles 1977, p. 145 s., nota 1.*	M. Friedländer, in Jahrbuch der König. Preusz. Kunstsamm. Berlino 1909. M. Friedländer, in Early Netherlandish Painting, Leyden-Bruxelles 1972. *L. Collobi Ragghianti, in Cat. Firenze 1948.*		J. Rosenberg - S. Slive - E. H. Ter Kuile, Dutch Art and Architecture 1600-1800, Harmondsworth 1966. *C. Hofstede de Groot, Beschr. u. Krit. Verzeichnis..., Esslingen 1907-28, vol. III.*
INVENTARIO	1308 (C.P., p. 139, n. 872).	1140 (C.P., p. 95, n. 821).	1161 (C.P., p. 96 ,n. 839).	1302 (C.P., p. 141, n. 978).
FOTO	174575.	12947.	228380.	109188.
NOTE	Firmato in basso a sinistra: Maria van Oosterwyck, e datato al centro: A°167 (?) ... La provenienza del dipinto non è documentata. Hoogewerff (1919) e Gerson (1942) pensano che il quadro possa essere stato acquistato da Cosimo III de' Medici in uno dei suoi due viaggi nei Paesi Bassi (1667 e 1669). La lettura della data risulta difficoltosa per le condizioni della superficie pittorica del dipinto, non in buono stato, e il quadro potrebbe essere degli anni '60 o '70: è vicino, ad esempio, alla natura morta di collezione privata a Cincinnati, datata 1669 (vedi Cat., Los Angeles 1977, n. 29). M.C.	Presente nell'inventario della Guardaroba dei primi del secolo XVIII come opera di Holbein, mantenne questa attribuzione fino a quando il Friedländer non lo assegnò al Van Orley accostandolo al ritratto d'Ignota (n. 1161) col quale forma dittico. A tergo è scritto: Holbein. E.M.	Cfr. col Ritratto d'ignoto (n. 1140) col quale forma dittico. Sul retro compare la scritta 'Holbein'. Nell'inventario della Guardaroba dei primi del sec. XVIII compare col nome di Holbein, attribuzione che mantenne fino al 1909 (Friedländer). Nel 1769 era esposto in Tribuna, dove lo vide Domenico M. Manni (Baldinucci, ed 1769, V, p. 162 nota). E.M.	Datato dall'Hofstede de Groot intorno al 1640, tale data verrebbe confermata da un copia (ubicazione sconosciuta) iscritta con il nome dell'artista e datata 1641. M.C.

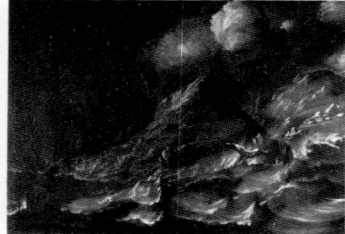

	P1833	P1834	P1835	P1836
AUTORE	Van Plattenberg, Mathieu (Anversa 1608 ca. - Parigi 1660), attr. a.	Van Plattenberg, Mathieu (Anversa 1608 ca. - Parigi 1660), attr. a.	Van Ruysdael, o Ruisdael, Jacob (Haarlem 1628-29 - Amsterdam? 1682).	Van Ruysdael, o Ruisdael, Jacob (Haarlem 1628-29 - Amsterdam? 1682).
TITOLO	Marina con vascelli.	Vascelli nella tempesta.	Paesaggio con pastori e contadini.	Paesaggio con cascata.
DATAZIONE	1630-40 ca.?	1630-40 ca.?	1660-70 ca.?	1670 ca.?
DATI TECNICI	Olio su tela, 100x140.	Olio su tela, 100x140.	Olio su tela, 52x60.	Olio su tela, 52,3x61,7.
CORNICE	Intagliata, dorata, sec. XVII.	Intagliata, dorata, sec. XVII.	Ebano, sec. XIX-XX.	Dorata, bulinata, XVII-XVIII sec.?
UBICAZIONI	Uffizi (sec. XIX).	Uffizi (sec. XIX).	Uffizi (1798).	Mercato antiquario, Mannheim sec. XIX); Pitti (1830 ca.); Uffizi (1922).
ATTRIBUZIONI	—	—	—	—
ESPOSIZIONI	—	—	—	—
BIBLIOGRAFIA	M. Roethlisberger, Cavalier Tempesta, Delaware 1970. *M. Chiarini, in Paragone, n. 273, 1972. p. 66. E. Borea, in Cat., La quadreria di Don Lorenzo de' Medici, Firenze 1977, p. 142s.*	M. Roethlisberger, Cavalier Tempesta, Delaware 1970. *M. Chiarini, in Paragone, n. 273, 1972, p. 66. E. Borea, in Cat., La quadreria di Don Lorenzo de' Medici, Firenze 1977, p. 142s.*	J. Rosenberg - S. Slive - E. H. Ter Kuile, Dutch Art and Architecture 1600-1800, Harmondsworth 1966. *J. Rosenberg, Jacob van Ruysdael, Berlin 1928, p. 77, n. 79.*	J. Rosenberg - S. Slive - E. H. Ter Kuile, Dutch Art and Architecture 1600-1800, Harmondsworth 1966. *J. Rosenberg, Jacob van Ruysdael, Berlin 1928, p. 82, n. 160.*
INVENTARIO	1241.	1312.	1201 (C.P., p. 135, n. 882).	8436 (già Inv. Gall. Palatina, n. 465).
FOTO	118609.	118610.	143512.	160952.
NOTE	Il dipinto forma coppia con il N. 1312: di entrambi non abbiamo nessuna documentazione sulla provenienza. L'attribuzione compare negli inventari ottocenteschi della Galleria. Il problema Plattenberg-Montagna non è ancora risolto: ciò che sappiamo, è che entrambi furono specialisti di marine, e che debbono essere stati confusi 'ab antiquo'. Del Montagna, tuttavia, sappiamo dalle fonti che fu anche attivo a Firenze, attività che sarebbe testimoniata dalle numerose citazioni inventariali di suoi quadri nelle varie collezioni medicee che si riflettono fino ai nostri tempi (vedi N. 5308). Ci si domanda, pertanto, se anche queste due marine non debbano spettare piuttosto al Montagna. M.C.	Per le notizie storico critiche sul quadro, si rimanda al N. 1241 del quale questo è 'pendant'. Vedi: P1837. M.C.	Firmato in basso a destra: J. V. Ruisdael. Il dipinto fu acquistato nel 1797 ed esposto in Galleria l'anno dopo. M.C.	Firmato sulla roccia sotto il ramo: J. Ruisdael. Il dipinto fu acquistato presso l'antiquario Artaria di Mannheim ed esposto nella Galleria Palatina di palazzo Pitti fin dal 1834. Fu portato agli Uffizi nel 1922. Ne esistono varie copie. M.C.

	P1837	P1838	P1839	P1840
AUTORE	Van Slingeland (o Slingelandt) Pieter (Leida 1640-1691).	Van Stalbemt, Adriaen (Anversa 1580-1662).	Van Swanevelt, Herman (Woerden 1600 ca. - Parigi 1655).	Van Swanevelt, Herman (Woerden 1600 ca. - Parigi 1655).
TITOLO	Le bolle di sapone.	Paesaggio in vicinanza di un fiume.	Paesaggio con viandanti.	Paesaggio con figure.
DATAZIONE	1661.	1630-40 ca. (Bodart 1977).	1635-40 ca.	1640 ca.
DATI TECNICI	Olio su tavola, 20x15,7.	Olio su tela incollata su legno, 49x79, restauro 1977.	Olio su tela, 29,5x38,5, restauro 1967.	Olio su tela, 52x66.
CORNICE	Ebano, sec. XIX-XX.	Liscia, dorata, sec. XVII-XVIII.	Sagomata, dorata, sec. XVII-XVIII.	Ebano, sec. XIX-XX.
UBICAZIONI	Gran Principe Ferdinando de' Medici, Poggio a Caiano (inizi sec. XVIII); Uffizi (1773).	Uffizi (1753).	Pitti (ante 1713); Uffizi (1753).	Pitti (inizi sec. XVIII); Uffizi (1753).
ATTRIBUZIONI	F. van Mieris (Inv. Pitti inizi sec. XVIII).	—	—	Jan Both (inv. pal. Pitti inizi sec. XVIII). Swanevelt (Hoogewerff 1958, Chiarini 1967).
ESPOSIZIONI	—	Rubens e la pittura fiamminga del Seicento nelle collezioni pubbliche fiorentine, Firenze 1977.	Paesisti, Bamboccianti e vedutisti nella Roma seicentesca, Firenze 1967.	Paesisti, Bamboccianti e vedutisti nella Roma seicentesca, Firenze 1967.
BIBLIOGRAFIA	J. Rosenberg - S. Slive - E.H. Ter Kuile, Dutch Art and Architecture 1600-1800, Harmondsworth 1966. *C. Hofstede de Groot, Beschr. u. Krit. Verzeichnis..., Esslingen 1907-28, vol. V.*	Y. Thiéry, Le paysage flamande au XVIIe siècle, Bruxelles-Paris 1953. *Cat., Firenze 1977, n. 115.*	J. Rosenberg - E. Silve - E. H. Ter Kuile, Dutch Art and Architecture 1600-1800, Harmondsworth 1966. M. Waddingham, Herman van Swanevelt in Rome, in Paragone, n. 121, 1960. *Cat., Firenze 1967, n. 24.*	M. Waddingham, Herman van Swanevelt in Rome, in Paragone, N. 121, 1960. *Cat., Firenze 1967, n. 25.*
INVENTARIO	1208 (C.P., p. 139, n. 888).	1031 (C.P., p. 122, n. 710).	1107 (C.P., p. 126, n. 787).	1310 (C.P., p. 134, n. 987).
FOTO	128142.	278989.	249426.	109166.
NOTE	Firmato e datato in basso: P. Slinghelandt 1661. La provenienza del dipinto non è documentata, ma potrebbe aver fatto parte dei quadri che furono inviati al Gran Principe Ferdinando de' Medici in due riprese dal cognato, Elettore Palatino del Reno, da Düsseldorf (v. M. L. Strocchi, in Paragone, n. 309, 1975, e 311, 1976). Hoogewerff (1919) e Gerson (1942) pensarono che il dipinto fosse stato acquistato da Cosimo III de' Medici durante il suo secondo viaggio nei Paesi Bassi (1669). Il quadro, nonostante la firma, fu stranamente elencato come del Van Mieris in un inventario dei quadri di palazzo Pitti degli inizi del Settecento. M.C.	Scritta sul retro: Stalbent. Nelle figure in primo piano si possono forse riconoscere i pellegrini di Emaus. Datato dal Bodart dopo il Paesaggio con Tobiolo (Amsterdam, coll. Butôt, dat. 1628) e in rapporto ai paesaggi di Rubens degli anni 1630-35. M.C.	Il dipinto è ricordato per la prima volta nella collezione del principe Ferdinando de' Medici in palazzo Pitti, il cui inventario fu steso alla sua morte nel 1713. Opera tipica dell'artista, da collocare negli ultimi anni del suo soggiorno romano. M.C.	Il dipinto è ricordato in palazzo Pitti agli inizi del Settecento con l'attribuzione a Jan Bath, ma la provenienza non è documentata. Ricordato come del Both in tutti i cataloghi della Galleria degli Uffizi successivi al 1753, il quadro venne attribuito allo Swanevelt dall'Hoogewerff nel 1958 (com. orale: cfr. Dipinti del Seicento Fiammingo e Olandese, Seconda Settimana dei Musei Italiani, Galleria degli Uffizi, 1958, n. 5). La attribuzione è pienamente convincente e trova raffronti precisi con le opere eseguite a Roma dall'artista olandese (1629-1641). M.C.

	P1841	P1842	P1843	P1844
AUTORE	Van Thielen, Jan-Philip (Malines 1618 - Boisschot 1667) e Quellyn, Erasmus (Anversa 1618-1679).	Van Uyttenbroeck, Moyses (L'Aja?, doc. 1615-1646 ca.).	Van Valckenborch, Martin (Lovanio 1535 - Francoforte s. M. 1612).	Van Veerendael, Nicolas (Anversa 1640-1691).
TITOLO	Madonna col Bambino in una ghirlanda di fiori.	Paesaggio pastorale.	Ballo campestre.	Fiori in un vaso.
DATAZIONE	1645.	1624 (Würzbach 1910). 1629 (Weisner 1964).	Sec. XVI-XVII.	Seconda metà sec. XVII.
DATI TECNICI	Olio su tela, 81x61, restauro 1977.	Olio su tavola, 42x57, restauro 1974.	Olio su tavola, 48x35.	Olio su tavola, 30,5x23, restauro 1977.
CORNICE	Liscia, dorata, sec. XVII-XVIII.	Sagomata, dorata, sec. XVII.	Moderna in legno chiaro.	Sagomata, dorata, sec. XVII.
UBICAZIONI	Palazzo Mediceo, Livorno (sec. XVIII); Uffizi (1796).	Pissi sec. XVII); Uffizi (1784); Pitti (1928).	Guardaroba granducale (primi sec. XVII); Uffizi (1798).	Pitti (seconda metà sec. XVII); Uffizi (1718-21); Pitti (post 1796); Uffizi (1800).
ATTRIBUZIONI	—	—	Pieter Bruegel (Inv. Guardaroba MDCLXXV, IV, C. 1587). Marten V. Valckenborch (Marchini 1952, comunicazione orale).	—
ESPOSIZIONI	Rubens e la pittura fiamminga del Seicento nelle collezioni pubbliche fiorentine, Firenze 1977.	—	Arte fiamminga e olandese dei sec. XV e XVI, Firenze 1947.	Rubens e la pittura fiamminga del Seicento nelle collezioni pubbliche fiorentine, Firenze 1977.
BIBLIOGRAFIA	H. Gerson - E. H. Ter Kuile, Art and Architecture in Belgium 1600-1800, Harmondsworth 1960. M.L. Hairs, Les peintres flamands de fleurs au XVIIᵉ siècle, Bruxelles 1965. *Cat., Firenze 1977, n. 129.*	J. Rosenberg - S. Slive - E. H. Ter Kuile, Dutch Art and Architecture, 1600-1800, Harmondsworth 1966. *U. Weisner Die Gemälde des Moyses van Uyttenbroeck, in Oud Holland, 1964, p. 203.*	R. Salvini, Cat. Galleria Uffizi Firenze 1952, p. 73.	M.L. Hairs, Les peintres flamands de fleurs au XVIIᵉ siècle, Bruxelles 1965. *Cat., Firenze 1977, n. 131.*
INVENTARIO	1191 (C.P., p. 128, n. 863).	1265.	1249 (C.P., p. 94, n. 928).	1079.
FOTO	279114.	228375.	69369.	278994.
NOTE	Firmato e datato dai due autori: J.P. van Thielen Rigoult A.no 1645/E. Quellinus. È una delle opere più antiche dei due autori, che collaborarono spesso in opere di questo tipo. In questo caso, la raffigurazione al centro, di derivazione vandyckiana (Bodart 1977), non è in chiaroscuro, ma a colori. La provenienza del dipinto non è documentata, e si sa solo che pervenne agli Uffizi dal palazzo mediceo di Livorno. M.C.	La provenienza del dipinto non è documentata. Ricordato nell'inventario generale dei quadri di palazzo Pitti tra la fine del Seicento e gli inizi del Settecento, il quadro è ricordato poi nell'inventario della collezione del principe Ferdinando de' Medici (1713). La sigla e la data citati dal Wurzbach (Niederl. Künstlerlex., II, p. 730), che si leggevano MWB 1624 (ma il Weisner suggerisce una data 1629), oggi non sono così chiaramente leggibili. Sul retro, su una striscia di carta, scritta sei-settecentesca: Miesael (sic) Uijttenbroeck. M.C.	L'opera venne in Galleria dalla Guardaroba Granducale il 15 novembre 1798. A tergo è scritto 'Pietro Brueghel Flamand', ma l'attribuzione tradizionale a Bduegel non è sostenibile (Salvini 1952). E.M.	A tergo scritta antica: Veerendael. Entrato nelle collezioni medicee nella seconda metà del Seicento, fu forse acquistato da Cosimo III in uno dei suoi viaggi nei Paesi Bassi (1667-69). M.C.

	P1845	P1846	P1847	P1848
AUTORE	Vanvitelli, Gaspare, nome italianizzato di Gaspard van Wittel (Amersfoort 1655 - Roma 1736).	Vanvitelli, Gaspare, nome italianizzato di Gaspard van Wittel (Amersfoort 1655 - Roma 1736).	Vanvitelli, Gaspare, nome italianizzato di Gaspard van Wittel (Amersfoort 1655 - Roma 1736).	Vanvitelli, Gaspare, nome italianizzato di Gaspard van Wittel (Amersfoort 1655 - Roma 1736).
TITOLO	Il porto di Ripetta a Roma.	Il Tevere a S. Giovanni dei Fiorentini.	I 'prati di Castello' a Roma.	Veduta di Villa Medici a Roma.
DATAZIONE	1685.	1685.	1685.	1685.
DATI TECNICI	Tempera su pergamena, 29,5x40,8.	Tempera su pergamena, 23,5x43,5.	Tempera su pergamena, 23,5x43,5.	Tempera su pergamena, 29x41.
CORNICE	Liscia, tinta di nero, sec. XVII.	Liscia, tinta di nero, sec. XVII.	Liscia, tinta di nero, sec. XVII.	Liscia, tinta di nero, sec. XVII.
UBICAZIONI	Poggio Imperiale (ante 1691); Uffizi (1796); Pitti (1928).	Pitti (1713); Uffizi (1753); Pitti.	Pitti (inizi sec. XVIII); Uffizi (1753); Pitti (1928).	Poggio Imperiale (ante 1691); Uffizi (1796); Pitti (1928).
ATTRIBUZIONI	—	—	—	—
ESPOSIZIONI	Paesisti, Bamboccianti e vedutisti nella Roma seicentesca, Firenze 1967.	Paesisti, Bamboccianti e vedutisti nella Roma seicentesca, Firenze 1967.	Paesisti, Bamboccianti e vedutisti nella Roma seicentesca, Firenze 1967.	Paesisti, Bamboccianti e vedutisti nella Roma seicentesca, Firenze 1967.
BIBLIOGRAFIA	A. Zwollo, Hollandse en Vlaamse veduteschilders te Rome 1675-1725, Assen 1973. *G. Briganti, Gaspar van Wittel, Roma 1966, p. 195, n. 69. Cat., Firenze 1967, n. 50.*	A. Zwollo, Hollandse en Vlaamse veduteschilders te Rome 1675-1825, Assen 1973. *G. Briganti, Gaspar van Wittel, Roma 1966, p. 202, n. 90. Cat., Firenze 1967, n. 52.*	A. Zwollo, Hollandse en Vlaamse veduteschilders te Rome 1675-1725, Assen 1973. *G. Briganti, Gaspar van Wittel, Roma 1966, p. 187, n. 51. Cat., Firenze 1967, n. 53.*	A. Zollow, Hollandse en Vlaamse veduteschilders te Rome 1675-1725, Assen 1973. *G. Briganti, Gaspar van Wittel, Roma 1966, p. 169, n. 11. Cat., Firenze 1967, n. 51.*
INVENTARIO	1247 (C.P., p. 136, n. 1539).	4354 (C.P., p. 135, n. 1047).	4355 (C.P., p. 136, n. 1538).	1256 (C.P., p. 135, n. 1053).
FOTO	166046.	281577.	301750.	153386.
NOTE	Datato sul cippo a sinistra: Roma 1685. Il dipinto rappresenta l'ansa del Tevere all'altezza di Via di Ripetta ancora in attesa della sistemazione più tarda detta 'porto della legna' perché vi facevano approdo i barconi che trasportavano il legname. Sulla destra Castel S. Angelo e il complesso del Vaticano con S. Pietro. La veduta è basata su un disegno conservato alla Biblioteca Nazionale di Roma (Briganti n. 189 d). Il dipinto, con il suo 'pendant' n. 1256, era nel 1691 nella collezione di Vittoria della Rovere, moglie di Ferdinando II de' Medici, nella Villa del Poggio Imperiale. M.C.	Datato sul pilastrino in basso a sinistra: 1685. Scritta sul retro (telaio): Gasparo olandese. Il dipinto appartenne al principe Ferdinando de' Medici, nell'inventario della cui collezione, steso alla sua morte (1713), è ricordato. Poiché sappiamo che nel novembre 1694 venivano pagati al Vanvitelli due quadri entrati nella collezione del principe, è possibile che uno fosse quello qui descritto. M.C.	Datato sul muretto a sinistra della fontana: 1685. Sul retro scritta: 'Veduta di Prati, verzo (sic) la trinità di monti a Roma. Gaspare van Witello'. Il dipinto, che è basato su un disegno nella Biblioteca Nazionale di Roma (Briganti, n. 1779), ha le stesse misure del n. 4354, del quale è in genere considerato 'pendant', ma a differenza di quello non è descritto nell'inventario della collezione del principe Ferdinando. È comunque ricordato in un inventario generale dei dipinti di palazzo Pitti steso agli inizi del XVIII secolo. La provenienza non è documentata, ma poiché sappiamo che l'artista fu a Firenze almeno due volte, è probabile che esso sia stato venduto da questi ai Medici. M.C.	Siglato sul cippo in primo piano: G.V.V. e datato 1685 sul frammento di colonna. Sul retro: Imperiale 13. Maggio 1796. La veduta, che è basata su un disegno alla Biblioteca Nazionale a Roma (Briganti, n. 180d.), presenta la parte posteriore della Villa Medici sul Pincio quando ancora aveva al completo la sua decorazione di statue, trasportate poi dai Lorena a Firenze. Il 'pendant' di questo quadro è la Veduta del Tevere n. 1247. I due dipinti fecero parte della collezione di Vittoria della Rovere, moglie di Ferdinando II de' Medici, nella Villa del Poggio Imperiale nel cui inventario steso alla sua morte (1691) sono ricordati. M.C.

	P1849	P1850	P1851	P1852
AUTORE	Vanvitelli, Gaspare, nome italianizzato di Gaspard van Wittel (Amersfoort 1655 - Roma 1736).	Varotari, Alessandro, detto il Padovanino (Padova 1588-Venezia 1648).	Vasari, Giorgio (Arezzo 1511 - Firenze 1574).	Vasari, Giorgio (Arezzo 1511 - Firenze 1574).
TITOLO	Veduta di Marino e dei Monti Albani.	Lucrezia.	Ritratto di Alessandro de' Medici.	Allegoria della Concezione.
DATAZIONE	1719.	Inizio sec. XVII.	1534 (Vasari).	Sec. XVI (1541, Vasari).
DATI TECNICI	Olio su tela, 72x96.	Olio su tela, 92x73.	Olio su tavola, 157x114, restauro 1968.	Olio su tavola, 58x39.
CORNICE	Sagomata, intagliata e dorata, sec. XVIII.	Barocca, in legno intagliato e dorato a grande decoro di volute.	Intagliata e dorata.	Intagliata e dorata.
UBICAZIONI	Coll. Colonna, Roma (sec. XVIII); Coll. Corsini, Firenze (sec. XIX-XX); Uffizi (1953).	Uffizi (1799).	Coll. Ottaviano de' Medici; Uffizi; Museo Mediceo (1926); Pitti (1972).	Guardaroba; Uffizi (1771); Castello (1925); Poggio a Caiano (1940); Pitti (1944); Uffizi (1948).
ATTRIBUZIONI	—	—	G. Vasari (Doc. dal pittore).	G. Vasari (Inv. 1890).
ESPOSIZIONI	Painting in Italy in the Eighteenth Century: Rococo to Romanticism, Chicago-Minneapolis-Toledo 1970-71.	—	Mostra Medicea, Firenze 1939.	Mostra storica della Tribuna degli Uffizi, Firenze 1970.
BIBLIOGRAFIA	A. Zwollo, Hollandse en Vlaamse Veduteschilders te Rome, Assen 1973. *G. Briganti: Gaspar Van Wittel, Roma 1966, p. 220. Cat., Chicago-Minneapolis-Toledo 1970-71, n. 90.*	A. Venturi, Storia Arte 9, VII, Milano 1934. C. Donzelli - G. M. Pilo, I pittori del Seicento veneto, Firenze 1967.	*H. Huntley, in Gazette des Beaux Arts, 1947, XXXII, pp. 23-36. P. Barocchi, Vasari pittore, Milano 1964. A.G.F.: S. Grazzini, Scheda ministeriale, 1973.*	*P. Barocchi, Vasari pittore, Milano 1964, p. 21. Cat., Firenze 1970-1971, p. 26. A.G.F.: S. Grazzini, Scheda Ministeriale, 1973.*
INVENTARIO	9295.	963 (C.P., p. 196, n. 643.	1563 (C.P., p. 169, n. 1281).	1524 (C.P., p. 162, n. 1191).
FOTO	128098.	323299.	143332.	79274.
NOTE	Siglato sul muro della casa a sinistra: G. V. W. 1719. In basso a sinistra il n. 69 e a destra la colonna coronata, simbolo della famiglia romana per la quale il qua-fu dipinto. Passato ai Corsini di Firenze nella seconda metà dell'Ottocento per eredità (cfr. U. Medici, Cat. della Galleria Corsini, Firenze 1886). Acquistato nel 1953 con altri quattro dipinti dell'artista, sempre di provenienza Colonna-Barberini-Corsini. I principi Colonna furono tra i protettori e committenti più in vista del Van Wittel, e il loro palazzo di Marino si vede nel dipinto a destra della chiesa. Per questo quadro, e per altre versioni ancora in palazzo Colonna a Roma, l'artista si avvalse di un disegno preparatorio oggi conservato nella Biblioteca Naz. di Roma (Briganti 1966, n. 196d). M.C.	È elencato dal Venturi e da Donzelli Pilo fra le opere certe del pittore. È copia della nota composizione dei Kunsthistorisches Museum di Vienna (n. 136) di attribuzione disputata fra Tiziano e Palma il Vecchio. Copie del soggetto (una ad Hampton Court, l'altra al Victoria and Albert Museum di Londra di mano di Peter Oliver) sono elencate da H. E. Wethey, The paintings of Titian, vol. III, London 1975. Inciso dal Lasinio su: Reale Galleria Firenze illustrato, vol. I, Firenze 1817. A.P.	Nell'Autobiografia (Vasari - Milanesi, p. 657), il pittore scrive che questo quadro fu fatto per il Duca Alessandro dei Medici il quale poi lo donò, assieme al Ritratto di Caterina e del Magnifico Lorenzo Vecchio, ad Ottaviano dei Medici, 'nella cui casa è stato insino ad oggi'. Gr. Red. 3.	L'opera è datata dal pittore stesso nella sua Autobiografia (Vasari-Milanesi, VII p. 669) al 1541. Si tratta di '...un bozzetto finito del quadro grande fatto per la chiesa dei SS. Apostoli di Firenze', in particolare per la Cappella di Bindo Altoviti. Gr. Red. 3.

	P1853	P1854	P1855	P1856
AUTORE	Vasari, Giorgio (Arezzo 1511 - Firenze 1574).	Vasari, Giorgio (Arezzo 1511 - Firenze 1574).	Vasari, Giorgio (Arezzo 1511 - Firenze 1574), bottega di.	Vasari, Giorgio (Arezzo 1511 - Firenze 1574), copia da.
TITOLO	Il Profeta Eliseo.	La Fucina di Vulcano.	Adorazione dei pastori.	Ritratto di Lorenzo il Magnifico.
DATAZIONE	Sec. XVI.	Sec. XVI, ante 1565 (Antal, 1951).	Metà sec. XVI.	Sec. XVI.
DATI TECNICI	Olio su tavola, 40x29, restauro 1952.	Olio su rame, 38x28, restauro 1952.	Olio su tavola, 90x67.	Olio su tavola, 90x72, restauro 1965.
CORNICE	Intagliata e dorata.	Intagliata e dorata.	Intagliata e dorata, sec. XVI.	Dipinta di marrone e dorata.
UBICAZIONI	Archivio segreto, Pitti; Uffizi (1773); Poggio a Caiano (1940); Pitti (1944); Uffizi (1970).	Uffizi (doc. dal 1589; assente nel 1704 e ss.?); Poggio a Caiano (1943); Uffizi (1948).	Uffizi (1965).	Coll. Ottaviano dei Medici; Uffizi; Poggio a Caiano (1940); Sacro Eremo di Camaldoli (1940); Uffizi (1945).
ATTRIBUZIONI	G. Vasari (Inv. 1890).	G. Vasari (Inv. 1890).	—	G. Vasari (Inv. 1890).
ESPOSIZIONI	Fontainbleau e la Maniera Italiana, Napoli 1952. Mostra storica della Tribuna degli Uffizi, Firenze 1970.	Mostra del Cinquecento toscano in Palazzo Strozzi, Firenze 1940. Fontainbleau e la Maniera italiana, Napoli, 1952.	Dipinti salvati dalla piena dell'Arno, Firenze 1966.	Mostra del Cinquecento Toscano, Firenze 1940. Mostra di Lorenzo il Magnifico, Firenze 1949.
BIBLIOGRAFIA	*P. Barocchi, Vasari pittore, Milano 1964, p. 63. Cat., Firenze 1970, p. 26. A.G.F.: S. Grazzini, Scheda Ministeriale 1973.*	*Cat., Firenze 1940, n. 16. Cat., Napoli 1952.*	P. Barocchi, Vasari pittore, Novara 1964. *S. Meloni, in Cat. Firenze 1966, n. 16, p. 13.*	*Cat., Firenze 1940, p. 62. Cat., Firenze 1949. A.G.F.: S. Grazzini Scheda ministeriale, 1973.*
INVENTARIO	1470 (C.P., p. 157, n. 1185).	1558 (C.P., p. 164, n. 1221).	9449.	1578 (C.P., p. 88, n. 1269).
FOTO	217684.	150479; 1451973.	135255.	141905.
NOTE	Come già riferisce il Pieraccini, si tratta della replica ridotta dell'opera fatta insieme con le 'Nozze di Cana' e 'S. Benedetto' per i monaci di San Pietro a Perugia (Vasari - Milanesi, VII p. 707), nell'anno 1566. A Londra, al British Museum, esiste uno studio del Profeta (Barocchi, 1964, tav. 86). Gr. Red. 3.	Il dipinto è da accostare ad una evidente derivazione esistente al Castello di Windsor, pubblicata da F. Antal (in 'The Burlington Magazine', 1951, pp. 132-133) e dallo studioso attribuita a Pietro Candido (Peter Candid, detto, Bruges 1574 - München 1628). Il dipinto è datato 1565-67, e costituisce un prezioso 'ante quem' per l'originale vasariano degli Uffizi. Al Louvre è un disegno relativo a quest'opera (n. 2161), eseguito a penna, matita e biacca. Gr. Red. 3.	Replica del Presepio nella galleria Borghese di Roma, che viene identificato o con uno eseguito nel 1546 per il cardinal Salviati, o con uno ordinato nel 1553 da Pierantonio Bandini. Questo, di qualità meno sostenuta, è forse opera di bottega: trovato presso un rigattiere di Empoli, è stato assicurato alle Gallerie fiorentine da Anna del Vivo nel 1965. S.M.T.	Si tratta della copia del XVI secolo del famoso Ritratto di Lorenzo il Magnifico che il Vasari dipinse attorno al 1530 per Ottaviano dei Medici. Questa copia riprende dall'originale solo il mezzo busto senza gli attributi allegorici. In alto al centro, a caratteri capitali, leggiamo: 'LAURENTIUS MEDICES'. Gr. Red. 3

	P1857	**P1858**	**P1859**	**P1860**
AUTORE	Vassallo, Antonio Maria (Genova, not. 1637-1648).	Vassallo, Antonio Maria (Genova, not. 1637-1648).	Vassallo, Antonio Maria (Genova, not. 1637-1648).	Vassallo, Antonio Maria (Genova, not. 1637-1648).
TITOLO	Cascina.	Circe.	Cucina rustica.	Medea rende la giovinezza a Esone.
DATAZIONE	Metà sec. XVII.	Metà sec. XVII.	Metà sec. XVII.	Metà sec. XVII.
DATI TECNICI	Olio su tela, 52x69, restauro 1964.	Olio su tela, 53x69,5, restauro 1964.	Olio su tela, 51,5x68, restauro 1960.	Olio su tela, 51x68, restauro 1964.
CORNICE	Dorata con intagli, sec. XVII o XVIII.	Dorata con intagli, sec. XVII o XVIII.	Dorata con intagli, sec. XVII o XVIII.	Dorata con intagli, sec. XVII o XVIII.
UBICAZIONI	Coll. Carlo Del Sera; Uffizi (1777).	Coll. Carlo Del Sera; Uffizi (1777).	Coll. Carlo Del Sera; Uffizi (1777).	Coll. Carlo Del Sera; Uffizi (1777).
ATTRIBUZIONI	Castiglione. Vassallo (Grosso, 1922).	Castiglione. Vassallo (Grosso, 1922).	Castiglione. Vassallo (Meloni). 1964).	Castiglione. Vassallo (Meloni, 1964).
ESPOSIZIONI	Dipinti del Seicento genovese, Firenze 1964, n. 7.	Pittura genovese del Seicento e del Settecento, Genova 1938; Dipinti del Sei e Settecento, Firenze 1959; Dipinti del Seicento genovese, Firenze 1964. n. 5.	Dipinti del Seicento genovese, Firenze 1964.	Dipinti del Seicento genovese, Firenze 1964.
BIBLIOGRAFIA	*O. Grosso, in Dedalo, III, 1922-23. G.V. Castelnovi, La Pittura a Genova e in Liguria dal Seicento al primo Novecento, Genova 1971. M. Chiarini, in Arte illustrata, 53, 1973.*	G. V. Castelnovi, in La pittura a Genova e in Liguria dal Seicento al primo Novecento, Genova 1971. O. Grosso, in Dedalo, III, 1922-23.	*Cat., Firenze 1964, n. 8. M. Chiarini, in Arte illustrata, 53, 1973.*	*E. Brunetti, in Arte antica e moderna, 11, 1960. Cat., Firenze 1964, n. 6.*
INVENTARIO	1342 (C.P., p. 147, n. 1024).	1363 (C.P., p. 147, n. 1042).	1412 (C.P., p. 147, n. 1098).	1421 (C.P., p. 147, n. 1062).
FOTO	111335.	122299.	111329.	111328.
NOTE	Come attesta il cartellino antico sulla cornice, la tela entrò in galleria nel 1777 con la collezione di Carlo Del Sera (AGF, filza X a 54) insieme al 'pendant' «Cucina rustica» (inv. 1890 n. 1412) e a due soggetti mitologici delle stesse misure (inv. 1890 nn. 1363 e 1421), tutti con l'attribuzione al Castiglione; fu assegnata al Vassallo dal Grosso. Nell'inventario del 1825 il titolo del quadro è «Manipolazione del butirro». Il Chiarini suppone che non questa scena, ambientata all'aperto, sia il pendant della «Cucina», ma un'altra tela (inv. 1890 n. 5760) ambientata in un interno. S.M.T.	Come attesta un cartellino antico sulla cornice, venne in galleria nel 1777 con la collezione di Carlo Del Sera (AGF, filza X a 54) insieme al 'pendant' Medea (inv. 1890 n. 1421) e a un'altra coppia di soggetti rustici (inv. 1890 nn. 1342 e 1412) dello stesso autore, allora creduto G.B. Castiglione. Il Grosso la restituì al Vassallo, ma attribuendo a questo quadretto la citazione del Ratti di una Circe fatta per i Medici dal Castiglione (inv. 1890 n. 6464). L'autore trattò altre volte il soggetto (cfr. Cat. mostra Pittori genovesi a Genova..., Genova 1969, n. 39). S.M.T.	Come attesta il cartellino antico sulla cornice, entrò in galleria nel 1777 con l'acquisto della collezione di Carlo Del Sera (AGF, filza X a 54), insieme al 'pendant' «Cascina» e a una coppia di soggetti mitologici (inv. 1890 n. 1363 e 1421) dello stesso autore, allora creduto il Castiglione. La 'Cascina' fu assegnata al Vassallo dal Grosso, che però non conobbe questa tela. Recentemente invece il Chiarini ha supposto che questo quadro faccia coppia non col n. 1342 bensì col n. 5760; che però ha misure più difformi (51x 60) e altri tipi di numerazione antica, e pur essendo ambientato in un interno rustico di composizione simile e simmetrica non condivide le vicende degli altri quattro. S.M.T.	Come attesta un cartellino antico a tergo della cornice («Dall'Eredità del Sera Filza 10 a 54»), il dipinto venne in galleria nel 1777 con la collezione Del Sera, insieme al 'pendant' Circe (inv. 1890 n. 1363) e a una coppia di soggetti rustici (inv. 1890 nn. 1342, 1412) dello stesso autore, allora creduto Castiglione: tutti e quattro con cornici uguali. La Brunetti rifiutò l'attribuzione ma senza proporre quella al Vassallo, avanzata nel catalogo della mostra del 1964. S.M.T.

	P1861	P1862	P1863	P1864
Autore	Vecchietta, Lorenzo di Pietro detto il (Castiglione d'Orcia 1410 - Siena 1480).	Velazquez, Diego Rodriguez de Silva y (Siviglia 1599 - Madrid 1660).	Venceslao di Boemia (attivo nel Trentino nella prima metà del sec. XV).	Venceslao di Boemia (attivo nel Trentino nella prima metà del sec. XV).
Titolo	Madonna e Santi.	El aguador de Sevilla.	S. Benedetto benedice il vino avvelenato.	S. Benedetto esorcizza un monaco.
Datazione	1457.	1616-20 (Longhi 1951), 162ò (Curtis 1887).	Secondo decennio del secolo XV.	Secondo decennio del sec. XV.
Dati tecnici	Tempera su legno, opera composita, max. 156x230 - pala d'altare, più volte restaurata.	Olio su tela, 104x75.	Tempera su tavola, 109x62.	Tempera su tavola centinata in alto, 111x66.
Cornice	Originale ,architettonica con pilastri e arcate.	Intagliata e dorata, con foglie agli spigoli e dentelli e perle sui lati, forse originale.	—	—
Ubicazioni	Francesca Petrucci, Villa di Monteselvoli, Siena; Coll. Granducali (1798); Uffizi.	Marchese de la Ensenada, Londra (cit. 1811); Coll. Wilkin, Londra (1813); Coll. Drey, Monaco (1931); Colnaghi, Londra; Coll. Contini Bonacossi (cit. 1951); Uffizi (1974) Dep. Meridiana di Pitti.	Coll. Cannon, Fiesole; Uffizi (1937).	Col. Cannon, Fiesole; Uffizi (1937).
Attribuzioni	—	—	Gentile da Fabriano (Longhi 1940). Pisanello (Richter 1931; Degenhart 1949). Venceslao (Fiocco 1952; Brenzoni 1956; Magagnato 1958).	Gentile da Fabriano (Longhi 1940). Pisanello (Richter 1931; Degenhart 1949). Venceslao (Fiocco 1952; Brenzoni 1956; Magagnato 1958).
Esposizioni	—	Mostra del Caravaggio, Milano 1951.	Da Altichiero a Pisanello, Verona 1958. Europäische Kunst um 1400, Wien 1962. Dipinti salvati dalla piena dell'Arno, Firenze 1966.	Da Altichiero a Pisanello, Verona 1958. Europäische Kunst um 1400, Wien 1962. Dipinti salvati dalla piena dell'Arno, Firenze 1966.
Bibliografia	G. Vigni, Lorenzo di Pietro detto il vecchietta, Firenze 1937.	R. Longhi, in Cat. Milano 1951, n. 186. P. M. Bardi, L'opera completa di Velasquez, Milano 1969, n. 20a.	L. Magagnato, Da Altichiero a Pisanello, Venezia 1958, n. 90, pp. 81-83. F. Klauner, in Europäische Kunst um 1400, Wien 1962, n. 58, pp. 124-26. S. Meloni Trkulija, in Cat., 1966, 9, pp. 9-10.	L. Magagnato, Da Altichiero a Pisanello, Venezia 1958, n. 90, pp. 81-83. F. Klauner, in Europäische Kunst um 1400, Wien 1962, n. 58, pp. 124-26. S. Meloni Trkulija, in Cat., 1966, 8, pp. 9-10.
Inventario	474 (C.P., p. 178, n. 1542).	Contini Bonacossi 24.	9404.	9403.
Foto	5598.	217281 e part.	24742, part. 67536.	24733.
Note	In non buono stato di conservazione. Fu donato da Francesco Petrucci al Granduca di Toscana nel 1798. La testa del S. Lorenzo è in gran parte rifatta. Le scritte: OPUS LAURENTII PETRI SENESIS MCCCCLVII e (integrata) "questa tavola ha fatta fare Giacomo dandreuccio setaiuolo p(er) sua divozione". I santi sono: Bartolomeo, Jacopo, Eligio, Andrea, Lorenzo e Domenico. Nei pilastrini: S. Francesco, S. Margherita, S. Bernardino e S. Caterina d'Aless. Stemmi del donatore. G.M.	Replica del dipinto di analogo soggetto esistente presso il duca di Wellington a Londra (e secondo il Longhi anteriore a quello), l'opera può collocarsi intorno al 1620, come ritenne per primo il Curtis (1887), ed eseguita a Siviglia prima che l'autore passasse a Madrid. Ne farebbe fede l'evidente influsso del luminismo caravaggesco, proprio del periodo giovanile di Velasquez. È entrata nelle collezioni della Galleria in seguito a una donazione, accompagnata da una convenzione, degli eredi del conte Alessandro Contini Bonacossi (1969). C.C.	Questo dipinto insieme ai nn. 9403 e 9405 inv. 1890, è giunto agli Uffizi nel 1937 dalla Coll. Cannon di Fiesole, i tre dipinti fanno serie con San Benedetto nel deserto del Museo Poldi Pezzoli di Milano. Due di queste tavole si trovavano originariamente nel Palazzo Portalupi di Verona mentre una faceva parte della Coll. Sessa di Milano. Per quanto riguarda le numerose attribuzioni si rimanda al Catalogo della Mostra di Verona del 1958. L.B.B.	Questo dipinto insieme ai nn. 9404 e 9405 inv. 1890, è giunto agli Uffizi nel 1937 dalla Coll. Cannon di Fiesole; i tre dipinti fanno serie con S. Benedetto nel deserto del Museo Poldi Pezzoli di Milano. Due di queste tavole si trovavano originariamente nel Palazzo Portalupi di Verona, mentre una faceva parte della Coll. Sessa di Milano. Per l'autore delle tavole vengono prospettate varie soluzioni: dal Boemo Venceslao a Niccolò di Pietro, a Pisanello giovane o a maestri che prendono il nome da queste tavole; per una più ampia documentazione rimandiamo al cat. della mostra di Verona del 1958. L.B.B.

	P1865	P1866	P1867	P1868
AUTORE	Venceslao di Boemia (attivo nel Trentino, prima metà sec. XV) attr. a.	Venusti, Marcello (Como 1515 ca.- Roma 1579).	Venusti, Marcello (Como 1515- Roma 1579).	Vernet, Claude-Joseph (Avignone 1714 - Parigi 1789).
TITOLO	S. Benedetto ripara il vassoio della Nutrice.	Allegoria del tempo (Sogno della vita umana).	Gesù in croce.	Marina con naufragio.
DATAZIONE	Secondo decennio del sec. XV.	Sec. XVI.	Sec. XVI.	1743-48 (Ingersoll-Smouse 1926).
DATI TECNICI	Tempera su tavola, centinata in alto, 108x62, restauri 1962, 1971.	Olio su tavola, 91x61,5.	Olio su tavola, 50x32,7.	Olio su tela, 51x40, restauro 1977.
CORNICE	—	—	Intagliata e dorata.	Intagliata, dorata, sec. XVIII.
UBICAZIONI	Coll. Cannon, Fiesole; Uffizi (1937).	Depositi, Uffizi (1962); Depositi, Pitti (1969).	Uffizi; Poggio a Caiano (1940); Pitti Depositi, (1944); Casa Buonarroti; Uffizi, Depositi (1965).	Uffizi (1801); Pitti (1928); Uffizi (1972).
ATTRIBUZIONI	Gentile da Fabriano (Longhi 1940). Pisanello (Richter 1931. Degenhart 1949). Venceslao (Fiocco 1952. Brenzoni 1956. Magagnato 1958).	M. Venusti (attribuito a) (Inv. 1890).	Pontormo (Inv. 1635). Michelangelo (Inv. 1704-1753). A. Bronzino-Michelangelo (Inv. 1784). A. Allori (Inv. 1825, Inv. 1890).	—
ESPOSIZIONI	Da Altichiero a Pisanello, Verona 1958. Europäische Kunst um 1400, Wien 1962. Dipinti salvati dalla piena dell'Arno, Firenze 1966.	Dipinti salvati dalla piena dell'Arno, Firenze 1966.	—	La peinture française à Florence, Firenze 1945. Mostra temporanea di alcune pitture straniere, Firenze 1964. Pittura francese nelle collezioni pubbliche fiorentine, Firenze 1977.
BIBLIOGRAFIA	*L. Magagnato, Da Altichiero a Pisanello, Venezia, 1958, n. 90, pp. 81-83. F. Klauner, in Europäische Kunst um 1400, Wien 1962, n. 58, pp. 124-26. S. Meloni Trkulija, in Cat. Firenze 1966, 10, pp. 9-10.*	Diz. Bolaffi XI, Torino 1975, *Cat., Firenze 1966, n. 17.*	*P. Borland, A copy by Venusti after Michelangelo, in Burlington Magazine, 1961, p. 433.*	F. Ingersoll-Smouse, *Joseph Vernet, peintre de marine, Paris 1926. A. I. Rusconi, La R. Galleria Pitti, Roma 1937, p. 318. Cat., Firenze 1977, n. 139.*
INVENTARIO	9405.	9434.	1559 (C.P., p. 167, n. 1213).	985 (C.P., p. 115, n. 665).
FOTO	115578.	—	170023.	206862.
NOTE	Questo dipinto insieme ai nn. 9403, 9404, inv. 1890, è giunto agli Uffizi dalla Coll. Cannon di Fiesole nel 1937; i tre dipinti fanno serie col san Benedetto nel deserto del Poldi Pezzoli di Milano. Due di queste tavole si trovavano originariamente nel Palazzo Portalupi di Verona, mentre una faceva parte della Coll. Sessa di Milano. Per quanto riguarda le numerose attribuzioni si rimanda al catalogo della mostra di Verona. L.B.B. M.C.	Un disegno di Michelangelo esistente nella coll. Seilern di Londra e databile al 1533-1535 ca. è alla base di questa e di molte altre pitture di questo soggetto, passate in rivista da A. Marabottini (1956) a cui si rimanda per la spiegazione del motivo che simboleggia probabilmente il richiamo dell'uomo alla Virtù. Gli Uffizi, in particolare, possiedono, oltre questa, altri due dipinti rappresentati lo stesso soggetto, uno di A. Allori sul tergo del ritratto di Bianca Cappello e l'altro in deposito alla Casa Buonarroti. Gr. Red. 3	Questo quadro deriva da una composizione di Michelangelo studiata più volte in atteggiamenti vari, in noti disegni della Coll. Windsor, senza che corrisponda esattamente a nessuno di essi. Di questo dipinto, inoltre, si incontrano frequentemente repliche in collezioni pubbliche e private; nella stessa Gall. degli Uffizi si trova, infatti, una miniatura su pergamena. Il Borland ricorda, nel suo articolo, l'opera del Venusti quale autore di dipinti tratti da disegni di Michelangelo e eseguiti soprattutto per Tommaso Cavalieri, tra i quali la nostra 'Crocifissione' esposta oggi agli Uffizi. Gr. Red. 3	Acquistato, col suo 'pendant' n. 975, nel 1801 per 55 zecchini e con il parere favorevole dei pittori Fabre e Boguet. Il dipinto fu copiato da Antonio Cioci in un affresco nella Villa del Barone presso Montemurlo (gentile comunicazione di Giuseppe Marchini). M.C.

	P1869	P1870	P1871	P1872
AUTORE	Vernet, Claude-Joseph (Avignone 1714 - Parigi 1789).	Veronese, Caliari Paolo, detto il (Venezia 1528 - Venezia 1588).	Veronese, Caliari Paolo, detto il (Verona 1528 - Venezia 1588).	Veronese, Caliari Paolo, detto il (Verona 1528 - Venezia 1588).
TITOLO	Paesaggio con cascata e pescatori.	Sacra Famiglia con S. Barbara e S. Giovannino.	L'Annunciazione della Vergine.	Giuseppe da Porto con il figlio Adriano.
DATAZIONE	1743-48 (Ingersoll-Smouse 1926).	1550 (Fiocco 1928), 1562-65 (Pignatti 1976).	1551-53 (Fiocco 1928), 1556 (Pallucchini 1939).	1555 ca. (Fiocco 1928), 1556 ca. (Palluchini 1939, Marini 1968), 1551 ca. (Pignatti 1976).
DATI TECNICI	Olio su tela, 51x40, restauro 1977.	Olio su tela, 86x122.	Olio su tela, 143x291, restauro 1975.	Olio su tela, 247x133.
CORNICE	Intagliata, dorata, sec. XVIII.	Barocca, in legno intagliato e dorato, motivi di angeli e strumenti della Passione.	Ottocentesca (?), legno intagliato e dorato, senza decorazioni.	Barocca, in legno intagliato e dorato.
UBICAZIONI	Uffizi (1801); Pitti (1928); Uffizi (1972).	Casa Widmann, Venezia (cit. 1648); Pitti (cit. inv. 1716-23); coll. Del Sera, Venezia (fino 1654); eredità card. Leopoldo de' Medici (1675); Guardaroba de' Medici, Uffizi (1798).	Coll. Del Sera, Venezia (fino 1654); eredità card. Leopoldo de' Medici (1675); Pitti (cit. inv. 1716-23); Uffizi (1798).	Coll. Sedelmeyer, Parigi; coll. Contini Bonacossi; Uffizi (1974), Dep. Meridiana di Pitti.
ATTRIBUZIONI	--	—	Zelotti (Morelli 1897, A. Venturi 1929, Arslan 1948).	Maestro di casa Marcello (Arslan 1947). G. A. Fasolo (Tietze 1944).
ESPOSIZIONI	La peinture française à Florence, Firenze 1945. Mostra temporanea di alcune piture straniere, Firenze 1964. Pittura francese nelle collezioni pubbliche fiorentine, Firenze 1977.	—	Mostra di Paolo Veronese, Venezia 1939. Chefs d'oeuvre vénitiens de Paolo Veronese a Tintoret, Parigi 1954.	Mostra di Paolo Veronese, Venezia 1939.
BIBLIOGRAFIA	F. Ingersoll-Smouse, Joseph Vernet, peintre de marine, Paris 1926. A. I. Rusconi, La R. Galleria Pitti, Roma 1937, p. 318. Cat., Firenze 1977, n. 140.	T. Pignatti, Veronese, Venezia 1976, 2 voll. C. Ridolfi, Le maraviglie dell'arte, Venezia 1648 (ed. von Hadeln. Berlin 1914-24, 2 voll.).	T. Pignatti, Veronese, Venezia 1976, 2 voll. Cat., Venezia 1939, n. 17 (a cura di R. Pallucchini).	T. Pignatti, Veronese, Venezia 1976, 2 voll. Cat., Venezia 1939, n. 26. R. Marini, l'opera completa del Veronese, Milano 1969.
INVENTARIO	975 (C.P., p. 115, n. 655).	1433 (C.P., p. 195, n. 1136).	899 (C.P., p. 204, n. 579).	Contini-Bonacossi 16.
FOTO	206863.	185681.	229844.	225584.
NOTE	Acquistato, col suo 'pendant' n. 985, nel 1801 per 55 zecchini e con il parere favorevole dei pittori Fabre e Boguet. Del presente dipinto esiste una copia (vendita Hotel Drouot 26 giugno 1933). M.C.	Citata dal Ridolfi e dal Boschini, è concordamente considerata dalla critica opera autografa e fondamentale di Paolo. Una copia di Carletto Caliari (cm 96,5x118,5) è nella Jacob Epstein Collection del Museum of Art di Baltimora. Altra copia, miniatura su pergamena di antica attribuzione a C. Loth, è nelle Gallerie Fiorentine (inv. 1890 n. 813). Un disegno degli Uffizi (GDSU 1857) è da considerare una copia. Si conoscono numerose incisioni: di G. Guadagnini, G.D. Picchianti, G. Piccino (1655), G. A. Wolfang, P. Lasinio (R. Galleria, Firenze 1824, vol. II). È probabile che la tela abbia subito una riduzione. A.P.	Le stesse figure compaiono, con varianti, nell'Annunciazione del Museo Civico di Padova (inv. 657 e 659), anteriore di qualche anno. Analoga composizione ritorna nella tarda tela, di uguale soggetto, della Galleria dell'Accademia di Venezia (inv. 315). Pallucchini sottolinea la stretta somiglianza della Vergine Annunciata con la Madonna Incoronata nel soffitto di S .Sebastiano a Venezia (1555). A.P.	Con esposizione temporanea nei locali della Meridiana di Palazzo Pitti, il dipinto fu acquisito ufficialmente al patrimonio dello Stato nel 1974, a seguito di convenzione intervenuta nel 1969 con gli eredi Contini-Bonacossi. Pubblicato dal von Hadeln (cfr. 'Some portraits by Paolo Veronese' in Art in America 1927) deve essere associato al ritratto gemello della Walters Art Gallery di Baltimora (inv. 37541) che raffigura la consorte del ritrattato: Lucia da Porto Thiene con la figlia Porzia. Al Louvre si conserva un disegno preparatorio autografo (nr. A. 2138) con piccole varianti. A.P.

	P1873	P1874	P1875	P1876
AUTORE	Veronese, Caliari Paolo, detto il (Verona 1528 - Venezia 1588).	Veronese, Caliari Paolo, detto il (Verona 1528 - Venezia 1588).	Veronese, Caliari Paolo, detto il (Verona 1528 - Venezia 1588) e bottega, attr. a.	Veronese, Caliari Paolo, detto il (Verona 1528 - Venezia 1588), attr. a.
TITOLO	Martirio di S. Giustina.	S. Agata incoronata dagli angeli.	La Crocifissione.	Ritratto di uomo.
DATAZIONE	1555 ca. (Fiocco 1928), 1560 ca. (Pallucchini 1939), 1570-80 (Pignatti 1976).	1580 ca. (Pignatti 1976).	1582 ca. (Marini 1968, Pignatti 1976).	Sec. XVI.
DATI TECNICI	Olio su tela, 103x113.	Olio su tavola, 19x17.	Olio su tela, 142x249.	Bozzetto a olio su carta, 26x20,5.
CORNICE	Barocca, in legno intagliato e dorato. Motivi di corone di fiori e palme.	Ottocentesca, in legno intagliato e dorato.	Barocca, legno intagliato e dorato a decoro di nastro di alloro e volute agli spigoli.	—
UBICAZIONI	Coll. Canonici, Ferrara? (cit. 1632); coll. Del Sera, Venezia (fino 1654); eredità card. Leopoldo de' Medici; Uffizi (1675); Guardaroba (1769); Uffizi (1794).	Gran Principe Ferdinando de' Medici (cit. 1713); Uffizi (cit. 1753).	Eredità card. Leopoldo de' Medici (cit. inv. 1675); Guardaroba; Uffizi (1798).	Uffizi (1880). Pitti (1968).
ATTRIBUZIONI	Zelotti (Venturi 1929). Carletto Caliari (Arslan 1948).	—	Veronese (agli Uffizi come tale, Berenson 1958).	P. Veronese (Inv. G.D.S.U., Inv. 1880).
ESPOSIZIONI	Mostra di Paolo Veronese, Venezia 1939.	—	R. Marini, *L'opera completa del Veronese*, Milano 1968; *T. Pignatti, Veronese, Venezia 1976 2 voll.*	—
BIBLIOGRAFIA	T. Pignatti, Veronese, Venezia 1976, 2 voll. *Cat., Venezia 1939, n. 29 (a cura di R. Pallucchini).*	*T. Pignatti, Veronese, Venezia 1976, 2 voll.*	—	T. Pignatti, Veronese, Venezia 1976, 2 voll.
INVENTARIO	946 (C.P., p. 194, n. 589).	1343 (C.P., p. 149, n. 1021).	955.	G.D.S.U. 20564.
FOTO	150483.	140137.	131656.	11014.
NOTE	Registrato in Tribuna nel 1704 e 1763. Sul retro scritta antica: 'Paolo Caliari Veronese pittore visse negli anni 1550 mi costò questo quadro...'. Il Pignatti, ultimo monografo del Veronese, elenca il dipinto fra le opere autografe. L'unico dissenso attributivo è stato avanzato in tempi recenti da W. Arslan: Nota su Veronese e Zelotti in Belle Arti, I, 1948. Inciso da P. Lasinio (R. Galleria, Firenze 1828 vol. ·II).	Figura nell'inventario palatino dei quadri del Gran Principe Ferdinando nel 1713 (cfr. M. Chiarini: I quadri della collezione del Principe Ferdinando di Toscana, su Paragone nr. 303, 1975). Qualche perplessità sull'autografia è stata espressa da P.H. Osmond (Paolo Veronese his career and work, London 1927). È nella lista delle opere autografe secondo Pignatti, ultimo monografo del Veronese.	Figura nell'inventario del card. Leopoldo (c. 56 n. 38) con l'attribuzione al Veronese, conservato nei successivi inventari di Galleria (inv. 1825 n. 666, inv. 1890 n. 955). La critica moderna a cominciare dal Fiocco (Paolo Veronese, Roma s.d. ma 1934) e fino ai monografi più recenti (cfr. bibl. cit.) con l'eccezione di Berenson (Indici 1958, La scuola veneta) sottolinea l'estesa collaborazione della bottega. Inciso da Fr. A. Lorenzini.	Nell'Inventario del Gabinetto Disegni e Stampe degli Uffizi il bozzetto appare come supposto autoritratto del Veronese. Nell'Inventario del 1880 l'attribuzione viene confermata al pittore di Verona. Secondo un'attribuzione non ufficiale più recente si deve tuttavia assegnare il bozzetto a scuola emiliana della II metà del XVI secolo.
	A.P.	A.P.	A.P.	Gr. Red. 3

	P1877	P1878	P1879	P1880
AUTORE	Veronese, Caliari Paolo, detto il (Verona 1528 - Venezia 1588), scuola di.	Veronese, Caliari Paolo, detto il (Verona 1528 - Venezia 1588), scuola di.	Veronese, Caliari Paolo, detto il (Verona 1528 - Venezia 1588), scuola di.	Veronese, Caliari Paolo, detto il (Verona 1528-Venezia 1588), copia da.
TITOLO	Ester condotta ad Assuero. 65 (Ticozzi 1978).	Ercole tra Vizio e Virtù.	Ritratto di suora.	Resurrezione di Lazzaro.
DATAZIONE	1555 ca. (Pallucchini 1940). 1562-	Sec. XVI.	Sec. XVI.	Sec. XVII (inizio)?
DATI TECNICI	Olio su tela, 208x284.	Olio su tela, 62x48.	Tempera su tela, 34x23.	Olio su tela, 187x358.
CORNICE	Ottocentesca (?) in legno dorato, senza decorazioni.	Intagliata e dorata.	Dipinta di marrone.	—
UBICAZIONI	Coll. Visconte Failding, Venezia? (citazione 1648); Gallerie Imperiali, Vienna; Uffizi (1793).	Pitti; Uffizi (1976).	Monastero degli Angeli; Pitti (1951); Uffizi (1976).	Pitti; Guardaroba; Uffizi (1774); Provincia, Pistoia (1919); Poggio a Caiano (1953).
ATTRIBUZIONI	Zelotti (Coletti 1941), copia antica o imitatore (Salvini 1952, Pignatti 1976).	Scuola del Veronese (Inv. 1890).	Scuola del Veronese (Inv. 1890).	Veronese agli Uffizi come tale, cit. 1774, (Caliari 1888). Scuola di Veronese (Cat. Pieraccini). Veronese e bottega (Berenson 1932).
ESPOSIZIONI	—	—	—	—
BIBLIOGRAFIA	R. Pallucchini, Veronese, Bergamo 1940 (1953). *T. Pignatti, Veronese, Venezia 1976, voll. 2.*	T. Pignatti, Veronese, Venezia 1976, voll. 2.	T. Pignatti, Veronese, Venezia 1976, voll. 2.	*C. Ridolfi, Le maraviglie dell'arte, ed. von Hadeln, Berlin 1914-24, 2 voll. T. Pignatti, Veronese, Venezia 1976, 2 voll.*
INVENTARIO	912 (C.P., p. 207, n. 596).	5929.	5989.	540 (C.P., p. 197, n. 95).
FOTO	150484.	168650.	158110.	126099.
NOTE	Per Von Hadeln trattasi del dipinto citato da Ridolfi fra gli acquisti dell'ambasciatore inglese a Venezia visconte Failding: «...Ester Regina innanzi ad Assuero col seguito di molte Dame...» (cfr. C. Ridolfi «Le maraviglie dell'arte» 1648, edizione von Hadeln, Berlin 1914-24 voll. 2). Pallucchini considera il dipinto di epoca giovanile e di rilevante livello qualitativo, coevo ai soffitti della sagrestia di S. Sebastiano. Il Pignatti, ultimo monografo del Veronese, lo elenca fra le opere attribuite. Incisa da W. Hollar nel Theatrum Pictorium del Teniers (cfr. Immagini del Veronese, Cat. della mostra. Roma 1978). A.P.	Il dipinto fu classificato nell'Inventario del 1881 (n. 148) come opera di II Categoria. Il tema qui rappresentato appare collegabile all'allegorica leggenda greca di Ercole di fronte alla scelta tra le due donne, simboleggianti l'una il Vizio e l'altra la Virtù. Una replica di piccolo formato (Lucca - Ponte a Maiano), è citata dal Fiocco (1934) e dal Berenson (1957) come autografa del Veronese. Gr. Red. 3	La tela, in mediocre stato di conservazione, è attribuita nell'Inventario del 1890 alla Scuola di Paolo Veronese. Gr. Red. 3	Figura nella lista dei quadri trasferiti dalla Guardaroba Generale il 20 Maggio 1774 (cfr. AGF, Filza VII a. 1774, 22). Il Ridolfi cita presso casa Widmann in Venezia una Resurrezione di Lazzaro di cui lo Hadeln identifica la coppia in questa tela degli Uffizi. Ritenuto autografo dalla tradizione degli Uffizi (inventari e cataloghi a stampa) e dalla vecchia storiografia il dipinto è oggi considerato buona copia antica (cfr. anche gli ultimi Indici di Berenson - La scuola veneta. London - Firenze 1958) che riflette un momento giovanile del Veronese all'interno del sesto decennio del XVI secolo (cfr. M. Levey, 'An Early dated Veronese etc.' su Burl. Mag. 1960. CII, p. 107 segg.). Incisione di G. A. Lorenzini. A.P.

	P1881	P1882	P1883	P1884
AUTORE	Veronese, Caliari Paolo, detto il (Verona 1528-Venezia 1588), copia da.	Verrocchio, Andrea di Cione detto il (Firenze 1435 - Venezia 1488).	Verrocchio, Andrea di Cione detto il (Firenze 1435 - Venezia 1488) e Leonardo da Vinci (Vinci, Firenze 1452 - Amboise 1519).	Verrocchio, Andrea di Cione detto il (Firenze 1435 - Venezia 1488) e Leonardo da Vinci (Vinci, Firenze 1452 - Amboise 1519).
TITOLO	Vergine in trono fra Santi e donatori.	Madonna col Bambino e Santi.	Il battesimo di Cristo.	Verso dell'opera P1883.
DATAZIONE	Sec. XVII? o 1548?	Sec. XV.	1469-1480.	
DATI TECNICI	Olio su tela, 50x36.	Olio su tavola, 173x165, restauro 1977.	Olio su tavola, 180x152, restauro 1969.	
CORNICE	Settecentesca, liscia, legno dorato.	Intagliata e dorata.	Salvadora.	
UBICAZIONI	Poggio a Caiano; Uffizi (1773).	Convento SS. Annunziata; Uffizi (cit. 1890); Chiesa di S. Martino, Strada in Chianti (1926); Fortezza, Restauri (1977).	Chiesa di S. Salvi (ante 1529); Monastero delle Vallombrosane di S. Verdiana (ante 1730); Accademia (1810); Uffizi (1914).	
ATTRIBUZIONI	Paolo Veronese (agli Uffizi come tale, inv. 1784 e segg., Bernasconi 1864, Berenson 1932 e 1958).	Verrocchio (Inv. 1880-90).	Morelli (1890), Cruttwell 1904), Reymond (1906), Thiis (1909 e 1919) negano la partecipazione di Leonardo; Domenico di Michelino, Botticini, Botticelli e Leonardo (Ragghianti 1954).	
ESPOSIZIONI	—	—	Exposition de l'art italien de Cimabue a Tiepolo, Parigi 1935.	
BIBLIOGRAFIA	*G. Fiocco, Paolo Veronese, Bologna 1928. T. Pignatti, Veronese, 2 voll., Venezia 1976.*	G. Passavant, Verrocchio, Venezia 1969.	*Cat. Parigi 1935, n. 486. A. Ottino della Chiesa, Leonardo Pittore, Milano 1967, n. 1. G. Passavant, Verrocchio, Venezia 1969 (ed. it.), n. 21. L. Berti, Leonardo all'Ermitage e agli Uffizi, Firenze 1979.*	
INVENTARIO	1316 (C.P., p. 148, n. 1015).	1592 (C.P., p. 178, n. 1278 bis).	8358.	
FOTO	72202.		53780 (e particolari) retro 252767/8/9/70.	
NOTE	È elencato con l'attribuzione al Veronese, fra i dipinti venuti in Galleria dalla Villa di Poggio a Caiano nel 1773 (cfr. AGF A. 1773 filza VI a. 96, n. 163). La maggior parte della critica moderna è orientata a ritenere il dipinto degli Uffizi non già bozzetto autografo per la pala Bevilacqua Lazise n. 243 del Museo di Castelvecchio di Verona, del 1548 (cfr. B. Berenson. La scuola veneta, London-Firenze 1958), ma copia antica da quella (cfr. Pignatti, bibl. cit.). Ciò nonostante, l'ipotesi della autografia non sembra del tutto insostenibile. A.P.	Il dipinto compare nell'Inventario del 1880 tra le opere di I Categoria (n. 2) coll'attribuzione al Verrocchio. È stato esposto nella 2° Sala della Scuola Toscana (1890). Si tratta di un'opera poco conosciuta, ignorata nelle recenti monografie relative all'artista, che qui risente della maniera di Lorenzo di Credi. Gr. Red. 3	La partecipazione di L. tramandataci dal Vasari, dapprima accettata, pur non senza contrasti solo per l'angelo, è stata chiarita con riferimento al paesaggio in base a risultanze radiografiche (Sampaolesi 1954, Castelfranco 1966). Più di recente si è ravvista (Passavant 1969, Berti 1979) la mano di L. anche nella figura del Cristo e nelle parti monocrome. Due miniature della bottega di Attavante si rifanno al dipinto: una nel Messale di Thomas James, Musèe du Havre del 1483-85, l'altra in un messale di Matteo Corvino, Biblioteca di Bruxelles, del 1487 (O. G. Von Simson, in Gazette des Beaux-Arts, 1943; pp. 305 ss.). Disegni preparatori: 8P, Firenze GDSU, paesaggio datato 1473 e firmato da L.; n. 130 E, Firenze GDSU, testa di angelo attr. al Verrocchio, collegata da alcuni studiosi al Battesimo (Berenson 1961, Passavant 1969). Interessante la versione del Battesimo di Lorenzo di Credi, eseguita tra il 1495-1500. R.P.P.	Si tratta del retro dell'opera raffigurante Il battesimo di Cristo, descritta alla scheda P1883. Vi compare una serie di disegni di qualità notevole e carattere verrocchiesco: in alto a sinistra cifre in grafia quattrocentesca, due figure nude (34,5 e 44,5), casamenti, più in basso due volute, fronde, fusti e un tripode (21,5), nell'asse adiacente come una testa di faccia e profilo di una gamba nell'altra asse profilo affrettato di un piede. R.P.P.

	P1885	P1886	P1887	P1888
AUTORE	Verrocchio, Andrea di Cione, detto il (Firenze 1435-Venezia 1488), scuola del.	Viani, Giovanni Maria (Bologna 1636-1700).	Vignali, Jacopo (Pratovecchio 1592 - Firenze 1664), attr. a.	Vignali, Jacopo (Pratovecchio 1592 - Firenze 1664).
TITOLO	Adorazione del Bambino.	Madonna col Bambino.	Studio di testa.	Giacobbe e l'Angelo.
DATAZIONE	1465 ca. (Bertani 1979).	1690-1700 (Borea 1975).	1630 ca.?	1637 ca. (Bertani 1979).
DATI TECNICI	Tempera su tavola, 68x40, restauro 1974.	Olio su tela, 126x93, restauro 1970.	Olio su tavola, 40x28.	Bozzetto, olio su cartone su tela, 28,8x22, rintelato.
CORNICE	Legno modanato e dorato.	Dorata e intagliata a ghirlande e bocci.	Sagomata, dorata, sec. XVII.	Listello in legno marrone.
UBICAZIONI	Uffizi (1880); Museo Bandini, Fiesole (1914); Uffizi (1974).	Pitti (1705 ca.); Eredità Gran Principe Ferdinando de' Medici (1713); Uffizi (1774).	Coll. Feroni (ante 1850); Uffizi (1866); Cenacolo di S. Salvi (1894).	Gabinetto Disegni e Stampe (1881); Uffizi (1890); Pitti (1954); Uffizi (1971).
ATTRIBUZIONI	Ignoto sec. XV (Inv. Antichi). Scuola del Verrocchio (Pieraccini 1914).	—	—	—
ESPOSIZIONI	—	Pittori bolognesi del Seicento nelle Gallerie di Firenze, Firenze 1975.	—	—
BIBLIOGRAFIA	B. Berenson, Italian Pictures of the Renaissance. Florentine School, London 1963, voll. I e II. A. Chastel, La grande Officina. Arte Italiana 1460-1500, Milano 1979.	E. Borea, in Cat., Firenze 1975, n. 161, pp. 216-7.	C. Del Bravo, Per Jacopo Vignali, in Paragone, 135, 1961. F. Mastropierro, Jacopo Vignali, Milano 1973. Cat. Galleria Feroni, Firenze 1895, p. 6.	C. Del Bravo, Per Jacopo Vignali, in Paragone, 135, 1961, p. 28. C. Del Bravo, Jacopo Vignali, Firenze, 1964. M. Gregori, Arte fiorentina tra 'maniera' e 'barocco', in Paragone 169, 1964, pp. 11-23.
INVENTARIO	500 (C.P., p. 68, n. 77).	794.	S. Marco e Cenacoli 120.	5578.
FOTO	325063.	226581.	160017.	157008.
NOTE	Il dipinto compare quale opera di anonimo di scuola fiorentina negli inventari dal 1880. Esposto nella Galleria degli Uffizi, nel 1914 fu inviato in deposito al Museo Bandini di Fiesole, nel 1974 fu ritirato dal Museo e riportato agli Uffizi; ora si trova nei depositi degli Uffizi. L.B.B.	Opera nella tradizione del Reni. Fu probabilmente un acquisto del gran principe Ferdinando nella cui raccolta figurava alla di lui morte nel 1713. E.B.	Il dipinto, che ha le caratteristiche di un bozzetto, è attribuito al Vignoli nel Catalogo della collezione di provenienza: tale attribuzione sembra possibile, sia per lo stile che ricorda quello del pittore, sia per riscontri con sue opere. Infatti profili di vecchi di questo tipo si ritrovano, ad esempio, nella Madonna in gloria adorata da santi nella sagrestia della Ss. Annunziata (1630 ca.) e in un bozzetto inedito, ascrivibile all'artista, nelle gallerie fiorentine. M.C.	Sul telaio: 'Vignali Jacopo' e timbro rosso in ceralacca con G.C. Il presente bozzetto figura nell'inventario del 1881, cat. III, n. 296; prima del 1954 era nei magazzini di Palazzo Pitti, nel 1971 ritornò agli Uffizi, attualmente si trova nei depositi. La composizione richiama assai da vicino il dipinto su tela del Vignali con l'angelo che sveglia San Pietro in carcere della chiesa di San Gaetano di Firenze. L.B.B.

	P1889	P1890	P1891	P1892
AUTORE	Vinckboons, David (Malines 1576 - Amsterdam 1632?), attr. a.	Vivarini, Bartolomeo (Murano, Venezia; doc. dal 1450 al 1499).	Volterrano, Franceschini Baldassarre, detto il (Volterra 1611 - Firenze 1689).	Volterrano, Franceschini Baldassarre, detto il (Volterra 1611 - Firenze 1689).
TITOLO	Paesaggio con pattinatori sul ghiaccio.	S. Ludovico da Tolosa.	La burla del piovano Arlotto.	S. Luigi di Francia guarisce gli scrofolosi.
DATAZIONE	1620 ca.	1465 ca. (Gamba 1907).	1640 ca. (Borea 1965).	1662-63 ca.?
DATI TECNICI	Olio su rame, 23x29.	Tempera su tavola, 68x36.	Tempera su tela, 107x150.	—
CORNICE	Ebano, sec. XIX-XX.	Novecentesca, listello di legno a vista.	—	Bozzetto, olio su tela, 74x55.
UBICAZIONI	Giovanni Guglielmo del Palatinato; Pitti (1709); Uffizi (1796).	Coll. Santini, Ferrara; Coll. Laura Minghetti, Bologna,Mezzaratta (fino 1906); Uffizi (1906).	Poggio a Caiano (1693); Uffizi (1863).	—
ATTRIBUZIONI	Vinckboons (Inv. 1796, Pieraccini 1905 ca.). Anonimo fiammingo seguace di F. de Momper (Bodart 1977).	—	Volterrano (inv. 1693). Giovanni da San Giovanni (cat. 1863). Volterrano (Giglioli 1908).	—
ESPOSIZIONI	—	—	Le Caravage et la peinture italienne du XVII siècle, Parigi 1965.	Bozzetti delle Gallerie di Firenze, Firenze 1952.
BIBLIOGRAFIA	J. Rosenberg - S. Slive - E. H. Ter Kuile, Dutch Art and Architecture 1600-1800, Harmondsworth 1966. *D. Bodart, Rubens e la pittura fiamminga del Seicento nelle collezioni pubbliche fiorentine*, Firenze 1977, p. 345, n. CXL.	R. Pallucchini, I Vivarini, Venezia s.d., ma 1962. *C. Gamba, Nuovi acquisti di dipinti veneti nella Galleria degli Uffizi, in Boll. d'Arte A.I.*, 1907.	O. H. Giglioli, in Bollettino d'Arte 1908, p. 355. *E. Borea, in Cat., Parigi 1965*, n. 67.	R. Wittkover, Art and Architecture in Italy, 1600-1750, Harmondsworth 1955. *Cat., Firenze 1952*, n. 57. *L. Berti, in Cat. mostra Pietro da Cortona, Cortona 1956*, p. 75.
INVENTARIO	1148 (C.P., p. 124, n. 829).	3346 (C.P., p. 200, n. 1568).	582 (C.P., p. 82, n. 137).	8554.
FOTO	174001.	131755.	122144.	157153.
NOTE	Il dipinto fu inviato da Giovanni Guglielmo del Palatinato al cognato, Ferdinando de' Medici, nel 1709, come risulta da una lettera conservata all'ASF, Med. 5900, c. 12r/13 (notizia di M.L. Strocchi, 1978). Nel 1736 risulta già attribuito a 'David Vincteton', ma la attribuzione all'artista olandese è rifiutata dal Bodart, che pensa a un modesto seguace di Frans de Momper. M.C.	Fu acquistato nel 1906 per la somma di L. 5000. Il dipinto è ad evidenza elemento di un complesso più vasto, probabilmente un polittico a due o più ordini. Elencato fra le opere certe del Vivarini negli ultimi indici del Berenson (cfr. B. Berenson, Italian Pictures of the Renaissance, Venetian School, 2 voll., London 1957) non è citato nella monografia del Pallucchini (cfr. bibl. cit.). A.P.	Fu eseguito per certo Francesco Parrocchiani e rappresenta una burla fatta dal piovano Arlotto, famoso ai suoi tempi per l'umor faceto, al suo commensale padrone di casa, cui egli sturò durante il pranzo la botte del vino in cantina. Successivamente il quadro passò in proprietà al cardinal Giancarlo de' Medici (Baldinucci 1681) e quindi nella Collezione di Ferdinando de' Medici, a Poggio a Caiano. L'equivoco per cui nell'Ottocento fu creduto opera di Giovanni da San Giovanni si spiega col fatto che anche quel pittore raffigurò scene della vita dell'Arlotto, come narra il Baldinucci. Un disegno per la testa del piovano è a Firenze, collezione Longhi (Briganti 1953). E.B.	Come ha riconosciuto L. Berti nel 1952, si tratta del bozzetto, realizzato poi con qualche variante, per la pala d'altare di questo soggetto dipinta dal Volterrano, su commissione di Ludovico Incontri, per un altare della chiesa di S. Egidio a Firenze. Il quadro è citato da F. Baldinucci, nella vita da lui dedicata all'artista (vol. V, ed. Ranalli, Firenze 1847, p. 171), di seguito ad eventi occorsi nel 1662 ed è quindi probabile che esso, col relativo bozzetto, sia stato eseguito in quell'anno o poco dopo. M.C.

	P1893	P1894	P1895	P1896
Autore	Volterrano, Franceschini Baldassare, detto il (Volterra 1611 - Firenze 1689).	Volterrano, Franceschini Baldassare, detto il (Volterra 1611 - Firenze 1689).	Vouet, Simon (Parigi 1590-1649), attr. a.	Vouet, Simon (Parigi 1590-1649), attr. a.
Titolo	L'Assunta con le SS. Caterina da Siena e Margherita da Cortona.	Madonna in gloria con i Ss. Giovan B., Giovanni Ev. e Bruno.	Madonna col Bambino in un paesaggio, detta Madonna della cesta.	Annunciazione.
Datazione	1677 ca.	1681 ca.	1625-26 (Rosenberg 1977).	1650-60 ca.
Dati tecnici	Bozzetto, olio su tela, 54x40.	Bozzetto, olio su tela, 65x44.	Olio su tavola, 132x98, pulitura 1977.	Olio su tela, 120,5x86, restauro 1970.
Cornice	—	—	Sagomata, dorata, sec. XVIII?	Liscia, dorata, sec. XVIII.
Ubicazioni	Poggio a Caiano (sec. XVIII);	Certosa del Galluzzo (?); Uffizi (sec. XIX).	Pitti (sec. XVIII-XIX); Uffizi (1800), Pitti (1928); Uffizi (1972).	Parigi (ante 1973); Uffizi (1793).
Attribuzioni	—	Ingoto sec. XVII (Inv. Uffizi 1890). Volterrano (Berti 1952).	La Hyre (Rusconi 1937). Vouet (Rosenberg 1977).	Vouet (Favi 1793, Demonts 1913, Poggi 1927, Beaucamp 1939, Boyer 1956, Crelly 1962, Posner 1963, Borea 1970). Dorigny (Rosenberg 1972 e 1977).
Esposizioni	Bozzetti delle Gallerie di Firenze, Firenze 1952. Mostra di Pietro da Cortona, Cortona 1956, s.n. Gli Ultimi Medici. Il tardo Barocco a Firenze, 1670-1743, Detroit- Firenze 1974.	Bozzetti delle Gallerie di Firenze, Firenze 1952.	La peinture française à Florence, Firenze 1945. Tableaux Français en Italie, Tableaux français en France, Roma 1946. Mostra temporanea di alcune pitture straniere, Firenze 1964. Pittura francese nelle collezioni pubbliche fiorentine, Firenze 1977.	La peinture française à Florence, Firenze 1945. Caravaggio e Caravaggeschi nelle Gallerie di Firenze, 1970. Pittura francese nelle collezioni pubbliche fiorentine, Firenze 1977.
Bibliografia	R. Wittkower, Art and Architecture in Italy, 1600-1750, Harmondsworth 1958. *Cat., Firenze 1952, n. 58. Cat., Detroit-Firenze 1974, n. 189.*	Thieme-Becker, XXXIV, 1916. R. Wittkower, Art and Architecture in Italy, 1600-1750, Harmondsworth 1958. *Cat., Firenze 1952, n. 56.*	A. Blunt, Art and Architecture in France, 1500-1700, Harmondsworth 1954. *A. J. Rusconi, La Galleria Pitti, Roma 1937, p. 153. Cat., Firenze 1977, n. 105.*	W. Crelly, The Painting of Simon Vouet, New Haven, 1962. *Cat., Firenze 1977, n. 57.*
Inventario	600.	7596.	984.	1013 (C.P., p. 114, n. 692).
Foto	157450.	157149.	277875.	162999.
Note	Il dipinto è il bozzetto, che ha poi subito notevoli varianti, della pala d'altare dipinta nel 1677 dall'artista per uno degli altari del transetto sinistro della chiesa di S. Felicita a Firenze. Agli inizi del Settecento si trovava nella raccolta formata da Ferdinando de' Medici nella Villa di Poggio a Caiano (v. M. L. Strocchi: in Paragone, n. 311, 1976, p. 86). M.C.	Riconosciuto da L. Berti nel 1952 come bozzetto della pala dell'altar maggiore della certosa di Calci, databile intorno al 1681 (Thieme-Becker). M.C.	La provenienza del dipinto non è documentata: si sa soltanto che passava dalla Guardaroba di Pitti agli Uffizi nel 1800. Tornato a Pitti nel 1928, veniva esposto col nome del La Hyre (Rusconi 1937), che tuttavia il Rosenberg non accetta, dimostrando che il quadro è opera del Vouet alla fine del suo soggiorno romano. Il Rosenberg lo accosta in particolare al Riposo durante la fuga in Egitto che il Vouet dipinse per il card. Francesco Barberini nel 1626 (oggi nel Museo di S. Francisco). M.C.	Il dipinto venne acquistato, con altri quadri francesi, a Parigi nel 1793 da Francesco Favi per conto del granduca Ferdinando III di Toscana. Il Favi lo inviò a Firenze con una serie di perizie che attribuivano il dipinto al Vouet, attribuzione accettata da tutta la critica fino al 1972, quando il Rosenberg lo riferì a Michel Dorigny, (Saint-Quentin 1607 - Parigi 1665), genero e seguace del Vouet, appoggiando la sua attribuzione a un disegno in coll. priv. a New York e a dipinti certi dell'artista. M.C.

	P1897	P1898	P1899	P1900
AUTORE	Watteau, Jean-Antoine (Valenciennes 1684 - Parigi 1721), attr. a.	Willeboirts Bosschaert, Thomas (Bergen - op - Zom 1613-14 ca. - Anversa 1654), attr. a.	Wolffordt, o Wolfaerts, Artus (Anversa 1581-1641), attr. a.	Wouters, Frans (Lierre 1612 - Anversa 1659).
TITOLO	Il flautista.	Allegoria della Redenzione.	Donne al bagno.	Venere e Adone.
DATAZIONE	1725-30 ca.	Secondo quarto sec. XVII.	1620 ca.	1640-50 ca.
DATI TECNICI	Olio su tela, 37x48, restauro 1977.	Olio su tela, 190x165.	Olio su tavola, 56x78.	Olio su tavola, 59x99.
CORNICE	Intagliata, dorata, sec. XVIII.	Barocca, dorata.	Intagliata, dorata, sec. XVII.	Ebano, sec. XIX-XX.
UBICAZIONI	Pitti (sec. XVIII-XIX); Uffizi (1881).	Vienna (sec. XVIII); Uffizi (1793).	Uffizi (sec. XIX).	Uffizi (1753).
ATTRIBUZIONI	Watteau (Philips 1905). Lancret (Zimmerman 1912). Quilliard (Wildenstein 1926, Guiffrey 1929, Rosenberg 1977).	Theodor Rombouts (Inv. Galleria Vienna 1793). Scuola di Van Dyck (Pieraccini 1906 ca.).	Rubens (Inv. 1890). C. van der Lamen (Bodart 1977). Wolffordt (Gerson, Foucart, com. orale 1977).	Rubens (Cochin 1769, Pieraccini 1905 ca.). Wouters (Bodart 1977).
ESPOSIZIONI	La peinture française à Florence, Firenze 1945. France in the Eighteenth Century, Londra 1968. Pittura francese nelle collezioni pubbliche fiorentine, Firenze 1977.	—	Rubens e la pittura fiamminga del Seicento nelle collezioni pubbliche fiorentine, Firenze 1977.	Rubens e la pittura fiamminga del Seicento nelle collezioni pubbliche fiorentine, Firenze 1977.
BIBLIOGRAFIA	E. Camesasca-P. Rosenberg, Watteau, Paris 1970. *Cat., Firenze 1977, n. 133.*	H. Gerson - E. H. Ter Kuile, Art and Architecture in Belgium 1600-1800, Harmondsworth 1960. *D. Bodart, in Cat. Rubens e la pittura fiamminga del Seicento nelle collezioni pubbliche fiorentine, Firenze 1977, p. 336, n. CII. M. Chiarini, Un' 'Allegoria della Redenzione' di T. W. Bosschaert, in Boll. d'arte, n. 4, 1979.*	H. Gerson - E. H. Her Kuile, Art and Architecture in Belgium, 1600-1800, Harmondsworth 1960. *Cat., Firenze 1977, n. 67.*	C. Glück, Rubens, Van Dyck und Ihr Kreis, Wien 1932. *Cat., Firenze 1977, n. 135.*
INVENTARIO	990 (C.P., u. 114, n. 671).	732 (C.P., p. 93, n. 150).	3764.	1131 (C.P., p. 125, n. 812).
FOTO	171344.	74467.	249977, 278670.	128090.
NOTE	Sembra che il quadro sia entrato agli Uffizi, proveniente dalla Guardaroba di Pitti, nel 1881: tuttavia il suo arrivo a Firenze resta ancora non documentato. L'attribuzione al Watteau è rifiutata da molti critici, e il Rosenberg ha ulteriormente ribadita l'attribuzione a Pierre-Antoine Quilliard (Parigi 1701 ca. - Lisbona 1733). M.C.	Il dipinto è da identificare con uno di un gruppo pervenuto per scambio agli Nffizi da Vienna il 15.12.1793 (AGF, F. XXVII, 1793-94, n. 24): Di Teodoro Rombouts. La Madonna col Bambino che tiene in mano il globo del mondo e a destra David e a sinistra S. Maria Maddalena. Il quadro rappresenta un'allegoria della Redenzione, come indicherebbero la presenza del serpente schiacciato da Gesù, della Maddalena e di una figura barbuta nel fondo (Adamo?) che sorregge la croce. L'attribuzione al Rombouts è stilisticamente insostenibile. Il dipinto ha invece tutte le caratteristiche pittoriche di uno dei principali seguaci del Van Dyck, T. Willeboirts Bosschaert. M.C.	Il dipinto, la cui provenienza non è documentata, fu inventariato nel 1890 con la attribuzione a P.P. Rubens. D. Bodart (Cat., Firenze 1977) lo attribuiva viceversa a C. van der Lamen, ma tale attribuzione va ora cambiata in quella al Wolfordt, seguace minore del Rubens, secondo quanto propongono il Gerson, che ha pubblicato un'altra versione del dipinto (H. Gerson in: Kunsthistorische Mededeelingen van het Rijksb. voor kunsthist. Documentatie, I, 1946, p. 5s.), e J. Foucart (com. orale). Il dipinto, seguendo la datazione proposta dal Gerson per l'esemplare da lui pubblicato, può essere datato intorno al 1620. M.C.	Ritenuto dal Cochin e da altri critici opera di Rubens, il dipinto è stato invece attribuito al Wouters dal Bodart (1977), che lo avvina ad altri soggetti mitologici analoghi a Copenaghen, Hampton Court e Vienna. M.C.

	P1901	P1902	P1903	P1904
AUTORE	Wouwerman, Pieter (Haarlem 1623 - Amsterdam 1682).	Wouwerman (o Wouwermans), Philips (Haarlem 1619-68), attr. a.	Wouwerman (o Wouwermans), Philips (Haarlem 1619-68), attr. a.	Wright, John Michael (Scozia 1617-23 - Londra 1700).
TITOLO	Il ritorno dalla caccia.	Scena di battaglia.	Scena di battaglia.	Ritratto di George Monck, I duca di Albemarle.
DATAZIONE	1660-70 ca.	Sec. XVII.	Sec. XVII.	1660-87 ca.
DATI TECNICI	Olio su tavola, 35,5x41,5.	Olio su tela, 60x76.	Olio su tela, 60x76.	Olio su tela, 125x103.
CORNICE	Ebano, sec. XIX-XX.	Intagliata, dorata, sec. XVII.	Intagliata, dorata, sec. XVII.	Intagliata, dorata, sec. XVII.
UBICAZIONI	Uffizi (1784).	Coll. Feroni (ante 1850); Uffizi (1866); Cenacolo di Foligno (1894).	Coll. Feroni (ante 1850); Uffizi (1866); Cenacolo di Foligno (1894).	Uffizi (1687).
ATTRIBUZIONI	—	—	—	—
ESPOSIZIONI	—	—	—	Firenze e l'Inghilterra. Rapporti artistici e culturali dal XVI al XX secolo, Firenze 1971.
BIBLIOGRAFIA	Thieme-Becker, XXXVI, 1947. *G. Poggi, Galleria degli Uffizi. Cat. dei dipinti, ed. 1927, p. 191.*	J. Rosenberg - S. Slive - E. H. Ter Kuile, Dutch Art and Architecture, 1600-1800, Harmondsworth 1965. *Catalogo della Galleria Feroni, Firenze 1895, p. 8.*	J. Rosenberg - S. Slive - E. H. Ter Kuile, Dutch Art and Architecture, 1600-1800, Harmondsworth 1965. *Catalogo della Galleria Feroni, Firenze 1895, p. 8.*	E. K. Waterhouse, Painting in Britain, 1530-1790, Harmondsworth 1954. *Cat., Firenze 1971, n. 33.*
INVENTARIO	1243 (C.P., p. 131, n. 923).	S. Marco e Cenacoli 1.	S. Marco e Cenacoli 5.	2134.
FOTO	109181.	159982.	159983.	102292.
NOTE	Sul retro iscrizioni: Lelenbach, Wowermaans. L'attribuzione a Pieter Wouwerman compare nell'inventario degli Uffizi del 1784. Il dipinto è replica di una composizione molto nota di Philips Wouwerman (vedi C. Hofstede de Groot: Beschr. p. Krit. Verzeichnis..., Esslingen 1907-28, vol. 2, n. 647), fratello maggiore di Pieter e famoso per le sue rappresentazioni di cavalli e cacce. Il dipinto, probabilmente per una svista, è stato attribuito a Philips da G. Ceriotti: Pittura straniera in Italia, Busto Arsizio 1959, fig. 161. M.C.	L'attribuzione avanzata nel catalogo di provenienza per il dipinto e il suo 'pendant' n. 5 al Wouwerman non è convincente: i due dipinti hanno uno stile ben diverso da quello dell'artista olandese, e indefinibile anche per quanto riguarda la scuola. Probabilmente non italiani, è difficile tuttavia che siano olandesi. M.C.	Per il commento si veda il n. 1, scheda P1906. M.C.	Scritta (evidentemente posteriore all'arrivo del quadro a Firenze) in alto: Giorgio Monck Duca di Albermale Capitan Generale del Regno d'Inghilterra e due volte ammiraglio dei... George Monck (1608-1670), statista e generale, fece parte dell'esercito realista all'inizio della guerra civile inglese. Nel 1651 divenne comandante in capo agli ordini di Cromwell, e dopo la morte di quest'ultimo portò l'esercito dalla Scozia a Londra preparando il ritorno del re: da questi fu creato duca e cavaliere della Giarrettiera nel 1660. Il dipinto, che giunse a Firenze su richiesta di Cosimo III de' Medici nel 1687, deve essere stato eseguito tra il 1660 e l'anno di arrivo a Firenze. M.C.

	P1905	P1906	P1907	P1908
AUTORE	Wutky, Michael (Krems 1739-Vienna 1823).	Wyck, Thomas (Beverwijk 1616 ca. - Haarlem 1677).	Zanoni, Antonio (Padova 1648-1720 ca.).	Zelotti, G. Battista, detto Farinato o Battista da Verona (Verona 1532-1592), attr. a.
TITOLO	La cascata di Tivoli.	Veduta di fantasia con Ponte Rotto a Roma.	Le nozze di Cana (Copia da Tintoretto).	San Vittore e S. Corona.
DATAZIONE	1781.	1640-50 ca.	Fine sec. XVII.	Seconda metà sec. XVI.
DATI TECNICI	Olio su tela, 136,5x120,5, restauro 1976.	Olio su tavola, 44,5x66,4.	Olio su tela 175x274.	Olio su tela, 52x51.
CORNICE	D'epoca, dorata.	Ebano, sec. XIX-XX.	Settecentesca? listello dorato.	Settecentesca, liscia, in legno dorato.
UBICAZIONI	Uffizi (1785); Liceo Dante (1928); Galleria d'Arte Moderna (1976).	Poggio a Caiano (inizi sec. XVIII); Uffizi (1773).	Gran Principe Ferdinando de' Medici, Pitti (cit. 1713); Guardaroba (1714); Uffizi (cit. inv. 1890); Corte di Cassazione (1913); Corte d'Appello (1965).	Guardaroba, Pitti (cit. inv. inizi sec. XVIII); Guardaroba Poggio a Caiano (1773); Castello; Uffizi (1796).
ATTRIBUZIONI	—	—	Tintoretto (inv. Uffizi 1890, cat. Pieraccini).	—
ESPOSIZIONI	—	Paesisti, Bamboccianti e vedutisti nella Roma seicentesca, Firenze 1967.	—	—
BIBLIOGRAFIA	Thieme-Becker, XXXVI, 1947. Artisti Austriaci a Roma dal Barocco alla Secessione, Cat. mostra, Roma 1972.	L. Salerno. Pittori di paesaggio a Roma nel Seicento, Roma 1976. *Cat., Firenze 1967, n. 38.*	*M. Chiarini, I quadri della collezione del Principe Ferdinando di Toscana, in Paragone 301, 1975.*	E. Arslan, Note su Veronese e Zelotti, in Belle Arti, 1948. F. Zava Boccazzi, Considerazioni sulle tele di Battista Zelotti etc., in Arte Veneta 1970, XXIV.
INVENTARIO	5456.	1294 (C.P., p. 137, n. 970).	3831 (C.P., p. 205, n. 617).	1345 (C.P., p. 147, n. 1032).
FOTO	269352.	14782.	185711.	323312.
NOTE	Il quadro, che nell'ultima registrazione inventariale aveva perduto la paternità, è documentato per la prima volta nel Giornale successivo all'inventario di Galleria del 1784 (Biblioteca degli Uffizi, manoscritto 114) a p. 2, a dì 9 maggio 1785: di Michele Wuthy (sic): La cascata di Tivoli com'era nel 1781, in tempo che rifacendosi l'antica, furono costretti a far cadere l'acqua nella Grotta di Nettuno. Nello stesso 1785 il pittore donò anche l'autoritratto a pastello (AGF, filza XVIII, 16) ricevendo in dono la medaglia d'uso col motto Merentibus. Il Wutky faceva parte della colonia straniera a Roma dove si trattenne dal 1776 al 1801. Il dipinto è collocato nella Galleria d'arte moderna di Palazzo Pitti dal dicembre 1976. S.P.	Il dipinto, la cui provenienza non è documentata, si trovava agli inizi del XVIII secolo nella collezione del principe Ferdinando de' Medici a Poggio a Caiano (vedi M. L. Strocchi in Paragone, N. 311, 1976, p. 100). Poiché sappiamo che il cognato del principe, l'Elettore Palatino di Düsseldorf, gli inviò in due riprese dipinti olandesi e fiamminghi per la sua collezione, è possibile che il quadro sia pervenuto in quel modo alle collezioni fiorentine. M.C.	Trattasi di una copia del noto dipinto del Tintoretto conservato a Venezia in S. Maria della Salute e databile al 1561 (cfr. P. Luigi De Vecchi, L'opera completa del Tintoretto, Milano 1970). La tela è registrata nell'inventario dei beni artistici del Gran Principe Ferdinando con la precisa indicazione del copista: '... di mano del Zanoni Veneziano'. Forma 'pendant' con il Miracolo di S. Marco (inv. 1890 nr. 6243). Nelle Gallerie fiorentine si conservano altre due copie antiche dello stesso originale (inv. 1890 nr. 937; inv. 1890 nr. 6480, attribuito al Maffei). A.P.	Nonostante che l'attribuzione allo Zelotti sia antica e tradizionale degli Uffizi, il dipinto non è preso in considerazione dagli autori moderni (cfr. anche A. Venturi, Storia dell'Arte 1929, 9/IV e B. Berenson, Pittura italiana del Rinascimento. La scuola veneta, London-Firenze 1958). A.P.

	P1909	P1910	P1911	P1912
AUTORE	Zenale, Bernardino (Treviglio 1456 ca. - Milano 1526).	Zuccarelli, Francesco (Pitigliano, Grosseto 1702 - Firenze 1778), attr. a.	Ziesel, G. Frederick (Hoogstraten 1756 - Anversa 1809), attr. a.	Zuccarelli, Francesco, (Pitigliano Grosseto 1702 - Firenze 1778), attr. a.
TITOLO	S. Bernardo e un monaco cistercense.	S. Michele arcangelo.	Vaso di fiori.	Paesaggio con figure.
DATAZIONE	Fine sec. XV.	—	Fine sec. XVIII.	
DATI TECNICI	Olio su tavola, 113x50.	Olio su tavola, 115x51.	Olio su vetro, 63x50.	
CORNICE	Intagliata e dorata a motivi vegetali, entro una teca foderata in velluto verde.		Ebano, sec. XIX-XX.	
UBICAZIONI	Monastero di S. Ambrogio, Milano (?) (dall'origine); Coll. Frizzoni - Salis, Bergamo; Coll. Contini Bonacossi (cit. 1939); Uffizi (1974) Dep. Meridiana di Pitti.		Coll. A. De Noè Walker (sec. XIX); Uffizi (1893).	
ATTRIBUZIONI	B. Zenale (Frizzoni 1897, Malaguzzi Valeri 1902 e tutta la critica posteriore).		Van Huysum (Pieraccini 1905 ca., Poggi 1927, H. de Groot 1928, Grant 1954).	
ESPOSIZIONI	Mostra di Leonardo da Vinci, Milano 1939. Arte lombarda dai Visconti agli Sforza, Milano 1958.		—	
BIBLIOGRAFIA	*W. Suida, in Art in America XXI, 1943. R. Longhi, in Cat. Milano 1958.*		*M. H. Grant, Jan van Huysum, Leigh-on-sea 1954, p. 24, n. 109.*	
INVENTARIO	Contini Bonacossi 9.	Contini Bonacossi 10.	3095 (C.P., p. 129, n. 3449).	
FOTO	217277 e part.	225528 e part.	48116.	
NOTE	Confrontando le architetture degli sfondi, il Suida (1943) ha messo in relazione questo pannello e l'altro con S. Michele arcangelo (Inv. Contini Bonacossi 10), con la Madonna e Santi della fondazione Kress a Washington (anch'essa proveniente dalla coll. Frizzoni - Salis). I tre scomparti, appartenenti allo stesso complesso, identificato dal Suida nell'ancona dei Gesuiti della chiesa milanese di S. Anna, furono riuniti in occasione della mostra milanese del 1958, il cui catalogo ipotizza invece una commissione da parte dei Cistercensi di S. Ambrogio, cui alluderebbero l'abito del monaco e i simboli ambrosiani nel bordo del piviale del Santo. L'opera è entrata in Galleria in seguito a una donazione accompagnata da una convenzione con gli eredi del conte Alessandro Contini Bonacossi (1969). C.C.	Cfr. scheda P1909 (Inv. Contini Bonacossi 9). C.C.	Il dipinto fu donato agli Uffizi nel 1893 da A. De Noè Walker. Benché l'attribuzione al Van Huysum sia stata generalmente accettata, il dipinto, anche per l'insolita tecnica su vetro non riscontrabile nella produzione dell'artista olandese, va attribuito al pittore belga Ziesel, suo seguace, con le opere documentate del quale (ad es., Museo di Anversa) trova confronti decisivi. M.C.	Vedi: Ricci Marco, attr. a. Paesaggi in figure, Scheda P1327.

	P1913	P1914	P1915	P1916
Autore	Zuccari, Taddeo (Sant'Angelo in Vado, Urbino, 1529 - Roma 1566).	Zuccari, Taddeo (S. Angelo in Vado, Urbino, 1529 - Roma 1566), scuola di?	Zucchi, Iacopo (Firenze 1541? - Roma o Firenze 1589 o 1590).	Zucchi, Iacopo (Firenze 1541? - Roma o Firenze 1589 o 1590).
Titolo	Diana Cacciatrice.	Angelo che suona la viola sulle nubi.	L'Età del ferro.	L'Età dell'argento.
Datazione	1555 ca. (Bertani 1979).	Fine del sec. XVII.	1570 ca.	1570 ca.
Dati tecnici	Olio su tavola, 22x10.	Bozzetto, chiaroscuro su carta, 36x26.	Olio su rame, 50x39, restauro 1970.	Olio su tavola, 50x38,5
Cornice	Intagliata e dorata.	Legno modanato, aggettante e filettato d'oro nella parte interna.	Sagomata e dorata (sec. XVIII).	Sagomata e dorata (sec. XVIII).
Ubicazioni	Uffizi (1784); Casa Vasari, Arezzo (1951).	Gabinetto Disegni e Stampe (1880); Uffizi (1914).	Villa Medici, Roma (dall'origine); Guardaroba di Ferdinando I (1587); Uffizi (ante 1635).	Villa Medici, Roma (dall'origine); Guardaroba di Ferdinando I (1587); Uffizi (ante 1635).
Attribuzioni	Taddeo Zuccari (Inv. Antichi, Berti 1955).	Taddeo Zuccari (Inv. Antichi). Scuola emiliana (Cat. Firenze 1952). Affine a Taddeo Zuccari (Bertani 1979).	F. Zuccari (Inv. di Galleria dal 1635 al 1825). Zucchi (Voss 1913).	F. Zuccari (Inv. di Galleria dal 1635 al 1825). Zucchi (Voss 1913).
Esposizioni	—	Bozzetti delle Gallerie di Firenze, Firenze, 1952-53.	Mostra del '500 toscano, Firenze 1940.	Mostra del '500 toscano, Firenze 1940.
Bibliografia	J. A. Gere, Taddeo Zuccari. His development studied in his drawings, London 1969. *L. Berti, La casa del Vasari in Arezzo e il suo Museo, Firenze 1955, tav. n. 36, p. 26.*	A. Venturi, Storia dell'Arte... IX, parte Vª, Milano 1932, pp. 837-870. *Cat., Firenze, 1952-53, n. 133, p. 62.*	Thieme-Becker, XXXVI, 1947. E. Pillsbury, in Master Drawings, 12, 1974. *H. Voss, in Zeitschrift für Bildende Kunst, 1913, pp. 156-158. C. Lorenzetti, in Boll. d'arte, aprile 1933, p. 426.*	Thieme-Becker, XXXVI, 1947. E. Pillsbury, in Master Drawings, 12, 1974. *H. Voss, in Zeitschrift für Bildende Kunst, 1913, pp. 156-158. C. Lorenzetti, in Boll. d'arte, aprile 1933, p. 462.*
Inventario	1551 (C.P., p. 167, n. 1236).	GDSU 19167.	1509 (C.P., p. 162, n. 1215).	1506 (C.P., p. 163, n. 1200).
Foto	67067.	157065.	252590.	145152.
Note	Il dipinto compare in Galleria a partire dall'inventario degli Uffizi del 1784 ed è attribuito a Taddeo Zuccari (cfr. AGF ms 98 n. 398 cc. 224v-225r); nel 1951 fu inviato in deposito ad Arezzo ed esposto nel Museo della Casa Vasari. È opera abbastanza giovanile. L.B.B.	Il presente bozzetto, del quale non è chiaramente identificabile il soggetto, forse studio per una pala di altare o soffitto, compare nell'inv. 1880, cat. IIª n. 65. L.B.B.	Nella predella del trono di Giove si legge la scritta: Cuique suum; Gli angeli sostengono due volumi, su ciascuno dei quali compare la scritta: XII. Per la storia di quest'opera e delle altre due che compongono la serie, cfr. scheda a Inv. 1890 n. 1506. Per i disegni che sono in relazione con questo e con gli altri due dipinti cfr. scheda a Inv. 1890 n. 1548. L'opera è attualmente esposta nel corridoio del '500. E.S.	Dietro la Giustizia un putto sorregge un cartiglio con la scritta: In/ sudore / vultus / tui / vesceris / pane / tuo; su una pietra, accanto al putto che offre la lampada, altra scritta: Argenteum / saeculum. Questo dipinto, come gli altri della stessa serie (Inv. 1890 n. 1509 e 1548, cfr. schede) facevano parte di un mobile che il cardinal Ferdinando portò con sé da Roma nel 1587 quando venne a Firenze per essere incoronato Granduca. A partire dall'inventario del 1635 i tre dipinti figurano agli Uffizi come opera di F. Zuccari; fu il Voss per primo — poi seguito dagli altri — a restituire questa serie allo Zucchi. Sui disegni in relazione con questi tre dipinti vedi Inv. 1890 n. 1548. L'opera è attualmente esposta nel corridoio del '500. E.S.

P1917   P1918

AUTORE	Zucchi, Iacopo (Firenze 1541? - Roma o Firenze 1589 o 1590).	Zurbaran, Francisco de (Fuente de Cantos 1598 - Madrid 1664).
TITOLO	L'Età dell'Oro.	S. Antonio Abate.
DATAZIONE	1570 ca.	Dopo il 1640 (Mayer Longhi - 1930). Verso il 1640 (Guinard 1960).
DATI TECNICI	Olio su tavola, 50x38,5	Olio su tela, 177x117.
CORNICE	Sagomata e dorata (sec. XVIII).	Intagliata e dorata, a motivi vegetali.
UBICAZIONI	Villa Medici, Roma (dall'origine); Guardaroba di Ferdinando I (1587); Uffizi (ante 1635).	Coll. Yves Perdoux, Parigi (cit. 1925); Coll. Contini Bonacossi (cit. 1930); Uffizi (1974) Dep. Meridiana di Pitti.
ATTRIBUZIONI	F. Zuccari (Inv. di Galleria dal 1635 al 1825). Zucchi (Voss 1913).	—
ESPOSIZIONI	Mostra del '500 toscano, Firenze 1940. Le Triomphe du Maniérisme Européen, Amsterdam 1955.	Art espagnol, Gallerie Charpentier, Parigi 1925. Gli antichi pittori spagnoli dell aColl. Contini Bonacossi, Roma 1930.
BIBLIOGRAFIA	Thieme-Becker, XXXVI, 1974. *Cat., Amsterdam, 1955, n. 128, pp. 96-97. P. Barocchi, Mostra dei disegni del Vasari e della sua cerchia, Firenze 1964, p. 44. E. Pillsbury, in Master Drawings, 12, 1974, pp. 14, 27.*	*A. Mayer, in Cat. Roma 1930, p. 66. P. Guinard, Z. et les peintres espagnols de la vie monastique, Parigi 1960.*
INVENTARIO	1548 (C.P., p. 158, n. 1195).	Contini Bonacossi 23.
FOTO	107097.	160744 e part.
NOTE	Due figure volanti, in alto, sostengono la scritta: O bell'anni dell'oro. Per la storia del dipinto e degli altri che compongono la stessa serie cfr. Scheda a Inv. 1890 n. 1506. Questa serie di dipinti — e in particolare l'*Età dell'Oro* — è in rapporto con un gruppo di disegni eseguiti dal Vasari su invenzione del Borghini (Louvre, Cab. Dess. n. 2161, 2169, 2170). Questa allegoria è stata posta in relazione con l'aria "O begli anni dell'oro" cantata in occasione delle nozze di Cosimo con Eleonora di Toledo nel 1539. L'opera è attualmente esposta nel corridoio del '500. E.S.	Il Guinard collega quest'opera, la cui attribuzione a Zurbaran è pacifica, a un'incisione ricomparsa nella collezione Valdes a Bilbao, riproducente lo stesso soggetto, firmata e datata 1636. Il Salmi (in Boll. d'arte 1967) interpreta erroneamente il soggetto come S. Paolo eremita, e collega il dipinto alle grandi tele per la Certosa di Siviglia, giustificandone la datazione alquanto tarda. L'opera è entrata nelle collezioni della Galleria in seguito a una donazione, accompagnata da una convenzione, degli eredi del conte Alessandro Contini Bonacossi (1969). C.C.

La serie Gioviana
La serie aulica di ritratti dei Medici
Altri dipinti
La serie ' Bellezze di Artimino '
La serie di ritratti di artisti dell'Accademia
La serie di ritratti di Generali portoghesi
La serie dei ' Douven ovali '
La serie ' Bellezze ovali '
La serie dei 46 ritratti della Casa di Lorena
Altri dipinti

Benché considerata un'appendice alla pinacoteca e oggi sacrificata nell'esposizione, la collezione iconografica degli Uffizi ne è forse un elemento caratterizzante più dei quadri 'di figura'. Dubitiamo che altri musei − se non specializzati come una 'National Portrait Gallery' − possiedano una quantità e una gamma così vasta di ritratti di tutti i tempi e paesi, se si pensa che vi vanno inclusi, oltre al campione di dipinti catalogati in questa sezione e a molti altri, i busti romani, i più che mille autoritratti e altrettanti ritrattini, un numero mai calcolato di ritratti in disegno e una sezione iconografica di stampe (e sono ritratti anche alcuni arazzi e avori, le medaglie, parte dei cammei, delle cere, delle sculture). Non è dubbio che la maggior parte del patrimonio mediceo era formata da ritratti, che erano un leit-motiv dell'arredamento: e che costante cura delle due dinastie, e poi dei funzionari delle gallerie, è stato l'accrescimento di questa ineguagliata documentazione storica. Aumento, manutenzione, ma purtroppo non adeguata conoscenza: i ritratti sono al giorno d'oggi le opere meno studiate delle Gallerie fiorentine, sia nei singoli pezzi sia nella formazione della raccolta, e la loro identità pone disperanti punti interrogativi, anche se può riserbare piacevoli sorprese e scoperte. Ma precisiamo innanzi tutto cosa debba intendersi per collezione iconografica: i ritratti, cioè, in cui l'interesse storico e documentario è preminente su quello artistico. La linea di distinzione è sottile: non esiste, è chiaro, per gli autoritratti − in cui i due valori si equilibrano − e altrove può essere opinabile: senz'altro cambierebbe se il dipinto fosse in un altro luogo o in un altro tempo − il ritratto di Bossuet, per esempio (Inv. 1890 n. 995) è giunto a Firenze come ritratto non dell'illustre letterato (né come opera del celebre Rigaud) ma del 'precettore del duca di Borgogna' come altri volti di ministri, di funzionari, di cittadini; e il ritratto ora rivelatosi raffigurare la figlia di Paolo del Sera (Inv. 1890 e n. 2782) fuori di Firenze o di Venezia sarebbe semplicemente un bellissimo dipinto forse di Jakob Ferdinand Voet e non l'effigie della figlia dell'accorto mercante e amico di Leopoldo de' Medici che più e meglio di ogni altro fornì capolavori al cardinale.
Ma al disopra di tutto ciò, la collezione iconografica degli Uffizi è la testimonianza di un altissimo e costante senso della storia, di cui però all'insoddisfacente stato attuale degli studi non è facile tracciare le vicende. I ritratti pullulano negli antichi inventari: la volontà di raccoglierli non conobbe stasi, nevi furono periodi 'iconoclastici'; ma la maggior parte di essi stava nei palazzi più che in galleria e la loro origine non è mai stata indagata. In troppe schede, alla voce 'ubicazioni' si troverà un laconico 'Uffizi (1881)' dietro la quale stanno magari tre secoli e più di collocazioni non rintracciate di cui sono muta testimonianza i molteplici numeri segnati a tergo e di cui non conosciamo l'inventario corrispondente. Si veda il caso di Don Pedro de Toledo (inv. 1890 n. 2333) presente nel 1553 nelle stanze di sua figlia Eleonora, e al contrario di Giulia Gonzaga (inv. 1890 n. 2258) sicuramente qui ancora prima, ma dove? Più che per pezzi singoli come questo, è facile sapere l'origine delle serie, delle maggiori delle quali si dà notizia nei brevi testi premessi a ciascuna che completeranno questa introduzione: ma per queste individuate nei loro connotati, quante minori ancora disperse e da riunire richiamandole da più luoghi! Di alcune si è accennato se almeno uno dei componenti figura in questo catalogo, ma ve ne sono altre che testimoniano la cura

con cui si cercò di avere a Firenze la documentazione dei volti della storia europea (e oltre) di tutti i tempi.
Non sarà il caso di trattare qui come si formò e fu fissata l'iconografia dei Medici, da tempo prediletto campo d'indagine di Karla Langedijk (De portretten van de Medici, Amsterdam 1966) che sta per darcene i frutti conclusivi (The portraits of the Medici 15th-18th Centuries, Firenze, S.P.E.S., in corso di stampa). Potremo dire che fra il 1587 e il 1591 vengono sistemate nei corridoi degli Uffizi la 'serie degli uomini illustri' (oggi detta gioviana, su cui si vedano qui sotto l'introduzione di W. Prinz e le schede da Ic1 a Ic488) e, alternata ad essa come mostrano i disegni settecenteschi della galleria, la cosiddetta serie aulica (v. testo, e schede Ic629-Ic668) di ritratti medicei: la prima eseguita per volere di Cosimo I de' Medici, la seconda di suo figlio Francesco I. Al successore, Ferdinando I, dobbiamo la serie di 'bellezze di Artimino' (testo e schede Ic694-Ic750), cioè delle dame dell'entourage di sua moglie Cristina di Lorena; in linea con quel gusto per le 'beauties galleries' che fu di molti regnanti almeno da metà '500 all'Ottocento. A quest'epoca l'intrecciarsi di legami politici e le eventualità matrimoniali portano a Firenze piccole serie familiari di cui qui c'è una campionatura incompleta: quattro arciduchini d'Austria (inv. 1890 nn. 4268, 4282 e inv. Imp. rosso 534 e 536) e due di Baviera (1890/2474 e Imp. 1959 n. 15) quattro sorelle di Savoia (cfr. schede Ic1045-Ic1046) padre e figli del Württemberg (cfr. scheda Ic611) etc. mentre da Firenze partono repliche di serie di ritratti dei rampolli medicei (cfr. schede Ic1015 e Ic993) − Hanno invece origine 'borghese' le due serie, iniziate nel tardo '500 ma giunte agli Uffizi nel 1853, dell'Accademia del disegno: quella dei pittori (v. testo, e schede Ic751-Ic775), destinata a un fregio nel salone degli accademici, in alto alle pareti, con una collocazione quindi esemplata su quella della serie gioviana in galleria; e quella dei luogotenenti (v. testo, e schede Ic669-Ic693), di ispirazione simile. Le immagini dei regnanti europei, procurate probabilmente anche dai residenti toscani (gli ambasciatori), giungevano con sollecitudine (come documentano i giornali della guardaroba) e magari in più versioni: e servivano di base alla confezione dei ritratti gioviani, che aumentavano costantemente. In più di questo, l'allacciarsi di parentele fruttava ai granduchi gruppi omogenei (anche se non vere e proprie serie) di ritratti, come il marito e i figli di Maria dei Medici del Pourbous (v. schede Ic524, Ic538, Ic983), i ritratti polacchi giunti a Maddalena d'Austria perché due sue sorelle furono regine di Polonia (cfr. schede Ic599, Ic943, Ic970) o, più tardi, il gruppo di Borboni di Spagna chiaramente legato a Maria Luisa, moglie di Pietro Leopoldo (cfr. schede Ic503, Ic505, Ic534). I cadetti della famiglia non ebbero interessi così spiccatamente dinastici ma non spregiarono il ritratto: il cardinal Carlo, che ne conservava nel Casino mediceo moltissimi quattro e cinquecenteschi già in palazzo Medici, ebbe sette autoritratti di pittori toscani del primo '600; sugli interessi ritrattistici di suo nipote Leopoldo non occorre ripetersi, e Francesco Maria gradì i ritratti 'di genere' dei personaggi popolani di cui si circondava (nell'inventario di Lappeggi quando vi abitava figurano', 'Santi macinacolori', 'Bortolino nano', 'la Cianciuca coi suoi figlioli', 'il Lungo e Panone', 'Catastino e Borraccino').
Grande e sistematico collezionista di ritratti fu il granduca Cosimo III, che oltre ad avere raccolto il doppio di autoritratti di

suo zio Leopoldo dette nuovo impulso alla gioviana (più di 160 quadri vi furono aggiunti negli ultimi tempi del suo granducato), forse curò il completamento della serie aulica, ed ebbe ritratti, singoli o in serie, da tutti i paesi toccati nei suoi viaggi giovanili: i generali portoghesi (v. testo e schede Ic776-Ic790) le belle dame di Peter Lely (schede P846, P847, P848, P849), quelle ordinate a Pieter Nason (ora in corso di identificazione e studio); e lo stillicidio dei ritratti 'di sovrani e generali' che cercava per la galleria, dove andavano ad arricchire le pareti del corridoio, ancora nude nella parte bassa (framezzo alle sculture) e al termine del braccio di ponente, dove non giungevane né la serie aulica né la gioviana. Entrano a quest'epoca il ritratto dello Zar Pietro il grande (bruciato nell'incendio del 1762), quello di 'Cam-hi imperatore della China' (inv. 1890, n. 5315), del 'Gran Mustafa regnante', di molti condottieri: Eugenio di Savoia, i generali Schulenburg, Francesco Morosini, Colloredo, Flemming (v. scheda) gli uomini politici (Don Luis de Haro, Conte della Perosa, duca di Montemar) ma anche ritratti di eruditi (il card. Noris, v. scheda Ic1032); dei bibliotecari granducali Antonio Magliabechi e Ferdinando Del Maestro, di ecclesiastici (il Segneri, i gesuiti Serra e de Regis, padre Filippo Franci, i cardinali Sperelli e Badoero) e fino a curiosità come 'Morrone che fa alle pallottole' (inv. 1890 n. 5292), il nano del duca di Créqui, il centoquindicenne Francesco Caracciolo (scheda Ic933). E non bisogna dimenticare le numerosissime ordinazioni (ad Andrea Scacciati e Bartolomeo Bimbi soprattutto) di tele raffiguranti animali, frutte e fiori eccezionali o no (cfr. scheda P212); veri e propri ritratti animali e vegetali che sono un aspetto della stessa volontà di documentazione storica che presiede alla commissione del ritratto d'uomo. Cosimo III ebbe acutamente presente il senso della fine della sua dinastia e quanto essa significava: sotto il suo regno l'amministrazione fu indagata nella sua storia, riordinata, sistematizzata così da dare un quadro più chiaro ed esauriente possibile di sé stessa per i posteri, che sembra compresero ed accettarono questa intenzione. Non a caso, mentre la nuora Violante di Baviera ordinava ad Antonio Franchi una seconda serie di dame di corte, le 'bellezze ovali' (v. testo, e schede Ic822-Ic869), e a Rosalba Carriera e Giovanna Fratellini delicati pastelli di parenti e amiche, e la figlia Anna Maria Luisa faceva eseguire a Jon Frans van Douven, sempre in ovale, i ritratti di tutti i parenti acquisiti (v. testo, e schede Ic791-Ic821), si preparavano enciclopediche edizioni di fasti toscani, dal 'Museo Fiorentino' alla 'Serie degli uomini illustri... con i loro elogi e ritratti', dai volumi di incisioni sui soffitti degli Uffizi o sulla quadreria di Pitti all''Etruria pittrice' (con ritratti ai frontespizi).

La dinastia lorenese si trovò così perfettamente documentata sul passato della terra che veniva a governare, e i suoi interventi furono, almeno in campo iconografico, abbastanza consapevoli del passato. La gioviana fu lasciata da parte, accrescendola solo dei ritratti di Pasquale Paoli e di quattro persone legate alla galleria (oltre ai direttori citati qui sotto da W. Prinz, gli 'antiquari' Antonio Cocchi e Joseph Eckhel): ma i busti romani furono oculatamente integrati, gli autoritratti molto curati, e nei corridoi una serie di antenati della casa di Lorena (v. testo, e schede Ic870-Ic914) sostituì i Medici. Dobbiamo invece imputare ai due ultimi granduchi la divisione dei gruppi minori di ritratti cinque e seicenteschi, memorie di persone e avvenimenti ormai lontani: e il colpo di grazia alla loro conoscenza fu dato dall'avvento dello stato italiano, dal passaggio della capitale a Firenze, dall'affluire delle opere d'arte di provenienza conventuale (tra cui non mancavano ritratti di grande interesse, cfr. schede Ic1042, Ic1064, Ic990, Ic959, Ic511, P1174), tutti avvenimenti che resero impraticabile la continuità inventariale e respinsero nell'anonimato ritratti documentatissimi: esempio clamoroso il cardinal Leopoldo del Baciccio (scheda P107). Il concentrarsi degli studi sui primitivi e il disprezzo per il '600 (secolo a cui risale la stragrande maggioranza dei ritratti) fecero il resto: e benché 1265 pezzi della collezione iconografica venissero di nuovo esposti al pubblico lungo tutto il corridoio vasariano dal 1882 in poi, la lettura dell'inventario steso in quell'occasione e del successivo inventario generale dei dipinti del 1890 offre un desolante succedersi di definizioni di ignoto o ignota perfino per i ritratti medicei.

Nel frattempo riceveva però grande incremento la collezione di ritratti contemporanei dei protagonisti del risorgimento, sia chiesti in dono ai Municipi delle città natali (le effigi di Balbo,

D'Azeglio, Cavour − v. schede Ic493, Ic494, Ic510 o di Manzoni, non ottenuta) sia commissionati agli artisti come repliche di immagini già eseguite: il Ciseri ne eseguì diverse di personalità toscane (Bufalini, Guerrazzi, Capponi: v. schede Ic499, Ic549, Ic502). Altri venivano donati dalle famiglie, o ad esse richiesti (Rossini, il sindaco Guicciardini, v. schede Ic594, Ic550), o per averle si interessavano i parlamentari locali. Poiché questo periodo della raccolta iconografica è il meno noto, è stato qui catalogato con intenzioni di completezza e documenta assai bene la reviviscenza del significato della collezione nel nuovo quadro nazionale; anche se in pratica la componente toscana sarà preponderante, come d'altronde in passato. Nel panorama non incoraggiante del decennio 1870-80 e anche oltre, quando il governo centrale lasciava inevase moltissime richieste di acquisti e di esercizio del diritto di prelazione per mancanza di fondi, la crescita dei ritratti è una luminosa eccezione. Tornando a quelli antichi, dall'inizio del '900 in poi ricominciano anche gli studi (molti ne ospita la Rivista d'Arte) e sempre più ritratti tornano ad avere un nome quando non entrambi: l'autore e il personaggio. Tuttavia la relativa scarsità di documentazione fotografica (ricordiamo che fino a pochi anni fa non si fotografava, per esempio, ciò di cui esistevano già negativi Alinari o simili) ha ostacolato a lungo la possibilità di confronti e riconoscimenti.

La riapertura, nel 1972, del corridoio vasariano vede esposti i ritratti solo in due brevi bracci terminali e con una scelta non sufficientemente rappresentativa (lasciando esposte alcune tele insignificanti ma ben conservate − cfr. schede Ic619, Ic623 − e relegandone in magazzino altre più interessanti). Peraltro la riesposizione di molti autoritratti nel corridoio vasariano e della gioviana nel suo luogo originario, l'apertura della villa di Cerreto Guidi con una scelta di ritratti medicei (1978) a parziale compenso della chiusura (1973) del Museo Mediceo, e il riordinamento in corso (1976-79) della Galleria d'arte moderna di palazzo Pitti compensano questa situazione, d'altronde provvisoria per ciò che concerne gli Uffizi; dove il futuro prevede certo maggiore spazio per una raccolta tanto caratterizzante e in continuo aumento: degli ultimi 200 dipinti acquisiti alle Gallerie, tanto per dire, 130 sono ritratti.

Le varie serie, ciascuna con la sua introduzione, sono in ordine (approssimativamente) cronologico di formazione; seguono le schede degli altri ritratti attualmente esposti, sia gli antichi nel corridoio vasariano, sia quelli oggi nella Galleria d'arte moderna. La numerazione è unica; l'ordine alfabetico dei personaggi ricomincia per ogni serie, che è individuata anche dai titoli correnti.

La serie Gioviana
o la collezione dei ritratti degli uomini illustri

L'inizio della raccolta dei ritratti di uomini illustri di Paolo Giovio (1483-1552) risale all'epoca in cui questi soggiornava a Firenze, ospite del Cardinale Giulio de' Medici. Egli ne parla in una lettera del 1521 a Mario Equicola — al quale aveva chiesto di commissionare un ritratto di Fra' Battista Carmelitano — comunicandogli di possedere già un bel numero di immagini di grandi letterati e poeti, fra i quali quelle del Pontano, di Pico della Mirandola, del Poliziano, di Marsilio Ficino, di Ermolao Barbaro, del Sabellico, dell'Achillini, di Dante, del Petrarca, del Boccaccio, dell'Aretino, di Leon Battista Alberti, di Poggio Argiropulo, del Savonarola e del Marullo. Tramite un nutritissimo scambio di corrispondenza, il Giovio riuscì a creare una notevole collezione, composta prevalentemente da ritratti copiati da affreschi, da monumenti funerari, da medaglie ecc., ma in parte costituita anche da ritratti di personaggi contemporanei. I quadri, corredati dalle brevi biografie degli 'Elogi', furono, infine, da lui sistemati nella villa sul lago di Como che egli si era fatto costruire fra il 1536 e il 1543. Il 'Museo Gioviano', che l'illustre umanista considerava tesoro preziosissimo fra tutto ciò che possedeva nella sua villa, divenne ben presto mèta di visite frequenti e oggetto di grande ammirazione.

L'idea della galleria 'universale' degli uomini illustri venne ripresa da Cosimo I de' Medici: così, nel 1552, anno della morte del Giovio, il granduca toscano inviò a Como Cristofano dell'Altissimo con l'espresso compito di eseguire le copie dei ritratti raccolti in quella che era considerata la più importante galleria del genere. Tra il luglio del 1552 e l'agosto del 1553 Cristofano aveva già copiato 24 ritratti che, via Milano, inviò a Firenze; nel luglio del 1554 spedì altre 26 copie e nell'ottobre del 1556 ancora altre 25. Nella seconda edizione delle 'Vite' (1568) il Vasari cita, come presenti a Firenze, già 280 ritratti. Fra il 1587 e il 1589 l'infaticabile Cristofano, la cui attività artistica consistette quasi esclusivamente in quest'opera di copiatura, inviò a Firenze ancora un altro gruppo di copie.

Nel frattempo il Vasari aveva allestito per Cosimo, a Palazzo Vecchio, la cosiddetta Sala della Guardaroba o Sala del Mappamondo, destinata ad accogliere in una cornice particolarmente degna anche la collezione di ritratti di uomini illustri che man mano si andava costituendo. Gli armadi alle pareti, che, secondo la cronaca del Vasari, contenevano 'le più importanti cose e di pregio e di bellezza che abbi sua eccellenza', erano stati decorati con le tavole di Tolomeo ricorrette: vi erano rappresentati, su 'quattro mezze palle in prospettiva..., l'universale della Terra e l'universale del Cielo', 'l'Europa, ...l'Africa, ...l'Asia, ...l'India in tutto tavole cinquantasette'. Nella sala era stato collocato anche il famoso 'oriolo con le ruote e con le sfere de' pianeti'. Sugli armadi dovevano essere sistemati antichi busti di imperatori romani, immagini celesti dovevano decorare il soffitto e, alle pareti, al disopra degli armadi, dovevano essere appesi 'trecento ritratti naturali di persone segnalate da cinquecento anni in qua o più, dipinte in quadri a olio'. Nascoste nel soffitto si trovavano inoltre applicate due grandi sfere mobili, che potevano essere calate a volontà e su cui erano rappresentate tutta la terra e le quarantotto immagini celesti. Il Vasari termina la sua cronaca spiegando l'iconografia della sala: 'Questo capriccio et invenzione è nata dal Duca Cosimo per mettere insieme (in) una volta queste cose del cielo e della terra giustissime e senza errori...'; di queste 'cose' dovevano far parte anche i ritratti degli uomini illustri.

Le raccolte di ritratti di uomini famosi avevano già a quel tempo una lunga tradizione: basti citare l'arredo della 'Sala Virorum Illustrium' nel Palazzo di Francesco il Vecchio da Carrara, a Padova, realizzato fra il 1367 e il 1379 sullo schema del 'De viris illustribus' del Petrarca, con immagini di importanti personaggi storici, da Romolo a Traiano; o quello, simile, del Palazzo Trinci di Foligno (1420-1430); o, ancora, la serie dei 24 personaggi famosi della storia romana che si trova nell'Anticappella del Palazzo Pubblico di Siena (1413-1414): anche se variano gli argomenti, lo scopo resta sempre quello di rappresentare una serie di uomini esemplari per trarne esempio ed incitamento alla virtù. Ancora verso la fine del XV secolo, nello studiolo di Federigo da Montefeltro nel Palazzo Ducale di Urbino, le immagini, anche se questa volta dipinte su tavola, sono, come in tutti gli altri casi citati, indissolubilmente legate alla parete. Paolo Giovio interrompe questa tradizione, collezionando ritratti a mezzo busto dipinti su tavola, una innovazione che permetteva così di ampliarne indefinitamente il numero: alla sua morte il 'Museo Gioviano' raccoglieva circa 400 opere. Nella Sala del Mappamondo, Cosimo I non aveva certo lo spazio sufficiente per realizzare una raccolta di ritratti che potesse essere ulteriormente accresciuta. Al problema cercò di trovare una soluzione Ferdinando I de' Medici, allestendo, con questa prospettiva, per le collezioni d'arte di casa Medici, la Galleria degli Uffizi. Così, insieme ai ritratti dei Medici e alle opere antiche, trasferì da Palazzo Vecchio nel corridoio degli Uffizi anche la collezione dei ritratti di uomini illustri, creando, come già aveva fatto a Villa Medici a Roma, un tipo di galleria per quadri e statue del tutto nuova per i suoi tempi. La collezione di ritratti fu sistemata nella sua nuova sede fra il 1587, anno iniziale del governo di Ferdinando, e il 1591; nel 1597 la raccolta ebbe un riordinamento per opera di Filippo Pigafetta, viaggiatore, diplomatico e scrittore vicentino, il quale ne fissò i criteri secondo le 'dignità et professioni' e ne mise in luce le più gravi lacune per far poi completare ed aggiornare tutta la serie.

Risulta che alla metà del Settecento la collezione si trovasse ancora nel corridoio degli Uffizi, da dove fu poi rimossa probabilmente durante le trasformazioni che dall'epoca dell'Illuminismo in poi subirono tutte le collezioni situate nella galleria. Nel 1970 la famosa collezione dei ritratti, che da un punto di vista iconografico è di straordinaria importanza, venne ricollocata nel corridoio, la sua antica sede: vi si trovano oggi 488 ritratti, fra i quali anche quelli di due direttori della galleria della fine del Settecento e dell'inizio dell'Ottocento, Luigi Lanzi e Tommaso Puccini.

W.P.
(trad. Fiorella Signorini)

Le schede di questa sezione (non siglate) sono state interamente compilate da Emma Micheletti.

	Ic1	Ic2	Ic3	Ic4
PERSONAGGIO	Acciaiuoli, Donato (1429-78).	Acciaiuoli, Niccolò (1310-65).	Accolti, Francesco (1416 ca. 88).	Accursio (1182 ca. - 1263).
AUTORE	Altissimo, Cristofano (di Papi) dell' (not: 1552-1605).	Altissimo, Cristofano (di Papi) dell' (not: 1552-1605).	Altissimo, Cristofano (di Papi) dell' (not: 1552-1605).	Altissimo, Cristofano (di Papi) dell' (not: 1552-1605).
DATAZIONE	1580-90.	Ante 1568.	1580-90.	1580-90.
DESCRIZIONE	Olio su tavola, 60x42, cornice di noce intagliata e dorata.	Olio su tavola, 59x45, cornice di noce intagliata e dorata.	Olio su tavola, 58x45, cornice di noce intagliata e dorata.	Olio su tavola, 60x44, cornice di noce intagliata e dorata.
INVENTARIO	169 (C.P., p. 218, n. 512).	149 (C.P., p. 216, n. 582).	165 (C.P., p. 218, n. 578).	271 (C.P., p. 218, n. 785).
FOTO	251236.	251110.	251299.	14746.
NOTE	Scritta: in alto 'Donatu(s) Acciaioli', a tergo: 34; 23; 16; 126. Fu letterato e oratore della nobile famiglia fiorentina. Divulgatore delle teorie aristoteliche.	Scritta: in alto 'Nicolaus Acciaioli'; a tergo: 98; 168. Fiorentino, grande siniscalco del Regno di Napoli. Fu fedele a Roberto d'Angiò e a suo nipote Luigi di Taranto per il quale conquistò il regno d'Ungheria. Tentò senza riuscirvi la conquista della Sicilia.	Scritta: in alto 'Fran: us Accolti'; Detto l'Aretino, letterato e poeta. Insegnò diritto e fu segretario dei duchi di Milano e consigliere degli Estensi.	Scritta: in alto 'Accursius'; Giurecosulto, fiorentino apartenne alla scuola dei Glossatori bolognesi. La sua fama è legata alla Magna Glossa, raccolta di commenti al diritto giustinianeo.

	Ic5	Ic6	Ic7	Ic8
PERSONAGGIO	Achmet, sceriffo di Mauritania (?-1610).	Achmetes III (Ahmed) (1673-1736).	Acuto, Giovanni (1320-1394)	Addison, Giuseppe (1672-1719).
AUTORE	Altissimo, Cristofano (di Papi) dell' (not: 1552-1605).	Ignoto fiorentino sec. XVII.	Altissimo, Cristofano (di Papi) dell' (not: 1552-1605).	Ignoto fiorentino sec. XVII.
DATAZIONE	Ante 1568.	1658 ca.	Ante 1568.	Ante 1719.
DESCRIZIONE	Olio su tavola, 58x43, cornice di noce intagliata e dorata, sec. XVII.	Olio su tela, 60x48, cornice marrone profilata d'oro.	Olio su tavola, 59x45, cornice di noce intagliata e dorata.	Olio su tela, 60x46, cornice marrone profilata d'oro.
INVENTARIO	2 (C.P., p. 215, n. 415).	3064 (C.P., p. 215, n. 412).	75 (C.P., p. 216, n. 488).	306
FOTO	185620.	251288.	250260.	122160.
NOTE	In alto: 'Sceriffus M: Re: Mau'. È probabilmente Ahmed - al - Mansur, sceriffo dal 1578 al 1610 della dinastia Sadita, sotto la quale (1549-1654) il Marocco conobbe un periodo di splendore: o il suo predecessore.	Scritta: in alto 'Achmetes III'; a tergo: 25, 10. Il suo regno fu fastoso. Protesse poeti e artisti. Fra gli altri il celebre Nedim.	Scritta: in alto 'Ioannes Aucutus'; I fiorentini così chiamarono il condottiero inglese John Hawkwood. Al servizio di Pisa, poi dei Visconti, si stabilì a Firenze che divenne la sua seconda patria. Paolo Uccello per incarico della Repubblica lo onorò con un affresco in Santa Maria del Fiore (1432).	Scritta: in alto 'Ioseph. Addison.'; a tergo: ripetuta l'iscrizione. Saggista, poeta e letterato inglese. Viaggiò attraverso l'Europa, lasciando un nutrito epistolario, (Lettere dall'Italia). Fu buon latinista, commediografo e drammaturgo. Il ritratto entrò in Galleria il 26 agosto 1722 (ASF, Guard. 1277, c. 74r).

	Ic9	Ic10	Ic11	Ic12
PERSONAGGIO	Adriani, Marcello (1464-1521).	Adriano VI, Papa (1459-1523).	Agostini, Antonio (prima metà sec. XVII).	Aiaf, Bassa.
AUTORE	Altissimo, Cristofano (di Papi) dell' (not: 1552-1605).	Altissimo, Cristofano (di Papi) dell' (not: 1552-1605).	Ignoto fiorentino sec. XVII.	Altissimo, Cristofano (di Papi) dell' (not: 1552-1605).
DATAZIONE	1580 ca.	Ante 1568.	1630 ca.	1580 ca.?
DESCRIZIONE	Olio su tavola, 58x44, cornice di noce intagliata e dorata, sec. XVII.	Olio su tavola, 60x45, cornice di noce intagliata e dorata.	Olio su tela, 60x47, cornice marrone profilata d'oro.	Olio su tavola, 60x45, cornice di noce intagliata e dorata.
INVENTARIO	180 (C.P., p. 218, n. 694).	2991 (C.P., p. 217, n. 339).	274 (C.P., p. 218, n. 788).	11 (C.P., p. 215, n. 424).
FOTO	251301.	96508.	251329.	185626.
NOTE	In alto: 'Marcel: us Virgilius'. Linguista e oratore, allievo del Landino e del Poliziano, insegnò nello Studio fiorentino (1497-1502) e fu cancelliere dello stato dal 1498 al 1521, col Machiavelli alle sue dipendenze.	Scritta: in alto 'Adrianus VI P. M.'; a tergo: 34, 26, 23, 15. Florensz Dedel, fiammingo, Papa dal 1522 al 1523. Già precettore di Carlo V. Fu l'ultimo papa non italiano. Tentò inutilmente di riformare la curia romana in senso austero.	Scritta: in alto 'Antonius Augustini; a tergo Agostini AU. 26, 34. Poeta. Pubblicò tre raccolte di versi. Fu fervido seguace del Marino. Il ritratto entrò in Galleria il 28 novembre 1719 (ASF, Guard. 1260, c. 102v.).	Scritta: in alto 'Aiax: Ba: sub Sol: '; Personaggio non identificato, gran visir ('baiulus') di uno degli imperatori ottomani di nome Solimano (Selim).

	Ic13	Ic14	Ic15	Ic16
PERSONAGGIO	Alamanni, Luigi (1495-1556).	Alba, Federico Alvarez di Toledo, duca d'.	Alba, Ferdinando Alvarez di Toledo, duca d' (1508-82).	Alberico da Barbiano (1340-1409).
AUTORE	Altissimo, Cristofano (di Papi) dell' (not: 1552-1605).	Altissimo, Cristofano (di Papi) dell' (not: 1552-1605).	Altissimo, Cristofano (di Papi) dell' (not: 1552-1605).	Ignoto fiorentino sec. XVII.
DATAZIONE	1600 ca.	1580 ca.	1590-1600.	1600 ca.
DESCRIZIONE	Olio su tavola, 59x42, cornice di noce intagliata e dorata.	Olio su tavola, 60x45, cornice di noce intagliata e dorata.	Olio su tavola, 60x49, cornice di noce intagliata e dorata.	Olio su tela, 60x47, cornice marrone profilata d'oro.
INVENTARIO	208 (C.P., p. 218, n. 722).	49.	50 (C.P., p. 217, n. 463).	272 (C.P., p. 216, n. 786).
FOTO	249952.	228652.	228649.	250279.
NOTE	Scritta: in alto 'Aloysius Alamanni'. Letterato e poeta formatosi nella società fiorentina degli Orti Oricellari. Amico di Machiavelli, appartenne alla fazione opposta ai Medici. Rifugiatosi in Fracia dove morì, fu protetto da Francesco I cui dedicò le sue 'Opere Toscane'.	Scritte: in alto 'Fredericus Toleta: Dux Alvae'; a tergo: 10, 155. Secondo duca d'Alba, combatté valorosamente contro i Mori di Granada fino alla resa della città e contro i Francesi per la difesa del Rossiglione.	Scritta: in alto 'Ferdinan. Toletanus Dux Alvae'; a tergo: 145, 155. Terzo duca d'Alba, comandante delle truppe di Carlo V e consigliere di Filippo II. Cercò, ma inutilmente, di domare la ribellione nei Paesi Bassi (1567).	Scritta: in alto 'Albericus Balbianus'; a tergo: 16 ripetuta l'iscrizione. Condottiero al servizio di Giovanni Acuto, passò poi per le preghiere di Santa Caterina da Siena a combattere con Urbano VI contro l'antipapa Clemente VII (1379). Il ritratto entrò in Galleria il 9 novembre 1725 (ASF, Guard. 1292, c. 224v).

	Ic17	Ic18	Ic19	Ic20
PERSONAGGIO	Alberti, Leon Battista (1406-72).	Alberto, duca di Baviera (1447-1508).	Alberto Magno, San (1193-1280).	Alchitrof.
AUTORE	Altissimo, Cristofano (di Papi) dell' (not: 1552-1605).	Altissimo, Cristofano (di Papi) dell' (not: 1552-1605).	Altissimo, Cristofano (di Papi) dell' (not: 1552-1605).	Altissimo, Cristofano (di Papi) dell' (not: 1552-1605).
DATAZIONE	1590-1600.	1580 ca.	Ante 1568.	Ante 1568.
DESCRIZIONE	Olio su tavola, 59x44, cornice di noce intagliata e dorata.	Olio su tavola, 60x44, cornice di noce intagliata e dorata.	Olio su tavola, 60x45, cornice di noce intagliata e dorata.	Olio su tavola, 60x45, cornice di noce intagliata e dorata.
INVENTARIO	163 (C.P., p. 219, n. 576).	342 (C.P., p. 215, n. 660).	136 (C.P., p. 218, n. 549).	3065 (C.P., p. 215, n. 413).
FOTO	249944.	251241.	251232.	185630.
NOTE	Scritta: in alto 'Leo Baptista Alberti'; a tergo: 154, 14, 144. Architetto e teorico dell'arte. Suoi capolavori a Firenze la facciata di Santa Maria Novella, a Rimini il Tempio Malatestiano. A Mantova S. Sebastiano e S. Andrea.	Scritta: in alto 'Albertus D: Bavariae'. Con Alberto, che ratificò l'indivisibilità dei territori, con la legge della primogenitura (1506), la Baviera raggiunse nel 1508 l'unità territoriale.	Scritta: in alto 'Albertus Magnus'. Tedesco. Fu domenicano, dottore in teologia, maestro di S. Tommaso a Colonia. Lettore Papale a Viterbo. Fu profondo conoscitore di teologia. Santificato nel 1931.	Scritta: in alto 'Alchitrof. Aet: Imp:'. Si tratta di un imperatore d'Etiopia non meglio identificato.

	Ic21	Ic22	Ic23	Ic24
PERSONAGGIO	Alciati, Andrea (1492-1550).	Aldrovandi, Ulisse (1522-1605).	Alessandro IV, Papa (m. 1261).	Alessandro V, Papa (1340-1410).
AUTORE	Altissimo, Cristofano (di Papi) dell' (not: 1552-1605).	Ignoto sec. XVII.	Altissimo, Cristofano (di Papi) dell' (not: 1552-1605).	Altissimo, Cristofano (di Papi) dell' (not: 1552-1605).
DATAZIONE	Ante 1568.	1650 ca.	1590-1600.	1600-1604.
DESCRIZIONE	Olio su tavola, 61x64, cornice di noce intagliata e dorata.	Olio su tela, 60x46, cornice marrone profilata d'oro.	Olio su tavola, 60x45, cornice di noce intagliata e dorata.	Olio su tavola, 60x45, cornice di noce intagliata e dorata.
INVENTARIO	207 (C.P., p. 218, n. 721).	223 (C.P., p. 219, n. 737).	2969 (C.P., p. 217, n. 317).	2979 (C.P., p. 217, n. 327).
FOTO	111256.	193105.	248729.	248739.
NOTE	Scritta: in alto 'Andreas Alciato'. Milanese, fu il maggior giureconsulto italiano del Rinascimento. Insegnò diritto in varii Studi italiani e in Francia, ma soprattutto a Pavia, dove morì. L'opera deriva forse da un ritratto di Sebastiano del Piombo.	Scritta: in alto 'Ulysses Aldrovandus'; a tergo: 144.154. Ulisse Aldrovandus. 12. Medico e naturalista bolognese. Fu direttore dell'Orto Botanico bolognese. La sua opera più importante è la Historia Naturalis in 13 volumi (1599-1613). Il ritratto entra in Galleria il 5 luglio 1721 (ASF, Guard. 1292, c. 33v).	Scritta: in alto 'Alexander IV P. M.'; a tergo: 26, 34. Reginaldo di Segni, Papa nel 1254. Scomunicò Ezzelino da Romano. Promosse le persecuzioni contro gli Albigesi. Protesse gli Ordini mendicanti. Rimase quasi sempre lontano da Roma.	Scritta: in alto 'Alexander V P. M.'; a tergo: 12, 26, 34, 33. Petros Philarges, P. di Candia. Cardinale nel 1405, viene generalmente considerato un antipapa. Fu grande teologo. Morto a Bologna è sepolto nella chiesa di S. Domenico.

	Ic25	Ic26	Ic27	Ic28
PERSONAGGIO	Alessandro VI, Papa (1431-1503).	Alessandro VII, Papa (1599-1667).	Alfonso I, re di Napoli (1448-95).	Alighieri, Dante (1265-1321).
AUTORE	Altissimo, Cristofano (di Papi) dell' (not: 1552-1605).	Ignoto fiorentino sec. XVII.	Altissimo, Cristofano (di Papi) dell' (not: 1552-1605).	Altissimo, Cristofano (di Papi) dell' (not: 1552-1605).
DATAZIONE	Ante 1568.	Post 1665.	1570 ca.	Ante 1568.
DESCRIZIONE	Olio su tavola, 59x44, cornice di noce intagliata e dorata.	Olio su tela, 71x65, cornice marrone con profilatura dorata.	Olio su tavola, 60x45, cornice di noce intagliata e dorata.	Olio su tavola, 60x46, cornice di noce intagliata e dorata.
INVENTARIO	2989 (C.P., p. 217, n. 337).	3002 (C.P., p. 217, n. 350).	63 (C.P., p. 213, n. 476).	140 (C.P., p. 219, n. 553).
FOTO	250877.	251256.	126986.	249938.
NOTE	Scritta: in alto 'Alexander VI P. M.'; a tergo: 26, 34. Rodrigo Borgia, spagnolo, papa dal 1492. Fu padre di Lucrezia e del Duca Valentino. Condusse una politica favorevole alla Spagna e assecondò le grandi mire di conquista del figlio Cesare. Fece decorare Castel S. Angelo dal Pinturicchio.	Scritta: in alto 'Alexander VII: Po: M'; a tergo: 7725.634.85.246. 310.40.731.661.472.1788. Fabio Chigi, Papa nel 1655, protesse i Gesuiti, condannando il Giansenismo. Il suo nome si lega ai molti abbellimenti da lui voluti a Roma. Il ritratto entrò in Galleria il 26 agosto 1722 (ASF, Guard. 1277, c. 74r).	Scritta: in alto 'Alphonsus I Rex Nea:'; a tergo: 17, 19. A. D'Aragona duca di Calabria, re di Napoli e Sicilia (1494). Il suo regno fu invaso da Carlo VIII re di Francia, alleato di Ludovico il Moro, contro il quale A. aveva appoggiato i Visconti.	Scritta: in alto 'Dantes Aldighieri'; a tergo: 18, 144, 164. Fiorentino, oltre alla Divina Commedia scrisse la Vita Nova, il De Monarchia, il Convivio. Morì esule a Ravenna.

	Ic29	Ic30	Ic31	Ic32
PERSONAGGIO	Alviano, Bartolomeo d' (1455-1515).	Ammirato, Scipione (1531-1601).	Angeli, Pietro (1517-96).	Anna Bolena (1504-36).
AUTORE	Altissimo, Cristofano (di Papi) dell' (not: 1552-1605).	Ignoto fiorentino sec. XVII.	Ignoto fiorentino sec. XVII.	Ignoto fiorentino sec. XVII.
DATAZIONE	Ante 1568.	Ante 1601.	1600 ca.	1610-20.
DESCRIZIONE	Olio su tavola 59x44, cornice di noce intagliata e dorata, sec. XVI.	Olio su tela, 61x43, cornice marrone profilata d'oro.	Olio su tela, 61x46, cornice marrone prodilata d'oro.	Olio su tela, 60x48, cornice marrone con profilatura dorata.
INVENTARIO	211 (C.P., p. 216, n. 725).	228 (C.P., p. 219, n. 742).	221 (C.P., p. 219, n. 735).	429 (C.P., p. 213, n. 687).
FOTO	250277.	251315.	249231.	122178.
NOTE	In alto: 'Bartolom: Alvianus'. Condottiero al servizio degli Orsini, e del re di Spagna a Napoli, combatté anche contro Firenze (1478; 1497; 1505) e infine (1507) fu al soldo di Venezia insieme a Niccolò Orsini, e artefice della vittoria di Marignano.	Scritta: in alto 'Scipio Ammirato'. Erudito, scrittore, storico. A Firenze nel 1570 fondò l'Accademia dei Trasformati. Scrisse una Storia della Toscana per ordine di Cosimo I de' Medici. Il ritratto entrò in Galleria il 1° giugno 1720 (ASF, Guard. 1260 bis, c. 122v).	Scritta: in alto 'Petrus Angelius'. Detto Pier Angelo Bargeo fu letterato, scrittore, poeta. Revisionò la Gerusalemme Liberata. Suo capolavoro sono Poemata Omnia (1585). Sono sue le commemorazioni funebri di Cosimo I e di Francesco I dei Medici. Il ritratto entrò in Galleria il 29 ottobre 1729 (ASF, Guard. 1350, c. 13r).	Scritta: in alto 'Anna Bolena'. Di piccola nobiltà, fu causa del divorzio di Enrico VIII, che la sposò nel 1533 facendola regina. Fu madre della grande Elisabetta. Incolpata di infedeltà fu fatta decapitare dallo stesso Enrico. Il ritratto entrò in Galleria il 23 febbraio 1725 (ASF, Guard. 1277, c. 154r).

	Ic33	Ic34	Ic35	Ic36
PERSONAGGIO	Anna, regina d'Inghilterra (1665-1714).	Annibale (247 a.C. - 183 a. C.).	Antonino, vescovo di Firenze, San (1389-1459).	Aretino, Pietro (1492-1556).
AUTORE	Ignoto Fiorentino sec. XVIII.	Altissimo, Cristofano (di Papi) dell' (not: 1552-1605).	Altissimo, Cristofano (di Papi) dell' (not: 1552-1605).	Altissimo, Cristofano (di Papi) dell' (not: 1552-1605).
DATAZIONE	Post 1702.	1566-70.	1570-75.	1565-80.
DESCRIZIONE	Olio su tela, 60x46, cornice marrone profilata d'oro.	Olio su tavola, 60x45, cornice di legno intagliata e dorata.	Olio su tavola, 60x45, cornice di noce intagliata e dorata.	Olio su tavola, 59x42, cornice di noce intagliata e dorata.
INVENTARIO	326 (C.P., p. 213, n. 840).	3046 (C.P., p. 213, n. 394).	2966 (C.P., p. 317, n. 314).	206 (C.P., p. 219, n. 720).
FOTO	251239.	248746.	251253.	250276.
NOTE	Scritta: in alto 'Anna M: Br: Regina'; Figlia di Giacomo II Stuart. Regina di Inghilterra dal 1702. Fu l'ultima sovrana cattolica dell'Inghilterra. Il ritratto entrò in Galleria il 13 novembre 1723 (ASF, Guard. 1292, c. 113v).	Scritta: in alto 'Hannibal'; a tergo: V.F. 25, 33. Grande generale, invase l'Italia proveniente dalla Spagna, valicando le Alpi con gli elefanti. Sconfisse i Romani a Canne. Dopo alterne vicende fu sconfitto a Zama da Scipione l'Africano.	Scritta: in alto 'D: Antoninus' (Florens); a tergo: 26, 34, 'n° 732 in Com. con la R. Casa'. Della famiglia Pierozzi di Firenze, domenicano. Incoraggiò l'opera dell'Angelico nel suo convento di S. Marco e vi fondò la prima biblioteca pubblica in Europa. Vescovo di Firenze nel 1445. Canonizzato nel 1523.	Scritta: in alto 'Petrus Aretinus'. Letterato. Fu protetto da Leone X de' Medici. Raggiunse grande fama per le sue terribili lettere. Fu presso le più importanti corti rinascimentali italiane, amico di potenti e di artisti; a Venezia di Tiziano. L'opera è una copia del ritratto di Tiziano a Pitti.

	Ic37	Ic38	Ic39	Ic40
PERSONAGGIO	Ariosto, Lodovico (1474-1533).	Artaserse (sec. V-IV a.C.).	Asburgo, Carlo d' (1540-90).	Asburgo, Ferdinando II, arciduca d'Austria (1529-95).
AUTORE	Altissimo, Cristofano (di Papi) dell' (not: 1552-1605).	Altissimo, Cristofano (di Papi) dell' (not: 1552-1605).	Altissimo, Cristofano (di Papi) dell' (not: 1552-1605).	Altissimo, Cristofano (di Papi) dell' (not: 1552-1605).
DATAZIONE	Ante 1568.	Ante 1568.	1566-68.	1566-68.
DESCRIZIONE	Olio su tavola, 60x45, cornice di noce intagliata e dorata.	Olio su tavola, 60x45, cornice di noce intagliata e dorata.	Olio su tavola, 60x45, cornice di noce intagliata e dorata.	Olio su tavola, 59x45, cornice di noce intagliata e dorata.
INVENTARIO	197 (C.P., p. 219, n. 712).	3044 (C.P., p. 213, n. 392).	351 (C.P., p. 213, n. 208).	345 (C.P., p. 213, n. 603).
FOTO	249513.	248744.	250860.	251243.
NOTE	Scritta: in alto 'Ludovicus Ariostus'; a tergo 32, 14, 144, 154. Ferrarese, legato alla Casa d'Este, fu grandissimo poeta. Il suo capolavoro fu l'Orlando Furioso, uno dei più celebri poemi epici della letteratura italiana.	Scritta: in alto 'Artoxerxes'. Secondo re di Persia regnò dal 404 al 359 a.C. Combatté contro il fratello Ciro che sconfisse a Cunassa (401). Alleato con Atene sconfisse gli Spartani di Pisandro (394). Impose a Atene la pace di Antalcida (387).	Scritta: in alto 'Carolus Aus: Archid.'. Fratello dell'imperatore Massimiliano II, fu arciduca d'Austria di Carinzia e di Carniola. Si cfr. il ritratto inv. 1890, n. 5666.	Scritta: in alto 'Ferdinandus Aus: Arc.'; a tergo: 25. Figlio dell'imperatore Ferdinando I e di Anna Jagellone, fratello minore dell'imperatore Massimiliano II, dopo la morte del padre (1564) resse il Tirolo. Sposò in seconde nozze Eleonora Gonzaga (1582) e protesse artisti e scienziati.

	Ic41	Ic42	Ic43	Ic44
PERSONAGGIO	Atana de Dinghel.	Attila, re degli Unni (406 ca. - 453).	Avalos, Alfonso d' (1502-46).	Avalos, Ferdinando Francesco d', marchese di Pescara (1488-1525).
AUTORE	Altissimo, Cristofano (di Papi) dell' (not: 1552-1605).	Altissimo, Cristofano (di Papi) dell' (not: 1552-1605).	Altissimo, Cristofano (di Papi) dell' (not: 1552-1605).	Altissimo, Cristofano (di Papi) dell' (not: 1552-1605).
DATAZIONE	Ante 1568.	1566-68.	Ante 1568.	Ante 1568.
DESCRIZIONE	Olio su tavola, 60x45, cornice di noce intagliata e dorata.	Olio su tavola, 60x45, cornice di noce intagliata e dorata.	Olio su tavola, 60x44, cornice di noce intagliata e dorata.	Olio su tavola, 60x43, cornice di noce intagliata e dorata.
INVENTARIO	1 (C.P., p. 215, n. 414).	3047 (C.P., p. 213, n. 395).	125 (C.P., p. 216, n. 538).	108 (C.P., p. 216, n. 521).
FOTO	185619.	248747.	324963.	228631.
NOTE	Scritta: in alto 'David Atanadi Aet: Imp:'. Si tratta di un imperatore Etiope, non meglio identificato.	Scritta: in alto 'Attila Flagel: Dei'. Regnò dal 434 al 453. Sottomessa tutta l'Europa settentrionale impose gravi tributi all'impero d'Oriente. Invase l'Italia giungendo fino alle mura di Roma dove lo fermarono le preghiere del Papa Leone Magno.	Scritta: in alto 'Alphonsus Davalus Vasti Marchi'; a tergo: 145, 15, 155. Grande generale al servizio di Carlo V, comandò molti reparti durante l'Assedio di Firenze (1529). Fu uomo colto e poeta di qualche pregio.	Scritta: in alto 'Ferdin: Davalus March Pis'; a tergo: 145, 14, 155. Fu grande capitano al servizio della Spagna. Prigioniero dei Francesi nella battaglia di Ravenna. Prese Milano (1521). Divenne capo effettivo dell'esercito di Carlo V in Italia, dopo la vittoria di Pavia (1525).

  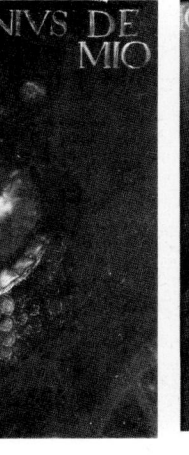  

	Ic45	Ic46	Ic47	Ic48
PERSONAGGIO	Averani, Benedetto (1645-1707).	Bacone, Francesco (1561-1626).	Baglioni, Gian Paolo (m. 1520).	Baglioni, Malatesta (1491-1531).
AUTORE	Ignoto fiorentino sec. XVII.	Ignoto fiorentino sec. XVII.	Altissimo, Cristofano (di Papi) dell' (not: 1552-1605).	Ignoto fiorentino sec. XVII.
DATAZIONE	Ante 1707.	1606-1626.	1566-68.	1600 ca.
DESCRIZIONE	Olio su tela, 60x46, cornice marrone profilata d'oro.	Olio su tela, 59x46, cornice marrone profilata d'oro.	Olio su tavola, 60x45, cornice di noce intagliata e dorata.	Olio su tela, 60x47, cornice marrone profilata d'oro.
INVENTARIO	300 (C.P., p. 219, n. 814).	302 (C.P., p. 219, n. 816).	119 (C.P., p. 216, n. 532).	109 (C.P., p. 216, n. 522).
FOTO	249243.	122159.	228630.	228635.
NOTE	Scritta: in alto 'Benedict.s; Averani'; a tergo: 144. Matematico e seguace del metodo galileiano fu anche dotto umanista e accademico della Crusca, e si dedicò in particolare alla letteratura greca. La sua opera più nota sono Le Prose Fiorentine.	Scritta: in alto 'Fra: us Baconius de Verulamio'; a tergo: 95, 105. Nome italianizzato dell'inglese Bacon. Guardasigilli di Elisabetta d'Inghilterra, Lord cancelliere di Giacomo I Stuart. Partecipò al risveglio rinascimentale inglese. Il ritratto entrò in Galleria il 26 agosto 1722 (ASF, Guard. 1277, c. 74r).	Scritta: in alto 'Ioa: Paulus Baleunus'. Fu uno dei più forti capitani di ventura del suo tempo. Mantenne il possesso di Perugia contro le insidie di Cesare Borgia. Accusato di tradimento da Leone X fu decapitato. L'opera deriva forse da un ritratto del Perugino.	Scritta: in alto 'Malatesta Baleonus'; a tergo si ripete l'iscrizione. Perugino, Capitano di ventura, militò per Venezia e per Firenze. Capo delle milizie fiorentine durante l'Assedio di Firenze (1529), per ambizione tradì la città accordandosi con gli imperiali. Il ritratto entrò in Galleria il 9 novembre 1725 (ASF, Guard. 1292, c. 224v).

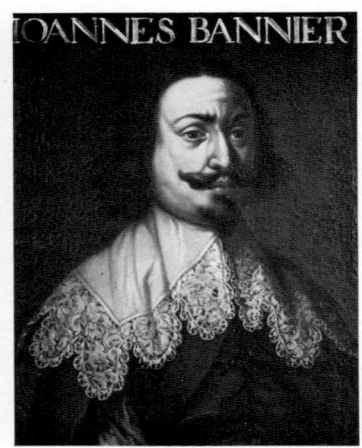

	Ic49	Ic50	Ic51	Ic52
PERSONAGGIO	Bajazet I (1339-1403).	Bajazet II (1446-1512).	Baldo degli Ubaldi (1319/27-1400).	Bannier, Giovanni (1601-41).
AUTORE	Altissimo, Cristofano (di Papi) dell' (not: 1552-1605).	Altissimo, Cristofano (di Papi) dell' (not: 1552-1605).	Altissimo, Cristofano (di Papi) dell' (not: 1552-1605).	Ignoto fiorentino sec. XVIII.
DATAZIONE	Ante 1568.	Ante 1568.	Ante 1568.	1723 ca.
DESCRIZIONE	Olio su tavola, 60x45, cornice di noce intagliata e dorata.	Olio su tavola, 60x45, cornice di noce intagliata e dorata.	Olio su tavola, 59x44, cornice di noce intagliata e dorata.	Olio su tela, 58x45, cornice modanata scura, sec. XVIII.
INVENTARIO	3053 (C.P., u. 215, n. 411).	3058 (C.P., p. 215, n. 406).	154 (C.P., p. 219, n. 567).	425 (C.P., p. 216, n. 683).
FOTO	15562.	250889.	251295.	251130.
NOTE	Scritta: in alto 'Bajazetes I'; a tergo: 35. Sultano ottomano. Proseguì le conquiste in Europa e in Asia. Invase l'Ungheria e la Serbia. Per la velocità delle sue azioni fu chiamato 'il Fulmine'.	Scritta: in alto 'Bajazetes II'; a tergo: 4, 6, 12, 33. Successe al padre Maometto II il Conquistatore (1481). Tolse ai Veneziani Lepanto e altre terre. Abdicò nel 1512.	Scritta: in alto 'Baldus'; a tergo: 99, 26, 21, 34. Perugino, discepolo di Bartolo da Sassoferrato, fu uno dei maggiori giuristi del Medio Evo. Insegnò diritto nelle maggiori università italiane del tempo. Ebbe la cittadinanza onoraria di Firenze. Morì a Pavia.	Generale svedese attivo contro la Germania per re Gustavo, sconfitto dal Papenheim (1631) e dal Piccolomini (1641), morì di malattia. Il suo ritratto entrò in galleria il 19 agosto 1723 (ASF, Guard. 1277, c. 113v.).

	Ic53	Ic54	Ic55	Ic56
PERSONAGGIO	Barbarigo, Agostino (m. 1570).	Barbaro, Ermolao (1453-93).	Baronio, card. Cesare (1538-1607).	Bartolo da Sassoferrato (1314-57).
AUTORE	Altissimo, Cristofano (di Papi) dell' (not: 1552-1605).	Altissimo, Cristofano (di Papi) dell' (not: 1552-1605).	Ignoto fiorentino sec. XVI.	Altissimo, Cristofano (di Papi) dell' (not: 1552-1605).
DATAZIONE	1566-70.	1556 ca.	Ante 1607.	1556 ca.
DESCRIZIONE	Olio su tavola, 60x45, cornice di noce intagliata e dorata.	Olio su tavola, 60x43, con cornice di noce intagliata e dorata.	Olio su tela, 60x48, cornice marrone con profilatura dorata.	Olio su tavola, 60x45, cornice di noce intagliata e dorata.
INVENTARIO	106 (C.P., p. 215, n. 519).	190 (C.P., p. 219, n. 704).	3031 (C.P., p. 218, n. 379).	145 (C.P., p. 220, n. 558).
FOTO	116258.	251303.	251276.	251291.
NOTE	Scritta: in alto 'Augusti: Barbaricus. Ven. Dux'; a tergo: 98, 70, 108. Veneziano. Provveditore generale della Repubblica Veneta, morì combattendo nella battaglia di Lepanto.	Scritta: in alto 'Hermol: us Barbaro'; a tergo: 34; 26. Umanista e letterato veneziano, fu in contatto con la più importante cultura del suo tempo. Ebbe anche incarichi politici. Fu ospite di Lorenzo il Magnifico a Firenze (1480 ca.).	Scritta: in alto 'Caesar Cardinalis Baron'; a tergo: 5.26.34. Eminmo Cardinale Baronio. Storico e letterato, allievo e successore di S. Filippo Neri. Contro il Luteranesimo scrisse gli Annales Ecclesiastici in 12 volumi.	Scritta: in alto 'Bartholus da Sassoferrato'; a tergo: 34.88.26.20. Fu uno dei più famosi giuristi del secolo XIV. Grande importanza hanno i suoi trattati di diritto pubblico.

	Ic57	Ic58	Ic59	Ic60
PERSONAGGIO	Bellarmino, card. Roberto (1542-1621).	Bellini, Lorenzo (1643-1704).	Bellori, Giov. Pietro (1615-96).	Bembo, card. Pietro (1470-1547).
AUTORE	Ignoto fiorentino sec. XVII.	Ignoto fiorentino sec. XVII.	Ignoto fiorentino sec. XVII.	Altissimo, Cristofano (di Papi) dell' (not: 1552-1605).
DATAZIONE	Ante 1700.	Ante 1704.	1719 ca.	Ante 1568.
DESCRIZIONE	Olio su tela, 60x46, cornice marrone con profilatura dorata.	Olio su tela, 60x48, cornice marrone profilata d'oro.	Olio su tela, 60x46, cornice marrone profilata d'oro.	Olio su tavola, 59x45, cornice di noce intagliata e dorata.
INVENTARIO	3030 (C.P., p. 218, n. 378).	299 (C.P., p. 219, n. 813).	279 (C.P., p. 219, n. 793).	3016 (C.P., p. 218, n. 364).
FOTO	251275.	249242.	216681.	251268.
NOTE	Scritta: in alto 'Rob: Car: Bellarminus'; a tergo: iscrizione ripetuta. Teologo e giurista. Gesuita, fu strenuo sostenitore della Controriforma, su cui lasciò scritti fondamentali. Cardinale nel 1599, fu santificato nel 1923. Il ritratto entrò in Galleria il 26 agosto 1722 (ASF, Guard. 1277, c. 74r).	Scritta: in alto 'Laurentius Bellini Med. F.'; a tergo: 144.16.154. Medico e scienziato fiorentino. Fu primo medico di Cosimo III dei Medici e primo consultore sanitario di Clemente XI.	Scritta: in alto 'Ioa: Petrus Bellori'; a tergo: 34, 26. Ripetuta l'iscrizione. Erudito e archeologo romano, ebbe la carica di Antiquario di Roma. Scrisse 'Le vite dei pittori, scultori e architetti moderni' (1672). Il ritratto entra in Galleria il 28 novembre 1719 (ASF, Guard. 1260, c. 102v).	Scritta: in alto 'Petrus Car: Bembo'; a tergo: 26, 34. Veneziano umanista e scrittore visse a Roma, Venezia, a Urbino. Ebbe grandissima fama e vita brillantissima sia alla corte papale che a Venezia dove dette grande impulso alla vita culturale della città.

	Ic61	Ic62	Ic63	Ic64
PERSONAGGIO	Benedetto IX, Papa (m. 1056).	Benedetto XI, Papa (1240-1304).	Benizzi, San Filippo (1233-85).	Bentivoglio, Giovanni II (1443-1508).
AUTORE	Altissimo, Cristofano (di Papi) dell' (not: 1552-1605).	Altissimo, Cristofano (di Papi) dell' (not: 1552-1605).	Altissimo, Cristofano (di Papi) dell' (not: 1552-1605).	Altissimo, Cristofano (di Papi) dell' (not: 1552-1605).
DATAZIONE	1566-67.	Ante 1568.	1590-1600.	Ante 1568.
DESCRIZIONE	Olio su tavola, 59x44, cornice di noce intagliata e dorata.	Olio su tavola, 60x49, cornice di noce intagliata e dorata.	Olio su tavola, 59x43, cornice di noce intagliata e dorata.	Olio su tavola, 60x45, cornice di noce intagliata e dorata.
INVENTARIO	2968 (C.P., p. 217, n. 316).	2974 (C.P., p. 217, n. 322).	2967 (C.P., p. 218, n. 315).	81 (C.P., p. 216, n. 494).
FOTO	228656.	248734.	251254.	228619.
NOTE	Scritta: in alto 'Benedictus IX P. M.'; a tergo: 26, 34, 39. Teofilato dei Conti di Tuscolo, Papa nel 1033. Condusse vita scandalosa e fu costretto a rinunciare il trono papale, che tentò di riconquistare in lotta con due rivali.	Scritta: in alto 'Benedictus XI P. M.'; a tergo: 26, 34. Niccola Boccasini trevisano, eletto papa nel 1303, già domenicano, cercò di comporre i contrasti con la Francia, ma iniziò la procedura contro gli offensori di Anagni e di Bonifacio VIII. Concesse grandi privilegi all'Ordine Domenicano.	Scritta: in alto 'D: Philippus Bènizi'; a tergo: 15, 26, 9, 34. Fiorentino, studiò medicina a Padova e a Parigi. Divenne frate servita, ne ampliò l'ordine divenendone generale. Rifiutò vescovati e riuscì a sottrarsi al pontificato. Fu canonizzato da Leone X (1516).	Scritta: in alto 'Ioan: Bentivolus.'; a tergo: 100, 98, 104. Salito al potere nel 1462 a Bologna, si mostrò mecenate e abbellì la città con molti monumenti. Fu vinto dalle forze alleate di Giulio II e dei Fiorentini.

	Ic65	Ic66	Ic67	Ic68
PERSONAGGIO	Bentivoglio, card. Guido (1579-1644).	Bernardino da Siena, San (1388-1444).	Bernardo, duca di Sassonia-Weimar (1604-39).	Berni, Francesco (1498-1535).
AUTORE	Ignoto fiorentino sec. XVII.	Altissimo, Cristofano (di Papi) dell' (not: 1552-1605).	Ignoto fiorentino sec. XVII.	Altissimo, Cristofano (di Papi) dell' (not: 1552-1605).
DATAZIONE	1700 ca.	Ante 1600.	1630 ca.	1600 ca.
DESCRIZIONE	Olio su tela, 60x45, cornice marrone con profilatura dorata.	Olio su tavola, 59x45, cornice intagliata e dorata.	Olio su tela, 60x47, cornice marrone profilata d'oro.	Olio su tavola, 60x44, cornice di noce intagliata e dorata.
INVENTARIO	3032 (C.P., p. 218, n. 380).	2965 (C.P., p. 218, n. 313).	352 (C.P., p. 217, n. 910).	277 (C.P., p. 219, n. 791).
FOTO	251277.	251252.	251125.	250280.
NOTE	Scritta: in alto 'Guido Card: Bentivolus"; a tergo: 26.22.34. Storico ferrarese. Fu allievo di Galileo a Padova. Uomo di grande cultura, lasciò numerosi scritti. L'opera deriva dal ritratto del Van Dyck a Palazzo Pitti ed entrò in Galleria il 28 novembre 1719 (ASF, Guard. 1260, c. 102v).	Scritta: in alto 'D: Bernardinus D: Siena'; a tergo: 26, 34. Frate minore, predicatore. Della nobile famiglia di Albizzeschi, consigliere di Eugenio IV e dell'Imperatore Sigismondo. Predicò in tutta Italia particolarmente la devozione per Cristo Re. Partecipò attivamente al Concilio di Firenze.	Scritta: in alto 'Bern: Dux: Sax: Weymar'; a tergo: 115. Bernardo duca di Saxen-Weimar. Generale tedesco, passò al servizio della Francia, occupando Breisach (1631) e facendone un feudo personale. Il ritratto entrò in Galleria il 13 novembre 1723 (ASF, Guard. 1292, c. 113v).	Scritta: in alto 'Franciscus Berni'; a tergo: 154, 144. Poeta satirico e anche scurrile. Dimorò in varie città italiane e fu al servizio del Card. Ippolito dei Medici. Le sue opere più importanti sono: la Catrice, le Rime e i Capitoli che da lui si dissero berneschi.

	Ic69	Ic70	Ic71	Ic72
PERSONAGGIO	Bessarione, card. Basilio (1403-1472).	Boccaccio, Giovanni (1313-75).	Bonifacio VIII, Papa (1235 ca. - 1303).	Borelli, Giovanni Alfonso (1608-1679).
AUTORE	Altissimo, Cristofano (di Papi) dell' (not: 1552-1605).	Altissimo, Cristofano (di Papi) dell' (not: 1552-1605).	Altissimo, Cristofano (di Papi) dell' (not: 1552-1605).	Ignoto fiorentino sec. XVII.
DATAZIONE	1556.	Ante 1568.	1564-66.	Ante 1679.
DESCRIZIONE	Olio su tavola, 60x45, cornice di noce intagliata e dorata.	Olio su tavola, 60x45, cornice di noce intagliata e dorata.	Olio su tavola, 60x45, cornice di noce intagliata e dorata.	Olio su tela, 60x47, cornice marrone profilata d'oro.
INVENTARIO	3008 (C.P., p. 218, n. 356).	146 (C.P., p. 219, n. 559).	2973 (C.P., p. 217, n. 321).	276 (C.P., p. 219, n. 790).
FOTO	251262.	118458.	248733.	249961.
NOTE	Scritta: in alto 'Bessarion Card: Trape zuntius'; a tergo: 34, 26, 35. Illustre letterato greco (di Trebisonda), studiò a Costantinopoli, fu assertore dell'unione della Chiesa romana e di quella orientale. Ebbe grande importanza durante il Concilio di Firenze (1439), come legato e vescovo di Nicea.	Scritta: in alto 'Ioannes Boccaccio'; a tergo: 10, 26, 34, 7. Uno dei più grandi letterati italiani. Il suo capolavoro è il Decamerone (1348-53). La sua ultima attività di scrittore è rappresentata da opere latine e erudite .	Scritta: in alto 'Bonifacius VIII P. M.'; a tergo: 26, 5, 34. Benedetto Caetani Papa dal 1294. Avversò i Colonna sostenitori di Filippo di Bello e cercò di porre il potere spirituale sopra di quello temporale. Dante lo pose all'Inferno.	Scritta: in alto 'Alphonsus Borelli'; tergo: 144, 154, 6, Cavaliere Borelli, 7. Medico e matematico napoletano. A Firenze fece parte dell'Accademia del Cimento, ma fu costretto a lasciare la Toscana (1667). Il ritratto entrò in Galleria il 1° dicembre 1724 (ASF, Guard. 1277, c. 149r).

	Ic73	Ic74	Ic75	Ic76
PERSONAGGIO	Borghini, Vincenzo (1515-80).	Borgia Cesare, detto il Valentino (1475-1507).	Borro, Alessandro del (1600-56).	Bosio da Dovara (sec. XIII).
AUTORE	Ignoto fiorentino sec. XVII.	Altissimo, Cristofano (di Papi) dell' (not: 1552-1605).	Ignoto fiorentino sec. XVII.	Ignoto fiorentino sec. XVII.
DATAZIONE	Post 1605.	Ante 1568.	Ante 1656.	1630 ca.
DESCRIZIONE	Olio su tela, 60x47, cornice marrone profilata d'oro.	Olio su tavola, 60x45, cornice di noce intagliata e dorata.	Olio su tela, 60x48, cornice marrone profilata d'oro.	Olio su tela, 59x45, cornice marrone profilata d'oro.
INVENTARIO	220 (C.P., p. 219, n. 734).	3015 (C.P., p. 216, n. 363).	307 (C.P., p. 216, n. 821).	66 (C.P., p. 216, n. 479).
FOTO	249230.	250285.	251123.	228611.
NOTE	Scritta: in alto 'Vincent: us Borghini'. Storico benedettino. Rettore dell'Ospedale degl'Innocenti (1552). Cosimo I lo nominò luogotenente dell'Accademia del disegno. Si dedicò particolarmente allo studio di Dante. Il ritratto entrò in Galleria il 29 ottobre 1729 (ASF, Guard. 1350, c. 13r).	Scritta: in alto 'Caesar Borgia Valent: us'; a tergo: 104, 98. Figlio del pontefice Alessandro VI, avviato dapprima alla carriera ecclesiastica, si dedicò poi a quella militare. Ottenne dal re di Francia la contea di Valentinois, donde il nome di Valentino.	Scritta: in alto 'M. Alexander Borro'. Grande generale si distinse nella guerra dei Trent'anni, conquistando Praga. Poi al servizio di Ferdinando II dei Medici vinse a Castro i Barberini, e morì a Corfù in un'imboscata.	Scritta: in alto 'Bosius Dovara'. Fu signore di Cremona (1247) Ghibellino, nemico di Ezzelino da Romano. Morì prigioniero dei guelfi cremonesi.

	Ic77	Ic78	Ic79	Ic80
PERSONAGGIO	Boyle, Robert (1627-91).	Braccio da Montone (1368-1424).	Bracciolini, Poggio (1380-1459).	Brahe, Thyo (1546-1601).
AUTORE	Ignoto fiorentino sec. XVIII.	Altissimo, Cristofano (di Papi) dell' (not: 1552-1605).	Altissimo, Cristofano (di Papi) dell' (not: 1552-1605).	Ignoto fiorentino sec. XVII.
DATAZIONE	Ante 1691.	Ante 1568.	Ante 1568.	1620 ca.
DESCRIZIONE	Olio su tela, 60x46, cornice di noce intagliata e dorata.	Olio su tavola, 60x44, cornice di noce intagliata e dorata.	Olio su tavola, 58x45, cornice di noce intagliata e dorata.	Olio su tela, 60x47, cornice marrone profilata d'oro.
INVENTARIO	285 (C.P., p. 219, n. 799).	176 (C.P., p. 217, n. 690).	247 (C.P., p. 219, n. 761).	233 (C.P., p. 219, n. 747).
FOTO	96644.	250274.	251322.	71961.
NOTE	Scritta: in alto 'Robertus Boyle': a tergo: ripete l'iscrizione, 144, 134. Fisico e chimico irlandese. Viaggiò per tutta l'Europa, interessandosi in Italia agli studi di Galileo. I suoi studi costituiscono le basi della chimica moderna. Il ritratto entra in Galleria il 5 luglio 1721 (ASF, Guard. 1292 c. 33v).	Scritta in alto: 'Braccius'; a tergo: 98.108. Andrea Fortebracci detto B.d.M., capitano di ventura. Combattè contro i Fiorentini, contro il Papa, contro Muzio Attendolo Sforza. Divenne signore di Perugia e di gran parte dell'Umbria.	Scritta: in alto 'Poggius Bracciolini'; a tergo 34.8.26.6. Umanista e scrittore aretino. Fu accanito riscopritore di antichi testi nella Curia romana e durante il Concilio del 1439.	Scritta: in alto 'Tycho Brahe'; a tergo: Tycho Brahe Hafmiae danus 20, 6. Astronomo danese. Per le sue convinzioni religiose non potè accettare le teorie di Copernico. Ma le sue osservazioni furono sviluppate da Keplero, suo allievo. Il ritratto entrò in Galleria il 1° giugno 1720 (ASF, Guard. 1260 bis, c. 122v).

	Ic81	Ic82	Ic83	Ic84
PERSONAGGIO	Brunelleschi, Filippo (1377-1446).	Bruni, Leonardo, detto Leonardo Aretino (1370-1444).	Buonarroti, Michelangelo (1475-1564).	Buonarroti, Michelangelo il giovane (1568-1646).
AUTORE	Altissimo, Cristofano (di Papi) dell' (not: 1552-1605).	Altissimo, Cristofano (di Papi) dell' (not: 1552-1605).	Altissimo, Cristofano (di Papi) dell' (not: 1552-1605).	Ignoto fiorentino sec. XVII.
DATAZIONE	1566-70.	1556.	1566-68.	Ante 1646.
DESCRIZIONE	Olio su tavola, 59x45, cornice di noce intagliata e dorata.	Olio su tavola, 61x44, cornice di noce intagliata e dorata.	Olio su tavola, 60x45, cornice di noce intagliata e dorata.	Olio su tela, 59x47, cornice marrone profilata d'oro.
INVENTARIO	160 (C.P., p. 219, n. 573).	179 (C.P., p. 219, n. 693).	198.	264 (C.P., p. 219, n. 778).
FOTO	249943.	249946.	249951.	249527.
NOTE	Scritta: in alto 'Philip: us Brunelleschi'; a tergo: 159, 13. Architetto, personalità fondamentale del Rinascimento fiorentino.	Scritta: in alto 'Leonard: us Aretinus'; a tergo: 144. Umanista e grecista, fece parte dell'Accademia Neoplatonica. Fu cancelliere della Repubblica Fiorentina (1427). La sua tomba, in S. Croce è opera di B. Rossellino.	Scritta: Michael Angelus Buonarroti; a tergo: 144, 154, 16, 11. Fiorentino, protetto da Lorenzo il Magnifico. Fu grande architetto, grandissimo pittore e scultore.	Scritta: in alto 'M. Ange: Bonarroti Poet'; a tergo: 3. Nipote del grande Michelangelo; frequentò assiduamente la Corte medicea. Letterato e accademico della Crusca col nome di Impastato, lavorò alla stesura del vocabolario. Il ritratto entra in Galleria il 5 luglio 1721 (ASF, Guard. 1292, c. 33v).

	Ic85	Ic86	Ic87	Ic88
PERSONAGGIO	Burchiello, Domenico (1404-49).	Caith Bey.	Calcondila, Demetrio (1424-1511).	Callisto III, Papa (1378-1458).
AUTORE	Altissimo, Cristofano (di Papi) dell' (not: 1552-1605).	Altissimo, Cristofano (di Papi) dell' (not: 1552-1605).	Altissimo, Cristofano (di Papi) dell' (not: 1552-1605).	Altissimo, Cristofano (di Papi) dell' (not: 1552-1605).
DATAZIONE	Ante 1568.	Ante 1568.	Ante 1568.	Ante 1568.
DESCRIZIONE	Olio su tavola, 60x45, cornice di noce intagliata e dorata.	Olio su tavola, 60x44, cornice di noce intagliata e dorata.	Olio su tavola, 60x44, cornice di noce intagliata e dorata.	Olio su tavola, 60x45, cornice di noce intagliata e dorata.
INVENTARIO	183 (C.P., p. 220, n. 697).	8 (C.P., p. 215, n. 421).	167 (C.P., p. 219, n. 585).	2984 (C.P., p. 218, n. 332).
FOTO	249947.	2512229.	251235.	250872.
NOTE	Scritta: in alto 'Burchiello'; a tergo: 23, 144, 154. Domenico di Giovanni detto il B. Teneva crocchio nella sua bottega di barbiere. I suoi sonetti sono per lo più beffardi e spensierati. Egli dette origine alla poesia detta burchiellesca, fatta di versi slegati e quasi senza senso.	Scritta: in alto 'Cait: Beius Caury: Sul: '; a tergo: 33, 25. Sultano del Cairo non meglio identificato.	Scritta: in alto "Deme, us Chalcondil-es"; a tergo. 26.34. Umanista greco. Fu a Roma, e poi fu chiamato a Firenze da Lorenzo il Magnifico (1472) per insegnare. Agnolo Poliziano fu tra i suoi allievi.	Scritta: in alto 'Calistus III P. M.'; a tergo: 24, 34. Alonzo Borgia spagnolo, Papa dal 1455, combattè contro i Turchi e con il regno aragonese di Napoli. Favorì grandemente i propri parenti.

	Ic89	Ic90	Ic91	Ic92
PERSONAGGIO	Camson Cal: Gauri.	Cappello Vincenzo (1469-1541).	Capponi, Neri (1388-1457).	Capponi, Pier (1446-96).
AUTORE	Altissimo, Cristofano (di Papi) dell' (not: 1552-1605).	Altissimo, Cristofano (di Papi) dell' (not: 1552-1605).	Altissimo, Cristofano (di Papi) dell' (not: 1552-1605).	Altissimo, Cristofano (di Papi) dell' (not: 1552-1605).
DATAZIONE	Ante 1568.	Ante 1568.	Ante 1568.	Ante 1568.
DESCRIZIONE	Olio su tavola, 59x45, cornice di noce intagliata e dorata.	Olio su tavola, 57x42, cornice di noce intagliata e dorata, sec. XVI.	Olio su tavola, 59x44, cornice di noce intagliata e dorata.	Olio su tavola, 59x45, cornice di noce intagliata e dorata.
INVENTARIO	9 (C.P., p. 215, n. 422).	90 (C.P., p. 216, n. 503).	182 (C.P., p. 216, n. 696).	186 (C.P., p. 216, n. 700).
FOTO	185624.	228637.	251115.	251116.
NOTE	Scritta: in alto 'Camps: Gaurus Ca: Sul:'. Sultano del Cairo non identificato.	In alto: 'Vincentius Cappello'. Capitano veneziano, venne eletto provveditore dell'armata (fortificò Famagosta) ed ebbe varie altre cariche per la difesa dell'Adriatico. Il ritratto deriva da quello della National Gallery di Wahington attribuito a Tiziano.	Scritta: in alto 'Nerius Capponi'; a tergo: 98, 14, 108, 11. Gareggiò con Cosimo dei Medici per il primato in Firenze. Scrisse i Documentari per la conquista di Pisa e altre opere storiche.	Scritta: in alto 'Petrus Capponi'; a tergo: 14, 700, 98, 108. Gonfaloniere della Repubblica, dopo la cacciata dei Medici si oppose a Carlo VIII pronunciando secondo la tradizione, la frase 'se voi sonerete le vostre trombe noi soneremo le nostre campane'.

	Ic93	Ic94	Ic95	Ic96
PERSONAGGIO	Capponi, Vincenzo (1605-88).	Caprara, Enea Silvio (1631-1701).	Carafa, Girolamo (1564-1633).	Cardano, Girolamo (1501-76).
AUTORE	Ignoto fiorentino sec. XVII.	Ignoto fiorentino sec. XVIII.	Ignoto fiorentino sec. XVI.	Ignoto fiorentino sec. XVII.
DATAZIONE	Post 1650.	1700 ca.	1630 ca.	1580 ca.
DESCRIZIONE	Olio su tela, 61x46, cornice marrone profilata d'oro.	Olio su tela, 60x45, cornice marrone profilata d'oro.	Olio su tela, 59x44, cornice marrone profilata d'oro.	Olio su tela, 60x46, cornice marrone profilata d'oro.
INVENTARIO	267 (C.P., p. 219, n. 781).	134 (C.P., p. 216, n. 547).	135 (C.P., p. 216, n. 548).	215 (C.P., p. 219, n. 729).
FOTO	249233.	251108.	250273.	249229.
NOTE	Scritta: in alto 'Vincentius Capponi'; a tergo: 144. Della nobile famiglia fiorentina, fu senatore, filosofo, poeta molto apprezzato dal Gran Principe Ferdinando dei Medici. Istituì la biblioteca nota poi come 'Riccardiana'. Il ritratto entrò in Galleria il 29 ottobre 1729 (ASF, Guard. 1350, c. 13r).	Scritta: in alto 'Com: Aeneas Caprara'; a tergo: 10. Enea Caprara. Generale bolognese al servizio dell'Austria. Prese parte alla guerra dei Trent'anni, partecipando a 44 campagna. Il ritratto entrò in Galleria il 25 agosto 1725 (ASF, Guard. 1277, c. 164r).	Scritta: in alto 'Jeronimus Caraffa Mar: Pont:'. Generale con Alessandro Farnese, che poi sostituì. Combattè in Boemia per l'Imperatore (1620) che lo creò Principe del Sacro Romano Impero.	Scritta: in alto 'Hiero. us Cardano'. Lombardo, scienziato e umanista. Si interessò di matematica e di musica. Ebbe fama di taumaturgo. Accusato di veneficio, fu imprigionato per eresia (1570). Il ritratto entra in Galleria il 5 luglio 1721 (ASF, Guard. 1292, c. 33v).

	Ic97	Ic98	Ic99	Ic100
PERSONAGGIO	Carlo, card. di Borbone (1523-90).	Carlo di Borbone (1490-1527).	Carlo di Borgogna, detto il Temerario (1433-77).	Carlo V, imperatore (1500-58).
AUTORE	Ignoto fiorentino sec. XVII.	Altissimo, Cristofano (di Papi) dell' (not: 1552-1605).	Altissimo, Cristofano (di Papi) dell' (not: 1552-1605).	Altissimo, Cristofano (di Papi) dell' (not: 1552-1605).
DATAZIONE	Fine sec. XVII.	Ante 1568.	1570 ca.	1566-68.
DESCRIZIONE	Olio su tela, 60x45, cornice marrone con profilatura dorata.	Olio su tavola, 60x45, cornice di noce intagliata e dorata.	Olio su tavola, 60x45, cornice di noce intagliata e dorata.	Olio su tavola, 59x44, cornice di noce intagliata e dorata.
INVENTARIO	3028 (C.P., p. 213, n. 376).	30 (C.P., p. 213, n. 443).	48 (C.P., p. 213, n. 461).	332 (C.P., p. 213, n. 590).
FOTO	250885.	250851.	228227.	248719.
NOTE	Scritta: in alto 'Carol: Card: Borbonius et Rex', a tergo: 'Charles de Bourbon cardinal archevesque de Rouen'. Cardinale nel 1548. vescovo di Vendôme e di Roan. Proclamato Re di Francia col nome di Carlo X (1589). Il ritratto entrò in Galleria il 9 febbraio 1726 (ASF, Guard. 1277, c. 175r).	Scritta: in alto 'Carolus Borboni'. Connestabile di Francia, nel 1515 combatté in Italia con Francesco I, passando poi dalla parte di Carlo V. Fu ferito a morte durante il Sacco di Roma.	Scritta: in alto 'Carolus Dux Burgu'; a tergo: 33, 25. Ultimo Duca di Borgogna. Pensando di estendere la sua già grande potenza, combatté contro la Francia, ma fu sconfitto e ucciso a Nancy.	Scritta: in alto 'Carolus V Imp:'. Figlio di Filippo il Bello e di Giovanna la Pazza. Incoronato imperatore nel 1530 da Clemente VII Medici. Abdicò nel 1556 in favore del figlio Filippo. Fu il grande rivale di Francesco I di Francia.

	Ic101	Ic102	Ic103	Ic104
PERSONAGGIO	Carlo VIII, re di Francia (1470-98).	Carlo IX, re di Francia (1550-74).	Carlo I, re d'Inghilterra (1600-49).	Carlo II, re d'Inghilterra (1630-75).
AUTORE	Altissimo, Cristofano (di Papi) dell' (not: 1552-1605).	Ignoto fiorentino sec. XVII.	Ignoto fiorentino sec. XVII.	Ignoto fiorentino sec. XVII.
DATAZIONE	Ante 1568.	Post 1604.	Fine sec. XVII.	Primi sec. XVIII.
DESCRIZIONE	Tempera su tavola, 61x44, cornice di noce intagliata e dorata.	Olio su tela, 60x47, cornice marrone con profilatura dorata.	Olio su tela, 60x45, cornice marrone con profilatura dorata.	Olio su tela, 60x47, cornice marrone con profilatura dorata.
INVENTARIO	18 (C.P., p. 213, n. 431).	25 (C.P., p. 213, n. 438).	320 (C.P., p. 213, n. 834).	321 (C.P., p. 214, n. 835).
FOTO	251231.	228217.	122166.	122167.
NOTE	Scritta: in alto 'Carolus VIII Gal. Rex'. Ultimo dei Valois, successe al padre Luigi XI nel 1483. Nella sua spedizione (1494-95) per la conquista di Napoli, provocò tra l'altro la caduta e l'esilio dei Medici da Firenze, dove entrò nel 1494.	Scritta: in alto 'Carolus IX Gal: Rex.' Figlio di Enrico II di Valois e di Caterina dei Medici. Re dal 1560, lasciò il potere nelle mani della madre. Durante il suo regno avvenne la strage degli Ugonotti, Notte di S. Bartolommeo (agosto 1572). Il ritratto entrò in Galleria il 13 novembre 1723 (ASF, Guard. 1292, c. 113v).	Scritta: in alto 'Carolus I M: Bri: rex'; a tergo: Carlo I. Figlio di Giacomo Stuart re di Scozia, divenne a sua volta re nel 1625. Condusse una politica di appoggio alle forze cattoliche. Fu fatto decapitare da Cromwell con l'accusa di alto tradimento. Il ritratto entrò in Galleria il 19 agosto 1723 (ASF, Guard. 1277, c. 113v).	Scritta: in alto 'Carolus II M. Br: Rex'. Figlio di Carlo I, re nel 1649. Favorì i cattolici contro i presbiteriani. Instaurò un regime assolustico con l'appoggio della Francia. Il ritratto entrò in Galleria il 19 agosto 1723 (ASF, Guard. 1277, c. 113v).

	Ic105	Ic106	Ic107	Ic108
PERSONAGGIO	Carlo Magno (742-814).	Carlo II, re di Spagna (1661-1700).	Carlo XII, re di Svezia (1682-1718).	Carmagnola, Bussone Francesco, detto il (1380-85-1432).
AUTORE	Altissimo, Cristofano (di Papi) dell' (not: 1552-1605).	Ignoto fiorentino sec. XVII.	Ignoto fiorentino sec. XVII.	Altissimo, Cristofano (di Papi) dell' (not: 1552-1605).
DATAZIONE	1566-68.	Post 1665.	Post 1697.	Ante 1568.
DESCRIZIONE	Olio su tavola, 60x45, cornice di noce intagliata e dorata.	Olio su tela, 60x47, cornice marrone con profilatura dorata.	Olio su tela, 61x46, cornice marrone con profilatura dorata.	Olio su tavola, 60x44, cornice di noce intagliata e dorata.
INVENTARIO	330 (C.P., p. 213, n. 588).	45 (C.P., p. 213, n. 458).	424 (C.P., p. 213, n. 682).	86 (C.P., p. 216, n. 499).
FOTO	248717.	228209.	251250.	228621.
NOTE	Scritta: in alto 'Carolus M: Imp.'. Re dei Franchi, figlio di Pipino il Breve, fu il primo sovrano del Sacro Romano Impero. La sua sede fu in Aquisgrana, ma fu incoronato a Roma nel Natale dell'800 da Leone III.	Scritta: in alto 'Carolus: II: Hisp: Rex'; a tergo 10. Ultimo degli Asburgo, re dal 1665. Senza discendenti, alla sua morte il trono di Spagna passerà ai Borbone. L'opera deriva da un ritratto di A. Carreño ed entrò in Galleria il 13 novembre 1723 (ASF, Guard. 1292, c. 113v).	Scritta: in alto 'Carolus: XII: Sue: Rex'. Re di Svezia dal 1697, figlio di Carlo XI. Fu reso popolare da Voltaire, nella Histoire de Charles XII. Il ritratto entrò in Galleria il 13 novembre 1723 (ASF, Guard. 1292, c. 113v) e deriva probabilmente da quello inv. 1890, n. 2867.	Scritta: in alto 'Francis: Carmagnola'; a tergo: 145, 155, 17. Fu grande condottiero al servizio dei Visconti, vincitore della Battaglia di Maclodio (1427). Passò poi al servizio di Venezia, ma con scarsa fortuna e dopo le sconfitte subite fu processato per tradimento e decapitato.

	Ic109	Ic110	Ic111	Ic112
PERSONAGGIO	Caro, Annibale (1507-1566).	Cartesio (1596-1650).	Castelli, Benedetto (1577-1643).	Castiglione, Baldassarre (1478-1526).
AUTORE	Altissimo, Cristofano (di Papi) dell' (not: 1552-1605).	Ignoto fiorentino sec. XVII.	Ignoto fiorentino sec. XVII.	Altissimo, Cristofano (di Papi) dell' (not: 1552-1605).
DATAZIONE	1596-1600.	Ante 1650.	Ante 1640.	1556.
DESCRIZIONE	Olio su tavola, 60x44, cornice di noce intagliata e dorata.	Olio su tela, 60x47, cornice marrone profilata d'oro.	Olio su tela, 60x40, cornice marrone con profilatura dorata.	Olio su tavola, 60x44, cornice di noce intagliata e dorata.
INVENTARIO	218 (C.P., p. 219, n. 732).	259 (C.P., p. 219, n. 773).	3042 (C.P., p. 219, n. 390).	199 (C.P., p. 219, n. 713).
FOTO	249516.	249959.	249966.	143367.
NOTE	Scritta: in alto 'Annibal Caro'. Letterato, traduttore, rimatore e commediografo. Fu precettore in casa Gaddi a Firenze, poi presso i Farnese. Scrisse Rime e un famoso Epistolario.	Scritta: in alto 'Renat: us Deschartes'; a tergo: Renatus Deschartes nobilis galius ferroni dominus sumus mathematicus et filosofus (sic) 55, 12. René Descartes, filosofo francese. La sua dottrina ha per base la preposizione 'Cogito ergo sum'. Il ritratto entrò in Galleria il 1° giugno 1720 (ASF, Guard. 1260 bis, c. 122v).	Scritta: in alto 'D: Benedi: Castelli'; a tergo: Bened. Castellius brixiensis n. 95. Benedetto Castelli, al secolo Antonio benedettino, allievo di Galileo a Padova. Dal 1626 su incarico di Urbano VIII insegnò alla Sapienza di Roma. Fu suo allievo il Torricelli. Il ritratto entrò in Galleria il 5 luglio 1721 (ASF, Guard. 1292, c. 33v).	Scritta: in alto 'Balth: sar Castiglione'. Imparentato con i Gonzaga, fu letterato e scrittore, prima presso Ludovico il Moro, poi alla Corte di Urbino. Consigliere di Giuliano dei Medici, governatore di Firenze, fu anche alla Corte di Leone X. Il ritratto deriva forse da quello di Raffaello al Louvre.

	Ic113	Ic114	Ic115	Ic116
PERSONAGGIO	Castracani, Castruccio (1281-1328).	Casubonio, Isacco (1559-1614).	Caterina d'Aragona, regina d'Inghilterra (1485-1536).	Cavalcanti, Guido (1255/59-1300).
AUTORE	Altissimo, Cristofano (di Papi) dell' (not: 1552-1605).	Ignoto fiorentino sec. XVII.	Ignoto fiorentino sec. XVII.	Altissimo, Cristofano (di Papi) dell' (not: 1552-1605).
DATAZIONE	Ante 1568.	Ante 1614.	1610-20.	Ante 1568.
DESCRIZIONE	Olio su tavola, 60x43, cornice di noce intagliata e dorata.	Olio su tela, 60x47, cornice marrone profilata d'oro.	Olio su tela, 60x47, cornice marrone con profilatura dorata.	Olio su tavola, 69x44, cornice di noce intagliata e dorata.
INVENTARIO	68 (C.P., p. 216, n. 431).	242 (C.P., p. 219, n. 756).	427 (C.P., p. 213, n. 685).	142 (C.P., p. 219, n. 555).
FOTO	107371.	249521.	122176.	249940.
NOTE	Scritta: in alto 'Castruc. Castracani'; a tergo: 97, 98, 108, 3. Fu grande uomo d'armi e rappresentante importantissimo del partito ghibellino in Italia. Signore di Lucca (1327) dopo esserne stato il vicario imperiale, tolse Pistoia ai fiorentini (1325). Il Machiavelli ne scrisse la vita.	Scritta: in alto 'Isaacus Casubonus'; a tergo: 144, 154, 12, 7. Ginevrino detto Casaubonio. Fu ellenista e filologo protestante. Curò le edizioni di molti classici greci. Il ritratto entrò in Galleria il 26 agosto 1722 (ASF, Guard. 1277, c. 74r).	Scritta: in alto 'Catarina Aragonia Ang: Regina'; a tergo: Regi Nupitae-Catherinae principis Arthuriusoris 8. Figlia di Ferdinando e di Isabella di Spagna, sposò in seconde nozze il cognato Enrico VIII che la ripudiò nel 1531. Il ritratto entrò in Galleria il 23.2. 1725 (ASF, Guard. 1277, c. 154r).	Scritta: in alto 'Guido Cavalcanti'; a tergo: 154, 144. Fiorentino di nobile famiglia guelfa, dopo la battaglia di Monteaperti fu esule da Firenze. Poeta partecipe del Dolce Stil Nuovo amico di Dante, nel Canzoniere dimostra ben vivi e profondi accenti.

	Ic117	Ic118	Ic119	Ic120
PERSONAGGIO	Cavalieri, Bonaventura (1598-1647).	Celestino V, Papa (1215-96).	Cesarini, card. Giuliano (1398-1444).	Chiabrera, Gabriele (1552-1638).
AUTORE	Ignoto fiorentino sec. XVII.	Altissimo, Cristofano (di Papi) dell' (not: 1552-1605).	Altissimo, Cristofano (di Papi) dell' (not: 1552-1605).	Ignoto fiorentino sec. XVII.
DATAZIONE	Ante 1647.	1600-1604.	Ante 1568.	Ante 1638.
DESCRIZIONE	Olio su tela, 60x46, cornice marrone profilata d'oro.	Olio su tavola, 60x45, cornice di noce intagliata e dorata.	Olio su tavola, 60x45, cornice di noce intagliata e dorata.	Olio su tela, 61x47, cornice marrone profilata d'oro.
INVENTARIO	263 (C.P., p. 219, n. 777).	2972 (C.P., p. 218, n. 320).	3009 (C.P., p. 218, n. 357).	238 (C.P., p. 219, n. 752).
FOTO	249960.	248732.	251263.	249520.
NOTE	Scritta: in alto 'Bonav: ra Cavalerio'; a tergo: 'Bonav. Cavalierius mediolanensis.' B. Cavalieri. Matematico milanese, allievo di Galileo, precorse Leibniz e Newton nell'invenzione del calcolo integrale. Il ritratto entrò in Galleria il 1° giugno 1720 (ASF, Guard. 1260 bis, c. 122v).	Scritta: in alto 'Celestinus V P. M.'; a tergo: 26, 34. Pietro da Morrone, Papa nel 1294 per 6 mesi, avendo rinunciato al soglio per ritirarsi nella Rocca di Fumone in Campagnia. Fondò l'ordine degli eremiti detti Celestini.	Scritta: in alto 'Iulia: us Car: Cesarini'; a tergo: 26, 34. Umanista. Di grande fervore religioso fu creato Card. da Martino V nel 1426. Ebbe grande parte nel Concilio di Basilea, Ferrara e Firenze (1439). Partecipò alla Crociata contro i Turchi (1443) e morì in battaglia a Varna.	Scritta: in alto 'Gabriel Chiabrera'. Poeta epico, lirico, drammatico e satirico. Dal 1600 al 1630 fu alla corte medicea senza obbligo di servire a Corte. Il ritratto entrò in Galleria il 28 novembre 1719 (ASF, Guard. 1260, c. 102v).

	Ic121	Ic122	Ic123	Ic124
PERSONAGGIO	Cino da Pistoia (1270-1336/37).	Clavio, Cristoforo (1537-1612).	Clemente V, Papa (m. 1314).	Clemente VI, Papa (1291-1353).
AUTORE	Altissimo, Cristofano (di Papi) dell' (not: 1552-1605).	Ignoto fiorentino sec. XVII.	Altissimo, Cristofano (di Papi) dell' (not: 1552-1605).	Altissimo, Cristofano (di Papi) dell' (not: 1552-1605).
DATAZIONE	Ante 1568.	Ante 1612.	Ante 1568.	1564-70.
DESCRIZIONE	Olio su tavola, 60x45, cornice di noce intagliata e dorata.	Olio su tela, 61x46, cornice marrone profilata d'oro.	Olio su tavola, 60x45, cornice di noce intagliata e dorata.	Olio su tavola, 60x39, cornice di noce intagliata e dorata.
INVENTARIO	141 (C.P., p. 220, n. 554).	229 (C.P., p. 219, n. 742).	2975 (C.P., p. 218, n. 323).	2977 (C.P., p. 218, n. 325).
FOTO	249939.	249955.	248735.	228655.
NOTE	Scritta: in alto 'Cinus Pistoriensis'; a tergo: 20, 154, 44. Il suo nome era Guittoncino de' Sighibuldi, di nobile famiglia, giurista e poeta. Svolse attività politica e di magistrato (Lectura in Codicem). Ma le sua fama è legata soprattutto al 'Canzoniere'.	Scritta: in alto 'Christopho: us Clavius'. Umanista e matematico tedesco. Gesuita. Fu amico di Galileo. Ebbe l'incarico dal pontefice di studiare il nuovo calendario.	Scritta: in alto 'Clemens V P. M.'; a tergo: 26, 34. Bertrand de Got papa nel 1305. Già vescovo di Bordeaux, fu il successore di Bonifacio VIII. Fu il protagonista della fase conclusiva della lotta fra il Papato e Filippo il Bello.	Scritta: in alto 'Clemens VI P. M.'; a tergo: 26, 34. Pietro Roger, francese, papa dal 1342. Fu il terzo papa avignonese. Dotto e caritatevole si adoprò molto durante la peste nera di Avignone (1348). Emanò nel 1349 una Bolla che stabiliva il Giubileo ogni 50 anni.

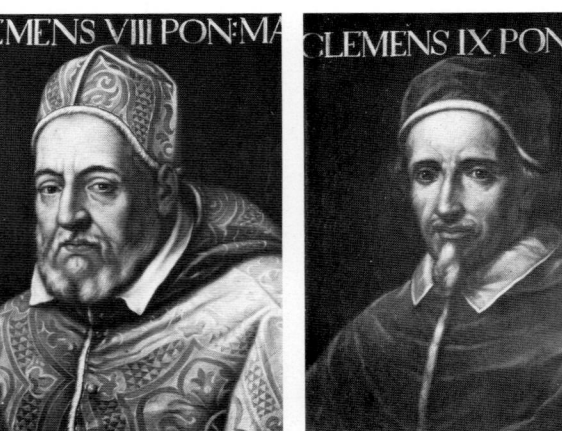   

	Ic125	Ic126	Ic127	Ic128
PERSONAGGIO	Clemente VIII, Papa (1536-1605).	Clemente IX, Papa (1600-69).	Clemente XII, Papa (1652-1740).	Clüver, Philippo (1580-1623).
AUTORE	Ignoto fiorentino sec. XVII.	Ignoto toscano sec. XVII.	Ignoto fiorentino sec. XVIII.	Ignoto fiorentino sec. XVII.
DATAZIONE	Ante 1635.	Post 1605.	Post 1730.	Ante 1623.
DESCRIZIONE	Olio su tela, 60x46, cornice marrone con profilatura dorata.	Tempera su tavola, 67x47, cornice nera con profilatura dorata.	Olio su tela, 60x46, cornice marrone con profilatura dorata.	Olio su tela, 60x47, cornice marrone profilata d'oro.
INVENTARIO	2998 (C.P., p. 218, n. 346).	3003 (C.P., p. 218, n. 351).	3005 (C.P., p. 218, n. 353).	252 (C.P., p. 219, n. 766).
FOTO	250880.	251257.	251259.	251325.
NOTE	Scritta: in alto 'Clemens VIII Pon ma'; a tergo: 36. Ippolito Aldobrandini, papa dal 1592. Accolse la conversione al Cattolicesimo di Enrico IV di Francia. Al suo pontificato si legano le condanne di B. Cenci e di Giordano Bruno. Il ritratto entrò in Galleria il 26 agosto 1722 (ASF, Guard. 127, c. 74r).	Scritta: in alto 'Clemens IX Pon. max.'. Giulio Rospigliosi papa dal 1677. Mediatore di pace tra Francia e Spagna. Con la pace Clementina (1669) cercò di risolvere la questione del Giansenismo in Francia. Il ritratto entrò in Galleria il 26 agosto 1722 (ASF, Guard. 1277, c. 74r).	Scritta: in alto 'Clemens XII Pon: Max:'; a tergo: Il papa Corsini. 3. Lorenzo Corsini fiorentino, papa dal 1730. Cercò di riportare a una austerità di vita i cardinali, servendosi del Card. Alberoni. Condannò la Massoneria (1738). Il ritratto entrò in Galleria il 17 settembre 1733 (ASF, Guard. 1351, c. 105v).	Scritta: in alto 'Philippus Cluverius'; a tergo ripete l'iscrizione: 31, 26. Noto in Italia come 'Cluverio'. Umanista e geografo tedesco, girò l'Europa, fermandosi anche a Roma. I suoi studi rappresentano i primi studi di geografia. Il ritratto entrò in Galleria il 1° giugno 1720 (ASF, Guard. 1260 bis, c. 122v).

	Ic129	Ic130	Ic131	Ic132
Personaggio	Cocchi, Antonio (1695-1759).	Coligny, Gaspard de (1519-1572).	Colleoni, Bartolomeo (1400-76).	Colombo, Cristoforo (1451-1506).
Autore	Ignoto fiorentino sec. XVIII.	Ignoto fiorentino sec. XVII.	Altissimo, Cristofano (di Papi) dell' (not: 1552-1605).	Altissimo, Cristofano (di Papi) dell' (not: 1552-1605).
Datazione	Ante 1759.	1600 ca.	1580-90.	1556.
Descrizione	Olio su tela, 60x47, cornice marrone profilata d'oro.	Olio su tela, 61x47, cornice marrone profilatura d'oro.	Olio su tavola, 60x44, cornice di noce intagliata e dorata.	Olio su tavola, 60x45, cornice di noce intagliata e dorata.
Inventario	308 (C.P., p. 219, n. 822).	38 postgioviana.	95 (C.P., p. 216, n. 508).	173 (C.P., p. 219, n. 586).
Foto	249247.	228645.	228623.	107374.
Note	Scritta: in alto 'Antonius Cocchius'. Napoletano, fu medico e letterato. Visse a lungo in Francia e in Inghilterra dove conobbe Newton. A Firenze (1734) insegnò anatomia e fondò la Società Botanica Fiorentina.	Scritta: in alto 'Gaspar de Coligny Gal: Admi'; a tergo: 9/6. Maresciallo di Francia, partecipò alla campagna in Italia e alla conquista della Lombardia. Di fede protestante, fu ucciso nella Notte di San Bartolomeo. Il ritratto entrò in Galleria il 25 agosto 1725 (ASF, Guard. 1277, c. 164r).	Scritta: in alto 'Barto: Coleonus'; a tergo: 155, 145. Discendente da famiglia nobile bergamasca. Fu al servizio di vari signori, italiani e soprattutto della Serenissima. Guidò un esercito di fiorentini esiliati contro i Medici (1467).	Scritta: in alto 'Cristo: us Colombo'; a tergo: 105, 95. Genovese fu uno dei più grandi navigatori di tutti i tempi. Al servizio dei sovrani di Spagna partì con tre caravelle per le Indie e scoprì l'America, arrivando a S. Domingo il 3.VIII.1492.

	Ic133	Ic134	Ic135	Ic136
Personaggio	Colonna, card. Pompeo (1479-1532).	Colonna, Prospero (1452-1523).	Colonna, Sciarra (m. 1329).	Colonna, Stefano (m. 1348-52).
Autore	Altissimo, Cristofano (di Papi) dell' (not: 1552-1605).	Altissimo, Cristofano (di Papi) dell' (not: 1552-1605).	Altissimo, Cristofano (di Papi) dell' (not: 1552-1605).	Altissimo, Cristofano (di Papi) dell' (not: 1552-1605).
Datazione	1566-68.	Ante 1568.	Ante 1568.	Ante 1568.
Descrizione	Olio su tavola, 60x45, cornice di noce intagliata e dorata.	Olio su tavola, 59x48, cornice di noce intagliata e dorata.	Olio su tavola, 60x45, cornice di noce intagliata e dorata.	Olio su tavola, 60x45, cornice di noce intagliata e dorata.
Inventario	3014 (C.P., p. 218, n. 362).	104 (C.P., p. 216, n. 517).	70 (C.P., p. 216, n. 483).	69 (C.P., p. 216, n. 482).
Foto	251267.	228632.	228613.	228634.
Note	Scritta: in alto 'Pompeus Card: Colonna'; a tergo 26, 34. Seguì prima la carriera militare, poi quella ecclesiastica per ragioni politiche. Fu creato cardinale da Leone X (1517). Grande mecenate si circondò di letterati artisti. Durante il Sacco di Roma sostenne gli imperiali.	Scritta: in alto 'Prosper Columna'; a tergo: 145, 10, 155. Comandante della flotta papale quando l'armata di Don Giovanni d'Austria combattè contro i Turchi. Fu al servizio del re di Spagna contro il Portogallo.	Scritta: in alto 'Sciarra Columna'; a tergo: 98, 104. Protagonista dell'attentato di Anagni contro Bonifacio VI (1303). Avendo favorito, come ghibellino l'incoronazione di Ludovico il Bavaro, fu mandato in esilio, dove morì.	Scritta: in alto 'Stephanus Columna'; a tergo: 155, 145, 18. Combattè contro i Caetani e gli Orsini nelle alterne vicende della nobiltà romana. Fu sostenitore di Arrigo VII. Il ritratto deriva da quello del Bronzino ora nelle Gallerie Corsini a Roma.

	Ic137	Ic138	Ic139	Ic140
PERSONAGGIO	Colonna, Vittoria (1490-1547).	Commandino, Federico (1509-79).	Condè, Luigi di Borbone, principe di (1530-69).	Contarini, card. Gaspare (1483-1542).
AUTORE	Altissimo, Cristofano (di Papi) dell' (not: 1552-1605).	Ignoto fiorentino sec. XVII.	Altissimo, Cristofano (di Papi) dell' (not: 1552-1605).	Altissimo, Cristofano (di Papi) dell' (not: 1552-1605).
DATAZIONE	Ante 1568.	1650 ca.	1590 ca.	1566-68.
DESCRIZIONE	Olio su tavola, 60x45, cornice di noce intagliata e dorata.	Olio su tela, 61x47, cornice marrone profilata d'oro.	Olio su tavola, 60x44, cornice di noce intagliata e dorata.	Olio su tavola, 60x44, cornice di noce intagliata e dorata.
INVENTARIO	204 (C.P., p. 219, n. 718).	219 (C.P., p. 219, n. 733).	35 (C.P., p. 214, n. 426).	3019 (C.P., p. 218, n. 367).
FOTO	98389.	249954.	228221.	251270.
NOTE	Scritta: in alto 'Victoria Colonna'; a tergo: 144, 154. Umanista e poetessa, sposò Ferrante d'Avalos (1509). Vedova nel 1525 visse ritirata, amica di poeti e artisti, fra gli altri Michelangelo. Scrisse un Canzoniere dove espresse il suo spirito religiosamente severo.	Scritta: a tergo: Fed. Command. 33, 8. Matematico e medico urbinate. Esercitò la medicina a Ferrara, ma poi si dedicò esclusivamente alla matematica. È autore di una traduzione e commento al Planisferio di Tolomeo. Il ritratto entrò in Galleria il 1° giugno 1720 (ASF, Guard. 1260 bis, c. 122v).	Scritta: in alto 'Ludovicus Borboni: Prin. Condaeus. Prim'. Primo principe di Condè, inizia il ramo Borbone Condè. Calvinista prese parte alla congiura d'Amboise. Il ritratto entrò in Galleria il 9 febbraio 1726 (ASF, Guard. 1277, c. 175r).	Scritta: in alto 'Gasparus Car: Contarini'; a tergo: 34, 26. Appartenente alla nobile famiglia veneziana, fu ambasciatore in Spagna, poi a Roma. Cardinale nel 1535, vescovo di Belluno nell'anno seguente. Fu legato pontificio a Bologna dove morì.

 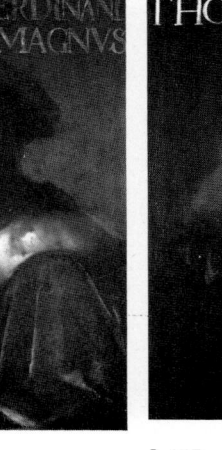  

	Ic141	Ic142	Ic143	Ic144
PERSONAGGIO	Copernico, Niccolò (1473-1540).	Cordova, Consalvo Fernandez de (1453-1515).	Cornelio, Tommaso (1614-1684).	Cortez, Ferdinando (1485-1547).
AUTORE	Ignoto fiorentino sec. XVII.	Altissimo, Cristofano (di Papi) dell' (not: 1552-1605).	Ignoto fiorentino sec. XVII.	Altissimo, Cristofano (di Papi) dell' (not: 1552-1605).
DATAZIONE	1600 ca.	1580-90.	1680 ca.	Ante 1568.
DESCRIZIONE	Olio su tela, 60x47, cornice marrone profilata d'oro.	Olio su tavola, 59x45, cornice di noce intagliata e dorata.	Olio su tela, 60x46, cornice marrone profilata d'oro.	Olio su tavola, 60x44, cornice di noce intagliata e dorata.
INVENTARIO	196 (C.P., p. 219, n. 710).	56 (C.P., p. 216, n. 464).	284 (C.P., p. 219, n. 798).	53 (C.P., p. 216, n. 466).
FOTO	249950.	228627.	249236.	250258.
NOTE	Scritta: in alto 'Nicol. Copernicus'. N. Copernico (1473-1540) nome latinizzato di Koppernigk. Astronomo polacco. Aprì la strada agli studi Galileo con il suo sistema solare che si chiamò appunto copernicano. Il ritratto entrò in Galleria il 1° giugno 1720 (ASF, Guard. 1260 bis, c. 122v).	Scritta: in alto 'Consalvus Ferdinandi Co: Dux Magnus'; a tergo: 110, 145, 4, 155. Grande capitano spagnolo, vinse più volte in Italia i francesi. Caduto in disgrazia fu richiamato in Patria (1507).	Scritta: in alto 'Thomas Cornelius'; a tergo: ripete l'iscrizione 144, 154, 5, 6, 17. Filosofo di tendenza atea che ebbe come seguace G. B. Vico. Il ritratto entra in Galleria il 5 luglio 1721 (ASF, Guard. 1292, c. 33v).	Scritta: in alto 'Ferdinandus Cortesius'; a tergo: 145, 155, 3, 5. Famoso conquistador spagnolo. Conquistò Cuba (1511) e dopo aspre lotte con Montezuma il Messico (1521). Nel 1522 Carlo V lo nominò governatore della Nuova Spagna.

	Ic145	Ic146	Ic147	Ic148
PERSONAGGIO	Cranmer, arc. Thomas (1489-1555).	Cristiana di Lorena (1518-1590).	Cristiano II, re di Danimarca (1481-1559).	Cristina, regina di Svezia (1626-86).
AUTORE	Ignoto fiorentino sec. XVII.	Altissimo, Cristofano (di Papi) dell' (not: 1552-1605).	Altissimo, Cristofano (di Papi) dell' (not: 1552-1605).	Ignoto fiorentino sec. XVII.
DATAZIONE	Post 1604.	1556.	Ante 1568.	Ante 1725.
DESCRIZIONE	Olio su tela, 60x46, cornice marrone con profilatura dorata.	Olio su tavola, 60x44, cornice di noce intagliata e dorata.	Olio su tavola, 60x45, cornice di noce intagliata e dorata.	Olio su tela, 61x47, cornice marrone con profilatura dorata.
INVENTARIO	3041 (C.P., p. 213, n. 389).	105 (C.P., p. 215, n. 518).	419 (C.P., p. 213, n. 677).	423 (C.P., p. 213, n. 681).
FOTO	122181.	250264.	323275.	251249.
NOTE	Scritta: in alto 'Thomas Cranmer Arc. cant.'; a tergo è ripetuta la scritta. Arcivescovo anglicano di Canterbury; fu a Roma in missione presso il Papa. Sotto Maria la Cattolica fu processato e giustiziato. Il ritratto entrò in Galleria il 23 febbraio 1725 (ASF, Guard. 1277, c. 154r).	Scritta: in alto 'Cristierna Lot: D: Med:'; a tergo: 281, 90, 108. Nipote di Carlo V imperatore e figlia di Cristiano II re di Danimarca e di Isabella d'Austria, sposò nel 1534 Francesco II Sforza e nel 1541 Francesco I futuro duca di Lorena. Fu scacciata dal ducato alla morte del marito (1545).	Scritta: in alto 'Cristiernus II Daniae rex'. Re dal 1512, fu riconosciuto sovrano anche dalla Norvegia e riuscì a sottomettere anche la Svezia. Le rivolte interne lo condussero alla prigionia e quindi alle morte.	Scritta: in alto 'Crist: na Alex: a Suec: Regi'. Figlia di Gustavo Adolfo, salì al trono a 6 anni. Donna di grande cultura, abdicò nel 1654, si convertì al Cattolicesimo e morì a Roma. Il ritratto entrò in Galleria il 9.11.1725 (ASF, Guard. 1292, c. 224v) e deriva da quello di J.F. Voet, in 1890, n. 2810.

	Ic149	Ic150	Ic151	Ic152
PERSONAGGIO	Cromwell, Oliviero (1599-1658).	Cybo, Innocenzo (1491-1550).	Dal Pozzo, Cassiano (1589-1637).	D'Avila, Enrico Caterino (1576-1631).
AUTORE	Ignoto fiorentino sec. XVII.	Ignoto fiorentino sec. XVII.	Ignoto fiorentino sec. XVII.	Ignoto fiorentino sec. XVII.
DATAZIONE	1657.	Primi sec. XVII.	Ante 1637.	Ante 1631.
DESCRIZIONE	Olio su tela, 60x46, cornice marrone profilata d'oro.	Olio su tela, 59x44, cornice marrone con profilatura dorata.	Olio su tela, 60x47, cornice marrone profilata d'oro.	Olio su tela, 60x47, cornice marrone profilata d'oro.
INVENTARIO	328 (C.P., p. 213, n. 842).	3020 (C.P., p. 218, n. 368).	304 (C.P., p. 220, n. 818).	250 (C.P., p. 219, n. 764).
FOTO	251336.	251271.	216969.	251324.
NOTE	Scritta: in alto 'Olivarius Cromvell'; a tergo: Olivier Cromwell 1657. Protestante di forte fede religiosa, capeggiò la rivolta contro Carlo I d'Inghilterra. Nel 1653 instaurò un regime assolutistico. Il ritratto entrò in Galleria il 1° dicembre 1724 (ASF, Guard. 1277, c. 149v).	Scritta: in alto 'Inno: us Ca: Cibo'; a tergo: 18, 34. Cardinale nel 1513. Resse le sorti di Firenze nel 1532 durante l'assenza di Alessandro dei Medici al quale rimase fedele fino alla sua uccisione. Alessandro gli era stato affidato da Clemente VII dei Medici.	Scritta: in alto 'Cassi: us del Pozzo'; a tergo: 144, 15, 154. Torinese. Fu al servizio di Ferdinando I dei Medici e poi alla Corte Pontificia. Accademico della Crusca e intelligente bibliofilo, lasciò un diario di un suo viaggio nella Parigi di Enrico IV.	Scritta: in alto 'Hen: Cather: Davila'. Dopo essere stato paggio alla corte di Caterina de' Medici, si trasferì a Venezia. Ebbe uffici a Candia, in Friuli, in Dalmazia e fu anche Conestabile di Cipro. Scrisse Le Istorie di Francia (1630) in 15 volumi. Il ritratto entrò in Galleria il 5 luglio 1721 (ASF, Guard. 1292, c. 33v).

	Ic153	Ic154	Ic155	Ic156
PERSONAGGIO	De Haro, Luigi (m. 1687).	Della Casa, Giovanni (1503-56).	Della Rena, Geri (1579-1680).	Della Rovere, Francesco Maria (1490-1538).
AUTORE	Ignoto fiorentino sec. XVII.	Altissimo, Cristofano (di Papi) dell' (not: 1552-1605).	Ignoto fiorentino sec. XVII.	Altissimo, Cristofano (di Papi) dell' (not: 1552-1605).
DATAZIONE	Ante 1687.	1580 ca.	1630 ca.	Ante 1568.
DESCRIZIONE	Olio su tela, 61x48, cornice marrone profilata d'oro.	Olio su tavola, 60x44, con cornice intagliata e dorata.	Olio su tela, 60x48, cornice marrone profilata d'oro.	Olio su tavola, 60x45, cornice di noce intagliata e dorata.
INVENTARIO	57 (C.P., p. 214, n. 470).	217 (C.P., p. 219, n. 731).	270 (C.P., p. 217, n. 784).	111 (C.P., p. 216, n. 524).
FOTO	228213.	251311.	251121.	288608.
NOTE	Scritta: in alto 'Aloisius de Haro'; a tergo: 3 M. Importante personaggio della corte spagnola, fu concelliere delle Indie dal 1677 al 1683.	Scritta: in alto 'Ioannes Casa'. Umanista trattatista, oratore e poeta. Avviato alla carriera ecclesiastica per consiglio di Paolo III, scrisse la sua opera più nota, il Galateo, nel Veneto, dove si era ritirato presso Treviso.	Scritta: in alto 'M/Gerius De Arena'; a tergo: 16. Uomo d'armi fiorentino, fu al servizio anche del re di Spagna che lo nominò suo consigliere di guerra. Il ritratto deriva da quello del Sustermans nella Galleria Corsini di Firenze.	Scritta: in alto 'Fran: M: aRo: Urbini Dux'; a tergo: 90, 98, 104. Estinta la famiglia dei Montefeltro, eredità il Ducato di Urbino dallo zio Papa Giulio II (1508. Lo perdette ad opera di Leone X (1516) che lo assegnò alla propria famiglia. Il ritratto deriva da quello di Tiziano ora agli Uffizi.

	Ic157	Ic158	Ic159	Ic160
PERSONAGGIO	Della Scala, Can Grande (1291-1329).	Della Scala, Can Grande (1332-59).	Della Scala, Mastino II (1308-1351).	Della Valletta, Giovanni (1494-1568).
AUTORE	Altissimo, Cristofano (di Papi) dell' (not: 1552-1605).	Ignoto fiorentino sec. XVII.	Altissimo, Cristofano (di Papi) dell' (not: 1552-1605).	Altissimo, Cristofano (di Papi) dell' (not: 1552-1605).
DATAZIONE	Ante 1568.	1600 ca.	1570-80.	1565 ca.
DESCRIZIONE	Olio su tavola, 59x45, cornice di noce intagliata e dorata.	Olio su tela, 60x45, cornice marrone profilata d'oro.	Olio su tavola, 60x45, cornice di noce intagliata e dorata.	Olio su tavola, 60x45, cornice di noce intagliata e dorata.
INVENTARIO	79 (C.P., p. 216, n. 492).	80 (C.P., p. 216, n. 493).	77 (C.P., p. 216, n. 490).	55 (C.P., p. 217, n. 572).
FOTO	228602.	250261.	228606.	228646.
NOTE	Scritta: in alto 'Canis Magnus Scaliger'; a tergo: 104, 98. Fu Signore di Verona dal 1311, è il massimo rappresentante della famiglia. Allargò la sua signoria a Vicenza e a Padova. Poi a Feltre e Belluno. Fu vicario imperiale.	Scritta: in alto 'Mag: Canis Scaliger'; Figlio di Mastino II. Dominò su buona parte del Veneto, divenendo signore di Verona nel 1352. Combatté gli Este, i Gonzaga, i Visconti. Fu ucciso dal fratello Cansignorio.	Scritta: in alto 'Mastinus Scaliger'; a tergo: 195. Signore di Verona. Alleato di tutti i Signori dell'Italia del nord, raggiunse una grande potenza, annettendo ai suoi domini Brescia e Lucca oltre a quasi tutto Veneto. Fu sconfitto da una coalizione dei suoi ex alleati.	Scritta: in alto 'F: Gio: Valletta Mel: Def: '; a tergo: 'Imago Ioannis de Vallette magni magrih. Hirm insulae melevitale defensoris anno MDLXV'. Francese, gran Maestro dell'Ordine di Gerusalemme, combatté audacemente contro i Turchi. Seguì l'ordine nell'Isola di Malta fortificandola e costruendo la città che da lui prese nome.

	Ic161	Ic162	Ic163	Ic164
PERSONAGGIO	Della Valletta, Giovanni Parisot (1384-1437).	Del Maestro, Lorenzo (sec. XVI-XVII).	Del Maestro, Tommaso (sec. XVI-XVII).	De Luca, card. Giovanni Battista (1614-1683).
AUTORE	Ignoto fiorentino sec. XVII.	Ignoto fiorentino sec. XVII.	Ignoto fiorentino sec. XVII.	Ignoto fiorentino sec. XVII.
DATAZIONE	1600 ca.	1730 ca.	1730 ca.	Post 1681.
DESCRIZIONE	Olio su tela, 77x60, cornice marrone profilata d'oro.	Olio su tela, 60x45, cornice marrone proglata d'oro.	Olio su tela, 60x47, cornice marrone profilata d'oro.	Olio su tela, 60x45, cornice marrone profilata d'oro.
INVENTARIO	159 (C.P., p. 217, n. 468).	269 (C.P., p. 217, n. 783).	268 (C.P., p. 217, n. 782).	3026 (C.P., p. 218, n. 374).
FOTO	137144.	251120.	251119.	250883.
NOTE	Scritta: in alto 'Gio: de la Vallette gran M.ro di Malta'.	Scritta: in alto 'C: Lauren. Del Maestro Rei: Tor: et Ar: Praefe:'. Gentiluomo fiorentino non meglio identificato, fu creato conte dell'Impero nel 1629 da Ferdinando III. Alla stessa famiglia appartiene Ferdinando, autore del programma iconografico dei soffitti nel II e III corridoio degli Uffizi.	Scritta: in alto 'C. Thom: del Maestro Rei: Tor: Praefetus.'; a tergo: 15-29. Fratello di Lorenzo Del Maestro, non si ha di lui nessuna precisa notizia. I loro ritratti entrarono in Galleria il 7 luglio 1730 (AGF, Guard. 1351, c. 24r).	Scritta: in alto 'Io: Batta Card: De Luca'; a tergo: Ecc° De Luca 49, 26. Giurista e letterato, nel 1654 prese l'abito talare. Fu creato cardinale nel 1681. Il ritratto entra in Galleria il 28 novembre 1719 (ASF, Guard. 1260, c. 102v).

	Ic165	Ic166	Ic167	Ic168
PERSONAGGIO	Dominici, card. Giovanni (1357-1419).	Donati, Corso (m. 1308).	Doria, Andrea (1466-1560).	Doria Giovanni Andrea (1539-1606).
AUTORE	Altissimo, Cristofano (di Papi) dell' (not: 1552-1605).	Altissimo, Cristofano (di Papi) dell' (not: 1552-1605).	Altissimo, Cristofano (di Papi) dell' (not: 1552-1605).	Altissimo, Cristofano (di Papi) dell' (not: 1552-1605).
DATAZIONE	1570-1600.	1580 ca.	Ante 1568.	Post 1597.
DESCRIZIONE	Olio su tavola, 60x45, cornice di noce intagliata e dorata.	Olio su tavola, 59x43, cornice di noce intagliata e dorata.	Olio su tavola, 60x45, cornice di noce intagliata e dorata.	Olio su tavola, 58x45, cornice di noce intagliata e dorata.
INVENTARIO	3023 (C.P., p. 218, n. 371).	178 (C.P., p. 216, n. 692).	123 (C.P., p. 216, n. 536).	107 (C.P., p. 217, n. 205).
FOTO	251272.	251114.	250268.	250265.
NOTE	Scritta: in alto 'B: Ioan: es Car: Dominici'; a tergo: 33, 26, 24. Fiorentino. Domenicano divenne presto generale dell'ordine e si prodigò per porre fine allo scisma. Fu iniviato della Signoria Fiorentina presso il Vaticano. Raccolse le sue prediche in forma di Trattati.	Scritta: in alto 'Cursus Donati'; a tergo: 104, 48. Fiorentino di parte guelfa fu fierissimo capo dei Neri. Bandito da Firenze nel 1300, cercò di tornavi con l'aiuto di Carlo d'Angiò. Fu ucciso a colpi di lancia nel 1308.	Scritta: in alto 'Andreas Auria'; a tergo: 145, 155, 4. Grande ammiraglio genovese, passò dal servizio della Francia a quello dell'imperatore Carlo V divenendo quasi il signore di Genova e eddelle sue famiglie. Combattè ancrescendo grandemente le potenze che contro i Turchi.	In alto: 'Ioa: Andreas Auria'. Figlio di Giannettino, pronipote di Andrea, combatté i turchi a Lepanto. Gli si rimprovera di aver favorito ingerenze della Spagna nelle cose di Genova. Deriva dal noto ritratto del Bronzino ora a Brera, eseguito per Paolo Giovio.

	Ic169	Ic170	Ic171	Ic172
PERSONAGGIO	Dovizi da Bibbiena, Bernardo (1470-1520).	Dragut Rais (sec. XVI).	Eckel, Giuseppe.	Edoardo VI, re d'Inghilterra (1537-53).
AUTORE	Altissimo, Cristofano (di Papi) dell' (not: 1552-1605).	Ignoto fiorentino sec. XVII.	Ignoto fiorentino sec. XVIII.	Altissimo, Cristofano (di Papi) dell' (not: 1552-1605).
DATAZIONE	1565-75.	1680 ca.	1773.	Ante 1568.
DESCRIZIONE	Olio su tavola, 61x43, cornice di noce intagliata e dorata.	Olio su tela, 75x64, con cornice marrone profilata d'oro.	Olio su tela, 60x47, cornice marrone profilata d'oro.	Olio su tavola, 59x43, cornice di noce intagliata e dorata.
INVENTARIO	3017 (C.P., p. 218, n. 365).	175 (C.P., p. 217, n. 689).	311 (C.P., p. 219, n. 825).	317 (C.P., p. 213, n. 831).
FOTO	251269.	137146.	249965.	122163.
NOTE	Scritta: in alto 'Bernardus Card.: Dovizi'; a tergo: 26, 34, 20. Fin da giovane fu legato ai Medici, particolarmente al futuro Leone X. Dotto, colto letterato, ebbe una posizione di rilievo alla Corte Pontificia. Scrisse una Commedia: la Calandria (1513). L'opera deriva dal ritratto di Raffaello oggi a Pitti.	Scritta: in alto 'Dragut Corsari di Barberia'; a tergo: 3. Nato in Anatolia, fu il terrore dei mari. Governatore di Tripoli (1556). Prese parte all'assedio di Malta dove una cannonata gli portò via la testa (1565). È in serie con due ritratti di gran maestri dell'ordine di Malta (inv. 158 e 159).	Scritta: in alto 'Giuseppe Eckhel'; a tergo: 16. Gesuita austriaco, esperto di numismatica, riordinò nel 1773 le collezioni granducali. In segno di gratitudine venne eseguito il suo ritratto per la Gioviana, e al ritorno a Vienna l'abate ebbe la prima cattedra universitaria di numismatica della città.	Scritta: in alto 'Odoardus VI Brit: rex'; a tergo: 25, 33. Figlio di Enrico VIII Tudor e di Jane Seymour, divenne re nel 1547. Di gracile costituzione, fu uno strumento nelle mani dei suoi Consiglieri Seymour e Dudley.

	Ic173	Ic174	Ic175	Ic176
PERSONAGGIO	Elisabetta, regina d'Inghilterra (1533-1603).	Enrico II, re di Francia (1519-59).	Enrico III, re di Francia (1551-89).	Enrico IV, re di Francia (1553-1610).
AUTORE	Altissimo, Cristofano (di Papi) dell' (not: 1552-1605).	Altissimo, Cristofano (di Papi) dell' (not: 1552-1605).	Ignoto fiorentino sec. XVII.	Ignoto fiorentino.
DATAZIONE	Post 1558.	Ante 1568.	Post 1604.	Ante 1610.
DESCRIZIONE	Tempera su tavola, 67x46, cornice di noce intagliata con dorature.	Tempera su tavola, 61x46, cornice di noce intagliata con dorature.	Olio su tela, 61x46, cornice marrone con profilatura dorata.	Olio su tela, 61x47, cornice marrone con profilatura dorata.
INVENTARIO	316 (C.P., p. 213, n. 60).	22 (C.P., p. 214, n. 435).	24 (C.P., p. 214, n. 437).	23 (C.P., p. 214, n. 436).
FOTO	117872.	228216.	250850.	228218.
NOTE	Scritta: in alto 'Elisabeth Brit: Reg.'. Figlia di Enrico VIII e Anna Bolena, regina dal 1558. Rivale di Filippo II di Spagna ne distrusse l'invincibile Armada (1588), aprendo le vie del mare al commercio inglese. Fu l'ultima dei Tudor.	Scritta: in alto 'Henricus II. Gal. Rex'. Figlio di Francesco I di Francia, sposò Caterina dei Medici (1533). Regnò dal 1547. Protesse i senesi contro Cosimo dei Medici Con la pace a Cateau-Cambresio (1559) rinunciò ai possedimenti italiani.	Scritta: in alto 'Henricus III Gal: Rex', Enrico di Valois, figlio di Enrico II e di Caterina dei Medici succede al fratello Francesco II (1574). In lotta con i protestanti, fu al centro della guerra dei tre Enrichi che portò all'assassinio di Enrico di Guisa e dello stesso re. Il ritratto entrò in Galleria il 13.11. 1723 (ASF, Guard. 1292, c. 113v).	Scritta: in alto 'Henricus IV Gal: Rex.'; a tergo: 2. Unico superstite dei Tre Enrichi. Capo degli Ugonotti, abiurò per divenire re nel 1594. Fu assassinato da Ravaillac. Il ritratto entrò in Galleria il 25 agosto 1725 (ASF, Guard. 1277, c. 164v) e deriva dal ritratto del Pourbus, inv. 1890, n. 2260.

	Ic177	Ic178	Ic179	Ic180
PERSONAGGIO	Enrico VIII, re d'Inghilterra (1491-1547).	Enrico I, re di Portogallo (1512-80).	Erasmo da Rotterdam (1466-1536).	Este, Alfonso I d', duca di Ferrara (1476-1534).
AUTORE	Altissimo, Cristofano (di Papi) dell' (not: 1552-1605).	Altissimo, Cristofano (di Papi) dell' (not: 1552-1605).	Altissimo, Cristofano (di Papi) dell' (not: 1552-1605).	Altissimo, Cristofano (di Papi) dell' (not: 1552-1605).
DATAZIONE	Ante 1568?	1590-1600.	1556.	Ante 1568.
DESCRIZIONE	Olio su tela, 60x47, cornice marrone con profilatura dorata.	Olio su tavola, 60x43, cornice di noce intagliata e dorata.	Olio su tela, 60x47, cornice marrone profilata d'oro.	Olio su tavola, 60x45, cornice di noce intagliata e dorata.
INVENTARIO	428 (C.P., p. 214, n. 686).	3022 (C.P., p. 214, n. 370).	194 (C.P., p. 219, n. 708).	124 (C.P., p. 215, n. 537).
FOTO	122177.	251346.	249512.	250269.
NOTE	Scritta: in alto 'Henricus VIII Ang: et Hib: rex'; a tergo: Henrici VIII. Enrico Tudor, re dal 1509, fu un sovrano di importanza capitale per il suo paese. Il ritratto entrò in Galleria il 23 febbraio 1725 (ASF, Guard. 1277, c. 154r), ma figura già nell'elenco vasariano del 1568.	Scritta: in alto 'Henricus Car: Lusi: Rex'. Fu prima arcivescovo e cardinale. In tarda età (1578) divenne re ma sottomesso alla Spagna di Filippo II.	Scritta: in alto 'Erasmus Rotterdam'. Umanista dottissimo. Avverso agli schemi della scolastica, propugnò un cristianesimo rinnovato. Soggiornò in molte città italiane ed europee e lasciò un ricchissimo epistolario. Il ritratto entrò in Galleria il 28 novembre 1719 (ASF, Guard. 1260, c. 102v).	Scritta: in alto 'Alphonsus Fer: Dux. III'. Figlio di Ercole I. In seconde nozze sposò Lucrezia Borgia. Seppe destreggiarsi abilmente tra Venezia e la Santa Sede. Grande mecenate, ospitò alla sua Corte Tiziano, Ariosto e Tasso.

	Ic181	Ic182	Ic183	Ic184
PERSONAGGIO	Este, Alfonso II d', duca di Ferrara (1533-97).	Este, Borso d', duca di Ferrara (1413-71).	Este, Lionello d' (1407-50).	Eugenio IV, Papa (1383-1447).
AUTORE	Altissimo, Cristofano (di Papi) dell' (not: 1552-1605).	Altissimo, Cristofano (di Papi) dell' (not: 1552-1605).	Altissimo, Cristofano (di Papi) dell' (not: 1552-1605).	Altissimo, Cristofano (di Papi) dell' (not: 1552-1605).
DATAZIONE	1590 ca.	Ante 1568.	Ante 1568.	Ante 1568.
DESCRIZIONE	Olio su tavola, 59x46, cornice di noce intagliata e dorata.	Olio su tavola, 60x45, cornice di noce intagliata e dorata.	Olio su tavola, 60x45, cornice di noce intagliata e dorata.	Olio su tavola, 60x45, cornice di noce intagliata e dorata.
INVENTARIO	122 (C.P., p. 215, n. 535).	98 (C.P., p. 215, n. 511).	97 (C.P., p. 215, n. 510).	2982 (C.P., p. 218, n. 330).
FOTO	2502267.	228604.	228605.	250870.
NOTE	Scritta: in alto 'Alfonsus Ferrariae Dux. V'. Figlio di Alfonso I e di Lucrezia Borgia, dette ai suoi domini una relativa pace. Fu costretto a segregare sua moglie Renata di Francia per le sue simpatie calviniste.	Scritta: in alto 'Borsius Ferrar: Dux'; a tergo: 10428. Consegna di comune con la R. Casa. Figlio di Niccolò III, fu primo Duca di Ferrara. Protettore delle arti, fece costruire la Certosa e il Palazzo di Schifanoia. Fu da lui commissionata la celebre Bibbia miniata che porta il suo nome.	Scritta: in alto 'Leonellus Marc: Atest:'; a tergo: 98, 104. Figlio naturale di Niccolo III, signore di Ferrara (1444). Ebbe come maestro l'umanista Guarino, fu protettore di artisti e letterati. Il ritratto deriva da quello di Jacopo Bellini.	Scritta: in alto 'Eugenius IV P. M.'; a tergo: 26, 34. Gabriele Condulmer, veneziano, Papa dal 1431. Trasferì a Firenze il Concilio di Basilea per la riconciliazione della Chiesa romana e di quella orientale. Fu protettore di artisti e umanisti.

Ic185

Ic186

Ic187

Ic188

Personaggio	Ezzelino da Romano (1194-1259).	Fabretti, Raffaele (1619-1700).	Farinata degli Uberti (m. 1264).	Farnese, Alessandro, duca di Parma (1545-92).
Autore	Altissimo, Cristofano (di Papi) dell' (not: 1552-1605).	Ignoto fiorentino.	Altissimo, Cristofano (di Papi) dell' (not: 1552-1605).	Altissimo, Cristofano (di Papi) dell' (not: 1552-1605).
Datazione	Ante 1568.	Ante 1700.	Ante 1568.	Ante 1592.
Descrizione	Olio su tavola, 60x45, cornice di noce intagliata e dorata.	Olio su tela, 60x47, cornice marrone con profilatura dorata.	Olio su tavola, 65x45, cornice di noce intagliata e dorata.	Olio su tavola, 59x44, cornice di noce intagliata e dorata.
Inventario	65 (C.P., p. 215, n. 478).	281 postgioviana.	138 (C.P., p. 216, n. 551).	126 (C.P., p. 215, n. 539).
Foto	228609.	25133.	251109.	250270.
Note	Scritta: in alto 'Ezzelinus de Romano'; a tergo: 104, 98. Prima signore del Vicentino, si impadronì con la violenza e abilità militare di buona parte del Veneto, fino a Padova e a Treviso. Ferito in battaglia morì a Soncino.	Scritte: in alto 'Raphel. Fabretti.', a tergo: Fabretti 26, 34. Archeologo. Fu tesoriere e legato a di Alessandro VII a Urbino e in Spagna e direttore delle Grotte Vaticane. Per i suoi metodi comparativi, fu iniziatore della moderna archeologia.	Scritta: in alto 'Farinata Uberti. Detto Farinata, fu uno dei più importanti esponenti ghibellini di Firenze, vincitore a Montaperti contro i Guelfi, si oppose alla distruzione di Firenze. Fu ricordato da Dante (Inf. X. v. 22).	Scritta: in alto 'Alexander Farnesius Parmae Dux'. Combattendo al servizio della Spagna, fu nominato governatore dei Paesi Bassi, (1578). Duca di Parma e Piacenza dal 1586 affidò la reggenza dello stato al figlio Ranuccio.

Ic189

Ic190

Ic191

Ic192

Personaggio	Federico Augusto, re di Polonia (1670-1733).	Federico Barbarossa (1122-90).	Federico da Montefeltro (1422-82).	Federico, Elettore di Sassonia (1486-1525).
Autore	Ignoto fiorentino sec. XVII.	Altissimo, Cristofano (di Papi) dell' (not: 1552-1605).	Altissimo, Cristofano (di Papi) dell' (not: 1552-1605).	Altissimo, Cristofano (di Papi) dell' (not: 1552-1605).
Datazione	1700 ca.	1566-68.	1556.	Ante 1568.
Descrizione	Olio su tela, 47x60, cornice marrone profilata d'oro.	Olio su tavola, 60x45, cornice di noce intagliata e dorata.	Olio su tavola, 60x44, cornice di noce intagliata e dorata.	Olio su tavola, 60x43, cornice di noce intagliata e dorata.
Inventario	414 (C.P., p. 213, n. 672).	331 (C.P., p. 213, n. 599).	73 (C.P., p. 216, n. 486).	359 (C.P., p. 215, n. 617).
Foto	251340.	248718.	228607.	250863.
Note	Scritta: in alto 'Frid. August: rex Pol et elec: Saxo'; a tergo: Il re Augusto di Polonia 6, 10. Federico Augusto di Sassonia eletto re di Polonia nel 1696 col nome di Augusto II. Il ritratto deriva da quello inv. 1890 n. 3650 ed entrò in Galleria il 17 settembre 1733 (ASF, Guard. 1351, c. 105v).	Scritta: in alto 'Fredericus I Aheno Barbus.'; a tergo: 0, 26 2. Federico di Svevia, cercò di rappacificare la Germania e di riaffermare l'autorità imperiale nell'Italia set. Fu sconfitto a Legnano dalla Lega Lombarda. Durante la 3ª Crociata morì annegato nel fiume Salef.	Scritta: in alto 'Fred: us Montefeltrio Urbini Dux'; a tergo: 108, 98, 89. Assunse la signoria di Urbino nel 1444; fu espertissimo uomo d'armi e condottiero, quasi in alleanza con Firenze. Fu anche buon politico e aperto alla cultura umanistica del suo tempo, protesse artisti e letterati.	Scritta: in alto 'Fredericus Ele: Saxo'; a tergo: 25, 62, 14, 33. Detto il Saggio, fu il grande protettore di Martin Lutero e uno dei campioni della sua riforma. Deriva dal ritratto del Cranach ora agli Uffizi.

	Ic193	Ic194	Ic195	Ic196
PERSONAGGIO	Federico V, Elettore Palatino (1596-1632).	Ferdinando I, d'Asburgo (1503-1564).	Ferdinando II, d'Asburgo (1578-1637).	Ferdinando III, d'Asburgo (1608-57).
AUTORE	Ignoto fiorentino sec. XVII.	Altissimo, Cristofano (di Papi) dell' (not: 1552-1605).	Ignoto fiorentino sec. XVII.	Ignoto fiorentino.
DATAZIONE	Post 1610.	Ante 1568.	Ante 1637.	Ante 1657.
DESCRIZIONE	Olio su tela, 60x47, cornice marrone con profilatura dorata.	Olio su tavola, 60x45, cornice di noce intagliata e dorata.	Olio su tela, 61x46, cornice nera con profilatura dorata.	Olio su tela, 61x49, cornice nera con profilatura dorata.
INVENTARIO	348 (C.P., p. 215, n. 606).	334 (C.P., p. 213, n. 592).	338 (C.P., p. 213, n. 596).	339 (C.P., p. 213, n. 597).
FOTO	251244.	248721.	248725.	248726.
NOTE	Scritta: in alto 'Feder: V Palatinus Ele et Rex'; a tergo: Frederique par la grace de Dieu. Divenne elettore nel 1610 e re di Boemia nel 1619. Rigido calvinista non fu mai bene accetto dai suoi sudditi cattolici e nel 1620 perse il regno. Allontanato anche dal Palatinato, morì in Olanda.	Scritta: in alto 'Ferdinan: I Imp:'. Ferdinando d'Asburgo fratello minore di Carlo V, fu re di Boemia e di Ungheria. Fu incoronato imperatore nel 1556.	Scritta: in alto 'Ferdinandus II im.'. Divenne imperatore di Germania nel 1619. Sposò Eleonora Gonzaga, figlia di Vincenzo e di Eleonora Medici. Fu assertore della Controriforma. Il ritratto entrò in Galleria il 19 agosto 1723 (ASF, Guard. 1277, c. 113v).	Scritta: in alto 'Ferdinandus III imp.'. Figlio di Ferdinando II, regna dal 1637 come imperatore di Germania. Firma il trattato di Westfalia (1648) che pone fine alla guerra dei Trent'anni, indebolendo notevolmente il suo impero. Il ritratto entrò in Galleria il 19/8/1723 (ASF, Guard. 1277, c. 113v).

	Ic197	Ic198	Ic199	Ic200
PERSONAGGIO	Ferdinando Maria, Elettore di Baviera (1631-79).	Ferdinando II, re di Spagna (1452-1516).	Ficino, Marsilio (1433-99).	Fieschi, GianLuigi (1522-47).
AUTORE	Ignoto fiorentino sec. XVII.	Altissimo, Cristofano (di Papi) dell' (not: 1552-1605).	Altissimo, Cristofano (di Papi) dell' (not: 1552-1605).	Altissimo, Cristofano (di Papi) dell' (not: 1552-1605).
DATAZIONE	1670 ca.	1570 ca.	Ante 1568.	1580-1600.
DESCRIZIONE	Olio su tela, 60x47, cornice marrone profilata d'oro.	Olio su tavola, 59x44, cornice di noce intagliata e dorata.	Olio su tavola, 60x45, cornice di noce intagliata e dorata.	Olio su tavola, 60x44, cornice di noce intagliata e dorata.
INVENTARIO	347 (C.P., p. 215, n. 605).	41 (C.P., p. 213, n. 454).	172 (C.P., p. 219, n. 585).	121 (C.P., p. 217, n. 534).
FOTO	251245.	228205.	176376.	228640.
NOTE	Scritta: in alto 'Ferdinan: M: Bav: Ele:'; a tergo ripete l'iscrizione. Sposò Enrichetta Adelaide di Savoia. Fece costruire i castelli di Berg e di Ninfenburg. Fu capo della lega dei Principi neutrali nella guerra tra Francia e Austria (1673). Il ritratto entrò in Galleria il 1° dicembre 1724 (ASF, Guard. 1277, c. 149v).	Scritta: in alto 'Ferdinan: II rex: His:'; a tergo: 18. Ferdinando d'Aragona detto il Cattolico, fu re del 1469. Divise il regno col fratello Carlo, e infine sposando Isabella di Castiglia, giunse all'unione dei due regni.	Scritta: in alto 'Marsilius Ficinus'; a tergo: 34.26.199. Umanista e filosofo. Godette i favori di Cosimo il V. dei Medici, di Piero e di Lorenzo il Magnifico, partecipando all'Accademia neoplatonica di Careggi.	Scritta: in alto 'IO: Aloisius Fieschi'; a tergo: 145, 6, 155. Nobile genovese, capeggiò la congiura contro Andrea Doria (1547). La sua morte avvenuta per annegamento durante l'assalto alle galee dei Doria provocò il fallimento dell'insurrezione.

	Ic201	Ic202	Ic203	Ic204
PERSONAGGIO	Filippo il Bello, re di Castiglia (1478-1506).	Filippo, Langravio d'Assia (1509-1567).	Filippo II, re di Spagna (1527-98).	Filippo III, re di Spagna (1578-1621).
AUTORE	Altissimo, Cristofano (di Papi) dell' (not: 1552-1605).	Altissimo, Cristofano (di Papi) dell' (not: 1552-1605).	Altissimo, Cristofano (di Papi) dell' (not: 1552-1605).	Ignoto fiorentino sec. XVII.
DATAZIONE	Ante 1568.	Ante 1568.	Ante 1568.	Ultimi anni del 600.
DESCRIZIONE	Olio su tavola, 59x45, cornice di noce intagliata e dorata.	Olio su tavola, 60x45, cornice di noce intagliata e dorata.	Olio su tavola, 60x45, cornice di noce intagliata e dorata.	Olio su tela, 61x46, cornice marrone con profilatura dorata.
INVENTARIO	46 (C.P., p. 214, n. 459).	362 (C.P., p. 215, n. 620).	42 (C.P., p. 214, n. 455).	43 (C.P., p. 214, n. 456).
FOTO	228206.	251248.	248716.	228207.
NOTE	Scritta: in alto 'Philippus Aus: us Bur: Arc: et Castellae Rex'; a tergo: 25, 33. Figlio di Massimiliano d'Austria e di Maria di Borgogna e perciò erede (dal 1482) dei Paesi Bassi, sposò Giovanna, figlia di Ferdinando d'Aragona e di Isabella di Castiglia: ne fu re per tre mesi nel 1506.	Scritta: in alto 'Philippus Lantgravi'. Evidentemente Filippo il Magnanimo, Langravio d'Assia, promotore della riforma luterana e della prima alleanza fra principi luterani.	Scritta: in alto 'Philippus II rex Hisp'. Figlio di Carlo V, divenne re nel 1556 Dominò sulla Spagna, Italia, Paesi Bassi, America. In guerra con Elisabetta d'Inghilterra vide distrutta la sua Invincibile Armada (luglio 1588).	Scritta: in alto 'Philippus. III. Hisp: Rex.'; a tergo: Philippus Hwspagnorum. Figlio di Filippo II, divenne re nel 1598. Continuò la lotta coi Paesi Bassi dei quali riconobbe l'indipendenza (Tregua dell'Aia). Il ritratto entrò in Galleria il 13 novembre 1723 (ASF, Guard. 1292, c. 113v).

	Ic205	Ic206	Ic207	Ic208
PERSONAGGIO	Filippo IV, re di Spagna (1605-65).	Finck, Thomas (1561-1656).	Foix, Gastone di (1489-1512).	Fondulo, Gabrino (1370-1425).
AUTORE	Ignoto fiorentino sec. XVII.	Ignoto fiorentino sec. XVII.	Altissimo, Cristofano (di Papi) dell' (not: 1552-1605).	Altissimo, Cristofano (di Papi) dell' (not: 1552-1605).
DATAZIONE	Ante 1665.	1650.	Ante 1568.	Ante 1568.
DESCRIZIONE	Olio su tela, 60x47, cornice marrone con profilatura dorata.	Olio su tela, 60x48, cornice marrone profilata d'oro.	Olio su tavola, 60x45, cornice di noce intagliata e dorata.	Olio su tavola, 61x45, cornice di noce intagliata e dorata.
INVENTARIO	44 (C.P., p. 214, n. 457).	245 (C.P., p. 219, n. 759).	31 (C.P., p. 217, n. 444).	88 (C.P., p. 217, n. 501).
FOTO	228208.	177262.	228629.	228614.
NOTE	Scritta: in alto 'Philippus IIII. Hisp. Rex.'; a tergo: 11. III: Filippo IV, Figlio di Filippo III d'Asburgo, divenne re nel 1621. Dovè riconoscere l'Indipendenza dei Paesi Bassi, concluse la Pace dei Pirenei (1659) con il Re Sole. Il ritratto entrò in Galleria il 1° dicembre 1724 (ASF, Guard. 1277, c. 149r).	Scritta: in alto 'Thomas Finckius'. Tedesco. Insegnò matematica e retorica all'Università di Copensagen. Il ritratto entrò in Galleria il 1° giugno 1720 (ASF, Guard. 1260 bis, c. 122v).	Scritta: in alto 'Gaston Foxius'; a tergo: II, 155. Nipote di Luigi XII di Francia, fu chiamato 'la Folgore d'Italia' per la tempestività delle sue azioni. Morì nella Battaglia di Ravenna che vide i Francesi vincitori sugli spagnoli.	Scritta: in alto 'Gabrinus Fondulius'; a tergo: 99, 98, 108, 4. Capitano di ventura, divenne signore di Cremona alleandosi saltuariamente con i Visconti consolidò la su apotenza, Vicario imperiale, nel 1414 ospitò in Cremona Giovanni XXIII e l'imperatore Sigismondo.

	Ic209	Ic210	Ic211	Ic212
PERSONAGGIO	Fracastoro, Girolamo (1478-1553).	Francesco I, re di Francia (1494-1547).	Francesco II, re di Francia (1544-60).	Galilei, Galileo (1574-1642).
AUTORE	Ignoto fiorentino sec. XVII.	Altissimo, Cristofano (di Papi) dell' (not: 1552-1605).	Ignoto fiorentino.	Ignoto fiorentino sec. XVII.
DATAZIONE	1600 ca.	Ante 1568.	Post 1604.	1630 ca.
DESCRIZIONE	Olio su tela, 60x45, con cornice marrone profilata d'oro.	Tempera su tavola, 62x45, cornice di noce intagliata e dorata.	Olio su tela, 60x46, cornice marrone con profilatura dorata.	Olio su tela, 61x49, cornice marrone profilata d'oro.
INVENTARIO	202 (C.P., p. 219, n. 716).	17 (C.P., p. 213, n. 430).	20 (C.P., p. 214, n. 433).	246 (C.P., p. 219, n. 760).
FOTO	249514.	228211.	228214.	249956.
NOTE	Scritta: in alto 'Hiero: us Fracastorus'. Umanista, poeta e scienziato veronese. Amico di Niccolò Copernico, fu per incarico di Paolo III il medico del Concilio di Trento. Negò l'influenza degli astri sulla salute umana. Il ritratto entrò in Galleria il 5 luglio 1721 (ASF, Guard. 1292, c. 34r).	Scritta: in alto 'Franc. I Gal. Rex.'. Successore di Luigi XII (1515) è il grande avversario dell'imperatore Carlo V. Grande mecenate, potesse tra gli altri Leonardo, Cellini, il Rosso Fiorentino.	Scritta: in alto 'Franciscus II Gal: Rex: '; a tergo si ripete l'iscrizione. Francesco di Valois, figlio di Enrico II e di Caterina dei Medici, che regnò in voce sua, salì al trono nel 1559 e vi rimase per pochi mesi. Il ritratto entrò in Galleria il 13 novembre 1723 (ASF, Guard. 1292, c. 113v).	Scritta: in alto 'Galileo Galilei'; a tergo: 3. Grande pisano, astronomo osservatore del moto della terra intorno al sole. Fu processato dall'Inquisizione. Fu protetto e aiutato da Cosimo II e da Ferdinando II dei Medici. Il ritratto deriva da quello del Sustermans ora agli Uffizi.

	Ic213	Ic214	Ic215	Ic216
PERSONAGGIO	Gameria (sec. XVI).	Gassendi, Pietro (1592-1655).	Gattamelata, Erasmo da Narni, detto il (1370-1443).	Gaza, Teodoro (1400-78).
AUTORE	Altissimo, Cristofano (di Papi) dell' (not: 1552-1605).	Ignoto fiorentino sec. XVII.	Altissimo, Cristofano (di Papi) dell' (not: 1552-1605).	Altissimo, Cristofano (di Papi) dell' (not: 1552-1605).
DATAZIONE	1580 ca.	Ante 1655.	1556 ca.	1556 ca.
DESCRIZIONE	Olio su tavola, 60x47, cornice di noce intagliata e dorata.	Olio su tela, 60x46, cornice marrone profilata d'oro.	Olio su tavola, 60x44, conice di noce intagliata e dorata.	Olio su tavola, 59x44, cornice di noce intagliata e dorata.
INVENTARIO	13 (C.P., p. 215, n. 426).	258 (C.P., p. 219, n. 772).	93 (C.P., p. 217, n. 506).	170 (C.P., p. 219, n. 583).
FOTO	250847.	249958.	176375.	251237.
NOTE	Scritta: in alto 'Gameria Sol. II Filia'; a tergo: 25, 33. Figlia di Solimano il magnifico, fu donna di eccezionale bellezza.	Scritta: in alto 'Petrus Gassendus'; a tergo: 95. Sacerdote francese. Fisico e matematico. In filosofia le sue teorie erano contrarie a Cartesio. La sua teoria atomistica influì su Newton. Il ritratto entrò in Galleria il 1° giugno 1720 (ASF, Guard. 1260 bis, c. 122v).	Scritta: in alto 'Erasmus Gattamelata'; a tergo: 143, 155, 1. Grande condottiero, servì prima Firenze, poi Martino V (1427). Passò quindi al servizio di Venezia alla quale rimase sempre fedele e che gli dette il titolo di nobile.	Scritta: in alto 'Theodorus Gaza'; a tergo: 26.583.44.34. Umanista bizantino. Contribuì alla rinascita degli studi greci in Occidente. Fu a Roma, Ferrara e a Napoli.

	Ic217	Ic218	Ic219	Ic220
PERSONAGGIO	Giacomini, Antonio (m. 1517).	Giacomo I, re d'Inghilterra (1566-1625).	Giacomo II, re d'Inghilterra, (1633-1701).	Giacomo V, re di Scozia (1512-42).
AUTORE	Altissimo, Cristofano (di Papi) dell' (not: 1552-1605).	Ignoto fiorentino sec. XVII.	Ignoto fiorentino sec. XVII.	Altissimo, Cristofano (di Papi) dell' (not: 1552-1605).
DATAZIONE	1580-90.	Post 1625.	1685 ca.	Ante 1568.
DESCRIZIONE	Olio su tavola, 60x44, cornice di noce intagliata e dorata.	Olio su tela, 60x45, cornice marrone con profilatura dorata.	Olio su tela, 60x45, cornice marrone con profilatura dorata.	Olio su tavola, 60x45, cornice di noce intagliata e dorata.
INVENTARIO	265 (C.P., p. 216, n. 799).	319 (C.P., p. 214, n. 833).	322 (C.P., p. 214, n. 836).	315 (C.P., p. 214, n. 829).
FOTO	251118.	122165.	122168.	122161.
NOTE	Scritta: in alto 'Antonius Giacomini'; a tergo: 2, 98, 108. Fu uomo d'armi e Commissario generale della Repubblica fiorentina, Avverso ai Medici, fu esule e rientrò a Firenze nel 1494. Di lui fece grandi elogi Niccolò Machiavelli.	Scritta: in alto 'Jacobus P. Ma: Britan: Rex'; a tergo: si ripete l'iscrizione, 33, 833, 26. Figlio di Maria Stuarda, re di Scozia nel 1567, divenne re d'Inghilterra nel 1603, succedendo a Elisabetta. Fu generoso mecenate. Il ritratto entrò in Galleria il 1° dicembre 1724 (ASF, 1277, c. 149v).	Scritta: in alto 'Jacobus II M: Br: Rex'. Figlio di Carlo I, nel 1685 successo al fratello Carlo II. Allo sbarco in Inghilterra del genero Guglielmo d'Orange fuggì in Francia. Fu l'ultimo degli Stuart salito al trono. Il ritratto entrò in Galleria il 19 agosto 1723 (ASF, Guard. 1277, c. 113v).	Scritta: in alto 'Jacobus V Scotiae Rex'; a tergo: 25, 193. Incoronato re di Scozia nel 1513, fu padre di Maria Stuarda. Il suo matrimonio con Maria di Guisa inasperò i suoi rapporti con l'Inghilterra.

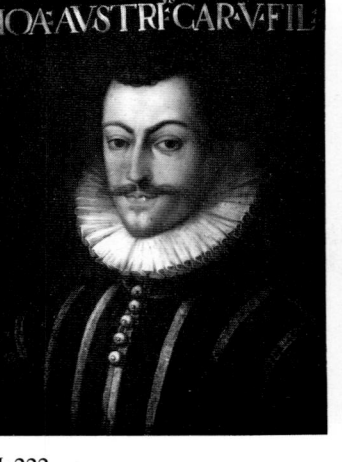

	Ic221	Ic222	Ic223	Ic224
PERSONAGGIO	Giorgio I, re di Hannover e d'Inghilterra (1660-1727).	(Don) Giovanni d'Austria (1545-78).	Giovanni, duca di Borgogna (1404-19).	Giovanni, Elettore di Sassonia (1468-1532).
AUTORE	Ignoto fiorentino sec. XVIII.	Altissimo, Cristofano (di Papi) dell' (not: 1552-1605).	Altissimo, Cristofano (di Papi) dell' (not: 1552-1605).	Altissimo, Cristofano (di Papi) dell' (not: 1552-1605).
DATAZIONE	Post 1714.	1590 ca.	Ante 1568.	Ante 1568.
DESCRIZIONE	Olio su tela, 60x43, cornice marrone profilata d'oro.	Olio su tavola, 59x41, cornice di noce intagliata e dorata.	Olio su tavola, 60x44, cornice di noce intagliata e dorata.	Olio su tavola, 60x45, cornice di noce intagliata e dorata.
INVENTARIO	324 (C.P., p. 214, n. 838).	343 (C.P., p. 214, n. 601).	47 (C.P., p. 214, n. 460).	385 (C.P., p. 215, n. 616).
FOTO	122170.	251242.	228226.	250862.
NOTE	Scritta: in alto 'Georgius I M. B. Rex et ele. Han'. Iniziatore della Dinastia degli Hannover, fu eletto re d'Inghilterra nel 1714 quando alla morte della Regina Anna si esclusero dal trono gli eredi cattolici.	Scritta: in alto 'Ioa: Austri: us Car. V. Fil'; a tergo: 6. Figlio naturale di Carlo V, fu il Capo supremo della flotta cristiana nella Battaglia di Lepanto (1571). Nel 1576 fu nominato Governatore dei Paesi Bassi in rivolta.	Scritta: in alto 'Ioannes D: Burgu'; a tergo: 33, 25. Detto senza paura. In lotta con gli Armagnacchi, fece uccidere Luigi d'Orleans e a sua volta fu assassinato.	Scritta: in alto 'Ioannes elec/Saxo'. Elettore dal 1525 al 1532. Seguace entusiasta di Lutero, fu soprannominato Costante per la fermezza con la quale sostenne la sua fede. Il ritratto deriva da quello di L. Cranach (inv. 1890, n. 1149).

	Ic225	Ic226	Ic227	Ic228
PERSONAGGIO	Giovanni Federico, Elettore di Sassonia (1503-1554).	Giovanni Giorgio, Elettore di Sassonia (1585-1656).	Giovanni Gualberto, Santo (995?-1073).	Giovanni IV, re di Portogallo (1604-56).
AUTORE	Altissimo, Cristofano (di Papi) dell' (not: 1552-1605).	Ignoto fiorentino sec. XVII.	Altissimo, Cristofano (di Papi) dell' (not: 1552-1605).	Ignoto fiorentino sec. XVII.
DATAZIONE	Ante 1568.	1670 ca.	1570-1600.	Post 1640.
DESCRIZIONE	Olio su tavola, 61x45, cornice di noce intagliata e dorata.	Olio su tela, 58x44, cornice marrone profilata d'oro.	Olio su tavola, 59x43, cornice di noce intagliata e dorata.	Olio su tela, 59x46, cornice marrone con profilatura dorata.
INVENTARIO	361 (C.P., p. 215, n. 616).	360 (C.P., p. 215, n. 618).	2962 (C.P., p. 218, n. 310).	59 (C.P., p. 214, n. 472)
FOTO	250864.	251247.	250865.	251290.
NOTE	Scritta: in alto 'Io Frede Elec: Saxo'. Elettore dal 1532 al 1547, fu detto il Magnanimo e uno dei più decisi sostenitori della Riforma Luterana. L'opera deriva dal ritratto del Cranach ora agli Uffizi.	Scritta: in alto 'Io: Georgius Dux: Sax'. Cercò di appoggiare l'Imperatore, ma poi si schierò con Gustavo Adolfo di Svezia. Dopo la pace di Praga (1635) tornò ad affiancare l'Imperatore e il suo Paese fu invaso dagli Svedesi.	Scritta: in alto 'D: Ioan: es Gualbertus'; a tergo: 26, 34. Fondatore dei Vallombrosani. Perdonò all'uccisore del fratello e si ritirò a Camaldoli, fondando poi l'eremo di Vallombrosa (1036), con regole benedettine. Fu canonizzato nel 1193. Festa il 12 luglio.	Scritta: in alto 'Ioannes IIII Lusit: Rex'; a tergo è ripetuta l'iscrizione. G. di Braganza, detto il Fortunato, fu il primo re di questa famiglia. Proclamato re nel 1640, condusse una guerra di indipendenza dalla Spagna. Il ritratto entrò in Galleria il 1° dicembre 1724 (ASF, Guard. 1277, c. 149r).

   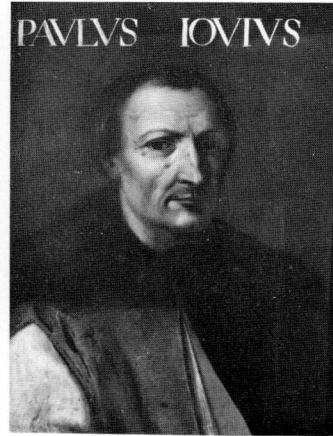

	Ic229	Ic230	Ic231	Ic232
PERSONAGGIO	Giovanni XXII, Papa (1245-1334).	Giovanni XXIII, antipapa (1370-1419).	Giovanni, Sobieski, re di Polonia (1624-96).	Giovio, Paolo (1483-1552).
AUTORE	Altissimo, Cristofano (di Papi) dell' (not: 1552-1605).	Altissimo, Cristofano (di Papi) dell' (not: 1552-1605).	Ignoto fiorentino sec. XVII.	Altissimo, Cristofano (di Papi) dell' (not: 1552-1605).
DATAZIONE	Ante 1568.	Ante 1568.	Post 1674.	Ante 1568.
DESCRIZIONE	Olio su tavola, 60x45, cornice di noce intagliata e dorata.	Olio su tavola, 59x44, cornice di noce intagliata e dorata.	Olio su tela, 60x46, cornice marrone con profilatura dorata.	Olio su tavola, 60x44, con cornice di noce intagliata e dorata.
INVENTARIO	2976 (C.P., p. 218, n. 324).	2980 (C.P., p. 218, n. 328).	413 (C.P., p. 214, n. 671).	226 (C.P., p. 219, n. 740).
FOTO	248736.	250868.	251339.	251328.
NOTE	Scritta: in alto 'Joannes XXII P. M.'; a tergo: 34, 36. Giacomo Duèse francese, papa nel 1316. Vecchio di 72 anni regnò in Avignone. Fu sempre immerso in contrasti teologali e religiosi, esercitando un sicuro influsso anche in campo politico. Fu ottimo amministratore delle finanze della Santa Sede.	Scritta: in alto 'Ioannes XXIII P. M. Q. P.';a tergo: 34, 26. Baldassarre Cossa, agosto come simaniaco nel 1415. Morì a Firenze ospite di Cosimo il Vecchio dei Medici che gli fece erigere il famoso monumento funebre in S. Giovanni, opera di Donatello e Michelozzo.	Scritta: in alto 'Ioannes Sobieski rex Pol:ne'. Grande condottiero, fu eletto re di Polonia nel 1674. Tentò una politica filofrancese, ma poi si alleò con l'Austria nella lotta contro i Turchi che sconfisse definitivamente nel 1683. Il ritratto entrò in Galleria il 29 ottobre 1729 (ASF, Guard. 1350, c. 13r) e deriva da quello inv. 1890, n. 4248.	Scritta: in alto 'Paulus Iovius'. Umanista e storico lombardo, trascorse gli ultimi due anni di vita alla Corte di Cosimo I a Firenze. Proprietario della Collezione dei ritratti degli uomini illustri da cui deriva quella degli Uffizi. Il suo monumento funebre nel chiostro di S. Lorenzo è opera di Francesco da Sangallo (1560).

	Ic233	Ic234	Ic235	Ic236
PERSONAGGIO	Giulio II, Papa (1445-1513).	Giuseppe I, d'Asburgo (1678-1711).	Goffredo di Buglione (1061-1100).	Gonzaga, Ferdinando duca di Mantova (1587-1626).
AUTORE	Altissimo, Cristofano (di Papi) dell' (not: 1552-1605).	Ignoto fiorentino sec. XVIII.	Altissimo, Cristofano (di Papi) dell' (not: 1552-1605).	Ignoto fiorentino sec. XVII.
DATAZIONE	Ante 1568.	Post 1705.	1566-70.	Ante 1626.
DESCRIZIONE	Olio su tavola, 59x44, cornice di noce intagliata e dorata.	Olio su tela, 61x47, cornice nera con profilatura dorata.	Olio su tavola, 60x46, cornice di noce intagliata e dorata.	Olio su tela, 60x45, cornice marrone profilata d'oro.
INVENTARIO	2990 (C.P., p. 218, n. 338).	341 (C.P., p. 214, n. 599).	3050 (C.P., p. 214, n. 398).	130 (C.P., p. 216, n. 543).
FOTO	176374.	248728.	251283.	250272.
NOTE	Scritta: in alto 'Iulius II P. M.'; a tergo: 26, 34. Papa dal 1503. Di forte intelligenza politica si alleò coi Veneziani contro i Francesi. Convocò il V concilio lateranense. Protesse Michelangelo che condusse per lui gli Affreschi della Sistina. Il quadro deriva da un ritratto di Raffaello.	Scritta: in alto 'Joseph. I Imper:'. Imperatore nel 1705. Grazie ai servigi di Eugenio di Savoia liberò Torino dai francesi (1706) e sconfisse i turchi a Belgrado e a Petervaradino. Gli successe il fratello Carlo VI. Il ritratto entrò in Galleria il 25 agosto 1725 (ASF, Guard. 1277, c. 164r).	Scritta: in alto 'Gothifredus Bulhonius Ieru: Rex: Pri:'; a tergo: 25,12. Capo vittorioso dei Cristiani alla prima Crociata. Rifiutò il titolo di re di Gerusalemme, ma assunse quello di difensore del S. Sepolcro. Il ritratto entrò in Galleria il 19 agosto 1723 (ASF, Guard. 1277, c. 113v).	Scritta: in alto 'Ferdinandus Mantuae Dux'; Figlio di Vincenzo I e di Eleonora dei Medici fu prima cardinale poi duca di Mantova, dopo la morte senza eredi del fratello. Fu l'ultimo del ramo principale della famiglia.

	Ic237	Ic238	Ic239	Ic240
PERSONAGGIO	Gonzaga, Ferrante (1507-57).	Gonzaga, Francesco (1484-1519).	Graeve, Johann Georg (1632-1703).	Grandi, Guido (1671-1742).
AUTORE	Altissimo, Cristofano (di Papi) dell' (not: 1552-1605).	Altissimo, Cristofano (di Papi) dell' (not: 1552-1605).	Ignoto fiorentino sec. XVII.	Ignoto fiorentino sec. XVIII.
DATAZIONE	Ante 1568.	Ante 1568.	Ante 1703.	Ante 1742.
DESCRIZIONE	Olio su tavola, 60x45, cornice di noce intagliata e dorata.	Olio su tavola, 60x44, cornice di noce intagliata e dorata.	Olio su tela, 60x46, cornice marrone profilata d'oro.	Olio su tela, 60x45 cornice marrone con profilatura dorata.
INVENTARIO	235 (C.P., p. 217, n. 749).	82 (C.P., p. 216, n. 495).	289 (C.P., p. 219, n. 803).	3043 (C.P., p. 219, n. 391).
FOTO	250278.	228610.	249237.	249967.
NOTE	Scritta: in alto 'Ferrantes Gonzaga'; a tergo: 145, 155. Generale e uomo di stato. Fratello di Federico II, con lui ha inizio il ramo Gonzaga di Guastalla. Nel 1530 comandò le truppe imperiali all'assedio di Firenze.	Scritta: in alto 'Franciscus Gonzaga Mantuae March'; a tergo: E. 98, 108, sotto 'Fra Gonzaga M. Mantue'. A capo dell'esercito veneziano, poi della lega contro Carlo VIII di Francia, fu sconfitto a Fornovo (1495). Passato all'esercito dai Veneziani (1509-10). Sposò Isabella d'Este.	Scritta: in alto 'Io: Georgius Graevius'; a tergo: ripete l'iscrizione 154, 144. Filologo tedesco, noto in Italia come 'Grevio'. Fu professore di storia e di eloquenza per 40 anni all'università di Utrecht e curò molte edizioni di classici latini. Il ritratto entra in Galleria il 5 luglio 1721 (ASF, Guard. 1292, c. 33v).	Scritta: in alto 'D. Guido Grandi'; a tergo: 12.154. Matematico e fisico, camaldolense. Insegnò a Pisa e dal 1707 fu matematico del Granduca di Toscana Cosimo III dei Medici. Seguì per primo in Italia le teorie di Newton e Leibniz.

	Ic241	Ic242	Ic243	Ic244
PERSONAGGIO	Gregorio XIII, Papa (1502-1585).	Grimani, card. Domenico (1461-1523).	Groot, Huig van (1583-1645).	Gruter, Jan (1560-1627).
AUTORE	Altissimo, Cristofano (di Papi) dell' (not: 1552-1605).	Altissimo, Cristofano (di Papi) dell' (not: 1552-1605).	Ignoto fiorentino sec. XVII.	Ignoto fiorentino sec. XVII.
DATAZIONE	1600-1604.	1556.	Ante 1645.	Ante 1627.
DESCRIZIONE	Olio su tela, 60x46, cornice di noce intagliata e dorata.	Olio su tavola, 60x45, cornice di noce intagliata e dorata.	Olio su tela, 60x46, cornice marrone profilata d'oro.	Olio su tela, 60x47, cornice marrone profilata d'oro.
INVENTARIO	2996 (C.P., p. 218, n. 344).	3013 (C.P., p. 218, n. 361).	256 (C.P., p. 219, n. 770).	244 (C.P., p. 219, n. 758).
FOTO	250858.	251266.	249525.	251321.
NOTE	Scritta: in alto 'Gregorius XIII P. M.'; a tergo: 29, 34, 26. Ugo Boncompagni bolognese. Papa dal 1572. Fu uno dei più attivi pontefici sia politicamente che spiritualmente. Intelligente e colto, applicò alcune riforme del Concilio di Trento e riformò il calendario.	Scritta: in alto 'Domi: us: Card: Grimani'; a tergo: 34, 26. Patriarca di Aquileia dal 1492 al 1522. Fu grande mecenate a Roma e a Venezia, dove fondò un celebre biblioteca andata poi dispersa. Lasciò a Venezia il famoso Breviario miniato che porta il suo nome.	Scritta: in alto 'Hugo Grotius'; noto in Italia come 'Grozo'. Umanista e giurista olandese. Importanti i suoi studi del moderno diritto naturale e del diritto internazionale. Il ritratto entrò in Galleria il 26 Agosto 1722 (ASF, Guard. 1277, c. 74r).	Scritta: in alto 'Ianus Gruterus'; a tergo: 15, 7 Janus Gruterus. Noto in Italia come 'Gruterio'. Filologo fiammingo, autore delle Inscriptiones antiquae totius orbis Romani (1603), notevole contributo per la scienza epigrafica. Il ritratto entra in Galleria il 5 luglio 1721 (ASF, Guard. 1292, c. 33v).

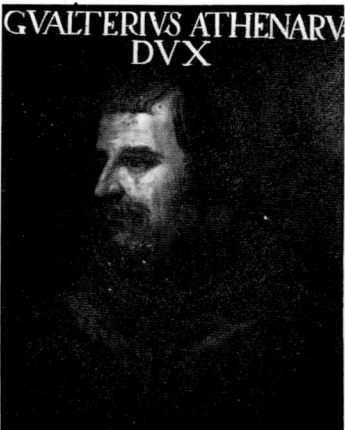

	Ic245	Ic246	Ic247	Ic248
PERSONAGGIO	Gualtieri di Brienne, duca d'Atene (1300-1356).	Guglielmo I d'Orange (1533-84).	Guglielmo III, re d'Inghilterra (1650-1702).	Guicciardini, Francesco (1483-1540).
AUTORE	Altissimo, Cristofano (di Papi) dell' (not: 1552-1605).	Ignoto fiorentino.	Ignoto fiorentino sec. XVII.	Altissimo, Cristofano (di Papi) dell' (not: 1552-1605).
DATAZIONE	Ante 1568.	Post 1604.	Ante 1689.	1570 ca.
DESCRIZIONE	Olio su tavola, 59x45, cornice di noce intagliata e dorata.	Olio su tela, 60x47, cornice marrone con profilatura dorata.	Olio su tela, 60x45, cornice marrone profilata d'oro.	Olio su tavola 60x45 con cornice di noce intagliata e dorata.
INVENTARIO	76 (C.P., p. 216, n. 489).	33 postgioviana.	323 (C.P., p. 214, n. 837).	201.
FOTO	228612.	228648.	250858.	251306.
NOTE	Scritta: in alto 'Gualterius Athenaru: Dux.'; a tergo: 98, 104. Duca d'Atene. Vicario di Carlo d'Angiò a Firenze (1325), ne divenne nel 1342 signore a vita. In seguito alle sua politica assolutistica, fu cacciato dalla città nel 1343.	Scritte: in alto 'Wilelmus I Prin: Aray'; a tergo è ripetuta l'iscrizione. Detto il taciturno, ereditò nel 1544 il titolo di Orange. Sposò in seconde nozze la figlia di Maurizio di Nassau e divenne sostenitore dell'indipendenza dei Paesi Bassi dalla Spagna. Fu ucciso da un cattolico.	Scritta: in alto 'Wilelmus III M. BR: Rex'; a tergo: Guglielmo III re d'Inghilterra. Guglielmo d'Orange, statolder d'Olanda. Combattè contro Luigi XIV di Francia. Sposato con Maria figlia di Giacomo II d'Inghilterra, fu incoronato re nel 1689. Il ritratto entra in Galleria il 13 novembre 1723 (ASF, Guard. 1292, c. 113v).	In alto: 'Fran: us Guicciardini'; a tergo: 26. 34. II. Di nobile famiglia fiorentina. Fu spesso dalla parte avversa ai Medici. Letterato, storico e politico. Ambasciatore in Spagna della Repubblica Fiorentina. Scrisse la Storia d'Italia in 20 libri (1537-40).

	Ic249	Ic250	Ic251	Ic252
PERSONAGGIO	Guidi, Camillo (sec. XVII).	Guisa, Enrico I, duca di (1550-88).	Guisa, Francesco, duca di (1519-63).	Guittone d'Arezzo (1235-94).
AUTORE	Ignoto fiorentino sec. XVII.	Ignoto fiorentino sec. XVII.	Ignoto fiorentino sec. XVII.	Altissimo, Cristofano (di Papi) dell' (not: 1552-1605).
DATAZIONE	Sec. XVII.	Post 1604.	Post 1604.	Ante 1568.
DESCRIZIONE	Olio su tela, 60x45, cornice marrone profilata d'oro.	Olio su tela, 60x46, cornice marrone con profilatura dorata.	Olio su tela, 61x47, cornice marrone con profilatura dorata.	Olio su tavola, 59x44, cornice di noce intagliata e dorata.
INVENTARIO	162 (C.P., p. 217, n. 575).	32 (C.P., p. 217, n. 445).	34 (C.P., p. 217, n. 447).	143 (C.P., p. 219, n. 566).
FOTO	251113.	228641.	250257.	249941.
NOTE	Scritta: in alto 'Cam: Guidi sup: clas; Etrus: Praee:', a tergo Isrrizione ripetuta. Ammiraglio dell'Ordine di S. Stefano, lottò contro i pirati barbareschi. Partecipò alle battaglie navali di Nauplia (1686) e Negroponte (1688). Il ritratto entrò in Galleria il 25.8.1725 (ASF, Guard. 1277, c. 164v).	Scritta: in alto 'Henricus Dux: Aguisia'; a tergo ripete l'iscrizione 149. Detto lo Sfregiato, figlio di Francesco, fu grande sostenitore dei cattolici. Partecipò alla strage degli Ugonotti. Fu ucciso dalla sua guardia del corpo. Il ritratto entrò in Galleria il 9 febbraio 1726 (ASF, Guard. 1277, c. 175r).	Scritta: in alto 'Francis: Dux Aguisia'; a tergo: ripete l'iscrizione 145, 2. Fu grande condottiero di Francesco I e Enrico I di Francia. Fu ucciso nell'assedio di Orléans. Il ritratto entrò in Galleria il 9 febbraio 1726 (ASF, Guard. 1277, c. 175r).	Scritta: in alto 'Guitto Aretinus'; Della famiglia aretina Del Viva, divenne frate gaudente (1265). È considerato caposcuola e principale esponente della poesia cortese toscana.

	Ic253	Ic254	Ic255	Ic256
PERSONAGGIO	Gustavo Adolfo, re di Svezia (1594-1632).	Guzman de Olivares, Gaspare (1587-1645).	Heinsius, Daniël (1580-1655).	Holstein, Lukas (1596-1661).
AUTORE	Ignoto fiorentino sec. XVII.	Ignoto fiorentino sec. XVII.	Ignoto fiorentino sec. XVII.	Ignoto fiorentino sec. XVII.
DATAZIONE	Post 1604.	Ante 1645.	Ante 1655.	Ante 1661.
DESCRIZIONE	Olio su tela, 55x43, cornice di noce intagliata e dorata.	Olio su tela, 60x44, cornice marrone profilata d'oro.	Olio su tela, 60x46, cornice marrone profilata d'oro.	Olio su tela, 60x47, cornice marrone proglata d'oro.
INVENTARIO	422 (C.P., p. 214, n. 680).	51 (C.P., p. 214, n. 464).	254 (C.P., p. 219, n. 768).	260 (C.P., p. 219, n. 774).
FOTO	251344.	228210.	249524.	251347.
NOTE	Scritta: in alto 'Gustavus Adolphus Sue: Rex'. Re nel 1611 a 16 anni, fu uno dei più grandi sovrani svedesi e con le sue capacità militari e politiche dette grande sviluppo al suo paese. Schietto campione del Protestantesimo fu nemico di Richelieu.	Scritta: in alto 'Gaspar Gutzman co Dux de Olivares'; a tergo: E 25, 33. Potentissimo ministro di Filippo IV di Spagna, favorì inizialmente la ripresa economica del paese, ma la sua politica di assolutismo lo rese inviso al popolo, tanto che il re dovette allontanarlo (1643).	Scritta: in alto 'Daniel Heinsius'; a tergo: 144, 154, 6. Olandese, poeta e filologo. Fu umanista e scrittore di versi anche latini e greci. Ebbe grande importanza nel sec. XVIII. Il ritratto entrò in Galleria il 26 agosto 1722 (ASF, Guard. 1277, c. 74r).	Scritta: in alto 'Lucas Holstenius'; a tergo: Ostenio. 19, 26, 34. Tedesco, noto in Italia come 'Holstenius'. Convertito al cattolicesimo (1624), seguì in varie nunziature il Card. Barberini. Fu custode della Biblioteca Vaticana. Il ritratto entrò in Galleria il 28 novembre 1719 (ASF, Guard. 1260, c. 102v).

	Ic257	Ic258	Ic259	Ic260
PERSONAGGIO	Howard, Thomas duca di Norfolk (m. 1572).	Ibrahim I (1616-48).	Inghirami, Jacopo (1565-1623).	Innocenzo V, Papa (1225-76).
AUTORE	Altissimo, Cristofano (di Papi) dell' (not: 1552-1605).	Ignoto fiorentino sec. XVII.	Ignoto fiorentino sec. XVII.	Altissimo, Cristofano (di Papi) dell' (not: 1552-1605).
DATAZIONE	Ante 1568.	1640 ca.	Ante 1623.	1564-66.
DESCRIZIONE	Olio su tavola, 60x45, cornice di noce intagliata e dorata.	Olio su tela, 61x46, cornice marrone profilata d'oro.	Olio su tela, 59x44, cornice marrone profilata d'oro.	Olio su tavola, 59x44, cornice di noce intagliata e dorata.
INVENTARIO	327 (C.P., p. 214, n. 841).	3061 (C.P., p. 215, n. 409).	127 (C.P., p. 217, n. 540).	2971 (C.P., p. 218, n. 319).
FOTO	251335.	251288.	251105.	248731.
NOTE	Scritta: in alto 'Thomas Hovard Dux Norfolch'. Fu lord presidente del consiglio di Enrico VIII, zio di Anna Bolena e di Caterina Howard, mogli del re. Dopo il ripudio di questi ultima, fu accusato di tradimento (1547) e si salvò per la morte del re.	Scritta: in alto 'Ibrahimus I'; a tergo: Hibragim imperator burcarum (sic). Sultano turco, visse sempre lontano dagli affari dello stato e morì durante una rivolta. Il ritratto entrò in Galleria il 13 novembre 1723 (ASF, Guard. 1292, c. 113v).	Scritta: in alto 'Jacobus Inghirami sup. Classis Etruscae Praefe:'. Ammiraglio della flotta medicea di Ferdinando I e di Cosimo II. Conquistò Bona (1607) e sconfisse il Bey di Rodi (1616).	Scritta: in alto 'Innocentius V P.M.'; a tergo: 26, 34. Pietro di Tarantasia francese, domenicano, fu papa nel 1276 per 6 mesi. Si adoperò a rimettere pace in Italia e nella Cristianità. Compose opere di filosofia, di teologia e di diritto canonico.

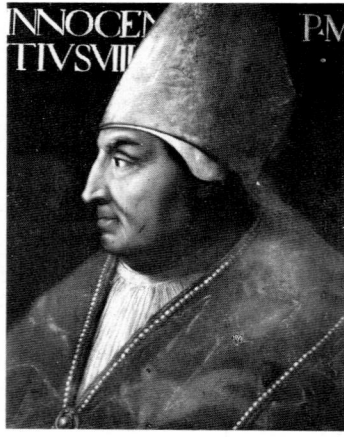   

	Ic261	Ic262	Ic263	Ic264
PERSONAGGIO	Innocenzo VII, Papa (1419-91).	Innocenzo XI, Papa (1611-89).	Ismail I Sophi (1487-1524).	Jablonowski, Stanislao (1634-1702).
AUTORE	Altissimo, Cristofano (di Papi) dell' (not: 1552-1605).	Ignoto fiorentino sec. XVII.	Altissimo, Cristofano (di Papi) dell' (not: 1552-1605).	Ignoto fiorentino sec. XVII.
DATAZIONE	Ante 1568.	Post 1676.	Ante 1568.	1680 ca.
DESCRIZIONE	Olio su tavola, 60x45, cornice di noce intagliata e dorata.	Olio su tela, 60x45, cornice marrone con profilatura dorata.	Olio su tavola, 60x45, cornice di noce intagliata e dorata.	Olio su tela, 61x49, cornice marrone profilata d'oro.
INVENTARIO	2988 (C.P., p. 218, n. 336).	3004 (C.P., p. 218, n. 352).	5 (C.P., p. 215, n. 418).	416 (C.P., p. 214, n. 674).
FOTO	250870.	251258.	185623.	251341.
NOTE	Scritta: in alto 'Innocentius VIII P. M.'; a tergo: 34, 26, 21. G. B. Cybo genovese, Papa dal 1484. Fece sposare a suo figlio Franceschetto Maddalena dei Medici, figlia di Lorenzo il Magnifico. Durante il suo pontificato, fu conquistata Granada, ultimo baluardo islamico in Spagna (1492).	Scritta: in alto 'Innocentius XI. Pon. Max'; a tergo: 6-4. Benedetto Odescalchi comense, papa dal 1676. Proclamato beato nel 1956. Ostile alla Francia, pose tutto il suo impegno nella difesa dell'Europa dai Turchi, che assediavano Vienna. Il ritratto entrò in Galleria il 26 agosto 1722 (ASF, Guard. 1277, c. 74r).	Scritta: in alto 'Ismaell Soshy Rex Per:'; a tergo: 35, 33, 26. Re di Persia, fondatore della dinastia dei Safawidi, combatté contro i Turchi.	Scritta: in alto 'Stanislaus Iablonovsk Sup: Exer: Poloniae Dux', a tergo: 6. Grande generale dell'Imperatore Leopoldo, ottenne il titolo di Principe del S. R. Impero dopo il trattato di Carlovitz (1699).

	Ic265	Ic266	Ic267	Ic268
PERSONAGGIO	Kalvitz, Seto (1556-1615).	Keller, Chistoph (1638-1707).	Keplero, Giovanni (1571-1630).	Khair, Eddin 'Barbarossa' (1466?-1546).
AUTORE	Ignoto fiorentino sec. XVII.	Ignoto fiorentino sec. XVII.	Ignoto fiorentino sec. XVII.	Altissimo, Cristofano (di Papi) dell' (not: 1552-1605).
DATAZIONE	Ante 1615.	Ante 1707.	Ante 1630.	Ante 1568.
DESCRIZIONE	Olio su tela, 60x44, cornice marrone profilata d'oro.	Olio su tela, 60x46, cornice marrone profilata d'oro.	Olio su tela, 61x47, cornice marrone profilata d'oro.	Olio su tavola, 60x45, cornice di noce intagliata e dorata.
INVENTARIO	241 (C.P., p. 219, n. 755).	212 (C.P., p. 219, n. 726).	248 (C.P., p. 220, n. 762).	3 (C.P., p. 215, n. 416).
FOTO	251320.	251309.	249957.	185621.
NOTE	Scritta: in alto 'Sethus Calvisius'. Noto in Italia come Calvisio (1556-1615). Musicista fu anche astronomo, poeta, cronografo. Il ritratto entrò in Galleria il 5 luglio 1721 (ASF, Guard. 1292, c. 33v).	Scritta: in alto 'Cristoph: Cellarius'; a tergo: 20, 5, 26. Filologo tedesco, noto in Italia come 'Cellario'. Fu professore di filologia e eloquenza all'Università di Halle e autore di una Historia Medii Evi (1688). Il ritratto entrò in Galleria il 26 agosto 1722 (ASF, Guard. 1277, c. 74r).	Scritta: in alto 'Ioannes Keplerus'. Nome latinizzato di Johanns Kepler. Astronomo. Seguace delle teorie copernicane, fu costretto a lasciare la carriera ecclesiastica. Fondamentali sono le sue ricerche di ottica. Il ritratto entrò in Galleria il 1° giugno 1720 (ASF, Guard. 1260 bis, c. 122v).	Scritta: in alto 'Ariade: Barbarossa'. Dominò su Algeri sotto la protezione di Selim I. Nel 1534 conquistò Tunisi, ma fu sconfitto da Andrea Doria a Prevesa (1538). Si vendicò portando via dall'Italia a Costantinopoli 7000 schiavi.

	Ic269	Ic270	Ic271	Ic272
PERSONAGGIO	Ladislao, re di Napoli (1377-1414).	Landino, Cristoforo (1424-98).	Lanzi, Luigi (1732-1810).	Lascaris, Giovanni (1445-1535).
AUTORE	Altissimo, Cristofano (di Papi) dell' (not: 1552-1605).	Altissimo, Cristofano (di Papi) dell' (not: 1552-1605).	Ignoto fiorentino sec. XVIII.	Altissimo, Cristofano (di Papi) dell' (not: 1552-1605).
DATAZIONE	Ante 1568.	1570 ca.	Ante 1810.	Ante 1568.
DESCRIZIONE	Olio su tavola, 60x45, cornice di noce intagliata e dorata.	Olio su tavola, 60x45, cornice di noce intagliata e dorata.	Olio su tela, 60x49, cornice marrone profilata d'oro.	Olio su tavola, 60x45, cornice di noce intagliata e dorata.
INVENTARIO	62 (C.P., p. 214, n. 475).	168 (C.P., p. 220, n. 581).	310 (C.P., p. 220, n. 310).	174 (C.P., p. 220, n. 587).
FOTO	228225.	250854.	249248.	149323.
NOTE	Scritta: in alto 'Ladislaus Rex Neapo'; a tergo: 25.16.3. Re nel 1386 con la reggenza della madre Margherita Durazzo. Riuscì ad allargare il suo regno a scapito degli angioini e del popolo.	Scritta: in alto 'Christo: us Landini'; a tergo: 26.21.34.15. Umanista, lettore di poesia oratoria nello Studio Fiorentino. Segretario di parte guelfa e cancelliere della Repubblica Fiorentina. Fu amico di Lorenzo dei Medici e di L. B. Alberti.	Scritta: in basso 'Aloisius Lanzius interpres antiquitatum in M. F.'. Archeologo, filologo e storico d'arte marchigiano. Gesuita, divenne antiquario della Galleria degli Uffizi, di cui scrisse una precisa descrizione. Il ritratto entra in Galleria il 17 novembre 1813, donato dal direttore Giovanni degli Alessandri (AGF, ms. 114 c. 97r).	Scritta: 'Ioannes Lascares'. Grammatico ed erudito greco. Fu ospite di Lorenzo il Magnifico. Ebbe incarichi importanti a Parigi e presso la corte papale, fu infatti bibliotecario del re Francesco I di Francia e poi di Paolo III a Roma, dove morì.

	Ic273	Ic274	Ic275	Ic276
PERSONAGGIO	Latini, Brunetto (1220-1295).	La Tour d'Auvergne, Enrico de (1611-75).	Leibniz, Federico Guglielmo (1646-1716).	Leiva, Antonio (1480-1536).
AUTORE	Altissimo, Cristofano (di Papi) dell' (not: 1552-1605).	Ignoto fiorentino sec. XVII.	Ignoto fiorentino sec. XVII.	Altissimo, Cristofano (di Papi) dell' (not: 1552-1605).
DATAZIONE	1560-70.	1670 ca.	Ante 1702.	Ante 1568.
DESCRIZIONE	Olio su tavola, 60x43, cornice di noce intagliata e dorata.	Olio su tela, 61x47, cornice marrone con profilatura dorata.	Olio su tela, 60x46, cornice marrone profilata d'oro.	Olio su tavola, 60x43, cornice di noce intagliata e dorata.
INVENTARIO	137 (C.P., p. 220, n. 550).	39 (C.P., p. 217, n. 452).	261 (C.P., p. 220, n. 775).	54 (C.P., p. 217, n. 467).
FOTO	251233.	228650.	227540.	228633.
NOTE	Scritta: in alto 'Brunettus Latini', a tergo: 22.26.34.15. Letterato, ghibellino. Fu ambasciatore di Firenze presso il re di Castiglia (1260). Esule durante il periodo guelfo rimase in Francia. Maestro di Dante che lo pone all'Inferno (Suicidi), scrisse tra l'altro il Tesoretto.	Scritta: in alto 'Henricus Turrena, Gal Mare'. Visconte di Turenne maresciallo di Francia. Fu uno dei più grandi generali del XVII sec., fedele a Richelieu. Partecipò alla guerra dei Trent'anni. Morì annegato a Mulhouse. Deriva dal pastello di R. Nanteuil inv. 1890, n. 822.	Scritta: in alto 'Federicus Guil: Leibnitzius'; a tergo: 154, 144. Sul telaio si riporta l'iscrizione. Filosofo e storico tedesco 'mathematico del Elettor d'Annover'. Il ritratto non fu fatto per la gioviana ma adattato da uno più grande nel gennaio 1705: cfr. ASF, Guard. 1101, c. 87r.	Scritta: in alto 'Antonius Leva'; a tergo: 145, 155, 16. Spagnolo. Uomo d'armi, combattè a Pavia contro Francesco I. Capitano generale degli stati italiani alleati di Carlo V contro la Francia (1533), prese parte alla battaglia di Fossano.

	Ic277	Ic278	Ic279	Ic280
PERSONAGGIO	Lemene, Francesco de (1634-1704).	Leonardo da Vinci (1452-1519).	Leone XI, Papa (1535-1605).	Leopoldo I, d'Asburgo (1640-1705).
AUTORE	Ignoto fiorentino sec. XVII.	Altissimo, Cristofano (di Papi) dell' (not: 1552-1605).	Ignoto fiorentino sec. XVII.	Ignoto fiorentino sec. XVII.
DATAZIONE	1690 ca.	1566-68.	1605 (ca.).	Post 1658.
DESCRIZIONE	Olio su tela, 60x47, cornice marrone profilata d'oro.	Olio su tavola, 60x45, cornice di noce intagliata e dorata.	Olio su tela, 60x45, cornice marrone con profilatura dorata.	Olio su tela, 60x46, cornice nera profilata d'oro.
INVENTARIO	294 (C.P., p. 220, n. 808).	189 (C.P., p. 221, n. 703).	2999 (C.P., p. 218, n. 352).	340 (C.P., p. 214, n. 598).
FOTO	249530.	249949.	250881.	248727.
NOTE	Scritta: in alto 'Fran: us de Lemene'; a tergo: si ripete l'iscrizione 144, 154. Poeta burlesco, lombardo, appartenne all'Arcadia col nome di Arezio Galeatico. Scrisse una versione burlesca del Guerrin Meschino, più armoniose sono le sue Cantate e Ariette. Il ritratto entrò in Galleria il 1° giugno 1720 (ASF, Guard. 1260 bis, c. 122v).	Scritta: in alto 'Leonardus Da Vinci'; a tergo: 15, 154, 44, 10. Pittore, scultore, inventore fu uno dei più grandi geni dell'umanità. Lavorò a Firenze, a Milano protetto da Ludovico il Moro; in Francia, dove morì, ad Amboise, onorato e amato da Francesco I re di Francia.	Scritta: in alto 'Leo XI Pon: Max:'. Alessandro dei Medici, fu pontefice nel 1605 per 27 giorni Il ritratto entrò in Galleria il 26 agosto 1722 (ASF, Guard. 1277, c. 74r).	Scritta: in alto 'Leopoldus I imp.'. Imperatore nel 1658. Combattè contro i turchi avendo come generale Eugenio di Savoia, vittorioso sul Tibisco (1697). Il ritratto entrò in Galleria il 1° dicembre 1724 (ASF, Guard. 1277, c. 149r).

	Ic281	Ic282	Ic283	Ic284
PERSONAGGIO	L'Hospital, Michel de (1505-73).	Lips, Joost (1577-1606).	Lorena, card. Luigi di (1555-88).	Ludovico di Baden (1655-1707). 1707).
AUTORE	Ignoto fiorentino sec. XVII.	Ignoto fiorentino sec. XVII.	Ignoto fiorentino sec. XVII.	Ignoto fiorentino sec. XVII.
DATAZIONE	1620 ca.	1610 ca.	Post 1604.	1690 ca.
DESCRIZIONE	Olio su tela, 60x47, cornice marrone profilata d'oro.	Olio su tela, 61x44, cornice marrone profilata d'oro.	Olio su tela, 60x49, cornice marrone con profilatura dorata.	Olio su tela, 60x45, cornice marrone profilata d'oro.
INVENTARIO	40 (C.P., p. 219, n. 453).	234 (C.P., p. 220, n. 748).	3029.	354.
FOTO	228654.	249519.	228643.	251126.
NOTE	Scritta: in alto 'Mich: de Hospitali'; a tergo: Michel de l'Hospital cancelliere di Francia 154, 144. Famoso uomo politico. Cancelliere di Francia (1560-63), cercò di conciliare cattolici e calvinisti. Il ritratto entrò in Galleria il 1° dicembre 1724 (ASF, Guard. 1277, c. 149r).	Scritta: in alto 'Iustus Lipsius'. Noto in Italia come 'Lipsio'. Umanista fiammingo, scrittore di numerosi trattati, divenne segretario del card. di Granvelle che seguì a Roma. Il ritratto deriva da quello di Rubens ora a Pitti ed entrò in Galleria il 1° giugno 1720 (ASF, Guard. 1260 bis, c. 122v).	Scritta: in alto 'Ludov: Card: Guisia'; a tergo: Louys Lorraine de Guise evesque dap. L. di Guisa arcivescovo di Reims e cardinale di Lorena, nel 1578. Fu ucciso come il fratello Enrico di Guisa. Il ritratto entra in Galleria il 9 febbraio 1726 (ASF, Guard. 1277, c. 175r).	Scritta: in alto 'Ludovicus d. Baden'; a tergo: Prince Louis di Bade 9. Generale austriaco, partecipò alla difesa di Vienna contro i Turchi.

	Ic285	Ic286	Ic287	Ic288
PERSONAGGIO	Ludovico II, re di Ungheria (1326-86).	Luigi XII, re di Francia (1462-1515).	Luigi XIII, re di Francia (1601-1643).	Luigi XIV, re di Francia (1638-1715).
AUTORE	Altissimo, Cristofano (di Papi) dell' (not: 1552-1605).	Altissimo, Cristofano (di Papi) dell' (not: 1552-1605).	Ignoto fiorentino sec. XVII.	Altissimo, Cristofano (di Papi) dell', scuola di.
DATAZIONE	Ante 1568.	Ante 1568.	Ante 1643.	Post 1670.
DESCRIZIONE	Olio su tavola, 60x45, cornice di noce intagliata e dorata.	Olio su tavola, 60x45, cornice di noce intagliata e dorata.	Olio su tela, 59x45, cornice marrone con profilatura dorata.	Olio su tela, 60x47, cornice di noce intagliata e dorata.
INVENTARIO	418 (C.P., p. 214, n. 676).	19 (C.P., p. 214, n. 432).	28 (C.P., p. 214, n. 441).	27 (C.P., p. 214, n. 440).
FOTO	251343.	228212.	228219.	228218.
NOTE	Scritta in alto 'Ludovicus II: Panno: Rex'. Regnò sulla Ungheria e in Polonia. Buon politico, allargò e fortificò il suo regno, conquistando anche quello di Napoli (1346).	Scritta: in alto 'Ludovicus XII Gal: Rex' Luigi d'Orleans, divienne re di Francia nel 1498. Donò a Cesare Borgia il ducato di Valentinois per farsi amico il Papa. Sceso in Italia per conquistare il regno di Napoli, combattè e fece prigioniero Ludovico il Moro signore di Milano.	Scritta: in alto 'Ludovicus XIII Ga: Rex', a tergo: ripete l'iscrizione e poi 'di Navarra. Figlio di Enrico IV e di Maria dei Medici, divenne re nel 1610. Ebbe come ministri Richelieu e poi Mazzarino. Il ritratto entrò in Galleria il 13 novembre 1723 (ASF, Guard. 1292, c. 113v).	Scritta: in alto 'Lud: XIIII Gal: Rex'. Figlio di Luigi XII, salì sul trono nel 1651 e fu detto il Re Sole. Fissò la sua dimora a Versailles. Il ritratto deriva dal pastello di R. Nanteuil del 1670 (inv. 1890, n. 824) ed entrò in Galleria il 19 agosto 1723 (ASF, Guard. 1277, c. 113v).

	Ic289	Ic290	Ic291	Ic292
PERSONAGGIO	Lupi di Soragna, Bonifacio (1318-90).	Machiavelli, Niccolò (1469-1527).	Maffei, Raffaello (1455-1522).	Magalotti, Lorenzo (1637-1712).
AUTORE	Altissimo, Cristofano (di Papi) dell' (not: 1552-1605).	Altissimo, Cristofano (di Papi) dell' (not: 1552-1605).	Altissimo, Cristofano (di Papi) dell' (not: 1552-1605).	Ignoto fiorentino sec. XVII.
DATAZIONE	1570-80.	Ante 1568.	1570 ca.	1718 ca.
DESCRIZIONE	Olio su tavola, 60x43, cornice di noce intagliata e dorata.	Olio su tavola, 60x45, cornice di noce intagliata e dorata.	Olio su tavola, 59x45, cornice di noce intagliata e dorata.	Olio su tela, 60x46, cornice marrone profilata d'oro.
INVENTARIO	113 (C.P., p. 217, n. 526).	195 (C.P., p. 220, n. 709).	184 (C.P., p. 220, n. 698).	296 (C.P., p. 220, n. 810).
FOTO	228618.	251304.	250855.	249240.
NOTE	Scritta: in alto 'Bonifacius Lupus'; a tergo 95, 104, 12. Parmense. Valoroso capitano di ventura al servizio di Firenze. Cittadino fiorentino nel 1360. Religiosissimo, in età avanzata fece costruire a sue spese l'Ospedale di Bonifacio (ora Ospedale militare). Morto a Padova è sepolto al Santo.	Scritta: in alto 'Nicol: us Macchiavelli'; a tergo: 26.34. Scrittore politico, letterato e storico. Segretario e ambasciatore della Repubblica fiorentina, partecipò attivamente alla vita politica. Dedicò la sua opera più famosa, 'Il Principe', a Lorenzo dei Medici, Duca d'Urbino (1513).	Scritta: in alto 'Raphael Maffei'. Volterrano. Studioso severo e religioso. Stabilitosi a Volterra, vi fondò un'Accademia. Lasciò molti scritti dotti.	Scritta: in alto 'Lauren: Magalotti'; a tergo si ripete l'iscrizione 144, 154. Anatomico e matematico fiorentino, fu segretario dell'Accademia del Cimento e accademico dell'Arcadia col nome di Lindoro Elateo. Il ritratto entrò in Galleria il 16 marzo 1718 (ASF, Guard. 1260, c. 22r).

	Ic293	Ic294	Ic295	Ic296
PERSONAGGIO	Magellano, Ferdinando (1480-1521).	Maggi, Carlo Maria (1630-99).	Magini, Giovanni Antonio (1555-1617).	Magliabechi, Antonio (1633-1714).
AUTORE	Altissimo, Cristofano (di Papi) dell' (not: 1552-1605).	Ignoto fiorentino sec. XVII.	Ignoto fiorentino sec. XVII.	Ignoto fiorentino sec. XVII.
DATAZIONE	1580-90.	Ante 1699.	Ante 1617.	1660 ca.
DESCRIZIONE	Olio su tavola, 60x44, cornice di noce intagliata e dorata.	Olio su tela, 60x47, cornice marrone profilata d'oro.	Olio su tela, 61x46, cornice marrone profilata d'oro.	Olio su tela, 60x46, con cornice marrone profilata d'oro.
INVENTARIO	60 (C.P., p. 217, n. 173).	288 (C.P., p. 220, n. 802).	240 (C.P., p. 220, n. 754).	293 (C.P., p. 220, n. 807).
FOTO	107370.	249529.	251319.	120356.
NOTE	Scritta: in alto 'Ferdinan: Magagliames'; a tergo: 14, 145, 155. Portoghese, navigatore di nobile famiglia, il suo nome è particolarmente legato al lungo e difficile viaggio che lo portò dall'Oceano Atlantico al Pacifico (1521).	Scritta: in alto 'Carolus M: Maggi'; a tergo: 7, 20. Poeta e letterato. Lombardo. Espresse schiettamente la sua vena poetica nella poesia dialettale. Il ritratto deriva da quello di Adler nella coll. iconografica (inv. 1890, n. 2684), ed entrò in Galleria il 26 agosto 1722 (ASF, Guard. 1277, c. 74r).	Scritta: in alto 'Ioan: es Ant:u Magini'. Astronomo e matematico, padovano. Tenne cattedra a Bologna e ospitò nella sua casa Galileo. Pur seguendo il sistema geocentrico si interessò alle teorie copernicane. Il ritratto entrò in Galleria il 1° giugno 1720 (ASF, Guard. 1260 bis, c. 122v).	Scritta: in alto 'Anto: Magliabechi'. Erudito e bibliofilo, di eccezionale memoria, si distinse per la cultura enciclopedica. Cosimo III dei Medici lo nominò direttore della Biblioteca Palatina, carica che mantenne fino alla morte.

	Ic297	Ic298	Ic299	Ic300
PERSONAGGIO	Malatesta, Novello (1418-65).	Malatesta, Sigismondo (1417-68).	Manetti, Giannozzo (1396-1459).	Mansfeld, Ernesto conte di (1580-1626).
AUTORE	Altissimo, Cristofano (di Papi) dell' (not: 1552-1605).	Altissimo, Cristofano (di Papi) dell' (not: 1552-1605).	Altissimo, Cristofano (di Papi) dell' (not: 1552-1605).	Ignoto fiorentino sec. XVII.
DATAZIONE	Ante 1568.	Ante 1568.	1580-90.	1630 ca.
DESCRIZIONE	Olio su tavola, 60x45, cornice di noce intagliata e dorata.	Olio su tavola, 60x45, cornice di noce intagliata e dorata.	Olio su tavola, 59x41, cornice di noce intagliata e dorata.	Olio su tela, 61x46, cornice marrone profilata d'oro.
INVENTARIO	94 (C.P., p. 217, n. 507).	100 (C.P., p. 217, n. 513).	161 (C.P., p. 220, n. 574).	350 (C.P., p. 217, n. 658).
FOTO	228615.	250263.	250853.	250283.
NOTE	Scritta: in alto 'Malatesta Novellus'; a tergo: 92.98.5.108. Fu amante delle arti e fondatore della Biblioteca di Cesena detta appunto Malatestiana. Il ritratto deriva dalle medaglie del Pisanello.	Scritta: in alto 'Sigismund: Malatesta'; a tergo: 93, 98, 6, 108. Signore di Rimini, fu uomo del suo tempo: ambizioso, spregiudicato, guerriero e mecenate. Fu protettore di artisti e letterati. Volle la costruzione del Tempio Malatestiano uno dei capolavori di L. B. Alberti.	Scritta: in alto 'Iannocti Manetti'; a tergo: 26; 14; 24. Fiorentino umanista e diplomatico. In disaccordo con Cosimo I dei Medici (1543), andò a Napoli dove Alfonso d'Aragona lo nominò presidente della Camera della Sommaria. Fu fecondo scrittore.	Scritta: in alto 'Ernes: Com: Mansfelt'; a tergo: 'Ernestus com. Mansfeld Mar. Castelnovo 145. 15'. Legittimato dall'Imperatore Rodolfo II gli diventò nemico quando non ne riebbe le terre di suo padre. Il ritratto entrò in Galleria il 13 novembre 1723 (ASF, Guard. 1292, c. 113v).

	Ic301	Ic302	Ic303	Ic304
PERSONAGGIO	Maometto I (1389 ca. - 1421).	Maometto II (1430 ca. - 1481).	Maometto IV (1641-1692).	Maometto gran visir (?-1579).
AUTORE	Altissimo, Cristofano (di Papi) dell' (not: 1552-1605).	Altissimo, Cristofano (di Papi) dell' (not: 1552-1605).	Ignoto fiorentino sec. XVII.	Altissimo, Cristofano (di Papi) dell' (not: 1552-1605).
DATAZIONE	Ante 1568.	Ante 1568.	Ante 1692.	Ultimo quarto sec. XVI.
DESCRIZIONE	Olio su tavola, 57x45, cornice di noce intagliata e dorata.	Olio su tavola, 60x45, cornice di noce intagliata e dorata.	Olio su tela, 60x47, cornice marrone profilata d'oro.	Olio su tavola, 58x43, cornice di noce intagliata e dorata, sec. XVI.
INVENTARIO	3054 (C.P., p. 215, n. 402).	3055 (C.P., p. 215, n. 403).	3063 (C.P., p. 215, n. 411).	10 (C.P., p. 215, n. 423).
FOTO	185625.	250887.	251287.	185625.
NOTE	Scritta: in alto 'Mahom/Ba: Soli: '; a tergo: 25, 33. Detto Celebi, fu il quinto sultano dei Turchi Ottomani. Salì al Trono nel 1402. Sottomise Serbia e Bosnia, contese a Venezia il potere sui mari. Fu protettore di dotti e artisti.	Scritta: in alto 'Mahometes II'; a tergo: 25. Detto il conquistatore o il grande, ebbe il trono a 13 anni, ma effettivamente nel 1451. Conquistando Costantinopoli (1453) pose fine all'Impero Bizantino. Deriva forse dal ritratto di Gentile Bellini ora a Londra.	Scritta: in alto 'Mahometes IV'; a tergo: Mehemed IV après la mort d'Ibrahim. Divenne sultano degli Ottomani nel 1648. Passò di sconfitta in sconfitta finché le milizie turche gli si ribellarono (1687) dando il potere a suo fratello. Il ritratto entrò in Galleria il 1° dicembre 1724 (ASF, Guard. 1277, c. 149v).	In alto: 'Mahom: Ba: Soli', cioè Baiulus Solimani. È Soqollu Mehmed Pascia, il potente gran visir (dal 1565) e genero del sultano ottomano Selim II, presente alla battaglia di Lepanto.

	Ic305	Ic306	Ic307	Ic308
PERSONAGGIO	Marchetti, Alessandro (1633-1714).	Maria, regina d'Inghilterra (1516-58).	Maria II, regina d'Inghilterra (1662-1694).	Maria Stuarda, regina di Scozia (1524-87).
AUTORE	Ignoto fiorentino sec. XVIII.	Ignoto fiorentino sec. XVII.	Ignoto fiorentino sec. XVII.	Ignoto fiorentino sec. XVII.
DATAZIONE	Ante 1714.	1620-25.	1690 ca.	1620-30.
DESCRIZIONE	Olio su tela, 57x47, cornice marrone profilata d'oro.	Olio su tela, 61x47, cornice marrone con profilatura dorata.	Olio su tela, 61x47, cornice marrone con profilatura dorata.	Olio su tela, 60x47, cornice marrone con profilatura dorata.
INVENTARIO	292 (C.P., p. 220, n. 806).	430 (C.P., p. 214, n. 688).	325 (C.P., p. 214, n. 839).	318 (C.P., p. 214, n. 832).
FOTO	249238.	112179.	122171	251238.
NOTE	Scritta: in alto 'Alexander Marchetti'; a tergo: 154, 144. Fiorentino, letterato e scienziato, insegnò allo Studio Pisano. Sostenne la filosofia antiaristotelica. Famosa è la sua traduzione del De rerum Natura di Lucrezio. Il ritratto entrò in Galleria il 28 novembre 1719 (ASF, Guard. 1260, c. 102v).	Scritta: in alto 'Maria Ang: et Hisp. Regina'. Maria Tudor figlia di Enrico VIII, regina nel 1553, fu chiamata la Cattolica o la Sanguinaria per le sue repressioni contro i luterani. Nel 1554 sposò Filippo II di Spagna. Il ritratto entrò in Galleria il 23 febbraio 1725 (ASF, Guard. 1277, c. 154r).	Scritta: in alto 'Maria II M: Bri: Regi:'; a tergo: Maria del re Guglielmo. Figlia di Giacomo II, sposò nel 1667 Guglielmo d'Orange, chiamato dai Whigs a salvare l'Inghilterra. Il ritratto entrò in Galleria il 13 novembre 1723 (ASF, Guard. 1292, c. 113v).	Scritta: in alto 'Maria Stuart Sco: et Gal: Regina'. Sposa in prime nozze Francesco II di Francia. Vedova, sposa Enrico Stuart. Regina di Scozia dal 1542 al '67, fu imprigionata dalla rivale Elisabetta d'Inghilterra e decapitata. Il ritratto entrò in Galleria il 19 agosto 1723 (ASF, Guard. 1277, c. 113v.

	Ic309	Ic310	Ic311	Ic312
PERSONAGGIO	Marino, Giovan Battista (1569-1625).	Marsili Luigi (?-1394).	Martelli, Ludovico (1503-30).	Martino V, Papa (1368-1431).
AUTORE	Ignoto fiorentino sec. XVII.	Altissimo, Cristofano (di Papi) dell' (not: 1552-1605).	Altissimo, Cristofano (di Papi) dell' (not: 1552-1605).	Altissimo, Cristofano (di Papi) dell' (not: 1552-1605).
DATAZIONE	1680-90.	1580 ca.	1590-1600.	1556.
DESCRIZIONE	Olio su tela, 60x46, cornice marrone profilata d'oro.	Olio su tela, 58x43, cornice di noce intagliata e dorata, sec. XVI.	Olio su tavola, 60x45, cornice di noce intagliata e dorata.	Olio su tavola, 60x44, cornice di noce intagliata e dorata.
INVENTARIO	262 (C.P., p. 220, n. 776).	151 (C.P., p. 220, n. 564).	210 (C.P., p. 220, n. 724).	2981 (C.P., p. 218, n. 329).
FOTO	249526.	250852.	249953.	250889.
NOTE	Scritta: in alto 'Ioas Batta Marino'; a tergo: Eques Iannes Baptista Marinus Napolitanus 17,5. Letterato napoletano, ebbe vita avventurosa che lo portò a Roma, Venezia, Parigi. Diede origine a quella forma letteraria ridondante detta appunto marinismo. Il ritratto entrò in Galleria il 1° giugno 1720 (ASF, Guard. 1260 bis, c. 122v).	In alto: 'Aloysius Marsili'. Agostiniano, maestro di teologia a Parigi e dal 1379 a Firenze; vi funse anche da ambasciatore. Profondo conoscitore della letteratura classica e commentatore del Petrarca, fu uno dei primi umanisti.	Scritta: in alto 'Lodovi: Martelli'; a tergo: 26, 144, 154. Di nobile famiglia fiorentina, contraria ai Medici, visse esule presso Alfonso d'Avalos e morì prigioniero dei Genovesi. Colto letterato, partecipò alle dispute filologiche scrivendo, fra l'altro, il Dialogo sulla Lingua. L'opera deriva da un ritratto del Pontormo.	Scritta: in alto 'Martinus V P. M.; a tergo: 26, 34. Ottone Colonna romano. Papa dal 1417. Uomo energico riportò la sede papale da Avignone a Roma nel 1420. Riuscì a condurre alla rinuncia l'antipapa Clemente VIII. Soggiornò due anni a Firenze.

	Ic313	Ic314	Ic315	Ic316
PERSONAGGIO	Marullo, Michele, detto Tarcaniota (1453-1500).	Massimiliano I d'Asburgo (1459-1519).	Massimiliano II d'Asburgo (1527-76).	Massimiliano, Elettore di Baviera (1573-1651).
AUTORE	Altissimo, Cristofano (di Papi) dell' (not: 1552-1605).	Altissimo, Cristofano (di Papi) dell' (not: 1552-1605).	Altissimo, Cristofano (di Papi) dell' (not: 1552-1605).	Ignoto fiorentino sec. XVII.
DATAZIONE	Ante 1568.	Ante 1568.	Ante 1568.	Ante 1651.
DESCRIZIONE	Olio su tavola, 61x45, cornice di noce intagliata e dorata.	Olio su tavola, 60x45, cornice di noce intagliata e dorata.	Olio su tavola, 60x45, cornice di noce intagliata e dorata.	Olio su tela, 60x47, cornice marrone profilata d'oro.
INVENTARIO	185 (C.P., p. 220, n. 699).	333 (C.P., p. 214, n. 591).	335 (C.P., p. 214, n. 593).	353 (C.P., p. 215, n. 611).
FOTO	250856.	248720.	248722.	251240.
NOTE	Scritta: in alto 'Marul: us Tarcaniota'; a tergo: 34, 26. Umanista nato a Costantinopoli. Fu prima soldato di ventura, poi membro dell'Accademia Pontoniana di Napoli. Morì annegato nel Cecina.	Scritta: in alto 'Maximilianus I Imp:'. Riprese l'opera unificatrice del padre Federico V, riuscendovi più con la diplomazia e con i matrimoni che con le armi. Fu protettore di letterati e artisti (Dürer, Erasmo da Rotterdam).	Scritta: in alto 'Maximilianus II: imp.'; a tergo: 25. Imperatore dal 1564. Conciliante nei confronti dei Protestanti, non prese parte alla battaglia di Lepanto.	Scritta: in alto 'Maximil: Dux Bav. et Elect: (ripetuta sul retro). Figlio del Duca Guglielmo V, ebbe un'educazione religiosa e fu inviato a Roma presso il Papa Clemente VIII. Divenne Elettore nel 1597. Il ritratto entrò in Galleria il 1° dicembre 1724 (ASF, Guard. 1277, c. 149r).

	Ic317	Ic318	Ic319	Ic320
PERSONAGGIO	Massimiliano Emanuele, Elettore di Baviera (1662-1726).	Mattia I Corvino (1440-90).	Mattia I d'Asburgo, imperatore (1557-1619).	Mattioli, Pier Andrea (1500-77).
AUTORE	Ignoto fiorentino sec. XVIII.	Altissimo, Cristofano (di Papi) dell' (not: 1552-1605).	Ignoto fiorentino sec. XVIII.	Ignoto fiorentino sec. XVII.
DATAZIONE	1700 ca.	Ante 1568.	1723 ca.	1710 ca.
DESCRIZIONE	Olio su tela, 60x45, cornice marrone profilata d'oro.	Olio su tela, 56x45, cornice nera con profilatura dorata.	Olio su tela, 58,5x45, cornice modanata scura, sec. XVIII.	Olio su tela, 60x46, cornice marrone profilata d'oro.
INVENTARIO	356 (C.P., p. 215, n. 614).	417 (C.P., p. 213, n. 675).	337 (C.P., p. 214, n. 595).	213 (C.P., p. 220, n. 213).
FOTO	251246.	251342.	248724.	249227.
NOTE	Scritta: in alto 'Max: Eman: Bav: Elect:'; a tergo Maximilianus Emmanuel D. G. Utriusque Bavariae. Partecipò alla guerra contro i Turchi (1686-88). Fu padre del futuro Imperatore Carlo VI. Il ritratto entrò in Galleria il 1° dicembre 1724 (ASF, Guard. 1277, c. 149v).	Scritta: in alto 'Mathias Corvinus Pan Rex'. Figlio di Giovanni Hunyadi, re d'Ungheria (1458) e di Boemia (1478) combatté vittoriosamente contro i Turchi. Fu una delle più geniali figure del Rinascimento. Ebbe un potente esercito, protesse arti e lettere. Creò la biblioteca Corviniana, poi dispersa.	In alto: 'Mathias I: Imp'. Terzogenito di Massimiliano II, poi comandante delle truppe ungheresi contro i turchi, fu re d'Ungheria dal 1608 e imperatore dal 1612, succedendo al fratello Rodolfo II. Il ritratto entrò in galleria il 19 agosto 1723 (ASF, Guard. 1277, c. 113v).	Scritta: in alto 'Pet: And: Matthiolus'. Medico e botanico. Fu medico degli imperatori Ferdinando e Massimiliano II d'Austria. Scrisse molte opere di medicina e di botanica. Il ritratto entrò in Galleria il 5 luglio 1721 (ASF, Guard. 1292, c. 33v).

	Ic321	Ic322	Ic323	Ic324
PERSONAGGIO	Maurizio, conte di Nassau (1567-1625).	Maurizio, Elettore di Sassonia (1541-86).	Mazzarino, card. Giulio (1602-61).	Medici, Caterina de' (1519-89).
AUTORE	Ignoto fiorentino sec. XVII.	Altissimo, Cristofano (di Papi) dell' (not: 1552-1605).	Ignoto fiorentino sec. XVII.	Altissimo, Cristofano (di Papi) dell' (not: 1552-1605).
DATAZIONE	Post 1620.	Ante 1568.	Ante 1661.	Post 1559.
DESCRIZIONE	Olio su tela, 62x47, cornice marrone con profilatura dorata.	Olio su tavola, 60x45, cornice di noce intagliata e dorata.	Olio su tela, 61x49, cornice marrone con profilatura dorata.	Tempera su tavola, 61x43, cornice di noce intagliata e dorata.
INVENTARIO	344 (C.P., p. 217, n. 615).	357 (C.P., p. 215, n. 602).	3036 (C.P., p. 214, n. 384).	21 (C.P., p. 213, n. 434).
FOTO	250282.	250861.	251281.	228215.
NOTE	Scritta: in alto 'Mauritius Com: Nass.'; a tergo: 145, Il Conte di Nassau. Figlio di Guglielmo il Taciturno, fu uno dei più accaniti sostenitori dell'indipendenza dei Paesi Bassi dalla Spagna. Il ritratto entrò in Galleria il 25 agosto 1725 (ASF, Guard. 1277, c. 164v).	Scritta: in alto 'Mauritius Elec: Saxo:'. Fedele a Carlo V combattè al suo fianco a Mülberg ottenendo il dominio di tutto lo stato.	Scritta: in alto 'Julius car: Mazzarrinus'; a tergo: 5. Rese grandi servigi alla Francia durante la minore età di Luigi XIV. Successe a Richelieu come primo ministro. Uomo di grande cultura e intelligenza, ebbe grande potenza in Francia e fama all'estero.	Scritta: in alto 'Catharina Medicis Gal Regi'. Figlio di Lorenzo duca di Urbino e nipote del Magnifico, sposò Enrico II di Francia (1533). Divenne regina nel 1547. Dopo la morte del marito fu arbitra della Francia in nome dei figli. Sua nipote Cristina sposò Ferdinando I dei Medici.

	Ic325	Ic326	Ic327	Ic328
PERSONAGGIO	Medici, Giovanni de' (1567-1621).	Medici, Gian Giacomo (1495-1555).	Medici, Piero de' (1592-1654).	Menzini, Benedetto (1646-1704).
AUTORE	Ignoto fiorentino sec. XVII.	Altissimo, Cristofano (di Papi) dell' (not: 1552-1605).	Ignoto fiorentino sec. XVII.	Ignoto fiorentino sec. XVII.
DATAZIONE	Primo quarto sec. XVII?	1590-1600.	1650 ca.	Ante 1704.
DESCRIZIONE	Olio su tavola, 58x44, cornice di noce intagliata e dorata.	Olio su tavola, 60x44, cornice di noce intagliata e dorata.	Olio su tela, 59x48, cornice marrone profilata d'oro.	Olio su tela, 61x46, cornice marrone profilata d'oro.
INVENTARIO	128 (C.P., p. 216, n. 541).	110 (C.P., p. 217, n. 523).	132 (C.P., p. 216, n. 546).	309 (C.P., p. 220, n. 823).
FOTO	251106.	228639.	251107.	249531.
NOTE	In alto: 'D. Ioannes Medices'. Figlio di Cosimo I e di Eleonora Albizi, fece carriera militare e fu anche architetto; gli si deve la fortificazione di Livorno e il disegno della Cappella dei Principi in S. Lorenzo.	Scritta: in alto 'Io: Iaco: Medice Marc Marig:'; a tergo 145, 155. Marchese di Marignano, detto il Medeghino, del ramo mediceo milanese. Comandò l'esercito mediceo-imperiale che a Monte Marciano vinse i fuorusciti fiorentini comandati da Piero Strozzi.	Scritta: in alto 'D: Petrus Medices'; a tergo: 5, 98, 9. Figlio illegittimo di Piero, figlio di Cosimo I, entrò nell'ordine dei Gerosolimitani (1612). Generale di cavalleria divenne governatore di Livorno nel 1619.	Scritta: in alto 'Benedic: us Menzini'; a tergo: 21. Poeta, discepolo di F. Redi, dedicò versi a Cosimo III dei Medici. Inimicatosi più tardi i Medici, andò a Roma dove fu assai stimato da Cristina di Svezia. Il ritratto entrò in Galleria il 1° giugno 1720 (ASF, Guard. 1260 bis, c. 122v).

 HIERON: MERCVRIALIS

 MICHAEL LANDO

 VINCENTIVS MIRABELLA

 GEORGIVS MONK

	Ic329	Ic330	Ic331	Ic332
PERSONAGGIO	Mercuriale, Girolamo (1530-1606).	Michele di Lando (1343 ca. - 1401).	Mirabella, Vincenzo (1570-1624).	Monck, George (1608-70).
AUTORE	Ignoto fiorentino sec. XVII.	Altissimo, Cristofano (di Papi) dell' (not: 1552-1605).	Ignoto fiorentino sec. XVII.	Ignoto fiorentino sec. XVII.
DATAZIONE	Sec. XVII.	1580-90.	Sec. XVII.	1690 ca.
DESCRIZIONE	Olio su tela, 60x46, cornice marrone profilata d'oro.	Olio su tavola, 60x43, con cornice di noce intagliata e dorata.	Olio su tela, 60x47, cornice marrone profilata d'oro.	Olio su tela, 60x46, cornice marrone profilata d'oro.
INVENTARIO	227 (C.P., p. 220, n. 741).	157 (C.P., p. 216, n. 570).	236 (C.P., p. 220, n. 750).	329 (C.P., p. 214, n. 843).
FOTO	251314.	251112.	251317.	251124.
NOTE	Scritta: in alto 'Hieron: Mercurialis'. Medico romagnolo. Insegnò alle Università di Padova, Bologna e Pisa. Fu archiatra Pontificio. Seguace della medicina pratica, oculista e pediatria. Il ritratto entrò in Galleria il 5 luglio 1721 (ASF, Guard. 1292, c. 33v).	Scritta: in alto 'Michael Lando'; a tergo: 50, 98, 118, 9. Fiorentino, cardatore di lana. Capo della rivolta delle arti minori contro le maggiori (Tumulto dei Ciompi) fu nominato Gonfaloniere della città (1378). Dopo tre anni di governo riformato, la parte avversa prevalse e M. si esiliò a Lucca.	Scritta: in alto 'Vincentius Mirabella'; a tergo: 17. Vincenzo Mirabella. Da identificarsi probabilmente con lo scultore palermitano, attivo negli ultimi decenni del sec. XVII. Il ritratto entrò in Galleria il 28 novembre 1719 (ASF, Guard. 1260, c. 102v).	Scritta: in alto 'Georgius Monk'; a tergo: Giorgio Monk duca di Albemarle. Generale e uomo politico inglese. Il ritratto deriva da quello di J.M. Wright, entrato in Galleria nel 1687 (inv. 1890, n. 2134), e giunse agli Uffizi il 1° dicembre 1724 (ASF, Guard. 1277, c. 149v).

 ANNAEVS MONTMORANTIVS

 FR: MONTMORANSIVS D: LVX: ET FRA: MARE

 THOMAS MORVS

 MVLEASSES REX TVNE

	Ic333	Ic334	Ic335	Ic336
PERSONAGGIO	Montmorency, Anna di (1493-1567).	Montmorency, Francesco Enrico (1595-1632).	Moro, Tommaso (1478-1535).	Muleas.
AUTORE	Altissimo, Cristofano (di Papi) dell' (not: 1552-1605).	Ignoto fiorentino sec. XVII.	Ignoto fiorentino sec. XVII.	Altissimo, Cristofano (di Papi) dell' (not: 1552-1605).
DATAZIONE	1580 ca.	1630 ca.	1600 ca.	Ante 1568.
DESCRIZIONE	Olio su tavola, 60x45, con cornice di noce intagliata e dorata.	Olio su tela, 60x45, cornice marrone con profilatura dorata.	Olio su tela, 62x47, cornice marrone profilata d'oro.	Olio su tavola, 62x45, cornice di noce intagliata e dorata.
INVENTARIO	29 (C.P., p. 217, n. 442).	36 (C.P., p. 217, n. 449).	200 (C.P., p. 214, n. 714).	4 (C.P., p. 215, n. 417).
FOTO	228644.	228651.	251305.	185622.
NOTE	Scritta: in alto 'Annaeus Montmorantius'; a tergo: 5, 145, 155. Barone e poi duca, fedelissimo alla famiglia reale del suo paese, la Francia. Ebbe grande importanza militare e politica nella lotta fra Francia e Spagna. Durante il regno di Carlo IX, ebbe qualche contrasto con Caterina de' Medici.	Scritta: in alto 'Fr: Montmoransius D: Lux: et Fra:/Mare'; a tergo: 11, 143, 131. Conquistò il Piemonte alla Francia e fu nominato maresciallo e ammiraglio. Ostile a Richelieu si accostò a Gastone d'Orleans, rivale di Luigi XIII. Fu condannato per tradimento e dacapitato.	Scritta in alto 'Thomas Morus'. Umanista e uomo politico, di vasta cultura. Raggiunse grande potenza come ministro di Enrico VIII. Oppostosi allo scisma inglese, fu accusato di tradimento e decapitato. L'opera deriva da un ritratto di Holbein ed entrò in Galleria il 1° dicembre 1724 (ASF, Guard. 1277, c. 149r).	Scritta: in alto 'Muleasses rex Tune:'; a tergo: 4; 48; 33. Si tratta di un re di Tunisia, ma non idenficato.

	Ic337	Ic338	Ic339	Ic340
PERSONAGGIO	Murad II (1403-1451).	Murad III (1546-95).	Murad IV (1612-40).	Navarra, Pietro di (1420-66).
AUTORE	Altissimo, Cristofano (di Papi) dell' (not: 1552-1605).	Altissimo, Cristofano (di Papi) dell' (not: 1552-1605).	Altissimo, Cristofano (di Papi) dell' (not: 1552-1605).	Altissimo, Cristofano (di Papi) dell' (not: 1552-1605).
DATAZIONE	Ante 1568.	1580-90.	Post 1605.	Ante 1568.
DESCRIZIONE	Olio su tavola, 60x50, cornice di noce intagliata e dorata.	Olio su tavola, 60x47, cornice di noce intagliata e dorata.	Olio su tavola, 57x44, cornice di noce intagliata e dorata.	Olio su tavola, 60x45, cornice di noce intagliata e dorata.
INVENTARIO	3056 (C.P., p. 215, n. 404).	3060 (C.P., p. 215, n. 408).	3062 (C.P., p. 215, n. 410).	52 (C.P., p. 217, n. 465).
FOTO	251284.	250890.	250891.	228626.
NOTE	Scritta: in alto 'Amurathes II'. Sultano ottomano, figlio di Maometto I, sostenne lunghe lotte contro Serbi e Ungheresi.	Scritta: in alto 'Amurathes III'; Sultano ottomano. Col suo regno iniziò il declino della potenza ottomana e furono allacciati i primi rapporti commerciali con l'Inghilterra (1589).	Scritta: in alto 'Amura IV'. Sultano ottomano. Conquistò Tabriz (1635) e Bagdad (1638) togliendola ai Persiani.	Scritta: in alto 'Petrus: Navarrus invic: cuniculorum'; a tergo: 145, I. Pietro di Navarra seguì Alfonso V di Portogallo nelle sue spedizioni di Africa. Fu dotto raccoglitore di manoscritti.

	Ic341	Ic342	Ic343	Ic344
PERSONAGGIO	Newton, Isacco (1642-1727).	Niccolò V, Papa (1397-1455).	Niccolò da Prato, card. (1250-1321).	Niccolò da Uzzano (1359-1431).
AUTORE	Ignoto fiorentino sec. XVII.	Altissimo, Cristofano (di Papi) dell' (not: 1552-1605).	Altissimo, Cristofano (di Papi) dell' (not: 1552-1605).	Altissimo, Cristofano (di Papi) dell' (not: 1552-1605).
DATAZIONE	1680 ca.	Ante 1568.	1590-1600.	1580-90.
DESCRIZIONE	Olio su tela, 60x46, cornice marrone profilata d'oro.	Olio su tavola, 59x44, cornice di noce intagliata e dorata.	Olio su tavola, 60x45, cornice di noce intagliata e dorata.	Olio su tavola, 60x44, cornice di noce intagliata e dorata.
INVENTARIO	298 (C.P., p. 220, n. 812).	2983 (C.P., p. 218, n. 331).	3025 (C.P., p. 218, n. 373).	155 (C.P., p. 221, n. 568).
FOTO	249964.	250871.	251274.	251296.
NOTE	Scritta: in alto 'Jsaacus Newton Eq. Aur.'; a tergo: 144, 154, II. Fisico e matematico inglese. La caduta di una mela dall'albero lo portò alle prime considerazioni sulla legge di gravità dei corpi. Allargò le teorie di Copernico e di Galileo. Il ritratto entrò in Galleria il 1° giugno 1720 (ASF, Guard. 1260bis, c. 122v).	Scritta: in alto 'Nicolaus V. P. M.; a tergo: 26, 34. Tommaso Parentucelli, Papa dal 1447. Grande teologo, e abile diplomatico deve la sua fama all'amore per le arti e le lettere. Il suo pontificato segna il trionfo dell'Umanesimo in Roma. Restaurò i palazzi vaticani e fece lavorare l'Angelico nella Cappella Niccolina.	Scritta: in alto 'Nicol: us Car: de Prato'; a tergo: 32, 26, 34, 10. Niccolò Albertini pratese, domenicano, fu legato di Bonifacio VIII e vicario di Roma. Cardinale nel 1303. Seguì Clemente V a Avignone e vi incoronò Enrico VII del Lussemburgo.	Scritta: in alto 'Nicolaus D. Auzzano'; a tergo: 10, 14, 34. Di nobile famiglia fiorentina, fu a più riprese gonfaloniere di Giustizia. Ricoprì altri importanti incarichi politici e diplomatici per la Repubblica fiorentina.

	Ic345	Ic346	Ic347	Ic348
PERSONAGGIO	Noris, card. Enrico (1631-1704).	Orleans, Carlo d' (1459-96).	Orleans, Gastone d' (1608-1660).	Orsini Fulvio (1529-1600).
AUTORE	Ignoto fiorentino sec. XVII.	Altissimo, Cristofano (di Papi) dell' (not: 1552-1605).	Ignoto fiorentino sec. XVII.	Ignoto fiorentino sec. XVIII.
DATAZIONE	1700 ca.	1556 ca.	Ante 1660.	1719 ca.
DESCRIZIONE	Olio su tela, 60x47, cornice marrone profilata d'oro.	Olio su tavola, 60x44, cornice di noce intagliata e dorata.	Olio su tela, 59x44, cornice marrone profilata d'oro.	Olio su tela 57x46, cornice modanata scura, sec. XVIII.
INVENTARIO	3038 (C.P., p. 218, n. 386).	26 (C.P., p. 213, n. 439).	37 (C.P., p. 214, n. 450).	225 (C.P., p. 220, n. 739).
FOTO	250886.	228220.	228223.	251313.
NOTE	Scritta: in alto 'Henricus Card: De Noris'; a tergo: Em. mo Noris 5, 2. Veronese, fu grande teologo, autore dell'"Eresia Pelagiana'. Cosimo III dei Medici lo nominò suo teologo (1674). Insigne numismatico, si occupò della raccolta del card. Leopoldo. Cfr. anche il ritratto inv. 1890, n. 2654.	Scritta: in alto 'Carolus Dux. Aureli Fra: I Gal: R: Pater.'; a tergo: 14, 2. Duca di Angoulême sposò Luisa di Savoia dalla quale ebbe Francesco I di Francia.	Scritta: in alto 'Gaston Aurelia: Dux'. Fratello di Luigi XIII, fu ostile a Richelieu e al re stesso. Contrario alla cognata Anna di Austria e al Card. Mazarino, fu, dopo la vittoria di quest'ultimo, relegato a Blois, dove morì.	In alto: 'Fulvius Ursinus'. Canonico di S. Giovanni in Laterano, bibliotecario (1558) dei Farnese, di cui aumentò le raccolte; fu collezionista anche per sé e letterato. Il ritratto entrò in galleria il 28 novembre 1719 (ASF, Guard. 1260, c. 102 v.).

	Ic349	Ic350	Ic351	Ic352
PERSONAGGIO	Orsini, Niccolò (1442-1510).	Orsini, Virginio (1572-1615).	Orsini, Virginio (m. 1496).	Paceco, card. Francesco (m. 1579).
AUTORE	Altissimo, Cristofano (di Papi) dell' (not: 1552-1605).	Ignoto fiorentino sec. XVII.	Altissimo, Cristofano (di Papi) dell' (not: 1552-1605).	Altissimo, Cristofano (di Papi) dell' (not: 1552-1605).
DATAZIONE	Ante 1568.	Primo quarto sec. XVII?	Ante 1568.	1580-90.
DESCRIZIONE	Olio su tavola, 60x45, cornice di noce intagliata e dorata.	Olio su tela, 57x41. Cornice modanata scura, sec. XVII.	Olio su tela, 58x41, cornice marrone profilata d'oro.	Olio su tavola, 60x42, cornice di noce intagliata e dorata.
INVENTARIO	99 (C.P., p. 217, n. 512).	112 (C.P., p. 217, n. 525).	89 (C.P., p. 217, n. 552).	3035 (C.P., p. 218, n. 383).
FOTO	228628.	228625.	228642.	251280.
NOTE	Scritta: in alto 'Nicolaus Ursinus co Petiliani'; a tergo: 145, 155. Conte di Pitigliano, fu celebre capitano al soldo di Firenze dopo la Congiura dei Pazzi. Fu poi al soldo degli Aragonesi contro Carlo VIII; prigioniero, riuscì a fuggire durante la Battaglia di Fornovo (1495).	In alto: 'Virginius Ursinus CI: Etr Praefe:'. Figlio di Paolo Giordano e di Isabella de' Medici, duca di Bracciano, cavaliere di S. Stefano, fu al servizio di Ferdinando I di Toscana e accompagnò in Francia Maria de' Medici sposa ad Enrico IV. Protesse Torquato Tasso.	Scritta: in alto 'Virginus Ursinus Pet Comes'; a tergo: 145. Duca di Bracciano, si ribellò contro Alessandro VI, sostenendo il futuro Giulio II. Morì prigioniero in Castel S. Angelo.	Scritta: in alto 'Fran: Car: Paceco'; a tergo: 26, 34. Fu noto cardinale spagnolo, morto a Burgos.

	Ic353	Ic354	Ic355	Ic356
PERSONAGGIO	Pagi, Antonio (1624-1690).	Pallavicino, card. Sforza (1607-67).	Palmieri, Matteo (1406-75).	Panvinio, Onofrio (1530-68).
AUTORE	Ignoto fiorentino sec. XVII.	Ignoto fiorentino sec. XVII.	Altissimo, Cristofano (di Papi) dell' (not: 1552-1605).	Ignoto fiorentino sec. XVII.
DATAZIONE	Ante 1690.	Ante 1667.	1580 ca.	1618 ca.
DESCRIZIONE	Olio su tela, 60x47, cornice marrone profilata d'oro.	Olio su tela, 60x46, cornice marrone con profilatura dorata.	Olio su tavola, 60x44, cornice di noce intagliata e dorata.	Olio su tela, 60::46, cornice marrone profilata d'oro.
INVENTARIO	283 (C.P., p. 220, n. 797).	3037 (C.P., p. 218, n. 385).	164 (C.P., p. 220, n. 577).	224 (C.P., p. 220, n. 738).
FOTO	249235.	251282.	251298.	251312.
NOTE	Scritta: in alto 'F. Antonius Pagi'; a tergo: 144, 154 ripetuta l'iscrizione. Provenzale, fu frate francescano e importante storico del suo tempo. Il ritratto entrò in Galleria il 23 febbraio 1725 (ASF, Guard. 1277, c. 154r).	Scritta: in alto 'Sfortia card: Pallavicinus'; a tergo: 3. Sfortia C. Pallavicinus. 26. Letterato, storico, teologo. Gesuita, cardinale nel 1659. Scrisse tra l'altro la tragedia Ermenigilda e la Istoria del Concilio di Trento. Il ritratto entrò in Galleria il 26 agosto 1722 (ASF, Guard. 1277, c. 74r).	Scritta: in alto 'Mattheus Palmieri'; a tergo: 34, 26. Fiorentino. Di modeste origini fu dapprima speziale, si appassionò poi agli studi umanistici. Essendo della fazione medicea gli vennero conferite cariche pubbliche.	Scritta: in alto 'Onuphrius Panvinius'. Giacomo Panvinio, veronese, divenendo agostiano assunse il nome di Onofrio. Erudito e storico, si interessò particolarmente delle antichità romane. Il ritratto entrò in Galleria il 28 novembre 1719 (ASF. Guard. 1260, c. 102v).

	Ic357	Ic358	Ic359	Ic360
PERSONAGGIO	Paoli, Pasquale (1725-1807).	Paolo II, Papa (1417-1471).	Paolo III, Papa (1468-1549).	Paolo IV, Papa (1476-1559).
AUTORE	Ignoto fiorentino sec. XVIII.	Altissimo, Cristofano (di Papi) dell' (not: 1552-1605).	Altissimo, Cristofano (di Papi) dell' (not: 1552-1605).	Altissimo, Cristofano (di Papi) dell' (not: 1552-1605).
DATAZIONE	Ante 1784.	Ante 1568.	Ante 1568.	Ante 1568.
DESCRIZIONE	Olio su tela, 63x51, cornice modanata scura, sec. XVIII.	Olio su tavola, 60x44, cornice di noce intagliata e dorata.	Olio su tavola, 60x34, cornice di noce intagliata e dorata.	Olio su tavola, 60x44, cornice di noce intagliata e dorata.
INVENTARIO	133 (C.P., p. 217, n. 546).	2986 (C.P., p. 218, n. 334).	2992 (C.P., p. 218, n. 340).	2993 (C.P., p. 218, n. 341).
FOTO	151398.	250874.	248740.	248741.
NOTE	Senza scritte e di misure più grandi del resto della serie gioviana, con la quale peraltro è esposto almeno fin dal 1784. Paoli rientrò in Corsica nel 1755 come generale dell'isola, desiderosa di indipendenza da Genova, e la resse fino al 1769: ma dovette cedere alla Francia, e passò esule a Livorno e a Londra.	Scritta: in alto 'Paulus II P. M.'; a tergo: 19, 26, 34. Pietro Barbo veneziano, papa nel 1464, nipote di Eugenio IV. Sostenne la guerra contro i Turchi che avevano occupato Costantinopoli. Fece erigere Palazzo Venezia a Roma. Protesse letterati e artisti.	Scritta: in alto 'Paulus III P. M.'; a tergo: 24, 26, 34. Alessandro Farnese Papa dal 1534. Uno dei più grandi Papi del Cinquecento, fortificò il potere temporale della Chiesa. Rese potente la sua famiglia in Roma e in Parma. Grande mecenate, fece costruire la Cappella Paolina.	Scritta: in alto 'Paulus IIII P. M.'; a tergo : 34, 25. Gianpietro Carafa Papa dal 1555. Di condotta irreprensibile, era stato rappresentante del Papa presso Enrico VIII d'Inghilterra. Fondò con S. Gaetano l'ordine dei Teatini. Fu severissimo contro gli ebrei.

	Ic361	Ic362	Ic363	Ic364
PERSONAGGIO	Paolo V, Papa (1552-1621).	Papenheim, Goffredo Enrico.	Patin, Charles (1633-94).	Don Pedro di Toledo (1484-1553).
AUTORE	Ignoto toscano sec. XVII.	Ignoto fiorentino sec. XVII.	Ignoto fiorentino sec. XVIII.	Altissimo, Cristofano (di Papi) dell' (not: 1552-1605).
DATAZIONE	Post 1605.	1650 ca?	1719 ca.	Ante 1568.
DESCRIZIONE	Tempera su tavola, 62x46, cornice nera con profilatura dorata.	Olio su tela, 61x45, cornice marrone profilata d'oro.	Olio su tela, 58x45, cornice modanata scura, sec. XVIII.	Olio su tavola, 57x45, con cornice di noce intagliata e dorata.
INVENTARIO	3000 (C.P., p. 218, n. 348).	410 (C.P., p. 217, n. 668).	291 (C.P., p. 220, n. 805).	64 (C.P., p. 217, n. 462).
FOTO	250882.	251127.	251333.	228647.
NOTE	Scritta: in alto 'Paulus V pon:max.'. Camillo Borghese, papa dal 1605. Iniziò la bonifica delle paludi pontine. Per questioni giurisdizionali lanciò l'interdetto su Venezia che fu difesa dal Sarpi (1606). Il ritratto entrò in Galleria il 26 agosto 1722 (ASF, Guard. 1277, c. 74r).	Scritta: in alto 'Got: Hen: Papenehim'; a tergo: Godefroy Henry 18, 5. Generale tedesco, combatté contro Giovanni Bannier (v. scheda); entrambi i loro ritratti entrano in Galleria il 19 agosto 1723 (ASF, Guard. 1277, c. 113v).	In alto: 'Carolus Patinus'. Studioso dapprima di diritto, poi di medicina (si laureò a Padova nel 1676), fu anche numismatico e antiquario. Il ritratto entrò in galleria il 28 novembre 1719 (ASF, Guard. 1260, c. 102v).	Scritta: in alto 'Petrus Toletanus'; a tergo: 145; 155. Figlio di Federico duca d'Alba. Vicerè di Napoli dal 1532. Sua figlia Eleonora sposò Cosimo I dei Medici. Il ritratto deriva da quello della collezione iconografica (inv. 1890, n. 2333).

	Ic365	Ic366	Ic367	Ic368
PERSONAGGIO	Perrenot, Antonio, card. de Granvelle (1517-86).	Petau, Denis (1583-1652).	Petrarca, Francesco (1304-74).	Petrucci, Pandolfo (1452-1512).
AUTORE	Ignoto fiorentino sec. XVII.	Ignoto fiorentino sec. XVII.	Altissimo, Cristofano (di Papi) dell' (not: 1552-1605).	Altissimo, Cristofano (di Papi) dell' (not: 1552-1605).
DATAZIONE	Primi sec. XVII.	Ante 1652.	Ante 1568.	Ante 1568.
DESCRIZIONE	Olio su tela, 61x46, cornice marrone con profilatura dorata.	Olio su tela, 61x47, cornice marrone profilata d'oro.	Olio su tavola, 60x44, cornice di noce intagliata e dorata.	Olio su tavola, 60x45, cornice di noce intagliata e dorata.
INVENTARIO	3027 (C.P., p. 213, n. 375).	255 (C.P., p. 220, n. 769).	144. (C.P., p. 220, n. 557).	118 (C.P., p. 217, n. 531).
FOTO	250884.	251327.	249942.	228620.
NOTE	Scritta: in alto 'Ant: us Car: Granvelan: us'; a tergo: Ant. S.R.E. PBR. Card. Granvelanus. Canonico di Liegi, vescovo di Arras, si dedicò più alla politica che alle cariche religiose. Cardinale nel 1561, fu al servizio degli Asburgo. Il ritratto entrò in Galleria il 1° giugno 1720 (ASF, Guar. 1260 bis, c. 122v).	Scritta: in alto 'Dionysius Petavius'; a tergo: 26, 341, Petavius. Noto in Italia come Petavio, teologo gesuita francese e dotto umanista. Si può considerare il principe della teologia positiva. Suo capolavoro sono i Dogmata Theologica (1644-1655). Il ritratto entrò in Galleria il 28 novembre 1719 (ASF, Guard. 1260, c. 102v).	Scritta: in alto 'Fran: us Petrarca'. Fu uno dei massimi poeti del Trecento. Visse tre anni a Avignone presso la Corte papale (1312-1315) dove conobbe Laura, ispiratrice del suo Canzoniere. Morì ad Arquà nel Veneto. Fu anche grande latinista.	Scritta in alto 'Pandulphus Petrucci'. Da condottiero divenne signore di Siena. Con l'appoggio del re di Francia riuscì a sfuggire alle insidie di Cesare Borgia e alla morte di Alessandro VI consolidò il suo potere.

Ic369

Ic370

Ic371

Ic372

PERSONAGGIO	Piccinino, Niccolò (1386-1444).	Piccolomini, Ottavio duca d'Amalfi (1600-56).	Pico della Mirandola, Giovanni (1463-94).	Pio II, Papa (1405-64).
AUTORE	Altissimo, Cristofano (di Papi) dell' (not: 1552-1605).	Ignoto fiorentino sec. XVII.	Altissimo, Cristofano (di Papi) dell' (not: 1552-1605).	Altissimo, Cristofano (di Papi) dell' (not: 1552-1605).
DATAZIONE	Ante 1568.	Ante 1656.	Ante 1568.	1566-68.
DESCRIZIONE	Olio su tavola, 60x44, cornice di noce intagliata e dorata.	Olio su tela, 61x47, cornice marrone profilata d'oro.	Olio su tavola, 59x45, cornice di noce intagliata e dorata.	Olio su tavola, 60x45, cornice di noce intagliata e dorata.
INVENTARIO	91 (C.P., p. 217, n. 504).	131 (C.P., p. 217, n. 544).	193 (C.P., p. 220, n. 707).	2985 (C.P., p. 218, n. 333).
FOTO	228624.	101961.	229227.	250873.
NOTE	Scritta: in alto 'Nicolaus Picininus'; a tergo: 145, 155. Fu uno dei più famosi condottieri del Quattrocento. Rivale e alleato di Francesco Sforza, fu con lui sconfitto a Maclodio (1427) dal Carmagnola.	Scritta: in alto 'Octavi: Piccolomini D: Amal'. Grande generale, combattè con l'Austria nella Guerra dei Trent'anni, riportando numerose vittorie. Onorato e ampiamente ricompensato ebbe il titolo di Principe dell'Impero (1654).	Scritta: in alto 'Ioan. Picus Mirandula'; Figlio minore dei conti della Mirandola. Dopo un soggiorno in Francia, si stabilì definitivamente a Firenze, invitato e protetto da Lorenzo il Magnifico.	Scritta: in alto 'Pius II P.M.'; a tergo: 26, 34, 99, 18. Enea Silvio Piccolomini senese, papa dal 1458. Fu grande umanista e protettore di artisti e letterati. Per suo ordine l'architetto Rossellino diede nuovo assetto rinascimentale a Corsignano, sua città natale, che prenderà il nome di Pienza.

Ic373

Ic374

Ic375

Ic376

PERSONAGGIO	Pio IV, Papa (1499-1565).	Pio V, Papa (1504-72).	Pirro, re d'Epiro (sec. IV-II a.C.).	Pitti, Luca (1395 - post 1464)
AUTORE	Altissimo, Cristofano (di Papi) dell' (not: 1552-1605).	Altissimo, Cristofano (di Papi) dell' (not: 1552-1605).	Altissimo, Cristofano (di Papi) dell' (not: 1552-1605).	Altissimo, Cristofano (di Papi) dell' (not: 1552-1605).
DATAZIONE	Ante 1568.	Ante 1568.	1566-70.	Ante 1568.
DESCRIZIONE	Olio su tavola, 60x45, cornice di noce intagliata e dorata.	Olio su tavola, 60x45, cornice di noce intagliata e dorata.	Olio su tavola, 61x45, cornice di noce intagliata e dorata.	Olio su tavola, 59x45, cornice di noce intagliata e dorata.
INVENTARIO	2994 (C.P., p. 218, n. 342).	2995 (C.P., p. 218, n. 343).	3045 (C.P., p. 214, n. 393).	150 (C.P., p. 216, n. 563).
FOTO	248742.	248743.	248745.	251111.
NOTE	Scritta: in alto 'Pius IIII P.M.'; a tergo: 21, 26, 33. Giovangelo Medici di Marignano, papa dal 1559). Zio di S. Carlo Borromeo. Mantenne buoni rapporti con la Francia e con l'Austria. Ridusse i poteri dell'Inquisizione. Riaprì il Concilio di Trento (1564). Protesse gli artisti e iniziò la costruzione di S. Maria degli Angeli.	Scritta: in alto 'D. Pius V P. M.'; a tergo: 34, 26. Michele Ghisleri, domenicano Papa dal 1566. Fu uomo di grande austerità e severità di costumi. Cercò di attuare i principi del concilio di Trento. Moralizzatore della Corte Pontificia, abolì il nepotismo. Fu canonizzato nel 1712.	Scritta: in alto 'Pyrrus Rex Epi:'; a tergo: 25, 33, 135. Regnò in Epiro dal 319 al 272 a.C. Combattè Roma usando gli elefanti e la sconfisse a Ascoli di Puglia, subendo però gravi perdite (vittoria di Pirro). Nel 275 Curio Dentato lo sconfisse definitivamente a Benevento.	Scritta: in alto 'Lucas Pitti'; a tergo: 11, 98, 2, 108, 111. Di nobile famiglia fiorentina, fu amico e consigliere di Cosimo il Vecchio dei Medici. La sua ricchezza gli permise di iniziare la costruzione del Palazzo che porta ancora il nome della famiglia.

	Ic377	Ic378	Ic379	Ic380
PERSONAGGIO	Platina, Bartolommeo Sacchi, detto il (1421-81).	Pletone, Giorgio Gemisto (1355-1450).	Poliziano, Agnolo (1454-94).	Polo, card. Reginaldo 1500-58).
AUTORE	Altissimo, Cristofano (di Papi) dell' (not: 1552-1605).	Altissimo, Cristofano (di Papi) dell' (not: 1552-1605).	Altissimo, Cristofano (di Papi) dell' (not: 1552-1605).	Altissimo, Cristofano (di Papi) dell' (not: 1552-1605).
DATAZIONE	Ante 1568.	1570 ca.	1566-68.	1570-80.
DESCRIZIONE	Olio su tavola, 60x44, cornice di noce intagliata e dorata.	Olio su tavola, 61x45, cornice di noce intagliata e dorata.	Olio su tavola, 60x45, cornice di noce intagliata e dorata.	Olio su tavola, 60x43, con cornice di noce intagliata e dorata.
INVENTARIO	166 (C.P., p. 220, n. 579).	312 (C.P., p. 220, n. 826).	191 (C.P., p. 220, n. 705).	3021 (C.P., p. 218, n. 369).
FOTO	251300.	251334.	250857.	122180.
NOTE	Scritta: in alto 'Platina'; a tergo: 26, 23, 34. Cremonese, umanista e storico. Amico degli umanisti fiorentini che si adunavano presso Lorenzo dei Medici. Con Sisto IV divenne Bibliotecario Vaticano.	Scritta: in alto 'Plato'. Filosofo greco, consigliere di Giovanni VIII Paleologo durante il Concilio di Firenze (1439). Egli vagheggiava l'unità universale delle chiese.	Scritta: in alto 'Ange: us Politianus'; a tergo: 34, 22, 9. Angelo Ambrogini detto il Poliziano, è uno dei maggiori rappresentanti della cultura umanistica fiorentina nella cerchia di Lorenzo il Magnifico. Le sue opere più note sono Le Stanze e l'Orfeo.	Scritta: in alto 'Reginaldus Card: Polo'; a tergo: 10, 26, 34, 24. Veneziano, canonista. Fece parte dei Cardinali che condussero le trattative sul divorzio di Enrico VIII d'Inghilterra.

	Ic381	Ic382	Ic383	Ic384
PERSONAGGIO	Pontano, Giovanni Gioviano (1429-1503).	Puccini, Tommaso (1749-1811).	Pulci, Luigi (14332-1484).	Ray, John (1627-1705).
AUTORE	Altissimo, Cristofano (di Papi) dell' (not: 1552-1605).	Ignoto fiorentino sec. XVIII-XIX.	Altissimo, Cristofano (di Papi) dell' (not: 1552-1605).	Ignoto fiorentino sec. XVII.
DATAZIONE	Ante 1568.	1815 ca.	Ante 1568.	Sec. XVII.
DESCRIZIONE	Olio su tavola, 60x44, cornice di noce intagliata e dorata.	Olio su tela, 60x45, cornice marrone profilata d'oro.	Olio su tavola, 60x56, cornice di noce intagliata e dorata.	Olio su tela, 60x44, cornice marrone profilata d'oro.
INVENTARIO	249 (C.P., p. 220, n. 763).	314 (C.P., p. 220, n. 828).	171 (C.P., p. 220, n. 284).	301 (C.P., p. 220, n. 815).
FOTO	251323.	249250.	249945.	249244.
NOTE	Scritta: in alto 'Ioannes Iovianus Pontanus'; a tergo: 34, 26. Umanista, poeta, uomo politico. Fu sempre fedelmente al servizio degli Aragonesi a Napoli, ricoprendo importanti cariche. Scrisse il De Bello Napoletano.	Scritta: in basso 'Thomas Puccinius Praefectus musei flor'. Pistoiese, fu direttore della Galleria degli Uffizi dal 1793 al 1815. Si oppose fermamente alle spoliazioni Napoleoniche. Il ritratto è un dono del direttore degli Uffizi Giovanni Degli Alessandri ed entrò in Galleria il 17 novembre 1813 (AGF, ms. 114, c. 97r).	Scritta: in alto 'Aloysius Pulci'; a tergo: 144, 154, 27. Dal 1460 per assiduo di Casa Medici, protetto dalla madre del Magnifico, Lucrezia Tornabuoni. Scrisse il Morgante in quel periodo. Ebbe poi vita avventurosa esule da Firenze, a Milano, a Venezia, a Padova dove morì.	Scritta in alto 'Joannes Raius'; a tergo: si ripete l'iscrizione 144-154. Naturalista inglese autore del 'Methodus Plantarum Nova' (1682) e considerato padre della storia naturale in Inghilterra anche per il suo importante metodo di classificazione. Il ritratto entrò in Galleria il 5 luglio 1721 (ASF, Guard. 1292, c. 33v).

	Ic385	Ic386	Ic387	Ic388
PERSONAGGIO	Redi, Francesco (1626-1698).	Riario, card. Pietro (1445-74).	Richelieu, A. Jean Duplessis de (1585-1642).	Ridolfi, Lorenzo (m. 1492).
AUTORE	Ignoto fiorentino sec. XVII.	Altissimo, Cristofano (di Papi) dell' (not: 1552-1605).	Altissimo, Cristofano (di Papi) dell' (not: 1552-1605).	Altissimo, Cristofano (di Papi) dell' (not: 1552-1605).
DATAZIONE	Ante 1698.	Ante 1568.	Post 1599.	1580-90.
DESCRIZIONE	Olio su tela, 60x45, cornice marrone profilata d'oro.	Olio su tavola, 60x45, cornice di noce intagliata e dorata.	Olio su tela, 60x45, cornice di noce intagliata e dorata.	Olio su tavola, 59x43, cornice di noce intagliata e dorata.
INVENTARIO	286 (C.P., p. 220, n. 800).	3011 (C.P., p. 218, n. 358).	3033 (C.P., p. 214, n. 381).	181 (C.P., p. 220, n. 695).
FOTO	177263.	251265.	251278.	251302.
NOTE	Scritta: in alto 'Franc:s Redi', a tergo: 144, 154. Medico e scienziato, fu anche letterato, flautista e schermidore. Fu tra i promotori dell'Accademia del Cimento. Famoso è il suo Bacco in Toscana. Godé la fiducia dei principi Medicei.	Scritta: in alto 'F. Petrus Car: Riario', a tergo: 36, 26, 14, 34. Fratello di Girolamo, uno dei capi della Congiura dei Pazzi, fu cardinale di Firenze (1473). Condusse una vita splendida, mondana e disordinata. Fu notevole mecenate.	Scritta: in alto 'Armandus cardin: De Richelieu'. Cardinale e uomo di stato francese, sostenne la politica di Luigi XIII contro la madre Maria dei Medici. Rialzò enormemente il prestigio della Francia. Fu soprattutto grande politico.	Scritta: in alto 'Lauren: us Ridolfi'; a tergo: 3, 26. Di nobile famiglia fiorentina, fu giurecosulto e occupò importanti cariche pubbliche presso la Repubblica Fiorentina. Fu ambasciatore di Firenze in tutte le regioni italiane, ma particolarmente a Venezia.

	Ic389	Ic390	Ic391	Ic392
PERSONAGGIO	Roberto, re di Napoli (1278-1343).	Rodolfo II d'Asburgo (1552-1612).	Rondinelli, Francesco (1589-1669).	Rosselana (sec. XVI).
AUTORE	Altissimo, Cristofano (di Papi) dell' (not: 1552-1605).	Ignoto fiorentino sec. XVI.	Ignoto fiorentino sec. XVII.	Altissimo, Cristofano (di Papi) dell' (not: 1552-1605).
DATAZIONE	Ante 1568.	Post 1575.	Ante 1669.	1556.
DESCRIZIONE	Olio su tavola, 60x44, cornice di noce intagliata e dorata.	Olio su tela, 61x45, cornice nera con profilatura dorata.	Olio su tela, 60x46, cornice marrone profilata d'oro.	Olio su tavola, 60x44, cornice di noce intagliata e dorata.
INVENTARIO	61 (C.P., p. 214, n. 474).	336 (C.P., p. 214, n. 594).	257 (C.P., p. 220, n. 771).	14 (C.P., p. 215, n. 427).
FOTO	226224.	248723.	325039.	250848.
NOTE	Scritta: in alto 'Robertus rex Neap.'; a tergo: 13, 25, 334. Fu proclamato re di Napoli (1297) dopo la rinuncia del fratello Ludovico poi santificato. Dopo la morte dell'imperatore Enrico VII (1310) divenne capo dei Guelfi.	Scritta: in alto 'Rodulphus II imp.'. Imperatore nel 1576. Tentò di applicare nel suo regno la Controriforma e combatté contro i Turchi. Dichiarato malato mentale gli succede il fratello Mattia (1619). Questi ritratti di entrambi entrano in Galleria il 19 agosto 1723 (ASF, Guard. 1277, c. 113v). 1391	Scritta: in alto 'Franciscus Rondinelli'; a tergo: 154, 144. Letterato, fiorentino, fu bibliotecario del Granduca Ferdinando II. Formulò il programma delle decorazioni ad affresco eseguito da Pietro da Cortona in Palazzo Pitti. Il ritratto entra in Galleria il 28 novembre 1719 (ASF, Guard. 1260, c. 102v).	Scritta: in alto 'Roxolanes Sol: Uxor'; a tergo: 26, 33. Khurrem Sultàn detta Rosselana, fu la moglie di Solimano il magnifico.

	Ic393	Ic394	Ic395	Ic396
PERSONAGGIO	Rucellai, Orazio (m. 1605).	Ruyter, Michele de (1607-76).	Sadoleto, card. Jacopo (1477-1547). 1547).	Saladino (1138-1193).
AUTORE	Ignoto fiorentino sec. XVII.	Ignoto fiorentino sec. XVII.	Altissimo, Cristofano (di Papi) dell' (not: 1552-1605).	Altissimo, Cristofano (di Papi) dell' (not: 1552-1605).
DATAZIONE	Ante 1605.	Ante 1676.	Ante 1568.	Ante 1568.
DESCRIZIONE	Olio su tela, 60x46, con cornice marrone profilata d'oro.	Olio su tela, 59x47, cornice marrone profilata d'oro.	Olio su tavola, 60x45, cornice di noce intagliata e dorata.	Olio su tavola, 60x45, cornice di noce intagliata e dorata.
INVENTARIO	266 (C.P., p. 220, n. 780).	421 (C.P., p. 217, n. 679).	3034 (C.P., p. 218, n. 382).	15 (C.P., p. 215, n. 428).
FOTO	249232.	251129.	251279.	251230.
NOTE	Scritta: in alto 'Horatius Rucellai'; a tergo: 14, 144, 26, 154. Della nobile famiglia fiorentina, avverso ai Medici, visse presso Caterina di Francia I, quando rientrò a Firenze. Maestro di camera del Granduca. Il ritratto entrò in Galleria il 1° giugno 1720 (ASF, Guard. 1260 bis, c. 122v).	Scritta: in alto 'Michael Ruyter Cla. Batavicae Praefe'; a tergo: 145, 13. Ammiraglio olandese, alleato della Spagna nel Mediterraneo, combatté contro la flotta inglese. Fu sconfitto e ucciso in una battaglia presso le coste della Sicilia.	Scritta: in alto 'Iacobus Card: Sadoleto'; a tergo: 34, 26. Umanista, scrittore, pedagogista. Fu segretario di Leone X. Da Clemente VII ebbe delicati incarichi in Spagna e in Francia. Cardinale nel 1536, fu membro autorevole del concilio di Trento. Lasciò numerosi scritti di profonda cultura.	Scritta: in alto 'Saladinus'. Primo sultano della dinastia ayyubite d'Egitto. Vinse Guido di Lusignano che gli aprì le porte di Gerusalemme (1187).

	Ic397	Ic398	Ic399	Ic400
PERSONAGGIO	Salmaise, Claude (1858-1653).	Salutati, Coluccio (1331-1406).	Salviati, Leonardo (1510-63).	Salvini, Antonio M. (1653-1729).
AUTORE	Ignoto fiorentino sec. XVII.	Altissimo, Cristofano (di Papi) dell' (not: 1552-1605).	Ignoto fiorentino sec. XVII.	Ignoto fiorentino sec. XVII.
DATAZIONE	Ante 1653.	1580-90.	Ante 1600.	1700 ca.
DESCRIZIONE	Olio su tela, 59x46, cornice marrone profilata d'oro.	Olio su tavola, 60x42, cornice di noce intagliata e dorata.	Olio su tela, 61x47, con cornice marrone profilata d'oro.	Olio su tela, 60x46, cornice marrone profilata d'oro.
INVENTARIO	273 (C.P., p. 220, n. 787).	152 (C.P., p. 220, n. 565).	231 (C.P., p. 220, n. 745).	303 (C.P., p. 220, n. 817).
FOTO	249234.	251294.	251316.	249245.
NOTE	Scritta: in alto 'Claudius Salmasius'; a tergo: 154, 144. Erudito e filologo francese noto in Italia come 'Salmasio'. Si deve a lui la scoperta dell'Antologia Palatina (Heidelberg). Si occupò anche di questioni teologiche. Il ritratto entrò in Galleria il 28 novembre 1719 (ASF, Guard. 1260, c. 102v).	Scritta: in alto 'Coluccius Salutati'; a tergo: 26, 34, 12, 14. Umanista, letterato, uomo politico, fu in contatto anche col Petrarca. Appoggiò il tumulto dei Ciompi e fu considerato il primo Cancelliere di tendenze liberali.	Scritta: in alto 'Leonardus Salviati'. Umanista e filologo, fu uno dei principali promotori dell'Accademia della Crusca, nella quale assunse il nome di Infarinato. Compose rime e le due commedie il Granchio e la Spina. Il ritratto entrò in Galleria il 5 luglio 1721 (ASF, Guard. 1292, c. 33v).	Scritta: in alto 'Anton: us M: Salvini'; a tergo: 144, 19, 31. Nato a Firenze. Letterato, poliglotta, insegnò nello Studio Fiorentino. Rimò sonetti e scrisse prose sacre e profane. Il ritratto entrò in Galleria il 29 ottobre 1729 (ASF, Guard. 1350, c. 13r).

	Ic401	Ic402	Ic403	Ic404
PERSONAGGIO	Sannazaro, Jacopo (1456-1530).	Scaligero, Giulio Cesare (1484-1558).	Scaligero, Giuseppe Giusto (1540-1609).	Scanderbeg, Giorgio (1403-68).
AUTORE	Altissimo, Cristofano (di Papi) dell' (not: 1552-1605).	Ignoto fiorentino sec. XVII.	Ignoto fiorentino sec. XVII.	Altissimo, Cristofano (di Papi) dell' (not: 1552-1605).
DATAZIONE	1566-68.	1600 ca.	1600 ca.	Ante 1568.
DESCRIZIONE	Olio su tavola, 59x45, cornice di legno intagliata e dorata.	Olio su tela, 60x46, cornice marrone profilata d'oro.	Olio su tela, 60x46, cornice marrone profilata d'oro.	Olio su tavola, 60x45, cornice di noce intagliata e dorata.
INVENTARIO	192 (C.P., p. 220, n. 706).	203 (C.P., p. 220, n. 717).	230 (C.P., p. 220, n. 744).	16 (C.P., p. 215, n. 429).
FOTO	143368.	249515.	249518.	250849.
NOTE	Scritta: in alto 'Jacobus Sannazaro'. Umanista e poeta. Fedele alla corte Aragonese fu autore di numerose rime e dell'Arcadia.	Scritta: in alto 'Iul: Caesar Scaliger'; a tergo 'Iulius Caesar 144154'. Medico, naturalista di grande fama e letterato. Ritenendosi discendente degli Scaligeri cambiò il suo primitivo cognome Bordon. Il ritratto entrò in Galleria il 28 novembre 1719 (ASF, Guard. 1260, c. 102v).	Scritta: in alto 'Iose:s Iustus Scaliger'. Figlio di Giulio Cesare nato in Francia. Dotto in numerose lingue e in diritto romano, divenne calvinista dopo la notte di S. Bartolommeo (1572) e si rifugiò in Svizzera. Il ritratto entrò in Galleria il 5 luglio 1721 (ASF, Guard. 1292, c. 33v).	Scritta: in alto 'Georgius Scanderbek'. Nome greco di G. Castriota. Principe albanese, prima attivo nell'esercito turco, fu poi a capo della rivolta del suo paese contro il dominio turco.

	Ic405	Ic406	Ic407	Ic408
PERSONAGGIO	Scipione l'Africano (237-183 a. C.).	Scolari, Filippo (Pippo Spano) (1369-1426).	Scoto Eriugena, Giovanni (810-877).	Sebastiano, re di Portogallo (1554-78).
AUTORE	Altissimo, Cristofano (di Papi) dell' (not: 1552-1605).	Altissimo, Cristofano (di Papi) dell' (not: 1552-1605).	Altissimo, Cristofano (di Papi) dell' (not: 1552-1605).	Altissimo, Cristofano (di Papi) dell' (not: 1552-1605).
DATAZIONE	1566-70.	1566-68.	Ante 1568.	1580-90.
DESCRIZIONE	Olio su tavola, 60x44, cornice di noce intagliata e dorata.	Olio su tavola, 60x43, cornice di noce intagliata e dorata.	Olio su tavola, 59x44, cornice di noce intagliata e dorata.	Olio su tavola, 57x43, cornice di noce intagliata e dorata.
INVENTARIO	3048 (C.P., p. 214, n. 396).	83 (C.P., p. 216, n. 496).	139 (C.P., p. 220, n. 552).	58 (C.P., p. 214, n. 471).
FOTO	248748.	228653.	2511234.	251289.
NOTE	Scritta: in alto 'Scipio: Africanus M'; a tergo: 'V.F. 33, 35'. Grande generale, partecipò alle più importante imprese della Roma repubblicana. Fu sua somma gloria avere definitivamente sconfitto Annibale a Zama, donde il nome di Africano.	Scritta: in alto 'Philippus Scolari'; a tergo: 108, 93, 496. Condottiero italiano al servizio dell'Ungheria. Sigismondo di Lussemburgo gli affidò la spedizione contro Venezia, alla quale tolse Aquileia e Udine. Morì in Ungheria.	Scritta: in alto 'Scotus'; a tergo: 34, 26. Filosofo scolastico irlandese. Fu sospettato di eresia, dal papa Niccolò I, ma l'importanza della sua attività speculativa è comprovata dai suoi scritti: De divina Predestinatione (851), De divisione Naturae (866).	Scritta: in alto 'Sebastianus Lusi: Rex'; a tergo: 33, 23. Fu re del Portogallo nel 1568. Di viva intelligenza, combatté sempre in difesa della Fede. Morì combattendo per conquistarsi il dominio nell'Africa del Nord.

	Ic409	Ic410	Ic411	Ic412
PERSONAGGIO	Selim I (1467-1520).	Selim II (1524-74).	Sforza, card. Ascanio (1455-1505).	Sforza, Francesco (1401-66).
AUTORE	Altissimo, Cristofano (di Papi) dell' (not: 1552-1605).	Altissimo, Cristofano (di Papi) dell' (not: 1552-1605).	Altissimo, Cristofano (di Papi) dell' (not: 1552-1605).	Altissimo, Cristofano (di Papi) dell' (not: 1552-1605).
DATAZIONE	1580 ca.	Ante 1568.	Ante 1568.	Ante 1568.
DESCRIZIONE	Olio su tavola, 60x46, cornice di noce intagliata e dorata.	Olio su tavola, 60x43, cornice di noce intagliata e dorata.	Olio su tavola, 60x44, cornice di noce intagliata e dorata.	Olio su tavola, 60x44, cornice di noce intagliata e dorata.
INVENTARIO	3057 (C.P., p. 215, n. 405).	3059.	3024 (C.P., p. 218, n. 372).	92 (C.P., p. 216, n. 505).
FOTO	250888.	251285.	251273.	250262.
NOTE	Scritta: in alto 'Selimus I'; a tergo: 35. Detto il Crudele, detronizzò il padre Bajazet II (1512) e lo fece morire. Ingrandì l'impero ottomano, ma fu anche poeta e lasciò un canzoniere in persiano.	Scritta: in alto 'Selimus II'; a tergo: 35, 25. Detto l'Ubriaco, fu poco amante delle imprese guerriere e con lui ebbe inizio la decadenza dell'impero Ottomano anche se tolse Cipro a Venezia (1570-73).	Scritta: in alto 'Ascan: us car. Sforza'; a tergo: 34, 26, 15. Fratello di Lodovico il Moro, fu imprigionato anch'egli dai Francesi, ma poi liberato. Fu prodigo mecenate e abile uomo politico.	Scritta: in alto 'Franci: Sfortia D: Med: ; a tergo: 98, 9, 108,78. Condottiero prima dei Veneziani, poi dai Visconti. Alla morte di Filippo Maria, dopo aspre lotte, si proclamò duca di Milano (1450). Mecenate, si deve a lui la costruzione del Castello e dell'Ospedale Maggiore di Milano.

	Ic413	Ic414	Ic415	Ic416
PERSONAGGIO	Sforza, Francesco II (1495-1535).	Sforza, Galeazzo Maria (1444-76).	Sforza, Lodovico detto il Moro (1452-1508).	Sforza, Muzio Attendolo (1369-1424).
AUTORE	Ignoto fiorentino sec. XVII.	Altissimo, Cristofano (di Papi) dell' (not: 1552-1605).	Altissimo, Cristofano (di Papi) dell' (not: 1552-1605).	Altissimo, Cristofano (di Papi) dell' (not: 1552-1605).
DATAZIONE	Post 1600.	Ante 1568.	1556.	Ante 1568.
DESCRIZIONE	Olio su tela, 60x47, cornice marrone profilata d'oro.	Olio su tavola, 59x44, cornice di noce intagliata e dorata.	Olio su tavola, 60x44, cornice di noce intagliata e dorata.	Olio su tavola, 60x45, cornice di noce intagliata e dorata.
INVENTARIO	102 (C.P., p. 216, n. 515).	96 (C.P., p. 216, n. 509).	101 (C.P., p. 216, n. 514).	84 (C.P., p. 217, n. 497).
FOTO	228622.	228599.	228600.	228601.
NOTE	Scritta: in alto 'Franc: II Sfortia Med: Dux ultimus'; a tergo si ripete l'iscrizione. Ultimo degli Sforza, figura di scarso rilievo, viene più volte deposto e rimesso sul trono. Il Ducato di Milano alla sua morte viene incorporato nei possedimenti di Carlo V. Il ritratto entrò in Galleria il 9 novembre 1725 (ASF, Guard. 1292, c. 224v).	Scritta: in alto 'Galeacius M: Sfortia Med: Dux.'; a tergo: 95, 16. Figlio di Francesco Grande amante delle arti e mecenati, fu però uomo corrotto e crudele. Fu assassinato nella chiesa di S. Stefano a Milano a opera di congiurati. Il ritratto deriva da quello del Pollaiolo ora agli Uffizi.	Scritta: in alto 'Ludovicus Sfortia Medi: Dux'; a tergo: 15, 75, 108, 98. Figlio di Francesco divenne duca di Milano alla morte del nipote G. Galeazzo (1494). Presto in lotta con Luigi XII di Francia fu da lui sconfitto e preso prigioniero (1500). Fu uomo di grande ingegno e generoso mecenate.	Scritta: in alto 'Sfortia'; a tergo: 14, 108. Romagnolo, capitano di ventura agli ordini di Alberico da Barbiano. Il suo figliolo maggiore Francesco fu il primo signore di Milano. Morì annegato nel fiume Pescara.

	Ic417	Ic418	Ic419	Ic420
PERSONAGGIO	Sigismondo I di Polonia (1467-1548).	Sigonio, Carlo (1524-84).	Sirmondo, Iacopo (1559-1651).	Sisto IV, Papa (1414-1484).
AUTORE	Altissimo, Cristofano (di Papi) dell' (not: 1552-1605).	Ignoto fiorentino sec. XVII.	Ignoto fiorentino sec. XVII.	Altissimo, Cristofano (di Papi) dell' (not: 1552-1605).
DATAZIONE	Ante 1568.	1600 ca.	Ante 1651.	Ante 1568.
DESCRIZIONE	Olio su tavola, 58x44, cornice di noce intagliata e dorata.	Olio su tela, 60x44, cornice marrone profilata d'oro.	Olio su tela, 61x47, cornice marrone profilata d'oro.	Olio su tavola, 60x45, cornice di noce intagliata e dorata.
INVENTARIO	412 (C.P., p. 214, n. 670).	222 (C.P., p. 220, n. 736).	243 (C.P., p. 220, n. 757).	2987 (C.P., p. 218, n. 335).
FOTO	251338.	2491517.	249522.	250875.
NOTE	In alto: 'Sigismundus III Polo: Rex'. È invece il primo del nome, figlio di Casimiro Jagellone e di Elisabetta d'Asburgo, re di Polonia dal 1506. Sposò nel 1518 Bona Sforza. Il ritratto deriva probabilmente dall'effigie di Hans von Kulmbach nell'Omaggio dei tre re del museo di Berlino.	Scritta: in alto 'Carolus Sigonius'; a tergo: 144, 154. Carolus Sigonius. Storico ed erudito. La sua fama sopravvive nelle opere: De regno Italiae Libri XX (1579) e Historiarum de Occidentali Imperium (1577). Il ritratto entra in Galleria il 5 luglio 1721 (ASF, Guard. 1292, c. 33v).	Scritta: in alto 'Jacobus Sirmondus'; a tergo: 144, 154, 77, 9, 7 Sirmondo. Nome italianizzato dal gesuita francese Jacques Sirmon. Fu a Roma segretario generale dell'Ordine (1590-1608). Confessore di Luigi XIII. Il ritratto entrò in Galleria il 28 novembre 1719 (ASF, Guard. 1260, c. 102v).	Scritta: in alto 'Sistus IIII P. M.'; a tergo: 26, 34. Francesco della Rovere, Papa dal 1471. Grande nepotista. Scomunicò i fiorentini che avevano impiccato i congiurati dei Pazzi dopo l'uccisione di Giuliano dei Medici.

   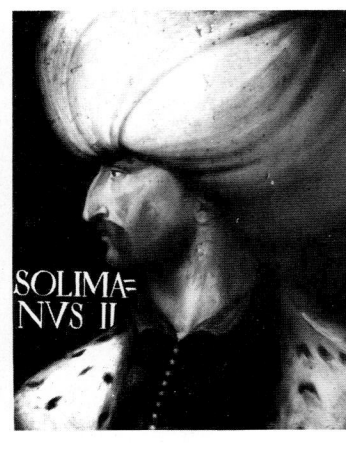

	Ic421	Ic422	Ic423	Ic424
PERSONAGGIO	Sisto V, Papa (1520-90).	Soderini, Piero (1452-1522).	Sofia di Hannover regina di Prussia (1685-1757).	Solimano II (1495-1566).
AUTORE	Ignoto fiorentino sec. XVII.	Altissimo, Cristofano (di Papi) dell' (not: 1552-1605).	Ignoto fiorentino sec. XVII.	Altissimo, Cristofano (di Papi) dell' (not: 1552-1605).
DATAZIONE	Post 1585.	1570 ca.	Ante 1706.	Ante 1568.
DESCRIZIONE	Olio su tela, 60x46, cornice marrone con profilatura dorata.	Olio su tavola, 60x45, cornice di noce intagliata e dorata.	Olio su tela, 60x46, cornice nera con profilatura dorata.	Olio su tavola, 58x45, cornice di noce intagliata e dorata.
INVENTARIO	2997 (C.P., p. 218, n. 345).	187 (C.P., p. 216, n. 701).	355 (C.P., p. 214, n. 613).	3051 (C.P., p. 215, n. 399).
FOTO	250879.	250275.	324961.	185628.
NOTE	Scritta: in alto 'Sixtus V. Pon: Max'; a tergo: 4. Felice Peretti di umili origini, regnò dal 1585. Proveniva dall'ordine dei francescani. Fu sostenitore della Controriforma e riformatore dei costumi corrotti del clero. Favorì la conversione di Enrico IV. Il ritratto entrò in Galleria il 26 agosto 1722 (ASF, Guard. 1277, c. 74r).	Scritta: in alto 'Petrus Soderini'; a tergo: 12, 98, 108. Di nobile famiglia fiorentina. Dopo la cacciata dei Medici fu per dieci anni Gonfaloniere della Repubblica. A seguito del ritorno dei Medici (1512) fu costretto all'esilio e morì a Roma.	Scritta: in alto 'Prsa. Sophia electrice'. Sorella di Giorgio II d'Inghilterra, sposa Federico Guglielmo I di Prussia (m. 1740). Il ritratto entrò in Galleria il 23 febbraio 1725 (ASF, Guard. 1277, c. 154r).	Scritta: in basso 'Solimanus II'. Detto il Magnifico, figlio di Selim I, attaccò e conquistò l'Ungheria dopo avere esteso il suo dominio alla Persia (1524).

656

	Ic425	Ic426	Ic427	Ic428
PERSONAGGIO	Spanheim, Ezechiel (1629-1710).	Speroni, Sperone (1500-88).	Spinola, Ambrogio (1569-1630).	Stefano Bathory, re di Polonia (1533-1586).
AUTORE	Ignoto fiorentino sec. XVIII.	Ignoto fiorentino sec. XVII.	Ignoto fiorentino sec. XVII.	Altissimo, Cristofano (di Papi) dell' (not: 1552-1605).
DATAZIONE	1718 ca.	1600 ca.	Ante 1630.	1587 ca.
DESCRIZIONE	Olio su tela, 57x45. Cornice bruna profilata d'oro, sec. XVIII.	Olio su tela, 60x58, cornice marrone profilata d'oro.	Olio su tela, 61x47, cornice marrone profilata d'oro.	Olio su tavola, 59x42, cornice di noce intagliata e dorata.
INVENTARIO	287 (C.P., p. 220, n. 801).	214 (C.P., p. 220, n. 728).	129 (C.P., p. 217, n. 542).	411 (C.P., p. 213, n. 669).
FOTO	251331.	249228.	250271.	251337.
NOTE	In alto: 'Ezechiel Spanemius'. Erudito tedesco, formatosi a Leida: soggiornò anche in Italia dove frequentò Cristina di Svezia. In servizio alla corte del Palatinato, per cui fu anche ambasciatore, fu bibliofilo e antiquario. Questo suo ritratto entrò in galleria il 16 marzo 1718.	Scritta: in alto 'Sperone Speroni'; a tergo: 805, 272. Erudito, critico, oratore e poeta. Fu alla corte di Urbino e in Vaticano. Compose liriche, orazioni, discorsi sulla Commedia, sull'Eneide, sull'Orlando Furioso. La sua opera principale è il Dialogo sulla retorica.	Scritta: in alto 'Ambrosius Spinula'. Uno dei più illustri capitani del sec. XVII. Al servizio del Re di Spagna (1599), fu nominato governatore dei Paesi Bassi (1603). Fu governatore di Milano (1629-30). Il ritratto entrò in Galleria il 13 novembre 1723 (ASF, Guard. 1292, c. 113v).	Scritta: in alto 'Stephan Battori Pol: Rex'. Re dal 1571, fu uno dei più grandi sovrani polacchi, contrapposto alla potenza russa. Riorganizzò l'esercito di cui fu eccellente capo.

	Ic429	Ic430	Ic431	Ic432
PERSONAGGIO	Stenone, Niccolò (1638-86).	Strozzi, Leone (1515-54).	Strozzi, Piero (1510-58).	Tamerlano (1336-1405).
AUTORE	Ignoto fiorentino sec. XVII.	Altissimo, Cristofano (di Papi) dell' (not: 1552-1605).	Altissimo, Cristofano (di Papi) dell' (not: 1552-1605).	Altissimo, Cristofano (di Papi) dell' (not: 1552-1605).
DATAZIONE	Ante 1686.	1587 ca.	1587 ca.	Ante 1568.
DESCRIZIONE	Olio su tela, 60x46, cornice marrone profilata d'oro.	Olio su tavola, 60x45, cornice di noce intagliata e dorata.	Olio su tavola, 57x47, cornice di noce intagliata e dorata.	Olio su tavola, 60x46, cornice di noce intagliata e dorata.
INVENTARIO	297 (C.P., p. 220, n. 811).	115 (C.P., p. 216, n. 528).	120 (C.P., p. 216, n. 533).	3052 (C.P., p. 215, n. 400).
FOTO	249241.	251104.	250266.	185629.
NOTE	Scritta: in alto 'Nicolaus Stenonius'; a tergo: Nicolaus Stenon 5, 144. Nome italianizzato del danese Niel Steensen. Medico, naturalista e geologo, fu a Firenze su invito di Ferdinando II dei Medici (1672-74). È sepolto a Firenze in San Lorenzo. Il ritratto entrò in Galleria il 1° giugno 1720 (ASF, Guard. 1260 bis, c. 122v).	Scritta: in alto 'Leo Strozzi Capuae Pr'; a tergo: 98, 8, 108, 4. Ammiraglio, prefetto di Capua, ostile ai Medici, come il padre Filippo, si rifugiò a Malta divenendo Maestro di quell'Ordine e combatté contro i Turchi. Fu al servizio del re di Francia. Morì ucciso in Maremma.	Scritta: in alto 'Petrus Strozzi'. Figlio di Filippo, della nobile famiglia fiorentina sempre ostile ai Medici, visse a lungo in Francia divenendo luogotenente del Re Enrico II.	Scritta: in alto 'Tamerlanes T: Imp:'; a tergo: 15, 32, 25. Sovrano turco dell'Asia centrale. Passò di conquista in conquista fino a Samarcanda, Aleppo, Damasco, Bagdad.

	Ic433	Ic434	Ic435	Ic436
PERSONAGGIO	Tammas Sophi (sec. XVI).	Tarlati, Guido da Pietramala (m. 1327).	Tasso, Torquato (1544-95).	Thou, Giovanni Augusto, de (1553-1617).
AUTORE	Altissimo, Cristofano (di Papi) dell' (not: 1552-1605).	Altissimo, Cristofano (di Papi) dell' (not: 1552-1605).	Ignoto fiorentino sec. XVII.	Ignoto fiorentino sec. XVII.
DATAZIONE	Ante 1568.	1566-68.	1600 ca.	Ante 1617.
DESCRIZIONE	Olio su tavola, 58x45, cornice di noce intagliata e dorata.	Olio su tavola, 58x44, cornice di noce intagliata e dorata.	Olio su tela, 61x47, cornice marrone profilata d'oro.	Olio su tela, 60x47, con cornice marrone profilata d'oro.
INVENTARIO	6 (C.P., p. 215, n. 419).	3039 (C.P., p. 216, n. 387).	232 (C.P., p. 220, n. 746).	237 (C.P., p. 220, n. 751).
FOTO	85353.	250286.	249532.	251318.
NOTE	Scritta: in alto 'Tammas Rex Pers:'. Re di Persia successore di Ismael Sophi, almeno secondo l'elenco vasariano del 1568.	Scritta: in alto 'Guido Petramala Aretii Episcopus.'; a tergo: 98, 104. Guido Tarlati, aretino, fu creato Vescovo di Arezzo nel 1313 e poi signore della città. Per le sue simpatie ghibelline, avendo contribuito alla incoronazione di Ludovico il Bavaro, incorse nella scomunica.	Scritta: in alto 'Torjquatus Tasso'. Poeta, fu al servizio degli Estensi di Ferrara per i quali l'Aminta (1573). Il suo capolavoro è La Gerusalemme Liberata completamente compiuta nel 1575. Il ritratto entrò in Galleria il 1° giugno 1720 (ASF, Guard. 1260 bis, c. 122v).	Scritta: in alto 'Ioa: Augustus Thuanus'. Storico francese. Rivestì importanti cariche. Fu bibliotecario reale. Scrisse l'Historia sui temporis (1604-8) e le Memoires, pubblicate postume. Il ritratto entrò in Galleria il 28 novembre 1719 (ASF, Guard. 1260, c. 102r).

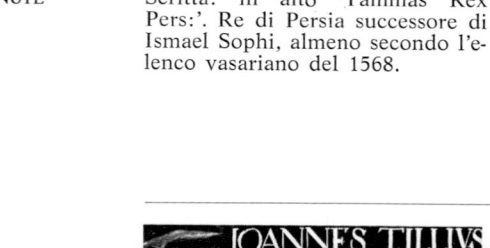

	Ic437	Ic438	Ic439	Ic440
PERSONAGGIO	Tilly, Jane Tserklaes, conte di (1559-1632).	Tommaso d'Aquino, San (1225 ca. -74).	Torricelli, Evangelista (1608-1647).	Totila, re dei Goti (sec. VI).
AUTORE	Ignoto fiorentino sec. XVII.	Altissimo, Cristofano (di Papi) dell' (not: 1552-1605).	Ignoto fiorentino sec. XVII.	Altissimo, Cristofano (di Papi) dell' (not: 1552-1605).
DATAZIONE	Ante 1632.	Ante 1568.	Ante 1647.	Ante 1568.
DESCRIZIONE	Olio su tela, 59x47, cornice marrone profilata d'oro.	Olio su tavola, 60x45, cornice di noce intagliata e dorata.	Olio su tela, 60x48, cornice marrone profilata d'oro.	Olio su tavola, 59x45, cornice di noce intagliata e dorata.
INVENTARIO	409 (C.P., p. 217, n. 467).	2963 (C.P., p. 218, n. 311).	275 (C.P., p. 221, n. 789).	3049 (C.P., p. 214, n. 397).
FOTO	250284.	251251.	216612.	248749.
NOTE	Scritta: in alto 'Ioannes Tillius'. Capo della Lega Cattolica durante la guerra dei Trent'anni, vittorioso a Magdeburgo (1631). Battuto poco dopo da Gustavo Adolfo di Svezia.	Scritta: in alto 'D: Tomas D: Aquino'; a tergo: 'consegnato in comune con la Real Casa anno 1882, 729'; 26, 34. Filosofo e teologo. Studiò e insegnò a Parigi, a Firenze, a Napoli. Membro del Concilio di Lione (1272). Canonizzato nel 1323. Nel 1567 fu proclamato Dottore della Chiesa.	Scritta: in alto 'Evangelista Torricelli'. Fisico e matematico, inventore del barometro, costruì lenti e cannocchiali. Continuò le ricerche di Galileo soprattutto nel campo della Fisica. Deriva dal ritratto inv. 1890, n. 2458.	Scritta: in alto 'Totila Rex Goto'; a tergo: 25. Re dei Goti dal 541 al 552, invase l'Italia, ma fu meno avido degli altri invasori. Combattè contro Belisario e Narsete che lo sconfisse a Tagina dove morì.

	Ic441	Ic442	Ic443	Ic444
PERSONAGGIO	Trivulzio, Gian Giacomo (1441-1518).	Tromp, Martino (1598-1653).	Tuman, Bey.	Ubaldini, card. Ottaviano (1210-1272).
AUTORE	Altissimo, Cristofano (di Papi) dell' (not: 1552-1605).	Ignoto fiorentino sec. XVII.	Ignoto fiorentino sec. XVII.	Altissimo, Cristofano (di Papi) dell' (not: 1552-1605).
DATAZIONE	1556.	1650 ca.	Sec. XVII.	1565-70.
DESCRIZIONE	Olio su tavola, 59x43, con cornice di noce intagliata e dorata.	Olio su tela 59x46, cornice marrone profilata d'oro.	Olio su tela, 60x47, cornice marrone profilata d'oro.	Olio su tavola, 60x45, cornice di noce intagliata e dorata.
INVENTARIO	177 (C.P., p. 217, n. 691).	420 (C.P., p. 217, n. 678).	7 (C.P., p. 215, n. 420).	3007 (C.P., p. 218, n. 355).
FOTO	252253.	251128.	228230.	251261.
NOTE	Scritta: in alto 'Io: Iacob: Trivultius'; a tergo: 145. Condottiero al servizio dei Medici, poi degli Sforza e degli Aragonesi. Per Luigi XII di Francia combattè Ludovico il Moro e conquistò la Lombardia.	Scritta: in alto 'Martinus Tromp cl. Batavicae Praefe'; a tergo: 23, 145. Ammiraglio olandese, battè la seconda Grande Armata spagnola nel 1639 nella Battaglia delle Dune.	Scritta: in alto 'Tomum Beius Ca: Sult: Ult:'. Probabilmente ultimo sultano del Cairo, ma non identificato. Il ritratto entrò in Galleria il 9 novembre 1725 (ASF, Guard. 1292, c. 224v).	Scritta: in alto 'Octavianus Ubaldinus card'; a tergo: 24, 34. Nominato da Dante nell'Inferno, fu grande nemico di Ugolino della Gherardesca, che fece rinchiudere con i figli in carcere e morire di fame.

	Ic445	Ic446	Ic447	Ic448
PERSONAGGIO	Uberti, S. Bernardo degli (1060 ca. - 1133).	Ugo, marchese di Toscana (953 ca. - 1001).	Uguccione, della Faggiuola (1250-1319).	Urbano IV, Papa (m. 1264).
AUTORE	Altissimo, Cristofano (di Papi) dell' (not: 1552-1605).	Altissimo, Cristofano (di Papi) dell' (not: 1552-1605).	Altissimo, Cristofano (di Papi) dell' (not: 1552-1605).	Altissimo, Cristofano (di Papi) dell' (not: 1552-1605).
DATAZIONE	Ante 1597.	Ante 1568.	Ante 1568.	1600 ca.
DESCRIZIONE	Olio su tela, 58x44, cornice di noce intagliata e dorata, sec. XVI.	Olio su tavola, 59x44, cornice di noce intagliata e dorata, sec. XVI.	Olio su tavola, 59x45, cornice di noce intagliata e dorata.	Olio su tavola, 60x45, cornice di noce intagliata e dorata.
INVENTARIO	3006 (C.P., p. 218, n. 354).	346 (C.P., p. 215, n. 604).	71 (C.P., p. 216, n. 484).	2970 (C.P., p. 218, n. 318).
FOTO	251260.	250859.	250259.	248730.
NOTE	In alto: 'D. Bernaus Card: Uberti'. Entrato nel monastero vallombrosano di S. Salvi nel 1075, abate generale e cardinale dal 1098: fu legato pontificio e vescovo di Parma, città in cui morì.	In alto: 'Ugo Com: Andembur'. A tergo: 25. È il marchese Ugo di Toscana, vicario dell'imperatore Ottone III, benefattore, come la madre Willa, della Badia fiorentina. Per un suo altro ritratto, v. inv. 1890, n. 2506.	Scritta: in alto 'Ugucio: Facciuola'; a tergo: 98, 194. Uomo di armi e di nobile famiglia, fu sostenitore di Arrigo VII e per due anni signore di Arezzo. Fu nominato podestà di Firenze e capitano del Popolo (1313). Caduto in disgrazia fu nominato podestà di Vicenza da Cangrande della Scala.	Scritta: in alto 'Urbanus IV P. M.'; tergo: n. 736 consegnata in comune con la Real Casa. Jacques Pantaleon, francese, di modeste origini; fedele agli Angiò che favorì particolarmente dopo la sua elezione (1261), contro Manfredi di Svevia.

	Ic449	Ic450	Ic451	Ic452
PERSONAGGIO	Urbano V, Papa (1310 ca. - 1370).	Urbano VIII, Papa (1568-1644).	Usher, James (1581-1656).	Vaillant, Giovanni (1672-1706).
AUTORE	Altissimo, Cristofano (di Papi) dell' (not: 1552-1605).	Ignoto fiorentino sec. XVII.	Ignoto fiorentino sec. XVII.	Ignoto fiorentino sec. XVIII.
DATAZIONE	1566-68.	Post 1623.	Ante 1656.	Ante 1706.
DESCRIZIONE	Olio su tavola, 60x45, cornice di noce intagliata e dorata.	Olio su tela, 60x45, con cornice marrone con profilatura dorata.	Olio su tela, 60x46, cornice marrone profilata d'oro.	Olio su tela, 60x46, cornice marrone profilata d'oro.
INVENTARIO	1978 (C.P., p. 218, n. 326).	3001 (C.P., p. 218, n. 349).	253 (C.P., p. 221, n. 767).	290 (C.P., p. 221, n. 804).
FOTO	248738.	251255.	251326.	251332.
NOTE	Scritta: in alto 'Urbanus V P. M.'; a tergo: 26, 34. Guglielmo di Grimoard, francese, papa dal 1362. Bandì una Crociata. Cedendo alle istanze del Petrarca lasciò la sede di Avignone per tornare a Roma, nel 1367, ma nel 1370 tornava a Avignone. Fu beatificato nel 1870 da Pio IX.	Scritta: in alto 'Urbanus VIII Pon: Ma.'. Maffeo Barberini, fiorentino, papa dal 1623. Acceso sostenitore delle potenze cattoliche durante la guerra dei Trent'anni. Il ritratto entrò in Galleria il 26 agosto 1722 (ASF, Guard. 1277, c. 74r).	Scritta: in alto 'Iacobus Usserius'; a tergo: 26, 2, 14, 34. Anglicano irlandese, noto in Italia come 'Usserio'. Fu importante teologo e professore a Dublino. Divenne primate d'Irlanda nel 1624. Il ritratto entrò in Galleria il 26 agosto 1722 (ASF, Guard. 1277, c. 74r).	Scritta: in alto 'Ioanes Vaillant'; a tergo: 9, 15, 34, 26. Medico e numismatico francese. Fu presso le più importanti corti italiane e straniere. Viaggiò in Grecia e in Egitto. Il ritratto entrò in Galleria il 28 novembre 1719 (ASF, Guard, 1260, c. 102v).

	Ic453	Ic454	Ic455	Ic456
PERSONAGGIO	Valletta, Giuseppe (1636-1714).	Valori, Niccolò (1464-1513).	Van Meurs, Jon (1579-1639).	Varchi, Benedetto (1503-65).
AUTORE	Ignoto fiorentino sec. XVIII.	Altissimo, Cristofano (di Papi) dell' (not: 1552-1605).	Ignoto fiorentino sec. XVII.	Altissimo, Cristofano (di Papi) dell' (not: 1552-1605).
DATAZIONE	Ante 1714.	1580 ca.	Ante 1639.	1580-90.
DESCRIZIONE	Olio su tela, 60x46, cornice marrone profilata d'oro.	Olio su tavola, 63x47, cornice di noce intagliata e dorata.	Olio su tela, 60x47, cornice marrone profilata d'oro.	Olio su tavola, 60x43, cornice di noce intagliata e dorata.
INVENTARIO	295 (C.P., p. 221, n. 809).	239 (C.P., p. 216, n. 753).	278 (C.P., p. 220, n. 792).	216 (C.P., p. 221, n. 730).
FOTO	249239.	251117.	249528.	251310.
NOTE	Scritta: in alto 'Ioseph Valletta'; a tergo: ripete l'iscrizione: 154, 144. Napoletano, erudito, economista, storico della filosofia e bibliofilo. Il ritratto entrò in Galleria il 5 luglio 1721 (ASF, Guard. 1292, c. 33v).	Scritta: in alto 'Nicolaus Valori'. Fiorentino. Prese parte alla congiura dei Boscoli (1513) contro Giuliano e Lorenzo di Medici. Prigioniero col Machiavelli, fu liberato ad opera di Leone X. Scrisse una Vita di Lorenzo il Magnifico (1479).	Scritta: in alto 'Ioannes Meursius'; a tergo: 144, 154, 5, 10. Noto in Italia come 'Meursio'. Filologo olandese e storiografo regio di Cristiano IV di Danimarca. Le sue opere furono edite a Firenze in 12 volumi (1741-63). Il ritratto entrò in Galleria il 26 agosto 1722 (ASF, Guard. 1277, c. 74r).	Scritta: in alto 'Benedictus Varchi'. Fiorentino, umanista e letterato. Partecipò alle lotte antimedicee in esilio dopo la morte del Duca Alessandro, fu richiamato da Cosimo I (1543). Le sue opere più importanti, l'Ercolano e la Storia fiorentina, uscirono postume.

Ic457 | Ic458 | Ic459 | Ic460

PERSONAGGIO	Venier, Sebastiano (1496-1578).	Vespucci, Amerigo (1454-1512).	Vettori, Pier (1499-1585).	Vida, Girolamo (1485-1566).
AUTORE	Altissimo, Cristofano (di Papi) dell' (not: 1552-1605).	Altissimo, Cristofano (di Papi) dell' (not: 1552-1605).	Altissimo, Cristofano (di Papi) dell' (not: 1552-1605).	Altissimo, Cristofano (di Papi) dell' (not: 1552-1605).
DATAZIONE	1577 ca.	Ante 1568.	1580-90.	1556.
DESCRIZIONE	Olio su tavola, 58x43, cornice di noce intagliata e dorata.	Olio su tavola, 60x45, ccn cornice di noce intagliata e dorata.	Olio su tavola, 60x43, cornice di noce intagliata e dorata.	Olio su tavola, 60x45, cornice di noce intagliata e dorata.
INVENTARIO	117 (C.P., p. 216, n. 530).	188 (C.P., p. 221, n. 702).	209 (C.P., p. 221, n. 723).	205 (C.P., p. 221, n. 719).
FOTO	228603.	249948.	251308.	251307.
NOTE	Scritta: in alto 'Sebast. Venier Ven: D.'; a tergo: 3, 108. Provveditore a Corfù (1570). Fu nominato capitano general da mar (1570) e diresse l'assedio di Durazzo. Durante la Battaglia di Lepanto (1571) diede prova di grande capacità. Divenne Doge nel 1577.	Scritta: in alto 'Americus Vespucci'; a tergo: 18, 105, 13, 26. Navigatore fiorentino, si legò ai Medici del ramo Popolano che lo inviarono al loro Banco di Spagna. Ebbe rapporti con Colombo e compì quattro viaggi in America intorno al 1500. Tenne importanti diari descrivendo le terre visitate.	Scritta: in alto 'Petrus Vettori'. Fiorentino, commentatore e editore di testi antichi. Di fazione antimedicea, al ritorno dei Medici a Firenze (1530) si ritirò a S. Casciano; tornò a Firenze nel 1538.	Scritta: in alto 'Hieronimus Vida'; a tergo: 66, 34, 18, 26. Poeta e umanista. Vescovo di Alba, passò poi a Mantova e quindi alla Corte di Leone X (1510). Uno dei più importanti latinisti del tempo. Suo capolavoro è il Christias (Cristiade) in 6 libri.

Ic461 | Ic462 | Ic463 | Ic464

PERSONAGGIO	Villani, Filippo (1325 ca. - 1405 ca.).	Villani, Giovanni (1278 ca. - 1348).	Villani, Matteo (fine sec. XIII - 1363).	Villiers, Giovanni di (1384 ca. - 1437).
AUTORE	Ignoto fiorentino sec. XVIII.	Altissimo, Cristofano (di Papi) dell' (not: 1552-1605).	Altissimo, Cristofano (di Papi) dell' (not: 1552-1605).	Ignoto fioerntino sec. XVIII.
DATAZIONE	1721 ca.	Ante 1568.	1580-90.	Inizi sec. XVIII?
DESCRIZIONE	Olio su tela, 58x44. Cornice di noce intagliata e dorata, sec. XVI.	Olio su tavola, 59x45, cornice di noce intagliata e dorata.	Olio su tavola, 52x43, con cornice di noce intagliata e dorata.	Olio su tela, 77x64, cornice modanata scura, sec. XVIII.
INVENTARIO	156 (C.P., p. 221, n. 569).	147 (C.P., p. 221, n. 560).	148 (C.P., p. 221, n. 561).	158 (C.P., p. 217, n. 571).
FOTO	251297.	251292.	251293.	—
NOTE	In alto: 'Philippus Villani'. Figlio di Matteo, ne terminò la Nuova cronica; laureato in diritto (1360), fu cancelliere di Perugia (1376-81) e lettore di Dante nello Studio fiorentino (1391-1404). Il ritratto entrò in galleria il 5 luglio 1721 (ASF, Guard. 1292, c. 33v).	Scritta: in alto 'Ioannes Villani'; a tergo: 3, 26, 4, 34. Cronista fiorentino, fu mercante e viaggiò per tutta l'Italia, in Francia e nelle Fiandre. Ricoprì cariche pubbliche a Firenze. La sua Cronica in 12 volumi comprende gli anni 1306-48.	Scritta: in alto 'Mattheus Villani'; a tergo: 34, 26, 5. Storico e cronista, continuò la Cronica iniziata dal fratello Giovanni. Morì anch'egli di peste.	In alto: 'Gio de Villiers gran m^ro di Malta'. Più grande dei ritratti gioviani ma con scritta simile, è da sempre assimilato alla raccolta come altri due in serie con questo: Dragut Rais (inv. 175) e Giovanni della Valletta (inv. 159).

	Ic465	Ic466	Ic467	Ic468
PERSONAGGIO	Vincenzo da Filicaia (1642-1707).	Visconti, Bernabò (1323-85).	Visconti, Filippo (1392-1447).	Visconti, Galeazzo (1277 ca. - 1328).
AUTORE	Ignoto fiorentino sec. XVII.	Altissimo, Cristofano (di Papi) dell' (not: 1552-1605).	Altissimo, Cristofano (di Papi) dell' (not: 1552-1605).	Altissimo, Cristofano (di Papi) dell' (not: 1552-1605).
DATAZIONE	Ante 1707.	Ante 1568.	1556.	1556.
DESCRIZIONE	Olio su tela, 59x47, cornice marrone profilata d'oro.	Olio su tavola, 59x43, cornice di noce intagliata e dorata.	Olio su tavola, 60x44, cornice di noce intagliata e dorata.	Olio su tavola, 60x45, con cornice di noce intagliata e dorata.
INVENTARIO	153 (C.P., p. 219, n. 566).	78 (C.P., p. 216, n. 491).	87 (C.P., p. 216, n. 500).	72 (C.P., p. 216, n. 498).
FOTO	249511.	228595.	228597.	228229.
NOTE	Scritta: in alto 'Vincenti: Filicaia': a tergo: 9, 22, 4. Poeta lirico, filosofo e musico, fu onorato da Cristina di Svezia. Cosimo III de' Medici lo nominò senatore. Fu governatore di Volterra (1669) e di Pisa (1670).	Scritta: in alto 'Barnabas Vicecomes'; a tergo: 25, 13, 5, 33. Signore di Milano insieme al nipote Gian Galeazzo fu da questi fatto imprigionare e poi avvelenare, dopo che aveva già, in parte, consolidato lo Stato Milanese.	Scritta: in alto 'Philippus Vicecomes'; a tergo: 95; 105; 13. Sposò Beatrice di Tenda, allargando così i confini dello stato che riportò in buone condizioni dopo il malgoverno dei precedecessori. Fu battuto dai fiorentini ad Anghiari (1440).	Scritta: in alto 'Galeaci: us Vicecom.'; a tergo: 25, 33. Fu Capitano del popolo di Milano (1298-1302). Costretto allo esilio, rientrò in città nel 1311 e fu nominato Vicario di Arrigo VII. Signore di Milano nel 1327.

	Ic469	Ic470	Ic471	Ic472
PERSONAGGIO	Visconti, Gian Galeazzo (1351-1402).	Visconti, arc. Giovanni (1290-	Visconti, Matteo I (1250-1322).	Vitelleschi, card. Giovanni (m. 1440).
AUTORE	Altissimo, Cristofano (di Papi) dell' (not: 1552-1605).	Altissimo, Cristofano (di Papi) dell' (not: 1552-1605).	Altissimo, Cristofano (di Papi) dell' (not: 1552-1605).	Altissimo, Cristofano (di Papi) dell' (not: 1552-1605).
DATAZIONE	Ante 1568.	Ante 1568.	Ante 1568.	Ante 1568.
DESCRIZIONE	Olio su tavola, 60x45, cornice di noce intagliata e dorata.	Olio su tavola, 60x45, cornice di noce intagliata e dorata.	Olio su tavola, 60x45, cornice di noce intagliata e dorata.	Olio su tavola, 60x45, cornice di noce intagliata e dorata.
INVENTARIO	85 (C.P., p. 216, n. 485).	3040 (C.P., p. 216, n. 388).	67 (C.P., p. 216, n. 480).	3010 (C.P., p. 218, n. 358).
FOTO	228598.	250287.	228228.	251264.
NOTE	Scritta: in alto 'Io: Galeacius Vicecomes'; a tergo: 104, 93, 76. Dal 1385 unico signore di Milano. Duca nel 1395 allargò i confini del suo dominio. Alla sua munificenza si deve la costruzione del Duomo e della Certosa di Pavia.	Scritta: in alto 'Ioan: Vicecom: Dux et Archi: Medi:'; a tergo: 98, 104. Vescovo di Novara (1332), alla morte del nipote Azzone venne proclamato vescovo e signore di Milano. La politica espansionistica non gli impedì di occuparsi anche della sua carica vescovile.	Scritta: in alto 'Mattheus Mag. Vicec'; a tergo: 25, 72, 5, 33. Vicario Imperiale di Milano (1294). Espulso dalla città nel 1302, vi ritorna nel 1311 come Vicario di Arrigo VII. Scomunicato (1320) rinuncia alla signoria in favore del figlio Galeazzo.	Scritta: in alto 'Ioa: es Car: Vitelleschi'; a tergo: 34, 26, 12. Fu vescovo di Firenze. Ebbe grande potenza politica e partecipò attivamente alle lotte fra le famiglie romane. Incarcerato in Castel S. Angelo morì misteriosamente.

	Ic473	Ic474	Ic475	Ic476
PERSONAGGIO	Vitelli, Alessandro (?-1566).	Vitelli, Chiappino (1519-75).	Vitelli, Paolo (1519-74).	Vitelli, Vitellozzo (m. 1502).
AUTORE	Ignoto fiorentino sec. XVII.	Altissimo, Cristofano (di Papi) dell' (not: 1552-1605).	Altissimo, Cristofano (di Papi) dell' (not: 1552-1605).	Altissimo, Cristofano (di Papi) dell' (not: 1552-1605).
DATAZIONE	Post 1600.	1577-80.	Ante 1568.	1556.
DESCRIZIONE	Olio su tela, 61x47, cornice marrone profilata d'oro.	Olio su tavola, 61x49, cornice di noce intagliata e dorata.	Olio su tela, 62x47, cornice marrone profilata d'oro.	Olio su tavola, 60x44, cornice di noce intagliata e dorata.
INVENTARIO	74 (C.P., p. 217, n. 487).	116 (C.P., p. 217, n. 529).	114 (C.P., p. 217, n. 527).	103.
FOTO	228636.	228638.	228616.	228617.
NOTE	Scritta: in alto 'Alexander Vitelli'; a tergo: Alessandro Vitelli 145. Dei Vitelli del ramo di Cetóna, combatté al servizio di Carlo V di Spagna, vincendo la battaglia di Gavinana. Sostenne le sorti di Cosimo I dei Medici. Il ritratto entrò in Galleria il 25 agosto 1725 (ASF, Guard. 1277, c. 164r).	Scritta: in alto 'Chiappinus Vitelli'; a tergo: 155, 145. Di Città di Castello, insieme al fratello Paolo partecipò alla liberazione di Malta (1565).	Scritta: in alto 'Paulus Vitelli'; a tergo: 8, Paolo Vitelli. Condottiero al servizio dei Medici e poi dei Farnese (Papa Paolo III), fece costruire il Palazzo Vecchio a Città di Castello. Il ritratto entrò in Galleria il 25 agosto 1275 (ASF, Guard. 1277, c. 164r).	Scritta: in alto 'Vitellocius Vitelli'; a tergo: 98, 104. Capitano di ventura al servizio del re di Francia, si alleò poi col Valentino contro Firenze. Ma avendo congiurato contro il Borgia, fu fatto strangolare.

	Ic477	Ic478	Ic479	Ic480
PERSONAGGIO	Viviani, Vincenzo (1622-1703).	Voss, Gherhard J. (1577-1648).	Wallenstein, Alberto von (1583-1634).	Wallis, John (1616-1703).
AUTORE	Ignoto fiorentino sec. XVII.	Ignoto fiorentino sec. XVII.	Ignoto fiorentino sec. XVII.	Ignoto fiorentino sec. XVII.
DATAZIONE	1680-1700.	1719 ca.	1630 ca.	Ante 1703.
DESCRIZIONE	Olio su tela, 60x47, cornice marrone profilata d'oro.	Olio su tavola, 60x47, cornice marrone profilata d'oro.	Olio su tela, 60x44, cornice marrone profilata d'oro.	Olio su tela, 61x47, cornice marrone profilata d'oro.
INVENTARIO	282 (C.P., p. 221, n. 796).	251 (C.P., p. 221, n. 765).	349 (C.P., p. 217, n. 607).	280 (C.P., p. 221, n. 794).
FOTO	249963	249523.	250281.	249962.
NOTE	Scritta: in alto 'Vincentius Viviani Mat. Flo. M. Galilei Alumnus'; a tergo: 6. Matematico, fiorentino, allievo di Galileo e del Torricelli, si dedicò anche allo studio dei più antichi testi latini. Il ritratto deriva dal pastello di Domenico Tempesti (inv. 1890, n. 825).	Scritta: in alto 'Gerardus Ioannes Vossius'. Filologo tedesco noto in Italia come 'Vossius'. Scrisse una grammatica greca e una latina, ma le sue opere più conosciute sono: De historicis graecis (1623-24) e De historicis latinis (1627). Il ritratto entrò in Galleria il 28 novembre 1719 (ASF, Guard. 1260, c. 102v).	Scritta: in alto 'Albertus Valdestain Frid: Dux'. Condottiero boemo. Alla testa delle truppe imperiali di Ferdinando II durante la guerra dei trent'anni, sconfisse i Danesi a Dessau (1626).	Scritta: in alto 'Ioanes Wallis'. Matematico inglese, considerato uno dei maggiori precursori di Newton. Fu anche medico e si occupò del sistema sanguigno. Prese gli ordini sacri nel 1640. Il ritratto entrò in Galleria il 1° giugno 1720 (ASF, Guard. 1260 bis, c. 122v).

	Ic481	Ic482	Ic483	Ic484
PERSONAGGIO	Wolsey, card. Tommaso (1473-1530).	Wrangell, Carlo Gustavo (1603-1676).	Ximenes, card. Francesco (sec. XVI).	Zamoyski, Giovanni (1542-1605).
AUTORE	Ignoto fiorentino sec. XVII.	Ignoto fiorentino sec. XVII.	Ignoto fiorentino sec. XVII.	Altissimo, Cristofano (di Papi) dell' (not: 1552-1605).
DATAZIONE	Post 1605.	Ante 1675.	1630 ca.	1600.
DESCRIZIONE	Olio su tela, 60x46, cornice marrone con profilatura dorata.	Olio su tela, 61x49, cornice marrone profilata d'oro.	Olio su tela, 60x46, cornice marrone profilata d'oro.	Olio su tavola, 60x44, cornice di noce intagliata e dorata.
INVENTARIO	3018 (C.P., p. 214, n. 366).	426 (C.P., p. 217, n. 684).	3012.	415 (C.P., p. 214, n. 673).
FOTO	251345.	251131.	205547.	176337.
NOTE	Scritta in alto 'Thomas: Wolsey card: Ebor:'; a tergo ripete l'iscrizione. Cardinale e uomo politico inglese, legato di Leone X dei Medici, fu nelle grazie di Enrico VIII. Il ritratto entrò in Galleria il 23 febbraio 1725 (ASF, Guard. 1277, c. 154r).	Scritta: in alto 'Caro: Gus: Wranghil'. Maresciallo di Gustavo Adolfo di Svezia, fu membro del Consiglio di reggenza e Presidente della Scuola di Guerra. Fu creato Conte per i suoi successi militari nella guerra dei Trent'anni.	Scritta: in alto 'F. Franc: Card: Ximenes'; a tergo: Em.mo Francesco Minores osservante. Ministro di Stato spagnolo. Fu sapiente politico durante il pontificato di Giulio II. Il ritratto entrò in Galleria il 28 novembre 1719 (ASF, Guard. 1260, c. 102v).	Scritta: in alto 'Ioannes Zamoyski. 1600'. Condottiero, uomo politico, umanista polacco. Fu segretario e archivista del Re Sigismondo Augusto di Polonia.

	Ic485	Ic486	Ic487	Ic488
PERSONAGGIO	Zannoni, Giovanni Battista (1774-1832).	Zanobi, San (350 ca - 417).	Zizzimo (sec. XV).	Zondadari, M. Antonio.
AUTORE	Ignoto fiorentino sec. XVIII.	Altissimo, Cristofano (di Papi) dell' (not: 1552-1605).	Altissimo, Cristofano (di Papi) dell' (not: 1552-1605).	Ignoto fiorentino sec. XVII.
DATAZIONE	Post 1790.	1564-66.	1580 ca.	1650-60.
DESCRIZIONE	Olio su tela, 60x44, cornice marrone profilata d'oro.	Olio su tavola, 60x43, cornice di noce intagliata e dorata.	Olio su tavola, 59x45, cornice di noce intagliata e dorata.	Olio su tela, 60x46, cornice marrone profilata d'oro.
INVENTARIO	313 (C.P., p. 221, n. 827).	2964 (C.P., p. 218, n. 312).	12 (C.P., p. 215, n. 425).	305 (C.P., p. 217, n. 819).
FOTO	249249.	250866.	185627.	251122.
NOTE	Scritta: in alto 'Io. Bapt. Zannonius'. Fiorentino. Fu segretario della Crusca, uomo di svariata erudizione, si occupò di storia e lingua etrusca, studiò anche il vernacolo fiorentino.	Scritta: in alto 'D: Zanobius'; a tergo: 34, 26. Nato a Firenze alla metà del IV sec. Combatté l'Arianesimo in Occidente. Diacono di Roma, divenne vescovo di Firenze.	Scritta: in alto 'Zizimus Ba: II Fra:'; a tergo: 5, 44, 13, 33, 25. Vinto dal fratello Bajazet II si rifugiò a Rodi presso i cavalieri di S. Giovanni (1481). Fu poi in Francia e infine, prigioniero in Castel S. Angelo (1489).	Scritta: in alto 'M: Ant: Zondadari M: Rel: Ier: Magist.'; a tergo: Zonzedari de Siena, 155, 36, 115. Lo Zondadari, senese, fu Gran Maestro dell'Ordine di Malta. Il ritratto entrò in Galleria il 19 agosto 1723 (ASF, Guard. 127, c. 113v).

	Ic489	Ic490	Ic491	Ic492
PERSONAGGIO	Albani, Orazio.	Aleardi (?), Aleardo.	Amici, Giovan Battista.	Asburgo-Lorena, principe.
AUTORE	Mazzanti, Ludovico (Orvieto 1676 - Viterbo 1775).	Sarri, Egisto (Figline, Firenze 1837-Firenze 1901).	Gordigiani, Michele (Firenze 1835-1909).	Scuola fiorentina sec. XVIII.
DATAZIONE	Inizi sec. XVIII.	1860-65 ca.	1874.	Ultimo quarto sec. XVIII.
DATI TECNICI	Olio su tela, 75x62.	Olio su tela, 87x72.	Olio su tela, 68x50.	Olio su tela, 95x65,7.
CORNICE	Dorata e bulinata, sec. XVIII.	D'epoca, dorata.	D'epoca, intagliata e dorata.	Semplice, con orlo interno perlinato sec. XVIII.
UBICAZIONE	Cosimo III de' Medici (1704); Pitti (1705); Uffizi.	Uffizi (1925); Galleria d'Arte Moderna, Pitti (?).	Coll. Amici; Uffizi (1874); Galleria d'Arte Moderna, Pitti (1976).	Uffizi (1890).
ATTRIBUZIONI	Pierleone Ghezzi (inv. 1890).	—	—	—
ESPOSIZIONI	—	—	—	—
BIBLIOGRAFIA	P. Santucci, in Arte illustrata VII, 1974.	L. e F. Luciani, Dizionario dei pittori italiani dell'800, Firenze 1974.	L. e F. Luciani, Dizionario dei pittori italiani dell'800, Firenze 1974.	—
INVENTARIO	2930.	8546.	3325.	2830.
FOTO	252242.	317570.	136511.	252240.

NOTE

Il ritratto è inventariato come 'il fratello di papa Clemente XI' di P. L. Ghezzi perché tiene una lettera a lui indirizzata. Effettivamente il personaggio è Orazio Albani, ma la qualità è troppo piatta per il Ghezzi: si propone quindi di accettare l'attribuzione a Ludovico Mazzanti che P. Santucci ha avanzato per una versione identica dello stesso ritratto conservata presso la famiglia Chigi Albani ad Ariccia: attribuzione con cui, ella avverte, non concorda però il Voss. Probabilmente è uno dei 4 ritratti Albani (con Donna Bernardina, Don Annibale, Don Carlo) che, mandati a incorniciare il 1 dicembre 1704 da Cosimo III (ASF, Guard. 1113, c. 70r), gli ritornarono il 21 gennaio 1705 (ASF, Guard. 1101, c. 92r).

S.M.T.

A tergo, firmato in alto a sinistra: E. Sarri. Sulla superficie pittorica in alto vicino al viso: E. Sarri. La provenienza del quadro è ignota; la nota inventariale informa soltanto che fu acquistato per 90 lire nel 1925. Fu esposto nel corridoio vasariano prima dell'ultima guerra; oggi si trova presso la Galleria d'arte moderna a Palazzo Pitti e probabilmente ha figurato alla mostra di Firenze capitale tenutasi a Pitti nel 1953, ma non è documentato nella piccola guida della mostra stessa. L'identificazione del personaggio non è sicura. Nessuna somiglianza pare infatti di poter riscontrare col più tardo ritratto del poeta, opera del de Sanctis, nell'Ospedale degli Innocenti, mentre un qualche rapporto si può cogliere col ritratto giovanile di Domenico Induno (già coll. Bonafedi). Siamo ad ogni modo di fronte ad un'opera immatura del Sarri e questo potrebbe confermare sia la non perfetta resa dei lineamenti sia l'epoca, che coinciderebbe col periodo giovanile del Sarri, e con il magistero fiorentino dell'Aleardi (Verona 1812-1878). iniziato nel 1864.

S.P.

Firmato e datato in basso a destra: M. Gordigiani 1874. Alla morte dell'illustre scienziato (Modena 1786-Firenze 1874), direttore dell'osservatorio astronomico fiorentino fino al 1859 ma versato ugualmente nella geometria, nell'ottica, nell'istologia animale e nella botanica, la Direzione delle Gallerie richiese alla famiglia un ritratto per la raccolta iconografica. Il figlio Vincenzo uniformandosi a tale richiesta fece eseguire un ritratto postumo (AGF 1874, filza A, I, 33). Per errore il dipinto è indicato nell'inventario come ritratto di Vincenzo Amici. Dal 1976 è esposto nella Galleria d'arte moderna di Palazzo Pitti.

S.P.

Il giovane effigiato è probabilmente uno dei primi figli di Pietro Leopoldo d'Asburgo-Lorena, granduca di Toscana, ritratto nell'adolescenza e in atto di mostrarci i suoi studi di geografia e geometria. L'assenza di segni distintivi induce a credere che sia molto giovane e che non sia il primogenito. Manca purtroppo qualsiasi studio sull'iconografia della seconda dinastia granducale fiorentina.

S.M.T.

	Ic493	Ic494	Ic495	Ic496
PERSONAGGIO	Azeglio, Massimo d'.	Baldo, Cesare.	Belluomini, Francesco.	Belluomini, Giuseppe e Bernardino.
AUTORE	Brambilla, Francesco (?1832 - Vigevano 1906) copia da Gonin, Francesco.	Morgari, Paolo Emilio (Torino 1815-1882), copia da Ayres, Pietro.	Tofanelli, Stefano (Lucca 1750-Marlia 1812).	Tofanelli, Stefano (Lucca 1750-Marlia 1812).
DATAZIONE	1874.	1874.	1801.	1801.
DATI TECNICI	Olio su tela, 72x54,5.	Olio su tela, 70x53,5.	Olio su tela, 47x38.	Olio su tela, 34,5x58,5.
CORNICE	D'epoca con decorazione in pastiglia dorata.	D'epoca, intagliata e dorata.	Forse d'epoca, dorata.	Ottocentesca, dorata.
UBICAZIONE	Uffizi (1874); Galleria d'Arte Moderna, Pitti (1979).	Uffizi (1874); Museo del Risorgimento (1932); Galleria d'Arte Moderna, Pitti (1979).	Coll. Belluomini; Uffizi (1919); Galleria d'Arte Moderna, Pitti (1924).	Coll. Belluomini; Uffizi (1919); Galleria d'Arte Moderna, Pitti (1924).
ATTRIBUZIONI	—	—	—	—
ESPOSIZIONI	—	—	Cultura neoclassica e romantica nella Toscana granducale, Firenze 1972.	Cultura neoclassica e romantica nella Toscana granducale, Firenze 1972.
BIBLIOGRAFIA	A. M. Comanducci, I, Milano 1970.	A. M. Comanducci, IV, Milano 1973.	*Cat., Firenze 1972, p. 36, 226-227.*	*Cat., Firenze 1972, p. 37, 226-227.*
INVENTARIO	3297.	3311.	8372.	8411.
FOTO	317336.	—	179580.	5579.
NOTE	Il ritratto fu inviato in dono alla Direzione degli Uffizi dal Municipio di Torino patria del d'Azeglio (1798-1866) nel 1874 assieme al ritratto del Balbo (AGF, 1874 filza A, I, 124 e 1875 filza A, I, 2). Per il ritratto di Cesare Balbo si veda al n. 3311. Questo del d'Azeglio è una copia ridotta del ritratto eseguito dal Gonin nel 1860 oggi appartenente alle collezioni del Museo del Risorgimento torinese. Il ritratto del Gonin a sua volta è molto simile a quello che Hayez trasse da una fotografia di Disdéri nel 1859 tranne che per il volgere del viso dalla parte opposta. Massimo d'Azeglio è presente nelle collezioni degli Uffizi anche come pittore di due quadri di battaglia. S.P.	Con il ritratto del Brambilla di Massimo d'Azeglio (copia da Gonin) questo ritratto dello storico torinese (1789-1853) copia del Morgari da originale di Pietro Ayres pervenne in dono agli Uffizi dal Municipio di Torino (AGF 1874, filza A, I, 124 e 1875, filza A, I, 2). Il ritratto originale ancora conservato presso i discendenti dell'illustre personaggio non è firmato ed è attribuito ad Hayez per tradizione familiare; le misure sono pressoché identiche (68,5x53,5) e dovrebbe datarsi per l'età del personaggio intorno al 1830-35. Ayres, rientrato in Italia nel 1830, era dal 1833 pittore di corte di Carlo Alberto e oltre a eseguire numerosi ritratti di membri della famiglia reale lavorava per l'aristocrazia locale: il marchese Asinari, la famiglia Lamarmora, Giovanni Barbaroux, ecc. S.P.	È da considerare, assieme ai ritratti n. 8410, 8411, uno studio per il ritratto (ubicazione attuale sconosciuta) della famiglia del Gonfaloniere Francesco Belluomini commissionato al Tofanelli dal Governo della Repubblica lucchese nel 1801. Il discendente Eugenio Belluomini vendette i tre studi nel 1919 per la collezione dei ritratti delle Gallerie fiorentine ottenendo il permesso di farne trarre per ricordo delle copie, eseguite dal pittore Swickler (AGF, Arte, 843). I tre studi sono collocati nella Galleria d'arte moderna dalla data dell'ordinamento di questa in Palazzo Pitti. S.P.	Per la storia di questo studio v. n. 8372. Gli effigiati, per testimonianza del discendente Belluomini (AGF, Arte, 843), sono due dei figli di Francesco Belluomini. Il minore è Bernardino, l'altro è Giuseppe, più tardi medico. Un altro figlio, Giacomo, abbracciò l'attività politica. Di una delle due teste esisteva un altro studio o copia nella collezione Cocchi di Firenze. S.P.

	Ic497	Ic498	Ic499	Ic500
PERSONAGGIO	Bonaparte, Luigi già Re d'Olanda.	Bourbon Conti, Maria Anna de.	Bufalini, Maurizio.	Burci, Carlo.
AUTORE	Wicar, Jean-Baptiste (Lille 1762-Roma 1834).	Gobert, Pierre (Parigi? 1662 - 1744), copia da.	Ciseri, Antonio (Ronco 1821-Firenze 1891).	Gordigiani, Michele (Firenze 1835-1909).
DATAZIONE	1817.	Fine sec. XVII.	1882-1886.	1865.
DATI TECNICI	Olio su tela, 170x120,5.	Olio su tela, 81x65, restauro 1974.	Olio su tela, 60,5x51.	Olio su tela, 105x83,5.
CORNICE	Neoclassica, sgusciata e dorata.	Dorata con ornati in pastiglia, sec. XVIII.	D'epoca, intagliata e dorata con passepartout di luce ovale.	D'epoca, intagliata e dorata.
UBICAZIONE	Coll. Raffaello Biffoli; Galleria Nazionale d'arte antica, Roma (1907); Uffizi (1911); Galleria d'Arte Moderna, Pitti (1976).	Uffizi (1890).	Uffizi (1886); Galleria d'Arte Moderna, Pitti (1924).	Eredi Burci; Uffizi (1888); Galleria d'Arte Moderna, Pitti (1976).
ATTRIBUZIONI	—	—	—	—
ESPOSIZIONI	Il Ritratto Italiano, Firenze 1911.	—	Cultura neoclassica e romantica nella Toscana granducale, Firenze 1972.	—
BIBLIOGRAFIA	*Cat., Firenze 1911, p. 103, n. 11. F. Beaucamp, Le peintre lillois Jean-Baptiste Wicar (1762-1834), Lille 1939, II vol., p. 494, 633.*	*P. Rosenberg, in Cat. mostra Pittura francese nelle collezioni pubbliche fiorentine, Firenze 1977, p. 222.*	*Cat., Firenze 1972, p. 1972, p. 165, 190-191. E. Spalletti, in: Annali della Scuola Normale Superiore di Pisa, V vol., 2, 1975, n. 1383, 1473, 1474.*	L. e F. Luciani, Dizionario dei pittori italiani dell'800, Firenze 1974.
INVENTARIO	3561.	3390.	3299.	3321.
FOTO	137378.	228187 (tergo: 206467).	12230, 193750.	317573.
NOTE	Considerato dal Beaucamp copia del ritratto di Luigi Bonaparte (1778-1846) dovuto al Vogel, oggi a Versailles; il Beaucamp fornisce anche la data 1817. Il quadro è elencato al n. CII del catalogo della mostra Pittura francese nelle collezioni pubbliche fiorentine, Firenze 1977. Il Wicar venne presentato a Luigi Bonaparte giunto a Roma nel 1814 da Luciano suo fratello e dall'archeologo F. A. Visconti; nel 1818 il Wicar eseguì un altro ritratto di Luigi assieme al figlio Napoleone Luigi, oggi al Museo di Roma. Luigi, prima re d'Olanda, poi conte di San Leu, marito separato di Ortensia Beauharnais, abitò a Firenze (palazzo Gianfigliazzi e villa di Montughi) dove morì. Il dipinto, acquistato per 2500 lire nel 1907 dalla Galleria Nazionale d'arte antica di Roma, fu trasferito in proprietà agli Uffizi per la raccolta iconografica nel 1911 in occasione della mostra del ritratto italiano di Palazzo Vecchio: v. AGF, Arte, 958. È esposto nella Galleria d'arte moderna di Palazzo Pitti dal 1976. S.P.	Copia, con varianti, di un ritratto a Versailles. Nelle Gallerie ne esistono altri simili di bambine (inv. 1890 nn. 2863 e 2880) e di adulte (inv. 1890 nn. 2840 e 3391), probabilmente già a Firenze nel primo Settecento ma di cui non si è rintracciata con precisione la provenienza. S.M.T.	Firmato a metà altezza a destra: A. Ciseri f:. Commissionato nel 1882 per la collezione iconografica degli Uffizi, se ne sollecitava l'esecuzione nel 1885 assieme al ritratto del Dupré. Il quadro, replica di uno eseguito nel 1859 (v. Spalletti, cit., e, prima, la monografia del Rosadi, 1916) vivente il Bufalini (1787-1875; esponente di medicina 'positiva' e contemporaneamente letterato accademico della Crusca), più volte ripetuto, pervenne agli Uffizi nel 1886 (AGF 1885, filza D, II, 71 e 1886, filza C, II, 30, nonché E. Spalletti, cit.). È esposto nella Galleria d'arte moderna di Palazzo Pitti sala Ciseri, dalla data della sua istituzione. S.P.	Firmato e datato a destra sopra la tavola: M. Gordigiani / 1865. Pervenuto per lascito testamentario di Enrico Burci, fratello di Carlo (testamento del 16.10.1866 e decreto di accettazione del lascito del 19.7.1888 in: AGF 1887, filza D, II, 41 e 1888, filza C, II, 33). Carlo Burci (Firenze 1813-1875) medico di grande fama, professore di anatomia patologica a Firenze, poi dal 1840 di clinica chirurgica a Pisa, si dedicò più tardi alla politica, professando idee liberali. Nel 1865 fu nominato senatore; tre anni dopo, in seguito ad un'infermità alla mano destra, fu costretto a rinunciare all'attività chirurgica. Dal 1976 il quadro è esposto nella Galleria d'arte moderna di Palazzo Pitti. S.P.

	Ic501	Ic502	Ic503	Ic504
PERSONAGGIO	Capponi, Gino.	Capponi, Gino (ritratto postumo).	Carlo III di Borbone.	Carlo Alberto, Re di Sardegna (ritratto postumo).
AUTORE	Sarri, Egisto (Figline, Firenze 1837-Firenze 1901).	Ciseri, Antonio (Ronco 1821-Firenze 1891).	Mengs, Anton Raphael (Aussig 1728 - Roma 1779) e bottega.	Barbavara di Gravellona, conte Alfonso (att. a Torino nel 1873).
DATAZIONE	Post 1874.	1876-1886.	1765 ca.	1873.
DATI TECNICI	Olio su tela, 63x52.	Olio su tela, 60,5x50.	Olio su tela, 129x97,5.	Olio su tela, 235x145.
CORNICE	D'epoca, scolpita con motivi vegetali e dorata.	D'epoca, riccamente intagliata con motivi angolari e centrali, passepartout di luce ovale, dorata.	Dorata e intagliata, sec. XVIII.	D'epoca, dorata, modello Salvator Rosa.
UBICAZIONE	Galleria d'Arte Moderna, Pitti (1947).	Uffizi (1877); Galleria d'Arte Moderna, Pitti (1924).	Pitti (1773); Uffizi (1882).	Uffizi (fine secolo XIX ?); Camera dei Deputati, Roma (1926).
ATTRIBUZIONI	—	—	—	—
ESPOSIZIONI	—	Cultura neoclassica e romantica nella Toscana granducale, Firenze 1972.	—	—
BIBLIOGRAFIA	L. e F. Luciani, Dizionario dei pittori italiani dell'800, Firenze 1974.	*Cat., Firenze 1972, pp. 165-166, 190-191. E. Spalletti, in: Annali della Scuola Normale Superiore di Pisa, V vol., 2, 1975, n. 1123, 1166, 1474.*	F. J. Sánchez Cantón, Anton Rafael Mengs, Madrid 1929. D. Honisch, Anton Raphael Mengs und die Bildform des Frühklassizismus, Recklinghausen 1965.	—
INVENTARIO	GAM Giornale 1078.	3296.	2938 (C.P., p. 223 n. 955).	3881. Camera dei Deputati 801.
FOTO	192855.	155194.	137430.	GFN E65650
NOTE	Firmato a destra a metà altezza: E. Sarri. La nota inventariale, molto succinta, informa che il ritratto fu acquistato nel 1947 per 25.000 lire. È una versione di identica redazione del ritratto eseguito nel 1874, vivente quindi il Capponi (1792-1876), oggi nella Villa Medicea di Castello (v. foto GFS 267276), ritratto a sua volta in rapporto con una fotografia Alinari. Per il ritratto che il maestro del Sarri, il Ciseri, eseguì del Capponi (v. inv. 1890, n. 3296). Anche un ritratto in terracotta di piccole dimensioni riferito al Bastianini nella Galleria d'arte Moderna di Palazzo Pitti appare in rapporto con questo gruppo di opere. Il quadro reca il cartellino di una mostra, la Biennale Romagnola a Modigliana, alla quale però non sembra possibile abbia partecipato. S.P.	Firmato a destra a metà altezza (coperto dalla cornice): A. Ciseri f. Commissionato al pittore all'indomani dalla morte del grande pedagogo e uomo politico toscano (1792-1876) dalla Direzione degli Uffizi che versò la somma pattuita al pittore nel 1877 (Lire 600). Dai documenti sembra che il pittore consegnasse il ritratto soltanto nel 1886 assieme agli altri quadri richiestigli in separate occasioni per la medesima collezione iconografica (Lambruschini, Guerrazzi, Bufalini, Dupré): v. corrispondenza al riguardo fra il pittore e la Galleria in: E. Spalletti e AGF, 1877, filza A, I, 6. L'opera, pubblicata dal Rosadi nella monografia del 1916, è esposta nella sala del Ciseri della Galleria d'arte moderna di Palazzo Pitti dall'istituzione di quest'ultima nel 1924. La raccolta iconografica delle Gallerie comprende anche un altro ritratto del Capponi, opera del Sarri (Inv. GAM Giornale, n. 1078) replica di quello dell'Accademia della Crusca (foto GFS 267276). S.P.	Il ritratto era a Firenze almeno dal 1773, quando compare appeso alla parete in un dipinto di Venceslao Wehrlin (Vienna, Kunsthistorishes Museum, inv. 8785) che ritrae i granduchi Pietro Leopoldo e Maria Luisa, figlia di Carlo III. Da esso, dipinto in un ambiente ideale, non è precisabile la sede in cui stava il dipinto, che era con ogni probabilità una sala di palazzo Pitti. Esso è replica da un originale del Prado (inv. 2200). Vi è agli Uffizi un nutrito gruppo di ritratti di figli di Carlo III: Carlos, 1890/2813; Gabriel, 1890/2811; Antonio Pascual, 1890/2814; Maria Josefa (1890/2815) portati con sé da M. Luisa o forse da Mengs quando venne a ritrarre i granduchi e i loro primi quattro figli, nel 1770. S.M.T.	Firmato e datato in basso a destra: Alfonso / Barbavara F. / Torino 1873. La nota inventariale presso la Camera dei Deputati indica anche il predicato nobiliare dell'autore, appartenente ad antica famiglia piemontese, ma nessun altro elemento è emerso sia al riguardo del pittore che del ritratto e della sua provenienza. La cornice reca una registrazione degli Uffici Giudiziari fiorentini, ma non è stato possibile accertare l'eventuale deposito del quadro in tale sede. L'omaggio postumo a Carlo Alberto di Savoia Carignano (1798-1849) induce tuttavia a ritenere che l'opera possa aver fatto parte della raccolta iconografica degli Uffizi, come altri ritratti piemontesi giunti nello stesso giro d'anni della esecuzione di questo dipinto (v. i ritratti di d'Azeglio, Balbo, Rattazzi). S.P.

	Ic505	Ic506	Ic507	Ic508
PERSONAGGIO	(Don) Carlos de Borbón, principe delle Asturie,	Carlysle, Thomas.	Caruso, Enrico (nell'opera L'Ebrea di Halévy).	Coselli, card. Carlo Francesco.
AUTORE	Mengs, Anton Raphael (Aussig 1728 - Roma, 1779) e bottega.	Gordigiani, Michele (Firenze 1835-1909).	Tamburini, Arnaldo (Firenze 1843-Chicago 1936).	Narducci, Pietro (Milano 1793-Vercelli 1880), attr. a.
DATAZIONE	1770 ca.	1869-70.	1920.	1830-40 ca.
DATI TECNICI	Olio su tela, 127x95.	Olio su tela, 51,5x42.	Olio su cartone, 61x47,5.	Olio su tela, 61x49.
CORNICE	Intagliata e dorata, sec. XVIII.	D'epoca, nera con vetro.	D'epoca in legno dorato e patinato.	D'epoca, alla fiamminga.
UBICAZIONE	Uffizi (1890).	Coll. Spranger (1933); Coll. Matthews (1978); Galleria d'Arte Moderna, Pitti (1979).	Coll. Caruso; Uffizi (1938); Galleria d'Arte Moderna, Pitti (1979).	Coll. Caselli; Uffizi (1951); Galleria d'Arte Moderna, Pitti (1979).
ATTRIBUZIONI	—	—	—	—
ESPOSIZIONI	—	Commemorativa della Società di Belle Arti, Firenze 1933.	—	—
BIBLIOGRAFIA	F. J. Sánchez Cantón, Anton Rafael Mengs, Madrid 1929. D. Honisch, Anton Raphael Mengs und die Bildform des Frühklassizismus, Recklinghausen 1965.	L. e F. Luciani, Dizionario dei pittori italiani dell'800, Firenze 1974. *Cat.*, Firenze 1933, n. 53.	A. M. Comanducci, IV, Milano 1973.	I maestri di Brera, Cat. mostra, Milano 1975.
INVENTARIO	2813.	9507.	9219.	9281.
FOTO	252238.	305918.	137085.	278027.
NOTE	A tergo otto numeri antichi. Il quadro è parte di una serie che comprende Carlo III di Borbone (1890/2938), questo figlio, qui principe delle Asturie e che diventerà re Carlo IV, i fratelli Gabriel (inv. 1890 n. 2811) e Antonio Pascual (inv. 1890 n. 2814), la sorella Maria Josefa (inv. 1890 n. 2815) e la figlia Carlotta Joaquina neonata in culla (inv. 1890 n. 5141, replica di un originale nella collezione reale spagnola). Sono tutte opere di qualità sostenuta, certamente uscite dall'atelier di Mengs (cfr. la versione al Prado, inv. 2188) e dovettero giungere a Firenze per o con Maria Luisa, figlia di Carlo III e sposa a Pietro Leopoldo di Asburgo Lorena, granduca di Toscana. S.M.T.	A tergo sul telaio a matita la seguente iscrizione: Ritratto di Thomas Carlysle - dipinto da Michele Gordigiani - / Eduardo Gordigiani 1869-70. L'opera, forse entrata nella collezione di Robert William Spranger alla morte del Gordigiani, partecipò alla ottantaseiesima esposizione della Società fiorentina di Belle Arti nel 1933 e si è conservata presso la villa di Vaiano in cui il pittore e amatore d'arte Spranger aveva vissuto (di lui vedi il ritratto eseguito da Tito Conti, inv. 1890, n. 9508). Il ritratto, presentato per l'esportazione, è stato acquistato dallo Stato nel 1979 per la collezione iconografica e collocato nella Galleria d'arte moderna di Palazzo Pitti. Sembra in rapporto con una fotografia di Julia Marfaret Cameron del 1867 (v. Londra, National Portrait Gallery, acq. 1975). Fra i tanti ritratti del filosofo e storico scozzese (1795-1881) si ricordano quello di Whistler (Glasgow, Art Gallery and Museum) e la scena di conversazione con la moglie, ripr. in M. Praz, La filosofia dell'arredamento, Milano 1964, pp. 334-335. S.P.	Firmato e datato in basso a destra: A. Tamburini f / 1920. Dono di Gloria Caruso, figlia del tenore (Napoli 1873-1921), nel 1938, come risulta da una nota inventariale. Probabilmente fu la donatrice stessa a fornire l'estremo anagrafico di morte dell'autore del ritratto. I dizionari infatti riportano soltanto gli estremi di nascita e qualche cenno sull'attività del pittore, essenzialmente ritrattista. Ritratti di Vittorio Emanuele II e di Umberto I sono indicati nel Museo di Pisa. Il dipinto è attualmente collocato nella Galleria d'arte moderna di Palazzo Pitti. S.P.	L'opera, che non reca firma o data, ed è registrata come di ignoto, all'atto dell'acquisizione per dono del discendente dell'effigiato, conte Damiano Caselli, ci sembra attribuibile alla mano del pittore lombardo-piemontese Pietro Narducci, autore di un ritratto dello storico Botta delle civiche raccolte torinesi, che presenta straordinarie somiglianze di fattura con questo quadro. Probabilmente in entrambi i casi si tratta di ritratti postumi perché l'età dimostrata dai personaggi relativi non è compatibile con l'attività del Narducci, il quale inizia a esporre a Brera soltanto nel 1819. Carlo Francesco Caselli (Castellano Bormida, Alessandria 1740-Parma 1828), ebbe una parte importante nel Concordato fra Pio VII e la Francia; nominato senatore dell'Impero appoggiò, schierandosi fra i cardinali 'rossi', il secondo matrimonio di Napoleone e fu vescovo di Parma all'epoca di Maria Luigia. Fu tra i papabili del conclave del 1823 con il sostegno del Cardinale Fesch. Il dipinto si trova attualmente nella Galleria d'arte moderna di Palazzo Pitti. S.P.

CLAVDE DE FRANCE FEMME DE CHARLES .III.

	Ic509	Ic510	Ic511	Ic512
PERSONAGGIO	Caterina de' Medici, regina di Francia.	Cavour, Camillo, conte di (ritratto postumo).	(Padre) Cesario di Gesù.	Claudia di Francia, duchessa di Lorena.
AUTORE	Santi di Tito (Sansepolcro 1536-Firenze 1603).	Carnevali, Saverio (Italia, sec. XIX), copia da Hayez, Francesco.	Scuola fiorentina sec. XVIII.	Scuola francese sec. XVII.
DATAZIONE	1585-86.	Post 1864.	Fine sec. XVIII.	Seconda metà sec. XVII.
DATI TECNICI	Olio su tavola, 142x118.	Olio su tela, 83,5x66.	Olio su tela, 94,5x77,5, rintelato.	Olio su tela, 71,5x56,5.
CORNICE	Cornice dorata a salvadora, sec. XVI.	D'epoca, intagliata e dorata.	Salvadora oro e nera, sec. XVIII.	Dorata, liscia, sec. XVIII.
UBICAZIONE	Uffizi (1586); Depositi (?) (1590).	Uffizi (1919 ca.); Museo del Risorgimento (1932); Galleria d'Arte Moderna, Pitti (1979).	San Paolino (?); Uffizi (ante 1881).	Guardaroba; Uffizi (1778).
ATTRIBUZIONI	Corneille de Lyon, bottega (Dimier 1925). Maestro francese 1536 ca. (Rosenberg 1977).	—	—	—
ESPOSIZIONI	Pittura francese nelle collezioni pubbliche fiorentine, Firenze 1977.	L'Unità d'Italia, Torino 1961.	—	—
BIBLIOGRAFIA	G. Poggi in Rivista d'arte VI, 1909. *P. Rosenberg in Cat., mostra Firenze 1977, p. 140, n. 86.*	—	P. B. di S. Teresa, La chiesa di S. Paolo Apostolo in Firenze, Firenze 1975.	P. Rosenberg - S. Meloni Trkulja, Pittura francese nelle collezioni pubbliche fiorentine, Firenze 1977.
INVENTARIO	2257 (C.P., p. 226, n. 40).	3302.	4243.	393 (C.P., p. 221, n. 651).
FOTO	137264.	116359.	136682.	137183.
NOTE	A tergo sulla cornice: 'Ieri partì per Roma Corrado Ricci direttore di questa Galleria per assumere l'ufficio di Direttore Generale delle Belle Arti. Verifica 26 Settembre 1906'. Il ritratto va identificato con la prima redazione dell'effigie per la serie aulica (v. altra sezione), pagato 25 scudi a Santi di Tito il 9 marzo 1585 e il 15 luglio 1586 (Poggi, doc. 6). Fu poi sostituito nella serie da una immagine più aggiornata di Caterina da vedova (inv. 1890, n. 2236) di Jean Guignard. Non essendo capita la sua appartenenza a questa serie, da cui fu del resto staccato prima del '700, non si è collegato il documento al quadro, che viene ritenuto di scuola francese. Esso deriva in effetti da un originale di Corneille de Lyon noto in varie copie, tra cui un affresco del Vasari in Palazzo Vecchio (sala di Leone X) che fu probabilmente la fonte diretta di Santi di Tito, e il ritratto giovanо (inv. 1890, n. 21). S.M.T.	L'opera, documentata per la prima volta dalla registrazione inventariale effettuata verso il 1919 e allora esposta nel Corridoio Vasariano, passava più tardi al Museo del Risorgimento fiorentino; indi a Palazzo Pitti, probabilmente in occasione della mostra celebrativa del '48, ma la presenza del quadro alla mostra non è documentata. Non si è trovata alcuna notizia sul copista di questo celebre ritratto che Hayez eseguì per commissione del consiglio di Brera da una maschera in gesso dello statista piemontese (1810-1861), ed espose a Milano nel 1864. Questa copia potrebbe essere entrata in collezione verso il 1873, anno in cui la Direzione degli Uffizi chiese in dono ad alcuni municipi i ritratti (quasi sempre pervenuti in copie) di illustri cittadini contemporanei. Gli Uffizi possiedono anche un'altra copia di questo ritratto di Hayez, in miniatura, dovuta a G. Pilloni (inv. 1890, n. 8449). L'opera è compresa nel prossimo riordinamento della Galleria d'arte moderna di Palazzo Pitti. S.P.	Davanti in alto la scritta 'P. E. Cesarius a Iesu Florent. De Famil. Lariona Obiit die XXI Mart. MDCLXXXVI Aet. sue LXXXII.'. Il nome secolare di questo carmelitano scalzo era Francesco Larioni (di un ramo della famiglia Bardi che prese a metà '400 il nome di un congiunto Ilarione): fu priore della chiesa di San Paolo apostolo, detta S. Paolino, che fece riedificare (la prima pietra fu posta nel 1669): e infatti è raffigurato col disegno della facciata (non realizzata). Fu il primo ad esservi sepolto: la data della sua morte è segnata sul dipinto in stile fiorentino. Probabilmente il dipinto venne dal convento con le soppressioni; e fa parte di una serie di ritratti di carmelitani: inv. 1890 n. 2636, v. schede brevi; inv. 1890 n. 4245 (Benedetto Tornaquinci); inv. 1890 n. 4246, (Camillo da Verrazzano); inv. 1890 n. 5142 (P. Ildefonso di San Luigi Gonzaga); inv. 1890 n. 5214 (Ambrogio Mancini). S.M.T.	In basso: CLAVDE DE FRANCE FEMME DE CHARLES III. Fa parte di una serie di 46 ritratti della famiglia di Lorena fin dall'origine (sec. XIV; inv. 1890 nn. da 363 a 408) portati forse dai nuovi granduchi, e che vengono richiesti dalla galleria degli Uffizi alla guardaroba nel 1778 (AGF, filza XI a 83). Di Claudia, moglie di Carlo II di Lorena e madre di Cristina poi granduchessa di Toscana esistono a Firenze altre immagini (inv. 1890 nn. 2346, 2508, 4437), derivanti secondo Dimier (Histoire de la peinture de portrait en France II, Paris 1925) da un prototipo ignoto databile intorno al 1568. S.M.T.

	Ic513	Ic514	Ic515	Ic516
PERSONAGGIO	Claudio di Lorena.	Colombini Castellani, Aldobrandesca.	Contrucci, Pietro.	(Don) Corsini, Neri (ritratto postumo).
AUTORE	Scuola francese, metà sec. XVI.	Franchi, Antonio (Villa Basilica 1638 - Firenze 1709).	Ulivi, Pietro (Pistoia 1806-1880).	Lanfredini, Alessandro (Firenze 1826-Siena 1900).
DATAZIONE	1540-50?	1691.	1859.	1875.
DATI TECNICI	Olio su tela, 138x99,2.	Olio su tela, 73,2x60.	Olio su tela, 103x76.	Olio su tela, 82x63.
CORNICE	Liscia tinta di giallo, sec. XVI?	Salvadora dorata, sec. XVIII.	Traforata a motivi vegetali e dorata, sec. XIX.	D'epoca, sagomata e dorata.
UBICAZIONE	Uffizi (1881).	Pitti (ante 1710); Uffizi.	—	Uffizi (1875); Galleria d'Arte Moderna, Pitti (1976).
ATTRIBUZIONI	—	—	—	—
ESPOSIZIONI	—	—	—	Ritratti dell'Ottocento, Portoferraio 1953.
BIBLIOGRAFIA	AGF: M. Bertelli, scheda ministeriale, 1973. P. Rosenberg, Pittura francese nelle collezioni pubbliche fiorentine, Firenze 1977.	*G. Ewald, in Antichità viva XIII, 1974 .M. Gregori, F. Nannelli, in Paradigma 1, 1977.*	AA.VV., Cultura dell'Ottocento a Pistoia. La collezione Puccini, Firenze 1977.	A. M. Comanducci, III, Milano 1972.
INVENTARIO	2373 (C.P., p. 225, n. 65?).	2772.	3324.	3318.
FOTO	138552.	136474.	300990.	322201.
NOTE	In alto: 'CLAUDE DE LORAINE DVC DE GVYSE'. L'effigiato (Condé 1496 - Joinville 1550) era quintogenito di Renato II di Lorena e di Philippa de Gueldre; visse alla corte di Francesco I, combatté a Marignano, Fuenterrabia, Hesdin: ebbe nel 1528 il titolo di duca di Guisa e nel 1544 quello di duca di Mayenne. Sposò nel 1513 Antonietta di Borbone figlia del conte di Vendôme, ed ebbe dodici figli. Un suo ritratto più giovane, opera di Jean Clouet, è nella Galleria Palatina (inv. 252). S.M.T.	Il rittratto rientra fra quelli di dame del tardo Seicento nell'entourage di Vittoria della Rovere o di Violante di Baviera: G. Ewald ne ha giustamente indicato l'autore in Antonio Franchi, ma non ha riconosciuto l'effigiata. È documentato però che il Franchi fece in almeno due versioni il ritratto di Aldobrandesca Colombini Castellani senese 'con mani e per una Flora', presente a palazzo Pitti nel primo decennio del '700 (ASF, Guard. 1185, I c. 178 n. 130) e forse anche prima (ASF, Guard. 1017, c. 55v n. 270), la cui descrizione e misure collimano perfettamente con questa tela. Un'altra versione del quadro, pure senza nome, è presso un'antica famiglia fiorentina. S.M.T.	6919'. Pietro Contrucci (Calamecca 1788 - Firenze 1859), sacerdote, letterato e celebre epigrafista, compì i suoi primi studi nel Seminario di Pistoia, divenendo in seguito Bibliotecario della Sapienza. Partecipò ai moti del 1831, in seguito ai quali fu imprigionato a Livorno, quindi alle sommosse del 1848, sostenendo sempre con l'azione e gli scritti l'avvento della monarchia sabauda. Nel 1859 venne eletto rappresentante dei pistoiesi all'assemblea toscana. Le sue 'Opere edite e inedite' furono pubblicate a Pistoia nel 1841. L'opera, esposta nel Corridoio Vasariano dopo la prima guerra mondiale, si trova attualmente Galleria d'arte moderna della di Palazzo Pitti. Gr. Red. 1	Sul telaio l'iscrizione: Prof. Alessandro Lanfredini eseguì nel 1875. Ritratto postumo. Dono del figlio dell'effigiato agli Uffizi (AGF 1875, filza B, I, 113). In esposizione nel Corridoio Vasariano dopo la prima guerra mondiale. Neri Corsini (1805-1859) governatore granducale a Livorno, membro del governo del '48, inviato dal governo provvisorio toscano a Londra, dove muore, è sepolto in Santa Croce con un importante monumento del Fantacchiotti. Il ritratto è attualmente esposto nella Galleria d'arte moderna di Palazzo Pitti. S.P.

	Ic517	Ic518	Ic519	Ic520
PERSONAGGIO	Cristiano VII, re di Danimarca.	Cristina, regina di Svezia.	Della Rovere, Federico Ubaldo.	Della Rovere, Vittoria.
AUTORE	Schmidt, Johann Heinrich (Hildburghausen 1749 - Dresda 1829).	Voet, Jakob Ferdinand (Anversa 1635 - Parigi 1700?).	Scuola marchigiana (?) sec. XVII.	Scuola fiorentina sec. XVII.
DATAZIONE	1788.	1670 ca.	1610.	1624.
DATI TECNICI	Olio su tela, 130,8x108.	Olio su tela, 97x77, restauro 1965.	Olio su tela, 162x107,5, restauro 1968.	Olio su tela, 115,5x87,7.
CORNICE	Salvadora dorata, sec. XVIII.	Nera con fregi e orli dorati, sec. XVII.	Liscia gialla, sec. XVIII.	Salvadora tinta gialla, sec. XVII.
UBICAZIONE	Uffizi (1881).	Uffizi (almeno dal 1890).	Pitti (1680); Castello (1701); Uffizi (1881).	Poggio Imperiale (1836); Uffizi (1890).
ATTRIBUZIONI	—	—	—	—
ESPOSIZIONI	—	Mostra di Roma secentesca, Roma 1930 (?). Christina queen of Sweden, Stoccolma 1966.	—	—
BIBLIOGRAFIA	Thieme-Becker, XXX, Leipzig 1936.	C. Nordenfalk, in Studies in Renaissance and Baroque Art presented to Anthony Blunt, London - New York 1967. D. Bodart, Les peintres des Pays-Bas... à Rome, I, Bruxelles - Rome 1970.	—	*K. Langedijk, The portraits of the Medici XVth - XVIIIth centuries, Florence 1980.*
INVENTARIO	2936 (C.P., p. 223 n. 1006).	2810.	2473 (C.P., p. 228, n. 1095).	2391.
FOTO	137368.	138560.	229812.	22323.
NOTE	Firmato in basso a sinistra 'J.H. Schmidt pinx/1788', iniziali di Johann Heinrich, ritrattista di corte a Dresda dal 1775. Cristiano VII di Danimarca, figlio di Federico V e di Giuliana di Braunschweig-Wolfenbüttel, re dal 1766, era imparentato per via materna con gli Asburgo-Lorena, essendo la madre del granduca Pietro Leopoldo, Maria Teresa imperatrice, figlia di Elisabetta - Cristina di Braunschweig - Wolfenbüttel. È possibile quindi che il ritratto sia giunto a Firenze tramite la dinastia lorenese. S.M.T.	A tergo cartellino della mostra di Roma secentesca, nel cui catalogo però il dipinto non è citato. Esso è versione autografa di un celebre ritratto della regina di Svezia, residente a Roma dopo l'abdicazione, che nel 1670 fu pagato 180 scudi al pittore. Ve ne sono varianti (con fondo di paesaggio, con orbe nella destra, di differente taglio), incisioni e numerose copie: nelle Gallerie fiorentine una proveniente dal Poggio Imperiale (inv. Imperiale rosso n. 424) e quella della collezione gioviana (inv. 1890 n. 423), eseguita nel tardo '600. L'originale arrivò dunque a Firenze poco dopo l'esecuzione, anche se finora non se ne sono rintracciate le collocazioni antiche. S.M.T.	In alto la scritta 'Federico prencipe de Urbino d'età d'anni V'. Ritratto dell'ultimo erede del ducato di Urbino, figlio di Francesco Maria II, che sposò Claudia di Ferdinando I de' Medici e ne ebbe la figlia Vittoria, a sua volta sposa in casa Medici al cugino Ferdinando II, a cui portò un enorme patrimonio di opere d'arte. Di questo ritratto non risulta mai indagato l'autore: a corte lavoravano a quest'epoca Archita Ricci, Antonio Cimatori detto Visacci e, dal 1603 al 1610 e dopo il 1617, il veronese Claudio Ridolfi. A differenza del ritratto baroccesco di Federico Ubaldo a due anni (Lucca, Pinacoteca), questo non figura negli inventari pubblicati di Urbino; i primi documenti che se ne trovano sono un passaggio da Pitti alla guardaroba il 2 agosto 1680 (ASF, Guard. 870, c. 35r) e una nuova cornice con cui viene trasferito a Castello nel maggio 1701 (ASF, Guard. 1027, cc. 202v e 209v). S.M.T.	In basso a destra scritta 'ANI. 3. 1624'. Non riconosciuto come Vittoria della Rovere nell'inventario del 1890, è uno dei primi (forse il primo) ritratti noti dell'ultima discendente dei duchi d'Urbino, venuta a Firenze nell'agosto 1623 e nel settembre fidanzata al futuro granduca Ferdinando II de' Medici: porta in mano, infatti, il garofano, simbolo delle spose. Ritratti simili, ma non uguali, con lo stesso gioiello (una croce di pietre preziose con perle pendenti) si trovano a Roma (galleria Corsini) e a Vienna (Kunsthistorisches Museum, inv. 4518). S.M.T.

  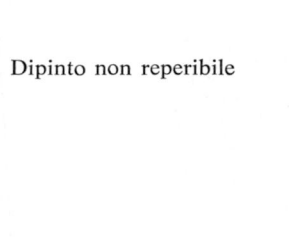 

Ic521	Ic522	Ic523	Ic524

Personaggio	Della Rovere, Vittoria.	Del Sera, la figlia di Paolo D. S.	Donati, Giovan Battista.	Elisabetta di Francia.
Autore	Furini, Francesco (Firenze 1603-46).	Voet, Jakob Ferdinand (Anversa 1639 - Parigi 1700?), attr. a.	Bedeschi, Mario (Lugo, Ravenna 1850-Moncalieri, Torino 1923).	Pourbus, Frans, il giovane (Anversa 1569 - Parigi 1622).
Datazione	1645.	1673 ca.	1873 (?).	1610 ca.
Dati tecnici	Olio su tela, 105x86,5.	Olio su tela, 82,6x70, restauro 1974.	—	Olio su tela, 161,5x104,5, rintelato.
Cornice	Intagliata a foglie e ghiande di quercia, sec. XVII, probabilmente originale.	Cornice dorata con rilievi a pastiglia, sec. XVIII.	—	Salvadora dorata, sec. XVII.
Ubicazione	Uffizi (1890).	Card. Leopoldo de' Medici (1675); Pratolino (1680); Uffizi (1890).	Uffizi (1919 ca.).	Depositi; Uffizi (1890).
Attribuzioni	—	—	—	—
Esposizioni	Artisti alla Corte Granducale, Firenze 1969, n. 39.	—	—	—
Bibliografia	A. Stanghellini, *Francesco Furini pittore*, Siena 1914. G. Corti, in *Antichità viva* X, 1971.	—	L. e F. Luciani, *Dizionario dei pittori italiani dell'800*, Firenze 1974.	P. Rosenberg, *Pittura francese nelle collezioni pubbliche fiorentine*, Firenze 1977.
Inventario	2689.	2782.	3314.	2470.
Foto	22931.	138624 (tergo: 206453).	—	136832.

Note

Dipinto, secondo lo Stanghellini che lo pubblicò, per Ferdinando II de' Medici, secondo il Thieme-Becker per Don Lorenzo. G. Cantelli (AGF, scheda ministeriale, 1973) pensa sia stato eseguito quando la granduchessa aspettava il primo figlio, Cosimino, nato nel 1639 e precocemente morto; ma il Corti ha pubblicato un documento dell'archivio Salviati di Pisa da cui risulta che il ritratto era in esecuzione nel maggio 1645. La cornice è con ogni probabilità quella originale, dato il soggetto araldico dell'intaglio.

S.M.T.

Inventariato come ritratto di Marguerite-Louise d'Orléans (identificazione rifiutata da K. Langedijk, com. or.), è invece senza dubbio il ritratto della figlia di Paolo del Sera 'da giovane con Capelli Biondi, assetti alla moda, vezzo di Perle, Collare straforato, e Abito fondo mavì ricamato con Collana di Perle che tiene con la destra un'Arme di palle' (ASF, Guard. 826, c. 90r n. 594), che il 2 agosto 1680 viene mandato a Pratolino (ASF, Guard. 870, c. 29v). Putroppo non è dato l'autore di questo splendido ritratto della figlia di uno dei più devoti corrispondenti e fornitori di opere d'arte del cardinale, a cui i figli di Del Sera furono raccomandati per testamento: ma lo stile riporta a Jakob Ferdinand Voet. Si ricordi che nell'aprile 1673 l'artista depositava presso Annibale Ranuzzi a Bologna (ASF, Cart. art. XIII, 431-437) il proprio autoritratto e il ritratto 'di non so che veneziana' da donare al cardinale; è vero che si specifica trattarsi di pastelli, ma anche l'unico autoritratto del Voet poi in possesso di Leopoldo è un olio su tela: forse i dipinti furono eseguiti in due redazioni di tecnica diversa.

S.M.T.

L'opera, attualmente irreperibile, è documentata per la prima volta nella registrazione inventariale effettuata verso il 1919 ed è stata esposta nel Corridoio Vasariano nel periodo fra le due guerre. Con ogni probabilità si tratta di un ritratto postumo dell'astronomo pisano (1826-1873) successore di Giovan Battista Amici nella direzione dell'Osservatorio astronomico fiorentino, che per suo impulso fu trasferito ad Arcetri. È inoltre probabile che il ritratto sia stato commissionato dalla Direzione degli Uffizi, alla morte dell'illustre personaggio avvenuta per colera a Firenze nel 1873, al Bedeschi, allora giovane allievo dell'Accademia fiorentina.

S.P.

Stranamente non considerato dalla critica, questo ritratto di una figlia di Maria de' Medici e di Enrico IV re di Francia, sposa nel 1615 a Filippo IV re di Spagna, può rientrare senz'altro fra gli autografi del Pourbus. Si sa che egli ritrasse tutti i figli della regina fiorentina e che versioni dei quadri pervennero a Firenze nel secondo decennio del '600 (cfr. U. Rossi in Archivio storico dell'arte II, 1889); ma di Elisabetta è meglio noto un ritratto più solenne (inv. 1890 n. 2399), che dal costume sembra poco più tardo di questo.

S.M.T.

	Ic525	Ic526	Ic527	Ic528
PERSONAGGIO	Elisabetta, imperatrice d'Austria.	Ferdinando di Baviera.	Flemming, conte Jakob Heinrich, von.	Foscolo, Ugo?
AUTORE	Sogni, Giuseppe (Robbiano Giussano, Cremona 1795-Milano 1874).	Fratellini, Giovanna (Firenze 1666-1731).	Scuola tedesca sec. XVIII.	Scuola lombarda sec. XIX.
DATAZIONE	1854 ca.	1720 ca.	1722 ca.	1800-1810 ca.
DATI TECNICI	Olio su tela, 250x170.	Pastello su carta, 64,5x53.	Olio su tela, 139,5x113,5.	Olio su tela, 69x50.
CORNICE	D'epoca, dorata.	Dorata e con rilievi in pastiglia, sec. XVIII, col basso in alto.	Tinta a noce con filetto dorato, originale.	Ottocentesca, dorata.
UBICAZIONE	Ministero del Tesoro, Roma; Uffizi (1911); Galleria d'Arte Moderna, Pitti (1976).	Lappeggi (1733-62); Pitti (?); Uffizi (1882).	Cosimo III de' Medici; Uffizi (1722).	Coll. Mambriani; Uffizi (1956); Galleria d'Arte Moderna, Pitti (1972).
ATTRIBUZIONI	—	—	—	Natale Schiavone (Micheletti, 1960). Maniera del Bossi (Pinto, Mannu 1972).
ESPOSIZIONI	Mostra del Ritratto Italiano, Firenze 1911.	—	—	Nuovi acquisti delle Gallerie fiorentine, Firenze 1960. Cultura neoclassica e romantica nella Toscana granducale, Firenze 1972.
BIBLIOGRAFIA	I maestri di Brera, Cat. mostra, Milano 1975. *Cat., Firenze 1911, p. 20, n. 15. C. Bon, Cultura toscana dell'Unità (1859-70) e primi cenacoli dei Macchiaioli, Firenze 1976, p. 1.*	Dizionario Bolaffi V, Torino 1974.	Allgemeine Deutsche Biographie 7, Leipzig 1878.	*Cat., Firenze 1972, pp. 114-115.*
INVENTARIO	3582 e 8421.	2528.	2692.	9381.
FOTO	269423.	137074.	137360.	103633.
NOTE	Firmato a sinistra: G. Sogni. Elisabetta di Baviera (Monaco 1837-Ginevra 1898, assassinata) sposò il cugino Francesco Giuseppe giovanissimo Imperatore d'Austria il 24.4.1854. Il ritratto, oggi collocato presso la Galleria d'arte moderna di Palazzo Pitti, dovette essere eseguito subito dopo il matrimonio e pervenne nel 1911 dopo la mostra del ritratto italiano (AGF, Arte, 958)dal Ministero del Tesoro che ebbe in cambio quadri moderni. Nell'Enciclopedia Italiana, alla voce Elisabetta, il quadro è riprodotto con la vecchia ubicazione. S.P.	Il ritratto è inventariato come anonimo di mano ignota, ma è senz'altro da identificare con un pastello di Giovanna Fratellini (nota Marmocchini Cortesi (raffigurante Ferdinando di Baviera documentato nella villa di Lappeggi quando era abitata dalla figlia dell'effigiato, Violante. Il rango regale è visibile nel mantello di ermellino e nell'ordine del Toson d'Oro. Il ritratto faceva serie con altri due pastelli della Fratellini, uno del 1718 e uno del 1722, raffiguranti altri membri della famiglia elettorale (Inv. 1890 nn. 2576 e 2581). Dello stesso personaggio esistono altri ritratti in galleria, tra cui uno non riconosciuto a olio su tela (inv. 1890 n. 2955). S.M.T.	Inventariato come generale anonimo, si può identificare col ritratto di Jacopo Enrico Fleming, ministro e dal 1711 gran maresciallo di Sassonia. Il quadro, mandato a incorniciare da Cosimo III de' Medici il 6 novembre 1722 (ASF, Guard. 1292, c. 84v), entra in galleria il 12 dicembre (ASF, Guard. 1277, c. 79v), certamente destinato alle pareti del corridoio, ornato appunto di ritratti di 'sovrani e generali'. La sua altezza (braccia 2.11, cioè 150 ca.) era maggiore e infatti sul telaio è stata risvoltata la parte dipinta, ma la descrizione antica non lascia dubbi: giustacuore di velluto rosso, schiena e petto armati, ordine dell'Elefante, bastone di comando, nel fondo padiglione e battaglia. S.M.T.	Acquistato, mediante esercizio del diritto di prelazione, da Angelo Mambriani che lo aveva presentato all'ufficio esportazione di Firenze nel 1956. Attribuito a Natale Schiavone e identificato come ritratto di Ugo Foscolo (Cat., Firenze 1960), il dipinto sembra da riportare in ambito milanese d'età napoleonica, nella cerchia del Bossi, e l'identificazione con il poeta (1778-1827) appare plausibile, benché non sostenibile con certezza assoluta. È esposto nella Galleria d'arte moderna di Palazzo Pitti dal riordinamento del 1972. S.P.

	Ic529	Ic530	Ic531	Ic532
PERSONAGGIO	Fossombroni, Vittorio.	Francesco de' Medici.	Francesco de' Medici.	Francesco Giuseppe, imperatore d'Austria.
AUTORE	Benvenuti, Pietro (Arezzo 1769-Firenze 1844).	Titi, Tiberio (Firenze 1573-1627).	Sustermans, Giusto (Anversa 1597 - Firenze 1681).	Sogni, Giuseppe (Robbiano Giussano, Cremona 1795-Milano 1874).
DATAZIONE	1828.	1597.	1621.	1854 ca.
DATI TECNICI	Olio su tela, 58x49.	Olio su tela, 128x97.	Olio su tela, 174,7x118,5, restauro 1974.	Olio su tela, 250x170.
CORNICE	D'epoca, intagliata e dorata.	Salvadora tinta di giallo, sec. XVIII (?).	Nera con orlo e fregi dorati, sec. XVII.	D'epoca, dorata.
UBICAZIONE	Coll. Fossombroni; Uffizi (1893); Galleria d'Arte Moderna, Pitti (1976).	Poggio Imperiale (1845); Uffizi (1890).	Uffizi (1890).	Ministero del Tesoro, Roma; Uffizi (1911); Galleria d'Arte Moderna, Pitti (1976).
ATTRIBUZIONI	—	—	—	—
ESPOSIZIONI	Mostra storica dell'Unità d'Italia, Torino 1961.	—	—	Mostra del Ritratto Italiano, Firenze 1911.
BIBLIOGRAFIA	Pietro Benvenuti, Cat. mostra, Arezzo 1969. L. e F. Luciani, Dizionario dei pittori italiani dell'800, Firene 1974.	G. Heinz in Jahrbuch der Kunsthistorischen Sammlungen in Wien 59, 1963.	G. Heinz, in Jahrbuch der Kunsthistorischen Sammlungen in Wien 59, 1963.	Maestri di Brera, Cat. mostra, Milano 1975. *Cat., Firenze 1911, p. 20, n. 14. C. Bon, Cultura toscana dell'Unità (1859-70) e primi cenacoli dei Macchiaioli, Firenze 1976, p. 1.*
INVENTARIO	3322.	2381.	4296.	3581 e 8320.
FOTO	116351.	137266.	228188 (tergo: 206473).	49772.
NOTE	Firmato a tergo: Pietro Benvenuti fece. Pervenuto agli Uffizi nel 1893 per lascito testamentario del senatore conte Enrico Fossombroni, esecutore il figlio di questi Guido Alberto, da una lettera del quale si ha notizia della data del dipinto, 1828, perfettamente conveniente ad esso (AGF, filza Gallerie 1893, 4, 5). Nella stessa occasione la maschera fusa in bronzo dello statista (1754-1844) fu assegnata all'Istituto Tecnico. Il ritratto può essere messo in rapporto con un'incisione di P. Ermini e F. Vendramini. Attualmente esposto nella Galleria d'arte moderna. È riprodotto nel 2° vol. della Storia d'Italia Mondadori, Milano 1964 (a cura di F. Catalano, R. Moscati, F. Valsecchi) a p. 232 e detto ubicato presso il Museo del Risorgimento fiorentino. S.P.	Nella boccia di vetro sulla tavola la scritta '1597 / P. FRANC. A. IIII'. Accanto, una biglia con lo stemma Medici e Lorena: l'effigiato infatti è il quarto figlio del granduca Ferdinando I e di Cristina di Lorena. Fa parte di una serie coi fratelli Eleonora (inv. 1890 n. 2380) e Carlo (Inghilterra, coll. privata), che K. Langedijk ritiene di Tiberio Titi. Ne esiste una copia a Vienna, pure datata, che Heinz credette raffigurasse Cosimo II, fratello maggiore di Francesco. S.M.T.	A tergo sulla tela: 'Prpe Francesco Medici Anni Sette mesi cinque'. Dell'opera esiste una replica nel museo di Vienna (inv. 283) attribuita a Tiberio Titi dallo Heinz; ma il quadro è documentato al Sustermans nell'ambito di una serie di ritratti ai bambini di casa Medici fatta nel 1621 (Leopoldo, inv. 1890 n. 3660; Giovan Carlo, inv. 1890 n. 3649) e replicata almeno tre volte. In questo caso l'esecuzione va assegnata al Sustermans in persona per la bellissima qualità. L'effigiato, col cane dalmata ai piedi, è il sesto figlio di Cosimo II. S.M.T.	Il quadro, oggi collocato presso la Galleria d'arte moderna di Palazzo Pitti assieme al pendant, dovette essere eseguito come ritratto ufficiale subito dopo il matrimonio e pervenne nel 1911, dopo la mostra del ritratto italiano (AGF, Arte, 958) dal Ministero del Tesoro che ebbe in cambio quadri moderni. Una redazione identica non firmata esiste nella Biblioteca Braindense, a Milano. Francesco Giuseppe (1830-1916) sposò nel 1854 la cugina Elisabetta figlia di Massimiliano di Baviera. Il giovane imperatore successe nel 1848 allo zio Ferdinando I. S.P.

	Ic533	Ic534	Ic535	Ic536
PERSONAGGIO	Francesco Stefano di Lorena, granduca di Toscana.	(Don) Gabriel de Borbòn.	Galantini, Ippolito il Beato.	Galletti, Giuseppe, conte di S. Ippolito.
AUTORE	Van Meytens, Martin (Stoccolma 1695 - Vienna 1770).	Mengs, Anton Raphael (Aussig 1728 - Roma 1779) e bottega.	Rosselli, Matteo (Firenze 1578-1650), attr. a.	Palanti, Giuseppe (Milano 1881-1946).
DATAZIONE	Metà sec. XVIII.	1763.	Inizi sec. XVII.	1920 ca.
DATI TECNICI	Olio su tela, 261x167.	Olio su tela, 127,5x95,5.	Olio su tela, 129,5x99,5, rintelato.	Olio su tela, 205x103.
CORNICE	Liscia, dorata, sec. XVIII.	Intagliata e dorata, sec. XVIII.	Liscia, tinta gialla, sec. XVIII.	D'epoca, intagliata e patinata, con vetro.
UBICAZIONE	Uffizi (1881).	Uffizi (1890).	Uffizi (1881).	Coll. Galletti di Sant'Ippolito; Uffizi (1963); Galleria d'Arte Moderna, Pitti (1979).
ATTRIBUZIONI	—	—	—	—
ESPOSIZIONI	—	—	—	—
BIBLIOGRAFIA	B. Liskolm, Martin van Meytens d. J., Malmö 1974.	F. J. Sánchez Cantón, Anton Rafael Mengs, Madrid 1929. D. Honisch, Anton Raphael Mengs und die Bildform des Frühklassizismus, Recklinghausen 1965.	F. Faini, Matteo Rosselli (tesi di laurea), Firenze 1967.	A. M. Comanducci, IV, Milano 1973.
INVENTARIO	2961 (C.P., p. 224, n. 979).	2811.	2637 (C.P., p. 224 n. 171).	9443.
FOTO	136767.	138539.	137437.	322202.
NOTE	Il dipinto è inventariato come ritratto dell'imperatore Carlo VI, ma raffigura invece suo genero Francesco Stefano di Lorena, di cui le Gallerie fiorentine possiedono due ritratti uguali a figura intera (questo e il n. 1890/3779), una modesta copia a mezzo busto (inv. 1890 n. 5247) e un giovanile ritratto armato (inv. 1890 n. 2678). Francesco, III di Lorena (dal 1729), II di Toscana (dal 1737) e I d'Austria, governatore d'Ungheria dal 1732 e marito di Maria Teresa dal 1736, è qui ritratto dal pittore di corte; la tela è una versione grande del ritratto al ginocchio nella galleria di Vienna (inv. 3440), probabilmente di poco posteriore all'incoronazione a imperatore (1745) di cui porta i simboli. S.M.T.	A tergo otto numeri antichi. Il dipinto, inventariato come ignoto di autore anonimo, è la replica-come comunicano gentilmente il Dr. Juan J. Luna e la Dr. Steffi Röttgen-di un ritratto di Mengs al Prado (inv. 2196) che ritrae Don Gabriel a undici anni; ve ne sono nelle gallerie altri simili, tutti della famiglia di Carlo III di Borbone, che certamente furono portati a Firenze da sua figlia Maria Luisa, andata sposa (1765) a Pietro Leopoldo granduca di Toscana. Oggi sono esposti i nn. 2813 (Carlo IV) e 2814 (Antonio Pascual), tutti figli di Carlo III (inv. 1890 n. 2938, v. schede). S.M.T.	Il ritratto sembra il caposaldo dell'iconografia del Beato (per una copia, cfr. inv. 1890 n. 2329), ma le fonti non ne tramandano l'autore. Solo in una stampa assai tarda (Antonio Pazzi, 1755), in cui la figura è volta allo stesso modo, ma ha le braccia conserte con libro sotto il braccio destro e Crocifisso nella mano sinistra (forse per far figurare gli attributi nonostante il taglio più corto, a mezzo busto), è dato come autore 'M. Rosselli pinx': attribuzione plausibile, anche se da controllare previo restauro. S.M.T.	Firmato in basso a destra: G. Palanti. Donato dal figlio dell'effigiato, Massimo, (all'epoca vivente a Firenze) nel 1963 per la collezione iconografica. Il pittore, noto, dal 1915 circa, come ritrattista della buona società milanese, fu più tardi direttore della scuola di decorazione di Brera e disegnò spesso costumi per il Teatro alla Scala. S.P.

	Ic537	Ic538	Ic539	Ic540
PERSONAGGIO	Gastone di Francia, duca d'Anjou e d'Orléans.	Gastone d'Orléans.	Gavaruzzi, Teresa.	Gian Gastone de' Medici.
AUTORE	Scuola francese sec. XVII.	Pourbus, Frans il giovane (Anversa 1569 - Parigi 1622).	Alberi, Clemente (Ferrara 1803-Bologna 1864).	Scuola fiorentina sec. XVII.
DATAZIONE	Secondo quarto sec. XVII.	1611 ca.	1836.	1680-85.
DATI TECNICI	Olio su tela, 120,5x95,5.	Olio su tela, 50x41.	Olio su tela, 93x79,5.	Olio su tela, 169,5x136.
CORNICE	A cassetta intagliata a fasci d'alloro, sec. XVII.	Con gola piatta a scacchi, inizi sec. XVII.	D'epoca, dorata.	Liscia, dorata e tinta gialla, sec. XVII.
UBICAZIONE	Cosimo III de' Medici; Castello (1698); Uffizi (ante 1890).	Pitti (1687)?; Uffizi.	Coll. Gavaruzzi - Setti; Uffizi (1879), Galleria d'Arte Moderna, Pitti (1924).	—
ATTRIBUZIONI	—	—	—	—
ESPOSIZIONI	—	Mostra medicea, Firenze 1939.	Moda in cinque secoli di pittura, Torino 1951 (non in catalogo). Artisti emiliani e romagnoli dell'Ottocento, Faenza 1955. Cultura neoclassica o romantica nella Toscana granducale, Firenze 1972.	—
BIBLIOGRAFIA	*P. Rosenberg, Pittura francese nelle collezioni pubbliche fiorentine, Firenze 1977.*	*P. Rosenberg, Pittura francese nelle collezioni pubbliche fiorentine, Firenze 1977.*	*Cat., Firenze 1972, pp. 50-51, 173.*	—
INVENTARIO	2691.	2406 (C.P., p. 74 n. 3404?).	8042.	4280.
FOTO	248657.	137061.	74051.	136550.
NOTE	Versione di media qualità di un tipo iconografico assai diffuso, che ritrae in età adulta Gastone di Francia, duca d'Anjou e d'Orléans, fratello minore di Luigi XIII e padre della granduchessa Marguerite-Louise, moglie di Cosimo III. Le Gallerie fiorentine ne avevano già due bei ritratti infantili di Pourbus (inv. 1890 nn. 2406 e 3799) fatti fare dalla madre Maria de' Medici. Questo risulta presente a Firenze almeno dal 1698: il 22 aprile viene fatto incorniciare e mandato alla villa di Castello (ASF, Guard. 1026, c. 99rv), arredata per il figlio maggiore di Marguerite-Louise, il Gran Principe Ferdinando de' Medici. S.M.T.	Le Gallerie fiorentine conservano due ritratti quasi coevi, entrambi del Pourbus, di Gastone bambino; questo e il n. 3799 dell'inv. 1890, un po' più piccolo, con cuffia uguale e veste colorata. Uno dei due è citato in Pitti già nel 1687; uno (lo stesso?) fu esposto a Firenze nel 1939. Sono parte di una serie dei quattro figli di Enrico IV e Maria de' Medici, i due maggiori a figura intera, i piccoli a mezza figura; e furono probabilmente inviati a Firenze subito dopo la loro esecuzione. S.M.T.	Firmato e datato in basso a destra: Clemente Alberi fece 1836. Giunto agli Uffizi per lascito testamentario della ritrattata (AGF, 1879 filza A, 571). È esposto nella Galleria d'arte moderna dalla data dell'ordinamento di questa a Palazzo Pitti. S.P.	A tergo vari numeri antichi. Il ritratto, molto scurito, è di impaginazione non comune: il principe è vestito alla turca con abito giallo, cintura ornata di gemme, manto rosso e scettro, ed ha ai piedi un canino bianco. Dietro di lui un negretto regge con la sinistra un tendaggio, e nella mano destra ha un berretto rosso. Sulla tavola, un orologio con catena. Niente è noto sull'autore e la provenienza. S.M.T.

	Ic541	Ic542	Ic543	Ic544
PERSONAGGIO	Gioberti, Vincenzo (ritratto postumo).	Giovan Carlo de' Medici.	Giovanni Guglielmo, Elettore Palatino del Reno e sua moglie Anna Maria Luisa de' Medici.	Gismondi, Pietro.
AUTORE	Puccinelli, Antonio (Castelfranco di sotto, Pisa 1822-Firenze 1897).	Sustermans, Giusto (Anversa 1597 - Firenze 1681) e bottega.	Douven, Jan Frans, Van (Roermond 1656 - Bonn 1727).	Lami, Vincenzio (noto a Firenze dal 1837 al 1870 ca.).
DATAZIONE	1861.	1621.	1711 ca.	1856.
DATI TECNICI	Olio su tela, 203x142.	Olio su tela, 175x117, rintelato.	Olio su tela, 243x182.	Olio su tela, 53x38,5.
CORNICE	D'epoca, intagliata e dorata.	Nera con orlo e fregi dorati, sec. XVII.	Salvadora dorata, sec. XVIII.	Più tarda, in legno dipinto in verde e oro.
UBICAZIONE	Accademia (1867); Uffizi (1919 ca.); Galleria d'Arte Moderna, Pitti (1976).	Poggio Imperiale (1845); Uffizi (1890).	Uffizi (1881).	Coll. Orsi; Uffizi (1942); Galleria d'Arte Moderna, Pitti (1942).
ATTRIBUZIONI	—	—	—	—
ESPOSIZIONI	Prima Esposizione Italiana, Firenze 1861.	—	Die Gestalt des Kurfürsten Johann Wilhelm Heidelberg 1958. Artisti alla corte granducale, Firenze 1969.	—
BIBLIOGRAFIA	L. e F. Luciani, Dizionario dei pittori italiani dell'800, Firenze 1974. *C. Bon, scheda d'archivio, Galleria d'Arte Moderna, Pitti.*	*K. Langedijk, De portretten van de Medici, Amsterdam 1966.*	*H. Kühn-Steinhausen in Düsseldorfer Jahrbuch 41, 1939.*	—
INVENTARIO	8754.	3649.	2718 (C.P., p. 224 n. 212).	9251.
FOTO	269431.	22907.	136769.	156164.
NOTE	Vincitore del Concorso Ricasoli del 1859 per una serie di ritratti di illustri italiani defunti che 'promossero con gli scritti il nazionale risorgimento' AGF, filze Affari trovati 1859-1864, I, 1. Il ritratto del Gioberti (Torino 1801-Parigi 1852) fu collocato assieme agli altri vincitori (il Troya di Altamura, il Pellico di Norfini, il Giusti di Rondoni) nella Galleria moderna dell'Accademia dopo l'esposizione del 1861 e di lì trasferito ai primi del Novecento nel Corridoio Vasariano. Dal 1976 è collocato nel settore risorgimentale della Galleria d'arte moderna di Palazzo Pitti. S.P.	A tergo sulla tela è stato trascritto: 'Principe Gio: Carlo Medici d'Anni diece Mesi diece'. È in serie coi ritratti dei fratelli Leopoldo (inv. 1890 n. 3660) e Francesco (inv. 1890 n. 4296), tutti fatti nello stesso anno e spesso replicati per donarli a corti straniere: versioni di tutti si trovano a Vienna. Il principe, poi cardinale, porta la croce di Malta ed ha sul tavolo il libro di B. Lorini sulle fortificazioni, importante testo di scienza militare uscito a Venezia nel 1609 e aperto al capitolo I. S.M.T.	Ritratto ufficiale della coppia elettorale: Giovanni Guglielmo armato con ermellino, bastone di comando e nella sinistra cuscino con la corona del Sacro Romano Impero, il che contribuisce a datare il dipinto nel periodo in cui egli era vicario imperiale (1711). Il ritratto è coevo a un altro a figura intera (inv. 1890 n. 5440). L'elettrice regge un ramo di olivo, simbolo di pace, ed ha ai piedi un cane pechinese, simbolo di fedeltà. Una copia di uguali misure è a Düsseldorf, Stadtmuseum. Il dipinto è certamente nelle collezioni medicee dall'origine, ma non agli Uffizi, come invece altri della coppia (inv. 1890 nn. 1239, 1240); non se ne sono rintracciate citazioni inventariali antiche. S.M.T.	Firmato e datato a destra sotto la colonna: V. Lami / F. 1856. Acquistato per 3000 lire dal Ministero dell'Educazione Nazionale nel 1942 per la collezione iconografica e poi trasferito a Pitti, nella Galleria d'arte moderna dove tuttora si trova. Il ritratto di questo ufficiale costituisce una prova non spregevole del pittore Lami, educato all'Accademia fiorentina alla scuola del Bezzuoli (le opere di pensionato, oggi non reperibili, risalivano agli anni 1837-1840), spesso presente nelle mostre fiorentine degli ultimi anni del granducato e dei primi dopo l'Unità, ma oggi completamente dimenticato. S.P.

	Ic545	Ic546	Ic547	Ic548
PERSONAGGIO	Giusti, Giuseppe (ritratto postumo).	Gonzaga di Guastalla, Eleonora.	Gonzaga, Giulia	Gordigiani, Luigi.
AUTORE	Rondoni, Ferdinando (noto a Firenze dal 1832-1879).	Fratellini, Giovanna (Firenze 1666-1731).	Altissimo, Cristofano dell' (Firenze ? - 1605), attr. a.	Gordigiani, Michele (Firenze 1835-1909).
DATAZIONE	1861.	1717.	Quarto decennio sec. XVI?	1860 ca.
DATI TECNICI	Olio su tela, 203x142.	Pastello su tela, 107x84, restauro in corso.	Olio su tavola, 143,5x108,5.	Olio su tela, 99x81.
CORNICE	D'epoca, intagliata e dorata.	Nera, liscia e a onde, fine sec. XIX.	Salvadora gialla, sec. XIX (?).	D'epoca in legno intagliato e dorato.
UBICAZIONE	Accademia (1867); Uffizi (1919 ca.); Galleria d'Arte Moderna, Pitti (1976).	Lappeggi (1733; 1762); Uffizi.	Uffizi (1890).	Coll. Gordigiani; Uffizi (1930 ca.); Galleria d'Arte Moderna, Pitti (1979).
ATTRIBUZIONI	—	—	—	—
ESPOSIZIONI	Prima Esposizione Italiana, Firenze 1861.	—	Mostra iconografica gonzaghesca, Mantova 1937.	—
BIBLIOGRAFIA	A. M. Comanducci, IV, Milano 1973. *C. Bon, scheda d'archivio, Galleria d'Arte Moderna, Pitti.*	Dizionario Bolaffi, V, Torino 1974.	Thieme-Becker I, Leipzig 1907. E. Schaeffer in Zeitschrift für bildende Kunst 18, 1907. P. D'Achiardi, Sebastiano del Piombo, Roma 1908. A. Sorrentino, in L'illustrazione italiana, 6,XI.1932. R. Pallucchini, Sebastian viniziano, Milano 1943.	L. e F. Luciani, Dizionario dei pittori italiani dell'800, Firenze 1974.
INVENTARIO	8755.	2573.	2258.	9170.
FOTO	136811.	136562.	138544.	137417.
NOTE	Vincitore del Concorso Ricasoli del 1859 per una serie di illustri italiani defunti che 'promossero con gli scritti il nazionale risorgimento': AGF, filze Affari trovati 1859-1864, I, 1. Gli altri dipinti vincitori sono di Altamura (inv. 1890, n. 8753), Norfini (inv. 1890, n. 8752), Puccinelli (inv. 1890, n. 8754) assieme ai quali questo ritratto del Giusti (Monsummano 1809-Firenze 1850) fu collocato nella Galleria moderna all'Accademia dopo l'esposizione del 1861 e di lì trasferito nel Novecento al Corridoio Vasariano. Dal 1976 è collocato nel settore risorgimentale della Galleria d'arte moderna di Palazzo Pitti. Per errore questo ritratto figura talvolta nei repertori come ubicato a Prato. Studente dell'Accademia fiorentina agli inizi del quarto decennio, il Rondoni negli anni della maturità ricoprì incarichi di ispettore del patrimonio artistico (commissario, ispettore del Museo di San Marco, ecc.). S.P.	Il pastello, di eccezionali misure, fu eseguito da Giovanna Fratellini (nell'inventario figura come personaggio ignoto di mano anonima), come risulta dalla sua fattura del 10 maggio 1717 (ASF, Acquisti e doni 322, 3a, c. 81): 'Per fatto il Ritratto della Serenissima Principessa Eleonora dal Naturale in pastelli dell'altezza di 2 Braccia con panno d'azzurro fatto dal naturale con telaio e tela d'olanda fine di mio con mestica fatta a posta'. Appartenne a Violante di Baviera, che lo teneva nella sua villa di Lappeggi (ASF, Guard. 1393, c. 39r; Guard. 51 app., p. 62 n. 91); è uno dei rari ritratti della consorte di Francesco Maria de' Medici, secondogenito di Ferdinando II, tolto al suo stato di cardinale con la vana speranza che il suo matrimonio assicurasse una discendenza alla dinastia. S.M.T.	A tergo il cartellino della mostra mantovana e molti numeri antichi. Il ritratto raffigura Giulia, figlia di Luigi Gonzaga conte di Sabbioneta, e moglie di Vespasiano Colonna conte di Fondi (morto nel 1534), che fu amata da Ippolito de' Medici: a lei egli ispirò la sua impresa (cfr. Tiziano nelle Gallerie fiorentine, Firenze 1978, pp. 36-38). Cantata dall'Ariosto (Orlando furioso 46, 7), fu ritratta nel 1532 a Fondi da Sebastiano del Piombo: vi sono stati molti tentativi di identificare il ritratto, che secondo Vasari e Borghini passò nelle collezioni di Francesco I di Francia. La versione fiorentina, attribuita a Cristofano dell'Altissimo, è il capostipite (fatto mai riconosciuto finora) di una copia a tre quarti di figura, su lavagna (già Giustiniani Bandini, Roma, poi coll. Steinmayer, Köln, poi coll. Martius, Kiel), di un ritratto già nel Museo nazionale di Napoli (foto Brogi 6898) e di uno del castello di Colorno. S.M.T.	Il dipinto non è firmato e non è finito tranne che, forse, nel volto. Fu donato dalla figlia di Michele Gordigiani, Giulietta Mendelsohn, verso il 1930 (nota inventariale). La stessa donò altre opere del padre alla Galleria d'arte moderna, ma questo ritratto, in considerazione del fatto che Luigi Gordigiani, padre del pittore e nonno della donatrice, era stato musicista illustre (Modena 1806 - Firenze 1860), fu prescelto per la collezione iconografica ed esposto nel Corridoio Vasariano. Lo si può presumere eseguito negli ultimi tempi della vita del musicista e rimasto non finito dopo la sua morte, oppure un tentativo di ritratto postumo non portato a termine. Attualmente esposto nella Galleria d'arte moderna di Palazzo Pitti. S.P.

	Ic549	Ic550	Ic551	Ic552
PERSONAGGIO	Guerrazzi, Francesco Domenico.	Guicciardini, Francesco (ritratto postumo).	Isabella di Baviera.	La Farina, Giuseppe.
AUTORE	Ciseri, Antonio (Ronco 1821-Firenze 1891).	Gioli, Francesco (San Frediano a Settimo di Cascina, Pisa 1846-Firenze 1922).	Scuola fiamminga sec. XVI?	Tenerani, Pietro (Torano, Carrara 1789 - Roma 1869), riproduzione.
DATAZIONE	1873-74.	1916.	Fine sec. XVI.	1848.
DATI TECNICI	Olio su tela, 69x56.	Olio su tela, 130x90.	Olio su tela, 135,2x108,7, rintelato.	Bassorilievo in fusione galvanoplastica, 54x48.
CORNICE	D'epoca, neorinascimentale con intagli a traforo e dorata.	D'epoca, neorinascimentale intagliata, dipinta e dorata.	Liscia, dorata a porporina, sec. XIX.	D'epoca, ovale in legno nero e oro.
UBICAZIONE	Uffizi (1874); Galleria d'Arte Moderna, Pitti (1972).	Coll. Guicciardini; Uffizi (1917); Galleria d'Arte Moderna, Pitti (1979).	Uffizi (1890).	Uffizi (1876); Galleria d'Arte Moderna, Pitti (1979).
ATTRIBUZIONI	—	—	—	—
ESPOSIZIONI	Mostra della Firenze granducale, Firenze 1948. Ritratti dell'Ottocento, Portoferraio 1953. Mostra del Risorgimento italiano, Livorno 1960. L'Unità d'Italia, Torino 1961. Cultura neoclassica e romantica nella Toscana granducale, Firenze 1972.	—	—	—
BIBLIOGRAFIA	*Cat., Firenze 1972, pp. 168, 190-191. E. Spalletti, in: Annali della Scuola Normale Superiore di Pisa, V vol., 2, 1975, 1007, 1050, 1474.*	L. e F. Luciani, Dizionario dei pittori italiani dell'800, Firenze 1974.	J. Zimmer, Joseph Heintz als Maler, Weissenhorn 1971.	Cultura neoclassica e romantica nella Toscana granducale, Cat. mostra, Firenze 1972.
INVENTARIO	3306.	6369.	2394.	3307.
FOTO	193729.	137370.	138535.	317337.
NOTE	Firmato in basso a destra: A. Ciseri. fece. Alla morte del Guerrazzi (1804-1873), fu chiesto al nipote dello scrittore e uomo politico livornese, Francesco Michele Guerrazzi, di donare un ritratto dello zio per la collezione iconografica e questi corrispose a tale richiesta ordinando al Ciseri una replica a mezza figura del grande ritratto che il pittore aveva terminato poco prima della morte dell'illustre personaggio (v. E. Spalletti cit. e AGF, 1874 filza A, I, 99, per questa replica; la monografia del Rosadi del 1916, p. 122, nonché E. Spalletti cit., nn. 349, 599, 616, 628, 638, 639, 758, 761, 924, 1005 per il primo ritratto e di lì trasferito più tardi nel to). Attualmente esposto nella sala Ciseri della Galleria d'arte moderna, fa pendant per il modello della cornice con il ritratto di Giovanni Dupré dello stesso autore (inv. 1890, n. 3305). S.P.	Firmato e datato in basso a sinistra: F. Gioli / 916. In alto corre l'iscrizione didascalica: Francesco. Gvicciardini. / - 1851-1915 seguita da stemma. Dall'AGF (Arte, 1084) risulta che l'opera fu donata dal figlio di Francesco, il conte Paolo Guicciardini, nel 1917. Tipologicamente questo ritratto non è l'unico nella produzione del Gioli (v. Cammillo Salvatico Guidi da neonato nel catalogo della mostra delle opere di Francesco Gioli, Firenze 1928). Francesco Guicciardini, sindaco di Firenze dal 1887 al 1891, ministro dell'agricoltura nel 1896, degli esteri nel 1903, vicepresidente della Camera nella ventunesima e nella ventitreesima legislatura, si schierò, contrariamente alle tradizioni moderate dell'aristocrazia toscana, a sinistra, seguendo prima Depretis poi Zanardelli. S.P.	A tergo sei numedi antichi, uno dei quali (142½) postula l'esistenza di un pendant, oggi non riconosciuto. Inventariato come dama ignota, di mano anonima, è oggi etichettato come ritratto di Elisabetta (Isabella) di Lorena, figlia di Carlo III di Lorena e di Claudia di Francia (e quindi sorella della granduchessa Cristina di Lorena), sposa nel 1595 a Massimiliano duca, poi elettore di Baviera; ed è attribuito al Pourbus. Ha però notevoli somiglianze anche con i tardi ritratti viennesi di Joseph Heintz il vecchio (Basilea 1564 - Praga 1609). Vi è un altro ritratto (inv. 1890 n. 2338, v. schede brevi) detto di Isabella di Baviera, che può raffigurare la stessa persona. S.M.T.	Firmato e datato sotto il collo: P. Tenerani F.va Luglio 1848. Donato nel dicembre 1876 (AGF 1876, filza A, I, 131 e 1877, filza A, I, 12) da Luisa La Farina, vedova di Giuseppe (Messina 1815-Torino 1863) il notissimo politico e storico meridionale, due volte esule in Toscana (1837 e 1841-48) poi deputato del regno sabaudo. Il medaglione del Tenerani è elencato al 1848 nel regesto di O. Raggi, Della vita e delle opere di Pietro Tenerani etc., Firenze 1880; il fonditore di questa riproduzione galvanoplastica ci è ignoto. S.P.

| Dipinto non reperibile |

	Ic553	Ic554	Ic555	Ic556
PERSONAGGIO	Lambruschini, Raffaello (ritratto postumo).	Leoni, Luigi.	Leopoldo de' Medici.	Löffler, Gregorio.
AUTORE	Ciseri, Antonio (Ronco 1821-Firenze 1891).	Sarri, Egisto (Figline, Firenze 1837-Firenze 1901).	Sustermans, Giusto (Anversa 1597 - Firenze 1681) e bottega.	Scuola tedesca, sec. XVI.
DATAZIONE	1873.	1880 ca.	1622.	1566.
DATI TECNICI	Olio su tela, 60x50,5.	Olio su tela, 73x55.	Olio su tela, 172x115,5, rintelato.	Olio su tavola, 107x66,5.
CORNICE	D'epoca, riccamente intagliata con motivi angolari e centrali, passepartout a luce ovale, dorata.	—	Salvadora dorata, sec. XVII.	Salvadora dorata sec. XVII.
UBICAZIONE	Uffizi (1874); Galleria d'Arte Moderna, Pitti (1972).	Coll. Frangialli; Uffizi (1955).	Uffizi (1880).	Uffizi (1881).
ATTRIBUZIONI	—	—	—	—
ESPOSIZIONI	L'Unità d'Italia, Torino 1961. Cultura neoclassica e romantica nella Toscana granducale, Firenze 1972.	—	P. Bautier, Juste Sustermans peintre des Medicis, Paris 1912.	—
BIBLIOGRAFIA	*Cat., Torino 1961, p. 161. Cat., Firenze 1972, p. 165, 190-191. E. Spalletti, in: Annali della Scuola Normale Superiore di Pisa, V vol., 2, 1975, n. 947, 948, 978, 1474.*	L. e F. Luciani, Dizionario dei pittori italiani dell'800, Firenze 1974.	*F. Cappi Bentivegna, Abbigliamento e costume nella pittura italiana II, Roma 1964.*	—
INVENTARIO	3316.	9371.	3660.	2397 (C.P., p. 225, n. 89).
FOTO	116356.	—	22917.	138621.
NOTE	Firmato e datato in basso a destra: A. Ciseri f. 1873. Commissionato dalla Direzione della Gallerina per la collezione iconografica alla morte del Lambruschini (Genova 1788-Figline 1873) filantropo, senatore nel 1860. La maschera funebre del Lambruschini (morto nella casa avita a San Cerbone presso Figline dove si era ritirato sin dal 1816, abbandonando la carriera ecclesiastica intrapresa a Roma) fu tratta dal formatore Lelli, assieme al Ciseri. Il calco del Lelli e il dipinto del Ciseri furono pagati nel 1874 (v. E. Spalletti cit., e AGF 1874, filza A, I, 69). L'opera, pubblicata nella monografia del Rosadi, fa pendant, in virtù della sontuosa cornice, con il ritratto del Capponi (v. inv. 1890, n. 3296). Il Sarri trasse da questo ritratto un quadro quasi identico nello stesso anno, oggi presso la villa medicea di Castello (foto GFS 267288). S.P.	L'opera, attualmente non rintracciata, è pervenuta in dono da Luisa Frangialli, discendente del ritrattato, al quale accenna brevemente U. Carpi, Letteratura e Società nella Toscana del Risorgimento, Bari 1974, come ad uno dei collaboratori dell'ultimo periodo dell'Antologia di Giovan Pietro Vieusseux, nel gruppo che fa capo al Lambruschini, al Montanelli e al Centofanti. Il ritratto sembra quindi porsi sulla scia dei molti eseguiti dal Ciseri e dal Sarri, suo allievo, di esponenti della classe dirigente toscana rappresentati nella collezione iconografica risorgimentale degli Uffizi. S.P.	A tergo: 'Principe Leopoldo Medici d'anni 4 mesi 4'. Il dipinto fa parte di una serie di ritratti di bambini medicei di quest'anno dovuta al Sustermans e replicata almeno tre volte, una delle quali per Vienna. In questo sembra di vedere, su un'invenzione di grande qualità, un'esecuzione meno smagliante dovuta almeno in parte alla bottega. Il vestito 'alla polacca' fu di moda sin dalla fine del '500, e ben noto a Firenze attraverso i ritratti: inoltre, la madre di Leopoldo, Maddalena d'Austria, ebbe due sorelle sul trono di Polonia. S.M.T.	A tergo 5 numeri antichi. Davanti in alto le scritte 'Gregori Löffler Wart 4 Iar Alt Het Er Dise Gestalt' (cioè: aveva 4 anni e questo aspetto), e 'Anno Domini MDLXVI'. Eccezionale effigie di un bambino evidentemente importante, per la quantità di attributi (lo strumento musicale, lo spadino, la borsa appesa alla cintura), forse parente (padre?) di quel Jacob Löffler (1583-1638: cfr. Allgemeine Deutsche Biographie 19, Leipzig 1884, pp. 1905-6) che fu cancelliere di Federico duca del Württemberg (1557-1608). Anche del duca e di due suoi figli esistono i ritratti nelle Gallerie (cfr. inv. 1890, n. 3725). S.M.T.

	Ic557	Ic558	Ic559	Ic560
PERSONAGGIO	Luigi XIV di Borbone, re di Francia.	Luigi XIV, re di Francia.	Luigi di Francia, il gran delfino.	Maffei, Andrea.
AUTORE	Rigaud, Hyacinthe (Perpignan 1659 - Parigi 1743), copia da.	Nanteuil, Robert (Reims 1623 - Parigi 1678).	Scuola francese sec. XVII.	Gordigiani, Michele (Firenze 1835-1909).
DATAZIONE	1701 ca.	1670.	1670-75.	1870-79 ca.
DATI TECNICI	Olio su tela centinata, 163x100, restauro: 1976.	Pastello su carta, 53,5x43,5.	Olio su tela, 231x180,3, rintelato.	Olio su tela, 71,5x57.
CORNICE	Intagliata e dorata, sec. XVIII.	Nera liscia e a onde, fine sec. XIX; corniciaio A. Picchi.	Semplice, dorata, sec. XVIII.	D'epoca, alla fiamminga.
UBICAZIONE	Uffizi (1890).	Pitti (1687); Uffizi (1798).	Uffizi (1890).	Coll. Maffei; Uffizi (1880); Galleria d'Arte Moderna, Pitti (1979).
ATTRIBUZIONI	—	—	—	—
ESPOSIZIONI	—	Mostra della pittura francese a Firenze, Firenze 1945. Pittura francese nelle collezioni pubbliche fiorentine, Firenze 1977.	—	—
BIBLIOGRAFIA	*P. Rosenberg, Pittura francese nelle collezioni pubbliche fiorentine, Firenze 1977.*	P. Rosenberg, in cat., Firenze 1977, n. 122, p. 175.	—	F. e L. Luciani, Dizionario dei pittori italiani dell'800, Firenze 1974. *Cat., mostra retrospettiva, Firenze 1943 p. 6.*
INVENTARIO	2759.	824.	2958 (C.P., p. 225, n. 976).	3310.
FOTO	137369.	137069 (tergo: 253305).	136772.	317338.

| **NOTE** | Copia di un celebre dipinto del 1701 al Louvre, il quadro è con ogni probabilità una delle repliche fatte nella bottega dell'artista per essere inviate alle corti straniere. È il ritratto più emblematico della regalità assoluta, che sfoggia bene in vista, nell'abito da incoronazione, tutti gli attributi del potere.

S.M.T. | A tergo sul controfondo scritta autografa del pittore: 'Nanteuil Faciebat 1670' e 'Ce faux fond conserve l'ouvrage ainsi il ne faut jamais l'oster Il se faut empecher de hurter ce tableau et de le manier rudement', In basso altra scritta: 'Petraja', collocazione non attestata. Il pastello fu forse acquistato da Cosimo III de' Medici durante il suo viaggio in Francia del 1669-70, insieme all'Autoritratto e al ritratto del Turenne dello stesso autore; oppure riportato in patria dall'aiilievo fiorentino del Nanteuil, Domenico Tempesti, dopo la morte del maestro: dal 1687 è documentato in palazzo Pitti e il 3 settembre 1798 passò agli Uffizi (AGF, ms. 114 c. 77v.).

S.M.T. | Tipico ritratto da parata del figlio di Luigi XIV con tutti i simboli auspicio della gloria militare: la Fama, lo sfondo di battaglia, il palafreniere negro. Sulla gualdrappa la 'L' coronata e la croce di Lorena pure coronata. Luigi di Borbone, il 'grand dauphin', premorì al padre, e neppure suo figlio Luigi duca di Borgogna giunse a regnare. Il dipinto (di cui non si sono reperite altre versioni in raccolte francesi) è probabilmente nelle collezioni medicee fin dall'origine, giuntovi forse con o per la granduchessa Marguerite-Louise d'Orléans; ma non se ne sono rintracciate le collocazioni anteriori all'ingresso in galleria.

S.M.T. | Firmato e datato in alto a destra: M. Gordigiani / 187 (l'ultimo numero non è leggibile). Dono del ritrattista per la collezione iconografica nel 1880 (AGF 1880, filza C, I, 185). Andrea Maffei (1798-1885) del quale le Gallerie fiorentine avrebbero ricevuto per lascito il dipinto I due Foscari dell'Hayez, fu poeta, discepolo del Monti, traduttore di Gessner, Schiller, Milton, Shakespeare, marito separato di Clara Maffei il cui salotto milanese fu centro di vita patriottica e letteraria. Il dipinto è incluso nel riordinamento in corso della Galleria d'arte moderna.

S.P. |

	Ic561	Ic562	Ic563	Ic564
PERSONAGGIO	Maggi Carlo Maria.	Manin, Daniele (ritratto postumo).	Mansi, Luigi.	Manzoni, Alessandro.
AUTORE	Adler, Salomon (Danzica 1630-91).	Carlini, Giulio (Venezia 1826-1887).	Tofanelli, Stefano (Lucca 1750-Marlia 1812).	Scuola lombarda (?) sec. XIX.
DATAZIONE	1680 ca.	1874.	1802.	1873 (?).
DATI TECNICI	Olio su tela, 131,5x98.	Olio su tela, 74x60.	Olio su tela, 101x73.	Olio su tela, 74,5x59,5.
CORNICE	Salvadora dorata a porporina, sec. XVIII.	D'epoca, ovale dorata con cartiglio.	D'epoca, modello Salvator Rosa, dorata.	D'epoca, in legno bombato e dorato.
UBICAZIONE	Cosimo III de' Medici; Uffizi (1721); Guardaroba; Uffizi (1771).	Uffizi (1874); Museo del Risorgimento (1932); Galleria d'Arte Moderna, Pitti (1979).	Coll. Mansi, Segromigno (1802); Uffizi (1963); Galleria d'Arte Moderna, Pitti (1972).	Ministero per l'Istruzione Pubblica; Uffizi (1874); Galleria d'Arte Moderna, Pitti (1979).
ATTRIBUZIONI	—	—	—	—
ESPOSIZIONI	—	—	Cultura neoclassica e romantica nella Toscana granducale, Firenze 1972.	—
BIBLIOGRAFIA	—	E. Merkel, in: Dizionario Biografico degli Italiani, vol. 20, Roma 1977.	*Cat., Firenze 1972, p. 35, 226, 227.*	—
INVENTARIO	2684.	3309.	9440.	3303.
FOTO	137409.	325020.	193747.	137139.

NOTE

Carlo Maria Maggi, scrittore, insegnante, soprintendente dell'Ateneo pavese, segretario del senato milanese dal 1666 al 1669, amico del Muratori. Questo ritratto, finora considerato di autore ignoto e inciso a mezzo busto da P. A. Fantoni (Storia di Milano XI, Milano 1969), fu mandato in galleria da Cosimo III de' Medici il 25 novembre 1721 (ASF, Guard. 1292, c. 45v) con l'indicazione, del tutto convincente, del suo autore, tedesco attivo in Lombardia, di cui gli Uffizi avevano già l'autoritratto. Del ritratto venne subito fatta una copia per la collezione Gioviana (inv. 1890 n. 288), che entrò in galleria il 26 agosto 1722 (ASF, Guard. 1277, c. 74r); l'originale finiva poi in guardaroba, per tornare agli Uffizi nel 1771 (AGF, filza III a 27).

S.M.T.

Firmato e datato a destra a metà altezza: Carlini / 1874. Fatto eseguire dal senatore principe Giuseppe Giovannelli per la collezione di ritratti di italiani illustri degli Uffizi nel 1874 (AGF, 1874, filza A, I, 28). Daniele Manin, patriota veneziano, nato nel 1804, morto in esilio nel 1857, fu un protagonista della linea risorgimentale della lotta legale di appoggio alla politica sabauda. L'opera, fino ad oggi in deposito presso il Museo del Risorgimento fiorentino, è inclusa nel riordinamento in corso della Galleria d'arte moderna di Palazzo Pitti.

S.P.

Acquistato, mediante esercizio del diritto di prelazione, presso l'Ufficio Esportazione di Firenze nel 1963. Il progetto che l'effigiato è in atto di mostrare allo spettatore reca l'iscrizione: Pianta del Palazzo della Villa di Segromigno di Sua Ecc. il Sig. March. Luigi Mansi - Portico - Galleria - Sala dipinta da Stef. Tofanelli. Una lettera del pittore al Morghen (BNF, Gonnelli E.B. 13, 4, A, 101) permette di datare il ritratto al 1802, durante un soggiorno dell'artista nella villa del proprio mecenate, per il quale anni prima (1790) aveva completato le decorazioni a fresco della medesima residenza.

S.P.

Il ritratto dell'illustre scrittore (Milano 1785-1873) giunse come temporaneo deposito dal Ministero per l'Istruzione pubblica nel 1874 in attesa che il Municipio di Milano provvedesse ad inviarne un altro per la collezione iconografica fiorentina, analogamente a quanto faceva contemporaneamente il Municipio di Torino per i ritratti del d'Azeglio e del Balbo (v. inv. 1890, n. 3297 e 3311). Il Municipio di Milano non adempì alla richiesta e il ritratto del Ministero rimase a Firenze malgrado i numerosi solleciti dell'ente proprietario (AGF 1876, filza A, I, 70 e 83, 1880, filza B, I, 73). Nel 1913 una richiesta della Direzione del Ministero relativa alla paternità del dipinto non dette esito (AGF, Arte 1030). Esposto prima dell'ultima guerra nel Corridoio Vasariano.

S.P.

	Ic565	Ic566	Ic567	Ic568
PERSONAGGIO	Maria Feodorovna di Russia.	Maria Luisa di Borbone, granduchessa di Toscana.	Maria Maddalena d'Austria, Cosimo II e Ferdinando II de' Medici.	Maria Teresa, imperatrice d'Austria.
AUTORE	Scuola tedesca sec. XVIII?	Lucci, Filippo (Firenze, op. 1780 ca).	Sustermans, Giusto (Anversa 1597 - Firenze 1681).	Mattei, Gabriello (Roma, not. 1727-39).
DATAZIONE	Ultimo quarto sec. XVIII.	1780.	1640 ca.	1736-40.
DATI TECNICI	Olio su tela, 74x61,7, restauro 1974.	Olio su tela, 116,7x81,5, rintelato.	Olio su tela, 158x123,5, rintelato.	Olio su tela, 80x66,5.
CORNICE	Salvadora dorata, sec. XVIII.	Intagliata a ovuli e perlinata, fine sec. XVIII?	Salvadora dorata, sec. XIX.	Intagliata e dorata, sec. XVIII.
UBICAZIONI	Uffizi (1881).	Uffizi (1781); Guardaroba (1794).	Guardaroba (1666); Uffizi (1881).	Uffizi (1881).
ATTRIBUZIONI	—	Rigaud (inv. 1890).	—	—
ESPOSIZIONI	—	Mostra di Mozart, Milano 1956.	Artisti alla corte granducale, Firenze 1969.	—
BIBLIOGRAFIA	—	—	P. Bautier, Juste Sustermans peintre des Médicis, Paris 1912.	—
INVENTARIO	2903 (C.P., p. 228, n. 921).	2820.	2402 (C.P., p. 227, n. 1092).	2886.
FOTO	228189.	137416.	136530.	252241.

NOTE

Il ritratto raffigura la principessa Dorotea Sofia del Württemberg, (sorella maggiore di Elisabetta, nuora di Pietro Leopoldo granduca: cfr inv. 1890 n. 2821), che assunse il nome di Maria Feodorovna sposando Paolo I, poi Zar di Russia, il cui ritratto a pendant di questo è pure presso le Gallerie fiorentine (inv. 1890 n. 2888). La coppia, in viaggio per l'Europa sotto il nome di 'conti del nord', visitò gli Uffizi il 21 marzo 1782 guidata dai granduchi; e lei vi tornò il 26 'dimostrando un gusto più deciso per Le belle Arti osservando con attenzione i capi d'opera, e gustandone tutto il piacere che un animo ben fatto può trovare ne medesimi' (AGF, filza XV a 20). È probabile che i ritratti siano in connessione con questo soggiorno.

S.M.T.

Nel 1780 il direttore degli Uffizi, accorgendosi che non vi erano in galleria ritratti dei granduchi regnanti (esclusa una coppia piccola nel gabinetto delle medaglie), chiese e ottenne di poterli ordinare a Filippo Lucci, senza far posare i personaggi bensì copiando altri ritratti; ma mentre di quello di Pietro Leopoldo (inv. 1890 n. 2819) conosciamo la fonte, di 'SAR l'Arciduchessa Granduchessa Infanta di Spagna' non sono rimaste a Firenze effigi a figura intera. Descrizione, misure ed età dei raffigurati corrispondono a questi due ritratti, che furono pagati complessivamente 25 zecchini ed entrarono in galleria il 14 agosto 1781; ma vennero presto rimandati in guardaroba (17 maggio 1794; cfr. inv. 1784, c.288).

S.M.T.

Attribuito al Sustermans negli inventari antichi e documentato, come informa K. Langedijk, fin dal 1666 (ASF, Guard. 741, c. 141 sin.), il dipinto è chiaramente un omaggio postumo al granduca Cosimo II (1590-1621), ritratto fra la moglie Maddalena d'Austria (1589-1631) e il figlio Ferdinando II (non Francesco, come è stato creduto). Dall'età che dimostra quest'ultimo; pres'a poco 30 anni, può datarsi intorno al 1640. Si noti la differenza tra il modo di vestire del figlio e dei genitori, le immagini dei quali derivano da ritratti anteriori di almeno vent'anni: per Cosimo si cfr. i nn. 2245, 3804 (senza armatura) o 5229 (armato) dell'inv. 1890; per Maddalena, il ritratto della serie aulica (inv. 1890 n. 2246). Sull'armatura di Cosimo II, la figura della Giustizia.

S.M.T.

A tergo sulla tela: 'Maria Teresa Arciduchessa d'Austria, Gran Duchessa di Toscana Duchessa di Lorena e Bar', e sotto 'Sig.ʳ Gabriello Mattei'. La formula delle scritte è uguale a quella nel ritratto del marito (inv. 1890 n. 2678, v. schede brevi), con cui certamente faceva coppia: anche le cornici sono uguali. I dipinti stettero probabilmente in palazzo Pitti, e non sono documentati agli Uffizi sino alla fine dell'800: ma dovettero essere le prime effigi della nuova coppia granducale a giungere in Toscana e risalgono forse all'anno del matrimonio (1736).

S.M.T.

	Ic569	Ic570	Ic571	Ic572
PERSONAGGIO	Maria Teresa, imperatrice d'Austria.	Marini, Margherita.	Medici, Lorenzo de' duca d'Urbino.	Buonarroti, Michelangelo.
AUTORE	Maron, Anton von (Vienna 1731 - Roma 1808), copia da.	Carnovali, Giovanni, detto il Piccio (Montegrino 1804 - Cremona 1873).	Butteri, Giovanni Maria (Firenze 1540 ca. - 1606).	Scuola toscana, sec. XVI.
DATAZIONE	1773 ca.	1841 ca.	Fine sec. XVI.	Sec. XVI.
DATI TECNICI	Pastello su carta, 73x60.	Olio su tela, 57,5x43.	Olio su tavola, 69,5x53,5.	Olio su tela, 65x54.
CORNICE	Scura con filetto interno intagliato e dorato, fine sec. XVIII.	D'epoca, dorata.	Salvadora dorata, sec. XIX.	Dipinta di giallo e dorata.
UBICAZIONE	Uffizi (1881).	Discendenti della ritrattata; Uffizi (1920); Galleria d'Arte Moderna, Pitti (1924).	Coll. Feroni (1850); Uffizi (1866); Cenacolo di Foligno (1893); Depositi Uffizi (?).	Uffizi; Casa Buonarroti (1932); Uffizi (1964); Casa Buonarroti (1964); Accademia (1967); Casa Buonarroti (1968).
ATTRIBUZIONI	—	—	—	Ignoto sec. XV (inv. 1890).
ESPOSIZIONI	—	Il ritratto italiano, Belgrado 1939. Cultura neoclassica e romantica della Toscana granducale, Firenze 1972.	Mostra medicea, Firenze 1939.	—
BIBLIOGRAFIA	S. Röttgen, in Artisti austriaci a Roma dal barocco alla secessione, Roma 1972.	Il Piccio, Cat. mostra, Bergamo 1974. *Cat., Firenze 1972, pp. 51-52.*	S. Meloni Trkulja, in Dizionario biografico degli italiani, XV, Roma 1972. *Cat., Firenze 1939, p. 134.*	—
INVENTARIO	818 (C.P., p. 225 n. 904?).	8414.	S. Marco e Cenacoli 72.	5406.
FOTO	137072.	141761.	217293.	145164.
NOTE	Il ritratto è una copia parziale di quello a una figura intera fatto dal von Maron all'imperatrice in vesti vedovili nel 1773 (Vienna, Kunsthistoriches Museum). Le Gallerie fiorentine ne possiedono altre versioni dello stesso taglio, ma a olio su tela (inv. 1890 nn. 5116, 5206). Nessuna sembra di qualità abbastanza alta da potersi ascrivere direttamente all'artista, ma solo alla sua bottega. S.M.T.	Firmato a destra: Piccio. Acquistato nel 1920 presso la famiglia Marini. Margherita Marini era la sorella e non la moglie, come viene asserito nella pratica d'acquisto (AGF, Arte, 1105), di Ignazio Marini cantante. Amata dal Piccio, questi la ritrasse più di una volta e ne pianse la morte per tifo a soli diciassette anni nell'ottobre 1841. S.P.	A tergo cartellino frammentario 'creduto Castruccio Castracani / si... del Butteri'. È una copia parziale del ritratto di Lorenzo duca d'Urbino eseguito da Raffaello e probabilmente da identificare con quello pubblicato da K. Oberhuber in Burlington Magazine CXIII, 1971 (New York, Ira Spanierman). Può essere del Butteri come di qualche altro fiorentino dell'epoca. S.M.T.	Il dipinto è attribuito nell'Inventario del 1890 ad Ignoto del sec. XVI. Il personaggio ritratto è tradizionalmente identificato in Michelangelo Buonarroti: si tratta di una povera replica conservata al Museo della Casa Buonarroti. Nell'Inventario del 1881 (n. 750) era classificato tra le opere di III categoria. Gr. Red. 3

	Ic573	Ic574	Ic575	Ic576
PERSONAGGIO	'Monseigneur le prince Charles'.	Montanelli, Giuseppe.	Montucchielli, Leopoldo.	Muradieva, contessa, Lina Gagarina.
AUTORE	Scuola italiana sec. XVII.	Scheffer, Ary (Dordrecht 1795-Argenteuil 1858).	Gordigiani, Michele (Firenze 1835-1909).	Winterhalter, Franz Xaver (Menzenschwand 1805 - Francoforte 1873).
DATAZIONE	1691.	1855-1858 ca.	1859.	1857.
DATI TECNICI	Olio su tela originariamente ovale, 89x72,5, rintelato.	Olio su tela, 95x61.	Olio su tela, 72x58.	Olio su tela, 75x56.
CORNICE	Semplice, tinta gialla, sec. XVIII.	D'epoca, intagliata e dorata.	D'epoca, sgusciata e dorata.	D'epoca, ovale, intagliata e dorata.
UBICAZIONE	Uffizi (1890).	Coll. eredi Montanelli (Fantoni); Uffizi (1911); Galleria d'Arte Moderna, Pitti (1924).	Coll. Montucchielli; Uffizi (1952); Galleria d'Arte Moderna, Pitti (1976).	Coll. Muradiev; Uffizi (1934); Galleria d'Arte Moderna, Pitti (1937).
ATTRIBUZIONI	—	—	—	—
ESPOSIZIONI	—	Il ritratto italiano, Firenze 1911. Mostra della Firenze granducale, Firenze 1948. L'Unità d'Italia, Torino 1961. Cultura neoclassica e romantica nella Toscana granducale, Firenze 1972. Pittura francese nelle collezioni pubbliche fiorentine, Firenze 1977.	Mostra retrospettiva, Firenze 1943.	—
BIBLIOGRAFIA	—	Museum Ary Scheffer, Catalogus, Dordrecht 1934. *Cat., Firenze 1972, p. 135, 222-223. Cat., Firenze 1977, n. 158.*	L. e F. Luciani, Dizionario dei pittori italiani dell'800, Firenze 1974. *Cat., Firenze 1943, n. 3.*	Thieme - Becker, XXXVI, Lipsia 1947.
INVENTARIO	2785.	3571.	9150.	9212.
FOTO	136517.	31374.	317574.	158235.
NOTE	A tergo sulla tela: 'Portrait original de S. A. Monsieg.ʳ Le prince Charles fait en 1691 à Rome'. Nonostante le ricerche, non è stato possibile identificare il personaggio. Non sembra che esista nelle principali famiglie regnanti d'Europa un principe Carlo i cui estremi biografici corrispondano ai dati offerti dal ritratto: né in Francia (a cui porterebbe la lingua della scritta e il titolo Monseigneur) né in Spagna (Carlo II a questa data era già re), né in Svezia, dove ricorre il nome Carlo ma le fisionomie sono profondamente diverse, né fra gli Stuart. Neppure nelle entrate di dipinti in Galleria in questi anni appare un ritratto identificabile con questo. S.M.T.	Il quadro è stato eseguito durante l'esilio del Montanelli (1813-1862) a Parigi (1849-1859). Sembra databile subito prima della morte del ritrattista nel 1858, considerando l'aspetto piuttosto maturo del patriota. Entrò nella collezione iconografica subito dopo la mostra del 1911, acquistato (Lire 1000) presso la pronipote dell'artista Berta Fantoni (AGF, Arte, 977). S.P.	Firmato e datato in alto a destra: M. Gordigiani / 1859. Donato da Celina Montucchielli, figlia del ritrattato, nel 1952 (nota inventariale) ma nel catalogo della mostra del 1943 il dipinto è già detto appartenente agli Uffizi. È probabile quindi che l'inventariazione sia stata ritardata, ma che il quadro si trovasse già da diversi anni in Galleria. Poldo Montucchielli (1814-1891), umorista amico e affine al Tricca, al Lorenzini, al Pampana, patriota e combattente nel '48, è ricordato da T. Signorini, Caricaturisti e caricaturisti al Caffè Michelangiolo, Firenze 1893 (ried. Firenze 1952). S.P.	Firmato e datato a destra nella metà inferiore: F. Winterhalter / Baden 1857. A tergo vecchi cartellini russi. Eseguita, come testimonia l'iscrizione, a Baden nel 1857, l'opera si è conservata nella famiglia dell'effigiata giungendo agli Uffizi per legato del conte Nicola Muradiex (1934, accettato nel 1936, secondo la nota inventariale). Della Muradieva un ritratto fattole da H. Lorrak nel 1863 era a Pratolino dai Demidov ed è andato in vendita nel 1969. Il ritratto è sempre stato esposto nella Galleria d'arte moderna di Palazzo Pitti. S.P.

	Ic577	Ic578	Ic579	Ic580
PERSONAGGIO	Orlandini, Francesco Silvio.	Pagliardi, Giovanni Maria.	(Don) Pascual de Borbón.	Pasquali, Giorgio.
AUTORE	Gordigiani, Michele (Firenze 1835-1909).	Tempesti, Domenico (Fiesole o Rovezzano 1655 ca. - Firenze 1737).	Mengs, Anton Raphael (Aussig 1728 - Roma 1779) e bottega.	Peyron, Guido (Firenze 1898-1960).
DATAZIONE	1860.	1690 ca.	1765 ca.	1936.
DATI TECNICI	Olio su tela, 73x59.	Pastello su carta, 58x43.	Olio su tela, 127x96, rintelato.	Olio su tela, 101x81.
CORNICE	D'epoca, intagliata con trafori e dorata.	Dorata e tinta gialla, sec. XVIII.	Piatta, liscia, dorata, sec. XIX.	—
UBICAZIONE	Uffizi (1919 ca.); Galleria d'Arte Moderna, Pitti (1979).	Pitti (ante 1710); Poggio Imperiale (1845); Uffizi.	Uffizi (1890).	Uffizi (1958); Galleria d'Arte Moderno, Pitti (1979).
ATTRIBUZIONI	—	—	—	—
ESPOSIZIONI	Mostra retrospettiva, Firenze 1943.	—	—	—
BIBLIOGRAFIA	L. e F. Luciani, Dizionario dei pittori italiani dell'800, Firenze 1974. *Cat., Firenze 1943, n. 5.*	M. Chiarini, in Kunst des Barock in der Toskana, München 1976. *Id., in Paragone 303, 1975.*	F. J. Sánchez Cantón, Anton Rafael Mengs, Madrid 1929. D. Honisch: Anton Raphael Mengs und die Bildform des Frühklassizismus, Recklinghausen 1965.	A. Gatto, Guido Peyron, Firenze 1971. A. M. Comanducci Milano 1973.
INVENTARIO	3323.	2537.	2814.	9407.
FOTO	—	136505.	252239.	317331.
NOTE	Firmato e datato in basso a destra: M. Gordigiani / Fece 1860. Non rintracciata la provenienza di questo ritratto documentato a partire dalla sua esposizione nel Corridoio Vasariano dopo la prima guerra mondiale. Francesco Silvio Orlandini (1806-1865), personalità letteraria e pedagogica della Toscana risorgimentale, studioso del Foscolo, promotore del monumento a Dante, commentò in poesia opere figurative di chiara finalità ideologica come Gli esuli senesi del Pollastrini e il Machiavelli di Lorenzo Bartolini (v. S. Bianciardi, Silvio Orlandini, Firenze 1868). S.P.	Identificato convincentemente dal Chiarini come il ritratto, documentato, del sacerdote Giovanni Maria Pagliardi (1637-1702), genovese, maestro di cappella alla corte medicea, sepolto in San Lorenzo. Lo studioso riferisce a questo ritratto un pagamento del 25 maggio 1690 fatto al Tempesti dal Gran Principe Ferdinando de' Medici. Infatti il pastello, che figura in palazzo Pitti nel primo decennio del '700 (ASF, Guard. 1185, I c. 232 n. 158) è citato nell'inventario dell'eredità del principe. È stato proposto (John Hill, in Chiarini 1976) che il Pagliardi sia raffigurato anche nel Concerto inv. 1890 n. 2802, seduto al cembalo. Ma poiché questo quadro si data dopo il 1687 (anno dell'arrivo a Firenze di Cecchino de Castris che pure vi figura), quando Pagliardi aveva 50 anni o più, l'identificazione è incerta. S.M.T.	A tergo sei numeri antichi. Il dipinto, inventariato come personaggio ignoto d'autore anonimo, è affine a quello più piccolo del Prado (Inv. 2187), come riconosciuto da Juan J. Luna e Steffi Röttgen. Fa parte di un gruppo di membri della famiglia reale di Spagna intorno a Carlo III, certo appartenuti a sua figlia Maria Luisa granduchessa di Toscana. Cfr. inv. 1890 nn. 2811, 2813 (i fratelli Don Carlos e Don Gabriel), 2938 (il padre Carlo III), 2815 (la sorella maggiore Maria Josefa) 5141 (la nipote Carlotta Joaquina). Fu ritratto anche da Goya. S.M.T.	Firmato e datato in basso a sinistra: G. Peyron / 36. Dono del pittore nel 1958 (nota inventariale di qualche anno più tarda) in ricordo di Giorgio Pasquali (Roma 1885-Belluno 1952) professore di filologia classica all'Università di Firenze dal 1922 alla morte. Il Peyron si dedicò prevalentemente alla natura morta ma numerosi sono anche nella sua produzione ritratti di amici intellettuali (Timpanaro, Marangoni, Palazzeschi, Dallapiccola, ad esempio, tutti esposti nella mostra personale a Palazzo Ferroni nel 1933). Allievo di Lodovico Tommasi, poi professore del Liceo Artistico di Firene, il Peyron è stato oggetto di attenzione, più che da parte di critici d'arte, di scrittori e poeti. S.P.

	Ic581	Ic582	Ic583	Ic584
Personaggio	Pellico, Silvio (ritratto postumo).	Pichler Monti, Teresa.	Pierazzini, Teresa.	(Don) Pietro de' Medici.
Autore	Norfini, Luigi (Pescia 1825-Lucca 1909).	Labruzzi, Carlo (Roma 1785-Perugia 1818).	Scuola emiliana sec. XVIII?	Santi di Tito (Sansepolcro 1536 Firenze 1603).
Datazione	1861.	1807.	Fine sec. XVIII.	1585 ca.
Dati tecnici	Olio su tela, 203x142.	Olio su tela, 87x68, restauro 1976.	Olio su tela, 80x69, rintelato.	Olio su tela, 208,5x113,3, rintelato.
Cornice	D'epoca, intagliata e dorata.	Neoclassica, sgusciata e dorata.	Dorata a gola piatta, sec. XVII.	Salvadora gialla, sec. XIX?
Ubicazione	Accademia (1867); Uffizi (1919 ca.); Galleria d'Arte Moderna, Pitti (1976).	Coll. Monti, Roma; Uffizi (1915); Galleria d'Arte Moderna, Pitti (1976).	Uffizi (1881).	Uffizi, corridoio (1881).
Attribuzioni	—	—	—	—
Esposizioni	Prima Esposizione Italiana, Firenze 1861.	—	—	—
Bibliografia	L. e F. Luciani, Dizionario dei pittori italiani dell'800, Firenze 1974. C. Bon, scheda d'archivio, Galleria d'Arte Moderna, Pitti.	*M. Praz, Scene di conversazione, Roma 1971, pp. 216, 273. J. B. Hartmann, Appunti su Giorgio Zoega e Carlo Labruzzi, in: Studi Romani, XXIV, n. 3, lugl.-set. 1976, pp. 360-361, tav. XLII, 2.*	—	G. Arnolds, Santi di Tito pittore di Sansepolcro, Arezzo 1934. *K. Langredijk, in Paragone, 343, 1978.*
Inventario	8752.	4671.	2952 (C.P., p. 227 n. 969).	4299 (C.P., p. 226 n. 3513?).
Foto	269432.	269412.	138622.	136526.
Note	Firmato e datato in basso a destra: L. Norfini f./1861/Firenze. Vincitore del Concorso Ricasoli del 1859 per una serie di ritratti di illustri italiani defunti che 'promossero con gli scritti il nazionale risorgimento': AGF, filze Affari trovati 1859-1864, I, 1. Il ritratto del Pellico (Saluzzo 1789-Torino 1854) fu collocato con gli altri vincitori (il Troya dell'Altamura, del Puccinelli il Giusti del Rondoni) prima all'Accademia, poi nel Corridoio Vasariano. Dal 1976 è collocato nel settore risorgimentale della Galleria d'arte moderna di Palazzo Pitti. S.P.	Firmato e datato alla base del cippo: Carlo Labruzzi 1807. Acquistato da Cesare Monti di Roma nel 1915 per Lire 500 (AGF, Arte, 1056), il ritratto raffigura Teresa Pichler, o Pikler (1767-1834) figlia del celebre intagliatore di gemme, Giovanni, raffigurato nel busto marmoreo accanto all'effigiata. Il busto del Pichler (Napoli 1734-Roma 1791) era stato eseguito dallo scultore Christopher Hewetson nel 1797 (oggi nella Protomoteca Capitolina, già al Pantheon). Teresa sposò Vincenzo Monti nel 1791 e ne ebbe nel 1792 una figlia, Costanza, che sposò il conte Perticari. Il ritratto è esposto nella Galleria d'arte moderna dopo il restauro del 1976. S.P.	A tergo sono stati trascritti dieci• numeri antichi, la sigla settecentesca DG (GG?) coronata e la scritta 'Teresa Pierazzini Figlia di un Pittore Bolognese'. In tale qualità la tela è stata anche esposta fra gli autoritratti. Nessun artista bolognese con questo cognome è documentato; ma il ritratto può non essere opera del padre dell'effigiata, ed essa può esser menzionata col cognome del marito, se era sposata. S.M.T.	Inventariato come personaggio anonimo di mano ignota, questo ritratto, come ha riconosciuto Karla Langedijk, raffigura Pietro di Cosimo I de' Medici in abito alla spagnola ed è opera di Santi di Tito; già nel 1586 ne è documentata una replica al ginocchio per la serie aulica, distrutta ma nota da un disegno. Che Santi ritraesse Don Pietro è asserito dal Borghini (1584) e dal Bocchi (1591), che potevano ben riferirsi a questo ritratto, interamente autografo. Si noti l'accenno architettonico nello sfondo, forse allusivo alla seconda attività del pittore. S.M.T.

	Ic585	Ic586	Ic587	Ic588
PERSONAGGIO	Pietro Leopoldo d'Asburgo-Lorena, granduca di Toscana.	Pio IX.	Poggi, Margherita moglie di Francesco Belluomini.	Puccinotti, Francesco.
AUTORE	Lucci, Filippo (Firenze, op. 1780 ca).	Chatelain, Antoine (? 1794-Roma 1859).	Tofanelli, Stefano (Lucca 1750-Marlia 1812).	Costantini, Emilio (Genzano, Roma 1842 - ?post 1911).
DATAZIONE	1780.	1847-1848 ca.	1801.	1872.
DATI TECNICI	Olio su tela, 117x81,7.	Olio su tela, 135x98.	Olio su tela, 33x25,5.	Tempera su carta applicata su tela, 60x50.
CORNICE	Intagliata a ovuli e perlinata, fine sec. XVIII?	D'epoca, dorata con motivi angolari in pastiglia.	Ottocentesca, dorata.	D'epoca, dorata intagliata a traforo con tralci di vite.
UBICAZIONE	Uffizi (1781); Guardaroba (1794); Uffizi (1881).	Pitti (1848); Accademia (1867); Uffizi (1919 ca.); Galleria d'Arte Moderna, Pitti (1976).	Coll. Belluomini; Uffizi (1919); Galleria d'Arte Moderna, Pitti (1924).	Coll. Puccinotti; Uffizi (1872); Galleria d'Arte Moderna, Pitti (1979).
ATTRIBUZIONI	Rigaud (inv. 1890).	—	—	—
ESPOSIZIONI	Mostra di Mozart, Milano 1956.	—	Cultura neoclassica e romantica nella Toscana granducale, Firenze 1972.	—
BIBLIOGRAFIA	—	Thieme-Becker VI, 1912.	*Cat., Firenze 1972, p. 37*, 226-227.	—
INVENTARIO	2819 (C.P., p. 227 n. 303).	8758.	8410.	3319.
FOTO	137440.	269434.	179579.	137247.
NOTE	A questo ritratto e al suo pendant con la moglie (inv. 1890 n. 2820) è certamente da riconnettere la notizia (AGF, filza XIV a 54) che nel 1780 il direttore degli Uffizi commise al pittore Filippo Lucci (autore dell'affresco nel soffitto del gabinetto delle gemme, oggi sala XXIV) i ritratti dei granduchi, che mancavano in galleria eccetto una coppia di piccole dimensioni prestata dalla guardaroba, che stava nel gabinetto delle medaglie. Fu indicato al pittore da dove 'estrarre' le figure (evidentemente qui dal ritratto a figura intera inv. 1890 n. 4406) e i quadri, pagati 25 zecchini complessivamente, entrarono in galleria il 14 agosto 1781 (cfr. inv. 1784, c. 288 n. 617). Vennero rimandati in guardaroba il 17 maggio 1794. S.M.T.	Donato dall'autore che fu ricambiato con una scatola d'oro del valore di 100 zecchini (AGF, filza VI Conserv., 1846-1848, 42 bis e 43). Del pittore si dice che è cavaliere, benestante e che avrebbe desiderato in compenso una onorificenza; trattandosi tuttavia di un pittore noto soltanto come specialista in copie, titolare di uno studio con molti dipendenti, fu compensato con un dono di 100 zecchini. I pittori G. Casalini e R. Faldi chiesero nello stesso anno 1848 di poter copiare il ritratto, allora in Palazzo Pitti. Fu aggregato alla collezione iconografica nel Novecento. Attualmente è esposto nella Galleria d'arte moderna di Palazzo Pitti. S.P.	Per la storia di questo studio v. n. 8372. S.P.	In basso a destra il ritratto è firmato e datato: Emilio Costantini dip.e / 1872. La provenienza dell'opera (attualmente inclusa nel riordinamento in corso della Galleria d'arte moderna) è collegabile ad un unico documento (AGF, 1872, filza A, I, 150), la minuta di una lettera del Direttore di Galleria ad Elena Puccinotti il 6-11-1872, dalla quale si ricava un apprezzamento per il suo dre e per le sue attitudini alla pittura Emilio Costantini è noto come antiquario (alcune opere di sua proprietà figurano alla mostra del Ritratto Italiano del 1911; e la Direzione delle Gallerie fiorentine ha rapporti col medesimo per acquisti: v. inv. 1890, n. 3253); ma in quanto ritrattista è ignorato dai dizionari. Luogo e data di nascita sono desunti dal cartellino. Francesco Puccinotti (Urbino 1794 - Firenze 1872), medico, laureatosi a Roma nel 1816, renze, fu storico della medicina e professore a Macerata, Pisa e Firenze, sviluppò interessi di medicina sociale (febbri perniciose, malattie nervose). La raccolta completa delle sue opere apparve a Napoli fra il 1860 e il 1870. S.P.

	Ic589	Ic590	Ic591	Ic592
PERSONAGGIO	Quaratesi Guadagni, Maria.	Rattazzi, Urbano.	Ratzwill, Principessa.	Renato d'Angiò, re di Napoli e duca di Lorena.
AUTORE	Fratellini, Giovanna (Firenze 1666-1731).	Mensi, Francesco (Alessandria 1800-1888).	Chaplin, Charles (Les Andelys 1825-Parigi 1891).	Scuola francese sec. XVII.
DATAZIONE	1720-25.	1873.	1883.	Seconda metà sec. XVII.
DATI TECNICI	Pastello su carta, 63x51.	Olio su tela, 72x60.	Olio su tela, 81,5x65.	Olio su tela, 73x56,7.
CORNICE	Nera liscia e a onde, fine sec. XIX.	Ovale, dorata, d'epoca.	D'epoca, ovale intagliata e dorata con motivi floreali e nastro al culmine, in stile neo-Luigi XVI.	Dorata liscia, sec. XVIII.
UBICAZIONE	Lappeggi (1733-62); Uffizi (1881).	Uffizi (1919 ca.); Galleria d'Arte Moderna, Pitti (1979).	Coll. Busiri-Vici, Roma; Galleria d'Arte Moderna, Pitti (1979).	Guardaroba; Uffizi (1778).
ATTRIBUZIONI	—	—	—	—
ESPOSIZIONI	—	—	—	—
BIBLIOGRAFIA	Dizionario Bolaffi, V, Torino 1974.	A. M. Comanducci, III, Milano 1972.	J. Rischel, in, The Second Empire, Cat. mostra, Filadelfia Detroit Parigi 1978-79.	—
INVENTARIO	2587.	3295.	9509.	381 (C.P., p. 221, n. 639).
FOTO	137240.	315892.	317334.	252232.
NOTE	A tergo la scritta antica: 'Sig^ra Quaratesi nei Guadagni Nobil Fiorentina'. Proprietà di Violante di Baviera, che lo teneva nella sua villa di Lappeggi a pendant con un ritratto della marchesa Bentivogli Tempi (inv. 1890 n. 2538) e due di dame senesi (Livia Vecchi nei Gori, inv. 1890 n. 2561, e la marchesa Marescotti nei Cennini, inv. 1890 n. 2547). Degli altri tre esistono le fatture della pittrice, del 1720 (la Tempi) e 1722 (le due senesi): anche questo sarà databile negli stessi anni. S.M.T.	Firmato e datato in basso a sinistra: F. Mensi / 1873. Non rintracciata la provenienza di questo ritratto, con ogni verosimigliana postumo e richiesto al Mensi, concittadino del Rattazzi, dalla Direzione degli Uffizi all'indomani della morte. Il Rattazzi (Alessandria 1808 - Frosinone 1873) cominciò a dedicarsi all'attività politica intorno al '47; fu deputato del primo parlamento subalpino nel '48; il culmine della sua carriera fu nel 1862 con la nomina alla Presidenza del Consiglio. Il quadro, esposto nel periodo fra le due guerre nel Corridoio Vasariano, si trova oggi nella Galleria d'arte moderna di Palazzo Pitti. S.P.	Firmato e datato in basso a destra: Ch. Chaplin 1883. Il ritratto è stato acquistato per esercizio del diritto di prelazione all'Ufficio Esportazione di Firenze nel 1979, e assegnato alla raccolta iconografica delle Gallerie fiorentine. Non ultimata la ricerca relativa alla storia dell'effigiata e all'occasione della committenza; al ritratto sembra tuttavia collegarsi un disegno di Charles Chaplin recentemente donato (assieme ad un'altro dipinto dello stesso dal titolo Les lilas) dalla discendente Elisabeth, pure pittrice (Inv. GAM Giornale, n. 2750). S.P.	In basso: 'RENE D'ANIOU ROY DE NAPLES DVC DE LORRAINE ET DE BAR/MOVRVT LAN 1430 (sic) GIST A S. MAVRICE D'ANGIERS'. Porta il collare dell'ordine di San Michele, fondato nel 1469. Il ritratto fa parte di una serie di 46 (24 uomini e 22 donne, inv. 1890 nn. da 363 a 408) probabilmente portata con sé dai Lorena e che il direttore degli Uffizi richiese e ottenne dalla guardaroba nel 1778 (AGF, filza XI a 83) per esporla nel corridoio di possente. Esiste un'altra serie iconografica dei Lorena di formato più piccolo, su rame (18x25) inv. 1890 nn. da 615 a 675) coi personaggi a coppie. S.M.T.

	Ic593	Ic594	Ic595	Ic596
PERSONAGGIO	Rosselmini, Simone.	Rossini, Gioacchino.	Salvagnoli, Vincenzo.	Sarti Giuseppe (ritratto postumo).
AUTORE	Scuola toscana sec. XVI.	D'Ancona, Vito (Pesaro 1825-Firenze 1884).	Scuola italiana, sec. XIX.	Mussini, Cesare (Berlino 1804-Firenze 1879).
DATAZIONE	1548.	1874.	1861?	1873.
DATI TECNICI	Olio su tavola, 112x85, restauro 1968.	Olio su tela, 85x66.	Olio su tela, 66x52.	Olio su tela, 67,5x56.
CORNICE	Salvadora dorata, sec. XVII.	D'epoca, intagliata e dorata con passepartout in legno di luce ovale.	D'epoca, a fascia dorata.	D'epoca, dorata.
UBICAZIONE	Casa Rosselmini, Pisa; Cosimo III de' Medici; Uffizi (1684).	Uffizi (1874); Galleria d'Arte Moderna, Pitti (1976).	Uffizi (1906); Galleria d'Arte Moderna, Pitti (1976).	Uffizi (1900-1920 ca.); Galleria d'Arte Moderna, Pitti (1979).
ATTRIBUZIONI	Bronzino (inventari antichi).	—	Rasori (nota inventariale).	—
ESPOSIZIONI	—	—	—	—
BIBLIOGRAFIA	B. Casini, in Bollettino senese di storia patria, 1963. G. M. Battaglini, Cosmopolis, Roma 1978. AGF, lettera di M. Luzzati, 3-VII-1979.	I Macchiaioli, Cat. mostra, Firenze 1976. P. Dini, Diego Martelli, Firenze 1978. *Enciclopedia Italiana, sub Rossini (ripr.).*	—	Cultura neoclassica e romantica nella Toscana granducale, Cat. mostra, Firenze 1972.
INVENTARIO	2386.	3300.	3317.	5496.
FOTO	138541.	138537.	316908.	154192.
NOTE	In alto al centro 'Colonnello Simone Rossermini' e a destra 'DETA DANNI XLII'. Simone Rosselmini è figlio di Ranieri di Adovardo e fratello di Agostino: fu battezzato il 2 giugno 1516 (Pisa, San Ranierino, Registro Battezzati). Il ritratto è quindi del 1548, e pervenne agli Uffizi il 3 giugno 1684 (ASF, Guard. 870, c. 240r), con l'attribuzione al Bronzino, per dono a Cosimo III de' Medici di un discendente di questo 'capitaneus' pisano di Cosimo I, capitano della galea Saetta, assistente alle fortificazioni di Portoferraio (1548), valoroso partecipante alla battaglia di Marciano (1554), che a Pisa fu priore nel 1545 e 1555 e dei riformatori nel 1564. Il quadro fu esposto in galleria, nel corridoio, fra i ritratti di sovrani e generali (inv. 1704, n. 146 a c. 14). Per le notizie pisane si ringraziano vivamente Lucia Tomasi Tongiorgi e Michele Luzzati. S.M.T.	Firmato e datato a destra: V. D'Ancona 1874 (sovrammesso a una sigla e a una data precedentemente apposte e ancora visibili). Il ritratto, replica dell'originale, fu eseguito dal D'Ancona e donato dal fratello di lui Sansone, allora Deputato al Parlamento, nel 1874 per la collezione iconografica della Galleria degli Uffizi (AGF, filza A, I, 17). Un ritratto del musicista pesarese (nato nel 1792, morto nel 1868 a Passy; vissuto a Firenze dal 1848 al 1855) conterraneo del D'Ancona fu da questi esposto alla Promotrice fiorentina del 1851 ed è da ritenere con ogni probabilità l'originale. Oggi si conoscono altre due redazioni di questo ritratto, una presso la Fondazione Rossini a Pesaro e una nella collezione Procacci di Firenze. È esposto nella Galleria d'arte moderna di Palazzo Pitti dal 1976. S.P.	Questo ritratto, privo di iscrizioni, dell'uomo politico e giurista Vincenzo Salvagnoli (Empoli 1802-Pisa 1861) che fece parte del gabinetto Ricasoli del 1859, potrebbe essere giunto nella collezione iconografica subito dopo la morte dell'effigiato. Non è tuttavia documentato prima della verifica inventariale del 1906; subito dopo la prima guerra mondiale era esposto nel Corridoio Vasariano. È attualmente esposto assieme ad altre opere di tematica risorgimentale nella Galleria d'arte moderna di Palazzo Pitti. Il riferimento a Rosari (sic) nell'inventario del 890, che allude evidentemente a Vincenzo Rasori (1793-1863), come autore del ritratto, non è confermato. S.P.	Firmato a tergo: C. Mussini fece / 1873. La provenienza dell'opera non è stata accertata; tuttavia è possibile congetturare che il ritratto sia stato eseguito dall'autore con destinazione alla raccolta iconografica degli Uffizi che al momento indicato dalla data del dipinto (1873) era in forte incremento. Nello stesso anno di esecuzione del quadro inoltre il Mussini dava il proprio autoritratto dalla raccolta degli Uffizi. L'effigiato, avo materno del pittore, era nato a Faenza nel 1729 e aveva svolto una brillante carriera di musicista come maestro di cappella di corte prima a Copenaghen, poi a Venezia, Milano, Pietroburgo, morendo a Berlino nel 1807. La figlia Giuliana sposò il modenese Natale Mussini maestro di cappella alla corte di Prussia. Tutti i loro figli, anche se Luigi e Cesare scelsero la professione della pittura, furono buoni musicisti. Il ritratto, privo di storia fino alla sua registrazione inventariale, è sempre stato in magazzino. S.P.

	Ic597	Ic598	Ic599	Ic600
PERSONAGGIO	Serbatisti Alfonso.	Sforza, Duchessa.	Sigismondo III Vasa, re di Polonia.	Silva, Benedetto d'Angola.
AUTORE	Ademollo, Carlo (Firenze 1824-1911).	Voet, Jakob Ferdinand (Anversa 1639 - Parigi 1700?).	Scuola tedesca sec. XVII.	Tempesti Domenico (Fiesole o Rovezzano 1655 ca. - Firenze 1737).
DATAZIONE	1880 ca.	1665 ca.	1610-12.	Inizi sec. XVIII.
DATI TECNICI	Olio su tela, 106x67,5.	Olio su tela, 73,7x61.	Olio su tela, 211x126, rintelato e lievemente ridotto.	Pastello su carta, 64x50.
CORNICE	D'epoca, sontuosamente intagliata e dorata.	Nera e oro sec. XVII, probabilmente originale.	Liscia, dorata a porporina, sec. XVII.	Nera e oro, sec. XVIII.
UBICAZIONE	Uffizi (1930-1940 ca.); Galleria d'Arte Moderna, Pitti (1979).	Uffizi (1669-78); Poggio Imperiale (1836); Uffizi.	Uffizi (1881).	Cosimo III de' Medici; Castello (1718); Guardaroba (post-1761); Uffizi (1861).
ATTRIBUZIONI	—	—	—	—
ESPOSIZIONI	—	—	—	—
BIBLIOGRAFIA	I. Belli Barsali, in, Dizionario Biografico degli Italiani, vol. I, Roma 1960. A. de Gubernatis, Dizionario degli artisti italiani viventi, Firenze 1892.	D. Bodart, Rubens e la pittura fiamminga del Seicento nelle collezioni pubbliche fiorentine, Firenze 1977.	G. Mycielsky, Portraits polonais I, III, Paris / Leipzig / London s.d. (1910-17), n. I. G. Gerola, Le fonti italiane per la iconografia dei reali di Polonia, Firenze 1935.	A. Corsini in Rivista d'Arte X, 1918.
INVENTARIO	9243.	4325.	2270 (C.P., p. 228, n. 152).	2522 (C.P., p. 222, n. 1076).
FOTO	317330.	138572.	136757.	279980.
NOTE	Firmato e dedicato in basso a destra: Al Caris.mo Amico / A. Serbatisti / C. Ademollo. Non si è trovato nessun dato circa la provenienza del ritratto che è invece menzionato elogiativamente dal de Gubernatis dopo la sua presentazione in una esposizione fiorentina non rintracciata. Il pittore è documentato fra gli espositori alle promotrici del 1873, del 1880, del 1891-92. Il dipinto che ritrae l'avvocato Serbatisti, tra l'altro procuratore di Diego Martelli, dovrebbe datarsi nell'arco del nono decennio. È fra le opere comprese nel riordinamento in corso della Galleria d'arte moderna di Palazzo Pitti. S.P.	A tergo sulla tela scritta antica 'La Duchessa Sforza'. Dovrebbe quindi raffigurare Olimpia Cesi, moglie di Paolo II duca di Segni, o Livia Cesarini, moglie di Federico loro figlio. L'identificazione è incerta perché la data del ritratto è ristretta tra il 1663 (arrivo di Voet a Roma) e il 1669, quando Olimpia era più anziana della donna effigiata; d'altronde il quadro è citato in Galleria nel 1669 come duchessa Sforza e la Cesarini lo divenne nel 1673. La tela stava nella camera di madama a pendant con un ritratto di Maria de' Medici (cugina del suocero di Olimpia); ritirato di Galleria il 7 gennaio 1669, vi tornò il 12 settembre 1675 e riuscì il 27 gennaio 1678 (AGF, ms. 62, cc. 96, 124), forse per arredare una residenza medicea. Recentemente è stato attribuito al Voet da D. Bodart (che lo ha proposto, evidentemente ignorando la scritta, come ritratto della principessa di Sulmona); prima era genericamente dato a scuola francese. S.M.T.	In alto a destra scritta 'Sigismundus III dei gra... Poloniae Sueciae Got... tiae Vandaliae rex'. A tergo cartellino di invio a una mostra non identificata (ante 1946). Figlio di Giovanni III Vasa, poi re di Svezia, e di Caterina Jagellona sorella di Sigismondo III, sposò due sorelle maggiori di Maria Maddalena d'Austria, granduchessa di Toscana: Anna (1573-98) e Costanza (1588-1631). Entrambe sono rappresentate nella collezione iconografica degli Uffizi, come pure il re in età giovanile (inv. 1890 n. 2436, v. schede brevi). Questo ritratto è posteriore al 1601, anno in cui il re ebbe il Toson d'oro, e databile, secondo il Mycielsky che lo pubblicò, fra il 1610 e il 1612: è condotto nel gusto imperante alla corte asburgica. Gli fa pendant un ritratto di Costanza d'Austria col figlio Giovanni Casimiro (inv. 1890 n. 2408). Tutti provengono dalle collezioni medicee, dove dovettero giungere appena fatti come dono ai parenti, ma non ne sono mai stati indagati gli spostamenti. S.M.T.	A tergo 'Benedetto Silva d'Angrà (sic) moro bianco fatto da Domenico Tempesti Fiorentino', e 4 numeri antichi. Del personaggio esiste anche un ritratto su tela (inv. Petraia, n. 13, foto GFS 14047) su fondo marino con veste rigata e in mano una freccia; con la scritta, più esplicita, 'Benedetto Silva moro bianco d'Angola di padre e di madre negri': cioè un albino. Egli è documentato tra la servitù straniera ed esotica ('Mori e Battezzati di Camera') degli ultimi Medici: nel 1722, probabilmente anziano, ottiene aiuti (ASF, Guard. 1292, cc. 48v, 123v). La tela fu mandata a incorniciare dal Granduca Cosimo III il 7 giugno 1710 (ASF, Guard. 1171, c. 89r) e poi spedita alla villa di Castello il 28 giugno (ibidem, c. 93v); il pastello, evidentemente eseguito dopo, risulta mandato a Castello il 26 settembre 1718 (ASF, Guard. 1260, c. 62r). Nel 1761 vi era ancora (ASF, Guard. 93 app., p. 101). Il 12 agosto 1861 passò dalla Guardaroba agli Uffizi (AGF, ms. 226, n. 851). S.M.T.

	Ic601	Ic602	Ic603	Ic604
PERSONAGGIO	Tabarrini, Marco.	Toledo, don Pedro di.	Tommaseo, Niccolò (ritratto postumo).	Trentanove, moglie dello scultore.
AUTORE	De Sanctis, Guglielmo (Roma 1829-1911).	Scuola fiorentina sec. XVI.	Sarri, Egisto (Figline, Firenze 1837-Firenze 1901).	Corcos, Vittorio Matteo (Livorno 1859-Firenze 1933).
DATAZIONE	1879.	1540-50?	1877.	1890.
DATI TECNICI	Olio su tela, 70x59.	Olio su tavola, 208x108,5.	Olio su tela, 62,5x52.	Olio su tela, 121x71.
CORNICE	Ovale, dorata e decorata a motivi vegetali (sec. XIX).	Liscia, dorata a porporina, sec. XVI (?).	D'epoca, neorinascimentale, scolpita e dorata con passepartout di luce ovale.	D'epoca, intagliata e dorata.
UBICAZIONE	Galleria dell'Accademia (1897); Galleria d'Arte Moderna, Pitti.	Palazzo Vecchio (1553); Uffizi.	Uffizi (1877); Galleria d'Arte Moderna, Pitti (1979).	Coll. Trentanove; Uffizi (1938); Galleria d'Arte Moderna, Pitti (1938).
ATTRIBUZIONI	—	—	—	—
ESPOSIZIONI	—	—	Esposizione commemorativa della Società di Belle Arti, Firenze 1933.	—
BIBLIOGRAFIA	A. M. Comanducci, I Pittori italiani dell'Ottocento, Milano 1934.	G. Pieraccini, La stirpe dei Medici di Cafaggiolo II, Firenze 1925.	L. e F. Luciani, Dizionario dei pittori italiani dell'800, Firenze 1974. *Cat., Firenze 1933, n. 39.*	D. Durbé, in, Cat. mostra Vittorio Corcos, Livorno 1965. L. e F. Luciani, Dizionario dei pittori italiani dell'800, Firenze 1974.
INVENTARIO	8757.	2333.	3398.	9231.
FOTO	269433.	136835.	116349.	255007.
NOTE	In alto: Marco Tabarrini, in basso a destra: Gulielmo De Sanctis/Roma 1879'. Donato dal De Sanctis nel 1897 e collocato nella Galleria dell'Accademia, intermediaria la sorella Erminia (nota inventariale). Marco Tabarrini Pomarance 1818 - Roma 1989), uomo politico e letterato, si formò nel gruppo che faceva capo a G. P. Vieusseux. Collaboratore di giornali patriottici fra il 1847 e il 1849, fu preposto dal Ricasoli nel 1859 all'Istruzione pubblica e fu quindi, nel nuovo regno, presidente del Consiglio di Stato, segretario e poi vicepresidente del Senato, presidente dell'Istituto Storico Italiano. nelle sale della Galleria d'arte moderna di Palazzo Pitti. Gr. Red. 1	Ritratto del suocero di Cosimo I de' Medici. Figlio di Federico II duca d'Alba e di Isabel Zuniga dei duchi di Bedmar, fu vicerè di Napoli: sposò Maria Osoria Pimentel, marchesa di Villafranca, e dette in moglie la sua secondogenita Eleonora al duca di Toscana. Venuto in Toscana agli inizi del 1553 per aiutare il genero nella guerra contro Siena, morì a Firenze il 2 febbraio. La tavola è certamente quel 'ritratto grande del Vice Re di Napoli' citato nel 1553 nelle camere nuove di Eleonora in Palazzo Vecchio (ASF, Guard. 28, c.llr) e probabilmente un po' anteriore, se nello stesso anno lo troviamo già inciso (in J.P. Ingrassia, De Tumoribus praeter naturam, Napoli 1553). Riprende il tipo clouetiano di ritratti regali a figura intera. S.M.T.	Firmato in basso a destra lungo l'ovale: E. Sarri. Come si ricava dai documenti (AGF 1877, filza A, I, 52) il dipinto, copia di un ritratto postumo del letterato (1802-1874) già esistente presso l'Accademia della Crusca, fu eseguito per la raccolta degli uomini illustri nel 1877, per commissione della Galleria e pagato all'artista 300 lire. Ebbe una importante cornice identica a quelle per i ritratti del Lambruschini e del Capponi, opere del Ciseri. La commissione al Sarri fu forse dovuta proprio al Ciseri, suo maestro, dal momento che fu questi a recarsi, per ordine del Gotti, direttore degli Uffizi, al capezzale del Tommaseo morente per trarne un disegno (v. E. Spalletti, in: Annali della Scuola Normale Superiore di Pisa, vol. V, 2, n. 1037, p. 695). Probabilmente per mancanza di tempo il maestro fece intervenìre l'aiuto, del quale questa è appunto l'opera più famosa. S.P.	Firmato e datato in alto a destra: V. Corcos / 90. Ritrae la moglie dello scultore Gaetano Trentanove ed è da notare che questi ritrasse la moglie (busto in marmo) nello stesso anno e tale ritratto si trova anch'esso presso la Galleria d'arte moderna di Palazzo Pitti. In entrambi i ritratti la signora indossa abiti sontuosamente guarniti di pizzi. Giunge per lascito dello scultore agli Uffizi: la ratifica fu pubblicata sulla Gazzetta Ufficiale del 3-8-1940. È compreso nel riordinamento in corso della Galleria d'arte moderna di Palazzo Pitti. S.P.

	Ic605	Ic606	Ic607	Ic608
PERSONAGGIO	Troya, Carlo (ritratto postumo).	Ugo, marchese di Toscana.	Vaya, Vay de.	Vittorio Emanuele II, Re d'Italia.
AUTORE	Altamura, Saverio (Foggia 1822-Parigi 1918).	Allori, Cristofano (Firenze 1577-1621).	Lazlo de Lombos, Philip Alexius (Budapest 1869-Londra 1937).	Mussini, Luigi (Berlino 1813- Siena 1888).
DATAZIONE	1861.	1590.	1935.	1859.
DATI TECNICI	Olio su tela, 203x144.	Olio su tela, 159x126.	Olio su cartone, 40x32,5.	Olio su tela, 400x240.
CORNICE	D'epoca, intagliata e dorata.	Semplice dorata, sec. XIX.	Intagliata a grandi volute e dorata (sec. XVIII).	D'epoca, riccamente intagliata e dorata.
UBICAZIONE	Accademia (1867); Uffizi (1913 ca.); Galleria d'Arte Moderna, Pitti (1976).	Badia fiorentina; Uffizi (1867).	Coll. di mons. Vay de Vaya; Uffizi (1935); Galleria d'Arte Moderna, Pitti.	Uffizi (1860); Palazzo Pubblico, Siena (1906).
ATTRIBUZIONI	—	—	—	—
ESPOSIZIONI	Prima Esposizione Italiana, Firenze 1861.	—	—	Torino, 1859.
BIBLIOGRAFIA	M. Chiarini, in, Dizionario Biografico degli Italiani, II, 1960. *C. Bon, scheda d'archivio Galleria d'Arte Moderna, Pitti.*	E. Koritzer, Cristofano Allori, tesi di laurea, Lipsia 1928. L. Becherucci, in, Dizionario biografico degli Italiani 2, Roma 1960.	J. Busse, Internationales Handbuch aller Maler und Bildhauer des 19. Jahrunderts, Wiesbaden 1977.	L. e F. Luciani, Dizionario dei pittori italiani dell'800, Firenze 1974.
INVENTARIO	8753 (Acc. 421).	2506 (C.P., p. 224, n. 1086).	8555.	3271.
FOTO	269355.	136831.	157902.	327065.
NOTE	Vincitore del Concorso Ricasoli del 1859 per una serie di illustri italiani defunti che 'promossero con gli scritti il nazionale risorgimento': AGF, filze Affari trovati 1859-1864, I, 1. Il quadro è in larghezza di misura leggermente superiore agli altri tre vincitori, dovuti al Norfini, al Puccinelli e al Rondoni. Con essi il ritratto del Troya (Napoli 1784-1858) fu collocato dopo l'esposizione del 1861 all'Accademia (v. inventario del 1867 e cataloghi a stampa dal 1869 in poi) e più tardi nel Corridoio Vasariano. Dal 1976 è esposto nel settore risorgimentale della Galleria d'arte moderna di Palazzo Pitti. S.P.	Firmata a destra in basso 'CRISTOPHORUS ALLORIUS ADOLESCENS ALEXANDRI BRONZINI FILIUS FACIEBAT AD MDLXXXX'. In alto scritta col verso dantesco 'Del Gran Barone il cui nome il cui pregio la festa di Thomaso riconforta' (Par. XVI, 128-29), e nel cartiglio retto dal personaggio 'Ego Ugo g(lo) riosissimus Marchio Etruriae totius... sciente me debitorem altissim'Deo esse quamquam in deliciis multis essem reversus ad cor ob honorem Dei Genitricis Virginis Mariae ac D. Benedicti mon. patre templi huius altitud. a me funda... est cum sex aliis cenobiis sed et multa bona castra et loca esi stabiliu... XII calendas iunii Gregor V P.M.S. et Ottone III Impe... DCCCCXCV'. Il quadro, trascurato dalla critica e in cattivo stato, ma in linea con la ritrattistica memorialistica del tempo, è la prima opera di un Cristofano Allori appena tredicenne. S.M.T.	Su un tassello di legno aggiunto sotto il dipinto: 'L'Abate Mitrato di San Martino MGR. Conte Vay de Vaya e De Luskod'. Sul dipinto, in basso a destra: 'on. souvenir de Venise 10.IX.1935 de Lombos Lazlo'. Donato da mons. Vay nel 1935 (nota inventariale). Esposto prima dell'ultima guerra nel Carridoio vasariano, è stato poi trasferito alle Collezioni della Galleria d'arte moderna di Palazzo Pitti, nei cui depositi attualmente si trova. Gr. Red. 1	Firmato e datato in alto a sinistra: Mussini 1860. La vicenda del quadro commissionato dal Governo provvisorio della Toscana è estesamente narrata in: In memoria di Luigi Mussini, Siena 1888 e in: L. Anzoletti, Epistolario artistico di Luigi Mussini colla vita di lui, Siena 1893. Il re posò affabilmente; il quadro appena eseguito fu esposto con gran successo nell'albergo Feder di Torino; la tunica indossata dal re e uno studio della testa pervennero per tempo al Comune di Siena, che più tardi richiese in deposito anche il ritratto (AGF, Arte, 611). S.P.

	Ic609	Ic610	Ic611	Ic612
PERSONAGGIO	Viviani, Vincenzo.	Wellesley, Arthur, primo duca di Wellington, ritratto postumo.	Württemberg, Johann Friederich, del.	Condottiero.
AUTORE	Tempesti, Domenico (Fiesole o Rovezzano 1655 ca. - Firenze 1737).	Hayter, Sir George (Londra 1792-Marylebone 1871).	Scuola tedesca sec. XVI.	Dossi, Dosso (? 1489 ca. - Firenze 1542), scuola di.
DATAZIONE	1690 ca.	1857.	1598.	Seconda metà sec. XVI.
DATI TECNICI	Pastello su carta, 59,5x44, restauro 1968.	Olio su tela, 102x76,5.	Olio su tela, 69,5x56, restauro: 1972.	Olio su tavola, 131,7x89,5.
CORNICE	Nera, liscia e a onde, fine sec. XIX, corniciaio A. Picchi.	D'epoca, di fattura inglese, intagliata e dorata.	Cornice tinta gialla modanata, sec. XVII.	Salvadora tinta gialla, sec. XVII.
UBICAZIONE	Gran Principe Ferdinando de' Medici (1713); Poggio Imperiale (1845); Uffizi.	Coll. De Noé Walker; Uffizi (1898); Galleria d'Arte Moderna, Pitti (1979).	Poggio Imperiale (1836); Uffizi (1890).	Uffizi (1881).
ATTRIBUZIONI	—	—	—	—
ESPOSIZIONI	—	Firenze e l'Inghilterra, Firenze 1971.	—	—
BIBLIOGRAFIA	A. Corsini, in Rivista d'arte X, 1918. M. *Chiarini, in Paragone 303, 1975.*	S. Redgrave, A Dictionary of Artists of the English School, Londra 1878 (reprint Amsterdam 1970). *Cat., Firenze 1971, n. 42.*	—	F. Gibbons, Dosso and Battista Dossi court painters at Ferrara, Princeton 1968.
INVENTARIO	825.	3117.	3725.	2526.
FOTO	137129.	175028.	315577.	252234.
NOTE	Il pastello è anonimo nell'inventario attuale, ma è certamente da identificare col ritratto del Viviani opera di Domenico Tempesti citato dal Baldinucci, che compare nell'eredità del Gran Principe Ferdinando de' Medici, e a cui il Chiarini propone di riferire un pagamento fatto dal Gran Principe all'artista il 25 maggio 1690. Viviani fu il matematico della corte medicea dopo Evangelista Torricelli. Da questo ritratto deriva l'effigie nella collezione gioviana (inv. 1890 n. 282). S.M.T.	Firmato e datato in basso a destra (alla base del mucchi di palle di cannone): Sir George Hayter pinxit. 1857. Fa parte della donazione di Arturo De Noè Walker agli Uffizi comprendente una serie di opere di epoca anteriore. È stato esposto nel Corridoio Vasariano ed è oggi nella riserva della Galleria d'Arte Moderna di Palazzo Pitti, Lo Hayter (documentato agli Uffizi anche dall'autoritratto inv. 1890, n. 2112) aveva ritratto più volte da vivo il vincitore di Napoleone a Waterloo, poi politico e diplomatico (1769-1852), come ricorda M. Webster nel catalogo della mostra fiorentina del 1971. S.P.	In alto a sinistra: 'IOHANN FRIDERICH HERTZOG ZV WIRTEMBERG AETAT SUAE XVI'. Il ritratto è in serie con altri due dello stesso anno e stessa mano: il padre duca Federico, con ordine di San Michele (FRIDERICH HERTZOG ZV WIRTEMBERG MDXCVIII, inv. Poggio a Caiano 282, foto GFS 19504) e il secondogenito Ludwig Friederich (1586-1631), con scritta 'LUDWIG FRIDERICH HERTZOG ZV WIRTENBERG AETAT SUAE XII' (inv. Imperiale n. 7461). Per un altro ritratto proveniente dal Württenberg, non si sa in che circostanze ma certamente fin dall'antico, cfr. inv. 1890 n. 2397. S.M.T.	La tavola è in serie con almeno due ritratti di guerriero (inv. 1890 nn. 2524 e 4254) che hanno la stessa impaginazione di un ritratto detto raffigurare Giacomo Sciarra nella galleria Colonna a Roma: figura armata alla coscia, bastone di comando, sfondo di parete nuda con finestra e paese di tipo nordico al di fuori di essa. Il ritratto Sciarra fu dato al Dosso dal Colasanti (in L'arte VII, 1904) ma oggi l'attribuzione non è accettata: il Gibbons lo crede copia o imitazione del tardo sec. XVI, forse dell'Amico friulano del Dosso. Nel '500 furono di gran moda le serie di ritratti di uomini d'arme, ma questi non si possono ricondurre ai tipi illustrati da Giovio, Caprioli o simili. Il fatto che siano in serie con uno di casa Colonna potrebbe far pensare ai tre guerrieri della famiglia: Prospero (1463 ca. - 1524), Marcantonio (1472 ca. - 1522), Stefano, nominato generale da Cosimo I de' Medici (1496 ca. - 1544), ma è pura ipotesi. S.M.T.

	Ic613	Ic614	Ic615	Ic616
PERSONAGGIO	Contadinello con marmotta.	Dama col seno nudo.	Dama in veste di Diana.	Fumatore di pipa.
AUTORE	Pitti, Luigi (Firenze, not. 1731-39).	Voet, Jakob Ferdinand (Anversa 1635 - Parigi 1700) o copia.	Gobert, Pierre (Parigi? 1662 - Parigi 1744), attr. a.	Pitti, Luigi (Firenze, not. 1731-39).
DATAZIONE	1732.	1670 ca.	Inizi sec. XVIII.	1730 ca.
DATI TECNICI	Pastello su carta su tela, 62x52,4.	Olio su tela, 75x61,5.	Olio su tela, 133,7x100,5, rintelato.	Pastello su carta, su tela, 63,5x52,7.
CORNICE	Dorata con ornati a pastiglia, sec. XVIII.	Salvadora dorata, sec. XVII.	Liscia dorata a porporina, sec. XX.	Dorata con ornati a pastiglia, sec. XVIII.
UBICAZIONE	Poggio Imperiale (1836); Depositi Uffizi (1881).	Uffizi (1797); Poggio Imperiale (1836); Uffizi.	Uffizi (1890).	Poggio Imperiale (1845); Depositi Uffizi (1890).
ATTRIBUZIONI	—	Pierre Mignard (inventari).	—	—
ESPOSIZIONI	—	Pittura francese nelle collezioni pubbliche fiorentine, Firenze 1977.	—	—
BIBLIOGRAFIA	S. Meloni Trkulja, in Dizionario Bolaffi, IX, Torino 1975.	D. Bodart, Rubens e la pittura fiamminga del Seicento nelle collezioni pubbliche fiorentine, Firenze 1977. *P. Rosenberg, in cat. Firenze 1977, n. 74, p. 123.*	—	S. Meloni Trkulja, in Dizionario Bolaffi, IX, Torino 1975.
INVENTARIO	4312.	2794.	2840.	4256.
FOTO	252249.	219372.	137412.	252248.
NOTE	Firmato e datato a tergo sulla cornice 'Luigi Pitti Faceva L'Anno 1732'. Il Pitti fu un nobile dilettante, allievo di Ottaviano Dandini e protetto dal granduca Gian Gastone de' Medici: si dedicò quasi esclusivamente al pastello e le Gallerie fiorentine ne conservano diversi (inv. 1890 nn. 3106, 4256, 4313, 4314, 4316). L'animale che il contadinello tiene, segnato negli inventari come porcospino, sembra piuttosto una marmotta e ritrarrebbe quindi una figura tipica dei secoli passati: si pensi al 'Savoyard à la marmote' di Watteau all'Ermitage. S.M.T.	Pervenuto agli Uffizi dalla Francia nel 1796 nel quadro degli acquisti di dipinti francesi voluti dal granduca Ferdinando III di Lorena, con l'attribuzione a Mignard, questo ritratto fu creduto rappresentare Olimpia Mancini, contessa di Soisson e madre di Eugenio di Savoia. Ne esiste una copia con varianti nella collezione Corsi presso il museo Bardini. S.M.T.	A tergo sono stati riportati dopo la rintelatura cinque numeri antichi, ma non si conoscono le collocazioni del quadro anteriori all'ingresso in galleria. Esso sembra ascrivibile a Pierre Gobert o alla sua cerchia, di cui le Gallerie fiorentine hanno altri ritratti, solo alcuni dei quali sommariamente schedati nel cat. mostra 'Pittura francese nelle collezioni pubbliche fiorentine' (Firenze 1977). Oltre a questo, ne è rimasto ignorato, per esempio, un ritratto di bambina (inv. 1890 n. 2863). S.M.T.	Opera del nobile dilettante Luigi Pitti, allievo di Ottaviano Dandini e attivo a Firenze 'in fresca età' nel 1739, secondo il suo primo (e unico) biografo, Francesco Maria Niccolò Gaburri. Benché non firmato come altri pastelli delle Gallerie fiorentine (inv. 1890 nn. 4312-14, 4316), è tipico del suo autore, che ci ha lasciato varie raffigurazioni di personaggi caratteristici: ne aveva anche il granduca Gian Gastone de' Medici. S.M.T.

	Ic617	Ic618	Ic619	Ic620
PERSONAGGIO	Gentiluomo.	Ritratto di ignoto.	Poetessa.	Principe fanciullo.
AUTORE	Tanfani, Francesca Celeste (Firenze, not. 1736-37).	Scuola italiana sec. XIX.	Scuola francese sec. XVII?	Scuola francese sec. XVIII?
DATAZIONE	1736.	1810 ca.	Terzo quarto sec. XVII.	Terzo quarto sec. XVIII.
DATI TECNICI	Pastello su carta, 53,6x44.	Olio su tela, 62,7x49,8.	Olio su tela, 118x99.	Olio su tela, 123,5x90,5.
CORNICE	Salvadora dorata sec. XVIII.	Dorata, di epoca posteriore.	Piatta intagliata a dentelli, sec. XVII.	Dorata e parzialmente bulinata, sec. XVIII.
UBICAZIONE	Poggio Imperiale (1845); Uffizi (1890).	Uffizi (ante 1906); Museo del Risorgimento (1932); Galleria d'Arte Moderna, Pitti (1979).	Uffizi (1881).	Uffizi (1890).
ATTRIBUZIONI	—	Bezzuoli (nota inventariale).	—	—
ESPOSIZIONI	—	Commemorativa della Società di Belle Arti, Firenze 1933.	—	—
BIBLIOGRAFIA	F. Borroni Salvadori in Mitteilungen des Kunsthistorischen Instituts in Florenz XVIII, 1974.	*Cat., Firenze 1933, n. 35.*	—	—
INVENTARIO	2568.	3313.	4251.	2690.
FOTO	137258.	—	137415.	252236.
NOTE	A tergo sul telaio "Francesca Celeste Tanfani (Fanfani?) Fece l'Anno 1736" e molti numeri antichi. Questa pastellista è ignota a tutti i repertori: solo espone nel 1737 due ritratti alla mostra per San Luca. Nelle Gallerie fiorentine, oltre a questo, vi è un altro pastello firmato e datato dello stesso anno (inv. 1890 n. 7449), copia del giovanile autoritratto di Rembrandt (inv. 1890 n. 3890); ma mentre nel 'Rembrandt' i pastelli sono usati in modo fuso, con colori chiari e tocco sfumato delicatamente, qui i colori sono più forti, i contorni netti, il tratteggio ben visibile, da disegnatore. S.M.T.	Il quadro, che non reca iscrizioni, è, per la prima volta, documentato dalla verifica sulle collezioni degli Uffizi del 1906; l'inventario lo registra come ritratto di Ugo Foscolo del Bezzuoli (forse perché le fonti indicano un ritratto in disegno del poeta, eseguito dal Bezzuoli) e come tale ha figurato alla mostra fiorentina del 1933. In pessime condizioni di leggibilità, il dipinto, che sembra attardarsi agli inizi del secolo XIX su una formula stilistica tardo settecentesca di lontana ascendenza austriaca, ritrae un personaggio non identificato, un attore più probabilmente di un poeta, come farebbero supporre i vocaboli latini *Animae Dimidium meae* (metà di un verso di Orazio, Odi 17, v. 5) che si adattano bene come motto di un'accademia drammatica secondo quanto suggerisce G. Innamorati. S.P.	Ritratto di provenienza ignota, che emerge dai magazzini della galleria nel tardo '800 senza indicazioni di sorta. È probabilmente opera di mano francese e può rappresentare una scrittrice, ma la mancanza di altri attributi oltre la penna e il libro (dalle pagine bianche) rende difficile orientarsi per la ricerca del personaggio. S.M.T.	A tergo nove numeri antichi. Il bambino, di rango regale a giudicare dalla ricchezza degli abiti e dalle onorificenze, non è stato identificato; è probabile però che si tratti di un piccolo Borbone. S.M.T.

	Ic621	Ic622	Ic623	Ic624
PERSONAGGIO	Ritratto di un re.	Ritratto di dama.	Ritratto di donna.	Ritratto d'uomo.
AUTORE	Scuola francese sec. XVIII?	Pulzone, Scipione, detto Scipione da Gaeta (Gaeta 1550 ca. - Roma 1598).	Scuola spagnola sec. XVII?	Scuola romana sec. XVII.
DATAZIONE	Metà sec. XVIII.	1590 ca.	Seconda metà sec. XVII.	Fine sec. XVII.
DATI TECNICI	Olio su tela, 99,5x75.	Olio su tela, 72,5x58, restauro 1972.	Olio su tela, 96,5x74,5, rintelato.	Olio su tela, 69x52,5, rintelato.
CORNICE	Salvadora dorata, sec. XVIII.	Dorata e gialla con orlo esterno piatto, sec. XVII.	Dorata con fregi a rilievo in pastiglia nella gola, sec. XIX.	Dorata e dipinta di verde, a gola piatta, sec. XVIII.
UBICAZIONE	Uffizi (1890).	Intendenza di Finanza; Uffizi (1912).	Uffizi (1882).	Uffizi (1890).
ATTRIBUZIONI	—	—	—	Scuola francese (inventari).
ESPOSIZIONI	—	—	—	—
BIBLIOGRAFIA	—	F. Zeri, Pittura e controriforma, Torino 1957.	—	—
INVENTARIO	2941.	3793.	2809.	4328.
FOTO	252245.	136485.	137420.	138570.
NOTE	Nonostante le indicazioni offerte dal ritratto (corona e scettro, indici di rango regale; ordine cavalleresco con croce bianca orlata di rosso, su fondo bianco, pendente da un nastro rosso) il personaggio non è stato localizzato. È genericamente inventariato come 'principe lorenese' ed etichettato come 're generale'. S.M.T.	A tergo quindici numeri antichi: ma non si conoscono le vecchie collocazioni di questo ritratto, pervenuto alle Gallerie il 30 dicembre 1912 in un gruppo di nove che si trovavano presso l'Intendenza di Finanza (AGF, Arte 1009). Il ritratto può essere attribuito a Scipione Pulzone (presente a Firenze nel 1584 e nel 1590 per ritrarre i granduchi); se ne vedevano di molto simili illustrati da F. Zeri (figg. 4, 6, 86). S.M.T.	A tergo cartellino relativo alla consegna alla galleria degli Uffizi da parte dell'amministrazione di casa reale nel 1882, quando il corridoio vasariano col suo contenuto fu aperto al pubblico. Del dipinto non si conoscono né l'autore - probabilmente spagnolo - né il personaggio: è stata anche fatta l'ipotesi che si tratti di un dipinto storicizzante ottocentesco. S.M.T.	Per questo ritratto anonimo vorremmo proporre, sia pur con grande cautela, un'identificazione basata su una certa somiglianza fisionomica con papa Clemente XI Albani e suo fratello Orazio (cfr. inv. 1890 n. 2930), soprattutto per la forma trapezoidale dei volti. Ciò permetterebbe di collegare il ritratto alla notizia che Cosimo III de' Medici ricevette alla fine del 1704 i ritratti di Orazio e Bernardina Albani e dei loro figli maggiori Annibale (1682-1751) e Carlo (1687-1724) (ASF, Guard. 1113, c. 70r). I documenti però (cfr. anche Guard. 1101 c. 92r) non ne specificano le misure né l'autore (o gli autori), né se i quattro pezzi formavano serie (mentre questo è di misure e autore diversi dal ritratto di Orazio). Ogni conclusione è quindi prematura. S.M.T.

	Ic625	Ic626	Ic627	Ic628
PERSONAGGIO	Signora con bambino.	Testa di fanciullo.	Testa di vecchio con turbante.	Tre suonatori all'aperto.
AUTORE	Cittadini, Pier Francesco (Milano 1613-16 - Bologna 1681), attr. a.	Luti, Benedetto (Firenze 1666 - Roma 1724).	Scuola fiorentina sec. XVIII.	Pitti, Luigi (Firenze, not. 1731-39).
DATAZIONE	Terzo quarto sec. XVII.	Secondo decennio sec. XVIII.	Metà sec. XVIII.	1730-40.
DATI TECNICI	Olio su tela, 188x137, rintelato.	Pastello su carta, 45x35,4.	Pastello su carta su tela, 56,4x42,5.	Pastello su carta, 95x79.
CORNICE	Listello convesso, sec. XIX.	Salvadora dorata con intagli, sec. XVIII.	Salvadora dorata, sec. XVIII.	Dorata, decorata a pastiglia, sec. XVIII.
UBICAZIONE	Uffizi (1890).	Poggio Imperiale (1845); Uffizi (1890).	Careggi (1761); Uffizi (1882).	Poggio Imperiale (1845); Depositi Uffizi (1881).
ATTRIBUZIONI	—	—	—	—
ESPOSIZIONI	—	—	—	—
BIBLIOGRAFIA	R. Roli, Pittura bolognese 1650-1800, Bologna 1977.	G. Sestieri, in Arte illustrata, 54, 1973.	—	F. M. N. Gaburri, Vite dei pittori, ms., Firenze, B.N.C.F., E. B. 9,5.
INVENTARIO	5040.	2549.	2565.	3106.
FOTO	136553.	252235.	1377051.	138615.
NOTE	Questo insolito ritratto, di provenienza ignota ed emerso dai magazzini senza la minima indicazione di autore o di personaggi è da collocare, nell'opinione di F. Zeri, in ambito lombardo o emiliano, intorno al Cittadini o ai Gennari. Propenderemmo per il Cittadini, per un facile confronto con la Signora con bambino (però in abito da parata) della Pinacoteca nazionale di Bologna. Interessante per la storia del costume è la semplice tenuta da campagna che indossano entrambi i personaggi. S.M.T.	Il pastello ha a tergo vari numeri antichi, fra cui quello (n. 450) dell'inventario del Poggio Imperiale del 1845. Negli inventari attuali è anonimo ma non c'è dubbio che sia opera di Benedetto Luti, come un'altro di fanciulla con le trecce di cui le Gallerie orentine hanno due versioni (inv. 1890 nn. 819 e 4363), mentre una terza, illustrata dal Sestieri, è a Holkham Hall. Sembrano vicine al dipinto del Luti nel Duomo di Pisa, del 1712, e sono un aspetto ancora poco studiato ma cospicuo della sua attività, pur se in tono disimpegnato. S.M.T.	A tergo la sigla DG coronata (Della Galleria?) che indica di solito la presenza agli Uffizi nella prima metà del '700: ma la prima menzione che si ha di questo pastello è in un inventario della villa di Careggi del 1761 (ASF, Guard. 91 app. p. 14) in cui porta il numero 82 che figura a tergo. Passato poi nel corridoio, il pastello venne dato in carico dalla Casa reale agli Uffizi nel 1882. La tecnica è vigorosa, i colori vivaci, con notevoli somiglianze col pastello inv. 1890 n. 2568 firmato e datato Francesca Celeste Tanfani 1736. Non si tratta di un ritratto ma di una 'testa di carattere'. S.M.T.	Le Gallerie fiorentine conservano almeno cinque pastelli, di cui due firmati e datati (cfr. inv. 1890 nn. 4312-14 e 4316), di questo nobile fiorentino, pittore dilettante, allievo di Ottaviano Dandini e specializzato in pastelli. Fra i suoi clienti vi fu anche l'ultimo granduca mediceo, Gian Gastone, e l'intenditore Francesco Maria Niccolò Gaburri, che ne possedeva l'autoritratto (pure a pastello) e ne dette la biografia. S.M.T.

La serie annovera attualmente 41 ritratti, i cui denominatori comuni sono il taglio al ginocchio e le misure (140 × 116 circa, cioè due braccia e un terzo per due): comprende i membri più eminenti della famiglia (le coppie granducali, i papi, alcuni cardinali e le due regine di Francia uscite da casa Medici).
I ritratti più antichi sono su tavola, i successivi su tela; derivano da buone fonti iconografiche. Furono voluti dal terzo granduca, Francesco I, per ornare il corridoio della galleria e l'esecuzione del primo gruppo (22 pezzi) è documentata negli anni 1584-86 ad opera di dodici pittori attivi a Firenze che ne eseguirono da uno a quattro per ciascuno, a prezzi variabili fra i 16 e 40 scudi l'uno a seconda del rango del pittore e dei particolari del ritratto (con una o più persone, con sfondo neutro o figurato). Vi si aggiunsero pochi anni dopo i ritratti del nuovo granduca Ferdinando I con la moglie − i capolavori della serie − e durante il Seicento essa fu aggiornata soprattutto ad opera del Sustermans e della sua bottega a partire dal 1623 (Cosimo II e la moglie) e fin oltre la metà del secolo. Fra il 1721 e il 1727 fu portata a termine, probabilmente su commissione di Anna Maria Luisa de' Medici e con la volontà di renderla compiuta e rappresentativa: vi si noti l'inserzione della prima duchessa, Margherita d'Austria, non ritratta in antico. K. Langedijk crede autore dell'ultimo gruppo di ritratti Giovanni Gaetano Gabbiani, nipote del più noto Anton Domenico, documentato per il ritratto di Violante.
Oggi mancano alcuni ritratti del gruppo più antico, probabilmente bruciati nell'incendio del 1762, dato che stavano appesi alla fine del terzo corridoio: il cardinal Giovanni, Don Pietro e Don Giovanni, tutti di Santi di Tito; manca anche il documentato Ferdinando I da cardinale di Battista Naldini. La serie fu interrottamente esposta nei corridoi della galleria (inv. 1704 nn. 36-37, 111, 112, 136; inv. 1753 nn. 31-31, 106-107, 148-153; inv. 1769 nn. 23-24, 96-97, 138-143), come documentano i disegni del 1759 ca. che li ritraggono, e dopo il riordinamento del 1782 nel corridoio sul lungarno (inv. 1784 n. 725; inv. 1825 nn. 2011-2051). Dal 1930 ornò il Museo mediceo in palazzo Medici Riccardi.
Essa fu studiata da G. Poggi, che individuò e pubblicò i documenti relativi al gruppo più antico (in Rivista d'Arte VI, 1909, pp. 321-332); altri notevoli contributi sono di K. Langedijk, in corso di pubblicazione (un'anticipazione in Paragone 343, 1978) e di S. Lecchini Giovannoni (per Alessandro Allori, in Antichità viva VII, 1968). La serie era chiamata in antico 'dei serenissimi principi'; il termine 'serie aulica' risale alla Mostra medicea (Firenze 1939), a cui tutti i ritratti furono esposti (sale I-IV).
Durante il formarsi della serie vi furono alcuni aggiustamenti: probabilmente a un Francesco I giovanile armato (inv. Oggetti d'arte 767) fu sostituito quello più maturo del Pulzone, a Caterina regina da giovane (1890 n. 2257; scheda nella sezione 'iconografica esposta') Caterina da vedova, a Ferdinando cardinale Ferdinando Granduca. Non è invece stato notato finora che anche due mariti (Enrico IV re di Francia e Giovanni Guglielmo Elettore Palatino) facevano parte della serie. Le cornici del gruppo più antico sono documentate di Domenico del Tasso; erano 'di noce scorniciate lisce' (come è rimasta quella di Caterina giovane) e sono oggi invece dorate e gialle.

S.M.T.

Ic629

PERSONAGGIO	Alessandro de' Medici (1511-37).
AUTORE	Macchietti, Girolamo (Firenze 1535-92).
DATAZIONE	1584.
DESCRIZIONE	Olio su tavola, 140x116, cornice dorata e gialla.
INVENTARIO	2237 (C.P., p. 226, n. 20).
FOTO	141873.
NOTE	Consegnato dal pittore l'11 gennaio 1585 e pagatogli 16 scudi il 25 giugno 1586, su fattura del 29 aprile (Poggi, doc. 9). Deriva da un ritratto perduto del Bronzino; il volto è quello tramandato dal Pontormo.

S.M.T.

Ic630

PERSONAGGIO	Anna Maria Francesca von Sachsen Lauenburg, (1672-1741).
AUTORE	Gabbiani, Giovanni Gaetano (Firenze? - 1750 ca.), attr. a.
DATAZIONE	1726.
DESCRIZIONE	Olio su tela, 142x119, cornice dorata e gialla.
INVENTARIO	2255.
FOTO	141881.
NOTE	Entrato in galleria il 29 novembre 1726 (ASF, Guard. 1292, c. 246r), è probabilmente opera del nipote del Gabbiani a cui è documentato il ritratto di Violante nella stessa serie.

S.M.T.

	Ic631	Ic632	Ic633	Ic634
PERSONAGGIO	Anna Maria Luisa de' Medici (1667-1743).	Caterina de' Medici da vedova (1519-1589).	Clemente VII de' Medici, Papa (1478-1534).	Cosimo il Vecchio de' Medici (1389-1464).
AUTORE	Gabbiani, Giovanni Gaetano (Firenze? - 1750 ca.), attr. a.	Guignard(?), Jean (op. 1590).	Naldini, Giovanni Battista (Firenze 1537-91).	Pieroni, Alessandro (Firenze 1550-1607).
DATAZIONE	1726.	1590.	1585.	1585.
DESCRIZIONE	Olio su tela, 143x118, cornice dorata e gialla.	Olio su tela, 140x116, cornice dorata e gialla.	Olio su tavola, 140x116, cornice dorata e gialla.	Olio su tavola, 137x115, cornice dorata e gialla.
INVENTARIO	2256.	2236 (C.P., p. 226, n. 19).	2231 (C.P., p. 226, n. 14).	2217 (C.P., p. 225, n. 1).
FOTO	25165.	141874.	141887.	141866.
NOTE	Entrato in galleria il 10 settembre 1726 (AGF, Guard. 1292, c. 243v), è probabilmente opera, come tutta la parte settecentesca di questa serie, del nipote di Anton Domenico Gabbiani. S.M.T.	La ricevuta di questo ritratto è a un ignoto francese Jean Guignard o Guiguard, 24 dicembre 1590 (ASF, Guard. 133 c. 127 sin.). Esso rimpiazzò nella serie quello di Santi di Tito (inv. 1890 n. 2257: v. scheda). S.M.T.	Pagato 20 scudi all'artista il 26 luglio 1586 (Poggi, doc. 12); era stato consegnato il 16 luglio 1585. Deriva dal ritratto di Sebastiano del Piombo ora nel Museo di Capodimonte. S.M.T.	Il quadro fu consegnato dall'autore il 15 marzo 1585 e finito di pagare (costò 18 scudi) il 26 luglio 1586. Sua fonte iconografica è il ritratto, più piccolo, del Pontormo in tribuna (inv. 1890 n. 3574). S.M.T.

	Ic635	Ic636	Ic637	Ic638
PERSONAGGIO	Cosimo I de' Medici (1519-74).	Cosimo II de' Medici (1590-1621).	Cosimo III de' Medici (1642-1723).	Cristina di Lorena (1565-1636).
AUTORE	Naldini, Giovanni Battista (Firenze 1537-91).	Sustermans, Giusto (Anversa 1597 - Firenze 1681).	Gabbiani, Giovanni Gaetano (Firenze? - 1750 ca.), attr. a.	Pulzone, Scipione (Gaeta 1550 ca. - Roma 1598).
DATAZIONE	1585.	1622-23.	1722.	1590.
DESCRIZIONE	Olio su tavola, 140x116, cornice dorata e gialla.	Olio su tela, 142x118, cornice dorata e gialla.	Olio su tela, 141x118, cornice dorata e gialla.	Olio su tela, 142x120, cornice dorata e gialla.
INVENTARIO	2238 (C.P., p. 226, n. 21).	2245 (C.P., p. 226, n. 28).	2250 (C.P., p. 227, n. 33).	9161.
FOTO	141896.	141900.	141898.	141885.
NOTE	Consegnato dall'artista prima del 16 luglio 1585, gli fu pagato 20 scudi il 26 luglio 1586 (Poggi, doc. 12). Deriva forse da un ritratto perduto del Bronzino. S.M.T.	Consegnato dall'autore alla guardaroba il 15 febbraio 1623, (ASF, Guard. 373 c. 323, segnalato da K. Langedijk). È quindi un ritratto postumo, che deriva da un modello di Santi di Tito spesso copiato nella bottega del Sustermans. S.M.T.	Entrò in galleria il 17 settembre 1722 (ASF, Guard. 1292, c. 81r). Detto di solito 'copia dal Sustermans', non sembra in realtà avere un modello preciso. S.M.T.	Firmato e datato sulla corona '1590 SCIPIO CAIETANUS FACEBAT'; fatto quindi durante il secondo soggiorno fiorentino dell'artista insieme al ritratto del marito; entrambi ricordati dal Baglione. S.M.T.

	Ic639	Ic640	Ic641	Ic642
PERSONAGGIO	Eleonora di Toledo col figlio Garzia.	Enrico IV re di Francia (1553-1610).	Ferdinando I de' Medici (1549-1606).	Ferdinando II de' Medici (1610-70).
AUTORE	Vaiani, Lorenzo, detto lo Sciorina (Firenze 1535 ca. - 1598).	Pourbus, Frans, il giovane (Anversa 1569 - Parigi 1622).	Pulzone, Scipione (Gaeta 1550 ca. - Roma 1598).	Sustermans, Giusto (Anversa 1597 - Firenze 1681).
DATAZIONE	1584.	1613.	1590.	Metà sec. XVII.
DESCRIZIONE	Olio su tavola, 140x116, cornice dorata e gialla.	Olio su tela, 135x122.	Olio su tela, 142x120, cornice dorata e gialla.	Olio su tela, 144x119, cornice dorata e gialla. sec. XVII.
INVENTARIO	2239 (C.P., p. 226, n. 22).	5232 (C.P., p. 224, n. 43?).	2243 (C.P., p. 226, n. 26).	2249 (C.P., p. 227, n. 32).
FOTO	141883.	GFN E 65873.	141884.	325098.
NOTE	Consegnato dal pittore alla guardaroba il 30 aprile 1584 (Poggi, doc. 5) e pagatogli 45 scudi il 24 luglio 1586. È copia del notissimo ritratto del Bronzino in tribuna (inv. 1890, n. 748): qui il bambino è Garzia. S.M.T.	Replica di un ritratto ordinato da Cristina di Lorena nel 1611 (inv. 1890, n. 2260). La sua appartenenza a questa serie risulta chiara dalla posizione in galleria nel'700. Considerato oggi copia, è in deposito a Montecitorio. S.M.T.	A tergo scritta 'Scipione da Gaeta faciebat L'1590'. È un bellissimo originale, spesso replicato; sostituì nella serie un Ferdinando cardinale di G. B. Naldini (Poggi, doc. 12). S.M.T.	Eseguito probabilmente poco prima del 1659, quando viene inciso da F. Spierre e richiesto per copiarlo. Il granduca aveva posato con un bel cappello piumato, tolto nel 1672 (AGF, ms. 62 c. 108).

	Ic643	Ic644	Ic645	Ic646
PERSONAGGIO	Ferdinando, Gran Principe de' Medici (1663-1713).	Francesco I de' Medici (1541-87).	Gian Gastone de' Medici (1671-1737).	Giovan Carlo, card. de' Medici (1611-63).
AUTORE	Gabbiani, Giovanni Gaetano (Firenze? - 1750 ca.), attr. a.	Pulzone, Scipione (Gaeta 1550 ca. - Roma 1598).	Gabbiani, Giovanni Gaetano (Firenze? - 1750 ca.), attr. a.	Sustermans, Giusto (Anversa 1597-Firenze 1681), bottega di.
DATAZIONE	1722.	1590 ca.	1726.	Sesto decennio sec. XVII.
DESCRIZIONE	Olio su tela, 143x120, cornice dorata e gialla.	Olio su tavola, 141x117, cornice dorata e gialla.	Olio su tela, 145x119, cornice dorata e gialla.	Olio su tela, 143x117, cornice dorata e gialla.
INVENTARIO	9163.	2241 (C.P., p. 226, n. 24).	2253 (C.P., p. 227, n. 36).	2248 (C.P., p. 227, n. 31).
FOTO	108221.	141882.	141880.	141899.
NOTE	Entrato in galleria il 17 settembre 1722 (ASF, Guard. 1292, c. 81r). Deriva dal tipo ritrattistico di Niccolò Cassana, ed è forse opera del Gabbiani nipote autore del ritratto di Violante in questa serie. S.M.T.	Ritratto postumo, ne sostituì uno diverso e più giovanile, forse quello inv. Ogg. Arte 767 (Langedijk). Ne esiste una copia a Cerreto Guidi (inv. 1890, n. 5454). S.M.T.	Entrato in Galleria il 29 novembre 1726, (ASF, Guard. 1292, c. 246r). È forse del Gabbiani nipote, documentato per il ritratto di Violante nella stessa serie. S.M.T.	Il ritratto è copia di uno di Sustermans in Pitti (inv. Ogg. Arte n. 775) che si pone dopo il 1653 perché il cardinale vi regge una lettera del re di Spagna con questa data. S.M.T.

	Ic647	Ic648	Ic649	Ic650
PERSONAGGIO	Giovanna d'Austria (1548-78).	Giovanni de' Medici, detto delle Bande Nere (1498-1526).	Giovanni di Averardo de' Medici, detto di Bicci (1360-1429).	Giovanni di Cosimo il Vecchio de' Medici (1421-63).
AUTORE	Bizzelli, Giovanni (Firenze 1550 ca. - 1607).	Naldini, Giovanni Battista (Firenze 1537-91).	Allori, Alessandro (Firenze 1535-1607).	Santi di Tito (Sansepolcro 1536 - Firenze 1603).
DATAZIONE	1586 ca.	1585.	1585.	1585.
DESCRIZIONE	Olio su tavola, 140x116, cornice dorata e gialla.	Olio su tavola, 140x115, cornice dorata e gialla.	Olio su tavola, 142x117, cornice dorata e gialla.	Olio su tavola, 141x116, cornice dorata e gialla.
INVENTARIO	2242 (C.P., p. 226, n. 25).	2232 (C.P., p. 226, n. 15).	2216 (C.P., p. 225, n. 2).	2222 (C.P., p. 225, n. 5).
FOTO	141901.	106393.	141867.	141869.
NOTE	Pagato al Bizzelli 40 scudi il 26 luglio 1586 (Poggi, doc. 14). La granduchessa è ritratta col primogenito Don Filippo (1577-82) 'ambi di felice memoria'. Il quadra sembra invenzione del Bizzelli, non copiato da altri. S.M.T.	Con la moglie Maria Salviati (1499-1543), la cui effigie viene dal Vasari (sala di Giovanni dalle Bande Nere in Palazzo Vecchio). Pagato 25 scudi il 26 luglio 1586, era in galleria già da un anno (Poggi, doc. 12). S.M.T.	Entrato in Galleria il 26 ottobre 1585: cfr. la fattura di 25 scudi pubblicata dal Poggi (docc. 1-3). Viene da una lunetta di Zanobi Strozzi (inv. 1890, n. 469). S.M.T.	Pagato 18 scudi a Santi di Tito il 26 luglio 1586 (Poggi, doc. 6). Fonte iconografica è l'Adorazione dei Magi del Botticelli (inv. 1890, n. 882). S.M.T.

	Ic651	Ic652	Ic653	Ic654
PERSONAGGIO	Giovanni di Pierfrancesco de' Medici (1467-98) con la moglie Caterina Sforza.	Giovanni Guglielmo Elettore Palatino (1658-1716).	Giuliano de' Medici, duca di Nemours (1479-1515).	Giuliano di Piero de' Medici (1453-78).
AUTORE	Vaiani, Lorenzo, detto lo Sciorina (Firenze 1535 ca. - 1598).	Van Douven, Jan Frans (Roermond 1656 - Bonn 1727), copia da.	De Witte, Peter, detto Pietro Candido (Bruges 1548 ca. - München 1628).	Santi di Tito (Sansepolcro 1536 - Firenze 1603).
DATAZIONE	1585.	1727.	1585.	1585-86.
DESCRIZIONE	Olio su tavola, 140x117, cornice dorata e gialla.	Olio su tela, 145x122, cornice dorata e gialla.	Olio su tavola, 137x114, cornice dorata e gialla.	Olio su tavola, 140x116, cornice dorata e gialla.
INVENTARIO	2221 (C.P., p. 225, n. 4).	5240.	2229 (C.P., p. 226, n. 12).	2224 (C.P., p. 226, n. 7).
FOTO	15577.	183636.	141888.	142447.
NOTE	Consegnato il 22 settembre 1585, pagato al pittore 30 scudi il 24 luglio 1586, prezzo maggiore della media perché vi sono due figure. Cfr. per Giovanni l'Adorazione dei Magi di Filippino Lippi. S.M.T.	Entrato in galleria il 23 aprile 1727 (ASF, Guard. 1277, c. 201v) è la versione al ginocchio di un ritratto a figura intera (inv. 1890, n. 4260) del Douven; la copia può essere di G.G. Gabbiani. S.M.T.	Saldato al fratello dell'artista 25 scudi il 26 luglio 1586: il quadro era in esecuzione il 15 marzo e consegnato il 22 maggio (Poggi, doc. 10). Siglato a tergo CP. Cfr. un ritratto perduto di Raffaello. S.M.T.	In lavorazione nel marzo 1585, venne pagato al pittore 18 scudi il 26 luglio 1586 (Poggi, doc. 6). Cfr. un ritratto di Botticelli (Versioni di Milano, coll. Crespi; Berlino, Washington, Bergamo). S.M.T.

	Ic655	Ic656	Ic657	Ic658
PERSONAGGIO	Ippolito, card. de' Medici (1511-35).	Leone X de' Medici, papa (1476-1521).	Lorenzo de' Medici, detto il Magnifico (1449-92).	Lorenzo de' Medici, duca d'Urbino (1492-1519).
AUTORE	Morandini, Francesco, detto il Poppi (Poppi 1544 - Firenze 1597).	Buti, Lodovico (Firenze 1550-60-1611).	Macchietti, Girolamo (Firenze 1535-92).	Fei Alessandro, detto del Barbiere (Firenze 1543-92).
DATAZIONE	1586.	1585 ca.	1584.	1586.
DESCRIZIONE	Olio su tavola, 140x114, cornice dorata e gialla.	Olio su tavola, 140x116, cornice dorata e gialla.	Olio su tavola, 140x116, cornice dorata e gialla.	Olio su tavola, 140x116, cornice dorata e gialla.
INVENTARIO	2235 (C.P., p. 226, n. 18).	2230 (C.P., p. 226, n. 13).	2228 (C.P., p. 226 n. 11).	2234 (C.P., p. 226, n. 17).
FOTO	141889.	141876.	141871.	141875.
NOTE	Pagato al pittore 20 scudi il 29 luglio 1586 su fattura del 2 maggio (Poggi, doc. 7). Riprende il ritratto di Tiziano nella galleria Palatina (inv. 201), di cui esiste anche un'altra copia (inv. 1890 n. 5227). S.M.T.	Il ritratto risulta consegnato alla Galleria l'11 gennaio (manca l'anno: Poggi, doc. 11); costò 18 scudi. Viene da quello di Raffaello (inv. Palatina n. 40) esposto agli Uffizi. S.M.T.	Consegnato dall'artista alla galleria l'11 gennaio 1585; fattura di 16 scudi del 29 aprile 1586 (Poggi, doc. 9). L'effigiato tiene una lettera del 4 aprile 1488 di Ferdinando d'Aragona che gli chiede il disegno per un palazzo. S.M.T.	Il ritratto costò 25 scudi: il conto è del 29 aprile 1586, pagato il 26 luglio (Poggi, doc. 13). Viene dal ritratto di Raffaello recentemente restaurato (cfr. K. Oberhuber in Burl. Mag. CXIII, 1971). S.M.T.

	Ic659	Ic660	Ic661	Ic662
PERSONAGGIO	Lorenzo di Giovanni de' Medici (1395-1440).	Margherita d'Austria (1521-86).	Marguerite - Louis d'Orléans (1645-1721).	Maria de' Medici (575-1642).
AUTORE	Allori, Alessandro (Firenze 1535-1607).	Scuola fiorentina sec. XVIII.	Gabbiani, Giovanni Gaetano, (Firenze? - 1750 ca.), attr. a.	Pourbus, Frans, il giovane (Anversa 1569 - Parigi 1622).
DATAZIONE	1585.	Primo quarto sec. XVIII.	1723.	1613.
DESCRIZIONE	Olio su tavola, 140x117, cornice dorata e gialla.	Olio su tela, 141x119, restauro 1972, cornice dorata e gialla.	Olio su tela, 140x118, cornice dorata e gialla.	Olio su tela, 141x116, cornice dorata e gialla.
INVENTARIO	2220 (C.P., p. 225, n. 3).	9160.	2252 (C.P., p. 227 n. 33, anzi 35).	2244 (C.P., p. 226, n. 27).
FOTO	141868.	141872.	141879.	141886.
NOTE	Consegnato dal pittore alla galleria il 26 ottobre 1585: costò 25 scudi (Poggi, docc. 1-3). Non si conosce la fonte iconografica, forse l'affresco con la 'Sagra' di Masaccio nel convento del Carmine. S.M.T.	Unico ritratto a Firenze della prima duchessa (moglie di Alessandro), entrò in Galleria il 5 luglio 1721 (ASF, Guard. 1292, c. 33v). È quindi un esempio di 'falso' cinquecentesco. Si trova oggi a Cerreto Guidi. S.M.T.	Entrato in galleria il 12 giugno 1723 (ASF, Guard. 1277, c. 107r) col ritratto di Violante della stessa serie, è probabilmente opera dello stesso autore, nipote di Anton Domenico Gabbiani. S.M.T.	Copia autografa del ritratto inv. 1890, n. 2259, inviata da Parigi due anni dopo l'originale come chiarì V. Rossi (in Archivio storico dell'arte II, 1889). S.M.T.

	Ic663	Ic664	Ic665	Ic666
PERSONAGGIO	Maria Maddalena d'Austria (1587-1629) col figlio Ferdinando.	Pierfrancesco de' Medici, il Vecchio (1430-76).	Piero de' Medici, detto il Gottoso (1410-69).	Piero di Lorenzo de' Medici (1472-1503).
AUTORE	Sustermans, Giusto (Anversa 1597 - Firenze 1681).	Morandini, Francesco, detto il Poppi 1544 - Firenze 1597).	Paggi, Giovanni Battista (Genova 1554-1627).	Paggi, Giovanni Battista (Genova 1554-1627).
DATAZIONE	1622-23.	1586.	1586.	1586.
DESCRIZIONE	Olio su tela, 144x118, cornice dorata e gialla.	Olio su tavola, 138x116, cornice dorata e gialla.	Olio su tavola, 140x116, cornice dorata e gialla.	Olio su tavola, 140x116, cornice dorata e gialla.
INVENTARIO	2246 (C.P., p. 227, n. 29).	2223 (C.P., p. 225, n. 6).	2225 (C.P., p. 226 n. 8).	2227 (C.P., p. 226, n. 10).
FOTO	141895.	141897.	141870.	141877.
NOTE	Consegnato dall'autore alla guar. il 15 febbraio 1623 (ASF, Guard. 373, c. 323, segnalato da K. Langedijk). L'età dei personaggi sembra un po' anteriore a questa data. Una versione a figura intera nel museo di Vienna. S.M.T.	Pagato al pittore 18 scudi il 29 luglio 1586, su fattura del maggio (Poggi, doc. 7). La figura è tratta da quella nell'Adorazione dei Magi di Filippino Lippi (inv. 1890, n. 1566). S.M.T.	Consegnato il 12 maggio 1586 e pagato 20 scudi in due rate il 28 giugno e il 9 agosto (Poggi, doc. 8). Deriva dal busto marmoreo di Mino da Fiesole al Bargello. S.M.T.	Il ritratto era finito il 12 maggio 1586, e pagato 25 scudi, in parte il 28 giugno, in parte il 9 agosto (Poggi, doc. 8). La fonte iconografica non è nota. S.M.T.

	Ic667	Ic668
PERSONAGGIO	Violante di Baviera (1673-1731).	Vittoria della Rovere (1622-94).
AUTORE	Gabbiani, Giovanni Gaetano (Firenze? - 1750 ca.).	Sustermans, Giusto (Anversa 1597 - Firenze 1681).
DATAZIONE	1723.	Metà sec. XVII.
DESCRIZIONE	Olio su tela 143x120, cornice dorata e gialla.	Olio su tela, 145x119, restauro: 1978, cornice dorata e gialla, sec. XVII.
INVENTARIO	9162.	2251 (C.P., p. 227, n. 34).
FOTO	141878.	324986.
NOTE	Entrato in galleria il 12 giugno 1723 (ASF, Guard. 1277, c. 107r) è ricordato da I. Hugford (Vita di Anton Domenico Gabbiani, Firenze 1762) come opera del nipote del Gabbiani, ritrattista prematuramente morto. S.M.T.	Il ritratto, come quello del marito (inv. 1890 n. 2249), è posteriore al 1638 (non figura nell'inventario di quell'anno) ma anteriore al 1659, quando viene ritirato di galleria per copiarlo (AGF, ms. 62, c. 56). Oggi è al Museo degli Argenti, Palazzo Pitti. S.M.T.

Ic669

PERSONAGGIO	Acciaioli, Angelo (1596-1654).
AUTORE	Scuola fiorentina sec. XVII.
DATAZIONE	Post 1649.
DESCRIZIONE	Olio su tela, 63x50.
INVENTARIO	2440 (C.P., p. 222, n. 1131).
FOTO	137133.
NOTE	In alto scritta in giallo 'Sen. Agnolo Acciaioli. L.T.'. Luogotenente nel 1649. Commissario di Pisa e Pistoia. Governatore di Livorno. Sepolto in S. Croce con lapide.

M.M.

La serie comprende venticinque dipinti raffiguranti personaggi illustri di Firenze incaricati del governo della famosa Accademia del Disegno fondata da Cosimo I nel 1562; tra i vari ritratti risulta anche quello di Vincenzo Borghini che ne fu il primo Luogotenente. A detta di Camillo Iacopo Cavallucci (Notizia storica intorno alle Gallerie di quadri antichi e moderni della R. Accademia del Disegno, Firenze 1873), la raccolta risale al 1596, quando il Barone F. Maria Ricasoli, allora Luogotenente, fece eseguire entro l'anno dai pittori dell'Accademia 14 ritratti dei suoi predecessori ai quali si aggiunsero successivamente altri 13. Lo stesso Cavallucci menziona i nomi degli autori di 11 ritratti (tra i quali i pittori dello Studiolo Lorenzo della Sciorina, Niccolò Betti, G. M. Butteri) nonché accenna alle vicende della raccolta che nel 1784 − all'epoca della riforma dell'Accademia fatta da Pietro Leopoldo − passò nell'ex convento di S. Caterina e in seguito, nel 1853, nei depositi della R. Galleria degli Uffizi. I ritratti dei Luogotenenti sono infatti elencati per la prima volta nel 'II supplemento al Catalogo Generale della R. Galleria di Firenze del 1825 classe I. Pitture' in numero di 20, e nel catalogo Pieraccini tra i ritratti e costumi esposti nel Corridoio Vasariano dal 1881. Attualmente nei depositi di Palazzo Pitti, dove sono raccolti dal 1972, risultano 25 ritratti di Luogotenenti, 20 identificati e 5 anonimi di scuola fiorentina del secolo XVII: sono tutti caratterizzati dalla scritta in giallo col nome del personaggio, dalla cornice gialla, nonché dalle stesse misure, che si aggirano sui cm. 65 × 50 con leggere varianti. In genere sono in discrete condizioni di conservazione.

M.M.

Ic670

PERSONAGGIO	Alamanni, Vincenzo (1536-90).
AUTORE	Stradano, Scipione (Firenze 1536-1605).
DATAZIONE	1596.
DESCRIZIONE	Olio su tela, 67x50.
INVENTARIO	2420 (C.P., p. 222, n. 1151).
FOTO	137147.
NOTE	In alto scritta in giallo 'Vincentio Alamani. L. T. 1580' Vincenzo d'Andrea di Tommaso fu Commissario di Pisa e ambasciatore presso Carlo VIII re di Francia e Filippo II di Spagna.

M.M.

	Ic671	Ic672	Ic673	Ic674
PERSONAGGIO	Altoviti, Guglielmo (1597-1663).	Bagnesi, Giuliano (1570-1635).	Bardi, Ridolfo, de' (1533-1602)	Bartolini Baldelli, Francesco (1646-1711).
AUTORE	Scuola fiorentina sec. XVII.	Scuola fiorentina sec. XVII.	Betti, Niccolò (Firenze not. 1576-1617).	Scuola fiorentina sec. XVIII.
DATAZIONE	Post 1649.	Post 1634.	1596.	1708 (?).
DESCRIZIONE	Olio su tela, 66x50.	Olio su tela, 69x53.	Olio su tela, 64x49.	Olio su tela, 67x52.
INVENTARIO	2429 (C.P., p. 222, n. 1142).	2443 (C.P., p. 222, n. 1128).	2425 (C.P., p. 222, n. 1146).	2444 (C.P., p. 222, n. 1127).
FOTO	137192.	137159.	137187.	136824.
NOTE	In alto scritta in giallo 'Gugl.mo Altoviti. Sen. L. T. 1649'. Gentiluomo di Camera del Granduca Ferdinando II. M.M.	Scritta dietro la tela in nero 'Senatore Giuliano Bagnesi 1634'. Commissario di Cortona, Montepulciano e Pisa. Sepolto in S. Croce. M.M.	In alto scritta in giallo 'Ridolfo Bar. L. T. 1593'. Sepolto nella chiesa di S. Croce dove c'è un'iscrizione in memoria, a lui dedicata. M.M.	In alto scritta in giallo 'Sen. Cav. Franco Mar. Bartolini Baldelli. Luogotenente Anno MDCCVIII'. Francesco Bartolini Baldelli fu Cavaliere di S. Stefano e Soprintendente delle fortezze e fabbriche di Stato. M.M.

	Ic675	Ic676	Ic677	Ic678
PERSONAGGIO	Biffi, Girolamo (1604-81).	Borghini, iVncenzo (1515-80).	Corsi, Simone (1508-1587).	Dini, Agostino (1546-1609).
AUTORE	Scuola fiorentina sec. XVII.	Marucelli, Valerio (Firenze 1563-1620).	Butteri, Giovan Maria (Firenze 1540 ca. - 1606).	Scuola fiorentina sec. XVII.
DATAZIONE	Post 1673 ca.	1596.	1596.	Prima metà sec. XVII.
DESCRIZIONE	Olio su tela, 69x53.	Olio su tela, 66x50.	Olio su tela, 57x49.	Olio su tela, 65x49.
INVENTARIO	2432 (C.P., p. 223, n. 1139).	2409 (C.P., p. 223, n. 734).	2414 (C.P., p. 223, n. 1157).	2428 (C.P., p. 224, n. 1143).
FOTO	137126.	136776.	137199.	136665.
NOTE	In alto scritta in giallo 'Hieronim. Biffi. Marchio et Senator 1673'. Ambasciatore presso Filippo IV re di Spagna. M.M.	In alto scritta in giallo 'Do. Vicetio. Borg.ni L. T. 1562'. Vincenzo Borghini fu il primo luogotenente dell'Accademia del Disegno fondata nel 1562. Il ritratto è ispirato a quello nella Collezione gioviana (inv. 1890, n. 220). M.M.	In alto scritta in giallo 'Simone Corsi. L. T. 1574'. Simone di Jacopo di Simone fu ambasciatore presso Pio V. M.M.	In alto scritta in giallo 'C. Sig. Agostino Dini. L. T. 1609'. Senatore nel 1608. Sepolto in S. Croce. M.M.

	Ic679	Ic680	Ic681	Ic682
PERSONAGGIO	Franceschi, Lorenzo (1561-1642).	Gaddi, Niccolò (1537-1591).	Gianfigliazzi, Giovan Batista (1526-1599).	Guicciardini, Agnolo (1506-1581).
AUTORE	Scuola fiorentina sec. XVII.	Buti, Ludovico (Firenze 1550-1611).	Boscoli, Andrea (Firenze 1560 ca. - 1607 ca.), attr. a.	Dello Sciorina, Lorenzo (Firenze 1540 ca. - 1598).
DATAZIONE	Prima metà sec. XVII.	1596.	1596.	1596.
DESCRIZIONE	Olio su tela, 66x50.	Olio su tela, 65x50.	Olio su tela, 66x49.	Olio su tela, 65x48.
INVENTARIO	2434 (C.P., p. 224 n. 1137).	2419 (C.P., p. 224, n. 1152).	2423 (C.P., p. 224, n. 1148).	2410 (C.P., p. 224, n. 1161).
FOTO	137148.	136792.	137131.	137246.
NOTE	In alto scritta in giallo 'Senat. Lorenzo Franceschi Luog.'. Letterato illustre. M.M.	In alto scritta in giallo 'Nicholo Ghaddi. L.T. 1578'. Senatore fiorentino, fondatore della famosa Galleria Gaddi e della cappella in S. Maria Novella. M.M.	In alto scritta in giallo 'Giovã-Batista Giãfigliazi L.T. 1586'. Commissario di Arezzo, Pisa e Pistoia. M.M.	In alto scritta in giallo 'Agnolo Guicciardini. L.T. 1567'. Agnolo del Senat. Cav. Girolamo di Piero. Fu ambasciatore presso Carlo V, Pio IV, Pio V e la Repubblica di Venezia. M.M.

	Ic683	Ic684	Ic685	Ic686
PERSONAGGIO	Manetti, Giannozzo (1602-1679).	Pazzi, Cosimo de' (1514-1594).	Pitti, Jacopo (1519-1589).	Ricasoli, Filippo Maria (1511-1600).
AUTORE	Scuola fiorentina sec. XVII.	Curradi, Francesco (Firenze 1574-1661).	Mossi, Giovan Battista.	Gamberucci, Cosimo (Firenze ? - ? 1620).
DATAZIONE	Post 166-?	1596.	1596.	1596.
DESCRIZIONE	Olio su tela, 67x50.	Olio su tela, 67x50.	Olio su tela, 63x50.	Olio su tela, 67x53.
INVENTARIO	2431 (C.P., p. 225, n. 1140).	2422 (C.P., p. 227, n. 1149).	2412 (C.P., p. 227, n. 1159).	2426 (C.P., p. 228, n. 1146).
FOTO	138489.	138629.	137194.	137197.
NOTE	In alto scritta in giallo 'Sen.re Giannozzo Manetti. Lo.te La.no 166-'. Vicario di S. Miniato. Sepolto al Carmine nella Cappella di S. Lucia. M.M.	In alto scritta in giallo 'Cosimo de' Pazzi. L.T. 1552'. Signore di Civitella in Romagna. Commissario di Prato, Volterra e Pistoia. M.M.	In alto scritta in giallo 'Jacopo Pitti. L.T. 1570'. Jacopo di Francesco Pitti fu console dell'Accademia nel 1567, senatore di Firenze nel 1568, Luogotenente della Accademia nel 1570. M.M.	Commissario di Pisa e Pistoia. Senatore fiorentino nel 1571. Luogotenente dell'Accademia del Disegno nel 1596 e iniziatore della raccolta dei ritratti dei Luogotenenti. M.M.

	Ic687	Ic688	Ic689	Ic690
PERSONAGGIO	Ridolfi, Lorenzo (1503-1576)	Spini, Carlo di Jacopo (1532-1576).	Luogotenente dell'Accademia (anonimo).	Luogotenente dell'Accademia (anonimo).
AUTORE	' Ferranti, Orazio.	Pagani, Gregorio (Firenze 1558-1605).	Scuola fiorentina sec. XVII.	Scuola toscana sec. XVII.
DATAZIONE	1596.	1596.	sec. XVII.	Sec. XVII.
DESCRIZIONE	Olio su tela, 63x49.	Olio su tela, 67x49.	Olio su tela, 65x49.	Olio su tela, 65x49.
INVENTARIO	2413 (C.P., p. 228, n. 1158).	2417 (C.P., p. 228, n. 1155).	2441.	2435.
FOTO	137152.	137193.	137123.	137181.
NOTE	In alto scritta in giallo 'Lore.ᶻᵒ Ridolfi. L.T. 1573'. Segretario apostolico. M.M.	Commissario di Pisa. M.M.	— M.M.	— M.M.

	Ic691	Ic692	Ic693
PERSONAGGIO	Luogotenente dell'Accademia (anonimo).	Luogotenente dell'Accademia (anonimo).	Luogotenente dell'Accademia (anonimo).
AUTORE	Scuola toscana sec. XVII.	Scuola toscana sec. XVII.	Scuola toscana sec. XVII.
DATAZIONE	Sec. XVII.	Sec. XVII.	Sec. XVII.
DESCRIZIONE	Olio su tela, 67x51.	Olio su tela, 63x50.	Olio su tela, 66x50.
INVENTARIO	2437.	2438.	2446.
FOTO	138492.	137125.	137065.
NOTE	— M.M.	— M.M.	— M.M.

Ic694

PERSONAGGIO	Bonvisi, Elisabetta.
AUTORE	Scuola fiorentina sec. XVI.
DATAZIONE	Ultimo decennio sec. XVI.
DESCRIZIONE	Olio su tela, 88,5x53, cornice modanata e dorata.
INVENTARIO	2477 (C.P., p. 223, n. 1094).
FOTO	136495.
NOTE	Davanti in alto: - ELISABETTA BON - VISI - AE.S - XV.
	L.B.B.

I ritratti di Dame dette convenzionalmente 'Bellezze di Artimino' erano già in esecuzione nell'ultimo decennio del sec. XVI e dovevano ornare i saloni della Villa di Artimino; eseguiti con ogni probabilità per Cristina di Lorena, raffigurano gentildonne fiorentine e 'straniere', per lo più romane, della corte medicea.

Pervenuteci in doppia versione, fino al 'petto' e fino al 'gomito', sono di ignoto pittore della fine del sec. XVI, probabilmente fiorentino, nel gusto della ritrattistica aulica del tempo.

I primi due ritratti, quello di Clarice Ridolfi Altoviti e Fiammetta Capponi, ambedue non rintracciati, sono registrati il 29 maggio 1599 nel 'Libro di Creditori e Debitori', iniziato nel settembre del 1598 e tenuto da Dionigi Marmi guardaroba del Poggio a Caiano e soprintendente della fabbrica del Palazzo di Artimino.

Nel 1601, il 23 giugno, compaiono altri quattro ritratti e il 9 luglio dello stesso anno sono inviati ad Artimino 'sulle stanghe dellalettiga per *cura* di Giovanni Bonavita mulattiere di casa... 20 tele dipintovi in esse gentildonne fiorentine ritratte al naturale...' (cfr. ASF, Guard. 204 cc. 39v, 106v, 111v). Nel 1609 la serie dei ritratti di dame può dirsi quasi completa: nell'inventario dell'eredità di Ferdinando I compaiono infatti 51 tele con dame fiorentine, romane e di 'Napoli'; cinque di queste raffigurano gentildonne vedove (cfr. ASF, Misc. Med. 385 Ins. 2 a, cc. 14, 26v, 27v, 28v, 32r, 33r, 35v, 36v, 37v, 38r, 39r). Tra il 1620, alla morte di Dionigi Marmi, e il 1638, il numero dei ritratti oscilla dai 63 ai 65 (cfr. ASF, Guard. 1463; ASF, Guard. 532 ter, Artimino 1638). Nel 1676 36 di queste tele sono registrate nell'inventario generale della Guardaroba (cfr. ASF, Guard. 741) e 30 (gli stessi?) dopo poco entrarono in Galleria (cfr. AGF, Giornaletto di Galleria (ms 62) c. 128,7 gennaio 1678). In data imprecisata i ritratti furono inviati al Poggio Imperiale, dove furono inventariati nel 1836; alcuni ritornarono agli Uffizi e furono registrati nell'inventario del 1890; ma non tutti: altri, pervenuti più tardi, conservano il numero di inventario che avevano al Poggio Imperiale.

La serie è giunta fino a noi quasi integra: mancano alcuni ritratti di Dame, i cui nomi compaiono negli inventari sopra citati; e circa 10 tele sono ancora al Poggio Imperiale. Un ritratto di Isabella Buonguglielmi nei Montauti, ricordato nel Guardaroba del 1638 (ASF, 532, ter c. 14r) si trova ora al Musée de Douai 'La Chartreuse' (Inv. 1194) ivi pervenuto insieme a una serie di ritratti che un collezionista francese dell'inizio del XIX secolo, Foucques de Wagnonville, aveva acquistato a Firenze, senza però indicare l'esatta provenienza di questa, come delle altre tele; tuttavia è possibile che una versione dei ritratti fosse posseduta anche dalle dame stesse e il dipinto di Douai non facesse quindi parte della serie di Artimino.

L.B.B.

Ic695

PERSONAGGIO	Borgherini, Morella.
AUTORE	Scuola fiorentina sec. XVI.
DATAZIONE	Ultimo decennio sec. XVI.
DESCRIZIONE	Olio su tela, 69x57, cornice tinta di giallo.
INVENTARIO	Poggio Imperiale rosso 2191.
FOTO	169189.
NOTE	Sul retro: Morella ne' Borg.ni.
	L.B.B.

Ic696 | Ic697 | Ic698 | Ic699

	Ic696	Ic697	Ic698	Ic699
PERSONAGGIO	Buonaparte, Isabella.	Buonromei ne' Quaratesi, Maria.	Buonromei nei Quaratesi, Maria.	Capponi ne' Falconieri, Dianora.
AUTORE	Scuola fiorentina sec. XVI.	Scuola fiorentina sec. XVI.	Scuola fiorentina sec. XVI.	Scuola fiorentina sec. XVI.
DATAZIONE	Ultimo decennio sec. XVI.	Ultimo decennio sec. XVI.	Ultimo decennio sec. XVI.	Ultimo decennio sec. XVI.
DESCRIZIONE	Olio su tela, 69,5x57,5, cornice dorata.	Olio su tela, 59x44,5, cornice dorata.	Olio su tela, 69x57, cornice dorata.	Olio su tela, 58,5x45, cornice dorata.
INVENTARIO	2854 (C.P., p. 223, n. 872).	2289 (C.P., p. 223, n. 1235).	2301 (C.P., p. 223, n. 1223).	2275 (C.P., p. 223, n. 1233).
FOTO	184004.	137178.	136789.	2275 (C.P., p. 223, n. 1244).
NOTE	Davanti in alto: ISABELLA BVO-NAPARTE. Retro: ISABELLA BVONA/PARTE. Dama vedova. L.B.B.	Davanti in alto: MARIA BVON-ROMEI - NE. QVARATESI. Sul retro: MARIA BVONRO/MEI NE QVARA/TESI. Cartellino: IMPERIALE / 1139 / (cfr. 2277). Cfr. inv. 1890, n. 2301, C.P.p. 223 n. 1223, versione al gomito. L.B.B.	Davanti in alto: MARIA BVON-RO-MEI-NE QUARATESI. Sul retro: MARIA BVONROMEI. / NE QUARATESI. Cfr. Inv. 1890 n. 2289, C.P.p. 223 n. 1235, versione al petto. L.B.B.	Davanti in alto: DIANORA CAP-PONI - NE' FALCONIERI; cartellino IMPERIALE bar. rosso sul retro. Cfr. C.P., p. 224 n. 1244, sotto il nome di Cassandra Guadagni ne' / Salviati. L.B.B.

Ic700 | Ic701 | Ic702 | Ic703

	Ic700	Ic701	Ic702	Ic703
PERSONAGGIO	Capponi ne' Minorbetti, Ottavia.	Capponi ne' Pecori, Maria.	Capponi ne' Pecori, Maria.	Caraffa, Belluccia, duchessa di Cerce.
AUTORE	Scuola fiorentina sec. XVI.	Scuola fiorentina sec. XVI.	Scuola fiorentina sec. XVI.	Scuola romana sec. XVI.
DATAZIONE	Ultimo decennio sec. XVI.	Ultimo decennio sec. XVI.	Ultimo decennio sec. XVI.	Ultimo decennio sec. XVI.
DESCRIZIONE	Olio su tela 58,8x45, cornice dorata.	Olio su tela 59x44,5, cornice dorata.	Olio su tela, 69,5x57, cornice dorata.	Olio su tela, 91,5x71, cornice dorata.
INVENTARIO	2278 (C.P., p. 223, n. 1246).	2277 (C.P., p. 223, n. 1222).	2302 (C.P., p. 223, n. 1247).	2263 (C.P., p. 223, n. 1261?).
FOTO	296700.	136666.	136689.	136483.
NOTE	Davanti in alto: OTAYIA CAP-PONI-NE MINORBETTI. Retro: cartellino: IMPERIALE / 1142 / (cfr. 2277). L.B.B.	Davanti in alto: MARIA CAP-PONI NE' PECORI. Retro: MA-RIA CAPPONI / DI GVIDO PECORI. Cartellino: IMPERIA-LE / 1157 / ANNO 1836. Cfr. Inv. 1890, n. 2302, C.P., p. 223, n. 1247, versione al / gomito. L.B.B.	Davanti in alto MARIA CAPPO-NI NE' PECORI. Retro: MA-RIA CAPPONI / DI GVIDO PECORI. Cfr. Inv. 1890, n. 2277, C.P., p. 223 n. 1222, versione al petto. L.B.B.	Davanti in alto: S. BELLVCCIA DVCHESSA DI CERCE. Cfr. nel C.P. Emilia Spinelli con lo stesso numero di esposizione. Fa parte delle dame di Artimino. L.B.B.

	Ic704	Ic705	Ic706	Ic707
PERSONAGGIO	Carnesecchi fu negli Strozzi, Maddalena.	Carnesecchi fu ne' Nasi, Lucrezia.	Carnesecchi ne' Rucellai, Maria.	Castro, Contessa di.
AUTORE	Scuola fiorentina sec. XVI.	Scuola fiorentina sec. XVI.	Scuola fiorentina sec. XVI.	Scuola romana sec. XVI.
DATAZIONE	Ultimo decennio sec. XVI.	Ultimo decennio sec. XVI.	Ultimo decennio sec. XVI.	Ultimo decennio sec. XVI.
DESCRIZIONE	Olio su tela, 68,5x57, cornice dorata.	Olio su tela, 59x45, cornice dorata.	Olio su tela, 59x44,5.	Olio su tela 91x72, cornice tinta di giallo.
INVENTARIO	3735 (C.P., p. 223, n. 1207).	2460 (C.P., p. 223, n. 1112).	2284 (C.P., p. 223, n. 1240).	2265 (C.P., p. 223, n. 1259).
FOTO	138477.	138481.	136471.	252233.
NOTE	Davanti in alto: MADDALENA CHARNESECHI - FV NE STROZI - Proviene dal Poggio Imperiale nel marzo 1890. Dama vedova. L.B.B.	Davanti in alto: LVCREZIA CARNESSCHI - FV NE NASI. In basso a destra 59. Sul retro cartellino: IMPERIALE... barrato rosso (cfr. 2277). Dama vedova. L.B.B.	Davanti in alto: MARIA CARNESECHI. NE RVCELAI. Sul retro: MARIA - CARNES¹ / DI TIBERIO. RV / CELLAI. Cartellino: IMPERIALE ecc. (cfr. 2277). L.B.B.	Davanti in alto: - CONTESSA DI CASTRO -. È esposta nel corridoio Vasariano. L.B.B.

	Ic708	Ic709	Ic710	Ic711
PERSONAGGIO	Cupis Conti, Clelia.	Dei negli Scarlatti, Caterina.	Dei negli Scarlatti, Caterina.	Del Riccio negli Albizi, Selvaggia.
AUTORE	Scuola fiorentina sec. XVI.	Scuola fiorentina sec. XVI.	Scuola fiorentina sec. XVI.	Scuola fiorentina sec. XVI.
DATAZIONE	Ultimo decennio sec. XVI.	Ultimo decennio sec. XVI.	Ultimo decennio sec. XVI.	Ultimo decennio sec. XVI.
DESCRIZIONE	Olio su tela, 67,5x50, cornice dorata.	Olio su tela 69x57 cornice gialla.	Olio su tela, 58,5x45, cornice dorata.	Olio su tela 59x44,5, cornice dorata.
INVENTARIO	5328.	Poggio Imperiale rosso 597.	2274 (C.P., p. 224, n. 1250).	2286 (C.P., p. 228, n. 1238).
FOTO	325008.	113513.	296702.	137137.
NOTE	Davanti in alto: CLELIA CVPIS. CONTI. Sul retro: cartellino: IMPERIALE... 1948. L.B.B.	Davanti in alto a destra: DEII NEL SCHALA. Cfr. Inv. 1890, n. 2274, C.P., p. 224, n. 1250, ambedue versione al gomito. L.B.B.	Davanti in alto: CATERINA DEII - NEL'SCARLATI. Sul retro: DEI NE/GLI SCARLATTI. Cfr. Poggio Imperiale 597, ambedue versione al gomito. L.B.B.	Davanti in alto: SELVAGGIA DEL'RICCIO - NE GLIALBIZI. Retro cartellino IMPERIALE/ 1132/ (cfr. 2277). Cfr. Inv. 1890, n. 2298. C.P., p. 228, n. 1226, versione al gomito. L.B.B.

	Ic712	Ic713	Ic714	Ic715
Personaggio	Del Riccio negli Albizi, Selvaggia.	De Rossi, Porzia.	Franchi ne' Pecori, Orinzia.	Gaetani ne' Galilei, Clarice.
Autore	Scuola fiorentina sec. XVI.	Scuola romana sec. XVI.	Scuola fiorentina sec. XVI.	Scuola fiorentina sec. XVI.
Datazione	Ultimo decennio sec. XVI.	Ultimo decennio sec. XVI.	Ultimo decennio sec. XVI.	Ultimo decennio sec. XVI.
Descrizione	Olio su tela, 69x57,5, cornice dorata.	Olio su tela, 91,5x70,5, cornice dorata.	Olio su tela, 69x58, cornice dorata.	Olio su tela, 59x44,5, cornice dorata.
Inventario	2298 (C.P., p. 228, n. 1226).	2266 (C.P., p. 228, n. 1258).	2269 (C.P., p. 224, n. 1255).	Poggio Imperiale rosso 381.
Foto	137142.	137252.	321857	168637.
Note	Davanti in alto: SELVAGGIA DEL RICCIO NEL GL'ÂBIZI. Sul retro: SELVAGGIA. DEL / RICCIO NE GLI / ALBIZI. Cfr. Inv. 1890, n. 2286, C.P., p. 228, n. 1238, versione al petto. L.B.B.	Davanti in alto: D. PORTIA DE ROSSI. L.B.B.	Davanti in alto: -ORINTIA FRANCHI - NE' PECORI. È esposto nel Corridoio Vasariano. L.B.B.	Davanti in alto: GLARICE-GAETANI - NE GALILEI -. retro Cartellino: IMPERIALE / 1444 / (cfr. 2277). L.B.B.

	Ic716	Ic717	Ic718	Ic719
Personaggio	Grazzini ne' Corbinelli, Maddalena.	Guadagni ne' Salviati, Cassandra.	Guadagni ne' Salviati, Cassandra.	Lioni ne' Ricci, Costanza.
Autore	Scuola fiorentina sec. XVI.	Scuola fiorentina sec. XVI.	Scuola fiorentina sec. XVI.	Scuola fiorentina sec. XVI.
Datazione	Ultimo decennio sec. XVI.	Ultimo decennio sec. XVI.	Ultimo decennio sec. XVI.	Ultimo decennio sec. XVI.
Descrizione	Olio su tela, 69x58, cornice aggettante, modanata e dorata.	Olio su tela, 69x57, cornice gialla.	Olio su tela, 58,5x44,5, cornice dorata.	Olio su tela, 73,5x59, cornice dorata.
Inventario	2295 (C.P., p. 224, n. 1229).	Poggio Imperiale 1958, 14.	2280 (C.P., p. 224, n. 1244).	2331 (C.P., p. 225, n. 1193).
Foto	137138.	157967.	136654.	136489.
Note	Davanti in alto: MADDALENA GRAZINI NE' CORBINELLI. Sul retro: MADDALENA GRAZINI / DI TOMMASO CORBINE / LI. L.B.B.	Sul retro: CASSANDRA GVADAGN' / Mo' SrANT' SAL.TI. Cartellino: IMPERIALE / 1480 / cfr. 2277). Cfr. Inv. 1890, 2280, C.P., p. 224, n. 1244, versione al petto. L.B.B.	Davanti in alto: CASSANDRA GVADAGNI - NE' SALVIATI. Retro: Cartellino: IMPERIALE barr. rosso. Nel C.P. porta lo stesso numero di esposizione del ritratto di Dianora Capponi ne' Falgonieri. Cfr. Inv. Poggio Imperiale 1958, n. 14, versione al gomito. L.B.B.	Davanti in alto: COSTANZA - LIONI - NERICCI. L.B.B.

	Ic720	Ic721	Ic722	Ic723
PERSONAGGIO	Mancini ne' Tortori, Lucrezia.	Medici, fu ne' Capponi, Maddalena.	Medici, fu ne' Capponi, Maddalena.	Palmerini nei Naccetti, Lisabetta.
AUTORE	Scuola fiorentina sec. XVI.	Scuola fiorentina sec. XVI.	Scuola fiorentina sec. XVI.	Scuola fiorentina sec. XVI.
DATAZIONE	Ultimo decennio sec. XVI.	Ultimo decennio sec. XVI.	Ultimo decennio sec. XVI.	Ultimo decennio sec. XVI.
DESCRIZIONE	Olio su tela, 73x58, cornice dorata.	Olio su tela, 59x44, cornice dorata.	Olio su tela, 68,5x57,5, cornice dorata.	Olio su tela, 67,5x56,5, cornice dorata.
INVENTARIO	2332 (C.P., p. 225, n. 1191).	2507.	5322.	2304 (C.P., p. 227, n. 1220).
FOTO	—	137166.	165965.	138521.
NOTE	Davanti in alto: LVCREZIA - MANCI NE TORTORI. Sul retro cartellino parzialmente distrutto: CONSEGNA IN COMUNE / CON LA REAL CASA / ANNO 1882... L.B.B.	Davanti in alto: MADDALENA MEDICI - FV NE CAPPONI, in basso a destra 59 bianco. Sul retro cartellino: IMPERIALE / 1158 / (cfr. 2277). barr. rosso. Figlia di Raffaele Marchese di Castellina e moglie di Niccolò Capponi. Cfr. Inv. 1890, n. 5322. L.B.B.	Davanti in alto: MADDALENA MEDICI - FV NE' CAPPONI. Sul retro cartellino / IMPERIALE / 1947, barr. rosso. È figlia di Raffaele Marchese di Castellina e moglie di / Niccolò Capponi. Cfr. / Inv. 1890, n. 2507. L.B.B.	Sul telaio: Lisabetta Palmerini di Iacopo Naccetti. Cfr. Inv. 1890, n. 2305, sono ambedue versione al gomito. L.B.B.

	Ic724	Ic725	Ic726	Ic727
PERSONAGGIO	Palmerini nei Naccetti, Elisabetta.	Pilli ne' Galilei, Maddalena.	Pucci da Scorso, Maria.	Pucci nei Gherardesca, Lucrezia.
AUTORE	Scuola fiorentina sec. XVI.	Scuola fiorentina sec. XVI.	Scuola fiorentina sec. XVI.	Scuola fiorentina sec. XVI.
DATAZIONE	Ultimo decennio sec. XVI.	Ultimo decennio sec. XVI.	Ultimo decennio sec. XVI.	Ultimo decennio sec. XVI.
DESCRIZIONE	Olio su tela, 70x58, cornice dorata.	Olio su tela, 58,5x44,5, cornice modanata e dorata.	Olio su tela, 68,5x57,5, cornice dorata.	Olio su tela, 67,5x54,3, cornice tinta di giallo.
INVENTARIO	2305.	4269.	3732 (C.P., p. 227, n. 1188).	2310 (C.P., p. 227, n. 1214).
FOTO	296684.	138504.	321861.	296689.
NOTE	Sul retro: LISABETTA PALMERINI / DI IACOPO NACCETTI. Sulla cornice DG con corona impresso a fuoco. Cfr. Inv. 1890, n. 2304, C.P., p. 227, n. 1220, sono ambedue versione al gomito. L.B.B.	Davanti in alto: MADDALENA PILLI NE' GALILEI. Cartellino IMPERIALE, barr. rosso (cfr. 2277). L.B.B.	Davanti in alto: MARIA PUCCI DA SCORNO. Sul telaio cartellino barr. rosso: IMPERIALE / 1473 (cfr. 2277). È esposto nel corridoio Vasariano. L.B.B.	Davanti in alto: LVCREZIA PVCCI NEL' GHERARDESCA. Nel Guardaroba del 1676 figurava anche la versione al petto. L.B.B.

	Ic728	Ic729	Ic730	Ic731
PERSONAGGIO	Ricasoli del Conte a San Secondo, Lucrezia.	Ricasoli del Conte a San Secondo, Lucrezia.	Ricasoli negli Zanchini, Lucrezia.	Ricasoli negli Zanchini, Lucrezia.
AUTORE	Scuola fiorentina sec. XVI.	Scuola fiorentina sec. XVI.	Scuola fiorentina sec. XVI.	Scuola fiorentina sec. XVI.
DATAZIONE	Ultimo decennio sec. XVI.	Ultimo decennio sec. XVI.	Ultimo decennio sec. XVI.	Ultimo decennio sec. XVI.
DESCRIZIONE	Olio su tela, 58,5x44,5, cornice dorata.	Olio su tela, 69x57, cornice dorata.	Olio su tela, 58,5x44,5, cornice dorata.	Olio su tela, 69,5x58, cornice dorata.
INVENTARIO	2290 (C.P., p. 228, n. 1234).	3724.	2287 (C.P., p. 228, n. 1225).	2299 (C.P., p. 228, n. 1237).
FOTO	137151.	136473.	136845.	296701.
NOTE	Davanti in alto: LVCREZIA RICASOLI - DEL C A SA SECONDO. Sul retro: cartellino: IMPERIALE / 1143 (cfr. 2277). Cfr. Inv. 1890, n. 3724, versione al gomito. L.B.B.	Davanti in alto: LVCRETIA RICASOLI DEL CONTE. A SAN-SECODO. Sul retro: LA CONTESSA SAN SECONDO. Cartellino: IMPERIALE barr. rosso. Cfr. Inv. 180, n. 2290, C. P., p. 228, n. 1234, versione al petto. L.B.B.	Davanti in alto: LVCREZIA RICASOLI - NE ZANCHINI. Sul retro cartellino: IMPERIALE / 1157 / (cfr. 2277). Cfr. Inv. 1890, n. 2299, C.P., p. 228, n. 1237, versione al gomito. L.B.B.	Davanti in alto: LVCREZIA RICASOLI - NE ZANCHINI. Sul retro: LVCREZIA RICASOLI / DI PRIOR ZANCHINI. Cfr. Inv. 1890, n. 2287, C.P., p. 288, n. 1225, versione al petto. L.B.B.

	Ic732	Ic733	Ic734	Ic735
PERSONAGGIO	Saminiati ne' Medici, Costanza.	Saminiati ne' Medici, Costanza.	Spinelli, Emilia.	Strozzi ne' Bardi, Maddalena.
AUTORE	Scuola fiorentina sec. XVI.	Scuola fiorentina sec. XVI.	Scuola romana sec. XVI.	Scuola fiorentina sec. XVI.
DATAZIONE	Ultimo decennio sec. XVI.	Ultimo decennio sec. XVI.	Ultimo decennio sec. XVI.	Ultimo decennio sec. XVI.
DESCRIZIONE	Olio su tela 69x57, cornice modanata e tinta di giallo.	Olio su tela, 58,5x44,5, cornice dorata.	Olio su tela, 91x71, cornice dorata.	Olio su tela, 69x57, cornice modanata e dorata.
INVENTARIO	Poggio Imperiale rosso 2192.	2281 (C.P., p. 228, n. 1243).	2262 (C.P., p. 228, n. 1261).	2308 (C.P., p. 228, n. 125).
FOTO	168636.	137189.	136479.	137196.
NOTE	Davanti in alto: GOSTANZA SAMINIATI - NE MEDICI - Sul retro: GOSTANZA DI / RVBERTO MEDICI. Cfr. Inv. 1890, n. 2281, C.P., p. 228, n. 1243, versione al petto. L.B.B.	Davanti in alto: GOSTANZA SA-MINIATI NE' MEDICI. Cartellino: IMPERIALE / 1141 / (cfr. 2277). Cfr. Inv. Poggio Imperiale rosso 2192, versione al gomito. L.B.B.	Davanti in alto: - D. EMILIA SPINELLI -. Fa parte della raccolta di 'Dame di Artimino'. L.B.B.	Davanti in alto: MADDALENA - STROZZI NE BARDI. L.B.B.

Iconografica
Serie
Bellezze
di
Artiminio

	Ic736	Ic737	Ic738	Ic739
PERSONAGGIO	Strozzi negli Strozzi, Caterina.	Strozzi negli Strozzi, Caterina.	Strozzi negli Strozzi, Maria.	Vivai ne' Cepperelli, Camilla.
AUTORE	Scuola fiorentina sec. XVI.	Scuola fiorentina sec. XVI.	Scuola fiorentina sec. XVI.	Scuola fiorentina sec. XVI.
DATAZIONE	Ultimo decennio sec. XVI.	Ultimo decennio sec. XVI.	Ultimo decennio, sec. XVI.	Ultimo decennio sec. XVI.
DESCRIZIONE	Olio su tela, 59x44,5, cornice dorata.	Olio su tela, 69x57, cornice dorata.	Olio su tela, 69x58, cornice dorata.	Olio su tela, 58,5x44,5, cornice dorata.
INVENTARIO	2283 (C.P., p. 228, n. 1241).	2292 (C.P., p. 228, n. 1232).	2296 (C.P., p. 228, n. 1228).	2272 (C.P.. p. 228, n. 1251).
FOTO	296696.	296685.	136843.	138640.
NOTE	Davanti in alto: CATERINA STROZI NEL STROZI. Sul retro: IMPERIALE / 1146 / (cfr. 2277). Bar. rosso. Cfr. Inv. 1890, n. 2292, C.P., p. 228, n. 1232, versione al gomito. L.B.B.	Davanti in alto: CATERINA STROZI.NE. STROZI. Sul retro: CATERINA STROZI / DI FILIPPO STROZI. Cfr. Inv. 1890, n. 2283 C.P., p. 228, n. 1241, versione al petto. L.B.B.	Davanti in alto: MARIA STROZI NE GLI STROZI. Sul retro: MARIA DI ALESSANDRO STROZI. L.B.B.	Davanti in alto: CAMMILLA VIV.AI - NE' CEPPERLLI - Cartellino IMPERIALE / barr. rosso. Nell'Inventario 1890 l'autore è Giusto Sustermans, notizia improbabile. Cfr. Inv. 1890, n. 2293, C.P., p. 228, n. 1231 ambedue versione al gomito. L.B.B.

	Ic740	Ic741	Ic742	Ic743
PERSONAGGIO	Vivai ne' Cepperelli, Camilla.	Gentildonna.	Gentildonna.	Gentildonna.
AUTORE	Scuola fiorentina sec. XVI.	Scuola fiorentina sec. XVI.	Scuola fiorentina sec. XVI.	Scuola fiorentina sec. XVI.
DATAZIONE	Ultimo decennio sec. XVI.	Ultimo decennio sec. XVI.	Ultimo decennio sec. XVI.	Ultimo decennio sec. XVI.
DESCRIZIONE	Olio su tela, 70x57,5, cornice dorata.	Olio su tela, 72x58,5, cornice modanata e tinta di giallo.	Olio su tela, 71x61, cornice dorata.	Olio su tela, 73x59, cornice dorata.
INVENTARIO	2293 (C.P., p. 228, n. 1231).	Poggio Imperiale rosso 563 (Poggio Imp. 1958, n. 12).	2268.	2340.
FOTO	136667.	168638.	137155.	138642.
NOTE	Davanti in alto: CAMMILLA VIVAI - NE CEPPERELLI -. Sul retro: CAMMILLA VIVAI - DI GIVLIO CEPPERELLI. Cfr. Inv. 1890, n. 2272, C.P., p. 228, n. 1251, ambedue versione al gomito. L.B.B.	La dama, di buona mano, fa parte con ogni probabilità della raccolta denominata 'Bellezze di Artimino'. L.B.B.	Il dipinto è stato rintelato. Gentildonna anonima. Versione al gomito. L.B.B.	Gentildonna anonima. Versione al gomito. L.B.B.

	Ic744	Ic745	Ic746	Ic747
Personaggio	Gentildonna.	Gentildonna.	Gentildonna.	Gentildonna.
Autore	Scuola fiorentina sec. XVI.	Scuola fiorentina sec. XVI.	Scuola fiorentina sec. XVI.	Scuola fiorentina sec. XVI.
Datazione	Ultimo decennio sec. XVI.	Ultimo decennio sec. XVI.	Ultimo decennio sec. XVI.	Ultimo decennio sec. XVI.
Descrizione	Olio su tela, 66x51,5, cornice dorata.	Olio su tela, 71x56, cornice dorata.	Olio su tela, 67x50,8, cornice dorata.	Olio su tela, 72,5x59, cornice dorata.
Inventario	2503.	2505.	3792.	3797.
Foto	137062.	138485.	137158.	—
Note	Quadro assai malridotto; gentildonna anonima, versione al gomito. L.B.B.	Gentildonna anonima; visibili numerose crettature sulla tela. L.B.B.	Nel Guardaroba del 1676 c'è un ritratto di Dama anonima. Proviene dall'Intendenza di Finanza in data 30-12-1912. L.B.B.	Si trovava al Poggio Imperiale nel 1845. Fu inviato nella sede dell'Intendenza di Finanza da dove fu ritirato nel dicembre del 1912. L.B.B.

	Ic748	Ic749	Ic750
Personaggio	Gentildonna.	Gentildonna vedova.	Gentildonna vedova.
Autore	Scuola fiorentina sec. XVI.	Scuola fiorentina sec. XVI.	Scuola fiorentina sec. XVI.
Datazione	Ultimo decennio sec. XVI.	Ultimo decennio sec. XVI.	Ultimo decennio sec. XVI.
Descrizione	Olio su tela, 72x58, cornice dorata.	Olio su tela, 72x56, senza cornice.	Olio su tela, 73x57,5, cornice dorata.
Inventario	4387.	2320.	4214.
Foto	196220.	165953.	137140.
Note	Sul retro manca il cartellino con il numero dell'Inventario del 1890, che è scritto a lapis sulla cornice. L.B.B.	Il quadro fa parte della raccolta denominata 'Dame di Artimino'. L.B.B.	Sul retro cartellino: Inventario 1881 / R. GALLERIA DEGLI UFFIZI / 3° CATEGORIA / 832. Versione al gomito. L.B.B.

Ic751

La serie comprende 25 dipinti eseguiti, a detta di Camillo Iacopo Cavallucci (Notizia storica intorno alle Gallerie di quadri
antichi e moderni della R. Accademia del Disegno, Firenze
1973), da pittori novizi a guisa di esame di ammissione all'Accademia. Si tratta in massima parte di copie, o da autoritratti
come nel caso del Buontalenti, del Vasari, di Andrea del Sarto,
o da ritratti altrui come quelli del Passignano e del Sansovino o
di personaggi della collezione gioviana, come il Leonardo, o di
incisioni vasariane come il Brunelleschi. Al pari dei ritratti dei
lugotenenti, entrarono a far parte delle collezioni degli Uffizi
nel 1853, come testimonia l'elenco nel 'II supplemento al Catalogo generale della R. Galleria di Firenze del 1825' dove sono
citati 39 ritratti di artisti dal N. 2796 al N. 2834. Di essi sono
stati identificati 25 raccolti nei depositi di Palazzo Pitti dal
1954; sono accomunati dalle misure simili, aggirantesi per lo
più sui cm. 61 × 45, dalla cornice gialla e dalla scritta in giallo
col nome del personaggio raffigurato; solo alcuni, in deposito
presso l'Unione Fiorentina e il Centro Studi Rinascimento, presentano una cornice nera con filettature dorate. Sono databili,
anche secondo il Cavallucci, alla prima metà del secolo XVII, e
in massima parte si presentano in cattivo stato di conservazione. Su di essi ci ha ragguagliato — nel corso dei suoi studi
sull'Accademia del Disegno nel '600 — Anna Barsanti, che rin-
graziamo vivamente.

M.M.

PERSONAGGIO	Alberti, Leon Battista (1406-1472).
AUTORE	Scuola fiorentina sec. XVII.
DATAZIONE	Prima metà sec. XVII.
DESCRIZIONE	Olio su tela, 63x45, cornice lignea nera con filettature dorate.
INVENTARIO	5508.
FOTO	252571.
NOTE	Scritta in alto in giallo 'Leon Batt.a Alberti'. Liberamente ispirato al ritratto nella Collezione gioviana (Inv. 1890, n. 163).

M.M.

Ic752

PERSONAGGIO	Andrea del Sarto (Firenze 1486-1530).
AUTORE	Scuola fiorentina sec. XVII.
DATAZIONE	Prima metà sec. XVII.
DESCRIZIONE	Olio su tela, 62x45, cornice gialla.
INVENTARIO	5533.
FOTO	178525.
NOTE	In alto scritta in giallo 'Andrea del Sarto'. Copia dell'autoritratto nel Corridoio Vasariano (Inv. 1890, n. 1694).

M.M.

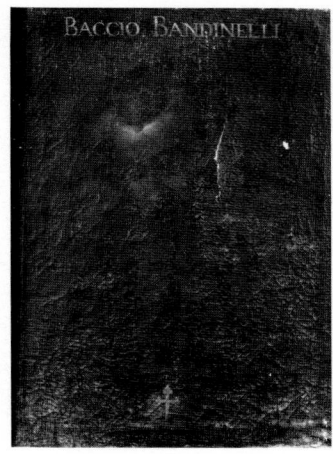

	Ic753	Ic754	Ic755	Ic756
PERSONAGGIO	Bandinelli, Baccio (Firenze 1488-1560).	Bartolomeo Fra, B. di Paolo, detto Baccio della Porta (Firenze 1472-1517).	Beccafumi, Domenico, D. di Giacomo di Pace, detto (Siena 1486-1551).	Brunelleschi, Filippo (1377-1446).
AUTORE	Scuola fiorentina sec. XVII.	Scuola fiorentina sec. XVII.	Scuola fiorentina sec. XVII.	Scuola fiorentina sec. XVII.
DATAZIONE	Prima metà sec. XVII.	Prima metà sec. XVII.	Sec. XVII.	Prima metà sec. XVII.
DESCRIZIONE	Olio su tela, 61x46,5, cornice gialla.	Olio su tela, 62x45,5, cornice gialla.	Olio su tela, 61x47, cornice gialla.	Olio su tela, 61x46, cornice lignea nera modanata.
INVENTARIO	5365.	5506.	5537.	5348.
FOTO	325120.	178519.	325112.	252567.
NOTE	In alto scritta in giallo 'Baccio Bandinelli' e sul telaio dietro, scritta a penna Baccio Bandinelli. Scarsamente leggibile, ma diverso dai ritratti (Inv. 1890, nn. 1510, 1725, 9463). M.M.	In alto scritta in giallo 'F. Bartolomeo Pittore'. Ispirato all'autoritratto del pittore nella pala di S. Anna del Museo di S. Marco. M.M.	Dietro il telaio scritta in nero 'Domenicho Beccafumi'. Copia dello autoritratto nel Corridoio Vasariano (Inv. 1890, n. 1731). M.M.	In alto scritta in giallo 'Filippo Brunelleschi'. Ispirato alla miniatura vasariana Inv. 1890, n. 8157. M.M.

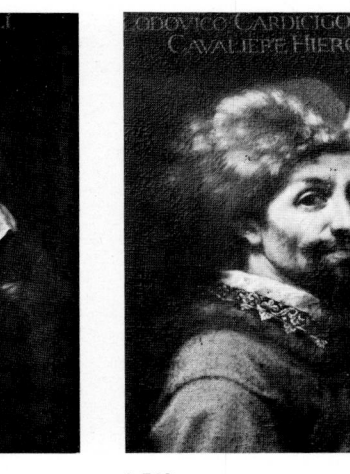

	Ic757	Ic758	Ic759	Ic760
PERSONAGGIO	Buontalenti, Bernardo (1536-1608).	Chimenti, Jacopo, detto l'Empoli (Firenze 1551-1640).	Cigoli, Cardi Ludovico, detto il (Cigoli 1559 - Roma 1613).	Cimabue, Cenni di Pepo, detto (not. 1272-1302).
AUTORE	Scuola fiorentina sec. XVII.	Scuola fiorentina sec. XVII.	Peruzzi, Domenico.	Scuola fiorentina sec. XVII.
DATAZIONE	Sec. XVII.	Sec. XVII.	Sec. XVII.	Sec. XVII.
DESCRIZIONE	Olio su tela, 63x47, cornice gialla.	Olio su tela 64x45, cornice gialla.	Olio su tela, 61x44, cornice gialla.	Olio su tela, 60x45, cornice gialla.
INVENTARIO	3101.	5523.	5531.	3105.
FOTO	5735.	325118.	178524.	—
NOTE	Copia antica dell'autoritratto (Inv. 1890, n. 1691) nel Corridoio Vasariano. In alto scritta in giallo 'Bernardo Buontalenti'. M.M.	In alto scritta in giallo 'S. Jacopo da Empoli'. Diverso dall'autoritratto nel Corridoio Vasariano (Inv. 1890, n. 1723). M.M.	Copia dell'autoritratto nel Corridoio Vasariano (Inv. 1890, n. 1729). (Cfr. A. Barsanti: Paragone 289). M.M.	In alto scritta in giallo 'Giovanni Cimabue'. M.M.

	Ic761	Ic762	Ic763	Ic764
PERSONAGGIO	Donatello, Donato di Niccolò di Betto Bardi, detto (Firenze 1386-1466).	Dürer, Albrecht (Norimberga 1471-1528).	Furini, Francesco (Firenze 1604-1649).	Leonardo da Vinci (Vinci 1452 - Cloux 1519).
AUTORE	Scuola fiorentina sec. XVII.	Scuola fiorentina sec. XVII.	Scuola fiorentina sec. XVII.	Scuola fiorentina sec. XVII.
DATAZIONE	Sec. XVII.	Sec. XVII.	Sec. XVII.	Sec. XVII.
DESCRIZIONE	Olio su tela, 60x47, cornice lignea nera con filettature dorate.	Olio su tavola, 62x45,5, cornice gialla.	Olio su tela, 62,5x44,5, cornice gialla.	Olio su tela, 63x45, cornice nera modanata con filettature dorate.
INVENTARIO	3103.	5539.	5320.	5511.
FOTO	252574.	185588.	173996.	252570.
NOTE	In alto scritta in giallo 'Donatello'. Liberamente ispirato al ritratto dell'artista nella miniatura vasariana (Inv. 1890, n. 8158). M.M.	In alto scritta in giallo 'Alberto Duro'. Diverso dall'autoritratto nel Corridoio Vasariano (Inv. 1890, n. 1889). M.M.	In alto scritta in giallo 'Rev.do Prete Francesco Furini'. Diverso dall'autoritratto del Furini nel Corridoio Vasariano (Inv. 1890, n. 1737). M.M.	In alto la scritta 'Lionardo da Vinci'. Diverso dal presunto autoritratto nel Corridoio Vasariano (Inv. 1890, n. 1717). È copia del ritratto nella Collezione gioviana (Inv. 1890, n. 189). M.M.

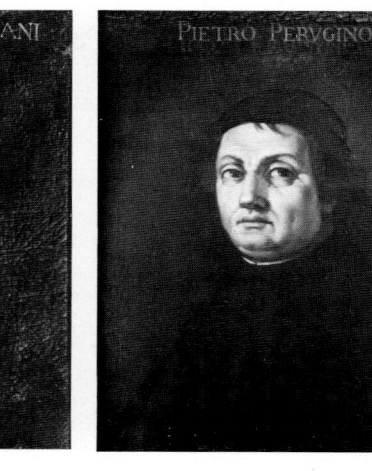

	Ic765	Ic766	Ic767	Ic768
PERSONAGGIO	Pagani, Gregorio (Firenze 1558-1605).	Cresti, Domenico, detto il Passignano, detto il (1560-1636).	Vannucci, Pietro, detto il Perugino (città della Pieve 1445 - Fontignano 1523).	Carrucci, Jacopo, detto il Carrucci (Pontorme 1494 - Firenze 1556).
AUTORE	Scuola fiorentina sec. XVII.	Sustermans, Justus (Onversa 1597-Firenze 1681).	Scuola fiorentina sec. XVII.	Scuola fiorentina sec. XVII.
DATAZIONE	Sec. XVII.	II metà sec. XVII.	Sec. XVII.	Prima metà sec. XVII.
DESCRIZIONE	Olio su tela, 64x47, cornice gialla.	Olio su tela, 62x45, cornice gialla.	Olio su tela, 61x46, cornice gialla.	Olio su tela, 60x46, cornice dorata.
INVENTARIO	3097.	3102.	5536.	3104.
FOTO	113074.	173987.	—	106243.
NOTE	Dietro la cornice 'era della Madonna presa alla Accademia per tabernacolo dei Bini'. Versione variata dell'autoritratto (Inv. 1890, n. 1705) nel Corridoio Vasariano. In alto scritta in giallo 'Gregorio Pagani. P. Fior'. M.M.	In alto scritta in giallo 'Domenico Passignani'. Copia del ritratto del Passignano eseguito dal Sustermans, nella Galleria Palatina (Inv. 1890, n. 565). M.M.	Sul retro della tela due iniziali 'F.T.' e scritta a penna 'Pietro Perugino'. Ispirato al ritratto del pittore affrescato al Cambio a Perugia, e alla miniatura vasariana (Inv. 1890, n. 8195). M.M.	In alto scritta in giallo 'Jacopo da Puntormo'. Affine al ritratto senile nei depositi degli Uffizi con scritta 'Jacobus Pontormus' (Inv. 1890, n. 3465). M.M.

	Ic769	Ic770	Ic771	Ic772
PERSONAGGIO	Raffaello Sanzio (presunto) (Urbino 1483 - Roma 1520).	Sangallo, Antonio da, il Vecchio (Firenze 1455 ca. - 1534).	Sansovino, Tatti Jacopo, detto il (Firenze 1486 - Venezia 1570).	Tiziano Vecellio (Pieve di Cadore, 1490? - Venezia 1576).
AUTORE	Scuola fiorentina sec. XVII.	Scuola fiorentina sec. XVII.	Scuola fiorentina sec. XVII.	Scuola fiorentina sec. XVII.
DATAZIONE	Sec. XVII.	Prima metà sec. XVII.	Prima metà sec. XVII.	Sec. XVII.
DESCRIZIONE	Olio su tela, 61x47, senza cornice.	Olio su tela, 62,5x46, cornice gialla.	Olio su tela, 62x50, senza cornice.	Olio su tela, 60x44, cornice gialla.
INVENTARIO	5343.	5363.	5339.	5321.
FOTO	325110.	325111.	325119.	173997.
NOTE	In alto scritta in giallo 'Raffaello da Urbino'. Non è copia dell'autoritratto nel Corridoio Vasariano (Inv. 1890, n. 1706) né di altri ritratti noti. M.M.	In alto scritta in giallo 'Antonio da Sangallo' e sul retro, sul telaio, scritta in nero 'Antonio da Sangallo architetto'. M.M.	Copia del ritratto di Jacopo Sansovino eseguito dal Tintoretto ora agli Uffizi (Inv. 1890 n. 957). M.M.	In alto scritta 'Tiziano'. Diverso dall'autoritratto nel Corridoio Vasariano (Inv. 1890 n. 1801) e dalla copia nei nuovi Depositi degli Uffizi (Inv. 1890, n. 1807). M.M.

	Ic773	Ic774	Ic775
PERSONAGGIO	Vannini, Ottavio (Firenze, 1585-1644).	Vasari, Giorgio (Arezzo 1511 - Firenze 1574).	Verrocchio, Andrea di Cione, detto il (Firenze 1435 - Venezia 1488).
AUTORE	Scuola fiorentina sec. XVII.	Scuola fiorentina sec. XVII.	Scuola fiorentina sec. XVII.
DATAZIONE	Sec. XVII.	Prima metà sec. XVII.	Prima metà sec. XVII.
DESCRIZIONE	Olio su tela, 63x46, cornice gialla.	Olio su tela, 61x46, cornice nera con filettature dorate.	Olio su tela, 62x46, cornice nera modanata con filettature dorate.
INVENTARIO	5510.	5532.	5359.
FOTO	173982.	252568.	252572.
NOTE	In alto scritta in giallo 'Ottavio Vannini'. Diverso dall'autoritratto nel Corridoio Vasariano (Inv. 1890, n. 1660) e dal ritratto pervenuto dal Circolo Militare (Inv. 1890, n. 3362). M.M.	In alto scritta in giallo 'Giorgio Vasari'. Copia ridotta dell'autoritratto nel Corridoio Vasariano (Inv. 1890, n. 1709). M.M.	In alto scritta in giallo 'Andrea Verrocchio'. M.M.

Ic776

La serie comprende quindici dipinti di scuola portoghese della seconda metà del secolo XVII, raffiguranti personaggi distintisi nella guerra di indipendenza del Portogallo dalla Spagna (1640-1668). La loro presenza a Firenze rimonta all'epoca di Cosimo III; in data 5 febbraio 1674 e 30 Gennaio 1675 vengono menzionati, rispettivamente nei Giornali di Guardaroba 799 (c. 13r), e 801 (c. 52r), nove e sei ritratti con i rispettivi nomi 'venuti in galleria di camera di S. A. R. (Cosimo III)'. L'ipotesi più attendibile è che essi siano stati commissionati da Cosimo III in memoria dei protagonisti più rilevanti della guerra d'indipendenza portoghese svoltasi nei luoghi visitati durante il viaggio in Spagna e Portogallo avvenuto nell'anno 1669. '(Viaggio fatto dal Ser.mo Principe Cosimo III di Toscana in Spagna...' ASF, Mediceo 6389). I ritratti sono menzionati negli inventari degli Uffizi dal 1704 in poi e nel Catologo Pieraccini, che specifica la loro provenienza dai depositi degli Uffizi e il loro collocamento nel corridoio vasariano nel 1881. Attualmente raccolti nel Magazzino degli Occhi di Palazzo Pitti, risultano essere in buone condizioni di conservazione, tutti di misura pressoché uguale (cm. 130 × 97 ca), con identica cornice liscia dorata, e della stessa mano, probabilmente di scuola portoghese della seconda metà del secolo XVII. Di alcuni personaggi esistono stampe nella Biblioteca Nacional di Lisbona.

M. M.

PERSONAGGIO	Albuquerque, André de.
AUTORE	Scuola portoghese sec. XVII.
DATAZIONE	Seconda metà sec. XVII.
DESCRIZIONE	Olio su tela, 128x96, cornice dorata.
INVENTARIO	2702 (C.P., p. 222, n. 1022).
FOTO	137389.
NOTE	In alto, scritta in giallo 'Andre de Albuquerque' e a destra, sopra una tenda stemma inquartato con gigli e torri. Generale portoghese, morto nella famosa battaglia di Evora nel 1659 contro gli Spagnoli.

M.M.

Ic777

PERSONAGGIO	Albuquerque, Matias, Conte de Alegrete (?-1647).
AUTORE	Scuola portoghese sec. XVII.
DATAZIONE	Seconda metà sec. XVII.
DESCRIZIONE	Olio su tela, 129x97, cornice dorata.
INVENTARIO	2698 (C.P., p. 222, n. 1018).
FOTO	86709.
NOTE	In alto scritta 'Co. D. Alegrete' e a destra stemma inquartato con gigli. Generale portoghese, nativo del Brasile, ne fu governatore e si distinse nella guerra di Restaurazione nel 1644 a Campo Major vincendo gli Spagnoli.

M.M.

	Ic778	Ic779	Ic780	Ic781
PERSONAGGIO	Barreto, Francisco.	Correa de Sà, Salvador (1602-1681).	Da Cunha, Tristão.	Fronteira, Marques de.
AUTORE	Scuola portoghese sec. XVII.	Scuola portoghese sec. XVII.	Scuola portoghese sec. XVII.	Scuola portoghese sec. XVII.
DATAZIONE	Sec. XVII.	Sec. XVII.	Sec. XVII.	Sec. XVII.
DESCRIZIONE	Olio su tela, 129x97, cornice dorata.	Olio su tela, 129x97, cornice dorata.	Olio su tela, 128x97, cornice dorata.	Olio su tela, 145x113, cornice dorata.
INVENTARIO	2700 (C.P., p. 222, n. 1020).	2709 (C.P., p. 228, n. 1129).	2706 (C.P., p. 223, n. 1026).	2699 (C.P., p. 224, n. 1019).
FOTO	71621.	154059.	137327.	228448.
NOTE	In alto la scritta 'Fra. Barreto Restaurador D. Permmbuco'. Governatore di Pernambuco nello stato del Brasile. M.M.	In alto la scritta 'Salvador Correa de Sà'. Nel 1637 governatore del Brasile, fondatore della città di Pernaga, riconquistò Angola agli Olandesi. Esiste una stampa con ritratto nella Collezione della Biblioteca Nacional de Lisboa (E. 330 V). M.M.	In alto, la scritta 'Tristam Dagunha' e a sinistra stemma con torri su fondo bianco. Celebre navigatore portoghese, scopritore nel 1506 di un gruppo di isole a sud del Capo di Buona Speranza che tutt'ora portano il suo nome. M.M.	In alto scritta in giallo 'M. de Fronteira' e a sinistra stemma con bande gialle su campo rosso. Fondatore di uno dei palazzi più belli del regno, si distinse nella battaglia di Montes Claros contro la Spagna. M.M.

	Ic782	Ic783	Ic784	Ic785
PERSONAGGIO	Loubo, Gilvas.	Iriceira, Conde da (1614-1699).	Magalhães, Pedro Jacques de (?-1688).	Marialva, Marquês de.
AUTORE	Scuola portoghese sec. XVII.	Scuola portoghese sec. XVII.	Scuola portoghese sec. XVII.	Scuola portoghese sec. XVII.
DATAZIONE	Sec. XVII.	Seconda metà sec. XVII.	Sec. XVII.	Sec. XVII.
DESCRIZIONE	Olio su tela, 109x139, cornice dorata.	Olio su tela, 130x99, cornice dorata.	Olio su tela, 129x97, cornice dorata.	Olio su tela, 130x98, cornice dorata.
INVENTARIO	2695 (C.P., p. 225, n. 1015).	2697 (C.P., p. 225, n. 1017).	2696.	2703 (C.P., p. 225, n. 1023).
FOTO	137402.	137429.	137397.	137371.
NOTE	In alto scritta in giallo 'Gilvas Loubo' e a sinistra stemma inquartato da gigli, croce e piuma e sovrastato da corona. Generale portoghese, protesse la ritirata delle truppe del conte di Allegrete nel 1646. M.M.	In alto scritta 'C. da Iriceira' e stemma inquartato con gigli su campo nero e torri su campo rosso. Don Fernando de Meneses, II conte da Iriceira, fu dal 1655 governatore di Tangeri. Di lui esiste un ritratto a stampa nella Bibl. Nacional de Lisboa (E. 321 V). M.M.	In alto scritta in giallo 'Pedro Jaques de Mg.es'. Generale portoghese distintosi nella guerra di Restaurazione e particolarmente nella battaglia di Castelo Rodrigo contro gli Spagnoli. Fece parte delle Cortes che sanzionarono la deposizione di Alfonso VI. M.M.	In alto scritta 'M. de Marialva' e stemma coronato inquartato da gigli su campo nero e torri su campo rosso. D. Antonio Luis de Meneses, conte di Castaneda, fu consigliere di Alfonso VI. Di lui esiste un ritratto a stampa nella Bibl. Nacional de Lisboa (E.A.4 (53) A.). M.M.

DINIS DE MELLO DE CASTRO

Ic786

G: DE S: LOVRENCO

Ic787

M: DE TAVORA

Ic788

CO: DE VILAFLOR

Ic789

PERSONAGGIO	Melo de Castro, de, Dinis.	Sao Lourenço, Conde de.	Tavora, Marquês de (1634-1672).	Vilaflor, Sancho Manuel, Conde de.
AUTORE	Scuola portoghese sec. XVII.	Scuola portoghese sec. XVII.	Scuola portoghese sec. XVII.	Scuola portoghese sec. XVII.
DATAZIONE	Sec. XVII.	Sec. XVII.	Sec. XVII.	Sec. XVII.
DESCRIZIONE	Olio su tela, 128x99, cornice dorata.	Olio su tela, 129x97, cornice dorata.	Olio su tela, 130x96, cornice dorata.	Olio su tela, 130x98, cornice dorata.
INVENTARIO	2701 (C.P., p. 223, n. 1021).	2708 (C.P., p. 225, n. 1028).	2707 (C.P., p. 228, n. 1027).	2705 (C.P., p. 228, n. 1025).
FOTO	136847.	137361.	137382.	137414.
NOTE	In alto, la scritta in giallo 'Dinis de Mello de Castro' e uno stemma con palle su campo rosso. Famoso capitano e scrittore portoghese. Di lui esiste un ritratto a stampa nella Biblioteca Nacional de Lisboa (E. A. 4 (43) A.). M.M.	In alto scritta in giallo 'G. de S. Lourenco' e a destra stemma coronato con leopardo rampante. Governatore del Brasile durante la guerra con l'Olanda. M.M.	In alto, una scritta 'M. de Tavora' e a sinistra uno stemma coronato. Consigliere di guerra del re Alfonso VI e di Don Pedro, esiste di lui un ritratto a stampa nella Biblicteca Nacional de Lisboa (E. A.4 (92) A.). M.M.	In alto la scritta 'Co: de Vilaflor'. Vincitore degli Spagnoli nella battaglia di Ameial nel 1663 che determinò la liberazione di Evora. Un suo ritratto è nel Museu Nacional de Arte Antiga di Lisbona. M.M.

CO: DE VILLAR MAIOR

Ic790

PERSONAGGIO	Vilar Maior, Conde de.
AUTORE	Scuola portoghese sec. XVII.
DATAZIONE	Sec. XVII.
DESCRIZIONE	Olio su tela, 129x97, cornice dorata.
INVENTARIO	2704 C.P., p. 228, n. 1024).
FOTO	100405.
NOTE	In alto al scritta 'Co. de Villar Major' e a destra stemma coronato con grifone rampante. Generale portoghese, distintosi nella guerra contro la Spagna, morto nel 1686. M.M.

Ic791

PERSONAGGIO	Carlo II, re di Spagna 1661-1700).
AUTORE	Van Douven, Jan Frans (Roermond 1656 - Bonn 1727).
DATAZIONE	Ultimo decennio sec. XVII.
DESCRIZIONE	Olio su tela ovale, 86x64, cornice intagliata e dorata, sec. XVIII.
INVENTARIO	Poggio Imperiale rosso, 612.
FOTO	28686.
NOTE	Firmato a tergo sulla tela. Carlo II fu cognato dell'Elettore Palatino, in quanto ne sposò (nel 1689) una sorella minore, Maria Anna (inv. Poggio Imperiale rosso, 637). Porta il Toson d'Oro.

S.M.T.

Questa serie illustra al completo la famiglia di Giovanni Guglielmo, Elettore Palatino del Reno (Johann Wilhelm Kurfürst von der Pfalz), marito di Anna Maria Luisa de' Medici, iniziando dai suoi genitori e comprendendo tutti i fratelli e sorelle giunti all'età adulta con i relativi coniugi, nonché se stesso e la moglie (in più di una versione). I ritratti hanno formato ovale, misure simili (85 × 65 ca.) e uguali cornici finemente intagliate e dorate: sono databili all'ultimo decennio del Seicento e primo del Settecento ed escono dalle mani di Jan Frans van Douven, ritrattista della corte elettorale (che ne firma diversi) e di suoi collaboratori. Furono individuati e pubblicati da Hermine Kühn-Steinhausen (Jan Frans van Douven als Porträtmaler, in Düsseldorfer Jahrbuch, 42, 1941, pp. 142-153) limitatamente a 21 ritratti che le furono segnalati nella villa del Poggio Imperiale, loro collocazione originaria e attuale. Ma nei depositi delle Gallerie fiorentine ve ne sono altri dieci almeno che completano la rassegna familiare. Unici personaggi non rappresentati sono (se la serie li comprendeva) la prima moglie del padre di Giovanni Guglielmo e la sorella più giovane dell'Elettore, Leopoldina Eleonora, morta a 14 anni; a meno che non siano da identificare con due ritratti femminili un po' più piccoli (75 × 60 ciascuno: inv. 1890 n. 2916, foto GFS 138614; inv. 1890 n. 2942, foto GFS 138597) che hanno lo stesso tipo di cornice ma sono di mano diversa (più debole). Si deve però avvertire che la cornice manca o è stata sostituita in alcuni, e viceversa si trova anche su ritratti ovali medicei che è dubbio se appartenessero a questa serie: Marguerite-Louise d'Orléans (inv. Imperiale 412/38); suo padre Gastone d'Orléans (inv. 1890 n. 3780); i figli di lei Gian Gastone (inv. Imperiale 404/22) e Ferdinando (inv. Imperiale 408/30); e la moglie di quest'ultimo, Violante di Baviera (inv. Imperiale 426/29).

S.M.T.

Ic792

PERSONAGGIO	Farnese, Francesco I, duca di Parma (1678-1727).
AUTORE	Van Douven, Jan Frans (Roermond 1656 - Bonn 1727), bottega di.
DATAZIONE	Inizi sec. XVIII.
DESCRIZIONE	Olio su tela ovale, 85x65, cornice intagliata e dorata, sec. XVIII.
INVENTARIO	Poggio Imperiale rosso, 627.
FOTO	28695.
NOTE	Duca di Parma dal 1694, Francesco fu il secondo marito, dopo il fratellastro Odoardo, di Dorotea Sofia palatina, sorella di Giovan Guglielmo. Del duca le Gallerie fiorentine hanno anche un ritrattino (inv. 189, n. 4204).

S.M.T.

	Ic793	Ic794	Ic795	Ic796
PERSONAGGIO	Farnese, Odoardo, principe di Parma (1666-1693).	Hessen Darmstadt, Elisabetta Amalia, di (1635-1709).	Leopoldo I Imperatore (1640-1705).	Lubomirska, Teresa Caterina (1683-1712).
AUTORE	Van Douven, Jan Frans (Roermond 1656 - Bonn 1727).	Van Douven, Jan Frans (Roermond 1656 - Bonn 1727).	Van Douven, Jan Frans (Roermond 1656-Bonn 1727), bottega di.	Van Douven, Jan Frans (Roermond 1656 - Bonn 1727).
DATAZIONE	Ultimo decennio sec. XVII.	Ultimo decennio sec. XVII.	Ultimo decennio sec. XVII.	Primo decennio sec. XVIII.
DESCRIZIONE	Olio su tela ovale, 86x64, cornice intagliata e dorata, sec. XVIII.	Olio su tela ovale, 85x65, cornice intagliata e dorata, sec. XVIII.	Olio su tela ovale, 92,3x72,8, rintelato. Cornice dorata a salvadora.	Olio su tela ovale, 86x65,5, rintelato, senza cornice.
INVENTARIO	Poggio Imperiale rosso, 628.	Poggio Imperiale rosso, 640.	4290.	2926 (C.P., p. 225, n. 944).
FOTO	28696.	28703.	138601.	136678.
NOTE	Firmato a tergo. Primo marito, dal 1690, di Dorotea Sofia (terz'ultima sorella dell'Elettore Palatino), che tre anni dopo la sua morte si risposò col fratellastro di Odoardo, Francesco (Poggio Imperiale rosso, 627). S.M.T.	Madre di Giovanni Guglielmo, essa fu, dal 1653, la seconda moglie dell'elettore palatino Philipp Wilhelm (cfr. inv. Poggio Imperiale rosso, 611), a cui dette tredici figli, sette maschi e sei femmine. S.M.T.	Inventariato come anonimo, è senza dubbio parte della serie e rappresenta il Sacro Romano Imperatore Leopoldo I, cognato dell'Elettore in quanto ne sposò, nel 1676, la sorella maggiore Eleonora Maddalena. S.M.T.	Seconda moglie dell'elettore Carlo III Filippo, che successe a Giovan Guglielmo. Nelle Gallerie fiorentine esistono altri tre ritratti dello stesso tipo (Inv. 1890, nn. 4199, 5714, 8864). S.M.T.

	Ic797	Ic798	Ic799	Ic800
PERSONAGGIO	Maria Anna, arciduchessa d'Austria (1654-1689).	Maria Anna, regina di Spagna (1667-1740).	Medici, Anna Maria Luisa de', elettrice palatina (1667-1743).	Medici, Anna Maria Luisa de (1667-1743).
AUTORE	Van Douven, Jan Frans (Roermond 1656 - Bonn 1727).	Van Douven, Jan Frans (Roermond 1656 - Bonn 1727).	Van Douven, Jan Frans (Roermond 1656 - Bonn 1727).	Van Douven, Jan Frans (Roermond 1656 - Bonn 1727).
DATAZIONE	Ultimo decennio sec. XVII.	Ultimo decennio sec. XVII.	Fine sec. XVII.	Fine sec. XVII.
DESCRIZIONE	Olio su tela ovale, 85x65, cornice intagliata e dorata, sec. XVIII.	Olio su tela ovale, 85x65, cornice intagliata e dorata, sec. XVIII.	Olio su tela ovale, 80x63, cornice intagliata e dorata, sec. XVIII.	Olio su tela ovale, 85x65, cornice intagliata e dorata.
INVENTARIO	Poggio Imperiale rosso, 629.	Poggio Imperiale rosso, 637.	Poggio Imperiale rosso, 625.	Poggio Imperiale rosso, 631
FOTO	28697.	28702.	28693.	28699.
NOTE	Prima moglie di Giovan Guglielmo e sorellastra dell'imperatore Leopoldo I, il quale aveva sposato la sorella maggiore dell'Elettore. Due anni dopo la sua morte il vedovo passò a nozze con Anna Maria Luisa de' Medici. La tela è firmata a tergo. S.M.T.	La tela è firmata a tergo. Maria Anna fu moglie, dal 1689, di Carlo II di Spagna (cfr. inv. Poggio Imperiale rosso, 612). S.M.T.	Uno dei tre ritratti dell'Elettrice in questa serie: più matura che nel n. 3783 (inv. del 1890), che pure le fu sostituito il 18 aprile 1701 (ASF, Guard. 1226, c. 219r). S.M.T.	Uno dei tre ritratti dell'Elettrice palatina, in questa serie: qui è di profilo, con veste classicheggiante: la stessa con cui la ritrasse, ma di fronte, Domenico Tempesti in un pastello (inv. 1890, n. 4415). S.M.T.

	Ic801	Ic802	Ic803	Ic804
PERSONAGGIO	Medici, Anna Maria Luisa de' (1667-1743).	Pfalz, Alexander Sigismund, von der (1663-1737).	Pfalz, Dorotea Sofia, con der (1670-1748).	Pfalz, Eleonora Magdalena, von der (1655-1720).
AUTORE	Van Douven, Jan Frans (Roermond 1656 - Bonn 1727).	Van Douven, Jan Frans (Roermond 1656 - Bonn 1727), bottega di.	Van Douven, Jan Frans (Roermond 1656 - Bonn 1727).	Van Douven, Jan Frans (Roermond 1656 - Bonn 1727).
DATAZIONE	Fine sec. XVII.	Ultimo decennio sec. XVII.	Fine sec. XVII.	Ultimo decennio sec. XVII.
DESCRIZIONE	Olio su tela ovale, 85x65, cornice intagliata e dorata, sec. XVIII.	Olio su tela ovale, 75x65, cornice intagliata e dorata, sec. XVIII.	Olio su tela ovale, 85x65, cornice intagliata e dorata.	Olio su tela ovale, 85x65, cornice intagliata e dorata, sec. XVIII.
INVENTARIO	3783 (C.P., p. 222, n. 222).	Poggio Imperiale rosso, 618.	Poggio Imperiale rosso, 620.	Poggio Imperiale rosso, 613.
FOTO	193014.	28691.	28692.	28687.
NOTE	Come il marito, Anna Maria si fece ritrarre più volte in questa serie: altre due 'pose' sono al Poggio Imperiale. Questa è oggi depositata presso la Questura di Firenze. S.M.T.	Fratello minore di Giovanni Guglielmo, fu vescovo di Augusta. La tela non è firmata e può non essere autografa di Douven; probabilmente è quella che Cosimo III fece incorniciare il 27 settembre 1697 (ASF, Guard. 1027, c. 65r). S.M.T.	Il quadro è firmato a tergo. Raffigura una sorella minore di Giovan Guglielmo che sposò dapprima, nel 1690, Odoardo di Parma (Inv. Poggio Imperiale rosso, 628) e poi (1696) il suo fratellastro Francesco, (Inv. Poggio Imperiale rosso, 627). S.M.T.	Moglie dal 1676 dell'imperatore Leopoldo I (cfr. inv. 1890, n. 4290), fu il tramite per cui suo fratello Giovan Guglielmo riuscì ad ottenere per il suocero Cosimo III de' Medici l'ambìto trattamento reale. S.M.T.

Dipinto non reperibile

	Ic805	Ic806	Ic807	Ic808
PERSONAGGIO	Pzalz, Franz Ludwig, von der (1664-1732).	Pzalz, Franz Ludwig, von der (1664-1732).	Pfalz, Friedrich Wilhelm von der (?) (1665-1689).	Pfalz, Johann Wilhelm, Kurfürst von der (1658-1716).
AUTORE	Van Douven, Jan Frans (Roermond 1656 - Bonn 1727).	Meusnier, Heinrich (Francia? secc. XVII-XVIII).	Van Douven, Jan Frans (Roermond 1656 - Bonn 1727).	Van Douven, Jan Frans (Roermond 1656 - Bonn 1727).
DATAZIONE	Fine sec. XVII.	Secondo decennio sec. XVIII.	Fine sec. XVII.	Ultimo decennio sec. XVII.
DESCRIZIONE	Olio su tela ovale, 85x65, cornice intagliata e dorata, sec. XVIII.	Olio su tela ovale, 85x65, cornice intagliata e dorata, sec. XVIII.	Olio su tela ovale, 79x64, cornice intagliata e dorata, sec. XVIII.	Olio su tela ovale, 85x65, cornice intagliata e dorata, sec. XVIII.
INVENTARIO	Poggio Imperiale rosso, 610.	Poggio Imperiale rosso, 635.	Poggio Imperiale rosso, 402.	Poggio Imperiale rosso, 614.
FOTO	—	28701.	28684.	28688.
NOTE	Si tratterebbe della stessa persona del quadro inv. Imp. rosso, n. 635 in età più giovane. La Kühn-Steinhausen lo dice vescovo di Bratislava, altre fonti di Colonia: ma qui è in armatura, senza visibili attributi ecclesiastici. S.M.T.	Vescovo di Worms, elettore di Treviri (dal 1716) e di Magonza (dal 1729), cariche che appaiono qui ma non nel ritratto più giovanile (inv. Poggio Imperiale rosso, 610). La tela è firmata Heinricus Meusnier e fu forse aggiunta alla serie più tardi. S.M.T.	La Kühn-Steinhausen indica in questo ritratto il vescovo Franz Ludwig (cfr. inv. Poggio Imperiale rosso, nn. 610 e 635) ma è probabile che sia il fratello minore Friedrich Wilhelm, rettore dell'Università di Heidelberg e generale dell'Impero morto a soli 24 anni. S.M.T.	Ritratto più giovanile degli altri tre dell'Elettore in questa serie (inv. 1890, n. 4348 e inv. Poggio Imperiale rosso, nn. 616 e 626). Venne sostituito il 18 aprile 1701 con un altro 'con manto rosso foderato di pelle' e Toson d'oro (ASF, Guard. 1226, c. 219r). S.M.T.

	Ic809	Ic810	Ic811	Ic812
PERSONAGGIO	Pfalz, Johann Wilhelm, Kurfürst von der (1658-1716).	Pfalz, Johann Wilhelm, Kurfürst von der (1658-1716).	Pfalz, Johann Wilhelm, Kurfürst von der (1658-1716).	Pfalz, Karl Philipp, Kurfürst von der (1661-1742).
AUTORE	Van Douven, Jan Frans (Roermond 1656 - Bonn 1727).	Van Douven, Jan Frans (Roermond 1656 - Bonn 1727), bottega di.	Van Douven, Jan Frans (Roermond 1656 - Bonn 1727).	Van Douven, Jan Frans (Roermond 1656 - Bonn 1727), bottega di.
DATAZIONE	Ultimo decennio sec. XVII.	Inizi sec. XVIII.	1710 ca.	Inizi sec. XVIII.
DESCRIZIONE	Olio su tela ovale, 84x65, cornice intagliata e dorata, sec. XVIII.	Olio su tela ovale, 80,5x65, cornice intagliata e dorata, sec. XVIII.	Olio su tela ovale, 86x67, cornice intagliata e dorata.	—
INVENTARIO	Poggio Imperiale rosso, 616.	Poggio Imperiale rosso, 626.	4348 (C.P., p. 78, n. 3416).	Poggio Imperiale rosso, 633.
FOTO	28689.	327577.	166010.	28700.
NOTE	Uno dei quattro ritratti differenti di Giovanni Guglielmo in questa serie. Autografo, firmato a tergo, rappresenta l'Elettore armato e con il Toson d'Oro. S.M.T.	L'Elettore porta, come nel ritratto inv. 1890, n. 4348, il Toson d'Oro e la stella dell'Ordine di S. Uberto, da lui rimesso in onore nel 1708; perciò la Kühn-Steinhausen ritiene questo ritratto posteriore a tale anno. S.M.T.	Databile dopo il 1708 perché l'Elettore vi porta, oltre al Toson d'oro, l'Ordine di S. Uberto, come nell'analogo ritratto del Poggio Imperiale n. 626. Il quadro è oggi in deposito in Prefettura. S.M.T.	Elettore Palatino dopo Giovanni Guglielmo, ebbe due mogli: prima Luisa Carlotta Radziwill (inv. 1890, n. 2927) e poi Teresa Caterina Lubomirska (inv. 1890, n. 2926). La tela non sembra del Douven, ma piuttosto del Meusnier. S.M.T.

	Ic813	Ic814	Ic815	Ic816
PERSONAGGIO	Pfalz, Ludwig Anton, von der (1659-1683).	Pfalz, Maria Sophia, von der (1666-1699).	Pfalz, Philipp Wilhelm, von der (1615-1690).	Pfalz, Philipp Wilhelm, von der (1668-93).
AUTORE	Van Douven, Jan Frans (Roermond 1656 - Bonn 1727).	Van Douven, Jan Frans (Roermond 1656 - Bonn 1727).	Van Douven, Jan Frans (Roermond 1656 - Bonn 1727).	Van Douven, Jan Frans (Roermond 1656 - Bonn 1727).
DATAZIONE	Ultimo decennio sec. XVII.	Ultimo decennio sec. XVII.	Ultimo decennio sec. XVII.	Ultimo decennio sec. XVII.
DESCRIZIONE	Olio su tela ovale, 84,5x65, cornice intagliata e dorata, sec. XVIII.	Olio su tela ovale, 85x65, cornice intagliata e dorata, sec. XVIII.	Olio su tela ovale, 85x65, cornice intagliata e dorata, sec. XVIII.	Olio su tela ovale, 85,5x65,5, cornice intagliata e dorata, sec. XVIII.
INVENTARIO	2907 (C.P., p. 225, n. 925).	Poggio Imperiale rosso, 617.	Poggio Imperiale rosso, 611.	2904 (C.P., p. 227, n. 922).
FOTO	138594.	28690.	28685.	136673.
NOTE	A tergo: 'Lodovico Antonio Principe Palatino / Gran Maestro dell'Ordine Teutonico Coadiutore di Magonza' e la firma, indecifrabile. Ritrae un fratello minore dell'Elettore, che abbracciò la carriera ecclesiastica. S.M.T.	Firmato a tergo. Sorella minore di Giovanni Guglielmo (da non confondere con Dorotea Sofia, nata quattro anni dopo), sposò nel 1687 Pietro II di Portogallo e fu regina. S.M.T.	Padre di Giovanni Guglielmo quindi suocero di Anna Maria Luisa, sposò in prime nozze (1642) Anna Caterina di Polonia (1619-1651) e poi (1653) Elisabetta Amalia di Hessen Darmstadt (inv. Poggio Imperiale rosso, 640). S.M.T.	A tergo 'Sre P... Philippe... Comte Palat... du Rhin', e la firma dell'artista. È un fratello dell'Elettore, che sposò nel 1690 Anna Maria Francesca von Sachsen Lauenburg poi moglie dell'ultimo granduca mediceo, Gian Gastone. S.M.T.

Ic817 | Ic818 | Ic819 | Ic820

PERSONAGGIO	Pfalz, Wolfgang Georg, von der 1660-94).	Pietro II, re di Portogallo (1648-1706).	Radziwill, Luisa Carlotta (1667-95).	Sobieska, Edvige Elisabetta (1673-1722).
AUTORE	Van Douven, Jan Frans (Roermond 1656 - Bonn 1727).	Van Douven, Jan Frans (Roermond 1656 - Bonn 1727).	Van Douven, Jan Frans (Roermond 1656 - Bonn 1727).	Van Douven, Jan Frans (Roermond 1656 - Bonn 1727).
DATAZIONE	Ultimo decennio sec. XVII.	Ultimo decennio sec. XVII.	Ultimo decennio sec. XVII.	Fine sec. XVII.
DESCRIZIONE	Olio su tela ovale, 85,5x65, rintelato, cornice intagliata e dorata, sec. XVIII.	Olio su tela ovale, 85x65, cornice intagliata e dorata, sec. XVIII.	Olio su tela ovale, 85,5x65, rintelato, cornice intagliata e dorata, sec. XVIII.	Olio su tela ovale, 85x65, cornice intagliata e dorata, sec. XVIII.
INVENTARIO	2923.	Poggio Imperiale rosso. 630.	2927 (C.P., p. 228, n. 945).	3782.
FOTO	136679.	28698.	138602.	157745.
NOTE	A tergo: 'Ser: Princeps Wolfganaus omes Palatinus Rheni N. J. F. Douven Pinxit'. Fratello minore dell'Elettore Palatino, fu destinato alla carriera ecclesiastica e designato vescovo di Breslavia. S.M.T.	La tela è firmata a tergo e raffigura un cognato dell'Elettore Palatino: ne aveva sposato nel 1689 la sorella Maria Sofia (Inv. Poggio Imperiale rosso, 617). S.M.T.	Fu la prima moglie di Carlo III Filippo, succeduto a Giovanni Guglielmo sul trono del Palatinato (cfr. inv. Poggio Imperiale rosso, 633). S.M.T.	Penultima sorella dell'Elettore palatino, sposò nel 1691 Jakob Ludwig Sobieski (cfr. inv. 1890, n. 3781), figlio del re di Polonia. Il quadro è depositato in Prefettura. S.M.T.

Ic821

PERSONAGGIO	Sobieski, Jakob Ludwig (1668-1737).
AUTORE	Van Douven, Jan Frans (Roermond 1656 - Bonn 1727).
DATAZIONE	Fine sec. XVII.
DESCRIZIONE	Olio su tela ovale, 85x65, cornice intagliata e dorata, sec. XVIII.
INVENTARIO	3781.
FOTO	157744.
NOTE	Sposò nel 1691 la penultima sorella dell'elettore palatino Giovan Guglielmo, Edvige Elisabetta (inv. 1890, n. 3782). S.M.T.

Ic822

PERSONAGGIO	Alessandri nei Ridolfi, Argentina.
AUTORE	Franchi, Antonio (Villa Basilica 1638 - Firenze 1709).
DATAZIONE	Ultimo decennio sec. XVII.
DESCRIZIONE	Olio su tela ovale, 73,5x56,5, cornice intagliata e dorata.
INVENTARIO	2744 (C.P., p. 222, n. 228).
FOTO	138521.
NOTE	Sul retro: L'Ill.ma Sig.ra Argentina / Alessandri ne' Ridolfi / Fiorentina. Traccia del timbro di ceralacca rossa (cfr. 2745). Sulla cornice DG.

L.B.B.

Fra il 1690 e il 1691 la Principessa Violante di Baviera, andata sposa il 20 gennaio 1689 al Principe Ferdinando de' Medici, affidò l'incarico di ritrarre le più belle dame di Firenze e di Lucca ad Antonio Franchi, ritrattista e pittore della Granduchessa Vittoria della Rovere fin dal 1686.

Dai documenti pubblicati da Francesca Nannelli e dallo studio su Antonio Franchi di Mina Gregori che fra l'altro ha pubblicato cinque ritratti di Dame, – Inv. 1890 nn. 2738, 2742, 2748, 2749, 2757, (cfr. per ambedue: 'Paradigma 1' 1978) – risulta che l'artista eseguì per la principessa più di venti ritratti, di questi, solo dieci sono stati rintracciati nei depositi della Galleria degli Uffizi: oltre a quelli sopra ricordati, Inv. 1890, i nn. 2720, 2727, 2736, 2744, 2768. In realtà Antonio Franchi non è il solo che si sia dedicato ad arricchire la 'galleria' di ritratti di Violante: dagli inventari della villa di Lappeggi, divenuta dimora di Violante di Baviera alla morte di Ferdinando nel 1713, sono registrati ben 66 ovali di Dame non solo fiorentine e lucchesi, ma genovesi, bolognesi, padovane, pisane, senesi e un folto gruppo di dame tedesche di molte delle quali non viene fornito il nome (cfr. ASF, Guard. 1393, Lappeggi 1732, cc. 54r, 58v, 59r, 60r, 63r, 63v; ASF, Guard. 51 App. Lappeggi 1762, cc. 85, 91-92, 100-101, 104). Purtroppo la collezione di ritratti di proprietà di Violante di Baviera ci è giunta assai incompleta, rimangono infatti solo 48 dei 66 ritratti ricordati negli inventari antichi: sappiamo tuttavia che alcuni si trovano a Pisa negli uffici della Soprintendenza. Numerosi ovali conservano le cornici descritte dagli inventari: 'adornamenti d'albero intagliati e dorati con cappi di legno intagliati e straforati', mentre altri hanno cornici molto più semplici – modanate, tinteggiate di nero e dorate, probabilmente non originali.

L.B.B.

Ic823

PERSONAGGIO	Anna Maria Luisa de' Medici.
AUTORE	Franchi, Antonio (Villa Basilica 1638 - Firenze 1709).
DATAZIONE	1690 ca.
DESCRIZIONE	Olio su tela ovale, 70,5x54,5, cornice intagliata e dorata.
INVENTARIO	2738 (C.P., p. 222, n. 224).
FOTO	25164.
NOTE	Cfr. n. 3783 e C.P., p. 222, n. 222. Sul retro: ANNA MARIA / LUISA DI TOSCANA Elettrice Palatina. Sigillo in ceralacca rossa cfr. 2745. Cartellino CONSEGNA ecc. (cfr. 2727), n. 204. Timbro DG con corona.

L.B.B.

	Ic824	Ic825	Ic826	Ic827
PERSONAGGIO	Anna, Regina di Gran Bretagna.	Bellucci Dolci, Vittoria.	Bentivogli nei Pepoli, contessa Caterina.	Bigazzini ne' Rinieri, Vittoria.
AUTORE	Scuola fiorentina.	Scuola fiorentina.	Franchi, Antonio (Villa Basilica 1638 - Firenze 1709).	Scuola fiorentina.
DATAZIONE	Ultimo decennio sec. XVII.	Ultimo decennio sec. XVII.	Ultimo decennio sec. XVII.	Ultimo decennio sec. XVII.
DESCRIZIONE	Olio su tela ovale, 71x54, cornice intagliata e dorata.	Olio su tela ovale, 71x56,5, cornice intagliata e dorata.	Olio su tela, 83,5x68, cornice intagliata e dorata.	Olio su tela ovale, 71x54,5, cornice intagliata e dorata.
INVENTARIO	2733 (C.P., p. 222, n. 217).	2735 (C.P., p. 222, n. 219).	2720 (C.P., p. 222, n. 204).	2751 (C.P., p. 223, n. 235).
FOTO	137028.	138610.	136669.	137023.
NOTE	Sul retro: Anna Regina / della Gran Bretagna. Sigillo in ceralacca rossa (cfr. 2745). L.B.B.	Sul retro: La Sig.ra / Vittoria Bellucci / Dolci Fiorentina. Sigillo in ceralacca rossa (cfr. 2745). Sulla cornice DG con corona. L.B.B.	Sul retro: L'Ill.ma Sig.ra Cont.sa / Maria Caterina / Bentivogli nei / Pepoli / Bolognese. Sulla cornice DG. con corona ripetuto due volte, cartellino: CONSEGNATO ecc. (cfr. 2727), n. 674. L.B.B.	Sul retro: La Sig.ra Cont.a / Vittoria Bigazzini / Rinieri / Perugina. Sigillo in ceralacca rossa (cfr. 2745), sulla cornice CONSEGNA ecc... (cfr. 2727), n. 644. L.B.B.

	Ic828	Ic829	Ic830	Ic831
PERSONAGGIO	Bocchi, Iangranda.	Campani nei Panciatichi, Tommasa.	Capponi Sampieri, Maria Rosa.	Caprara Bentivoglio, marchesa Camilla.
AUTORE	Franchi, Antonio (Villa Basilica 1638 - Firenze 1709).	Franchi, Antonio (Villa Basilica 1638 - Firenze 1709).	Franchi, Antonio (Villa Basilica 1638 - Firenze 1709).	Scuola fiorentina sec. XVII.
DATAZIONE	Ultimo decennio sec. XVII.	Ultimo decennio sec. XVII.	Ultimo decennio sec. XVII.	Ultimo decennio sec. XVII.
DESCRIZIONE	Olio su tela ovale, 78x59, cornice intagliata e dorata.	Olio su tela ovale, 73x56, cornice intagliata e dorata.	Olio su tela ovale, 73,5x56, cornice intagliata e dorata.	Olio su tela ovale, 74x56, cornice intagliata e dorata.
INVENTARIO	2768 (C.P., p. 223, n. 252).	2749 (C.P., p. 223, n. 1233).	2742 (C.P., p. 223, n. 226).	2732 (C.P., p. 223, n. 216).
FOTO	138605.	138606.	137036.	138607.
NOTE	Sul retro: La Sig.ra Iangranda Bocchi Fiorentina. Sigillo in ceralacca rossa (cfr. 2745), sulla cornice DG ripetuto due volte, cartellino CONSEGNA ecc. (cfr. 2727), n. 629. L.B.B.	Sul retro; L'Ill.ma Sig.ra Tommasa / Campani nei / Panciatichi Fiorentina. Sigillo in ceralacca rossa (cfr. 2745), cartellino: CONSEGNA ecc. (cfr. 2727), n. 646. L.B.B.	Sul retro: LA Sig.ra March.a / M.a Rosa Capponi / Sampieri / Fiorentina. L.B.B.	Sul retro: La sig.ra Marchesa Cammilla / Caprara Bentivoglio / Bolognese. L.B.B.

	Ic832	Ic833	Ic834	Ic835
PERSONAGGIO	Cavalieri Sacchetti, Clelia.	Ceuli Armeni, Lucrezia Gaetana.	Ciaia Baldocci, Urania.	Closent Heimbhausen, Contessa Francesca.
AUTORE	Scuola fiorentina sec. XVII.	Franchi, Antonio (Villa Basilica 1638 - Firenze 1709).	Scuola fiorentina sec. XVII.	Scuola fiorentina sec. XVII.
DATAZIONE	Ultimo decennio sec. XVII.	Ultimo decennio sec. XVII.	Ultimo decennio sec. XVII.	Ultimo decennio sec. XVII.
DESCRIZIONE	Olio su tela ovale, 71x53,5, cornice intagliata e dorata.	Olio su tela ovale, 71x57, cornice intagliata e dorata.	Olio su tela ovale, 71x56,5, cornice intagliata e dorata.	Olio su tela ovale, 71x54,5, cornice intagliata e dorata.
INVENTARIO	2754 (C.P., p. 223, n. 238).	2736 (C.P., p. 223, n. 220).	2725 (C.P., p. 223, n. 208).	2730 (C.P., p. 224, n. 214).
FOTO	137033.	136668.	137037.	138608.
NOTE	Sul retro: Lill.ma Sig.ra M.e / Cleria Caualieri Sachetti / di Roma. Sulla cornice DG con corona. L.B.B.	Sul retro: L'Ill.ma Sig.ra Lucrezia / Coeli Gaet.a Armeni / Pisana. Sigillo in ceralacca rossa (cfr. 2745), sulla cornice DG con corona. L.B.B.	Sul retro: L'Ill.ma Sig.ra / Vrania / Ciaia ne' Baldocci / Senese. Sul telaio DG con corona. L.B.B.	Sul retro: La Sig.ra Cont.a / Franciesca Closent / Heimbhausen / Todesca. Cartellino IMPERIALE ecc. cfr. 2739, 1129, sulla cornice DG. con corona. Negli Inventari di Lappeggi (ecc. cfr. 2729). L.B.B.

	Ic836	Ic837	Ic838	Ic839
PERSONAGGIO	Colavit Piccolomini, Duchessa.	Dati nei Tornaquinci, Clarice.	Erwort, Errichetta.	Gerini negli Arrighetti, Maria Maddalena.
AUTORE	Scuola fiorentina sec. XVII.	Franchi, Antonio (Villa Basilica 1638 - Firenze 1709).	Scuola fiorentina sec. XVII.	Scuola fiorentina sec. XVII.
DATAZIONE	Ultimo decennio sec. XVII.	Ultimo decennio sec. XVII.	Ultimo decennio sec. XVII.	Ultimo decennio sec. XVII.
DESCRIZIONE	Olio su tela ovale, 87,5x63, cornice intagliata e dorata.	Olio su tela ovale, 71x56,5, cornice intagliata e dorata.	Olio su tela ovale, 71,5x54,5, cornice .intagliata e dorata.	Olio su tela ovale, 69,5x52, cornice intagliata e dorata.
INVENTARIO	2959 (C.P., p. 227, n. 977).	2757 (C.P., p. 223, n. 241).	2729 (C.P., p. 224, n. 213).	2723 (C.P., p. 224, n. 207).
FOTO	136798.	138612.	138583.	136675.
NOTE	Sul retro: DUCHESSA [barrato nero] / COLOVRT / PICCOLOMINI / TODESCA. Sigillo in ceralacca rossa: cfr. 2745. Sulla cornice DG. con corona. Negli Inventari di Lappeggi ecc... (cfr. 2729). L.B.B.	Sul retro: L'Ill.ma Sig.ra Clarice / Dati ne' Tornaquinci / Fiorentina. Cartellino: IMPERIALE ecc. (cfr. 2739), 1130. Sulla cornice DG con corona. L.B.B.	Sul retro: L'Ill.ma Sig.ra Errietta / Erwort / Todesca. Sigillo rosso in ceralacca: cfr. 2745. Sulla cornice a fuoco DG con corona. Negli inventari di Lappeggi 1732, 1762 compaiono dame tedesche anonime. L.B.B.	Sul retro: L'Ill.ma Sig.ra Maria Maddalena / Gerini negl'Arrighetti, Fiorentina. Cartellino: IMPERIALE ecc. (cfr. 2739). Sulla cornice: DG, con corona e tracce di cartellino / Capo Dis... L.B.B.

	Ic840	Ic841	Ic842	Ic843
PERSONAGGIO	Giraldi ne' Giugni, Marchesa Luisa.	Grunebergh Silva, marchesa Antonia.	Guicciardini Altoviti, Virginia.	Maria Maddalena, Principessa di Guastalla.
AUTORE	Scuola fiorentina sec. XVII.	Scuola fiorentina sec. XVII.	Franchi, Antonio (Villa Basilica 1638 - Firenze 1709).	Scuola fiorentina sec. XVII.
DATAZIONE	Ultimo decennio sec. XVII.	Ultimo decennio sec. XVII.	Ultimo decennio sec. XVII.	Ultimo decennio sec. XVII.
DESCRIZIONE	Olio su tela ovale, 70,5x56, cornice intagliata e dorata.	Olio su tela ovale, 76x61, cornice intagliata e dorata.	Olio su tela ovale, 73x55,5, cornice intagliata e dorata.	Olio su tela ovale, 70,5x54,5, cornice intagliata e dorata.
INVENTARIO	2739 (C.P., p. 224, n. 223).	2765 (C.P., p. 224, n. 249).	2748 (C.P., p. 224, n. 232).	2726 (C.P., p. 224, n. 210).
FOTO	138580.	136671.	138592.	138582.
NOTE	Sul retro: L'Ill.ma Sig.ra March / Luisa Giraldi nei / Giugni / Fiorentina. Cartellino barrato rosso: IMPERIALE / 1191 / ANNO 1836. L.B.B.	Sul retro. La Sig.ra March / Antonia Grunebergh Silva Tedesca. Sigillo in ceralacca rossa (cfr. 2745). L.B.B.	Sul retro: L'Ill.ma Sig.ra Vergenia / Ghuicciardini ne' Altoviti / Fiorentina. Sulla cornice DG con corona, cartellino CONSEGNA ecc. (cfr. 2727), n. 647. L.B.B.	Sul retro: Ser.ma Maria / Maddalena / Principā di Guastalla. L.B.B.

	Ic844	Ic845	Ic846	Ic847
PERSONAGGIO	Medici Buonaccorsi, Aurelia.	Piccolomini, nei Guadagni, marchesa Ottavia.	Quaratesi nei Dazzi, Anna.	Raffaelli Buccetti, Francesca.
AUTORE	Scuola fiorentina sec. XVII.	Scuola fiorentina sec. XVII.	Scuola fiorentina sec. XVII.	Franchi, Antonio (Villa Basilica 1638 - Firenze 1709).
DATAZIONE	Ultimo decennio sec. XVII.	Ultimo decennio sec. XVII.	Ultimo decennio sec. XVII.	Ultimo decennio sec. XVII.
DESCRIZIONE	Olio su tela ovale, 70,5x55, cornice intagliata e dorata.	Olio su tela ovale, 72x54, cornice intagliata e dorata.	Olio su tela ovale, 71,5x53, cornice intagliata e dorata.	Olio su tela ovale, 71,5x56, cornice intagliata e dorata.
INVENTARIO	2752.	2741 (C.P., p. 227, n .225).	2755 (C.P., p. 227, n. 239).	2727 (C.P., p. 228, n. 211).
FOTO	138628.	138600.	138611.	137030.
NOTE	Sul retro: L'Ill.ma Sig.ra Aurelia / Medici Buonaccorsi / Fiorentina. Timbro in ceralacca rossa (cfr. 2745), sul telaio DG. con corona. È la moglie di Francesco Buonaccorsi, comandante d'armi a Poppi. L.B.B.	Sul davanti della cornice cartellino in metallo dorato: MARCHESA / OTTAVIA PICCOLOMINI / NE' GUADAGNI / FIORENTINA. L.B.B.	Sul retro: L'Ill.ma Sig.ra / Anna Quaratesi / nei Dazzi / Fiorentina. Tracce di sigillo rosso di ceralacca cfr. 2745 cartellino IMPERIALE ecc. (cfr. 2739), 1127. Sul telaio DG con corona. L.B.B.	Sul retro: La Sig.ra M.a Franciesca Raffaelli / Bucetti Dama / Lucchese, detta Rastrelli erroneamente nell'Inv. 1890. Sigillo in ceralacca rossa cfr. 2745, sulla cornice cartellino: CONSEGNA IN / COMUNE CON LA REAL CASA / ANNO 1882 / 206. L.B.B.

	Ic848	Ic849	Ic850	Ic851
PERSONAGGIO	Rechberg, contessa Sofia.	Santini ne' Mazzarosa, Maria.	Serra Spinola, Maria.	Sterember Kauniz, contessa.
AUTORE	Scuola fiorentina sec. XVII.	Scuola fiorentina sec. XVII.	Scuola fiorentina sec. XVII.	Scuola fiorentina sec. XVII.
DATAZIONE	Ultimo decennio sec. XVII.	Ultimo decennio sec. XVII.	Ultimo decennio sec. XVII.	Ultimo decennio sec. XVII.
DESCRIZIONE	Olio su tela ovale, 87,5x64, cornice intagliata e dorata.	Olio su tela ovale, 70,5x56, cornice intagliata e dorata.	Olio su tela ovale, 79x59, cornice intagliata e dorata.	Olio su tela ovale, 83,5x67,5, cornice intagliata e dorata.
INVENTARIO	2719 (C.P., p. 228, n. 203).	2746 (C.P., p. 228, n. 230).	2784 (C.P., p. 228, n. 268).	2960 (C.P., p. 228, n. 978).
FOTO	138595.	137034.	137029.	136797.
NOTE	Sul retro: Mada.e La / Conte.se Sfuâ / Rechberg / Todesca. Sulla cornice DG con corona. L.B.B.	Sul retro: L'Ill.ma Sig.ra Maria / Santini nei / Massarosa / Lucchese. Traccia del cartellino: IMPERIALE ecc. (cfr. 2739). Sulla cornice DG con corona. L.B.B.	Sul retro: Ill.ma Sig.ra MARIA / Serra Spinola DI / Genua. Cartellino IMPERIALE ecc. (cfr. 2739), 1125. Sulla cornice DG con corona. L.B.B.	Sul retro: Ill.ma Sig.ra Cont.sa / Steremberg Kauniz / di Vienna. L.B.B.

	Ic852	Ic853	Ic854	Ic855
PERSONAGGIO	Stirumb, contessa.	Upezinghi nei Tidi, Maria Caterina.	Valvasoni nei Suarez della Concia, contessa Matilde.	Gentildonna.
AUTORE	Scuola fiorentina sec. XVII.	Scuola fiorentina sec. XVII.	Scuola fiorentina sec. XVII.	Scuola fiorentina sec. XVII.
DATAZIONE	Fine-inizi secc. XVII-XVIII.	Ultimo decennio sec. XVII.	Ultimo decennio sec. XVII.	Ultimo decennio sec. XVII.
DESCRIZIONE	Olio su tela ovale, 71x55,5, cornice intagliata e dorata.	Olio su tela ovale, 78x64,5, cornice intagliata e dorata.	Olio su tela ovale, 70,5x55,5, cornice intagliata e dorata.	Olio su tela ovale, 66,3x55, cornice intagliata e dorata.
INVENTARIO	2745 (C.P., p. 228, n. 229).	2762 (C.P., p. 228, n. 246).	2758 (C.P., p. 228, n. 242).	2668.
FOTO	137032.	138522.	136676.	137031.
NOTE	Sul retro: L'Ill.ma Sig.ra Cont / Stirumb. Sigillo in ceralacca rossa: GUARDAROBA GENERALE. L.B.B.	Sulla cornice DG con corona e cartellino: CONSEGNA ecc. (cfr. 2727), n. 634. L.B.B.	Sul retro: Merilde Conte.sa M / Valuasoni del Frioli. Sigillo / in ceralacca rossa (cfr. 2745). / Si conoscono altri ritratti: 2 / pastelli di G. Fratellini / 2542 (Inv. 1890) e Inv. Petraia / 115. Di un altro, eseguito da R. Carriera, parla il Malamani nel / 1899. L.B.B.	Sulla cornice cartellino: CONSEGNA ecc... (cfr. 2727), n. 428. Negli Inventari di Lappeggi ecc... (cfr. 2729). L.B.B.

	Ic856	Ic857	Ic858	Ic859
PERSONAGGIO	Gentildonna.	Gentildonna.	Gentildonna.	Gentildonna.
AUTORE	Scuola fiorentina sec. XVII.	Scuola fiorentina sec. XVII.	Scuola fiorentina sec. XVII.	Scuola fiorentina sec. XVII.
DATAZIONE	Ultimo decennio sec. XVII.	Ultimo decennio sec. XVII.	Ultimo decennio sec. XVII.	Ultimo decennio sec. XVII.
DESCRIZIONE	Olio su tela ovale, 71,5x59,5, cornice modanata e dorata.	Olio su tela ovale, 74x61,5, cornice modanata dorata e tinta di nero.	Olio su tela ovale, 74x61,5, cornice modanata dorata e tinta in nero.	Olio su tela ovale, 74x61,5, cornice modanata nera e dorata.
INVENTARIO	2671.	2674.	2677.	2680.
FOTO	138599.	22329.	22328.	138604.
NOTE	Sulla cornice cartellino: CONSEGNA ecc... (cfr. 2727), n. 425. Negli Inventari di Lappeggi ecc... (cfr. 2729). L.B.B.	Sulla tela sigillo in ceralacca rossa (cfr. 2745). Negl'Inventari di Lappeggi ecc. (cfr. 2729). L.B.B.	Sulla tela sigillo in ceralacca rossa (cfr. 2745) e un altro sigillo nero. Negli Inventari di Lappeggi ecc. (cfr. 2729). L.B.B.	Sulla tela sigillo in ceralacca rossa (cfr. 2745). Negli Inventari di Lappeggi ecc. (cfr. 2729). L.B.B.

	Ic860	Ic861	Ic862	Ic863
PERSONAGGIO	Gentildonna.	Gentildonna.	Gentildonna.	Gentildonna.
AUTORE	Scuola fiorentina sec. XVII.	Scuola fiorentina sec. XVII.	Scuola fiorentina sec. XVII.	Scuola fiorentina sec. XVII.
DATAZIONE	Ultimo decennio sec. XVII.	Ultimo decennio sec. XVII.	Ultimo decennio sec. XVII.	Ultimo decennio sec. XVII.
DESCRIZIONE	Olio su tela ovale, 73x59, cornice modanata dorata e nera.	Olio su tela ovale, 71x57, cornice intagliata e dorata.	Olio su tela ovale, 72,5x59,5, cornice intagliata e dorata.	Olio su tela ovale, 72,5x59, cornice intagliata e dorata.
INVENTARIO	2683.	2722.	2770.	2773.
FOTO	136670.	136672.	138579.	138603.
NOTE	Sulla cornice cartellino in metallo dorato con 1003. Negli Inventari di Lappeggi ecc. (cfr. 2729). L.B.B.	Negli inventari di Lappeggi 1732, 1762, figurano dame anonime. L.B.B.	Sulla cornice cartellino: CONSEGNA ecc... (cfr. 2727), n. 626. Negli Inventari di Lappeggi ecc. (cfr. 2729). L.B.B.	Sulla cornice cartellino: CONSEGNA ecc... (cfr. 2727), n. 623. Negli Inventari di Lappeggi ecc. (cfr. 2729). L.B.B.

	Ic864	Ic865	Ic866	Ic867
PERSONAGGIO	Gentildonna.	Gentildonna.	Gentildonna.	Gentildonna.
AUTORE	Scuola fiorentina sec. XVII.	Scuola fiorentina sec. XVII.	Scuola fiorentina sec. XVII.	Scuola fiorentina sec. XVII.
DATAZIONE	Ultimo decennio sec. XVII.	Ultimo decennio sec. XVII.	Ultimo decennio sec. XVII.	Ultimo decennio sec. XVII.
DESCRIZIONE	Olio su tela ovale, 77x58, cornice intagliata e dorata.	Olio su tela ovale, 74x61, cornice intagliata e dorata.	Olio su tela ovale, 74,5x60,5, cornice intagliata e dorata.	Olio su tela ovale, 86x65, cornice intagliata e dorata.
INVENTARIO	2787.	2790.	2792.	2926.
FOTO	137035.	138613.	138591.	136678.
NOTE	Sulla cornice cartellino: CONSEGNA ecc... (cfr. 2727), n. 610. Negli Inventari di Lappeggi ecc. (cfr. 2729). L.B.B.	Sulla cornice cartellino: CONSEGNA ecc... (cfr. 2727), n. 607. DG con corona. Negli Inventari di Lappeggi ecc. (cfr. 2729). L.B.B.	Sulla cornice cartellino: CONSEGNA ecc... (cfr. 2727), n. 604. Negli Inventari di Lappeggi ecc. (cfr. 2729). L.B.B.	Negli Inventari di Lappeggi ecc. (Cfr. 2729). L.B.B.

	Ic868	Ic869
PERSONAGGIO	Gentildonna.	Gentildonna.
AUTORE	Scuola fiorentina sec. XVII.	Scuola fiorentina sec. XVII.
DATAZIONE	Ultimo decennio sec. XVII.	Ultimo decennio sec. XVII.
DESCRIZIONE	Olio su tela ovale, 75x60,5, cornice intagliata e dorata.	Olio su tela ovale, 68,5x56, cornice intagliata e dorata.
INVENTARIO	2942.	4244.
FOTO	138597.	137038.
NOTE	Sulla cornice cartellino: CONSEgna ecc... (cfr. 2727), n. 454. Sul davanti in alto cartellino in metallo dorato 960. Negli Inventari di Lappeggi ecc. (cfr. 2729). L.B.B.	Sulla tela cartellino INVENTARIO DEGLI UFFIZI / III° CATEGORIA / 640. Negli Inventari di Lappeggi ecc. (cfr. 2729). L.B.B.

Ic870

PERSONAGGIO	Agnese di Bar, duchessa di Lorena (1177 ca. - 1226).
AUTORE	Scuola francese sec. XVII.
DATAZIONE	Metà sec. XVII.
DESCRIZIONE	Olio su tela, 72x56, cornice dorata, sec. XVIII.
INVENTARIO	388 (C.P., p. 221, n. 646).
FOTO	253359.
NOTE	In basso: 'Agnes fille de Thiebaut Conte de Bar Espouse de Ferry I. duc de Lorraine'. Per il marito, cfr. 369 e doppio ritratto 623; due loro figli, Tebaldo I (385) e Matteo II (379), ebbero il ducato.

S.M.T.

Questa è la principale serie iconografica della casa di Lorena: comprende 46 ritratti su tela (24 di uomini, inv. 1890 nn. da 363 a 386, e 22 di donne, inv. 1890 da 387 a 408) con scritta biografica su una striscia alla base, ed è in stretta relazione con una serie su rame di formato minore (18 × 25 ca.) di 50 ritratti di coppie della stessa famiglia, con analoghe scritte (inv. 1890 nn. da 615 a 629 e da 631 a 675).

La serie di maggior formato ritrae persone vissute dal XIV secolo − a partire da Matteo I duca di Lorena (n. 378) e da sua moglie (n. 390) − alla metà del XVII, con Carlo III (n. 367) e sua moglie (n. 406). I doppi ritratti invece abbracciano molte più generazioni, da quelle mitiche del IV secolo ai successori di Carlo III: il fratello Nicolas François e suo figlio Carlo IV, quest'ultimo nonno di Francesco Stefano, primo granduca di Toscana della dinastia lorenese. I tipi iconografici usati sono quasi sempre gli stessi; le due serie si differenziano semmai per la presenza solo in quella qui schedata di Renato d'Angiò re di Napoli (n. 381) e di sua moglie Isabella (n. 400), figlia del duca di Lorena Carlo I il Temerario (n. 365). La loro presenza chiarisce meglio gli intrecci genealogici che portano alla riunione in Renato II (n. 382), figlio di Iolanda d'Angiò (n. 397) e di Ferry VI conte di Vaudémont (n. 370), dei titoli di Lorena, Bar e Vaudémont.

Nella serie mancava Enrico (n. 368) di Carlo II, fratello di Cristina granduchessa di Toscana, che è stato inserito prendendolo da un'altra serie senza scritte e con inquadratura ovale di cui esistono, dispersi, altri ritratti: innanzi tutto la seconda moglie di Enrico, Margherita Gonzaga (inv. 1890 n. 2326, v. scheda), assente da questa serie (ma non dai doppi ritratti), poi la figlia Claudia (inv. 1890 n. 2328) e i non identificati inv. Petraia n. 312 (forse Nicolas François) e due dame con cagnolino (inv. Petraia nn. 310 e 340).

Non sembra che la serie compaia a Firenze in epoca medicea; è più probabile che vi sia giunta con la nuova dinastia, ma non dovette esser fatta apposta considerato il vuoto fra il suo personaggio più tardo e il nuovo granduca. Il 6 novembre 1778 Giuseppe Pelli Bencivenni, direttore degli Uffizi, la richiede alla guardaroba (AGF, filza XI a 83) destinandola al corridore di ponente in prosecuzione alla gioviana i cui ritratti non bastavano (come non bastano tuttora) a riempire il fregio in cima alle pareti. I ritratti arrivano il 9 novembre, sono citati nella guida dello Zacchiroli del 1783 (pp. 183-190), negli inventari successivi (del 1784, n. 139; del 1825, nn. da 1889 a 1934), e vengono spostati alla fine dell'800 nel corridoio vasariano; dopo la riapertura del 1972 ve ne sono rimasti due, quelli di Renato d'Angiò (n. 381) e di Claudia di Francia (n. 393), le cui schede si troveranno nella sezione 'iconografica esposta'. Non si conoscono autore ed epoca delle tele, che definiamo convenzionalmente di scuola francese della metà del Seicento. Poiché le scritte biografiche dei personaggi hanno diverse inesattezze, particolarmente nella numerazione dei vari Carlo e Ferry, ci si è attenuti piuttosto ai dati del repertorio di W. K. von Isenburg e F. Freytag von Loringhoven (Europäische Stammtafeln, Marburg 1975-78, I tavv. 13 e 14, II tav. 34); e ci si è valsi inoltre delle schede ministeriali compilate nel 1973 da Marisa Bertelli, assai esaurienti dal punto di vista storico e basate sul raffronto fra le storie di Lorena di A. Calmet (Nancy 1745 sgg.) e R. Parisot (Paris 1925).

S.M.T.

Ic871

PERSONAGGIO	Agnese (o Gertrude) di Metz, duchessa di Lorena (?-1225).
AUTORE	Scuola francese sec. XVII.
DATAZIONE	Metà sec. XVII.
DESCRIZIONE	Olio su tela, 69x57, cornice dorata, sec. XVIII.
INVENTARIO	389 (C.P., p. 221, n. 647).
FOTO	137160.
NOTE	In basso: 'Agnes fille du Conte de Mestz et Dabsbourg Espouse de Thiebaut I Due de Lorraine'. Nel doppio ritratto è uguale la figura del marito (cfr. 385); lievemente diversa quella di lei, che secondo Isenburg si chiamava Gertrude.

S.M.T.

	Ic872	Ic873	Ic874	Ic875
PERSONAGGIO	Agnese di Namur, duchessa di Lorena.	Antonio di Lorena, conte di Vaudémont (?-1457).	Antonio II, duca di Lorena, detto il Buono (1499-1544).	Berta di Svevia, duchessa di Lorena (? - post 1202).
AUTORE	Scuola francese sec. XVII.	Scuola francese sec. XVII.	Scuola francese sec. XVII.	Scuola francese sec. XVII.
DATAZIONE	Metà sec. XVII.	Metà sec. XVII.	Metà sec. XVII.	Metà sec. XVII.
DESCRIZIONE	Olio su tela, 71x56, cornice dorata, sec. XVIII.	Olio su tela, 71x55, cornice dorata sec. XVIII.	Olio su tela, 70x56, cornice dorata, sec. XVIII.	Olio su tela, 71x56,5, cornice dorata, sec. XVIII.
INVENTARIO	387 (C.P., p. 221, n. 645).	363 (C.P., p. 221, n. 621).	374 (C.P., p. 221, n. 632).	390 (C.P., p. 221, n. 648).
FOTO	253356.	137179.	12016.	137184.
NOTE	In basso: 'Agnes fille de Henry Comte de Namur Espouse de Simon II Duc de Lorraine 1176'. Per il marito, cfr. 384; insieme sono nel doppio ritratto, 670. Secondo Isenburg Simone II sposò nel 1190 Ida di Vienne. S.M.T.	In basso: 'Anthoine de Lorraine Comte de Vaudemont Fils de Fery Ier Comte de Vaudemont 1417'. Questa data è quella del matrimonio con Marie d'Harcourt (cfr. n. 401). Loro figlio fu Ferry, sesto conte di Vaudémont (370). S.M.T.	In basso: 'Antoine duc de Lorraine fils de René II'. Porta l'ordine di S. Michele. Nel doppio ritratto 675 è con la moglie Renata di Borbone (cfr. 407). S.M.T.	In basso: 'Berthe fille de l'empereur Frederic Barberousse Espouse de Matthieu I Duc de Lorraine'. In realtà era figlia di Federico II e sorella del Barbarossa: sposò nel 1137 o 1138 Matteo I (cfr. 378). S.M.T.

	Ic876	Ic877	Ic878	Ic879
PERSONAGGIO	Carlo II, duca di Lorena, detto il Temerario (1346-90).	Carlo III, duca di Lorena (1543-1608).	Carlo IV, duca di Lorena (1604-75).	Caterina di Fiandra (?), duchessa di Lorena.
AUTORE	Scuola francese sec. XVII.	Scuola francese sec. XVII.	Scuola francese sec. XVII.	Scuola francese sec. XVII.
DATAZIONE	Metà sec. XVII.	Metà sec. XVII.	Metà sec. XVII.	Metà sec. XVII.
DESCRIZIONE	Olio su tela, 71x57, cornice dorata, sec. XVIII.	Olio su tela, 70x55, cornice dorata, sec. XVIII.	Olio su tela, 70x56, cornice dorata sec. XVIII.	Olio su tela, 72x56, cornice dorata, sec. XVIII.
INVENTARIO	365 (C.P., p. 221, n. 623).	366 (C.P., p. 221, n. 624).	367 (C.P., p. 221, n. 625).	392 (C.P., p. 221, n. 650).
FOTO	136787.	137168.	137060.	137244.
NOTE	In basso: 'Charles II duc de Lorraine Marchis apres avoir mene la guerre contre les flammans et ceux de Metz et faict autres vaillants exploits mourut l'an 1382 est enterré en l'eglise de S (aint) George a Nancy'. Cfr. 402 (la moglie), 376 e 408 (i genitori). S.M.T.	In basso: 'Charles III duc de Lorraine'. Cfr. il doppio ritratto 640 con la moglie Claudia di Francia (393); sono i genitori di Cristina granduchessa di Toscana. S.M.T.	In basso: 'Charles IV duc de Lorraine etc.'. Sposò nel 1621 Nicoletta di Lorena (406; doppio ritratto, 674), che ripudiò per Beatrice di Cusanza, da cui ebbe il figlio Carlo Enrico. Al ducato gli successe il fratello Nicolas - François (doppio ritratto 624). S.M.T.	In basso: 'Catherine de Flandre Espouse de Thiebault 2 Duc de Lorraine Marchis Etc.'. La scritta appare errata perché Tebaldo II sposò nel 1303 Isabella di Rumigny e Caterina è probabilmente la moglie di Matteo II (cfr. 391). S.M.T.

	Ic880	Ic881	Ic882	Ic883
PERSONAGGIO	Caterina di Limbourg, duchessa di Lorena (?-1255).	Caterina di Fiandra (?), duchessa di Lorena (1518-90).	Caterina di Salm, duchessa di Lorena (1575 ca. - 1627).	Elisabetta d'Austria, duchessa di Lorena (?-1352 ca.).
AUTORE	Scuola francese sec. XVII.	Scuola francese sec. XVII.	Scuola francese sec. XVII.	Scuola francese sec. XVII.
DATAZIONE	Metà sec. XVII.	Metà sec. XVII.	Metà sec. XVII.	Metà sec. XVII.
DESCRIZIONE	Olio su tela, 72x56, cornice dorata, sec. XVIII.	Olio su tela, 71x56, cornice dorata, sec. XVIII.	Olio su tela, 71x56, cornice dorata, sec. XVIII.	Olio su tela, 71x56, cornice dorata, sec. XVIII.
INVENTARIO	391 (C.P., p. 221, n. 649).	395 (C.P., p. 221, n. 653).	394 (C.P., p. 221, n. 652).	399 (C.P., p. 221, n. 656).
FOTO	136487.	137165.	137058.	137176.
NOTE	In basso: 'Catherine de Luxembourg Espouse de M(athie)u Duc de Lorraine'. Figlia di Valerano II, conte del Lussemburgo, sposò nel 1225 Matteo II (cfr. 379 e doppio ritratto 621). Fu sepolta a Beaupré. S.M.T.	In basso: 'Chretienne de Danemark feme de Francois Premier Duc de Lorraine'. Nipote di Carlo V imperatore, vedova di Francesco II Sforza, promessa a Enrico VIII d'Inghilterra, sposò nel 1541 Francesco I di Lorena (cfr. 364). S.M.T.	In basso: 'Catherine comtesse de Salms femme de François II'. Per il marito, cfr. 375 e doppio ritratto 626. Entrambi i loro figli, Carlo III (o IV; cfr. '367) e Nicolas François (assente in questa serie), furono duchi. S.M.T.	In basso: 'Elisabeht d'Austriche fille de l'empereur Albert Espouse de Ferry 3 duc de Lorraine'. In realtà fu moglie (dal 1308) di Ferry IV (cfr. 372 e doppio ritratto 636) e ne ebbe nove figli, prigomenito Raoul (383). S.M.T.

	Ic884	Ic885	Ic886	Ic887
PERSONAGGIO	Enrico II, duca di Lorena? (1563-1624).	Ferry I, duca di Lorena (ante 1152-1207).	Ferry II, duca di Lorena (1238-1303).	Ferry III, duca di Lorena (1282-1328).
AUTORE	Scuola francese sec. XVII.	Scuola francese sec. XVII.	Scuola francese sec. XVII.	Scuola francese sec. XVII.
DATAZIONE	Metà sec. XVII?	Metà sec. XVII.	Metà sec. XVII.	Metà sec. XVII.
DESCRIZIONE	Olio su tela, 67x53, cornice dorata e bruna, sec. XVIII.	Olio su tela, 71x56, cornice dorata, sec. XVIII.	Olio su tela, 70x57, cornice dorata, sec. XVIII.	Olio su tela, 71x55, cornice dorata, sec. XVIII.
INVENTARIO	368 (C.P., p. 221, n. 626).	369 (C.P., p. 221, n. 629).	371 (C.P., p. 221, n. 627).	372 (C.P., p. 221, n. 630).
FOTO	253340.	253341.	253345.	137059.
NOTE	Duca dal 1608; sposo prima (1599) di Caterina di Navarra, poi (1606) di Margherita Gonzaga: cfr. il doppio ritratto 671. Questa tela non faceva parte della serie e ha caratteri diversi. Manca anche il pendant della moglie. S.M.T.	In basso: 'Ferry I frere de Simon 2 Duc de Lorraine Marchis etc. 1207'. Il ducato gli fu ceduto nel 1205 dal fratello (cfr. 384) e alla sua morte passò al figlio Ferry II (371). Nel doppio ritratto 623 figura con la moglie Agnese di Bar (388). S.M.T.	In basso: 'Ferry 2 duc de Lorraine Marchis regna 54 ans mourut L'an 1259 gist a Beaupré'. 1259 è invece l'anno del matrimonio con Margherita di Navarra (cfr. 398) con cui è effigiato nel doppio ritratto 652. S.M.T.	In basso: 'Ferry 3 duc de Lorraine marchis filz de Thiebault 2 re(g)na 19 ans mourut l'an 1311 gist a Beaupre'. Nel 1311 o 1312 invece divenne duca; aveva sposato nel 1304 Elisabetta d'Austria (cfr. 399) con cui è nel doppio ritratto 636. S.M.T.

	Ic888	Ic889	Ic890	Ic891
PERSONAGGIO	Ferry VI, di Lorena, conte di Vaudémont (1428-70).	Ferry V, di Lorena (?-1415).	Filippina de Gueldre, duchessa di Lorena (?-1547).	Francesco I, duca di Lorena (1517-45).
AUTORE	Scuola francese sec. XVII.	Scuola francese sec. XVII.	Scuola francese sec. XVII.	Scuola francese sec. XVII.
DATAZIONE	Metà sec. XVII.	Metà sec. XVII.	Metà sec. XVII.	Metà sec. XVII.
DESCRIZIONE	Olio su tela, 71x56, cornice dorata, sec. XVIII.	Olio su tela, 70x55, cornice dorata, sec. XVIII.	Olio su tela, 71x56, cornice dorata, sec. XVIII.	Olio su tela, 71x56, cornice dorata, sec. XVIII.
INVENTARIO	370 (C.P., p. 221, n. 631).	373 (C.P., p. 221, n. 631).	396 (C.P., p. 222, n. 654).	364 (C.P., p. 221, n. 622).
FOTO	253342.	137185.	137174.	137079.
NOTE	In basso: 'Ferry de Lorraine comte de Vaudemont II du nom fils d'Antoine de Lorraine Comte de Vaudemont 1450'. Nel doppio ritratto 648 è con la moglie Iolanda d'Angiò (cfr. 397). S.M.T.	In basso 'Ferry de Lorraine comte de Vaudemont Ier du nom (fre) re de Charles 2[d] Duc de Lorraine Marchis Etc.'. Nel doppio ritratto 617 la scritta continua 'épousa Marguerite d'Alsace 1383'. S.M.T.	In basso: 'Philippe de Gueldre femme de Rene II duchesse de Lorraine'. Col marito (382), sposato nel 1485 dopo la sua separazione da Giovanna d'Harcourt, è raffigurata nel doppio ritratto 631. S.M.T.	In basso: 'François Premier Duc de Lorraine fils d'Antoine' detto il Buono e di Renata di Borbone Montpensier, sposò nel 1541 Cristina di Danimarca (cfr. 395) e ne ebbe Carlo II (cfr. 366). È uguale al doppio ritratto 625. S.M.T.

	Ic892	Ic893	Ic894	Ic895
PERSONAGGIO	Francesco II, duca di Lorena (1572-1632).	Giovanni I, duca di Lorena (1346-1390).	Giovanni II d'Angiò, duca di Lorena (1425-1470).	Iolanda d'Angiò, contessa di Vaudémont (1426-1483).
AUTORE	Scuola francese sec. XVII.	Scuola francese sec. XVII.	Scuola francese sec. XVII.	Scuola francese sec. XVII.
DATAZIONE	Metà sec. XVII.	Metà sec. XVII.	Metà sec. XVII.	Metà sec. XVII.
DESCRIZIONE	Olio su tela, 71x56, cornice dorata, sec. XVIII.	Olio su tela, 70x55, cornice dorata, sec. XVIII.	Olio su tela, 71x55, cornice dorata, sec. XVIII.	Olio su tela, 71x54, cornice dorata, sec. XVIII.
INVENTARIO	375 (C.P., p. 221, n. 633).	376 (C.P., p. 221, n. 634).	377 (C.P., p. 221, n. 635).	397 (C.P., p. 221, n. 655).
FOTO	253346.	137175.	253348.	137077.
NOTE	In basso: 'François II duc de Lorraine fils de Charles III et pere de Charles IV et de Nicolas François'. Sposò nel 1597 Cristina di Salms (cfr. 394) con cui è raffigurato nel doppio ritratto 626, dove è più giovane e senza ermellino. S.M.T.	In basso: 'Iean I du nom duc de Lorraine filz de Raoul, apres quelques guerres se dedia au service divin, et ayant regné XX ans mourut a Paris l'an 1346. Fut (in)hu(mé) au choeur de le (glise S) George'. In realtà nacque nel 1346. S.M.T.	In basso: 'Iean d'Aniou 2 du nom Duc de Lorraine filz de Rene d'Aniou Roy de Naples mourut a Barcelonne 1452 aagé de 45 ans et y gist'. Invece nel 1453 era divenuto duca, come figlio di Isabella di Carlo I di Lorena. Per la moglie cfr. 405. S.M.T.	In basso: 'Yolande d'Aniou fille de René d'Aniou Duc de Lorraine Espous Ferry de Lorraine Second du nom comte de Vaudemont'. Figlia del re di Napoli (cfr. 381) e di Isabella duchessa di Lorena, cedette poi al figlio Renato II i suoi diritti sul ducato di Lorena. S.M.T.

	Ic896	Ic897	Ic898	Ic899
PERSONAGGIO	Isabella di Lorena, regina di Napoli (1410-1453).	Margherita di Baviera, duchessa di Vaudémont (?-1416).	Margherita di Baviera, duchessa di Lorena (1376-1434).	Margherita di Navarra, duchessa di Lorena (? - 1310).
AUTORE	Scuola francese sec. XVII.	Scuola francese sec. XVII.	Scuola francese sec. XVII.	Scuola francese sec. XVII.
DATAZIONE	Metà sec. XVII.	Metà sec. XVII.	Metà sec. XVII.	Metà sec. XVII.
DESCRIZIONE	Olio su tela, 71x56, cornice dorata, sec. XVIII.	Olio su tela, 71x56, cornice dorata, sec. XVIII.	Olio su tela, 72x55, cornice dorata, sec. XVIII.	Olio su tela, 72x56,5, cornice dorata sec. XVIII.
INVENTARIO	400 (C.P., p. 221, n. 657).	404 (C.P., p. 221, n. 662).	402 (C.P., p. 221, n. 660).	398 (C.P., p. 221, n. 658).
FOTO	137169.	137128.	253358.	137172.
NOTE	In basso: 'Isabeau de L... rei... d'Aniou roy de Naples ... Angers'. Figlia di Carlo I e Margherita di Baviera, sposò nel 1420 Renato d'Angiò; dei loro figli Giovanni II ereditò il ducato e Margherita sposò Enrico VI d'Inghilterra. S.M.T.	In basso: 'Marguerite d'Alsace Comtesse de Vaudemont Espouse de Ferry de Lorraine Comte de Vaudemont'. Da Ferry VI (cfr. 373 e doppio ritratto 617), suo terzo marito, ebbe otto figli, a cominciare da Antonio I (363). S.M.T.	In basso: 'Marguerite de Baviere Espouse de Charles 2ᵉ Duc de Lorraine Marchis Etc.'. Per il marito, cfr. 365 e doppio ritratto 655. Attraverso la figlia Isabella, moglie di Renato d'Angiò, il ducato passò al figlio Giovanni II. S.M.T.	In basso: 'Marguerite de Navarre Espouse de Ferry II duc de Lorraine Marchis Etc.'. Per il marito, cfr. 371 e doppio ritratto 652; loro figlio fu Tebaldo II (386). S.M.T.

	Ic900	Ic901	Ic902	Ic903
PERSONAGGIO	Maria di Blois, duchessa di Lorena (? - post 1379).	Maria di Borbone, duchessa di Lorena (?-1448).	Marie d'Harcourt, contessa di Vaudémont (1398-1476).	Matteo I, duca di Lorena (?-1176).
AUTORE	Scuola francese sec. XVII.	Scuola francese sec. XVII.	Scuola francese sec. XVII.	Scuola francese sec. XVII.
DATAZIONE	Metà sec. XVII.	Metà sec. XVII.	Metà sec. XVII.	Metà sec. XVII.
DESCRIZIONE	Olio su tela, 70x56, cornice dorata, sec. XVIII.	Olio su tela, 72x55, cornice dorata, sec. XVIII.	Olio su tela, 70x55, cornice dorata, sec. XVIII.	Olio su tela, 71x55, cornice dorata, sec. XVIII.
INVENTARIO	403 (C.P., p. 221, n. 661).	405 (C.P., p. 222, n. 663).	401 (C.P., p. 221, n. 659).	378 (C.P., p. 221, n. 636).
FOTO	137163.	137162.	137121.	137078.
NOTE	In basso: 'Marie de Blois Espouse de Raoul Duc de Lorraine Marchis Etc'. Sposò nel 1334 Raoul (cfr. 383), vedovo di Eleonora di Bar; rimasta vedova nel 1346, fu reggente per Giovanni loro figlio (cfr. 376). Sposò poi Federico conte di Linange. S.M.T.	In basso: 'Marie de Bourbon Espouse de Iean Daniou Duc de Lorraine Marchis Etc.'. Il matrimonio è del 1437; per il marito, cfr. 377 e doppio ritratto 641, per i figli 382 (Renato II) e 380 (Nicola). S.M.T.	In basso: 'Marie fille de Iean Comte d'Harcour espouse d'Anthoine Comte de Vaudemont'. Per il marito, cfr. 363 e doppio ritratto 654; per i suoceri, 373 e 404; per il figlio Ferry VI, e la nuora Iolanda d'Angiò, 370 e 397. S.M.T.	In basso: 'Mathieu I duc de Lorraine Marchis et Fils de Simon I. 1141'. Sposò intorno al 1138 Berta di Svevia (cfr. 390 e doppio ritratto 616); il loro figlio Simone II (384) abdicò nelle mani del fratello Ferry I (369). S.M.T.

Ic904 — Ic905 — Ic906 — Ic907

	Ic904	Ic905	Ic906	Ic907
PERSONAGGIO	Matteo II, duca di Lorena (?-1251).	Nicola I, d'Angiò, duca di Lorena (1448-1473).	Nicoletta, di Lorena, duchessa di Lorena (1608-1657).	Raoul, duca de Lorena (1318-46).
AUTORE	Scuola francese sec. XVII.	Scuola francese sec. XVII.	Scuola francese sec. XVII.	Scuola francese sec. XVII.
DATAZIONE	Sec. XVII.	Metà sec. XVII.	Metà sec. XVII.	Metà sec. XVII.
DESCRIZIONE	Olio su tela, 71x56, cornice dorata, sec. XVIII.	Olio su tela, 70x57, cornice dorata, sec. XVIII.	Olio su tela, 72x57, cornice dorata, sec. XVIII.	Olio su tela, 72x57, cornice dorata, sec. XVIII.
INVENTARIO	379 (C.P., p. 221, n. 637).	380 (C.P., p. 221, n. 633).	406 (C.P., p. 222, n. 664).	383 (C.P., p. 221, n. 641).
FOTO	253350.	253351.	137186.	253353.
NOTE	In basso: 'Matthieu II duc de Lorraine Marchis etc. Fre^re de Thiebault mort a Ioppé l'an 1219'. Nel 1220 subentrò come duca al fratello Teobaldo I; sposò nel 1225 Caterina di Limburg con cui figura nel doppio ritratto 621. S.M.T.	In basso: 'Nicolas d'Aniou I du nom duc de Lorraine Marchis mourut sans avoir este marie l'an 1470. ayant regne III ans, est inhume au choeur de l'eglise St. George a Nancy. Cfr. il doppio ritratto 642. S.M.T.	In basso: 'Nicole duchesse de Lorraine femme de Charles IV duc de Lorraine etc.'. Primogenita del duca Enrico II (368) e di Margherita Gonzaga, sposò Carlo III (366) nel 1621. Cfr. il loro doppio ritratto 674. S.M.T.	In basso: '(R)aoul... de Lorraine... Marchis et fils de Ferry III...'; il resto è illeggibile. La scritta analoga del doppio ritratto 620 prosegue 'Epousa Marie de Blois l'An 1329' (in realtà nel 1334). S.M.T.

Ic908 — Ic909 — Ic910 — Ic911

	Ic908	Ic909	Ic910	Ic911
PERSONAGGIO	Renata di Borbone, duchessa di Lorena (1494-1539).	Renato II, duca di Lorena, re di Sicilia (1451-08).	Simone II, duca di Lorena (ante 1152-1207).	Sofia del Württemberg, duchessa di Lorena (1343-69).
AUTORE	Scuola francese sec. XVII.	Scuola francese sec. XVII.	Scuola francese sec. XVII.	Scuola francese sec. XVII.
DATAZIONE	Metà sec. XVII.	Metà sec. XVII.	Metà sec. XVII.	Metà sec. XVII.
DESCRIZIONE	Olio su tela, 71x56, cornice dorata, sec. XVIII.	Olio su tela, 71x57,5, cornice dorata, sec. XVIII.	Olio su tela, 70,5x56, cornice dorata, sec. XVIII.	Olio su tela, 71x55, cornice dorata, sec. XVIII.
INVENTARIO	407 (C.P., p. 222, n. 665).	382 (C.P., p. 221, n. 640).	384 (C.P., p. 221, n. 642).	408 (C.P., p. 222, n. 666).
FOTO	137161.	253352.	137080.	137170.
NOTE	In basso: 'René de Bourbon femme d'Antoine duc de Lorraine'. Figlia di Gilberto conte di Montpensier e di Chiara Gonzaga, sposò nel 1515 Antonio II (374). Nel doppio ritratto 675 è rappresentata di fronte, ma con lo stesso abito. S.M.T.	In basso: 'René II duc de Lorraine roy de Sicile fils de Ferry de Lorraine comte de Vaudemont et de Yolande d'Anjou', quest'ultima figlia di Renato re di Napoli. Riunì in sé i titoli di Lorena, Bar e Vaudemont; con la moglie è nel doppio ritratto 631. S.M.T.	In basso: 'Simon 2 fils de Mathieu I^r Duc de Lorraine Marchis espousa Agnes fille de Henry Comte de Namur 1176'. È il primogenito di Matteo I e Berta di Svevia; abdicò nel 1205 in favore di Ferry I. Per la moglie, cfr. 387 e doppio ritratto 670. S.M.T.	In basso: 'Sophie de Virtemberg Espouse de Iean I Duc de Lorraine'. Figlia di Eberardo conte del Württemberg e di Elisabetta di Henneberg, fu la prima moglie di Giovanni I (cfr. 376 e doppio ritratto 645) e madre di Carlo I (365) e Ferry V (373). S.M.T.

	Ic912	Ic913	Ic914	Ic915
PERSONAGGIO	Tebaldo I, duca di Lorena (?-1220).	Tebaldo II, duca di Lorena (?-1312).	Acciaioli nei Bolognetti, contessa Faustina.	Albornoz, Card. Gil Alvarez Carrillo de (1310-76).
AUTORE	Scuola francese sec. XVII.	Scuola francese sec. XVII.	Fratellini, Giovanna (Firenze 1666-1731).	Scuola italiana?, sec. XVI.
DATAZIONE	Metà sec. XVII.	Metà sec. XVII.	1718.	1580-1600.
DESCRIZIONE	Olio su tela, 71x55, cornice dorata, sec. XVIII.	Olio su tela, 71x55, cornice dorata, sec. XVIII.	Pastello su carta su tela 55x43, cornice liscia grezza, sec. XX.	Olio su tela, 112,5x95,5, cornice dorata a salvadora, sec. XVII.
INVENTARIO	385 (C.P., p. 221, n. 643).	386 (C.P., p. 221, n. 644).	2582 (C.P., p. 222, n. 1067).	2655 (C.P., p. 222, n. 189).
FOTO	253354.	253355.	165968.	137024.
NOTE	In basso: 'Thiebaut Ie fils de Ferry I duc de Lorraine Marchis etc. 1213'. Con la moglie Agnese (Gertrude, secondo Isenburg) di Dachsburg e Metz (389) figura nel doppio ritratto 661. La corona passò al fratello Matteo II (379). S.M.T.	In basso: 'Thiebault 2 Duc de Lorraine Marchis filz de Ferry 2 regna 8 ans mourut l'an 1303 gist a Beaupré'. In realtà nel 1303 si sposò con Caterina di Fiandra (cfr. 392 e doppio ritratto 672) e nel 1304 divenne duca. S.M.T.	Il pastello stette nel '700 nella villa di Lappeggi fra altri di dame di Violante di Baviera. L'autrice ne presentò la fattura il 6 gennaio 1719 (ASF, Acquisti e doni 322, 3a, c. 81). S.M.T.	In alto il nome 'Aegidius Card. Albornotius'; nel taglio del libro 'Const. Aegidia'. Sulla lettera 'Aegidio Albornotio S (?) leg. G.'. Il ritratto figura negli inventari della galleria fin dal 1704. S.M.T.

	Ic916	Ic917	Ic918	Ic919
PERSONAGGIO	Altoviti nei Corsini, marchesa Vittoria.	Antinori Settimanni, marchesa Tiburzia.	Asburgo - Lorena, Pietro Leopoldo, granduca di Toscana (1747-92).	Asburgo - Lorena, Pietro Leopoldo, granduca di Toscana (1747-92).
AUTORE	Fratellini Giovanna (Firenze 1666-1731), attr. a.	Fratellini, Giovanna (Firenze 1666-1731), attr. a.	Millitz, Johann Michael (Vienna 1725-79).	Scuola fiorentina fine sec. XVIII.
DATAZIONE	1720 ca.	1720 ca.	1763.	1780 ca.
DESCRIZIONE	Pastello ovale su carta, 54x43,5, cornice nera a onde, fine sec. XIX.	Pastello ovale su carta, 53,5x44,5, cornice nera a onde, fine sec. XIX.	Olio su tela, 252x158, cornice dorata e tinta gialla, sec. XVIII.	Olio su tela, 65,5x51, cornice dorata a salvadora, sec. XVIII.
INVENTARIO	2550 (C.P., p. 222, n. 129).	2551 (C.P., p. 222 n. 130).	2829 (C.P., p. 227, n. 847).	2838.
FOTO	218841.	218844.	136764.	252244.
NOTE	Moglie di Bartolomeo Corsini, vicerè di Sicilia. Il quadro, in serie con altri tre nn. 2551, 2579, 2580) senza indicazione di autore, stava nel '700 nella villa di Lappeggi con molti altri spesso opera di Giovanna Fratellini. S.M.T.	Proviene dalla villa di Lappeggi, dove è documentato nel 1733 e 1762 in serie con altre tre dame di Violante di Baviera (inv. 1890 nn. 2550, 2579, 2580). S.M.T.	Firmato in basso a destra 'M. Millitz pinxit 1763'. È il più antico ritratto esistente a Firenze del granduca Pietro Leopoldo, che proprio il 25 luglio 1763 venne destinato al trono di Toscana. S.M.T.	È uno dei ritratti più tardi che esistano a Firenze di questo granduca, fregiato del toson d'oro e della croce di S. Stefano; sembra databile all'inizio del decennio 1780-90. S.M.T.

	Ic920	Ic921	Ic922	Ic923
PERSONAGGIO	Asburgo-Lorena, Leopoldo (1772-95).	Asburgo - Lorena, Pietro Leopoldo (1747-92).	Bardi nei Medici, Contessina de' (1400 ca. - 1473).	Bentivogli Tempi, marchesa.
AUTORE	Scuola austriaca sec. XVIII?	Scuola austriaca sec. XVIII.	Scuola fiorentina sec. XVI.	Fratellini, Giovanna (Firenze 1666-1731).
DATAZIONE	1790 ca.	1765 ca.	Fine sec. XVI.	1720.
DESCRIZIONE	Olio su tela, 95x76, cornice intagliata e dorata, fine sec. XVIII.	Olio su tela, 251x157, cornice dorata con intagli, sec. XVIII.	Olio su tela, 67x54, cornice intagliata e dorata, sec. XVII.	Pastello su carta, 65x51, cornice nera a onde, fine sec. XIX.
INVENTARIO	2822 (C.P., p. 225, n. 306).	2834 (C.P., p. 227, n. 852).	2481 (C.P., p. 222, n. 1089).	2538 (C.P., p. 223, n. 117).
FOTO	136685.	136810.	141865.	253300.
NOTE	Inventariato come personaggio ignoto di Rigaud, è invece di autore ignoto ma raffigura il sesto figlio del granduca Pietro Leopoldo che fu arciduca palatino d'Ungheria, come rivela il costume. S.M.T.	È probabilmente il ritratto celebrativo dell'ascesa al trono del granduca diciottenne, più volte replicato anche con varianti (cfr. inv. 1890, n. 5262, foto 179845, a mezza figura) e diffuso in tutta la Toscana. S.M.T.	In alto 'CONTESSINA DEBARDI'. Forse già in guardaroba intorno al 1610 (ASF, Guard. 289, c. 38r), come segnala K. Langedijk, è ritratto postumo della moglie di Cosimo il vecchio. S.M.T.	Già (1733) nella villa di Lappeggi, fra altri ritratti di dame di Violante di Baviera. Esiste la fattura della pittrice, del 6 ottobre 1720 (ASF, Acquisti e Doni 322, 3a, c. 81). S.M.T.

 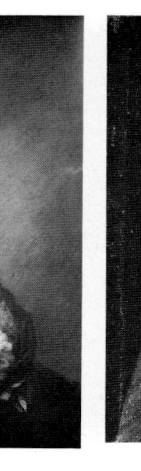  

	Ic924	Ic925	Ic926	Ic927
PERSONAGGIO	Berzini, Domenico.	Bordoni Hasse, Faustina.	Borromeo, Carlo, San (1538-84).	Braunschweig - Wolfenbüttel, Elisabetta Cristina di (1691-1750).
AUTORE	Scuola fiorentina sec. XVII.	Fratellini, Giovanna (Firenze 1666-1731).	Scuola italiana sec. XVII.	Mattei, Gabriello (op. Vienna 1727-39).
DATAZIONE	Metà sec. XVII.	1723 ca.	Prima metà sec. XVII.	1730-40.
DESCRIZIONE	Olio su tela, 66x51, cornice semplice dorata, sec. XVII.	Pastello su carta su tela, 56x44, cornice liscia grezza, sec. XX.	Olio su tela, 66,5x53, cornice modanata dorata, sec. XVII.	Olio su tela, 80x65, cornice intagliata e dorata sec. XVIII.
INVENTARIO	2859 (C.P., p. 223, n. 877).	2559 (C.P., p. 223 n. 138).	2623 (C.P., p. 223 n. 157).	2883 (C.P., p. 224, n. 951).
FOTO	138514.	24566.	136661.	138589.
NOTE	Sulla lettera: 'Al Onor... Pron... Oss... Domenico Berzini, Firenze'. Non si sono rintracciate notizie sul personaggio. S.M.T.	Nel 1761 nella villa di Careggi (ASF, Guard. 91 app., p. 14) a pendant con Aurora Marcello (inv. 1890 n. 2553). Dei musicisti A. e B. Marcello, la Bordoni fu la cantante preferita; nel 1723 cantò a Firenze (cfr. due medaglie del Broccetti). S.M.T.	Ritratto apparentemente abbastanza antico del santo (cardinale dal 1560 e canonizzato nel 1610), ma comunque posteriore alla santificazione e di non alta qualità. S.M.T.	A tergo i nomi dell'effigiata (per cui cfr. anche il ritratto inv. 1890 n. 2777) e dell'autore. In serie col ritratto del marito (inv. 1890, n. 2672), della figlia Maria Teresa (inv. 1890 n. 2669 o 2886) e del genero (inv. 1890 n. 2678). S.M.T.

	Ic928	Ic929	Ic930	Ic931
PERSONAGGIO	Buonaventuri Bentivoglio, Pellegrina (?).	Capinera, Bartolomeo (1650-1721).	Cappello, Bianca (1548-87).	Capponi negli Orlandini, Elisabetta.
AUTORE	Scuola veneta sec. XVI.	Scuola fiorentina sec. XVIII.	Allori, Alessandro (Firenze 1535-1607), bottega di.	Fratellini, Giovanna (Firenze 1666-1731), attr. a.
DATAZIONE	Fine sec. XVI.	1725 ca.	1580 ca.	1720 ca.
DESCRIZIONE	Olio su tela, 64x50, cornice dorata a salvadora, sec. XIX.	Olio su tela, 87x71, cornice dorata, sec. XVIII.	Olio su tavola, 95,5x70,5, cornice dorata e tinta bruna, sec. XVII.	Pastello ovale su carta, 55x44, cornice nera a onde, fine sec. XIX.
INVENTARIO	2319 (C.P., p. 223, n. 1205).	2862 (C.P., p. 223, n. 880).	2240 (C.P., p. 223, n. 23).	2579 (C.P., p. 227, n. 1064).
FOTO	183055.	173978.	141892.	218842.
NOTE	Ritratto veneto anonimo promosso probabilmente nell'800 a raffigurare la figlia di primo letto di Bianca Cappello e sposa (1577) di Ulisse Bentivoglio. Non corrisponde alle effigi dei familiari di Bianca (ASF, Guard. 393). S.M.T.	A tergo sulla tela la sigla DG coronata che recano i dipinti nel '700 in Galleria. Si tratta di un membro della confraternita dei Vanchetoni benemerito del convento francescano della Verna. S.M.T.	È la versione più grande di un tipo assai diffuso, e si data dopo il 1578 per la somiglianza con una medaglia datata del Pastorino (com. di K. Langedijk). Il fondo di tappezzeria deriva dai ritratti della serie aulica (v.). S.M.T.	A tergo 'Sig.ra Cappona negli Orlandini Nobil Fiorentina'. In serie con altri ovali (inv. 1890 nn. 2550, 2551, 2580) di dame di Violante di Baviera nella sua villa di Lappeggi, negli inventari antichi menzionate senza autore. S.M.T.

	Ic932	Ic933	Ic934	Ic935
PERSONAGGIO	Caracciolo, Francesco (1607-1722 ca.).	Carlo VI, Imperatore (1685-1740).	Carlo XII, re di Svezia (1682-1718).	Castro Rodriguez, Stefano.
AUTORE	Scuola toscana sec. XVIII.	Mattei, Gabriello (op. Vienna 1727-39).	Scuola nordica sec. XVIII.	Scuola toscana sec. XVII?
DATAZIONE	1722.	1730-40.	1710-20.	Sec. XVII.
DESCRIZIONE	Olio su tela, 86x72, cornice nera e oro a salvadora, sec. XVIII.	Olio su tela, 80x65, cornice dorata con ornati a pastiglia, sec. XVIII.	Olio su tela, 88x69, cornice dorata con ornati a pastiglia, sec. XVIII.	Olio su tela, 64,5x48, cornice dorata, sec. XVIII.
INVENTARIO	2763 (C.P., p. 223, n. 247).	2672 (C.P., p. 223, n. 992).	2867 (C.P., p. 223, n. 885).	2919 (C.P., p. 223, n. 939).
FOTO	138562.	138590.	138585.	173981.
NOTE	A tergo: 'FRANCISCUS CARACCIOLI NEAPOLITANUS / IN OPPIDO PONTIS AD ERAM / FELICITER DEGENS / AN D. MDCCXXII AETATIS SUAE CXV'. Cfr. ASF, Guard. 1277, c. 85v; Guard. 1292, c. 93r. S.M.T.	A tergo: 'Carlo VI Imperatore' e 'Sig. Gabriello Mattei'. Fa serie con altri ritratti degli Asburgo Lorena dello stesso autore (inv. 1890, n. 2886; inv. 1890, n. 2883; inv. 1890, n. 2678). S.M.T.	Ritratto in età matura, che potè servire di modello per quello della serie gioviana (inv. 1890, n. 424). Del re esiste anche un ritratto giovanile in armatura (inv. 1890, n. 2929), entrato nell'anno 1700 (ASF, Guardaroba 1026, c. 196v). S.M.T.	In alto: 'STEPHAN. RODERICVS CASTRENSIS'. Del personaggio, definito in catalogo 'medico portoghese', esiste anche un ritratto presso l'Orto Botanico di Pisa. S.M.T.

	Ic936	Ic937	Ic938	Ic939
PERSONAGGIO	Caterina de' Medici, regina di Francia (1519-89).	Caterina I di Russia (1684-1727).	Clemente X, Papa (1590-1676).	Clemente XI, Papa (1649-1721).
AUTORE	Scuola italiana sec. XVII?	Scuola tedesca sec. XVIII?	Scuola fiorentina sec. XVII.	Scuola fiorentina sec. XVII.
DATAZIONE	Inizi sec. XVII.	1725 ca.	Ante 1676.	Post 1700.
DESCRIZIONE	Olio su tela, 222x109, cornice dorata modanata, sec. XVII.	Olio su tela, 86x71, cornice dorata, sec. XVIII.	Olio su tela, 70x57, cornice marrone con profilatura dorata.	Olio su tela, 82x68, cornice marrone con profilatura dorata.
INVENTARIO	4301 (C.P., p. 226, n. 3546).	2872 (C.P., p. 223, n. 890).	2635.	2640.
FOTO	136737.	138524.	136490.	136786.
NOTE	Copia dal ritratto inv. 1890, n. 2448, che a sua volta deriva da un originale francese oggi ignoto (cfr. P. Rosenberg Pittura francese nelle collezioni pubbliche fiorentine, Firenze 1977). S.M.T.	Ritratto della seconda moglie (dal 1711) di Pietro il grande, zar di Russia. Le Gallerie possedevano anche il ritratto di lui, distrutto nell'incendio del 1762. S.M.T.	Scritto a tergo: 26.35.109. 162 29. 269. 213. 7773. 326. Emilio Altieri, eletto papa ottuagenario nel 1670, lasciò il potere nelle mani del cardinal nipote Paluzzi degli Albertoni. Fu in contrasto con la Francia per 'i diritti di regalia'. E.M.	G. Francesco Albani, eletto Papa nel 1700 a 51 anni. Appoggiò Venezia contro i Turchi. Si trovò in piena polemica con i Giansenisti, che condannò con la bolla Vineam Domini. E.M.

	Ic940	Ic941	Ic942	Ic943
PERSONAGGIO	Costanza d'Austria, regina di Polonia, col figlio (1588-1631).	Cromwell, Oliver.	Czarnkowski, generale.	Della Rovere, Vittoria (1622-94).
AUTORE	Scuola fiamminga sec. XVII.	Walker, Robert (1607-58), copia da.	Scuola tedesca sec. XVII.	Sustermans Giusto (Anversa 1597 - Firenze 1681), bottega di.
DATAZIONE	1612 ca.	Post 1654.	Inizi sec. XVII?	1640 ca.
DESCRIZIONE	Olio su tela, 193x126, cornice dorata a gola piatta, sec. XVII.	Olio su tela, 125x102, cornice dipinta in rosso e oro.	Olio su tela, 212x134, cornice semplice dorata a porporina, sec. XIX.	Olio su tela, 69x53, cornice dorata modanata, sec. XVII.
INVENTARIO	2408 (C.P., p. 226, n. 2270).	2694 (C.P., p. 223, n. 1114).	2354 (C.P., p. 228, n. 49).	2906 (C.P., p. 227, n. 924).
FOTO	136536.	5888.	136545.	141909.
NOTE	È la seconda moglie (subentrata nel 1605 alla sorella Anna) di Sigismondo III re di Polonia (cfr. inv. 1890 n. 2270), col figlio Giovanni Casimiro (1609-72), le cui iniziali J.C. sono sulla spilla del cappello. S.M.T.	Deriva con varianti dal prototipo di R. Walker, di cui due buone versioni si trovano nella National Gallery di Londra e nella National Gallery di Leeds. Esposto alla mostra 'Firenze e l'Inghilterra' Firenze 1971, n. 18. M.M.	In alto a destra 'Sedicivogius (?) Czarnkowski... / Palatinus Lectoniae et Ge/neralis maioris Poloniae'. L'imponente ritratto sfoggia il costume polacco comune ai ritratti di Ladislao IV (1890-2350) e Michele Wiesniowiecz (1890-5673). S.M.T.	Ritratto di qualità abbastanza alta e noto in un solo esemplare; da ritenere anteriore alla maternità della granduchessa (1624) e al ritratto del Furini del 1645 (inv. 1890, n. 2689), in cui l'obesità di Vittoria è più pronunciata. S.M.T.

	Ic944	Ic945	Ic946	Ic947
PERSONAGGIO	Della Rovere, Vittoria (1622-94).	Devereux Roberto, conte di Essex (1567-1601).	Dulach, Suor Beatrice.	Enrico II, re di Francia (1519-59).
AUTORE	Scuola mantovana sec. XVII.	Gheraerts, Marcus il giovane (1561-1635), scuola di.	Fratellini, Giovanna (Firenze 1666-1731).	Scuola francese sec. XVI.
DATAZIONE	1670-75.	1598 ca.	1721.	Metà sec. XVI.
DESCRIZIONE	Olio su tela, 70x55, senza cornice.	Olio su tela, 120x90, cornice dorata.	Pastello su carta, 56x43, cornice dorata a salvadora, sec. XVIII.	Olio su tela, 223x110, cornice dorata.
INVENTARIO	2670 (C.P., p. 227, n. 3535).	2374 (C.P., p. 224, n. 66).	2556 (C.P., p. 224, n. 901).	4266 (C.P., p. 214, n. 3545).
FOTO	165973.	175029.	137529.	136804.
NOTE	Da identificare, secondo K. Langedik, con un quadro 'di Pittore mantovano' del card. Leopoldo de' Medici (ASF, Guard. 826, c. 93r, n. 657). Ne esistono varie copie (Chambéry, inv. 677; Firenze, galleria Corsini, etc.). S.M.T.	In alto a sinistra scritta 'Honny soit qui mal y pense' e cartiglio con scritta 'Basis virtutum constantia'. Fu il favorito di Elisabetta di Inghilterra, decapitato nel 1601. Di lui esiste un ritratto eseguito da N. Hilliard. M.M.	A tergo: 'Suor Beatrice Dulach, Monaca Salesiana in Massa Tedesca'. Eseguito su commissione di Violante di Baviera per la sua villa di Lappeggi: cfr. conto del 18 luglio 1721 (ASF, Acquisti e Doni 322, 3a, c. 84). S.M.T.	La tela è ispirata al famoso ritratto di Enrico II di F. Clouet (1890: 2445). M.M.

	Ic948	Ic949	Ic950	Ic951
PERSONAGGIO	Especho Citerni, Isabella.	Este, Maria Beatrice d' (1750-1829).	Federico da Montefeltro (1422-82).	Ferdinando, arciduca d'Austria, (1754-1806).
AUTORE	Fratellini, Giovanna (Firenze 1666-1731).	Scuola austriaca sec. XVIII?	Scuola centroitaliana sec. XVII?	Scuola austriaca sec. XVIII.
DATAZIONE	1721.	Ultimo quarto sec. XVIII.	Sec. XVII.	1770-75.
DESCRIZIONE	Pastello su carta, 55x43,5, cornice nera a onde, fine sec. XIX.	Olio su tela, 85x72, cornice dorata e gialla a salvadora, sec. XIX.	Olio su tela, 107x89, cornice intagliata e dorata, sec. XVIII.	Olio su tela, 88x73, cornice dorata e gialla a salvadora, sec. XIX.
INVENTARIO	2557 (C.P., p. 224, n. 136).	2833 (C.P., p. 224, n. 851).	2693 (C.P., p. 224, n. 1013).	2836 (C.P., p. 225, n. 854).
FOTO	137044.	136482.	137270.	138559.
NOTE	A tergo 'Sig.ra Isabella del Specho Citerni Nobil Spagnuola e Senese'. In serie con altre due dame senesi di Violante di Baviera (inv. 1890 nn. 2560 e 2563); cfr. conto del 10 ott. 1721 (ASF, Acquisti e Doni 322, 3a, c. 84). S.M.T.	Ritratto della figlia di Ercole III d'Este, ultimo duca di Modena di questa famiglia. Essa, sposando nel 1771, un fratello del granduca di Toscana Pietro Leopoldo, Ferdinando arciduca d'Austria (1754-1806: cfr. inv. 1890, n. 2836), gli portò il ducato. S.M.T.	Questo ritratto, ignorato nelle iconografie del duca (cfr. R. de la Sizeranne, Federico di Montefeltro, Urbino 1972), sembra derivare, con varianti, dal tipo già Barberini ed ora nel palazzo ducale di Urbino. S.M.T.	È inventariato come ritratto di un figlio del granduca Pietro Leopoldo, Ludovico Massimiliano (1784-1864), ma sembra piuttosto ritratto giovanile di Ferdinando, fratello del granduca, a pendant con la moglie Beatrice d'Este (inv. 1890, n. 2833). S.M.T.

	Ic952	Ic953	Ic954	Ic955
PERSONAGGIO	Filippo III, re di Spagna (1578-1621).	Francesco Carlo di Baviera (1618-40).	Frescobaldi Vitelli, Marchesa.	Galantini, Beato Ippolito (1565-19).
AUTORE	Scuola spagnola sec. XVII.	Scuola tedesca sec. XVII.	Fratellini, Giovanna (Firenze 1666-1731).	Scuola fiorentina sec. XVII.
DATAZIONE	Primo decennio sec. XVII.	1624.	1722.	Inizi sec. XVII.
DESCRIZIONE	Olio su tela, 194x105, cornice modanata, sec. XVII.	Olio su tela, 77x51, cornice dorata modanata, sec. XVII.	Pastello su carta, 63x49, cornice nera a onde, fine sec. XIX.	Olio su tela, 71x57, cornice tinta gialla, sec. XVIII.
INVENTARIO	2450 (C.P., p. 227, n. 1118).	2474 (C.P., p. 223, n. 1097).	2558 (C.P., p. 224, n. 137).	2329 (C.P., p. 224, n. 1194).
FOTO	136807.	137249.	137073.	136788.
NOTE	Confronta col ritratto dello stesso re, in armatura (inv. 1890, n. 4310): entrambi riprendono tipi iconografici di Juan Pantoja de la Cruz (1553-1608), questo in particolare il ritratto inv. 2562 del Prado (com. di Juan J. Luna). S.M.T.	In alto: 'IOANNES FRANCISVS CAROLVS COMES PALATINVS RHENI VTRIVSQ. BAVARIAE DVX AETATIS SVAE ANNOR. VI MENS. IIII. MDCXXIIII'. In serie con un ritratto coevo del fratello Massimiliano Enrico. S.M.T.	Pagato 15 scudi all'autrice il 10 novembre 1722 (ASF, Acquisti e Doni 322, 3a, c. 84), è documentato nella villa di Lappeggi (1733 e 1762) in serie con altre tre dame di Violante di Baviera (inv. 1890 nn. 2532, 2541, 2552). S.M.T.	Riduzione al solo busto del ritratto inv. 1890, n. 2637, che può essere attribuito a Matteo Rosselli. S.M.T.

	Ic956	Ic957	Ic958	Ic959
PERSONAGGIO	Giovanna d'Austria (1547-78).	Giovanna d'Austria (1547-78).	(Padre) Giovanni Maria di Gesù (Alessandro da Verrazzano, 1695-1769).	Giulio II, Papa (1443-1513).
AUTORE	Scuola fiorentina sec. XVII.	Allori, Alessandro (Firenze 1535-1607), copia da.	Piattoli Bacherini, Anna (Firenze 1720-88), attr. a.	Scuola italiana sec. XVII.
DATAZIONE	Sec. XVII.	Sec. XVII.	Terzo quarto sec. XVIII.	Sec. XVII.
DESCRIZIONE	Olio su tela, 204x116, cornice dorata modanata, sec. XVII.	Olio su tela, 95x71, cornice dorata modanata sec. XIX.	Olio su tela, 86x71, cornice tinta gialla, sec. XIX.	Olio su tela, 231x174, rintelato, cornice modanata, sec. XVII.
INVENTARIO	2324 (C.P., p. 226, n. 1160).	8325 (C.P., p. 226, n. 34).	2636 (C.P., p. 228, n. 170).	2663 (C.P., p. 225, n. 197).
FOTO	136531.	253083.	138515.	136749.
NOTE	Ritratto postumo ufficiale della granduchessa prima moglie di Francesco I de' Medici, a pendant con un'analoga effigie della suocera Eleonora di Toledo (inv. 1890 n. 2418). Si trova oggi nella villa medicea di Cerreto Guidi. S.M.T.	Copia mediocre di un prototipo di Alessandro Allori (inv. 1890, n. 9238) limitato alla testa e spesso replicato; è in deposito presso la Provincia di Firenze. S.M.T.	In alto: 'Ser^vs Dei P. F. Ioe S. M.ᵃ a Iesu in saeculo Alexand. a Verrazzano obᵗ Florᵉ in odᵣᵉ sanct. XV Kal. Oct. 1769 Aet. Suae 74'. Attribuibile a A. Piattoli, autrice di un'incisione simile. S.M.T.	Al secolo Giuliano della Rovere, eletto nel 1503. È il papa più antico di una serie di 8 (inv. 1890 nn. 2659-2665, 4257, 4258) a Firenze almeno dal 1712. S.M.T.

	Ic960	Ic961	Ic962	Ic963
PERSONAGGIO	Giuseppe II, Imperatore d'Austria (1741-90).	Giuseppe II, Imperatore d'Austria (1741-90).	Gonzaga, Margherita, duchessa di Lorena (1591-1632).	Grifoni nei Marescotti, Francesca.
AUTORE	Hickels Joseph (Lippe 1736 - Vienna 1807), attr. a.	Scuola austriaca sec. XVIII.	Pourbus Frans, il giovane (Anversa 1569-Parigi? 1622), bottega di.	Fratellini, Giovanna (Firenze 1666-1731).
DATAZIONE	1770 ca.	1770-75.	Inizi sec. XVII.	1722.
DESCRIZIONE	Olio su tela, 95x76, cornice dorata modanata, sec. XVIII.	Olio su tela, 84x70, cornice dorata a salvadora, sec. XVIII.	Olio su tela, 68x56, cornice dorata a salvadora, sec. XVII.	Pastello su carta, 63,5x52,5, cornice nera a onde, sec. XIX.
INVENTARIO	2825 (C.P., p. 225, n. 309).	2827 (C.P., p. 225, n. 845).	2326 (C.P., p. 224, n. 1197).	2552 (C.P., p. 224, n. 131).
FOTO	136780.	138619.	136686.	253301.
NOTE	Inventariato come anonimo, è il fratello maggiore di P. Leopoldo granduca di Toscana. Secondo S. Röttgen sarebbe di Joseph Hickels, ritrattista alla corte viennese venuto a Firenze nel 1768 per ritrarre la famiglia granducale. S.M.T.	Ritratto del fratello maggiore di Pietro Leopoldo granduca di Toscana; sulla tavola si intravede la corona reale polacca, forse perché nel 1772 Giuseppe partecipò alla prima spartizione della Polonia, in cui ottenne la Galizia. S.M.T.	A tergo 'Marguerite Gonzague de Mantoue Femme d'Henry Duc de Lorraine'; ma presentato alla mostra iconografica gonzaghesca (Mantova, 1937, n. 201) come Caterina de' Medici, moglie di Ferdinando IV Gonzaga. S.M.T.	A tergo: 'Sig. Francesca Grifoni ne Marescotti Nobil Senese'. Già a Lappeggi presso Violante di Baviera, governatrice di Siena. La fattura della pittrice è del 10 novembre 1722. (ASF, Acquisti e doni 322, 3a, c. 84). S.M.T.

	Ic964	Ic965	Ic966	Ic967
PERSONAGGIO	Guglielmini, Anna.	Guicciardini, Fra Jacopo (?-1599).	Guicciardini nei Rinuccini, marchesa Maria.	Innocenzo XI, Papa (1611-89).
AUTORE	Fratellini, Giovanna (Firenze 1666-1731).	Scuola fiorentina sec. XVI.	Fratellini, Giovanna (Firenze 1666-1731).	Scuola italiana sec. XVII.
DATAZIONE	1715 o 1718.	Fine sec. XVI.	1722.	Ultimo quarto sec. XVII.
DESCRIZIONE	Pastello su carta, 55x43, cornice nera a onde, sec. XVIII.	Olio su tela, 76x52, cornice liscia gialla e dorata, sec. XVII.	Pastello su carta, 63x49, cornice nera a onde, fine sec. XIX.	Olio su tela, 230x167, cornice modanata e dorata, sec. XVII.
INVENTARIO	2554 (C.P., p. 224, n. 133).	2464 (C.P., p. 224, n. 1107).	2541 (C.P., p. 224, n. 120).	2662 (C.P., p. 225, n. 196).
FOTO	308667.	137243.	137043.	136765.
NOTE	A tergo: 'Anna guglielmini Bolognese 1715 (1718?) Di Giovanna fratellini' in grafia antica. Il pastello stava nel '700 a Lappeggi, con altri raffiguranti dame di Violante di Baviera. La dama è ritratta anche in una miniatura (inv. 1890 n. 4540). S.M.T.	In alto il nome: 'FRA JACOPO GUICCIARDINI'. Figlio di Angelo e di Caterina Bardi di Vernio, era cavaliere gerosolimitano nel 1583. Porta infatti la croce di Malta sulla veste e sul mantello. S.M.T.	Parte di una serie di dame di Violante di Baviera che stava nel '700 nella sua villa di Lappeggi. L'autrice ne presentò il conto il 10 novembre 1722 (ritratto 'con le Mani', 15 scudi; ASF, Acquisti e Doni 322, 3a, c. 84). S.M.T.	Al secolo Benedetto Odescalchi, eletto nel 1676. In serie con altri sette papi (non consecutivi) di grande formato e di mano mediocre: inv. 1890 nn. da 2659 a 2661, 2663-2665, 4257, 4258. S.M.T.

	Ic968	Ic969	Ic970	Ic971
PERSONAGGIO	Isabella di Baviera (1574-1635).	Ladislao IV, re di Polonia (1595-1648).	Leone XI, Papa (1535-1605).	Leopoldo arciduca d'Austria, conte del Tirolo (1586-1632).
AUTORE	Scuola fiamminga sec. XVI.	Scuola tedesca sec. XVII.	Scalvati Antonio (Bologna 1557-59 - Roma 1622), copia da.	Sustermans Giusto (Anversa 1597 - Firenze 1681), bottega di.
DATAZIONE	Fine sec. XVI.	1613-15.	Inizi sec. XVII.	'1625 ca.
DESCRIZIONE	Olio su tela, 199x138, cornice dorata modanata, sec. XVII.	Olio su tela, 217x124, cornice dorata modanata, sec. XVII (?).	Olio su tela, 230x167, cornice dorata a salvadora, sec. XVII.	Olio su tela, 206x112, cornice dorata a porporina, sec. XVII.
INVENTARIO	2338.	2350 (C.P., p. 225, n. 45).	2660 (C.P., p. 225, n. 195).	2264.
FOTO	136803.	136565.	136763.	136800.
NOTE	L'identificazione è da controllare per questo e l'altro ritratto della stessa persona (inv. 1890, n. 2394). Isabella (Elisabetta), figlia del duca Carlo III di Lorena sposò nel 1595 Massimiliano duca di Baviera. S.M.T.	In alto: 'Sedislaus Poloniae Princeps' (sic). È il figlio di Sigismondo III e Anna di Polonia, che fu a Firenze nel 1625 (cfr. G. Mycielsky, Potraits polonais I, III, Paris/Leipzig / London s.d.). S.M.T.	Figlio di Ottaviano de' Medici e di Francesca Salviati, morì dopo 17 giorni di pontificato, durante il quale fu ritratto dallo Scalvati (A. Haidacher, Geschichte der Päpste in Bildern, Heidelberg 1965). S.M.T.	Copia antica, 'caricaturale' secondo Bautier (1912), del ritratto inv. Poggio a Caiano n. 145. L'arciduca, secondo marito di Claudia de' Medici, indossa la 'buffalina', casacca militare di pelle di bufalo decorata. S.M.T.

	Ic972	Ic973	Ic974	Ic975
PERSONAGGIO	Lodovico di Borbone, re d'Etruria (1773-1803).	Lodovico di Borbone, re d'Etruria (1773-1803).	Lorena, Carlo II duca di (1543-1608).	Lorena, Carlo Enrico di (1649-1723).
AUTORE	Corsi, Giovan Francesco.	Scuola toscana XIX sec.	Scuola francese sec. XVI.	Mattei Gabriello (Vienna, not. 1727-29), attr. a.
DATAZIONE	1801-3.	1801-3.	Fine sec. XVI.	Primo quarto sec. XVIII.
DESCRIZIONE	Olio su tela, 256x157, firmato in basso a destra; cornice neoclassica.	Olio su tela, 100x81, cornice coeva sagomata e dorata.	Olio su tela, 122x96, cornice dorata e modanata, sec. XVII.	Olio su tela, 79x66, cornice dorata, sec. XVIII.
INVENTARIO	2828 (C.P., p. 225, n. 846).	2832 (C.P., p. 225, n. 850).	2377 (C.P., p. 225, n. 69).	2675 (C.P., p. 225, n. 995).
FOTO	136766.	136510.	138534.	136692.
NOTE	Figlio di Ferdinando duca di Parma e di Maria Amalia arciduchessa d'Austria, Lodovico sposò Maria Luisa dei Borboni di Spagna e fu assegnato al Regno d'Etruria costituito nel 1801. Il ritrattista gravitava intorno alla Manifattura con lavori di commesso. S.P.	Dell'effigiato esiste nella raccolta iconografica anche un ritratto opera del Corsi (inv. 1890, n. 2828). Nel breve periodo di regno di Lodovico anche il pittore Fabre eseguì il ritratto ufficiale del re e della sua famiglia da inviarsi alla corte del suocero in Spagna. S.P.	In alto scritta 'Charlo Ducha Del Oreno'. Genero di Caterina de' Medici, marito della figlia Claudia: lo si confronti coi ritratti inv. 1890, nn. 2369 e 366, quest'ultimo parte di una serie (v. schede), e inv. Poggio Imperiale rosso n. 606. S.M.T.	L'attribuzione al Mattei, ritrattista romano attivo a Vienna, è inventariale. Carlo Enrico, figlio di Carlo IV, fu governatore di Milano dal 1698 al 1706. Il dipinto figura in galleria da 1784. S.M.T.

	Ic976	Ic977	Ic978	Ic979
PERSONAGGIO	Lorena, Claudia di Francia, duchessa di (1547-1575).	Lorena, Cristina di (1565-1637).	Lorena, Cristina di (1565-1637).	Lorena, Cristina di (1565-1637).
AUTORE	Scuola francese sec. XVI.	Pulzone, Scipione (Gaeta 1550 ca. - Roma 1798), copia da.	Santi di Tito (Sansepolcro 1536 - Firenze 1603).	Titi, Tiberio (Firenze 1573-1627) o copia da.
DATAZIONE	1568 ca.	1590 ca.	1590 ca.	1620 ca.
DESCRIZIONE	Olio su tela, 191x131, cornice semplice dorata, sec. XVII.	Olio su tela, 199x115, cornice dorata, sec. XVII.	Olio su tela, 186x113, cornice modanata e dorata, sec. XVII.	Olio su tela, 170x199, cornice dorata a gola piatta, sec. XVII.
INVENTARIO	2346 (C.P., p. 223 n. 1175).	2318 (C.P., p. 225, n. 1203).	2430 (C.P., p. 225, n. 151).	2466 (C.P., p. 225, n. 1101).
FOTO	136538.	136816.	137362.	136746.
NOTE	In alto 'CLAVDE DE FRANCE DVCHESSE DE LORAINE'. Figlia di Enrico II di Valois e Caterina de' Medici, sposò nel 1559 Carlo III duca di Lorena e fu madre di Cristina, granduchessa di Toscana. S.M.T.	Inventariato come 'gentildonna', o creduto Camilla Martelli, seconda moglie di Cosimo I de' Medici, è in realtà copia a figura intera del ritratto al ginocchio di Cristina, del Pulzone (inv. 1890, n. 9161). S.M.T.	Ricordato dal Baldinucci come di Santi di Tito e fatto all'epoca del matrimonio; negli inventari antichi si specifica però che il volto era solo abbozzato, e infatti il completamento è nettamente inferiore e di altra mano. S.M.T.	Tipo di ritratto documentato come di Tiberio Titi (ASF, Guard. 758, c. 10v; com. K. Langedijk) e copiato da F. Bianchi Buonavita (com. C. Pizzorusso). Occorrerà confrontare le tre versioni per distinguere gli autori. S.M.T.

	Ic980	Ic981	Ic982	Ic983
PERSONAGGIO	Lorena, Enrico II duca di (1563-1624).	Lorena, Francesco Stefano di (1708-65).	Luigi XIII di Francia, fanciullo (1601-43).	Luigi XIV di Francia (1638-1715).
AUTORE	Scuola francese sec. XVII.	Mattei Gabriello (op. Vienna 1727-39).	Scuola francese sec. XVII.	Georgius (attivo alla metà del sec. XVII).
DATAZIONE	1618.	1735-40.	Sec. XVII.	Metà sec. XVII.
DESCRIZIONE	Olio su tela, 191x130, cornice dorata e gialla, sec. XVIII.	Olio su tela, 79x65, cornice intagliata e dorata, sec. XVIII.	Olio su tela, 65x52, cornice dorata.	Olio su tela, 63x49.
INVENTARIO	2365 (C.P., p. 225, n. 58).	2678 (C.P., p. 224, n. 998).	4279 (C.P., p. 225 n. 1104).	2339 (C.P., p. 225, n. 1185).
FOTO	136543.	154061.	137145.	249144.
NOTE	In alto a sinistra 'HENRY DVC DE LORRAINE AAGE DE 55 ANS 1618'. Il duca era figlio di Carlo III e di Claudia di Francia: sposò in seconde nozze (1606) Margherita Gonzaga (cfr. ritratto inv. 1890, n. 2326) e combatté contro Enrico IV. S.M.T.	A tergo sulla tela 'Francesco Secondo Gran Duca di Toscana, Duca di Toscana, Duca di Lorena e Bar 2' e 'Sig. Gabriello Mattei'. In coppia col ritratto della moglie Maria Teresa (inv. 1890, n. 2886, v. scheda). S.M.T.	Copia ridotta a mezzo busto del ritratto di Luigi XIII di Frans Pourbus il Giovane (inv. 1890, n. 2405). M.M.	Firmato e datato al tergo 'Pr Georgius minorita pinxit Parisiis 1659 (cfr. 'Pittura francese nelle collezioni pubbliche fiorentine', Firenze 1977, nr. XLVII). M.M.

	Ic984	Ic985	Ic986	Ic987
PERSONAGGIO	Luigi XIV di Francia (1638-1715).	Luigi XIV di Francia (1638-1715).	Marcello, Aurora.	Marescotti nei Cennini, Marchesa.
AUTORE	Scuola francese sec. XVII.	Scuola francese sec. XVIII.	Fratellini, Giovanna (Firenze 1666-1731).	Fratellini, Giovanna (Firenze 1666-1731).
DATAZIONE	Sec. XVII.	Sec. XVIII.	1723 ca.?	1722.
DESCRIZIONE	Olio su tela, 168x135, cornice dorata.	Olio su tavola, 90x63, cornice dorata e intagliata.	Pastello su carta, 54x42, cornice dorata a salvadora, sec. XVIII.	Pastello su carta, 66x52.
INVENTARIO	2949 (C.P., p. 225, n. 967).	994 (C.P., p. 225, n. 986).	2553 (C.P., p. 225, n. 132).	2547 (C.P., p. 225, n. 126).
FOTO	136758.	1388513.	137239.	101124.
NOTE	Catalogato nell'inv. 1890 come opera di Taddeo Baldini per errore. M.M.	Copia ridotta con varianti della celebre tela di Rigaud al Louvre, del 1701. M.M.	Proviene dalla villa di Careggi, dove stava nel 1761 (ASF, Guard. 91 app., p. 14) a pendant con un ritratto della cantante preferita dei Marcello, Faustina Bordoni (inv. 1890, n. 2559). S.M.T.	Parte di una serie di dame di Violante di Baviera. Fu eseguito probabilmente a Siena (patria dell'effigiata) e l'autrice ne presentò il conto il 10 novembre 1722 (ASF, Acquisti e doni 322, 3a, c. 84). S.M.T.

	Ic988	Ic989	Ic990	Ic991
PERSONAGGIO	Maria Maddalena d'Austria (1589-1631).	Maria Maddalena d'Austria (1589-1631).	Maria Maddalena d'Austria (1589-1631).	Medici, Alessandro de' (1512-37).
AUTORE	Allori, Cristofano (Firenze 1577-1621), attr. a.	Titi, Tiberio (Firenze 1573-1627), attr. a.	Scuola fiorentina sec. XVII.	Altissimo, Cristofano (di Papi), detto dell' (Firenze, not. 1552-1605).
DATAZIONE	Inizi sec. XVII.	1610 ca.	1615 ca.	1590-1600.
DESCRIZIONE	Olio su tela, 204x114, cornice dorata modanata, sec. XVII.	Olio su tela, 202x115, cornice dorata modanata, sec. XVII.	Olio su tela, 205x115, cornice dorata e gialla, sec. XVII.	Olio su tavola, 60x44, cornice di noce intagliata e dorata.
INVENTARIO	2358 (C.P., p. 227, n. 53 o 1171).	2306 (C.P., p. 227, n. 1171).	2285 (C.P., p. 227 n. 1171 o 53).	3615.
FOTO	136532.	136540.	136534.	5909.
NOTE	Tradizionalmente attribuito a Cristofano Allori, è un ritratto fra i più ufficiali di questa granduchessa, con corona sulla tavola. S.M.T.	Uno dei numerosi ritratti della granduchessa a figura intera (cfr. inv. 1890, nn. 2358, 2285, 3802); viene attribuito da K. Langedijk a Tiberio, Titi, ritrattista di corte agli inizi del '600. S.M.T.	Di questo ritratto esiste una variante, che ci segnala K. Langedijk, a Lawrence nell'University Museum of Art. Rientra nella tradizione dei ritratti ufficiali di granduchesse in piedi a figura intera. S.M.T.	Scritta : in alto 'Alexander Med: Flor: D. I.'. Figlio naturale forse di Clemente VII. Prima governatore di Firenze (1530), fu creato Duca da Carlo V (1532), di cui aveva sposato la figlia naturale Margherita. Fu ucciso dal cugino Lorenzino dei Medici. E.M.

	Ic992	Ic993	Ic994	Ic995
PERSONAGGIO	Medici, Anna di Cosimo II de' (1616-76).	Medici, card. Carlo de' (1595-1666).	Medici, card. Carlo de' (1595-1666).	Medici, card. Carlo de' (1595-1666).
AUTORE	Titi, Tiberio (Firenze 1573-1627).	Scuola fiorentina (?) sec. XVII.	Sustermans, Giusto (Anversa 1597 - Firenze 1681), copia da.	Sustermans, Giusto (Anversa 1597 - Firenze 1681), copia da.
DATAZIONE	1618-19.	1616 ca.	Metà sec. XVII.	Metà sec. XVII.
DESCRIZIONE	Olio su tela, 164x105, cornice dorata e gialla, sec. XVII.	Olio su tela, 145x114, cornice modanata tinta gialla, sec. XVII.	Olio su tela, 70x57, rintelato, cornice dorata, sec. XVII.	Olio su tela, 83x67,5, cornice ottagonale dorata, sec. XIX.
INVENTARIO	2360 (C.P., p. 227, n. 391).	2639 (C.P., p. 227, n. 173).	2619 (C.P., p. 226, n. 153).	2627 (C.P., p. 88, n. 161).
FOTO	137379.	137265.	22870.	183035.
NOTE	Inventariato come fanciulla e creduto nel cat. Pieraccini Anna Maria Luisa de' Medici è invece la settima figlia di Cosimo II, sposa di Ferdinando d'Austria. Cfr. ritratti di sorelle e fratelli (inv. 1890, n. 2364, 2376, 2456, 2459). S.M.T.	Inventariato come ritratto del card. Leopoldo, è invece suo zio Carlo probabilmente all'atto della nomina (1616). Ne esiste una copia a mezzo busto (inv. 1890, n. 5230, foto GFS 183036). S.M.T.	Copia in busto del ritratto del Sustermans a figura intera (inv. Poggio a Caiano 141) ma con occhi scuri, quindi con poca accuratezza: l'esecuzione infatti è peggiore che in altre versioni (cfr. inv. 1890, n. 2644). S.M.T.	Variante di un ritratto del Sustermans noto in varie redazioni (inv. Poggio a Caiano 141; inv. 1890, nn. 2644, 2619), con l'aggiunta della mano che regge un libro. Contaminazione dei due tipi è l'incisione di A. Haelvegh. S.M.T.

	Ic996	Ic997	Ic998	Ic999
PERSONAGGIO	Medici, card. Carlo de' (1595-1666).	Medici, Cosimo I de' (1519-74).	Medici, Cosimo I de' (1519-74).	Medici, Cosimo II de' (1590-1621).
AUTORE	Sustermans, Giusto (Anversa 1597 - Firenze 1681), copia da.	Bronzino, Agnolo di Cosimo di Mariano, detto il (Firenze 1503-72), copia da.	Cacini, Domenico (Firenze, not. 1610-30) e Valore (Firenze, not. 1610-30).	Scuola fiorentina fine sec. XVI.
DATAZIONE	Metà sec. XVII.	Inizi sec. XVII?	1620 ca.	1595-1600.
DESCRIZIONE	Olio su tela, 83x69, cornice dorata sec. XVII.	Olio su tavola, 140x119, cornice dorata, sec. XVIII.	Olio su tela, 224x153, cornice modanata e dorata, sec. XVII.	Olio su tela, 121x93, cornice semplice dorata, sec. XVII.
INVENTARIO	2644 (C.P., p. 226 n. 3548).	2254 (C.P., p. 226, n. 37).	4407 (C.P., p. 226, n. 3550).	2383 (C.P., p. 226, n. 75).
FOTO	22872.	22878.	278046.	136564.
NOTE	Versione a più che mezza figura del ritratto a figura intera del Sustermans (inv. Poggio a Caiano 141) che è il più noto di questo prelato, e di cui esistono numerose copie (v. anche inv. 1890, n. 2619). S.M.T.	In alto 'Cosmo I Med. duc. II'. È una copia variata e tarda, forse già seicentesca, da un prototipo del Bronzino (Torino, Galleria Sabauda, n. 123). Ha lo stesso formato dei ritratti della serie aulica. S.M.T.	Parte di una serie di ritratti medicei a figura intera in abito granducale iniziata nel primo '600 (K. Langedijk in Prospettiva 13, 1978). Questa versione è oggi nella villa medicea di Cerreto Guidi. S.M.T.	In alto 'COS. MED. MAG. AETRVRIAE PRINCEPS FERD. F.'. Dimostra dai sei agli otto anni: col busto armato e la mano sull'elmo allude all'apprendimento della scienza militare. S.M.T.

	Ic1000	Ic1001	Ic1002	Ic1003
PERSONAGGIO	Medici, Cosimo II de' (1590-1621).	Medici, Cosimo II de' (1590-1621).	Medici, Cosimo II de' (1590-1621).	Medici, Cosimo II de' (1590-1621).
AUTORE	Scuola fiorentina sec. XVII.	Scuola fiorentina sec. XVII.	Scuola fiorentina fine sec. XVI.	Sustermans, Giusto (Anversa 1597 - Firenze 1681).
DATAZIONE	1610 ca.	1610 ca.	1590.	1660 ca.
DESCRIZIONE	Olio su tela, 203x114, cornice dorata a gola piatta, sec. XVII.	Olio su tela, 199x110, cornice dorata a salvadora, sec. XIX.	Olio su tela, 74x56, cornice semplice dorata, sec. XVII.	Olio su tela, 202x142, cornice plice dorata, sec. XVII.
INVENTARIO	2276 (C.P., p. 227, n. 1245).	2303 (C.P., p. 227 n. 1218).	2348 (C.P., p. 226, n. 1171).	2411 (C.P., p. 227, n. 1156).
FOTO	136840.	136528.	165956.	136839.
NOTE	Ritratto ufficiale, con insegne di cavaliere di S. Stefano e corona granducale sulla tavola: ne esiste un'altra versione (inv. 1890, n. 2303). Questa si trova oggi nella villa medicea di Cerreto Guidi. S.M.T.	Ritratto noto in almeno due versioni (cfr. inv. 1890, n. 2276), di autore non identificato. Porta la croce di cavaliere di S. Stefano: sulla tavola la corona granducale. S.M.T.	In alto: 'Cosimo II G. Princ. di Tosc. in età di sei mesi il di 12 di nov. 1590'. È la prima volta in cui viene dato il titolo di gran principe all'erede del granducato (cfr. Curiosità di una reggia, Firenze 1979, p. 54). S.M.T.	Ritratto postumo in abito granducale; era del card. Leopoldo (ASF, Guard. 826, c. 80r n. 417) e fa pendant con Ferdinando II (inv. Poggio a Caiano 134) e Cosimo III (idem 132): cfr. K. Langedijk, Amsterdam 1969. S.M.T.

	Ic1004	Ic1005	Ic1006	Ic1007
PERSONAGGIO	Medici, Cosimo III de' (1642-1723).	Medici, Cosimo III de' (1642-1723).	Medici, Cosimo III de' (1642-1723).	Medici, Don Antonio de' (1576-1621).
AUTORE	Cassana, Niccolò (Venezia 1659-1713).	Maratta, Carlo (Camerino 1625 - Roma 1713), attr. a.	Scuola fiorentina sec. XVIII.	Scuola fiorentina sec. XVII.
DATAZIONE	Fine sec. XVII.	1700.	Primo quarto sec. XVIII.	1610 ca.
DESCRIZIONE	Olio su tela, 70x56, cornice dorata, sec. XVIII.	Olio su tela, 44x29,5, cornice nera e oro a salvadora, sec. XVIII.	Olio su tela, 64x50, cornice dorata, sec. XVIII.	Olio su tela, 202x117,5, restauro 1972. Cornice dorata, sec. XVII.
INVENTARIO	2679 (C.P., p. 227, n. 999).	2656 (C.P., p. 227, n. 151).	2516 (C.P., p. 227, n. 3503).	2327.
FOTO	22884.	141906.	22882.	136541.
NOTE	A tergo sulla tela 'Del Cassana'. A pendant con un ritratto di Gian Gastone (inv. 1890, n. 2682). è stato pubblicato da M. Chiarini (in Apollo, settembre 1974). S.M.T.	Nel 1700 il granduca Cosimo III si fece nominare canonico di S. Pietro in Vaticano. Il dipinto, fatto per l'occasione e destinato a Castello (ASF. Guard. 1027, cc. 187 v, 192r), è citato nel 1739-40 come del Maratta (K. Langedijk, com. or.). S.M.T.	Ritratto del Granduca ormai anziano, in armatura, abbastanza vicino al tipo della serie aulica (inv. 1890, n. 2250). S.M.T.	È il discusso (ma probabilmente autentico) figlio di Francesco I e di Bianca Cappello, escluso dalla successione a favore dello zio Ferdinando I e nominato cavaliere di Malta. Un suo ritratto simile è al Poggio Imperiale (foto GFS 95003). S.M.T.

	Ic1008	Ic1009	Ic1010	Ic1011
PERSONAGGIO	Medici, Eleonora de' (1591-1617).	Medici, Ferdinando I de' (1549-1609).	Medici, Ferdinando I de' (1549-1609).	Medici, Ferdinando I de' (1549-1609).
AUTORE	Scuola fiorentina sec. XVII.	Altissimo, Crisofano (di Papi), detto dell' (Firenze, not. 1552 - 1605).	Pulzone, Scipione (Gaeta 1550 ca. - Roma 1598), copia da.	Pulzone, Scipione (Gaeta 1550 ca. - Roma 1598), copia da.
DATAZIONE	Secondo decennio sec. XVII.	1565 ca.	1590 ca.	1590 ca.
DESCRIZIONE	Olio su tela, 198x98, cornice dorata modanata, sec. XVII.	Olio su tavola, 59x46,5, cornice color noce dentellata con dorature.	Olio su tela, 212x137, cornice dorata modanata, sec. XVII.	Olio su tela, 190x114, cornice modonata dorata, sec. XVII.
INVENTARIO	2297 (C.P., p. 226, n. 1230).	4233 (C.P., p. 226, n. 3551).	4302 (C.P., p. 226, n. 3552).	4304 (C.P., p. 226, n. 284).
FOTO	136762.	22894.	136802.	78657.
NOTE	Ritratto della prima figlia femmina di Ferdinando I, databile, per il costume, agli inizi del secondo decennio del '600. Ne esiste una copia (inv. 1890, n. 4275) senza gli attributi della rosa e del fazzoletto.	Tradizionalmente dato a A. Allori, ma secondo K. Langedijk parte di una serie medicea (con scritta in alto come la gioviana) di cui Cristofano consegnò i primi 17 pezzi alla guardaroba fra l'ottobre 1562 e il 1565.	È una delle numerose repliche del ritratto che il granduca si fece fare dal Pulzone per la 'serie aulica nel 1590 (inv. 1890, n. 2243), ampliata fino ad ottenere la figura intera dall'originale formato dal ginocchio.	Copia dal ritratto che il Pulzone fece al granduca nel 1590 per la serie aulica (inv. 1890, n. 2243). L'originale è al ginocchio, questo a figura intera come un'altra copia (inv. 1890, n. 4302).
	S.M.T.	S.M.T.	S.M.T.	S.M.T.

	Ic1012	Ic1013	Ic1014	Ic1015
PERSONAGGIO	Medici, Ferdinando II de' (1610-1670).	Medici, Ferdinando II de' (1610-1670).	Medici, Francesco de' (1594-1614).	Medici, Francesco de' (1594-1614).
AUTORE	Scuola fiorentina sec. XVII.	Sustermans, Giusto (Anversa 1597-Firenze 1681).	Scuola fiorentina sec. XVII.	Scuola fiorentina sec. XVII.
DATAZIONE	1612.	1660 ca.	Secondo decennio sec. XVII.	Secondo decennio sec. XVII.
DESCRIZIONE	Olio su tela, 146x102, cornice modanata dorata, sec. XVII.	Olio su tela, 102x94, cornice dorata a salvadora, sec. XVII.	Olio su tela, 202x130, cornice semplice dorata, sec. XVII.	Olio su tela, 202x117, cornice semplice dorata, sec. XVII.
INVENTARIO	2375 (C.P., p. 226, n. 67).	2247 (C.P., p. 227, n. 32).	2309 (C.P., p. 226, n. 1212).	5085 (C.P., p. 226, n. 345).
FOTO	136784.	22900.	136537.	136555.
NOTE	In alto: 'FERDINANDO PRINCIPE DI TOSCANA MES. XXII', cioè maggio 1612, visto che era nato il 14 luglio 1610. Il bambino è vestito alla turca e ha in mano una pistola; il ritratto ha affinità con quelli di Tiberio Titi.	Replica del ritratto della serie aulica (inv. 1890, n. 2249, v. scheda) nella formulazione originale, col largo cappello rimosso nel 1672. Porta le insegne dell'ordine di S. Stefano.	Ritratto postumo del secondo figlio maschio di Ferdinando I de' Medici e Cristina di Lorena, in serie con altri fratelli. Ne esiste una copia (inv. 1890, n. 5085, v. scheda).	Copia del ritratto inv. 1890, n. 2309, raffigura il quartogenito di Ferdinando I e Cristina di Lorena. È chiaramente postumo, probabilmente parte di una serie con i fratelli. Si trova oggi nella villa medicea di Cerreto Guidi.
	S.M.T.	S.M.T.	S.M.T.	S.M.T.

	Ic1016	Ic1017	Ic1018	Ic1019
PERSONAGGIO	Medici, Francesco I de' (1541-1587).	Medici, Francesco Maria de' (1660-1710).	Medici, Francesco Maria de' (1660-1710).	Medici, Gian Gastone de' (1671-1737).
AUTORE	Santi di Tito (Sansepolcro 1536 - Firenze 1603), attr. a.	Cassana, Niccolò (Venezia 1659-1713).	Scuola fiorentina sec. XVII.	Scuola fiorentina sec. XVIII.
DATAZIONE	1587.	1686 ca.	1680 ca.	Inizi sec. XVIII.
DESCRIZIONE	Olio su tavola, 114x86, cornice dorata a porporina, sec. XIX.	Olio su tela, 70x55, cornice semplice dorata, sec. XIX.	Olio su tela, 72,5x54, cornice semplice gialla, sec. XIX.	Olio su tela, 76x63, cornice semplice dorata, sec. XVIII.
INVENTARIO	2226 (C.P., p. 226, n. 9).	2620 (C.P., p. 227, n. 151).	2852 (C.P., p. 224, n. 870, come 'M. Giustz'?!).	2681 (C.P., p. 227, n. 1001).
FOTO	157748.	22994.	173977.	22908.
NOTE	Attribuito a Maso da San Friano (P. Cannon Brookes in Burl. Mag. CVIII, 1966) è piuttosto il ritratto documentato di Santi di Tito per la serie aulica (v.), poi sostituito da un ritratto del Pulzone. S.M.T.	A tergo sulla tela: 'Del Cassana'. K. Langedijk avverte che potrebbe esser copia di un ritratto di G.M. Morandi documentato da un'incisione di Blondeau, forse dipinto per la nomina di F. M. a Cardinale. S.M.T.	Secondo K. Langedijk, effigie giovanile di Francesco Maria de' Medici, con la croce dell'ordine di S. Stefano e in mano una pianta, forse la villa di Lappeggi da lui edificata. S.M.T.	A tergo 'Gio. Gastone Gran Duca di Toscana'. Come informa K. Langedijk, fu inciso da G.D. Campiglia nel 1736. Per una versione a pastello cfr. inv. 1890, n. 2567. S.M.T.

	Ic1020	Ic1021	Ic1022	Ic1023
PERSONAGGIO	Medici, Giovanni Carlo de' (1611-1663).	Medici, Giovanni di Cosimo I de' (1543-1562).	Medici, Giuliano de', duca di Nemours (1479-1515).	Medici, Ferdinando, Gran Principe de' (1663-1713).
AUTORE	Scuola fiorentina o romana, sec. XVII.	Altissimo, Cristofano (di Papi), detto dell' (Firenze not. 1552 - 1605), attr. a.	Allori, Alessandro (Firenze 1535-1607), attr. a.	Gabbiani, Anton Domenico (Firenze 1655-1726).
DATAZIONE	Metà sec. XVII.	Fine sec. XVI.	Fine sec. XVI.	1685 ca.
DESCRIZIONE	Olio su tela, 67x51, cornice, tinta gialla sec. XIX.	Olio su tavola, 56,5x43, cornice dorata a gola, sec. XIX.	Olio su tavola, 84x68, cornice intagliata e dorata, sec. XVIII.	Olio su tela, 191x134, cornice dorata, sec. XVIII.
INVENTARIO	4259 (C.P., p. 227, n. 3549).	2483 (C.P., p. 226, n. 350).	775 (C.P., p. 79, n. 193).	2731 (C.P., p. 224, n. 215).
FOTO	22906.	183040.	141914.	136773.
NOTE	In abito cardinalizio, e quindi databile a dopo il 1644. Tradizionalmente attribuito al Sustermans, sembra piuttosto in linea coi ritratti romani di cardinali dipinti all'atto della nomina. S.M.T.	Tutti i ritratti di questo giovane cardinale sono dello stesso tipo (K. Langedijk ne indica il capostipite in quello del Bronzino inv. 1890, n. 850), con o senza la mano che tiene il libro, presente in questo esemplare. S.M.T.	Copia, tradizionalmente attribuita all'Allori, di un ritratto raffaellesco (probabilmente quello oggi al Metropolitan Museum di New York, con Castel S. Angelo nello sfondo). Figura agli Uffizi almeno dal 1704 (n. 685 dell'inventario). S.M.T.	Attribuito da M. Chiarini (in Mitteilungen des Kunsthistorischen Instituts in Florenz XXI, 1977) ad A. D. Gabbiani, di cui F.S. Baldinucci ricorda un ritratto del Gran Principe eseguito intorno al 1685. S.M.T.

	Ic1024	Ic1025	Ic1026	Ic1027
PERSONAGGIO	Medici, Ferdinando, Gran Principe de' (1663-1713).	Medici, Lorenzo de' (1600-1648).	Medici, Maria Cristina de' (1609-1632).	Medici, Mattias de' (1613-1667).
AUTORE	Sustermans, Giusto (Anversa 1597 - Firenze 1681), bottega di.	Sustermans, Giusto (Anversa 1597 - Firenze 1681.	Titi, Tiberio (Firenze 1573 - 1627). 1620 ca.	Scuola fiorentina, sec. XVII.
DATAZIONE	1670 ca.	Metà sec. XVII.	Prima metà sec. XVII.	1635-40.
DESCRIZIONE	Olio su tela, 71,5x58,5, cornice dorata, sec. XVII.	Olio su tela ovale, 64x49, cornice intagliata e dipinta, sec. XVII.	Olio su tela, 168x101, cornice dorata a porporina, sec. XIX.	Olio su tela, 64x52, cornice dorata modanata, sec. XIX.
INVENTARIO	2449 (C.P., p. 227, n. 1122).	2776 (C.P., p. 226, n. 26).	2376.	2915 (C.P. p. 227 n. 933).
FOTO	165990.	278342.	137432.	185766.
NOTE	Copia fedele del ritratto inv. 1890, n. 2193, interessante per l'armatura infantile, conservata al Bargello (cfr. Gli ultimi Medici, Detroit/Firenze 1974, p. 440, n. 263). Ne deriva la stampa di Adriano Halvegh. S.M.T.	È il ritratto più tardo dell'ultimo figlio maschio di Ferdinando I e Cristina di Lorena: risulta alla Petraia nel 1648 (K. Langedijk, in la Quadreria di Don Lorenzo de' Medici, Firenze 1977), forse agli Uffizi nel 1666 e a Pitti nel 1678. S.M.T.	È la seconda figlia di Cosimo II e M. Maddalena d'Austria, mentalmente ritardata. Visse e morì nel convento della SS. Concezione. Il ritratto è in serie con quelli delle sorelle Anna (inv. 1890, n. 2360) e Margherita (inv. 1890, n. 2364). S.M.T.	Ritratto non documentato ma probabilmente uscito dalla bottega del Sustermans. Un'altra versione è a Vienna, Kunsthistorisches Museum (inv. 7935). S.M.T.

 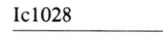 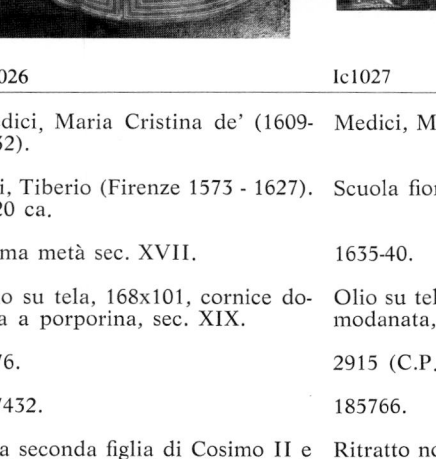 

	Ic1028	Ic1029	Ic1030	Ic1031
PERSONAGGIO	Medici, Mattias de? (1613-1667).	Medici, Mattias de' (1613-1667).	Medici, Piero de', detto il Gottoso (1416-1469).	Noris, Card. Enrico (1631-1704).
AUTORE	Sustermans, Giusto (Anversa 1597 - Firenze 1681).	Titi, Tiberio (Firenze 1573-1627).	Fiammingo, Luigi (op. Firenze metà sec. XVI).	Foz, Amadio (? - ?).
DATAZIONE	1622 ca.	1617-18.	Sesto decennio, sec. XVI.	1696.
DESCRIZIONE	Olio su tela, 182x132,5, cornice dorata, sec. XIX.	Olio su tela, 170x114, cornice dorata e gialla a salvadora, sec. XVII.	Olio su tela, 73x59, cornice dorata a gola, sec. XIX.	Olio su tela ovale, 69x55, cornice dorata modanata, sec. XVIII.
INVENTARIO	3762 (C.P., p. 227, n. 1109).	2459 (C.P., p. 227, n. 1108).	2122 (C.P., p. 226, n. 75).	2654 (C.P., p. 227, n. 138).
FOTO	249621.	136813.	141902.	138596.
NOTE	Originariamente più grande (cm. 220x138). Viene di solito creduto Leopoldo o Giovan Carlo per l'abito ecclesiastico, ma come Mattias è documentato nella camera di Violante di Baviera a Pitti nel 1723 (in formazione di K. Langedijk). S.M.T.	Inventariato come 'nobile fanciullo' e nel catalogo Pieraccini come Gran Principe Ferdinando, K. Langedijk (com. or.) lo dà a Tiberio Titi; è in serie col fratello Francesco (inv. 1890, n. 2456) e le sorelle M. Cristina (2376), Margherita (2364) e Anna (2360). S.M.T.	Ritratto postumo, in serie con altri quattro (Cosimo il vecchio, Giovanni di Bicci, Lorenzo il Magnifico, Cosimo I) eseguiti, secondo gli inventari cinquecenteschi esaminati da K. Langedijk, da un Luigi Fiammingo altrimenti ignoto. S.M.T.	A tergo 'Cardinale Noris Amadio Foz (?) Fa 1696'. Risulta a Pitti nel 1698 (ASF, Guard. 1027, c 81r; Guard. 1026, c. 103v); e agli Uffizi dal 23 maggio 1774 (cartellino a tergo). S.M.T.

	Ic1032	Ic1033	Ic1034	Ic1035
PERSONAGGIO	Olivieri, Maddalena.	Orange, Maurizio Nassau d' (1567-1625).	Orléans, Isabelle d', duchessa di Guisa (1646-1696).	Orléans, Marie-Louise d' (1662-1689).
AUTORE	Fratellini, Giovanna (Firenze 1666-1731).	Scuola francese sec. XVII.	Scuola francese sec. XVII.	Scuola francese sec. XVII.
DATAZIONE	1722.	Sec. XVII.	1670 ca.	1675-80.
DESCRIZIONE	Pastello su carta su tela, 63x50, cornice liscia grezza, sec. XX.	Olio su tela, 110x125, cornice gialla e oro.	Olio su tela ovale, 84x64, senza cornice.	Olio su tela, 65,5x51, rintelato. Cornice nera, sec. XVII.
INVENTARIO	2532 (C.P., p. 227, n. 111).	2135.	2920 (C.P., p. 227, n. 937).	2858 (C.P., p. 227, n. 876).
FOTO	168597.	137428.	136674.	136492.
NOTE	Già a Lappeggi (sec. XVIII) con molti ritratti di dame di Violante di Baviera; di questo l'autrice presentò la fattura il 10 novembre 1722 (ASF, Acquisti e doni 322, 3a, c. 84). La dama era portoghese. S.M.T.	Scritta in alto a caratteri capitali: 'Conte Mauritio di Nassau'. Il ritratto eseguito per Cosimo III de' Medici, è servito di modello per quello della Collezione Gioviana (n. 344). Gr. Red. 3	A tergo: 'Isabella Principessa d'Orléans Duchessa di Guisa'. Terza figlia di Gastone fratello di Luigi XIII, quindi sorella della granduchessa Marguerite-Louise, sposò nel 1667 Louis-Joseph Lorena-Guisa (1650-1671). S.M.T.	Sotto la rintelatura traspare un nome, certo quello indicato in inventario: Marie-Louise, primogenita di Filippo d'Orléans, prima moglie — dal 1679 — di Carlo II di Spagna. È in serie col ritratto inv. 1890, n. 5344, forse una sorella. S.M.T.

	Ic1036	Ic1037	Ic1038	Ic1039
PERSONAGGIO	Pazzi, Cecilia.	Petrucci nei Bichi, Contessa.	Pio IV, Papa 1499-1565).	(San) Pio V, Papa (1504-1572).
AUTORE	Fratellini, Giovanna (Firenze 1666-1731).	Fratellini, Giovanna (Firenze 1666-1731).	Scuola fiorentina sec. XVI.	Scuola italiana sec. XVII.
DATAZIONE	1720 ca.	1717.	Fine sec. XVI?	Sec. XVII.
DESCRIZIONE	Pastello su carta, 47x38, cornice dorata a salvadora, sec. XVIII.	Pastello su carta, 55,5x43,5, cornice nera a onde, fine sec. XIX.	Olio su tela, 234x175,5, cornice dorata a salvadora, sec. XVII.	Olio su tela, 230x174,5, cornice modanata dorata, sec. XVII.
INVENTARIO	2572 (C.P., p. 227, n. 1057).	2530 (C.P., p. 227, n. 109).	2659 (C.P., p. 227, n. 193).	2664 (C.P., p. 227, n. 984).
FOTO	137053.	218821.	136770.	136748.
NOTE	Il pastello è forse identificabile con uno originariamente più grande (55x42) che era nel '700 nella villa di Lappeggi fra altri di Violante di Baviera. Della Fratellini sono documentati intorno al 1720 altri pastelli di 'dame bambine'. S.M.T.	A tergo: 'Sig.ra Conta Petrucci ne Bichi Nobil Senese'. A pendant con un'altra dama senese (inv. 1890, n. 2533) fu eseguito nel 1717 (ASF, Acquisti e Doni, 322, 3a, c. 82) e stette nel '700 nella villa di Lappeggi. S.M.T.	Al secolo Giovanni Angelo de' Medici, milanese, eletto nel 1560; parte di una serie di otto papi seduti a figura intera (inv. 1890, nn. 4257-58, 2660-65) i primi due dei quali sono opera dei ritrattisti fiorentini Casini. S.M.T.	Antonio Michele Ghislieri, eletto nel 1566, santificato nel 1712. Parte di una serie di 8 pontefici seduti in gran formato (inv. 1890, nn. 2659-2665, 4257-4258), cinque dei quali documentati almeno dal 1712 (ASF, Guard. 1171, c. 173v). S.M.T.

	Ic1040	Ic1041	Ic1042	Ic1043
PERSONAGGIO	Pio VII, Papa (1742-1823).	Rota, Giovan Battista (1722-86).	Sansedoni nei Marsili, Caterina.	Savini nei Gori, Signora.
AUTORE	Scuola italiana sec. XIX.	Scuola fiorentina sec. XVIII?	Fratellini, Giovanna (Firenze 1666-1731).	Fratellini, Giovanna (Firenze 1666-1731).
DATAZIONE	Primo quarto sec. XIX.	1786.	1721.	1721.
DESCRIZIONE	Olio su tela, 72x57, cornice dorata a salvadora, sec. XIX.	Olio su tela, 96x74, cornice dorata a salvadora, sec. XVIII.	Pastello su carta, 55x42, cornice nera a onde, sec. XVIII.	Pastello su carta su tela, 55x43, senza cornice.
INVENTARIO	2626 (C.P., p. 227, n. 160).	2645 (C.P., p. 228, n. 179).	2560 (C.P., p. 228, n. 139).	2563 (C.P., p. 224, n. 142).
FOTO	138571.	137200.	308668.	296709.
NOTE	Catalogo come Pio VII (Barnaba Chiaramonti, benedettino, eletto nel 1800), non è molto simile agli altri suoi ritratti se non nel particolare dei capelli neri. S.M.T.	In basso: 'R.M.S.P.D. Ioannes Baptista Rota Etatis Sue Anno LXV'. È il benedettino autore di 'Dell'origine della storia antica di Bergamo'. La tela pervenne nel 1868 dalla Badia fiorentina, convento di quest'ordine. S.M.T.	A tergo sul controfondo: 'Sig.ra Caterina Sansedoni nei Marsilj / Nobil Senese'. Viene da Lappeggi e fu fatto a Siena, con altri due, nel 1721: l'autrice ne presentò il conto il 10 ottobre (ASF, Acquisti e Doni 322, 3a, c. 84). S.M.T.	Nel '700 stava a Lappeggi fra molti ritratti di dame di Violante di Baviera; fu eseguito insieme ai pastelli inv. 1890, nn. 2557 e 2560 e l'autrice ne presentò il conto il 10 ottobre 1721 (ASF, Acquisti e Doni 322, 3a, c. 84). S.M.T.

	Ic1044	Ic1045	Ic1046	Ic1047
PERSONAGGIO	Savoia, Francesca Caterina di (1595-1641).	Savoia, Margherita di (1589-1655).	Sergardi Borghese, Caterina.	Sigismondo Vasa, re di Polonia (1566-1632).
AUTORE	Scuola piemontese? sec. XVII.	Scuola piemontese? sec. XVII.	Fratellini, Giovanna (Firenze 1666-1731).	Scuola tedesca fine sec. XVI.
DATAZIONE	1605.	1605.	1717.	1585.
DESCRIZIONE	Olio su tela, 61x49, cornice tinta gialla, sec. XIX.	Olio su tela, 62x48, cornice tinta gialla ,sec. XIX.	Pastello su carta, 54x43, cornice dorata a salvadora, sec. XVIII.	Olio su tela, 185x94, cornice dorata a gola piatta, sec. XVI.
INVENTARIO	2345 (C.P., p. 228, n. 1178).	2347 (C.P., p. 228, n. 1177).	2533 (C.P., p. 228, n. 112).	2436 (C.P., p. 228, n. 1132).
FOTO	136693.	24842.	137041.	76321.
NOTE	In alto 'Francisca Catharina a Sabaud. Princ. Aet. An. IX Mens X'. In serie con le sorelle Margherita (inv. 1890, n. 2347, v. scheda), Elisabetta poi duchessa di Modena (1591-1626; inv. Imp. rosso n. 411) e Maria (1594-1656; inv. Imp. rosso n. 413). S.M.T.	In alto 'Margherita a Sabaud. Princ. aet. An. XVI'. In serie colle tre sorelle, (cfr. inv. 1890, n. 2345) figlie di Carlo Emanuele I e Caterina di Spagna, documentate almeno dal 1688 (ASF, Guard. 904, c. 153); sposerà nel 1608 Francesco IV di Mantova. S.M.T.	Nel '700 nella villa di Lappeggi con altri ritratti di dame di Violante di Baviera. L'autrice presentò il conto di questo e di un altro pastello di dama senese (inv. 1890, n. 2530) il 20 novembre 1717 (ASF, Acquisti e Doni 322, 3a, c. 82). S.M.T.	In basso a destra: 'Sigismundus dux finlandiae / regni sueciae haeres et electus rex / aetatis suae XVIIII'. È il primo ritratto noto di Sigismondo III (cfr. inv. 1890, n. 2270); si trova nelle raccolte medicee, perché il re era cognato di Maria Maddalena d'Austria. S.M.T.

Ic1048

Ic1049

Ic1050

Ic1051

PERSONAGGIO	Sisto V, Papa (1251-90).	Somers Lord J., (1651-1716).	Strozzi nei Cellesi, Contessa.	Toledo, Dianora di (1553-76).
AUTORE	Scuola italiana sec. XVII.	Kneller, Godfrey (1646-1723).	Fratellini, Giovanna (Firenze 1666-1731).	Scuola fiorentina sec. XVI.
DATAZIONE	Sec. XVII.	1709 ca.	1720-21.	1570-75.
DESCRIZIONE	Olio su tela, 206x122, grande cornice dorata, sec. XVII.	Olio su tela, 104x78, cornice dorata. Firmato: G. Kneller Eques.	Pastello su carta, 54x44, cornice nera a onde, fine sec. XIX.	Olio su tela, 75x60, cornice gialla, sec. XIX.
INVENTARIO	2665 (C.P., p. 228, n. 935).	2788 (C.P., p. 228, n. 272).	2577 (C.P., p. 228, n. 1062).	2322 (C.P., p. 228, n. 1202).
FOTO	136740.	22915.	182825.	137191.
NOTE	Inventariato dubitativamente come Urbano VIII per la fisionomia, è piuttosto Sisto V (Felice Peretti, eletto nel 1585) per l'obelisco nel fondo. In serie con altri sette papi (inv. 1890, nn. 2659-2664, 4257, 4258). S.M.T.	Sul retro una scritta antica 'The Lord Somers President of Prive Council of Great Britany' 1709. Lord cancelliere nel 1697, presidente del consiglio dal 1708 al 1710. Collezionista d'arte. Il ritratto è stato esposto, alla mostra 'Firenze e l'Inghilterra', Firenze 1972. M.M.	In una serie di dodici dame di Violante di Baviera, fu nel '700 a Lappeggi. L'autrice presentò il conto di questo e di un ritratto di Violante Risaliti Strozzi il 10 febbraio 1721 (ASF, Acquisti e Doni 322, 3a, c. 81). S.M.T.	È il ritratto (oggi nella villa medicea di Cerreto Guidi) della nipote di Eleonora di Toledo, infelice moglie di Don Pietro di Cosimo I de' Medici, che la strangolò per sospetto di gelosia. S.M.T.

Ic1052

Ic1053

Ic1054

Ic1055

PERSONAGGIO	Toledo, Eleonora di (1522-62).	Torricelli, Evangelista (1608-97).	Valvasoni nei Suarez de la Concha, contessa Maria Anna.	Vanni, Giuseppe (1647 ca. - 1716).
AUTORE	Scuola fiorentina sec. XVII.	Scuola fiorentina sec. XVII.	Fratellini, Giovanna (Firenze 1666-1731).	Fratellini, Lorenzo (Firenze 1690-1729).
DATAZIONE	Secolo XVII.	Metà sec. XVII.	1715.	1720 ca.
DESCRIZIONE	Olio su tela, 221x116, cornice dorata modanata, sec. XVII.	Olio su tela, 65x49, cornice modanata gialla, sec. XIX.	Pastello su carta, 55x41, cornice nera a onde, fine sec. XIX.	Pastello su carta, 56x42, cornice dorata, sec. XVIII.
INVENTARIO	2418 (C.P., p. 226, n. 150).	2458 (C.P., p. 228, n. 113).	2542 (C.P., p. 228, n. 242).	2589 (C.P., p. 228, n. 1074).
FOTO	136760.	137135.	218817.	137082.
NOTE	Ricostruzione seicentesca di ritratto ufficiale, probabilmente a pendant con quello della granduchessa seguente, Giovanna d'Austria (inv. 1890, n. 2324). Si trova oggi nella villa medicea di Cerreto Guidi. S.M.T.	Unico ritratto noto di questo allievo di Galileo, matematico di corte da cui derivano quello nella serie gioviana (inv. 1890, n. 275), e tutte le incisioni. S.M.T.	A tergo: 'L'Illus^ma Sig^ra Contessa Valuroni Dama di Corte della Ser^ma Gran Principessa Violante di Toscana Del Friul... 1715 di Giovanna Fratellini'. Celebre bellezza friulana moglie del balì Baldassarre, fu ritratta anche dalla Carriera. S.M.T.	A tergo: 'Giuseppe Vanni orefice di Corte morì d'anni 69 1716 di Lorenzo fratellini'. Nel '700 a Lappeggi a pendant col nano di corte Tommaso Micheli (inv. 1890, n. 2586); due rare opere del figlio di Giovanna Fratellini, morto giovane. S.M.T.

	Ic1056	Ic1057	Ic1058	Ic1059
PERSONAGGIO	Vecchi nei Gori, Livia.	Ecclesiastico che scrive.	Gentildonna fiorentina.	Gentiluomo.
AUTORE	Fratellini, Giovanna (Firenze 1666-1731).	Scuola fiorentina sec. XVII.	Scuola fiorentina sec. XVI.	Scuola italiana? sec. XVII.
DATAZIONE	1722.	Seconda metà sec. XVII.	Metà sec. XVI.	Prima metà sec. XVII.
DESCRIZIONE	Pastello su carta, 65x52, cornice nera a onde, fine sec. XIX.	Olio su tela, 97x73, cornice dorata a salvadora, sec. XVIII.	Olio su tavola, 90x74, cornice dorata modanata, sec. XVI.	Olio su tela, 109x87, cornice a gola piatta dorata, sec. XVII.
INVENTARIO	2561 (C.P., p. 228, n. 1072).	2651.	2384 (C.P., p. 226, n. 76).	2219.
FOTO	253302.	137422.	137130.	138550.
NOTE	A tergo: 'Sig^{ra} Livia Vecchi ne Gori Nobil Senese'. Eseguito nel 1722 (ASF, Acquisti e Doni 322, 3a, c. 84) insieme ad altri pastelli di nobildonne senesi, fu nel '700 nella villa di Violante di Baviera, Lappeggi.	Non si distingue dalla veste l'ordine di appartenenza, così che è difficile cercare di identificare l'effigiato; né i dati collimano con ritratti documentati nel tardo '600.	Inventariato come gentildonna anonima, creduto poi Giovanna d'Austria o Eleonora di Toledo, sembra invece confrontabile con la cosiddetta Anna Strozzi attribuita al Bronzino da McComb (1928) e datata 1540 ca.	Ritratto di giovane di alto rango dedito a studi militari, come documenta la pianta di una fortezza, con matita rossa e compasso, sotto l'elmo piumato.
	S.M.T.	S.M.T.	S.M.T.	S.M.T.

	Ic1060	Ic1061	Ic1062	Ic1063
PERSONAGGIO	Gentiluomo francese.	Ritratto di dama.	Ritratto di dama.	Scrittore.
AUTORE	Tempesti, Domenico (Fiesole o Rovezzano 1655 ca. - Firenze 1737), attr. a.	Scuola tedesca sec. XVI.	Scuola italiana sec. XVII?	Scuola fiorentina sec. XVI.
DATAZIONE	1675-80.	Sec. XVI.	Seconda metà sec. XVII?	Seconda metà sec. XVI.
DESCRIZIONE	Pastello su carta, 54x42, cornice bruna a salvadora, sec. XVIII.	Olio su tela, 122x25, cornice dorata piatta.	Olio su tela, 80x60,5, cornice dorata a salvadora, sec. XVIII.	Olio su tavola, 125x69, cornice semplice dorata, sec. XIX.
INVENTARIO	2569.	2367 (C.P., p. 224 n. 60).	2209.	2233.
FOTO	136478.	165945.	136699.	137268.
NOTE	Il pastello è attribuito in inventario a Robert Nanteuil, ma è probabile che si tratti di una delle copie da Nanteuil fatte dal suo allievo Tempesti, come ha indicato P. Rosenberg. (Cat., pittura francese..., Firenze 1977, p. 175).	Catalogato tradizionalmente come ritratto di Elisabetta I, non trova riscontro nell'iconografia ufficiale della regina, per cui va piuttosto considerato di anonimo di scuola tedesca.	A tergo sei numeri antichi. Il personaggio finora non è stato riconosciuto: potrebbe essere italiano o francese.	A tergo cartellino ottocentesco a penna: 'Estratto Dal Convento delle Poverine di Firenze', cioè S.Girolamo in corso dei Tintori, delle Gesuate. Non si sa però se dall'origine. Il ritrattato ha a destra una ciotola con penna e calamaio.
	S.M.T.	M.M.	S.M.T.	S.M.T.

Le prime collezioni di ritratti di artisti

Quando, nel 1681, Cosimo III sistemò in ambienti degli Uffizi appositamente allestiti la collezione di autoritratti raccolta dallo zio, il Cardinale Leopoldo de' Medici (1617-1675), non solo rese omaggio a uno dei più importanti collezionisti di opere d'arte di casa Medici, ma eresse contemporaneamente un monumento a un tipo di collezione rimasto unico ed incomparabile fino ai nostri giorni.

L'uomo ha desiderato in tutti i tempi di lasciare la propria immagine ai posteri: di conseguenza l'arte del ritratto, sia in pietra, sia in marmo, sia in bronzo, sia in pittura, ha avuto un grande sviluppo fin dai tempi più remoti. Indubbiamente, di tutti i monumenti che l'uomo si è eretto nel corso dei tempi, il ritratto è la testimonianza più personale: per cui, secondo l'Alberti 'et così certo il viso di chi già sia morto per la pittura vive lunga vita'.

Durante il medioevo si trovano ritratti solo in gruppi d'immagini di carattere sacro o comunque in scene di argomento religioso, in affreschi, pale d'altare o monumenti funebri. Soltanto quando entrerà nell'uso la 'pittura di cavalletto', il ritratto si libererà dal contesto religioso e diverrà autonomo, offrendo in tal modo anche la possibilità di diventare oggetto d'interesse per una collezione d'arte.

Il più antico autoritratto di artista che si conosca, dipinto a solo, su tavola, è quello di Leon Battista Alberti, tramandato purtroppo soltanto in copia. Il fatto che proprio un teorico umanista sia stato tra i primi a fissare la propria immagine su di una tavola può essere considerato significativo; non è forse l'ideale del Rinascimento, accanto e in contrapposizione al culto cristiano dell'amore divino, il culto tutto umanistico dell'aspirazione alla gloria, attraverso le proprie opere, la propria sapienza e virtù? Tuttavia, nel Quattrocento, l'autoritratto dipinto dall'Alberti rappresenta un caso isolato.

C'è però, della stessa epoca, un documento artistico che testimonia quanto fosse cresciuta la considerazione per le arti figurative, favorite dagli studi teorici, dal mecenatismo e dal diffuso apprezzamento dell'arte — anche soltanto come pura espressione estetica — da parte della borghesia: esso è la tavola dei ritratti conservata al Louvre, nella quale sono rappresentati l'una accanto all'altra, le immagini di cinque famosi artisti fiorentini. Ogni singolo ritratto è palesemente derivato da affreschi o da altre opere nelle quali l'artista si era raffigurato in mezzo ad altri personaggi. La suddetta tavola dimostra appunto come nella seconda metà del XV secolo esistesse già un notevole interesse a conservare e a trasmettere ai posteri, oltre a quelle di altri personaggi storici — imperatori romani, personaggi famosi della repubblica romana, papi, giureconsulti e altri uomini illustri, tramandati in opere letterarie, in affreschi o su tavola — anche le immagini di artisti famosi. Ma, mentre dei primi si possono trovare in tutta Italia anche intere serie disposte cronologicamente, dei ritratti di artisti, disposti anch'essi in una successione temporale, esistono esempi quasi soltanto in Toscana, in particolar modo a Firenze.

Uomo del suo tempo, Cosimo I non si sottrae al desiderio allora diffuso di contornarsi delle immagini — exempla ideali — di uomini illustri: per questo dette l'incarico a Cristofano dell'Altissimo di copiare la collezione di ritratti conservata dall'umanista Paolo Giovio nel 'museo' della sua villa sul lago di Como, lavoro che si protrasse per molti anni. Del resto anche per quella collezione noi troviamo un legame con Firenze: fu infatti qui che l'umanista lombardo iniziò, nel primo ventennio del XVI secolo, la sua raccolta, e fu ancora lo stesso a sollecitare, anni più tardi, il Vasari a scrivere le 'Vite' degli artisti; sicuramente gli suggerì anche l'idea di una raccolta dei loro ritratti. La collezione del Giovio, però, contiene soltanto pochi ritratti di artisti: essa doveva infatti servire soprattutto alla celebrazione di uomini famosi. Così, anche le copie che Cosimo I ne fece eseguire dalla collezione gioviana erano destinate ad una raccolta di ritratti di uomini illustri, comprendente, come quella del Giovio, solo pochi artisti. Cosimo, però, non sistemò la sua raccolta in un museo, ma ispirandosi all'esempio di Federigo da Montefeltro e del suo studiolo di Urbino ne adornò la Sala della Guardaroba di Palazzo Vecchio, inserendola così in un più completo programma cosmologico.

Allestendo le sale dei Medici in Palazzo Vecchio, il Vasari volle ricordare tutti i poeti, gli scienziati e gli artisti che avevano frequentato la celebre famiglia. Nelle sue pitture, realizzate nel 1558 e nel 1559, egli rappresentò da un lato pittori, scultori ed architetti, riuniti intorno ai loro mecenati Cosimo il Vecchio e Cosimo I, dall'altro poeti, filosofi e uomini politici raggruppati ancora intorno agli stessi e ad altri personaggi appartenenti alla famiglia Medici. È interessante notare come questi lavori rappresentino anche il presupposto delle 144 xilografie inserite nella seconda edizione de 'Le vite de' più eccellenti pittori, scultori e architettori', uscita nel 1568 a Firenze. È questa la prima e più importante raccolta di ritratti di artisti e, come il 'museo' del Giovio, deve essere considerata una vera collezione modello.

Raccontando la vita degli artisti, il Vasari parla dei loro ritratti e autoritratti; con le xilografie inserite nel testo egli diffonde la loro immagine fra un largo pubblico. Pur tenendo conto che il Vasari, specialmente per quanto riguarda gli artisti del Trecento e del primo Quattrocento, probabilmente commette quasi sempre errori di identificazione oppure addirittura inventa alcuni dei ritratti, la sua raccolta ha senza dubbio il merito di avere favorito straordinariamente la diffusione dell'interesse per il ritratto dell'artista. Basti pensare che le innumerevoli riedizioni delle 'Vite' vasariane si arricchirono via via di nuovi ritratti, ed anche le opere similari di altri Autori europei furono corredate, da allora in poi, di molte illustrazioni con ritratti degli artisti, illustrazioni la cui unica irrinunciabile fonte — almeno per quanto riguarda i maestri più antichi — era rappresentata sempre dall'opera del Vasari.

Si può rimproverare al Vasari il fatto di avere inventato spesso liberamente i ritratti per le sue 'Vite', o almeno di avere alterato l'aspetto del modello originale a sua disposizione, secondo una sua idea dell'intimo carattere e temperamento dell'artista rappresentato. Questa constatazione, però, costituisce allo stesso tempo una prova di come egli considerasse fondamentale la fisionomia quale espressione essenziale dell'individuo: soltanto unendo biografia e ritratto si poteva rendere in modo completo l'immagine di un pittore, di uno scultore o di un architetto.

Secondo il programma del Vasari, la prima raccolta di ritratti d'artisti avrebbe dovuto essere costituita nell'Accademia del Disegno: nei 'Capitoli et Ordini', che scrisse insieme al dotto amico Vincenzo Borghini, si prevede infatti che nel fregio di una parete venissero rappresentati gli artisti toscani più famosi e, dopo la loro morte, anche quelli contemporanei. Questo progetto venne però realizzato soltanto nel '600, poiché certamente a quell'epoca risalgono le copie dei ritratti dell'Alberti, del Brunelleschi, di Donatello, del Verrocchio, di Leonardo e del Dürer, ai quali seguono quelli di Andrea del Sarto, del Pontormo, ecc., passati nel 1853 dall'Accademia agli Uffizi, come gentilmente mi segnala la dott.ssa Meloni. L'idea venne ripresa dal Vasari quando dipinse ritratti di famosi artisti in ovali affrescati, in alto, lungo il soffitto del salone della sua casa fiorentina. Anche per l'Accademia di San Luca a Roma, fondata da Federico Zuccari, fu seguito l'esempio dei 'Capitoli et Ordini' fiorentini dando inizio a una raccolta di copie di ritratti di atisti famosi a partire da Cimabue; lo Zuccari stesso offrì alla collezione il proprio autoritratto, al quale seguirono nel tempo quelli di molti altri. Purtroppo questa collezione è stata dispersa, per cui quella leopoldina di Firenze rimane l'unica e insieme la più ampia e significativa raccolta di autoritratti di artisti.

La collezione degli autoritratti
del Cardinale Leopoldo de' Medici

L'esempio offerto in varie forme dal Vasari per una raccolta di ritratti di artisti e l'influenza postuma delle sue idee rendono comprensibile il fatto che proprio a Firenze, un secolo dopo, nascesse il progetto di una collezione composta esclusivamente di autoritratti. Il suo fondatore fu uno dei più importanti mecenati di casa Medici, il Cardinale Leopoldo (1617-1675). Alla sua epoca i pittori non avevano oramai più bisogno di battersi per un riconoscimento della loro opera e della loro importanza: era il mecenate stesso che ne sollecitava una testimonianza, chiedendone direttamente, con profusione di mezzi, l'autoritratto. Il legame che univa ancora Leopoldo de' Medici al Vasari è dimostrato dall'incarico che egli diede all'artista olandese Livio Mehus di eseguire un dipinto in cui fossero rappresentati tutti i quadri della propria collezione insieme a un ritratto del Vasari stesso mentre è intento alla stesura delle sue 'Vite'.

Nella seconda metà del XVI secolo i Medici già avevano raccolto in una sala alcuni autoritratti e nel XVII secolo la predilezione per questo soggetto si era ulteriormente accentuata. Giambattista della Porta aveva implicitamente sollecitato gli studi in questo senso con la sua opera 'Della fisionomia dell'huomo', uscita in prima edizione nel 1586, e già Carlo I d'Inghilterra (1625-1649) dimostrò la sua ammirazione particolare per gli artisti da lui protetti, raccogliendo nella sua 'breakfast chamber' gli autoritratti di Rubens, Mytens e Van Dyck. Ma soltanto Leopoldo de' Medici, grazie alla propria passione di collezionista, sostenuta da un vivo senso per la sistematica derivatogli dalla profonda cultura nelle scienze naturali, riuscirà a realizzare una galleria di autoritratti veramente importante. Il concetto di collezione ch'egli aveva era di natura prettamente barocca: così, se per il Vasari era sufficiente tramandare la fisionomia dell'artista, in quanto l'importante era che dal ritratto ne venisse espresso il carattere, Leopoldo chiedeva che, rappresentando se stesso, l'artista offrisse anche un saggio del proprio stile, come è stato confermato dal Baldinucci a proposito della Vita di Baldassarre Franceschini. Sin dall'inizio, il Cardinale Leopoldo si dedicò con grande perseveranza e rigore alla propria collezione, ottenendo così una galleria comprendente circa 80 autoritratti; nessun altro collezionista fu poi in grado di superarlo in questo campo.

Consigliere sia del Cardinale Leopoldo, sia di Cosimo III, che al Cardinale succedette nella cura della collezione, fu il Baldinucci; a suo parere era indispensabile accaparrarsi tutti i possibili autoritratti, anche quelli di cui l'autenticità fosse dubbia perché non ben controllabile, pur di non lasciare ad altri la possibilità di allestire una raccolta che uguagliasse quella dei Medici. Grazie a questo sistema, l'inventario del 1704 (tenuto aggiornato fino al 1714) registrò un primato assoluto: nell'arco di un cinquantennio erano stati raccolti più di 180 ritratti; una collezione, dunque, unica nel suo genere, questa dei Medici, sia per il numero sia per l'importanza dei quadri. Infatti, anche la collezione del veronese Mosconi di cui parla Bartolomeo del Pozzo nel suo 'Le vite de' pittori, degli scultori et architetti veronesi' (Verona, 1718), che numericamente la supera — comprendendo 262 opere — è verosimilmente composta soprattutto di copie; non si spiegherebbe altrimenti il fatto che tutti i quadri abbiano un uguale formato ovale.

Un'altra collezione di autoritratti, quella dell'abate fiorentino Antonio Pazzi, composta di più di 120 opere e certamente ispirata alla raccolta medicea, fu acquistata per gli Uffizi nella seconda metà del 700; il complesso così raggiunto non conobbe più concorrenza, neanche nei tempi successivi.

Il Cardinale Leopoldo aveva formato la propria cultura sotto l'influenza delle teorie galileiane ed ebbe prestissimo contatti con un ampio numero d'importanti filosofi e letterati di tutta Europa; della sua predilezione per le scienze, poi, fu degno coronamento la fondazione, a Firenze, dell'Accademia del Cimento, prima importante accademia a carattere scientifico. Non minore interesse, però, Leopoldo dedicò all'arte in genere e alle letteratura, continuando in tal modo la tradizione più che duecentennale di casa Medici. La sua sceltissima biblioteca di Palazzo Pitti, curata dal famoso Antonio Magliabechi, era aperta a chiunque desiderasse consultarla. Si può quindi senza dubbio affermare che della illustre famiglia fiorentina egli fu l'ultimo grande mecenate, meritandosi, in virtù anche delle sue doti d'intelletto e della sua profonda cultura, l'appellativo di 'mecenate più glorioso del secolo'. 'Principe della Toscana' egli venne chiamato, volendosi condensare in questo titolo tutte le sue doti: l'alto ingegno, il forte intuito psicologico, l'innato senso diplomatico e soprattutto la sua grande umanità: è certo per merito di tutte queste doti, unite allo spiccato gusto per il bello, se durante la sua vita le collezioni di casa Medici ebbero il loro ultimo, glorioso sviluppo.

Leopoldo fu poeta e pittore dilettante: ignoriamo chi in quest'ultimo campo gli fosse stato maestro. Nell'inventario del suo lascito sono menzionati sette quadri di sua mano, fino ad oggi dispersi: solo recentemente ne è stato identificato uno, il ritratto del cantante Martelli. I suoi viaggi lo portarono, fra l'altro, in Lombardia e a Venezia nel 1639 e, nel 1646, alla corte tirolese di Innsbruck; egli ebbe così modo di conoscere numerose collezioni di opere d'arte, fra le quali certamente la galleria dei ritratti dell'Arciduca Ferdinando d'Austria.

A detta di lui stesso, Leopoldo iniziò la sua attività di collezionista già all'età di 17 anni, tessendo una nutrita corrispondenza con i suoi esperti in tutti i luoghi d'Italia importanti per il mercato di oggetti d'arte. Suo è il primo contributo fondamentale per la costituzione della odierna collezione dei disegni degli Uffizi; per la quale, come già detto, egli ebbe come fido consigliere Filippo Baldinucci che, nell'arco di 11 anni, prima per lui e poi per Cosimo III, riordinò la suddetta raccolta in ben 100 volumi. Importanti anche le collezioni leopoldine di monete e medaglie, comprendenti 4000 pezzi, le collezioni di ritratti in miniatura, con più di 500 esemplari, e delle porcellane, con oltre 700 pezzi. Innumerevoli i suoi acquisti di statue, di gemme, di miniature, di opere di arte minore, di armi e di minerali. Soltanto i quadri di grande formato registrati nell'inventario del suo lascito sono 697. Da una valutazione sommaria risulterebbe che circa un dodicesimo di tutti i quadri esposti negli Uffizi e a Palazzo Pitti siano qui pervenuti per suo merito. Primeggiano per numero i dipinti di autori veneziani; suo agente a Venezia fu Paolo del Sera, fiorentino di nascita, al quale il Boschini fa dire, in dialetto veneto: 'Son Fiorentin, so confessarlo. Quando però, che de Pitura parlo, son Venetian, nativo de sta tera'. A lui certamente va il maggior merito di questo primato nell'ambito della collezione medicea, ma una troppo netta classificazione per regioni male si accorda con lo spirito universale proprio di Leopoldo. I suoi abili acquisti di opere d'arte, attraverso una vasta rete di agenti, gli permisero di costituire una collezione che diventò famosa anche al di là delle frontiere della Toscana e d'Italia. Se si considera che Leopoldo non fu un principe regnante, con la conseguenza che i mezzi a sua disposizione erano relativamente limitati, e che inoltre alla sua epoca, ovunque in Europa, i potenti gareggiavano nell'acquisto di opere d'arte, il suo merito di essere riuscito a mettere insieme una collezione di tale importanza acquista un valore veramente eccezionale. Con molti potenti collezionisti Leopoldo manteneva frequenti contatti, scambiando con loro, come per esempio con Cristina di Svezia, consiglieri ed agenti.

Per potere quindi reggere a tale imponente concorrenza all'interno e all'estero, Leopoldo dovette amministrare molto saggiamente i mezzi a sua disposizione; in una lettera a lui indirizzata dal suo agente Fra' Bonaventura Bisi, al quale era stato chiesto per un disegno del Primaticcio un prezzo troppo alto, si legge: «li dissi che V. A. Ser.ma spendeva bensì da Principe, ma non getta da pazzo».

Alla morte del fratello Giovanni Carlo, nel 1663, rimase vacante una sede cardinalizia di spettanza dei Medici; e nel 1667, a Roma, Clemente IX nominò Leopoldo cardinale. A Roma Leopoldo ritornò per il conclave dopo la morte di Clemente, avvenuta nel 1669, fermandosi in quell'occasione per circa un anno. L'affermazione che durante questo soggiorno romano Leopoldo acquistasse diversi ritratti di artisti dall'Accademia di S. Luca, come è stato scritto in vari testi, pare sia dovuta ad una falsa tradizione; infatti, né all'Accademia romana (il cui archivio peraltro presenta gravi lacune), né a Firenze, sono reperibili documenti in tal senso. I ritratti registrati nell'inventario del lascito leopoldino la cui provenienza non è stato possibile accertare probabilmente non erano stati acquistati a Roma, tanto più che la maggior parte degli autori risiedevano in genere in altre località.

I primi autoritratti della collezione furono commissionati da Leopoldo direttamente agli autori stessi, nel 1664; alla sua morte, nel 1675, dall'inventario risultano esistenti − come si è già detto più sopra − 80 opere che, insieme ad altri ritratti antichi, furono man mano da lui disposte, in parte nella 'Stanza de' pittori' al terzo piano di Palazzo Pitti (69 quadri), in parte nella 'Stanza della Guardaroba' di Palazzo Vecchio. Metà della collezione risulta, in base a lettere e inventari, acquistata o ricevuta in dono; l'altra metà era stata da lui selezionata fra le opere già facenti parte del patrimonio familiare, come è confermato anche nelle 'Vite' del Baldinucci e del di lui figlio Francesco Saverio; 7 ritratti erano stati da Leopoldo ereditati nel 1666 dal fratello Cardinale Carlo e altri 3 gli furono donati dal nipote, granduca Cosimo III.

Nel 1670 morì il granduca Ferdinando II, fratello di Leopoldo, e gli succedette il figlio, Cosimo III. Cosimo era cresciuto alla scuola dello zio, ma il suo bigottismo e le sue scarse capacità di governo fecero sì che l'illuminato Leopoldo, che già aveva rinunciato alla presidenza dell'Accademia del Cimento in seguito alla nomina a cardinale, si ritirasse lentamente dagli affari dello stato. Quando Leopoldo morì nel novembre del 1675, all'età di 58 anni, il granduca e la famiglia granducale persero un prezioso consigliere; con lui scompariva anche l'ultimo grande rappresentante di casa Medici. Nel suo testamento egli lasciò a pochi parenti o amici qualche singolo oggetto artistico, spesso da loro stessi a lui regalato: Francesco Maria de' Medici ebbe la collezione delle porcellane, ma la parte maggiore della sua proprietà passò al nipote granduca che Leopoldo aveva nominato suo erede universale. In questa maniera le preziose collezioni rimasero alla famiglia Medici e passarono poi, per la maggior parte, agli Uffizi.

Gli acquisti per la collezione degli autoritratti

I collezionisti più importanti di opere d'arte, soprattutto di oggetti antichi, si trovavano a Roma, e così pure i loro dotti consiglieri. Anche i Medici erano soliti ricorrere per i loro acquisti a questi conoscitori d'arte, quali, ad esempio, Francesco e Paolo Falconieri. Benché Firenze non rappresentasse più il centro dell'attività artistica del tempo, tuttavia essa partecipava ancora alla vita artistica romana: ma se il dotto Leopoldo guardava a Roma, il suo gusto non gli faceva trascurare Bologna e Venezia, dove − come già si è detto − operò la maggior parte degli acquisti per la sua collezione.

Leopoldo aveva una sessantina di corrispondenti, sparsi in tutta Italia, in Francia e nelle Fiandre, per poter soddisfare ai suoi molteplici interessi di collezionista: una trentina di questi possono essere considerati dei veri e propri agenti in senso stretto, in quanto avevano l'esclusivo compito di fare acquisti. Tra costoro, tredici corrispondenti ed agenti scelti avevano l'incarico di procurare a Leopoldo anche ritratti di artisti; altri, invece, operavano per lui soltanto occasionalmente. La maggior parte di questi agenti erano originari di Firenze, oppure erano legati alla famiglia Medici da numerosi anni; essi occupavano quindi fra tutti una posizione di fiducia.

Comunque, i corrispondenti e gli agenti incaricati dell'acquisto degli autoritratti possono essere classificati secondo tre categorie: 1. collezionisti ed esperti; 2. artisti; 3. diplomatici ed ecclesiastici. La prima categoria rappresenta la grande maggioranza; ad essa appartengono Annibale Ranuzzi, operante a Bologna, Paolo del Sera e Marco Boschini, residenti a Venezia, e Paolo Falconieri, il fiduciario di Roma. Ognuno di essi − con una sola eccezione, di cui si vedrà in seguito − aveva il proprio

consigliere che lo affiancava durante le ricerche e le trattative. Annibale Ranuzzi si appoggiava a Giovanni Andrea Sirani, il Boschini si faceva consigliare dall'amico artista Pietro Della Vecchia, Paolo Falconieri sottoponeva le sue scelte al giudizio di Ciro Ferri, sempreché gli acquisti non fossero direttamente da quest'ultimo sollecitati presso il Cardinale che aveva di lui grande stima. L'eccezione di cui si diceva è rappresentata da Paolo Del Sera, del cui giudizio critico Leopoldo si fidava senza riserve: egli si manteneva in continuo, produttivo contatto con i pittori veneziani contemporanei e sottoponeva le sue offerte senza il vaglio di un consigliere fisso.

Oltre a questi, Leopoldo aveva al suo servizio il miniaturista bolognese Giuseppe Maria Casarenghi: se non sappiamo quasi nulla della sua attività artistica, risulta però assai proficua la sua attività di mediatore. Probabilmente, nella sua qualità di miniaturista, e quindi di frequente copista di ritratti, aveva facile accesso alle collezioni esistenti nella sua città, più che non fosse possibile a un semplice agente: si spiegherebbe così l'alto numero delle sue offerte in confronto a quelle di altri. Un ruolo simile lo ebbe Giovanni Battista Natali di Cremona. Di lui scrisse Leopoldo in una lettera del 1674 al romano Paolo Falconieri: 'benché nella pittura egli (Natali) sia men che mediocre, ad ogni modo ha così buon gusto e gran pratica nel conoscere pitture e disegni, e particolarmente di professori della Lombardia e di quelle parti, che per mezzo suo ho fatto molte compre', dimostrando con ciò come sapesse esattamente valutare i propri incaricati.

Degli artisti contemporanei più importanti, Leopoldo si servì occasionalmente per i propri acquisti soltanto di Pietro da Cortona e di Ciro Ferri; di quest'ultimo, generalmente attraverso Paolo Falconieri.

Nei luoghi dove non disponeva di agenti, Leopoldo si avvaleva dell'aiuto di diplomatici fiorentini: così, Giovanni Battista Bolognetti, dai cui rapporti politici e militari risulta la sua militanza a servizio dello stato, assolveva all'incarico di mediatore dietro precisi suggerimenti di Leopoldo e con l'aiuto di esperti consiglieri. Altri personaggi, sempre al servizio dello stato, a cui Leopoldo ricorreva per i suoi acquisti di ritratti di artisti, furono Domenico Maria Corsi, vice legato dello stato d'Urbino, e Airoldi Internuntius, attivo in Fiandra.

Difficilmente Leopoldo, e dopo di lui Cosimo III, si affidavano ad agenti stranieri; in una sua lettera Leopoldo esprime addirittura il suo rifiuto di riconoscere la validità di esperti 'oltra montani': abbiamo infatti notizie assai limitate nel tempo riguardo ad acquisti operati a Bruxelles e Amsterdam e agli agenti relativi.

Poche notizie esistono intorno all'inizio della collezione degli autoritratti, malgrado la nutrita corrispondenza. Comunque se ne deduce − come già è stato detto − che Leopoldo commissionò i primi ritratti personalmente agli artisti; così nel 1664 a Bologna al sessantatreenne Guercino e a Roma al sessantaseienne Pietro da Cortona. Nello stesso anno dette incarico di procurargli ritratti di artisti al già citato Annibale Ranuzzi, suo agente a Bologna, nel 1665 a Paolo del Sera a Venezia e nel 1666 a Paolo Fal....ieri a Roma. Così, già a partire dal settembre 1666 − come si deduce da una lettera del Ranuzzi del 4 settembre di quell'anno e da un'altra di Ciro Ferri del 15 settembre successivo, Leopoldo distribuiva elenchi dei ritratti già collezionati; anche se nessuno di questi elenchi ci è pervenuto, si può tuttavia ritenere che la collezione fosse composta ancora per la maggior parte da opere già esistenti nel patrimonio familiare.

Verso la fine degli anni sessanta, offerte e acquisti diminuiscono inspiegabilmente, per riprendere, poi, negli anni settanta, raggiungendo il loro apice nel 1674 e nel 1675, gli ultimi anni della sua vita.

La raccolta degli autoritratti è indubbiamente una creazione personale di Leopoldo, anche se una tale impresa è impensabile senza la collaborazione di competenti, dalla nutrita schiera di agenti nelle più importanti città italiane ai consiglieri fiorentini come Filippo Baldinucci e Baldassarre Franceschini.

Dei maestri non italiani presenti nella galleria degli autoritratti vanno citati i fiamminghi Rembrandt e Van Dyck e Ferdinando Vuet, quest'ultimo molto attivo in Italia anche come mercante di quadri: ne sia prova il fatto che, sebbene Leopoldo non gli avesse chiesto il suo autoritratto, egli seppe ugualmente farglielo pervenire insieme ad altri dipinti commissionati per il Cardinale dal bolognese Annibale Ranuzzi. Dei maestri tedeschi esistono gli autoritratti di Dürer e di Spranger, dei francesi è presente Nanteuil, il cui autoritratto fu regalato a Leopoldo da Cosimo III, che lo acquistò direttamente dall'autore durante il suo soggiorno parigino del 1669; abbiamo infine l'autoritratto dello spagnolo Ribera.

Ma i maestri stranieri interessavano Leopoldo solo marginalmente; la sua attenzione era rivolta principalmente agli artisti italiani e in particolare a quelli della scuola toscana: più di un quarto delle opere componenti la collezione leopoldina è composta, infatti, da autoritratti di maestri toscani; vi sono, così, rappresentati, per il Cinquecento e il Seicento, il Vasari, Francesco Salviati, Alessandro Allori, Santi di Tito, il Buontalenti, Bernardo Poccetti, Jacopo da Empoli, il pittore di corte Sustermans, Francesco Furini, Baldassarre Franceschini e altri. Bisogna tener presente che una delle ragioni di tale prevalenza di artisti toscani è dovuta anche al semplice fatto che era certo più facile che essi lasciassero il loro autoritratto mentre soggiornavano e lavoravano a Firenze.

Accanto a Firenze, Bologna è presente nella collezione con 13 pittori, fra i quali tutti i componenti della famiglia Carracci, Lavinia Fontana, Guido Reni e il Guercino. Meno numerosi i veneziani, malgrado la già ricordata predilezione di Leopoldo nei loro riguardi: ricordiamo, fra tutti, il Tintoretto e i Bassano. Seguono i romani, fra i quali Raffaello, Giulio Romano, Federico Zuccari, Ciro Ferri e il Bernini; la scuola napoletana, infine, è rappresentata dal paesaggista Filippo d'Angeli e da Luca Giordano.

Questo quadro sommario dà un'idea approssimativa dell'ampiezza e importanza della galleria degli autoritratti di Leopoldo. Malgrado vi siano assenti alcuni grandi nomi di artisti, essa rappresenta indubbiamente l'unica collezione importante del genere esistente nel XVII secolo.

Non ci si meravigli che la raccolta leopoldina non comprenda soltanto opere originali; l'appassionato collezionismo dell'epoca ne è la migliore spiegazione. Si tenga presente che almeno due volte Leopoldo, malgrado la sua competenza in materia, fu ingannato nei suoi acquisti. Il primo caso è quello dell'autoritratto di Luca Cambiaso al cavalletto su cui poggia il ritratto del padre; il secondo autoritratto certamente non originale è quello di Annibale Carracci, sempre al cavalletto. È noto come spesso fossero eseguite copie da ritratti per esigenze familiari e, in particolare nel 600, anche per essere in grado di soddisfare le richieste del mercato, proprio in un'epoca caratterizzata da una corsa agli acquisti di opere d'arte senza che si badasse troppo per il sottile: una testimonianza ne sono, appunto, i due su citati ritratti della collezione di Leopoldo. Dell'autoritratto di Luca Cambiaso agli Uffizi esiste un secondo esemplare a Genova; anche l'agente Bolognetti parla di due esemplari, di cui uno solo dice essere l'originale ed è oltremodo probabile che l'esemplare di cui il collezionista genovese Micone si disfece, donandolo a Leopoldo, non sia l'originale ma la copia. Per quanto riguarda l'autoritratto di Annibale Carracci, che Leopoldo acquistò da Giovanni Pietro Bellori, si ritiene fondatamente che si tratti di una copia dell'originale esistente all'Eremitage di Leningrado, dove pervenne dagli eredi del Bellori stesso attraverso la collezione Pierre Crozat; probabilmente il Bellori, molto affezionato a questo autoritratto particolarmente pregevole, non volle in vita disfarsene e, naturalmente, per Leopoldo lo fece copiare.

Il contributo di Filippo Baldinucci

Le collezioni di Leopoldo de' Medici – quella degli autoritratti, dei quadri in genere, dei disegni, dei 'ritrattini' – permettono, grazie alla loro vastità, una visione assai completa di un periodo importante per lo sviluppo dell'arte italiana, offrendo in tal modo un vasto campo di ricerca. In particolare esse rappresentarono una fonte inesauribile per gli studi del Baldinucci, il quale entrò al servizio di Leopoldo nel 1665, ne riordinò, come già detto, la collezione dei disegni e – come risulta da numerose sue lettere – lo consigliò spesso nei suoi acquisti, probabilmente anche in quelli degli autoritratti, malgrado che le notizie in merito siano assai frammentarie. Leopoldo apprezzò il suo competente contributo alla costituzione della sua galleria e favorì i suoi studi illimitatamente, mettendogli a disposizione la sua vasta rete di agenti che raccoglievano per lui dati biografici e notizie circa le opere degli artisti contemporanei già a partire dal 1663; citiamo ad esempio una lettera di Pietro Luca Nistri

di Milano, che contiene una 'Nota dei Pittori antichi e moderni di questo Stato' accompaganta da un elenco delle 'opere più stimate che si trovino in Milano di pittori forastieri': la nota, con più di 80 nomi, fu preziosa per le ricerche del Baldinucci, il quale, da quello studioso preciso e meticoloso che era, pubblicò la prima parte delle sue 'Notizie dei Professori del Disegno' soltanto sei anni dopo la morte del Cardinale, nel 1681.

Alla morte di Leopoldo, il Baldinucci fu incaricato da Cosimo III di redigere un registro della collezione degli autoritratti e di curarne il riordinamento. Il primo elenco degli autoritratti presenti nella 'stanza dei ritratti' fu steso nel 1676: il Baldinucci organizzò il riordinamento della collezione non tanto secondo la data di nascita o di morte degli autori, quanto secondo il periodo di maggior fulgore della loro opera, impedendo che venissero collocati ritratti di autori di un momento pittorico più recente prima di altri autori rappresentativi di una maniera di dipingere più antica.

Il Baldinucci fu indubbiamente l'esperto più competente che ebbe a occuparsi della collezione di Leopoldo: per operarne una generale revisione, nel febbraio del 1681, accompagnato dal 'guardaroba' Lorenzo Gualtieri e da Giovanni Altieri, egli si installò nella sala degli autoritratti di Palazzo Pitti, redasse un elenco delle opere presenti e ne preparò le relative perizie. Il risultato della sua attività ci viene offerto in una lettera del 15 febbraio dello stesso anno (1681), pubblicata da Michelangelo Gualandi nella 'Nuova raccolta di lettere sulla pittura, scultura ecc.' purtroppo con la data errata 1686 anziché 1681. In questa lettera il Baldinucci esprime il suo parere circa un possibile ampliamento della raccolta. Il suo programma contiene una 'Nota dei pittori per le serie de' tempi', una 'Nota... intorno ai capi-scuola che mancano nella raccolta' e una 'Nota de' ritratti veduti in Roma'; consigliò inoltre di completare la galleria con ritratti dei primi artisti 'che incominciano a scoprire l'ottima maniera', come il Pollaiolo a Firenze, il Francia a Bologna, Giovanni Bellini a Venezia, il Perugino a Perugia, e simili, 'con qualchedun altro da loro derivati', ed altri artisti d'oltralpe. Il suo concetto era quello di cercarne molti per trovarne alcuni, dato che gli autoritratti rappresentavano una rarità.

Purtroppo si trattò di elucubrazioni teoriche, perché nessuno, prima della seconda metà del Settecento, si occupò di arte italiana primitiva; però a Firenze esistevano mille progetti per un degno ampliamento della galleria degli autoritratti.

La indubbia capacità critica e la profonda cultura del Baldinucci sono deducibili anche dalle sue precise relazioni per Cosimo III: ma se le sue teorie di ampliamento della raccolta erano ben congegnate, esse non tenevano certo conto dei mezzi a disposizione del granduca.

Le lettere del Baldinucci di quell'epoca danno inoltre una ulteriore, postuma testimonianza delle eccelse doti di Leopoldo, della sua competenza, della sua ampia cultura e del suo mecenatismo; la fusione di queste qualità garantì, durante la sua vita, una coerente continuità alla collezione, continuità che purtroppo fu interrotta o comunque compromessa dopo la sua morte, quando tre furono le persone che se ne occuparono: Cosimo III, il suo fido segretario Apollonio Bassetti e il Baldinucci stesso. Al posto delle intelligenti trattative di Leopoldo assisteremo a inconcludenti corrispondenze del Bassetti, zeppe di decisioni dettate da meschinità ed isterismi, atti solo ad amareggiare mercanti ed agenti; e anche i giudizi dei periti erano accolti a Firenze con prevenzioni e riserve. Il Baldinucci fu messo da parte e la responsabilità della collezione venne assunta direttamente da Cosimo insieme al suo dotto segretario.

Cosimo III e l'ordinamento della collezione negli Uffizi

Pochi principi medicei ebbero, come Cosimo III (1642-1723), la possibilità di acquisire esperienza, sia in campo politico sia in campo culturale; purtroppo come nessun altro della sua famiglia, Cosimo III precipitò in miseria il suo paese mercè il suo carattere capriccioso e dispotico.

Egli diventò granduca di Toscana nel 1670, e – come molti principi della sua epoca – ebbe non pochi educatori nel campo delle arti. Stefano della Bella fu suo maestro nel disegno, come riferisce il Baldinucci nella sua 'Arte dell'intagliare'. I suoi viaggi lo portarono, già nel 1664, nell'Italia settentrionale, nel 1667 e nel 1668 in Germania e in Olanda, nel 1668-69 in Spagna, Portogallo, Inghilterra, Olanda e Francia: durante questi viaggi egli ebbe modo di avvicinare molte personalità del campo artistico, di accedere a molte collezioni e di conoscere diversi pittori importanti, visitandone la bottega. Ciò nonostante, il suo interesse per l'arte fu limitato, anche se diversi furono i quadri da lui acquistati, specialmente nei Paesi Bassi. Allo zio Leopoldo regalò per la sua collezione l'autoritratto, a pastello, di Nanteuil, quello di Stefano della Bella (che gli era stato donato da Paolo Del Sera, allievo dello stesso) e quello di Andrea Commodi che aveva ricevuto in dono dall'inglese John Dodington, residente a Venezia. Contemporaneamente Cosimo seguì anche i propri interessi, acquistando per la sua collezione personale, fra gli altri, i ritratti di piccolo formato di Mieris, Terborch e Dou.

Non esistono notizie circa eventuali scambi d'idee sull'arte fra Leopoldo e Cosimo III, né è da presumere che lo zio abbia avuto molta influenza in questo senso su Cosimo. Infatti, dopo la morte del cardinale avvenuta nel 1675, la collezione progredì stentatamente, almeno nei primi tempi. Paolo Falconieri, che era stato uno dei più attivi agenti di Leopoldo, consigliò a Cosimo nel 1678 l'acquisto di due disegni: l'autoritratto di Guido Reni e quello di Polidoro da Caravaggio; ma soltanto nel 1680 Cosimo si fece attivo promotore d'iniziative artistiche, quando maturò in lui il progetto di allestire la collezione di Leopoldo nella galleria degli Uffizi in onore dell'illustre zio e quale testimonianza di un 'trionfo' dei Medici. Già nel 1677, su sua indicazione, erano state portate agli Uffizi, da Palazzo Pitti e dal giardino di Boboli, alcune statue contemporanee ed altre antiche, come la Venere dei Medici, proveniente dalla residenza romana della famiglia. Già Ferdinando I, verso la fine del secolo precedente, aveva fatto allestire agli Uffizi la Tribuna perché accogliesse le opere d'arte della famiglia: appare evidente che la sistemazione anche della collezione degli autoritratti nella stessa galleria rientrava in un piano programmato, che prevedeva di raccogliervi almeno la maggior parte delle opere d'arte collezionate dai Medici. Così, agli autoritratti seguirono le medaglie e nel 1700 le porcellane.

Come già è stato detto, agli inizi del 1681 era stato dato incarico a Filippo Baldinucci di redigere un elenco di tutti i ritratti di artisti e di predisporre un progetto di ampliamento della collezione. Nell'anno successivo la collezione di Leopoldo — poco incrementata negli anni immediatamente dopo la sua morte — fu sistemata in una sala apposita situata nel lato opposto alla Tribuna. Paolo Falconieri, il valente antiquario e consigliere romano del granduca — il quale stese, fra l'altro, una perizia per l'allestimento della collezione —, dette la sua approvazione alla nuova sistemazione, proponendo però di esporre nell'ambiente scelto che lui chiamò ugualmente 'Tribuna' soltanto le opere migliori, 'perché non tutti sono belli, et in un luogo che S.A. mostra davero scelto per porvi solamente l'ottimo, mettendovi quello che non è tale, si dichiara povero quando è richissimo'. L'inventario di Palazzo Pitti del 1687 dimostra però che in questa sede erano rimasti soltanto 13 ritratti d'artisti, dei quali tre di maestri ignoti: tutti gli altri erano già stati sistemati nella nuova sala degli Uffizi, ordinati secondo la rispettiva scuola.

Giovanni Battista Foggini ebbe, nel 1697 (e non nel 1681, come era stato supposto), l'incarico di scolpire in marmo una statua seduta del Cardinale Leopoldo. Pare che l'iscrizione del monumento sia stata dettata dall'ambasciatore inglese presso la corte fiorentina, Henry Newton. In essa si legge che Cosimo III volle dedicarlo al ricordo imperituro dello zio Leopoldo, 'il Cardinale della Toscana, il protettore e conoscitore di monete, iscrizioni, sigilli, pietre intagliate e tutte di le preziose testimonianze della cultura antica, qui ritratto in mezzo alla sua davvero regale raccolta di volti quasi vivi, respiranti, dei pittori più noti in tutto il mondo, consacrati all'eternità dalle loro stesse mani'.

Il monumento postumo di Leopoldo in abito cardinalizio fu collocato in una nicchia opposta alla parete con la porta d'ingresso della sala degli autoritratti. Il soffitto della sala era stato affrescato da Pietro Dandini con un'allegoria della Toscana incoronata accompagnata dalla Virtù: al di sopra della nicchia si legge l'iscrizione: HIC LEOPOLDUS ADHUC STATUA NON DIGNIOR ALTER / NEC STETIT ULLA PRIUS NOBILIORE LOCO; al di sopra della statua, sopra una piramide, si trova il motto di Leopoldo, SEMPER RECTUS, SEMPER IDEM.

È indispensabile collocare l'intero programma per la sistemazione della sala di Leopoldo in un quadro più ampio per riconoscerne la ideale derivazione dalla Tribuna, che a sua volta deve essere considerata un derivato dello studiolo di Francesco I. Studiolo e Tribuna sono stati concepiti secondo un programma cosmologico che, nella Tribuna, si esprime attraverso la derivazione della pianta ottagonale da quella della Torre dei Venti di Atene e con le allusioni ai punti cardinali e ai segni zodiacali, mentre le scene con figure, dipinte su due armadi, inseriscono in questo programma la storia della famiglia Medici. Nell'allestimento della Sala degli Autoritratti Cosimo volle rifarsi spazialmente al carattere della Tribuna, collocandola di fronte a quest'ultima. A sua volta, questo secondo ambiente è sì dedicato ad un'unica persona, il Cardinale Leopoldo, emblema di tutta la sua famiglia — i Medici —, ma l'allegoria della Toscana incoronata riallaccia la persona — e la famiglia — al Granducato, mentre l'iscrizione sulla base della statua che fa riferimento ai 'pittori più famosi in tutto il mondo' inserisce il tutto in una visione più ampia. Ecco quindi la sala diventare un vero e proprio monumento a Leopoldo, insigne protettore delle arti, ma anche a tutta la famiglia regnante: senza dubbio, i grandi meriti di Leopoldo non potevano trovare un riconoscimento più degno.

Tra il gran numero di ritratti posseduti da tutte le grandi famiglie nobili si annoveravano quasi sempre anche ritratti di poeti: così in alcune Ville dei Medici situate nei dintorni di Firenze, come nella villa di Artimino, si trovano intorno al 600, fra gli altri, i ritratti di Dante, del Boccaccio, del Petrarca e dell'Ariosto. Più raramente vi si ritrovano ritratti di artisti: l'unico esempio noto è quello della villa Petraia, nel cui 'Salone grande a terreno verso levante' era collocato un busto in bronzo di Michelangelo; questo busto si trova oggi al Bargello, né mai era stato compreso nella collezione dei ritratti di artisti.

Nella seconda metà del Seicento nasce, accanto alla già esistente collezione degli 'uomini illustri' voluta da Cosimo I, un altro ciclo di ritratti dello stesso genere. Fu il granduca Ferdinando II che, dietro suggerimento del fratello Leopoldo e con la collaborazione di Ferdinando del Maestro, di Lorenzo Panciatichi e di Alessandro Segni, programmò la decorazione del soffitto del corridoio occidentale degli Uffizi, decorazione che doveva illustrare la fama della Toscana attraverso le immagini dei suoi rappresentanti più significativi. Vediamo così rappresentati — suddivisi in 31 settori, di cui 3 riservati ai pittori, scultori e architetti famosi — principi di casa Medici, regnanti e non regnanti, uomini che in virtù delle loro opere si erano meritati dalla patria fama e onori (alla loro testa Palla Strozzi), diplomatici, condottieri, uomini di scienza; talvolta il loro ritratto è accompagnato da illustrazioni delle loro opere.

La disposizione degli affreschi prevede un campo centrale con una illustrazione allegorica del tema a cui il ciclo si riferisce. Intorno, disposti concentricamente, si trovano i ritratti dei toscani famosi, in edicole o medaglioni; negli spazi intermedi, piccole scene illustrative delle loro imprese. L'ordine tematico segue la regola delle 'artes liberales' e delle 'artes mechanicae'. Il settore riservato alla 'Pittura' presenta nel suo medaglione centrale un'allegoria della pittura, accompagnata da due putti, e, in quattro nicchie, le allegorie de 'il contorno', 'la imitazione', 'la perfezione', 'il mosaico', inframezzate da altre scene illustrative. Nelle diagonali vediamo i ritratti in ovale, incorniciati da colonne decorative, di Masaccio, di Fra' Bartolomeo, del Bronzino e del Cigoli. In mezzo ad essi, scene che rappresentano Giotto nell'atto di dipingere il famoso cerchio per papa Bonifacio VIII, Cimabue che riceve la visita di Carlo d'Angiò in Borgo Allegri, Leonardo mentre ritrae Francesco I di Francia e Andrea del Sarto con la 'Madonna del Sacco'.

Nel settore riservato alla 'Scultura', l'allegoria centrale è contornata dai ritratti di Donatello, del Ghiberti, di Luca della Robbia, di Michelangelo, del Bandinelli, del Tribolo, ciascuno con in basso la illustrazione delle proprie opere più famose: sparse qua e là, le immagini di illustri monumenti antichi, quali il Toro Farnese, la statua equestre di 'Costantino' = Marc'Aurelio, l'Ercole Farnese, il gruppo del Laocoonte, poi la colonna traiana, una piramide, l'Arco di Costantino e il Colosso di Rodi. Secondo gli stessi criteri, il settore dedicato alla 'Architettura' comprende immagini di Giotto con il Campanile, di Arnolfo con Santa Maria del Fiore, dell'Orcagna con la Loggia dei Lanzi, del Brunelleschi con la cupola del Duomo di Firenze, di Michelangelo con la cupola di S. Pietro, dell'Alberti con la Loggia Rucellai e di altre opere attribuite agli stessi autori: ponti, fontane ecc.

Questa è già la quarta serie importante dedicata agli 'uomini illustri' allestita in edifici fiorentini di rappresentanza; la prima era stata dipinta dal Ghirlandaio, secondo gli schemi medioevali, in Palazzo Vecchio; la seconda, che illustrava le storie dei Medici, fu dipinta dal Vasari intorno alla metà del 500 e si trova negli appartamenti di Cosimo I, sempre nello stesso palazzo; le nicchie della fabbrica degli Uffizi dovevano essere ornate con statue di uomini illustri, mentre contemporaneamente si andava costituendo la raccolta di ritratti di uomini famosi di tutti i paesi, eseguiti su tavola (la gioviana), raccolta che venne poi collocata nello stesso corridoio degli Uffizi, il quale intanto veniva affrescato con i maggiori personaggi della storia fiorentina.

Gli Uffizi, insomma, erano già stati consacrati a tempio delle glorie, medicee, prima ancora che Cosimo III, nel 1681, vi allestisse la sala per la collezione di Leopoldo dei ritratti di artisti. In occasione del riordinamento della collezione, parte dei quadri fu ridotta a misura unica e parzialmente ritoccata dal pittore Onorio Marinari. Per mantenere l'unità del formato alcuni ritratti vennero sostituiti con un secondo esemplare, altri — come si legge nell'inventario — vennero incorniciati di nuovo, 'con un fregio attorno di architettura, e fogliami di color di pietra' o con 'rabesco di chiaro scuro'. Questo primo inventario della raccolta, steso dopo la sua sistemazione negli Uffizi e datato 1704, contiene già 186 voci; esso presenta qualche errore, come l'aver riportato due volte l'autoritratto di Giulio Romano; comunque attesta che la collezione, dopo la morte di Leopoldo, fu arricchita da più di un centinaio di autoritratti: vedremo che questo non fu l'unico merito di Cosimo e del suo consigliere, Apollonio Bassetti.

Gli acquisti di Cosimo III

Alcuni dei più abili agenti di Leopoldo, quali Paolo Falconieri e Ferdinando Cospi, restarono anche al servizio di Cosimo III in qualità di mediatori: il veneziano Marco Boschini e Annibale Ranuzzi a Bologna assunsero invece solo il ruolo di consiglieri. A Venezia le trattative erano condotte dal 'Maestro delle Poste' del granduca per quella città, Matteo del Teglia. Per il resto, la cerchia degli agenti non si arricchì, dopo la scomparsa di Leopoldo, di nessuna notevole personalità; al contrario, con il tempo, gli ottimi procuratori del cardinale furono man mano sostituiti da elementi meno capaci. Dopo la morte del senatore bolognese Ferdinando Cospi, l'incarico di corrispondente della corte medicea per gli acquisti di opere d'arte fu affidato a persona di fiducia di quest'ultimo, Don Teodoro Bondoni, che a sua volta lo passò a Guido Signorini, pittore di modesto valore, il quale spesso risiedeva a Roma. I compiti del Falconieri a Roma furono assunti nel 1680 dall'allora ministro del Granduca e curatore dell'Accademia medicea di quella città, l'abate Giovanni Battista Mancini. Comunque, tutti gli incarichi del genere si esaurirono più o meno entro il 1694; poche le eccezioni, come l'incarico assunto a Londra prima da Francesco Terriesi, poi da Thomas Platt, e infine da Jacopo Giraldi, che susseguendosi nell'ordine operarono occasionali acquisti in quella città fino al 1706. A partire dal 1710 circa, di agenti fissi di casa Medici, con l'incarico di acquistare oggetti d'arte, non ne esistono più. La collezione, quindi, non venne da quel momento in poi arricchita organicamente, ma soltanto con acquisti singoli e sporadici. Le ragioni di questo cambiamento sono essenzialmente due: la precaria situazione economica del Granducato provocata dalla cattiva amministrazione e dagli sprechi di Cosimo III e lo sterile isolamento del Paese a causa delle grette vedute del Principe.

Le condizioni finanziarie che ne derivarono non permisero più a Cosimo III di continuare l'organica politica fin qui seguita nel settore delle arti dal suo casato. Nonostante tutta la buona volontà che egli dimostrava con l'acquistare per la galleria almeno degli autoritratti — in pratica, nella corrispondenza relativa all'argomento 'dipinti', quasi non si parla che di questi ultimi — una notevole parte delle offerte relative ad essi dovette essere respinta. Del resto, Cosimo non aveva alcuna intenzione di ampliare le sue collezioni con grandi acquisti; si pensi che nell'imminente svendita della collezione di Cristina di Svezia, morta a Roma nel 1689, egli comunicò attraverso il suo segretario residente in quella città che i suoi palazzi erano già pieni di opere d'arte e che intendeva investire altrimenti i suoi denari: gli unici quadri che a lui premeva acquistare erano autoritratti di pittori autentici. In un'altra occasione, quando le monache di

Foligno, nel 1682, resero nota la loro volontà di disfarsi di un Raffaello, probabilmente della Madonna di Foligno, Cosimo rifiutò, 'perché i tempi che corrono rendono più necessario il danaro che le pitture': del resto non era possibile immaginare chi potesse, se non il Re di Francia, essere in grado di sborsare la favolosa somma richiesta di 12.000 scudi. Anche i dipinti della famiglia Barberini, messi in vendita nel 1686, non furono presi in considerazione da Cosimo; il suo interesse costante era solo rivolto a monete e medaglie. Va detto, a suo discarico, che all'inizio del Settecento il commercio in Italia di opere d'arte conobbe un forte declino: scrive il Bassetti, a questo proposito, che dopo la scultura anche la pittura ebbe a soffrire della mancanza generale di denaro, caratteristica di quell'epoca, in quanto venivano così a mancare i mezzi per nuove commissioni.

L'atteggiamento dispotico di Cosimo si manifestò particolarmente nelle sue relazioni con gli stati confinanti. Ma nemmeno a Parigi, alla cui corte lo legavano stretti legami di parentela (nel 1661 Cosimo aveva sposato Margherita Luisa d'Orléans, nipote di Luigi XIV), Cosimo aveva un agente che potesse procurargli opere dell'epoca di Luigi XIV, un'età gloriosa per l'arte francese. Evidentemente, proprio le nozze infelici, seguite dopo breve tempo dalla inevitabile separazione dalla moglie, avevano lasciato in Cosimo un'avversione particolare verso tutto quanto fosse francese. Quando, nell'estate del 1669, il giovane principe si recò in Francia, fu ricevuto in pompa magna ed ebbe in dono un arazzo ed una preziosa spada che il Re gli offrì personalmente. Ciò nonostante, già a quel momento Cosimo si dimostrò non interessato all'arte francese; solo di rado inviò a studiare in Francia i suoi artisti toscani, fra i quali lo scultore e medaglista Soldani, che lavorò a Parigi per dieci mesi, soggiornando anche — dietro raccomandazione particolare del Granduca — presso Le Brun, e Domenico Tempesti, acquarellista e incisore, che si perfezionò nell'atelier di Nanteuil.

Come si è già detto, fu proprio la natura del suo carattere ad indurre Cosimo ad abbandonare gradualmente i rapporti con gli agenti, rapporti che Leopoldo aveva invece coltivati con un'assidua sistematicità. Gli acquisti si fecero sporadici o per lo meno occasionali, e comprendevano spesso opere di artisti mediocri. Il fatto che ciò nonostante la collezione si arricchisse, durante il regno di Cosimo, di più di cento opere, è da attribuirsi in parte alla lunga durata del suo regno — quaranta anni —, in confronto ai soli dieci anni che ebbe a sua disposizione Leopoldo per dedicarvisi, e in parte alla fama universale di cui la galleria degli autoritratti oramai godeva: per poter essere partecipi della gloria derivante dall'esser presenti nella galleria già famosa per i primi grandi maestri che vi erano rappresentati, molti pittori offrivano spontaneamente il loro autoritratto. Ai tempi d'oro degli acquisti di opere d'arte che avevano arricchito straordinariamente le collezioni di ogni tipo, seguì l'era del riordinamento delle stesse, già iniziato da Cosimo III; apparvero così le prime pubblicazioni sui tesori d'arte raccolti, in edizioni di lusso e illustrate.

Già il Granduca Ferdinando aveva voluto far incidere le riproduzioni dei quadri della galleria, ma il primo dei dieci volumi del 'Museo Fiorentino' apparve soltanto nel 1731, durante il regno di Gian Gastone. L'impresa fu sostenuta da un gruppo di nobili fiorentini, con in testa Francesco Maria Gabburri, e l'edizione venne curata dal dotto senatore Filippo Buonarroti. Il piano prevedeva l'illustrazione a mezzo di incisioni delle antichità e delle opere d'arte in genere raccolte nella Galleria: i primi sei volumi furono curati da Antonio Francesco Gori, priore di S. Giovanni e fondatore dell'Accademia Colombaria, e vi si trovano riprodotti gemme, statue, monete d'oro e d'argento. Il settimo volume apparve nel 1752, durante il regno del Granduca Francesco Stefano, che nel frattempo era salito al trono d'Austria col nome di Francesco I; esso conteneva le riproduzioni di 5 autoritratti della galleria dei pittori. Nel 1754 uscì l'ottavo volume, nel 1756 il nono, e infine, nel 1762, il decimo, ciascuno comprendente 55 ulteriori riproduzioni di ritratti di artisti. I volumi, in bellissima stampa in folio, ebbero molto successo, come risulta sia dai diari di viaggio di illustri personaggi di passaggio da Firenze, sia dal fatto che le prime 50 incisioni dei ritratti, diffuse separatamente dal testo, rappresentarono ben presto un ambìto oggetto da collezione. Questo grande successo naturalmente accrebbe ancora, in notevole misura, la diffusione della fama della galleria medicea. Fu questa la prima pubblicazione della maggiore e più importante parte della collezione di ritratti di artisti. Essa è tanto più preziosa in quanto – a parte il testo biografico dello stampatore, Francesco Moücke, che nulla dice a proposito dei quadri illustrati – le incisioni pubblicate ne sono una riproduzione tanto esatta e fedele, da permettere una lettura dei dipinti assai più esatta che non sugli originali stessi, spesso scuriti dal tempo.

L'iniziativa del Gabburri, del Gori e di Filippo Buonarroti dimostra che la cura delle varie collezioni medicee non era più necessariamente affidata al Granduca. Francesco Stefano di Lorena soggiornava ben poco a Firenze: nel 1739 vi fece ingresso in veste di Granduca di Toscana, insieme alla moglie Maria Teresa e al fratello Carlo, e percorse poi le più importanti città toscane, per tornare infine a Vienna dove, nel 1745, fu incoronato Imperatore.

Dimostrò tuttavia sempre interesse, anche da lontano, per le collezioni fiorentine, e ordinò di riprodurle in disegno, nella cornice della loro collocazione agli Uffizi. Il gravoso incarico fu assunto nel 1748 da Vincenzo de Greys, assistito da diversi collaboratori; il Greys vi si dedicò per molti anni, inviando man mano a Vienna i risultati parziali del proprio lavoro. Francesco si interessò anche della collezione di medaglie, incaricando, fra l'altro, il 'custode' Antonio Cocchi di redigere una descrizione delle medaglie papali.

A Firenze, intanto, si susseguivano rapidamente le grosse pubblicazioni. Antonio Francesco Gori dette alla stampa, fra il 1736 e il 1743, i tre volumi sul 'Museum Etruscum'; appartengono alla stessa serie di studi dedicati al passato glorioso della Toscana anche la 'Serie di Ritratti d'Uomini Illustri Toscani', pubblicata fra il 1766 e il 1773, la 'Serie degli Uomini più Illustri nella pittura, scultura e architettura incisi in rame', che uscì in 13 volumi fra il 1769 e il 1776, i 300 Elogi con ritratti ripresi in parte dal Vasari, in parte dagli autoritratti della collezione degli Uffizi, e la nuova edizione delle biografie del Baldinucci, curata e corredata di annotazioni da Domenico Maria Manni: si tratta di 21 volumi, pubblicati dal 1767 al 1774. Appartiene inoltre a questo periodo, fecondissimo di pubblicazioni, il volume di incisioni sugli affreschi dei soffitti del corridoio est degli Uffizi. Dello stesso Manni è l'opera 'Le Azioni gloriose degli uomini illustri fiorentini espresso co' loro ritratti nelle volte dell'Imperial Galleria di Toscana» (edizione 1745), con le incisioni di diversi autori su disegni di Giuseppe Menabuoni e testo di Ignazio Orsini.

A quell'epoca fu progettata anche la prima maneggevole guida degli Uffizi. Fu iniziata da Sebastiano Bianchi e compiuta dal figlio Giuseppe Bianchi, suo successore quale 'custode' della galleria, il quale, seguendo le annotazioni del padre, redasse una descrizione delle collezioni sotto il titolo 'Ragguaglio delle Antichità e Rarità che si conservano nella Galleria Mediceo-Imperiale di Firenze'. La pubblicazione è del 1759. Si tratta di una descrizione, in termini molto semplici, delle undici sale contenenti opere d'arte e dei quattro vani contenenti la collezione di armi. Il Bianchi introduce la sua illustrazione parlando delle pitture nel corridoio dei soffitti degli Uffizi e passa poi, subito, alla 'Prima Camera detta de' Pittori', la quale inaugura la serie delle sale di esposizione. Certo l'Autore si lamenta che '... Non si può di questi Quadri fare una special descrizione, per essere sottoposti a mutar luogo come più volte è seguito; poiché quelli, che alcune diecine di anni prima furono nella Galleria, oggi sono nel Palazzo Pitti; e da questo che ne è pienissimo, altri passarono alla Galleria, altri a gran Signori donati furono: e un molto maggior numero, o per genio, o per ornamento casualmente mandati nelle ville, e abitazioni di campagna, vi rimasero qualche tempo, e da una trasportati in un'altra, appena si saprebbe oggi dove rinvenirgli'. Comunque il Bianchi tesse grandi lodi di questa sala degli autoritratti, raccomandandola al particolare apprezzamento dei visitatori.

La collezione nel Settecento

Dopo la morte del primo granduca di Lorena, Francesco Stefano, salì al trono del Granducato suo figlio Pietro Leopoldo, il quale fece il suo ingresso a Firenze nel 1765. A distanza di soli tre anni (nel 1768), egli acquistò per la galleria la collezione di 112 ritratti appartenente all'abate Antonio Pazzi, già pubblicata per la maggior parte (110 ritratti) in due volumi, rispettivamente del 1765 e del 1766. Non tutti i contemporanei furono d'accordo con questo acquisto, dato che la collezione Pazzi conteneva molti pezzi insignificanti o dubbi. Bisogna dire, però, che il Granduca agì certamente nello spirito del Baldinucci, il quale nel 1681 consigliava a Cosimo III – come si è già detto – di acquistare qualunque autoritratto reperibile, anche se si trattava di opera dubbia, in modo da togliere ad altri la possibilità di allestire una collezione simile. Già prima di quest'ultimo acquisto la galleria, comprendente 225 autoritratti, poteva essere considerata ineguagliabile, ma questa ulteriore aggiunta dell'unica collezione di una certa importanza esistente a quell'epoca le dette un carattere monumentale, di grande importanza documentaria. Per potere ospitare le nuove opere acquisite fu fatta sgomberare l'adiacente 'Seconda Camera detta delle Porcellane' ed allestire una seconda sala per i ritratti dei pittori.

Pietro Leopoldo dette un grande impulso agli acquisti di opere dedicate alla sala dei pittori. Anche l'interesse degli artisti fu in tal modo risvegliato e Giuseppe Pelli, che nel 1775 succedette al Cocchi nella direzione della galleria, trovò la strada spianata per un ampliamento della collezione. Le offerte vennero da ogni parte, da collezionisti, principi, diplomatici, dagli stessi discendenti di artisti e, naturalmente, dai pittori contemporanei stessi. La scelta delle opere non fu purtroppo sempre felice: accanto al ritratto di un Francesco Manni, al quale fu acclusa una biografia del pittore perché a Firenze si sapesse di chi si trattava, furono acquistati, proprio sotto la guida del Pelli, i ritratti di notevoli maestri italiani: Anna Piattoli (1775), il Gabbiani (1779), Giuseppe Grisoni (1780), Sebastiano Devita (1783), Domenico Corvi (1786), Pompeo Batoni (1787), Ferdinando Messini (1788), Giovanni Battista Ortolani Damon (1789), Domenico De Angelis (1789) e Giuseppe Bonito (1789).

Da Londra, nel 1774, Luigi Siries trasmise il desiderio di Joshua Reynolds di potere offrire il suo autoritratto per la sala dei pittori: dietro suggerimento dell'allora direttore della galleria, Raimondo Cocchi, Pietro Leopoldo dette la sua approvazione. Nella sua risposta a Reynolds il Cocchi parla di una condizione appena entrata in vigore, secondo la quale la galleria poteva accogliere ed esporre, fra i contemporanei, soltanto gli autoritratti dei maestri più illustri. Evidentemente si era trattato di una misura presa per reazione al sovraffollamento della sala dei pittori seguita alla acquisizione di ritratti non troppo significativi della collezione Pazzi. Nel novembre del 1775 Siries consegnò alla galleria l'autoritratto del Reynolds che fu immediatamente collocato nella prima sala. Al maestro pervennero in dono, attraverso il console britannico a Livorno, una medaglia d'oro e una d'argento con la scritta MERENTIBUS. L'autoritratto del Reynolds ebbe fama immediata e fu – secondo le cronache del Pelli – copiato più volte non appena esposto nella galleria. Questo fatto incoraggiò altri artisti inglesi a seguire l'esempio del Reynolds: il primo (1778) fu Macpherson, che aveva già riprodotto in miniatura quasi tutti gli autoritratti della collezione: anche lui ebbe in dono una medaglia d'oro. Nello stesso anno, un allievo del Reynolds, Northcote, che soggiornò in Italia dal 1776 al 1780, offrì il proprio autoritratto. Nel 1780 il Fabroni portò da Londra l'autoritratto della pittrice Maria Benwell e sempre nel 1780 Mylord Cowper inviò da Londra l'autoritratto di un altro allievo del Reynolds, Prince Hoare, che quest'ultimo aveva dipinto all'inizio dell'anno, durante la sua permanenza a Venezia. Jacob Moore, che su commissione di Cowper stava lavorando a due dipinti, lasciò, consegnando questi ultimi, il proprio autoritratto alla galleria. In questa maniera, con l'apporto di opere di notevoli maestri inglesi, la collezione acquistò un accento nuovo ed attuale.

La raccolta nell'Ottocento e nel Novecento

Nel 1860 fece il suo ingresso a Firenze, che dal 1865 al 1870 fu capitale d'Italia, Re Vittorio Emanuele. La fine del Granducato di Toscana rappresentò per le collezioni di opere d'arte ex-medicee una svolta nella loro lunga storia. Ogni iniziativa che le riguardasse fu d'ora in poi di competenza del direttore degli Uffizi, che a sua volta era responsabile unicamente nei confronti del Ministero della Pubblica Istruzione. Già da lungo tempo ai direttori era affidata gran parte della responsabilità della conservazione, della disposizione e dell'ampliamento della raccolta, ma a questo punto tutte le decisioni, di qualunque genere esse fossero, dipesero esclusivamente dal loro senso di responsabilità. La funzione propria del Granduca fu sostituita dal Ministero della Pubblica Istruzione del Regno, il quale non poteva avere nei confronti della collezione un rapporto altrettanto personale. In questo modo, però, ai direttori degli Uffizi si aprirono le strade per l'estero: gli acquisti venivano di solito effettuati attraverso i canali diplomatici. Ma le relazioni così avviate assunsero, verso la fine del secolo XIX, un carattere molto impersonale che si rifletté in maniera assai negativa sugli acquisti per la galleria. Quasi sempre i dipinti che si aggiunsero erano autoritratti di pittori convenzionali e di moda (pittori da salotto), avidi di gloria; né i 'moderni' ritennero più la galleria un ambìto punto di attrazione. Ciò nonostante qualche opera di maestro di primo piano fu acquistata: Nel XX secolo, poi, la tradizione della galleria proseguì molto stentatamente. Corrado Ricci, direttore degli Uffizi dal 1904 al 1908 e poi Direttore Generale delle Belle Arti a Roma, realizzò nel 1912 un nuovo progetto: chiese autoritratti agli scultori. Essi erano finora rappresentati nella galleria dall'autoritratto della inglese Ann Seymous Dames, entrato a far parte della collezione già alla fine del 700.

Il continuo ampliamento della raccolta rese insufficiente lo spazio che le era riservato; le due sale non bastarono più, anche se, fra l'altro, la prima sala era stata dotata di illuminazione dal soffitto per guadagnare spazio alle pareti, come risulta da una vecchia fotografia. Nel 1887 il Ridolfi già parla, in una lettera a Jules Breton, di un'ulteriore sala, in fase di allestimento: ma ancora dieci anni dopo la situazione non era risolta. Si cercò di ovviare alla mancanza di spazio, collocando le opere acquistate su cavalletti disposti nelle stesse sale: e furono così sistemati altri 20 autoritratti. Entro il 1897 furono allestite al primo piano degli Uffizi, dove si trova oggi il Gabinetto dei Disegni e delle Stampe, quattro nuove sale.

Il disagio, tuttavia, rimase. Nel 1924 anche il Quartiere Volterrano accanto alla Galleria Palatina di Palazzo Pitti, che conteneva temporaneamente alcuni autoritratti, non poté più ospitarne altri e circa 20 autoritratti, da poco acquistati, dovettero essere esposti nella Galleria d'Arte Moderna. Fu definitivamente abbandonato il progetto di riportare la collezione al secondo piano di Palazzo Pitti, luogo della originaria sistemazione concepita da Leopoldo; infatti, l'ala destra di questo piano venne adibita ad appartamento reale, l'altra ospitava già la Galleria d'Arte Moderna. Si cercò allora di trovare alla raccolta una collocazione degna alla fine del terzo corridoio degli Uffizi, verso la Loggia dei Lanzi, 'considerando che il nome della raccolta, famosa da secoli in tutto il mondo, è strettamente legato al nome della Galleria degli Uffizi'.

Sembrò così di aver trovato finalmente per la collezione il giusto posto, dopo tutte le peregrinazioni, a partire dal 1898, da quando, cioè, sotto la guida del Ridolfi, essa dovette abbandonare, dopo più di 200 anni, la vecchia sede per traslocare al primo piano degli Uffizi. I sei vani al termine del terzo corridoio degli Uffizi, verso il lato della Loggia dei Lanzi, furono nel 1924 acconciamente allestiti: il catalogo dei dipinti degli Uffizi, redatto nel 1926 da Giovanni Poggi, assegna agli autoritratti le sale 41-46 senza purtroppo elencare i quadri esposti.

Dopo meno di venti anni, nel 1943, le sale accanto alla Loggia dei Lanzi furono nuovamente abbandonate. Parte degli autoritratti si aggiunse a quelli situati nel Corridoio Vasariano, fra Uffizi e Ponte Vecchio; il maggior numero però finì nei depositi della Galleria. Dopo la ricostruzione del tratto del Corridoio Vasariano sull'Arno, andato distrutto durante la guerra, il direttore Roberto Salvini vi espose di nuovo, nel 1952, parte della collezione.

Durante la catastrofica alluvione del 1966, una delle prime azioni di salvataggio fu rivolta proprio agli autoritratti, situati nel corridoio sopra l'Arno, fra gli Uffizi e il Ponte Vecchio, e quindi particolarmente minacciati. Quando, al mattino del 4 novembre, l'Arno straripò, Luisa Becherucci, allora Direttrice della Galleria degli Uffizi, con l'allora Soprintendente Ugo Procacci, il Direttore del Gabinetto dei Restauri Umberto Baldini e Maria Fossi Todorow, aiutati da pochi altri volenterosi, portarono subito una ventina degli autoritratti più importanti agli Uffizi: man mano che la minaccia alle strutture del corridoio per le ondate del fiume straripato aumentava, tutti gli altri autoritratti furono trasferiti agli Uffizi.

La collezione degli autoritratti — ad eccezione di alcuni esemplari che erano temporaneamente dislocati nei gabinetti fotografici al piano terreno degli Uffizi — non ebbe danni: gli autoritratti danneggiati dall'alluvione, quello del Valasquez, di Sal-

vator Rosa (proveniente dal Poggio Imperiale), di Aristodemo Costoli, di Simone Vouet, di Jean François de Troy, del Ribera, di John Millais e di Prince Hoare sono stati restaurati nei nuovi ambienti del Gabinetto dei Restauri, alla Fortezza da Basso. Nel 1973 è stata aperta la collezione di ben 715 autoritratti sistemati nel Corridoio Vasariano dal Soprintendente Luciano Berti, il quale ha provveduto ad esporvi anche la statua del Cardinale Leopoldo.

Non appena la Galleria degli Uffizi, per il progettato trasferimento dell'Archivio di Stato dal primo piano dell'edificio ad altra destinazione, acquisterà nuovo spazio per un riordinamento delle sue opere, anche la collezione degli autoritratti dovrà certamente avere una sua nuova sistemazione.

I. Federico Barocci: Autoritratto
Scheda A61

II. Diego Rodrìguez y Velàzquez: Autoritratto
Scheda A991

III. Carlo Dolci: Autoritratto
Scheda A307

IV. Andrea Pozzo: Autoritratto
Scheda A718

V. Joseph Vivien: Autoritratto
Scheda A1008

VI. Rosalba Carriera: Autoritratto
Scheda A189

VII. Pompeo Batoni: Autoritratto
Scheda A71

VIII. Jean-Etienne Liotard: Autoritratto
Scheda A537.

IX. Johann Zoffany: Autoritratto
Scheda A1031

X. Jacques-Louis David: Autoritratto
Scheda A282

XI. Joshua Reynolds: Autoritratto
Scheda A746

XII. Elisabeth Vigée-Le Brun: Autoritratto
Scheda A1001

XIII. Jean-Baptiste-Camille Carot: Autoritratto
Scheda A253

XIV. Tommaso Minardi: Autoritratto
Scheda A608

XV. Jean-Auguste-Dominique Ingres: Autoritratto
Scheda A468

XVI. Eugène Delacroix: Autoritratto
Scheda A287

XVII. Boris Mihailovits Kustodiev: Autoritratto
Scheda A494

XVIII. Marc Chagall: Autoritratto
Scheda A206

	A1	A2	A3	A4
AUTORE	Abate, Alessandro (Catania 1872-?).	Adler, Salomon, detto Salomone di Danzica (Danzica 1630-1691).	Affry, Adèle D', duchessa di Castiglione Colonna, detta Marcello (Friburgo 1836 - Castellammare di Stabia, 1879).	Agar, Jacques d' (Charenton 1642 Copenaghen 1715).
TITOLO	Autoritratto.	Autoritratto.	Autoritratto.	Autoritratto.
DATAZIONE	1949.	1690 ca.	1876 (Viallet 1923), Sec. XIX (ottavo decennio).	1693.
DATI TECNICI	Olio su tavola, 50x39.	Olio su tela, 121x95, restauro 1976.	Pastello su carta tirata su cartone, 67x47.	Olio su tela, 73x56.
CORNICE	Sagomata e dorata, sec. XX.	Salvadora dorata, sec. XVII.	Sagomata e dorata con cartiglio con il nome dell'artista, sec. XIX.	Intagliata e dorata, sec. XVIII.
UBICAZIONI	Galleria d'Arte Moderna, Pitti (1949).	Cosimo III de' Medici; Uffizi (1710).	Uffizi (1876-80 ca.).	Uffizi (1697).
ATTRIBUZIONI	—	—	—	—
ESPOSIZIONI	—	—	—	Pittura francese nelle collezioni pubbliche fiorentine, Firenze 1977.
BIBLIOGRAFIA	Comanducci, I, Milano 1970.	W. Drost, Danziger Malerei vom Mittelalter bis zum Ende des Barock, Berlin-Leipzig 1938. *W. Terni de Gregory in Connoisseur 85, 1930.*	Thieme-Becker, VI, 1912. Schweizerisches Kunstler-Lexikon, I, Frauenfeld 1905; IV, Frauenfeld 1917. Cat. L'Art en France sous le second Empire, Parigi 1979. *B. Viallet, Roma s.d. (1923).*	Thieme-Becker, I, 1907. *Cat., Firenze 1977, n. 6.*
INVENTARIO	GAM Giornale 1124.	2073 (C.P., p. 97, n. 685).	1917 (C.P., p. 100, n. 636).	1903.
FOTO	167796.	276557.	136475.	182517, 208338.
NOTE	In basso a sinistra: "Alessandro Abate - Catania 1949". Donato dall'autore nel giugno 1949 (nota inventariale). L'opera si trova attualmente nei depositi della Galleria d'Arte Moderna di Palazzo Pitti. Gr. red. 1	Entrato in galleria il 28 novembre 1710, mandatovi da Cosimo III come «Salomone di Danzica» (ASF, Guard. 1172, c. 97v). Un altro autoritratto del pittore ridente, in posa simile ma con veste di broccato e non di lucidissimo raso bianco come qui, è alla Pinacoteca di Brera; probabilmente anche il ritratto di Firenze venne a Milano, dove era attivo l'artista. La sua età apparente è di circa 50 anni. S.M.T.	Firmato in basso a destra: Marcello. La direzione degli Uffizi chiese un autoritratto all'artista nel 1876 (AGF, 1876, A, 1, 57). Non è stata trovata la documentazione relativa all'ingresso di questo autoritratto in Galleria, comunque esso figura già nell'inventario del 1881 (1519 E), e pertanto è da supporre una sua acquisizione di poco posteriore alla data della richiesta. La data proposta dalla Viallet si riferisce evidentemente alla lettera di invito indirizzata all'artista, poiché non risulta da nessuna altra fonte rintracciata che il 1876 sia la data di esecuzione del dipinto. L'opera si trova attualmente nei Depositi degli Uffizi. A Friburgo esiste un museo dedicato all'artista. E.S.	Scritta a tergo in latino di difficile lettura, con il nome dell'artista e la data di esecuzione. L'autoritratto fu eseguito su richiesta di Cristiano V, re di Danimarca, per il granduca Cosimo III de' Medici, che ringraziò dell'invio con lettera del marzo 1697. Incisioni: Museo Fiorentino, IV, 1762, p. 133, tav. XXII. Lasinio (1790 ca.). Reale Galleria, s. III, vol. IV, 1833 p. 82, tav. LXVIII. M.C.

	A5	A6	A7	A8
AUTORE	Aikman, William (Cairney 1682 - Londra 1731).	Ajvazovskij, Ivan Konstantinovič (Feodosija 1817-1900).	Akesson, Jonas (Malmo 1879-?).	Alberti, Cherubino (Sansepolcro 1553-Roma 1615).
TITOLO	Autoritratto.	Autoritratto.	Autoritratto.	Autoritratto.
DATAZIONE	1710-15 ca.	1874.	Prima metà sec. XX.	Fine sec. XVI.
DATI TECNICI	Olio su tela, 71,5x57,5.	Olio su tela, 70,5x62,5.	Olio su tela, 44x32.	Olio su tela ovale riquadrata, 54x44.
CORNICE	Liscia, dorata, sec. XVIII.	Sagomata e dorata con decorazioni in pastiglia, sec. XIX.	Sagomata e dipinta (sec. XX).	Dorata con cartiglio, inizi sec. XVIII.
UBICAZIONI	Uffizi (1716).	Uffizi (1875-80 ca.).	Coll. Hans Beckfrus; Galleria d'Arte Moderna, Pitti (1964).	Eredi dell'artista, Sansepolcro (1681); Uffizi (1694).
ATTRIBUZIONI	—	—	—	—
ESPOSIZIONI	Firenze e l'Inghilterra. Rapporti artistici e culturali dal XVI al XX secolo, Firenze 1971.	—	—	—
BIBLIOGRAFIA	E.K. Waterhouse: Painting in Britain 1530-1790, Harmondsworth 1953. Thieme-Becker, I, 1907. *Cat., Firenze 1971, n. 46.*	Thieme-Becker, I, 1907. Kindlers Malerei Lexikon, I, Zurigo 1964.	Thieme-Becker, I, 1907.	F.S. Baldinucci, Vite di artisti dei secoli XVII-XVIII, Roma 1975, pp. 151-156.
INVENTARIO	1655 (C.P., p. 97, n. 240).	2099 (C.P., p. 97, n. 701).	9448, GAM Giornale 2001.	1748 (C.P. p. 210 n. 331).
FOTO	5876.	72268.	171407.	113048.
NOTE	Sappiamo che l'artista si trovava a Firenze nel 1710, ma il suo autoritratto entrò agli Uffizi solo nel 1716 (ASF, Guard. 1227, c. 60r): possiamo dedurne, quindi, che fu eseguito entro questi anni. Un altro autoritratto del pittore si trova nella Nat. Portrait Gallery di Edimburgo. Inciso in Museo Fiorentino, IV, 1762, p. 291. M.C.	Firmato e datato in basso a destra: Aivazovsky / 1874. Dietro, sulla tela a sinistra l'iscrizione: «Professeur / de l'Académie / de St. Petersbourg»; e a destra: «I. Aivazovsky / né 1817 / en Crimée». Non è stata rintracciata nessuna documentazione d'archivio sull'ingresso agli Uffizi di questo dipinto; comunque esso figura già nell'Inventario del 1881 (1411 E), e pertanto è da supporre una sua acquisizione ad una data prossima a quella di esecuzione. Nella città di Feodosija esiste un museo dedicato all'artista. L'opera si trova attuatlmente nei Depositi degli Uffizi. E.S.	In alto a destra, su un cartiglio: "NATUR IST EINS UND ALLES IN DER KUNST A.W. VON SEHLEGEL AN. EINEN KUNSTRICHTER 1792". Donato dal barone Hans Beckfrus ministro di Svezia in Italia, tramite il Ministero della P.I. (lettera del 4.XII.-1964). Il dono è comunicato alla Commissione il 20.XI. 1964 (nota inventariale). L'opera si trova attualmente nei depositi della Galleria d'Arte Moderna di Palazzo Pitti. Gr. Red. 1	Gli autoritratti di Cherubino e del fratello Giovanni sono ricordati dal Baldinucci «in casa di loro successori» a Sansepolcro nel 1681, quando lo studioso li segnalò al granduca (cfr. M. Gualandi, Nuova raccolta di lettere... III, 1856, p. 258, con data 1686 corretta dal Prinz, 1971, p. 39). Evidentemente vennero presto acquistati, perché Cosimo III li mandò in galleria il 5 gennaio 1694 (ASF, Guard. 969, c. 97r). S.M.T.

	A9	A10	A11	A12
AUTORE	Alberti, Giovanni (Sansepolcro 1558-Roma 1601).	Alciati, Antonio Ambrogio (Vercelli 1878 - Milano 1929).	Alciati, Evangelina (Torino 1883-1959).	Aliense, Vassilacchi Antonio, detto l' (Milo 1556 - Venezia 1629).
TITOLO	Autoritratto.	Autoritratto.	Autoritratto.	Autoritratto.
DATAZIONE	Fine sec. XVI.	1920.	Primo quarto sec. XX.	Inizi sec. XVII.
DATI TECNICI	Olio su tela ovale riquadrata, 54x 43,5.	Pastello su cartone, 54x46.	Pastello su cartone, 64x52.	Olio su tela, 52,5x43, restauro 1975.
CORNICE	Dorata con cartiglio, inizi sec. XVIII.	Sagomata, dipinta in nero e oro, sec. XX.	Sagomata, dorata e decorata a motivi segetali, sec. XX.	Salvadora dorata, sec. XVIII.
UBICAZIONI	Eredi dell'artista, Sansepolcro (1681); Uffizi (1694).	Uffizi (1921); Galleria d'Arte Moderna, Pitti.	Eredi dell'artista; Galleria d'Arte Moderna, Pitti (1961).	Gran Principe Ferdinando de' Medici; Uffizi (1701).
ATTRIBUZIONI	—	—	—	—
ESPOSIZIONI	—	XII Esposizione Internazionale d'Arte della Città di Venezia, Venezia, 1920.	—	—
BIBLIOGRAFIA	F.S. Baldinucci, Vite di artisti dei secoli XVII-XVIII, Roma 1975, pp. 151-156.	G.U. Arata: in 'Emporium', XLIII (1916), n. 254.	Arte moderna in Italia 1915-1935, Firenze, 1967. Comanducci, I, Milano 1970.	G. Boccassini in Arte veneta XII, 1958. C. Donzelli, G.M. Pilo, I pittori del Seicento veneto, Firenze 1967.
INVENTARIO	1744 (C.P. p. 210 n. 322).	8423.	GAM Giornale 1847.	1794 (C.P., p. 111, n. 371).
FOTO	112429.	72268.	186396.	74422.
NOTE	Questo autoritratto e quello del fratello Cherubino sono ricordati dal Baldinucci «in casa di lor successori» a Sansepolcro nel 1681, quando lo studioso li segnalò al granduca per la sua collezione (cfr. F. Baldinucci, Notizie dei professori del disegno, ed. Barocchi VI, Firenze 1975, pp. 431, 436). Evidentemente venne acquistato, perché viene mandato da Cosimo III in galleria, assieme a quello del fratello, il 5 gennaio 1694 (ASF, Guard. 969, c. 97r). Né l'uno né l'altro sono stati oggetto di attenzione critica. S.M.T	Firmato in basso a sinistra: "A.A. Alciati". Nel tergo cartellino a stampa della XII Esposizione Internazionale d'Arte di Venezia (1920). Donato dall'autore nel 1921 (nota inventariale). Esposto prima dell'ultima guerra nel Corridoio Vasariano, è stato poi trasferito alle collezioni della Galleria d'Arte Moderna di Palazzo Pitti, nei cui depositi si trova attualmente. Gr. Red. 1	In basso a sinistra: "Ev. Alciati". Donato dagli eredi Leonardo Fracchia e Rosa Boccalatte. Dono accettato nella adunanza del 15.3. 1961 (nota inventariale). L'opera si trova attualmente nei depositi della Galleria d'Arte Moderna di Palazzo Pitti. Gr. Red. 1	Mandato in galleria dal Gran Principe Ferdinando de' Medici il 22 giugno 1701 (ASF, Guard. 1026, c. 224v), reca a tergo il numero dell'inventario del 1704 (1829) e il nome dell'autore. Un ritratto dell'Aliense (opera di Giovanni Contarini) era a metà '600 in casa di Paolo Del Sera (S. Savini Branca, Il collezionismo veneziano nel Seicento, Bologna 1965, p. 277), ma non sembra identificabile con questo e poté essere piuttoso quel ritratto dell'Aliense che il Baldinucci riconobbe per confronto con un'incisione nelle Vite del Ridolfi e che a Firenze era creduto autoritratto di Annibale Carracci (Inv. 1890, n. 1803; cfr. E. Borea, Pittori bolognesi del Seicento nelle Gallerie di Firenze, Firenze 1975, pp. 16-17). S.M.T.

	A13	A14	A15	A16
AUTORE	Allori, Alessandro (Firenze 1535-1607).	Allori, Cristofano (Firenze 1577-1621).	Alma-Tadema, Lawrence (Drouryp 1836 - Wiesbaden 1912).	Aloisi, Baldassarre, detto Galanino (Bologna 1577 - Roma 1638).
TITOLO	Autoritratto.	Autoritratto.	Autoritratto.	Autoritratto.
DATAZIONE	1555 ca.	Inizi sec. XVII.	1897 ca.	1620-25 ca.
DATI TECNICI	Olio su tavola, 60x46,5, parchettato, restauro 1979.	Olio su tela, 53,5x40,3, restauro 1974.	Olio su tela, 66,5x53,5.	Olio su tela, 54x41,5, rintelatura antica.
CORNICE	Intagliata e dorata, sec. XX.	Intagliata e dorata, sec. XX.	Intagliata, dorata, sec. XIX.	Salvadora dorata, sec. XVIII.
UBICAZIONI	Uffizi (1704).	Card. Leopoldo de' Medici (ante 1675); Uffizi (1682).	Uffizi (1897).	Bologna (1682); Uffizi (1704).
ATTRIBUZIONI	—	—	—	—
ESPOSIZIONI	Mostra documentaria e iconografica dell'Accademia delle arti del disegno, Firenze 1963, n. 76.	—	Londra, Royal Academy, 1913. Firenze e l'Inghilterra. Rapporti artistici e culturali dal XVI al XX secolo, Firenze 1971.	—
BIBLIOGRAFIA	S. Lecchini Giovannoni in Antichità viva VII, 1968. A. Matteoli in Commentari XX, 1969.	C. Del Bravo in Paragone 205, 1967. C. Pizzorusso in Paragone 337, 1978. *Prinz, 1971. M. Chappell in Antichità viva XVI, 1977.*	P.C. Standing: Sir Lawrence Alma Tadema, London 1905. J. Mass: Victorian Painters, London 1978 (2 ed.). *Cat., Firenze 1971, n. 74.*	Dizionario biografico degli italiani II, Roma 1960. *Prinz, 1971.*
INVENTARIO	1689 (C.P., p. 97, n. 269).	1683 (C.P., p. 97, n. 263).	3132 (C.P., p. 97, n. 722).	1823 (C.P., p. 210, n. 399).
FOTO	249095.	228190 (tergo: 206457).	175031.	225637.
NOTE	Forse in possesso dei Medici fin dal '500 (Prinz, 1971) figura in galleria per la prima volta nell'inventario del 1704 (n. 1694). È un'opera assai giovanile, che nel volto mostra ancora la smaltata compattezza bronzinesca, e si data intorno al viaggio a Roma del 1554. L'aspetto della figura può ben essere quello di un ventenne. S.M.T.	A tergo la scritta, parzialmente nascosta dal telaio (quindi la tela in origine era più grande): 'Crist. de Bronz... opus et immago'. Il cardinal Leopoldo ebbe due autoritratti di Cristofano (nn. 236 e 267 dell'inventario della sua eredità) il secondo dei quali viene però ritenuto dal Baldinucci autoritratto di uno degli Alberti di Borgo San Sepolcro (?!). Anche Cosimo III de' Medici mandò in galleria (il 5 agosto 1693: cfr. ASF, Guard. 968, c. 83v) un ritratto di Cristofano con i baffi, menzionato solo nell'inventario del 1704 (n. 1790). Con la collezione Pazzi, infine, entrò nel 1768 un ultimo presunto autoritratto, da non ritenere autentico (cfr. S. Meloni Trkulja in Paragone 343, 1978). Dall'unico oggi esistente, questo, vi è una copia seicentesca (inv. 1890, n. 5367) nella serie dell'Accademia del disegno. S.M.T.	Firmato: L. Alma Tadema op. CCCXLI. L'artista usava numerare le sue opere, e l'ultima, finita due mesi prima della sua morte, porta il n. CCCCVIII. Il numero apposto al quadro indica che questo fu eseguito all'incirca nell'anno nel quale fu inviato in dono dall'artista alla Galleria degli Uffizi. M.C.	Risulta acquistato a Bologna dal marchese Cospi per Cosimo III nella prima metà del 1682. Benché provenga da Bologna, deve essere stato eseguito a Roma, dove il pittore — specializzato in ritratti — si era trasferito nel 1607; egli dimostra infatti più di trent'anni. Di poco posteriore è l'autoritratto dell'Accademia di S. Luca (inv. 601), con scritta che lo daterebbe 1626. È probabilmente identificabile, nonostante una lieve discrepanza di misure, con un autoritratto senza indicazione di autore mandato in galleria da Cosimo il 27 ottobre 1682 (ASF, Guard. 870, c. 160v); descrizione e data dell'accessione corrispondono. S.M.T.

	A17	A18	A19	A20
AUTORE	Alt, Rudolph von (Vienna 1812-1905).	Americo de Figueiredo e Mello, Pedro (Paraíba do Norte 1843 - Firenze 1905).	Americo de Figueiredo e Mello, Pedro (Paraíba do Norte 1943 - Firenze 1905).	Amerling, Friedrich von (Wien 1803-87).
TITOLO	Autoritratto.	Autoritratto.	Autoritratto.	Autoritratto.
DATAZIONE	1886.	1877.	1895.	1861.
DATI TECNICI	Acquarello su cartoncino, 29x22.	Olio su tela, 65,5x50,5.	Olio su tela, 70,5x55,5.	Olio su tela, 61,5x49.
CORNICE	Sagomata in legno scuro, sec. XX.	Intagliata a fogliami e dorata, sec. XIX.	Sagomata e dorata con decorazioni in pastiglia, sec. XX.	D'epoca, intagliata e dorata.
UBICAZIONI	Coll. von Hertenried, Vienna (ante 1930); Uffizi (1932).	Uffizi (1877 ca.).	Uffizi (1904).	Uffizi (1868).
ATTRIBUZIONI	—	—	—	—
ESPOSIZIONI	—	—	—	—
BIBLIOGRAFIA	Österreiches Künstlerlexikon, 1, Vienna 1974.	Thieme-Becker, I, 1907. Cat. Art of Latin America since Independence, Yale University 1966.	Thieme-Becker, I, 1907. Cat. Art of Latin America since Independence, Yale Unicersity 1966.	Romantik und Realismus in Osterreich, Gemalde und Zeichungen aus der Sammlung Georg Schafer-Schweinfurt, Laxenburg 1968. *G. Probst, Friedrich von Amerling, etc., Zurich, Leipzig, Wien 1927. Prinz 1971.*
INVENTARIO	9185.	1992 (C.P., p. 108, n. 591?).	3286 (C.P., p. 108, n. 591?).	1969 (C.P., p. 97, n. 518).
FOTO	278049.	114119.	315543.	78096.
NOTE	Firmato e datato in basso a sinistra: «R. von Alt 886». L'opera fu donata nel 1930 da Carlo e Herta von Hertenried; il dono fu accettato nel 1932 (AGF, Arte 796). Un altro autoritratto ad acquarello dell'artista si trova in coll. priv. a Graz. Attualmente nei depositi degli Uffizi. E.S.	Firmato e datato in basso a destra: «Dr. Pedro Americo/1877». Il dipinto figura già fra i quadri elencati nel Catalogo degli Uffizi del 1881, e probabilmente fu donato dall'artista ad una data molto prossima a quella di esecuzione. Gli Uffizi possiedono un altro autoritratto dell'artista (Inv. 1890 n. 3286, vedi scheda); nel catalogo del Pieraccini — ove compare un solo autoritratto — non vengono forniti elementi per distinguere i due quadri. Il dipinto è attualmente nei depositi degli Uffizi. E.S.	Firmata e datato in basso a sinistra: P. Americo / 1895. L'opera fu donata dall'autore nel 1904, perché non soddisfatto dell'altro suo autoritratto donato molti anni prima (AGF, Inventario Generale dei Dipinti posseduti dalla R. Galleria degli Uffizi (1890), Supplemento, 3286). Gli Uffizi possiedono un altro autoritratto dell'artista (Inv. 1890 n. 1992, vedi scheda). Il dipinto è attualmente nei Depositi degli Uffizi. E.S.	Firmato e datato in basso a sinistra: F. Amerling / 1861. Donato dall'artista per sua richiesta e pervenuto assieme a quello del Winterhalter (AGF, 1868, filza A, 113). La monografia del Probst elenca ben ventisette autoritratti del pittore; due di essi, in cui l'artista, benché in epoche diverse, si è ritratto in abito da lavoro, sono collegabili a questo e si trovano rispettivamente nel Museo della Città di Vienna il più antico (1849), nell'Accademia della stessa città il più tardo (1867). Attualmente collocato nelle riserve. S.P.

	A21	A22	A23	A24
AUTORE	Amisani, Giuseppe (Mede Lomellina, Pavia 1881 - Portofino, Genova 1941).	Amistani, Luigi (Veneto, fine secolo XVIII).	Andrea del Sarto (Firenze 1486-1531).	Andrea del Sarto (Firenze 1486-1531).
TITOLO	Autoritratto.	Autoritratto.	Autoritratto.	Presunto ritratto di Baccio Bandinelli.
DATAZIONE	1930.	1783.	1528-30.	1515-16.
DATI TECNICI	Olio su compensato, 118x101.	Olio su tela, 59,5x44,5. Molte craquelures.	Affresco su embrice, 51,5x37,5, restauro 1965.	Olio su tela, 58,5x42,5, rintelato.
CORNICE	Sagomata e dorata, sec. XX.	Listello modanato e laccato d'epoca.	A cassetta, sec. XX.	Intagliata e dorata, sec. XIX-XX.
UBICAZIONI	Eredi dell'artista; Uffizi (1942).	Accademia; Uffizi (1853).	Lucrezia del Fede (1568); Guardaroba (1609?); Uffizi, Tribuna (1635).	Uffizi, Tribuna (1635); magazzini; Uffizi (1797).
ATTRIBUZIONI	—	—	—	—
ESPOSIZIONI	XVII Esposizione Internazionale d'arte, Venezia 1930. Mostra Commemorativa di Giuseppe Amisani, Milano 1951.	—	—	Il ritratto italiano nei secoli, Belgrado 1938, n. 58. Mostra del Cinquecento toscano, Firenze 1940, sala XVIII n. 10.
BIBLIOGRAFIA	Vollmer, I, 1953. Cat. Bolaffi della pittura italiana dell' '800 n. 6, Torino 1976.	Thieme-Becker, I, 1907.	*S. J. Freedberg, Andrea del Sarto, Cambridge 1963. Prinz, 1971.*	*S. J. Freedberg, Andrea del Sarto, Cambridge 1963. Prinz, 1971.*
INVENTARIO	9237.	2028.	1694 (C.P., p. 97, n. 1176 o 280).	1486 (C.P., p. 97, n. 280 o 1176).
FOTO	113085.	112477.	129522 (tergo: 129523).	117680.
NOTE	Firmato e datato in basso a sinistra: Amisani 1930. Dietro, cartellini delle mostre citate. Donato dalla vedova dell'artista nel 1942 (AGF, Arte 796). Attualmente nei Depositi degli Uffizi. E.S.	A tergo l'iscrizione: Le Portrait de Louis Amistani de Verone, fait par lui-même. 1783. Il quadro risulta iscritto nel supplemento all'inventario del 1825 degli Uffizi nel 1853 con provenienza dall'Accademia (nelle cui collezioni è registrato al n. 22, p. 299, dell'inventario del 1807 conservato oggi presso l'accademia di Belle Arti). Non è citato né nei cataloghi precedenti il 1853 dell'Accademia, né in quelli degli Uffizi posteriori alla stessa data. L'iscrizione e l'inventario 1807 danno come città natale del pittore Verona, mentre il Thieme-Becker fornisce Brescia. Attualmente è collocato nelle riserve. S.P.	Le circostanze dell'esecuzione sono riferite dal Vasari: il ritratto fu fatto presso Vallombrosa nel 1528 o 1529 con materiale avanzato da un altro lavoro: rimase presso la moglie dell'artista (morta nel 1569) almeno fino al 1568, è forse menzionato in guardaroba nel 1609 e dall'inventario del 1635 in poi (n. 467 a c. 46: « un quadretto dipinto sopra un tegolo del Ritratto di Anda del Sarto e fatto dj sua mano ») è costantemente in galleria, prima in tribuna e poi con gli altri autoritratti. Ve n'è una copia nella serie dell'Accademia del Disegno (inv. 1890 n. 5533). S.M.T.	Creduto, sia pur con vari dubbi, autoritratto di Andrea: altri dubbi sorgono sul suo rapporto con la versione della Galleria Palatina (inv. 66), che Freedberg afferma copia (un'altra copia è nella collezione Cook a Richmond). Lo stesso studioso propone che si tratti di un ritratto di Baccio Bandinelli giovane, la cui esecuzione a quest'epoca è documentata dal Vasari e che stava in tribuna nel 1635 (n. 463 c. 46): 'un quadretto in tela entrovj ritratto sino a mezzo busto un ritratto dj un Giovane dicono che sia baccio bandinelli fatto da Anda del Sarto...'. Finito nei magazzini, il dipinto vi fu ritrovato nel 1797 quando si discuteva l'acquisto dell'altra versione (Archivio dell'Accademia di Belle Arti, F 78 bis). Il quadro della Palatina, asportato dai francesi, stette a Parigi dal 1799 al 1815. S.M.T.

	A25	A26	A27	A28
AUTORE	Andrea del Sarto (Firenze 1486-1531).	Andreotti, Federigo (Firenze 1847-1930).	Angeli, Filippo, detto Filippo napoletano (Napoli o Roma 1587/91-Roma 1630 ca.).	Angeli, Henrik (Sopron 1840 - Vienna 1925).
TITOLO	Autoritratto.	Autoritratto.	Autoritratto (copia).	Autoritratto.
DATAZIONE		1907.	1620-22.	Primo decennio, sec. XX.
DATI TECNICI		Olio su tela, 46,5x36,5.	Olio su tavola, 36x27, restauro 1940 ca. e 1972.	Olio su tavola, 69x54.
CORNICE		Intagliata e dorata, sec. XX.	Salvadora dorata, sec. XVIII.	Nera a onde con regolo dorato all'interno, sec. XX.
UBICAZIONI		Uffizi (1909).	Card. Leopoldo de' Medici (ante 1675); Uffizi (1682).	Uffizi (1905).
ATTRIBUZIONI		—	—	—
ESPOSIZIONI		—	—	—
BIBLIOGRAFIA		S. Pinto, in Cat. Romanticismo storico, Firenze 1974. *C. Gamba*, in *Bollettino d'arte, giugno 1908, p. 220*.	L. Salerno, Pittori di paesaggio del Seicento a Roma, I, Roma 1978. *R. Longhi in Paragone 95, 1957*.	Müvészeti Lexikon, I, Budapest, 1965; R. Schmidt, in Österreichisches Künstlerlexikon, 1, Vienna 1974.
INVENTARIO		3385 (C.P., p. 97, n. 765).	1900 (C.P., p. 210, n. 342 bis).	3277 (C.P., p. 101, n. 744).
FOTO		315552.	5755.	315557.
NOTE	Vedi: Andrea del Sarto. Presunto autoritratto di Baccio Bandinelli. Scheda A24.	Firmato e datato in alto a destra: F. Andreotti/Firenze 1907. Donato dall'artista nel 1907 e accettato nel 1909 (AGF Arte 796). Un altro Autoritratto risulta posseduto dall'Accademia di Belle Arti di Firenze e fu esposto nella mostra commemorativa del 90° anno della fondazione della Società delle Belle Arti di Firenze, Firenze 1933 (Cat. n. 45). Attualmente nei Depositi degli Uffizi. E.S.	Recava prima del restauro del 1940 una scritta « Filippo d'Angeli romano, 24 novembre 1622 ». È una tela assai mediocre che raffigura sì l'artista (lo si confronti con l'autoritratto inserito nella 'Fiera dell'Impruneta' (inv. Oggetti d'Arte Pitti n. 776) o col disegno di Ottavio Lioni nella Biblioteca Marucelliana di Firenze), ma non è di sua mano, bensì semplicemente copia antica di un originale ignoto (Accademia di San Luca?). La tecnica della tela incollata su una grossa tavola di ugual misura è comune all'autoritratto del Borgianni (inv. 1890 n. 1899), altra copia antica il cui presunto originale è presso la stessa Accademia romana. S.M.T.	Firmato sulla sinistra: H. v. Angeli. La Direzione degli Uffizi richiese un autoritratto all'artista nel 1887 e nel 1893; il pittore donò infine questa sua opera nel 1905. (AGF, Arte 461; Arte 796). Nel Dizionario dello Schmidt l'opera è datata al 1878, ma è da assegnare senz'altro agli inizi del nostro secolo anche per l'età dimostrata dal pittore nel dipinto. L'autoritratto è attualmente collocato nei Depositi degli Uffizi. E.S.

  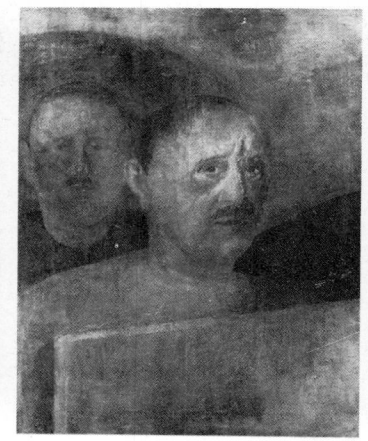 

	A29	A30	A31	A32
AUTORE	Anguissola, Sofonisba (Cremona 1527/40-Palermo 1625).	Antonio Veneziano (not. 1369-88).	Antony De Witt, Anton Paolo (Livorno 1876 - Firenze 1967).	Appiani, Andrea (Milano 1754-1817).
TITOLO	Autoritratto.	Autoritratto.	Autoritratto doppio.	Autoritratto.
DATAZIONE	1550 ca.		1939 (Langaard 1956), 1940 ca.	Secondo decennio (?) sec. XIX.
DATI TECNICI	Olio su tela, 88,5x69.		Olio su tela, 66,5x51,5.	Olio su tavola, 49,5x37,5.
CORNICE	Salvadora dorata, sec. XVIII.		Seicentesca, sagomata in legno scuro.	Sagomata e dorata, sec. XIX.
UBICAZIONI	Cosimo III de' Medici; Uffizi (1682).		Eredi dell'artista; Uffizi (1974).	Eredi dell'artista; Uffizi (1829).
ATTRIBUZIONI	—		—	—
ESPOSIZIONI	—		Antony De Witt, Ivrea 1962. Arte moderna in Italia, 1915-1935, Firenze 1967. Antony De Witt, Firenze 1975.	—
BIBLIOGRAFIA	A. Sutherland Harris in Women Artists: 1550-1950, Los Angeles 1976. *B. Viallet, s.d. (1923). F. Caroli in Paragone 277, 1973.*		Cat. Firenze 1975. G.L. Mellini, Antony De Witt. Disegni e incisioni. Firenze 1976. *J.H. Langaard, in Kunsten idag n. 2, 1956. Cat., Ivrea 1962.*	A. Ottino Della Chiesa, in Dizionario biografico degli italiani, III, Roma 1961. A.M. Brizio, in Cat. Mostra dei Maestri di Brera, Milano 1975. *G. Nicodemi, La pittura milanese dell'età neoclassica, Milano 1915. Prinz 1971.*
INVENTARIO	1824 (C.P., p. 97, n. 400).		9604.	2007 (C.P., p. 97, n. 561?).
FOTO	103875.		315565.	315567.
NOTE	A sinistra scritta, spesso mal interpretata, «Sophonisba/Anguisciola Crem/pictrix/aeta sue ann./XX». È un acquisto del granduca Cosimo III, che lo manda in galleria il 27 ottobre 1682 (ASF, Guard. 870, c. 160v), ed è il più antico dei numerosi autoritratti della pittrice (con libro, 1554, Vienna Kunsthistorisches Museum; con catena al collo, Roma galleria Borghese; Milano, museo Poldi Pezzoli; al cembalo con la serva, Althorp coll. Spencer; miniatura, Ashburnham; al cembalo, Napoli museo di Capodimonte); anche il costume è meno evoluto che nei ritratti seguenti. S.M.T.	Vedi: Scuola veneta sec. XVI. Presunto autoritratto di Antonio Veneziano. Scheda A873.	Dietro, sul telaio, due cartellini con iscrizioni: II. Autoritratto/Doppio c. 1940/olio su tela/66x 51; e: Antony De Witt/Autoritratto (doppio)/(66x51) 1939. Sempre sul telaio altra scritta: 66x51 Ant. De W./Autoritratto/1936 (la data è cancellata). Donato per lascito testamentario della vedova dell'artista signora Sigrid Ferré, morta nel 1974 (AGF, Arte 796). Attualmente nei Depositi degli Uffizi. E.S.	Nel 1827 iniziarono le trattative con gli eredi dell'artista per l'acquisto, con la mediazione di Luigi Sabatelli che tentò un abbassamento del prezzo poiché in altra collezione milanese esisteva un altro autoritratto giudicato più interessante ma per il momento non in vendita; le trattative furono concluse nel 1829 per 300 francesconi; gli eredi ne fecero eseguire una copia (AGF, 1827(LI)27; 1829(LIII)5). Altro autoritratto agli Uffizi (cfr. inv. 1890 n. 2081). Una copia molto libera nei depositi delle Gallerie (cfr. inv. 1890 n. 5273, Foto GFS 296690). Attualmente esposto nel Corridoio Vasariano. E.S.

	A33	A34	A35	A36
AUTORE	Appiani, Andrea (Milano 1754-1817).	Aretusi, Cesare (Bologna? - in Toscana 1612).	Arienti, Carlo (Arcore, Milano, 1801 - Bologna 1873).	Arizzara, Teresa (sec. XVIII).
TITOLO	Autoritratto.	Ritratto di Giovanni Aigeman.	Autoritratto.	Autoritratto.
DATAZIONE	Secondo decennio (?) sec. XIX.	1611.	Sec. XIX (1865-1870 ca.).	1740-50 ca.
DATI TECNICI	Olio su tavola, 55x44.	Olio su tela 107x91,5, restauro 1974.	Olio su tela, 65,5x50.	Olio su tela, 58x48, restauro 1959.
CORNICE	Sagomata e dorata, sec. XIX.	—	Sagomata e dorata con decorazioni a fogliami, sec. XIX.	Liscia, dorata e tinta d'ocra, sec. XIX.
UBICAZIONI	Coll. Bianca Milesi Majon, Milano; Uffizi (1850).	Uffizi (1683).	Eredi dell'artista; Uffizi (1873).	Accademia (ante 1853); Uffizi (1853); Prefettura, Arezzo (1959).
ATTRIBUZIONI	—	—	—	—
ESPOSIZIONI	—	Pittori bolognesi del Seicento nelle Gallerie di Firenze, Firenze 1975.	—	—
BIBLIOGRAFIA	A. Ottino Della Chiesa, in Dizionario biografico degli italiani, III, Roma 1961. A.M. Brizio, in Cat. Mostra dei Maestri di Brera, Milano 1975. *G. Nicodemi, La pittura milanese dell'età neoclassica, Milano 1915.*	E. Borea, in *Cat. Firenze 1975 n. 41, pp. 55-6.*	A. Ottino Della Chiesa, in Dizionario biografico degli italiani, IV, Roma 1962. S. Pinto, in Cat. Mostra Romanticismo storico, Firenze 1974. C. Masini, *Vita del Commendatore Carlo Arienti*, Bologna 1873. Prinz 1971.	—
INVENTARIO	2081 (C.P., p. 97, n. 561?).	754 (C.P., p. 86 n. 168).	1920 (C.P., p. 97, n. 639).	6856.
FOTO	113072.	226622.	112479.	178491.
NOTE	Sul retro, a penna, scritta antica: Appiani; nell'angolo inferiore destro timbro in ceralacca delle Gallerie. Legato per testamento agli Uffizi dalla signora milanese Bianca Milesi Majon, morta nel 1849, e accettato nel 1850 nonostante la presenza dell'altro autoritratto (cfr. Inv. 1890 n. 2007) perché ritenuto superiore a quello già acquisito. (AGF 1850(LXXIV)25). Si tratta dello stesso autoritratto che non era stato possibile acquistare nel 1829 (vedi inv. 1890 n. 2005). Attualmente esposto nel Corridoio Vasariano. E.S.	Scritta in alto a sinistra: Joannes Aigemanus Alemanus Anno Etatis LXXXIII 1611. Nella lettera che l'effigiato regge nelle mani: 'Al Sig. Cesare Aretusi Bologna'. Pervenne agli Uffizi come autoritratto dell'Aretusi per invio di Cosimo III de' Medici il 12 maggio 1683 (ASF, Guard. 871, c. 30v.) e come tale fu considerato sino ai primi dell'ottocento. È un tipico esempio di ritratto di gusto controriformistico, non unico nel breve catalogo del pittore poco studiato sinora. E.B.	Un autoritratto fu richiesto all'artista nel 1864; questo fu donato dalla vedova nel 1873 (AGF, 1873 (A)59). Nel 1881 venne offerto agli Uffizi, per il prezzo di 100 lire, un altro autoritratto dell'Arienti, allora in possesso del sig. Antonio Capecchi; l'opera venne rifiutata perché giudicata di scarso merito e senza certezza di autografia (AGF, 1881 (D), 1, 257; 1882, (A), 1, 54). Un altro autoritratto dell'Arienti, in età più giovanile, è nella Galleria d'arte moderna di Milano. Attualmente nei Depositi degli Uffizi. E.S.	Questo dipinto, oggi non riconosciuto come autoritratto, va identificato con uno venuto agli Uffizi il 15 marzo 1853 con un nutrito gruppo di quadri dall'Accademia di Belle Arti, e segnato (inv. 1825, suppl. n. 2510) come autoritratto di Teresa Arizzara che dipinge un Sogno di Giacobbe, di seguito al più tradizionale autoritratto datato 1765 (inv. 1890 n. 2025). Nonostante le maggiori indicazioni che la composizione offre (il ritratto miniato al collo — forse il marito — lo stemma interzato in fascia sulla base), l'autrice, qui di una ventina d'anni almeno più giovane che nell'altro autoritratto, resta misteriosa. S.M.T.

	A37	A38	A39	A40
AUTORE	Arizzara, Teresa (sec. XVIII).	Arlaud, Jacques-Antoine (Ginevra 1668-1743).	Bacciarelli, Marcello (Roma 1731-Varsavia 1818).	Bache, Otto (Roskilde 1839 - Copenhagen 1927).
TITOLO	Autoritratto.	Autoritratto.	Autoritratto.	Autoritratto.
DATAZIONE	1765.	1727.	1771 ca (Chyczemska); 1790 ca (Gamba).	1888.
DATI TECNICI	Olio su tela, 63,5x52.	Acquerello su pergamena, 10x8.	Olio su tela, 88,5x71.	Olio su tela, 60x50.
CORNICE	Salvadora tinta di giallo, sec. XIX.	Filetto d'ottone, sec. XX.	Dorata piatta con fregi intagliati rapportati, inizi sec. XX.	Sagomata e dorata con decorazioni a motivi vegetali, sec. XIX.
UBICAZIONI	Accademia (dall'origine?); Uffizi (1853).	Uffizi (1735).	Coll. Zamoyski, Varsavia; Uffizi (1911).	Uffizi (1889).
ATTRIBUZIONI	—	—	—	—
ESPOSIZIONI	—	Pittura francese nelle collezioni pubbliche fiorentine, Firenze 1977.	Mostra del ritratto italiano, Firenze 1911.	—
BIBLIOGRAFIA	*B. Viallet, Roma s.d. (1923).*	*M. Röthlisberger in Genava n.s. IV. 1956. Cat. Firenze 1977 n. 215.*	*C. Gamba, in Il ritratto italiano da Caravaggio al Tiepolo, Bergamo 1927; A. Chyczewska, Marcello Bacciarelli, Wroclaw 1973.*	Thieme-Becker, II, 1908. Vollmer, V, 1961. *Prinz 1971.*
INVENTARIO	2025 (C.P. p. 210 n. 656).	2102.	3580.	1967 (C.P., p. 97, n. 620).
FOTO	112480.	249400; 249401 (tergo).	5713.	315572.
NOTE	A tergo della tela, in bel corsivo, « Teresa Arizzarra f: l'Aº: 1765 ». Poco è noto sull'artista, figlia di Gaetano, già attiva nel 1755 (Archivio dell'Accademia di Belle Arti, A.89). Insieme a questo autoritratto l'Accademia ne passò agli Uffizi un altro più giovanile, figura intera vestita alla turca, poi non più riconosciuto per tale (inv. 1890 n. 6856). S.M.T.	A tergo «Jacobus Antonius Arlaud Civis Genevensis Se ipse ad vivum pingebat Parisiis 1727». L'opera entrò in galleria il 30 settembre 1735, mandatavi dal granduca Gian Gastone de' Medici (ASF, Guard. 1351, c. 171v). La scritta confuta l'opinione che si tratti di una copia del ritratto di Arlaud opera del Largillierre del 1714 (Ginevra, Musée d'Art et d'Histoire): questo ed altri giudizi negativi sul ritrattino derivano dalla sua mediocre conservazione, dovuta probabilmente alla tecnica usata. S.M.T.	Conservato nella famiglia Zamoyski insieme ad altre opere dell'artista, fu portato dal conte Maurizio Zamoyski alla Mostra del ritratto italiano e lasciato in dono agli Uffizi. È il secondo, cronologicamente, dei molti autoritratti del pittore, dopo quello coi due figli del Museo nazionale di Varsavia, databile verso il 1766. Oggi lo si ritiene del 1771 circa, per i forti influssi francesi visibili nell'opera del Bacciarelli in questo decennio e palesi nella sua posa coi gomiti sulla tavola. S.M.T.	Firmato in alto a sinistra: «Otto Bache/Pictor Danensis»; e datato in alto a destra: MDCCCLXXX-VIII. Un autoritratto fu richiesto all'artista nel 1887 dalla Direzione degli Uffizi; questo fu donato dal pittore nel 1889 (AGF, Arte 796). Attualmente nei Depositi degli Uffizi. E.S.

	A49	A50	A51	A52
AUTORE	Baldrighi, Giuseppe (Stradella 1723 - Parma 1803).	Balestra, Antonio (Verona 1666-1740).	Bamberini, Anton Domenico (Firenze 1666/67-1741).	Bambocci, Pietro Santi (Firenze 1711-?).
TITOLO	Autoritratto.	Autoritratto.	Autoritratto.	Autoritratto.
DATAZIONE	1758 ca.	1718 ca.	1707.	Primo quarto sec. XVIII.
DATI TECNICI	Olio su tela, 73,5x59.	Olio su tela, 72x58, restauro 1978.	Olio su tela, 72x58.	Olio su tela, 71,5x58.
CORNICE	Salvadora dorata, sec. XVIII.	Dorata e intagliata a boccioli, probabilmente originale.	Salvadora dorata con cartiglio, sec. XVIII.	Sagomata gialla, antica.
UBICAZIONI	Coll. Pazzi; Uffizi (1768).	Cosimo III de' Medici; Uffizi (1718).	Coll. Puccini (1725); coll. Pazzi; Uffizi (1768); Poggio Imperiale (1836); Pitti; Uffizi (1979).	Coll. Puccini (1725); coll. Pazzi; Uffizi (1768), guardaroba (1772).
ATTRIBUZIONI	—	—	—	—
ESPOSIZIONI	—	La pittura a Verona tra Sei e Settecento, Verona 1978.	—	—
BIBLIOGRAFIA	*E. Riccomini, I fasti i lumi le grazie, Parma 1977. S. Meloni Trkulja in Paragone 343, 1978.*	F. d'Arcais in Cat., Verona 1978. n. 134.	Dizionario Bolaffi I, Torino 1972. *S. Meloni Trkulja in Paragone 343, 1978.*	*S. Meloni Trkulja in Paragone 343, 1978.*
INVENTARIO	2070 (C.P., p. 210, n. 490).	1829 (C.P., p. 97, n. 405).	Imperiale rosso 583.	2013.
FOTO	5716.	102299.	157937.	178507.
NOTE	Entrato agli Uffizi intorno al 1768 con la collezione dell'abate Antonio Pazzi, che poté averlo direttamente dal pittore, allievo nella prima gioventù del fiorentino Vincenzo Meucci. Altri autoritratti più tardi sono nella Pinacoteca di Parma: uno (inv. 289) del 1760 circa, con due amici (che lo replicarono) e uno con la moglie (inv. 701). Questo viene datato dal Riccomini intorno al 1758, dopo il viaggio parigino dell'artista. S.M.T.	Mandato in galleria da Cosimo III de' Medici il 27 settembre 1718 (ASF, Guard. 1260, c. 64r): reca a tergo, fedelmente riportati nel recente restauro, i numeri degli inventari settecenteschi. La datazione proposta per via stilistica da F. d'Arcais al secondo decennio inoltrato del Settecento trova conferma nel dato documentario: probabilmente il ritratto fu fatto su richiesta del granduca, che a quest'epoca, esaurite le ricerche di autoritratti antichi, si rivolgeva ai migliori italiani contemporanei (cfr. Ghezzi, Luti, Del Sole). I tratti somatici sono controllabili sull'autoritratto giovanile del museo di Castelvecchio a Verona (n. 281) e sul ritratto del Luti, del 1695 (inv. 1890 n. 9438). S.M.T.	In basso a destra su un'ampolla cartellino con 'A. D. Bambe/rini/ 1707'. La tela appartenne alle collezioni di autoritratti del medico pistoiese Tommaso Puccini prima, e poi dell'incisore abate Antonio Pazzi, che la vendette agli Uffizi intorno al 1768. Passò nel secolo XIX alla villa del Poggio Imperiale e subì un cattivo restauro. S.M.T.	A tergo la scritta: «Petrus Santi Bambocci Romolini Panfi discipulus aeta sue XXXXIII Pingebat». Figlio del pittore Carlo, attivo a San Miniato al Tedesco nel tardo Seicento, fu allievo, come dichiara, del paesista e battaglista fiorentino Romolo Panfi. Se ne conosce un altro autoritratto, con scritta scherzosa, in collezione privata (v. bibl.) ed è documentato attivo nel terzo decennio del Settecento a Firenze. La curiosa impaginazione è senz'altro ispirata a questi versi del 'Malmantile racquistato' di Lorenzo Lippi (Cant. 4 ott. 10): «Un uom, che al Mondo acquistasi gran fama / nel far de' ceffautti pe' boccali / e con gl'industri e dotti suoi pennelli / suo nome eterno fa negli sgabelli». Il dipinto entrò agli Uffizi intorno al 1768 ma fu presto rimandato in guardaroba (AGF, filza V a 11). S.M.T.

	A53	A54	A55	A56
AUTORE	Bamboccio, Pieter van Laer, detto il (Haarlem 1599-1642).	Bandinelli, Baccio (Firenze 1488 - 1560).	Bandinelli, Baccio (Firenze 1488-1560).	Bandinelli, Baccio (Firenze 1488-1560), attr. a.
TITOLO	Autoritratto.	Autoritratto.	Autoritratto con guanti.	Presunto autoritratto.
DATAZIONE	1630-35 ca.	1525-30?	Metà sec. XVI.	Metà sec. XVI.
DATI TECNICI	Olio su tavola, 58,5x43, restauro 1928 e 1970.	Olio su tavola, 72,5x58,2.	Olio su tavola, 63x45.	Olio su tela, 41x30.
CORNICE	Liscia, dorata, sec. XIX?	Intagliata e dorata moderna.	Intagliata e dorata, sec. XVII.	—
UBICAZIONI	Uffizi (1708).	Cosimo III de' Medici; Uffizi (1685).	Uffizi (1769).	Dino Philipson; Uffizi (1970).
ATTRIBUZIONI	—	—	—	—
ESPOSIZIONI	De Schilder en zijn Wereld, Delft-Anversa 1964-65. Caravaggio e caravaggeschi nelle Gallerie di Firenze, Firenze 1970.	—	—	—
BIBLIOGRAFIA	J. Rosenberg- S. Slive-E. H. Ter Kuile: *Dutch Art and Architecture 1600 - 1800*, Harmondsworth 1966. *A. Janeck: Untersuchung über P. Van Laer genannt Bamboccio, 1968.* AGF: *K. Langedijk, Scheda ministeriale 1978.*	M. Hirst, in Dizionario biografico degli italiani V, Roma 1963. *A. Matteoli in Commentari XX, 1969.*	M. Hirst, in Dizionario biografico degli italiani V, Roma 1963. *A. Matteoli in Commentari XX, 1969.*	M. Hirst, in Dizionario biografico degli italiani V, Roma 1963.
INVENTARIO	1730 (C.P., p. 104, n. 284).	1725 (C.P., p. 97 n. 1248).	1510 (C.P., p. 97 n. 306).	9463.
FOTO	163012.	249106.	249086.	306372.
NOTE	Scritta sul retro (XVII-XVIII sec.?): Bambots son propre portrait de sa main. Altra scritta del restauratore Martoglio (1928) che afferma essere il dipinto 'danneggiatissimo nelle sue parti più vitali'. La provenienza del quadro non è documentata, ma sappiamo che esso fu inviato agli Uffizi dal principe Ferdinando, figlio di Cosimo III de' Medici, il 13 dicembre 1708 (Guard. 1171, c. 20v). L'autografia del dipinto è accettata da quanti se ne sono occupati e in genere esso è stato confrontato all'Autoritratto di profilo della Galleria Pallavicini a Roma (Cat. di F. Zeri, Firenze 1958, p. 151) databile al 1625-30 ca. Inciso in Museo Fiorentino, vol. III, 1756, p. 115. M.C.	A tergo scritta antica 'Baccio Bandinelli', il numero d'inventario del 1704 e altri. Il dipinto fu mandato in galleria da Cosimo III de' Medici il 12 marzo 1685 (ASF, Guard. 871, c. 213r) e fu poi sempre esposto con gli autoritratti, a differenza dell'altro (inv. 1890 n. 1510). La modanatura di finestra a sinistra e lo stipite a destra alludono all'attività dell'artista come architetto. S.M.T.	Il quadro compare, come anonimo, nell'inventario del 1769 (n. 2756, che figura ancor oggi a tergo della tavola) con un rimando errato all'inventario precedente; nel 1784 (n. 25) viene inventariato come di scuola veneziana, corretto nell'attribuzione attuale, e solo nel 1825 figura accostato all'altro autoritratto del Bandinelli. La critica moderna lo accetta, pur notandone (Freedberg) la forte idealizzazione in confronto all'autoritratto a figura intera di Boston (Isabella Stewart Gardner Museum). S.M.T.	Il quadro è stato donato alla galleria da Dino Philipson nel 1970, con un'attribuzione a Baccio Bandinelli che suscita vari dubbi sia riguardo all'autore sia per l'identità del personaggio, i cui lineamenti sono ben noti da altri ritratti (per esempio, inv. 1890 n. 1510). Si trova oggi nei depositi e non risulta mai discusso criticamente. S.M.T.

	A41	A42	A43	A44
AUTORE	Bacherelli, Vincenzo (Firenze 1672-1745).	Baciccio, Gaulli Giovan Battista, detto il (Genova 1639-Roma 1709).	Backer, Frans de (Anversa?, prima del 1693-94 - Breslau? 1749 ca.).	Bagnacavallo, Ramenghi Bartolomeo, detto il (Bagnacavallo 1484 - Bologna 1542).
TITOLO	Autoritratto.	Autoritratto.	Autoritratto.	Autoritratto.
DATAZIONE	Primo quarto sec. XVIII.	1667-68.	1721.	
DATI TECNICI	Olio su tela, 74x58,7.	Olio su tela, 67x51, restauro 1966-67.	Olio su tela, 71,5x58.	
CORNICE	Salvadora dorata con cartiglio, sec. XVIII.	Salvadora dorata, sec. XVIII.	Liscia, dorata, sec. XVIII.	
UBICAZIONI	Coll. Puccini (1725); coll. Pazzi; Uffizi (1768); Guardaroba (1795); Uffizi (sec. XX).	Cosimo III de' Medici; Uffizi (1723).	Uffizi (1722).	
ATTRIBUZIONI	—	—	—	
ESPOSIZIONI	—	Paintings, Bozzetti and Drawings by... Baciccio, Oberlin 1967, n. 1.	—	
BIBLIOGRAFIA	R. Chiarelli in Dizionario biografico degli italiani V, Roma 1963. S. Meloni Trkulja in Paragone 343, 1978.	R. Enggass, The Painting of Baciccio, Pasadena 1964. B. Canestro Chiovenda in Commentari XXVI, 1975.	R. H. Wilenski: Flemish Painters, London 1960 AGF: K. Langedijk: Scheda ministeriale 1978.	
INVENTARIO	2040.	1828 (C.P., p. 103, n. 404).	1636.	
FOTO	128082.	185188.	5756.	
NOTE	A tergo i numeri che il ritratto aveva nelle liste delle collezioni di Tommaso Puccini e dell'abate Antonio Pazzi; quest'ultimo lo vendette alla galleria intorno al 1768. Già nel 1795 ne veniva estromesso (AGF, filza XXVII a 24) forse anche per la scarsa notorietà dell'artista, poco attivo in patria perché soggiornò molti anni in Portogallo. La cornice che ha oggi il quadro apparteneva all'autoritratto del Preciado (inv. 1890 n. 2042) come documenta il cartellino dell'inv. 1825 che vi è incollato. S.M.T.	A tergo sulla tela scritta antica « Batista Gaulli D°: il Baciccio ». Fu mandato in galleria da Cosimo III de' Medici — è il suo ultimo contributo alla raccolta dei ritratti di pittori — il 12 maggio 1723 (ASF, Guard. 1292, c. 98r). Si data intorno al 1667-68, cioè all'inizio del periodo di massima fortuna dell'artista, che aveva appena eseguito importanti ritratti e ottenuto la commissione dei peducci di S. Agnese in piazza Navona. S.M.T.	Sul retro del dipinto c'era originariamente una scritta, poi coperta da un rintelaggio del 1832, ma riportata nell'Inventario della Galleria degli Uffizi del 1825: F. de Backer fecit Roma 1721. Inciso in Museo Fiorentino, vol. IV, 1762, p. 293. M.C.	Vedi: Scuola italiana sec. XVII. Ritratto d'uomo. Scheda A850.

	A45	A46	A47	A48
AUTORE	Bagnoli, Giovanni Francesco (Firenze 1678 o 1684 - 1712).	Balassi, Mario (Firenze 1604-1667).	Balbi, Filippo (Napoli 1806 - Alatri, Frosinone 1890).	Baldacci Gozzi, Maria Maddalena (Firenze 1718-1782).
TITOLO	Autoritratto.	Autoritratto.	Autoritratto.	Autoritratto.
DATAZIONE	Primo decennio sec. XVIII.	Metà sec. XVII.	1873.	Secondo quarto sec. XVIII.
DATI TECNICI	Olio su tela, 73x58,5, restauro 1972.	Olio su tela, 38x33.	Olio su tela, 159x111.	Olio su tela, 73,5x62.
CORNICE	Salvadora dorata con cartiglio, inizi sec. XVIII.	Nera e dorata intagliata, sec. XVII.	Sagomata e dorata, sec. XIX.	Salvadora dorata con cartiglio, sec. XVIII.
UBICAZIONI	Coll. Puccini (1725); coll. Pazzi; Uffizi (1768).	Cosimo III de' Medici; Uffizi (1682).	Uffizi (1873).	Coll. Pazzi; Uffizi (1768).
ATTRIBUZIONI	—	—	—	—
ESPOSIZIONI	—	—	—	—
BIBLIOGRAFIA	S. Meloni Trkulja in Paragone 343, 1978.	H. Voss in Kunstchronik 14, 1961. R. Chiarelli in Dizionario biografico degli italiani, V, Roma 1963.	Comanducci, 1, Milano 1970. P.S. Addeo, Ricordi di un vecchio pittore, Firenze 1894.	B. Viallet, Roma s.d. (1923); S. Meloni Trkulja in Paragone 343, 1978.
INVENTARIO	1756 (C.P. p. 210 n. 335).	1762 (C.P., p. 97, n. 329).	5494.	1769.
FOTO	280822.	112373.	112483.	5715.
NOTE	Pittore di paesaggi, nature morte e animali oggi del tutto ignoto, di cui questa è l'unica opera conservata. Fu allievo secondo alcuni del Rosa da Tivoli, secondo altri di Domenico Tempesti. Il dipinto venne agli Uffizi con l'acquisto, da parte di Pietro Leopoldo di Lorena, della collezione dell'abate Antonio Pazzi. S.M.T.	Parte della collezione di Cosimo III de' Medici, che lo mandò in galleria il 27 ottobre 1682 (ASF, Guard. 870, c. 158r). Le misure negli inventari (cm. 71x57 ca.) e l'incisione nel Museo Fiorentino, che raffigura il personaggio fino alla vita, documentano che in antico il ritratto era più grande, ma non sappiamo se fu ingrandito per uniformarlo agli altri, da un originale piccolo, o se sia stato ridotto in tempi più recenti, forse per danni subiti. Nessun restauro è documentato in questo secolo. S.M.T.	Firmato sopra il cartiglio posto sul cavalletto. Davanti a destra, sopra il foglio, la data 1873 e l'iscrizione: Non è la Sapienza e il Merito/che governa la vita ma la Fortuna/La Fortuna è donna, Volubile, Capric/ciosa, come tutte quelle del suo sesso. Offerto in dono dall'artista nel 1873 e accettato nello stesso anno (Addeo, 1894). Attualmente nei Depositi degli Uffizi. E.S.	A tergo, sulla tela, scritta antica «Maddalena Baldacci». Allieva di Giovanna Fratellini e di Giovan Domenico Campiglia come il Pazzi, Maddalena B., nata Gozzi, fu specializzata in ritratti, pastelli e miniature; ma oggi non ne sono state rintracciate altre opere che questo autoritratto. S.M.T.

	A57	A58	A59	A60
AUTORE	Barabás, Miklós (Márkosfalva 1810 - Budapest 1898).	Barabino, Niccolò (Sampierdarena, Genova 1832 - Firenze 1891).	Barocci, Federico (Urbino 1535 ca.- 1612).	Barocci, Federico (Urbino 1535 ca.- 1612).
TITOLO	Autoritratto.	Autoritratto.	Autoritratto.	Autoritratto.
DATAZIONE	1877.	1890 ca. (Delogu 1928).	1570-75 (Linnenkamp).	
DATI TECNICI	Olio su tela, 73,5x58.	Olio su tela, 66x53,5.	Olio su tela, 33x25, restauro 1975.	
CORNICE	Sagomata e dorata, sec. XIX.	Intagliata e dorata, sec. XX.	Liscia con filetto dorato, sec. XX.	
UBICAZIONI	Eredi dell'artista; Uffizi (1913).	Eredi dell'artista; Uffizi (1892).	Urbino? (1631); card. Leopoldo de' Medici (ante 1675); Uffizi (1682).	
ATTRIBUZIONI	—	—	«Ambrogio» Barocci (secc. XVII-XIX).	
ESPOSIZIONI	—	Società delle belle arti di Firenze. Esposizione commemorativa del 90° anno della fondazione, Firenze 1933.	Federico Barocci, Bologna 1975.	
BIBLIOGRAFIA	Vollmer, I, 1956. Müvészeti Lexikon, I, Budapest 1965.	G. Di Genova, in Dizionario biografico degli italiani, V, Roma 1963. *E. De Fonseca, N.B., Firenze 1892. Prinz 1971.*	*R. Linnenkamp in Pantheon XIX, 1961; H. Olsen, Federico Barocci, Copenaghen 1962. A. Emiliani in Cat. Bologna 1975, n. 61.*	
INVENTARIO	9179.	3075 (C.P., p. 97, n. 706).	1745 (C.P., p. 98, n. 326).	
FOTO	278039.	315576.	248625.	
NOTE	Firmato e datato a destra: Barabás 1877. Dietro, sulla tela, iscrizione: Autoritratto di / Nicola Barabás / pittore ungherese / Barabás Miklós / de Márkosfalva / 1877 / nato 1810-1898. L'opera fu offerta in dono dalla figlia dell'artista nel 1909 e fu depositata agli Uffizi nel 1913; il dono fu ricusato in quello stesso anno, ma il dipinto non fu mai ritirato e, di conseguenza, fu inventariato alcuni anni più tardi (AGF, Arte 399). Sul retro del dipinto è applicato un cartellino di una mostra « Vita degli stranieri a Roma » di cui non è stato rintracciato il catalogo. Un altro autoritratto del pittore (1841) è nella Galleria Nazionale di Budapest. L'opera è attualmente nei Depositi degli Uffizi. E.S.	Sul retro cartellino della mostra di Firenze del 1933. Un autoritratto fu richiesto all'artista nel 1886; questo fu donato dopo la sua morte dai fratelli del pittore nel 1892 per interessamento personale di Enrico Ridolfi direttore degli Uffizi; secondo i donatori il dipinto fu eseguito negli ultimi mesi di vita dell'artista e da lui lasciato incompiuto (AGF 1893 (A) 2, 2; Arte 796). Attualmente nel Corridoio Vasariano. E.S.	Il cardinal Leopoldo de' Medici lo possedeva col suo vero nome (n. 239) e con la sua eredità entrò agli Uffizi il 28 ottobre 1682 (ASF, Guard. 870, c. 160v), ma in antico fu inventariato come di «Ambrogio» Barocci; la vera identità è stata ristabilita dal Linnenkamp e il ritratto è concordemente accettato come opera ed effigie di Federico intorno ai 35 anni. Un autoritratto del Barocci è presente negli inventari di Urbino del 1631, ma non si può identificarlo con certezza con questo piuttosto che con un altro. Si trova per ora nei depositi degli Uffizi. S.M.T.	Vedi: Scuola emiliana fine sec. XVI. Ritratto d'uomo. Scheda A835.

	A61	A62	A63	A64
AUTORE	Barocci, Federico (Urbino 1535 ca. - 1612).	Bartolini, Louisa G. (Bristol 1818 - Firenze 1865).	Bassano Francesco, Da Ponte F. detto (Bassano 1549-1592)?	Bassano Gerolamo, Da Ponte G. detto (Bassano 1566-1621), attr. a.
TITOLO	Autoritratto.	Autoritratto.	Autoritratto.	Ritratto di Jacopo Bassano.
DATAZIONE	1600 ca.	1860-65 ca.	Fine sec. XVI.	Fine sec. XVI.
DATI TECNICI	Olio su tela, 42,2x33,1, restauro 1975.	Olio su tela, 117x81,5.	Olio su tela, 61x49, restauro 1975.	Olio su tela, 60x48.
CORNICE	Salvadora dorata, sec. XIX.	Intagliata, dorata, sec. XIX.	Intagliata e dorata, sec. XVII.	Intagliata e dorata, sec. XIX.
UBICAZIONI	Card. Leopoldo de' Medici (ante 1675); Uffizi (1683); Parigi (1799); Uffizi.	Uffizi (seconda metà sec. XIX).	Card. Leopoldo de' Medici (1675); Uffizi (1682).	Card. Leopoldo de' Medici (1671 ca.); Uffizi (1682).
ATTRIBUZIONI	—	—	—	Jacopo Bassano (inventari antichi).
ESPOSIZIONI	Mostra di Federico Barocci, Bologna 1975, f.c.	Firenze e l'Inghilterra. Rapporti artistici e culturali dal XVI al XX secolo, Firenze 1971.	*W. Arslan, Bassano, Bologna 1931. Prinz, 1971.*	Mostra di Jacopo Bassano, Venezia 1957.
BIBLIOGRAFIA	*R. Linnenkamp in Pantheon XIX, 1961. H. Olsen, Federico Barocci, Copenhagen 1962. Prinz, 1971.*	*Cat., Firenze 1971, n. 75.*	—	*W. Arslan, I Bassano, Bologna 1931. Prinz, 1971.*
INVENTARIO	1848 (C.P., p. 98, n. 326).	3330.	1831 (C.P., p. 108 n. 407).	1825 (C.P., p. 108 n. 401).
FOTO	229815.	113228.	131702.	249112.
NOTE	Da identificare o col ritratto offerto al cardinal Leopoldo nel 1667 da Cristoforo Vicentini di Fossombrone o con uno giunto a Firenze con l'eredità Della Rovere nel 1631. Figura nell'inventario alla morte del cardinal Leopoldo (n. 237) ed entrò in galleria il 9 maggio 1683 (ASF, Guard. 871, c. 129v). Asportato dalle truppe napoleoniche nel 1799, fu però restituito. È il più noto autoritratto del Barocci e ne esistono molte copie. Il disegno preparatorio è al Martin von Wagner Museum di Würzburg. S.M.T.	Firmato in basso a sinistra: Louisa Grace Bartolini. Di origine irlandese, la pittrice venne in Toscana dove conobbe e sposò nel 1860 l'ingegner Francesco Bartolini. Fu amica di G. Carducci, che le dedicò un'ode e scrisse una prefazione ai suoi scritti postumi, usciti un anno dopo la sua morte. La provenienza del dipinto non è documentata. M.C.	Acquistato da Marco Boschini a Venezia nel marzo 1675 per 65 ducati, passò dalla collezione del cardinal Leopoldo de' Medici in galleria il 28 ottobre 1682 (ASF, Guard. 870, c. 160v). L'attribuzione tradizionale non è mai stata posta in dubbio ma negli inventari antichi vi è incertezza fra gli autoritratti dei due figli del Bassano: ed effettivamente questo, dato come Francesco, sembra stilisticamente posteriore a quello detto di Leandro e già seicentesco. S.M.T.	Nel 1671 Paolo del Sera ventilò a Leopoldo de' Medici l'acquisto di un ritratto del Bassano fatto dal figlio Girolamo, proprietà di un avvocato Recanati (Prinz, docc. 9-12), che sarebbe costato da 35 a 40 scudi d'argento. Veniamo a sapere che l'acquisto fu concluso da una lettera di Marco Boschini del 16 marzo 1675 relativa a un autoritratto di Francesco Bassano ('... quello del Padre, altre volte trasmesso all'A.V.'). La critica moderna, non conoscendo queste notizie, ha reputato la tela effigie ma non opera di Jacopo, come si dimostra esatto. Un altro creduto autoritratto del Bassano fu acquistato da Cosimo III nel 1681 (cfr. inv. 1890 n. 1789). S.M.T.

	A65	A66	A67	A68
AUTORE	Bassano Jacopo, Da Ponte J., detto (Bassano 1515 ca. - 1592).	Bassano Jacopo, Da ponte J., detto (Bassano 1510 ca. - 1592).	Bassano Jacopo, Da ponte J., detto (Bassano 1510 ca. - 1592).	Bassano Leandro, Da Ponte L., detto (Bassano 1557 - Venezia 1622)?
TITOLO	Ritratto di un artista.	Ritratto d'uomo.	Autoritratto.	Autoritratto.
DATAZIONE	Terzo quarto sec. XVI.	Terzo quarto sec. XVI.		1610 ca.?
DATI TECNICI	Olio su tela, 110x88.	Olio su tela, 56,5x44,5.		Olio su tela, 61x49.
CORNICE	Intagliata e dorata, sec. XVII.	Intagliata e dorata, sec. XIX.		Intagliata baccellata e dorata, sec. XIX.
UBICAZIONI	Cosimo III de' Medici; Uffizi (1685); guardaroba; Uffizi (1798).	Cosimo III de' Medici (1681 o 1682); Uffizi (1682).		Card. Leopoldo de' Medici (1675); Uffizi (1682).
ATTRIBUZIONI	Leandro Bassano (Arslan 1931 e 1960).	Palma il giovane (inv. 1704).		—
ESPOSIZIONI	—	—		—
BIBLIOGRAFIA	E. Arslan, I Bassano, Milano 1960. AGF: A. Picciolini, Scheda ministeriale 1975.	Prinz, 1971.		W. Arslan, I Bassano, Bologna 1931. Prinz, 1971.
INVENTARIO	969 (C.P., p. 199 n. 611).	1789 (C.P., p. 107, n. 372).		1819 (C.P., p. 108 n. 395).
FOTO	81233.	249115.		195114.
NOTE	Davanti alla figura una statuetta, una ciotola, un disegno a sanguigna e una tavolozza. Fu acquistato da Cosimo III de' Medici e inviato in galleria il 15 settembre 1685 come autoritratto di « N.N. pittor di Vicenza » (ASF, Guard. 903, c. 27v); non venne esposto e passò in guardaroba, donde tornò in galleria il 3 settembre 1798 (AGF, ms. 114, c. 77) con l'attribuzione a Jacopo Bassano che ha mantenuto finora. L'Arslan vi vede invece la mano del figlio Leandra. Un ritratto simile è nel museo di Tours. S.M.T.	Originariamente più piccolo (40x 27) ma ampliato fin dal '600: il restauro ha anche eliminato la pelliccia e la catena al collo visibili nell'incisione del Museo Fiorentino (I, 45). Cosimo III de' Medici aveva in corso trattative per un autoritratto di Jacopo Bassano nel 1681, come appare da una lettera del Baldinucci (Prinz, doc. 61), e il 27 ottobre 1682 avendolo evidentemente acquistato, lo manda in galleria (ASF, Guard. 870, c. 158r). Ma nell'inventario del 1704 si dice 'fu descritto per Jacopo... Bassano, ma dicono aver riconosciuto... Palma giovane' (nome che figura anche a tergo della tela) e tale è sempre rimasto. Ma mentre non vi è nessuna somiglianza con gli altri autoritratti del Palma (Milano, Brera, n. 109; Venezia, Pinacoteca Querini, n. 247), i dati stilistici portano innegabilmente al Bassano, anche se non a un autoritratto. S.M.T.	Vedi: Bassano Gerolamo, Da Ponte G. detto. Ritratto di Jacopo Bassano. Scheda A64.	Acquistato nel giugno del 1675 per 65 ducati dal cardinal Leopoldo de' Medici tramite Marco Boschini, dalla stessa fonte dell'autoritratto di Francesco (inv. 1890 n. 1831). Altri ne vennero offerti a Cosimo III da Matteo del Teglia. Con tutta la raccolta del cardinale entrò in galleria il 28 ottobre 1682 (ASF, Guard. 870, c. 160v). Negli inventari antichi vi sono scambi di numerazione con l'autoritratto di Francesco Bassano, ed effettivamente manca la certezza dell'identità dei pittori, di cui non si conoscono altri autoritratti. Anche per il costume questo sembrerebbe più antico, e quindi più facilmente di Francesco che di Leandro. È comunque il più bello degli autoritratti bassaneschi degli Uffizi (cfr. S. Bettini in Rivista d'arte XII, 1930). S.M.T.

	A69	A70	A71	A72
AUTORE	Bastarolo Mazzuoli, Giuseppe, detto il (Ferrara 1536 ca.-1589).	Bastianini, Augusto (Casole d'Elsa, Siena 1875 - Firenze 1940).	Batoni, Pompeo (Lucca 1708 - Roma 1787).	Baudrier, Pierre (? 1884 - ? dopo il 1922).
TITOLO	Autoritratto.	Autoritratto.	Autoritratto.	Autoritratto.
DATAZIONE	1573 (?).	1900.	1773-87.	1922.
DATI TECNICI	Olio su tela, 47x37,5.	Olio su tela, 110,5x70,5.	Olio su tela, 75,5x61. Originariamente più grande, restauro 1967.	Olio su tela, 64x54.
CORNICE	Salvadora dorata con cartiglio, fine sec. XVIII.	Sagomata e dorata, sec. XX.	Dipinta nera e oro, sec. XX.	Intagliata, dorata, sec. XX.
UBICAZIONI	Abate G.B. Galli, Ferrara; Uffizi (1791).	Eredi dell'artista; Uffizi (1941).	Uffizi (1788).	Uffizi (1922).
ATTRIBUZIONI	—	—	—	—
ESPOSIZIONI	—	—	Mostra di Mozart, Milano 1956; Mostra di Pompeo Batoni, Lucca 1967.	—
BIBLIOGRAFIA	*Dizionario Bolaffi, VII, Torino 1975.*	C. Del Bravo, in Cat., Mostra Disegni italiani del XIX secolo, Firenze 1971.	*A. Gonzalez Palacios, in Cat. Lucca 1967, n. 49. Prinz, 1971.*	*I. Julia: in Cat. Pittura francese nelle collezioni pubbliche fiorentine, Firenze 1977.*
INVENTARIO	1749.	9250.	1853 (C.P., p. 98, n. 534).	8480.
FOTO	113049.	278032.	249123.	11325.
NOTE	Offerto alla galleria nel marzo 1791 per 20 zecchini, vi entrò l'8 aprile (AGF, ms. 114 c. 29r) accompagnato dalla perizia di tre «Professori di pittura» di Ferrara che vi lessero una scritta a sinistra della testa «Giosepo Mazzola se dipinse 154(?)4» e giudicarono l'artista press'a poco quarantenne. A tergo del dipinto è scritta a penna su un cartellino antico una biografia, con bibliografia, dell'artista (allievo del Dosso, maestro del Bonone) e vi è il timbro del notaio Pietro Casaroli, che autenticò la perizia (timbro ripetuto in AGF, Filza XXIV a 12). S.M.T.	Firmato e datato in basso a destra: A. Bastianini / 1900. Dietro, sul telaio, il numero 129. Donato dalla vedova dell'artista nel 1941 (AGF Arte 796). Attualmente nei Depositi degli Uffizi. E.S.	Richiesto all'artista dalla direzione della galleria l'8 settembre 1773, il quadro fu subito iniziato (il pittore lo preannunziò nella misura di quello del Mengs, inv. 1890/1927) ma non portato a termine; morto l'artista, la vedova lo offrì alla galleria, che l'accettò e pagò 50 zecchini (AGF, filza XX a 36). Entrò in galleria il 3 dicembre 1787 (AGF, ms. 114 c. 16v) e fu ridotto di misura (la parte di tela ripiegata sul telaio è preparata in rosa, e una copia presso i discendenti del pittore misura cm. 115x91). Che si tratti proprio dell'autoritratto iniziato nel 1773, come scrive l'autore, testimonia la sua vicinanza all'autoritratto del 1772 in casa Cenami a Lucca. S.M.T.	Firmato e datato in alto a sinistra: P. Baudrier/Rome 1922. Dono dell'artista alla Galleria. M.C.

	A73	A74	A75	A76
AUTORE	Bazzaro, Ernesto (Milano 1859-1937).	Beaux, Cecilia (Filadelfia 1863? - New York 1942).	Beccafumi, Domenico, detto Mecherino (Cortine 1486-Siena 1551).	Becker, Carl Ludwig Friedrich (Berlino 1820-1900).
TITOLO	Autoritratto.	Autoritratto.	Autoritratto.	Autoritratto.
DATAZIONE	1913 ca.	1925.	1525-30.	1895-1896.
DATI TECNICI	Bronzo, alt. 49.	Olio su tela, 110x72.	Olio su carta su tavola, 32x24,5.	Olio su tela, 90,5x71.
CORNICE	—	Sagomata e dorata, sec. XX.	Nera con listelli e intagli dorati, sec. XVIII.	Sagomata e dorata con decorazioni in pastiglia, sec. XIX.
UBICAZIONI	Uffizi (1914); Galleria d'Arte Moderna, Pitti.	Uffizi (1926).	Card. Leopoldo de' Medici (ante 1675); Uffizi (1682).	Uffizi (1897).
ATTRIBUZIONI	—	—	—	—
ESPOSIZIONI	—	—	—	Festa dell'Arte e dei Fiori. Esposizione di Belle Arti, Firenze 1896-1897.
BIBLIOGRAFIA	Prima Esposizione Internazionale d'Arte della Secessione, Roma, 1913. Thieme-Becker, III, 1909. *Cat., Roma 1913, p. 69.*	Vollmer, I, 1953. Cat. Women, Winston-Salem-Raleigh 1972. Cat. Women Artists 1550-1950, Los Angeles 1977. *Prinz 1971.*	*D. Samminiatelli, Domenico Beccafumi, Milano 1967. Prinz, 1971.*	Cat. Der Niedersächsischen Landesgalerie Hannover, III, Die Gemälde des 19. und 20. Jahr., München 1973.
INVENTARIO	Sculture 1005.	8551.	1731 (C.P., p. 98, n. 552).	3128 (C.P., p. 98, n. 723).
FOTO	182964.	109439.	249107.	315550.
NOTE	In basso a destra: "Bazzaro". All'interno della scultura, cartellino a stampa della Mostra di Roma del 1913. Richiesto nel 1914, donato dall'artista nello stesso anno (Arte 796). Esposto prima dell'ultima guerra nella Galleria degli Uffizi, poi con gli altri autoritratti di scultori è stato trasferito alle collezioni della Galleria d'Arte Moderna. La data di esecuzione dell'opera si può collocare attorno all'anno dell'Esposizione romana del 1913. La scultura si trova attualmente nei depositi della Galleria d'Arte Moderna di Palazzo Pitti. Gr. Red. 1	Firmato davanti in basso: Cecilia Beaux; sul retro, iscrizione autografa: «Autoritratto / Cecilia Beaux / New York / U.S.A.». La Direzione degli Uffizi richiese un autoritratto all'artista nel 1924, che donò questo nel 1926 (AGF, Arte 796). Esiste incertezza sulla data di nascita dell'artista, che secondo alcune fonti sarebbe nata nel 1855 o addirittura nel 1853; tuttavia, anche alla luce del curriculum della pittrice, la data più probabile sembra essere quella fornita dal Vollmer, che la fissa al 1863. L'opera è attualmente esposta nel Corridoio vasariano. E.S.	Il quadro è probabilmente da identificare con un autoritratto del Beccafumi 'a olio di sbozzo in carta' che Pandolfo Savini, a Siena, possedeva prima del 1671, e che ritroviamo nella raccolta di Leopoldo de' Medici, con la quale entrò in galleria il 28 ottobre 1682 (ASF, Guard. 870, c. 160v). Fu ingrandito su tutti i lati, ma agli inizi del XX secolo era già tornato alle dimensioni originali. L'attribuzione tradizionale, dimenticata o rifiutata dagli studiosi dell'800 e del primo '900, è stata ridiscussa e accettata dal Sanminiatelli, che ritiene l'opera il più antico bozzetto del pittore. La cornice apparteneva all'autoritratto del Passeri, come le sta scritto a tergo. S.M.T.	Un autoritratto fu richiesto all'artista nel 1887; non era ancora eseguito nel 1895; il pittore donò questo autoritratto nel 1897 (AGF, Arte 796). Attualmente nei Depositi degli Uffizi. E.S.

	A77	A78	A79	A80
AUTORE	Beduschi, Mazzini (attivo a Roma, prima metà sec. XX).	Bellotti, Pietro (Volciano di Salò 1627 - Gargnano 1700).	Bellucci, Antonio (Pieve di Soligo 1654 - Venezia ? 1727).	Beltran Massés, Federico Armand (Guaira de Melena, Cuba 1855 - Barcellona 1949).
TITOLO	Autoritratto.	Autoritratto 'in veste di Allegria'.	Autoritratto.	Autoritratto.
DATAZIONE	1930-40 ca.?	1658.	Inizi sec. XVIII.	1920.
DATI TECNICI	Olio su tavola, 42x33.	Olio su tela, 56,5x47,5 (dimensioni non originali).	Olio su tela, 72,5x58.	Olio su tela, 130,5x101.
CORNICE	Salvadora ottocentesca.	Salvadora dorata, sec. XVIII, riadattata.	Nera con intagli dorati, sec. XVII.	Nera con decorazioni dorate in pastiglia, sec. XX.
UBICAZIONI	Eredi dell'artista; Galleria d'Arte Moderna, Pitti (1968).	Paolo del Sera, Venezia (1660); Cosimo III de' Medici (1670); Card. Leopoldo de' Medici (ante 1675); Uffizi (1682).	Uffizi (1723).	Uffizi (1920).
ATTRIBUZIONI	—	—	—	—
ESPOSIZIONI	—	La Pittura a Brescia nel Seicento e Settecento, Brescia 1935, n. 134.	—	XII Esposizione Internazionale di arte della città di Venezia, Venezia 1920.
BIBLIOGRAFIA	—	*M. G. Baroni in Dizionario Bolaffi II, Torino 1972. Prinz, 1971.*	C. Donzelli. G. M. Pilo, I pittori del Seicento veneto, Firenze 1967. *G. M. Pilo in Arte veneta XIII-XIV, 1959-60.*	J.F. Ráfols, Diccionario Biográfico de Artistas de Cataluña, Barcellona 1951. Vollmer, I, 1953.
INVENTARIO	GAM Giornale 2277.	1839 (C.P., p. 210, n. 418).	1641 (C.P., p. 210 n. 427).	8425.
FOTO	156140.	119048.	5723.	12193.
NOTE	Firmato in alto a destra: Mazzini/Beduschi. Risulta donato dalla figlia Nera nel verbale della commissione per le acquisizioni della Galleria d'arte moderna del 21 giugno 1968. Un cartellino della Biennale di Venezia del 1936 appare sulla cornice ma la mostra non è documentata in catalogo. Un altro cartellino indica l'indirizzo dell'artista a Roma (via Palestro 35) e lo stile del pittore riecheggia de Pisis e la scuola romana. Ricerche a Roma e a Venezia tuttavia non hanno dato esito. Attualmente nelle riserve della Galleria d'arte moderna. S.P.	Nel foglietto in basso: 'Hinc hilaritas/Petrus Bellottus hic se ipsu effin/gebat mar 1788' (data frutto di restauro e testimoniata con esattezza 1658). Il quadro fu mandato nel dicembre 1670 (ASF, Cart. art. VII, 677) da Paolo del Sera, che lo possedeva almeno dal 1660 (Boschini, Carta..., pp. 516-17) a Cosimo III, che lo passò allo zio Leopoldo; con l'eredità di quest'ultimo entrò in galleria il 28 ottobre 1682 (ASF, Guard. 870, c. 160v). Il Del Sera, nella lettera di accompagno, informa sulla data e il pregio del curioso dipinto, il cui il pittore regge un bicchiere con una catena. Una versione quasi identica, datata *ag 1658*, acquistata dal Ministero della Pubblica Istruzione nel 1910, fu dirottata come doppione alla Pinacoteca di Brera (AGF, Arte 953). S.M.T.	Entrato in galleria il 17 giugno 1723 (ASF, Guard. 1277, c. 108v). Può darsi che sia stato procurato dall'Elettrice Palatina, Anna Maria Luisa de' Medici, per la quale l'artista aveva lavorato a Düsseldorf. Viene datato dal Pilo, che lo dice 'di una dignità rembrandtiana', intorno al 1700. S.M.T.	Firmato e datato in alto a sinistra: F. Beltran Massés/1920. Sul retro cartellino della Biennale veneziana del 1920. Questo autoritratto fu richiesto all'artista nel 1920 e fu da lui donato agli Uffizi in quello stesso anno (AGF, Arte 796). L'opera è attualmente nei Depositi degli Uffizi. E.S.

	A81	A82	A83	A84
Autore	Benazech, Charles (Londra 1767 ca.-1794).	Benczúr, Gyula (Nyíregyháza 1844 - Dolány (Benczúrfalva), 1920).	Benefial, Marco (Roma 1684-1764).	Benlliure y Gil, José (Cañamelas, Valencia 1855 - ? 1919).
Titolo	Autoritratto.	Autoritratto.	Autoritratto.	Autoritratto.
Datazione	1790 ca. (Webster 1971).	1894.	1743.	1920.
Dati tecnici	Olio su tela, 77x60, restauro 1978.	Olio su tela, 62x48,5.	Olio su tela, 73,5x61,8.	Olio su tela, 85x65.
Cornice	Liscia, tinta di giallo e dorata, sec. XVIII.	Intagliata e dorata, sec. XIX.	Salvadora dorata, sec. XVIII.	Sagomata e dorata con decorazioni in pastiglia, sec. XX.
Ubicazioni	Uffizi (seconda metà sec. XIX).	Uffizi (1895).	Coll. Pazzi; Uffizi (1768).	Uffizi (1922).
Attribuzioni	—	—	—	—
Esposizioni	Firenze e l'Inghilterra. Rapporti artistici e culturali dal XVI al XX secolo, Firenze 1971.	—	—	—
Bibliografia	*Thieme-Becker, III, 1909. Cat., Firenze 1971, n. 51.* E.K. Waterhouse: Painting in Britain 1530-1790, Harmondsworth 1953.	Cat. Benczúr Gyula emlékkiállítása, Budapest 1958. Müvészeti Lexikon, I, Budapest 1965.	A. M. Clark in Paragone 199, 1966. *S. Meloni Trkulja in Paragone 343, 1978.*	Thieme-Becker, II, 1909. Vollmer, I, 1953. J.M. Bayarri, in Archivio de Arte Valenciano, 1955. J. Busse, Internationales Handbuch aller Maler und Bildhauer des 19. Jahr., Wiesbanden 1977.
Inventario	2015 (C.P., p. 98, n. 650).	3123 (C.P., n. 98, p. 717).	2077 (C.P., p. 210, n. 486).	8429.
Foto	109426.	127447.	113071.	12192.
Note	Scritta sul retro: C. Benazech. 267. L'artista fu a Roma tra il 1782 e il 1789, ed è possibile che si sia fatto l'autoritratto in quel periodo. Fu membro dell'Accademia di Belle Arti di Firenze. La provenienza del dipinto non è documentata. M.C.	Firmato e datato in basso a destra: Benczúr Gyula / Budapest 1894. La direzione degli Uffizi richiese all'artista un suo autoritratto nel 1887 sollecitandolo nel 1893; questo fu donato dal pittore agli Uffizi nel 1895 (AGF, Arte 796). Un altro autoritratto di Benczúr è nella Galleria Nazionale di Budapest. L'opera si trova attualmente nei Depositi degli Uffizi. E.S.	A tergo sulla tela 'Il cav. Venefiani 1743' seguito da una sigla (MF?). L'autoritratto entrò in galleria intorno al 1768 con la collezione dell'abate Antonio Pazzi ed è sempre stato esposto. Non vi sono dubbi sull'autenticità: lo si può confrontare con altri due autoritratti assai simili (Roma, coll. Guglielmi; Accademia di San Luca). S.M.T.	Firmato e datato in basso a sinistra: José Benlliure/1920/Valencia. L'opera fu donata agli Uffizi dall'artista nel 1922 (AGF, Arte 796). Il Vollmer riferisce la data di morte dell'artista nella biografia dedicata a Mariano Benlliure, fratello di José; questa data è accolta nel Dizionario del Busse. L'opera è attualmente nei Depositi degli Uffizi. E.S.

	A85	A86	A87	A88
AUTORE	Benvenuti, Pietro (Arezzo 1769 - Firenze 1844).	Benvenuti, Pietro (Arezzo 1769 - Firenze 1844).	Benwell, Mary (Londra? attiva 1761-1800).	Berckheyde, Job (Haarlem 1620-1693).
TITOLO	Autoritratto.	Ritratto di Niccola Matas.	Autoritratto.	Autoritratto.
DATAZIONE	Quarto decennio sec. XIX.	1830-1835 ca.	1779.	1675.
DATI TECNICI	Olio su tavola, 72,5x57,5.	Olio su tela, 73x58.	Tempera su avorio, 0,71x0,59.	Olio su tavola, 35x30.
CORNICE	Sagomata e dorata con decorazioni a motivi vegetali, sec. XIX.	D'epoca, dorata.	Liscia, dorata, sec. XVIII.	Ebano, sec. XIX.
UBICAZIONI	Uffizi (1837).	Accademia (1899); Uffizi (1919 ca.); Galleria d'Arte Moderna, Pitti (1976).	Uffizi (1780).	Pitti (1708 ca.); Uffizi (1708).
ATTRIBUZIONI	—	—	—	—
ESPOSIZIONI	Italienische Malerei des 19. Jahrhunderts, Köln 1961. Mostra Documentaria e iconografica dell'Accademia delle arti del disegno, Firenze 1963.	—	Firenze e l'Inghilterra. Rapporti artistici e culturali dal XVI al XX secolo, Firenze 1971.	De Schilder en zijn Wereld, Delft-Anversa 1964-65.
BIBLIOGRAFIA	F. Mannu, in Cat., Cultura neoclassica e romantica nella Toscana granducale, Firenze 1972.	Cat., Cultura neoclassica e romantica nella Toscana granducale, Firenze 1972. L. e F. Luciani, Dizionario dei pittori italiani dell'800, Firenze 1974.	E.K. Waterhouse: Painting in Britain 1530-1790, Harmondsworth 1953. *Cat., Firenze 1971, n. 120.*	J. Rosenberg - S. Slive - E. H. Ter Kuile: Dutch Art and Architecture 1600-1800, Harmondsworth 1966. *Cat., Delft-Anversa 1964-65, n. 6. AGF: K. Langedijk, Scheda ministeriale 1978.*
INVENTARIO	1909 (C.P., p. 98, n. 548). 72274.	8401. 269396.	20101. 109420.	1775 (C.P., p. 98 e 99, n. 434). 126269.
FOTO				
NOTE	Dietro, cartellino della mostra di Colonia (1961). Donato dall'autore dopo molte insistenze anche ufficiali (AGF 1837 (LXI) 41). Un altro autoritratto dell'artista è in collezione privata fiorentina (Foto GFS 120261). Attualmente esposto nel Corridoio Vasariano. E.S.	L'architetto Niccola Matas (Ancona 1799 - Firenze 1872: il Comune di Ancona ha comunicato l'esatto anno di nascita, correggendo il dato normalmente riportato nei dizionari), autore della facciata di Santa Croce, aveva espresso il desiderio di lasciare il proprio ritratto eseguito dal Benvenuti alla Galleria moderna dell'Accademia. Il figlio Leopoldo, morto a Roma nel 1891, aveva trascurato di dare esecuzione al desiderio paterno e fu la moglie di questi, Lauretta Chapman, a perfezionare il dono nel 1899 (AGF, Arte 155, direttore Ridolfi). L'opera non è elencata fra i lavori del Benvenuti nella lista compilata dal medesimo. Un ritratto di Matas è invece documentato dai biografi fra le opere del Bezzuoli, ma stilisticamente questo dipinto si accosta meglio all'autore cui viene tradizionalmente attribuito. Aggregato alla collezione iconografica nel periodo fra le due guerre, il quadro si trova oggi nella Galleria d'arte moderna di Palazzo Pitti. S.P.	Firmato e datato in basso a destra: Maria/Benwell/1779. Scritta sul retro: «Maria Benwell of London painted by herself». Non si hanno molte notizie biografiche di questa miniaturista, che fece dono del suo autoritratto alla Galleria degli Uffizi nel 1780, facendolo pervenire per tramite di Giovanni Fabbroni. M.C.	Firmato e datato sul ritratto nel fondo: H. Berckheyde 1675. Sul retro scritta: H. Breckherg son propre portrait de sa main. Il ritratto nel fondo rappresenta anch'esso l'artista, e ripete, rovesciato, quello nel Museo di Haarlem (N. 389). Secondo un documento nell'ASF (Guard. 1171, c. 20v), il dipinto fu inviato agli Uffizi dal Gran principe Ferdinando, il 13-12-1708. Poiché sappiamo che in quell'anno e poco prima egli aveva ricevuto in dono dal cognato, Giovanni Guglielmo Elettore Palatino di Düsseldorf, vari dipinti olandesi e fiamminghi (notizia di M. L. Strocchi), si può supporre che il quadro facesse parte di quel gruppo. Inciso in Museo Fiorentino, vol. III, 1756, p. 287. M.C.

	A89	A90	A91	A92
AUTORE	Bergh, Sven Richard (Stoccolma 1858 - Saltsiö-Storängen 1919).	Bernasconi, Ugo (Buenos Aires 1874 - Cantù 1960).	Bernini, Gian Lorenzo (Napoli 1598 - Roma 1680).	Berti, Carlo (op. a Firenze 1690).
TITOLO	Autoritratto.	Autoritratto.	Autoritratto.	Autoritratto.
DATAZIONE	1898.	1939.	1635 ca.	Fine sec. XVII.
DATI TECNICI	Olio su tela, 62x49.	Olio su tela, 60x51.	Olio su tela, 62x46.	Olio su tela, 70,5x57, rintelato.
CORNICE	Intagliata, in legno naturale, sec. XIX.	Senza cornice.	Salvadora dorata, inizi sec. XVIII.	Salvadora dorata, sec. XVIII.
UBICAZIONI	Uffizi (1899).	Galleria d'Arte Moderna, Pitti (1942-45 ca.).	Roma; Card. Leopoldo de' Medici (1674); Uffizi (1682).	Coll. Puccini (1725); coll. Pazzi; Uffizi (1768); Guardaroba (1772); Castello (1911); Pitti; Uffizi (1979).
ATTRIBUZIONI	—	—	—	—
ESPOSIZIONI	III Esposizione Internazionale di arte della Città di Venezia, Venezia 1899.	—	—	—
BIBLIOGRAFIA	T. Palmer, in Svenskt Konstnärslexikon, I, Malmö 1952. *V. Pica, in Emporium, luglio 1911, p. 6-10.*	C. Carrà, Ugo Bernasconi, Milano, 1967.	*L. Grassi, Bernini pittore, Roma 1945. Prinz. 1971.*	*S. Meloni Trkulja in Paragone 343, 1978.*
INVENTARIO	3129 (C.P., p. 98, n. 727).	GAM Giornale 876.	1692 (C.P., p. 98, n. 272).	Castello n. 880.
FOTO	54085.	171412.	154114.	296680.
NOTE	Siglato e datato in alto a sinistra: R.B./Firenze 1898. Dietro, grande cartellino con il numero 408 teso fra telaio e cornice (relativo alla Biennale veneziana del 1899?). La Direzione degli Uffizi richiese all'artista un autoritratto nel 1887, sollecitandolo nel 1895; questo autoritratto fu donato dal pittore nel 1899 (AGF, Arte 89; Arte 796). L'opera è attualmente nei Depositi degli Uffizi. E.S.	In basso a sinistra firmato: "U B". Nel tergo, al centro del telaio in alto: "Ugo Bernasconi. Autoritratto 1939", ripetuto al centro della tela. Donato dall'autore. Risulta pervenuto nella sede attuale fra il 1942-45 ca. (nota inventariale). L'opera si trova attualmente nei depositi della Galleria d'Arte Moderna di Palazzo Pitti. Gr. Red. 1	Acquistato a Roma nel giugno 1674, pagato 56 scudi romani e inviato a Leopoldo de' Medici da Paolo Falconieri, che avvisava scrupolosamente che il ritratto era incompiuto, ma solo nella veste ('essendo fatto il collaro, e l'abito sino alla staccatura della spalla, o quasi mezzo palmo davanti, di modo che ogni pittore può finirlo benissimo... V.A. sa che quest'uomo non ha dipinto quasi nulla...'). Il Falconieri vi giudicava l'artista trentacinquenne, e anche il Grassi data la tela in prossimità del busto di Scipione Borghese (1632). Un altro autoritratto è alla galleria Borghese. S.M.T.	Unica opera nota di un artista di qualche nome come ritrattista e copista, che forse fu utilizzato dal medico pistoiese Tommaso Puccini come autore di alcuni sedicenti autoritratti della sua collezione, oltre che del proprio. Esso passò poi nella raccolta dell'abate Antonio Pazzi, venduta agli Uffizi intorno al 1768. La cornice (su cui figura il nome del Berti) orna adesso l'autoritratto di Agostino Veracini (inv. 1890 n. 3368); il quadro fu presto ritirato in guardaroba (AGF, Filza V a 11). S.M.T.

	A93	A94	A95	A96
AUTORE	Bertini, Giuseppe (Milano 1825-1898).	Bernardini, Piero (Firenze 1891-1974).	Bernardini, Piero (Firenze 1891-1974).	Bertrand, Jean-Baptiste, detto James Bertrand (Lione 1823 - Orsay 1887).
TITOLO	Autoritratto.	Autoritratto.	Autoritratto.	Autoritratto.
DATAZIONE	1886 ca.	1942.	1948.	1884.
DATI TECNICI	Olio su tela, 68,5x49,5.	Olio su cartone, 48,5x43,5.	Olio su tela, 79x70.	Olio su tela, 28x23.
CORNICE	Sagomata e dorata con decorazioni in pastiglia, sec. XIX-XX.	Coeva, in legno laccato e vetro.	Coeva, in legno dorato e patinato, listello avorio e vetro.	Intagliata, dorata, sec. XIX.
UBICAZIONI	Eredi dell'artista; Uffizi (1899).	Galleria d'Arte Moderna, Pitti (1953).	Galleria d'Arte Moderna, Pitti, ante 1968.	Uffizi (1905 ca.).
ATTRIBUZIONI	—	—	—	—
ESPOSIZIONI	—	—	—	—
BIBLIOGRAFIA	A. Ottino Della Chiesa, in Dizionario biografico degli Italiani, IX, Roma 1967. M. Rosci - M. Dalai Emiliani, in Cat. Mostra dei maestri di Brera, Milano 1975. *Prinz 1971.*	C. Marsan, Piero Bernardini, Firenze s.d. (1970). *Comanducci, I, Milano 1970.*	Comanducci, I, Milano 1970. C. Marsan, Piero Bernardini, Firenze s.d. (1970).	Thieme-Becker, III, 1909. *I. Julia, in Cat. Pittura francese nelle collezioni pubbliche fiorentine, Firenze 1977.*
INVENTARIO	3238 (C.P., p. 98, n. 729).	GAM Giornale 1377.	GAM Giornale 2337.	1919 (C.P., p. 98, n. 631).
FOTO	112485.	167780.	300994.	182523.
NOTE	Dietro, sulla cornice, la scritta: 7-916 con (?) Sig. Cavenaghi. Un autoritratto fu richiesto all'artista nel 1864 e sollecitato nel 1886 e nel 1892; il dipinto risulta già eseguito nel 1886, ma l'autore afferma di volerlo donare soltanto dopo la sua morte; sarà donato dai suoi eredi nel 1899 (AGF Arte 111). Attualmente nei Depositi degli Uffizi. E.S.	Siglato a destra in alto: B. A tergo: Autor / 1942. Donato dall'autore per la collezione dei ritratti dei pittori nel 1953. Anni dopo il Bernardini dona un secondo autoritratto (v. GAM Giornale 2337). Attualmente nelle riserve della Galleria d'arte moderna. S.P.	In alto a destra è siglato e datato: B / 48. È il secondo autoritratto donato per la collezione fiorentina dal pittore (v. GAM Giornale 1377). Inventariato nel 1968 dopo aver portato il numero di deposito 245 è attualmente collocato nelle riserve della Galleria d'arte moderna. Un autoritratto di simile impostazione, datato 1952, è riprodotto in C. Marsan, op. cit. Il Bernardini ha anche un'attività letteraria (Fatti miei. Memorie di un ottuagenario, Firenze 1971). S.P.	Firmato e datato in alto a destra: James Bertrand/1884. Per una svista il Pieraccini lo chiama Jacques. La provenienza del dipinto non è documentata: compare per la prima volta nel catalogo del Picraccini (1905 ca.). M.C.

	A97	A98	A99	A100
AUTORE	Besnard, Albert (Parigi 1849 - ? 1934).	Bettini, Antonio Sebastiano (Firenze 1707 - post 1774).	Bezzuoli, Giuseppe (Firenze 1784-1855).	Bezzuoli, Giuseppe (Firenze 1784-1855).
TITOLO	Autoritratto.	Autoritratto.	Autoritratto.	Autoritratto.
DATAZIONE	1909.	Metà sec. XVIII.	1809-1814 ca.	
DATI TECNICI	Olio su tela, 98x125.	Olio su tela, 74,5x63.	Olio su tela, 22,5x18.	
CORNICE	Intagliata, dorata, sec. XIX-XX	Salvadora dorata con cartiglio, sec. XVIII.	D'epoca, sguisciata e dorata.	
UBICAZIONI	Uffizi (inizi sec. XX).	Coll. Pazzi; Uffizi (1768).	Eredi dell'artista; Galleria d'Arte Moderna, Pitti (1968).	
ATTRIBUZIONI	—	—	—	
ESPOSIZIONI	—	—	Dieci opere di tradizione toscana, Firenze 1970. Cultura neoclassica e romantica nella Toscana granducale, Firenze 1972. Pittura neoclassica e romantica in Liguria 1700-1860, Genova 1975.	
BIBLIOGRAFIA	Thieme-Becker, III, 1909. I. Julia: in Cat. Pittura francese nelle collezioni pubbliche fiorentine, Firenze 1977.	S. Meloni Trkulja, in Dizionario biografico degli italiani IX, Roma 1967. Id. in Paragone 343, 1978.	D. Frosini, in: Dizionario Biografico degli Italiani, IX, Roma 1967. Cat., Firenze 1970 s.p. Cat., Firenze 1972, p. 48.	
INVENTARIO	3442.	2036 (C.P. p. 210 n. 664).	GAM Giornale 2339.	
FOTO	2488658.	5725.	158239.	
NOTE	Firmato e datato al centro in basso: Albert Besnard et sa famme Charlotte Talloices déc. 1909. Probabilmente donato dall'artista l'anno stesso dell'esecuzione. M.C.	L'autoritratto è databile — a giudicare dalla moda e dall'età dell'effigiato — verso la metà del Settecento; pervenne agli Uffizi con la collezione venduta al granduca Pietro Leopoldo dall'abate Antonio Pazzi. Il Bettini, allievo a Firenze di G.C. Sagrestani e a Roma (dal 1737) di Sebastiano Conca, fu attivo in patria, ma le sue opere oggi sono difficilmente reperibili. S.M.T.	Ereditato dalla nipote Amalia Saladini sposata all'allievo del pittore Demostene Macciò; passato successivamente a Emilio Macciò e da questi a Gian Lauro Parri che lo ha venduto alla Galleria d'arte moderna di Palazzo Pitti nel 1968 per Lire 1.000.000. Come molti autoritratti della Galleria d'arte moderna di predominante interesse documentario è associato alla raccolta storica dei ritratti di artisti. Attualmente esposto. S.P.	Vedi Pinacoteca: Bezzuoli Giuseppe. Autoritratto.

	A101	A102	A103	A104
AUTORE	Bezzuoli, Giuseppe (Firenze 1784-1855).	Bezzuoli, Giuseppe (Firenze 1784-1855).	Bezzuoli, Giuseppe (Firenze 1784-1855).	Bianchi, Gaetano (Firenze 1819-1892).
TITOLO	Autoritratto.	Autoritratto.	Ritratto di Vincenzo Consani.	Autoritratto.
DATAZIONE	1839.	1852.	1845-55 ca.	1858.
DATI TECNICI	Olio su tela, 81x64.	Olio su tela, 87,5x72,5.	Olio su tela, 76x66.	Olio su tela, 76x56.
CORNICE	D'epoca, sontuosamente intagliata e dorata.	D'epoca, intagliata e dorata.	D'epoca, intagliata e dorata.	Sagomata e dorata, sec. XIX.
UBICAZIONI	Uffizi (1839).	Eredi dell'artista; Uffizi (1945); Galleria d'Arte Moderna, Pitti (1945).	Eredi Consani; Uffizi (1906); Galleria d'Arte Moderna, Pitti (1976).	Uffizi (1930 ca.?).
ATTRIBUZIONI	—	—	—	—
ESPOSIZIONI	—	Cultura neoclassica e romantica-nella Toscana granducale, Firenze 1972.	—	—
BIBLIOGRAFIA	D. Frosini, in: Dizionario Biografico degli Italiani, IX, 1967. *E. Macciò, Autoritratti di Giuseppe Bezzuoli, in: Arte e Storia 1911, p. 277-279.*	D. Frosini, in: Dizionario Biografico degli Italiani, IX, Roma 1967. *Cat., Firenze 1972, p. 149.*	D. Frosini, in: Dizionario Biografico degli Italiani, IX, Roma 1967. *Della vita e delle opere del Prof. Cav. Giuseppe Bezzuoli, etc. Memorie raccolte da diversi compagni e amici, Firenze 1885.*	S. Meloni Trkulja, in Dizionario biografico degli italiani, 10, Roma, 1968.
INVENTARIO	1964 (C.P., p. 98, n. 522).	GAM Giornale 921.	3350.	9180.
FOTO	159979.	171411.	316903.	278038.
NOTE	A tergo la seguente iscrizione: Io Bezzuoli feci il mio proprio ritratto / sul cadere della vita. Il dipinto, secondo E. Macciò, presentato all'esposizione dell'Accademia fiorentina del 1839 fu richiesto dal Direttore della Galleria Ramirez de Montalvo in sostituzione di quello già eseguito dal pittore nel 1827 per la collezione. Per l'accesso del precedente autoritratto (ancora presso gli eredi Parri a Firenze) v. AGF, filza LI del 1827, 27 e Prinz 1971, p. 154; per questo: AGF filza LXIII, del 1839, 34. Di questa redazione del 1839 esiste una versione molto simile pubblicata da Ojetti (Dedalo 1920, p. 274). Per gli altri autoritratti del pittore nelle collezioni pubbliche fiorentine v. inv. 1890 n. 5115 e GAM Giornale n. 921 e 2339. Per una copia di questo v. inv. 1890, n. 5354. Attualmente esposto nel Corridoio Vasariano. S.P.	La data è desumibile, oltre che dalla fisionomia dell'artista, da un manoscritto di Emilio Macciò del 1884 (oggi archivio Parri, Firenze). Per lascito di questi alla collezione dei ritratti delle Gallerie fiorentine il dipinto è giunto alla Galleria d'arte moderna dov'è attualmente esposto. Quest'ultimo autoritratto del pittore (v. per gli altri, inv. 1890, n. 1964 e 5115 e inv. GAM giornale n. 2339) servì di modello allo scultore Emilio Santarelli per l'erma del monumento funebre in San Miniato (gesso oggi presso la Galleria d'arte moderna). S.P.	Firmato in basso a sinistra: G. Bezzoli (sic) / Fece per tre Gnamolate. Il vocabolo dialettale è sinonimo di bocconi. L'effigiato è lo scultore Vincenzo Consani (Lucca 1818 - Firenze 1887) in età relativamente giovanile. Il ritratto fu donato per la collezione dei ritratti di artisti dalla nipote dello scultore Emilia Consani nel 1906 (AGF, Arte, 584). È esposto nella Galleria d'arte moderna di Palazzo Pitti dal 1976. S.P.	Firmato in basso a sinistra: G. Bianchi. Sul retro iscrizione antica a inchiostro: «Ritratto di Gaetano Bianchi pittore/fatto da se stesso/nel 1858». Non è stato rintracciato nessun documento sulla provenienza del dipinto e sul suo ingresso nelle collezioni degli Uffizi. L'opera è citata per la prima volta nell'Inventario attualmente in vigore; il suo numero di ordine rivela una inventariazione avvenuta verso il 1930. Attualmente nei Depositi degli Uffizi. E.S.

	A105	A106	A107	A108
AUTORE	Bianchi, Mosé di Giosué, detto di Monza (Monza, Milano 1840-1904).	Bianchi, Mosé di Giosué, detto di Monza (Monza, Milano 1840-1904).	Bianchi, Mosé di Giuseppe, detto di Lodi (Mairago, Milano 1836-1892).	Bianchi, Mosé di Giuseppe, detto di Lodi (Mairago, Milano 1836-1892).
TITOLO	Autoritratto.	Interno di carcere. (Verso dell'opera A105).	Autoritratto.	Figura femminile seduta. (Verso dell'opera A107).
DATAZIONE	Settimo decennio sec. XIX.		Sesto-settimo decennio sec. XIX.	
DATI TECNICI	Olio su tela tirata su legno, 33x26.		Olio su carta tirata su legno, 44x35.	
CORNICE	Sagomata e dorata con decorazioni in pastiglia, sec. XX.		Sagomata e dorata con decorazioni in pastiglia, sec. XX.	
UBICAZIONI	Coll. Vespasiano Bignami, Milano; Uffizi (1917).		Eredi dell'artista; Uffizi (1911).	
ATTRIBUZIONI	Mosé Bianchi di Giuseppe, da Lodi (Marangoni, s.d.).		—	
ESPOSIZIONI	Esposizione dell'Autoritratto, Famiglia Artistica, Milano 1916.		Mostra del pittore Mosé Bianchi da Mairago, Lodi 1958.	
BIBLIOGRAFIA	U. Nebbia, in Dizionario biografico degli italiani, 10, Roma 1968. S. Pinto, in Cat. Romanticismo storico, Firenze 1974. *G. Marangoni, Mosé Bianchi [di Monza], Bergamo s.d.*		L. Caramel, in Dizionario biografico degli italiani, 1, Roma 1968. *G. Caprin, in Emporium, Ottobre 1911. G. Marangoni, Mosé Bianchi [di Monza], Bergamo s.d. Prinz 1971.*	
INVENTARIO	3137.		3566.	
FOTO	113078.	315528.	315530.	315529.
NOTE	L'opera fu donata dall'artista al pittore Vespasiano Bignami e da questi venduta agli Uffizi per 2.250 lire nel 1917 (AGF Arte 796). Il Marangoni, sbagliando, pubblica questo dipinto come opera di Mosé Bianchi di Lodi (gli Uffizi possiedono anche l'autoritratto di quest'ultimo pittore, inv. 1890, 3566, cfr. scheda). Un altro autoritratto di Mosé Bianchi di Monza da vecchio, fu esposto nella mostra celebrativa del pittore organizzata a Milano nel 1924, e risultava in possesso della vedova dell'artista. Il Marangoni cita un altro autoritratto dell'artista a 50 anni, allora in proprietà del nipote Emilio Borsa. Attualmente esposto nel Corridoio Vasariano. Per il verso vedi scheda A106. E.S.	Vedi: Bianchi Mosé. Autoritratto. Scheda A105.	Firmato in basso a sinistra: Mosé lodigiano fece. Sul retro, cartellino delle Gallerie fiorentine per le mostre. Il dipinto fu acquistato dal fratello dell'artista per 400 lire nel 1911 (AGF, Arte 796). Sulle vicende dell'equivoco verificatosi sull'attribuzione del dipinto a Mosé Bianchi di Monza (di cui gli Uffizi possiedono l'autoritratto, inv. 1890 n. 3137, vedi scheda) vedi G. Marangoni, op. cit. Attualmente esposto nel Corridoio Vasariano. Per il verso vedi scheda A108. E.S.	Vedi: Bianchi Mosé. Autoritratto. Scheda A107.

	A109	A110	A111	A112
AUTORE	Bibiena, Francesco Galli da (Bologna 1659-1739).	Bignami, Vespasiano (Cremona 1841 - Milano 1929).	Bimbi, Bartolomeo (Settignano 1648 - Firenze 1729).	Biscarra, Giovanni Battista (Nizza 1790 - Torino 1851).
TITOLO	Autoritratto.	Autoritratto.	Autoritratto.	Autoritratto.
DATAZIONE	1680-90.	1904.	1700 ca.	1847.
DATI TECNICI	Olio su tela, 85x64,5 restauro 1965.	Olio su tela, 71,5x61.	Olio su tela, 74x57,5, rintelato.	Olio su tela, 72,5x60,5.
CORNICE	Salvadora dorata con orlo interno intagliato, sec. XVIII.	Sagomata e dorata, sec. XX.	Salvadora dorata, sec. XVIII.	D'epoca; dorata e intagliata.
UBICAZIONI	Gennaro Minghetti, Bologna; Uffizi (1904).	Uffizi (1917).	Anna Maria Luisa de' Medici; Uffizi (1738).	Uffizi (1847).
ATTRIBUZIONI	—	—	—	—
ESPOSIZIONI	Mostra scenografica dei Bibiena, Milano 1915. La Lorraine dans l'Europe artistique du XVIIIᵉ, Nancy 1966.	Mostra degli Autoritratti, Milano, La Famiglia Artistica, 1916.	—	—
BIBLIOGRAFIA	G. Carocci in L'illustratore fiorentino 1905, p. 182 e 1906, p. 134.	A. Lorenzi, in Dizionario biografico degli Italiani, 10, Roma 1968.	S. Meloni Trkulja in Dizionario biografico degli italiani 10, Roma 1968. F. S. Baldinucci, Vite di artisti..., ed. Roma 1975.	P. Venturoli, in: Dizionario Biografico degli Italiani, X, 1968. Prinz 1971.
INVENTARIO	3251 (C.P., p. 103, n. 755).	5400.	1881 (C.P., p. 210, n. 503).	1946 (C.P., p. 98, n. 532).
FOTO	186188.	112487.	111948.	112489.
NOTE	La tela in origine non era rettangolare ma ottagonale o di forma ovale molto slanciata (la curvatura è minima). Fu acquistata nel febbraio 1904 dal sig. Gennaro Minghetti a Bologna, e si inserisce armoniosamente nella raccolta di autoritratti degli Uffizi perché il suo autore fu con ogni probabilità a Firenze (nel 1701 col fratello Ferdinando: cfr. M. L. Strocchi in Paradigma 2, 1978) a lavorare per i Medici. S.M.T.	Dietro, etichetta con iscrizione: Vespasiano Bignami/Milano piazza Castello 22/Il vecchio Pittore. Datato e firmato in basso a sinistra: V. Bignami/1904. Donato dall'artista nel 1917; il pittore aveva svolto un'importante opera di mediazione nel favorire l'acquisizione agli Uffizi degli Autoritratti di Mosé Bianchi di Monza e di Federico Faruffini (vedi schede) (AGF. Arte 796). Attualmente nei Depositi degli Uffizi. E.S.	A tergo trasparisce la sigla DG coronata e numeri non leggibili, sulla tela originale. Il quadro entrò in galleria il 31 gennaio 1738, mandatovi dall'Elettrice Palatina (ASF, Guard. 1451, c. 104r): è l'ultimo contributo mediceo alla raccolta degli autoritratti. La biografia di F.S. Baldinucci, probabilmente anteriore a questa data, narra che il Bimbi non ebbe l'onore di entrare nella raccolta perché 'dell'età di cinquant'anni incirca fece il proprio suo ritratto, colorito e toccato d'una forza mirabile, tantoché a niuno altro pittore averebbe ceduto se, doppo fatta tutta la testa, avesse anche fatto il busto e le mani in atto di dipingner fiori: come fu sul bel principio la sua intenzione. La quale mai, per alcuna persuasione, non volle per sua umiltà effettuare'. Forse il ritratto fu completato da altri, ma certo entro un decennio dalla morte dell'artista: non si notano differenze nella condotta pittorica. S.M.T.	Firmato e datato in basso a destra: B. ta Biscarra / agosto 1847 - Torino. Il quadro pervenne con lettera d'accompagnamento del pittore - datata 30 settembre 1847 - nelle mani del collega Tommaso Gazzarrini (AGF, filza LXXI del 1847, 48). Il Biscarra, già allievo del Benvenuti a Firenze per dodici anni e residente a Roma nei sette anni successivi dal 1815, fu chiamato da Carlo Felice nel 1821 a dirigere l'Accademia di Torino. Il suo ritratto fu collocato in posizione vantaggiosa accanto a quello del Bezzuoli. Della cornice, uguale ad altre « immagini congeneri di recente provenienza », fu incaricato il corniciaio Baldassoroni. Il quadro si trova attualmente nelle riserve. S.P.

	A113	A114	A115	A116
AUTORE	Bisschop, Christoffel (Leeuwarden 1828 - Scheveningen 1904).	Bizzelli, Giovanni (Firenze 1550 ca. - 1607).	Blanche, Jacques-Emile (Parigi 1861 - Offranville 1942).	Bles, David Joseph (L'Aja 1821-1899).
TITOLO	Autoritratto.	Autoritratto.	Autoritratto.	Autoritratto.
DATAZIONE	1890 ca.	1590 ca.	1909.	1888.
DATI TECNICI	Olio su tela, 145x85.	Olio su tela su tavola, 57,9x41,9.	Olio su tela, 117x97.	Olio su tela, 66x49.
CORNICE	Intagliata e dorata con decorazioni a motivi vegetali, sec. XIX.	Salvadora dorata, sec. XVIII.	Sagomata, dorata, sec. XX.	Intaglia a fogliami e dorata, sec. XIX.
UBICAZIONI	Uffizi (1895).	Card. Carlo de' Medici (ante 1666); Card. Leopoldo de' Medici (1666); Uffizi (1682).	Uffizi (1909).	Uffizi (1888).
ATTRIBUZIONI	—	—	—	—
ESPOSIZIONI	I Esposizione Internazionale d'arte della città di Venezia, 1895, n. 32.	—	Pittura francese nelle collezioni pubbliche fiorentine, Firenze 1977.	—
BIBLIOGRAFIA	P.A. Scheen, Nederlandse Beeldende Kunstenaars 1750-1950. I, Gravenhage 1969. *Prinz 1971. AGF: K. Langedijk, Scheda ministeriale 1978.*	S. Meloni Trkulja in Dizionario biografico degli italiani, X, Roma 1968.	Jacques-Emile Blanche, Parigi (Orangerie), 1943. *Cat., Firenze 1977, n. 47.*	P.A. Scheen, Nederlandse Beeldende Kunstenaars 1750-1950, I, Gravenhage 1969. *Prinz 1971. AGF: K. Langedijk, Scheda ministeriale 1978.*
INVENTARIO	3126 (C.P., p. 98, n. 720).	1642 (C.P., p. 98, n. 284).	3438 (C.P., p. 98, n. 776).	1959 (C.P., p. 98, n. 610).
FOTO	109331.	113039.	72256.	18455.
NOTE	Firmato e datato in alto a sinistra: Christoffel Bisschop / geb. Leeuwarden/MDCCCXXVIII. In basso a sinistra: C. Bisschop. Un autoritratto fu richiesto all'artista nel 1888 che donò questo nel 1895 (AGF, Arte 796). Dietro la tela cartellino di esposizione dell'opera a una edizione non precisata delle Jahresausstellungen di Monaco (cat. non reperito). Un altro autoritratto dell'artista è al Fries Museum a Leeuwarden. Attualmente nei Depositi degli Uffizi. E.S.	Lasciato in eredità dal cardinal Carlo de' Medici al nipote Leopoldo (ASF, Guard. 758, c. 25r) e con l'eredità di quest'ultimo entrato in galleria il 28 ottobre 1682 (ASF, Guard. 870, c. 160v). Il Bizzelli aveva lavorato per i Medici soprattutto nel decennio 1680-90. Il quadro è dipinto su una tela sottile incollata a una spessa tavola decurtata in alto; reca a tergo il nome 'Gio: Bizzelli' e il numero dell'inventario del 1704. S.M.T.	Il dipinto fu eseguito tra il maggio 1909, quando fu richiesto dalla direzione degli Uffizi, e l'agosto di quell'anno, quando l'artista venne ringraziato per l'invio dell'opera. M.C.	Firmato e datato in basso a destra: David Bles f.t 88. Un autoritratto fu richiesto all'autore nel 1887 che donò questo nel 1888 (AGF, Arte 796). Sono noti un altro autoritratto in disegno dell'artista e diversi ritratti del pittore eseguiti da altri artisti. Attualmente nei Depositi degli Uffizi. E.S.

	A117	A118	A119	A120
AUTORE	Bloch, Carl Heinrich (Copenhagen 1834-1890).	Bloemaert, Abraham (Gorinchem 1564 - Utrecht 1651), attr. a.	Boccaccino, Boccacci Camillo, detto (Cremona 1504 ca. - 1546) (?).	Bocciardi, Clemente detto Clementone (Genova 1620 - Pisa 1658).
TITOLO	Autoritratto.	Autoritratto.	Autoritratto (?).	Autoritratto.
DATAZIONE	1888.	Seconda metà sec. XVI.	1525 ca (?).	1650 ca.
DATI TECNICI	Olio su tela, 61,5x46.	Olio su tela, 81,5x65,5.	Olio su tavola, 36x31,5, parchettato, restauro 1965.	Olio su tela, 112x91.
CORNICE	Sagomata e dorata con decorazioni in pastiglia, sec. XIX.	Barocca, nera e oro.	A cassetta bruna con profili dorati, sec. XIX.	Salvadora dorata con cartiglio, inizi sec. XVIII.
UBICAZIONI	Uffizi (1888).	Pitti (1691); Uffizi (1695).	Cosimo III de' Medici; Uffizi (1682).	Gran Principe Ferdinando de' Medici; Uffizi (1706).
ATTRIBUZIONI	—	Anonimo dell'Italia settentrionale (Langedijk 1978).	—	—
ESPOSIZIONI	—	—	—	—
BIBLIOGRAFIA	Thieme-Becker, V, 1910. Dansk Kunst Historie, IV, Copenhagen 1974, pp. 363-370; V, 1975. Cat. Pittori danesi a Roma nell'Ottocento, Roma 1977. *Prinz 1971.*	G. Del Bianco: Der Maler Abraham Bloemaert, Strassburg 1928. *Prinz 1971. AGF: K. Langediij, Scheda ministeriale 1978.*	A. Puerari, Boccaccino, Milano 1957. *M. Gregori in Paragone 37, 1953.*	*Dizionario biografico degli italiani, XI, Roma 1969.*
INVENTARIO	1943 (C.P., p. 98, n. 599).	1865 (C.P., p. 98, n. 446).	1751 (C.P., p. 98, n. 364).	1742 (C.P., p. 210 n. 321).
FOTO	315527.	113062.	83713 (tergo: 206454).	112490.
NOTE	Firmato e datato sulla sinistra: Carl Bloch pittore danese/1888. Un autoritratto fu richiesto all'artista nel 1887 che donò questo l'anno successivo (AGF, Arte 796). Attualmente nei Depositi degli Uffizi. E.S.	Scritta sulla lettera: All Molto Ill. Sig.re e Pa.ne mio Coll.mo il Signor Blomart Pictor. Questo supposto autoritratto del pittore olandese, fu inviato in dono dalla contessa di Yarmouth, allora a Venezia, a Cosimo III de' Medici (Prinz 1971) e giunse a Firenze nel gennaio 1691. È probabile che in quell'occasione fosse aggiunta la scritta sulla lettera. Accettato come autografo del pittore da quanti se ne sono occupati, il quadro è stato rifiutato dalla Langedijk che lo attribuisce a Scuola dell'Italia settentrionale della seconda metà del XVI secolo. Inciso in Museo Fiorentino, vol. II, 1754, p. 101. M.C.	Davanti in alto: « CAMILLO BOCCACCINO PICTOR / CREMONESE » e a sinistra 'Ipse F', scritte probabilmente non coeve al dipinto. Esso era in possesso di Cosimo III de' Medici prima della formazione della stanza dei pittori, perché vi viene mandato appena essa venne decisa, il 27 ottobre 1682 (ASF, Guard. 870, c. 160v). La critica moderna lo rifiuta, o lo considera una derivazione, e a ragione; la tavoletta non ha niente dello stile di Camillo, gli è probabilmente anteriore e di qualità assai scadente, tanto che è difficile avanzare altre attribuzioni. Non esistono altri autoritratti o ritratti su cui controllare un'eventuale corrispondenza fisionomica. S.M.T.	A tergo i numeri d'inventario del 1753 (3171) e del 1769 (3279). Entrò agli Uffizi il 12 ottobre 1706, mandatovi dal Gran Principe Ferdinando de' Medici (ASF, Guard. 1113, c. 191v). L'anno precedente Cosimo III ne aveva mandato da Pisa uno più piccolo (16 marzo 1705; cfr. ASF, Guard. 1101, c. 96v) insieme a quello di Giovanni Stefano Marucelli; ma fu questo più riccamente impaginato del Gran Principe che rimase in galleria, mentre l'altro andò «in villa» (inv. Imperiale n. 582 rosso). S.M.T.

	A121	A122	A123	A124
AUTORE	Bocciardi, Clemente detto il Clementone (Genova 1620 - Pisa 1658).	Böcklin, Arnold (Basilea 1827 - San Domenico di Fiesole, Firenze 1901).	Böcklin, Carlo (Basilea 1870 - San Domenico di Fiesole, Firenze 1934).	Böcklin, Carlo (Basilea 1870 - San Domenico di Fiesole, Firenze 1934).
TITOLO	Autoritratto.	Autoritratto.	Ritratto di Arnold Böcklin.	Autoritratto.
DATAZIONE	Metà sec. XVII.	1893-95 (Schmid 1901), 1898-99 (C. Böcklin 1915).	1896.	1909.
DATI TECNICI	Olio su tela, 73,5x57,3, restauro 1953.	Olio su tela, 40x54.	Olio su tavola, 100x80.	Olio su tela, 60x50.
CORNICE	Salvadora dorata con cartiglio, sec. XVIII.	Sagomata e dorata, sec. XX.	Sagomata e dorata, sec. XX.	Sagomata e dorata, sec. XX.
UBICAZIONI	Cosimo III de' Medici; Uffizi (1705); Poggio Imperiale (1845); Uffizi, depositi.	Eredi dell'artista; Uffizi (1915).	Eredi dell'artista; Uffizi (1938).	Eredi dell'artista; Uffizi (1938).
ATTRIBUZIONI	—	—	—	—
ESPOSIZIONI	—	Arnold Böcklin, Basilea 1951. Arnold Böcklin, Londra 1971. Arnold Böcklin, Basilea 1977.	Arnold Böcklin, Basilea 1977 (fuori cat.).	Arnold Böcklin, Basilea 1977 (fuori cat.).
BIBLIOGRAFIA	E. Poleggi in Dizionario biografico degli italiani, XI, Roma 1969.	R. Andree, Arnold Böcklin, Zurigo 1977. *M. Röthlisberger, in Genava 1956, p. 113. Prinz 1971. Cat. Londra 1971, n. 49. Cat. Basilea 1977, n. 192.*	Vollmer, I, 1953.	Vollmer, I, 1953. *G. Caprin, in Emporium, febbr. 1910, p. 12.*
INVENTARIO	Imperiale rosso 582.	4699.	9221.	9220.
FOTO	325117.	175971.	137026.	278035.
NOTE	Mandato in galleria da Cosimo III de' Medici, che l'aveva portato da Pisa, il 16 marzo 1705 (ASF, Guard. 1101, c. 96v), non fu esposto né inventariato, forse perché soppiantato dal più magniloquente autoritratto dello stesso artista procurato l'anno dopo dal Gran Principe Ferdinando (inv. 1890 n. 1742); e finì nella villa del Poggio Imperiale. S.M.T.	Sul retro della tela autentica del quadro firmata dal figlio del pittore, Carlo, e cartellini delle mostre citate. Un autoritratto fu richiesto al pittore nel 1893 e nel 1897; dopo la sua morte fu richiesto ai suoi eredi nel 1901 che donarono questo dipinto nel 1915 (AGF, Arte 59; Arte 796). Secondo una lettera di Carlo Böcklin il dipinto sarebbe stato eseguito nel 1898-99 appositamente per gli Uffizi (AGF, Arte 796); questa datazione — più tarda rispetto a quella comunemente accettata — sembra sostenuta dal fatto che il dipinto non venne esposto alla grande personale organizzata a Berlino nel 1897 in occasione del 70° compleanno di Böcklin. Due disegni al Kupferstichkabinett di Basilea sono in stretta relazione con questo autoritratto. Il dipinto, non del tutto compiuto, è attualmente esposto nel Corridoio Vasariano. E.S.	Firmato e datato in basso a sinistra: C. Boecklin 1896; iscrizione in alto al centro: «A. Böcklin aet. LXIX». Il dipinto fu donato agli Uffizi nel 1938 dalla signora Nadia Gringmuth Böcklin (AGF, Acquisti e doni. Galleria d'arte moderna, 1938). L'opera si trova attualmente nei Depositi degli Uffizi, che possiedono anche gli autoritratti di Carlo Böcklin (Inv. 1890 n. 9220, vedi scheda) e di Arnold Böcklin, padre dell'artista (Inv. 1890 n. 4699, vedi scheda). E.S.	Siglato e datato in alto a sinistra, sul cavalletto: CB/09. L'opera fu donata agli Uffizi nel 1938 dalla signora Nadia Gringmuth Böcklin (ASG, Arte 796; Acquisti e Doni. Galleria d'arte moderna, 1938). Il dipinto è attualmente nei Depositi degli Uffizi, che posseggono anche il ritratto di Arnold Böcklin eseguito dal figlio Carl (Inv. 1890 n. 9221, vedi scheda). E.S.

   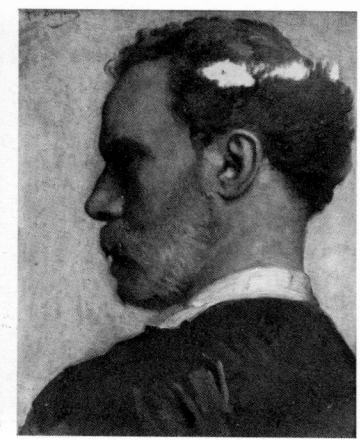

	A125	A126	A127	A128
AUTORE	Bodan, André (Mulhouse 1654 - Zerbst 1696)	Boldini, Giovanni (Ferrara 1842 - Parigi 1931).	Bombelli, Sebastiano (Udine 1635 - Venezia 1719).	Bompiani, Roberto (Roma 1821-1908).
TITOLO	Autoritratto.	Autoritratto, detto di Montorsoli.	Autoritratto.	Autoritratto.
DATAZIONE	1679.	1892.	1685 ca.	Ultimo quarto sec. XIX.
DATI TECNICI	Olio su tela, 71x57, restauro 1977.	Olio su tela, 57,5x40.	Olio su tela, 72,5x57,5, restauro 1964.	Olio su tela, 40x31.
CORNICE	Sagomata, dorata, sec. XIX.	D'epoca, in legno intagliato e dipinto in nero e oro.	Salvadora dorata, sec. XVIII.	Sagomata e dorata con decorazioni in pastiglia, sec. XIX.
UBICAZIONI	Uffizi (1790 ca.).	Uffizi (1892).	Cosimo III de' Medici; Uffizi (1685).	Uffizi (1902).
ATTRIBUZIONI	Hodan G. (Lasinio 1790 ca.).	—	—	—
ESPOSIZIONI	Pittura francese nelle collezioni pubbliche fiorentine, Firenze 1977.	Mostra di Boldini, Parigi-Ferrara 1962.	Mostra del Bombelli e del Carneo, Udine 1964, f.c.	—
BIBLIOGRAFIA	E. Meininger: Les anciens artistes-peintres et décorateurs mulhousiens jusq'au XIXe siècle, Mulhouse-Paris 1908. *Cat., Firenze 1977, n. 4.*	*Cat., Parigi-Ferrara 1963. E. Camesasca, L'opera completa di Boldini, Milano 1970. Prinz 1971.*	Cat., Udine 1964. *Prinz, 1971.*	P. Santi, in Dizionario biografico degli italiani, XI, Roma 1969.
INVENTARIO	5498.	3079 (C.P., p. 99, n. 708).	1834 (C.P., p. 212, n. 410).	3249 (C.P., p. 99, n. 737).
FOTO	178517.	780995.	315582.	315559.
NOTE	Firmato e datato sul foglio: Andr. Bodan pinx fece (?) A° 1679 de sua Età 25. Non sappiamo quando il dipinto pervenne agli Uffizi, dove si trovava intorno al 1790 quando lo incise il Lasinio (leggendo la firma Hodan G.). M.C.	Firmato e datato in alto a destra: Boldini / Montorsoli / 1892. Il ritratto fu richiesto per la collezione agli inizi del 1892. Boldini, allora a Parigi, rispose che lo avrebbe eseguito in occasione di una sua prossima vacanza in Toscana, ospite dell'amico pittore Cristiano Banti nella villa di questi a Montorsoli (AGF, Arte 796 ins. in doc. autoritratti). Così avvenne e due studi di questo ritratto donati all'amico Banti sono pervenuti alla Galleria fiorentina d'arte moderna con il lascito Banti-Ghiglia alla città di Firenze. Questo del 1892 è detto l'autoritratto di Montorsoli per contraddistinguerlo da quello eseguito a Parigi nel 1911 e che si trova oggi nel Museo di Ferrara assieme a un altro studio preparatorio di questo del 1892. È esposto nel Corridoio Vasariano. S.P.	Un autoritratto del Bombelli entrò in galleria il 9 maggio 1683 (ASF, Guard. 871, c. 129r), ma la sua descrizione ('collare di punto e ferraiolo nero sulla spalla') non corrisponde a questo autoritratto, che entra invece il 3 agosto 1685 (ASF, Guard. 904, c. 15v) in cambio del primo. Già nel 1715 è dichiarato in cattivo stato di conservazione (B. Sani in Per Maria Cionini Visani, Torino 1977, p. 25 nota) ed è oggi una misera larva. Tre autoritratti (rispettivamente del 1665-70, 1675, 1686) sono nel Museo Civico di Udine. Uno era nel '700 in casa Guadagni a Firenze (fu esposto alla SS. Annunziata nel 1706 e nel 1724) ed è probabilmente quello che, offerto alla galleria nel 1773 dall'incisore Toccafondi, fu rifiutato perché l'artista vi era già rappresentato (AGF, filza VI a 74). S.M.T.	Firmato in alto a sinistra: R.to Bompiani. Offerto in dono dall'artista nel 1902 e accettato in quello stesso anno (AGF Arte 271). Attualmente nei Depositi degli Uffizi. E.S.

	A129	A130	A131	A132
AUTORE	Bonheur, Rose (By 1822-1899), attr. a.	Bonito, Giuseppe (Castellammare di Stabia 1707 - Napoli 1789).	Bonnat, Léon - Joseph - Florentin (Bayonne 1833 - Monchy-Saint-Eloi 1922).	Bonnat, Léon - Joseph - Florentin (Bayonne 1833 - Monchy-Saint-Eloi 1922).
TITOLO	Autoritratto?	Autoritratto.	Autoritratto.	Autoritratto.
DATAZIONE	1860-65 ca.	1785-89.	1876.	1905.
DATI TECNICI	Olio su tela (ovale), 36x31.	Olio su tela, 82x63,5, restauro 1954.	Olio su tela, 60x45.	Olio su tela, 61x47.
CORNICE	Intagliata e dorata, sec. XIX.	Salvadora dorata, sec. XVIII.	Intagliata e dorata, sec. XIX.	Intagliata, dorata, sec. XIX.
UBICAZIONI	Uffizi (1922).	Uffizi (1789).	Uffizi (1876 ca.).	Uffizi (1905).
ATTRIBUZIONI	Anonimo (I. Julia 1977).	—	—	—
ESPOSIZIONI	—	La mostra della pittura napoletana dei secoli XVII-XVIII-XIX, Napoli 1938; Mostra del ritratto storico napoletano, Napoli 1954.	Parigi, Salon del 1875. Mostra della pittura francese a Firenze, Firenze 1945. Pittura francese nelle collezioni pubbliche fiorentine, Firenze 1977.	Pittura francese nelle collezioni pubbliche fiorentine, Firenze 1977.
BIBLIOGRAFIA	A. Klumpke: Rosa Bonheur, Paris 1908. *I. Julia: in Cat. Pittura francese nelle collezioni pubbliche fiorentine, Firenze 1977.*	N. Spinosa in Dizionario Bolaffi II, Torino 1972.	A. Fouquier: L. Bonnat, de sa vie et de ses œuvres, Paris 1879. *Cat., Firenze 1977, n. 36.*	A. Fouquier: L. Bonnat, de sa vie et de ses oeuvres, Paris 1879.
INVENTARIO	8437.	2067 (C.P., p. 99, n. 684).	1987 (C.P., p. 99, n. 594).	3285 (C.P., p. 99, n. 170).
FOTO	112529.	98388.	182529.	182516.
NOTE	Da quanto risulta da una lettera autografa della pittrice (ASG, inserto Bonheur), la direzione degli Uffizi richiese a R. Bonheur il suo autoritratto nel 1887, ma l'artista rispose negativamente. Un supposto autoritratto della Bonheur, che sembra provenisse dalla collezione del pittore inglese Sir E. Landseer, fu offerto in vendita agli Uffizi dal sig. P.M. Turner, della Independent Gallery di Londra, nel 1922, e venne acquistato per la collezione degli autoritratti. Tuttavia I. Julia dubita che il quadro sia di mano della pittrice e che perfino la rappresenti, date le differenze con le immagini che se ne conoscono. M.C.	Entrato in galleria il 9 dicembre 1789 (AGF, ms. 114, c. 24r) per lascito dell'artista, che l'aveva offerto alla raccolta chiedendo in che misura lo volevano (AGF, filza XXII a 35) e lo lasciò incompiuto alla sua morte. Gli eredi furono compensati con 25 zecchini, cioè il valore della medaglia d'oro che il granduca soleva dare in questi casi. S.M.T.	Firmato in alto a sinistra: L. Bonnat, e datato 1876 in alto a destra. Questo autoritratto, uno dei numerosissimi eseguiti dall'artista, fu inviato su richiesta della direzione della Galleria, probabilmente poco dopo l'esecuzione. L. Bonnat fu collezionista — amò soprattutto Rembrandt, del quale raccolse disegni e incisioni —: lasciò la sua collezione alla città natale. M.C.	Firmato e datato in alto a sinistra: Lⁿ Bonnat/1905. Il dipinto fu inviato dall'artista perché egli intendeva riavere indietro l'autoritratto da lui eseguito trent'anni prima (n. 1987). Tuttavia il direttore degli Uffizi, Corrado Ricci, ritenne interessante conservare tutte e due le opere. M.C.

	A133	A134	A135	A136
AUTORE	Bordalo Pinheiro, Columbano, detto Columbano (Lisbona 1857-1929).	Borgianni, Orazio (Roma 1578-1616).	Borgognone, Courtois Jacques, detto il (St.-Hippolyte 1621 - Roma 1676).	Bortoluzzi, Pietro, detto Pieretto Bianco (Trieste 1875 - Bologna 1937).
TITOLO	Autoritratto.	Autoritratto (copia).	Autoritratto.	Autoritratto.
DATAZIONE	1927.	1615 ca.	1675.	1927
DATI TECNICI	Olio su tela, 80x65.	Olio su tavola, 39,5x31,5, restauro 1972.	Olio su tela, 83x66.	Olio su tela, 65,5x56.
CORNICE	Sagomata e tinta in oro, sec. XX.	Salvadora dorata, sec. XVIII.	Nera e oro, sec. XVII.	Sagomata e dorata, sec. XX.
UBICAZIONI	Uffizi (1927).	Card. Leopoldo de' Medici (1675); Uffizi (1682).	Castello (1675); Pitti (?); Uffizi (1704).	Uffizi (1930).
ATTRIBUZIONI	—	—	—	—
ESPOSIZIONI	—	—	Mostra della pittura francese a Firenze, Firenze 1945. Tableaux français en Italie, Roma 1946. Le Français à Rome, Parigi-Roma 1961. Il ritratto francese da Clouet a Degas, Roma 1962. Artisti alla corte granducale, Firenze 1969. Pittura francese nelle collezioni pubbliche fiorentine, Firenze 1977.	—
BIBLIOGRAFIA	A. Sampaio de Andrade, Dicionário Histórico e Biográfico de Artistas e Técnicos portugueses, Lisbona 1959. Vollmer, V, 1961. Cat. Art Portugais, Bruxelles 1967.	H. E. Wethey in Burlington Magazine CVI, 1964. A. Ottani Cavina in Dizionario Bolaffi II, Torino 1972. *S. Susinno in L'Accademia Nazionale di San Luca, Roma 1974.*	F.A. Salvagnini: I pittori Borgognoni Cortese, Roma 1937. *Cat., Firenze 1977, n. 3.*	L. Velani, in Archivi di Arte Italiana Contemporanea. Pittura e Scultura del XX secolo, Roma 1969. A. Barricelli, in Dizionario biografico degli italiani, XIII, Roma 1971.
INVENTARIO	9174.	1899.	1653 (C.P., p. 101, n. 478).	9248.
FOTO	21995.	249124.	116037.	113088.
NOTE	Firmato e datato in basso: Columbano/1927. Sul retro cartellino di restauro (n. 2649). L'opera fu offerta in dono dall'artista agli Uffizi nel 1926 e fu accettata dalla Direzione della Galleria nell'anno successivo dietro pressioni dell'ambasciatore portoghese e del Ministro italiano della Pubblica Istruzione (AGF, Arte 796). Il dipinto si trova nei Depositi della Galleria degli Uffizi. E.S.	Posseduto da Leopoldo de' Medici o forse già prima in casa Medici (Prinz, 1971, p. 29) poiché non vi è corrispondenza sull'acquisto. Nell'inventario dell'eredità del cardinale figura con le dimensioni standard di un braccio e un quarto per uno, ma è stato riportato prima a 53x42 poi alle misure attuali, forse originali. Con la stessa tecnica del cosiddetto autoritratto di Filippo Napoletano (inv. 1890, n. 1900) e di vari autoritratti dell'Accademia di San Luca, la tela è incollata su una grossa tavola di pari misure. Entrambi sono copie antiche: l'originale di questa potrebbe essere appunto (Susinno) l'autoritratto romano (per Wethey non autografo). Un autoritratto giovanile (cfr. Longhi in L'Arte XVII, 1914, p. 7) è nel museo di Braunschweig. Avendo cambiato posizione durante la stesura dell'inventario del 1890, questo ritratto ricevette anche il n. 6182 con cui lo si trova talora citato. S.M.T.	Sul retro la scritta: Jacopo Cortesi d.o il Borgognone. L'autoritratto fu eseguito dal Borgognone nella villa di Castello (cfr. Baldinucci), per invito di Cosimo III de' Medici, che lo collocò nella collezione iniziata dal card. Leopoldo. L'artista — all'estremo della sua vita — si è raffigurato con la veste da gesuita: era entrato nella Compagnia di Gesù nel 1656. Incisioni: Museo Fiorentino, vol. III, 1756, p. 167, tav. XXIX. Reale Galleria, III s., vol. III, 1821, p. 168, tav. CLXXXVIII. M.C.	Firmato in basso a destra con lo pseudonimo scritto alla rovescia: Ottereip; dietro, sulla tela, scritta: Pieretto - Bianco/Roma 1927. Offerto in dono dall'artista nel 1928 e accettato nel 1930 con il suggerimento al pittore di attenuare la vivacità cromatica del fondo, giudicato troppo vivace e chiassoso (AGF Arte 796). Negli Archivi di Arte Italiana Contemporanea cit. l'artista è schedato con il nome di Bianco Bartoluzzi Pietro. Attualmente nei Depositi degli Uffizi. E.S.

	A137	A138	A139	A140
AUTORE	Boscoli, Andrea (Firenze? 1560 ca. - 1607).	Boselli, Felice (Piacenza 1650 - Parma 1732).	Bossi, Giuseppe (Busto Arsizio, Varese 1777 - Milano 1815).	Bottani, Giuseppe (Cremona 1717 Mantova 1784).
TITOLO	Autoritratto.	Autoritratto.	Autoritratto.	Autoritratto.
DATAZIONE	Fine sec. XVI.	1710 ca.	1814?. 1815 ca. (Nicodemi 1915).	1765.
DATI TECNICI	Olio su tela, 58,2x44.	Olio su tela, 91,5x78, rintelato.	Olio su tela, 39,5x30,5.	Olio su tela, 75x61.
CORNICE	Salvadora dorata, sec. XVIII.	Nera e oro con spigoli intagliati, sec. XVII.	Sagomata e dorata, sec. XIX.	Salvadora dorata, sec. XVIII.
UBICAZIONI	Gran Principe Ferdinando de' Medici; Uffizi (1706).	Uffizi (1712); magazzini (1753 e 1769); Uffizi (1784).	Coll. Girolamo Calvi, Milano; Uffizi (1849).	Coll. Pazzi; Uffizi (1768 ca.).
ATTRIBUZIONI	—	Giovanni Rosa (Menotti 1897). Rosa da Tivoli (Delogu 1931). Boselli (Arisi 1973).	—	—
ESPOSIZIONI	—	—	—	—
BIBLIOGRAFIA	*A. Forlani in Proporzioni IV, 1963.*	*F. Arisi, Felice Boselli, Piacenza 1973. D. Bodart, Rubens e la pittura fiamminga del Seicento..., Firenze 1977, p. 336, n. CIII.*	S. Samek Ludovici, in Dizionario biografico degli italiani, XIII, Roma 1971. G. Galeotti, in Cat. Mostra dei Maestri di Brera, Milano 1975. *G. Nicodemi, La pittura milanese dell'età neoclassica, Milano 1915. G. Bossi, Le mie memorie, Milano s.d. (1925). Prinz 1971.*	*C. Tellini Perina in Arte lombarda VI, 1961. E. Borea in Per Maria Cionini Visani, Torino 1977. S. Meloni Trkulja in Paragone 343, 1978.*
INVENTARIO	1684 (C.P., p. 99, n. 264).	1671 (C.P., p. 109, n. 225).	1908 (C.P., p. 99, n. 632).	2038 (C.P., p. 210, n. 491).
FOTO	95806.	171350.	193739.	5732.
NOTE	A tergo sulla tela scritta, che appare antica come il quadro, 'Andrea Boscoli Mº Pᵈ fiorentino'. La tela dovette essere in origine più grande, perché parte della scritta è nascosta oggi sotto il telaio. Il quadro fu mandato in galleria dal Gran Principe Ferdinando il 14 giugno 1706 (ASF, Guard. 1113, c. 163r) e da allora è sempre stato esposto. Secondo A. Forlani, può raffigurare il Boscoli ma non è caratteristico del suo stile, e potrebbe esser desunto da un ritratto inciso o altra fonte. S.M.T.	Entrato agli Uffizi il 6 maggio 1712 (ASF, Guard. 1172, c. 153r) come autoritratto del Boselli «pittore del duca di Parma, con veste da Camera, e berretta in testa, con pennello nella mano destra in atto di dipingere una Lepre», cioè con l'esatta attribuzione, cambiata in quella a Jan Roos (Giovanni Rosa) nell'inventario del 1784 e poi in quella a Rosa da Tivoli, accolta anche in tempi moderni. Non esposto nei decenni centrali del Settecento, emerse dai magazzini al tempo della formazione della «seconda stanza dei pittori» (ottavo decennio). È stato riconosciuto dall'Arisi, confrontato con l'autoritratto più tardo della Pinacoteca di Parma e datato esattamente intorno al 1710 anche in base al tipo della natura morta che il pittore sta dipingendo. S.M.T.	Offerto in dono da Girolamo Calvi, pittore milanese allievo e amico del Bossi, nel 1849; accettato in quello stesso anno (AGF 1849 (LXXIII) 45, 51). Nel 1863 fu offerto l'acquisto di un altro autoritratto del Bossi da parte di Carlo Bossi; rifiutato in quello stesso anno (AGF 1863 (1) 16). In una nota delle Memorie del Bossi al 7 sett. 1814 si parla di un autoritratto abbozzato, che rimase incompiuto: potrebbe essere questo degli Uffizi oppure quello oggi nella Pinacoteca di Brera. Un altro autoritratto del Bossi è nella Galleria d'arte moderna di Milano: anche quest'ultimo proviene dalla famiglia Calvi. L'altro celebre autoritratto in compagnia di Gaetano Cataneo, Carlo Porta e Giuseppe Taverna è in coll. priv. milanese. Attualmente esposto nel Corridoio Vasariano. E.S.	Firmato e datato sul cerchio della sfera armillare 'Joseph Bottani pictore 1765'. Nel 1768 è già inciso per il catalogo della collezione Pazzi, in procinto di essere venduta alla galleria: e la biografia che lo accompagna è la più antica fonte disponibile sul pittore. Un autoritratto differente è alla Pinacoteca di Brera (n. 578). S.M.T.

	A141	A142	A143	A144
AUTORE	Botti, Francesco (Firenze 1640-1710).	Botti Scifoni, Idda (Roma 1812 - Firenze 1844).	Bouguereau, Adolphe-William (La Rochelle 1825-1905).	Brangwyn, Frank (Bruges 1867-Londra 1957).
TITOLO	Autoritratto.	Autoritratto.	Autoritratto.	Autoritratto.
DATAZIONE	1680-90.	1839.	1895.	1920.
DATI TECNICI	Olio su tela, 73,2x57,8.	Olio su tela, 60x47.	Olio su tela, 53x46.	Olio su carta incollata su cartone, 59,5x78.
CORNICE	Salvadora dorata con cartiglio, sec. XVIII.	D'epoca, dorata, con cartellino superiore intagliato.	Intagliata e dorata, sec. XIX.	Intagliata, dorata, sec. XX.
UBICAZIONI	Coll. Puccini (1725); coll. Pazzi; Uffizi (1768).	Coll. Demidov (1844); Uffizi (1846); Galleria d'Arte Moderna, Pitti (1972).	Uffizi (1895?).	Uffizi (1949).
ATTRIBUZIONI	—	—	—	—
ESPOSIZIONI	—	Cultura neoclassica e romantica nella Toscana granducale, Firenze 1972.	Salon, Parigi 1895. Pittura francese nelle collezioni pubbliche fiorentine, Firenze 1977.	Firenze e l'Inghilterra. Rapporti artistici e culturali dal XVI al XX secolo, Firenze 1971.
BIBLIOGRAFIA	Thieme-Becker IV, 1910. *S. Meloni Trkulja in Paragone 343, 1978.*	*B. Viallet, Roma s.d. (1923). Prinz 1971, Cat., Firenze 1972.*	M. Vachon: William Bouguereau, Paris 1900. *Cat., Firenze 1977, n. 45.*	K. Clark: The Gothic Revival, London 1962. *Cat., Firenze 1971, n. 94.*
INVENTARIO	1715 (C.P., p. 210, n. 297).	1938.	3127 (C.P., p. 99, n. 721).	9266.
FOTO	5733.	112491.	182520.	146642.
NOTE	A tergo monogramma FB e ripuliture di pennello di vari colori. Il ritratto era nella raccolta del medico pistoiese Tommaso Puccini, venduta all'abate Antonio Pazzi e da questi agli Uffizi intorno al 1768. È l'unica opera oggi visibile dell'artista, membro di una famiglia di pittori (il fratello Rinaldo, il padre Giacinto) e allievo di Simone Pignoni. S.M.T.	Sul retro l'iscrizione: Idda Scifoni nata Botti, romana, fece di propria mano in Firenze 1839. Alla morte immatura della pittrice, l'amica e allieva Matilde Bonaparte Demidov donò il quadro alla collezione dei ritratti dei pittori (AGF filza LXX, 1846, 21). Risulta esposto agli Uffizi ininterrottamente dalla Guida del 1851 a quella del 1897. Attualmente è esposto nella Galleria d'arte moderna (sala Demidov) proveniente dai magazzini degli Occhi. S.P.	Firmato e datato in alto a destra: W. Bouguereau 1895. Non si conoscono documenti sull'invio del dipinto agli Uffizi, ma è molto probabile che esso sia stato inviato dall'artista a Firenze lo stesso anno di esecuzione. M.C.	Scritta sul retro: «Painted by Frank Brangwyn for the Uffizi 1920 and given to Matt Walker 1934». Collaboratore di William Morris, il Brangwyn ebbe una parte importante, con Pugin, nella rinascita del gusto gotico (Gothic Revival). Invitato fin dal 1909 a inviare il suo autoritratto agli Uffiizi, l'artista si decise a mettere in pratica il proposito solo dopo parecchi anni. M.C.

	A145	A146	A147	A148
AUTORE	Brass, Italico (Gorizia 1870 - Venezia 1943).	Breton, Jules (Courrières 1827-Paris 1906).	Briggs, Henry Perronet (Walworth 1791-93 ca. - Londra 1844).	Briglia, Giovan Francesco (Roma 1739-1794 ca.).
TITOLO	Autoritratto.	Autoritratto.	Autoritratto.	Autoritratto.
DATAZIONE	1924.	1879.	1820-25 ca.	Terzo quarto sec. XVIII.
DATI TECNICI	Olio su tela, 91,5x72.	Olio su tela, 55x49.	Olio su tela, 58x48.	Olio su tela, 58,3x49, più un listello aggiunto.
CORNICE	Scura intagliata a onde, sec. XX.	Intagliata e dorata, sec. XIX.	Liscia, dorata, sec. XVIII.	Intagliata e dorata, fine sec. XVIII.
UBICAZIONI	Uffizi (1925).	Uffizi (1887).	Carlo Liverati; Uffizi (1844).	Giuliano Corsi; Uffizi (1817).
ATTRIBUZIONI	—	—	—	—
ESPOSIZIONI	Terza Biennale romana, Roma 1925. Mostra commemorativa della fondazione della Biennale, Venezia 1935, n. 447 (?).	Pittura francese nelle collezioni pubbliche fiorentine, Firenze 1977.	Firenze e l'Inghilterra. Rapporti artistici e culturali dal XVI al XX secolo, Firenze 1971.	Trionfo delle Bell'Arti, Firenze 1767, lunetta XXVI (?)
BIBLIOGRAFIA	A. Barricelli, in Dizionario Biografico degli italiani, XIV, Roma 1972.	Thieme-Becker, IV, 1910. *Cat., Firenze 1977, n. 39.*	Thieme-Becker, IV, 1911. T.S.R. Boase: English Art, 1800-1870, Oxford 1959. D. Irvin: English Neoclassical Art, London 1966. *Cat., Firenze 1971, n. 70.*	*S. Meloni Trkulja in Paragone 343, 1978.*
INVENTARIO	9175.	1907 (C.P., p. 99, n. 575).	1954.	1767 (C.P., p. 210, n. 341).
FOTO	21994.	178550.	109423.	113687.
NOTE	Firmato e datato in basso a destra: Italico Brass/Dic. 1924. Dietro sul telaio cartellino della mostra di Venezia (1935) ripetuto sul dietro della cornice, e cartellino delle Gallerie fiorentine per l'invio di opere d'arte alle mostre. Sul telaio e sulla cornice grande etichetta con il numero 10.9 in rosso; sulla cornice altra grande etichetta con la scritta: Invitato. Donato dall'artista nel 1925 (AGF Arte 796). Attualmente nei Depositi degli Uffizi. E.S.	Firmato e datato in alto a destra: J. Breton 1879. L'autoritratto fu richiesto all'artista nel 1886 dal direttore della Galleria degli Uffizi, Ridolfi. Il dipinto giunse a Firenze l'anno dopo: la data rivela che era stato eseguito qualche anno prima, nonostante l'affermazione dell'artista di averlo terminato in quell'occasione. Poco dopo l'ingresso dell'opera nella collezione ne fu eseguito la copia (Inv. 1890 n. 5274). M.C.	La data del quadro si può dedurre dall'età dimostrata dall'artista, tra i venticinque e i trent'anni. Il dipinto fu donato alla Galleria degli Uffizi nel 1844 dal pittore Carlo Liverati e accettato benché incompiuto. M.C.	Davanti in basso, in corsivo: 'G-Briglia ex se fecit'. A tergo sul telaio, in due cartellini antichi: 'Briglia Giorn 23 Marzo 1817 a 133' e 'Dono del Sig. Giuliano Corsi 28 Marzo 1817'. Ma il quadro figura entrato il 23 marzo (AGF, ms. 114 c. 133r). Un altro autoritratto del Briglia, oggi non rintracciato ma noto da un'incisione, entrò agli Uffizi nel 1768 con la collezione Pazzi. A quell'epoca l'artista aveva studio a Firenze; nel 1767 fu esposta alla SS. Annunziata una sua 'Testa di giovane che ride' da identificarsi con ogni probabilità in questo autoritratto. S.M.T.

	A149	A150	A151	A152
AUTORE	Brioschi, Vincenzo (Firenze ante 1787 - Firenze? 1843).	Brockedon, William (Londra 1787-1854).	Brunelleschi, Umberto (Monte-murlo, Firenze 1879 - Parigi 1949).	Brunetti, Sandra (Roma 1925 - vivente a Firenze).
TITOLO	Autoritratto.	Autoritratto.	Autoritratto.	Autoritratto.
DATAZIONE	1828.	1822.	1936.	1979.
DATI TECNICI	Olio su tavola, 115x91.	Olio su tela, 82x69,5.	Olio su compensato, 110x65.	Olio su tavola, 33,5x33.
CORNICE	Sagomata intagliata e dorata, sec. XIX.	Intagliata, dorata, sec. XVII?	Sagomata e tinta in bianco, con lumeggiature dorate, sec. XX.	Opera della stessa pittrice, in legno naturale.
UBICAZIONI	Uffizi (1832).	Uffizi (1822).	Uffizi (1940 ca.).	Galleria d'Arte Moderna, Pitti (1979).
ATTRIBUZIONI	—	—	—	—
ESPOSIZIONI	—	Firenze e l'Inghilterra. Rapporti artistici e culturali dal XVI al XX secolo, Firenze 1971.	—	—
BIBLIOGRAFIA	F. Borroni, in Dizionario biografico degli italiani, XIV, Roma 1972. *Prinz 1971.*	T.S.R. Boase: English Art, 1800-1870, Oxford, 1959. D. Irwin: English Neoclassical Art, London 1966.	G. Ercoli, Umberto Brunelleschi, Firenze 1978.	N. Lisi, in: Enciclopedia Universale dell'Arte Moderna, II, Milano 1972.
INVENTARIO	2113 (C.P., p. 99, n. 679).	1965 (C.P., p. 99, n. 511).	9249.	GAM Giornale 2938.
FOTO	112492.	109424.	113089.	317339.
NOTE	Sui quattro lati si notano parti aggiunte per ingrandire la tavola. Iscrizione sulla destra, nella parte alta del quadro che l'artista sta eseguendo: Vincen. Brioschi/Florentinus/Se Ipsum Pinx./ Petropoli/A. MDCCCXXVIII. Un autoritratto fu richiesto all'artista nel 1832; gli stemmi dei Torrigiani che figurano nel dipinto sono motivati dalla gratitudine dell'artista per quella famiglia (AGF 1832 (LVI) 26). Notizie biografiche particolareggiate sull'artista si leggono in AGF 1833 (LVII) 14. Attualmente nei Depositi degli Uffizi. E.S.	Il ritratto fu dipinto per l'Accademia di Firenze, della quale l'artista divenne membro nel 1822: esso fu appeso in Galleria nel giugno di quell'anno, poco avanti il rientro dell'artista in patria. M.C.	Firmato e datato in basso a destra: Brunelleschi/1936/XIV. Non è stata rintracciata nessuna notizia sull'ingresso del dipinto agli Uffizi. Tuttavia il numero d'inventario è prossimo a quelle di opere entrate in Galleria verso il 1940. Attualmente nei Depositi degli Uffizi. E.S.	Firmato e datato in basso a sinistra nel risvolto del colletto: Sandra / Brunetti / 1979. Il volto è dipinto su di una superficie ovale circondata da passepartout ligneo dipinto con motivi simbolici. Eseguito e donato nel gennaio 1979 a seguito del dono di un altro dipinto (Ritratto di Marco Guerra) alla Galleria d'arte moderna. È in rapporto con un altro autoritratto di maggiori dimensioni e non finito, ispirato da Caravaggio. La pittrice, figlia di pittrice (Giulia Bentivoglio), si è iniziata alla pittura all'acquerello a Tokyo dove ha vissuto per diversi anni e ha proseguito gli studi al Liceo Artistico di Roma sotto la guida degli artisti della scuola romana (Capogrossi, Fazzini, Mazzacurati, Purificato). Attualmente l'opera è nelle riserve della Galleria d'arte moderna. S.P.

	A153	A154	A155	A156
AUTORE	Brusasorci, Riccio Domenico, detto il (Verona 1516-1567).	Bucci, Mario (Foggia 1903-Firenze 1970).	Buontalenti, Bernardo (Firenze 1536-1608).	Burrini, Giovanni Antonio (Bologna 1656-1727).
TITOLO	Autoritratto.	Autoritratto.	Autoritratto.	Autoritratto.
DATAZIONE	Terzo quarto sec. XVI.	1941?	Ultimo quarto sec. XVI.	1696.
DATI TECNICI	Olio su tela, 96x69,5.	Olio su tela, 75x55.	Olio su tela, 72x57,5.	Olio su tela, 62,5x50, restauro 1972.
CORNICE	Salvadora dorata, sec. XVIII.	Sagomata e dorata, sec. XX.	Salvadora dorata, antica (?).	Salvadora dorata, sec. XVIII.
UBICAZIONI	Guido Antonio Signorini, Bologna; Cosimo III de' Medici (1685); Uffizi (1685).	Uffizi (1941 ca.).	Card. Leopoldo de' Medici (ante 1675); Uffizi (1682).	Coll. Puccini (1725); coll. Pazzi; Uffizi (1768).
ATTRIBUZIONI	—	—	—	—
ESPOSIZIONI	—	—	Mostra documentaria e iconografica dell'Accademia delle Arti del Disegno, Firenze 1965.	—
BIBLIOGRAFIA	Dizionario Bolaffi II, Torino 1972. *Prinz, 1971.*	Cat. Mostra retrospettiva del pittore Mario Bucci, Firenze 1973.	I.M. Botto, Disegni di B.B., Firenze 1968. A. Fara, in Bollettino degli Ingegneri 7, 1978.	*E. Riccomini in Arte antica e moderna II, 1959. R. Roli, Pittura bolognese 1650-1800, Bologna 1977. S. Meloni Trkulja in Paragone 343, 1978.*
INVENTARIO	1836 (C.P., p. 109 n. 412).	9245.	1691 (C.P., p. 99, n. 271).	2046 (C.P., p. 210, n. 530).
FOTO	81918.	280795.	27555.	113067.
NOTE	A tergo sulla tela il nome dell'autore, ripetuto due volte ('Brusasorzi') e il numero d'inventario del 1769. Nella lettera che il pittore ha in mano: 'Al mag Domenico Brusasorzi Pittore. Verona'. Queste parole, oggi mal visibili, sono annotate nell'inventario del 1825. Il quadro fu acquistato da Cosimo III de' Medici a Bologna, tramite Don Teodoro Bondoni, dal pittore Guido Antonio Signorini nel settembre 1685 ed entrò agli Uffizi il 22 ottobre (ASF, Guard. 904, c. 37r) insieme al ritratto di Francesco Agnesini (inv. Palatina n. 447). S.M.T.	In basso a destra: XIX; probabilmente si tratta della data del dipinto (1941), formulata secondo l'«era fascista». L'opera è entrata agli Uffizi verso il 1941, poiché risulta inventariata assieme ad un gruppo di opere acquisite in quell'anno. Due altri autoritratti dell'artista furono esposti alla XI mostra interprovinciale d'arte, Firenze 1939 (sala 1, n. 14) e alla mostra personale dell'artista alla Galleria d'arte Firenze (Firenze 1938, n. 36). Attualmente nei Depositi degli Uffizi. E.S.	Poiché non vi sono documenti sull'eventuale acquisto da parte di Leopoldo, il Prinz (1971, p. 29) suppone che questo autoritratto fosse già nelle raccolte medicee, forse dal tempo di Ferdinando I. Pervenne in galleria il 28 ottobre 1682 con tutti gli autoritratti del cardinale. Ne esiste una copia, già presso l'Accademia di Belle Arti (inv. 1890 n. 3101). Non ne è mai stata messa in discussione l'autenticità (anche iconografica). S.M.T.	Il busto dell'artista campeggiava in un ovato scavalcato in basso dal cartiglio con la scritta 'Ant: Burino', come si vede dall'incisione nel catalogo della collezione Pazzi, ma nell'ultimo restauro il quadro è stato ridotto (misurava cm. 75x60) e l'incorniciatura tolta. Il primo possessore dell'opera, il medico pistoiese Tommaso Puccini, ne dà la data 1696 (mentre il Riccomini lo ritiene di 10 anni anteriore). Dalla raccolta Puccini passò in quella dell'abate Antonio Pazzi, venduta alla galleria intorno al 1768. S.M.T.

	A157	A158	A159	A160
AUTORE	Butti, Enrico (Viggiù 1847-1932).	Cabanel, Alexandre (Montpellier 1823 - Parigi 1889).	Caccianiga, Francesco (Milano 1700 - Roma 1781).	Cadorin, Guido (Venezia 1892).
TITOLO	Autoritratto.	Autoritratto.	Autoritratto.	Autoritratto.
DATAZIONE	1913.	1871.	1720-25.	1939.
DATI TECNICI	Bronzo, alt. 65.	Olio su tela, 61x49.	Olio su tela, 72x56, restauro 1976.	Olio su tela, 55x45,5.
CORNICE	—	Intagliata e dorata, sec. XIX-XX.	Salvadora dorata, sec. XVIII.	Sagomata, dorata e dipinta (sec. XX).
UBICAZIONI	Uffizi (1917); Galleria d'Arte Moderna, Pitti.	Uffizi (1871 ca.).	Coll. Puccini (1725); coll. Pazzi; Uffizi (1768).	Galleria d'Arte Moderna, Pitti (1942).
ATTRIBUZIONI	—	—	—	—
ESPOSIZIONI	—	Pittura francese nelle collezioni pubbliche fiorentine, Firenze 1977.	—	XXIII Esposizione Biennale Internazionale d'Arte, Venezia, 1942.
BIBLIOGRAFIA	Sculture di Enrico Butti, Milano, 1927.	T.B., 1911. *Cat., Firenze 1977, n. 35.*	*Dizionario biografico degli italiani XVI, Roma 1973. S. Meloni Trkulja in Paragone 343, 1978.*	G. Paludetti, Guido Cadorin, Udine, 1960.
INVENTARIO	Sculture 1030.	1957 (C.P., p. 99, n. 613).	2060 (C.P., p. 210, n. 472).	GAM Giornale 866.
FOTO	183014.	178535.	252800 (tergo: 252801).	171434.
NOTE	Sulla base, a destra: "Milano 1913", sul tergo, in corrispondenza: "Faruffini fuse". Donato dall'autore nel 1917 dietro richiesta delle Gallerie (AGF, Arte 796). Esposto prima dell'ultima guerra nella Galleria degli Uffizi, poi con gli altri autoritratti di scultori è stato trasferito alle collezioni della Galleria d'Arte Moderna. L'opera si trova attualmente nei depositi della Galleria d'Arte Moderna di Palazzo Pitti. Gr. Red. 1	Firmato e datato in alto a destra: Alex. Cabanel 1871. Sembra probabile che il dipinto, ricordato dal Dussieux agli Uffizi nel 1876, sia stato inviato l'anno della sua esecuzione. M.C.	A tergo i numeri che il quadro aveva nelle collezioni Puccini e Pazzi, e nella guardaroba medicea quando vi entrò. Eseguito prima del 1725, anno in cui figura nella collezione di Tommaso Puccini, passò da qui alla raccolta dell'abate Antonio Pazzi, venduta agli Uffizi nel 1768 circa. È sempre stato esposto. S.M.T.	In alto a sinistra: "1939", a destra: "Cadorin". Nel tergo, cartellino a stampa della Biennale di Venezia del 1942. In questo stesso anno la Galleria d'Arte Moderna chiedeva al pittore l'autoritratto, che risulta appunto donato (nota inventariale). L'opera si trova attualmente nei depositi della Galleria d'Arte Moderna di Palazzo Pitti. Gr. Red. 1

	A161	A162	A163	A164
AUTORE	Calamatta Rochette, Josephine (nota dal 1840 - Parigi 1893).	Calcagnadoro, Antonino (Rieti 1876 - Roma 1935).	Caldara, Domenico (Foggia 1814 - Napoli 1897).	Callot, Jacques (Nancy 1592-1635), attr. a.
TITOLO	Ritratto di Luigi Calamatta.	Autoritratto.	Autoritratto.	Autoritratto?
DATAZIONE	1840-50 ca.	1930.	1858.	1630 ca.?
DATI TECNICI	Olio su tela, 91x70.	Tempera su embrice, 36x25.	Olio su tela, 76x63.	Olio su tela, 36,5x28.
CORNICE	D'epoca, intagliata e dorata.	Sagomata in legno scuro, sec. XX.	Sagomata e dorata, sec. XIX.	Liscia, dorata, sec. XVII.
UBICAZIONI	Coll. Crimini, Roma; Uffizi (1915); Galleria d'Arte Moderna, Pitti (1976).	Eredi dell'artista; Uffizi (1938).	Eredi dell'artista; Uffizi (1907).	Venezia (sec. XVII); Uffizi (1684).
ATTRIBUZIONI	—	—	—	—
ESPOSIZIONI	—	—	—	Artisti alla corte granducale, Firenze 1969.
BIBLIOGRAFIA	S. Vasco in: Dizionario Biografico degli Italiani, XVI, Roma 1973. *Cat. Pittura francese nelle collezioni pubbliche fiorentine, Firenze 1977.*	L. Servolini, Dizionario illustrato degli incisori italiani moderni e contemporanei, Milano 1955. Cat. Centenario della nascita di Antonino Calcagnadoro. Mostra commemorativa, Rieti 1977.	L. e F. Luciani, Dizionario dei pittori italiani dell' '800, Firenze 1974. C. Gamba, in Bollettino d'Arte, 1908, p. 219. F. Gaeta, in L'Illustrazione italiana, 12 genn. 1908.	D. Ternois: L'art de Jacques Callot, Paris 1962. *P. Rosenberg: in Cat. Pittura francese nelle collezioni pubbliche fiorentine, Firenze 1977.*
INVENTARIO	3948.	9217.	3380 (C.P., p. 99, n. 145).	1809 (C.P., p. 99, n. 512).
FOTO	1337376. 316911.	278055.	7433.	157080.
NOTE	Firmato in basso a sinistra: J. Calamatta. Acquistato nel 1915 (AGF, Arte 1055) per 1000 Lire da Angiola Crimini di Roma. L'effigiato è il marito della pittrice, l'incisore e litografo Luigi Calamatta (Civitavecchia 1801 - Milano 1869), di formazione romana, ma diventato seguace di Ingres dopo il trasferimento a Parigi nel 1822. Qui frequenta circoli intellettuali e politici che comprendono Lamennais, Guizot, Listz, George Sand. Nel 1840 sposa Josephine Rochette figlia di Raoul, archeologo (amico di Lorenzo Bartolini) e nipote dello scultore Houdon. L'unica figlia della coppia, Marcellina, sposò il figlio di George Sand, Jean-François Marie Dudevant. Il Calamatta, che fu per un lungo periodo professore all'accademia di Bruxelles, fu a Firenze nel 1836 e nel 1841 e nel 1860 fu nominato professore a Brera. Il ritratto è presso la Galleria d'arte moderna. S.P.	Firmato e datato in alto a destra: A. Calcagnadoro/Roma/1930. Offerto in dono dal pittore nel 1931 e rifiutato dalla commissione l'anno seguente. Offerto nuovamente in dono dalla vedova dell'artista nel 1936 e accettato nel 1938 nonostante il parere negativo della Direzione degli Uffizi (AGF, Arte 796). Attualmente nei Depositi degli Uffizi. E.S.	Iscrizione sul retro: 26°/Dom.co Caldara pinse/Se stesso nel/1858. Sul telaio timbro delle Gallerie. Offerto in dono dal figlio dell'artista, Benedetto, nel 1907 e accettato nello stesso anno (AGF Arte 685). Attualmente nei Depositi degli Uffizi. E.S.	Il quadro, acquistato a Venezia nel 1684 con l'attribuzione al Callot per essere collocato nella galleria degli autoritratti degli Uffizi, è oggi considerato non autografo ed è messa anche in dubbio la sua identificazione iconografica coll'artista lorenese. M.C.

	A165	A166	A167	A168
AUTORE	Cambiaso, Luca (Moneglia 1507 - Escorial 1585).	Cambruzzi, Giacomo (Castel di Soligo 1744 - post 1803).	Campiglia, Giovanni Domenico (Lucca 1692 - Roma post 1762).	Campo, Isacco (Livorno, secc. XVII-XVIII).
TITOLO	Autoritratto in atto di ritrarre il padre.	Autoritratto.	Autoritratto.	Autoritratto.
DATAZIONE	1570 ca.	1791.	1740 ca.	Primo quarto sec. XVIII.
DATI TECNICI	Olio su tela, 86,5x71.	Pastello su carta, 55x42,5.	Olio su tela, 73,5x61.	Olio su tela, 73,5x59.
CORNICE	Salvadora dorata, sec. XIX.	Salvadora dorata con cartiglio, 1791.	Salvadora dorata, sec. XVIII.	Liscia gialla, sec. XIX.
UBICAZIONI	Coll. Micone, Genova; Card. Leopoldo de' Medici (1675); Uffizi (1682).	Uffizi (1791).	Coll. Pazzi; Uffizi (1768).	Coll. Puccini (1725); coll. Pazzi; Uffizi (1768); Guardaroba (1772); Pitti; Uffizi (1979).
ATTRIBUZIONI	—	—	—	—
ESPOSIZIONI	Mostra di pittori genovesi del Seicento e del Settecento, Genova 1938, Luca Cambiaso e la sua fortuna, Genova 1956.	—	—	—
BIBLIOGRAFIA	*R. e B. Suida, Luca Cambiaso, Milano 1958. Prinz, 1971.*	*Dizionario biografico degli italiani XVII, 1974.*	S. Prosperi Valenti in *Dizionario biografico degli Italiani XVII*, Roma 1974. S. Susinno in *L'Accademia nazionale di San Luca*, Roma 1974. S. Meloni Trkulja in *Paragone 343*, 1978.	*S. Meloni Trkulja in Paragone 343, 1978.*
INVENTARIO	1811 (C.P., p. 99, n. 387).	2089 (C.P., p. 99, n. 666).	2059 (C.P., p. 99, n. 487).	2767 (C.P., p. 223, n. 251).
FOTO	103542.	137122.	112495.	136493.
NOTE	Acquistato a Genova da Giovan Battista Bolognetti per il cardinal Leopoldo nel marzo 1675: i proprietari avevano due autoritratti dell'artista, uno originale e uno no, di cui l'altro è forse da identificare con quello già in casa Spinola (Nervi, coll. Guala), più ampio in alto e a destra almeno e da considerarsi migliore. Esso è arricchito da modelli plastici appesi, forse allusivi all'attività anche di scultore dell'artista (preminente nel terzo autoritratto noto: Mexico, coll. F. Mayer). Qui Luca sta ritraendo il padre, come attestano le fonti. Secondo Prinz l'autoritratto degli Uffizi è una copia; un'altra replica o copia antica, minore, è all'Accademia di San Luca a Roma. Un autoritratto posseduto da Giovan Carlo Doria è citato da G. B. Marino nella sua 'Galeria' (1620). S.M.T.	Firmato e datato in basso: «Cav. Giacomo de Cambruzzi di Feltre fatto nel 1791». Esiste nell'archivio delle Gallerie (filza XXIV a 30) la richiesta autografa dell'artista di poter donare alla galleria il suo ritratto, dato che vi figura già quello del bisnonno Antonio Bellucci. Il Cambruzzi si qualifica pittore dell'Elettore Massimiliano di Colonia, zio del granduca. Nel 1791 si trovava a Firenze e fu ammesso all'Accademia del Disegno. La cornice fu procurata dalla guardaroba un mese dopo l'ingresso del ritratto (AGF, ms. 114, cc. 29v sgg.). S.M.T.	Entrato agli Uffizi nel 1768 circa con la raccolta dell'abate Antonio Pazzi, incisore allievo e collaboratore del Campiglia. Un'altra versione, impaginata allo stesso modo, è all'Accademia di San Luca in Roma e si data intorno al 1740, anno dell'ammissione del pittore all'Accademia. Un autoritratto un po' diverso, ma coevo, è nella collezione Faldi a Roma. S.M.T.	'Ebreo di Livorno' viene chiamato il Campo dal primo proprietario di questo autoritratto, il medico pistoiese Tommaso Puccini; ed è tutto quanto se ne sa. Il Puccini lo impiegò, insieme a un correligionario (David o Isaia tedesco, cfr. autoritratto inv. 1890 n. 2783), a copiare ritratti di pittori per la sua raccolta, come il Gabbiani inv. 1890 n. 2769. S.M.T.

	A169	A170	A171	A172
AUTORE	Campo, Isacco e David (o Isaia) tedesco ebreo (Firenze, secc. XVII-XVIII).	Camuccini, Vincenzo (Roma 1771-1844).	Canella, Giuseppe (Verona 1788 - Firenze 1847).	Canevari, Giovanni Battista (Genova 1789 - Roma 1876).
TITOLO	Ritratto di Anton Domenico Gabbiani.	Autoritratto.	Autoritratto.	Autoritratto.
DATAZIONE	1717-1725.	Terzo decennio (?) sec. XIX.	Quinto decennio (?) sec. XIX.	1864.
DATI TECNICI	Olio su tela, 74x58,5.	Olio su tela, 48x37,5.	Olio su tela, 52,5x42.	Carboncino e biacca con tocchi a sanguigna su carta tinta, 73,5x55.
CORNICE	Liscia gialla, sec. XIX.	Sagomata e dorata, sec. XIX.	Sagomata e dorata con decorazioni in pastiglia, sec. XIX.	Nera a onde, sec. XIX.
UBICAZIONI	Coll. Puccini (1725); coll. Pazzi; Uffizi (1768); Guardaroba (1772); Pitti; Uffizi (1979).	Coll. Labelle; Uffizi (1916).	Eredi dell'artista; Uffizi (1899).	Uffizi (1867).
ATTRIBUZIONI	—	—	—	—
ESPOSIZIONI	—	Italienische Malerei des 19. Jahrhunderts, Köln 1961, n. 6.	—	—
BIBLIOGRAFIA	*S. Meloni Trkulja in Paragone 343, 1978.*	A. Bovero, in Dizionario biografico degli italiani, XVII, Roma 1974. G. Piantoni, Cat. mostra Vincenzo Camuccini, Roma 1978. *Prinz 1971.*	A. Bovero, in Dizionario biografico degli italiani, XVIII, Roma 1975. M.C. Gozzoli, in Cat. Mostra dei Maestri di Brera, Milano 1975.	A. Bovero, in Dizionario biografico degli italiani, XVIII, Roma 1975.
INVENTARIO	2769.	5173.	3239 (C.P., p. 99, n. 750).	1921 (C.P., p. 99, n. 566).
FOTO	136790.	14374.	112496.	171459.
NOTE	A tergo sul telaio: 'Questo ritratto ... Copia del Ritratto che è in Galleria del Gabbiani e il padrone è il S. r Puccinj' e su un cartellino antico 'Isaia tedesco ebreo...'. È cioè una copia (e non l'unica; cfr. inv. 1890 n. 2056) dell'autoritratto chiesto al Gabbiani dal granduca Cosimo III de' Medici ed entrato in galleria nel 1717 (inv. 1890 n. 3366), fatta per la raccolta di ritratti di pittori del medico del granduca, Tommaso Puccini. S.M.T.	Sul retro cartellino della mostra di Colonia (1961). Acquistato dalla signora Chantal Giovanna Labelle nel 1916 (AGF Arte 796). In precedenza gli Uffizi tentarono di acquistare l'altro autoritratto in proprietà del barone Emilio Camuccini, esposto alla mostra fiorentina del ritratto italiano del 1911 e, successivamente, all'esposizione di Roma nell'Ottocento del 1932; la risposta negativa del barone Camuccini pervenne nel 1913 (AGF Arte 796). Nel 1820, nel 1824 e nel 1836 la Direzione degli Uffizi invitò l'artista a donare il proprio autoritratto, senza nessun esito (AGF 1827(LI)27; 1837(LXI)2). L'autoritratto in proprietà Camuccini andò distrutto durante l'ultima guerra. Attualmente esposto nel Corridoio Vasariano. E.S.	Offerto in dono dalla figlia dell'artista Elisa Mari nel 1899 (AGF Arte 152). Nella Galleria d'arte moderna di Milano esiste un Ritratto del pittore nel suo studio eseguito da Carlo Canella, ed è conservato anche un ritratto dell'artista eseguito da Federico Amerling nel 1838; le due opere forniscono utili termini di confronto cronologico con questo Autoritratto degli Uffizi, che pertanto sembra databile negli ultimi anni di vita dell'artista. Attualmente esposto nel Corridoio Vasariano. E.S.	Siglato e datato sulla sinistra: B.C./1864. Donato dall'artista nel 1867 (AGF 1867 (A) 1, 71). Attualmente nei Depositi degli Uffizi. E.S.

	A173	A174	A175	A176
AUTORE	Cannicci, Niccolò (Firenze 1846-1906).	Canova, Antonio (Possagno, Treviso 1757 - Venezia 1822).	Cappiello, Leonetto (Livorno 1875 - Grasse, Francia 1942).	Carena, Felice (Cumiana, Torino 1879 - Venezia 1966).
TITOLO	Autoritratto.	Autoritratto.	Autoritratto.	Autoritratto.
DATAZIONE	1870-1875 ca.	1790.	1925. 1928 (Bossaglia 1976).	1910 ca. (?), sec. XX.
DATI TECNICI	Olio su tela, 40x31.	Olio su tela, 68x54,5.	Olio su tela, 73x60.	Olio su tela, 75,5x56.
CORNICE	D'epoca, dorata.	Sagomata e dorata con decorazioni a palmette, sec. XIX.	Intagliata e brunita, con decorazioni a motivi vegetali, sec. XX.	Dorata con decorazioni in pastiglia, sec. XVIII.
UBICAZIONI	Eredi dell'artista; Galleria d'Arte Moderna, Pitti (1938); Uffizi (1939); Galleria d'Arte Moderna, Pitti (1969).	Coll. Giovanni Degli Alessandri; Uffizi (1822).	Uffizi (1925).	Uffizi (1912).
ATTRIBUZIONI	—	—	—	—
ESPOSIZIONI	—	Mostra di Roma nell'Ottocento, Roma 1932, sala 35, n. 11.	Festival de Lyon. Cappiello, Lione 1961.	X Esposizione internazionale d'arte della città di Venezia, Venezia 1912.
BIBLIOGRAFIA	L. e F. Luciani, Dizionario dei pittori italiani dell'800, Firenze 1974.	M. Pavan, in Dizionario biografico degli italiani, XVIII, Roma 1975. *Prinz 1971. C. Pavanello, L'opera completa del Canova, Milano 1976.*	R. Bossaglia, in Dizionario biografico degli italiani, XIX, Roma 1976. *Prinz 1971.*	E. Fezzi, in Dizionario biografico degli italiani, XX, Roma 1977.
INVENTARIO	GAM Giornale 329.	1925 (C.P., p. 99; n. 573).	8537.	3787.
FOTO	204477.	171471.	29847.	113079.
NOTE	A tergo l'iscrizione: Autoritratto giovanile di Niccolò Cannicci / di proprietà del nipote Fellini Ghino / consegnato al sottoscritto Augusto Bastianini / che ne assicura l'autenticità. Il ritratto era stato richiesto senza esito il 20.1.1909 per la collezione dei ritratti dei pittori alle sorelle dell'artista (AGF, Arte 539). Molti anni dopo il figlio di una di queste (Raffaella Falcini) cedette il quadro (su proposta di Augusto Bastianini, per Lire 2000) alla Galleria d'arte moderna, dove il dipinto si trova attualmente nelle riserve. S.P.	Firmato e datato sulla destra: A. Canova/sc. 1790. Dietro, sulla cornice, molti numeri antichi cancellati. L'opera fu donata agli Uffizi da Giovanni Degli Alessandri; nella descrizione dell'opera la data viene riferita come 1792, e si dice che questa fu la prima pittura eseguita da Canova e il suo unico autoritratto (AGF 1822 (XLVI) 40). Un autoritratto del Canova fu esposto alla mostra del ritratto italiano a Firenze nel 1911 (allora di proprietà del conte Falier di Asolo), un altro autoritratto si conserva nel Museo di Roma (1799 ca.). Un autoritratto in disegno è conservato nel Museo civico di Bassano (n. 1652), e un altro nella biblioteca civica di Forlì. Attualmente esposto nel Corridoio Vasariano. E.S.	Firmato e datato in alto a destra: L. Cappiello/Parigi 1925. Un autoritratto fu richiesto nel 1924 all'artista che donò questo nel 1925 (AGF, Arte 796). Attualmente nei Depositi degli Uffizi. E.S.	Sul retro della tela etichetta con scritta a inchiostro: Felice Carena/donato dall'artista nel 1912; sulla cornice cartellino lacerato della Biennale veneziana del 1912. Il dipinto, come asserito anche dalla scritta, fu donato dall'artista nel 1912 (AGF Arte 796). Gli Uffizi conservano un altro autoritratto del Carena (inv. 1890 n. 9195, vedi scheda). Due altri autoritratti di Carena sono nel Museo civico di Torino. Attualmente nei Depositi degli Uffizi. E.S.

	A177	A178	A179	A180
AUTORE	Carena, Felice (Cumiana, Torino 1879 - Venezia 1966).	Carlandi, Onorato (Roma 1848 - 1939).	Carnovali, Giovanni Andrea, detto il Piccio (Montegrino Valtravaglia, 1804 - Cremona 1873).	Carpi, Aldo (Milano 1886-1976).
TITOLO	Autoritratto.	Autoritratto.	Autoritratto.	Autoritratto.
DATAZIONE	1930 ca. (?), sec. XX.	Terzo decennio sec. XX.	1830 (Caversazzi 1946).	1924 (De Micheli 1963). 1925.
DATI TECNICI	Olio su tavola, 46,5x34,5.	Pastello su carta, 63,5x47,5	Olio su tela, 55x42,5.	Olio su compensato, 58,5x51.
CORNICE	Tinta in scuro con decorazioni dorate, sec. XVII-XVIII.	Sagomata in legno chiaro, sec. XX.	Sagomata e dorata, sec. XIX.	Sagomata e dorata, sec. XX.
UBICAZIONI	Uffizi (1933).	Eredi dell'artista; Uffizi (1941).	Mercato antiquario, Milano; Coll. Ojetti (1914); Uffizi (1914).	Uffizi (1932).
ATTRIBUZIONI	—	—	—	—
ESPOSIZIONI	—	—	—	XV Esposizione internazionale d'arte della città di Venezia, Venezia 1926. Mostra di Aldo Carpi, Milano 1955.
BIBLIOGRAFIA	E. Fezzi, in Dizionario biografico degli italiani, XX, Roma 1977.	A. Gramiccia, in Dizionario biografico degli italiani, XX, Roma 1977.	F. Rossi - B. Lorenzelli - M. Valsecchi, Cat. Mostra Il Piccio e artisti bergamaschi del suo tempo, Bergamo 1974. M. Valsecchi, in Dizionario biografico degli italiani, XX, Roma 1977. *R.P., in Emporium, giugno 1914. C. Caversazzi, Giovanni Carnevali il Piccio, Bergamo 1946 (3 ediz.).*	Cat. Mostra antologica di Aldo Carpi, Milano 1972. *M. De Micheli, Aldo Carpi, Milano 1963.*
INVENTARIO	9195.	9239.	3913.	9182.
FOTO	113084.	113086.	252267.	278043.
NOTE	Sulla cornice scritta antica con il n. 307; dietro, sul fondo della tavola, etichetta con scritta a inchiostro: Autoritratto/col cappello/n. 2. Donato dall'artista nel 1933 con l'intenzione di sostituire il suo precedente autoritratto (inv. 1890 n. 3787, vedi scheda). Un altro autoritratto fu offerto in vendita agli Uffizi nel 1955, ma non acquistato (AGF, Arte 796). Attualmente nei Depositi degli Uffizi. E.S.	Firmato in basso a destra: Roma/ O. Carlandi. Donato agli Uffizi dalla vedova dell'artista nel 1941 (AGF, Arte 796). Il Museo di Roma possiede circa 200 opere del pittore, donate dalla sua vedova. Attualmente nei depositi degli Uffizi. E.S.	Nel 1909 fu offerto in acquisto alle Gallerie uno degli autoritratti esposti alla Permanente di Milano in quell'anno; questo degli Uffizi fu acquistato a Milano da Ugo Ojetti nel 1914 per 1.500 lire e subito rivenduto agli Uffizi per lo stesso prezzo in quello stesso anno (AGF Arte 856, Arte 1039). Sono noti molti altri autoritratti del Piccio, prevalentemente in collezioni private lombarde; un suo autoritratto è posseduto anche dall'Accademia Carrara di Bergamo, e fu esposto alla mostra del Ritratto italiano nel 1911 a Firenze (Cat. p. 58, n. 27). Attualmente esposto nel Corridoio Vasariano. E.S.	Firmato e datato in basso a destra: Aldo Carpi/25. Dietro, cartellino della Biennale del 1926. Un autoritratto fu richiesto nel 1926 all'artista che donò questo nel 1932 (AGF, Arte 796). Un altro autoritratto del Carpi è nella Galleria d'arte moderna di Milano. Un suo autoritratto del 1931 fu esposto alla mostra della Galleria Pesaro di Milano, dedicata a Carpi, a Leonardo Borgese e a Bongiovanni-Radice (1933). Attualmente nei Depositi degli Uffizi. E.S.

	A181	A182	A183	A184
AUTORE	Carracci, Agostino (Bologna 1557 - Parma 1602).	Carracci, Agostino (Bologna 1557 - Parma 1602).	Carracci, Annibale? (Bologna 1560 - Roma 1609).	Carracci, Annibale (Bologna 1560 - Roma 1609).
TITOLO	Ritratto di uomo in profilo.	Autoritratto.	Ritratto di uomo.	Autoritratto di profilo.
DATAZIONE	1580 ca. (Posner 1971).	1589-90 (Ostrow 1966).	1590-95 (Borea 1975).	Fine sec. XVI.
DATI TECNICI	Olio su tavola 15,1x12,9.	Olio su tela, 70,8x56,2. Condizioni non buone.	Olio su legno di noce, 13,6x9,6.	Olio su tela, 45,4x37,9.
CORNICE	Dorata liscia a gole.	Dorata, liscia a gole.	—	Dorata liscia a gole.
UBICAZIONI	Uffizi (1784).	Card. Leopoldo de' Medici (ante 1675); Uffizi (1686).	Pitti (ante 1675); Uffizi (1890).	Card. Leopoldo di Medici (ante 1675); Pitti; Uffizi (1686).
ATTRIBUZIONI	Annibale Carracci, come autoritratto (1784). Agostino Carracci (Posner 1971).	—	Anonimo (inv. 1675). Annibale Carracci (Borea 1975).	Annibale Carracci (Baldinucci 1686). Annibale Carracci? (Borea 1975).
ESPOSIZIONI	Pittori bolognesi del Seicento nelle Gallerie di Firenze, Firenze 1975.	Pittori bolognesi del Seicento nelle Gallerie di Firenze, Firenze 1975.	·Pittori bolognesi· nelle Gallerie di Firenze, Firenze 1975, Omaggio a Leopoldo de' Medici. I Ritrattini, Firenze 1976.	Pittori Bolognesi del Seicento nelle Gallerie di Firenze, Firenze 1975.
BIBLIOGRAFIA	D. Posner, Annibale Carracci, London 1971, II, p. 79; *E. Borea, in Cat. Firenze 1975, n. 27, p. 38.*	S. Ostrow, Agostino Carracci, New York University, 1966, I, pp. 403-6. *E. Borea, in Cat. Firenze 1975, n. 26, pp. 36-8.*	*E. Borea, in Cat. Firenze 1975, n. 14, pp. 20-21. S. Meloni Trkulija, in Cat. Firenze 1976, n. 35.*	D. Posner, Annibale Carracci, London 1971, II, p. 27; *E. Borea, Cat., Firenze 1975, n. 12.*
INVENTARIO	3990.	1815.	8990.	1797.
FOTO	225329.	113056.	225393.	207858.
NOTE	Compreso nella collezione dei 'ritrattini'. Piuttosto che alla mano di Annibale cui è stato riassegnato recentemente (Gregori 1957) esso sembra spettare ad Agostino. Sull'effigiato non è possibile pronunciarsi. E.B.	Appartenne al Cardinal Leopoldo de' Medici. È un forte esempio della ritrattistica di Agostino sul finir del secolo. Non sembrano esservi ragioni per dubitare che si tratti di un autoritratto, benché prove oggettive non ve ne siano. E.B.	Faceva parte della collezione di ritrattini di Leopoldo de' Medici (Meloni 1976). La somiglianza stretta del personaggio effigiato con Annibale Carracci quale appare dai suoi ritratti sicuri e soprattutto dalla stampa del Clowet premessa alla biografia di Annibale scritta dal Bellori (1675) hanno indotto a vedere nel piccolo dipinto un ritratto certo di Annibale anzi un probabile autoritratto (Borea 1975). E.B.	Nel 1686 proveniente dalla Collezione di Leopoldo de' Medici, esso era indicato agli Uffizi da F. Baldinucci, unito sulla stessa tavola col ritratto n. 1803, che si credeva altro autoritratto di Annibale. Nel 1784 risulta nuovamente a se stante come in origine. Anche per questo ritratto se se ne può accettare la paternità di Annibale non è altrettanto certo che esso raffiguri il pittore stesso. E.B.

	A185	A186	A187	A188
AUTORE	Carracci, Annibale (Bologna 1560 - Roma 1609).	Carracci, Antonio (Venezia 1589? - Roma 1619).	Carracci, Francesco (Bologna ? - Roma 1622).	Carracci, Ludovico (Bologna 1555-1619), copia da.
TITOLO	Autoritratto col cavalletto.	Autoritratto.	Autoritratto.	Ritratto di Ludovico Carracci.
DATAZIONE	1605 (Posner 1971), 1595 (Pepper 1973, Borea 1975).	1610 ca.	Inizi XVII.	Sec. XVII.
DATI TECNICI	Olio su tela, 36,5x29,8. Controfondo di legno, restauro 1973.	Olio su tela, 55,5x44.	Olio su tela, 48x40.	Olio su tela, 71x56,5.
CORNICE	Dorata liscia a gole.	Dorata a gole.	Dorata a gole.	—
UBICAZIONI	Card. Leopoldo de' Medici ante 1675; Uffizi (1784).	Uffizi (1686).	Bologna (?) (1672); Card. Leopoldo (?); Uffizi (1686).	Uffizi (1753).
ATTRIBUZIONI	Annibale Carracci (inv. 1675, Borea 1975), copia da Annibale Carracci (Cavalli 1956).	Antonio Carracci (Baldinucci 1686, in Gualandi).	Francesco Carracci (Baldinucci 1686, in Gualandi).	Carracci Ludovico (inv. 1753). Anonimo (Borea 1975).
ESPOSIZIONI	I Carracci, Bologna 1956; Pittori bolognesi del Seicento nelle Gallerie di Firenze, Firenze 1975.	—	—	Pittori bolognesi del Seicento nelle Gallerie di Firenze, Firenze 1975.
BIBLIOGRAFIA	D. Posner, Annibale Carracci, London 1971, II, pp. 65-66. E. Borea, *Cat. Firenze 1975, n. 13, pp. 19-20.*	*E. Borea, Pittori bolognesi del Seicento nelle Gallerie di Firenze, Firenze 1975, n. 38, pp. 51-2.*	E. Borea, Pittori bolognesi del Seicentocento nelle Gallerie di Firenze, Firenze 1975, n. 39, pp. 53-54.	*E. Borea, Cat. Firenze 1975, n. 35, p. 45.*
INVENTARIO	1774.	1791.	1785.	1821 (C.P., p. 100 n. 397).
FOTO	206867.	219921.	103053.	225349.
NOTE	Scritta in cartellino sul controfondo: Annibale Carracci. L'esistenza di un altro esemplare, a Leningrado, Ermitage, giudicato dai più il vero originale, ha portato alcuni (Cavalli, Posner) a dubitare che la versione degli Uffizi sia una copia. Non è da escludersi che si tratti di originali in ambo i casi. La prova che si tratti della vera effigie di Annibale si ha dal confronto con il ritratto a lapis che fece del pittore il disegnatore Ottavio Lioni (Firenze, Biblioteca Marucelliana). E.B.	Può forse identificarsi col 'ritratto grande' (da non confondersi quindi con un 'ritrattino') che al nome di Antonio Carracci è discusso per l'acquisto a Bologna nel 1672 da un intermediario di Leopoldo de' Medici (Borea 1975). D'altronde nel 1674 Leopoldo giudicava di un supposto autoritratto di Antonio inviatogli da Bologna dichiarandolo non paragonabile al suo: quindi ne possedeva già uno (Prinz 1971). E.B.	Può forse identificarsi con un 'ritratto grande di Francesco Carracci di sua mano', in vendita a Bologna nel 1672 e offerto all'intermediario di Leopoldo de' Medici (Borea 1675). Dell'effigiato non può giudicarsi, non avendosi termini di confronto. E.B.	Inciso nel 1754 come autoritratto di Ludovico Carracci, non ha i caratteri stilistici né la qualità del maestro. Potrebbe essere la copia eseguita da Jacopo Cavedone da un autoritratto di Ludovico Carracci di cui è memoria. Che sia l'effige di Ludovico è provato dalla somiglianza di fisionomia con il ritratto del pittore riprodotto all'inizio della 'vita' dei Carracci del Malvasia (1678). Risulta per altro che Leopoldo de' Medici nel 1675 trattava col suo fiduciario in Bologna per l'acquisto di un autoritratto di Ludovico (Borea 1975). E.B.

	A189	A190	A191	A192
Autore	Carriera, Rosalba (Venezia 1675-1757).	Carrière, Eugène (Gournay 1849 - Parigi 1906).	Casini, Giovanni (Varlungo 1689 - Firenze 1748).	Cassana, Giovanni Agostino (Venezia ? 1660 ca. - Genova 1720).
Titolo	Autoritratto.	Autoritratto.	Autoritratto.	Autoritratto.
Datazione	1709.	1890-1900 ca. (I. Julia).	Primo quarto sec. XVIII.	Inizi sec. XVIII.
Dati tecnici	Pastello su carta, 71x57.	Olio su tela, 45x37.	Olio su tela, 73x58,5.	Olio su tela, 69x54,5, restauro 1972.
Cornice	Nera liscia e a onde, ebanista Andrea Picchi, fine sec. XIX.	Intagliata e dorata, sec. XIX-XX.	Salvadora dorata con cartiglio, sec. XVIII.	Salvadora dorata con cartiglio, sec. XVIII.
Ubicazioni	Gran Principe Ferdinando de' Medici (1712); Uffizi (1714).	Coll. Von Seidlitz (ante 1961); Uffizi (1961).	Coll. Puccini (1725); coll. Pazzi; Uffizi (1768); Guardaroba (1795).	Cosimo III de' Medici; Uffizi (1714).
Attribuzioni	—	—	—	—
Esposizioni	—	Pittura francese nelle collezioni pubbliche fiorentine, Firenze 1977.	—	—
Bibliografia	*B. Viallet, Roma s.d. (1923). U. Malamani, Rosalba Carriera, Bergamo 1910. B. Sani, in Per Maria Cionini Visani, Torino 1977.*	Thieme-Becker, V, 1912. *Cat., Firenze 1977, n. 44.*	S. Meloni Trkulija in Dizionario biografico degli italiani XXI, Roma 1978. *Id. in Paragone 343, 1978.*	*M. Chiarini in Dizionario biografico degli italiani 21, Roma 1978.*
Inventario	1786 (C.P., p. 100, n. 363).	9433.	2053 (C.P., p. 210, n. 674).	1806 (C.P., p. 210, n. 383).
Foto	185679.	182533.	5740.	249120.
Note	Entrato in galleria il 17 luglio 1714, lasciatole dal Gran Principe Ferdinando (ASF, Guard. 1172, c. 294v). L'autoritratto, finora creduto del 1715 circa, è ricordato invece in tre lettere anteriori a questa data nel carteggio della pittrice conservato alla Biblioteca Laurenziana: una del 1709 in cui si parla dell'imminente arrivo di esso a Firenze, una del 1712 in cui lo si cita nella guardaroba del Gran Principe e una del 1715 che lo dice a posto: dati che collimano con quello dell'ingresso in galleria. L'artista è in atto di ritrarre la sorella e collaboratrice Giovanna. S.M.T.	Firmato in basso a sinistra: Eugène Carrière. La direzione degli Uffizi cercò di ottenere un autoritratto direttamente dall'artista nel 1895, ma solo nel 1961 riuscì ad acquistare il presente dipinto dalla collezione del critico d'arte Von Seidlitz. I. Julia (Cat., Firenze 1977), basandosi sullo stile e sull'età del pittore, data ipoteticamente il quadro nell'ultimo decennio del XIX secolo. M.C.	Due autoritratti del Casini, di cui uno a lapis, erano nella collezione del medico pistoiese Tommaso Puccini, acquistata dall'abate Pazzi che vi aggiunse i suoi e la vendette alla galleria intorno al 1768. L'autoritratto fu rimandato in guardaroba nel 1795 probabilmente per la sua qualità non entusiasmante. È oggi, insieme al Martirio di Santa Lucia in San Jacopo Soprarno, l'unica testimonianza dell'attività di questo artista. S.M.T.	A tergo il nome dell'artista in grafia antica. Il quadro fu mandato in galleria dal granduca Cosimo III il 4 luglio 1714 (ASF, Guard. 1172, c. 292v). A quest'epoca (e già da molti anni) l'artista, come suo fratello Niccolò, risulta in contatto con Firenze. S.M.T.

	A193	A194	A195	A196
AUTORE	Cassana, Giovan Francesco (Cassana 1600-10 - Mirandola 1690).	Cassana, Niccolò (Venezia 1659-Londra? 1713).	Cassana, Niccolò (Venezia 1659-Londra? 1713).	Cassana, Niccolò (Venezia 1659 - Londra? 1713).
TITOLO	Autoritratto.	Autoritratto.	Autoritratto.	Ritratto di pittore.
DATAZIONE	Terzo quarto sec. XVII.	1683.	1695 ca.	1690-1700.
DATI TECNICI	Olio su tela, 43x37 (originariamente 34x33 ca.), rintelato in antico.	Olio su tela, 99,5x83,5, restauro 1955 ca.	Olio su tela, 72,5x58,5, rintelato.	Olio su tela, 74,5x59, restauro 1954.
CORNICE	Salvadora dorata, sec. XVIII.	Salvadora gialla, sec. XIX.	Nera con intagli dorati agli spigoli, sec. XVII.	Nera con fregi e listelli dipinti in oro, sec. XIX.
UBICAZIONI	Uffizi (ante 1773).	Uffizi (1683); Poggio Imperiale (forse fine sec. XVIII, certo 1836); Uffizi (sec. XX).	Uffizi (1704).	Guardaroba, Pitti; Uffizi (1797).
ATTRIBUZIONI	—	—	—	Salvator Rosa (inv. antichi). Lorenzo Lippi (Marangoni). N. Cassana (Chiarini).
ESPOSIZIONI	—	—	Artisti alla corte granducale, Firenze 1969.	Mostra del ritratto storico napoletano, Napoli 1954.
BIBLIOGRAFIA	*M. Chiarini in Dizionario biografico degli italiani 21, Roma 1978.*	*M. Chiarini in Apollo XCIX, 1974.*	M. Chiarini in Cat., Firenze 1969, n. 93. Id. in Apollo, sept. 1974.	L. Salerno, L'opera completa di Salvator Rosa, Milano 1975. *M. Chiarini in Paragone 301, 1975.*
INVENTARIO	1777 (C.P., p. 210, n. 353).	Imp. r. 218 (C.P., p. 101, n. 414?).	1837 (C.P., p. 210, n. 414).	1712.
FOTO	112375.	94538.	103275.	156063.
NOTE	L'autoritratto è inventariato per la prima volta agli Uffizi nel 1784 (n. 563/120) con rimando a un 'riscontro' inventariale del 1773. Si può supporre però che sia entrato in galleria almeno mezzo secolo prima, al tempo dell'attività dei figli Niccolò e Giovanni Agostino per il gran principe Ferdinanzo, senza venire esposto forse per le misure diverse da quelle di rigore al tempo della formazione della stanza dei pittori. Appare ingrandito rispetto a un originale comprendente la sola testa e collo fino alla base del collarino. S.M.T.	Firmato e datato sulla tavolozza «Discipulus sui Niccolaus Cassana se effigiavit 1683». A tergo scritta antica «Niccola Cassana». Rintracciato e identificato da M. Chiarini come l'autoritratto giovanile che venne fatto offrire tramite Matteo del Teglia al granduca Cosimo III nel 1683, probabilmente con la speranza di occupare il posto di ritrattista di corte, vacante dopo la morte (1681) del Sustermans. Presente in galleria fin dal 16 dicembre 1683 (ASF, Guard. 870, c. 225r), fu mandato «in villa» probabilmente alla fine del Settecento (col razionale riordinamento leopoldino furono eliminati tutti i doppioni di autoritratti); è documentato al Poggio Imperiale nel 1836 (inv. n. 1510) e 1845 (inv. rosso), e ne è tornato in questo secolo. S.M.T.	Non è registrata la data d'ingresso del ritratto (il secondo dell'artista in galleria, dopo quello del 1683, cfr. inv. Imperiale rosso n. 318) ma esso figura già nell'inventario del 1704 (n. 1768) e in tutti i successivi; a differenza dell'altro, infatti, fu sempre esposto. S.M.T.	Creduto autoritratto di Salvator Rosa e come tale esposto a Napoli nel 1954. Già Marangoni aveva espresso dubbi sulla sua autografia, proponendo di darlo a Lorenzo Lippi (di cui è documentato nel Baldinucci un ritratto fatto al Rosa), e Salerno rifiutò decisamente l'attribuzione tradizionale e la credenza che raffigurasse Rosa. Ma solo recentemente (Chiarini 1975) si è pervenuti per via documentaria al vero autore, Niccolò Cassana. La prima redazione del dipinto (inv. Palatina n. 188) figura infatti (senza indicazione dell'effigiato) nell'inventario dell'eredità del Gran Principe Ferdinando de' Medici ed è sempre rimasta a Pitti. Questa invece passò dalla guardaroba agli Uffizi il 14 luglio 1797 (AGF, ms. 114 c. 68v) come ritratto (non autoritratto) di Salvator Rosa, ma nel 1825 (n. 1539) era già promossa ad autoritratto. S.M.T.

	A197	A198	A199	A200
AUTORE	Cassioli, Amos (Asciano, Siena 1832 - Firenze 1891).	Cassioli, Amos (Asciano, Siena 1832 - Firenze 1891).	Castello, Giacomo da (op. a Venezia seconda metà sec. XVII).	Castiglione, Giovanni Benedetto, detto il Grechetto (Genova 1600 ca. - Mantova 1663-65).
TITOLO	Ritratto di Augusto Betti.	Autoritratto.	Autoritratto.	Autoritratto.
DATAZIONE	1869.	1878.	Terzo quarto sec. XVII.	Metà sec. XVII.
DATI TECNICI	Olio su tela, 112x90.	Olio su tela, 68x44.	Olio su tela originariamente ovale, 98,5x82,5.	Olio su tela, 54x43, rintelato.
CORNICE	D'epoca, intagliata e dorata.	D'epoca, in legno intagliato e dorato.	Marmorizzata bruna con orli dorati, sec. XIX.	Salvadora dorata con cartiglio, inizi sec. XVIII.
UBICAZIONI	Coll. Betti; Accademia (1907); Galleria d'Arte Moderna, Pitti (1924).	Uffizi (1878).	Contessa Lovatelli, Ravenna; Uffizi (1905).	Cosimo III de' Medici; Uffizi (1683).
ATTRIBUZIONI	—	—	—	—
ESPOSIZIONI	—	—	Mostra del Seicento a Venezia, Venezia 1959, f.c.	Dipinti del Seicento genovese, Firenze 1964, f.c.
BIBLIOGRAFIA	L. e F. Luciani, Dizionario de pittori italiani dell'800, Firenze 1974. C. Bon in: Cultura Toscana dell'Unità (1859-70) e primi cenacoli dei Macchiaioli, Firenze 1976.	L. e F. Luciani, Dizionario dei pittori italiani dell'800, Firenze 1974. N. Tarchiani, in: Enciclopedia Italiana, Roma 1931.	C. Donzelli, G. M. Pilo, I pittori del Seicento veneto, Firenze 1967.	G. Delogu, Giovanni Benedetto Castiglione detto il Grechetto, Bologna 1928. A. Percy, Giovanni Benedetto Castiglione, Philadelphia 1971.
INVENTARIO	3379. GAM Cat. Gen. 532.	1974 C.P., n. 100, n. 617).	3275 (C.P., p. 100, n. 747).	2051.
FOTO	157889.	175035.	249130.	174593.
NOTE	Firmato e datato in alto a sinistra: Amos Cassioli / Dip. 1869. Donato dall'effigiato nel 1907 (AGF, Arte 683) e collocato nella Galleria moderna dell'Accademia, ha poi seguito la collezione moderna a Palazzo Pitti. Documenta il pittore Augusto Betti, del quale ci sono ignoti i riferimenti anagrafici e la cui opera più nota, a parte alcune menzioni nei cataloghi delle promotrici fiorentine della seconda metà del secolo XIX, è la Cena in Emaus in tela dall'Opificio delle Pietre Dure, tradotta in mosaico per l'altare della cappella laurenziana dei Principi. S.P.	Firmato e datato in basso a sinistra: Amos Cassioli 1878. Donato dall'artista nell'anno di esecuzione (AGF, 1878, filza B, I, 134 e G. Copertini, in: Parma per l'arte, n. 12, 1962, p. 66-67, pubblicandone il bozzetto). L'opera è per la prima volta riprodotta in N. Mengozzi, Lettere intime di artisti senesi (1852-1883), Siena 1908 e poi frequentemente citata o riprodotta nei principali repertori. Attualmente nelle riserve. S.P.	A tergo sul telaio la scritta 'Girolamo da Castello'. Come tale fu acquistato nel maggio 1905 per 300 lire dalla contessa Lovatelli di Ravenna (AGF, Arte 472, 502/235). È probabile che invece di Girolamo sia da intendere Giacomo e che il dipinto sia un autoritratto — assai bello — dell'ancor misterioso pittore di cui si è proposta (Donzelli-Pilo) l'identificazione con l'olandese Jacobus Victor (Amsterdam 1640-1705), attivo nel Veneto fino al 1675. Il ritratto era originariamente ovale: del completamento fa parte tra l'altro metà del cestino. S.M.T.	Mandato in galleria da Cosimo III de' Medici il 7 luglio 1683 (ASF, Guard. 871, c. 137v): probabilmente il granduca ne aveva fatto acquisto poco prima, se chiede notizie del suo autore al Baldinucci nel 1682 (Prinz, 1971, doc. 59). In antico era più grande (B. 1 1/6x1, cioè 67x58 ca.). Anche nella raccolta di Nicola Pio, che chiese agli artisti ritratti in disegno per le biografie da lui scritte, quello del Grechetto è di profilo, forse (Percy 1971) in preparazione al dipinto. Ma è anche possibile che disegno (oggi a Stoccolma) e dipinto, di debole qualità, siano desunti dal medaglione commemorativo dell'artista che è nel Duomo di Mantova. S.M.T.

	A201	A202	A203	A204
AUTORE	Cavalier d'Arpino, Cesari Giuseppe, detto il (Arpino, Frosinone 1568 - Roma 1640).	Cavalleri, Ferdinando (Torino? 1794 - Roma 1865).	Cavalli, Emanuele (Lucera 1904).	Cavedone, Giacomo (Sassuolo 1577 - Bologna 1624).
TITOLO	Autoritratto.	Autoritratto.	Autoritratto.	Autoritratto.
DATAZIONE		1829 ca.	1940.	1620 ca. (Borea 1975).
DATI TECNICI		Olio su tela, 72x64,5.	Olio su tavola, 53x49.	Olio su tela, 64x53. Ingrandito, 71x59.
CORNICE		Sagomata e dorata, sec. XIX.	Sagomata, dorata e dipinta (sec. XX).	Dorata liscia a gole.
UBICAZIONI		Uffizi (1829).	Galleria d'Arte Moderna, Pitti (1948 ca.).	Card. Leopoldo de' Medici (ante 1675); Uffizi (1686).
ATTRIBUZIONI		—	—	—
ESPOSIZIONI		Esposizione annuale dell'Accademia delle Belle Arti di Firenze, Firenze 1829.	—	Pittori Bolognesi del Seicento nelle Gallerie di Firenze, Firenze 1975.
BIBLIOGRAFIA		F. e L. Luciani, Dizionario dei Pittori italiani dell' '800, Firenze 1974. *Prinz 1971.*	R. Lucchese: Le egloghe cristalline di Cavalli, Roma, 1967.	*E. Borea, Cat. Firenze 1975, n. 64, p. 83.*
INVENTARIO		1962 (C.P., p. 100, n. 571).	GAM Giornale 1093.	1790 (C.P., p. 100 n. 367).
FOTO		112498.	171452, 171446.	321838.
NOTE	Vedi: Scuola fiorentina sec. XVII. Ritratto d'uomo. Scheda A842.	Offerto in dono dall'artista nel 1829, in occasione della presentazione del quadro all'Esposizione annuale dell'Accademia di Belle Arti di Firenze di quello stesso anno; accettato immediatamente (AGF, 1929 (LIII) 33). In alcuni repertori storico-artistici viene indicata la città di Roma come luogo di nascita dell'artista, anche se appare quasi certa la sua origine torinese. Attualmente nei Depositi degli Uffizi. E.S.	Nel tergo in basso al centro: "Emanuele Cavalli Autoritratto-P. Crispi-Lucera (Foggia)-1940", ripetuto, senza la data, sul telaio. Donato dall'autore. Risulta pervenuto nella sede attuale nel 1948 ca. (nota inventariale). L'opera si trova attualmente nei depositi della Galleria d'Arte Moderna di Palazzo Pitti. Gr. Red. 1	Scritte sul retro: Jacomo Cavedone. Si identifica probabilmente con il ritratto offerto al cardinal Leopoldo nel 1672. Opera stanca del pittore vecchio. E.B.

	205	A206	A207	A208
Autore	Celentano, Bernardo (Napoli 1835 - Roma 1863).	Chagall, Marc (Vitebsk 1887).	Chaplin, Elisabeth (Fontainebleau 1892?).	Chaplin, Elisabeth (Fontainebleau 1892?).
Titolo	Autoritratto.	Autoritratto.	Autoritratto con l'ombrello verde.	Autoritratto.
Datazione	1856-1857 (Biancale s. d.).	1959-1968 (P. Provoyeur).	1908 ca.	1918 ca.
Dati tecnici	Olio su tela, 47x38.	Olio su tela, 61,5x51.	Olio su tela, 89x60.	Olio su tela, 94,5x65.
Cornice	D'epoca, nera, intagliata.	Sagomata, dorata, 1976.	D'epoca, in legno verniciato.	D'epoca, sgusciata in legno dipinto in nero, filettata in oro.
Ubicazioni	Eredi dell'artista; Emanuele Caggiano; eredi Caggiano; Uffizi (1907).	Uffizi (1976).	Galleria d'Arte Moderna, Pitti (1940); Uffizi (1974).	Uffizi (1946).
Attribuzioni	—	—	—	—
Esposizioni	—	Pittura francese nelle collezioni pubbliche fiorentine, Firenze 1977.	Mostra antologica, Firenze 1946.	Mostra antologica, Firenze 1946.
Bibliografia	M. Biancale, *Bernardo Celentano, Roma s. d.*, p. 68.	F. Meyer: Marc Chagall, Paris 1964. L. Berti, in Nuova Antologia, novembre 1976, pp. 342-43. *Cat., Firenze 1977, n. 50.*	Cat. mostre personali, Firenze 1972 e 1977. L. Berti, in: Paragone, n. 337, 1978.	Cat. mostre personali, Firenze 1972 e 1977. L. Berti, in Paragone, n. 337, 1978.
Inventario	3383 (C.P., p. 100, n. 742).	9496.	GAM Giornale 1082.	9608.
Foto	5742.	251132.	45065.	327566.
Note	Datato dal Biancale al periodo immediatamente posteriore al soggiorno fiorentino (1856). Si sa inoltre che nel soggiorno veneziano, successivo a quello fiorentino, il pittore indossò continuamente una maglia rossa, fino al suo rientro a casa nel marzo 1857 e in questo ritratto egli indossa appunto tale indumento. Il dipinto fu ceduto, dopo la morte prematura del pittore, all'amico scultore Emanuele Caggiano, dalla madre del Celentano. La vedova di questi Anna Bosco Lucarelli lo vendette agli Uffizi dopo qualche mese di trattativa per Lire 2000 (AGF, Arte 693). È attualmente esposto nel Corridoio Vasariano. S.P.	Firmato in basso a destra, sulla tavolozza: Chagall. È l'autoritratto più recente dell'artista, eseguito, secondo quanto afferma P. Provoyeur, tra il 1959 e il 1968, e donato dall'artista nel luglio 1976. M.C.	Firmato e dedicato in basso a destra: A ma Mère / E. Chaplin. Donato dall'artista nel 1940. S.P.	In alto a destra leggesi: E. Chaplin. Dono dell'artista a seguito della mostra del 1946. Inventariato di recente si trova attualmente nei locali della Direzione degli Uffizi. S.P.

	A209	A210	A211	A212
AUTORE	Chaplin, Elisabeth (Fontainebleau 1892?).	Chartran, Théobald (Besançon 1849 - Neully-sur-Seine 1907).	Chase, William Merritt (Williamsburg (Nineveh) 1849 - New York 1916).	Checchi, Arturo (Fucecchio, Firenze 1886 - Perugia 1971).
TITOLO	Autoritratto.	Autoritratto.	Autoritratto.	Autoritratto su fondo blu.
DATAZIONE	1972-1973.	1891.	1908.	1912. 1913 (Ragghianti 1966).
DATI TECNICI	Olio su cartone, 61,5x46,5.	Olio su tela, 57x46.	Olio su tela, 73,5x58,5.	Olio su tela applicata su tavola, 49x30.
CORNICE	Coeva, in legno tinteggiato.	Intagliata e dorata, sec. XIX.	Intagliata a fogliami e dorata, sec. XX.	Sagomata e dorata con decorazioni in pastiglia, sec. XX.
UBICAZIONI	Galleria d'Arte Moderna, Pitti (1974).	Eredi dell'artista; Uffizi (1921).	Uffizi (1908).	Eredi dell'artista; Uffizi (1974).
ATTRIBUZIONI	—	—	—	—
ESPOSIZIONI	Donazioni e legati 1974, Firenze 1974.	—	—	Società delle Belle Arti in Firenze. Esposizione internazionale, Firenze 1913. Terza Esposizione internazionale della Secessione, Roma 1915. Arturo Checchi, Galleria Firenze, Firenze 1951. Arte moderna in Italia 1915-1935, Firenze 1966. Arturo Checchi, Firenze, 1974. Arturo Checchi, Massa 1975. Arturo Checchi. Pitture 1911-1920, Firenze s.d.
BIBLIOGRAFIA	Cataloghi delle mostre personali, Firenze 1972 e 1977. L. Berti, in: *Paragone*, n. 337, 1978. *L. Bertani Bigalli, in Cat., Firenze 1974, n. 32.*	Thieme-Becker, V, 1912. *I. Julia: in Cat. Pittura francese nelle collezioni pubbliche fiorentine, Firenze 1977.*	Vollmer, V, 1961. Cat. Triumph of Realism, Brooklin 1967.	U. Baldini, L'opera di Arturo Checchi, Firenze 1974. A. Checchi, La mia lunga giovinezza, Firenze 1974. *M. Rosi, Arturo Checchi, Milano 1962.*
INVENTARIO	GAM Giornale 2773.	8445.	3398 (C.P., p. 100, n. 767).	9488.
FOTO	247912.	182519.	72274.	315570.
NOTE	Firmato in basso a sinistra: E. Chaplin. Eseguito mentre era in perfezionamento la pratica della donazione di un cospicua parte della propria opera alla Galleria d'arte moderna di Palazzo Pitti, con l'intenzione di documentare la propria immagine, fisica e artistica, più recente. Per tale ragione questo autoritratto si accompagna meglio ai due già esistenti nella raccolta degli autoritratti degli Uffizi che non ai diversi altri donati alla Galleria d'arte moderna. L'opera è stata esposta nel 1974-75 a Palazzo Pitti in una antologica della donazione, ma oggi si trova presso l'artista nella villa Il Treppiede di Fiesole, secondo quanto stabilisce una clausola della donazione stessa. S P	Firmato e datato: Chartran/1891. Lasciato alla Galleria degli Uffizi dalla vedova dell'artista (1921). M.C.	Siglato e datato sul fondo a sinistra: W M Chase/1908. L'opera fu donata nel 1908 dall'artista dietro invito della Direzione degli Uffizi (AGF, Arte 705). Un altro autoritratto del pittore datato 1875 si trova nella Städtische Galerie di Monaco. L'opera è attualmente nei Depositi degli Uffizi. Presso il Parrish Art Museum di Southampton (New York) è in corso di elaborazione il catalogo computerizzato delle opere documentate dell'artista (cfr. First International Conference on Automatic Processing of Art History. Data and Documents, Pisa, Scuola Normale Superiore, 4-7 sept. 1978). E.S.	Siglato e datato in basso a sinistra: A.C./12/1912. Donato dalla vedova dell'artista nel 1974 (AGF, Arte 796). Sul retro vari cartellini di mostre. L'opera è conosciuta anche con il titolo: Il fondo blu. Nel Cat. della mostra fiorentina del 1966 Ragghianti data l'opera al 1913. Un altro autoritratto dell'artista del 1908 fu esposto alla mostra Pitture inedite di Arturo Checchi, Firenze 1969. Presso la vedova dell'artista, la pittrice Teresa Checchi Fettucciari si trovano altri autoritratti di Checchi, fra cui uno del 1931. Di recente gli eredi dell'artista hanno donato al comune di Fucecchio una ricca raccolta di opere del Checchi. Attualmente esposto nel Corridoio Vasariano. E.S.

	A213	A214	A215	A216
AUTORE	Chenavard, Paul - Marc - Joseph (Lione 1807 - Parigi 1895).	Chiari, Giuseppe Bernardino (Roma 1654-1727).	Chiavistelli, Jacopo (Firenze 1621-1698).	Chierici, Gaetano (Reggio Emilia 1838-1920.
TITOLO	Autoritratto.	Autoritratto.	Autoritratto.	Autoritratto.
DATAZIONE	1888.	1715 ca.	1696 ca.	1881.
DATI TECNICI	Olio su tela, 56x46.	Olio su tela, 72,5x58, rintelato.	Olio su tela, 164x117, restauro 1972.	Olio su tavolozza da pittore, 42x 31,5.
CORNICE	Intagliata e dorata, sec. XIX.	Salvadora dorata con cartiglio, sec. XVIII.	Salvadora dorata, sec. XVIII.	Intagliata con motivi vegetali e dorata, sec. XIX.
UBICAZIONI	Uffizi (1888).	Cosimo III de' Medici; Uffizi (1716).	Cosimo III de' Medici; Uffizi *1974. G. Leoncini in Paragone (in corso di stampa).*	Coll. Robert Spranger; Uffizi (1914).
ATTRIBUZIONI	—	—	—	—
ESPOSIZIONI	Pittura francese nelle collezioni pubbliche fiorentine, Firenze 1977.	—	—	—
BIBLIOGRAFIA	Thieme-Becker, V, 1912. *Cat., Firenze 1977, n. 42.*	*B. Keber in Art Bulletin L, 1960. Prinz, 1971.*	*M. Chiarini in Antichità viva XIII, 1974. G. Leoncini in Paragone, 1979.*	G. Morselli, La pittura di Gaetano Chierici, Reggio Emilia 1964.
INVENTARIO	1998 (C.P, p. 100, n. 583).	1665 (C.P., p. 210, n. 243).	1765 (C.P., p. 100, n. 344).	3945.
FOTO	74895.	154735.	113051.	5746.
NOTE	Iscrizione in alto a destra: Paul Chenavard. L'autoritratto fu richiesto nel 1887 all'artista dalla direzione della Galleria degli Uffizi. Il pittore lo eseguì e l'inviò a Firenze l'anno successivo. M.C.	Dono dell'autore, su richiesta dell'abate Fontana, a Cosimo III de' Medici; inviatogli il 9 maggio 1716. Il quadro fu fatto per l'occasione e portato a Firenze dal figlio dell'artista, ormai troppo vecchio per farlo personalmente, come dichiara nella lettera d'accompagno: entrò in galleria il 17 giugno (ASF, Guard. 1227, c. 74v). L'Accademia di San Luca in Roma ne possiede una copia di bottega. S.M.T.	Mandato in galleria da Cosimo III de' Medici il 21 agosto 1697 (ASF, Guard. 1026, c. 52r) è chiaramente esemplato, come composizione, sull'autoritratto di Padre Pozzo (inv. 1890 n. 1755), arrivato a Firenze all'inizio del 1688: la sua datazione va posta alla fine di questo decennio, quando il Gran Principe Ferdinando sollecitò più volte l'artista, mandandogli persino la tela a casa. Il Chiavistelli fu il più importante pittore prospettico fiorentino della seconda metà del Seicento. S.M.T.	Firmato e datato in basso: Chierici Gaetano 1881. Sul retro della tavolozza molti residui di colore e timbro in ceralacca delle Gallerie. Donato da Robert Spranger nel 1914 (AGF Arte 796). Un altro autoritratto del Chierici si conserva nella Civica Galleria d'arte di Reggio Emilia. Attualmente nei Depositi degli Uffizi. E.S.

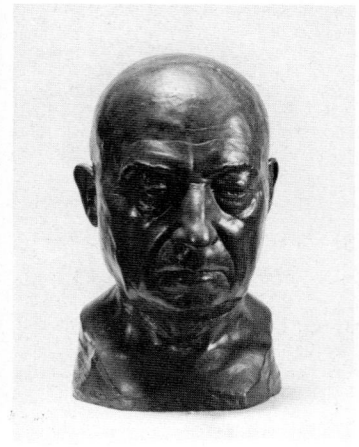

	A217	A218	A219	A220
AUTORE	Chini, Galileo (Firenze 1873-1956).	Ciabilli, Giovanni Camillo (Castello di Signa 1688 ca. - Firenze 1746).	Ciampi, Alimondo (San Mauro a Signa 1876 - Firenze 1939).	Ciani, Cesare (Firenze 1854 - 1925).
TITOLO	Autoritratto.	Autoritratto.	Autoritratto ?	Autoritratto.
DATAZIONE	1933.	Primo quarto sec. XVIII.	1933.	1890-1900 ca.
DATI TECNICI	Olio su tavola, 60x50.	Olio su tela, 73x58.	Bronzo, alt. 35.	Olio su tela, 43,5x34.
CORNICE	Sagomata e tinta a noce, sec. XX.	Salvadora dorata con cartiglio, sec. XVIII.	—	D'epoca, alla fiamminga.
UBICAZIONI	Uffizi (1933).	Coll. Puccini (1725); coll. Pazzi; Uffizi (1768); Guardaroba (1772).	Eredi dell'artista; Galleria d'Arte Moderna, Pitti (1962).	Accademia di Belle Arti; Uffizi (1920).
ATTRIBUZIONI	—	—	—	—
ESPOSIZIONI	Mostra personale di Galileo Chini, Firenze 1952.	—	Mostra retrospettiva, Firenze, 1959.	Omaggio all'arte di Cesare Ciani, Firenze 1927.
BIBLIOGRAFIA	G. Vianello, Galileo Chini e il Liberty in Italia, Firenze 1964. C. Nuzzi, Cat. Galileo Chini, Firenze 1977.	*S. Meloni Trkulja in Paragone 343, 1978.*	Thieme-Becker, VI, 1912. *Cat., Firenze 1959, n. 9.*	Cesare Ciani, Cat. Firenze 1978.
INVENTARIO	9196.	2090 (C.P. 212, n. 695).	GAM Giornale 1863.	8413.
FOTO	23868.	112376.	186448.	323300.
NOTE	Firmato e datato in alto a destra: G. Chini Firenze/1933. Sul retro la tavola è completamente colorata in rosso. Un autoritratto fu richiesto al Chini dalla Direzione degli Uffizi prima del 1915; questo fu donato dall'artista nel 1933 (AGF, Arte 796). Esiste un altro autoritratto del pittore, su uno sfondo di paesaggio (datato 1901), che è stato più volte esposto in mostre recenti sul Chini. Attualmente esposto nel Corridoio Vasariano. E.S.	A tergo della tela un sonetto scherzoso, probabilmente composto dal pittore stesso: «Era nella stagion quando il bollore/del sangue è intento a penetrar la cute/ e che Febo sferzando con l'ardore/fa sien le forze uman quasi pasciute/mi cadde in mente un certo pizzicore/di voler pinger mie fattezze mute/frettoloso allo specchio mi portai/con deboli pennelli mi abbozzai». Il Ciabilli, allievo di Simone Pignoni, fu piacevole e spiritoso pittore e frescante ancor oggi attestato da varie opere in Toscana. Il ritratto, appartenuto prima al medico pistoiese Tommaso Puccini poi all'incisore abate Antonio Pazzi, fu da questi venduto alla galleria ma vi rimase poco: già nel 1772 era rimandato in magazzino (AGF, filza V a 11). S.M.T.	Sulla base a sinistra: "Alimondo Ciampi 1933". nel tergo in basso: "Fond.ria G. Vignali Firenze". Dono dei figli dello scultore Gemma e Giotto (1962) (nota inventariale). Negli inventari di Galleria la scultura è descritta come "Autoritratto" dell'artista, mentre nel catalogo della mostra del 1959 è citata come "Il mio giardiniere". L'opera si trova attualmente nei depositi della Galleria d'Arte Moderna di Palazzo Pitti. Gr. Red. 1	Firmato in basso a destra: C. Ciani. Attualmente nelle riserve. Gr. red. 1

	A221	A222	A223	A224
AUTORE	Ciani, Cesare (Firenze 1854 - 1925).	Ciardi, Giuseppe (Venezia 1875 - Quinto sul Sile, Treviso 1932).	Cignani, Carlo (Bologna 1628-1714).	Cigoli, Cardi Ludovico, detto il (Castelvecchio di Cigoli 1559 - Roma 1613).
TITOLO	Autoritratto.	Autoritratto.	Autoritratto.	Autoritratto.
DATAZIONE	1924 ca.	1924.	1685 ca.	1604 ca.
DATI TECNICI	Olio su tela, 51x45,5.	Olio su tela, 95,5x86,5.	Olio su tela, 72x57, rintelato.	Olio su tela, 58,5x44, rintelato.
CORNICE	Più tarda, dorata con passepartout in seta color avorio.	Sagomata e dorata con decorazioni in pastiglia, sec. XX.	Salvadora dorata con cartiglio, inizi sec. XVIII.	Dorata e dipinta di nero con fregi d'oro nella gola.
UBICAZIONI	Coll. Innocenti; Coll. Stivani, Bologna (1969 ca.); Coll. Tassi (1976); Uffizi (1978).	Uffizi (1924).	Cosimo III de' Medici (1686); Uffizi (1686).	Card. Leopoldo de' Medici (ante 1675); Uffizi (1682).
ATTRIBUZIONI	—	—	—	—
ESPOSIZIONI	Cesare Ciani, Firenze 1978.	—	—	Mostra del Cinquecento toscano, Firenze 1940, sala XXIV n. 1; Mostra del Cigoli e del suo ambiente, San Miniato 1959.
BIBLIOGRAFIA	R. Franchi, in: *Arte Mediterranea*, mar. apr. 1939. *Idem, Firenze 1946. Cat. Firenze 1978.*	AA.VV., L'arte di Beppe Ciardi nella critica del suo tempo, Milano 1950. G. Perocco, in Cat. Mostra dei Pittori veneziani dell'Ottocento, Venezia 1962. G. Piantoni, in Archivi di Arte Italiana contemporanea. Pittura e Scultura del XX secolo, Roma 1969. *Prinz 1971.*	*S. Vitelli Buscaroli, Il pittore Carlo Cignani, Bologna 1953. Prinz, 1971. R. Roli, Pittura bolognese 1650-1800, Bologna 1977.*	K. Langedijk in Burlington Magazine CXIII, 1971. Cat., San Miniato 1959, n. 32.
INVENTARIO	GAM Giornale 2940.	8485.	1657 (C.P., p. 100, n. 366).	1729 (C.P., p. 100, n. 298).
FOTO	306147.	12495.	249088.	215525.
NOTE	Firmato in basso a destra: C. Ciani. Donato da Riccardo e Fernando Tassi in memoria del padre Renato, collezionista e mercante fiorentino di macchiaioli e postmacchiaioli, nel 1978 a seguito della mostra dedicata al Ciani presso la Galleria La Stanzina. È il secondo autoritratto del Ciani nelle Gallerie fiorentine (v. inv. 1890, n. 8413). S.P.	Firmato nell'angolo inferiore destro: Beppe Ciardi. Sul retro: Beppe Ciardi/1924. Un autoritratto fu richiesto nel 1924 all'artista che donò questo in quello stesso anno (AGF, Arte 796). Un altro autoritratto del 1915 è a Quinto sul Sile, presso gli eredi del pittore. Attualmente esposto nel Corridoio Vasariano. E.S.	Ordinato al pittore da Cosimo III de' Medici intorno al 1681, il quadro fu inviato da Forlì il 10 aprile 1686. Il granduca ringraziò il 4 maggio con lettera autografa, a cui l'artista dette pubblicità (essa è ricordata nella sua prima biografia, del 1702) e rispose il 24 maggio. Il 16 maggio l'autoritratto entrava in galleria (ASF, Guard. 903, c. 51r). Il Gabinetto Disegni e Stampe degli Uffizi conserva un autoritratto in disegno (4370 S); uno del pittore ottantaduenne è nella Pinacoteca di Forlì; uno ovale di proprietà Gambarini Baccili fu esposto a Bologna nel 1935. S.M.T.	Secondo il Baldinucci fu ordinato dal granduca Cosimo II de' Medici nel 1604; data accettabile, ché il ritratto può ben mostrare il pittore a quarantacinque anni. Entrerà in galleria col resto della collezione del cardinal Leopoldo il 28 ottobre 1682 (ASF, Guard. 870, c. 160v). Ne fu tratta una copia per l'Accademia del Disegno (inv. 1890 n. 5531) che specifica 'Lodovico Cardi Cigoli Eletto Cavaliere Hierosol. no'. La croce di cavaliere di Malta l'artista l'ebbe nel 1613, e infatti sul ritratto fiorentino, di data anteriore, essa non figura. S.M.T.

	A225	A226	A227	A228
AUTORE	Cini, Mario (Roma 1869 - Firenze? 1928).	Cinqui, Giovanni (Scarperia 1667 - Firenze 1743).	Cioci, Antonio (Firenze doc. 1722-92?), attr. a.	Cioci, Antonio (Firenze doc. 1722-92?), attr. a.
TITOLO	Autoritratto.	Autoritratto.	Natura morta di oggetti con autoritratto.	Autoritratto?
DATAZIONE	Primo decennio sec. XX.	Inizi sec. XVIII.	1739.	1760 ca.?
DATI TECNICI	Olio su tela, 97,5x79.	Olio su tela, 71x57.	Olio su tela, 67x58.	Olio su tela, 69,5x84.
CORNICE	Sagomata e dorata, sec. XX.	Salvadora dorata con cartiglio, sec. XVIII.	Intagliata, dorata, sec. XVIII.	Sagomata, dorata, con rapporti, sec. XVIII.
UBICAZIONI	Eredi dell'artista; Uffizi (1964).	Coll. Pazzi; Uffizi (1768).	Mercato antiquario; Uffizi (1969).	Mercato antiquario; Uffizi (1925 ca.).
ATTRIBUZIONI	—	—	Antoine Coypel (sec. XIX-XX). A. Cioci (Cat. Vendita Sotheby's, 18.1.1969).	Thomas Patch? (attribuzione tradizionale).
ESPOSIZIONI	—	—	—	—
BIBLIOGRAFIA	Comanducci, II, Milano 1971.	S. Meloni Trkulja in Dizionario Bolaffi III, Torino 1972; *id. in Paragone 343, 1978*.	M. Gregori: in Cat. 70 pitture e sculture del '600 e '700 fiorentino, Firenze 1965. A.M. Giusti - P. Mazzoni - A. Pampaloni Martelli: Il Museo dell'Opificio delle Pietre Dure a Firenze, Firenze 1978. O. Panichi: in Actes du Colloque "Florence et la France", Firenze 1979. A. Gonzales-Palacios: ibid.	M. Gregori: in Cat. 70 pitture e sculture del '600 e '700 fiorentino, Firenze 1965. A.M. Giusti - P. Mazzoni - A. Pampaloni Martelli: Il Museo dell'Opificio delle Pietre Dure a Firenze, Firenze 1978. O. Panichi: in Actes du Colloque "Florence et la France...", Firenze 1979. A. Gonzales-Palacios: ibid.
INVENTARIO	9444.	2041 (C.P., p. 210, n. 668).	9459.	3512.
FOTO	315536.	5747.	249137.	102570.
NOTE	Donato dal conte Giuseppe Cini di Pianzano nel 1964 (AGF Arte 796). Il pittore, amico del conte Gamba, è anche autore di un dipinto del 1919 raffigurante i funzionari della Soprintendenza di Firenze Poggi, Giglioli, Gamba e Tarchiani; questo dipinto è negli uffici della Soprintendenza. E.S.	A tergo sulla tela i numeri tipici dei dipinti della raccolta dell'abate Antonio Pazzi, venduta alle Gallerie intorno al 1768. Il Cinqui, allievo e collaboratore di Pier Dandini, ne ereditò la disinvoltura e fecondità decorativa. Lavorò molto per i Medici, in cicli decorativi a fresco e su tela. S.M.T.	Il dipinto reca a destra una sigla e una data: A.C.F. 1739, che furono, probabilmente nel XIX-XX sec., interpretate per le iniziali del pittore francese Antoine Coypel, il cui nome e le cui date di nascita e di morte sono scritti sulla traversa inferiore del telaio. Tuttavia già il catalogo dell'asta Sotheby's (Firenze, 18-1-1969, N. 82, p. 39, ripr.), rilevando l'incongruità del nome in rapporto allo stile, attribuiva il dipinto al pittore e decoratore fiorentino. L'attribuzione al Cioci è avvalorata sia dallo stile, sia dal tipo di oggetti riprodotti che tornano in altre opere dell'artista, sia dal fatto che il ritrattino che compare nel quadro, un evidente autoritratto anche per l'atteggiamento, presenta la stessa fisionomia anche se a una età diversa, di quella dell'autoritratto probabile dell'artista anch'esso appartenente agli Uffizi (N. 3512). M.C.	Il dipinto fu acquistato sul mercato antiquario intorno al 1925 per la collezione degli autoritratti (antiquario U. Guastella) con l'attribuzione al pittore inglese T. Patch. Tuttavia il dipinto appare italiano, e per questa ragione fu escluso dalla mostra delle opere inglesi conservate nelle Gallerie fiorentine (vedi Firenze e l'Inghilterra... Firenze 1971). Lo stile del dipinto, gli oggetti esibiti, la fisionomia del ritrattato, indicano a nostro avviso il pittore e decoratore fiorentino Antonio Cioci, attivo per l'Opificio delle Pietre Dure e nel rinnovamento decorativo della villa del Poggio Imperiale. Altri suoi dipinti nei quali si può riconoscere probabilmente il suo autoritratto si trovano agli Uffizi (N. 9459) e nel Museo dell'Opificio, mentre quadri con oggetti simili a quelli che compaiono in questo dipinto furono esposti a Napoli nel 1964. M.C.

	A229	A230	A231	A232
AUTORE	Cipriani, Giovanni Battista (Pistoia 1732 - Londra 1785).	Ciseri, Antonio (Ronco 1821 - Firenze 1891).	Ciseri, Antonio (Ronco 1821 - Firenze 1891).	Ciseri, Antonio (Ronco 1821 - Firenze 1891).
TITOLO	Autoritratto.	Ritratto di Giovanni Paganucci.	Ritratto di Giovanni Dupré.	Autoritratto.
DATAZIONE	1750 ca.	1875 ca.	1882-86.	1885-90 ca.
DATI TECNICI	Olio su tela, 59,5x49.	Olio su tela, 57,7x44,5.	Olio su tela, 67x54.	Olio su tela, 50x40, restauro 1979.
CORNICE	Salvadora intagliata e dorata, sec. XIX.	D'epoca, dorata.	D'epoca, neorinascimentale con intagli a traforo e dorata.	—
UBICAZIONI	Coll. Meucci, Prato (1823); Uffizi (1827).	Coll. Pampana; Uffizi (1917); Galleria d'Arte Moderna, Pitti (1976).	Uffizi (1886); Galleria d'Arte Moderna, Pitti (1972).	Eredi dell'artista; Uffizi (1924).
ATTRIBUZIONI	—	—	—	—
ESPOSIZIONI	—	—	Cultura neoclassica e romantica nella Toscana granducale, Firenze 1972.	80a esposizione della Società delle Belle Arti, Firenze 1927.
BIBLIOGRAFIA	Dizionario Bolaffi, III, Torino 1972. *O.H. Giglioli, Incisori toscani del Settecento, Firenze 1943.*	E. Spalletti in: Annali della Scuola Normale Superiore di Pisa, V, 2, 1975, n. 634, 897, 910, 1094 e app. n. 78.	*Cat., Firenze 1972. E. Spalletti, in: Annali della Scuola Normale Superiore di Pisa, V, 2, 1975, n. 1368, 1473, 1474, e App. 96.*	G. Rosadi, La vita e l'opera di Antonio Ciseri, Firenze 1916, ripr. in copertina, Cat. Firenze 1927, n. 18. E. Spalletti, in: Annali della Scuola Normale Superiore di Pisa, V, 2, 1975, p. 575.
INVENTARIO	2022 (C.P., p. 210, n. 543).	8338.	3305.	1955.
FOTO	10379.	136695.	193758.	307230 (prima del restauro).
NOTE	Legato agli Uffizi per testamento del 1823 dal nobile pratese Gaetano Meucci, che lo dichiara opera giovanile, entrò in galleria nel febbraio 1827 (AGF, filza LI a 8). Va datato certamente prima della partenza dell'artista per l'Inghilterra (1755). Gli Uffizi possiedono anche un autoritratto in disegno (6215 S). S.M.T.	L'opera, che non sembra recare iscrizioni, fu acquistata nel 1917, secondo la nota inventariale. Il ritratto in ovale è probabilmente una replica di quello di cui i documenti trascritti da E. Spalletti (op. cit.) danno notizia (accordi presi nel 1869, posa nell'estate del 1872, consegna nel 1875) poiché tale ritratto era, non in busto come questo, ma a mezza figura in pelliccia e con un volume di Boezio in mano. Il ritrattato è lo scultore livornese autore in Santa Croce dei busti di Massimo d'Azeglio e di Carlo Poerio. Anni prima egli era stato ritratto anche da Boldini con il medesimo tipo di copricapo. L'opera, un tempo esposta nel Corridoio Vasariano, è nella sala Ciseri della Galleria d'arte moderna dal 1976. S.P.	Firmato in basso a destra: A. Ciseri f:. Alla morte del celebre scultore (1817-1882) grande amico del Ciseri e da questi già ritratto nel 1868 (quadro oggi presso i discendenti dello scultore a Fiesole) e poi morente (disegno conservato presso i discendenti svizzeri del pittore), fu, come d'abitudine commissionata al Ciseri una replica del primo ritratto per la collezione iconografica degli Uffizi (pagata nel 1886, alla consegna, come tutte le precedenti, 600 Lire: v. AGF, 1882, filza A, I, 76; 1885, filza D, II, 71 e 1886, filza C, II, 30; nonché E. Spalletti cit.). È esposto nella sala Ciseri della Galleria d'arte moderna. Una copia, passata recentemente sul mercato fiorentino, è destinata al Museo di Bellinzona. S.P.	Il ritratto, che non è firmato né datato, ci restituisce l'immagine del pittore negli ultimi anni. Il dipinto giunge nel 1924 per un cambio richiesto dal figlio Francesco che giudicava più rappresentativa quest'opera rispetto al precedente autoritratto del 1871 (richiesto al pittore nel 1864 quando la medesima domanda fu rivolta al Mussini, all'Ussi, al Puccinelli, e al Pollastrini: AGF, Arte, 796, in doc. autoritratti). L'autoritratto del 1871 è spesso pubblicato come ancora appartenente agli Uffizi mentre è tornato di proprietà della famiglia (ramo svizzero). Il riferimento nel catalogo Pieraccini è al ritratto precedente. Del Ciseri sono noti diversi autoritratti (v. soprattutto quelli esposti alla mostra commemorativa di Locarno nel 1941). Attualmente nelle riserve. S.P.

	A233	A234	A235	A236
AUTORE	Claus, Emile (Vive-St.-Eloi, Courtrai 1849 - Astène 1924).	Clovio, Giulio (Grizane 1498 - Roma 1578).	Cluysenaar, Alfred - Jean - André (Bruxelles 1837 - St. Gilles, Bruxelles 1902).	Collart Henrotin, Marie (Bruxelles 1842 - Nebida? Cagliari 1911).
TITOLO	Autoritratto.	Autoritratto.	Autoritratto.	Autoritratto.
DATAZIONE	1913-14.	1570 ca.	1890-95 ca.	1904 ca. (Viallet 1915 ca.).
DATI TECNICI	Olio su tela, 66x60,5.	Olio su pergamena, diam. 11,5.	Olio su tela, 49x40.	Olio su tela, 74,5x63,5.
CORNICE	Sagomata e tinta in oro con decorazioni in pastiglia, sec. XX.	Metallo dorato con motivo di fascio d'alloro, sec. XX (?).	Sagomata e dorata con decorazioni in pastiglia, sec. XIX.	Decorata in radica con modanature in nero a onde, sec. XX.
UBICAZIONI	Uffizi (1921).	Casino mediceo (1588); Guardaroba (1628); Uffizi, Tribuna (1635).	Uffizi (1895).	Eredi dell'artista (ante 1912); Uffizi (1912).
ATTRIBUZIONI	—	—	—	—
ESPOSIZIONI	—	Mostra storica nazionale della miniatura, Roma 1954.	—	—
BIBLIOGRAFIA	Thieme-Becker, VII, 1912. R.H. Wilenski, Flemish Painters 1430-1830, Londra 1960. *Prinz 1971, AGF: K. Langedijk, Scheda ministeriale 1978.*	*J. Bradley, The life and works of Giorgio Giulio Clovio, London 1891. M. Cionini Visani, Julije Klovic, Zagreb 1977.*	F. Hymans-Cluysenaar, Une famille d'artistes: les Cluysenaar, Bruxelles 1928. R.H. Wilenski, Flemish Painters 1430-1830, Londra 1960. *Prinz 1971, AGF: K. Langedijk, Scheda ministeriale 1978.*	R.H. Wilenski, Flemish Painters 1430-1830, Londra 1960. *B. Viallet, Roma s.d. (1923), Prinz 1971. AGF: K. Langedijk, Scheda ministeriale 1978.*
INVENTARIO	8426.	4213.	3125 (C.P., p. 100, n. 719).	3599 (C.P., p. 100, n. 3599).
FOTO	10580.	5748.	109330.	315538.
NOTE	Firmato e datato in basso a sinistra: Emile Claus Astène 1913. Sul retro altra scritta: «Mon portrait/Emile Claus/Août/1914». La Direzione degli Uffizi richiese nel 1911 un autoritratto all'artista, che donò questo nel 1921 (AGF, Arte 796). L'opera è attualmente nei Depositi degli Uffizi. E.S.	A sinistra in basso la scritta «D. Giulio Clovio miniatore». Databile nell'ultimo decennio della sua vita, quando sono documentati contatti con l'artista da parte del Vasari per conto di Francesco I granduca (Clovio aveva già lavorato per Cosimo I nel 1553). Il ritratto appartenne a Francesco ed è menzionato in un inventario di suoi beni l'anno dopo la morte (ASF, Guard. 136, c. 157v). Passato in proprietà del figlio Don Antonio (ASF, Guard. 373, c. 283d), entrò in guardaroba con la sua eredità; vi era nel 1628 (ASF, Guard. 435, c. 152d) ed è documentato agli Uffizi in Tribuna almeno dal 1635. La cornice originale, quadrata d'ebano con triangoli in pietra mischia, è stata sosostituita in questo secolo ed è visibile nelle vecchie fotografie. S.M.T.	Firmato in alto a sinistra: Al. Cluysenaar. La Direzione degli Uffizi richiese un autoritratto all'artista nel 1887, sollecitandolo nel 1895; in quello stesso anno il pittore inviò questo suo autoritratto (AGF, Arte 796). Il dipinto è attualmente nei Depositi degli Uffizi. E.S.	Firmato in basso a sinistra: M. Collart. La direzione degli Uffizi richiese all'artista un suo autoritratto nel 1887 e nel 1895; l'opera fu donata soltanto nel 1912 dal figlio della pittrice (AGF, Arte 796; Arte 990). L'artista sposò nel 1871 Edmond Henrotin; alcuni testi riportano Bruxelles come luogo di morte della Collart. Il dipinto è attualmente nei Depositi degli Uffizi. E.S.

	A237	A238	A239	A240
AUTORE	Collier, John (Londra 1850-1934).	Collignon, Giuseppe (Siena 1776 - Firenze 1862).	Colonna, Angelo Michele (Crevenna 1604 - Bologna 1687).	Commodi, Andrea (Firenze 1560-1638).
TITOLO	Autoritratto.	Autoritratto.	Autoritratto.	Autoritratto.
DATAZIONE	1907.	1810 ca. (Nuzzi 1972). 1800-1805 (Pinto).	1649 ca.	1580 ca.
DATI TECNICI	Olio su tela, 61x59.	Olio su tela, 73,5x57.	Olio su tela, 72x57,6, restauro 1976.	Olio su tela, 60x49,5, rintelato.
CORNICE	Intagliata, dorata, sec. XIX-XX.	D'epoca, dorata.	Salvadora dorata con cartiglio, sec. XVIII.	Salvadora dorata, sec. XVIII.
UBICAZIONI	Uffizi (1908).	Uffizi (1842).	Presso l'artista (1649); Uffizi (1682).	John Dodington, Venezia; Cosimo III de' Medici; Card. Leopoldo de' Medici (ante 1675); Uffizi (1682).
ATTRIBUZIONI	—	—	—	—
ESPOSIZIONI	Firenze e l'Inghilterra. Rapporti artistici e culturali dal XVI al XX secolo, Firenze 1971.	Cultura neoclassica e romantica nella Toscana granducale, Firenze 1972.	—	—
BIBLIOGRAFIA	Thieme-Becker, VI, 1912. *Cat., Firenze 1971, n. 76.*	*Cat., Firenze 1972.*	S. De Vito Battaglia in L'Arte XXXI, 1928. *Prinz, 1971.*	G. Briganti in Paragone 123, 1960. L. Moscone in Dizionario Bolaffi III, Torino 1972. *L. Berti in Commentari VII, 1956. Prinz, 1971.*
INVENTARIO	3389 (C.P., p. 100, n. 751).	2093. (C.P., p. 100, n. 784).	1628.	1677 (C.P., p. 100, n. 256).
FOTO	5749.	112519.	252716.	113041.
NOTE	Firmato e datato: John Collier/1907. L'artista, che fu anche scrittore di tecnica pittorica e vicepresidente della Società reale dei ritrattisti, donò il suo autoritratto alla Galleria degli Uffizi su invito della direzione. M.C.	Il ritratto, che non reca iscrizioni, sembra databile, dall'età dimostrata dal pittore e dall'abbigliamento, nei primissimi anni del secolo XIX. Il volume delle Vite di Plutarco su cui poggia il braccio allude al clima morale del neoclassicismo francese che il pittore assorbe a Roma negli anni di pensionato immediatamente dopo il 1798. Fu donato dall'artista nel 1842 (AGF, filza LXVI, 38) e risulta esposto ininterrottamente dalla guida degli Uffizi del 1844 a quella non datata del Pieraccini. È esposto nel Corridoio Vasariano dalla data della sua riapertura. S.P.	Alla richiesta del granduca Cosimo III de' Medici tramite il marchese Cospi (giugno 1681), l'artista rispose mandandogli, un mese dopo, un autoritratto di quando aveva 45 anni e lamentando di esser troppo vecchio per farne un altro. La tela entrò in galleria col primo gruppo di ritratti di pittori di Cosimo III, il 27 ottobre 1682 (ASF, Guard. 870, c. 158r); in questa collocazione è citata da Luigi Crespi nel suo supplemento alla 'Felsina pittrice' di C. C. Malvasia (Bologna 1769, p. 49). S.M.T.	Donato al cardinal Leopoldo de' Medici dal nipote Cosimo III, a cui l'aveva regalato il residente inglese a Venezia, John Dodington (Prinz, p. 40), entrò in galleria con tutti gli autoritratti del cardinale il 28 ottobre 1682 (ASF, Guard. 870, c. 160v). Un altro autoritratto, in età matura, a pastello, è citato dal Baldinucci in casa Buonarroti, dove sta tuttora. S.M.T.

	A241	A242	A243	A244
AUTORE	Conca, Sebastiano (Gaeta 1680 - Napoli 1764).	Constant, Jean-Joseph Benjamin, detto Benjamin Constant (Parigi 1854-1902).	Constantin, Abraham (Ginevra 1785-1855).	Contarini, Giovanni (Venezia 1549-1604 ca.).
TITOLO	Autoritratto.	Autoritratto.	Autoritratto.	Autoritratto.
DATAZIONE	1731.	Prima del 1902.	1824 ca.	1580 ca.
DATI TECNICI	Olio su tela, 73x57, restauro 1954.	Olio su tela, 65x54.	Smalto su porcellana ovale, 29x24.	Olio su tela, 71,5x57,2, rintelato.
CORNICE	Salvadora dorata, sec. XVIII.	Intaglia e dorata, sec. XIX-XX.	Dorata ovale, fine sec. XIX.	Salvadora dorata, sec. XVIII.
UBICAZIONI	Uffizi (1753).	Uffizi (1902).	Uffizi (1824).	Cosimo III de' Medici (1682); Uffizi (1682).
ATTRIBUZIONI	—	—	—	—
ESPOSIZIONI	La mostra della pittura napoletana dei sec. XVII-XVIII-XIX, Napoli 1938. Mostra del ritratto storico napoletano, Napoli 1954.	Pittura francese nelle collezioni pubbliche fiorentine, Firenze 1977.	Pittura francese nelle collezioni pubbliche fiorentine, Firenze 1977.	—
BIBLIOGRAFIA	G. C. Sestieri in Commentari XX, 1969. S. Susinno in L'Accademia Nazionale di San Luca, Roma 1974. *A. M. Clark in Apollo LXXXV, 1967.*	Thieme-Becker, VI, 1912. *Cat., Firenze 1977, n. 46.*	D. Plan, Abraham Constantin..., Génève 1930. *M. Röthlisberger in Genava n.s. IV, 1956. Cat., Firenze 1977, n. 219.*	*M. Gualandi, Nuova raccolta di lettere ... III, Bologna 1856. C. Donzelli, G. M. Pilo, I pittori veneti del Seicento, Firenze 1967. Prinz, 1971.*
INVENTARIO	2010 (C.P., p. 100, n. 554).	3243 (C.P., p. 100, n. 763).	1937.	1634 (C.P., p. 100, n. 428).
FOTO	98385.	196223.	109433.	249087.
NOTE	A tergo sulla tela 'Ritratto del cavalier Seba/stiano Conca pittore di / Gaeta scolare di Francesco detto Ciuccio (?) Solimena princi/pe dell'Accademia di S. Luca di / Roma fatto di sua mano l'anno / 1731'. Il quadro risale quindi all'epoca del viaggio toscano del Conca, che fra l'agosto 1731 e il giugno 1732 fu a Firenze, Siena, Pisa, Pistoia e Lucca; ma non dette corso alla richiesta di affrescare la biblioteca del granduca. Di questo autoritratto però non esiste documentazione anteriore all'inventario del 1753: è più probabile che non sia stato fatto per i Medici (che l'avrebbero molto probabilmente inviato subito in galleria facendolo registrare nei giornali della guardaroba, in cui invece non compare), ma sia entrato nei primi quindici anni della reggenza lorenese. S.M.T.	Siglato in basso a sinistra: B.C. La direzione degli Uffizi aveva chiesto, probabilmente già nel 1887, un autoritratto dell'artista, che lo inviò però soltanto nel 1902. M.C.	È uno dei sette autoritratti noti dall'artista, cinque dei quali (fra cui questo) derivanti da un ritratto a disegno acquarellato fatto dall'amico Ingres a Constantin nel 1821 durante il soggiorno di quest'ultimo a Firenze (1820-26) per copiare quadri celebri per conto della manifattura di Sèvres da cui dipendeva. Infatti l'autore si è ritratto mentre dipinge la 'Fornarina' di Sebastiano del Piombo. L'opera fu un dono richiesto dal granduca Ferdinando III di Lorena nel 1820 e consegnata alla galleria il 5 agosto 1824 (AGF, filza XLVIII a 19). S.M.T.	A tergo sulla tela è trascritto: 'Giovani / Contarini / Di' Ottuaio / Fabri'; questi era un collezionista veneziano proprietario di molti quadri del pittore. Il quadro fu procurato al granduca Cosimo III da Matteo del Teglia che lo spedì da Venezia il 4 aprile 1682: non piacque molto ma fu trattenuto perché la sua autenticità era provata da un'incisione. Al passaggio in galleria (27 ottobre 1682; cfr. ASF, Guard. 870, c. 158r) fu segnato come anonimo 'con crocellina rossa' (che infatti porta, e che è il cavalierato datogli da Rodolfo II), nell'inventario ebbe subito il suo vero nome. S.M.T.

	A245	A246	A247	A248
AUTORE	Conti, Cosimo (Firenze 1825-1893).	Conti, Francesco (Firenze 1681 - 1760).	Conti, Primo (Firenze 1900).	Conti, Primo (Firenze 1900).
TITOLO	Autoritratto.	Autoritratto.	Autoritratto.	Autoritratto.
DATAZIONE	1855-65 ca.	1710-20.	1931.	1943.
DATI TECNICI	Olio su tela, 43,5x32,5.	Olio su tela, 72x56, restauro in corso.	Olio su tela, 68,5x56,5.	Olio su tela, 40x31.
CORNICE	D'epoca, in legno intagliato e dorato.	Salvadora dorata, sec. XVIII.	Sagomata e dorata, con regolo interno in legno scuro.	Sagomata, dorata e decorata con un motivo di alloro (sec. XVIII).
UBICAZIONI	Eredi dell'artista; Uffizi (1896).	Coll. Puccini (1725); coll. Pazzi; Uffizi (1768).	Uffizi (1932).	Galleria d'Arte Moderna, Pitti (1946).
ATTRIBUZIONI	—	—	—	—
ESPOSIZIONI	—	—	—	—
BIBLIOGRAFIA	L. e F. Luciani, Dizionario dei pittori italiani dell'800, Firenze 1974.	Dizionario Bolaffi III, Torino 1972. *S. Meloni Trkulja in Paragone 345, 1978. G. Leoncini in Paragone 345, 1978.*	E. Crispolti, L. Pignotti, C. Vivaldi: Primo Conti, Firenze, 1971.	E. Crispolti, L. Pignotti, C. Vivaldi: Primo Conti, Firenze, 1971.
INVENTARIO	3446 (C.P., p. 101, n. 737).	1886 (C.P., p. 101 n. 493).	9187.	GAM Giornale 1000.
FOTO	321822.	112534.	113082.	171453.
NOTE	Il ritratto, che fu prima inventariato al n. 3245 poi dato ad altro dipinto, giunse poco dopo la morte dell'autore dagli eredi (nota inventariale). Il pittore è qui documentato proprio negli anni di più intensa e significativa attività (Caffè Michelangiolo e Concorsi Ricasoli del 1859 quando vinse con L'eccidio della famiglia Cignoli oggi nella Galleria d'arte moderna di Palazzo Pitti). Fu insegnante di disegno e prospettiva, esperto di restauro, studioso e pubblicista di storia dell'arte. Attualmente il quadro si trova nelle riserve. S.P.	Appartenuto al medico pistoiese Tommaso Puccini, la cui raccolta di autoritratti passò poi all'abate Antonio Pazzi che la vendette agli Uffizi intorno al 1768. Un autoritratto più tardo in ovale, con la stessa libertà di pennellata, nella collezione Max Rothschild a Londra, conferma con la sua somiglianza l'autenticità di questo. S.M.T.	Firmato e datato nell'angolo in basso a destra: 'P. Conti 1931-IX'. Donato dall'autore nel marzo 1932 (nota inventariale). L'opera si trova attualmente nei depositi degli Uffizi. Gr. Red. 1	Firmato e datato in alto a destra: "P. Conti 1943-XXI". Donato dall'autore il 22.2.1946 (nota inventariale). L'opera si trova attualmente nei depositi della Galleria d'Arte Moderna di Palazzo Pitti. Gr. Red. 1

	A249	A250	A251	A252
AUTORE	Conti, Tito (Firenze 1842-1924).	Conti, Tito (Firenze 1842-1924).	Coppi del Meglio, Jacopo (Firenze 1523-1591).	Corcos, Vittorio (Livorno 1859 - Firenze 1933).
TITOLO	Ritratto di Robert William Spranger.	Autoritratto.	Autoritratto.	Autoritratto.
DATAZIONE	1870 ca.	1892.	1556-60.	1913.
DATI TECNICI	Olio su tela, 45x43,5.	Olio su tela, 81x59.	Olio su tela, 34x27,5, rintelato.	Olio su tela, 55,5x48.
CORNICE	D'epoca, intagliata e dorata.	D'epoca, intagliata e dorata.	Salvadora dorata, sec. XVIII (?).	Intagliata e dorata, sec. XX.
UBICAZIONI	Coll. Spranger; Coll. Matthews (1978); Galleria d'Arte Moderna, Pitti (1979).	Eredi dell'artista; Galleria d'Arte Moderna, Pitti (1940).	Card. Leopoldo de' Medici (ante 1675); Uffizi (1682).	Uffizi (1913).
ATTRIBUZIONI	—	—	—	—
ESPOSIZIONI	—	—	—	Mostra dei Ritratti dell' '800, Portoferraio 1953. Mostra di Vittorio Corcos, Livorno 1965.
BIBLIOGRAFIA	Cat. Bolaffi della pittura italiana dell' '800, VI, Torino 1976.	Cat. Bolaffi della pittura italiana dell' '800, VI, Torino 1976.	*Prinz, 1971. V. Pace in Paragone 285, 1973.*	L. e F. Luciani, Dizionario dei pittori italiani dell' '800, Firenze 1974. *G. Targioni Tozzetti, in Liburni Civitas, 1929, p. 13.*
INVENTARIO	9508.	GAM Giornale 2497.	1752 (C.P., p. 101, n. 317).	3888.
FOTO	305916 (tergo: 305917).	183221.	105529.	315548.
NOTE	A tergo sulla tela a matita l'iscrizione: Robert William Spranger by Tito Conti / Aet. 24. Indicazioni supplementari di altra grafia sul cartoncino di controfondo: Portrait of / Robert William Spranger / by / Tito Conti / (afterwards Professor Tito Conti / of Florence) (written by Robert William Spranger). Una freccia indica l'iscrizione precedente. Il ritratto è uno studio non finito e parrebbe databile ai primi tempi del soggiorno fiorentino dello Spranger che comincia a esporre soggetti vedutistici alle promotrici fiorentine nell'ottavo decennio. Attualmente l'opera, acquistata all'esportazione, si trova presso la Galleria d'arte moderna di Palazzo Pitti. S.P.	Firmato e datato in alto a sinistra: Tito Conti / 1892. Legato di Maria Martini vedova Conti nel 1940 per la collezione dei ritratti dei pittori (nota inventariale). Il nome di Tito Conti, che pure ricorre nei cataloghi delle promotrici fiorentine dopo il 1860, nella documentazione Alinari di artisti moderni, e più tardi è accompagnato dal titolo di professore dell'Accademia fiorentina, non è ricordato negli archivi dell'Accademia stessa. Un'altra opera del Conti nelle collezioni fiorentine è il ritratto di Robert W. Spranger (inv. 1890, n. 9508). Il quadro si trova presso la Galleria d'arte moderna di Palazzo Pitti. S.P.	Già nella collezione del cardinal Leopoldo (n. 225) e con essa entrato in galleria il 28 ottobre 1682 (ASF, Guard. 870, c. 160v). Il Prinz suppone che fosse già prima in possesso dei Medici (forse di Ferdinando I) perché non ne è documentato l'acquisto da parte del cardinale. È la più antica opera nota dell'artista, se la si data secondo l'età che vi dimostra; si trova oggi nei depositi degli Uffizi. S.M.T.	Firmato e datato in basso a destra: V. Corcos/1913. Donato dall'artista nel 1913 (AGF Arte 796). Attualmente nei Depositi degli Uffizi. E.S.

	A253	A254	A255	A256
AUTORE	Corot, Jean-Baptiste-Camille (Parigi 1796-1875).	Correggio, Allegri Antonio, detto il (Correggio 1489-1534).	Corvi, Domenico (Viterbo 1721 - Roma 1803).	Costetti, Giovanni (Reggio Emilia 1874 - Firenze 1949).
TITOLO	Autoritratto.	Presunto autoritratto.	Autoritratto.	Autoritratto.
DATAZIONE	1835 ca.	1532.	1785 ca.	1941.
DATI TECNICI	Olio su tela, 34x25.	Olio su tela, 62,5x50, restauro 1972.	Olio su tela 134,5x98,5, restauro 1976.	Olio su cartone, 77x65.
CORNICE	Intagliata e dorata, sec. XIX.	Salvadora dorata, sec. XVIII, riadattata.	Salvadora dorata, fine sec. XVIII.	Ottocentesca intagliata e dipinta in verde scuro e oro.
UBICAZIONI	Eredi dell'artista; Uffizi (1875).	Uffizi (1927).	Uffizi (1786).	Galleria d'Arte Moderna, Pitti (1944-1950 ca.).
ATTRIBUZIONI	—	—	—	—
ESPOSIZIONI	Mostra della pittura francese a Firenze, 1945. Tableaux français en Italie, Roma 1946. Le divin Corot, Parigi 1951. Capolavori dell'Ottocento francese, Roma 1955. Corot, Berna 1960. L'Italia vista dai pittori francesi del XVIII e XIX secolo, Roma 1961. Figures de Corot, Parigi 1962. Corot, Roma 1975-76. Pittura francese nelle collezioni pubbliche fiorentine, Firenze 1977.	—	—	—
BIBLIOGRAFIA	*A. Robaut: L'oeuvre de Corot, Paris 1905, n. 370. Cat., Firenze 1945, n. 90. Cat. Roma 1946, n. 98. Cat., Parigi 1951, n. 7. Cat., Roma 1955, n. 13. Cat. Berna 1960, n. 26. Cat., Roma 1961, n. 91. Cat., Parigi 1962, n. 14. G. Bazin: Corot, Paris 1973. Cat., Roma 1975-76, n. 23. Cat., Firenze 1977, n. 27.*	A. Bevilacqua, A. C. Quintavalle, L'opera completa del Correggio, Milano 1970.	I. Faldi, Pittori viterbesi di cinque secoli, Roma 1970. *A. M. Clark in Apollo LXXVIII, 1963.*	Giovanni Costetti 1874-1949 Grafica, Cat. Reggio Emilia 1976.
INVENTARIO	2063 (C.P., p. 101, n. 682).	8638.	2086 (C.P., p. 101, n. 690).	GAM Giornale 1262.
FOTO	108072.	194992.	228373 (tergo: 206461).	183258.
NOTE	La direzione degli Uffizi chiese a Corot un suo autoritratto nel 1872, ma esso fu donato dalla famiglia del pittore solo dopo la sua morte. È uno dei due soli autoritratti conosciuti dell'artista e fu eseguito intorno al 1835, dopo il rientro in patria dal secondo soggiorno italiano. M.C.	Datato in alto a destra MDXXXII. Acquistato dal Ministero della Pubblica Istruzione dal signor Pasquale Piancastelli di Bologna per 15000 lire nel 1927 (AGF, Arte 796) e assegnato alla galleria degli Uffizi. Non risulta mai illustrato né considerato come possibile effige o mano del pittore, di cui non si conosce in modo certo la fisionomia: la critica non sembra aver preso atto dell'esistenza di questa tela. S.M.T.	Segnato 'D. Corvi' in calce al primo dei fogli sul mobile alla destra dell'artista. Entrò in galleria il 20 marzo 1786 (AGF, ms. 114, c. 8v); nel maggio, l'artista si lamentò di essere stato posto fra due finestre in cattiva luce, oltre che di non aver avuto nessun segno di gratitudine, ma il direttore Pelli replicò che i viventi non si pagavano e dovevano sentirsi onorati, e che date le dimensioni del quadro il posto era l'unico possibile ed era proprio di fronte all'ingresso. L'artista ricevette comunque la medaglia d'oro del granduca del valore di 25 zecchini (AGF, filza XIX a 8 e 15; filza XXI a 5). Si noti nel fondo la Venere dei Medici. Una variante autografa a mezzo busto è presso l'Accademia di San Luca in Roma. S.M.T.	Firmato e datato in basso a sinistra: A Mai / 30-IV-1941 / G. Costetti. Dipinto in Olanda dove il pittore soggiorna ininterrotamente dal 1940 al 1948, il ritratto, che è dedicato alla moglie dell'artista, testimonia suggestioni da van Gogh. Attualmente nelle riserve della Galleria d'arte moderna che conserva anche l'autoritratto del 1948 (v. inv. GAM Giornale n. 2833) e un interno di studio col proprio ritratto assieme a un allievo (Domenico Candia). S.P.

	A257	A258	A259	A260
AUTORE	Costetti, Giovanni (Reggio Emilia 1874 - Firenze 1949).	Costoli, Aristodemo (Firenze 1803-71).	Costoli, Aristodemo (Firenze 1803-71).	Cosway, Richard (Tiverton 1742 Londra 1821).
TITOLO	Autoritratto.	Autoritratto.	Autoritratto.	Autoritratto.
DATAZIONE	1948 ca.	1828 ca.	1833-38 ca.	1806-12.
DATI TECNICI	Olio su cartone, 66,5x42,5.	Olio su tela, 62x50.	Olio su tela, 45x36, restauro 1972.	Carboncino e acquerelli su carta, 25,7x21,5.
CORNICE	D'epoca, in legno laccato grigio.	D'epoca, sguanciata e dorata.	D'epoca, sagomata e dorata.	Intagliata, dorata, sec. XIX.
UBICAZIONI	Eredi dell'artista; Galleria d'Arte Moderna, Pitti (1974).	Pitti (1828); Palazzo della Crocetta (1855 ca.); Accademia (1867); Uffizi (1920 ca.); Galleria d'Arte Moderna, Pitti (1976).	Uffizi (1860); Galleria d'Arte Moderna, Pitti (1972).	Uffizi (1824).
ATTRIBUZIONI	—	—	—	—
ESPOSIZIONI	Retrospettiva, Firenze 1950. Idem, Reggio Emilia 1950-51. Mezzo secolo d'arte toscana 1901-1950, Firenze 1952.	Mostra del ritratto italiano dell'Ottocento, Portoferraio 1953 (senza catalogo). Cultura neoclassica e romantica nella Toscana granducale, Firenze 1972.	Cultura neoclassica e romantica nella Toscana granducale, Firenze 1972.	Firenze e l'Inghilterra. Rapporti artistici e culturali dal XVI al XX secolo, Firenze 1971.
BIBLIOGRAFIA	Giovanni Costetti 1874-1949 Grafica, Cat. mostra Reggio Emilia 1976. *Cat. mostre, Firenze 1950 e Reggio Emilia 1950-51, Cat. mostra, Firenze 1952.*	—	*Cat. Firenze 1972, p. 148,* 193-194.	E. K. Waterhouse: Painting in Britain 1530-1790, Harmondsworth 1953. G. C. Williamson: Richard Cosway, London 1905. *Cat., Firenze 1971, n. 52.*
INVENTARIO	GAM Giornale 2833.	8400.	1968 (C P., p. 101, n. 528).	3257 (C.P., p. 101, n. 782).
FOTO	283220.	204151.	194211.	109453.
NOTE	In alto a sinistra reca l'iscrizione probabilmente non autografa ma della vedova Mai Sewell: G. Costetti - Auto. È l'ultimo autoritratto dell'artista, del quale sono noti diversi altri ritratti di propria mano (1915, coll. Barsotti; 1921 esposto alla Biennale romana, 1922 esposto alla Biennale veneziana; 1926 esposto nel 1972 alla retrospettiva della Galleria Stellaria di Firenze; 1945, detto anche Fame e Freddo, esposto alla medesima retrospettiva, nonché i due nelle collezioni pubbliche fiorentine: quello assieme all'allievo Candia della Galleria d'arte moderna di Palazzo Pitti e quello del 1941 della collezione dei ritratti dei pittori). Il dipinto, giunto per legato di Mai Sewell Costetti (v. Donazioni e legati 1974, Giornale della mostra, Firenze 1974), è attualmente nelle riserve della Galleria d'arte moderna di Palazzo Pitti. S.P.	Nel catalogo sopracitato la storia di questo autoritratto giovanile del Costoli è stata attribuita per errore all'altro autoritratto dello scultore pervenuto agli Uffizi nel 1860 (inv. 1890, n. 1968). Questo invece pervenne molto tempo prima al Granduca, che finanziava gli studi del Costoli, ed è documentato dal primo catalogo della Galleria Palatina pubblicato nel 1828. Segue la collezione moderna prima alla Crocetta, poi all'Accademia. Dopo la prima guerra mondiale, quando le opere moderne dell'Accademia vengono smistate, il ritratto è aggregato alle collezioni degli Uffizi. Dal 1976 è esposto accanto all'altro ritratto del Costoli nella Galleria d'arte moderna di Palazzo Pitti. S.P.	Pervenuto in dono nel 1860 (AGF, filza LXXXIV del 1860, n. 61) e iscritto nella continuazione dell'inventario 1825 al n. 2938. Restaurato dopo l'alluvione (n. 556) ed esposto nella mostra del riordinamento delle collezioni lorenesi della Galleria moderna di Palazzo Pitti, al quadro veniva attribuita per errore la storia dell'altro autoritratto del Costoli, documentato a Palazzo Pitti sin dal 1828 (v. inv. 1890, n. 8400). Attualmente esposto nella Galleria d'arte moderna. S.P.	Sul verso due scritte, una in inglese, l'altra in italiano, col nome dell'autore e le cariche da lui ricoperte: le date proposte per l'autoritratto dalle due scritte contrastano, poiché quella inglese dà il 1812, mentre quella italiana il 1806. Il cat., Firenze 1971 preferisce quest'ultima. Il dipinto fu donato dalla moglie dell'artista, Maria Hadfield, alla Galleria degli Uffizi nel 1824. M.C.

	A261	A262	A263	A264
AUTORE	Couder, Louis - Charles - Auguste (Londra 1789 - Parigi 1873).	Counis, Elisa (Firenze 1812-47).	Counis, Salomon-Guillaume (Ginevra 1785 - Firenze 1859).	Counis, Salomon-Guillaume (Ginevra 1785 - Firenze 1859).
TITOLO	Autoritratto.	Autoritratto.	Autoritratto.	Autoritratto.
DATAZIONE	1870.	1839.	1810.	1830 ca. (Naef 1935), 1828 (Röthlisberger 1956).
DATI TECNICI	Olio su tela (ovale), 54,5x44,5.	Olio su tela, 66,5x56.	Smalto su rame ovale, 5,2x4,1.	Olio su tela, 66,8x55.
CORNICE	Intaglia e dorata, sec. XIX.	D'epoca, sgusciata e dorata.	Quadrata d'ebano, probabilmente originale, metà sec. XIX.	D'epoca, sgusciata dorata con cartellino superiore intagliato.
UBICAZIONI	Uffizi (1870).	Uffizi (1848).	Presso l'artista (1810); Uffizi (1848).	Uffizi (1848); Galleria d'Arte Moderna, Pitti (1979).
ATTRIBUZIONI	—	—	—	—
ESPOSIZIONI	Pittura francese nelle collezioni pubbliche fiorentine, Firenze 1977.	—	Pittura francese nelle collezioni pubbliche fiorentine, Firenze 1977.	—
BIBLIOGRAFIA	Thieme-Becker, VII, 1912. *Cat., Firenze 1977, n. 34.*	*B. Viallet, Roma s.d. (1923). E. Naef, Salomon-Guillaume Counis, Lausanne 1935. Prinz 1971.*	E. Naef, Salomon-Guillaume Counis, Lausanne 1934. M. Röthlisberger in Genava n.s. IV. 1956. Cat., Firenze 1977, n. 216.	*E. Naef, Salomon-Guillaume Counis, Lausanne 1935. M. Röthlisberger, Les autoportraits suisses à Florence, in Genava 1956. Prinz 1971.*
INVENTARIO	2003 (C.P., p. 101, n. 630).	2096 (C.P., p. 101, n. 698).	845.	2111 (C.P., p. 101, n. 643).
FOTO	112520.	321821.	70845.	—
NOTE	Iscrizione: L.C. Aug. Couder / Pictor Gallus / Aetatis SUAE LXXXI / SEIPS. PINGEBAT / ANNO DOM. MDCCCLXX. L'autoritratto fu richiesto dalla direzione della Galleria nel 1869 e inviato dell'artista l'anno seguente. M.C.	Firmato e datato di traverso sul cavalletto: Elisa Counis / 1839. Donato dal padre (AGF, filza LXXII, 1848, 29) pittore in smalto ginevrino dopo la morte prematura della figlia da poco (1844) sposata a François-Louis Le Comte. Questa era nata a Firenze all'epoca del trasferimento del padre alla corte di Elisa Baciocchi, e della sovrana aveva preso il nome. Il cammeo appuntato al centro della scollatura sembra anch'esso un ricordo di Elisa Baciocchi. Il quadro si trova attualmente nei depositi. S.P.	A tergo la scritta «Counis Peint par lui même en email = 1810». Eseguito a Parigi nell'anno in cui l'artista fu chiamato a Firenze come pittore di corte della granduchessa, fu donato dall'autore agli Uffizi nel 1848 (alla morte dell'unica figlia Elisa) insieme a tre suoi smalti, all'autoritratto a olio su tela e all'autoritratto della figlia. S.M.T.	Fu donato dall'artista assieme all'autoritratto della figlia, scomparsa a ventisette anni l'anno prima (AGF, filza LXXII del 1848, 29). Il Counis, specializzato nella pittura in smalto, ha eseguito soltanto quattro pitture a olio, una delle quali è questo ritratto dove si è raffigurato nell'atto di mostrare uno dei suoi smalti più famosi, oggi al Museo di Ginevra, Lo spasimo, da Raffaello. Di lui gli Uffizi conservano altri smalti fra i quali un autoritratto giovanile e la celebre Belle Grècque. Il pittore era venuto a Firenze alla corte di Elisa Baciocchi; si era trasferito a Parigi con la Restaurazione, tornando definitivamente a Firenze nel 1830. Il Röthlisberger dice l'autoritratto eseguito a Parigi nel 1828 senza motivare tale affermazione. Il quadro si trova oggi a Pitti. S.P.

	A265	A266	A267	A268
AUTORE	Coypel, Antoine (Parigi 1661-1722).	Cranach, Lukas, il giovane (Wittenberg 1515 - Weimar 1586).	Crane, Walter (Liverpool 1845 - Londra 1915).	Crescimbeni, Angelo Giuseppe (Bologna 1734-1781).
TITOLO	Autoritratto.	Ritratto di Lukas Cranach il vecchio.	Autoritratto.	Autoritratto.
DATAZIONE	1710 ca. (Rosenberg 1977).	1550.	1912.	1775.
DATI TECNICI	Olio su tela, 80x64.	Olio su tavola, 64x49.	Olio su tela, 91x68,5.	Olio su tela, 55x40.
CORNICE	Nera e oro, intagliata, sec. XVII.	Ottocentesca in nero e oro.	Intagliata, dorata, sec. XX.	Salvadora dorata, sec. XIX.
UBICAZIONI	Uffizi (1711).	Augusto il Forte Elettore di Sassonia; Granduca Cosimo III de' Medici; Uffizi (ante 1753).	Uffizi (1912).	Casa Crescimbeni, Bologna; Uffizi (1917).
ATTRIBUZIONI	—	Lukas Cranach il Vecchio (Friedländer-Rosenberg 1932, Thöne 1965, Benesch 1966).	—	—
ESPOSIZIONI	Mostra della pittura francese a Firenze, Firenze 1945. Pittura francese nelle collezioni pubbliche fiorentine, Firenze 1977.	Grosse Deutsche in Bildnissen ihrer Zeit, Berlino 1936. Cranach-Ausstellung, Berlino 1937.	Firenze e l'Inghilterra. Rapporti artistici e culturali dal XVI al XX secolo, Firenze 1971.	—
BIBLIOGRAFIA	L. Dimier, Les peintres français du XVIIIe siècle, Paris 1928. *Cat., Firenze 1977, n. 9.*	D. Koepplin-T. Falk, L.C., Basel & Stuttgart 1974-76. E. Ruhmer, C., London 1963 (in ital. Firenze 1964). H. Ladendorf, in "L.C.d.Ä. Der Künstler und seine Zeit, Berlin 1953. *H. Zimmermann, in "Zeitschrift f. Kunstwiss." I, 1947. M. Friedländer-J. Rosenberg, Die Gemälde von L.C., Berlin 1932, n. 342.*	Thieme-Becker, VIII, 1913. T.S.R. Boase: English Art, 1800-1870, Oxford 1959. J. Maas: Victorian Painters, London 1978 (2 ed.). *Cat., Firenze 1971, n. 77.*	R. Roli, Pittura bolognese 1650-1800, Bologna 1977.
INVENTARIO	1861 (C.P., p. 101, n. 542).	1631.	3758 (C.P., p. 101, n. 3757).	5500.
FOTO	182894.	—	175032.	112379.
NOTE	A tergo sulla cornice, iscrizione: Monsieur Coypel, francese. Sulla tela: Coepel. Il dipinto fu inviato da Pitti agli Uffizi da Cosimo III il 28 gennaio 1711 (ASF, Guard. 1172, c. 104 rx). Incisioni: Museo Fiorentino, IV, 1762, p. 165, tav. XXX. Il Rosenberg (Cat., Firenze 1977) lo data basandosi sull'età dell'artista, prima del più noto Autoritratto a Versailles (1715 ca.) e del ritratto fattogli da Allou (Versailles) databile al 1711. Tale datazione è confermata dalla data di arrivo del quadro agli Uffizi. M.C.	Reca, poco sopra la spalla sinistra, la sigla del serpente con ali abbassate, comune ai Cranach padre e figlio, e, in alto a destra, la scritta AETATIS SVAE LXXVII. 1550. Benché il dipinto sia entrato in Galleria come autoritratto di Lukas Cranach il Vecchio, pare ormai indubbio, per ragioni stilistiche, che si tratti di un ritratto del padre eseguito da Cranach il Giovane. Dono di Augusto il Forte Elettore di Sassonia al Granduca Cosimo III. Prima del 1753 si trovava agli Uffizi, nella sala degli autoritratti. Gr. Red. 1	Siglato e datato: WC 12. L'artista fu uno dei capi del movimento Arts and Crafts e ricoperse varie cariche in associazioni e istituti d'arte. Scrisse anche numerosi libri di tecnica artistica. Inviò questo autoritratto su invito della direzione della Galleria degli Uffizi. M.C.	Sul telaio scritta antica a penna '1775 Angelo Crescimbeni fece'. Il quadro fu segnalato alle Gallerie fiorentine dalla direzione della Pinacoteca di Bologna, a cui era stato offerto da E. Crescimbeni, probabile discendente del pittore. Poiché a Bologna vi erano altri ritratti del Crescimbeni (uno, che conforta l'autenticità di questo, è all'Accademia di Belle Arti, cfr. Roli, fig. 335a), esso fu acquistato dagli Uffizi per 300 lire (AGF, Arte 796). S.M.T.

	A269	A270	A271	A272
AUTORE	Crespi, Daniele (Milano 1590/1600-1630).	Crespi, Giuseppe Maria (Bologna 1665-1747).	Crespi, Giuseppe Maria (Bologna 1665-1747).	Crespi, Luigi (Bologna 1708-1779).
TITOLO	Autoritratto.	Autoritratto.	Autoritratto.	Autoritratto.
DATAZIONE	1627.		1708.	Secondo quarto sec. XVIII.
DATI TECNICI	Olio su tavola, 44,5x33,5, con due sverze per traverse.		Olio su tela, 72x57.	Olio su tela, 96x76.
CORNICE	Salvadora dorata sec. XVII.		Dorata a gola.	Salvadora dorata sec. XVIII.
UBICAZIONI	Cosimo III de' Medici; Uffizi (1693).		Pitti (1708); Uffizi (1753).	Marcello Vieri; Uffizi (1769); Poggio Imperiale (1845); Pitti.
ATTRIBUZIONI	—		—	—
ESPOSIZIONI	—		Mostra celebrativa di Giuseppe Maria Crespi, Bologna 1948. Artisti alla corte granducale, Firenze 1969.	—
BIBLIOGRAFIA	G. Nicodemi, Daniele Crespi, Milano 1930. D. Sparrow in Arte lombarda XIII, 1968.		M. Chiarini, in cat. Firenze 1969, n. 135.	Prinz, 1971. R. Roli, Pittura bolognese 1650-1800, Bologna 1977.
INVENTARIO	1844 (C.P., p. 101, n. 419).		1818.	Imperiale rosso n. 384.
FOTO	196062.		228181.	157938.
NOTE	A tergo: 'Ritratto di Daniele Crespi Pittore Milanese formato dal suo pennello l'anno 1627' e altra scritta simile senza data. Mandato in galleria da Cosimo III de' Medici insieme all'autoritratto di Francesco del Cairo il 9 maggio 1693 (ASF, Guard. 969, c. 78r). Lineamenti e posa hanno una notevole somiglianza con l'autoritratto del Cerano nella coll. Testori, e infatti i due pittori erano parenti. S.M.T.	Vedi Pinacoteca: Crespi Giuseppe Maria. La famiglia del pittore.	Il quadro fu spedito da Bologna nel 1708 con lettera d'accompagno del pittore al principe Ferdinando de' Medici (Haskell 1963). L'ovale che il personaggio del dipinto, ossia il Crespi stesso, tiene in mano, è certamente l'effige del principe. E.B.	Entrato in galleria il 1° novembre 1769 (AGF, ms. 98, vol. II c. 704r), è un ritratto 'che egli fece da giovane quando era in Firenze » e che fu venduto al granduca Pietro Leopoldo di Lorena da Marcello Vieri, ma non esposto 'per esserne di una grandezza sproporzionata » (AGF, filza V a 7). Nel 1772 l'autore ne offrì un altro, che fu rifiutato (Prinz, 1971) ed è oggi nelle Gallerie di Bologna; un terzo, del 1775, è all'Accademia di Venezia. S.M.T.

	A273	A274	A275	A276
AUTORE	Crivelli, Renzo (Sarsina 1911).	Csók, István (Pusztaegres, oggi Sáregres 1865 - Budapest 1961).	Curradi, Francesco (Firenze 1570 ca. - 1661).	Curradi, Francesco (Firenze 1570 ca. - 1661).
TITOLO	Autoritratto.	Autoritratto.	Autoritratto.	Autoritratto.
DATAZIONE	1941.	1912.	1650-55.	Metà sec. XVII.
DATI TECNICI	Olio su tavola, 60,5x49.	Olio su tela, 76,5x62,5.	Olio su tela, 68,5x53,7, rintielato.	Olio su tela, 74,5x58,5.
CORNICE	Dipinta in nero e oro (sec. XVIII).	Sagomata e dorata con decorazioni in pastiglia, sec. XX.	Salvadora dorata, sec. XVIII.	Salvadora dorata con cartiglio, sec. XVIII.
UBICAZIONI	Galleria d'Arte Moderna, Pitti (1943).	Uffizi (1912).	Avvocato Coltellini; Cosimo III de' Medici; Uffizi (1688).	Coll. Pazzi; Uffizi (1768); Guardaroba (1790); Pitti; Uffizi (1979).
ATTRIBUZIONI	—	—	—	—
ESPOSIZIONI	—	—	—	—
BIBLIOGRAFIA	Comanducci, II, Milano 1971.	Csók István, Emlékkiállítása. Budapest 1965; Müvészeti Lexikon, I, Budapest 1965; *V. Pica, in Emporium, ottobre 1914, p. 234.*	C. McCorquodale, Painting in Florence 1600-1700, London 1979.	*S. Meloni Trkulja in Paragone 343, 1978.*
INVENTARIO	GAM Giornale 867.	3790.	1720 (C.P., p. 101, n. 301).	3361.
FOTO	171432.	72266.	113045.	178532.
NOTE	Firmato e datato in basso a destra: "R. Crivelli 1941". Acquistato dall'autore nel giugno 1943 (nota inventariale). L'opera si trova attualmente nei depositi della Galleria d'Arte Moderna di Palazzo Pitti. Gr. Red. 1	Firmato e datato in basso a sinistra: Csók I.BP 1912. La Direzione degli Uffizi richiese un autoritratto all'artista nel 1912, che donò questo in quello stesso anno (AGF, Arte 796). Un altro autoritratto del pittore (1903) è nella Galleria Nazionale di Budapest. L'opera è attualmente collocata nei Depositi degli Uffizi. E.S.	A tergo scritta antica 'Cav:ᵉ Fran:° Curradi'. Il quadro fu un dono dell' 'avvocato Cultellini' (probabilmente l'auditore Agostino Coltellini) a Cosimo III de' Medici, in cambio di una copia fatta a cura e spese della guardaroba granducale: entrò in galleria il 9 febbraio 1688 (ASF, Guard. 904, c. 129v). L'autore vi si raffigura con la croce di cavaliere avuta da papa Urbano VIII intorno al 1633. Una copia in controparte (inv. 1890 n. 3361) entrò in galleria ottant'anni dopo con la collezione Pazzi e dalla scritta dietro appare databile verso il 1655. S.M.T.	A tergo sulla tela: 'Ritratto del Cavaliere Currado Pictore dipinto di sua propria mano nell'ultima sua età di anni 84'. Si tratta di una mediocre copia in controparte dell'autoritratto inv. 1890 n. 1720 la cui autografia, nonostante la scritta, si può dubitare. La tela entrò in galleria con la collezione dell'abate Antonio Pazzi, ma finì presto in magazzino (AGF, filza XXIII a 28) come 'Duplicato', secondo la scritta antica sul telaio. S.M.T.

	A277	A278	A279	A280
AUTORE	Dagnan-Bouveret, Pascal-Adolphe-Jean (Parigi 1852 - Quincey (Haute-Saône) 1929).	Dall'Oca Bianca, Angelo (Verona 1858-1942).	Damer, Anne Seymour (Sundridge 1748 - Londra 1828).	Damon Ortolani, Giovanni Battista (Roma 1750 ca. - post 1789).
TITOLO	Autoritratto.	Autoritratto.	Autoritratto.	Autoritratto.
DATAZIONE	1917.	1937.	1778.	1789.
DATI TECNICI	Olio su tela, 53,5x38,5.	Olio su tela, 68x47.	Marmo bianco, alt. 60.	Olio su tela, 105x79,5.
CORNICE	Sagomata, in legno naturale con regolo interno dorato, sec. XX.	—	—	Piatta dorata, fine sec. XVIII.
UBICAZIONI	Coll. Hubert; Uffizi (1958).	Galleria d'Arte Moderna, Pitti (1947).	Uffizi (dall'origine).	Uffizi (1789).
ATTRIBUZIONI	—	—	—	—
ESPOSIZIONI	Société des Artistes français. Salon de 1924, Parigi 1924.	—	Firenze e l'Inghilterra. Rapporti artistici e culturali dal sec. XVI al sec. XX, Firenze 1971.	—
BIBLIOGRAFIA	Thieme-Becker, VIII, 1913. Cat. Équivoques, Parigi 1973. Cat. Autour de Lévy-Dhurmer, Parigi 1973.	Catalogo Bolaffi della Pittura Italiana dell'Ottocento n. 6, Torino, 1976.	P. Noble, Anne Seymour Damer, Londra 1908. *M. Webster, in Cat., Firenze 1971, n. 53.*	—
INVENTARIO	9397.	GAM Giornale 1079.	1914 n. 562.	1764 (C.P., p. 107, n. 343).
FOTO	315561.	186457.	174713/4.	112424.
NOTE	Firmato e datato in alto a destra: P.A.J. Dagnan Bouveret / 1917. Dietro, sul telaio, timbro relativo al Salon del 1924. La tela è abbondantemente rigirata sul telaio ed è protetta, sul retro, da una tela più leggera. Sulla cornice, sul davanti, cartellino con il n. 535 e altro cartellino con le iniziali H.C. La direzione degli Uffizi richiese all'artista un autoritratto nel 1895, sollecitandolo nel 1903; questo dipinto fu donato da un discendente del pittore, il signor Jacques Hubert, nel 1958 (AGF, Arte 335; Acquisti e Doni, 1958, I, 16). L'opera è attualmente nei Depositi degli Uffizi. E.S.	Firmato in basso a destra: "A. Dall'Oca B. 1937". Donato dall'autore nel 1947 (nota inventariale). L'opera si trova attualmente nei depositi della Galleria d'Arte Moderna di Palazzo Pitti. Gr. Red. 1	Sulla base una scritta in caratteri greci: ANNA. ΣΕΙΜΟΡΙΣ. / ΔΑΜΕΡ. / Η. ΕΚ. ΤΗΣ. ΒΡΕΤΤΑΝΙΚΗΣ. / ΑΥΤ Η. ΑΥΤΗΝ. ΕΠΟΙΕΙ. Sul nastro dietro la testo: ANNA Σ. Δ. Incoraggiata dall'amico H. Walpole, Anne Seymour Damer (nata Cosway) si dedicò alla scultura dopo la morte del marito John Damer, lord Milton (1776). È autrice di statue e busti di gusto neoclassico. Questo ritratto fu donato da lei stessa alla Galleria nel 1778 e collocato nella Sala dei pittori antichi e moderni. C.C.	A tergo: 'Gio Batta Ortolani Damon Romano / fece in Firenze nel 1789', in corsivo. Il quadro entrò in galleria il 9 dicembre (AGF, ms. 114, c. 24v) offerto dall'artista, e fu ricompensato con la medaglia d'oro col motto Merentibus divisata dal granduca Pietro Leopoldo di Lorena a questo scopo, di cui l'artista rilasciò ricevuta il 4 dicembre (AGF, filza XXII a 35). Dell'Ortolani, che nel 1787 era divenuto membro dell'Accademia fiorentina, sono note solo altre due opere. S.M.T.

	A281	A282	A283	A284
AUTORE	Dandini, Pietro (Firenze 1646-1712).	David, Jacques-Louis (Parigi 1748-Bruxelles 1825).	David (o Isaia) tedesco ebreo (op. Firenze, secc. XVII-XVIII).	De Angelis, Domenico (Ponzano romano 1720 ca. - post 1803).
TITOLO	Autoritratto.	Autoritratto.	Autoritratto.	Autoritratto.
DATAZIONE	Fine sec. XVII.	1791.	Primo quarto sec. XVIII.	1789 ca.?
DATI TECNICI	Olio su tela, 72x58.	Olio su tela, 64x53.	Olio su tela, 73x57,5.	Olio su tela, 127x96,8, restauro 1974.
CORNICE	Salvadora dorata con cartiglio, sec. XVIII.	Intagliata e dorata, sec. XIX.	Liscia gialla, sec. XIX.	Salvadora dorata, fine sec. XVIII. Uffizi (1789).
UBICAZIONI	Cosimo III de' Medici; Uffizi (1718).	Coll. Gérard, Parigi (1809); Coll. Delafontaine, Parigi (1837); Coll. David, Parigi (1861); Uffizi (1893).	Coll. Puccini (1725); coll. Pazzi; Uffizi (1768); Guardaroba (1772); Pitti; Uffizi (1979).	—
ATTRIBUZIONI	—	—	Mattia Preti (didascalia foto Brogi).	—
ESPOSIZIONI	—	Salon, Parigi 1846. Mostra della pittura francese a Firenze, Firenze 1945. Tableaux français en Italie, Roma 1946. France in the Eigheenth C., Londra 1968. The Age of Neoclassicism, Londra 1972. Pittura francese nelle collezioni pubbliche fiorentine, Firenze 1977.	—	—
BIBLIOGRAFIA	M. Gregori, in Cat. 70 pitture e sculture del '600 e '700 fiorentino, Firenze 1965.	L. Hautecoeur: Louis David, Paris 1954. *Cat., Firenze 1945, n. 74. Cat., Roma 1946, n. 82. Cat., Londra 1968, n. 180. Cat., Londra 1972, n. 65. Cat., Firenze 1977, n. 22.*	*S. Meloni Trkulja in Paragone 343, 1978. G. Leoncini in Paragone 345, 1978.*	S. Papaldo in Dizionario enciclopedico Bolaffi dei pittori e incisori italiani I, Torino 1972.
INVENTARIO	1727 (C.P., p. 210, n. 308).	3090 (C.P., p. 101, n. 713).	2783.	2068 (C.P., p. 101, n. 342).
FOTO	5752.	171367.	296681.	206460.
NOTE	A tergo sulla tela i numeri dei due primi inventari in cui il quadro figuri: del 1753 (n. 3178) e del 1769 (n. 3286). Esso fu mandato in galleria da Cosimo III de' Medici il 4 gennaio 1718 (ASF, Guard. 1260, c. 5r): è ben documentato il fatto (anche dalla biografia che dedicò all'artista F. S. Baldinucci) ma non la data di esecuzione della tela, in cui il pittore sembra dimostrare una cinquantina d'anni scarsa. S.M.T.	Iscrizione a tergo: L. David Ft 1791, e lunga scritta che attesta il passaggio dell'opera prima nelle mani di F. Gérard, allievo del David, nel 1809, quindi, alla vendita Gérard nel 1837, in quelle del Delafontaine (pure allievo di David, nel 1809, quindi, alla venlezione di quest'ultimo (1861), pervenuto al nipote di David, Louis-Jules che lo acquistò per 1500 franchi. Alla morte della vedova di quest'ultimo, nel 1893, il dipinto pervenne agli Uffizi. Ma il direttore della Galleria, conte degli Alessandri, aveva tentato sin dal 1820, però senza esito, di ottenere l'autoritratto dell'artista. Ne esistono diverse copie e imitazioni (Cat., Firenze 1977, p. 56). M.C.	Di questo pittore 'tedesco ebreo' non è sicuro neppure il nome, se David (come nelle liste delle collezioni Puccini e Pazzi a cui appartenne nel '700) o Isaia (secondo una scritta antica sul telaio). Il Puccini precisa che fu allievo di Jona Astilio ebreo, pittore attivo per il Gran Principe Ferdinando ma oggi non documentabile. S.M.T.	Inviato dall'artista, 'Accademico, e Directore del Studio dei Mosaici di Sua Santità' con lettera autografa del 10 luglio 1789 (AGF, filza XXII a 28), entrò in galleria il 28 agosto (la cornice il 5 settembre, cfr. AGF, ms. 114, c. 24r), ma non fu ricompensato con la medaglia d'oro fatta coniare dal granduca per simili doni. Il pittore comunque ringraziò dell'onore il 14 agosto. Un autoritratto più modesto e giovanile (1750 ca.) è all'Accademia di San Luca a Roma, che accolse l'artista nel 1774. S.M.T.

	A285	A286	A287	A288
AUTORE	De' Conti, Bernardino (Pavia 1450 - ? 1525 ca.).	De Divitiis, Emilia (Roma 1893 - 1979).	Delacroix, Eugène (Charenton-Saint-Maurice 1798 - Parigi 1863).	Del Cairo, Francesco (S. Stefano in Brivio 1607 - Milano 1665-6).
TITOLO	Ritratto virile.	Autoritratto.	Autoritratto.	Autoritratto.
DATAZIONE	—	1924.	1840 ca. (Joubin 1939), 1860 ca. (Robaut 1885).	1630 ca.
DATI TECNICI	Olio su tavola, 42x32, in origine ottangolare.	Olio su tela, 66,5x65.	Olio su tela, 66x54.	Olio su tela, 60x48,5.
CORNICE	A sagoma di legno con dorature, moderna.	—	Intagliata, dorata, sec. XIX.	Salvadora dorata, sec. XVIII.
UBICAZIONI	Uffizi (dal 1753).	Galleria d'Arte Moderna, Pitti (1978).	Léon Blondel, Parigi (1863); Auguste Chéramy (1891); Uffizi (1912).	Cosimo III de' Medici; Uffizi (1693).
ATTRIBUZIONI	Luca di Leida (1753). B. de' Conti (Morelli 1897 e cartellino di Galleria dal 1908).	—	—	—
ESPOSIZIONI	—	—	Parigi 1883. Delacroix (Paul Cassirer), Berlino 1907. E. Delacroix, Parigi 1930. Capolavori dell'Ottocento francese, Roma 1955. XXVIII Biennale, Venezia 1956. Delacroix, Parigi 1963. Pittura francese nelle collezioni pubbliche fiorentine, Firenze 1977.	—
BIBLIOGRAFIA	*G. Morelli. Gall. Borghese e Doria, 1897, 249*; B. Berenson. Indici 1909.	M. Chiarini, Emilia de Divitiis, Roma 1971.	H. Robaut - E. Chesneau: *L'oeuvre complet de E. Delacroix*, Paris 1885. *Cat., Berlino 1907, n. 53. Cat., Parigi 1930, n. 313. Cat., Roma 1955, n. 12. Cat., Venezia 1956, n. 40. Cat., Parigi 1963, n. 314. L.R. Bortolatto: Delacroix, Milano 1972, n. 364. Cat., Firenze 1977, n. 28.*	M. G. Brunori in Bollettino d'arte XLIX, 1964. Id. in Commentari XV, 1964. *S. Matalon in Rivista d'arte XII, 1930.*
INVENTARIO	1883 (C.P., p. 143, n. 444).	GAM Giornale 2937.	3914.	1822 (C.P., p. 99, n. 398).
FOTO	176271.	304982.	125344.	5758.
NOTE	In buono stato di conservazione. Il Morelli dubitava dell'autografia, confermata dal Berenson. Nel 1753 era esposto in Galleria come autoritratto di Luca di Leida. G.M.	Firmato e datato in basso a destra: EdDivitiis / 1924. È stato donato dall'autrice nel 1978 per la collezione dei ritratti dei pittori. All'epoca del quadro l'artista era allieva di Michetti e aveva fatto le prime prove di pittrice di figura nel pastello (altro autoritratto giovanile presso gli eredi) e nel carboncino. Attualmente nelle riserve. S.P.	«Il mio ritratto non del tutto finito» fu lasciato per testamento dall'artista al suo amico Blondel. La famiglia di quest'ultimo lo vendette nel 1891 al Chéramy, che ne fece dono agli Uffizi nel 1912. L'età dimostrata dall'artista, ritenuta dal Robaut di circa sessant'anni, è oggi unanimemente riportata a circa quarant'anni, dopo gli studi dello Joubin (Gaz. des Beaux-Arts, 1939). M.C.	A tergo scritta antica 'Cavaliere del Cay...', e il numero dell'inventario del 1704. Entrato in galleria il 9 maggio del 1693 per invio di Cosimo III de' Medici (ASF, Guard. 969, c. 77v) insieme all'autoritratto di Daniele Crespi, è forse il migliore degli autoritratti milanesi di antica accessione. Non si sa da chi il granduca ebbe questo e gli altri autoritratti lombardi, entrati tutti fra il 1693 e il 1695. S.M.T.

	A289	A290	A291	A292
AUTORE	Dell'Acqua, Cesare (Pirano d'Istria 1821 - Bruxelles 1904).	Della Selva, Pino (Catania 1904).	Della Valle, Filippo (Firenze 1697-Roma 1768).	Del Moro, Lorenzo (Firenze 1677-1735).
TITOLO	Autoritratto.	Autoritratto.	Autoritratto con statuetta.	Autoritratto.
DATAZIONE	1874.	1941.	1720 ca.	Primo quarto sec. XVIII.
DATI TECNICI	Olio su tela, 75,5x60.	Olio su tela, 65x54.	Olio su tela, 73,5x58,7.	Olio su tela, 73,3x57,5.
CORNICE	Sagomata e dorata con decorazioni in pastiglia, sec. XX.	Listello in legno (sec. XX).	—	Salvadora dorata, sec. XVIII.
UBICAZIONI	Uffizi (1874).	Galleria d'Arte Moderna, Pitti (1959).	Coll. Puccini (1725); coll. Pazzi; Uffizi (1768).	Coll. Puccini (1725); coll. Pazzi; Uffizi (1768).
ATTRIBUZIONI	—	—	—	—
ESPOSIZIONI	—	Personale "Dix Années d'activité artistique à Paris 1931-41", Parigi. Salon di Parigi, 1942.	—	—
BIBLIOGRAFIA	Thieme-Becker, I, 1907. S. Pinto, in Cat., Romanticismo storico, Firenze 1974.	Comanducci, II, Milano 1962.	V. Moschini, in L'arte XXVIII, 1925. S. Meloni Trkulja in Paragone 343, 1978.	*Dizionario Bolaffi VIII, Torino 1975. S. Meloni Trkulja in Paragone 343, 1978. G. Leoncini in Paragone 345, 1978.*
INVENTARIO	1942 (C.P., p. 101, n. 624).	GAM Giornale 1715.	5335.	1679 (C.P., p. 101, n. 259).
FOTO	112499.	183272.	325099.	315398.
NOTE	Firmato e datato in basso a sinistra: Cesare Dell'Acqua/1874. Un autoritratto fu richiesto nel 1873 all'artista che donò questo nel 1874 (AGF 1873 (A) 1, 49; 1874 (A) 1, 56). Un altro autoritratto del pittore è conservato nel Civico Museo Revoltella di Trieste. Attualmente nei Depositi degli Uffizi. E.S.	Firmato e datato in alto a destra: "PINO DELLA SELVA-PARIS-FEVRIER-1941". Donato dall'artista con lettera in data 11-3-1959. Consegnato il 15-9-1959 (nota inventariale). L'opera si trova attualmente nei depositi della Galleria d'Arte Moderna di Palazzo Pitti. Gr. Red. 1	Entrato agli Uffizi intorno al 1768 con la collezione dell'abate Antonio Pazzi, che a sua volta l'aveva acquistato dal medico pistoiese Tommaso Puccini. È stato recentemente rintracciato nei depositi in cattivo stato e riconosciuto per confronto con l'incisione nel catalogo della collezione Pazzi e per la somiglianza con un altro creduto autoritratto (inv. 1890 n. 5497). Nessuna fonte documenta un'attività anche pittorica di questo scultore, nipote e allievo di G. B. Foggini; ma si tratta evidentemente di una prova giovanile, anteriore al trasferimento a Roma del 1725. S.M.T.	Già fra gli autoritratti del medico pistoiese Tommaso Puccini, che nell'elenco della sua raccolta specifica 'discepolo del Redi e del Botti'. Di Tommaso Redi il pittore era anche cognato; il Botti gli insegnò la specialità della quadratura, ma il Del Moro fu anche buon 'figurista'; lavorò anche per i Medici, a cartoni per arazzi e affreschi in galleria e nella villa di Lappeggi. Dalla raccolta Puccini il quadro passò all'abate Antonio Pazzi, che lo vendette agli Uffizi intorno al 1768. S.M.T.

	A293	A294	A295	A296
AUTORE	Del Sole, Giovan Giuseppe (Bologna 1654-1719).	De Maria, Mario, detto Marius Pictor (Bologna 1852 - Venezia 1924).	De Mura, Francesco (Napoli 1696-1782).	Denis, Maurice (Granville 1870-Saint-Germain-en-Laye 1943).
TITOLO	Autoritratto.	Autoritratto.	Autoritratto.	Autoritratto.
DATAZIONE	Secondo decennio, sec. XVIII.	Ante 1892 (Ojetti, 1948).	1730-40.	1916.
DATI TECNICI	Olio su tela, 72,5x58.	Olio su tela, 52,5x43,5.	Olio su tela, 130x103, rintelato.	Olio su tela, 68x80.
CORNICE	Salvadora dorata, sec. XVIII.	Nera, intagliata, sec. XX.	Intagliata perlinata e dorata, sec. XVIII.	Intagliata, dorata, sec. XX.
UBICAZIONI	Cosimo III de' Medici (1717); G. G. Del Sole; Uffizi (1719).	Eredi dell'artista; Uffizi (1924).	Uffizi (1907).	Uffizi (1916); Coll. Denis (1922); Uffizi (1931).
ATTRIBUZIONI	—	—	—	—
ESPOSIZIONI	—	XV Esposizione Internazionale d'arte della città di Venezia, Venezia 1926.	La mostra della pittura napoletana dei sec. XVII-XVIII-XIX, Napoli 1938, f.c. Mostra del ritratto storico napoletano, Napoli 1954.	XIII Biennale d'arte, Venezia 1922. Pittura francese nelle collezioni pubbliche fiorentine, Firenze 1977.
BIBLIOGRAFIA	*G. Lippi Bruni in Arte antica e moderna 5, 1959. R. Roli, Pittura bolognese 1650-1800, Bologna 1977.*	L. e F. Luciani, Dizionario dei Pittori italiani dell' '800, Firenze 1974. *U. Ojetti, in Ritratti d'artisti italiani, Milano 1948.*	C. Gamba in Bollettino d'Arte II, 1908. A. Griseri in Paragone 155, 1962. *N. Spinosa in Dizionario Bolaffi, VIII, Torino 1975.*	S. Barazzetti-Demoulin: Maurice Denis, Paris 1945. Maurice Denis, Parigi 1975. *Cat., Firenze 1977, n. 49.*
INVENTARIO	1840 (C.P., p. 101, n. 417).	9177.	3378 (C.P., p. 107, n. 749).	8451.
FOTO	112455.	23881.	249133.	196222.
NOTE	Mandato dall'artista nel 1717, fu preso in carico il primo ottobre (ASF, Guard. 1227. c. 151r), ma risultando di misure non conformi agli altri, gli venne rimandato 'per scemare' e rientrò il 7 ottobre 1719, poco dopo la morte dell'artista (ASF, Guard. 1260 bis, c. 89v). Infatti la tela, da tutti e quattro i lati, è dipinta alla perfezione anche dove si ripiega sul telaio. S.M.T.	Un cartellino sul retro testimonia la presenza del dipinto alla Biennale veneziana del 1934, non documentata nel catalogo di quella mostra. L'opera fu donata dalla vedova dell'artista nel 1924 (AGF Arte 796). U. Ojetti ricorda che verso il 1909 l'artista stava ancora lavorando al suo autoritratto, che non fu mai terminato. Attualmente nei depositi degli Uffizi. E.S.	Inviato alle Gallerie fiorentine dal Ministero della Pubblica Istruzione nel 1907 per la raccolta di autoritratti degli Uffizi; senza indicazioni di provenienze precedenti. Un'altra versione passò a una vendita all'asta a Berlino l'8 dicembre 1925 ed è oggi sul mercato di New York. Non è stato identificato il dipinto ovale sul cavalletto, evidentemente una Minerva; ma la figura, tipica dell'artista, può essere confrontata con l'Erminia tra i pastori delle Staatsgemäldesammlungen di Monaco. S.M.T.	Firmato e datato sul retro: Maurice Denis/1916. La direzione degli Uffizi aveva acquistato l'autoritratto dell'artista nel 1916; ma questi poi (1922), lo scambiò con un altro (oggi nel Museo Denis a Saint-Germain-en-Laye), per poi, infine, rimandare nel 1930 l'attuale, che arrivò a Firenze solo alla fine del 1931. M.C.

	A297	A298	A299	A300
AUTORE	Denner, Balthasar (Altona 1685 - Rostock 1749).	Denner, Balthasar (Altona 1685 - Rostock 1749).	De Sanctis, Guglielmo (Roma 1829-1911).	De Servi, Luigi (Lucca 1863-1945).
TITOLO	Autoritratto (?).	Testa di vecchio.	Autoritratto.	Autoritratto.
DATAZIONE	Inizi sec. XVIII.	1726.	1883.	1910.
DATI TECNICI	Olio su tela, 42x35, rintelato sec. XIX.	Olio su tela, 34,5x26, controfondo di legno.	Olio su tavola, 72x60,5.	Olio su tela, 81,5x65.
CORNICE	Intagliata e dorata, sec. XVIII.	Intagliata e dorata, sec. XX.	Ovale, dorata e decorata con un motivo di alloro (sec. XIX).	D'epoca, dorata con motivi angolari intagliati.
UBICAZIONI	Uffizi (1971).	Uffizi (1792); Palatina (1928); Uffizi, depositi (1977).	—	Eredi dell'artista; Galleria d'Arte Moderna, Pitti (1978).
ATTRIBUZIONI	—	—	—	—
ESPOSIZIONI	—	Mostra temporanea di alcune pitture straniere, Firenze 1964.	—	—
BIBLIOGRAFIA	Thieme-Becker IX, 1913. L. R. Schidlof, La miniature en Europe I, Graz 1964.	Thieme-Becker IX, 1913. L. R. Schidlof, La maniature en Europe I, Graz 1964. C. Piacenti Aschengreen, in Cat., Firenze 1964, n. 14.	Comanducci, I pittori italiani dell'Ottocento, Milano, 1934.	Cat. Luigi De' Servi pittore, Milano 1939. Comanducci, II, Milano 1971.
INVENTARIO	9477.	1153 (C.P., p. 124, n. 764).	3070.	GAM Giornale 2942.
FOTO	306373.	146371.	—	317332.
NOTE	Firmato in basso a destra, in corsivo, 'Balthazer Denner'; venne creduto autoritratto all'atto dell'acquisto (1971) sulla base del confronto fisionomico con l'altra testa del Denner agli Uffizi (inv. 1890 n. 1153) che però non è sicuro lo sia. L'attribuzione è comunque esatta. S.M.T.	Firmato e datato 'Denner 1726' in basso a destra e offerto alla galleria nel settembre del 1791, vi entrò il 9 luglio 1792 (AGF, ms. 114 c. 31v), ma non come autoritratto bensì come 'testa di vecchio'. Teste simili circolavano allora a Firenze, come documenta il direttore Pelli quando fu offerta questa (AGF, filza XXV a 32): una di esse è probabilmente quella oggi al museo Stibbert. L'ipotesi che raffiguri il pittore, formulata da più parti, urta contro l'età del modello, che sembra avere ben più dei 41 anni che dovrebbe se fosse un autoritratto. S.M.T.	In basso, verso destra: 'Guglielmo De Sanctis dipinse se medesimo Roma 1883'. Il quadro si trova attualmente nei depositi degli Uffizi. Gr. red. 1	Firmato e datato in alto a destra: De Servi 1910. Dono della figlia del pittore Dionisia De Servi Pasquinelli nel 1978 per la collezione dei ritratti degli artisti. Del pittore che fu ritrattista di Casa Reale (del Duca di Genova, del Duca degli Abruzzi, del Principe di Napoli) e frescante, il Comanducci cita un altro autoritratto di data precedente (1898). Attualmente il quadro è nelle riserve della Galleria d'arte moderna. S.P.

	A301	A302	A303	A304
AUTORE	De Troy, François (Tolosa 1645 - Parigi 1730).	De Troy, Jean-François (Parigi 1679 - Roma 1752).	Detti, Cesare Augusto (Spoleto, Perugia 1847 - Parigi 1913 o 1914).	Devéria, Eugène-Marie-François (Parigi 1805 - Pau 1865).
TITOLO	Autoritratto.	Autoritratto.	Autoritratto.	Autoritratto.
DATAZIONE	1696.	1741.	1902.	1828.
DATI TECNICI	Olio su tela, 72x56.	Olio su tela, 74x61, restauro 1977.	Olio su tavola, 16x11,5.	Olio su tela, 60x50.
CORNICE	Nera e oro, intagliata sec. XVII.	Intagliata e dorata, sec. XVIII.	A forma di tabernacolo, scura con tracce di doratura, sec. XX.	Intagliata e dorata, sec. XIX.
UBICAZIONI	Pitti (1697); Uffizi (1704).	Uffizi (1741).	Coll. Parmeggiani, Reggio Emilia; Uffizi (1927).	Uffizi (1853).
ATTRIBUZIONI	—	—	—	—
ESPOSIZIONI	Pittura francese nelle collezioni pubbliche fiorentine, Firenze 1977.	Pittura francese nelle collezioni pubbliche fiorentine, Firenze 1977.	—	Pittura francese nelle collezioni pubbliche fiorentine, Firenze 1977.
BIBLIOGRAFIA	P. Detroy: François de Troy, Etudes d'Art publiées par le musée national des Beaux-Arts d'Alger, nn. 11-12, 1955-56. *Cat., Firenze 1977, n. 7.*	L. Dimier: Les peintres français du XVIIIe siècle, Paris-Bruxelles 1930 Thieme-Becker, XXXII, 1939. *Cat., Firenze 1977, n. 14.*	Thieme-Becker, IX, 1913.	Thieme-Becker, IX, 1913. *Cat., Firenze 1977, n. 26.*
INVENTARIO	1860 (C.P., p. 111, n. 479).	1859 (C.P., p. 111, n. 473).	9188.	1831 (C.P., p. 102, n. 627).
FOTO	171345.	250104.	278045.	182538.
NOTE	Iscrizione a tergo: Fran:us de Troy, Patria Tolosanus / Parisiis Regius Picturae Professor / Academicus sic se ipsum pinxit / Anno 1696. Il dipinto fu inviato al Granduca tramite un figlio del pittore che era frate a Firenze. Incisioni: Museo Fiorentino, IV, 1762, p. 33, tav. VI. Reale Galleria, III s., vol. IV, 1833, p. 98, tav. CCXXV. M.C.	Sulla cartella da disegno lunga scritta in latino, parzialmente ritoccata, che include il nome dell'artista e la data del dipinto. L'autoritratto fu inviato da Roma, mentre il pittore era direttore dell'accademia di Francia e poco prima di diventare Principe dell'Accademia di S. Luca (1744). Esso era stato richiesto, tramite il cardinal Corsini, dall'Elettrice Palatina A.M. Luisa de' Medici. Ne esiste uno studio in collezione privata a Parigi. Incisioni: Museo Fiorentino, IV, 1762, p. 229, tav. XXXIX; Reale Galleria, s. III, 1833, vol. IV, p. 99, tav. CCXXV. M.C.	Firmato e datato in alto: C. Detti 1902. Sulla cornice, in alto: Detti Cesare, in basso: Nato a Spoleto / ✠ a Parigi A.D. 1913. Offerto in dono agli Uffizi nel 1927 dal collezionista Luigi Parmeggiani di Reggio Emilia (AGF Arte 796). Nei repertori storico-artistici la data di morte del Detti è riferita al 1914. Alcune opere dell'artista si trovano nella Pinacoteca Comunale di Spoleto (vedi Guida della Pinacoteca Comunale, Spoleto 1976). Attualmente nei Depositi degli Uffizi. E.S.	Firmato e datato a destra: Deveria Eugene François Marie Joseph... portrait peint a la lampe en 1828. Il dipinto fu però offerto agli Uffizi più tardi, nel 1853, per tramite del marito della nipote del pittore, Ottavio Benedetti. M.C.

	A305	A306	A307	A308
AUTORE	Diotti, Giuseppe (Casalmaggiore, Cremona 1779 - Bergamo 1846).	Doblhoff, Robert (Vienna 1880-1960).	Dolci, Carlo (Firenze 1616-1686).	Domenichino, Zampieri Domenico, detto il (Bologna 1581 - Napoli 1641).
TITOLO	Autoritratto.	Autoritratto.	Autoritratto.	Autoritratto.
DATAZIONE	1821 (Germani 1865).	1932 ca.	1674.	1615 ca. (Borea).
DATI TECNICI	Olio su tela, 53x42.	Olio su cartone, 63,5x50.	Olio su tela, 74,5x60,5, restauro 1977.	Olio su tela 64,4x49,9.
CORNICE	Sagomata e dorata, sec. XIX.	Ottocentesca, intagliata e dorata.	Intagliata e dorata, sec. XVIII.	Nera a baccelli dorati.
UBICAZIONI	Uffizi (1821).	Eredi dell'artista; Galleria d'Arte Moderna, Pitti (1964).	Card. Leopoldo de' Medici (1674); Uffizi (1682).	Uffizi (1698).
ATTRIBUZIONI	—	—	—	—
ESPOSIZIONI	—	—	—	Il ritratto storico napoletano, Napoli 1954; L'Ideale classico nel Seicento e la pittura di paesaggio in Italia, Bologna 1962; Pittori bolognesi del Seicento nelle Gallerie di Firenze, Firenze 1975.
BIBLIOGRAFIA	S. Pinto, in Cat. Romanticismo storico, Firenze 1974. M. Rosci, in Cat. Mostra dei Maestri di Brera, Milano 1975. *G. Germani, Della vita artistica di Giuseppe Diotti da Casalmaggiore, Cremona 1865. Prinz 1971.*	Thieme-Becker, vol. IX (1913).	*C. Del Bravo in Paragone 163, 1963.*	E. Borea, Il Domenichino, Milano-Firenze 1965; *E. Borea, Cat. Firenze 1975, n. 93, p. 124.*
INVENTARIO	2066 (C.P., p. 102, n. 683).	GAM Giornale 1999.	1676 (C.P., p. 102, n. 262).	1826 (C.P., p. 112, n. 402).
FOTO	315573.	186467.	153460.	120110.
NOTE	Offerto in dono dall'artista nel 1821, accettato in quello stesso anno (AGF 1821 (XLV) 47). Un altro autoritratto fu offerto in dono nel 1936 da Salvatore Romano, ma l'offerta fu declinata (AGF Arte 796). Attualmente nei Depositi degli Uffizi. E.S.	Firmato in alto a sinistra: Doblhoff; a destra: Aet. s. LII. Donato dal nipote architetto Raimondo Doblhoff per adempiere al desiderio dell'artista (v. verbali delibere delle commissioni per le acquisizioni della Galleria d'arte moderna, 20.11.1964). Allievo dell'Accademia di Vienna negli anni 1896-1900 e poi di Hölzel a Dachau, il barone Robert Doblhoff fu ritrattista (Roosevelt, 1907; Francesco Giuseppe 1909), pittore di interni (v. M. Praz, La filosofia dell'arredamento, Roma 1964, p. 375), di composizioni decorative (Apollo e le muse, 1912, per la sua casa di Parigi). Attualmente nelle riserve della Galleria d'arte moderna. S.P.	Firmato e datato 'A° Sʳ / 1674 / di Annj 58 / Per Sua Alteza Rᵐᵃ Io Carlo Dolci' nei quattro spigoli del disegno che il pittore tiene in mano: disegno che esiste (GDSU, n. 1173 F) ed è un altro bellissimo autoritratto; entrambi evidentemente eseguiti su richiesta del cardinal Leopoldo. Esiste una copia settecentesca a pastello della sola testa (inv. 1890 n. 5357) forse da identificare con una esposta alla mostra della SS. Annunziata nel 1737 e opera di Violante Siries (cfr. F. Borroni in Mitteilungen des Kunsthistorischen Instituts in Florenz XVIII, 1974). S.M.T.	Scritta sul retro: Domenico Zampieri detto il Domenichino. 1810. L'attribuzione tradizionale con cui il dipinto è entrato in galleria nel 1698 (Guard. 1026, c. 130r: ricerca S. Meloni Trkulja 1978). L'attribuzione non sembra confutabile. E.B.

	A309	A310	A311	A312
AUTORE	Domenico di Michelino (Firenze 1417-91).	Dossi, Dosso (1489 ca. - Ferrara 1542).	Dou, Gerrit (Leida 1613-1675).	Drost, Willem (? 1630 - Rotterdam 1680).
TITOLO	Ritratti dei tre Gaddi.	Autoritratto.	Autoritratto.	Autoritratto.
DATAZIONE	Sec. XV (Giglioli 1906, Suter 1932). 1380 ca. (Prinz 1962, Marcucci 1965).		1658.	1655-1663 (Langedijk 1978).
DATI TECNICI	Tempera su tavola, 47x89, restauro 1961.		Olio su tavola, 49,2x33,9.	Olio su tela, 72,5x65.
CORNICE	—		Ebano, sec. XIX.	Barocca, nera e oro.
UBICAZIONI	Famiglia Pitti-Gaddi (dall'origine); Coll. Gaddi di Camerata; Coll. E. Volpi; Uffizi (1905).		Pitti (1676); Uffizi (1704).	Conte Piovene, Vicenza (seconda metà sec. XVII); Pitti (1685); Uffizi (1704).
ATTRIBUZIONI	Agnolo Gaddi (Litta 1831). Giuliano Pesello (Suter 1932). Agnolo Gaddi? (Prinz 1962, Marcucci 1965).		—	Honthorst (Museo Fiorentino 1754, Pieraccini 1906 ca.). Lyss (Oldenburg 1914 a 1921, Peltzer 1929, Goldscheider 1936). Terbrugghen (Simon 1936, Steinbart 1940, Cat. Roma 1929, Cat. Utrecht-Anversa 1952). Scuola italiana? (Bloch 1952, Gerson 1952, Nicolson 1952 e 1958).
ESPOSIZIONI	Antichi ponti di Firenze, Firenze 1961.		—	Mostra di pittura olandese del Seicento, Roma 1928. Caravaggio en de Nederlanden, Utrecht-Anversa 1952.
BIBLIOGRAFIA	W. Prinz: Die Künstlerbildnissammlung des Giorgio Vasari, Berlin 1962. *L. Marcucci: I dipinti toscani del Secolo XIV, Roma 1965, n. 102.*		J. Rosenberg - S. Slive - E. H. Ter Kuile: Dutch Art and Architecture, 1600-1800, Harmondsworth 1966. *W. Martin: Gerard Dou, Leipzig 1913, p. 19. AGF: K. Langedijk, Scheda ministeriale 1978.*	J. Rosenberg-S. Slive-E. H. Ter Kuile: Dutch Art and Architecture 1600-1800, Harmondsworth 1966. *K. Langedijk in Mitt. des Kunst. Inst. Florenz, 1978, n. 3.*
INVENTARIO	3281.		1882 (C.P., p. 102, n. 449).	1880 (C.P., p. 104, n. 441).
FOTO	118061.		321860.	103899.
NOTE	Donato alle Gallerie Fiorentine nel 1905 da E. Volpi che lo aveva acquistato dai Gaddi di Camerata. I tre personaggi sono identificati dalle scritte: "TADDEUS . GHADDI / GADDUS . ZENOBII / ANGELUS . TADDEI." L'attribuzione corrente ad Angelo Gaddi lascia assai perplessi, sia perché non si hanno altri casi di ritratti a sé stanti nel Trecento italiano, sia per i caratteri stilistici ormai quattrocenteschi e corrispondenti a quelli di Domenico di Michelino. L'idea di un triplice ritratto di artisti si spiega meglio nell'epoca in cui furono eseguiti i cinque ritratti di artisti oggi al Louvre, probabilmente di Paolo Ucccllo. L. Bell.	Vedi: Scuola emiliana sec XVII. Ritratto di Ludovico Lioni (?). Scheda A838.	Firmato e datato sul davanzale: GDOV 1658. Il dipinto fu acquistato per Cosimo III de' Medici direttamente dall'artista nel 1676 per 800 fiorini (ASF, Mediceo 4262: vedi J. De Jongh, in De Nederlandse Spectator 1879, p. 232 ss., e F. Bacci, in Giornale di bordo, I, n. 6, 1968, pp. 289-291). Inciso in Museo Fiorentino, vol. III, 1756, p. 119. M.C.	Il dipinto fu acquistato da Cosimo III de' Medici nel 1685 presso il conte Coriolano Piovene di Vicenza, che lo aveva comprato a Venezia dall'artista tra il 1655 e il 1663 (docc. in Ewald 1965 e Prinz 1971). Il quadro fu inviato alla Guardaroba con la giusta attribuzione; comparve agli Uffizi nel 1704. Cinquant'anni dopo fu inciso col nome dell'Honthorst (Museo Fiorentino, vol. II, 1754, p. 253). Da quel momento si perse ogni traccia della partenità del quadro e dell'identità dell'artista: esso fu attribuito, oltre che all'Honthorst, anche al Lyss e poi, anche se con molti dubbi, al Terbrugghen. Nel 1978 K. Langedijk ristabiliva la verità, riconoscendo nel quadro quello acquistato col nome del Drost nel 1685. M.C.

	A313	A314	A315	A316
AUTORE	Duclos nei Parenti, Irene (Firenze 1754 - post 1791).	Duflos, Philotée-François (Parigi prima del 1710 - Lione 1746).	Dughetti, Giancarlo (Firenze 1931).	Dunn, Henry Treffry (Londra 1838-1899).
TITOLO	Autoritratto.	Autoritratto.	Autoritratto.	Ritratto di Dante G. Rossetti.
DATAZIONE	1783.	1744.	1954.	1882.
DATI TECNICI	Olio su tela, 59x47,5.	Pastello, 42x34.	Acquerello su avorio, 12,5x10.	Olio su tela, 30x25,5.
CORNICE	Salvadora dorata, sec. XIX.	Intagliata e dorata, sec. XIX.	Listello originale in metallo dorato.	Intagliata, dorata, sec. XIX.
UBICAZIONI	Accademia di Belle Arti; Uffizi (1853).	Coll. A. Pazzi (XVIII sec.); Uffizi (1768).	Uffizi (1975).	Uffizi (1909).
ATTRIBUZIONI	—	—	—	—
ESPOSIZIONI	—	Pittura francese nelle collezioni pubbliche fiorentine, Firenze 1977.	Miniature su avorio di G.D., Firenze 1954; G.D., Milano 1969; G.D., Firenze 1970; G.D., Firenze 1971; G.D., Montecatini 1972; G.D., Pisa 1972; G.D., Vignola 1973; G.D., Mestre 1975.	Firenze e l'Inghilterra. Rapporti artistici e culturali dal XVI al XX secolo, Firenze 1971.
BIBLIOGRAFIA	*B. Viallet, Roma s.d. (1923).*	Thieme-Becker, X, 1914. *Cat., Firenze 1977, n. 15. S. Meloni Trkulja in Paragone 343, 1978.*	*R. Biasion, Giancarlo Dughetti maestro della miniatura, Verona 1973.*	T.S.R. Boase: English Art, 1800-1870, Oxford 1959. *Cat., Firenze 1977, n. 78.*
INVENTARIO	5556.	2031 (C.P., p. 102, n. 544).	9495.	3447.
FOTO	249146.	169401.	248012.	109436.
NOTE	A tergo sulla tela, in corsivo: 'Irene del fù Gio: Batta Duclos ne' Parenti Fece 1783'. A quest'epoca l'artista, allieva di Giuseppe Pignatelli e che come il maestro praticò la pittura a encausto, è documentata da un decennio a copiare in galleria (AGF, filza VI a 40) sia a olio che in miniatura. Una sua copia della Madonna del Sacco di Andrea del Sarto esiste tuttora in palazzo Pitti (inv. O. A. n. 313). Il ritratto, in cui l'autrice tiene il reggipolso e due matite da pastellista, entrò agli Uffizi il 18 marzo 1853 in un gruppo appartenuto all'Accademia di Belle Arti. S.M.T.	Scritta a tergo: Monsu Duflos fecit 1744. Proviene dalla collezione di autoritratti messa insieme dall'abate Antonio Pazzi ed acquistata per la Galleria degli Uffizi nel 1768. Incisioni: Serie di ritratti, II, vol. II, 1766, p. 19, tav. X. M.C.	Firmato e datato sopra la spalla sinistra «Giancarlo Dughetti MCMLIV», è tra le prime opere del suo autore, allievo di Pietro Annigoni e specializzato nel dipinto in miniatura sia di ritratto che di paesaggio o natura morta. Dono dell'artista agli Uffizi nel 1975. S.M.T.	Scritta sul retro: Dipinto da Henry Treffry Dunn, 1882. Ritratto di Dante Gabriel Rossetti, basato sopra una fotografia datata verso 1864. Donato da William Michael Rossetti 19[0]9. Come attesta questa scritta, il ritratto è quello del poeta e pittore preraffaellita D.G. Rossetti (1828-1882), di origine italiana, che fondò insieme con E. Millais e H. Hunt la Pre-Raphaelite Brotherhood (1848). Questo ritratto fu eseguito dal Dunn, suo allievo e aiuto, pochi mesi dopo la morte dell'artista, ricavandolo da una fotografia eseguita intorno al 1864 da Charles Dodgson (alias Lewis Carrol) e donato alla madre del Rossetti. Ereditato dal fratello, fu da questi donato alla Galleria degli Uffizi in mancanza di un autoritratto. M.C.

	A317	A318	A319	A320
AUTORE	Duran, Charles-Emile-Auguste, detto Carolus-Duran (Lille 1837 - Parigi 1917).	Dürer, Albrecht (Norimberga 1471-1528).	East, Alfred (Kettering 1849 - Londra 1913).	Eggers, Johann Carel (Neustreliz 1787-1863).
TITOLO	Autoritratto.	Autoritratto (copia).	Autoritratto.	Autoritratto.
DATAZIONE	1869.	1498.	1912.	
DATI TECNICI	Olio su tela, 80x61.	Olio su tavola, 52x42, restauro 1930 ca.	Olio su tela, 133x114,5.	
CORNICE	D'epoca, intagliata e brunita.	Salvadora nera con strisce dorate, sec. XVII (?).	Intagliata, dorata, sec. XX.	
UBICAZIONI	Uffizi (1913).	Card. Leopoldo de' Medici (ante 1675); Uffizi (1682).	Uffizi (1912).	
ATTRIBUZIONI	—	—	—	
ESPOSIZIONI	Pittura francese nelle collezioni pubbliche fiorentine, Firenze 1977.	—	Firenze e l'Inghilterra. Rapporti artistici e culturali dal XVI al XX secolo, Firenze 1971.	
BIBLIOGRAFIA	*Prinz 1971. Cat., Firenze 1977, n. 32.*	*H. Kehrer, Dürers Selbstbildnisse und die Dürerbildnisse, Berlin 1934. Prinz, 1971.*	Thieme-Becker, X, 1914. T.S.R. Boase: English Art, 1800-1870, Oxford 1959. *Cat., Firenze 1971, n. 79.*	
INVENTARIO	3887.	1889 (C.P., p. 102, n. 439).	3909.	
FOTO	182526.	158234.	5761.	
NOTE	Firmato e datato in alto a destra: Carolus Duran / Avril -69. Il ritratto fu richiesto all'artista nel 1873 ma questi lasciò trascorrere molti anni, senza eseguire la commissione, benché più volte sollecitato; promise nel 1902 di inviare una sua immagine giovanile e mantenne infine la promessa nel 1913 (AGF, passim: cfr. Prinz 1971 e Cat., Firenze 1977, e, inoltre, la filza 1873 A, 86). Attualmente è collocato nelle riserve. S.P.	Davanti in basso la scritta: «1498/ Das malt Ich nach meiner Gestalt/Ich war sex und zwaczig Jar alt/ Albrecht Dürer/A.D.». Forse già in possesso di Cosimo I (che aveva un autoritratto düreriano) perché non risulta acquistato dal cardinal Leopoldo, con la cui eredità entrò in galleria il 28 ottobre 1682 (ASF, Guard. 870, c. 160v). Sempre considerato copia antica di quello oggi al Prado (con identica scritta e misure), che fu donato nel 1636 dalla città di Norimberga al conte di Arundel. Kehrer lo suppone invece eseguito in Inghilterra poco prima del 1653 da un pittore, forse Richard Greenbury, al servizio di Arundel. S.M.T.	Firmato e datato: Alfred East 1912. L'artista, che si specializzò nella pittura di paesaggio, sulla quale scrisse un libro nel 1906, inviò l'autoritratto agli Uffizi su invito della direzione. M.C.	Vedi: Scuola inglese (?) sec. XVIII. Autoritratto. Scheda A844.

	A321	A322	A323	A324
AUTORE	Egger-Lienz, Albin (Striebach, Lienz 1868 - Rentsch, Bolzano 1926).	Eismann, Johann Anton (Salisburgo 1613/22 - Venezia 1694 ?).	Elsheimer, Adam (Francoforte sul Meno 1578 - Roma 1610), attr. a.	Empoli, Chimenti Jacopo, detto l' (Firenze 1551-1640).
TITOLO	Autoritratto.	Autoritratto.	Autoritratto.	Autoritratto.
DATAZIONE	1921.		1606-7 ca. (Andrews 1977).	Fine sec. XVI.
DATI TECNICI	Olio su cartone, 39,5x33,5.		Olio su tela, 64x48, restauro 1965.	Olio su tela, 57,5x42, restauro 1974 ca.
CORNICE	Sagomata e dorata, sec. XX.		Nera e oro, sec. XVII.	Salvadora dorata, sec. XVIII.
UBICAZIONI	Uffizi (1922).		Pitti (fine XVII sec.); Uffizi (1967). Saraceni (Weizsächer 1936). F. Pourbus II (Bode 1883). Cerchia di H. Goltzius (Longhi 1966-67).	Card. Carlo de' Medici (ante 1666); Card. Leopoldo de' Medici (1666); Uffizi (1682).
ATTRIBUZIONI	—			—
ESPOSIZIONI	XIII Esposizione Internazionale d'arte della città di Venezia, Venezia 1922.		Adam Elsheimer, Frankfurt a. M. 1966-67.	—
BIBLIOGRAFIA	Vollmer, II, 1955. Cat. Jugendstil-Wiener Secession, Bregenz 1971. *G. Nicodemi, in Emporium, febbraio 1924, p. 85.*		Cat., Frankfurt a. M. 1966-67, n. 54. *K. Andrews: Elsheimer's Portrait, in Album Amicorum J. G. Van Gelder, The Hague 1973. Id.: Adam Elsheimer, London 1977.*	A. Bianchini in Disegni di Jacopo da Empoli, Firenze 1962.
INVENTARIO	8453.		1784 (C.P., p. 102, n. 433).	1723 (C.P., p. 100, n. 274).
FOTO	11437.		130117.	206456.
NOTE	Firmato e datato in basso a sinistra: Egger Lienz; a destra: Selbst Porträt/1921. Un autoritratto fu richiesto nel 1922 all'artista che donò questo in quello stesso anno (AGF, Arte 796). Attualmente nei Depositi degli Uffizi. E.S.	Vedi: Lesma Antonio. Autoritratto. Scheda A531.	Il dipinto, la cui provenienza non è documentata, fu inviato agli Uffizi, con l'attribuzione all'Elsheimer, da Cosimo III de' Medici il 21 agosto 1697 (ASF, Guard. 1026, c. 52r). Lo Andrews pensa che possa forse trattarsi dell'autoritratto citato dal Baglione nella vita dell'artista ed entrato all'Accademia di S. Luca a Roma dopo la sua morte. L'autografia del dipinto è stata generalmente respinta, ma l'Andrews tornando a studiarlo ne ribadisce l'appartenenza alla mano dello stesso Elsheimer. Inciso in Museo Fiorentino, vol. II, 1754, p. 125. M.C.	In possesso — forse fin da poco dopo la sua esecuzione — del cardinal Carlo de' Medici, per cui l'artista aveva lavorato, fu da lui lasciato in eredità al nipote Leopoldo (ASF, Guard. 758, c. 25r) e con la raccolta di quest'ultimo entrò in galleria il 28 ottobre 1682 (ASF, Guard. 870, c. 160v). È un pezzo capitale per la definizione, ancora da fare, dell'Empoli ritrattista. Fu copiato per la raccolta di ritratti di pittori dell'Accademia del disegno, poi venuta agli Uffizi (inv. 1890 n. 5523). S.M.T.

S.M.T.

	A325	A326	A327	A328
AUTORE	Ensor, James Sidney (Ostenda 1860-1949).	Fabre, François-Xavier (Montpellier 1766-1837).	Fabre, François-Xavier (Montpellier 1766-1837), attr. a.	Faccioli, Raffaele (Bologna 1846-1916).
TITOLO	Autoritratto.	Ritratto di Giovanni Antonio Santarelli.	Ritratto di Giuseppe Maria Terreni.	Autoritratto.
DATAZIONE	1879. 1922-23 (Haesaerts-Marijnissen, 1970).	1812.	1795-99 ca.	1892.
DATI TECNICI	Olio su tela, 42x33,5.	Olio su tela, 70,5x54.	Olio su tela, 68,5x57.	Olio su tela, 49,5x41.
CORNICE	Sagomata e dorata con decorazioni in pastiglia, sec. XIX.	Neoclassica, dorata.	Ottocentesca dorata con passepartout ligneo di luce ovale.	Sagomata e dorata, sec. XX.
UBICAZIONI	Uffizi (1923).	Coll. Emilio Santarelli; Uffizi (1886); Galleria d'Arte Moderna, Pitti 1924).	Coll. Terreni; Uffizi (1886).	Coll. Bice Faccioli, Bologna; Uffizi (1917).
ATTRIBUZIONI	—	—	—	—
ESPOSIZIONI	—	Cultura neoclassica e romantica nella Toscana granducale, Firenze 1972. Pittura francese nelle collezioni pubbliche fiorentine, Firenze 1977.	La peinture française à Florence, Firenze 1945. Dipinti salvati dalla piena dell'Arno, Firenze 1966. Cultura neoclassica e romantica nella Toscana granducale, Firenze 1972.	—
BIBLIOGRAFIA	H. De France, James Ensor. Essai de Bibliographie commentée, Bruxelles 1960. Cat. Het Symbolisme in Europa, Rotterdam - Bruxelles - Baden Baden - Parigi, 1975-76. *P. Haesaerts-R.H. Marijnissen, cat. L'art flamand d'Ensor à Permeke, Parigi 1970. AGF: K. Langedijk, Scheda ministeriale 1979.*	*Cat., Firenze 1972. L. Pellicer, François-Xavier Fabre (1766-1837), tesi di dottorato, Università di Parigi IV, 1975. Cat., Firenze 1977, n. 153.*	*Cat., Firenze 1972. L. Pellicer, François-Xavier Fabre (1766-1837), tesi di dottorato, Università di Parigi IV, 1975.*	Vollmer, Suppl., 1961. L. e F. Luciani, Dizionario dei pittori italiani dell' '800, Firenze 1974.
INVENTARIO	8472.	3304. (GAM, Cat. Gen. 12).	1012 (C.P., p. 115, n. 690 bis).	6399.
FOTO	—	70949.	82533, 154297.	112381.
NOTE	Firmato e datato in basso a destra: Ensor 79. Dietro la tela iscrizione autografa: Portrait de /James Ensor/James Ensor. La Direzione degli Uffizi chiese un autoritratto all'artista nel 1922; questo dipinto, eseguito all'età di 19 anni, fu donato da Ensor nel 1923 (AGF, Arte 796). Secondo Haesaerts e Marijnissen il dipinto degli Uffizi sarebbe una replica autografa ma più tarda (1922-23 ca.) di un originale del '79 identificato con un dipinto ora in proprietà privata a Gand. Nell'impossibilità di un confronto diretto la questione rimane per ora in sospeso. Esistono vari autoritratti di Ensor soprattutto nei musei di Anversa, Bruxelles e Ostenda (ove esiste un Museo intitolato al pittore). L'opera è attualmente esposta nel Corridoio vasariano. E.S.	Firmato e datato a sinistra al centro: F.X. Fabri / 1812. Giunto per lascito di Emilio Santarelli (AGF, filza 1886 C, 2, 64) figlio legittimo del ritrattato ma forse figlio illegittimo del ritrattista. Giovanni Antonio Santarelli (1758-1826) fu incisore di gemme di corte presso Elisa Baciocchi a Firenze. Il quadro è esposto nella Galleria d'arte moderna dalla data dell'ordinamento di questa in Palazzo Pitti. S.P.	L'opera, che non è firmata, né datata, fu acquistata presso una discendente del Terreni nel 1886 (AGF 1885, filza D, 2,39 e 1886, filza C, 2, 64). Nella trattativa si accenna al dipinto una volta come autoritratto del Terreni, poi come ritratto del pittore eseguito dal Fabre. L'attribuzione tradizionale è stata accettata da tutta la letteratura, pur notandosi la diversità stilistica di questo ritratto nei confronti di altri ritratti contemporanei del Fabre; e oggi che si comincia a individuare meglio la personalità artistica del Terreni (1739-1811), non sembra potersi escludere l'eventualità di trovarsi qui di fronte a un suo autoritratto. Dell'opera esiste una copia (inv. 1890, n. 3514) e del Terreni esiste un altro autoritratto in miniatura (inv. 1890, n. 3276). Questo ha figurato per breve tempo nel 1972-73 nella Galleria d'arte moderna passando poi nel Corridoio Vasariano dov'è tutt'ora esposto. S.P.	Iscrizione in basso a sinistra: R. Faccioli/ alla/Cara/Bice/ 26.5.92. Sul retro altra iscrizione con i dati anagrafici dell'artista. Donato dalla figlia del pittore nel 1917 (AGF, Arte 796). Attualmente nei Depositi degli Uffizi. E.S.

	A329	A330	A331	A332
AUTORE	Fagnani, Giuseppe (Napoli 1819 - New York 1873).	Faléro, Luis Riccardo (Granada 1851 - Londra 1896).	Falzoni, Giulio (Marmirolo, Mantova 1900 - vivente).	Fanti, Vincenzo (Vienna 1719-1776).
TITOLO	Autoritratto.	Autoritratto.	Autoritratto.	Autoritratto.
DATAZIONE	1866.	Ultimo decennio, sec. XIX.	1944.	1767-70.
DATI TECNICI	Olio su tela, 112x92,5.	Olio su tela, 100,5x56.	Acquerello su cartone, 49,5x40,5.	Olio su tela, 94x74.
CORNICE	Sagomata e dorata con piccole decorazioni in pastiglia, sec. XIX.	Intagliata e dorata con decorazioni vegetali su fondo scuro, sec. XIX.	Coeva, in legno verniciato, passe-partout in tela grezza, vetro.	Salvadora dorata, sec. XVIII.
UBICAZIONI	Eredi dell'artista; Uffizi (1876).	Eredi dell'artista (ante 1931); Uffizi (1932).	Galleria d'Arte Moderna, Pitti (1946 ca.).	Coll. Pazzi (1768); Uffizi (1770).
ATTRIBUZIONI	—	—	—	—
ESPOSIZIONI	—	—	—	—
BIBLIOGRAFIA	Thieme-Becker, XI, 1916.	Thieme-Becker, XI, 1915.	Comanducci, II, Milano 1971.	*S. Meloni Trkulja in Paragone 343, 1978.*
INVENTARIO	2105 (C.P., p. 102, n. 700).	9191.	GAM Giornale 929.	1868 (C.P., p. 211, n. 388).
FOTO	112382.	278034.	183281.	5763.
NOTE	Datato e firmato in basso a sinistra: Fagnani 1866. Dietro la tela timbro di un mesticatore di New York. Donato dalla vedova dell'artista nel 1876 (AGF 1876 (A) 1, 34). Attualmente nei Depositi degli Uffizi. E.S.	Dietro, sul telaio, cartellino con iscrizione a penna: «Portrait de M. Faléro/Fait par lui même/De la collection d'ébauches et/d'oeuvres inédites du peintre/espagnol Luis Faléro/Signé par son fils R. Faléro». Sulla cornice, sempre sul dietro, la scritta: L. Faléro London. L'opera fu offerta in vendita agli Uffizi dal figlio dell'artista nel 1931, e fu acquistata dallo Stato l'anno seguente per 2.000 lire, nonostante il parere negativo della direzione della Galleria (AGF, Arte 796). Il dipinto è attualmente nei Depositi degli Uffizi. E.S.	Firmato e datato a destra a metà altezza: Giulio Falzoni / 44. A tergo l'indirizzo fiorentino di via Busoni 4. Il pittore, poi trasferito a Milano, visse a Firenze (dove frequentò soprattutto il Nomellini) per diversi anni: secondo il Comanducci dal 1928 al 1943, ma si è indotti a spostare leggermente l'ultima data proprio in base a questo autoritratto che è del '44 e parrebbe eseguito e donato dall'artista a Firenze. Attualmente nelle riserve della Galleria d'arte moderna. S.P.	Il quadro è posteriore al 1767, dato che l'artista vi si ritrae col catalogo della galleria dei principi di Liechtenstein, che pubblicò in quell'anno; e anteriore al 1770 quando ne è documentata l'entrata in galleria (AGF, filza XII a 47). Vincenzo Fanti, come già il padre Ercole Gaetano, architetto, fu al servizio dei principi di Liechtenstein dal 1744, dopo un periodo di studio in Italia. S.M.T.

	333	A334	A335	A336
AUTORE	Fantin-Latour, Henri de (Grenoble 1836 - Buré, Orne, 1904).	Farina, Achille (Faenza, Ravenna 1804-1879).	Faruffini, Federico (Sesto San Giovanni, Milano 1831 - Perugia 1869).	Fattori, Giovanni (Livorno 1852 - Firenze 1908).
TITOLO	Autoritratto.	Autoritratto.	Autoritratto.	Autoritratto.
DATAZIONE	1883.	Settimo decennio, sec. XIX.	Sesto-settimo decennio sec. XIX.	1854.
DATI TECNICI	Olio su tela, 54x44.	Olio su tela, 43,5x36.	Olio su tela, 46x36.	Olio su tela, 59x46,6.
CORNICE	Intagliata e dorata, sec. XIX.	Sagomata e dorata con decorazioni in pastiglia, sec. XIX.	Sagomata, intagliata e dorata, sec. XIX.	D'epoca, sagomata e dorata.
UBICAZIONI	Uffizi (1895).	Uffizi (1870).	Coll. Odoardo Tabacchi, Milano; Uffizi (1917).	Coll. Fanelli, Livorno; Uffizi (1951); Galleria d'Arte Moderna, Pitti (1976).
ATTRIBUZIONI	—	—	—	—
ESPOSIZIONI	Parigi, Salon triennal, 1883. Pittura francese nelle collezioni pubbliche fiorentine, Firenze 1977.	—	Roma nell'Ottocento, Roma 1932, (fuori catalogo).	Mostra Fattoriana, Livorno 1953.
BIBLIOGRAFIA	Mme Fantin-Latour: L'oeuvre complète de Fantin-Latour, Paris 1911. *Cat., Firenze 1977, n. 41.*	Thieme-Becker, XI, 1915. L. Servolini, Dizionario illustrato degli incisori italiani, Milano 1955. Cat. Mostra degli artisti romagnoli dell'Ottocento, Faenza 1955.	S. Pinto, in Cat. Romanticismo storico, Firenze 1974. M. Dalai Emiliani, in Cat. Mostra dei Maestri di Brera, Milano 1975.	*Cat., Livorno 1953, n. 1. C. Bianciardi, B. Della Chiesa, L'opera completa di Fattori, Milano 1970, n. 7.*
INVENTARIO	3124 (C.P., p. 102, n. 718).	1972 (C.P., p. 102, n. 606).	3136.	GAM Giornale 875.
FOTO	171365.	112383.	12762.	316909.
NOTE	Firmato e datato in basso a sinistra: Fantin. 83. L'autoritratto fu richiesto nel maggio 1895 all'artista dal direttore della Galleria degli Uffizi, Ridolfi; il dipinto fu inviato nel novembre di quell'anno, ed è l'ultimo autoritratto conosciuto dei molti del pittore. M.C.	Iscrizione graffita con il nome dell'artista all'altezza della spalla. Offerto in dono dall'artista nel 1870, accettato in quello stesso anno (AGF 1870 (A) 1, 73). Un altro autoritratto del pittore è conservato nella Pinacoteca Comunale di Faenza. Un suo autoritratto in porcellana si trova in Palazzo Pitti a Firenze. Attualmente nei Depositi degli Uffizi. E.S.	Dietro la tela iscrizione: Originale dipinto da se/stesso di F. Faruffini. Cartellino della mostra di Roma (1932). Sulla cornice il n. 1571 rosso e un cartellino con il n. 2130. Acquistato dalla figlia dello scultore Odoardo Tabacchi, Giulia, per 2.250 lire nel 1917; in precedenza un altro autoritratto, allora in collezione Gallina di Milano, fu esposto alla Mostra dell'Autoritratto a Milano (1916); la Direzione degli Uffizi entrò in trattative per l'acquisto, ma finì per acquistare quello della coll. Tabacchi, poiché l'altro risultava incedibile (AGF, Arte 796). Un autoritratto di Faruffini fu esposto alla mostra L'Art italien des XIX et XX siècles, Parigi 1935. Esistono altri autoritratti del Faruffini: uno del 1867, molto bello, è all'Accademia di San Luca a Roma e risulta nel catalogo della mostra di Roma del 1932. Attualmente esposto nel Corridoio Vasariano. E.S.	Firmato e datato in basso a sinistra: Gio. Fattori / 1854. Acquistata nel 1951 a Livorno per le collezioni della Galleria d'arte moderna, questa bella prova di Fattori giovane è stata per diverso tempo esposta nel Corridoio Vasariano assieme all'autoritratto più tardi; oggi è di nuovo esposta nella Galleria d'arte moderna di Palazzo Pitti. S.P.

	A337	A338	A339	A340
AUTORE	Fattori, Giovanni (Livorno 1825 - Firenze 1908).	Faustini, Modesto (Brescia 1839 - Roma 1891).	Favray, Antoine de (Bagnolet 1706 - Malta 1792 ca.).	Fedi, Antonio (Firenze 1771-1843).
TITOLO	Autoritratto.	Autoritratto.	Autoritratto.	Autoritratto.
DATAZIONE	1884.	1881.	1778.	Secondo-terzo decennio sec. XIX.
DATI TECNICI	Olio su tela, 58,5x49,5.	Olio su tela, 37x28.	Olio su tela, 79x63, restauro 1977.	Olio su tela, 50x59.
CORNICE	D'epoca, intagliata, dipinta e dorata.	Nera, sagomata e intagliata, sec. XX.	Liscia, dorata, sec. XVIII.	Sagomata e dorata ,sec. XIX.
UBICAZIONI	Uffizi (1907).	Coll. Francesco Rovetta, Brescia (1881); Uffizi (1918).	Uffizi (1779).	Uffizi (1843).
ATTRIBUZIONI	—	—	—	—
ESPOSIZIONI	—	Mostra dell'Autoritratto, La Famiglia Artistica, Milano 1916.	Pittura francese nelle collezioni pubbliche fiorentine. Firenze 1977.	—
BIBLIOGRAFIA	G. Malesci, Giovanni Fattori catalogazione illustrata della pittura a olio, Novara 1961. L. Bianciardi, B. Della Chiesa, L'opera completa di Fattori, Milano 1970.	L. e F. Luciani, Dizionario dei pittori italiani dell' '800, Firenze 1974.	C.E. Engel: Un peintre oublié: le commandeur de Favray, Neptunia, 1960, 4, n. 19. Cat., Firenze 1977, n. 19.	Thieme-Becker, XI, 1915.
INVENTARIO	3375 (C.P., p. 102, n. 757).	8340.	2050 (C.P., p. 211, n. 485).	2011 (C,P., p. 102, n. 647).
FOTO	—	5765.	228370.	112384.
NOTE	Firmato e datato in basso a destra: Gio. Fattori / 1884. Ritratto non finito donato dall'autore su richiesta di Peleo Bacci nel 1907 (AGF, Arte, 676). Attualmente esposto nel Corridoio Vasariano. Malgrado la prestigiosa collocazione ormai più che sessantennale l'autoritratto degli Uffizi è assai meno noto e considerato di altri del Fattori, come quello giovanile della Galleria d'arte moderna di Palazzo Pitti (inv. GAM Giornale n. 875) o quello del 1894 della collezione Giustiniani. S.P.	Iscrizione in basso a destra: M. Faustini al caro amico Francesco. In alto a sinistra la scritta: Roma MCCMXXCI. Sul retro cartellino con il nome di Francesco Rovetta. L'opera fu donata dall'autore a Francesco Rovetta nel 1881, e da questi fu donata agli Uffizi nel 1918 (AGF, Arte 796). Un altro autoritratto del Faustini è nella Pinacoteca Tosio Martinengo di Brescia, ove si conservano molte altre opere del pittore. Attualmente nei Depositi degli Uffizi. E.S.	Firmato e datato in alto a sinistra: A. ius Favray Parigin/1778. Ottenuto per la galleria degli autoritratti tramite fra Bettino de' Ricci dell'Ordine di Malta, del quale anche il pittore fece parte. L'artista si è raffigurato «vestito da filosofo orientale», con berretto di pelliccia alla Rousseau, e, nello sfondo, S. Sofia a Costantinopoli, dove aveva soggiornato dal 1762 al 1771. Incisioni: Lasinio, 1790 ca. M.C.	L'opera fu legata per testamento dall'artista, che dette facoltà al Direttore delle Gallerie fiorentine di scegliere fra tutti gli autoritratti rimasti nello studio; dopo un'attenta analisi fu prescelto questo fra altri tre (AGF 1843 (LXVII) 36). La posa del dipinto è evidentemente derivata dall'*Autoritratto* di Joshua Reynolds ora nella National Portrait Gallery di Londra. Attualmente nei Depositi degli Uffizi. E.S.

	A341	A342	A343	A344
AUTORE	Fedi, Pio (Viterbo 1816 - Firenze 1892).	Feroni, marchese Paolo (Firenze 1807-64).	Ferrari, Carlo (Bergamo 1861-?).	Ferretti, Giovanni Domenico (Firenze 1692-1768).
TITOLO	Autoritratto.	Ritratto di Antonio Marini.	Autoritratto.	Autoritratto.
DATAZIONE	1883.	1840-45 ca.	1944.	1719.
DATI TECNICI	Olio su tela, 62,5x52,5, restauro 1979.	Olio su tela, 52x39.	Olio su tavola, 52,5x42.	Olio su tela, 72,5x57,7, restauro 1975.
CORNICE	D'epoca, dorata.	D'epoca, dorata.	Sagomata, dorata e operata (sec. XX).	Salvadora dorata, sec. XVIII.
UBICAZIONI	Uffizi (1888).	Accademia (1867); Uffizi (1919 ca.); Galleria d'Arte Moderna, Pitti (1976).	Galleria d'Arte Moderna, Pitti (1947).	Coll. Puccini (1725); coll. Pazzi; Uffizi (1768).
ATTRIBUZIONI	—	—	—	Felice o Lucia Torelli (Maser 1968).
ESPOSIZIONI	—	—	—	Dipinti salvati dalla piena dell'Arno, Firenze 1966.
BIBLIOGRAFIA	Cat. Cultura neoclassica e romantica nella Toscana granducale, Firenze 1972, p. 198-199.	Romanticismo storico, catalogo della mostra, Firenze 1973-74.	Comanducci, II, Milano 1971.	*E. A. Maser, Giovanni Domenico Ferretti, Pisa 1968. G. Leoncini in Paragone 329, 1977. Id. in Paragone 345, 1978. S. Meloni Trkulja in Paragone 343, 1978.*
INVENTARIO	3315. (C.P., p. 102, n. 3315).	8751 (Acc. 409).	GAM Giornale 1087.	1747 (C.P., p. 211, n. 302).
FOTO	171465.	137063, 269414.	192487.	153723.
NOTE	Sulla superficie dipinta e a tergo si legge: Poi Fedi Scultore Architetto / e Incisore / Dipinse / Se Stesso / Nell'anno / 1883 / Pio Fedi. A tergo anche: In Firenze e, più sotto: Dona e prega. Risulta donato dall'artista con lettera di questi del 29.10.1888 (AGF, doc. Autoritratti). Di Pio Fedi esistono presso la Galleria d'arte moderna di Palazzo Pitti un autoritratto a bassorilievo in gesso e un ritrattino giovanile eseguito da Luigi Mussini. L'opera si trova attualmente collocata nelle riserve. S.P.	Il dipinto registrato per la prima volta nell'inventario Accademia del 1867 e nei cataloghi della stessa Galleria dal 1869 in poi, era esposto nel Corridoio Vasariano nel periodo fra le due guerre. Raffigura il pittore Antonio Marini pratese (1788-1861) di cui la collezione iconografica conserva il ritratto dell'ornatista Romanelli ed è opera del pittore dilettante marchese Paolo Feroni, fondatore della società promotrice fiorentina, dal 1860 alla morte direttore degli Uffizi; per il ritratto del Feroni v. inv. 1890, n. 4520. Il ritratto del Marini è attualmente esposto presso la Galleria d'arte moderna. S.P.	In alto a sinistra: "Carlo Ferrari", a destra: "Giugno 1944-AETATIS SUAE LXXXIV". Donato dall'autore nel 1947 (nota inventariale). Il quadro si trova attualmente nei depositi della Galleria d'Arte Moderna di Palazzo Pitti. Rr. Red. 1	A tergo vi era un cartellino antico con la scritta 'Gio: Dom: Ferretti se dipinse L'anno 1719' sparito nell'ultimo restauro. Tommaso Puccini possedette due autoritratti del pittore, di cui uno dipinto a 14 anni; questo invece passò all'abate Antonio Pazzi, che lo vendette alla galleria intorno al 1768. Poiché lo stile del dipinto è diverso da quello del Ferretti maturo, il Maser ha supposto che possa trattarsi di un ritratto fatto al Ferretti dai suoi maestri Felice e Lucia Torelli; ma non corrisponde neppure al loro stile. S.M.T.

	A345	A346	A347	A348
Autore	Ferri, Ciro (Roma 1634-1689).	Ferri, Gesualdo (San Miniato 1728-1788).	Feti, Pietro (Ferrara, sec. XVI).	Fidani, Orazio (Firenze 1610-56).
Titolo	Autoritratto.	Autoritratto.	Autoritratto.	Ritratto d'uomo.
Datazione	1667-75.	1760-65.	Fine sec. XVI?	1654.
Dati tecnici	Olio su tela, 73x58,5, rintelato.	Olio su tela, 73x62.	Olio su tela, 100x70, restauro 1972. Salvadora dorata, sec. XVIII.	Olio su rame ovale, 16,1x11,8.
Cornice	Color legno con listelli estremi dorati, sec. XIX.	Salvadora dorata, sec. XVIII.	Cosimo III de' Medici; Uffizi (1682).	Filetto d'ottone, sec. XX.
Ubicazioni	Card. Leopoldo de' Medici (ante 1675); Uffizi (1682).	Coll. Pazzi; Uffizi (1768).	Pietro Faccini (inv. 1753); Domenico Feti (Borea 1975); Pietro Feti (E. Safarik 1979).	Cav. Francesco Ugolini; Uffizi (1824).
Attribuzioni	—.	—	—	—
Esposizioni	Artisti alla corte granducale, Firenze 1969.	Il Trionfo delle Bell'Arti, Firenze 1767, lunetta XXV.	Prinz, 1971.	—
Bibliografia	*M. Chiarini in Cat., Firenze 1969, n. 54. Prinz, 1971.*	S. Meloni Trkulij in Dizionario Bolaffi IV, Torino 1973. *Id. ini Paragone 343, 1978.*	*E. Borea, Pittori bolognesi del Seicento nelle Gallerie di Firenze, Firenze 1975.*	E. Borea, La Quadreria di Don Lorenzo de' Medici, Firenze 1977. *L. Bellosi in Comma 2, 1971.*
Inventario	1696 (C.P., p. 102, n. 276).	2088.	1812 (C.P., p. 211, n. 388).	2206.
Foto	183077.	5767.	225347.	113092.
Note	Richiesto dal cardinal Leopoldo de' Medici, nel settembre 1666, all'artista che ne rimandava l'esecuzione nonostante i solleciti, ma alla fine dovette farlo visto che esso è citato nell'inventario dell'eredità del cardinale (n. 211). Entrò agli Uffizi il 28 ottobre 1682, col resto degli autoritratti di Leopoldo (ASF, Guard. 870, c. 160v). La semplicità della presentazione è quasi pari a quella dell'autoritratto del maestro di Ciro, Pietro da Cortona (inv. 1890 n. 1713). S.M.T.	Il dipinto reca a tergo i numeri che contraddistinguono le tele della collezione dell'abate Antonio Pazzi, incisore, venduta da lui agli Uffizi intorno al 1768. Gesualdo Ferri era professore all'Accademia fiorentina e spesso fungeva da esperto per gli acquisti di dipinti. S.M.T.	Sulla lettera in mano all'effigiato la scritta 'Al Mol M. Pietro fet (?) Roma'. Entrato in galleria il 27 ottobre 1682 (ASF, Guard. 870, c. 158r) come autoritratto 'del Feti vecchio con lettera' fu inventariato come Pietro Faccini nel 1753 e creduto fino a questo secolo autoritratto di questo pittore bolognese. L'attribuzione a Domenico Feti è stata formulata da E. Borea sulla base di una scritta antica 'Domenico Feti' sul retro della tela. Un autoritratto di D. Feti fu cercato già da Paolo del Sera per Leopoldo a Venezia: l'aveva un avvocato Nave, ma l'acquisto non fu concluso. Il Baldinucci invece dichiara nel 1681 di aver visto un autoritratto del Feti (o forse un ritratto del padre) a Mantova 16 anni prima, forse su richiesta del granduca quando era in corso la trattativa per questo, che è opinione di E. Safarik (com. scritta, 1979) sia autoritratto del padre di Domenico. S.M.T.	Firmato e datato a tergo "Oratius Fidanus Civis Florentinus Manu propria pinxit Anno 1654 Die 10 Mai", è l'ultima opera nota dell'artista. Fu venduto agli Uffizi il 23 agosto 1824 per 8 zecchini dal cavalier Francesco Ugolini (AGF, filza XLVII a 19) come autoritratto, e tale è sempre stato considerato fin quando il Bellosi lo ha illustrato semplicemente come ritratto di giovane. E infatti raffigura una persona più giovane dei 44 anni che l'artista aveva allora, e la scritta non specifica "se pinxit" come sarebbe stato più esatto. S.M.T.

	A349	A350	A351	A352
AUTORE	Flandrin, Hippolyte (Lione 1809 - Roma 1864).	Folchi, Ferdinando (Firenze 1822-1883).	Fontana, Lavinia (Bologna 1552 - Roma 1614).	Fontana, Lavinia (Bologna 1552 - Roma 1614).
TITOLO	Autoritratto.	Autoritratto.	Autoritratto al cembalo.	Autoritratto.
DATAZIONE	1853.	1881.	1578.	1579.
DATI TECNICI	Olio su tela, 44x36.	Olio su tela, 44x34,5.	Olio su tela, 27,5x24,9.	Olio su rame, diam. 15.7.
CORNICE	Intagliata e dorata, sec. XIX.	D'epoca; sgusciata e dorata.	Intagliata e dorata, sec. XVII. Card. Leopoldo de' Medici (1674); Pitti (1688); Uffizi (1952).	Filetto d'ottone, sec. XX.
UBICAZIONI	Uffizi (1865).	Eredi dell'artista; Uffizi (1927).	—	Coll. Alfonso Ceconio (1579); Gran Principe Ferdinando de' Medici, Poggio a Caiano (1713); Uffizi (1773).
ATTRIBUZIONI	—	—	—	—
ESPOSIZIONI	Exposition des oeuvres d'Hippolyte Flandrin, Parigi 1865. Pittura francese nelle collezioni pubbliche fiorentine, Firenze 1977.	—	—	—
BIBLIOGRAFIA	Ch. Lanvin: Hippolyte Flandrin, Catalogo critico (Ms. inedito all'Ecole du Louvre, Parigi). *Cat., Firenze 1977, n. 29.*	L. e F. Luciani, Dizionario dei pittori italiani dell'800, Firenze 1974.	*B. Viallet, Roma s. d. (1923). R. Galli, Lavinia Fontana pittrice, Imola 1940. Prinz, 1971.*	R. Galli, Lavinia Fontana pittrice, Imola 1940. M.L. Strocchi in Paragone 311, 1976.
INVENTARIO	1961 (C.P., p. 102, n. 520).	8762.	Oggetti d'Arte Pitti n. 756.	4013.
FOTO	197226.	112385.	225351.	5768.
NOTE	Firmato in alto a sinistra: H. Flandrin, e datato in alto a destra: Paris 1853. L'autoritratto dell'artista fu richiesto dalla direzione degli Uffizi l'anno dopo la sua morte e venne inviato dalla vedova come il più somigliante, anche se incompiuto. Uno schizzo è in collezione privata a Parigi. M.C.	A tergo, sulla tela, forse al posto di un precedente cartellino, si legge: Io Ferdinando Folchi Pittore / Fiorentino, feci questa mia brutta / effige, il 2 Maggio 1881, primo del mio sessantesimo anno. Acquistato presso la vedova del pittore nel 1927 per Lire 300. Attualmente nelle riserve. La data di morte esatta di questo modesto pittore e decoratore murale di formazione accademica fiorentina (Bezzuoli) è il 20 agosto 1883. Un elenco autografo dei lavori condotti dal Folchi fra il 1844 e il 1883 con l'indicazione dei prezzi si trova in un quaderno conservato presso la Biblioteca degli Uffizi (Manoscritti, n. 320). S.P.	Davanti in alto a sinistra, in maiuscole: 'LAVINIA VIRGO PROSPERI FONTANAE / FILIA EX SPECVLO IMAGINEM / ORIS SVI EXPRESIT ANNO / MDLXXVIII'. A tergo gli antichi numeri d'inventario (sulla cornice quello dell'inventario dell'eredità di Leopoldo). Il quadretto fu trovato a Roma da Paolo Falconieri e Ciro Ferri nel giugno 1674 e spedito al cardinale il 29 luglio: costò 20 scudi (dei 30 chiesti dal proprietario). Un'altra versione, un tempo a Firenze presso Luisa Buondelmonti Ferroni da cui l'ebbe Matilde Bonaparte, è ora nel museo Primoli a Roma; una terza, datata - sembra - 1577, all'Accademia di San Luca, ma entratavi da poco (S. Susinno in L'Accademia nazionale di San Luca, Roma 1974, p. 206 e fig. 2). S.M.T.	Il dipinto è firmato e datato sotto l'orlo della tavola «...AVINIA FONTANA TAPPII FACIEB (M)DLXXVIIII». Entrò in galleria nel 1773, quando vi venne trasportato tutto il 'gabinetto d'opere in piccolo' che Ferdinando de' Medici si era formato a Poggio a Caiano e di cui questo ritrattino faceva parte. Non si hanno notizie precise sul suo acquisto, ma è nota almeno una collocazione precedente, quella nella raccolta iconografica di Alfonso Ceconio, che lo chiese alla pittrice nel 1578 e lo ricevette con una lettera del 3 maggio 1579, secondo il Galli. S.M.T.

Autoritratti

	A353	A354	A355	A356
AUTORE	Fontana, Lavinia (Bologna 1552-1614).	Fontana, Prospero (Bologna 1512-1597), attr. a.	Fontana, Roberto (Milano 1844-1907).	Forabosco, Girolamo (Padova 1604/05-1679).
TITOLO	Autoritratto.	Ritratto di Lavinia Fontana.	Autoritratto.	Autoritratto.
DATAZIONE		1595 ca?	Ottavo-nono decennio, sec. XIX.	Terzo quarto sec. XVII.
DATI TECNICI		Olio su tela ovale riquadrata, 71x 57, rintelato in antico.	Olio su tela, 60x45,5.	Olio su tela, 66,5x54.
CORNICE		Salvadora dorata, sec. XIX (?).	Sagomata e dorata con decorazioni in pastiglia, sec. XIX.	Salvadora dorata, sec. XVIII.
UBICAZIONI		Cosimo III de' Medici; Uffizi (1690).	Eredi dell'artista; Uffizi (1909).	Cosimo III de' Medici; Uffizi (1682).
ATTRIBUZIONI		Lavinia Fontana (sec. XVII).	—	—
ESPOSIZIONI		—	—	—
BIBLIOGRAFIA		R. Galli, Lavinia Fontana pittrice, Imola 1940.	L. e F. Luciani, Dizionario dei pittori italiani dell' '800, Firenze 1974. L. Caramel - C. Pirovano, Musei e Gallerie di Milano. Galleria d'arte moderna. Le opere dell' '800, 2, Milano 1975.	C. Donzelli, G. M. Pilo, I pittori del Seicento veneto, Firenze 1967. *G. Fiocco in Belvedere IX-X, 1926.*
INVENTARIO		2020 (C.P., p. 102, n. 361).	3406 (C.P., p. 104, n. 773).	1792 (C.P., p. 211, n. 369).
FOTO		5769.	112386.	215609.
NOTE	Vedi: Fontana, Prospero. Ritratto di Lavinia. Scheda A354.	A tergo sulla tela i numeri degli inventari del 1704 (n. 1796) e 1769 (n. 3371) e la scritta antica «Lavinia di Gaspero Fontana». Mandato in galleria il 20 gennaio 1690 da Cosimo III de' Medici come autoritratto di Lavinia e sempre creduto tale, è stato trascurato dalla critica in favore degli autoritratti più giovanili, firmati e datati, al tavolino (inv. 1890 n. 4013) e al cembalo (inv. O.A. 756), che invece erano stati esclusi dalla stanza dei pittori per le loro piccole dimensioni. Non sembra identificabile con un ritratto per cui era stato in trattative il cardinal Leopoldo de' Medici che aveva le mani, tavolozza e pennelli ed è forse il n. 1841, oggi attribuito ad Anthonis Mor. Si propone qui che si tratti di un ritratto di Lavinia (i lineamenti possono corrispondere) fatto dal padre, al cui stile riporta una certa durezza e il tipo degli occhi infossati. S.M.T.	A sinistra la firma dell'artista: R. Fontana; sul retro schizzo a carboncino con una figura maschile e una femminile. La tela è abbondantemente rigirata sul telaio. L'opera fu donata dalla sorella dell'artista nel 1908, e fu accettata nel 1909 (AGF, Arte 777). Un altro autoritratto dell'artista fu esposto alla mostra Commemorativa del 90° anno della Fondazione della Società Fiorentina delle belle arti, Firenze 1933, n. 50. L'opera è attualmente nei Depositi degli Uffizi. E.S.	Apparteneva a Cosimo III de' Medici già prima che si formasse la stanza dei pittori in galleria, e le venne passato coi primi autoritratti del granduca, il 27 ottobre 1682 (ASF, Guardaroba 870, c. 158r): da allora fu sempre esposto. È un dipinto finito solo nel volto, e appena abbozzato nel corpo, così che un giudizio su di esso (il Fiocco lo definì 'senile e malandato') è difficile. S.M.T.

	A357	A358	A359	A360
AUTORE	Fortuny y de Madrazo, Mariano (Granada 1871 - Venezia 1949).	Fortuny y Marsal, Mariano José Maria Bernardo (Reus, Barcellona 1838 - Roma 1874).	Foz, Michele (Bari 1717 ca. - Vienna? post 1740).	Français, François-Louis (Plombières 1814 - Parigi 1897).
TITOLO	Autoritratto.	Autoritratto.	Autoritratto.	Autoritratto.
DATAZIONE	1946.	1852 ca.	1740.	1882-83 ca.
DATI TECNICI	Tempera su cartone, 53x41.	Olio su cartone, 34,5x27,5.	Olio su tela, 72,5x58.	Olio su tela, 57x46.
CORNICE	Sagomata e dorata con decorazioni in pastiglia, sec. XX.	Sagomata, decorata in radica, sec. XX.	Sagomata gialla, antica.	Ebano, sec. XIX-XX.
UBICAZIONI	Eredi dell'artista; Uffizi (1949).	Eredi dell'artista; Uffizi (1949).	Coll. Pazzi; Uffizi (1768); Guardaroba (1772).	Uffizi (1883).
ATTRIBUZIONI	—	—	—	—
ESPOSIZIONI	—	—	—	—
BIBLIOGRAFIA	Vollmer, II, 1955. Cat. Immagini e materiali del laboratorio Fortuny, Venezia 1978.	Thieme-Becker, XII, 1916. J.F. Ráfols, Diccionario Biográfico de Artistas de Cataluña, Barcellona 1951. J. Folch y Torres, Fortuny, Reus 1962. J. Costa Clavell, Fortuny, Barcelona 1974. Cat. Exp. Mariano Fortuny, Madrid 1975.	*S. Meloni Trkulja in Paragone 343, 1978.*	Thieme-Becker, XI, 1916. *I. Julia: in Cat. Pittura francese nelle collezioni pubbliche fiorentine, Firenze 1977.*
INVENTARIO	9265.	9264.	5493.	1995 (C.P., p. 102, n. 586).
FOTO	278044.	278036.	280826.	197223.
NOTE	Firmato e datato in basso a destra: Mariano Fortuny/y Madrazo/1946. Sul retro scritta a matita di mano dell'artista: «A Tempera/Mariano Fortuny y Madrazo/nacido en Granada/el 11 de Majo/de 1871». Sempre sul retro altra scritta con le modalità della consegna del dipinto agli Uffizi. Questo autoritratto fu legato per testamento dell'artista agli Uffizi assieme all'autoritratto di Mariano Fortuny y Marsal (Inv. 1890 n. 9264, vedi scheda), e pervenne in Galleria nel 1949, dopo la morte del pittore (AGF, Arte 796). L'opera è attualmente nei Depositi degli Uffizi. E.S.	Sul retro del dipinto scritta a penna: «Retrato de Mariano Fortuny/Lecho por el mismo à la etad/de 14 años. Mariano Fortuny/y Madrazo». Più in basso altra scritta a matita relativa alle modalità della consegna del dipinto agli Uffizi. Nel 1893 la Direzione degli Uffizi chiese al figlio del pittore, Mariano, un autoritratto del padre; egli rispose di non possedere alcun autoritratto del padre, ma soltanto un suo ritratto eseguito dal nonno, proponendo di donare una copia di questo dipinto. La Direzione degli Uffizi ricusò questa offerta. Molti anni dopo Mariano Fortuny y Madrazo (morto nel 1949) legò agli Uffizi questo autoritratto del padre, assieme al proprio autoritratto (Inv. 1890 n. 9265, vedi scheda) (AGF, Arte 796). Esistono diversi autoritratti dell'artista a Barcellona. Il dipinto è attualmente nei Depositi degli Uffizi. E.S.	Nell'angolo superiore destro la scritta «Michele Foz di Bari creato Pittore attuale di Carlo Sesto Imperatore nel Età di ventitre Anni 1740 F». Non sono noti altri particolari su questo artista, che forse l'abate Pazzi, primo possessore del dipinto, conobbe a Vienna dove era andato a offrire la propria raccolta di autoritratti al granduca di Toscana. Essa fu acquistata ed entrò in galleria fra il 1768 e il 1770, ma già nel 1772 ne vennero rimandati in Guardaroba 16 autoritratti fra cui questo (AGF, filza V a 11). S.M.T.	Firmato in alto a sinistra: Français Fcois L.s; a destra: Ne en 1814. L'autoritratto era stato richiesto all'artista dalla direzione degli Uffizi nel gennaio 1875, ma fu inviato dall'artista solo nel febbraio del 1883. Dall'età dimostrata dal pittore si desume che esso fu fatto poco tempo prima di quella data. M.C.

	A361	A362	A363	A364
AUTORE	Franceschini, Marcantonio (Bologna 1648-1729).	Franchi, Antonio (Villa Basilica 1638 - Firenze 1709).	Franchi, Antonio (Villa Basilica 1638 - Firenze 1709).	Franck, Franz Friedrich (Kaufbeuren 1627 - Augsburg 1687).
TITOLO	Autoritratto.	Autoritratto.	Autoritratto.	Autoritratto.
DATAZIONE	1695 ca.	1686.	1707.	1660.
DATI TECNICI	Olio su tela, 72x57,5.	Olio su tela, 71,5x57,5, rintelato.	Olio su tela, 72x57,5, restauro 1972.	Olio su tela, 87,5x70, rintelato.
CORNICE	Nera con un giro intagliato e dorato, sec. XVII.	Nera con intagli dorati, sec. XVIII.	Salvadora dorata con cartiglio, inizi sec. XVIII.	Nera con intagli dorati, sec. XVII.
UBICAZIONI	Cosimo III de' Medici; Uffizi (1695).	Gran Principe Ferdinando de' Medici; Uffizi (1705).	Coll. Puccini (1725); coll. Pazzi; Uffizi (1768).	Cav. Filippo Guadagni (1729); Uffizi (1771).
ATTRIBUZIONI	—	—	—	Frans III Francken (inventario 1890).
ESPOSIZIONI	—	—	—	Nota de' quadri..., Firenze 1729, corridore della fabbrica nuova.
BIBLIOGRAFIA	*N. Artioli, E. Monducci, Dipinti inediti di Marcantonio Franceschini, Reggio 1974.* *R. Roli, Pittura bolognese 1650-1800, Bologna 1977.*	*M. Gregori e F. Nannelli in Paradigma 1, 1977. S. Meloni Trkulja in Paragone 343, 1978.*	*M. Gregori e F. Mannelli in Paradigma 1, 1977; S. Meloni Trkulja in Paragone 343, 1978.*	Thieme-Becker, XII, 1916.
INVENTARIO	1835 (C.P., p. 102, n. 413).	1693 (C.P., p. 102, n. 273).	3371 (C.P., p. 211, n. 273).	1895 (C.P., p. 102, n. 241).
FOTO	113059.	249097.	194975.	305740.
NOTE	A tergo scritta antica 'Marc Antonio Franceschini' e i numeri d'inventario del 1704 e 1769. Mandato in galleria da Cosimo III de' Medici il 28 maggio 1695 (ASF, Guard. 969, c. 159r), dovette essere richiesto dal granduca al pittore e da questi fatto per l'occasione; l'età dimostrata dal personaggio consente questa datazione. S.M.T.	È documentata, ma non più esistente, una scritta a tergo 'Antonius effigem suam pingebat A. Domini 1686. Aet. suae 47'. Il ritratto ('testa con busto, vestito alla civile') entra in galleria il 27 luglio 1705, mandatovi dal Gran Principe Ferdinando (ASF, Guard. 1101, c. 119v) che pare lo possedesse già da tempo. Tutte le biografie dell'artista lo citano. Un autoritratto più tardo, del 1707, ma di impaginazione assai simile, entrò agli Uffizi intorno al 1768 con la raccolta Pazzi (inv. 1890 n. 3371) e ne scacciò questo, come duplicato, nel 1790 (AGF, filza XXIII a 28). S.M.T.	A tergo «Antonius Franchi Se ipsum pingebat A.D. 1707». Questo autoritratto è una replica autografa, lievemente variata, di quello del 1686 (inv. 1890 n. 1693) con cui è stato finora confuso e a cui manca l'incorniciatura ovale ma che include la mano del pittore. Fece parte della collezione di Tommaso Puccini, medico di Cosimo III, e poi dell'abate Antonio Pazzi. S.M.T.	A tergo sulla tela scritta col nome del pittore parzialmente nascosta dal telaio: '... / Pittore famoso Holandese / L'anno 1660'. Su questa base l'autoritratto è stato creduto di Frans III Francken (Anversa 1607-1667), mentre è assai più probabile che si tratti del tedesco Franz Friedrich Franck, che fu attivo in Italia. Quando entrò in galleria, il 10 giugno 1771 (AGF, ms. 98, c. 705v), era chiamato Francesco Federico Franck. L'acquisto fu proposto dal pittore e restauratore Santi Pacini (AGF, filza III a 19), probabilmente per conto d'altri; l'ultimo proprietario noto era stato il marchese Guadagni, che espose il quadro per la festa di S. Luca del 1729 (cat. a p. 14). Fu pagato 30 scudi. S.M.T.

	A365	A366	A367	A368
AUTORE	Frascheri, Giuseppe (Savona 1809? - Sestri, Genova 1886).	Fratellini, Marmocchini Cortesi, Giovanna (Firenze 1666-1731).	Fratellini, Rosalba (?).	Furini, Francesco (Firenze 1603-1646).
TITOLO	Autoritratto.	Autoritratto.	Autoritratto.	Autoritratto.
DATAZIONE	Sec. XIX (1865 ca.).	1720 ca.		1618-20?
DATI TECNICI	Olio su tela, 99,5x77.	Pastello su carta, 72x57 ca.		Olio su tela incollata su tavola, 41x33.
CORNICE	Sagomata e dorata, sec. XIX.	Cornice nera intagliata, fine sec. XIX, corniciaio Andrea Picchi.		Nera e oro con fregi dorati dipinti, sec. XIX.
UBICAZIONI	Uffizi (1867).	Cosimo III de' Medici; Uffizi (1723).		Card. Leopoldo de' Medici (ante 1675); Uffizi (1682).
ATTRIBUZIONI	—	—		—
ESPOSIZIONI	—	—		Firenze 1681.
BIBLIOGRAFIA	F. Sborgi, in Cat. 1770-1860. Pittura neoclassica e romantica in Liguria, Genova 1975. *Prinz 1971.*	*B. Viallet, Roma s.d. (1923).*		E. Toesca, Francesco Furini, Roma 1943. G. Corti in Antichità viva X, 1971. A. Barsanti in Paragone 289, 291 e 293, 1973.
INVENTARIO	1924 (C.P., p. 102, n. 564).	2064 (C.P., p. 102, n. 533).		1737 (C.P., p. 103, n. 313).
FOTO	112389.	249128.		321848.
NOTE	Un autoritratto fu richiesto nel 1865 all'artista, che donò questo nel 1867 (AGF, Arte 796). La data di nascita del pittore è incerta: alcuni testi la riferiscono anche al 1808 e al 1811. Attualmente nei Depositi degli Uffizi. E.S.	Mandato in galleria da Cosimo III de' Medici l'8 giugno 1723 (ASF, Guard. 1277, c. 106r): fu forse il granduca a chiederlo all'artista e quindi la data di esecuzione può essere di poco precedente. È tradizione che l'autrice stia dipingendo in miniatura il figlio Lorenzo, promettente pittore, che morirà nel 1729 a 39 anni. Di questo ritratto vi è una copia, pure a pastello (inv. 1890 n. 5332). La Fratellini (nata Marmocchini Cortesi) fu, dopo il suo maestro Domenico Tempesti, la miglior pastellista a Firenze, e fu detta 'la Rosalba toscana'; suoi stilismi tipici sono i nastri spiegazzati e svolazzanti che sfoggia anche qui. S.M.T.	Vedi: Pillori, Antonio Nicola. Figura femminile. Scheda A701.	A tergo scritta antica 'Fran° Sciamerone D° il Furino'. L'opera, ammesso che sia autentica, è molto giovanile nel 1681, proveniente da Pitti, fu esposto alla Ss. Annunziata per la festa di S. Luca (cfr. S. Meloni Trkulja in Scritti... in onore di Ugo Procacci, Milano 1977). Entrò in galleria il 28 ottobre 1682 con tutti gli autoritratti del cardinal Leopoldo de' Medici (ASF, Guard. 870, c. 160v). Di un autoritratto in età più matura esiste testimonianza attraverso una copia nella serie di ritratti di pittori fatta per l'Accademia del disegno (inv. 1890 n. 5320) e un'altra, oggi irreperibile ma incisa, che entrò agli Uffizi nel 1768 con la collezione Pazzi (cfr. Paragone 343, 1978, fig. 92c). S.M.T.

	A369	A370	A371	A372
AUTORE	Furini, Niccolò Maria (Firenze 1705 - 1763).	Gabbiani, Anton Domenico (Firenze 1652-1726).	Gabbiani, Anton Domenico (Firenze 1652-1726).	Gabbiani, Anton Domenico (Firenze 1655-1726).
TITOLO	Autoritratto.	Autoritratto.	Autoritratto.	Autoritratto.
DATAZIONE	Prima metà sec. XVIII.	1717 ca.	1717 ca.	1685.
DATI TECNICI	Olio su tela, 76x62,5.	Olio su tela, 72,5x58,5.	Olio su tela, 72x58.	Olio su tela, 87,5x73.
CORNICE	Salvadora gialla, sec. XIX.	—	Salvadora dorata con cartiglio, sec. XVIII.	Dorata e nera, sec. XX.
UBICAZIONI	Coll. Pazzi; Uffizi (1768); Guardaroba (1772); Petraia (1845); Uffizi, depositi.	Uffizi (1877).	Cosimo III de' Medici; Uffizi (1717).	Coll. Ignazio Hugford (1767); Uffizi (1779).
ATTRIBUZIONI	—	—	—	—
ESPOSIZIONI	—	—	—	Il Trionfo delle Belle Arti, Firenze 1767.
BIBLIOGRAFIA	G. Gargani, Commentario della famiglia Forini di Firenze, Firenze 1876. *S. Meloni Trkulja in Paragone 343, 1978.*	*M. Chiarini in Kunst des Barock in der Toskana, München 1976. S. Meloni Trkulja in Paragone 343, 1978.*	M. Chiarini in Kunst des Barock in der Toskana, München 1976. *S. Meloni Trkulja in Paragone 343, 1978.*	*A. Bartarelli in Rivista d'arte XXVII, 1951-52. M. Chiarini in Kunst des Barock in der Toskana, München 1976.*
INVENTARIO	9511.	2056 (C.P., p. 224, n. 253).	3366.	1675 (C.P., p. 103, n. 257).
FOTO	296688.	183074.	296695.	249091.
NOTE	Su un cartellino antico a tergo, la scritta "Niccolò Forini" e i numeri della collezione dell'abate Antonio Pazzi hanno permesso di recuperare questo autoritratto, rimasto non inventariato nella villa della Petraia. L'autore appartenne a un altro ramo della famiglia di Francesco Furini, che riprese i nomi dei pittori Filippo e Francesco (lo ebbero due zii e due fraelli del nostro). Lasciò a Firenze sia quadri sacri che profani; Anna Maria Luisa de' Medici gli pagò nel 1739 delle tele di feste fiorentine ASF, Depositeria 472). S.M.T.	A tergo sul telaio la scritta 'Ritratto di Gio Domenico Gabbiani Fatto da Lui'. Il quadro entrò in galleria il 10 gennaio 1877 (inv. 1825, suppl. n. 3066) ed è una replica o copia antica — illustrata dal Chiarini come originale — dell'autoritratto fatto dal Gabbiani per il granduca intorno al 1717 (inv. 1890 n. 3366). Un'altra copia meno bella (inv. 1890 n. 2769) fu fatta per la collezione del medico del granduca, Tommaso Puccini, da I. Campo (v.). S.M.T.	Messo in disparte dopo l'accessione (1779) del giovanile autoritratto della collezione Hugford, questo bellissimo autoritratto fu mandato in galleria da Cosimo III il 16 giugno 1717 (ASF, Guard. 1227 c. 132v); ne furono fatte copie, due delle quali sono pure in gallerie (inv. 1890 n. 2056; 1890 n. 2769). È da credere che l'autoritratto sia stato chiesto al pittore per la raccolta, eseguito proprio per l'occasione e subito inseritovi, e vada quindi datato 1717 o poco prima. S.M.T.	Monogrammato e datato GAD 1685 sotto l'orlo della tavola a sinistra; a tergo sulla tela vi è la scritta antica, parzialmente nascosta dal telaio, 'Domenico Gabbiani dipinse... propria mano d'età d'anni 33 nel...', e sul telaio il cartellino, pure antico, '12 Maggio 1779 Dall'Eredità Hugford del Gabbiani medesimo'. È una delle primissime opere dell'artista, che cominciò a dipingere dopo i trent'anni; e giunse in galleria (AGF, filza XII a 30) dopo la fine della dinastia medicea, per la quale il pittore fece un autoritratto più maturo intorno al 1715 (inv. 1890 n. 3366). S.M.T.

Autoritratti

	A373	A374	A375	A376
AUTORE	Gábor, Marianne (Budapest 1917).	Gábor, Marianne (Budapest 1917).	Gaddi, Agnolo (attivo a Firenze nella seconda metà del sec. XII).	Gagneraux, Bégnine (Digione 1756 - Firenze 1795).
TITOLO	Autoritratto al lavoro.	Autoritratto con cappello.	Autoritratto.	Autoritratto.
DATAZIONE	1956.	1956.		1793-95 ca. (Rosenberg 1977).
DATI TECNICI	Olio su cartone, 128,5x70.	Olio su faesite, 70x49,5.		Olio su tavola, 29x23.
CORNICE	Listello in legno naturale sec. XX.	Listello in legno naturale, sec. XX.		Liscia, dorata, sec. XVIII.
UBICAZIONI	Uffizi (1976).	Uffizi (1976).		Uffizi (1857).
ATTRIBUZIONI	—	—		—
ESPOSIZIONI	Marianne Gábor, Gall. István Csók, Budapest 1966; Marianne Gábor, Gall. Santo Stefano, Venezia 1966; Marianne Gábor, Gall. István Csók, Budapest 1973; Marianne Gábor, Chiostro di San Marco, Firenze 1976.	Marianne Gábor, Gall. István Csók, Budapest 1957; Marianne Gábor, Galleria della Colonna Antonina, Roma 1964; Marianne Gábor, Galleria della Trinità, Roma 1966; Marianne Gábor, Galérie Roussard, Parigi 1974; Marian-		Une école provinciale de dessin au XVIIIe siècle: l'Académie de Peinture ed Sculpture de Dijon, Digione 1961. Pittura francese nelle collezioni pubbliche fiorentine, Firenze 1977.
BIBLIOGRAFIA	Müvészeti Lexikon, II, Budapest 1966. Cat. Marianne Gábor Kiállítása, Budapest 1977. G. Ö. Pogány, Marianne Gábor (in preparazione).	Müvészeti Lexikon, II, Budapest 1966; Cat. Marianne Gábor Kiállítása, Budapest 1977; G. Ö. Pogány, Marianne Gábor (in preparazione).		Thieme-Becker, XIII, 1920. *Cat., Firenze 1977, n. 23. B. Sandström in Actes du Colloque «Florence et la France»..., Firenze 1979.* 1915 (C.P., p. 103, n. 470).
INVENTARIO	9498.	9497.		
FOTO	252413.	252414.		175060.
NOTE	Firmato in basso a destra: Gábor. L'opera fu donata agli Uffizi dall'autrice nel 1976 (AGF, Arte 796). Le mostre citate sono solo alcune delle più importanti in cui il dipinto fu esposto; l'opera — sempre riferita al 1956 — fu esposta per la prima volta alla personale della pittrice a Budapest nel 1966. Due altri autoritratti dell'autore (1943 e 1957) sono nella Galleria Nazionale di Budapest. Il dipinto è attualmente collocato nei Depositi degli Uffizi. E.S.	Firmato in basso a sinistra: Gábor. L'opera fu donata agli Uffizi dalla pittrice nel 1976 (AGF, Arte 796). Le mostre citate sono solo alcune delle più importanti in cui fu esposto il dipinto; l'autoritratto — sempre riferito al 1956 — fu esposto la prima volta a Budapest nel 1957. Due altri autoritratti dell'artista (1943 e 1957) sono nella Galleria Nazionale di Budapest. L'opera è attualmente nei Depositi degli Uffizi. E.S.	Vedi: Domenico di Michelino. Ritratti dei tre Gaddi. Scheda A309.	Per il Rosenberg (Cat., Firenze 1977) da datarsi dopo il 1793, perché non menzionato nel catalogo delle opere dell'artista steso da lui stesso (vedi H. Baudot, Eloge historique de Bénigne Gagneraux..., Dijon 1889), e prima della morte (18 agosto 1795) che avvenne proprio a Firenze per caduta da una finestra (probabilmente suicidio). Il dipinto fu offerto alla Galleria dal pittore Sabatino Levi nel 1857. Una copia del Papini, datata 1879, è nel Museo di Digione. M.C.

	A377	A378	A379	A380
AUTORE	Galantini, Ippolito (Firenze 1627-1706).	Galantini, Ippolito (Firenze 1627-1706).	Galeotti, Sebastiano (Firenze 1676-Mondovì 1741).	Galizia, Fede (Milano? 1578-1630 ca.).
TITOLO	Autoritratto.	Autoritratto.	Autoritratto.	Ritratto di Federico Zuccari.
DATAZIONE	1670 ca.	1700 ca.	1695-1700.	1604.
DATI TECNICI	Acquarello su pergamena ovale, 15x11,5.	Acquarello su pergamena su tela, 55,3x44.	Olio su tela, 74x59,3, restauro 1972.	Olio su tela, 55,5x43.
CORNICE	Filetto d'ottone, sec. XX.	Salvadora dorata con cartiglio, inizi sec. XVIII.	Salvadora dorata con cartiglio, sec. XVIII.	Intagliata e dorata, sec. XIX-XX.
UBICAZIONI	Card. Leopoldo de' Medici (ante 1675); Uffizi (1753).	Gran 'Principe Ferdinando de' Medici; Uffizi (1713).	Coll. Puccini (1725); coll. Pazzi; Uffizi (1768); Guardaroba (1795).	Card. Leopoldo de' Medici (1675); Uffizi (1772).
ATTRIBUZIONI	—	—	—	F. Zuccari (inventari antichi); F. Pourbus il giovane (Heikamp 1961).
ESPOSIZIONI	Omaggio a Leopoldo de' Medici, II, Firenze 1976.	—	—	—
BIBLIOGRAFIA	*Cat., Firenze 1976, n. 22.*	*S. Meloni Trkulia. Omaggio a Leopoldo de' Medici, II, Ritrattini, Firenze 1976.*	N. Carboneri, Sebastiano Galeotti, Venezia 1955. P. Torriti, Attività di Sebastiano Galeotti in Liguria, Genova 1956. *S. Meloni Trkulja in Paragone 343, 1978.*	S. Bottari, Fede Galizia pittrice, Trento 1965. Prinz, 1971. *D. Heikamp, Scritti d'arte di Federico Zuccaro, Firenze 1961, p. VII.*
INVENTARIO	8945.	1740 (C.P., p. 211, n. 319).	2039 (C.P., p. 211, n. 693).	1690 (C.P., p. 112, n. 270).
FOTO	250616.	5773.	194974.	249096.
NOTE	Inventariato come anonimo, è stato riconosciuto per confronto con l'autoritratto più grande dello stesso autore (inv. 1890 n. 1740) e perché è documentata l'esistenza, nella raccolta di Leopoldo de' Medici, di un ritratto di questo frate cappuccino, allievo del miniatore servita Giovan Battista Stefaneschi e autore di pastelli e di varie copie miniate di celebri dipinti di proprietà medicea. S.M.T.	A tergo la scritta antica «Padre Ipolito Galantinj Miniatore». È tradizione che questa smisurata miniatura — che tale è per la minuziosa tecnica a tratteggio — sia stata ordinata all'autore dal Gran Principe Ferdinando de' Medici, probabilmente intorno ai primi del secolo a giudicare dall'età avanzata che l'artista vi dimostra. Entrò in galleria un mese dopo la morte del committente e prima del resto della sua eredità: il 18 novembre 1913 (ASF, Guard. 1172, c. 248v). Un altro autoritratto (inv. 1890 n. 8945) era nella collezione del cardinal Leopoldo. S.M.T.	A tergo, fra altri, i numeri che il ritratto aveva nelle collezioni Puccini e Pazzi. L'opera, benché non ben giudicabile per le sue infelici condizioni, deve essere molto giovanile, dato che non rivela traccia della solare leggerezza che il pittore dimostra fin dai primi anni del '700. Lo stesso impasto pesante è tipico di un'altra sua tela fiorentina di questi anni, la pala della Concezione di S. Jacopo Soprarno. Il ritratto fu rimandato in guardaroba nel 1795 (AGF, filza XXVII a 24) e vi rimase per tutto l'800. S.M.T.	A tergo sulla tela: FEDE FILIA NUNTIO GALITIO F. 1604. Davanti in alto: 'Federicus Zuccharus AE'. Figura nell'eredità del cardinale Leopoldo a cui fu segnalato nel giugno 1674 da Paolo Falconieri (Prinz, doc. 44). Un altro 'da giovane con collarino all'antica', di 40x30 cm. ca., lo possedeva Cosimo III nel 1682 (ASF, Guard. 870, c. 160v; inv. 1704, n. 1703; non rintracciato); un terzo, mandato in galleria il 17 ottobre 1686 (ASF, Guard. 904, c. 69r) è ora a Lucca (Pinacoteca, inv. n. 14). La firma di Fede Galizia, benché chiarissima, è rimasta ignorata sino ad ora ma già lo Heikamp si era accorto che il ritratto non era un autoritratto, proponendo di attribuirlo al Pourbus e datandolo intorno al 1605. Egli ha specificato che le tre medaglie sono rispettivamente del cardinal Farnese, di Filippo II e di Venezia, tutti committenti dello Zuccari. S.M.T.

	A381	A382	A383	A384
AUTORE	Galletti, Filippo Maria (Firenze 1636-1714).	Galli, Silvia (?).	Gambacciani, Francesco (Firenze 1701 - post 1782).	Gatti, Annibale (Forlì 1828 - Firenze 1909).
TITOLO	Autoritratto.	Autoritratto.	Autoritratto.	Autoritratto.
DATAZIONE	Terzo quarto sec. XVII.	Metà sec. XX.	1769 ca.	1890 ca.
DATI TECNICI	Olio su tela, 77x60, rintelato.	Olio su compensato, 53x30.	Olio su tela, 74x62,5.	Olio su tela, 51,5x40,5.
CORNICE	—	Dorata e dipinta.	Salvadora dorata con cartiglio, sec. XVIII.	D'epoca, in legno intagliato e dorato.
UBICAZIONI	Gran Principe Ferdinando de' Medici; Uffizi (1713).	Galleria d'Arte Moderna, Pitti (1956).	Coll. Pazzi (1768 ca.); Uffizi (1779).	Galleria d'Arte Moderna, Pitti (1939 ca.).
ATTRIBUZIONI	—	—	—	—
ESPOSIZIONI	—	—	—	—
BIBLIOGRAFIA	Dizionario Bolaffi V, Torino 1974.	—	S. Meloni Trkulja in Dizionario Bolaffi V, Torino 1974; *id. in Paragone 343, 1978*.	L. e F. Luciani, Dizionario dei pittori italiani dell'800, Firenze 1974.
INVENTARIO	1734 (C.P., p. 211, n. 311).	GAM Giornale 1490.	1681 (C.P., p. 211, n. 261).	GAM Giornale 896.
FOTO	112390.	192554.	112391.	302341.
NOTE	Entrato agli Uffizi il 28 novembre 1713, poco dopo la morte del Gran Principe Ferdinando che ne era proprietario (ASF, Guard. 1172, c. 253r). L'artista, padre teatino, fu ritrattista per i Farnese, i Gonzaga di Guastalla e i Medici. S.M.T.	Nell'angolo in basso a destra: "Silvia Galli". Nel tergo, nell'angolo in basso a sinistra: "Sylvia Galli-Autoritratto", a lapis. Entrato in Galleria il 1-XII-1956 (nota inventariale). Non è stato possibile reperire bibliografia specifica sull'autore nè sull'opera in oggetto. Il quadro si trova attualmente nei depositi della Galleria d'Arte Moderna di Palazzo Pitti. Gr. Red. 1	Il ritratto fu venduto alla galleria dall'abate Antonio Pazzi, ma benché inciso nell'ultima parte del catalogo della raccolta, stampata con la data 1768, fu consegnato agli Uffizi solo undici anni dopo (AGF, filza XII a 47) insieme ad altri tre ritratti di cui uno (Preciado, inv. 1890 n. 2012) datato 1769 e un altro (Hickels, inv. 1890 n. 2062) eseguito da uno straniero giunto a Firenze nel 1769. Perciò è probabile che anche questo sia posteriore, sia pur di poco, al 1768. S.M.T.	A tergo l'autentica: Dichiaro che il sottostante dipinto è l'autoritratto / di Annibale Gatti / da me vedutogli dipingere (riga barrata) / Firenze 8 gennaio 1939 / Provvedi Paolo (altra grafia). Cartellino con il prezzo: L. 1500. Busta intestata Luigi Gonnelli. Irreperibile la documentazione sull'acquisizione che tuttavia appare congetturabile (Libreria Gonnelli, 1939, L. 1500). È il terzo autoritratto di Annibale Gatti anziano acquisito per la collezione delle gallerie fiorentine (v. 1890 n. 3399 e 4294). Attualmente nelle riserve della Galleria d'arte moderna. S.P.

	A385	A386	A387	A388
AUTORE	Gargiolli, Filippo (Firenze, inizi sec. XVIII).	Gastaldi, Andrea (Torino 1826-1889).	Gatteschi, Roberto Pio (Firenze 1872-1958).	Gatti, Annibale (Forlì 1828 - Firenze 1909).
TITOLO	Autoritratto.	Autoritratto.	Autoritratto.	Autoritratto.
DATAZIONE	1706.	Settimo decennio sec. XIX.	Prima metà sec. XX.	1895-1900 ca.
DATI TECNICI	Olio su tela, 72x58.	Olio su tela, 60x45.	Pastello su cartone, 90,5x81,5.	Olio su tela, 52x35,5.
CORNICE	Liscia gialla, sec. XIX.	Sagomata e dorata con decorazioni in pastiglia, sec. XIX.	Decorata a motivi vegetali, sec. XX.	D'epoca, dorata e intagliata.
UBICAZIONI	Coll. Puccini (1725); coll. Pazzi; Uffizi 1768); Guardaroba 1772).	Eredi dell'artista; Uffizi (1936).	Galleria d'Arte Moderna, Pitti (1953).	Uffizi (1908).
ATTRIBUZIONI	—	—	—	—
ESPOSIZIONI	—	—	—	—
BIBLIOGRAFIA	*S. Meloni Trkulja in Paragone 343, 1978. G. Leoncini in Paragone 345, 1978.*	A. Stella, Pittura e Scultura in Piemonte 1842-1891, Torino 1893, pp. 195-206. S. Pinto, in Cat. Romanticismo storico, Firenze 1974. *Prinz 1971.*	Comanducci, III, Milano 1972.	L. e F. Luciani, Dizionario dei pittori italiani dell'800, Firenze 1974.
INVENTARIO	2876 (C.P., p. 224, n. 894).	9207.	GAM Giornale 1378.	3399 (C.P., p. 103, n. 768).
FOTO	173979.	278037.	192557.	321823
NOTE	A tergo sul telaio cartellino antico con la scritta 'Filippo Gargiolli 1706'. È l'unico punto fermo su questo artista, di cui l'elenco della collezione Puccini a cui apparteneva specifica "dipinse d'Architettura" e che il Baldinucci aveva tacciato di mediocre nella vita del suo maestro Mario Balassi. Passato all'abate Antonio Pazzi, fu da lui venduto alla galleria intorno al 1768 ma già nel 1772 veniva rimandato in Guardaroba (AGF, Filza V, a 11). S.M.T.	Siglato in basso a sinistra; in basso a destra cartellino con il n. 47. Nella parte inferiore il dipinto è appena abbozzato. Un autoritratto fu richiesto all'artista nel 1864; questo fu donato dai suoi eredi soltanto nel 1936 (AGF Arte 796). Nel Museo civico di Torino esiste un altro autoritratto del Gastaldi. Attualmente nei Depositi degli Uffizi. E.S.	Firmato in basso a destra: "P. Gatteschi". Donato dall'autore nel giugno 1953 (nota inventariale). L'opera si trova attualmente nei depositi della Galleria d'Arte Moderna di Palazzo Pitti. Gr. Red. 1	Dono dell'autore (AGF, Arte 796 in Doc. autoritratti). La richiesta era stata rivolta al pittore ben quarantatre anni prima nel 1865 e questi aveva risposto modestamente di non sentirsi degno dell'onore ma che avrebbe tentato. La richiesta fu rinnovata nel 1892 e nel 1895 ma fu poi l'artista stesso che, nel 1908, sentendosi prossimo alla fine inviò spontaneamente il proprio ritratto 'fatto vari anni fa'. Dopo la sua morte pervennero altri due autoritratti del Gatti (1890 n. 4294 e GAM Giornale n. 896). Attualmente nelle riserve. S.P.

	A389	A390	A391	A392
AUTORE	Gatti, Annibale (Forlì 1828 - Firenze 1909).	Gauffier, Louis (Poitiers 1762 - Livorno 1801).	Gebhardt, Eduard Carl Franz (St. Johannis, Estonia 1838 - Düsseldorf 1925).	Gelli, Edoardo (Savona 1852 - Firenze 1933).
TITOLO	Autoritratto.	Autoritratto con la moglie e i due figli.	Autoritratto.	Ritratto di Ernesto Bellandi.
DATAZIONE	1900-08 ca.	1793 (Pinto 1972).	1889.	1890-1900 ca.
DATI TECNICI	Olio su tela, 55x46.	Olio su tela, 72,5x54,5, restauro 1961.	Olio su tela, 86,5x69.	Olio su tela, 95x66.
CORNICE	D'epoca, sguscia ta, dorata.	Neoclassica sguscia ta e dorata.	Sagomata e dorata con decorazioni in pastiglia, sec. XIX.	D'epoca, scolpita con motivi vegetali e dorata.
UBICAZIONI	Uffizi (1917).	Eredi dell'artista (1801); Uffizi (1801); Accademia (1872); Uffizi (1919 ca.); Galleria d'Arte Moderna, Pitti (1972).	Uffizi (1889).	Coll. Bellandi; Accademia (1916); Galleria d'Arte Moderna, Pitti (1924).
ATTRIBUZIONI	·	—	—	—
ESPOSIZIONI	—	L'Italia vista dai pittori francesi, Roma e Torino 1961. Cultura neoclassica e romantica nella Toscana Granducale. Firenze 1972. Pittura francese nelle collezioni pubbliche fiorentine, Firenze 1977.	—	—
BIBLIOGRAFIA	L. e F. Luciani, Dizionario dei pittori italiani dell'800, Firenze 1974.	J.F. Méjanès, Cat. mostra De David à Delacroix, Parigi - Detroit - New York 1974-75. *Cat., Firenze 1972. Cat., Firenze 1977, n. 24.*	Thieme-Becker, XIII, 1920. Cat. Kunstmuseum Düsseldorf. Malerei. 2, Die Düsseldorf Malerschule, Düsseldorf 1969. *Prinz 1971.*	Comanducci III, Milano 1972.
INVENTARIO	4294.	8404.	1997 (C.P., p. 103, n. 582).	Acc. 547. GAM Cat. Gen. 152.
FOTO	112393.	184334.	96057.	158236.
NOTE	In basso a destra è firmato: A. Gatti. È più tardi e meno finito di quello consegnato nel 1908 dall'artista stesso (v. inv. 1890, n. 3399). Irreperibile la documentazione dell'acquisizione, dalla registrazione inventariale il quadro risulta pervenuto il 15.7.1917. Attualmente nelle riserve. S.P.	A tergo una iscrizione identifica i personaggi: Luigi Gauffier, Paolina Chatillon e i figli Luigi e Faustina. Il quadro è databile al 1793, l'anno in cui il pittore si trasferisce con la famiglia da Roma a Firenze: la secondogenita, nata nel 1792, vi appare in età di non più di un anno. L'opera fu acquistata nel 1801 (AGF, filza XXX, 57) a beneficio di Luigi e Faustina Gauffier rimasti orfani di entrambi i genitori pochi mesi prima. In relazione al quadro, due disegni: uno già in collezione Artus (Parigi), l'altro nel Museo Magnin di Digione. L'opera, unita nella seconda metà dell'Ottocento alle collezioni moderne all'Accademia, tornava nelle riserve degli Uffizi ai primi del Novecento. È esposta nella Galleria d'arte moderna dal riordinamento del 1972. S.P.	Firmato e datato in alto a destra: Ev. Gebhardt 1889. Sul retro, tracciati sulla tela, si vedono vari numeri e uno schizzo raffigurante una figura in atto di correre in un interno colonnato. Un autoritratto fu richiesto all'artista nel 1887, che donò questo nel 1880 (AGF, Arte 796). Un altro autoritratto di Gebhardt è nel Kunstmuseum di Düsseldorf, assieme a molte altre opere dell'artista. Attualmente esposto nel Corridoio Vasariano. E.S.	In alto a destra firmato e dedicato: E. Gelli / al carissimo amico / E. Bellandi. Pervenuto per legato testamentario del ritrattato nel 1916 (AGF, Arte 842). Fa parte delle collezioni della Galleria moderna di Pitti dalla istituzione. Il Gelli che conclude la sua formazione lucchese con La strage degli innocenti del 1873 oggi nella Pinacoteca di Lucca, passa più tardi a Firenze nell'orbita del Ciseri come dimostra questo ritratto del Bellandi, artista fiorentino di dieci anni maggiore di lui. Fra i ritratti ufficiali del Gelli se ne annoverano diversi della famiglia imperiale austriaca e quello di Umberto I. S.P.

	A393	A394	A395	A396
AUTORE	Gelli, Edoardo (Savona 1851? - Firenze 1933).	Gemignani, Italo Valmore (Carrara 1878 - Firenze 1958).	Gennari, Benedetto (Cento 1633 - Bologna 1715).	Gennari, Cesare (Bologna 1637 - 1688).
TITOLO	Autoritratto.	Autoritratto.	Autoritratto.	Autoritratto.
DATAZIONE	1909.	Prima metà sec. XX.	1685 ca.	Terzo quarto sec. XVII.
DATI TECNICI	Olio su tela, 75x61.	Olio su cartone, 57x42,5.	Olio su tela, 79x61,5, rintelato.	Olio su tela, 74x60.
CORNICE	Sagomata e dorata con decorazioni in pastiglia, sec. XX.	Sagomata, dorata e dipinta (sec. XX).	Salvadora dorata, sec. XVIII.	Salvadora dorata con cartiglio, inizi secolo XVIII.
UBICAZIONI	Uffizi (1909).	Galleria d'Arte Moderna, Pitti (1948 ca.).	Cosimo III de' Medici; Uffizi (1686).	Uffizi (1686); Guardaroba (1790); Uffizi (1907).
ATTRIBUZIONI	—	—	—	—
ESPOSIZIONI	—	—	—	—
BIBLIOGRAFIA	J. Gelli, Edoardo Gelli pittore, Livorno 1934. L. e F. Luciani, Dizionario dei pittori italiani dell' '800, Firenze 1974.	J. Busse: Internationales Handbuch aller Maler und Bildhauer des 19. Jahrhunderts, Wiesbaden, 1977. *Cat., Firenze 1958.*	*A. M. Crinò in Rivista d'arte XXVIII, 1953. Prinz, 1971.*	*Prinz, 1971; E. Borea, in Cat. Pittori bolognesi del Seicento nelle Gallerie di Firenze, Firenze 1975, p. 208.*
INVENTARIO	3411 (C.P., p. 103, n. 771).	GAM Giornale 1094.	1788 (C.P., p. 103, n. 430).	3370.
FOTO	113076.	192544.	112394.	112395.
NOTE	Firmato e datato in basso a destra: E. Gelli/Firenze 1909. Un autoritratto fu richiesto all'artista nel 1903 che donò questo nel 1909 (AGF, Arte 327). La data di nascita del pittore è generalmente riferita al 1852; Jacopo Gelli, nella sua monografia sull'artista, la fa risalire al 1851. Attualmente nei Depositi degli Uffizi. E.S.	In alto a sinistra, sulla cornice: "Prf. Geminiani", a lapis. Donato dall'autore. Risulta pervenuto nella sede attuale nel 1948 ca. (nota inventariale). L'opera si trova attualmente nei depositi della Galleria d'Arte Moderna di Palazzo Pitti. Gr. Red. 1	Offerto dall'artista con una lettera da Londra ai primi di maggio 1686, fu accettato ed entrò in galleria il 20 agosto (ASF, Guard. 904, c. 61r) precedendo di due mesi quello del fratello Cesare (inv. 1890 n. 3370). Benedetto Gennari, pittore della corte inglese, dette anche pareri su acquisti londinesi di Cosimo III de' Medici come le miniature dell'eredità di Samuel Cooper, e si disse che la buona accoglienza fatta al suo ritratto fosse più in ringraziamento di questi servigi che per la qualità del dipinto. S.M.T.	È conservata la lettera d'offerta in dono del pittore e la minuta di quella di ringraziamento del granduca Cosimo III; l'ingresso del quadro in galleria è documentato al 24 dicembre 1686 (ASF, Guard. 903, c. 81r), ma prima della metà del '700 dovette finire nei depositi: infatti è menzionato, fra gli autoritratti, nell'inv. del 1704, ma non più in quello del 1753 e successivi. Nel 1790 passa in guardaroba come duplicato (AGF, filza XXIII a 28) e di lì in deposito al Circolo Militare di Firenze, da cui torna il 20 febbraio 1907. S.M.T.

	A397	A398	A399	A400
AUTORE	Gherardini, Alessandro (Firenze 1655 - Livorno 1726?).	Gherardini, Tommaso (Firenze 1715-1797).	Ghezzi, Pier Leone (Roma 1674-1755).	Ghezzi, Pier Leone (Roma 1674-1755).
TITOLO	Autoritratto.	Autoritratto.	Autoritratto.	Autoritratto.
DATAZIONE	1707.	Metà sec. XVIII.	1702.	1719.
DATI TECNICI	Olio su tela, 72x56,6.	Olio su tela, 71,4x57, restauro 1974 (non rintelato).	Olio su tela, 31x26,5.	Olio su tela, 78,3x60,5, rintelato.
CORNICE	Salvadora dorata con cartiglio, sec. XVIII.	Salvadora dorata, sec. XVIII.	Intagliata e dorata, secc. XIX-XX.	Salvadora dorata, sec. XVIII.
UBICAZIONI	Coll. Puccini (1725); coll. Pazzi; Uffizi (1768).	Coll. Pazzi; Uffizi (1768) *oppure*: Avv. Antonio Gherardini; Uffizi (1852).	Coll. A. Grandi, Milano; Uffizi (1912).	Cosimo III de' Medici (1719); Uffizi (1719).
ATTRIBUZIONI	—	—	—	—
ESPOSIZIONI	—	—	Mostra del ritratto italiano, Firenze 1911.	—
BIBLIOGRAFIA	G. Ewald in Acropoli III, 1963. S. Meloni Trkulja in Paragone 343, 1978.	S. Meloni Trkulja in Paragone 343, 1978.	A. M. Clark in Paragone 165, 1963.	A. M. Clark in Paragone 165, 1963. Prinz, 1971.
INVENTARIO	1888 (C.P., p. 211, n. 507).	1893 (C.P., p. 211, n. 506).	3583.	1716 (C.P., p. 103, n. 296?).
FOTO	5778.	228368.	159863.	315594.
NOTE	A tergo sulla tela la scritta, probabilmente autografa dell'artista, 'Alessandro Gherardinj / Dipitosi da Se l'año / 1707 nell'età di / Annj 52', e il numero d'ordine nella lista della collezione Pazzi, a cui il quadro appartenne dopo esser stato fra i ritratti di pittori di Tommaso Puccini, medico pistoiese. Un altro autoritratto dello stesso tipo, ma con veste rossa (qui la zimarra è azzurra) è documentato nel 1761 in palazzo Pitti (ASF, Guard. 94 app., c. 622r). S.M.T.	Due autoritratti di Tommaso Gherardini sono entrati agli Uffizi: uno nel 1768 dalla collezione Pazzi (n. 89), che però non figura negli inventari del 1784 e del 1825; e uno nel 1852 come dono dell'avvocato Antonio Gherardini (AGF, filza LXXVI a 18; inv. 1825, suppl. n. 2413). L'incisione del primo nel catalogo Pazzi e la descrizione del secondo nel supplemento all'inventario del 1825 collimano entrambe perfettamente con questo autoritratto, unico dell'artista oggi in galleria, per cui allo stato attuale della ricerca non è possibile decidere la provenienza di questa tela, a tergo della quale non vi sono numeri antichi. S.M.T.	A tergo sulla tela un madrigale probabilmente composto dall'artista: 'Pierleone sono Io / di Casa Ghezzi, che à 28 Giugno / Quando al mille; e seicento / Gl'Anni settantaquattro ancor s'aggiunse / Io nacqui: e si congiunse / A questi l'età mia di vent'ott'Anni / Ch'hora nel millesettecento, e due / Mi mostra il tempo, e Le misure sue; / Hor mentre questo fugge, e mai s'arresta / Io mi rido di Lui, e mi riscatto / Col dar perpetua vita al mio Ritratto'. L'autoritratto fu acquistato dall'antiquario Antonio Grandi che l'aveva esposto alla Mostra del ritratto italiano; costò L. 1300 (AGF, Arte 991). S'apparenta a un'autocaricatura incisa del 1700 circa ed è di notevole originalità rispetto alla ritrattistica del tempo. S.M.T.	A tergo sotto la tela nuova traspare la scritta '... Leo... Anno 1719'. Fu mandato in galleria da Cosimo III de' Medici l'undici ottobre 1719 (ASF, Guard. 1260 bis, c. 90r); era stato offerto personalmente dall'artista con una lettera del 30 settembre, a cui il granduca rispose il 10 ottobre (Prinz, docc. 133-134). È il meno noto degli autoritratti dell'artista, pur essendo quello più 'ufficiale'; gli altri due che le gallerie possiedono entrarono più tardi e da collezioni meno importanti. S.M.T.

	A401	A402	A403	A404
AUTORE	Ghezzi, Pier Leone (Roma 1674-1755).	Ghezzi, Pier Leone (Roma 1674-1755).	Ghiglia, Oscar (Livorno 1876 - Firenze 1945).	Giamberini, Apollonio (?).
TITOLO	Autoritratto.	Ritratto di Edme Bouchardon.	Autoritratto.	Autoritratto.
DATAZIONE	1725.	1732 (Clark, 1963).	1920.	
DATI TECNICI	Olio su tela, 63,5x49, restauro 1959.	Olio su tela, 63x53.	Olio su tela, 80x80.	
CORNICE	Salvadora dorata, sec. XVIII.	Intagliata e dorata, sec. XVIII.	Sagomata e dorata (sec. XX).	
UBICAZIONI	Coll. Pazzi; Uffizi (1768 ca.); Guardaroba (1790); Uffizi.	Coll. Cav. Dick, Livorno (sec. XVIII); Uffizi (1776).	Galleria d'Arte Moderna, Pitti (1966).	
ATTRIBUZIONI	—	E. Bouchardon (Autoritratto, cav. Dick). P.L. Ghezzi (Cat., Roma 1959. A. Clark, 1963).	—	
ESPOSIZIONI	Il Settecento a Roma, Roma 1959.	Il Settecento a Roma, Roma 1959.	—	
BIBLIOGRAFIA	S. Susinno in L'Accademia nazionale di San Luca, Roma 1974. *A. M. Clark in Paragone 165, 1963. S. Meloni Trkulja in Paragone 343, 1978.*	*Cat., Roma 1959, n. 1954. A. Clark in Paragone 165, 1963. P. Rosenberg: in Cat. Pittura francese nelle collezioni pubbliche fiorentine, Firenze 1977, p. 87.*	R. Barilli, M. Borgiotti, R. Monti: Trenta dipinti di Oscar Ghiglia, Firenze, 1975.	
INVENTARIO	3369 (C.P., p. 103, n. 296?).	1935 (C.P., p. 99, n. 557).	GAM Giornale 2283.	
FOTO	110228 (tergo: 110439).	171363.	184082.	
NOTE	A tergo sulla tela è riportata la scritta 'Petrus Leo Eques Ghezzius Pictor Romanus / A. 1725'. La tela ha ora le dimensioni originali, ma ebbe un tempo una giunta (cfr. foto GFS 110184) per uniformarne le dimensioni alla maggior parte degli autoritratti. È il più tardo degli autoritratti del Ghezzi posseduti dalle Gallerie; vi entrò intorno al 1768 con la collezione dell'abate Antonio Pazzi, ma come duplicato fu rimandato in guardaroba nel 1790. Erroneamente il Clark lo ritiene fatto per il granduca. S.M.T.	Il dipinto fu donato, come autoritratto dello scultore francese Edme Bouchardon (1698-1762), dal cav. Dick, console inglese a Livorno, alla Galleria degli Uffizi nel 1776. Considerato da allora come opera del Bouchardon, fu riconosciuto nel 1959 (Cat. Roma) come opera del pittore romano P.L. Ghezzi, attribuzione confermata dal Clark. Il Rosenberg ne indica uno studio inedito della sola testa nel Museo di Weimar. Il dipinto è datato dal Clark al 1732. M.C.	Nel tergo, sulla tela in alto a destra: "O. Ghiglia-Salviatino-1920". Donato dal sig. Piero Dini nel 1966 (nota inventariale). L'opera si trova attualmente nei depositi della Galleria d'Arte Moderna di Palazzo Pitti. Gr. Red. 1	Vedi: Torelli, Felice. Autoritratto. Scheda A948.

	A405	A406	A407	A408
AUTORE	Gian(n)i, Giovanni (Firenze, sec. XVII-XVIII).	Giarrizzo, Carmelo (Piazza Armerina 1850 - Palermo 1917).	Gioja, Edoardo (Roma 1862 - Londra 1937).	Gioli, Francesco (S. Frediano a Settimo, Pisa 1846 - Firenze 1922).
TITOLO	Autoritratto.	Autoritratto.	Autoritratto.	Autoritratto.
DATAZIONE	Primo quarto sec. XVIII.	1875-80 ca.	1902.	1915.
DATI TECNICI	Olio su tela, 72,5x57.	Olio su tela incolalta su cartone, 18x13,5.	Olio su tela, 74x58,5.	Olio su cartone, 72,7x57,5.
CORNICE	Liscia gialla, sec. XIX.	D'epoca, dorata con passepartout in legno dorato e vetro.	Intagliata e dorata, sec. XX.	D'epoca, intagliata, dorata e patinata.
UBICAZIONI	Coll. Puccini (1725); coll. Pazzi; Uffizi (1768); Guardaroba (1772); Pitti; Uffizi (1979).	Eredi dell'artista; Galleria d'Arte Moderna, Pitti (1952).	Galleria d'Arte Moderna, Roma (1910); Uffizi (1916).	Uffizi (1916).
ATTRIBUZIONI	—	—	—	—
ESPOSIZIONI	—	—	IX Esposizione internazionale d'arte, Venezia 1910, n. 298 (?).	Mostra delle opere di Francesco Gioli, Firenze 1928.
BIBLIOGRAFIA	*S. Meloni Trkulja in Paragone 343, 1978. G. Leoncini in Paragone 345, 1978.*	M. Accascina, Ottocento siciliano, Roma 1939. A.M. Comanducci, Dizionario illustrato dei pittori, disegnatori e incisori italiani moderni e contemporanei, 4a ed., 3° vol., 1972.	G. Piantoni, in Cat. Aspetti dell'arte a Roma dal 1870 al 1914, Roma 1972.	L. e F. Luciani, Dizionario dei pittori italiani dell'800, Firenze 1974. *Il Nuovo Giornale, n. 9, 21.6.1916.* A. Fradeletto, O. Poggiolini, Francesco Gioli e la sua opera, Firenze 1923. Cat., Firenze 1928.
INVENTARIO	2786.	GAM Giornale 945.	Inv. dep. 16 (Inv. GNAM, 2066).	5369.
FOTO	136498.	192542.	315554.	5781.
NOTE	Inventariato come anonimo, ha però a tergo un cartellino antico 'Gio. Giani', persona ignota di cui l'elenco della collezione Puccini specifica 'discepolo del Volterrano'. Passato poi nella collezione Pazzi, il ritratto fu con questa venduto agli Uffizi, ma presto ritirato dall'esposizione (AGF, Filza V a 11).\n\nS.M.T.	Non reca iscrizioni e la nota inventariale è piuttosto vaga. Tuttavia l'opera deve ritenersi autografa dell'artista siciliano (appartenente a una famiglia di decoratori architettonici e teatrali, allievo dell'accademia napoletana) e deve ritenersi acquistata negli anni di guerra o di immediato dopoguerra alla pittrice Adele Giarrizzo Huber discendente del pittore, probabilmente suo nonno. La stessa infatti vende fra il 1944 e il 1946 alla Galleria d'arte moderna due opere firmate del Giarrizzo, alcuni disegni del medesimo e dona un proprio dipinto (ritratto di sua madre) (v. inv. GAM giornale 918, 914, 915-917, 926). Attualmente il dipinto si trova nelle riserve della Galleria d'arte moderna di Palazzo Pitti.\n\nS.P.	Firmato in basso a sinistra: Edoardo Gioja; in alto a destra la scritta: In a day of Yellow fog London 1902. Dietro la tela timbro di una mesticheria londinese e cartellini d'inventario della Galleria Nazionale d'Arte moderna di Roma (n. 2066) e delle Gallerie fiorentine. Sulla cornice cartellino della biennale veneziana del 1910. Pervenuto in deposito agli Uffizi dalla Galleria Naz. d'arte moderna nel 1916 (AGF Arte 796). Attualmente nei Depositi degli Uffizi.\n\nE.S.	Firmato e datato in basso a sinistra: F. Gioli / 915. Fu richiesto dal Ricci nel 1907, eseguito nel 1915 in una elegante cifra divisionista dal pittore ormai anziano ed affermato, reduce dalla retrospettiva alla Biennale di Venezia del 1914. L'opera fu consegnata nel 1916 (AGF, Arte 796, ins. in doc. autoritratti). Un altro bel ritratto di Gioli è quello di Lega del 1879 (coll. priv., Firenze): il pittore di Modigliana fu infatti spesso ospite del Gioli e della moglie di questi Matilde, marchesa Bartolomei.\n\nS.P.

	A409	A410	A411	A412
AUTORE	Giordano, Luca (Napoli 1632-1705).	Giordano, Luca (Napoli 1632-1705).	Giorgione, Giorgio da Castelfranco, detto (Castelfranco Veneto 1478 - Venezia 1510).	Giovanni da San Giovanni, Mannozzi G., detto (San Giovanni Valdarno 1592 - Firenze 1636).
TITOLO	Autoritratto.	Autoritratto.	Autoritratto.	Autoritratto.
DATAZIONE	1665 ca.	Fine sec. XVII.		1616 ca. (S.M.T.), dopo il 1620 (Banti 1977), 1634 ca. (Giglioli 1949).
DATI TECNICI	Olio su tela, 72,5x57,5, rintelato.	Olio su tela, 75,5x63, restauro 1973.		Affresco su embrice, 51,6x37,4.
CORNICE	Nera con listelli e fregi dipinti in oro, sec. XVII (?).	Salvadora dorata con cartiglio, sec. XVIII.		A cassetta, sec. XX.
UBICAZIONI	Card. Leopoldo de' Medici (1665 ?); Uffizi (1682).	Coll. Pazzi; Uffizi (1768); Guardaroba (1790); Pitti; Uffizi (1979).		Card. Leopoldo de' Medici (ante 1675); Uffizi (1682).
ATTRIBUZIONI	—	—		—
ESPOSIZIONI	La mostra della pittura napoletana dei secoli XVII-XVIII-XIX, Napoli 1938. Artisti alla corte granducale, Firenze 1969.	—		—
BIBLIOGRAFIA	O. Ferrari, L. Scavizzi, *Luca Giordano, Napoli 1966. S. Meloni Trkulja in Paragone 267, 1972.*	O. Ferrari, G. Scavizzi, *Luca Giordano, Napoli 1966. S. Meloni Trkulja in Paragone 267, 1972; idem in Paragone 343, 1978.*		O. H. Giglioli, *Giovanni da San Giovanni, Firenze 1949. A. Banti, Giovanni da San Giovanni pittore della contraddizione, Firenze 1977.*
INVENTARIO	1629 (C.P., p. 103, n. 275).	3372.		1724 (C.P., p. 106, n. 305).
FOTO	175059.	214914.		249105 (tergo: 129549).
NOTE	Forse ordinato da Leopoldo de' Medici nel 1665 all'artista di passaggio da Firenze; secondo la biografia del De Dominici fu mandato (non eseguito) a Firenze; figura nel 1675 nell'inventario dell'eredità del cardinale, e con essa entrò in galleria il 2 8ottobre 1682 (ASF, Guard. 870, c. 160v). L'autore, di nuovo a Firenze, vi si vide e si dichiarò 'oscurato' dalla vicinanza ai ritratti di Tiziano e Paolo Veronese. Un autoritratto più tardo (inv. 1890 n. 3372) entrò poi agli Uffizi con la collezione Pazzi. S.M.T.	Autoritratto assai più tardo di quello già appartenuto al cardinal Leopoldo de' Medici (inv. 1890 n. 1629), è del tipo documentato dall'incisione al frontespizio della biografia giordanesca del De Dominici pubblicata nell'edizione del 1728 delle 'Vite' di G. P. Bellori, e anche abbastanza simile all'autoritratto del museo di Stoccarda. È possibile però, data la qualità non eccelsa, che si tratti di una copia antica da un originale oggi non noto. S.M.T.	Vedi: Scuola veronese metà sec. XVI. Ritratto d'uomo. Scheda A876.	A tergo è riportato il nome dell'artista. Il Giglioli ritiene il ritratto piuttosto tardo (1634 ca.) per confronto con l'autoritratto inserito nel tabernacolo delle Stinche, del 1616; mentre la Banti lo crede più giovanile, ma sempre oltre il 1620. In realtà la somiglianza anche nella posa con la figura nel tabernacolo fa pensare che l'embrice le sia coevo e in stretta connessione, quasi una prova proprio in vista della trattazione su muro, scopo a cui gli embrici erano appunto usati. Si veda quanto più smunto e avanzato in età sia il pittore nell'autoritratto segnalato dalla Banti negli affreschi dei SS. Quattro Coronati a Roma, del 1623. S.M.T.

	A413	A414	A415	A416
AUTORE	Giovanni dei Fiori, Beccallini G., detto (Firenze 1655-?).	Giovannozzi, Ezio (Firenze 1882-1964).	Giron, Charles (Ginevra 1850-1914).	Giulio, Romano, detto Pippi Giulio (Roma 1499? - Mantova 1546).
TITOLO	Autoritratto.	Autoritratto.	Autoritratto.	Autoritratto (copia ?).
DATAZIONE	Penultimo decennio sec. XVII?	1950 ca.	1893.	1540 ca.
DATI TECNICI	Olio su tela, 72,5x58.	Olio su tela, 55x44.	Olio su tela, 67x56.	Pastello su carta, 55x41.
CORNICE	—	Sagomata, dorata e dipinta (sec. XX).	Intagliata e dorata, sec. XIX.	In noce intagliata e parzialmente dorata, inizi sec. XVII.
UBICAZIONI	Coll. Puccini (1725); coll. Pazzi; Uffizi (1768).	Coll. Maria De Matteis; Galleria d'Arte Moderna, Pitti (1964).	Uffizi (1893).	Niccolò (o Angelo) Simonelli; Card. Flavio Chigi; Card. Leopoldo de' Medici (ante 1675); Uffizi (1682); Guardaroba; Uffizi (1774).
ATTRIBUZIONI	—	—	—	—
ESPOSIZIONI	—	Mostra personale alla Saletta d'Arte Gonnelli, Firenze, 1963.	Jahresausstellung 1893, Monaco 1893.	—
BIBLIOGRAFIA	*S. Meloni Trkulja in Paragone 345, 1978. G. Leoncini in Paragone 345, 1978.*	Comanducci, III, Milano 1972. *Cat., Firenze 1963, n. 17.*	Thieme-Becker, XIV, 1921. C. Mauclair, in Pages d'art, 1931. M. Röthlisberger, in Genava 1956, Prinz 1971.	*F. Hartt, Giulio Romano, New Haven 1958. J. Shearman in Burlington Magazine CVII, 1965. L. Collobi Ragghianti in Critica d'arte 117, 1971. Prinz, 1971.*
INVENTARIO	5336.	GAM Giornale 1998.	3108 (C.P., p. 103, n. 712).	1810 (C.P., p. 103, n. 289).
FOTO	296683.	192523.	315558.	228235.
NOTE	La tela appartenne alle collezioni del medico pistoiese Tommaso Puccini e poi dell'abate Antonio Pazzi; quest'ultimo la vendette agli Uffizi. Dalle notizie delle loro raccolte si ricava il poco che si sa di questo pittore, fiorista e restauratore, allievo di Romolo Panfi, morto 'nel mezzo del cammino della sua vita' (1690 ca.?). Il quadro è oggi nei Depositi degli Uffizi. S.M.T.	Firmato in basso a destra: "Giovannozzi". A sinistra, su un cartellino adeso al vetro: "17. Autoritratto", riferito alla mostra del 1963. Donato dalla sig. Maria De Matteis. Accettato dalla Commissione il 20-11-1964. Entrato in Galleria il dicembre 1964 (nota inventariale). L'opera si trova attualmente nei depositi della Galleria d'Arte Moderna di Palazzo Pitti. Gr. Red. 1	Firmato e datato in alto a destra: Giron 1893. Sul retro cartellino della mostra di Monaco (1893). La Direzione degli Uffizi richiese un autoritratto all'artista nel 1888, che donò questo nel 1893 (AGF, Arte 796). Il dipinto è attualmente nei Depositi degli Uffizi. E.S.	Dono del cardinal Flavio Chigi (a cui fu donato dall'aiutante di camera Simonelli) al cardinal Leopoldo; entrò in galleria il 28 ottobre 1682 (ASF, Guard. 870, c. 160v) ma per la sua natura fragile il granduca Cosimo III cercò nel 1680 di averne un altro. Ricevette solo altri pastelli e ne mandò in galleria il 26 novembre 1701 (ASF, Guard. 1027, c. 219r) uno che è probabilmente il disegno 13328 F (inv. 1704 n. 1745 mentre quello di Leopoldo è inv. 1704 n. 1715). Fu tolto dall'esposizione probabilmente al ritorno del pastello di Leopoldo, più grande e meglio conservato, dietro cui è scritto «Dalla Guardaroba dei Pitti 20 maggio 1774». Entrambi sono ritenuti ora copie di un dipinto in collezione privata inglese, ma già dei Gonzaga, attribuito a Tiziano. Ve ne è poi un terzo più modesto (GDSU, 1948 F.). S.M.T.

A417 · A418 · A419 · A419 bis

	A417	A418	A419	A419 bis
AUTORE	Glain, o De Glain, Léon-Pascal (Bayonne 1723 - ?, post 1774).	Gola, Emilio (Milano 1851 - 1923).	Gordigiani, Michele (Firenze 1835-1909).	Gordigiani, Michele (Firenze 1835-1909).
TITOLO	Autoritratto.	Autoritratto.	Autoritratto.	Madonna con bambino. (Verso dell'opera A419).
DATAZIONE	1770.	1888 ca. (Nicodemi 1956).	1856.	
DATI TECNICI	Sanguigna e gessetto su carta crema, 46x34.	Olio su tela, 46,5x30.	Olio su tela, 65x49.	
CORNICE	Ebano, sec. XIX-XX.	Sagomata e dorata con decorazioni in pastiglia, sec. XIX.	D'epoca, riccamente intagliata con motivi vegetali e dorata.	
UBICAZIONI	Uffizi (1770?).	Uffizi (1911).	Eredi dell'artista; Uffizi (1912).	
ATTRIBUZIONI	—	—	—	
ESPOSIZIONI	Pittura francese nelle collezioni pubbliche fiorentine, Firenze 1977.	—	Mostra del Ritratto Italiano, Firenze 1911. Mostra retrospettiva, Firenze 1943.	
BIBLIOGRAFIA	Thieme-Becker, XIII, 1921. *Cat., Firenze 1977, n. 18.*	L. e F. Luciani, Dizionario dei pittori italiani dell' '800, Firenze 1974. *G. Nicodemi, Cat. Mostra celebrativa di Emilio Gola, Milano 1956.*	L. e F. Luciani, Dizionario dei pittori italiani dell'800, Firenze 1974. *Cat., Firenze 1911, n. 8. Cat., Firenze 1943, n. 1.*	
INVENTARIO	2042 (C.P., p. 101, n. 666).	3564 (C.P., p. 103, n. 3564).	3788.	
FOTO	228236.	252266.	252270.	
NOTE	Un documento dell'Archivio della Galleria degli Uffizi testimonia che questo autoritratto fu donato dall'artista che lo aveva eseguito nel 1770. La prima citazione inventariale è del 1784. Incisioni: Lasinio (1790 ca.). M.C.	Davanti, sulla sinistra, la lettera G.; sul retro cartellino della III mostra d'arte di Monaco (1938, Cat. non reperito). Un autoritratto fu richiesto in dono nel 1911 all'artista, che inviò questo nello stesso anno (AGF Arte 965 bis). Esistono altri autoritratti dell'artista: presso gli eredi a Milano (datato 1879), nella collezione Stramezzi di Crema (datato 1920) e in altra collezione privata milanese. L'opera è attualmente nel Corridoio Vasariano. E.S.	Firmato e datato in basso a sinistra: M. Gordigiani / 1856. A tergo abbozzo di madonna con bambino. Dono del figlio del pittore Edoardo pittore anch'egli, nel 1912 a seguito dell'esposizione in Palazzo Vecchio dove l'opera tuttavia era stata indicata appartenente a Gabriella Gordigiani figlia di Michele e sorella di Edoardo: (v. AGF, Arte 796). Del pittore gli Uffizi conservano un altro autoritratto del 1880 (inv. 1890, n. 1983); ed uno abbozzato, di nuovo col sigaro in mano, di sapore autocaricaturale, dono di Gabriella Gordigiani, si trova presso la Galleria d'arte moderna (GAM Giornale, n. 1590). Questo autoritratto è attualmente esposto nel Corridoio Vasariano. Per il verso vedi scheda A419 bis. S.P.	Vedi: Gordidiani, Mosé. Autoritratto. Scheda A419.

	A420	A421	A422	A423
AUTORE	Gordigiani, Michele (Firenze 1835-1909).	Gordigiani, Michele (Firenze 1835-1909).	Gordigiani, Michele (Firenze 1835-1909).	Gordigiani, Michele (Firenze 1835-1909).
TITOLO	Ritratto di Arcangelo Migliarini.	Ritratto di Lorenzo Bartolini.	Autoritratto.	Ritratto di Augusto Rivalta.
DATAZIONE	1855-65 ca.	1873.	1880.	1895-1905 ca.
DATI TECNICI	Olio su tela, 78x62,5.	Olio su tela, 59,5x48.	Olio su tela, 58x39.	Olio su tela, 90x74.
CORNICE	D'epoca, dorata con passepartout in legno dorato.	D'epoca dorata.	D'epoca, alla fiamminga.	D'epoca, alla fiamminga.
UBICAZIONI	Uffizi (1919 ca.); Galleria d'Arte Moderna, Pitti (1976).	Coll. Martini; Uffizi (1875); Galleria d'Arte Moderna, Pitti (1976).	Uffizi (1884).	Coll. Macciò; Galleria d'Arte Moderna, Pitti (1943); Uffizi (1945).
ATTRIBUZIONI	—	—	—	—
ESPOSIZIONI	—	Mostra retrospettiva di Michele Gordigiani, Firenze 1943.	Mostra di ritratti dell'Ottocento, Portoferraio 1953 (senza catalogo).	—
BIBLIOGRAFIA	L. e F. Luciani, Dizionario dei pittori italiani dell'800, Firenze 1974.	L. e F. Luciani, Dizionario dei pittori italiani dell'800, Firenze 1974. *Cat., Firenze 1943*, n. 22.	L. e F. Luciani, Dizionario dei pittori italiani dell' '800, Firenze 1974.	L. e F. Luciani, Dizionario dei pittori italiani dell'800, Firenze 1974.
INVENTARIO	3312.	3301.	1983 (C.P., p. 103, n. 596).	9252. GAM Giornale 838.
FOTO	138529, 269420.	317572.	321854.	278033.
NOTE	Di provenienza non accertata e privo d'iscrizioni, il quadro è documentato a partire dalla sua attuale inventariazione e dall'esposizione nel Corridoio Vasariano dopo la prima guerra mondiale. È probabile che sia un ritratto dal vivo del Gordigiani giovane, giunto alla raccolta iconografica dopo la morte del Migliarini. Arcangelo Migliarini (1795 ca-1865: per i suoi dati biografici v. S. Rudolph, in: Storia dell'Arte, nn. 30-31, 1977) dopo gli esordi nell'ambito della pittura neoclassica (premiato all'Accademia di San Luca nel 1801 e autore di un soffitto del rinnovato Palazzo Borghese di Firenze) ricoprì importanti incarichi presso l'Accademia di Belle Arti e le Gallerie fiorentine. Un suo busto, opera del Consani, si trova presso la Galleria d'arte moderna di Palazzo Pitti, dove è anche esposto questo ritratto del Gordigiani. S.P.	Firmato e datato a metà altezza a sinistra: M. Gordigiani / 1873. È un ritratto postumo del celebre scultore toscano (1777-1850). I legami di amicizia fra il Bartolini e la famiglia Gordigiani (il padre di Michele, Luigi, era un noto musicista: v. inv. 1890, n. 9170) erano piuttosto stretti e avevano come comune riferimento la protezione di Anatolio Demidov (il fratello di Michele, appartenente al gruppo del Caffè Michelangiolo, si chiamava infatti Anatolio). Il ritratto, che il pittore Francesco Antonio Martini affermava di aver avuto in dono dall'autore, fu dallo stesso venduto alla Galleria nel 1877 per Lire 500. In un primo tempo il parere della Direzione era stato negativamente espresso al Ministero al quale il Martini si era preventivamente rivolto (AGF 1875, filza A, I, 29 e 1877, filza A, I, 44). Attualmente esposto nella Galleria d'arte moderna di Palazzo Pitti. S.P.	Firmato e datato in alto a sinistra: M. Gordigiani / 1880. Pervenuto in dono dall'artista su richiesta della Direzione delle Gallerie fiorentine (AGF, 1884, filza E, 2,8). Attualmente nelle riserve. Del Gordigiani le Gallerie conservano anche un autoritratto giovanile (1856; inv. 1890 n. 3788) e un autoritratto in bozzetto (Galleria d'arte moderna di Palazzo Pitti). S.P.	Firmato in alto a sinistra: M. Gordigiani. Giunto per legato di Emilio Macciò effettuato dal discendente Gian Lauro Parri nel 1945, famiglia discendente dal pittore fiorentino Giuseppe Bezzuoli, il ritratto è stato prima inventariato per errore come di Bezzuoli, poi come autoritratto di Gordigiani. In realtà, come dimostra anche l'autoritratto in bronzo del Rivalta (v. inv. GAM Giornale 874), si tratta di un'immagine dello scultore nell'atto di studiarsi in disegno un ritratto di Garibaldi. Attualmente nelle riserve degli Uffizi: il dipinto reca tracce di un vecchio restauro (una toppa di circa sei centimetri quadrati in basso a sinistra). S.P.

	A424	A425	A426	A427
AUTORE	Gori, Giovanni (Firenze, sec. XVII-XVIII).	Grassi, Josef (Vienna 1762 - Dresda 1839).	Grati, Giovanni Battista (Bologna 1681-1758).	Graziosi, Giuseppe (Savignano sul Panaro, Modena 1879 - Firenze 1942).
TITOLO	Autoritratto.	Autoritratto.	Autoritratto.	Autoritratto.
DATAZIONE	Primo quarto sec. XVIII.	1816.	Secondo decennio sec. XVIII.	Quarto decennio sec. XX.
DATI TECNICI	Olio su tela, 74x57,5.	Olio su tavola, 63x48,5.	Olio su tela, 72,5x58.	Olio su compensato, 148,5x101,5.
CORNICE	Liscia gialla, sec. XIX.	Sagomata e dorata, sec. XIX.	Salvadora dorata, sec. XVIII.	Sagomata e dorata, sec. XX.
UBICAZIONI	Coll. Puccini (1725); coll. Pazzi; Uffizi (1768); Guardaroba (1772); Pitti; Uffizi (1979).	Uffizi (1826).	Coll. Puccini (1725); coll. Pazzi; Uffizi (1768).	Eredi dell'artista; Uffizi (1963).
ATTRIBUZIONI	—	—	—	—
ESPOSIZIONI	—	—	—	XX Esposizione internazionale d'arte della città di Venezia, Venezia 1963. Mostra delle opere di Giuseppe Graziosi, Firenze 1963.
BIBLIOGRAFIA	*S. Meloni Trkulja in Paragone 343, 1978. G. Leoncini in Paragone 345, 1978.*	Schede Vesme. *L'arte in Piemonte dal XVI al XVIII secolo, II, Torino 1966. Cat. Artisti austriaci a Roma, Roma 1972, n. 103-104. H. Geller, Die Bildnisse der Deutschen Künstler in Rom 1800-1830, Berlino 1952. Prinz 1971.*	*Dizionario Bolaffi VI, Torino 1974. S. Meloni Trkulja in Paragone 343, 1978.*	Cat. Grafica di Giuseppe Graziosi al Museo civico di Modena, Modena 1975.
INVENTARIO	2879 (C.P., p. 224, n. 896).	2074 (C.P., p. 103, n. 688).	2026 (C.P., p. 211, n. 657).	9442.
FOTO	173980.	131725.	5782.	135248.
NOTE	A tergo cartellino antico col nome 'Giovanni Gori' e i numeri relativi all'acquisto della collezione Pazzi. Il pittore è ignoto (forse membro di una famiglia di artisti fiorentini di questo cognome), ma dalla lista della collezione Puccini a cui apparteneva in origine sappiamo che fu allievo di Ciro Ferri. S.M.T.	Firmato e datato sul fondo a destra: J. Grassi se ipsum pinxit/ A.o 1816. L'opera fu offerta in dono dall'artista nel 1826 e fu accettata nello stesso anno; in appendice al carteggio relativo all'ingresso dell'opera agli Uffizi si conserva una autobiografia dell'artista da cui risultano gli esatti dati di nascita (AGF, 1826, (L), 36). Nel Thieme Becker e nella letteratura storico-artistica consultata la data di nascita del Grassi è riferita a date comprese fra il 1755 e il 1758. Nelle Schede Vesme cit. si discute sulla distinzione di questo pittore da un altro artista omonimo nato a Udine o a Vienna verso il 1768 e morto in Polonia nel 1843. Esistono diversi autoritratti del Grassi (che a volte si firmava anche Josef Grassy) in collezioni europee, pubbliche e private. L'autoritratto è attualmente esposto nel Corridoio Vasariano. E.S.	Il dipinto può risalire al soggiorno del pittore a Firenze nel 1718 ma anche essergli anteriore, data la giovane età dimostrata dal personaggio. Allievo di Giovan Giuseppe Del Sole, il Grati è pochissimo noto. S.M.T.	Firmato in basso a sinistra: Graziosi. Donato dagli eredi dell'artista nel 1963, dopo aver dato facoltà di scegliere fra tre autoritratti del pittore (AGF, Arte 796). Nel cat. della Biennale veneziana del 1936 il dipinto era indicato come in proprietà del signor Graphi. Attualmente nei Depositi degli Uffizi. E.S.

	A428	A429	A430	A431
AUTORE	Gregori, Luigi (Bologna 1818 - post 1890).	Greyss, Benedetto Vincenzo de (Livorno 1714 - Venezia 1758-75).	Grisoni, Giuseppe (Mons 1699 - Roma 1769).	Grosso, Giacomo (Cambiano, Torino 1860 - Torino 1938).
TITOLO	Autoritratto.	Autoritratto.	Autoritratto.	Autoritratto.
DATAZIONE	1890.	1758.	Metà sec. XVIII.	1910 ca.
DATI TECNICI	Olio su tela, 69x56,5.	Tocco in penna su carta, 56x43, controfondo di legno.	Olio su tela, 175x115,5.	Olio su tela, 90x68,5.
CORNICE	Intagliata e dorata con decorazioni in pastiglia, sec. XIX.	Intagliata e dorata, sec. XVIII.	Salvadora dorata con cartiglio, sec. XVIII.	Sagomata e dorata con decorazioni in pastiglia, sec. XX.
UBICAZIONI	Eredi dell'artista. Accademia (1897); Uffizi (1913).	Uffizi (1767).	Eredi dell'artista; Uffizi (1780).	Uffizi (1912).
ATTRIBUZIONI	—	—	—	—
ESPOSIZIONI	—	—	—	X Esposizione Internazionale d'arte della Città di Venezia, Venezia 1912. XVIII Esposizione Biennale d'arte, Venezia 1940.
BIBLIOGRAFIA	Thieme-Becker, XIV, 1921. L. Servolini, Dizionario illustrato degli incisori italiani moderni e contemporanei, Milano 1955. *E. Pieraccini, Guida della R. Galleria antica e moderna etc., Firenze 1901 (IV ed.).*	*G. Pelli Bencivenni, Saggio istorico della Real Galleria di Firenze, Firenze 1779. S. Meloni Trkulja in Paragone 343, 1978.*	*J. Woodward in Burlington Magazine CII, 1960.*	Vollmer, II, 1955. L. e F. Luciani, Dizionario dei pittori italiani dell' '800, Firenze 1974.
INVENTARIO	8756.	1933 (C.P., p. 103, n. 501).	2078 (C.P., p. 211, n. 515).	3789.
FOTO	112398.	97625.	315593.	23882.
NOTE	Datato e firmato sulla destra: L. Gregori/1890. Sul retro numero d'inventario dell'Accademia (n. 442). Donato dalla figlia dell'artista Francesca nel 1897 e accettato nello stesso anno per la raccolta degli artisti contemporanei dell'Accademia (AGF, Arte 55). Passato agli Uffizi nel 1913 (AGF, Elenco degli oggetti d'arte pervenuti alla Galleria degli Uffizi). Nei repertori la data di morte del Gregori viene generalmente riferita al 1883 ca. Attualmente nei Depositi degli Uffizi. E.S.	Il pittore, frate domenicano, regge un cartello con la scritta 'Fr. Benedictus Vin. De Greyss Ord. Proed. Theologus, patria Liburnensis, origine Germanus ab IMPERATORE CAESARE FRANCISCO LOTHARINGICO, Pio. Felice, Augusto tabulis pictis, signis, anaglyptis, quae in regio cimeliarchio Florentioe asservantur calamo delineandis Praepositus sua se ipsum manu effinxit anno salutis 1758'. Egli dirigeva l'esecuzione del catalogo disegnato degli Uffizi iniziata nel 1748 con la tecnica del tocco in penna, da tradurre poi in stampa (su di essa; v. AGF, filza VI a 41 e D. Heikamp in L'oeil 1969). L'autoritratto entrò in galleria tra il 1758 e il 1767, anno in cui è menzionato fra le acquisizioni recenti dal custode Bianchi (AGF, ms. 20, n.n.). L'artista tiene in mano la penna di corvo con cui lavorava. S.M.T.	Sul cartiglio della cornice: 'Giuseppe Grisoni F:no Mor^to 1769'. Sul telaio: 'Acquistato 30 Aprile 1781'. Infatti il dipinto fu consegnato alla galleria il 26 giugno 1780 dai tutori delle due figlie dell'artista: era stato scelto dal direttore Pelli (relazione del 20 agosto 1779) a preferenza di uno più tardo a mezzo busto. Costò 100 scudi (AGF, filza XIII a 55). La composizione risente del soggiorno in Inghilterra dell'artista (durato fino al 1728) che vi sperimentò con successo il ritratto a figura intera in paesaggio. S.M.T.	Dietro, sul telaio, cartellini della Biennale veneziana del 1940 e sigillo in ceralacca delle Gallerie. Donato dall'autore nel 1912 (AGF, Arte 796). Un altro autoritratto del pittore è conservato nella Galleria d'arte moderna di Torino, ed è datato 1916. L'opera è attualmente nei Depositi degli Uffizi. E.S.

	A432	A433	A434	A435
AUTORE	Grund, Johann Jakob (Gunzenhausen 1755 - Praga 1812 ca.).	Gualdi, Antonio (Guastalla, Reggio Emilia 1796 - post 1883 e ante 1886).	Guercino, Barbieri Giovan Francesco, detto il (Cento 1591 - Bologna 1666), copia da.	Guercino, Barbieri Giovan Francesco, detto il (Cento 1591 - Bologna 1666), copia da.
TITOLO	Autoritratto.	Autoritratto.	Supposto autoritratto del Guercino giovane.	Supposto autoritratto del Guercino vecchio.
DATAZIONE	1791.	1838.	Sec. XVII.	Sec. XVII.
DATI TECNICI	Encausto su lavagna, ovale, 8x6.	Olio su tela, 102,5x76,5.	Tela, 58x41,4.	Tela, 75x61.
CORNICE	Filetto d'ottone, sec. XX.	Sagomata e dorata con decorazioni in pastiglia, sec. XIX.	Liscia e dorata.	Liscia e dorata.
UBICAZIONI	Uffizi (1791).	Coll. Emilio Santarelli; Uffizi (1865).	Uffizi (1704).	Poggio Imperiale (1836); Uffizi (1880).
ATTRIBUZIONI	—	—	Guercino (1690). Guercino? (Borea 1975).	Guercino (1880). Copia da Guercino (Borea 1975).
ESPOSIZIONI	—	—	Pittori bolognesi del Seicento nelle Gallerie di Firenze, Firenze 1975.	Pittori Bolognesi del Seicento nelle Gallerie di Firenze, Firenze 1975.
BIBLIOGRAFIA	*Thieme-Becker XV, 1922.*	Thieme-Becker, XV, 1922. L. e F. Luciani, Dizionario dei pittori italiani dell' '800, Firenze 1974.	*E. Borea, Cat. Firenze 1975, n. 141, pp. 193-94.*	*E. Borea, Cat. Firenze 1975, n. 142, pp. 195-96.*
INVENTARIO	2108.	2091 (C.P., p. 103, n. 687).	1820.	2075.
FOTO	96098.	112399.	154298.	154296.
NOTE	Offerto dal pittore, allora insegnante nell'Accademia fiorentina, al granduca Ferdinando III di Toscana il 5 giugno 1791, fu accettato, compensato con 20 zecchini d'oro ed entrò in galleria il 18 luglio (AGF, filza XXIV a 22). S.M.T.	Firmato e datato in basso, sulla tela che il pittore sta dipingendo: Gualdi 1838. Donato dal pittore all'amico scultore Emilio Santarelli, e da questi successivamente donato agli Uffizi nel 1865 con il consenso del Gualdi (AGF Arte 796). Un altro autoritratto del pittore, datato 1883, fu donato nel 1886 dal nipote e erede del Gualdi alla Galleria nazionale di Parma. Il Comanducci — seguito dai Luciani — riporta come data di morte dell'artista il 1865, evidentemente sbagliando. L'opera è attualmente nei Depositi degli Uffizi. E.S.	Scritte a tergo: Guercino da Cento. 403. È menzionato nella Guardaroba medicea nel 1690 (Segnalazione di S. Meloni Trkulja: A.S.F. Guard. 903, c. 280r). La scadente qualità della pittura, affatto indegna del giovane Guercino, portano la scrivente a escludere che possa trattarsi di un dipinto autografo. La effigie beninteso può essere quella del Guercino, che era notoriamente strabico, e il dipinto può anche intendersi come copia di un originale non pervenutoci. E.B.	Scritte a tergo antiche: Gio. Francesco Barbieri detto il Guercino. Duplicato. 191. Imperiale n. 1398 anno 1836. Un autoritratto di Guercino da vecchio era registrato nell'inventario della collezione di Leopoldo de' Medici e si può supporre che si identifichi con questo: resta però che la qualità è troppo scarsa per potersi credere che questo quadro sia quell'autoritratto che il Guercino richiestone da Leopoldo risulta aver inviato a Firenze nel 1644. A giudicare come il dipinto in questione non sia mai stato tenuto in considerazione agli Uffizi viene da pensare che si avesse cognizione ch'esso era una copia. E.B.

	A436	A437	A438	A439
AUTORE	Guffens, Godfroid (Hasselt 1823 - Schaerbeek, Bruxelles 1901).	Gumpp, Johannes (Innsbruck 1626 - Firenze ?).	Gurschner, H. (Austria? sec. XX).	Guttenbrunn, Ludwig (Vienna? 1740 ca. - ? dopo 1810).
TITOLO	Autoritratto.	Autoritratto.	Autoritratto.	Autoritratto.
DATAZIONE	1889.	1646.	1919?	1782.
DATI TECNICI	Olio su tela, 111x77.	Olio su tela quadrata, dipinta in tondo, 88,5x89, restauro 1958.	Olio su tela, 55x44.	Olio su tavola, 33,5x27.
CORNICE	Sagomata e dorata con decorazioni in pastiglia, sec. XIX.	Nera e oro dipinta a racemi e dentellata sull'orlo esterno, sec. XVII.	—	D'epoca, dorata.
UBICAZIONI	Uffizi (1890).	Casa Paganelli; Uffizi (1767).	Galleria d'Arte Moderna, Pitti (1967 ca.).	Uffizi (1783).
ATTRIBUZIONI	—	Johann Vernys (Waetzoldt 1906).	—	—
ESPOSIZIONI	→	Deutsche Maler und Zeichner des XVII Jahrhunderts, Berlin 1966.	—	Angelika Kauffmann und ihre Zeitgenossen, Bregenz - Vienna 1968-1969.
BIBLIOGRAFIA	Thieme-Becker, XV, 1922. R.H. Wilenski, Flemish Painters 1430-1830. Londra 1960. *Prinz 1971. AGF: K. Langedijk, Scheda ministeriale 1978.*	*P.O. Rave in Pantheon XVIII, 1960. Cat., Berlino 1966, n. 24; S. Meloni Trkulja in Paragone 343, 1978.*	—	Thieme-Becker XV, 1922. Schede Vesme, II, 1966. Artisti Austriaci a Roma dal Barocco alla Secessione, Roma 1972. *Cat. Bregenz-Vienna 1968-1969, n. 265. Prinz 1971.*
INVENTARIO	3066 (C.P., p. 103, n. 642).	1901 (C.P., p. 112, n. 464).	GAM Giornale 2251.	2107 (C.P., p. 103, n. 653).
FOTO	109322.	109327.	184204.	24002.
NOTE	Firmato e datato più volte sul davanti: in alto a sinistra: G. Guffens/A/Bruxelles; in basso a sinistra: Guffens; in basso a destra: Guffens/1899. Dietro, sul telaio, lunga scritta autografa con i dati anagrafici e le numerose onorificenze di cui l'artista era insignito. L'autoritratto fu donato dal pittore nel 1890 dietro invito della Direzione degli Uffizi (AGF, 1890 (A₂), 37). Un altro autoritratto dell'artista (anche questo datato 1889) è nel Musée des Beaux Arts di Anversa. L'autoritratto è attualmente nei Depositi degli Uffizi. E.S.	In un cartellino attaccato in cima al cavalletto la scritta «Johanes Gump Im 20. Jare 1646». Quasi certamente identificabile col «ritratto del tre Teste auto da casa Paganelli» citato nel ms. 20 degli Uffizi, dell'anno 1767. La lettura del nome dell'artista, già detto «Romper» (inv. 1784) o «Wump» (dall'inv. 1825 al 1960) è più probabilmente Gump, perché questo cognome appartiene a una famiglia di artisti austriaci un membro della quale, secondo notizie antiche, venne a Firenze. S.M.T.	Firmato e datato (?) in basso a destra: H. Gurschner / 19 Tirol. Di ignota provenienza, il dipinto è stato inventariato verso il 1967. Ricerche anagrafiche sul pittore non hanno dato esito. Attualmente nelle riserve della Galleria d'arte moderna. S.P.	Firmato e datato a tergo: L. Guttenbrunn fecit a Napoli 1782. Pervenuto agli Uffizi nel 1783 (AGF, XVI, 57). È esposto nel Corridoio Vasariano. Il pittore giunse a Firenze nel 1783 con una presentazione di Vincenzo Monti per la poetessa Fortunata Fantastici di cui eseguì il ritratto (Cat. Vicenzo Monti a Roma, Roma 1955). Per un altro ritratto della Fantastici, opera della Kauffmann, nelle collezioni fiorentine v. inv. 1890, n. 4339. Gli estremi anagrafici riportati nel catalogo della mostra di Bregenz-Vienna sono: Krems? - Vienna 1816 ca.). S.P.

	A440	A441	A442	A443
AUTORE	Hakewill Browne, Maria Catherine (? 1780-90 ca. - Calais 1842).	Hamilton, Hugh Douglas (Dublino 1739-1808).	Hammershøj, Vilhelm (Copenhagen 1864-1916).	Hamon, Jean-Louis (Plouha 1821 - Saint-Raphaël 1874).
TITOLO	Autoritratto.	Autoritratto.	Autoritratto.	Autoritratto.
DATAZIONE	1826.	1785-90 ca. (Webster 1971).	Secondo decennio, sec. XX.	1869.
DATI TECNICI	Olio su tela, 23x18.	Pastello su carta, ovale, 22x20.	Olio su tela, 78,5x65.	Olio su tela, 64x47.
CORNICE	Sagomata e dorata con decorazioni a palmette, sec. XIX.	Intagliata e dorata, sec. XVIII-XIX.	Sagomata e dorata con decorazioni in pastiglia, sec. XIX.	Intagliata e dorata, sec. XIX.
UBICAZIONI	Uffizi (1838).	Uffizi (1804).	Eredi dell'artista; Uffizi (1920).	Uffizi (1869).
ATTRIBUZIONI	—	Gavin Hamilton (per equivoco del nome: vedi Cat., Firenze 1971, e cat., Bregenz - Vienna 1968).	—	—
ESPOSIZIONI	—	Angelica Kauffmann und Ihre Zeitgenossen, Bregenz - Vienna 1968. Firenze e l'Inghilterra. Rapporti artistici e culturali dal XVI al XX secolo, Firenze 1971.	—	Pittura francese nelle collezioni pubbliche fiorentine, Firenze 1977.
BIBLIOGRAFIA	Thieme-Becker, XV, 1922. *B. Vialet, Roma s.d. (1923), p. 109. M. Webster: in cat. Firenze e l'Inghilterra. Rapporti artistici e culturali dal XVI al XX secolo, Firenze 1971.*	E.K. Waterhouse: Painting in Britain 1530-1790, Harmondsworth 1953. W.G. Strickland: in Walpole Society, II, 1912-13. *Cat., Firenze 1971, n. 55.*	Thieme-Becker, XV, 1922. R. Alley, Tate Gallery Cat. The Foreign Paintings, Drawings and Sculpture, London 1959. Dansk Kunst Histoire, IV, Copenhagen 1974, pp. 282-293; V, 1975.	E. Hoffmann: Jean-Louis Hamon, peintre, Paris 1903. *Cat., Firenze 1977, n. 33.*
INVENTARIO	2205.	2109 (C.P., p. 103, n. 703).	8422.	1918 (C.P., p. 103, n. 625).
FOTO	109430.	5776.	112505.	182525.
NOTE	Firmato e datato sul retro della tela: Maria C. Hakewill Fecit (seguono due parole cancellate e illegibili) / 1826. Sempre sul retro si vedono tracce illeggibili di altra scritta tracciata sul telaio. Davanti in basso, sulla cornice, la scritta: Maria Hakewill. Il dipinto fu offerto in dono agli Uffizi dall'artista nel 1837 e fu accettato dalla Direzione nel 1838 (AGF, 1838 (LXII), 14). La pittrice fu moglie del pittore inglese James Hakewill (1778-1843) ed espose alla Royal Academy e in altre istituzioni londinesi dal 1808 al 1838. Sue opere sono nella Tate Gallery e nella National Portrait Gallery di Londra. Il dipinto si trova attualmente nei Depositi degli Uffizi. E.S.	Questo autoritratto a pastello, tecnica preferita dall'artista, molto presto fu scambiato, per analogia nel nome, con quello del più noto Gavin Hamilton (come tale fu esposto alla mostra Bregenz-Vienna 1968). Citato correttamente in Galerie de Florence, 1804-5, è stato esposto sotto la giusta attribuzione nel 1971. M.C.	Un autoritratto fu richiesto al pittore nel 1912, ma fu donato agli Uffizi soltanto dai suoi eredi nel 1920 (AGF, Arte 796). Attualmente nei Depositi degli Uffizi. E.S.	Firmato in alto a sinistra: J.L. Hamon Capri 1869. Richiesto dalla direzione della Galleria nel 1866, il ritratto fu eseguito (come attesta una scritta sul retro) nel gennaio 1869 a Capri, e inviato nel febbraio a Firenze. M.C.

	A444	A445	A446	A447
AUTORE	Harlow, George Henry (Londra 1787-1819).	Hastner, Girolamo (Firenze? 1665 ca. - 1729).	Hayez, Francesco (Venezia 1791 - Milano 1882).	Hayter, George (Londra 1792-1871).
TITOLO	Autoritratto.	Autoritratto.	Autoritratto.	Autoritratto.
DATAZIONE	1818.	Primo quarto, sec. XVIII.	1860 (Carotti 1890). 1862.	1828.
DATI TECNICI	Olio su tela, 73,5x62.	Olio su tela, 72,7x58.	Olio su tela, 125,5x101,5, restauro 1977-78.	Olio su tela, 84,5x71,7.
CORNICE	Intagliata, dorata, sec. XIX.	Salvadora dorata con cartiglio, sec. XVIII, non pertinente.	Sagomata e dorata, sec. XIX.	Intagliata, dorata, sec. XIX.
UBICAZIONI	Uffizi (1818).	Coll. Puccini (1725); coll. Pazzi; Uffizi (1768); Poggio Imperiale (1836); Pitti; Uffizi (1979).	Uffizi (1863).	Uffizi (1828).
ATTRIBUZIONI	—	—	—	—
ESPOSIZIONI	Firenze e l'Inghilterra. Rapporti artistici e culturali dal XVI al XX secolo, Firenze 1971.	—	—	Firenze e l'Inghilterra. Rapporti artistici e culturali dal XVI al XX secolo, Firenze 1971.
BIBLIOGRAFIA	Thieme-Becker, XV, 1923. D. Irwin: English Neoclassical Art, London 1966. *Cat., Firenze 1971, n. 72.*	*S. Meloni Trkulja in Paragone 343, 1978.*	G. Nicodemi, F.H., Milano 1962. E. Bairati, in Cat. mostra dei Maestri di Brera, Milano 1975. *Prinz 1971. S. Coradeschi, L'opera completa di F. Hayez, Milano 1971.*	Thieme-Becker, XVI, 1923. D. Irwin: English Neoclassical Art, London 1966. T.S.R. Boase: English Art 1800-1870, Oxford 1959. *Cat., Firenze 1971, n. 73.*
INVENTARIO	1950 (C.P., p. 103, n. 568).	Imperiale rosso 587.	1952 (C.P., p. 103, n. 523).	2112 (C.P., p. 103, n. 538).
FOTO	108826.	157958.	252264.	109429.
NOTE	Scritta in basso a destra: G.H. Harlow/Academician of St Luke/ Rome 1818. Il ritratto fu donato dall'artista, che era divenuto membro dell'Accademia di Belle Arti di Firenze, alla Galleria degli Uffizi nel dicembre 1818. M.C.	Lo Hastner, figlio di un corazziere granducale, fu corazziere pure lui e pittore, allievo di Livio Mehus. Questo suo autoritratto apparteneva a Tommaso Puccini, poi all'abate Antonio Pazzi e con la sua raccolta entrò agli Uffizi nel 1768 circa. La sua attuale cornice apparteneva all'autoritratto del Ciabilli (inv. 1890 n. 2090). S.M.T.	Firmato e datato in basso a sinistra: Francesco Hayez Venezia/ 1862. Un autoritratto fu richiesto nel 1850 all'artista, il quale rispose di averne in quel momento uno solo, già destinato; Hayez promette nel 1858 un suo autoritratto per mezzo di Giuseppina Appiani Strigelli, e lo dona nel 1863. (AGF, 1850 (LXXIV) 60; 1858 (LXXXII) 50; 1863 (1) 31). Esistono diversi altri autoritratti dell'artista, in collezioni pubbliche e private. La data di esecuzione del dipinto, a partire dal Carotti (1890) viene erroneamente riferita al 1860. Attualmente esposto nel Corridoio Vasariano. E.S.	Firmato e datato: Georgius Hayter Aetat suae XXXV/Se Ipsum Pingebat 1828. L'artista donò il suo autoritratto alla Galleria degli Uffizi nel dicembre del 1828, durante un periodo passato in Italia e nel quale fu eletto membro delle Accademie di Parma, Firenze, Bologna e Venezia. M.C.

	A448	A449	A450	A451
AUTORE	Healy, George Peter Alexander (Boston 1813 - Chicago 1894).	Hébert, Ernest-Antoine-Auguste (La Tronche 1817 - Grenoble 1908).	Hellqvist, Carl Gustaf (Kungsör 1851 - Monaco 1890).	Henner, Jean-Jacques (Bernweiler 1829 - Parigi 1905).
TITOLO	Autoritratto.	Autoritratto.	Autoritratto.	Autoritratto.
DATAZIONE	1875.	1860 ca.	1888.	1877.
DATI TECNICI	Olio su tela, 61x49,5.	Olio su tela, 68x54.	Olio su tela, 69x57,5.	Olio su tela, 43x34.
CORNICE	Sagomata e dorata, con decorazioni in pastiglia, sec. XIX.	Intagliata, dorata, sec. XIX.	Intagliata e dorata con motivi geometrici a fondo scuro, sec. XIX.	Liscia, dorata, sec. XIX-XX.
UBICAZIONI	Uffizi (1875-80 ca.).	Uffizi (1870).	Eredi dell'artista; Uffizi (1892).	Uffizi (1890-1900 ca.).
ATTRIBUZIONI	—	—	—	—
ESPOSIZIONI	—-	—	—-	—
BIBLIOGRAFIA	Thieme-Becker, XVI, 1923. J.A. Barter-L.E. Springer, Cat. Currents of Expansion Painting in the Middlewest 1820-1940, St. Louis 1977.	Thieme-Becker, XVI, 1923. *I. Julia in Cat. Pittura francese nelle collezioni pubbliche fiorentine, Firenze 1977, n. XI.*	Thieme-Becker, XVI. 1923. G. Lilja, in Svenskt Konstnärslexikon, III, Malmö 1957. *Prinz 1971.*	Thieme-Becker, XVI, 1923. *V. Bénédite in Gazette des Beaux-Arts, gennaio 1906. I. Julia in Cat. Pittura francese nelle collezioni pubbliche fiorentine, Firenze 1977, n. XII.*
INVENTARIO	2106 (C.P., p. 103, n. 705).	1960 (C.P., p. 103, n. 611).	3076 (C.P., p. 103, n. 707).	1985 (C.P., p. 103, n. 618).
FOTO	109428.	197224.	112503.	196222.
NOTE	Firmato e datato in alto a destra: G.P.A. Healy/1875; sulla sinistra la scritta: «né 1813». Non è stata rintracciata nessuna documentazione sull'ingresso in Galleria del dipinto, che comunque figura già nell'Inventario del 1881 (n. 1600 E); si deve pertanto supporre una data di acquisizione non troppo lontana da quella di esecuzione del quadro. L'opera si trova attualmente nei Depositi degli Uffizi. E.S.	Siglato in basso a sinistra: E.H. Per l'età dimostrata dall'artista, ci sembra che questo dipinto possa essere datato intorno al 1860, mentre fu donato dall'artista alla Galleria degli Uffizi solo nel 1870. M.C.	Firmato e datato in alto a destra: C.G. Hellqvist 1888/Nat. 1851/Kungsör. Sulla destra si nota un piccolo sfondamento della tela. Un autoritratto fu richiesto all'artista nel 1887; questo fu donato agli Uffizi dalla vedova del pittore nel 1892 (AGF, Arte 796). Il dipinto è attualmente nei Depositi degli Uffizi. E.S.	Firmato in alto a sinistra: J.J. Henner, e datato in alto a destra: 1877. Sul retro del telaio: J.J. Henner à Paris. È l'unico autoritratto noto dell'artista, ma non ne è documentata la provenienza, anche se è probabile che sia stato donato direttamente dal pittore alla fine del XIX secolo. M.C.

	A452	A453	A454	A455
AUTORE	Herkomer, Hubert von (Waal bei Landsberg am Lech 1849 - Budleigh Salterten 1914).	Heyden, Otto Johann Heinrich (Ducherow 1820-Göttingen 1897).	Hickel(s), Joseph (Lippe 1736 - Vienna 1807).	Hoare, Prince (Bath 1755 - Brighton 1834).
TITOLO	Autoritratto.	Autoritratto.	Autoritratto.	Autoritratto.
DATAZIONE	1895.	Ottavo decennio, sec. XIX.	1769.	1779 ca. (Webster 1971).
DATI TECNICI	Olio su tela, 80x66.	Olio su tela, 75x59,5.	Olio su tela, 71,5x57,5.	Olio su tela, 64x52.
CORNICE	Intagliata, dorata, sec. XX.	Barocca, intagliata a fogliami e dorata.	Salvadora dorata.	Liscia, dorata, sec. XVIII-XIX.
UBICAZIONI	Uffizi (1897).	Uffizi (1879).	Coll. Pazzi (1769); Uffizi (1779).	Uffizi (ante 1890 ca.).
ATTRIBUZIONI	—	—	—	—
ESPOSIZIONI	Firenze e l'Inghilterra. Rapporti artistici e culturali dal XVI al XX secolo, Firenze 1971.	—	—	Firenze e l'Inghilterra. Rapporti artistici e culturali dal XVI al XX secolo, Firenze 1971.
BIBLIOGRAFIA	Thieme-Becker, XVII, 1923. *Cat., Firenze 1971, n. 80.*	Thieme-Becker, XVII, 1924. *Prinz 1971.*	*S. Meloni Trkulja in Paragone 343, 1978.*	E.K. Waterhouse: Painting in Britain 1530-1790, Harmondsworth 1953. D. Irwin: English Neoclassical Art, London 1966. *Cat., Firenze 1971, n. 57.*
INVENTARIO	3130 (C.P., p. 103, n. 724).	1970 (C.P., p. 104, n. 604).	2062 (C.P., p. 211, n. 680).	2844.
FOTO	147152.	315562.	96053.	138578.
NOTE	Siglato e datato: HH 95. Abile ritrattista, il Von Herkomer fondò a Bushey una scuola d'arte privata che diresse fino al 1904. Inviò il suo autoritratto agli Uffizi nel 1897. M.C.	Firmato in alto a sinistra: Otto Heyden. La cornice, come testimoniato da una scritta antica apposta sul retro, apparteneva a un ritratto «del Ser.o Card.e Giovan Carlo». L'autoritratto fu richiesto all'artista nel 1876 dalla Direzione degli Uffizi, e fu donato dal pittore nel 1879 (AGF, 1879 (C), 1, 261). Attualmente nei Depositi degli Uffizi. E.S.	Pittore della corte viennese, fu da essa mandato a Firenze nel 1768 e in questa occasione fece anche l'autoritratto, che entrò negli Uffizi attraverso la collezione dell'abate Antonio Pazzi. La biografia di O. Marrini nel catalogo di collezione specifica che il ritratto è del 1769, anno in cui l'artista fu accolto nell'Accademia del Disegno; fu consegnato dal Pazzi alla galleria dieci anni dopo (AGF, filza XII a 47). S.M.T.	Firmato: P. Hoare. La provenienza del dipinto non è documentata. M. Webster ha supposto che esso sia una prima versione, o prova, dell'autoritratto ufficiale inviato dall'artista agli Uffizi nel 1780. M.C.

	A456	A457	A458	A459
AUTORE	Hoare, Prince (Bath 1755 - Brighton 1834).	Hoffmann, Josef (Vienna 1831-1904).	Hoffmann Tedesco, Julia (Würzburg, Germania 1843 - Napoli? post 1923).	Hogarth, William (Londra 1697-1764), attr. a.
TITOLO	Autoritratto.	Autoritratto.	Autoritratto.	Ritratto di sir James Thornhill.
DATAZIONE	1780.	1886.	1896.	1730 ca.?
DATI TECNICI	Olio su tavola, 75x58, restauro 1970.	Olio su tela, 67,5x55,5.	Pastello su carta, 58,5x45.	Olio su tela, 22x28.
CORNICE	Intagliata, dorata, sec. XVIII.	Intagliata a motivi vegetali e dorata, sec. XIX.	Sagomata e dorata, sec. XIX.	Intagliata, nera e oro, sec. XVIII?
UBICAZIONI	Uffizi (1780).	Eredi dell'artista; Uffizi (1905).	Uffizi (1923).	Coll. Loeser; Uffizi (1909).
ATTRIBUZIONI	—	—	—	—
ESPOSIZIONI	Firenze e l'Inghilterra. Rapporti artistici e culturali dal XVI al XX secolo, Firenze 1971.	—	—	Arte e Scienza in Toscana, Firenze 1969. Firenze e l'Inghilterra. Rapporti artistici e culturali dal XVI al XX secolo, Firenze 1971.
BIBLIOGRAFIA	E.K. Waterhouse: Painting in Britain 1530-1790, Harmondsworth 1953. D. Irwin: English Neoclassical Art, London 1966. *Cat., Firenze 1971, n. 56.*	Thieme-Becker, XVII, 1924.	E. Giannelli, Artisti napoletani viventi, Napoli 1916. Thieme-Becker, XXXII, 1938. D. Maggiore, Arte e Artisti dell'Ottocento napoletano e Scuola di Posillipo, Napoli 1955.	E.K. Waterhouse: Painting in Britain 1530-1790, Harmondsworth 1953. *Cat., Firenze 1971, n. 65.*
INVENTARIO	1930 (C.P., p. 104, n. 628).	3279 (C.P., p. 104. n. 743).	9603.	3439 (C.P., p. 111, n. 783).
FOTO	109421.	315551.	96414.	5861.
NOTE	Firmato e datato: P. Hoare/1780. Durante un viaggio in Italia nel 1779, l'artista fu a Firenze per tre mesi: l'anno successivo inviava agli Uffizi questo autoritratto, che fu presentato al Granduca da Gesualdo Ferri, membro dell'Accademia fiorentina di Belle Arti. Il quadro fu dipinto usando un'antica tavola che al disotto dell'autoritratto era già stata dipinta, forse nel XV secolo. M.C.	Firmato e datato in basso a sinistra: Jos. Hoffmann/1886. La tela è abbondantemente rigirata sul telaio. Donato agli Uffizi dagli eredi dell'artista nel 1905 in esecuzione del legato testamentario del pittore (AGF, Arte 406; Arte 461). Attualmente nei Depositi degli Uffizi. E.S.	Firmato e datato in basso a destra: J. Hoffmann Tedesco/1896. Offerto in dono dall'artista nel 1923 assieme all'autoritratto del marito, Michele Tedesco (inv. 1890 n. 8481, vedi scheda) e mai inventariato fino a oggi (AGF, Arte 796). Attualmente nei Depositi degli Uffizi. E.S.	Scritta sul retro: Sir James Thornhill dipinto da William Hogarth. Dono del Sig. Carlo Loeser. Hogarth, dopo averla rapita, sposò la figlia di James Thornhill (pittore e decoratore, 1675/76-1734) nel 1729. Sembra che Hogarth avesse fatto un ritratto del suocero dal quale fu tratta una incisione, che però differisce dal presente dipinto. Per M. Webster (1971) esso rappresenta Thornhill pochi anni prima della morte. Il quadro fu donato da C. Loeser nel 1909. M.C.

	A460	A461	A462	A463
AUTORE	Holbein, Hans, il giovane (Augusta 1497/98 - Londra 1543).	Holländer, Alfonso (Ratisbona, Germania 1845 - Firenze 1923).	Hook, James Clarke (Clerkenwell 1819 - Churt, Surrey 1907).	Horovitz, Lipót (Rozgony, 1838 - Vienna 1917).
TITOLO	Autoritratto.	Autoritratto.	Autoritratto.	Autoritratto.
DATAZIONE	1540-43 ca.	1907.	1891.	1909.
DATI TECNICI	Pastelli colorati, 32x26.	Olio su tela, 49x41,5.	Olio su tela, 92x61.	Olio su tela, 80,5x63,5.
CORNICE	Intagliata e dorata, sec. XVII.	Sagomata e dorata con fregio decorato in pastiglia, sec. XX.	Intagliata, dorata, sec. XIX.	Sagomata e dorata con decorazioni in pastiglia, sec. XX.
UBICAZIONI	Londra; Uffizi (1681).	Eredi dell'artista; Uffizi (1924).	Uffizi (1891).	Uffizi (1909).
ATTRIBUZIONI	—	—	—	—
ESPOSIZIONI	Grosse Deutsche in Bildnisse Ihrer Zeit, Berlino 1936. Die Malerfamilie Holbein in Basel, Basilea 1960. Firenze e l'Inghilterra. Rapporti artistici e culturali dal XVI al XX secolo, Firenze 1971.	—	Royal Academy, Londra 1891. Firenze e l'Inghilterra. Rapporti artistici e culturali dal XVI al XX secolo, Firenze 1971.	—
BIBLIOGRAFIA	P. Ganz: The Paintings of Hans Holbein, London 1950. G. von der Osten - H. Vey: Painting and Sculpture in Germany and the Netherlands 1500-1600, Harmondsworth 1969. *Cat., Basilea 1960, n. 323 Cat., Firenze 1971, n. 45. R. Salvini - H. W. Grohn: L'opera pittorica completa di Holbein il Giovane, Milano 1971, n. 134.*	L. e F. Luciani, Dizionario dei pittori italiani dell' '800, Firenze 1974.	T.S.R. Boase: English Art, 1800-1870, Oxford 1959. *Cat., Firenze 1971, n. 81.*	Thieme-Becker, XVII, 1924; Müvészeti Lexikon, II, Budapest 1966.
INVENTARIO	1630 (C.P., p. 104, n. 232).	8479.	3074 (C.P., p. 100, n. 619).	3409 (C.P., p. 104, n. 778).
FOTO	103898.	96416.	109431.	228371.
NOTE	In alto corre la scritta in lettere capitali: Ioannes Holpenius Basileensis / sui ipsius effigiator AE: XLV. Il dipinto fu acquistato a Londra per Cosimo III de' Medici nel 1681. Secondo Ganz si tratterebbe del disegno preparatorio — ripassato e colorato nel Sei-Settecento — per l'autoritratto nella Clowes Foundation di Indianapolis. Inciso in Museo Fiorentino, vol. I, 1752, p. 94. M.C.	Firmato e datato in alto a destra: A. Hollaender/1907. La tela è abbondantemente rigirata sul telaio. Donato dagli eredi dell'artista nel 1924 (AGF, Arte 796). Attualmente nei Depositi degli Uffizi. L'artista, tedesco di nascita, si stabilì a Firenze nel 1870 e ottenne la cittadinanza italiana nel 1872. E.S.	Siglato e datato: JCH 1891. Fu donato dall'artista su invito della direzione della Galleria degli Uffizi, come attestato da un cartellino incollato sul retro e scritto in inglese. M.C.	Firmato e datato in alto a destra: L. Horovitz 1909. Sul retro, per effetto della penetrazione del colore nella tela, sono visibili pentimenti e elaborazioni successive del dipinto. L'opera fu offerta in dono agli Uffizi dal pittore nel 1909 e fu accettata in quello stesso anno (AGF, Arte 858). Il dipinto si trova attualmente esposto nel Corridoio Vasariano. E.S.

	A464	A465	A466	A467
AUTORE	Humbert, Ferdinand (Parigi 1842-1934).	Hunt, William Holman (Londra 1827-1910).	Inganni, Angelo (Brescia 1807 - Gussago, Brescia 1880).	Inganni, Francesco (Brescia 1793?-Gussago?, Brescia 1873).
TITOLO	Autoritratto.	Autoritratto.	Autoritratto.	Autoritratto.
DATAZIONE	1905.	1875.		Quinto decennio (?) sec. XIX.
DATI TECNICI	Olio su tela, 92x72.	Olio su tela, 103,5x73.		Olio su tela, 109x89.
CORNICE	Intagliata, dorata, sec. XIX-XX.	Liscia, dorata, con incastri di madreperla, disegno dell'artista.		Sagomata e dorata, sec. XIX.
UBICAZIONI	Uffizi (1905).	Uffizi (1907).		Coll. Zecchini, Reggio Emilia; Uffizi (1914).
ATTRIBUZIONI	—	—		Inganni, Angelo (attribuz. tradizionale).
ESPOSIZIONI	—	Londra, Leicester Galleries 1906. Manchester, 1906. Liverpool, Walker Art Gallery 1907. Firenze e l'Inghilterra. Rapporti artistici e culturali dal XVI al XX secolo, Firenze 1971.		Mostra della pittura bresciana dell'Ottocento, Brescia 1934 (come Angelo Inganni).
BIBLIOGRAFIA	Thieme-Becker, XVII, 1925. I. Julia in Cat. Pittura francese nelle collezioni pubbliche fiorentine, Firenze 1977, n. XXIV.	T.S.R. Boase: English Art, 1800-1870, Oxford 1959. Cat. mostra William Holman Hunt, Liverpool-Londra 1969. J. Maas: Victorian Painters, London 1978 (2 ed.). Cat., Firenze 1971, n. 82.		Cat. Esposizione della pittura bresciana, in Commentari dell'Ateneo di Brescia per l'anno 1878, Brescia 1878. Thieme-Becker. XVIII, 1925. Dizionario Bolaffi VI, Torino 1974. B. Spataro, in Storia di Brescia, IV, Milano 1961, p. 946 (come Angelo Inganni).
INVENTARIO	3284 (C.P., p. 104, n. 758).	3377 (C.P., p. 104, n. 746).		3946.
FOTO	182514.	5789.		26353.
NOTE	Firmato e datato: F. Humbert 1905. Dono dell'artista alla Galleria. M.C.	Siglato e datato: W.H.H. 1875. L'artista si fece numerosi autoritratti: questo è uno degli ultimi. Esponente importante e tra i fondatori del movimento Pre-Raffaellita, nel 1905 scrisse un'autobiografia che è fondamentale per la storia del movimento (Pre-Raphaelitism and the Pre-Raphaelite Brotherhood, Londra 1905). Herbert Horne, consultato dalla direzione degli Uffizi, scrisse nel 1906 a H. Hunt per invitarlo a inviare il suo ritratto alla collezione degli autoritratti: l'artista, nell'inviare questo esemplare, rispose che se glielo avessero richiesto vent'anni prima lo avrebbe eseguito espressamente. M.C.	Vedi: Inganni, Francesco. Autoritratto. Scheda A467.	Sul dietro, nella cornice, cartellino con la scritta: Del Signor Francesco Inganni. L'opera fu acquistata dagli Uffizi nel 1914 dal signor Giovanni Zecchini di Reggio Emilia per 450 lire (AGF, Arte 796). L'attribuzione a Francesco Inganni, anziché al più noto Angelo, è confortata dal fatto che in questo quadro il pittore si rappresenta mentre sta dipingendo un tacchino: infatti Francesco Inganni fu noto ai suoi tempi come pittore animalista. Gli estremi anagrafici del pittore, non sicuramente documentati, furono riferiti nell'edizione del 1934 del Dizionario del Comanducci, desumendoli probabilmente da una annotazione manoscritta che si legge nella copia del Dizionario degli Artisti bresciani del Fenaroli (Brescia 1877) conservata nella Biblioteca Comunale di Brescia. Il dipinto si trova attualmente nei Depositi degli Uffizi. E.S.

	A468	A469	A470	A471
AUTORE	Ingres, Jean-Auguste-Dominique (Montauban 1780 - Parigi 1867).	Ioris, Pio (Roma 1843-1921).	Irolli, Vincenzo (Napoli 1860-1949?).	Isola, Giuseppe (Genova 1808-1893).
TITOLO	Autoritratto.	Autoritratto.	Autoritratto.	Autoritratto.
DATAZIONE	1858.	1888.	Terzo decennio sec. XX.	1870.
DATI TECNICI	Olio su tela, 62x51.	Olio su tela, 62x49.	Olio su tela, 90x72.	Olio su tela, 80,5x63,5.
CORNICE	Liscia, dorata, sec. XIX.	Ovale, dorata, decorata a motivi vegetali (sec. XIX).	Sagomata e dorata, sec. XX.	Sagomata e dorata, sec. XIX.
UBICAZIONI	Appartamenti granducali, Pitti (1858); Uffizi (1858).	Coll. Cesare Pratelli; Uffizi (1928); Galleria d'Arte Moderna, Pitti.	Uffizi (1930).	Uffizi (1870).
ATTRIBUZIONI	—	—	—	—
ESPOSIZIONI	Capolavori dell'Ottocento francese, Roma 1955. Vedute di Roma di Ingres, Roma 1958. L'Italia vista dai pittori francesi..., Roma 1961. Ingres, Parigi 1967. Ingres in Italia, Roma 1968. Pittura francese nelle collezioni pubbliche fiorentine, Firenze 1977.	—	Società promotrice delle belle arti Salvator Rosa. 42ª Mostra, Napoli 1927. Società delle Belle Arti. 80ª Esposizione nazionale, Firenze 1927.	—
BIBLIOGRAFIA	*Cat., Roma 1955, n. 57. Cat., Roma 1958, n. 3bis. Cat., Parigi 1967, n. 254. Cat., Roma 1968, n. 131. R. Rosenblum: Ingres, Paris 1968, p. 10. Cat., Firenze 1977, n. 30.*	Catalogo Bolaffi della Pittura Italiana dell'Ottocento n. 6, Torino, 1976.	D. Maggiore, Arte e artisti dell'800 napoletano, Napoli 1955. A. Schettini, La pittura napoletana dell'800, Napoli 1967. L. e F. Luciani, Dizionario dei pittori italiani dell'800, Firenze 1974. *L. Montanari, Come vedo e come sento Vincenzo Irolli, Bologna 1934.*	S. Pinto, in Cat. Mostra Romanticismo storico, Firenze 1974. *Prinz 1971.*
INVENTARIO	1948 (C.P., p. 104, n. 581).	9184.	9178.	1988 (C.P., p. 104, n. 629).
FOTO	98253.	278042.	21998.	112400.
NOTE	Iscrizione in alto a destra: J.A.D. INGRES / PICTOR GALLICUS / SE IPSUM Pxt / anno Aetatis LXXVIII / MDCCCLVIII. Ingres-allora a Roma direttore dell'Accademia di Francia - era stato invitato dalla direzione degli Uffizi a inviare un suo autoritratto fin dal 1839. L'artista rispose subito affermativamente, ma facendo presenti i molti impegni, e difatti l'autoritratto non fu eseguito che nel 1858 in Francia, dopo un sollecito della direzione della Galleria (1855). Ingres fu insignito dal granduca dell'ordine al merito di S. Giuseppe. Il presente autoritratto - per il quale esiste un disegno all'Ec. des Beaux-Arts di Parigi - servì da prototipo per altri due: quello del 1859 (Cambridge, Fogg Art Mus.) e quello del 1865 per l'Accademia di Anversa. M.C.	Firmato e datato in basso a sinistra: "P. Joris - 1888". Nel tergo cartellino a penna: "Autoritratto di Pio Joris. Donato dal prof. Cesare Pratelli in esame per la Commissione 28 luglio 1928 - VI Tarchiani". Pervenuto nel 1930 (nota inventariale). L'opera si trova attualmente nei depositi della Galleria d'Arte Moderna di Palazzo Pitti. Gr. Red. 1	Firmato in basso a sinistra: V. Irolli. Dietro, cartellino della mostra di Napoli (1927). Un autoritratto fu richiesto dalla direzione degli Uffizi all'artista nel 1927; Irolli inviò questo, ma la Commissione accettò il dono nel 1930 con qualche esitazione, poiché nel frattempo aveva espresso il proprio gradimento per un altro autoritratto dell'artista, in collezione privata (AGF, Arte 796). La data di morte del pittore è riferita da alcuni al 1942, da altri al 1937 e da altri ancora al 1949; quest'ultima sembra essere la data più probabile. Attualmente esposto nel Corridoio Vasariano. E.S.	Firmato e datato in basso a sinistra: G. Isola/1870. Sul telaio scritta antica: Ritratto autografo /del pittore Giuseppe/Isola da Genova/1870. Nel 1857 l'artista fa chiedere per mezzo di Luigi Venturi informazioni sulle modalità necessarie per donare un autoritratto; l'opera viene richiesta al pittore nel 1868 e da questi donata nel 1870 (AGF 1857 (LXXXI) 12; 1868 (A) 1, 75; Arte 796). Attualmente nei Depositi degli Uffizi. E.S.

	A472	A473	A474	A475
AUTORE	Israëls, Jozef (Groningen 1824 - L'Aja 1911).	Issupov, Alexei (Viatka 1889 - Roma 1957).	Jacobi, Folco (Livorno 1916 - vivente a Trieste).	Jordaens, Jacob (Anversa 1592-1678).
TITOLO	Autoritratto.	Autoritratto (Allegria).	Autoritratto.	Autoritratto?
DATAZIONE	Primo decenno sec. XX.	1934 ca.	1941-46 ca.	1615-1618 ca. (Bodart 1977).
DATI TECNICI	Olio su tela, 58x47,5.	Olio su tela, 100x75.	Olio su tavola, 44,5x37.	Olio su tela, incollata su legno, 99x69.
CORNICE	Sagomata e dorata con decorazioni in pastiglia, sec. XX.	Seicentesca, dorata con decorazioni applicate.	Coeva, in legno verniciato bianco a granelli, passepartout in tela grezza, vetro.	Barocca, nera e oro.
UBICAZIONI	Uffizi (1910).	Uffizi (1934).	Galleria d'Arte Moderna, Pitti (1946).	Uffizi seconda metà sec. XVIII).
ATTRIBUZIONI	—	—	—	—
ESPOSIZIONI	—	Alessio Issupoff, Milano, Gall. Scopnich 1934. Issupoff-Cascella-Romiti, Livorno, Bottega d'arte, 1934.	—	De Schilder en zijn Wereld, Delft-Anversa 1964-65. Rubens e la pittura fiamminga del Seicento nelle collezioni pubbliche fiorentine, Firenze 1977.
BIBLIOGRAFIA	P. A. Scheen, Lexikon Nederladse Beeldende Kunstenaars 1750-1950, II, Gravenhage 1970. *Prinz 1971. AGF: K. Langedijk, Scheda ministeriale 1978.*	Comanducci, III, Milano 1972.	*Comanducci, III, Milano 1972.*	H. Gerson-E. H. Ter Kuile: Art and Architecture in Belgium 1600-1800, Harmondsworth 1960. *Cat., Firenze 1977, n. 54.*
INVENTARIO	3557 (C.P., p. 104, n. 788).	9198.	GAM Giornale 1053.	1652 (C.P., p. 104, n. 238).
FOTO	5790.	278057.	192943.	125271.
NOTE	Firmato in basso a sinistra: Joseph Israëls. La Direzione chiese un autoritratto all'artista nel 1887 sollecitandolo poi nel 1895; questo fu donato dal pittore nel 1910 (AGF, Arte 796, Arte 931). Alla Biennale veneziana del 1910 fu esposto un altro autoritratto di Israëls, allora appartenente al Circolo Artistico Pulchri Studio, dell'Aja; altri autoritratti del pittore si trovano a Toledo (Ohio) a Amsterdam (Stedel Museum) e a Hannover (Provinzial Museum). L'opera è attualmente esposta nel Corridoio vasariano E.S.	Firmato in basso: Alessio Issupoff. Il dipinto fu offerto in dono dall'artista nel 1934 e accettato in quello stesso anno (AGF, Arte 796). Il pittore espose altri suoi autoritratti in diverse altre mostre italiane fra cui — oltre a quelle già citate — alla sua personale milanese del 1930. Il dipinto è attualmente nei Depositi degli Uffizi. E.S.	Firmato in basso a destra: Folco Jacobi. Dono dell'autore, allievo di Carena all'Accademia di Firenze, nel 1946. Il pittore appare piuttosto giovane e il dipinto è improntato al gusto Novecento in un'accezione lievemente enigmatica e non troppo distante dallo stile del Severini neoclassico. Il pittore, venuto tredicenne a Firenze nel 1929, risiede oggi a Trieste da diversi anni. L'ultima mostra fiorentina si tenne da Gonnelli nel 1968. Attualmente l'opera è nelle riserve della Galleria d'arte moderna. S.P.	La provenienza del dipinto è ignota, ed esso comincia ad essere documentato in incisione a partire dalla seconda metà del XVIII secolo (Museo Fiorentino, vol. II, 1754, p. 277; Serie di ritratti di pittori..., II, 1781, tav. 107). Accettato da tutti come autografo dell'artista, vi sono invece dubbi sull'identità del ritratto le cui sembianze non sembrano corrispondere a quelle dell'artista. Si conoscono due copie antiche, una nella Nat. Gallery di Edimburgo, l'altra delle Gallerie di Firenze (Inv. 1890, n. 5333), già appartenuta al principe Ferdinando, figlio di Cosimo III de' Medici. M.C.

	A476	A477	A478	A479
AUTORE	Josz, Italo (Firenze 1978 - Milano 1942).	Jouvenet, François (Rouen 1664 - Parigi 1749).	Kampf, Arthur (Aquisgrana 1864 - Castrop Rauxel 1950).	Kauffmann, Angelica (Coira 1741 - Roma 1807).
TITOLO	Autoritratto.	Autoritratto.	Autoritratto.	Autoritratto.
DATAZIONE	1929.	1735.	1920.	1763.
DATI TECNICI	Olio su tela, 62x48,5.	Olio su tela, 79x63.	Olio su tela, 73,5x63,5.	Olio su tela, 46x33.
CORNICE	Coeva, in legno intagliato e dorato, con vetro.	Intagliata e dorata, sec. XVIII.	Sagomata e dorata, sec. XX.	Intagliata, dorata, sec. XVIII.
UBICAZIONI	Eredi dell'artista; Galleria d'Arte Moderna, Pitti (1950).	Coll. Menabuoni (sec. XVIII); Uffizi (1794).	Uffizi (1924).	Cosimo Siries (1763); Uffizi (1763 ca.).
ATTRIBUZIONI	—	—	—	—
ESPOSIZIONI	—	Mostra della pittura francese a Firenze, Firenze 1945. Pittura francese nelle collezioni pubbliche fiorentine, Firenze 1977.	II Biennale Romana. Mostra internazionale di Belle Arti, Roma 1923.	Angelika Kauffmann und Ihre Zeitgenossen, Bregenz- Vienna 1968.
BIBLIOGRAFIA	L. Caramel-C. Pirovano, Galleria d'arte moderna. Opere del Novecento, Milano 1974.	Thieme-Becker, XVIII, 1926. *Cat., Firenze 1945, n. 40. Cat., Firenze 1977, n. 13.*	Vollmer, III, 1956. Cat. Kunstmuseum Düsseldorf, Malerei. 2, Die Düsseldorfer Malershule, Düsseldorf 1969.	A. Hartcup: Angelica, London 1954. *Cat.. Bregenz-Vienna 1968, n. 2. M. Webster in Cat., Firenze e l'Inghilterra. Rapporti artistici e culturali dal XVI al XX secolo, Firenze 1971.*
INVENTARIO	GAM Giornale 1192.	1843 (C.P., p. 104, n. 460).	8482.	4444 (C.P., p. 211, n. 119).
FOTO	300991.	171361.	12184.	98390.
NOTE	In basso a sinistra firmato e datato su cartiglio dipinto a trompe l'oeil: Italo Josz / Autoritratto / 1929. Il quadro fu donato dalla sorella del pittore Valeria Vida Josz per la collezione dei ritratti dei pittori nel 1950. La stessa fornì i dati anagrafici del fratello indicando come luogo di morte Milano. Le uniche scarne informazioni biografiche sull'artista reperite nel catalogo della Galleria d'arte moderna di Milano lo danno invece nato e morto a Firenze, pur avendo egli studiato e operato a Milano. Attualmente nelle riserve della Galleria d'arte moderna. S.P.	Scritta a tergo: Ce tableau est le portrait de François Jouvenet Lepère/peint par luimême L'an 1735 le 15 mars. Nell'Ottocento, nonostante questa iscrizione, spesso ritenuto del fratello Jean. Acquistato per la galleria degli autoritratti dall'eredità di Giovanni Menabuoni, bibliotecario della Magliabechiana, per 130 zecchini. M.C.	Firmato e datato in basso a destra: A. Kampf/1920. Sul retro una grande etichetta applicata sulla cornice e sul telaio con la scritta: Dall'Estero Invitato (cartellino della mostra di Roma 1923?). L'opera fu donata dall'artista nel 1924 (AGF, Arte 796). Attualmente nei Depositi degli Uffizi. E.S.	Il piccolo dipinto, che rappresenta la pittrice nel costume tipico di Bregenz, fu donato, come attestato dalla stessa Kauffmann (M. Webster, 1971), da Cosimo Siries alla Galleria degli Uffizi. Il Siries lo aveva ricevuto in dono dalla pittrice quando lasciò Firenze nel 1763, anno nel quale era stato eseguito. M.C.

	A480	A481	A482	A483
AUTORE	Kauffmann, Angelica (Coira 1741 - Roma 1807).	Kauffmann, Angelica (Coira 1741 - Roma 1807).	Keller, Ferdinand (Karlsruhe 1842-Baden Baden 1922).	Keyser, Nicaise de (Santvliet, Anversa 1813 - Anversa 1887).
TITOLO	Autoritratto.	Ritratto di Benjamin West.	Autoritratto.	Autoritratto.
DATAZIONE	1787.	1762.	1889.	1870.
DATI TECNICI	Olio su tela, 128x93,5.	Olio su tela, 60,5x47,5.	Olio su tela, 132x88.	Olio su tela, 79,5x66.
CORNICE	Nera e oro, sec. XVIII.	Liscia, dorata, sec. XVIII.	Sagomata, tinta in bronzo con decorazioni, sec. XIX.	Sagomata e dorata con decorazioni in pastiglia, sec. XIX.
UBICAZIONI	Uffizi (1788).	Uffizi (1960).	Uffizi (1890).	Eredi dell'artista (ante 1932); Uffizi (1933).
ATTRIBUZIONI	—	—	—	—
ESPOSIZIONI	Il Settecento a Roma, Roma 1959. Angelika Kauffmann und Ihre Zeitgenossen, Bregenz-Vienna 1968. Royal Academy Bicentenary Exhibition, Londra 1968. Firenze e l'Inghilterra. Rapporti artistici e culturali dal XVI al XX secolo, Firenze 1971. Il ritratto storico napoletano, Napoli 1974.	Nuovi acquisti delle Gallerie Fiorentine, Firenze 1960.	—	—
BIBLIOGRAFIA	E.K. Waterhouse: Painting in Britain 1530-1790, Harmondsworth 1953. A. Hartcup: Angelica, London 1954. J. Smidt-Dörrenberg: Angelica Kauffmann, Goethes Freundin in Roma, Wien 1968. *Cat., Firenze 1971, n. 58.*	*O. Sandner: Cat., Angelika Kauffmann und Ihre Zeitgenossen, Bregenz-Vienna 1968, sub nn. 2, 76. Cat., Firenze 1971, n. 66.*	Thieme-Becker, XX, 1927, Cat. Le Symbolisme in Europe, Rotterdam-Bruxelles-Baden Baden-Parigi, 1975-76. *Prinz 1971.*	Thieme-Becker, XX, 1927. R.H. Wilenski, Flemish Painters 1430-1830, Londra 1960. *AGF: K. Langedjik, Scheda ministeriale 1978.*
INVENTARIO	1928 (C.P., p. 104, n. 471).	9296.	1910 (C.P., p. 104, n. 640).	9197.
FOTO	144788.	95521.	315535.	109332.
NOTE	Firmato e datato: Angelica Kauffmann/Pinx Romae 1787. La pittrice inviò agli Uffizi questo autoritratto fatto a Roma attraverso Luigi Siries: esso fu collocato in Galleria nel luglio 1788. Gli Uffizi possedevano già un piccolo autoritratto della pittrice (Inv. 1890, n. 4444), eseguito nel 1763, e donato agli Uffizi da un suo amico al quale lo aveva lasciato partendo da Firenze; ma giudicandolo inadatto alla collezione degli autoritratti, ella ne volle eseguire uno nuovo, di maggiori proporzioni e più impegnativo. Il direttore degli Uffizi, Bencivenni Pelli, nel ringraziarla del dono le inviò una medaglia d'oro col ritratto del Granduca Pietro Leopoldo. M.C.	Firmato e datato: Angelica Kauffmann/1762. Il dipinto che fu acquistato per gli Uffizi nel 1960 ma la cui provenienza non è documentata, rappresenta, come ha dimostrato O. Sandner, il pittore americano Benjamin West (1738-1820). L'identificazione è stata possibile per il confronto con un disegno della Kauffmann rappresentante il pittore che si trova nella Nat. Portrait Gallery di Londra (n. 1949). M.C.	Firmato e datato in basso a sinistra: Ferdinand Keller 1889/Karlsruhe. Un autoritratto fu richiesto all'artista nel 1887 che donò questo nel 1890 (AGF, Affari del 1890, 1, 6; 1890 (A₂), 37). Due altri autoritratti di Keller sono nella Staatliche Kunsthalle di Karlsruhe. Attualmente nei Depositi degli Uffizi. E.S.	Firmato e datato in basso a sinistra: N. De Keyser/1870. Offerto in dono agli Uffizi dal signor Axel Goemaere, discendente dell'artista, nel 1932 e accettato l'anno successivo (AGF, Arte 796). Attualmente nei Depositi degli Uffizi. E.S.

	A484	A485	A486	A487
AUTORE	Khnopff, Fernand (Grembergen-les-Tremonde, 1858 - Bruxelles 1921).	Kienerk, Giorgio (Firenze 1869 - Poggio alla Farnia 1948).	Kiprenski, Orest Adamovitš (Nežinskaja 1782 - Roma 1836).	Klocker van Ehrenstrahl, David (Amburgo 1629 - Stoccolma 1698).
TITOLO	Autoritratto.	Autoritratto.	Autoritratto.	Autoritratto.
DATAZIONE	1918.	1935.	1820.	1686.
DATI TECNICI	Pastello su cartone, 62,2x42,2.	Pastello su carta, 46x40.	Olio su tela, 58x51,5.	Olio su tela, 100,5x70,5, rintelato.
CORNICE	Sagomata e dorata, sec. XX.	Sagomata e argentata (sec. XX).	Sagomata e dorata con decorazioni in pastiglia, sec. XIX.	Salvadora dorata, sec. XVIII.
UBICAZIONI	Eredi dell'artista; Uffizi (1922).	Eredi dell'artista; Galleria d'Arte Moderna, Pitti (1946).	Uffizi (1825).	Cosimo III de' Medici; Uffizi (1688).
ATTRIBUZIONI	—	—	—	—
ESPOSIZIONI	—	Mostra retrospettiva, Firenze, 1970. Comanducci, III, Milano 1972.	—	Cartellino di invio a una mostra non identificata, 1955 ca.
BIBLIOGRAFIA	Thieme-Becker, XX, 1927; Cat. Het Symbolisme in Europe, Rotterdam-Baden Baden-Bruxelles-Parigi 1975-76; *AGF: K. Langedijk, Scheda ministeriale 1978.*	*Cat., Firenze 1970, n. 57.*	Cat. La Peinture russe à l'époque du Romantisme, Parigi 1976-77. *Prinz 1971.*	Thieme-Becker XX, 1927.
INVENTARIO	8430.	GAM Giornale 1054.	2084 (C.P., p. 104, n. 692).	1855 (C.P., p. 211, n. 220).
FOTO	249428.	167768.	247977.	71929.
NOTE	Firmato e datato in basso a sinistra: Fernand / Khnopff / 1918. Sul controfondo interno altra scritta a matita: Mon Portrait / peint / à / Bruxelles en 1918 / Pendant l'occupation allemande / Fernand Khnopff / pour / les /Offices / de / Florence. L'opera fu donata agli Uffizi dalla sorella del pittore nel 1922, per interessamento della baronessa De Gerlache; la Direzione degli Uffizi aveva richiesto un autoritratto all'artista fin dal 1906 (AGF, Arte 524; Arte 796). Un altro autoritratto di Khnopff è conservato nel Musée des Beaux Arts di Anversa. L'opera si trova attualmente nei Depositi degli Uffizi. E.S.	Firmato e datato a sinistra: "G. Kienerk 1935". Nel tergo, in alto al centro: "ELENCO G.K. - N. 255 - G. Kienerk - Firenze". In basso a destra il cartellino della Mostra retrospettiva dell'Accademia delle Arti del Disegno (20 dicembre 1970 - 20 gennaio 1971). Donato dalla famiglia nel 1946 (nota inventariale). Il quadro si trova attualmente nei depositi della Galleria d'Arte Moderna di Palazzo Pitti. Gr. Red. 1	Firmato e datato sul retro: «Oreste Kiprensky di S. Pietroburgo 1820. Roma». Sempre sul retro è visibile un timbro della Dogana di Modane del 1935 (probabile invio a una mostra non individuata). Un autoritratto fu richiesto al pittore nel 1819; questo fu da lui donato nel 1825 (AGF, 1825, (IL), 4). Un altro autoritratto del pittore (datato 1828) si trova nel museo russo di Leningrado; altri due (1809 ca. e 1822-23 ca.) sono nella Galleria Nazionale Trétiakov di Mosca. Attualmente esposto nel Corridoio Vasariano. E.S.	A tergo: 'David Klocker Ehrenstrahl / S. R. Maiest. Sveciae Pictor aulicus / depinxit Seipsum Anno 1686'. Il quadro entrò in galleria, inviatovi da Cosimo III de' Medici, il 10 novembre 1688 (ASF, Guard. 903, c. 153r). È possibile che l'artista sia quello 'svezzese' (svedese) che Antonio Franchi afferma fosse stato chiamato dai Medici come possibile ritrattista di corte dopo la morte del Sustermans e prima di lui (1687), ma che non fece buona prova (cfr. M. Gregori e F. Nannelli in Paradigma 1, 1977, pp. 80, 353 nota 60). In tal caso l'autoritratto sarebbe stato eseguito a Firenze. S.M.T.

	A488	A489	A490	A491
AUTORE	Kneller, Sir Godfrey (Lubecca 1646-49 - Londra 1723).	Koninck, Philips (Amsterdam 1619-1688).	Kotász, Károly (Budapest 1872-1941).	Kounelakis, Nikolaos (Creta 1829 - Il Cairo 1869).
TITOLO	Autoritratto.	Autoritratto.	Autoritratto.	Autoritratto.
DATAZIONE	1706.	1667.	1929 ca.	Settimo decennio sec. XIX.
DATI TECNICI	Olio su tela, 127x103.	Olio su tela, 96x72.	Olio su tela, 45,5x35,5.	Olio su tela, 45x33,5.
CORNICE	Nera e oro, sec. XVIII.	Liscia, dorata, sec. XIX?	Seicentesca, intagliata e dorata.	Sagomata e dorata, sec. XIX.
UBICAZIONI	Uffizi (1706).	Uffizi (1707).	Uffizi (1930).	Eredi dell'artista; Uffizi (1872).
ATTRIBUZIONI	—	—	—	—
ESPOSIZIONI	Firenze e l'Inghilterra. Rapporti artistici e culturali dal XVI al XX secolo, Firenze 1971.	Rembrandt als Leermeester, Leida 1956.	—	—
BIBLIOGRAFIA	E.K. Waterhouse: Painting in Brithain 1530-1790, Harmondsworth 1953. Cat. mostra: Sir Godfrey Kneller, Londra 1971. *Cat., Firenze 1971, n. 48.*	J. Rosenberg-S. Slive-E. H. Ter Kuile: Dutch Art and Architecture 1600-1800, Harmondsworth 1966. H. Gerson: Philips Koninck, Berlin 1936, cat. 207. Cat., Leida 1956, n. 61 A. AGF: K. Langedijk, Scheda ministeriale 1978.	Vollmer, III, 1956; Müvészeti Lexikon, II, Budapest 1966; *Cat. Carlo Kotász, Roma 1929.*	*Prinz 1971.*
INVENTARIO	1753 (C.P., p. 104, n. 510).	1885 (C.P., p. 211, n. 448).	9171.	2006 (C.P., p. 104, n. 581).
FOTO	68090.	11175.	278029.	111134.
NOTE	Scritta in latino sul retro nella quale sono elencati i titoli e gli onori attribuiti all'artista. L'autoritratto fu dipinto su ordinazione di Cosimo III de' Medici e giunse a Firenze nel 1706; entrò agli Uffizi nell'ottobre di quell'anno (ASF, Guard. 1113, c. 192v). Inciso in Houbraken, 1718-20, III, 238, e in Museo Fiorentino, vol. IV, p. 55: in queste incisioni si vedono dettagli dello sfondo oggi non più visibile o ridipinti. Nell'inventario del 1825 della Galleria si dice che sotto i due putti che si vedono nel fondo a destra comparirebbe la scritta: «Linea et lumine». Una replica nella Nat. Portrait Gallery di Londra (n. 3214) e una copia in miniatura di G. Macpherson nelle Collezioni reali inglesi. M.C.	Sul retro della tela scritta sei-settecentesca?: Ritratto del Pedro Koning Pittore d'Amsterdam fato do sua manu (sic). Il dipinto, la cui provenienza non è documentata, entrò agli Uffizi il 28 febbraio 1707 (ASF, Guard. 1113, c. 225r). Il busto rappresentato nel dipinto è quello di Ercole, riconoscibile per la pelle di leone gettata sulle spalle. Il Gerson riporta che il dipinto è firmato e datato: Koning 1667, ma nelle condizioni attuali firma e data sono illeggibili. Gli anni dimostrati dall'artista, d'altra parte, suggerirebbero una data precedente. Inciso in Museo Fiorentino, vol. III, 1756, p. 159. M.C.	Firmato in basso a destra: Kotász K/P. Károly Kemény, nipote dell'artista, offrì due autoritratti del pittore agli Uffizi nel 1929; la direzione della Galleria ne accettò solo uno nel 1930 (AGF, Arte 796). Un altro autoritratto del pittore fu esposto alla personale dell'artista alla Galleria Scopinich di Milano nel 1933 (cat. 32). L'opera si trova attualmente nei Depositi degli Uffizi. E.S.	Sul retro della tela è applicato un cartellino recante la seguente scritta antica: «Pel defunto Niccola Kunelakis/Sua suocera Eufemia/Cattani 1869». Il dipinto fu offerto in dono agli Uffizi dalla suocera dell'artista defunto; il dono fu accettato nel 1872 (AGF, 1872 (A), 1, 3). Nessuno dei repertori storico-artistici più importanti menziona l'artista, che è praticamente sconosciuto agli studi internazionali; le poche notizie sul suo conto sono desumibili dal catalogo della Pinacoteca Nazionale di Atene che possiede diverse opere del pittore. Il dipinto è attualmente nei Depositi degli Uffizi. E.S.

	A492	A493	A494	A494 bis
AUTORE	Krøyer, Peder Severin (Stavanger 1851 - Skagen 1909).	Kupeczky, Janos (Pezinok 1667- Norimberga 1740).	Kustodiev, Boris Mihailovitš (Astrahan 1878 - Leningrado 1927).	Kustodiev, Boris Mihailovitš (Astrahan 1878 - Leningrado 1927).
TITOLO	Autoritratto.	Autoritratto.	Autoritratto.	Ritratto di donna in piedi. (Verso dell'opera A494).
DATAZIONE	1888.	1705 ca.	1912.	
DATI TECNICI	Olio su tela, 49x41.	Olio su tela, 113x93.	Tempera su cartone, 100x85.	
CORNICE	Nera, sagomata con listello interno decorato in pastiglia dorata, sec. XIX.	Intagliata e dorata, sec. XIX.	Sagomata e decorata in radica chiara, sec. XX.	
UBICAZIONI	Uffizi (1899).	Antiquario Grassi; Uffizi (1907).	Uffizi (1913).	
ATTRIBUZIONI	—	—	—	
ESPOSIZIONI	—	Il Settecento a Roma, Roma 1959.	Aquarell Ausstellung, Dresda 1913.	
BIBLIOGRAFIA	Thieme-Becker, XXI, 1927. Dansk Kunst Historie, IV, Copenhagen 1974; V, 1975. *Prinz 1971.*	E.A. Safarik in Artisti austriaci a Roma dal Barocco alla Secessione, Roma 1972. *C. Gamba in Bollettino d'Arte II, 1908.*	Vollmer, III, 1956. M. Etkind, B.M. Kustodiev, Leningrado 1960. Cat. B.M. Kustodiev, Leningrado 1978. *Prinz 1971.*	
INVENTARIO	1945 (C.P., p. 104, n. 605).	3374 (C.P., p. 104, n. 756).	3903.	
FOTO	153027.	72278.	112514.	315556.
NOTE	Siglato e datato in basso a destra: S.K. 1888. Sul retro la seguente iscrizione: «Selvportrait of Peter Severin Krøyer, b. 1851 malet 1888». Un autoritratto fu richiesto all'artista fin dal 1887; questo fu da lui donato soltanto nel 1899 (AGF, Arte 796). Da altri documenti di archivio risulta l'invio del dipinto alla grande mostra dedicata all'artista che fu organizzata a Copenhagen nel 1901 (AGF, Arte 230; cat. non reperito). L'artista eseguì diversi autoritratti fra il 1867 e il 1897, che oggi sono conservati in diverse collezioni pubbliche danesi. L'opera è attualmente esposta nel Corridoio Vasariano. E.S.	Acquistato per gli Uffizi dall'antiquario Grassi nel 1907, il ritratto si data agli ultimi anni italiani dell'artista, che si trasferì da Roma a Vienna nel 1707. Kupeczky si ritrasse una ventina di volte, cercando di esprimere vari stati d'animo più che la somiglianza; questo è considerato uno dei ritratti più importanti. S.M.T.	Firmato (in caratteri cirillici) e datato in basso a destra: B. Kustodiev/1912. Il ritratto femminile abbozzato sul verso è schizzato a lapis e terminato a tempera solo nel volto e in parte dello sfondo. Sempre sul verso grande cartellino della mostra di Dresda (1913). Un autoritratto fu richiesto all'artista nel 1910, che donò questo nel 1913 (AGF, Arte 796). L'opera si trova attualmente nei Depositi degli Uffizi. Per il verso vedi scheda A494 bis. E.S.	Vedi scheda A494.

	A495	A496	A497	A498
AUTORE	Labruzzi, Pietro (Roma 1739-1805).	Laermans, Eugeen Jules Joseph (Bruxelles 1864-1940).	Lairesse, Gérard, de (Liegi 1640 - Amsterdam 1711).	Lalli, Odoardo (Roma 1829 - Firenze 1909).
TITOLO	Ritratto di William Hadfield.	Autoritratto.	Autoritratto.	Autoritratto.
DATAZIONE	1775-80.	1922.	1670 ca.	1854.
DATI TECNICI	Olio su tela, 47x35.	Olio su tela, 80x60,5.	Olio su tela, 89x73.	Olio su tela, 70,5x54.
CORNICE	Sagomata di legno rossiccio, sec. XIX.	Intagliata, in legno naturale, sec. XX.	Liscia, dorata, sec. XIX?	D'epoca, in legno dorato.
UBICAZIONI	Accademia di Belle Arti; Uffizi (1853).	Uffizi (1923).	Uffizi (1699).	Eredi dell'artista; Galleria d'Arte Moderna, Pitti (1950).
ATTRIBUZIONI	—	—	—	—
ESPOSIZIONI	Firenze e l'Inghilterra, Firenze 1971.	—	—	—
BIBLIOGRAFIA	*M. Webster in cat. mostra, Firenze 1971, n. 54.*	Vollmer, III, 1956; R. H. Wilenski, Flemish Painters 1430-1830, Londra 1960; *V. Pica, in Emporium, marzo 1913, p. 163; AGF: K. Langedijk, Scheda ministeriale 1978.*	J. J. M. Timmers: Gérard Lairesse, Amsterdam 1942. J. Hendrick: La peinture liégoise au XVIIe siècle, Gembloux 1973. Cat. mostra Le siècle de Louis XIV au pays de Liège, Liegi 1975. *AGF: K. Langedijk, Scheda ministeriale 1978.*	T. Signorini, Caricaturisti e caricaturati al Caffè Michelangiolo, Firenze 1893 (Firenze 1952).
INVENTARIO	5521.	8473.	1894 (C.P., p. 104, n. 450).	GAM Giornale 1134.
FOTO	109347.	12185.	92950.	184146.
NOTE	A tergo la scritta 'Ritto Di Guglielmo Hadfield Dipinto Dal Sig. Pietro Labruzzi'. Lo Hadfield, figlio di Charles proprietario dell'albergo inglese a Firenze, studiava pittura in galleria (1776-77) con la sorella Maria, poi sposata al pittore Richard Coswav: si trasferirono a Londra intorno al 1780 dopo la morte del padre. Perciò il ritratto può datarsi nella seconda metà del decennio 1770-80; venne in galleria il 18 marzo 1853 dall'Accademia di Belle Arti segnato come opera di Pietro Zabagli (inv. 1825, suppl. n. 2533). S.M.T.	Firmato e datato davanti in basso a destra: Eug. Laermans 1922 Autoportrait. Iscrizione sul retro: Eugène Laermans / Bruxelles / Autoportrait 1922. La Direzione degli Uffizi richiese all'artista un suo autoritratto nel 1919 e nel 1922; Laermans inviò questo subito dopo, con ogni probabilità nel 1923, visto che il dipinto è registrato nell'Inventario 1890 assieme a un gruppo di oggetti entrati nel 1923 (AGF, Arte 796; Inv. 1890). L'opera è certamente una replica di un altro autoritratto degli inizi del secolo riprodotto in alcune monografie su Laermans (G. Vanrype, Bruxelles 1908; F. Maret, Bruxelles 1959). Il dipinto è attualmente esposto nel Corridoio vasariano. E.S.	La tela, la cui provenienza è ignota, entrò agli Uffizi il 22 gennaio 1699 (ASF, Guard. 1025, c. 111r): aveva allora la sua forma ovale originale, come si può notare in una stampa che mostra una delle sale della collezione degli autoritratti nel Settecento (vedi W. Prinz: Die Samml. der Selbstbildnisse..., Berlin 1971, tav. 47). La data dell'esecuzione del dipinto può essere stabilita in base all'età dimostrata dall'artista. Inciso in Museo Fiorentino, vol. III, 1756, p. 301. M.C.	Firmato e datato in basso a destra: O. Lalli 1854. A tergo in alto l'iscrizione: Odoardo Lalli / - pittore - / n. a Roma. 1829. / m. a Firenze 1909 / - Autoritratto -. Fu donato dalla nuora dell'artista Olga Lalli nel 1950 per la collezione dei ritratti dei pittori, come risulta da una nota inventariale, unica notizia sulla provenienza dell'opera. Sul pittore, si è trovata soltanto menzione nei cataloghi delle Promotrici degli anni tra il 1855 ca. e il 1875 ca. e nei ricordi del Signorini, sopracitati, come di appartenente al gruppo del Caffè Michelangiolo (a tale epoca risale l'autoritratto giunto alle collezioni fiorentine). Gli estremi anagrafici qui riportati sono desunti dell'iscrizione a tergo. Il dipinto non è di cattiva qualità e farebbe ipotizzare una formazione filo-nazarena dell'artista. S.P.

	A499	A500	A501	A502
AUTORE	Lama, Giulia (Venezia 1681-1747).	Lami, Vincenzo (Empoli, Firenze 1807 - Firenze? 1892).	Landi, Gaspare (Piacenza 1756-1830).	Lanfranco, Giovanni (Terenzo 1582 - Roma 1647), copia da.
TITOLO	Autoritratto.	Autoritratto.	Autoritratto.	Autoritratto.
DATAZIONE	1725.	1867.	1820.	Sec. XVII (post 1628).
DATI TECNICI	Olio su tela, 73x60,5, restauro 1955 ca.	Olio su tela, 54,5x44.	Olio su tela, 61,5x48.	Olio su tela, 54x42, mal conservato.
CORNICE	Salvadora dorata e gialla, sec. XVIII.	A fogliami dorati su fondo scuro, sec. XVII-XVIII.	Sagomata e dorata, sec. XX.	Dorata e liscia.
UBICAZIONI	Uffizi (almeno dal 1784).	Uffizi (1869).	Uffizi (1820).	Uffizi (1704).
ATTRIBUZIONI	—	—	—	Giovanni Lanfranco (1704). Anonimo da Lanfranco (Borea 1975).
ESPOSIZIONI	Die Frau als Künstlerin, Zurigo 1958.	—	XV Esposizione Internaz. d'arte della città di Venezia, Venezia 1926.	—
BIBLIOGRAFIA	*B. Viallet, Roma s.d. (1923). G. Fiocco in Rivista d'arte XI, 1929. U. Ruggeri, Giulia Lama, Bergamo 1973.*	Thieme-Becker, XXII, 1928.	S. Pinto, in Cat. Cultura neoclassica e romantica nella Toscana Granducale, Firenze 1972, *Prinz 1971.*	*E. Borea, Pittori bolognesi del Seicento nelle gallerie di Firenze, Firenze 1975, n. 126, p. 176.*
INVENTARIO	2047 (C.P., p. 211, n. 670).	1953 (C.P., p. 104, n. 616).	1926 (C.P., p. 104, n. 569).	1855 (C.P., p. 104, n. 409).
FOTO	5793.	156163.	5794.	225069.
NOTE	A tergo sulla tela: 'Ritratto di Giulia Lama / Pittrice Veneta / Da essa Dipinto 1725', e il numero 564 con la sigla DG coronata, che caratterizza gli autoritratti nell'inventario del 1784. Il quadro era dunque già allora in galleria, ma non venne esposto né segnato in inventario fino al 1890. Fu pubblicato dal Fiocco (ma era già stato illustrato dalla Viallet) che lo confrontò col ritratto fatto all'artista dal Piazzetta intorno al 1720 (Lugano, coll. Thyssen). Della pittrice scrisse l.abate Conti: 'Elle a autant de laideur que d'esprit mais elle parle avec grace et finesse, ainsi on lui pardonne aisement son visage'. S.M.T.	Firmato davanti a destra: V. Lami Fece/1867. Dietro la cornice il n. 1101 in rosso e iscrizione a inchiostro bruno: di M.no Palma. La tela è lacerata e sfondata all'altezza del collo. Offerto in dono dall'artista nel 1869 e accettato in quello stesso anno (AGF 1869 (A) 1, 13). Attualmente nei Depositi degli Uffizi. E.S.	Dietro, sul telaio e sulla tela, cartellino della Biennale veneziana del 1926. Sulla cornice cartellino con il n. 2318. Donato nel 1820, appena terminato, dietro diretto interessamento di Giovanni Degli Alessandri (AGF 1820 (XLIV) 35; 1827 (LI) 27). Un altro autoritratto è nella pinacoteca comunale di Faenza; un altro ancora è in proprietà privata a Monaco di Baviera: entrambi figurarono alla Mostra del Ritratto italiano a Firenze nel 1911. Attualmente esposto nel Corridoio Vasariano. E.S.	È una copia del ritratto di un cavaliere dell'ordine di Cristo in collezione privata che il Longhi (in Boschetto 1952) riconobbe quale autoritratto del Lanfranco sulla base delle incisioni riprodotte dai biografi Bellori, Sandrart, Passeri etc. Lanfranco fu fatto cavaliere nel 1628. E.B.

	A503	A504	A505	A506
AUTORE	Lanfredini, Alessandro (Firenze 1826 - Siena 1900).	Langley, Walter (Newlyn 1852-1922).	Lanzani, Andrea (Milano o S. Colombano 1639-42 - Milano 1712).	Lapi, Emilio (Firenze 1814-1898).
TITOLO	Autoritratto.	Autoritratto.	Autoritratto.	Autoritratto.
DATAZIONE	1854-58 ca.	1897.	1705.	1884.
DATI TECNICI	Olio su tela, 37,5x31.	Olio su tela, 77x64.	Olio su tela, 74x58,5, rintelato.	Tempera su cartone applicato su cartone più pesante, 49,5x34,5.
CORNICE	D'epoca, in legno sagomato e dorato con passepartout in legno dorato.	Intagliata, dorata, sec. XIX.	Salvadora dorata, sec. XX.	Intagliata a motivi vegetali e dorata, sec. XIX.
UBICAZIONI	Coll. Gelati (?); Coll. Gioacchina Lanfredini (?); Coll. Emilio Galli (?): Coll. Oreste Franzi (1919); Uffizi (1919).	Uffizi (1898).	Ugo Helbing, Monaco di Baviera; Uffizi (1909).	Eredi dell'artista; Uffizi (1909).
ATTRIBUZIONI	—	—	—	—
ESPOSIZIONI	—	Firenze e l'Inghilterra. Rapporti artistici e culturali dal XVI al XX secolo, Firenze 1971.	—	—
BIBLIOGRAFIA	*Thieme-Becker, XXII. Comanducci, III, Milano 1972.*	Cat. mostra Early Newlyn School, Newlyn-Plymouth-Bristol - London 1979. *Cat., Firenze 1971, n. 83.*	M. G. Turchi in L'Arte n.s. XXV, 1960. *Dizionario Bolaffi VI, Torino 1974.*	C. Del Bravo, Cat. Mostra di Disegni italiani del XIX secolo, Firenze 1971.
INVENTARIO	8374.	3131 (C.P., p. 104, n. 725).	3401 (C.P., p. 104, n. 769).	3407 (C.P., p. 105, n. 772).
FOTO	2259, 2745, 5795.	109432.	315589.	112404.
NOTE	A tergo sul telaio dedica: Alla Signora Giovacchina Lanfredini / il vecchio Gelati. Sulla tela una lettera con parere di autenticità di Luigi Bechi a Emilio Galli (datata 30.12.1916). Il quadro fu donato da Oreste Franzi nel 1919 (AGF, doc. autoritratti, Arte 796). Dall'età dimostrata dall'artista il ritratto dovrebbe datarsi all'epoca del caffè Michelangiolo e ciò spiegherebbe anche il passaggio di proprietà al pittore Lorenzo Gelati. Questi, prima di morire, avrà voluto collocare il quadro presso la famiglia dell'amico. Questa dovrebbe aver ceduto il quadro a Galli e questi a sua volta al Franzi che ne fece dono agli Uffizi. Attualmente nelle riserve. S.P.	Firmato e datato: «Walter Langley 1897». Dipinto su invito della Galleria degli Uffizi, l'autoritratto arrivò a Firenze nel 1898. M.C.	A tergo è riportata per traverso una striscia di tela con la scritta 'Andreas Lanzanus Mediolanensis / propria me Fecit manu Idemet ipse sum Etatis mee / Annorum LXIII Salutis nevo nostre MDCCV', dove 'nevo' andrà inteso 'vero'. Si noti che dichiarandosi sessantatreenne nel 1705 l'artista risulterebbe nato nel 1642 e non nel 1639 come si è dedotto dall'atto di morte (ma la scritta è chiaramente una trascrizione della cui esattezza si può dubitare). All'inizio del 1705 il pittore, a Vienna da cinque anni, fu ordinato cavaliere. L'autoritratto fu acquistato nel gennaio 1909 dall'antiquario Ugo Helbirg di Monaco per 1000 lire su relazione di C. Gamba, P. N. Ferri e G. Poggi che ne apprezzarono la sobrietà (AGF, Arte 809). Altro autoritratto, ottagono, è alla Pinateca di Brera. S.M.T.	Firmato e datato in basso a destra: E. Lapi. 1884. Offerto in dono nel 1909 dall'erede dell'artista, Polissena Fini, e accettato in quello stesso anno (AGF, Arte 863). Un autoritratto risulta posseduto dall'Accademia di Belle Arti di Firenze (cfr. Esposizione commemorativa del 90° anno della Fondazione della Società delle Belle Arti, Firenze 1933, n. 47). Il Comanducci riporta come data di morte dell'artista il 1890. Attualmente nei Depositi degli Uffizi. E.S.

	A507	A508	A509	A510
AUTORE	Lapi, Niccolò (Firenze 1661-1732).	Lappoli, Giovanni Antonio (Arezzo 1492-1552).	Larco, J. (?).	Largillière, Nicolas de (Parigi 1656-1746).
TITOLO	Autoritratto.	Autoritratto.	Autoritratto.	Autoritratto.
DATAZIONE	Ultimo quarto sec. XVII.	1515 ca.	Seconda metà sec. XX.	1729.
DATI TECNICI	Olio su tela, 67,5x52, rintelato.	Olio su tavola, 68x48, restauro 1972.	Olio su tela, 120x91.	Olio su tela, 81x65.
CORNICE	Salvadora dorata, sec. XVIII.	Sagomata dorata e gialla, sec. XIX.	Sagomata e dorata (sec. XX).	Liscia, nera e oro, sec. XVII.
UBICAZIONI	Coll. Pazzi; Uffizi (1768).	Poggio Imperiale (almeno dal 1836); Uffizi (1890).	Galleria d'Arte Moderna, Pitti (1970).	Uffizi (1729).
ATTRIBUZIONI	—	—	—	—
ESPOSIZIONI	—	—	—	Mostra della pittura francese a Firenze, Firenze 1945. Tableaux français en Italie, Roma 1946. Pittura francese nelle collezioni pubbliche fiorentine, Firenze 1977.
BIBLIOGRAFIA	*R. Millen in Burlington Magazine CXX, 1978. S. Meloni Trkulja in Paragone 343, 1978.*	E. A. Carrol in Art Bulletin XLIX, 1967. M. Lenzini Moriondo in Arte in Valdichiana, Cortona 1970.	—	G. Pascal: Largillierre, Paris 1928. *Cat., Firenze 1945, n. 42 bis. Cat., Roma 1946, n. 57. Cat., Firenze 1977, n. 12.*
INVENTARIO	1667 (C.P., p. 211, n. 250).	2048 (C.P., p. 105, n. 671).	GAM Giornale 2390.	1851 (C.P., p. 105, n. 473).
FOTO	249090.	113068.	166341.	171356.
NOTE	Esisteva già in galleria un autoritratto del Lapi, entrato il 23 marzo 1737, ultimo acquisto del granduca Gian Gastone (ASF, Guard. 1451, c. 40v) perduto dopo esser stato rimandato in Guardaroba nel 1790 come duplicato perché nel frattempo era entrato questo, nel 1768 circa, con la collezione dell'abate Antonio Pazzi. Poco dopo, nel 1773, un altro autoritratto fu offerto (Prinz, 1971, p. 73) ma si espresse parere negativo sull'acquisto. L'autoritratto Pazzi è sempre stato esposto. S.M.T.	A tergo stemma con monti attraversati da una banda e sormontati da lambello, scritta 'DI GIO ANT: LAPPOLI / RITRATTO DI / SUA MANO' e vari numeri antichi che sembrano attestare una permanenza nelle collezioni medicee almeno dal '600. Pare che il Lappoli fosse buon ritrattista: e il Vasari dà anche notizia di un suo autoritratto corretto e terminato dal Pontormo, che era presso gli eredi Lappoli ad Arezzo e sarebbe stato fatto durante l'alunnato fiorentino del Lappoli presso il Pontormo (1514-24 ca.). Sinora non sono state fatte proposte per identificarlo con questo, che è inedito; ma il costume del personaggio è di questi anni, lo stile riflette modi pontormeschi ma non ha nel complesso la qualità del maestro e l'ipotesi è quindi fattibile. L'uomo regge il manico di un liuto. S.M.T.	In basso a destra: "Larco". Nel tergo, al centro della cornice: "N. 5 LARCO TRES SARGENTOS 414". Donato dall'autore tramite il Ministero degli Esteri nel giugno-luglio 1970. In carico dal 30.7.1970 (nota inventariale). L'opera si trova attualmente nei depositi della Galleria d'Arte Moderna di Palazzo Pitti. Gr. Red. 1	Lunga iscrizione a tergo con i dati sull'artista, le sue cariche e la data di esecuzione dell'autoritratto. Il dipinto fu inviato dall'artista per la Galleria nel 1729. Incisioni: Museo Fiorentino, IV, 1762, p. 105, tav. XVIII; Reale Galleria, s. II, vol. IV, 1833, p. 142, tav. CCXLII. Una replica nel Museo di Montpellier, varie copie elencate in Cat., Firenze 1977. M.C.

	A511	A512	A513	A514
AUTORE	Larsson, Carl Olof (Stoccolma 1853-1919).	László de Lombos, Philip Alexius (Budapest 1869 - Londra 1937).	La Tour, Maurice-Quentin de (Saint Quentin 1704-1788).	Laurens, Jean-Paul (Fourquevaux 1838 - Parigi 1921).
TITOLO	Autoritratto.	Autoritratto.	Autoritratto (?).	Autoritratto.
DATAZIONE	1906.	1911.	1735 ca.	1876.
DATI TECNICI	Olio su tela, 95,5x61,5.	Olio su tela, 122x86.	Pastello su carta, 61,5x50,5.	Olio su tela, 45x37.
CORNICE	Sagomata e dorata, sec. XX.	Barocca, nera e oro.	Dorata e lavorata a pastiglia, sec. XIX.	Intagliata e dorata, sec. XIX.
UBICAZIONI	Uffizi (1912).	Uffizi (1911).	Coll. Charles Blanc (1843)?; Uffizi (1978).	Uffizi (1876).
ATTRIBUZIONI	—	—	—	—
ESPOSIZIONI	Esposizione Internazionale di Roma, Roma 1911.	Firenze e l'Inghilterra. Rapporti artistici e culturali dal XVI al XX secolo, Firenze 1971.	—	Salon del 1876, Parigi. Pittura francese nelle collezioni pubbliche fiorentine, Firenze 1977.
BIBLIOGRAFIA	B. Knyphausen, in Svenskt Konstnärslexikon, III, Malmö 1957. B. Lindwall, Carl Larsson och Nationalmuseum, Stoccolma 1969. Cat. Carl Larsson, Göteborg 1971.	Thieme-Becker, XXI, 1928. *Cat., Firenze 1971, n. 95.*	H. Erhard, La Tour der Pastellmaler Ludwigs XV, München 1917. A. Besnard, G. Wildenstein, La Tour, Paris 1928.	Thieme-Becker, XXI, 1928. *Cat., Firenze 1977, n. 37.*
INVENTARIO	3586.	3576 (C.P., p. 105, n. 3576).	9503.	1944 (C.P., p. 105, n. 621).
FOTO	72277.	175787.	280890.	182521.
NOTE	Siglato e datato in basso a destra: C.L. 1906. Donato dall'artista nel 1912 dietro richiesta della Direzione degli Uffizi (AGF, Arte 796). Esistono diversi altri autoritratti dell'artista, che si trovano in molte collezioni pubbliche e private soprattutto svedesi. Attualmente esposto nel Corridoio vasariano. E.S.	Firmato e datato: P.A. László R.V. London 1911. Il ritratto fu dipinto su invito della direzione della Galleria degli Uffizi. M.C.	Acquistato per diritto di prelazione da un antiquario fiorentino, il pastello raffigura indubbiamente il ritrattista francese Maurice-Quentin de la Tour intorno ai trent'anni: se ne confronti la fisionomia con quella dell'autoritratto non finito a St. Quentin (Musée Lecuyer, cat. 68). È probabile, anche se non sicuro, che si tratti di un autoritratto dell'artista. A tergo una scritta ottocentesca col nome di Charles Blanc (1813-1882) e la data 1843; può darsi che il pastello sia appartenuto a questo collezionista e funzionario parigino. S.M.T.	Firmato in alto a sinistra: J-Paul Laurens 1876. Dipinto nel 1875, il ritratto fu probabilmente nel gruppo di quelli ritenuti degni di figurare tra gli artisti francesi in Galleria. Da notare la somiglianza con Michelangelo, che l'artista aveva in realtà e volutamente accentuava. M.C.

	A515	A516	A517	A518
AUTORE	Laurenti, Cesare (Mesola, Ferrara 1854 - Venezia 1937).	Lavery, John (Belfast 1856 - Londra 1941).	Lazzaro, Walter (Roma 1914 - vive a Milano).	Lebel, Jean-Baptiste (attivo agli inizi del XVIII secolo).
TITOLO	Autoritratto.	Autoritratto.	Autoritratto.	Autoritratto.
DATAZIONE	Secondo-terzo decennio sec. XX.	1925.	1955.	1710 ca.
DATI TECNICI	Tempera e olio su carta tirata su cartone, 100x105,5.	Olio su tela, 107x76,5.	Olio su tela, 70x49,5.	Olio su tela, 101x79.
CORNICE	Sagomata e dorata con decorazioni in pastiglia, sec. XX.	Intagliata, dorata, sec. XX.	Coeva, a urna rivestita di velluto verde.	Intagliata e dorata, sec. XVIII.
UBICAZIONI	Eredi dell'artista; Uffizi (1938).	Uffizi (1925).	Galleria d'Arte Moderna, Pitti (1957).	Uffizi (1710).
ATTRIBUZIONI	—	—	—	—
ESPOSIZIONI	—	Firenze e l'Inghilterra. Rapporti artistici e culturali dal XVI al XX secolo, Firenze 1971.	—	—
BIBLIOGRAFIA	L. e F. Luciani, Dizionario dei pittori italiani dell' '800, Firenze 1974.	J. Lavery: The Life of a Painter, London 1940. *W. Shaw Sparrow: John Lavery and His Work*. London 1912. Cat., Firenze 1971, n. 96.	*Solitudini e silenzi di Walter Lazzaro, con introduzione di R. Salvini*, Roma 1957.	*P. Rosenberg in Cat., Pittura francese nelle collezioni pubbliche fiorentine, Firenze 1977, n. IV.*
INVENTARIO	9215.	3567 (C.P., p. 105, n. 3567).	GAM Giornale 1587.	1902 (C.P., p. 211, n. 902).
FOTO	278054.	12861.	186342.	112524.
NOTE	Firmato in basso a sinistra: C. Laurenti; altra scritta in alto a sinistra: C. Laurenti/Tormento/ (Autoritratto). Donato dagli eredi dell'artista nel 1937, accettato dalla Commissione l'anno seguente (AGF, Arte 796). Attualmente nei Depositi degli Uffizi. E.S.	Firmato in basso a destra: J. Lavery. L'artista fu invitato dal direttore della Galleria degli Uffizi, Ridolfi, a inviare il suo autoritratto nel 1905-6 ca. Secondo quanto racconta l'artista nelle sue memorie, egli ne inviò uno nel 1911 che però fu criticato dagli amici che lo videro a Firenze: dispiaciuto, se ne fece un altro parecchi anni dopo, nel 1925, che giunse a Firenze in quell'anno e andò a sostituire il ritratto precedente, che fu rinviato all'autore nel 1928. L'avvenuto dono fu segnalato sul Bollettino d'arte del Ministero della P.I., a. V, 1925, N. 2, p. 96, con grandi parole d'elogio per il dipinto. M.C.	Firmato e datato in basso a destra: W. Lazzaro / 55. Per l'autore l'opera porta anche il titolo Omaggio ai maestri in riferimento alle riproduzioni che compaiono nello sfondo. Dalle note inventariali risulta pervenuto nel 1957. Attualmente nelle riserve della Galleria d'arte moderna di Palazzo Pitti. S.P.	Iscrizione sul retro: Io Batta Le Bel Belgus. Il dipinto fu inviato al principe Ferdinando di Toscana, figlio del granduca Cosimo III, dal misterioso pittore il cui nome compare sul retro, ma del quale non si sa nulla, il 20 marzo 1710 da Modena (v. W. Prinz, Die Sammlung der Selbstbildnisse in den Uffizien. I. Geschichte der Sammlung, Berlin 1971, pp. 44, 153, nota 196). Sulla base della scritta il Pieraccini aveva attribuito il quadro a un John Baptist Lebel, n. nel 1600 e m. nel 1660. M.C.

	A519	A520	A521	A522
AUTORE	Le Brun, Charles (Parigi 1619-1690).	Lecomte du Nouy, Jules-Jean-Antoine (Parigi 1842-1923).	Lega, Silvestro (Modigliana 1826 - Firenze 1895).	Legnani, Stefano, detto il Legnanino (Milano 1660-1713/15).
TITOLO	Autoritratto.	Autoritratto.	Autoritratto.	Autoritratto.
DATAZIONE	1683-84.	1880.	1861 ca. (Durbé-Bonagura 1973).	1692.
DATI TECNICI	Olio su tela, 80x65.	Olio su tavola, 25x21.	Olio su tavola, 12x9,5.	Olio su tela, 72x57,5.
CORNICE	Nera e oro, sec. XVII.	Intagliata e dorata, sec. XIX.	Intagliata e dorata, non pertinente (appartiene al n. 130 dell'inv. 1881).	Salvadora dorata, sec. XVIII.
UBICAZIONI	Pitti (1684); Uffizi (1704).	Uffizi (1880?).	Coll. Salvagnini; Uffizi (1915).	Cosimo III de' Medici; Uffizi (1693).
ATTRIBUZIONI	—	—	—	—
ESPOSIZIONI	Mostra della pittura francese a Firenze, Firenze 1945. Il ritratto francese da Clouet a Degas, Roma 1962. Charles Le Brun, Versailles 1963. Pittura francese nelle collezioni pubbliche fiorentine, Firenze 1977.	Pittura francese nelle collezioni pubbliche fiorentine, Firenze 1977.	Silvestro Lega, Modigliana 1926. Silvestro Lega, Bologna 1973.	—
BIBLIOGRAFIA	H. Jouin: Charles Le Brun..., Paris 1889. *Cat., Versailles 1963, n. 45. Cat., Firenze 1977, n. 5.*	G. de Montgailhard: Nouy, Paris 1906. *Cat., Firenze 1977, n. 40.*	*Cat., Bologna 1973, n. 13.*	A. M. Romanini in Storia di Milano XII, Milano 1959. *Dizionario Bolaffi VI, Torino 1974.*
INVENTARIO	1858 (C.P., p. 105, n. 485).	1979 (C.P., p. 105, n. 598).	5358.	1635 (C.P., p. 105, n. 423).
FOTO	119133.	112521.	9956.	315579
NOTE	Iscritto in basso a sinistra: C LE BRVN Pr PEINTRE DV ROY TRES-CHRESTIEN. Fu inviato a Cosimo III de' Medici dall'artista nel 1684, dopo trattative iniziate fin dal 1681. Ne esistono due versioni tratte dal Largillierre, una, ovale, ai Gobelins, datata 1686, e un'altra nella Pinacoteca di Monaco di Baviera. Incisioni: Museo Fiorentino, III, 1756, p. 147, tav. XXV; Lasinio, 1790 ca.; Reale Galleria, III s., vol. III, 1821, p. 152, tav. CLXXXIII. M.C.	Monogramma e data (1880) in alto a sinistra, firma sulla tavolozza: Le comte du Nouy. La provenienza del dipinto non è documentata, ma sembra probabile che esso sia stato inviato agli Uffizi dal pittore stesso. M.C.	È l'unico autoritratto sicuro del pittore ed è stato datato all'epoca delle sue prime esperienze macchiaiole sulla base di una sua immagine fotografica (Durbé-Bonagura 1973). Fu acquistato nel 1915 (AGF, doc. autoritratti) ed è attualmente esposto nel Corridoio Vasariano. S.P.	A tergo: 'Ritratto di Steffano Legnani / Pittore Milanese fermato dal / suo penello l'anno 1692'. Fu mandato in galleria da Cosimo III de' Medici il 5 marzo 1693 (ASF, Guard. 969, c. 74r); la corrispondenza così stretta tra data sul ritratto e suo ingresso in galleria fa pensare che il pezzo sia stato fatto proprio per il granduca. S.M.T.

	A523	A524	A525	A526
AUTORE	Legros, Alphonse (Digione 1837 - Londra 1911).	Lehmann, Charles-Ernest-Rodolph-Henri (Kiel 1814 - Parigi 1882).	Lehmann, Rudolf (Ottensen, Amburgo 1819 - Bournemende, Bushey (Inghilterra) 1905).	Leighton, Frederick (Scarborough 1830 - Londra 1896).
TITOLO	Autoritratto.	Autoritratto.	Autoritratto.	Autoritratto.
DATAZIONE	1903.	1868.	1866.	1880.
DATI TECNICI	Matita nera su carta bianca, 26x 21.	Olio su tela, 55x45.	Olio su tela, 62,5x50,5.	Olio su tela, 76,5x64.
CORNICE	Legno dipinto, sec. XX.	Intagliata e dorata, sec. XIX.	Dorata e intagliata a motivi vegetali, sec. XIX.	Intagliata, dorata, sec. XIX.
UBICAZIONI	Uffizi (1909).	Uffizi (1868).	Uffizi (1876).	Uffizi (1880).
ATTRIBUZIONI	—	—	—	—
ESPOSIZIONI	Firenze e l'Inghilterra. Rapporti artistici e culturali dal XVI al XX secolo, Firenze 1971.	Pittura francese nelle collezioni pubbliche fiorentine, Firenze 1977.	—	Firenze e l'Inghilterra. Rapporti artistici e culturali dal XVI al XX secolo, Firenze 1971.
BIBLIOGRAFIA	Thieme-Becker, XXII, 1928, *Cat., Firenze 1971, n. 84.*	Thieme-Becker, XXII, 1928. *Cat., Firenze 1977, n. 31.*	Thieme-Becker, XXII, 1928.	Victorian High Renaissance, cat. mostra Manchester-Minneapolis-Brooklyn, 1978/79. *L. e R. Ormond: Lord Leighton, Yale 1975. Cat., Firenze 1971, n. 85.*
INVENTARIO	3443 (C.P., p. 105, n. 3443).	1911 (C.P., p. 105, n. 578).	2001 (C.P., p. 105, n. 584).	1974 (C.P., p. 105, n. 600).
FOTO	248856.	248857.	248858.	175035.
NOTE	Firmato e datato: A. Legros/1903. La direzione della Galleria degli Uffizi invitò l'artista a inviare il suo autoritratto attraverso Herbert Horne. Il disegno giunse a Firenze nel 1909. M.C.	Firmato in alto a sinistra: H. LEHMANN/A.e AE.e LIV, in alto a destra: S.I. Fl. MDCCCLXVIII. La direzione della Galleria chiese il ritratto dell'artista nel 1865, ed esso fu inviato tre anni dopo. M.C.	Firmato e datato sulla sinistra (appena leggibile): Lehmann/ 1866. La Direzione degli Uffizi richiese nel 1867 un autoritratto all'artista che inviò questo nel 1876 (AGF, 1867, A, 1, 115; 1868, A, 1, 14; 1876, A, 1, 73; Arte 796). Un altro autoritratto del pittore (1882) si trova nella Kunsthalle di Amburgo. L'opera si trova attualmente nei Depositi degli Uffizi. E.S.	Il dipinto, come attestato dall'artista stesso in una lettera a Giovanni Costa del 20 luglio 1880, fu eseguito e inviato agli Uffizi in quell'anno. Era stato richiesto al pittore dal direttore della Galleria per la collezione degli autoritratti. Leighton, che indossa il mantello rosso di dottore dell'Università di Oxford, era stato creato Presidente della Royal Academy inglese nel 1878 e venne creato barone pochi giorni prima della morte. M.C.

	A527	A528	A529	A530
AUTORE	Lely, sir Peter, o Pieter van der Faes (Soest, Utrecht 1618 - Londra 1680).	Lenbach, Franz Seraph von (Schrobenhausen 1836 - Monaco 1904).	Lenepveu, Jules-Eugène (Angers 1819 - Parigi 1898).	Leonardo da Vinci (Vinci, Firenze 1452 - Castello di Cloux, Amboire 1519).
TITOLO	Autoritratto.	Autoritratto.	Autoritratto.	Autoritratto.
DATAZIONE	1665-70 ca. (Webster 1971).	Seconda metà sec. XIX.	1877.	
DATI TECNICI	Olio su tela, 72,5x58.	Olio su cartone, 65x51,5.	Olio su tela, 48x36.	
CORNICE	Liscia, dorata, sec. XVII?	Sagomata, dorata e decorata a motivi vegetali (sec. XVIII).	Intagliata e dorata, sec. XIX.	
UBICAZIONI	Cosimo III de' Medici (1706); Uffizi (?).	Eredi dell'artista; Uffizi (1909).	Uffizi (1877?).	
ATTRIBUZIONI	—	—	—	
ESPOSIZIONI	Firenze e l'Inghilterra. Rapporti artistici e culturali dal XVI al XX secolo, Firenze 1971.	—	Pittura francese nelle collezioni pubbliche fiorentine, Firenze 1977.	
BIBLIOGRAFIA	*O. Millar: in Cat. mostra, Lely, Londra 1978. R.B. Beckett: Lely, London 1951, n. 292. A.M. Crinò: in The Burlington Magazine, CII, 1960, pp. 257-58. Cat., Firenze 1971, n. 47.*	J. Busse, Internationales Handbuch aller Maler und Bildhauer des 19. Jahrunderts, Wiesbaden, 1977.	J. Denais: Lenepveu, peintre, Angers 1899. Thieme-Becker, XXII, 1929. *Cat., Firenze 1977, n. 38.*	
INVENTARIO	1640 (C.P., p. 105, n. 230).	3405.	1991 (C.P., p. 105, n. 590).	
FOTO	180196.	315574.	112526.	
NOTE	P. Lely nacque da un ufficiale in servizio in Vestfalia, che aveva preso per soprannome la parola 'lely' (giglio). Studiò a Haarlem con P. de Grebber. Trasferitosi in Inghilterra intorno al 1641, si affermò ben presto come ritrattista, divenendo pittore ufficiale della corte di Carlo II. Fu creato cavaliere nel 1679. Poiché, per i molteplici impegni derivatigli dalla professione, non poté viaggiare, formò un'imponente collezione di dipinti e soprattutto di disegni che fu venduta alla sua morte. L'autoritratto fu acquistato da Cosimo III de' Medici, tramite il suo rappresentante a Londra, dagli eredi del pittore per cinquanta ghinee. Inciso in Museo Fiorentino, II, 1756, p. 143. M.C.	Richiesto all'artista nel 1887 e sollecitato nel 1893. Richiesto in dono alla vedova nel 1907 e dalla stessa offerto in vendita. Acquistato nel 1909 per 6250 lire (AGF, Arte 796). L'opera si trova attualmente nel Corridoio Vasariano. Gr. Red. 1	Firmato e datato in alto a sinistra: J.E. Lenepveu/Roma 1877. La data dell'autoritratto deve essere quella dell'invio dello stesso all'artista l'anno successivo lasciava la direzione dell'Accademia di Francia a Roma. M.C.	Vedi: Scuola Italiana del sec. XVII. Presunto ritratto di Leonardo da Vinci. Scheda A848.

	A531	A532	A533	A534
AUTORE	Lesma, Antonio (Napoli 1666 ca.-1729).	Lessi, Tito (Firenze 1858-1917).	Liberi, Pietro (Padova 1614 - Venezia 1687)?	Liebermann, Max (Berlino 1847-1935).
TITOLO	Autoritratto.	Autoritratto.	Autoritratto?	Autoritratto.
DATAZIONE	1684.	Primo-secondo decennio sec. XX.	Quinto decennio sec. XVII.	1908 ca.
DATI TECNICI	Olio su tela, 64,5x48,5.	Olio su tela, 45x45.	Olio su tela, 79,5x63,5.	Olio su tela, 66,5x72,5.
CORNICE	Salvadora dorata, sec. XVIII.	Intagliata e dorata, sec. XX.	Salvadora dorata, sec. XIX.	Sagomata e dorata con decorazioni in pastiglia, sec. XX.
UBICAZIONI	Uffizi (1704).	Eredi dell'artista; Uffizi (1917).	Segreteria delle finanze; Uffizi (1794).	Uffizi (1909).
ATTRIBUZIONI	Johann Anton Eismann (Museo fiorentino).	—	—	—
ESPOSIZIONI	—	—	—	Deutsche Impressionisten: Liebermann-Corinth-Slevogt, Schaffhausen 1955.
BIBLIOGRAFIA	E. Safarik in Saggi e memorie di storia dell'arte X, 1976. A. De Palma in Mitteilungen des Kunsthistorisches Instituts in Florenz, XXIII, 1979.	C. Nuzzi, in Cat. Romanticismo storico, Firenze 1974.	Prinz, 1971. Dizionario Bolaffi VI, Torino 1974.	Cat. Kunstmuseum Düsseldorf, Malerei. 1, Die Gemälde des 19. Jahrhunderts, Düsseldorf 1966. Cat. Max Liebermann als Zeichner, Mainz 1970. G. Meissner, Max Liebermann, Vienna-Monaco 1974.
INVENTARIO	1849 (C.P., p. 102, n. 447).	5495.	1798 (C.P., p. 105, n. 375).	3410 (C.P., p. 105, n. 777).
FOTO	96061.	112532.	113054.	5801.
NOTE	L'autoritratto, qualificato di "Antonio Lesma milanese 1684", come risulta anche da una scritta a tergo, figura per la prima volta nell'inventario del 1704; ma non ne è documentato l'acquisto. Davanti al pittore una tavoletta su cui le incisioni antiche documentano la scritta, oggi non visibile, "Nul(l)a di(es)sine li(nea)". Nel Museo Fiorentino il nome dell'artista, evidentemente poco noto, venne corretto in Leisman e di qui in Eisman, finendo così con l'identificare l'artista nel paesaggista austriaco (1613/22-1964 ?) di cui questo sarebbe l'unico quadro di figura. Ma A. De Palma lo ritiene invece, più convincentemente, autoritratto del raro ritrattista napoletano Lesma, noto a Firenze nel Settecento. S.M.T.	Donato dagli eredi dell'artista nel 1917 (AGF, Arte 796). Attualmente nei Depositi degli Uffizi. E.S.	Ritratti del Liberi furono offerti per la raccolta granducale da Venezia (Matteo del Teglia) il 14 giugno 1681 - e l'offerta fu reiterata nel 1684 e 1685 - e da Vicenza nel 1690; da un'altra lettera (del 30 ottobre 1683) sembra addirittura che un autoritratto ci fosse già; ma solo il 12 dicembre 1794 l'attuale ritratto con statuina entra in galleria (AGF, ms. 114 c. 46v), proveniente dalla Segreteria delle Finanze. Dell'artista, che lavorò a Firenze nel 1639 (cfr. A. Barsanti in Paradigma 2, 1978), esiste un autoritratto più tardo nel Museo Civico di Padova. Questo potrebbe risalire al soggiorno fiorentino; ma non ve ne è documentazione. La medaglia che porta il pittore non è decifrabile; la statua non è stata riconosciuta, e l'autografia è piuttosto dubbia, ma da non escludere a priori. S.M.T.	Firmato in basso a destra: M. Liebermann. Donato dall'artista nel 1909 (AGF, Arte 778). Di Lieberman esistono molti autoritratti in collezioni pubbliche tedesche (Amburgo, Brema, Colonia, Düsseldorf, Lipsia, Saarbrücken, Wuppertal ecc.); molto vicino a questo degli Uffizi è quello nel Saarlandmuseum di Saarbrücken, che è datato 1908. Attualmente nei Depositi degli Uffizi. E.S.

	A535	A536	A537	A538
AUTORE	Ligozzi, Jacopo (Verona 1547 - Firenze 1627).	Liljefors, Bruno Andreas (Uppsala 1860 - Stoccolma 1939).	Liotard, Jean-Etienne (Ginevra 1702-1789).	Lippi, Filippino (Prato 1457 - Firenze 1504).
TITOLO	Autoritratto.	Autoritratto.	Autoritratto.	Autoritratto (?).
DATAZIONE	1620 ca.	1923.	1744.	Opera giovanile (Salvini 1952); 1485 ca. (Neilson 1938, Berti-Baldini 1957).
DATI TECNICI	Olio su tela, 71x56.	Olio su tela, 91,5x121,5.	Pastello su carta, 61x49.	Affresco su embrice, 50x31.
CORNICE	—	Sagomata e tinta in oro, sec. XX.	Ebano, sec. XIX-XX.	In listello moderno, molto semplice, di noce (ca. 1950?).
UBICAZIONI	Card. Carlo de' Medici; Card. Leopoldo de' Medici (1666); Uffizi (1682).	Uffizi (1932).	Vienna; Uffizi (1744).	Proprietà I. Hugford; Uffizi (acquisto 1771).
ATTRIBUZIONI	—	—	—	Filippino (Knody 1905, Venturi 1911, Van Marle 1931, Berenson 1936, Collobi - Ragghianti 1949, Salvini 1952). Bottega di Filippino (Scharf 1935, Neilson 1938). Un falso (Burckhardt-Bode ed. 1927, Bauch 1930; Cole e Middeldorf 1971). Dubbio (Berti - Baldini 1957).
ESPOSIZIONI	—	—	Pittura francese nelle collezioni pubbliche fiorentine, Firenze 1977.	Mostra di Lorenzo il Magnifico e le Arti, Firenze 1949.
BIBLIOGRAFIA	M. Bacci in Proporzioni IV, 1963.	S. Sandström, in Svenskt Konstnärslexikon, III, Malmö 1957. *K. Fahreus, in Konstrevy, 1931, pp. 75-77. Prinz 1971.*	F. Fosca: La vie, les oeuvres de Jean-Etienne Liotard, citoyen de Génève, dit le peintre turc, Lausanne-Paris 1956. *Cat., Firenze 1977, n. 16. M. Rocthlisberger: L'opera completa di Liotard, Milano 1978.*	L. Berti - U. Baldini, Filippino Lippi, Firenze 1957; F. Gamba, Filippino Lippi nella storia della critica, Firenze 1958; B. Cole - U. Middeldorf in Burlingtin Magazine 1971. *Catalogo Firenze 1949, p. 62.*
INVENTARIO	1668 (C.P., p. 105, n. 246).	9186.	1936 (C.P., p. 105, n. 535).	1711 (C.P., p. 105, n. 286).
FOTO	309360.	278041.	171355.	52900.
NOTE	Il ritratto, rimosso dall'esposizione probabilmente per restauro, è attualmente irreperibile. Se ne danno le misure inventariali e si riproduce l'incisione del Museo fiorentino (vol. I, Firenze 1752, n. 44). Esso pervenne nella raccolta di Leopoldo de' Medici per lascito di suo zio Cardinal Carlo (ASF, Guard. 758, c. 25r) che lo teneva nel Casino mediceo con altri sei autoritratti di pittori toscani del primo Seicento. Entrò in Galleria il 28 ottobre 1682 (ASF, Guard. 870, c. 160v). S.M.T.	Firmato e datato in basso a sinistra: Bruno Liljefors/1923. Un autoritratto fu richiesto all'artista nel 1922, che donò questo nel 1931; l'opera fu accettata nel 1932 (AGF, Arte 796). Attualmente nei Depositi degli Uffizi. E.S.	Firmato in alto a sinistra: J.E. Liotard/de Génève surnommé/le Peintre Turc peint/par lui même à/Vienne 1744. Questo autoritratto fu eseguito su ordinazione di Francesco Stefano di Lorena, marito dell'imperatrice Maria Teresa d'Austria, che lo inviò da Vienna a Firenze per la galleria degli autoritratti. L'artista era reduce allora da Costantinopoli e si raffigurò appunto in costume turco. Incisioni: Museo fiorentino, IV, 1762, p. 273, tav. XCVIII. M.C.	Già ritenuto un autoritratto di Masaccio (fino al Knudtzon 1900) e come tale acquistato presso l'Hugford dalla Galleria per 30 zecchini (l'Hugford ne aveva chiesti 35: AGF, filza III a 19), fu copiato da Manet durante il primo o secondo viaggio in Italia (cfr. S. Orienti, Manet, 1967, n. 9). Alcuni studiosi (Solarf 1935, Berti-Baldini 1957) negano o dubitano trattarsi di un autoritratto (che del resto, in caso positivo, sarebbe anteriore a quello negli affreschi del Carmine, e da datarsi 1475-80). Cfr. per la tesi del falso anche n. 1485. L.B.

	A539	A540	A541	A542
AUTORE	Lippi, Lorenzo (Firenze 1606-1665).	Lloyd, Llewellyn (Livorno 1879 - Firenze 1949).	Lo Castro, Giovanni (Randazzo, Catania 1897 - Firenze 1973).	Lohov (Lochoff), Nicolai Nicolaievič (Pškov 1872 - Firenze 1948).
TITOLO	Autoritratto.	Autoritratto.	Autoritratto.	Autoritratto.
DATAZIONE	1650-60.	1944.	1943.	Quarto decennio sec. XX.
DATI TECNICI	Olio su tela, 49,5x36, rintelato.	Olio su cartone, 55x41.	Olio su cartone, 74x51.	Olio su tela, 112,5x97.
CORNICE	Salvadora dorata e nera, sec. XX.	Intagliata, dorata, sec. XX.	Coeva, intagliata, con passepartout in legno e vetro.	—
UBICAZIONI	Card. Leopoldo de' Medici (ante 1675); Uffizi (1682).	Uffizi (1948).	Galleria d'Arte Moderna, Pitti (1946 ca.).	Eredi dell'artista; Uffizi (1959).
ATTRIBUZIONI	—	—	—	—
ESPOSIZIONI	—	—	—	—
BIBLIOGRAFIA	E. Berti Toesca in Bollettino d'Arte XXXVIII, 1953. *F. Sricchia in Proporzioni IV, 1963. J. Nissman, Florentine Baroque Art from American Collections, New York 1969.*	E. Lavagnino: L'arte moderna, vol. II, Torino 1961. *M. Webster: in Cat., Firenze e l'Inghilterra. Rapporti artistici e culturali dal XVI al XX secolo, Firenze 1971.*	Comanducci, III, Milano 1972.	Cat. Twelve Masterpiece of Italian Painting (...) executed in Original Techniques by Nicholas Lochoff, The Henry Clay Frick Fine Arts Dep.t, University of Pittsburg, 1959; E. Klimov, Vstreci, in Novoye Ruskoye Slovo, New York, 20 marzo 1977.
INVENTARIO	1702 (C.P., p. 105, n. 283).	GAM Giornale 954.	GAM Giornale 950.	9415.
FOTO	249099.	67230.	186351.	112531.
NOTE	Venuto in galleria il 28 ottobre 1682 con gli altri autoritratti del cardinal Leopoldo de' Medici (ASF, Guard. 870, c. 160v). Una versione più grande, con nome del pittore in alto e mano col pollice infilato nella tavolozza che regge un foglio con alcuni versi autobiografici del poema dell'artista 'Il Malmantile racquistato', è nel Washington County Museum of Fine Arts; un autoritratto differente alla Galleria Estense di Modena (n. 516). Solo un confronto diretto potrebbe stabilire se l'autoritratto degli Uffizi sia una replica o copia di quello americano, tanto più ricco nei particolari e di misura maggiore. S.M.T.	Donato dall'artista nel 1948. Il Lloyd, artista ancora da studiare, fu un tardo seguace del movimento post-macchiaiolo. M.C.	Firmato e datato in basso a sinistra: G. Lo Castro / 1943. Acquistato dall'autore per la collezione dei ritratti dei pittori assieme a due quadri per la Galleria d'arte moderna. Attualmente l'opera è nelle riserve della Galleria d'arte moderna. S.P.	L'autoritratto fu donato agli Uffizi dagli eredi dell'artista nel 1959 (ASG, Doni 1959). Lohov fu soprattutto un noto e apprezzato restauratore e copista, stimato da critici quali Berenson e Longhi. Una ricca collezione di sue copie è conservata nella galleria dell'Università di Pittsburg; altre copie si trovano anche alla Frick Art Reference Library di New York e nel Portland Art Museum. Alcune opere dell'artista — fra cui un altro autoritratto — sono conservate presso i suoi eredi a Firenze. Il dipinto si trova attualmente nei Depositi degli Uffizi. E.S.

	A543	A544	A545	A546
AUTORE	Lorenzo di Credi (Firenze 1459?-1537).	Loth, Johann Karl (Monaco di Baviera 1632 - Venezia 1698).	Loverini, Ponziano (Gandino, Bergamo 1845-1929).	Löwenthal, Emil (Jarocin, Posnán 1835 - Ems 1896).
TITOLO	Autoritratto.	Autoritratto.	Autoritratto.	Autoritratto.
DATAZIONE	Nono decennio sec. XV.	1693.	Secondo decennio sec. XX.	1889.
DATI TECNICI	Tempera su legno 33x30, restauri 1897 e 1963.	Olio su tela, 78,5x62, restauro 1963-65.	Olio su tela, 44x34,5.	Olio su tela, 62x50,5.
CORNICE	—	Salvadora dorata, sec. XVIII.	Sagomata e dorata con decorazioni in pastiglia, sec. XX.	Sagomata e dorata con decorazioni in pastiglia, sec. XIX.
UBICAZIONI	Uffizi (inizi sec. XVIII); Depositi Uffizi (1897); disperso nella guerra 1940-45; Uffizi (1963); Depositi (1968).	Gran Principe Ferdinando de' Medici (1693); Uffizi (1693).	Uffizi (1925).	Uffizi (1889).
ATTRIBUZIONI	Leonardo da Vinci (Inv. 1704). Credi (Ridolfi 1897, Loeser 1901, Van Marle 1931). Raffaello giovane (A. Venturi, 1911). Pittore umbro (Degenhart 1931). Credi (Longhi 1957, Dalli Regoli 1966).	—	—	—
ESPOSIZIONI	—	Deutsche Maler und Zeichner des XVII Jahrhunderts, Berlin 1966. Kurfürst Max Emanuel, München 1976.	—	—
BIBLIOGRAFIA	E. Ridolfi. "Le Gallerie naz. italiane" III 1897, 180; G. Dalli Regoli. Lor. di Credi. Cremona 1966.	*G. Ewald, Johann Karl Loth. Amsterdam 1965. Cat., Berlino 1966, p. 58. Cat., Monaco 1976, n. 256.* sta ringrazia il Gran Principe Fer-	A. Pinetti, in Arte Cristiana, gennaio 1914, p. 2-20. L. e F. Luciani, Dizionario dei pittori italiani dell' '800, Firenze 1974.	Thieme-Becker, XXIII, 1929.
INVENTARIO	2185 (C.P., p. 159, n. 3461).	1866 (C.P., p. 211, n. 229).	8525.	1971 (C.P., p. 105, n. 577).
FOTO	44538.	121648.	112407.	315546.
NOTE	Cattivo stato di conservazione: il dipinto è stato sottoposto a pulitura troppo energica e a ritocchi. Ridolfi (1897) è il primo ad ipotizzare l'autoritratto. Dalli Regoli (1966) non lo esclude del tutto. G.M.	Scritta antica «Gio: Carlo Lotti» a tergo sulla tela. Della commissione di questo autoritratto l'artista ringrazia il Gran Principe Ferdinando con lettera del 4 aprile 1693, e Ferdinando accusa ricevuta del ritratto il 2 maggio; l'opera entra in galleria il 5 agosto (ASF, Guard. 968, c. 83v). Ne esiste una replica o copia a Monaco (Bayerische Staatsgemäldesammlungen, Inv. 3678). S.M.T.	Firmato in basso a destra: P. Loverini. Donato dall'artista nel 1925 e accettato nello stesso anno (AGF, Arte 796). Un altro autoritratto, datato 1924, è nella Galleria d'arte moderna di Milano, e raffigura l'artista in età leggermente più attempata rispetto a questo autoritratto degli Uffizi. Attualmente nei Depositi degli Uffizi. E.S.	Firmato e datato sul fondo a sinistra: E. Löwenthal/Roma 1889. L'opera fu donata dal pittore agli Uffizi nel 1889 (AGF, Arte 796). Il dipinto si trova attualmente nei Depositi degli Uffizi. E.S.

	A547	A548	A549	A550
AUTORE	Luca da Reggio, Ferrari L., detto (Reggio Emilia 1605 - Padova 1654).	Luca di Leida (Leida 1489/94-1533).	Lüders, David (Amburgo 1710 ca. - 1743).	Luppi, Ermenegildo (Modena 1877-1937).
TITOLO	Autoritratto.	Autoritratto.	Autoritratto.	Autoritratto.
DATAZIONE	1652.			1920.
DATI TECNICI	Olio su tela, 74,5x60,5, rintelato.		Olio su tela, 63x52.	Bronzo, alt. 45.
CORNICE	Salvadora dorata, sec. XVIII.		Salvadora dorata con cartiglio, sec. XVIII.	—
UBICAZIONI	Lucia Duci (1750); Carlo Manfredi; Cav. Fontanesi (Reggio); Uffizi (1786).		Coll. Pazzi; Uffizi (1768); Poggio Imperiale (1836); Pitti; Uffizi (1979).	Uffizi (1921); Galleria d'Arte Moderna, Pitti.
ATTRIBUZIONI	—		—	—
ESPOSIZIONI	Mostra di Luca da Reggio, Reggio Emilia 1954.		—	—
BIBLIOGRAFIA	*M. Degani in Cat., Reggio Emilia 1954.*		*S. Meloni Trkulja in Paragone 343, 1978.*	U. Ojetti, Lo scultore Ermenegildo Luppi, in "Emporium", III (1922-23).
INVENTARIO	1887 (C.P., p. 102, n. 502).		Imperiale rosso 599.	Sculture 1074.
FOTO	98600.		157963.	184157.
NOTE	A tergo è trascritto: 'Luc: Ferrari Regiense De Pin Pataviae anno Domi 1652 = Aetatis suae 47'. Il quadro entrò in galleria il 24 ottobre 1786 (AGr, ms. 114, c. 13r; cartellino antico sul telaio). Secondo il Degani era stato venduto dall'incisore Carlo Manfredi, che con la scusa di trarne una stampa lo aveva preso a Lucia Duci, sorella dell'abate Ferrari Bonini. I documenti della galleria (AGF, filza XIX a 41) lo dicono pagato 8 zecchini al cavalier Fontanesi di Reggio, dopo la perizia di otto accademici del disegno fiorentini. S.M.T.	Vedi: De Conti Bernardino. Ritratto virile. Scheda A285.	A tergo: 'le Portrait David Lüders de Hambourg peint par Lui meme L'anee 1743'. A quest'epoca l'artista, specializzato in ritratti, era a Firenze dove lavorava come copista in galleria e come disegnatore d'antichità per il barone Filippo Stosch, come il norimberghese Nagel; ed entrambi si fecero l'autoritratto, venduto poi dall'abate Antonio Pazzi agli Uffizi. S.M.T.	Sulla base: "AUTORITRATTO E. LUPPI DA MODENA ROMA MCMXX" Donato dall'autore nel 1921 dietro richiesta delle Gallerie (AGF, Arte 796). Esposto prima dell'ultima guerra nella Galleria degli Uffizi, poi con gli altri autoritratti di scultori è stato trasferito alle collezioni della Galleria d'Arte Moderna. L'opera si trova attualmente nei depositi della Galleria d'Arte Moderna di Palazzo Pitti. Gr. Red. 1

	A551	A552	A553	A554
AUTORE	Luti, Benedetto (Firenze 1666 - Roma 1724).	Luti, Benedetto (Firenze 1666 - Roma 1724).	Luti, Benedetto (Firenze 1666 - Roma 1724).	Lydis, Mariette (Baden 1887-Buenos Aires 1970).
TITOLO	Autoritratto.	Autoritratto.	Ritratto di Antonio Balestra.	Autoritratto.
DATAZIONE	1717.	1720 ca.	1695.	1931.
DATI TECNICI	Olio su tela 72,5x58, restauro 1976.	Olio su tela, 44,5x38,7, rintelato.	Olio su tela, 63,5x47,5.	Olio su tavola, 62x49,5.
CORNICE	Salvadora dorata, sec. XVIII.	Intagliata e dorata, sec. XIX.	Tinta scura intagliata a torciglioni, sec. XIX.	Sagomata, tinta in argento, sec. XX.
UBICAZIONI	Cosimo III de' Medici; Uffizi (1717).	Luigi Grassi; Uffizi (1917).	Coll. Ruffoni, Pavarana di Grezzana; Uffizi (1963).	Uffizi (1932).
ATTRIBUZIONI	—	—	—	—
ESPOSIZIONI	—	—	—	—
BIBLIOGRAFIA	*G. Sestieri in Arte illustrata VI, 1973.*	*G. Sestieri in Arte illustrata VI, 1973.*	*G. Sestieri: in Arte illustrata VI, 1973.*	Edouard-Joseph, Dictionnaire biographique des artistes contemporains, II, Parigi 1931. Vollmer, III, 1956.
INVENTARIO	1854 (C.P., p. 105, n. 250).	3513.	9438.	9193.
FOTO	228369 (tergo: 206448).	113077.	306370 (tergo: 306371).	278030.
NOTE	Mandato in galleria da Cosimo III de Medici il 5 novembre 1717 (ASF, Guard. 1226 c. 342r); l'autore lo ricorda in una lettera del 24 dicembre ad Anton Domenico Gabbiani (Bottari-Ticozzi, Raccolta di lettere..., II, Milano 1822, pp. 83-84): 'Con mio rossore sento che fosse V.S. Illustrissima in galleria di S.A.R., dove vedesse il mio ritratto... per quanto abbia fatto per sottrarmi... non è stato possibile liberarmene con il cavaliere inglese, che in ogni conto mi è convenuto compiacerlo'. Non è noto chi sia questo inglese mediatore dell'invio. L'autore replicherà questo tipo di autoritratto poco più tardi: si vedano l'esemplare dell'Accademia di San Luca e l'altro degli Uffizi (inv. 1890/3513). S.M.T.	Da lievi impronte agli spigoli sembra che in origine fosse incorniciato in ovale (ma il telaio è rettangolare). Fu donato alla Galleria da Luigi Grassi nel 1917; è una replica o copia di quello posseduto dall'Accademia di San Luca in Roma. Il Sestieri lo ritiene migliore e più tardo dell'altro autoritratto degli Uffizi (inv. 1890/1854), di cui riprende la tonalità roseo-dorata. In realtà l'autoritratto mediceo sembra più importante di questo. S.M.T.	Acquistato dallo Stato nel 1963 dalla proprietà della N.D. Andreina Ruffoni per diritto di prelazione. A tergo sulla tela: «Benedictus Luti Florentinus fecit Rome.... Antonio Balestra Veronensi Pictori Amico Carissimo A.D. MDCLXXXXV Die ultima Mensis Maij». Il quadro è quindi un documento della formazione romana assicurata da Cosimo III ad alcuni giovani toscani nella scuola di Ciro Ferri e Carlo Maratta; da lettere del tempo sappiamo che il Balestra vi fu molto legato al Luti e al Redi. S.M.T.	Firmato e datato in basso a destra: Mariette Lydis/Paris 1931. Donato dall'artista agli Uffizi nel 1932 (AGF, Arte 796). Secondo alcuni repertori storico-artistici l'artista sarebbe nata a Vienna nel 1894. Attualmente nei Depositi degli Uffizi. E.S.

	A555	A556	A557	A558
AUTORE	Maccari, Cesare (Siena 1840 - Roma 1919).	Macchiati, Serafino (Camerino, Macerata 1860 - Parigi 1916).	Macpherson, Giuseppe (Firenze 1726-1779/80 ca.).	Macpherson, Giuseppe (Firenze 1726-1779/80 ca.).
TITOLO	Autoritratto.	Autoritratto.	Autoritratto.	Autoritratto.
DATAZIONE	1914.	1885-1890 ca.	1778.	
DATI TECNICI	Olio su cartone, 61x44.	Olio su tela, 39x30.	Acquerello su pergamena, 24x18.	
CORNICE	Intagliata a fogliami e dorata, sec. XX.	Sagomata e dorata in legno antico (rifacimento moderno).	Liscia, dorata, sec. XVIII.	
UBICAZIONI	Uffizi (1914).	Coll. Vittore Grubicy De Dragon, Milano; Coll. Benvenuto Benvenuti, Milano (1920); Uffizi (1921).	Uffizi (1778).	
ATTRIBUZIONI	—	—	—	
ESPOSIZIONI	86ª Esposizione della Società delle Belle Arti, Firenze 1933 (fuori catalogo).	—	Firenze e l'Inghilterra. Rapporti artistici e culturali dal XVI al XX secolo, Firenze 1971.	
BIBLIOGRAFIA	L. e F. Luciani, Dizionario dei pittori italiani dell' '800, Firenze 1974. *Prinz 1971.*	L. e F. Luciani, Dizionario dei pittori italiani dell' '800, Firenze 1974.	J. Fleming: in Connoisseur, 1959, p. 166 s. *Cat., Firenze 1971, n. 59.*	
INVENTARIO	3921.	9452.	2104.	
FOTO	5802.	10559.	102571.	
NOTE	Firmato e datato in basso: Cesare Maccari/maggio il 1914/Roma. Sul retro cartellino della mostra di Firenze (1933). Un suo autoritratto fu richiesto all'artista nel 1886, sollecitato nel 1892 e nel 1895; il pittore donò questo nel 1914 (AGF, Arte 796). All'Accademia di San Luca a Roma esiste un altro autoritratto del Maccari datato: Roma giugno 1914. Attualmente nei Depositi degli Uffizi. E.S.	Firmato in basso a sinistra: S. Macchiati. Dietro, sul telaio, etichetta con iscrizione a inchiostro: Serafino Macchiati (semicancellato) Autoritratto/Nato nel 1865 (sic.). Da Roma si stabilì a Parigi n./1891 e si dedicò all'illustrazione dopo aver/fatto per cinque anni un corso di pittura/sotto la mia direttiva e questa tela ne/è un saggio. È morto a Parigi nel X. bre 1916/Vittore Grubicy De Dragon. L'opera fu donata al pittore Benvenuto Benvenuti per legato testamentario di Vittore Grubicy De Dragon (morto nel 1920); il pittore Benvenuti la donò agli Uffizi nel 1921 (AGF Arte 796). Attualmente nei Depositi degli Uffizi. E.S.	Firmato sul verso: Giuseppe Macpherson/pinx 1778. Il Macpherson, figlio di uno scozzese stabilitosi a Firenze, si specializzò nella tecnica del ritratto in miniatura. Eseguì copie in questa tecnica degli autoritratti degli Uffizi per lord Cowper fino al 1778 (autoritratto dello Zoffany): la serie delle duecentoventitré miniature è oggi nelle collezioni reali inglesi. L'autoritratto fu donato dall'artista agli Uffizi dietro sollecitazione del direttore della Galleria, Bencivenni Pelli, che gli fece pervenire a nome del granduca una medaglia d'oro nel maggio 1778. M.C.	Vedi Pinacoteca: Macpherson Giuseppe.

	A559	A560	A561	A562
AUTORE	Maganza, Giovanni Battista il giovane (Vicenza 1577-1617/19).	Magni, Fausto (Pistoia, 1906).	Malatesta, Adeodato (Modena 1806-1891).	Malatesta, Adeodato (Modena 1806-1891).
TITOLO	Autoritratto.	Autoritratto.	Autoritratto.	Ritratto di Narciso Malatesta.
DATAZIONE	Inizi sec. XVII.	Prima metà sec. XX.	1848.	1877.
DATI TECNICI	Olio su tela, 105x83,5, rintelato.	Olio su tela, 64,5x36.	Olio su tela, 75,5x61,5.	Olio su tela, 56,5x43,5.
CORNICE	Salvadora dorata sec. XVIII.	Senza cornice.	Sagomata e dorata con decorazioni a motivi vegetali, sec. XIX.	Intagliata a fogliami e dorata (sec. XIX).
UBICAZIONI	Cosimo III de' Medici (1681); Uffizi (1682).	Galleria d'Arte Moderna, Pitti (1951).	Uffizi (1850).	Coll. Adeodato Gaddi; Uffizi (1938).
ATTRIBUZIONI	—	—	—	—
ESPOSIZIONI	—	—	—	—
BIBLIOGRAFIA	C. Donzelli, G. M. Pilo, I pittori del Seicento veneto, Firenze 1967. Dizionario Bolaffi VII, Torino 1975. *Prinz, 1971.*	Fausto Magni, Galleria d'Arte Guelfa, 1976.	A. De Gubernatis, Dizionario degli artisti italiani viventi, Firenze 1892. R. Pallucchini, I dipinti della Galleria Estense di Modena, Roma 1945. *Prinz 1971.*	A. De Gubernatis, Dizionario degli artisti italiani viventi, Firenze 1892; A. Palucchini, I dipinti della Galleria Estense di Modena, Roma 1945.
INVENTARIO	1741 (C.P., p. 211, n. 320).	GAM Giornale 1017.	1916 (C.P., p. 105, n. 563).	9242.
FOTO	113048.	184160.	113063.	278056.
NOTE	A destra in alto scritta 'Gio: Batt. / Maganza / S. S. DIP.'. Acquistato per Cosimo III de' Medici a Venezia da Matteo del Teglia nel settembre 1681: costò 50 doppie. Entrò in galleria il 27 ottobre 1682 (ASF, Guard. 870, c. 158r) ed è sempre stato esposto. S.M.T.	Nell'angolo in basso a sinistra: "F. Magni". Donato dall'autore nel 1951 (nota inventariale). L'opera si trova attualmente nei depositi della Galleria d'Arte Moderna di Palazzo Pitti. A.R.	Firmato e datato sul foglio sorretto dalla mano destra: A. Malatesta 1848. Donato dall'artista nel 1850 in sostituzione di un altro autoritratto da lui donato nel 1847; la direzione delle Gallerie accettò il cambio dopo un accurato esame (AGF 1847 (LXXI) 22; 1850 (LXXIV) 47). L'artista inviò un terzo autoritratto nel 1876, desiderando sostituire quello donato nel 1850; la direzione delle Gallerie non accettò il cambio (AGF 1876 (A) 17). Nella Galleria Estense di Modena si conservano tre autoritratti dell'artista. Attualmente nei Depositi degli Uffizi. E.S.	Firmato e datato sullo sfondo a destra: A. Malatesta / fece 1877. Il personaggio ritratto è il figlio del pittore, Narciso (Venezia 1835-Sassuolo, Modena 1896), anche lui pittore, del quale la Galleria d'arte moderna di Palazzo Pitti possiede, fra l'altro, anche il *Varchi che legge le Storie a Cosimo I* (su Narciso Malatesta vedi Comanducci, III, Milano 1972). Il dipinto venne donato agli Uffizi da Adeodato Gaddi nel 1938 (AGF, Arte 796). L'opera si trova attualmente nei Depositi degli Uffizi. E.S.

	A563	A564	A565	A566
AUTORE	Maldarelli, Gennaro (Napoli 1795-1858).	Malerbi, Giovanni Domenico (? 1761 - ?).	Malesci, Giovanni (Vicchio di Mugello, Firenze 1884 - Milano 1969).	Mancinelli, Giuseppe (Napoli 1813 - Palazzolo Castrociclo, Frosinone 1875).
TITOLO	Autoritratto.	Autoritratto.	Autoritratto.	Autoritratto.
DATAZIONE	1838.	1788.	1941 (Nicodemi, 1949).	1866.
DATI TECNICI	Olio su tela, 106,5x83.	Olio su tela, 73x63.	Olio su tavola, 49,5x60.	Olio su tela, 56,5x46.
CORNICE	Intagliata e dorata, sec. XIX.	Sagomata e dorata, sec. XIX.	Coeva, intagliata e dorata con passepartout in tela e vetro.	Sagomata e dorata, con decorazioni a motivi vegetali, sec. XIX.
UBICAZIONI	Coll. Pagliara, Napoli; Uffizi (1926).	Coll. privata, Roma; Coll. Fucini Sambalino; Uffizi (1970).	Eredi dell'artista; Galleria d'Arte Moderna, Pitti (1970).	Uffizi (1867).
ATTRIBUZIONI	—	—	—	—
ESPOSIZIONI	—	—	—	—
BIBLIOGRAFIA	Thieme-Becker, XXIII, 1929. Comanducci, III, Milano 1972.	Sotheby' s. Cat. di dipinti antichi, Firenze, ottobre 1970, n. 67.	M. Portalupi, Il pittore Giovanni Malesci, Milano-Firenze 1972. *G. Nicodemi, Giovanni Malesci, Milano 1949, p. 23, 38 (ripr.). Comanducci, III Milano 1972 (ripr.).*	L. e F. Luciani, Dizionario dei pittori italiani dell' '800, Firenze 1974. *E. Damiani Mancinelli, Giuseppe Mancinelli e le sue opere, Palermo 1906, pp. 13, 57-58. Prinz 1971.*
INVENTARIO	8556.	9475.	GAM Giornale 2377.	1914 (C.P., p. 105, n. 570).
FOTO	112408.	315532.	186360.	112409.
NOTE	Firmato e datato in basso a destra: G.ro Maldarelli / Dip. 1838. Acquistato nel 1926 dalla signora Antonietta Pagliara di Napoli (AGF Arte 796). Attualmente nei Depositi degli Uffizi. E.S.	Sulla tavolozza, in alto, si legge la scritta: Ioñ. Dom. Malerbi Fecit se ipsum / Anno Dom.i 1788 Etatis (sic) / Suae Anni XXVII. Il dipinto fu acquistato attraverso l'esercizio del diritto di prelazione presso l'Ufficio Esportazione della Soprintendenza alle Gallerie di Firene nel 1970 (AGF, Arte 796). L'opera risultava di proprietà della signora Renata Fucini Sambalino, che a sua volta lo aveva acquistato tempo addietro presso una coll. priv. romana. L'artista è assolutamente sconosciuto, per quanto risulta, agli studi storico-artistici. La sua stessa data di nascita è desumibile soltanto grazie alla scritta apposta sul dipinto. L'opera si trova attualmente nei Depositi degli Uffizi. E.S.	Firmato in basso a destra: Gio. Malesci. Dono della vedova nel 1970. Il Nicodemi lo pubblica con la data 1941 senza fornire giustificazioni; ad ogni modo il pittore poco più anziano che in un autoritratto del 1926 (con figure di cogli anni, cosicchè in questo appare poco più anziano di un autoritratto del 1926 (con figure di contadini sullo sfondo) e poco più giovane che in un altro del 1958 avente anch'esso uno sfondo di Maremma. Allievo fedelissimo di Giovanni Fattori, il Malesci è meglio noto per alcuni suoi ritratti al maestro e soprattutto per averne pubblicato a più riprese l'opera pittorica (1914 e 1961) e donato una collezione di lastre fattoriane agli Uffizi. Attualmente il dipinto è collocato nelle riserve della Galleria d'arte moderna. S.P.	Firmato e datato in basso a destra: Gius. Mancinelli da se stesso dip. 1866. Un autoritratto fu richiesto nel 1864 all'artista, che donò questo nel 1867 (AGF 1866 (A) 2, 141; 1867 (A) 1, 36). Attualmente nei Depositi degli Uffizi. E.S.

	A567	A568	A569	A570
Autore	Mancini, Antonio (Roma 1852-1930).	Manetti, Rutilio (Siena 1571-1639).	Mani (Moni), Zanobi (Firenze, secc. XVII-XVIII).	Mantovani Gutti, Rosa (Roma 1851-1943).
Titolo	Autoritratto.	Autoritratto.	Autoritratto.	Autoritratto.
Datazione	Sec. XX (1920 ca.).	1600 ca.	1708.	1880 ca.
Dati tecnici	Olio su tela, 60,5x70,5.	Olio su tela, 47x36, restauro 1972.	Olio su tela, 72x58.	Olio su cartone, 64x48.
Cornice	Seicentesca, sagomata in nero con decorazioni dipinte in oro.	Salvadora dorata, sec. XVIII.	Liscia gialla, sec. XIX.	D'epoca, modello Salvator Rosa, dipinta in nero e oro.
Ubicazioni	Uffizi (1920).	Cosimo III de' Medici; Uffizi (1690).	Coll. Puccini (1725); coll. Pazzi; Uffizi (1768); Guardaroba (1772); Pitti; Uffizi (1979).	Eredi dell'artista; Galleria d'Arte Moderna, Pitti (1952).
Attribuzioni	—	—	—	—
Esposizioni	XII Mostra internazionale d'arte della città di Venezia, Venezia 1920. I Quadriennale d'arte nazionale, Roma 1931.	Rutilio Manetti, Siena 1978.	—	—
Bibliografia	Vollmer, III, 1956. L. e F. Luciani, Dizionario dei pittori italiani dell' '800, Firenze 1974.	*C. Brandi, Rutilio Manetti, Siena 1931. A. Bagnoli in Cat., Siena 1978, n. 4.*	*S. Meloni Trkulja in Paragone 343, 1978.*	Comanducci, III, Milano 1972.
Inventario	8424.	1776 (C.P., p. 105, n. 355).	2887.	GAM Giornale 1332.
Foto	252268.	20818.	136841.	192570.
Note	Firmato in basso a destra: A. Mancini. Sul retro cartellini delle mostre citate e molte prove di colore. Un autoritratto fu richiesto nel 1920 all'artista che donò questo nello stesso anno; nel 1924 venne richiesto al Mancini un secondo autoritratto, esposto in quell'anno alla Galleria Pesaro di Milano, che non fu mai ottenuto. (AGF, Arte 796). Esistono moltissimi altri autoritratti dell'artista, sia in collezioni private che in collezioni pubbliche. Attualmente esposto nel Corridoio Vasariano. E.S.	Entrato in galleria il 20 gennaio 1690; è un'acquisizione, non sappiamo per che vie, di Cosimo III de' Medici (ASF, Guard. 903, c. 208r). È un'opera giovanile non solo per l'età dimostrata dall'artista ma anche per lo stile; va datata a prima del 1605, anno in cui il pittore si ritrae nella 'Decapitazione di S. Giacomo' della chiesa omonima in Salicotto a Siena, e sembra appena più anziano. È l'unico autoritratto noto del Manetti. S.M.T.	A tergo cartellino antico 'Zanobi Moni nell'anno *1708* da p.se' e i numeri tipici della collezione Pazzi. L'artista, che si raffigura con un'immagine del Sonno — una donna con le orecchie d'asino e un mazzo di papaveri in mano — è ignoto a tutti i repertori; il primo proprietario del ritratto, Tommaso Puccini, lo dice fiorentino. Dalla collezione Puccini passò in quella dell'abate incisore Antonio Pazzi, che lo vendette alla galleria intorno al 1768, ma già nel 1772 ne veniva tolto e mandato in Guardaroba (AGF, Filza V a 11). S.M.T.	Firmato in basso di traverso: Rosina Mantovani Gutti / dipinse se stessa. Figlia di Alessandro Mantovani, decoratore e restauratore ferrarese attivo alla corte pontificia (Vaticano, Laterano, Quirinale), fu allieva del padre e del Seitz e si dedicò soprattutto alla ritrattistica a pastello di soggetto prevalentemente femminile e infantile. Nel ritratto a olio sembra talvolta accostarsi a Spadini. Soggiornò a Parigi e a Londra ritraendo personalità aristocratiche straniere. L'autoritratto, dove appare in età di non più di trent'anni, fu donato dalla figlia Emanuela Gutti sposata Fabbricotti nel 1952 (nota inventariale). Attualmente nelle riserve della Galleria d'arte moderna. S.P.

	A571	A572	A573	A574
AUTORE	Maratta, Carlo (Camerino 1625 - Roma 1713).	Marfori Savini, Filippo (Urbania 1877 - Firenze 1952).	Marinari, Onorio (Firenze 1627-1715).	Marinari, Onorio (Firenze 1627-1715).
TITOLO	Autoritratto.	Autoritratto.	Autoritratto.	Autoritratto (copia).
DATAZIONE	1682.	1940.	1709.	1710 ca.
DATI TECNICI	Olio su tela, 72,5x58,5.	Olio su tavola, 41x33.	Olio su tela, 72,5x58, rintelato.	Olio su tela, 72x58.
CORNICE	Salvadora dorata, sec. XVIII.	Coeva, alla fiamminga, dipinta in oro e grigio.	Salvadora dorata, sec. XVIII.	Salvadora dorata con cartiglio, sec. XVIII.
UBICAZIONI	Cosimo III de' Medici (1682); Uffizi (1682).	Galleria d'Arte Moderna, Pitti (1943).	Cosimo III de' Medici; Uffizi (1709).	Coll. Puccini (1725); coll. Pazzi; Uffizi (1768); Guardaroba (1790); Pitti; Uffizi (1979).
ATTRIBUZIONI	—	—	—	—
ESPOSIZIONI	—	Mostra personale, Milano 1942. Firenze 1943 (doc. da cartellino).	—	—
BIBLIOGRAFIA	A. Mezzetti in Rivista dell'Istituto Nazionale di Archeologia e Storia dell'Arte N. S. IV, 1955. *Prinz, 1971.*	Comanducci III, Milano 1972. *Cat. Milano 1942, n. 6 e ripr.*	G. Cantelli in Antichità viva X, 1971. *F. S. Baldinucci, Vite dei pittori..., ed. Roma 1975.*	G. Cantelli in Antichità viva X, 1971. *S. Meloni Trkulja in Paragone 343, 1978.*
INVENTARIO	1686 (C.P., p. 106, n. 266).	GAM Giornale 871.	1732 (C.P., p. 211, n. 313).	3365.
FOTO	249093.	184165.	5804.	182524.
NOTE	A tergo sulla tela il nome dell'artista e i numeri d'inventario del 1704 e del 1769. Dono dell'autore a Cosimo III de' Medici: promesso nel maggio 1681, arrivò nel giugno 1682 e il granduca, consigliatosi col cardinal Rospigliosi, ricambiò con una medaglia d'oro e una cassetta di liquori medicinali nel settembre. L'autoritratto entrò in galleria col primo contingente di quelli di Cosimo III, il 27 ottobre 1682 (ASF, Guard. 870, c. 160v). Un altro autoritratto del Maratta è nei Musei reali di Bruxelles. S.M.T.	Firmato in basso a destra: F. Marfori Savini. È datato 1940 nel catalogo della mostra milanese alla Galleria Dedalo nel 1942. Nella stessa mostra il pittore esponeva altri tre autoritratti, uno del 1925, uno del 1927, uno del 1941. Il quadro giunge in dono nel 1943, probabilmente a seguito di una mostra alla Galleria Donatello nello stesso anno. Attualmente si trova nelle riserve della Galleria d'arte moderna che conserva (con il titolo Vecchio pittore) un quadro d'interno con autoritratto (GAM Giornale n. 948). S.P.	A tergo è riportato 'Honorius Marinarius / Seipsum pingebat. A. S. MDCCIX Aet: suae LXXXII'. Il ritratto fu chiesto al pittore dal granduca Cosimo III in sostituzione di uno giovanile entrato in galleria nel 1684 (ASF, Guard. 870, c. 236r), che fu reso all'autore nel 1709, nel quadro della sistemazione della stanza dei pittori; come testimonia F. S. Baldinucci. Ne esiste una versione in controparte (inv. 1890 n. 3365) più scadente, entrata nel 1768 con la collezione Pazzi. Il Marinari fu impiegato dal granduca anche ad uniformare le misure degli autoritratti quando essi vennero riuniti agli Uffizi nella stanza dei pittori. S.M.T.	Copia in controparte del più noto autoritratto del 1709 (inv. 1890 n. 1732), di scarsa qualità e quasi certamente non autografa; appartenne al medico pistoiese Tommaso Puccini, per il quale fu probabilmente eseguita, e passò poi nelle mani dell'abate Antonio Pazzi, che la vendette alla galleria intorno al 1768. S.M.T.

	A575	A576	A577	A578
AUTORE	Marini, Antonio (Prato 1788 - Firenze 1861).	Mario dei Fiori, Nuzzi M., detto (Penna in Teverina 1603 - Roma 1673).	Marko, Karoly (Levoca 1791 - Antella 1860).	Maro, Giuseppe (Torino? - Polonia?).
TITOLO	Ritratto di Giovan Battista Romanelli.	Autoritratto col servitore.	Autoritratto.	Autoritratto.
DATAZIONE	1847.	Metà sec. XVII.	1850-1860.	Prima metà sec. XVIII.
DATI TECNICI	Olio su tela, 55x45.	Olio su tela, 136x208,5, rintelato.	Olio su tela, 42,5x34.	Olio su tela, 74,5x58,5, restauro 1979.
CORNICE	D'epoca, dorata.	Salvadora dorata con cartiglio, sec. XVIII (?).	D'epoca, dorata e riccamente intagliata.	Salvadora dorata con cartiglio, inizi sec. XVIII.
UBICAZIONI	Coll. Boni; Uffizi (1935); Galleria d'Arte Moderna, Pitti (1979).	Coll. Del Carpio, Napoli; Uffizi (1697).	Eredi dell'artista (1860); Uffizi (1872).	Coll. Puccini (1725); coll. Pazzi; Uffizi (1768).
ATTRIBUZIONI	—	—	—	—
ESPOSIZIONI	—	—	—	—
BIBLIOGRAFIA	Cultura neoclassica e romantica nella Toscana granducale, Cat. mostra, Firenze 1972.	*V. Golzio in L'Urbe XXVIII, 1965. Prinz, 1971.*	Cat. Cultura neoclassica e romantica nella Toscana granducale, Firenze 1972, p. 207. L. e F. Luciani, Dizionario dei pittori italiani dell'800, Firenze 1974.	*S. Meloni Trkulja in Paragone 343, 1978.*
INVENTARIO	9201.	2114.	1976 (C.P., p. 106, n. 602).	2049 (C.P., p. 611, n. 672).
FOTO	138482.	249129.	112510.	112411.
NOTE	A tergo firmato, datato e dedicato: A Giov. Batista Romanelli Pittore Ornatis / ta / Il. Professore Antonio Marini, dipñse / L'anno 1847. Donato nel 1935 da Ada Boni, la nota gastronoma, che la nota inventariale definisce nipote senza specificare se del ritrattista o del ritrattattato. L'ornatista Romanelli ci è altrimenti ignoto ma è probabile che fosse un aiuto del Marini, prevalentemente impegnato, noto, in lavori di decorazione murale. Nel 1847, data di questo ritratto, il Marini era impegnato, secondo il regesto pubblicato dal Guasti (C. Guasti, Antonio Marini pittore, Firenze 1862), con la tela all'altar maggiore di Santa Maria delle Carceri a Prato e con quattro allegorie nella Tribuna di Galileo del Museo di Fisica fiorentino. Destinato al momento dell'accesso alla collezione iconografica ed esposto nel Corridoio Vasariano, il dipinto si trova attualmente nella Galleria d'arte moderna di Palazzo Pitti. S.P.	Già nella raccolta del marchese Del Carpio a Napoli, dove fu notato dal dr. Michele Girolamo Catani che lo offrì a Cosimo III de' Medici (aprile 1697); costava 50 piastre. Viaggiò da Napoli a Livorno colla nave Regina Coeli ed entrò in galleria il 5 luglio 1697 (ASF, Guard. 1027, c. 49r): ma le sue misure erano talmente sproporzionatee alla media degli autoritratti che non fu esposto né inventariato fino al 1784. Per fortuna non si accolse la proposta del Catani di tagliarlo in tre per avere un autoritratto di misure normali e due tele di fiori; ma un taglio fu fatto apparentemente per isolare il vaso di fiori a sinistra di chi guarda. Un altro apparente autoritratto (del 1649; la figura è di G. M. Morandi) è in casa Chigi Albani all'Ariccia. I due personaggi però non si somigliano. S.M.T.	La richiesta per la collezione dei ritratti dei pittori fu rivolta dal Gotti al figlio dell'artista Carlo jr. il 2.3.1872 e la trattativa si concluse rapidamente un mese dopo con il dono del ritratto dell'artista ungherese, non interamente dipinto dal medesimo ma probabilmente in buona parte condotto dal figlio (AGF 1872, filza A, 54). Risulta esposto ininterrottamente dalla guida del 1875 a quella non datata del Pieraccini. Attualmente è collocato nelle riserve. Il Marko, nativo di Löcse allora Ungheria, oggi Levoca, Cecoslovacchia) si stabilì in Italia nel 1832, fondando in Toscana una scuola di paesaggio. S.P.	Artista non menzionato da fonti o repertori, che, nato a Torino alla fine del sec. XVII, sarebbe vissuto e morto in Polonia: almeno secondo la biografia che ne dà O. Marrini nel catalogo degli autoritratti della collezione Pazzi. Si trova ora nei depositi degli Uffizi. S.M.T.

	A579	A580	A581	A582
AUTORE	Maron, Anton von (Vienna 1731 - Roma 1808).	Marteau, François (Parigi 1666-1719), attr. a.	Martinelli, Giovanni (Firenze 1610-1668 ?).	Marucelli, Giovanni Stefano (Firenze 1586 - Pisa 1646).
TITOLO	Autoritratto.	Autoritratto.	La Pittura.	Autoritratto.
DATAZIONE	1787 ca.	Fine sec. XVII-inizi sec. XVIII.	Metà sec. XVII.	1635-45.
DATI TECNICI	Olio su tela, 104x79,5, restauro 1976.	Olio su tela, 73x61.	Olio su tela, 59x45.	Olio su tela, 71,6x57,5.
CORNICE	Nera e oro intagliata, sec. XVIII.	Nera e oro, barocca.	Salvadora dorata, sec. XVIII.	Salvadora dorata, sec. XVIII.
UBICAZIONI	Uffizi (1787).	Coll. abate Pazzi (XVIII sec.); Uffizi (1768).	Uffizi (1770); Guardaroba (1790).	Cosimo III de' Medici; Uffizi (1705).
ATTRIBUZIONI	—	François Marot (Thieme-Becker, 1930). Louis Marteau (Rosenberg 1977).	Chiara Varotari (inv. 1784).	—
ESPOSIZIONI	Il Settecento a Roma, Roma 1959. Angelica Kauffmann und Ihre Zeitgenossen, Bregenz 1968.	—	—	—
BIBLIOGRAFIA	*Cat., Roma 1959, n. 374. S. Röttgen in Artisti austriaci a Roma dal barocco alla secessione, Roma 1972, sub. n. 231.*	Thieme-Becker, XXIII. 1930. *P. Rosenberg, in Cat., Pittura francese nelle collezioni pubbliche fiorentine, Firenze 1977, n. V. S. Meloni Trkulja, in Paragone, 343, 1978.*	B. Viallet, Roma s.d. (1923).	Dizionario Bolaffi VII, Torino 1975.
INVENTARIO	1670 (C.P., p. 106, n. 483).	2080 (C.P., p. 211, n. 562).	2037.	1704 (C.P., p. 106, n. 253).
FOTO	252802.	182531.	5872.	113043.
NOTE	Dono dell'autore, settembre 1787, su invito del direttore Giuseppe Pelli: fu compensato con una medaglia d'oro. Il quadro con cui l'artista si raffigura è, come egli dichiara, un «abbozzetto» della Morte di Didone dipinta nel 1784-85 per la Villa Borghese in una serie di cinque tele. Un analogo e coevo autoritratto con un altro quadro della serie (Fuga da Troia) fu fatto per il cardinal Doria e si trova oggi a Vienna (Historisches Museum der Stadt Wien, n. 104670). Maron si ritrasse altre due volte, nel 1794 e nel 1797. S.M.T.	Il dipinto entrò agli Uffizi con la attribuzione a F. Marteau nel 1768, proveniente dalla collezione dell'abate Antonio Pazzi. Il Rosenberg, notando che nel Thieme-Becker il dipinto viene attribuito al pittore F. Marot (1666-1719), dubita del riferimento e propone due ipotesi alternative, scegliendo la seconda, e cioè che possa trattarsi dell'autoritratto o dell'orafo F.-J. Marteau (m. nel 1757) o del pastellista Louis Marteau (1715-1805) attivo in Polonia. M.C.	L'opera venne, anonima, dalla Guardaroba in galleria il 22 dicembre 1770 (AGF, filza III a 27): «un quadro in tela alto B. 1 largo 3/4 dipintovi femmina con petto nudo, e pennelli in mano»: nell'inventario del 1784 figura improvvisamente come autoritratto di Chiara Varotari, il che è smentito non solo dal più verosimile autoritratto del Museo Civico di Padova, ma anche dal fatto che la tela è chiaramente opera toscana, da attribuirsi a Giovanni Martinelli, e da non ritenere ritratto, ma piuttosto raffigurazione allegorica della Pittura. Probabilmente l'irragionevole attribuzone, presa per buona anche dal Lanzi (ed. 1809, III p. 255), fu motivata dall'esigenza di riempire la nuova 'stanza dei pittori' che in quegli anni si aggiungeva alla prima ormai piena. Il quadro fu comunque rimandato in guardaroba nel 1790 (AGF, filza XXIII a 28), e si trova anche oggi nei depositi degli Uffizi. S.M.T.	Trovato a Pisa nel 1705 dal granduca Cosimo III ed entrato in galleria il 16 maggio di quell'anno (ASF, Guard. 1101, c. 96v), l'autoritratto ci documenta un artista versatile, che fu non solo pittore ma anche architetto — e in mano ha gli utensili di entrambe le professioni — attivo per i Medici a Pisa: Ferdinando II gli dette l'incarico di ingegnere dell'Ufficio dei Fossi. S.M.T.

	A583	A584	A585	A586
Autore	Marzi, Ezio (Firenze 1875-1955).	Maso da San Friano, Manzuoli Tommaso, detto (Firenze 1532 ca.-1571).	Matucci, Carlo (Firenze, sec. XVII-XVIII).	Mazzanti, Ludovico (Roma 1686 - Viterbo 1775).
Titolo	Autoritratto.	Autoritratto.	Autoritratto.	Autoritratto in veste di pellegrino.
Datazione	1944.	1560-70.	Primo quarto secolo XVIII.	1717 ca.
Dati tecnici	Olio su tela, 24x17,5.	Olio su tavola, 35x28,5.	Olio su tela, 72,5x58.	Olio su tela, 76,5x61,5.
Cornice	Coeva, alla fiamminga in legno con passepartout e vetro.	Salvadora dorata, sec. XVIII (?).	Liscia gialla e dorata, sec. XIX.	Salvadora gialla, sec. XIX.
Ubicazioni	Eredi dell'artista; Galleria d'Arte Moderna, Pitti (1968).	Cosimo III de' Medici; Uffizi (1682).	Coll. Puccini (1725); coll. Pazzi; Uffizi (1768); Guardaroba (1772); Pitti; Uffizi (1979).	Cosimo III de' Medici; Uffizi (1717); Guardaroba (1772); Uffizi (1881).
Attribuzioni	—	—	—	—
Esposizioni	—	—	—	—
Bibliografia	Comanducci, III, Milano 1972.	*P. Cannon Brookes in Burlington Magazine CVIII, 1966. V. Pace in Bollettino d'arte LXI, 1976.*	*S. Meloni Trkulja in Paragone 343, 1978. G. Leoncini in Paragone 345, 1978.*	*P. Santucci in Arte illustrata 59, 1974.*
Inventario	GAM Giornale 2278.	1735 (C.P., p. 106, n. 323).	4277.	2800 (C.P., p. 225, n. 284).
Foto	156153.	113046.	136506.	138519.
Note	Firmato e datato in basso a sinistra: Ezio Marzi / 1944. A tergo altra iscrizione e cartellino con notizie biografiche, datato Firenze marzo 1947. L'opera fu accettata in dono dalla vedova del pittore, Giuseppina Ciotti, il 21 giugno 1968. Come indicato nelle notizie biografiche fornite dallo stesso artista, egli era stato allievo a Firenze del Ciaranfi, specializzandosi nel quadro di figura e nel ritratto. L'opera è oggi nelle riserve della Galleria d'arte moderna di Palazzo Pitti. S.P.	Mandato in galleria da Cosimo III de' Medici il 4 novembre 1682 (ASF, Guard. 871, c. 94r), reca a tergo i numeri d'inventario settecenteschi (1705, del 1704; 3457, del 1769) e la scritta antica «Tomaso Manzuoli D°: Tommasone da San Friano». Il Cannon Brookes, pubblicandolo, pur rimandando un giudizio più accurato a dopo il restauro, lo accetta come autografo sulla base del confronto fisionomico col ritratto fatto al pittore da Alessandro Allori in un affresco alla SS. Annunziata (Cristo fra i dottori, cappella Montauti) e riconosciuto dal Berti. S.M.T.	Già considerato anonimo, si identifica perché reca a tergo i numeri della collezione Pazzi, a cui appartenne dopo esser stato nella raccolta Puccini. Nella lista di quest'ultima l'autore è detto 'mesticator delle tele': si tratta quindi di uno dei non pochi autoritratti di bassa qualità che facevano numero in queste due collezioni. In galleria restò pochissimo: nel 1772 veniva già rimandato in Guardaroba (AGF, Filza V a 11). S.M.T.	A tergo sulla tela cartellino antico 'Lodovico Mazzanti / Nobiluomo D'Orvieto / Pittore'. Dono dell'autore a Cosimo III de' Medici; la lettera di ringraziamento del granduca è conservata nell'archivio Mazzanti d'Orvieto (fasc. 19 fol. 4), come rende noto la Santucci, riferendola però all'autoritratto più tardo (inv. 1890 n. 1856). Il dipinto entrò in galleria il 26 giugno 1717 (ASF, Guard. 1227, c. 137v) ma non fu esposto, come invece quello più regolare; non figura nel Museo Fiorentino né negli inventari lorenesi e nel 1772 fu allontanato (AGF, Filza V a 11): ricomparve inventariato semplicemente come ritratto di pellegrino. S.M.T.

	A587	A588	A589	A590
AUTORE	Mazzanti, Ludovico (Roma 1686 - Viterbo 1775).	Mazzi, Taddeo (Palagnedra? - Firenze?).	Mecherini, Amalia (Firenze 1886 - 1960).	Medici, de' duchi d'Atene, Pietro (Firenze 1567-1648).
TITOLO	Autoritratto.	Autoritratto.	Autoritratto.	Autoritratto.
DATAZIONE	1736.	1712 (?)	1942.	Secondo quarto sec. XVII.
DATI TECNICI	Olio su tela, 73,3x58,5.	Olio su tela, 73x57, restauro 1976.	Olio su tela, 34x25.	Olio su tela, 46,5x36.
CORNICE	Salvadora gialla e dorata con cartiglio, fine sec. XVIII.	Salvadora dorata, sec. XVIII.	Coeva, alla fiamminga.	Salvadora dorata, sec. XVIII.
UBICAZIONI	Uffizi (1773).	Coll. Puccini (1725); coll. Pazzi; Uffizi (1768), guardaroba (1772).	Galleria d'Arte Moderna, Pitti (1943).	Card. Leopoldo de' Medici (ante 1675); Uffizi (1682).
ATTRIBUZIONI	—	—	—	—
ESPOSIZIONI	—	—	—	—
BIBLIOGRAFIA	*P. Santucci in Arte illustrata 59, 1974.*	Dizionario Bolaffi VII, Torino, 1975. *S. Meloni Trkulja in Paragone 343, 1978.*	Comanducci, III, Milano 1972.	*Museo Fiorentino II, Firenze 1754, p. 105.*
INVENTARIO	1856 (C.P., p. 211, n. 499).	2035 (C.P., p. 211, n. 662).	GAM Giornale 870.	1768 (C.P., p. 106, n. 349).
FOTO	175008.	175807.	113413.	5807.
NOTE	A tergo sulla tela: 'Lodovico Mazzanti Gentiluomo d'Orvieto' e sul telaio 'Lodovico Mazzanti fece 1736' (la data è ripetuta in un cartellino antico). È il secondo autoritratto dell'artista che entra in galleria: vi figura fin dal 1773 ed è inventariato nel 1784; non va identificato, come ha fatto la Santucci, con quello in veste di pellegrino che il pittore mandò a Cosimo III de' Medici nel 1717 (inv. 1890 n. 2800). Non si conoscono data e circostanze precise dell'accessione. S.M.T.	A tergo sulla tela «T.M. 1712» ripetuto in un cartellino incollato sul telaio, dove vi è pure la scritta antica «Taddeo Marzi». Di questo artista ticinese, attivo in Toscana nel primo quarto del Settecento, sopravvive oggi solo l'autoritratto, nei Depositi degli Uffizi dove fu relegato poco dopo la sua accessione (AGF, filza V a 11). S.M.T.	Firmato e datato in alto a destra: A. Mecherini /42. Firma e data ripetute a tergo. Donato per la collezione dei ritratti dei pittori nel 1943. Attualmente nelle riserve della Galleria d'arte moderna di Palazzo Pitti. Gli estremi anagrafici qui riportati e controllati correggono i dati forniti dai repertori. S.P.	Entrato agli Uffizi il 28 ottobre 1682 con gli altri autoritratti della collezione del cardinal Leopoldo (ASF, Guard. 870, c. 160v), è l'unico quadro oggi noto di questo nobiluomo dilettante di pittura, allievo del Cigoli e del Pagani. S.M.T.

	A591	A592	A593	A594
AUTORE	Medina, Juan Bautista (Bruxelles 1659 - Edimburgo 1710).	Mehus, Livio (Oudenarde 1630 - Firenze 1691).	Mehus, Livio (Oudenarde 1630 - Firenze 1691).	Ménageot, François - Guillaume (Londra 1744 - Parigi 1816).
TITOLO	Autoritratto.	Autoritratto.	Autoritratto (copia).	Autoritratto.
DATAZIONE	1695-1700.	Terzo quarto sec. XVII.	Fine sec. XVII.	1797.
DATI TECNICI	Olio su tela, 54,5x43.	Olio su tela, 73x58, restauro 1977.	Olio su tela, 73x58, rintelato.	Olio su tela, 195x81, restauro 1975.
CORNICE	Salvadora dorata, inizi sec. XVIII.	Salvadora dorata, sec. XVIII.	Salvadora dorata con cartiglio, sec. XVIII.	Liscia, dorata, sec. XIX.
UBICAZIONI	Coll. Alexander, secondo duca di Gordon; Uffizi (1716).	Cosimo III de' Medici; Uffizi (1685).	Coll. Puccini (1725); coll. Pazzi; Uffizi (1768); Guardaroba (1790); Pitti; Uffizi (1979).	Uffizi (1797).
ATTRIBUZIONI	—	—	—	—
ESPOSIZIONI	Firenze e l'Inghilterra, Firenze 1971.	—	—	Pittura francese nelle collezioni pubbliche fiorentine, Firenze 1977.
BIBLIOGRAFIA	*Cat. Mostra, Firenze 1971, n. 49.*	P. Bigongiari, M. Chiarini, M. Gregori in Paradigma 2, 1978.	*S. Meloni Trkulja in Paragone 343, 1978. M. Chiarini in Paradigma 2, 1978.*	N. Willk-Brocard: François Guillaume Ménageot, Paris 1978. *Cat., Firenze 1977, n. 25.*
INVENTARIO	1648 (C.P., p. 106, n. 466).	1651 (C.P., p. 211, n. 236).	5524.	2170 (C.P., p. 106, n. 726).
FOTO	70824.	252806 (tergo: 252807).	296692.	112527.
NOTE	A tergo la scritta «Cav. Gio. Medina fiammingo». Il ritratto entrò in galleria il 2 febbraio 1716 insieme a quello di William Aikman (ASF, Guard. 1227. c. 60v) ed è un dono a Cosimo III de' Medici del secondo duca di Gordon, Alexander, amico del granduca. S.M.T.	A tergo scritta antica 'Livio Meus'. Fu mandato in galleria il 12 marzo 1685 da Cosimo III de' Medici (ASF, Guard. 871, c. 213r). Oggi molto scurito, non lascia vedere i molti accessori alla figura che si apprezzano nell'incisione del 'Museo Fiorentino': il cavalletto, il paesaggio e le scritte sul quadro e sul foglio. Con la collezione Pazzi entrò in galleria una copia di questo quadro (inv. 1890 n. 5524). Più giovane il Mehus si autoritrasse in due tele raffiguranti 'Il Genio della pittura' (ubicazione ignota) e 'Il Genio della scultura' (inv. 1890 n. 5337). S.M.T.	Copia semplificata dell'autoritratto inv. 1890 n. 1651, è ridotta a un pezzo di tela sagomata che comprende testa e spalle del personaggio, incollata fin dall'antico su un'altra: date le pessime condizioni, è difficile dire se sia autografa o se, più probabilmente, sia una copia fatta per il medico pistoiese Tommaso Puccini, che raccoglieva autoritratti ma con molte copie. Entrò in galleria venduta dall'abate Antonio Pazzi, ma fu presto messa in magazzino come 'Duplicato' (scritta antica sul telaio). S.M.T.	Firmato sulla cartella da disegno: Fr. us Menageot, fecit. Il dipinto fu donato dall'artista alla Galleria durante un breve soggiorno a Firenze nell'estate del 1797. Ne esiste una versione più piccola, eseguita nello stesso anno, oggi nel Museo Fabre di Montpellier. M.C.

	A595	A596	A597	A598
AUTORE	Mengs, Anton Raphael (Aussig 1728-79).	Mensi, Francesco (Alessandria 1800-1888).	Mensi, Francesco (Alessandria 1800-1888).	Menzocchi, Francesco (Forlì 1502-1584).
TITOLO	Autoritratto.	Autoritratto.	Autoritratto.	Autoritratto.
DATAZIONE	1773.	1862 ca.	1878.	1574.
DATI TECNICI	Olio su tavola, 97x72,6 (compresa giunta h. 5,4).	Olio su tela, 57x45,5.	Olio su tela, 49,5x40.	Olio su tavola, diam. 10,4.
CORNICE	Salvadora dorata, sec. XVIII (?), non originaria.	Coeva, in legno sgusciato e dorato, con cartiglio in alto.	Coeva, in legno sgusciato e dorato con iscrizione.	Filetto d'ottone, sec. XX.
UBICAZIONI	Uffizi (1773).	Uffizi (1863).	Uffizi (1879).	Pitti (1710 ca.); Gran Principe Ferdinando de' Medici (1713); Uffizi (1753).
ATTRIBUZIONI	—	—	—	Antonio Badile (sec. XVIII). Marco Basaiti (inv. 1825). Menzocchi (Ramirez di Montalvo, 1846).
ESPOSIZIONI	Il Settecento a Roma, Roma 1959, n. 384.	—	—	—
BIBLIOGRAFIA	F. J. Sánchez Cantón, Antonio Rafael Mengs, Madrid 1929. *D. Honisch, Anton Raphael Mengs und die Bildform des Frühklassizismus, Recklinghausen 1965.*	Comanducci, III, Milano 1972.	Comanducci, III, Milano 1972.	Thieme-Becker XXIV, 1930. L. Filippini Baldani in Melozzo da Forlì, 1, 1937. *M. Chiarini in Paragone 305, 1975.*
INVENTARIO	1927 (C.P., p. 106, n. 555).	1922 (C.P., p. 106, n. 634. ?).	3327.	4010.
FOTO	156047.	112415.	321820.	11102b.
NOTE	A tergo: 'ANTONIO RAFFAELLO MENGS nato nella Città di Ausig in Boemia l'anno 1728 li 12 di Marzo ed ha dipinto il presente ritratto a questa Capitale di Firenze nel mese di 8bre del presente anno 1773'. Il quadro consta di due tavole di ciliegio incastrato ai bordi in un listello più grosso che forma telaio. In basso esso è stato decurtato ai margini e vi è una striscia aggiunta lungo tutta la base, su cui è dipinta la parte inferiore della mano sinistra. Non è un inserto molto più tardo perché la maggior parte delle copie del '700 (p. es. a Berlino e Leningrado) ce l'ha e deve essere stata fatta (opinione di Steffi Ruttgen, che ringrazio) dal pittore stesso o con la sua autorizzazione; forse per evitare che la mano fosse mozzata dalla cornice. Il quadro fu portato dall'autore in galleria il 27 ottobre 1773 (AGF, filza V a 34). S.M.T.	A tergo l'iscrizione: Ritratto di Francesco / Mensi dipinto da lui / stesso in Alessandria / sua patria. Donato dall'artista (AGF 1863, filza 1, 4) che l'inviò tramite il conte Damiano Caselli al Direttore di Galleria Paolo Feroni con lettera d'accompagno del 26.12.1862. Il Mensi, legato a Firenze dal discepolato presso il Benvenuti, inviò anni dopo anche un secondo autoritratto (v.n. 3327). Non è certo a quale dei due si riferisca il numero del catalogo Pieraccini, inesatto anche nel dare la città di origine del pittore (Genova invece di Alessandria). Attualmente conservato nelle riserve. Presenta craquelures su tutta la superficie pittorica. S.P.	Firmato in basso a destra: F. Mensi / 1878. A tergo l'iscrizione: Ritratto di Francesco Mensi dipinto da lui stesso nell'anno 1878 in Alessandria Piemonte sua patria. Il 26.6.1879 il pittore, direttore della Pinacoteca municipale di Alessandria, scrisse alla direzione degli Uffizi una lettera di richiesta di cambio del primo autoritratto (v. n. 1922) con uno che lo ritraeva in età di settantotto anni. Avendo ricevuto risposta negativa per il cambio, l'artista donò il quadro come documentazione aggiuntiva (AGF 1879, filza B. I, 179). Il documento è importante anche perché consente di precisare l'anno di nascita dell'artista (il Thieme-Becker offre ad esempio la data 1790 ca.). Attualmente il dipinto si trova nelle riserve. S.P.	Citato per la prima volta nell'inventario di Pitti del primo decennio del Settecento (ASF, Guard. 1185, III p. 970 n. 421) come autoritratto di Antonio Badile, passato nelle stanze del Gran Principe Ferdinando e di qui agli Uffizi, creduto all'inizio dell'Ottocento autoritratto di Marco Basaiti, fu identificato nel 1846 dall'allora diretto degli Uffizi Antonio Ramirez di Montalvo per confronto con un'incisione che lo riproduce e reca in giro la scritta «Franciscus Minciochius Forolivien. Pictor aetatis suae annor LXXII Obiit autem anno salutis MDLXXIII. D. Mercurialis Marinus icidebat (sic) 1586» (AGF, filza LXII a 23). Di una scritta dorata si intravvedono tracce anche sul ritratto stesso, che all'origine è descritto come più grande (Ø 15) e con «rabeschi dipinti» intorno. L'autore fu maestro del Barocci. S.M.T.

	A599	A600	A601	A602
AUTORE	Messini, Ferdinando (Toscana, sec. XVIII).	Meštrović, Ivan (Vrpolje 1883 - South Bend 1962).	Metsys, Quentin (Lovanio 1466 - Anversa 1530).	Meucci, Vincenzo (Firenze 1694 - Roma o Firenze 1766).
TITOLO	Autoritratto.	Autoritratto.	Autoritratto.	Autoritratto.
DATAZIONE	1750.	1913.		Metà sec. XVIII.
DATI TECNICI	Pastello su tela, 65x52,5.	Bronzo a tutto tondo, h. 49.		Olio su tela, 86,5x72,5.
CORNICE	Salvadora dorata con cartiglio, sec. XVIII.	—		Salvadora dorata, inizi sec. XVIII.
UBICAZIONI	Vedova del pittore; Uffizi (1788).	Uffizi (1914).		Coll. Pazzi; Uffizi (1779).
ATTRIBUZIONI	—	—		—
ESPOSIZIONI	—	Biennale di Venezia, 1914.		—
BIBLIOGRAFIA	F.M.N. Gabburri, Vite dei pittori, ms. (Firenze, BNCF, E.B.9.5.), 1740 ca.	L. Schmeckebier, Ivan Meštrović sculptor and patriot, Syracuse 1959. *M. Curcin e altri, Ivan Meštrović, a monograph, London 1919.*		*S. Meloni Trkulja in Paragone 343, 1978.*
INVENTARIO	2061 (C.P., p. 211, n. 509).	1004.		1672 (C.P., p. 211, n. 303).
FOTO	5808.	5809, 184176.		5810.
NOTE	A tergo sul controfondo di legno: «Ferdinando Messini dipinto da se medesimo anno 1750». Offerto alla galleria dalla vedova del pittore, Maria Ceccherini (AGF, filza XXI a 9), fu accettato e pagato 10 zecchini; entrò in galleria il 14 aprile 1788 (AGF, ms. 114, c. 18r). L'artista, originario della Val di Pesa, viene ricordato come abile pastellista e copista specialmente per i turisti inglesi, e se ne consigliò l'acquisto «p. conservar la memoria di un Professore poco conosciuto, e di un artifizio (il pastello?) che anni addietro fiorì assai in Firenze per opera di lui e della sua prima moglie [che fu Giovanna Tacconi] morta giovane con molta reputazione». S.M.T.	Firmato e datato in basso al taglio della spalla sinistra «MEŠTROVIC MCMXIII». Richiesto dal Ministro dell'Educazione Nazionale all'artista con lettera del 27 febbraio 1913 (Zagreb, Atelje Mestrovic) e inviato a Firenze dalla segreteria della Biennale del 1914 dove era stato esposto. Eseguito a Roma nel 1912 (come risulta dalle schede per la mostra londinese del 1919 tuttora esistenti nell'atelier zagabrese), il gesso dovette restare presso l'artista, perché un'altra versione in bronzo, probabilmente più tarda e mai messa in relazione con quella degli Uffizi, è dal 1964 nella Syracuse University Art Gallery (esp.: I.M., The Notre Dame years, Art Gallery, University of Notre Dame, 1974, n. 1). Il figlio dell'artista ne possiede una versione in marmo. Si ringrazia per questa documentazione Vesna Barbic, direttrice dell'Atelje Mestrovic. S.M.T.	Vedi Pinacoteca: Van Clève Joos. Ritratto civile.	Entrato in galleria nel 1779 (AGF, filza XII a 55) dalla guardaroba, ma proveniente dalla collezione dell'abate Antonino Pazzi, venduta al granduca nel 1768; ulteriori ritratti, fra cui questo, l'abate li offrì nel 1771 (AGF, filza IV a 17 e 18). Il pittore mostra un ritratto dell'ultimo granduca mediceo, Gian Gastone, dato che aveva lavorato per lui e per sua sorella Anna Maria Luisa, tra l'altro affrescando la cupola di San Lorenzo. S.M.T.

	A603	A604	A605	A606
AUTORE	Michetti, Francesco Paolo (Tocco di Casauria, Pescara 1851 - Francavilla al Mare, Chieti 1929).	Middleton, James Godsell (att. a Londra fra il 1826 e il 1872).	Miel, Jan (Beveren-Wass 1599 ca. - Torino 1663).	Migliara, Giovanni (Alessandria 1785 - Milano 1837).
TITOLO	Autoritratto.	Autoritratto.	Autoritratto.	Autoritratto.
DATAZIONE	1900 ca. (Sillani 1932).	Terzo-quarto decennio (?) sec. XIX.	1655 ca. (Bodart 1977).	
DATI TECNICI	Tempera su tela applicata su cartone, 45x32.	Olio su tela, 99,5x72.	Olio su tela, 53x42.	
CORNICE	Sagomata e dorata, sec. XIX.	Sagomata e dorata con baccellatura sui bordi, sec. XIX.	Barocca, nera e oro.	
UBICAZIONI	Uffizi (1916).	Coll. Botfield, Londra; Uffizi (1857).	Pitti (1682); Uffizi (1683).	
ATTRIBUZIONI	—	—	—	
ESPOSIZIONI	—	—	Rubens e la pittura fiamminga del Seicento nelle collezioni pubbliche fiorentine, Firenze 1977.	
BIBLIOGRAFIA	R. Delogu, Cat. Mostra di disegni incisioni e pastelli di F.P. Michetti, Francavilla al Mare 1966. L. e F. Luciani, Dizionario dei pittori italiani dell' '800, Firenze 1974. T. Sillani, F.P. Michetti. Roma 1932, tav. CLXIV. Prinz 1971.	Thieme-Becker, XXIV, 1930. T.S.R. Boase: English Art 1800-1870. Oxford 1959. *M. Webster: in Cat., Firenze e l'Inghilterra. Rapporti artistici e culturali dal XVI al XX secolo, Firenze 1971, p. 100.*	D. Bodart: Les peintres des Pays Bas Méridionaux et de la Principauté de Liège à Rome au XVIIe siècle, Bruxelles-Rome 1970, I. *Cat., Firenze 1977, n. 68.*	
INVENTARIO	5368.	2009 (C.P., p. 106, n. 645).	1639 (C.P., p. 106, n. 222).	
FOTO	74768.	109425.	108332.	
NOTE	Firmato in basso a sinistra: F.P. Michetti. Un autoritratto fu richiesto all'artista nel 1887 e sollecitato nel 1892 e nel 1895; questo fu da lui donato nel 1916 (AGF, Arte 796; Arte 823). Esistono molti altri autoritratti dell'artista in molte collezioni sia pubbliche che private, in Italia e all'estero. Attualmente esposto nel Corridoio Vasariano. E.S.	L'opera fu donata agli Uffizi dal signor Beriah Botfield di Londra nel 1856, vivente l'artista, e fu accettata dalla Direzione della Galleria nell'anno seguente (AGF, 1857 (LXXXI), 31; Arte 796). Le poche notizie reperite sull'autore informano che l'artista partecipò alle esposizioni londinesi dal 1826 al 1872, presentando prevalentemente ritratti. Il dipinto è attualmente nei Depositi degli Uffizi. E.S.	Il dipinto fu donato a Cosimo III de' Medici dal card. Flavio Chigi il 17 novembre 1682 (vedi V. Golzio: Documenti artistici sul Seicento nell'archivio Chigi, Roma 1939, p. 295). Fu inviato agli Uffizi il 9 maggio 1683 (ASF, Guard. 871, c. 129r). Mentre il Busiri-Vici (Jean Miel alla corte sabauda, in Boll. della Soc. piemontese d'archeol. e delle belle arti, XII-XIII, 1958-59, p. 116) lo ritiene del periodo piemontese dell'artista (1658-1663), il Bodart lo situa convincentemente, anche per la provenienza, verso la fine del soggiorno romano. Del Miel esistono altri due autoritratti elencati dal Bodart (1977). Inciso in Museo Fiorentino, vol. III, 1756, p. 39. M.C.	Vedi: Scuola italiana del sec. XIX. Autoritratto. Scheda A856.

	A607	A608	A609	A610
Autore	Millais, sir John Everett (Southampton 1829 - Londra 1896).	Minardi, Tommaso (Faenza 1787 - Roma 1871).	Minerbi, Arrigo (Ferrara 1881-?).	Mola, Pier Francesco (Coldrerio 1612 - Roma 1666).
Titolo	Autoritratto.	Autoritratto.	Autoritratto.	Autoritratto.
Datazione	1880.	1807 (De Sanctis 1900); 1813 ca. (Piperno 1978).	1916.	Metà sec. XVII.
Dati tecnici	Olio su tela, 86x65.	Olio su tela, 37x33, restauro 1978.	Bronzo, alt. 43.	Olio su tela, 59,5x45,5.
Cornice	Liscia, dorata, sec. XIX.	D'epoca in legno laccato.	—	Salvadora dorata, sec. XVIII, riadattata.
Ubicazioni	Uffizi (1880).	Eredi Bellenghi; Uffizi (1913); Galleria d'Arte Moderna, Pitti (1972); Uffizi (1973).	Uffizi (1924); Galleria d'Arte Moderna, Pitti.	Coll. privata, Roma; Card. Leopoldo de' Medici (1666); Uffizi (1682).
Attribuzioni	—	—	—	—
Esposizioni	Royal Academy, Londra 1880. Firenze e l'Inghilterra. Rapporti artistici e culturali dal XVI al XX secolo, Firenze 1971.	L'arte neoclassica a Faenza 1780-1820, Faenza 1979 (mostre precedenti indicate in cat.).	—	—
Bibliografia	J.G. Millais: The Life and Letters of Sir John Everett Millais, London 1899. T.S.R. Boase: English Art 1800-1870, Oxford 1959. J. Maas: Victorian Painters, London 1978 (2 ed.). *Cat., Firenze 1971, n. 86.*	*Cat., Faenza 1979, n. 235.*	Arrigo Minerbi, Milano, 1968.	V. Martinelli in Commentari IX, 1958. R. Cocke, Pier Francesco Mola, Oxford 1972. *Prinz, 1971.*
Inventario	1989 (C.P., p. 106, n. 588).	3891.	Sculture 1075.	1805 (C.P., p. 106, n. 382).
Foto	139882.	74474.	184178.	24838.
Note	L'autoritratto fu compiuto nel giro di tre giorni, come affermato dallo stesso artista, quando gli giunse, nel 1880, l'invito, portatogli da W.H. Hunt, di inviare il suo autoritratto alla Galleria degli Uffizi. Esposto quell'anno alla Royal Academy, fu generalmente ritenuto il suo migliore autoritratto. M.C.	Il ritratto, perfettamente studiato da A. Ottani Cavina in occasione della mostra di Faenza, si è conservato nella città natale del pittore sino alla vendita per L. 1000 alle Gallerie fiorentine da parte degli eredi. La partecipazione del dipinto alla mostra di Portoferraio non è documentata da catalogo. Il quadro è esposto nel Corridoio Vasariano dalla data della sua riapertura. S.P.	Nel tergo, in basso: "Quest'Autobiografia composi nell'anno 1916 - Arrigo Minerbi". Richiesto nel 1924 e donato dall'artista nello stesso anno (nota inventariale). Esposto prima dell'ultima guerra nella Galleria degli Uffizi, poi con gli altri autoritratti di scultori è stato trasferito nelle collezioni della Galleria d'Arte Moderna. Non è stato possibile ritrovare la data di morte dello scultore. L'opera si trova attualmente nei depositi della Galleria d'Arte Moderna di Palazzo Pitti. Gr. Red. 1	Acquistato a Roma l'anno della morte del pittore da Paolo Falconieri per il cardinal Leopoldo de' Medici: il proprietario (di cui i documenti tacciono il nome) l'aveva avuto in dono dall'autore e lo vendette per 35 scudi. Il 15 settembre 1666 fu spedito a Firenze e passò in galleria col resto della collezione del cardinale il 28 ottobre 1682 (ASF, Guard. 870, c. 160v). Un altro autoritratto del Mola, a pastello, fu acquistato da Cosimo III nel 1692 e si trova oggi al Gabinetto Disegni e Stampe degli Uffizi. S.M.T.

	A611	A612	A613	A614
AUTORE	Mola, Pier Francesco (Coldrerio 1612 - Roma 1666).	Monogrammista H.L.	Monti, Francesco (Bologna 1682 - Brescia 1768).	Moor, Karel, de (Leida 1656 - Warmond 1738).
TITOLO	Autoritratto.	Ritratto di uomo anziano.	Autoritratto.	Autoritratto.
DATAZIONE	1650 ca.	Ultimo quarto sec. XIX.	Primo quarto sec. XVIII.	1691.
DATI TECNICI	Pastello su carta, 34,7x24,9.	Acquerello e guazzo su carta, 69x49.	Olio su tela, 75x59,5.	Olio su tela, ovale, 78X64.
CORNICE	Passepartout di cartone bianco, sec. XX.	Sagomata e dorata con granitura e decorazioni in pastiglia sec. XIX.	Salvadora dorata con cartiglio, sec. XVIII.	Intagliata, dorata, sec. XVIII.
UBICAZIONI	Cosimo III de' Medici; Uffizi (1692); Gabinetto Disegni e Stampe (1881).	Depositi Pitti; Depositi Uffizi.	Coll. Puccini (1725); coll. Pazzi; Uffizi (1768).	Uffizi (1692).
ATTRIBUZIONI	—	—	—	—
ESPOSIZIONI	Mostra dei ritratti eseguiti in disegno..., Firenze 1911, cornice 497.	—	—	—
BIBLIOGRAFIA	R. Cocke, Pier Francesco Mola, Oxford 1972. *V. Martinelli in Commentari IX, 1958.*	—	R. Roli in Arte antica e moderna 17, 1962. U. Ruggieri, Francesco Monti, Bergamo 1968. *S. Meloni Trkulja in Paragone 343, 1978.*	J. Rosenberg - S. Slive - E. H. Ter Kuile: Dutch Art and Architecture 1600-1800, Harmondsworth 1966. *AGF: K. Langedijk, Scheda ministeriale 1978.*
INVENTARIO	GDSU n. 823 E.	5515.	1766 (C.P., p. 211, n. 346).	1892 (C.P., p. 106, n. 239).
FOTO	83562.	—	280823.	305742.
NOTE	Dopo che il cardinal Leopoldo de' Medici si era procurato un autoritratto del Mola su tela (inv. 1890 n. 1805), Cosimo III ne acquisì uno a pastello, che fu mandato in galleria il 18 agosto 1692 (ASF, Guard. 968, c. 54v) e figura negli inventari del 1704 (n. 1749), del 1753 (n. 1121) e del 1769 (n. 2016). Non sappiamo quando fosse tolto dalla cornice e passato fra i disegni, dove è inventariato nel 1881. L'identificazione è certa — composizione e misure collimano con le descrizioni antiche — e l'attribuzione si è sempre mantenuta. S.M.T.	Siglato in basso con il monogramma H.L. (lettere intrecciate). Sul verso, a matita, la scritta: 910/oro (?)/£ 20. La carta ha una filigrana con la scritta R M Fabriano. Il personaggio ritratto — che potrebbe essere lo stesso artista — ha in testa un grande turbante viola all'orientale. Il dipinto venne inventariato senza nessuna indicazione di provenienza. Nonostante le ricerche compiute non è stato finora possibile accertare né la storia del dipinto, né l'identità del pittore (forse francese) che si cela in quelle due iniziali. Il dipinto si trova attualmente nei Depositi degli Uffizi. E.S.	Acquistato col resto della collezione di Tommaso Puccini dall'abate Antonio Pazzi e da questi venduto alla Galleria intorno al 1768. Mai studiato con l'opera del suo autore, pur recentemente trattata dalla critica, questo autoritratto risale probabilmente alla permanenza dell'artista presso Giovan Gioseffo Dal Sole, dalla cui scuola vengono altri autoritratti della collezione Puccini (Felice e Lucia Torelli, Ferretti etc.). S.M.T.	Firmato e datato in alto a destra: C. d. Moor / Lugdunus Batavus / manu propria / A. n MDCXCI. Il dipinto entrò agli Uffizi nel 1692 (ASF, Guard. 968, c. 40v). Inciso in Museo Fiorentino, vol. IV, 1762, p. 260. M.C.

	A615	A616	A617	A618
Autore	Morandi, Giovanni Maria (Firenze 1622 - Roma 1717).	Morazzone, Mazzuchelli Pier Francesco, detto il (Morazzone, Varese 1573 - Morazzone ? 1626).	More, Jacob (Edimburgo 1740 - Roma 1793).	Morelli, Domenico (Napoli 1823-1901).
Titolo	Autoritratto.	Autoritratto.	Autoritratto.	Autoritratto.
Datazione	1670-80?		1783.	1864 (Bertini Calosso 1924), 1886 (Levi 1906), 1870-1880 ca?
Dati tecnici	Olio su tela, 72,5x58, rintelato.		Olio su tela, 198x147,5, restauro 1976.	Olio su tela, 65x54.
Cornice	Salvadora dorata, sec. XVIII.		Liscia, dorata, sec. XIX-XX.	Sagomata e dorata, sec. XX.
Ubicazioni	Cosimo III de' Medici; Uffizi (1689).			Uffizi (1898).
Attribuzioni	—		—	—
Esposizioni	—		Firenze e l'Inghilterra. Rapporti artistici e culturali dal XVI al XX secolo, Firenze 1971. British Artists in Rome 1700-1800, Londra 1974.	Mostra della Società Amatori e Cultori di Belle Arti, Roma 1903. XVI Esposizione internazionale d'arte della città di Venezia, Venezia 1926. L'Art italien des XIXme et XXme siècles, Parigi 1935. Ausstellung italienischer Kunst etc., Berlino 1937.
Bibliografia	E. Waterhouse in Studies in Renaisance & Baroque Art presented to Anthony Blunt..., London/New York 1967.		E.K. Waterhouse: Painting in Britain 1530-1790, Harmondsworth 1953. Cat. mostra Il Settecento a Roma, Roma 1959. Cat., Firenze 1971, n. 60. Cat., Londra 1974, n. 96.	L. e F. Luciani, Dizionario dei pittori italiani dell' '800, Firenze 1974. S. Pinto, in Cat. Romanticismo storico, Firenze 1974. P. Levi, D. Morelli nella vita e nell'arte, Roma 1906. P. Bertini Calosso, in Etudes italiennes, settembre 1924. Prinz 1971.
Inventario	1722 (C.P., p. 106, n. 255).		2092 (C.P., p. 106, n. 523).	3133 (C.P., p. 107, n. 729).
Foto	249104.		109427.	5817.
Note	Mandato in galleria da Cosimo III de' Medici il 6 novembre 1689 (ASF, Guard. 904, c. 214v). È possibile che il granduca abbia ottenuto il ritratto, come tanti altri, dal cardinal Flavio Chigi, che impiegò il Morandi come ritrattista prima che rifulgesse la stella del Baciccio. Ve ne è una variante all'Accademia di San Luca in Roma, di cui l'artista fu membro fin dal 1657 (cfr. S. Susinno in L'Accademia Nazionale di San Luca, Roma 1974, p. 213 nota 11). S.M.T.	Vedi: Scuola bolognese sec. XVI. Ritratto di pittore. Scheda A832.	Firmato e datato: Jacob More Prinx.ᵗ/Roma 1783. L'autoritratto, nel quale l'artista si rappresentò su uno sfondo silvestre ispirato ai boschi nei dintorni di Roma, fu da lui donato alla Galleria degli Uffizi durante un suo soggiorno a Firenze nel maggio 1784. Il quadro fu criticato dai suoi colleghi romani per le dimensioni eccessive nelle quali individuavano un tratto di presunzione da parte dell'artista. M.C.	Firmato in basso a sinistra: D. Morelli; e in basso a destra: Morelli (appena leggibile). Un autoritratto fu richiesto all'artista nel 1864 e sollecitato nel 1886, nel 1892 e nel 1895; questo fu donato dal pittore nel 1896 (AGF, 1883 (C), 107 bis; Arte 81; Arte 796). Nella monografia più completa sull'artista (quella del Levi) sono ricordati altri due autoritratti di Morelli: uno del 1852 nell'Accademia di Belle Arti di Napoli, e uno del 1886 nella Galleria nazionale d'arte moderna di Roma. Nel 1973 l'Ashmolean Museum di Oxford ha acquistato un autoritratto del Morelli proveniente dalla collezione di Lady Berwick. Nessuna delle due date proposte dalla critica sembra plausibile per questo autoritratto degli Uffizi, riferibile forse all'ottavo decennio. Attualmente esposto nel Corridoio Vasariano. E.S.

	A619	A620	A621	A622
AUTORE	Morghen, Giovanni Elia (Firenze 1717 o 1721 - post 1756).	Moricci, Giuseppe (Firenze 1806-1879).	Moro Antonio, Moor van Dashorts Anthonis, detto (Utrecht 1517 - Anversa 1576).	Moro Antonio, Moor van Dashorts Anthonis, detto (Utrecht 1517 - Anversa 1576), scuola di.
TITOLO	Autoritratto.	Autoritratto.	Autoritratto.	Ritratto di una pittrice?
DATAZIONE	Metà sec. XVIII.	1855-60 ca.	1558.	1560-70 ca.
DATI TECNICI	Olio su tela, 73x61.	Olio su tela, 31x25.	Olio su tavola, 113x84.	Olio su tela, 91x66.
CORNICE	Salvadora dorata e gialla con cartiglio, sec. XVIII.	D'epoca, alla fiamminga.	Barocca, nera e oro.	Intagliata, dorata, sec. XVII-XVIII.
UBICAZIONI	Coll. Pazzi; Uffizi (1768).	Eredi dell'artista; Uffizi (1927).	Uffizi (1682).	Uffizi (sec. XIX), Pitti (1928).
ATTRIBUZIONI	—·	—	—	Lavinia Fontana (Inv. Uffizi sec. XIX). Scuola di Antonio Moro (Rusconi 1937, Francini Ciaranfi 1964).
ESPOSIZIONI	—·	—	Firenze 1949. I Fiamminghi e l'Italia, Bruges-Venezia-Roma 1951. Vijf Eeuwen Nederlandse Portretkunst, Amsterdam 1952. De Eeuw van Bruegel, Bruxelles 1963. De Schilder en zijn Wereld, Delft-Anversa 1964-1965.	Mostra di arte fiamminga e olandese, Firenze 1947.
BIBLIOGRAFIA	*S. Meloni Trkulja in Paragone 543, 1978.*	*Giuseppe Moricci, Cat. mostra, Firenze 1979. H. M. von Erffa, in: Mitteilungen des Kunsthistorischen Institutes in Florenz, Firenze 1971, p. 330-331.*	H. Gerson-E. H. Ter Kuile: Art and Architecture in Belgium 1600-1800, Harmondsworth 1960. *AGF: K. Langedijk, Scheda ministeriale 1978.*	G. vonder Osten - H. Vey: Paintiny and Sculpture in Germany and the Nethurlands, 1500-1600, Harmondsworth 1969. *A. I. Rusconi: La Galleria Pitti, Roma 1937, p. 172. Cat., Firenze 1947, N. A. M. Francini Ciaranfi: La Galleria Pitti, Firenze 1964, p. 92.*
INVENTARIO	2027 (C.P., p. 211, n. 658).	8561.	1637 (C.P., p. 106, n. 462).	1841.
FOTO	5818.	15824.	124886-87.	128298.
NOTE	Il nome dell'autore è riportato in grafia antica sul telaio. Fratello e collaboratore dell'incisore Filippo, zio e primo maestro del celebre Raffaello Morghen, padre di due incisori — Antonio e Guglielmo — è però il meno noto di tutti. S.M.T.	A tergo sul telaio si legge la seguente dedica: Al carissimo Amico Bembaron Alfredo - Torello e (...) questo ricordo aff.te otto.e 1879. Acquistato nel 1927 presso la nipote del pittore Gemma Allisiardi Moricci, che lo aveva offerto nel 1925, per mille lire. (AGF, Arte 796, in doc. autoritratti). La dedica fa presumere l'intenzione (non realizzata) del fratello di Giuseppe, Torello, di donare il ritratto, per ricordo del pittore da poco defunto, al filantropo livornese suo collezionista. Attualmente nelle riserve degli Uffizi. S.P.	Scritta in basso del cavalletto: Ant. Morus Philippi Hisp. Reg. Pictor sua ipse depictus manu 1558. Sul cavalletto è una lettera scritta in greco allusiva alle virtù artistiche del pittore. Il dipinto fu acquistato a Londra nel 1682 per Cosimo III de' Medici: proveniva dall'eredità del pittore Peter Lely and the Grand Duke of Tuscany, in Burlington Magazine, 1958). Inciso in Museo Fiorentino, vol. I, 1752, p. 127. M.C.	Il ritratto, la cui provenienza non è documentata, era attribuito, nell'Ottocento, a Lavinia Fontana, ma il Rusconi pensa che i pennelli e la tavolozza tenuti in mano dalla dama siano un'aggiunta posteriore per fare del ritratto un autoritratto della pittrice. L'attuale orientamento è di attribuirlo alla cerchia di Antonio Moro, del quale infatti presenta le caratteristiche di impostazione ma non la finezza di esecuzione. M.C.

	A623	A624	A625	A626
Autore	Moroni, Giovanni Battista (Albino, Bergamo 1529 ca. - Bergamo 1578).	Morto da Feltre, Luzzo Lorenzo, detto (Feltre 1480 ca. - 1526-27).	Munari, Cristoforo (Reggio Emilia 1667 - Pisa 1720).	Murray, David (Glasgow 1849 - Londra 1933).
Titolo	Autoritratto.	Autoritratto.	Autoritratto.	Autoritratto.
Datazione			1710.	1915.
Dati tecnici			Olio su tela, 73,5x61,2, restauri 1964 e 1972.	Olio su tela, 127x105.
Cornice			Salvadora dorata con cartiglio, sec. XVIII.	Intgaliata, dorata, sec. XX.
Ubicazioni			Coll. Puccini (1725); coll. Pazzi; Uffizi (1768).	Uffizi (1915).
Attribuzioni			—	—
Esposizioni			Cristoforo Munari e la natura morta emiliana, Parma 1964.	Firenze e l'Inghilterra. Rapporti artistici e culturali dal XVI al XX secolo, Firenze 1971.
Bibliografia			*A. G. Quintavalle in Cat., Parma 1964, n. 1. S. Meloni Trkulja in Paragone 343, 1978.*	Thieme-Becker, XXV, 1931. *Cat., Firenze 1971, n. 87.*
Inventario			1770 (C.P., p. 211, n. 504).	8444 (C.P., p. 211, n. 465).
Foto			194991.	109438.
Note	Vedi: Testa Pietro. Autoritratto (?). Scheda A932.	Vedi: Scuola lombarda sec. XVI. Presunto autoritratto di Morto da Feltre. Scheda A862.	A tergo è trascritto 'Christofano Munari / da Reggio di Modana / 1710', scritta piuttosto che firma data la forma toscana (e non emiliana) del nome di battesimo. Il dipinto appartenne al medico pistoiese Tommaso Puccini, poi all'abate Antonio Pazzi, che lo vendette alla galleria. La data collima col soggiorno fiorentino dell'autore. La cornice apparteneva a un altro autoritratto della collezione Pazzi, quello di G. E. Morghen (inv. 1890 n. 2027), come scritto sul telaio. S.M.T.	Firmato e datato: D. Murray 1915. Il dipinto fu inviato dall'artista su invito della Galleria. M.C.

	A627	A628	A629	A630
AUTORE	Murray, Thomas (Scozia 1663 - Londra 1735).	Mussini, Cesare (Berlino 1804 - Firenze 1879).	Mussini, Luigi (Berlino 1813 - Siena 1888).	Nagel, Georg Abraham (Norimberga 1712 - Roma 1779).
TITOLO	\utoritratto.	Autoritratto.	Autoritratto.	Autoritratto.
DATAZIONE	1705 ca. (Webster 1971).	1843-1873.	1868 ca.	1742.
DATI TECNICI	Olio su tela, 54,5x42,5.	Olio su tela, 83,5x66,5.	Olio su tela, 64x51,5.	Olio su tela, 74,5x58, restauro 1959.
CORNICE	Liscia, dorata, sec. XVIII.	D'epoca, in legno intagliato e dorato.	D'epoca, dorata con passepartout di luce ovale ornato.	Salvadora dorata con cartiglio, sec. XVIII.
UBICAZIONI	Cosimo III de' Medici; Uffizi (1708).	Uffizi (1849).	Uffizi (1868 ca.); Galleria d'Arte Moderna, Pitti (1976).	Coll. Pazzi; Uffizi (1768); Poggio Imperiale (1845); Pitti; Uffizi (1979).
ATTRIBUZIONI	—	—	—	—
ESPOSIZIONI	Firenze e l'Inghilterra. Rapporti artistici e culturali dal XVI al XX secolo, Firenze 1971.	—	—	—
BIBLIOGRAFIA	E.K. Waterhouse: Painting in Britain 1530-1790, Harmondsworth 1953. *A.M. Crinò, in Riv. d'arte, XXXVI, 1961-62. Cat., Firenze 1971, n. 50.*	Cultura neoclassica e romantica nella Toscana granducale, catalogo della mostra, Firenze 1972.	J. M. Marquis in: « Bulletin su Musée Ingres, n. 42, dic. 1978. *C. Del Bravo in Cat.: Ingres e Firenze, Firenze 1968, p. 166-167. Idem in cat.: Disegni italiani del XIX secolo, Firenze 1971, p. 92-93.*	*S. Meloni Trkulja in Paragone 343, 1978.*
INVENTARIO	1647 (C.P., p. 107, n. 224).	1941 (C.P., p. 107, n. 526).	1999 (C.P., p. 107, n. 539).	Imperiale rosso 579.
FOTO	5819.	171460.	171454.	157939.
NOTE	Il dipinto fu donato a Cosimo III de' Medici dall'artista stesso ed entrò agli Uffizi nel 1708 (ASF, Guard. 1171, c. 7v). Inciso in Museo Fiorentino, IV, 1762, p. 207. M.C.	Il quadro è firmato e datato in basso a sinistra: C. Mussini / 1873. Il dipinto che ritrae il pittore poco meno che quarantenne fu da questi donato alla Galleria nel 1849 alla vigilia della partenza per Pietroburgo (AGF, filza LXXIII del 1849, 51). Probabilmente (ma non si è trovata documentazione al riguardo) in occasione di un ritocco o restauro trent'anni dopo l'esecuzione del dipinto, il pittore vi appose la firma e la data 1873. Attualmente collocato nelle riserve. S.P.	L'opera fu richiesta all'artista contemporaneamente ad altri autoritratti di professori accademici: Ciseri, Puccinelli, Ussi, Pollastrini e l'8 dicembre 1864 il pittore ringraziava dell'onore fattogli (AGF, Arte 796, in doc. autoritratti). Non è notizia di quando il dipinto sia stato effettivamente eseguito e consegnato ma l'esistenza di un autoritratto preparatorio presso il Monte de Paschi di Siena datato 1868 permette di collocare il nostro intorno a tale data. Gli altri autoritratti di Luigi Mussini elencati dal Del Bravo sono quello a matita del GDSU (n. 19007 F), quello già ritenuto autoritratto del Franchi della Pinacoteca comunale di Prato ed uno riprodotto nel frontespizio dell'Epistolario artistico del Mussini. È esposto attualmente nella Galleria d'arte moderna. S.P.	A tergo: 'Portrait Du George Abraham Nagel de Nuremberg depeint par Sue (?) Mesme à Florence L'Ann 1742. Agé 30'. L'autore fu infatti attivo a Firenze dal 1736 al 1742 per il barone Stosch, come David Lüders (inv. Imperiale rosso 599), di cui vi è pure in galleria un autoritratto coevo con simile scritta francese sgrammaticata. I ritratti appartennero all'abate Antoni Pazzi, che li vendette con tutta la sua raccolta alla galleria. S.M.T.

	A631	A632	A633	A634
AUTORE	Nani, Napoleone (Venezia 1841-1899).	Nannetti, Nicolò (Firenze 1675-1749).	Nanteuil, Robert (Reims 1623 - Parigi 1678).	Nasini, Antonio (Castel del Piano 1643 - Torrenieri 1715).
TITOLO	Autoritratto.	Autoritratto.	Autoritratto.	Autoritratto.
DATAZIONE	1884.	Primo quarto secolo XVIII.	1660 ca.	Ultimo quarto sec. XVII.
DATI TECNICI	Olio su tela, 79x60.	Olio su tela, 72,5x58,3.	Pastello su carta, 52x41.	Olio su tela, 74x59,5.
CORNICE	Sagomata e dorata con decorazioni in pastiglia, sec. XIX.	Salvadora dorata, sec. XVIII.	Ebano, sec. XIX.	Salvadora dorata, sec. XVIII.
UBICAZIONI	Uffizi (1884).	Coll. Puccini (1725); coll. Pazzi; Uffizi (1768).	Card. Leopoldo de' Medici (1669); Uffizi (1704).	Coll. Pazzi; Uffizi (1768).
ATTRIBUZIONI	—	—	—	—
ESPOSIZIONI	—	—	Pittura francese nelle collezioni pubbliche fiorentine, Firenze 1977.	—
BIBLIOGRAFIA	Thieme-Becker, XXV, 1931. L. e F. Luciani, Dizionario dei pittori italiani dell' '800, Firenze 1974.	*S. Meloni Trkulja in Dizionario Bolaffi VIII, Torino 1975; id. in Paragone 343, 1978. G. Leoncini in Paragone 345, 1978.*	E. Bouvy, Nanteuil, Paris 1924. *Cat., Firenze 1977, n. 2.*	G. Nasini, Della vita e delle opere del cavalier Giuseppe Nasini, Prato 1872. Dizionario Bolaffi VIII, Torino 1976. *S. Meloni Trkulja in Paragone 343, 1978.*
INVENTARIO	1951 (C.P., p. 107, n. 609).	1662 (C.P., p. 211, n. 492).	2071 (C.P., p. 107, n. 536).	2017 (C.P., p. 212, n. 500).
FOTO	72283.	249089.	169399.	112422.
NOTE	Firmato e datato sulla sinistra: N. Nani 1884. Un autoritratto fu richiesto nel 1883 all'artista che donò questo nel 1884 (AGF, 1883, (E), 2, 135; 1884, (E), 2, 24). Attualmente nei Depositi degli Uffizi. E.S.	A tergo sulla tela i numeri che il ritratto aveva nelle liste delle collezioni Puccini e Pazzi a cui appartenne. L'abate Antonio Pazzi vendette alla galleria due autoritratti del pittore, uno dei quali (n. 102) uscì di galleria nel 1772 (AGF, filza V a 11). Per Tommaso Puccini il Nannetti lavorò anche a fresco, nella sua celebre villa di Pistoia. S.M.T.	Acquistato (1669) a Parigi nello studio dell'artista da Cosimo de' Medici, principe di Toscana, che lo donò allo zio, card. Leopoldo. Nel 1704 passò da Pitti agli Uffizi (Inv. n. 1717). Incisioni: Museo Fiorentino, 1756, p. 227, tav. XXXVIII; Reale Galleria, III s., vol. III, 1821, p. 148, tav. CCXXXII. M.C.	A tergo scritta antica 'nasini' e i numeri che caratterizzano i dipinti della collezione dell'abate Antonio Pazzi, venduta alla galleria intorno al 1768. Antonio Nasini, sacerdote, è il fratello maggiore del più noto Giuseppe Nicola, che benché senese visse e lavorò anche a Firenze; il Pazzi poté avere questo ritratto tramite Giuseppe o il figlio di questi, Apollonio, pure pittore. S.M.T.

	A635	A636	A637	A638
AUTORE	Nasini, Giuseppe Nicola (Castel del Piano 1657 - Siena 1736).	Natoire, Charles-Joseph (Nimes 1700 - Castelgandolfo 1777).	Nebbia, Cesare (Orvieto 1536-1614)?	Neff, Timofej Andrejevic (Thimoleon Karl) (Mödders, Estonia 1804 - Pietroburgo 1876).
TITOLO	Autoritratto.	Autoritratto.	Autoritratto?	Autoritratto.
DATAZIONE	Primo quarto sec. XVIII.	1761.	Prima metà sec. XVII.	1840.
DATI TECNICI	Olio su tela, 72x58.	Olio su tela, 73x59.	Olio su tela, 76,5x62,8.	Olio su tela, 76,5x58,5.
CORNICE	Salvadora dorata con cartiglio, sec. XVIII.	Liscia, dorata, sec. XVIII.	Salvadora dorata con cartiglio, sec. XVIII.	Intagliata e dorata con decorazioni a motivi vegetali, sec. XIX.
UBICAZIONI	Uffizi (1753); Palazzo Vecchio sec. XIX); Uffizi (1872).	Uffizi (1761).	Uffizi (1769).	Eredi dell'artista; Uffizi (1883).
ATTRIBUZIONI	—	—	—	—
ESPOSIZIONI	—	Mostra della pittura francese a Firenze, Firenze 1945. L'Italia vista dai pittori francesi del XVIII e XIX secolo, Roma 1961. Pittura francese nelle collezioni pubbliche fiorentine, Firenze 1977.	—	—
BIBLIOGRAFIA	G. Nasini, Della vita e delle opere del cav. Giuseppe Nasini, Prato 1872.	Cat., Firenze 1945, n. 58. F. Boyer: Catalogue raisonné de Charles Natoire, Bull. de la Soc. de l'Hist. de l'art français, 1949. Cat., Firenze 1977, n. 17.	V. Moccagatta in Arte in Europa, Scritti... in onore di Edoardo Arslan, Milano 1966.	Thieme-Becker, XXV, 1931.
INVENTARIO	2052 (C.P., p. 212, n. 673).	1904 (C.P., p. 107, n. 468).	2034 (C.P., p. 212 n. 521).	1940 (C.P., p. 107, n. 646).
FOTO	5822.	115925.	112423.	96059.
NOTE	Non vi sono notizie sull'ingresso di questo autoritratto, che figura per la prima volta nell'inventario del 1753 e dovette arrivare dopo la morte dell'artista (l'anno di morte è ricordato sul cartiglio della cornice, di solito coevo all'entrata in galleria del quadro), forse tramite il figlio Apollonio. L'artista vi porta la crocetta rossa dell'ordine di S. Stefano, avuto dal granduca Cosimo III che aveva finanziato i suoi studi a Roma e Venezia nell'ultimo quindicennio del Seicento. Allontanato dall'esposizione dopo il 1825 e immagazzinato in Palazzo Vecchio, il quadro fu riesposto quando il discendente del pittore, preparandone la monografia, lo ricercò. S.M.T.	Firmato in basso a destra: Natoire 1761. Inviato in quell'anno da Roma, dove l'artista dirigeva l'Accademia di Francia, su invito della direzione della Galleria degli Uffizi, è ricordato nell'inventario del 1769. Incisioni: Lasinio 1790 ca. M.C.	Entrato in galleria poco prima del 1769, quando è .inventariato per la prima volta (col n. 3463, presente a tergo sulla tela), è uno dei pochissimi autoritratti entrati durante la reggenza (1737-65), non si sa con precisione in che circostanze. È dubbio che rappresenti il Nebbia; sembrerebbe, per il costume e il successo tessuto pittorico, più tardi. Non è mai stato considerato dalla critica. S.M.T.	Firmato e datato in basso a destra: Neff 1840. L'opera fu offerta in dono agli Uffizi dalla figlia dell'artista nel 1883 e fu accettata dalla Direzione della Galleria in quello stesso anno (AGF, Arte 796). Fra i documenti relativi a questo dono si trova una breve biografia del pittore scritta dalla figlia da cui risulta che l'artista nacque il 2 ottobre 1804, e non il 2 ottobre 1895 come indicato, per esempio, nel Thieme-Becker. L'opera si trova attualmente nel Corridoio Vasariano. E.S.

	A639	A640	A641	A642
AUTORE	Nobili, Riccardo (Firenze 1859 - 1939).	Nomellini, Plinio (Livorno 1866 - Firenze 1943).	Nomellini, Plinio (Livorno 1866 - Firenze 1943).	Northcote, James (Plymouth 1746-1831).
TITOLO	Autoritratto.	Ritratto di Lorenzo Viani.	Autoritratto.	Autoritratto.
DATAZIONE	1938.	1902 ca.	1913 ca.	1778.
DATI TECNICI	Olio su tela, 73x52.	Olio su tela, 61x48.	Olio su tela, 69x57.	Olio su tela, 76,5x60.
CORNICE	Sagomata, dipinta in nero e dorata, sec. XVII.	Novecentesca, sagomata e dorata con passepartout in tela grezza.	Sagomata e dorata (sec. XX).	Intagliata, dorata, sec. XVIII.
UBICAZIONI	Eredi dell'artista; Galleria d'Arte Moderna, Pitti (1952).	Coll. Viani (?); Coll. privata, Viareggio; Coll. Tassi (1976 ca.); Galleria d'Arte Moderna, Pitti (1978).	Eredi dell'artista; Galleria d'Arte Moderna, Pitti (1950).	Uffizi (1778).
ATTRIBUZIONI	—	—	—	–-
ESPOSIZIONI	Mostra personale alla Soc. 'Leonardo da Vinci', Firenze, 1940.	Decima Mostra Mercato Internazionale dell'antiquariato, Firenze 1977; Arte a Lucca 1900-1945, Lucca 1978.	—	Firenze e l'Inghilterra. Rapporti artistici e culturali dal XVI al XX secolo, Firenze 1971.
BIBLIOGRAFIA	Comanducci, IV, Milano 1973.	L. e F. Luciani, Dizionario dei pittori italiani dell'800, Firenze 1974. *Cat., Firenze 1977. Cat., Lucca 1978.*	R. Monti, G. Nudi, Mostra di Plinio Nomellini, Firenze, 1966.	E.K. Waterhouse: Painting in Britain 1530-1790, Harmondsworth 1953. D. Irwin: English Neoclassical Art, London 1966. *Cat., Firenze 1971, n. 61.*
INVENTARIO	GAM Giornale 2451.	GAM Giornale 2939.	GAM Giornale 1248.	1929 (C.P., p. 107, n. 494).
FOTO	185078.	317335.	186384.	173983.
NOTE	Firmato e datato in basso a destra: "Riccardo Nobili-Venezia-1938". Nel tergo, dattiloscritto: "Esposto alla Mostra personale alla Soc. 'Leonardo da Vinci'-Palazzo Corsini, Firenze, 1940. In memoria di mio Marito Riccardo Nobili-Dono questo Quadro alla Galleria d'Arte Moderna. Grazia Nobili". Donato dalla vedova dell'artista nel 1952 (nota inventariale). L'opera si trova attualmente nei depositi della Galleria d'Arte Moderna di Palazzo Pitti. La medesima Galleria conserva quella che è forse l'unica opera nota del pittore, il dipinto 'In birreria' del 1886. Gr. Red. 1	Firmato in basso a sinistra: P. Nomellini. Ritratto del pittore Lorenzo Viani (Viareggio 1882 - Lido di Roma 1936) in età sui vent'anni. Acquistato per la collezione dei ritratti dei pittori nel 1978 e collocato in Galleria d'arte moderna. S.P.	Firmato nell'angolo in basso a destra: "P. Nomellini". Dono dei figli Vittorio e Alceste (14.2.1950). Il pittore stesso era stato invitato a donare l'autoritratto nel 1913 e nel 1935 (nota inventariale). Una datazione approssimativa può ricavarsi dall'anno della prima proposta di donazione. L'opera si trova attualmente nei depositi della Galleria d'Arte Moderna di Palazzo Pitti. Gr. Red. 1	Firmato e datato: James/Northcote7Pinx.t/1778. L'autoritratto fu inviato dall'artista su sollecitazione del direttore degli Uffizi, Bencivenni Pelli, ed entrò in Galleria nel novembre 1778. In quell'anno Northcote fu nominato anche membro dell'Accademia fiorentina di Belle Arti e nel 1779 dell'Accademia Etrusca di Cortona: a entrambe inviò il suo autoritratto (cfr. inv. 1890, n. 2079). M.C.

	A643	A644	A645	A646
AUTORE	Northcote, James (Plymouth 1746-1831).	Nuvoloni, Giuseppe (Milano 1619-1703 ca.).	Opie, John (St. Agnes, Truro 1761 - Londra 1807), attr. a.	Opsomer, Isidor (Lier 1878-1967).
TITOLO	Autoritratto.	Autoritratto.	Autoritratto?	Autoritratto.
DATAZIONE	1779.	Terzo quarto sec. XVII.	1800 ca.?	1935 ca.
DATI TECNICI	Olio su tavola, 72x51,5.	Olio su tela, 93x74.	Olio su tela, 57x46.	Olio su tela, 92,5x74.
CORNICE	Intagliata, dorata, sec. XVIII.	Salvadora dorata sec. XIX.	Liscia, dorata, sec. XIX.	Intagliata, tinta in bianco con lumeggiature a oro, sec. XX.
UBICAZIONI	Accademia (1779); Uffizi (1905 ca).	Casa Fumagalli, Robbiate; Uffizi (1912).	Uffizi (1917).	Uffizi (1938).
ATTRIBUZIONI	—	—	—	—
ESPOSIZIONI	Firenze e l'Inghilterra. Rapporti artistici e culturali dal XVI al XX secolo, Firenze 1971.	—	—	XX Esposizione Internazionale d'arte della città di Venezia, 1936 (fuori cat.); XXI Esposizione Biennale internazionale d'arte, Venezia 1938; Isidore Opsomer, Anversa-Bruxelles 1957.
BIBLIOGRAFIA	E.K. Waterhouse: Painting in Britain 1530-1790, Harmondsworth 1953. D. Irwin: English Neoclassical Art, London 1966. *Cat., Firenze 1971, n. 62.*	*Dizionario Bolaffi VIII, Torino 1975.*	E.K. Waterhouse: Painting in Britain 1530-1790, Harmondsworth 1953. J.J. Rogers: Opie and His works, London 1878. A. Eorland: John Opie and His Circle, 1911. «John Opie», Arts Council Exhibitions, London 1962-63. *Thieme-Becker, XXVI, 1932.*	Vollmer, III, 1956; R. H. Wilenski, Flemish Painters 1430-1830, Londra 1960. *AGF:, K. Langedijk, Scheda ministeriale 1978.*
INVENTARIO	2079 (C.P., p. 121, n. 494).	3585.	6367.	9222.
FOTO	156046.	5823.	10441.	106348.
NOTE	Firmato e datato: «The/Portrait of/James Northcote/Painted by himself in Florence 1779». Nominato membro dell'Accademia di Belle Arti di Firenze, il pittore le donò il proprio autoritratto, passato in seguito nella collezione degli Uffizi. M.C.	Acquistato dal nobile Guido Fumagalli di Robbiate nel 1912 per Lire 3500. Si tratta, secondo il giudizio espresso allora da Malaguzzi Valeri, di una replica autografa e con varianti dell'autoritratto n. 386 di Brera. La presenza a destra in alto di una statuetta allora conservata in casa Fumagalli sembra indicare che l'ubicazione del dipinto era quella originaria. Vi è una giunta alta 4,5 cm. alla base, senza la quale il dipinto sarebbe praticamente uguale a quello di Brera (87x73). Esisteva a Piacenza una copia della sola testa, offerta alle Gallerie nel 1910 ma rifiutata (AGF, Arte 949). S.M.T.	Il dipinto fu acquistato dalla direzione della Galleria degli Uffizi nel 1917 dal sig. Lewis Edwards di Londra, con l'attribuzione tradizionale a J. Opie. Tuttavia non è affatto sicuro che il ritratto rappresenti l'artista, né che sia di sua mano. Non elencato da M. Webster nel cat. della mostra Firenze e l'Inghilterra..., Firenze 1971. Sul retro della tela è dipinto, con scarsa abilità, l'episodio di Muzio Scevola che brucia la mano nel bracere. M.C.	Firmato in alto a destra: Opsomer. Sul retro cartellini delle mostre citate. L'opera fu offerta in dono dall'artista nel 1938 e fu accettata in quello stesso anno (AGF, Arte 796). Un altro autoritratto del 1930 è riprodotto nella monografia sull'artista pubblicata da Ch. Bernard nel 1947 e da P. Colin nel 1933. L'opera si trova attualmente nei Depositi degli Uffizi. E.S.

	A647	A648	A649	A650
AUTORE	Orchardson, William Quiller (Edimburgo 1831 - Londra 1910).	Orlandini Mack, Ernestina (Kanau, Francoforte 1867 - Firenze ? post 1950-51).	Orpen, William (Stillorgan, Dublino 1878 - Londra 1931).	Ouless, Walter William (St. Helier, Jersey 1848 - Londra 1933).
TITOLO	Autoritratto.	Autoritratto.	Autoritratto.	Autoritratto.
DATAZIONE	1890.	1930-40 ca.	1925.	1918.
DATI TECNICI	Olio su tela, 127x100.	Olio su tela, 70x60.	Olio su tela, 76,5x64.	Olio su tela, 92,5x72.
CORNICE	Intagliata, dorata, sec. XIX.	Sagomata e argentata, sec. XX.	Intagliata, dorata, sec. XX.	Intagliata, dorata, sec. XX.
UBICAZIONI	Uffizi (1890).	Uffizi (1941).	Uffizi (1926).	Uffizi (1918).
ATTRIBUZIONI	—	—	—	—
ESPOSIZIONI	Firenze e l'Inghilterra. Rapporti artistici e culturali dal XVI al XX secolo, Firenze 1971.	—	XV Biennale Internazionale d'Arte, Venezia 1926. Royal Society of Portrait Painters, Londra 1935. Firenze e l'Inghilterra. Rapporti artistici e culturali dal XVI al XX secolo, Firenze 1971.	Royal Academy, Londra 1918.
BIBLIOGRAFIA	T.S.R. Boase: English Art, 1800-1870, Oxford 1959. H. Orchardson Gray: The Life of Sir William Quiller Orchardson, London s.d. J. Maas: Victorian Painters, London 1978 (2 ed.). *Cat., Firenze 1971, n. 88.*	Annuario Artisti Toscani 1950-1951, Firenze 1950. Comanducci, IV, 1973.	*P.G. Konody-S. Dark: Sir William Orpen, 1934. Cat., Firenze 1971, n. 97.*	Thieme-Becker, XXV, 1932. *Cat., Firenze e l'Inghilterra. Rapporti arstitici e culturali dal XVI al XX secolo, Firenze 1971, n. 98.*
INVENTARIO	3091 (C.P., p. 107, n. 715).	9244.	8558.	8471.
FOTO	171351.	278050.	22000.	22001.
NOTE	Siglato e datato: W.Q.Q. 1890. L'artista inviò l'autoritratto su invito della direzione della Galleria degli Uffizi nell'anno della sua esecuzione. M.C.	Firmato in basso a destra: E. Orlardini. L'opera fu offerta in dono dagli Uffizi dalla stessa pittrice nel 1941 (AGF, Arte 796). L'artista, tedesca di nascita (di cognome Mack), si stabilì a Firenze nel 1898 e presentò sue opere nelle sezioni toscane di alcune mostre internazionali organizzate in Italia (Biennale di Venezia 1907; Mostra Internaz. di Roma 1911 etc.). Dai documenti conservati nell'Archivio della Soprintendenza di Firenze la pittrice risulta nata a Kanau nel 1867; nell'Annuario degli Artisti Toscani cit. la pittrice risultava vivente nel 1950 e residente a Firenze nel suo studio di via della Robbia. L'opera si trova attualmente nei Depositi degli Uffizi. E.S.	Invitato a inviare il suo autoritratto, l'artista lo fece pervenire, per tramite della Biennale di Venezia, nel 1926. M.C.	Firmato e datato: W.W. Ouless/ 1918. Inviato su invito della direzione della Galleria degli Uffizi. Una versione è nella Barreau Gallery di St. Helier. M.C.

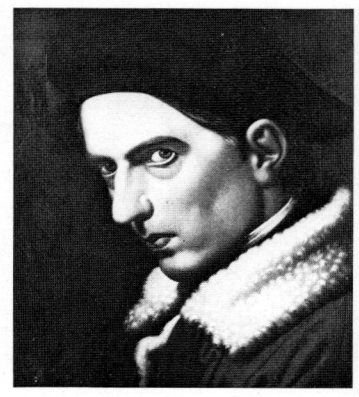   

	A651	A652	A653	A654
Autore	Overbeck, Johann Friedrich (Lubecca 1789 - Roma 1869).	Pagani, Gregorio (Firenze 1558-1605).	Pagani, Gregorio (Firenze 1558-1605).	Paggi, Giovan Battista (Genova 1554-1627).
Titolo	Autoritratto.	Autoritratto.	Autoritratto.	Autoritratto.
Datazione	1844.	1592 ca.		Fine sec. XVI.
Dati tecnici	Olio su tavola, 35x30,5.	Olio su tela, 85x69,5.		Olio su tavola, 40x29.
Cornice	Sagomata e dorata, sec. XIX.	Salvadora dorata, sec. XIX.		Salvadora dorata, sec. XVIII.
Ubicazioni	Uffizi (1845).	Coll. Riccardi (almeno dal 1774); Domenico Bigoli; Uffizi (1828).		Card. Leopoldo de' Medici (ante 1675); Uffizi (1682).
Attribuzioni	—	—		—
Esposizioni	Jahrhundert Ausstellung, Berlino 1906.	—		—
Bibliografia	H. Geller, *Die Bildnisse der Deutschen Künstler in Rom 1800-1830,* Berlino 1952. Prinz 1971. H. Hohl, in *Cat., La peinture allemande à l'époque du Romantisme,* Parigi 1976-77.	C. Thiem, *Gregorio Pagani,* Stuttgart 1970. S. Meloni Trkulja in *Paragone* 343, 1978.		Dizionario Bolaffi VIII, Torino 1975.
Inventario	1934 (C.P., p. 107, n.518).	1705 (C.P., p. 107, n. 284).		1779 (C.P. p. 107 n. 505).
Foto	5825.	117255.		112425.
Note	Firmato in basso a sinistra: F. Overbeck/a.a. LV, m.i.p. L'opera fu donata dall'artista nel 1845 dietro invito della Direzione degli Uffizi (AGF, 1845 (LXIX), 18). Nel museo di Lubecca esiste un disegno strettamente connesso con questo autoritratto degli Uffizi. Si conoscono diversi autoritratti dell'artista in collezioni europee sia pubbliche che private. Attualmente esposto nel Corridoio Vasariano. E.S.	Il quadro è inciso nella 'Serie degli uomini i più illustri...' VIII, Firenze 1774 ed era allora presso i Riccardi; dalla famiglia lo acquistò il pittore Domenico Bigoli che lo vendette alla galleria nel 1828 per 12 zecchini (AGF, filza LII a 1). Ne derivano una tela minore, col nome del pittore in alto (inv. 1890, n. 3097) venuta agli Uffizi dall'Accademia del disegno, e un pastello della raccolta Feroni (inv. Cenacoli, n. 104). L'autenticità del ritratto è provata dal quadro che l'artista dipinge, il Ritrovamento della Croce per la chiesa di S. Maria del Carmine, dipinto nel 1592 e distrutto nell'incendio della chiesa (1771) e dalla descrizione che il Baldinucci dà dei lineamenti del pittore. Con l'ingresso di questa tela venne riconosciuto apocrifo il presunto autoritratto del Pagani venduto agli Uffizi 60 anni prima dall'abate Pazzi (inv. 1890, n. 2475). S.M.T.	Vedi: Scuola fiorentina sec. XVII. Ritratto d'uomo. Scheda A843.	A tergo è indicato in grafia antica il nome dell'artista e il numero d'inventario del 1704 (n. 1662). L'autoritratto entrò in galleria il 28 ottobre 1682 con gli altri della collezione del cardinal Leopoldo; ma poiché nella ricca corrispondenza del cardinale non vi è traccia di un acquisto e il Paggi lavorò per i Medici negli ultimi due decenni del '500, è possibile che il ritratto fosse fin da allora in possesso della famiglia. Proprio il Paggi scrisse nel 1591 a suo fratello che i Medici raccoglievano ritratti di uomini illustri (Prinz, 1971, p. 29). S.M.T.

	A655	A656	A657	A658
Autore	Paglia, Francesco (Brescia 1635-1714).	Pagliano, Eleuterio (Casale Monferrato, Alessandria 1826 - Milano 1903).	Paladini, Arcangela (Pisa 1599 - Firenze 1622).	Palagi, Pelagio (Bologna 1775 Torino 1860).
Titolo	Autoritratto.	Autoritratto.	Autoritratto.	Autoritratto.
Datazione	1692-94.	1891.	1621.	1810-1815 ca. (Grandi 1976).
Dati tecnici	Olio su tela, 94x71.	Olio su tela, 47x34,5.	Olio su tela, 54,5x43,5, restauro 1967.	Olio su tela, 104,5x74,5.
Cornice	Salvadora dorata, inizi sec. XVIII.	Sagomata e dorata con decorazioni a motivi vegetali, sec. XIX.	Salvadora dorata sec. XVIII.	Sagomata e dorata, sec. XIX.
Ubicazioni	Cosimo III de' Medici; Uffizi (1695).	Uffizi (1891).	Maddalena d'Austria (1621); Guardaroba (1676); Uffizi (1693).	Uffizi (1861).
Attribuzioni	—	—	—	—
Esposizioni	La pittura a Brescia nel Seicento e Settecento, Brescia 1935.	—	—	Mostra Pelagio Palagi artista e collezionista, Bologna-Torino 1976-1977.
Bibliografia	*L. Calabi in Cat., Brescia 1935, n. 137. Dizionario Bolaffi VIII, Torino 1975.*	S. Pinto, in Cat. Mostra Romanticismo storico, Firenze 1974. L. Caramel - C. Pirovano, Musei e Gallerie di Milano. Galleria d'arte moderna. Le opere dell' '800, 3, Milano 1975. *Prinz 1971.*	*B. Viallet, Roma s.d. (1923).*	*G. Grandi, in Cat., Bologna-Torino 1976-1977, n. 18.*
Inventario	1850.	5069 (C.P., p. 107, n. 592).	2019 (C.P. p. 212 n. 554).	2100 (C.P., p. 107, n. 565).
Foto	112426.	113073.	249125.	207848.
Note	A tergo scritta 'Effigies Francisci Pagli... / civis brixien: pictoris ». L'artista si ritrae con la sua opera 'Il Giardino / della Pittura riffless... / di France / Paglia' come figura sulla copertina che tiene in mano. Poiché la stesura del libro non è anteriore al 1692 (G. Panazza in Studi di storia dell'arte, in onore di Vittorio Viale, Torino 1967) la data del ritratto si restringe agli anni 1692-94, se il 20 gennaio 1695 esso veniva mandato in galleria da Cosimo III de' Medici (ASF, Guard. 969, c. 148v). S.M.T.	Firmato e datato in alto a sinistra: Pagliano 1891. Un autoritratto fu richiesto all'artista nel 1886; il pittore donò questo nel 1891 (AGF, 1891 (A²) 19). Attualmente nei Depositi degli Uffizi. E.S.	A tergo è trascritta in caratteri più piccoli l'antica scritta in grandi maiuscole (che traspare sotto la rintelatura) 'Seren.ma Mariae Magdalenae Austriacae Iussu Mano propia Se Pingebat A:D: 1621'. Arcangela, figlia del pittore Filippo, fu pittrice, ricamatrice, cantante amatissima alla corte di Cosimo II; sposò nel 1616 il ricamatore Jan Broomans e abitò alle Scalere (via delle Campora); morì ventitreenne e riposa in S. Felicita. Il suo autoritratto fu ricuperato da Cosimo III de' Medici nella guardaroba (dove è documentato nel 1676: ASF, Guard. 741, c. 156 sin.) e mandato in galleria il 3 settembre 1693 (ASF, Guard. 969, c. 87r), benché fosse dichiarato 'non finito'. S.M.T.	Legato per testamento dall'artista: lego il mio ritratto fatto da me stesso esistente nel mio studio a Milano e non del tutto terminato alla Galleria di Firenze in cui sono raccolti i ritratti dei Pittori dipinti da loro medesimi. Il legato fu accettato nel 1861 (AGF 1861 (1) 99). Una copia parziale eseguita da Carlo Bellosio è conservata nel museo civico di Bologna (donata nel 1914); un'altra copia fu fatta eseguire nel 1861 da un pittore milanese per il museo civico di Bologna. Attualmente nei Depositi degli Uffizi. E.S.

	A659	A660	A661	A662
AUTORE	Palizzi, Filippo (Vasto, Chieti 1818 - Napoli 1899).	Palma il giovane, Negretti Jacopo, detto (Venezia 1544-1627).	Palma il giovane, Negretti Jacopo, detto (Venezia 1544-1627).	Panerai, Ruggero (Firenze 1862 - Parigi 1923).
TITOLO	Autoritratto.	Autoritratto.	Ritratto di Paolo Veronese.	Autoritratto.
DATAZIONE	1870.		Primo quarto sec. XVII.	Secondo decennio sec. XX.
DATI TECNICI	Olio su tela, 55x46.		Olio su tela, 45x38, rintelato.	Olio su tela, 69,5x57,5.
CORNICE	Ottocentesca, forse anteriore, dorata con perlinatura.		Dorata intagliata a dentelli con gola graffita a scacchi, sec. XVI.	Sagomata, intagliata e dorata, sec. XX.
UBICAZIONI	Uffizi (1874).		Cosimo III de' Medici (1681); Uffizi (1682); Palazzo Vecchio; Uffizi (1853); Villa Cisterna (1941); Uffizi (1944).	Eredi dell'artista; Uffizi (1925).
ATTRIBUZIONI	—		Paolo Veronese (inventari).	—
ESPOSIZIONI	—		—	—
BIBLIOGRAFIA	L. e F. Luciani, Dizionario dei pittori italiani dell'800, Firenze 1974. *A. Schettini, La pittura napoletana dell'Ottocento, Napoli s.d., p. 142-143.*		D. Cugini, G. Lendorff, Moroni pittore..., Bergamo 1949. *Prinz in Festschrift Ulrich Middeldorf, Berlin 1968. Id, 1971.*	Thieme-Becker, XXV, 1931. L. e F. Luciani, Dizionario dei pittori italiani dell' '800, Firenze 1974.
INVENTARIO	1956 (C.P., p. 107, n. 614).		1808.	9176.
FOTO	252265.		28986	278031.
NOTE	In basso a destra firmato e datato: Filip / Palazzi / se stesso dipingeva / 1870 Napoli. Richiesto all'artista nel 1864, eseguito nel 1870 e consegnato nel 1874 (AGF, Arte 796, in doc. autoritratti) il dipinto figura nelle Guide degli Uffizi sin dal 1875. Attualmente è esposto nel Corridoio Vasariano. S.P.	Vedi: Bassano, Jacopo, Da Ponte, detto. Ritratto d'uomo. Scheda A66.	Dietro traspare la scritta antica "Paulo Veronese". È identificabile con una copia di Palma il giovane da un autoritratto del Veronese proprietà degli eredi Caliari procurato da Venezia a Cosimo III de' Medici nel marzo 1681 per 25 scudi e mandato in galleria il 27 ottobre 1682 come autoritratto di Paolo (ASF, Guard. 870, c. 158r), di cui corrisponde a puntino la descrizione ma che era più grande (74x61 ca.). Questa figura nell'inventario del 1704 (n. 1781) ma non nei successivi, almeno come tale, e ricompare solo nel 1853 (inv. 1825, suppl. n. 2428) proveniente da Palazzo Vecchio. Ne esiste una copia nella coll. Cugini a Bergamo attribuita a G. B. Moroni; ha forti somiglianze col busto dell'artista sulla sua tomba in S. Sebastiano a Venezia. La catena d'oro gli fu data dai procuratori di S. Marco per i dipinti nella Libreria. La cornice apparteneva al ritratto di Maria di Cosimo I del Bronzino (inv. 1890, n. 1472). S.M.T.	Donato dalla vedova dell'artista nel 1925 e accettato in quello stesso anno (AGF, Arte 796). Gli Uffizi possiedono un secondo autoritratto dell'artista (Inv. 1890 n. 9384, vedi scheda). Attualmente nei Depositi degli Uffizi. E.S.

	A663	A664	A665	A666
AUTORE	Panerai, Ruggero (Firenze 1862 - Parigi 1923).	Panfi, Romolo (Carmignano 1632 - Firenze 1701).	Paolini, Pietro (Lucca 1603-1681).	Pardo, Vito (Venezia 1872-1936).
TITOLO	Autoritratto.	Autoritratto.	Autoritratto.	Autoritratto.
DATAZIONE	Secondo decennio sec. XX.	Fine sec. XVII.	Metà sec. XVII.	1923.
DATI TECNICI	Olio su tela, 100,5x70,5.	Olio su tela, 70x55.	Olio su tela, 92x76,5, rintelato.	Bronzo, alt. 69.
CORNICE	Tinta in nero con sagomature dorate, sec. XX.	Salvadora dorata con cartiglio, sec. XVIII.	Salvadora dorata con cartiglio (scritta rifatta), sec. XVIII.	—
UBICAZIONI	Coll. Bolaffi, Firenze; Uffizi (1956).	Coll. Pazzi; Uffizi (1768).	Coll. Pazzi; Uffizi (1768).	Galleria d'Arte Moderna, Pitti (1943 ca.).
ATTRIBUZIONI	–-	–-	—	—
ESPOSIZIONI	—	—	—	—
BIBLIOGRAFIA	Thieme-Becker, XXV, 1931. L. e F. Luciani, Dizionario dei pittori italiani dell'800, Firenze 1974.	*S. Meloni Trkulja in Paragone 343, 1978.*	A. Marabottini Marabotti in Scritti di storia dell'arte in onore di Mario Salmi III, Roma 1963. *A. Ottani in Arte antica e moderna 21, 1963.*	Thieme-Becker, XXVI, 1932.
INVENTARIO	9384.	2082 (C.P., p. 212 n. 689).	1743 (C.P., p. 212 n. 322).	GAM Giornale 872.
FOTO	315545.	182537.	26439.	171478.
NOTE	Offerto in dono agli Uffizi dalla signorina Gianna Bolaffi in memoria della vedova dell'artista, Enrichetta Castiglioni Panerai (AGF, Arte 796). Gli Uffizi possiedono un secondo Autoritratto dell'artista (Inv. 1890 n. 9176, vedi scheda). Un altro autoritratto di Panerai era nella collezione di Autoritratti della Associazione degli Artisti italiani (cfr. Cat. VI Esposizione dell'Associazione degli Artisti italiani, Firenze 1910-1911). Attualmente nei Depositi degli Uffizi. E.S.	Acquistato intorno al 1768 dalla collezione dell'abate Antonio Pazzi; inciso nel catalogo di essa redatto da O. Marrini; il disegno dello stesso Pazzi per l'incisione è al GDSU (n. 4416 O.N.). Il Panfi, allievo del Vignali e maestro del Sagrestani e del Bambocci, lavorò per i Medici soprattutto come paesista e battaglista. La sua data di morte — 22 dicembre 1701 — fin qui ignorata, si ricava dalle Memorie di G.B. Fagiuoli (Bibl. Riccardiana, ms. 2696 c. 152r). S.M.T.	A tergo i numeri della collezione di autoritratti dell'abate Antonio Pazzi, venduta alla galleria intorno al 1768. Il ritratto, di scarsa qualità, è probabilmente una copia (ma non, come scrive A. Ottani, dell'Uomo che scrive' Mazzarosa, che ha tutt'altra composizione) e si lega, per la presenza della testa antica, al ritratto di scultore in casa Orsetti illustrato dal Marabottini. S.M.T.	Nel tergo, sulla base: "Vito Pardo. Autoritratto. Roma 1923". Donato dall'autore. Risulta pervenuto nella sede attuale nel 1943 ca. (nota inventariale). L'opera si trova attualmente nei depositi della Galleria d'Arte Moderna di Palazzo Pitti. Gr. Red. 1

	A667	A668	A669	A670
AUTORE	Parmigianino, Mazzola Francesco detto il (Parma 1504 - Casalmaggiore 1540).	Parodi, Domenico (Genova 1668-1740).	Pasini, Alberto (Busseto, Parma 1826 - Cavoretto, Torino 1899).	Passarotti, Bartolomeo (Bologna 1528-92).
TITOLO	Ritratto virile.	Autoritratto.	Autoritratto.	Autoritratto.
DATAZIONE	Quarto decennio sec. XVI.	Inizi sec. XVIII.	1888.	Terzo quarto sec. XVI.
DATI TECNICI	Olio su tavola, 88x68,5.	Olio su tela, 72x57, restauro 1972.	Olio su tela, 56,5x44.	Olio su tela, 57x40,5, restauro 1972.
CORNICE	Barocca intagliata a motivi geometrici e vegetali stilizzati, dorata.	Salvadora dorata, inizi sec. XVIII.	D'epoca, intagliata e con decorazioni a pastiglia.	Salvadora dorata sec. XVIII.
UBICAZIONI	Cosimo III de' Medici (1682); Uffizi (1682).	Cosimo III de' Medici; Uffizi (1719).	Uffizi (1889).	Coll. Giovanni Marinoni, Venezia; Card. Leopoldo de' Medici (1665); Uffizi (1682).
ATTRIBUZIONI	—	—	—	—
ESPOSIZIONI	—	—	—	—
BIBLIOGRAFIA	S. J. Freedberg, Parmigianino, 1950; A. Ghidiglia Quintavalle, Parmigianino, Milano, 1964.	S. Soldani in Critica d'arte XIV, 1967. Dizionario Bolaffi VIII, Torino 1975.	L. e F. Luciani, Dizionario dei pittori italiani dell'800, Firenze 1974.	*H. Bodmer in Il Comune di Bologna, 1934. Prinz, 1971.*
INVENTARIO	1623 (C.P., p. 106, n. 386).	1649 (C.P. p. 107 n. 422).	1980 (C.P., p. 107, n. 576).	1793 (C.P., p. 107, n. 370).
FOTO	157474.	315592.	321867.	249117
NOTE	Sul retro: G. Francesco Mazzola D° il Parmigianino. Comparso fra gli autoritratti di proprietà del Granduca Cosimo III passò da questi alla Galleria degli Uffizi il 27-10-1682 (ASF, Guard. 870 c. 159r). Fu creduto l'autoritratto del pittore fino a tutto l'Ottocento (cfr. Inv. 1704-1825) e tale compare anche nel Catalogo Pieraccini (ed. 1907 e segg.). L.B.B.	Mandato in galleria da Cosimo III de' Medici il 16 giugno 1719 (ASF, Guard. 1260 bis, c. 76v). Che fosse fatto per il granduca lo dimostra il più grande dei libri che appaiono nello sfondo nella biblioteca del pittore: le Vite del Vasari, sulla cui costola vi è lo stemma mediceo coronato. Il libro accanto ha in costola 'Leonardo da Vinci', quello in basso 'Petrarca' (tutte opere toscane), mentre sui fogli vi è un passo del libro III dell'Eneide ('Genus quo Principe nostrum'). S.M.T.	Firmato e datato in alto a destra: A. Pasini / 1888. Pervenuto l'anno seguente (verbale del 19 settembre, in AGF, doc. autoritratti) risulta esposto almeno fino alla prima guerra mondiale. Attualmente collocato nel Corridoio Vasariano. S.P.	Il quadro fu trovato a Venezia da Paolo del Sera presso il pittore Giovanni Marinoni, che l'aveva ereditato da un parente: inviato al cardinal Leopoldo de' Medici, fu accettato e pagato 40 piastre (120 scudi di Venezia), la metà di quanto richiesto. La poca qualità del dipinto fu riconosciuta ("il suggetto ritratto ha più cera di legniaiolo di Rovezzano, che di celebre Pittore"... "il ritratto per sé stesso non è gran cosa, e che se non fussi fatto di mano del medesimo che è ritratto valerebbe assai meno..."); è anche da controllare se si tratti davvero di Bartolomeo Passerotti, come il Del Sera credette di vedere in una "cifra", oggi indistinguibile, sul disegno che il personaggio ha in mano. La tela entrò in galleria il 28 ottobre 1682 (ASF, Guard. 870, c. 160v) con tutti gli autoritratti del cardinale. S.M.T.

	A671	A672	A673	A674
AUTORE	Passarotti, Tiburzio (Bologna 1553-1612).	Passerotti, Ventura (Bologna 1566 - post 1618).	Passeri, Giuseppe (Roma 1654-1714).	Passignano, Cresti Domenico, detto il (Passignano 1558/60 - Firenze 1638).
TITOLO	Autoritratto.	Autoritratto con cane.	Autoritratto.	Autoritratto.
DATAZIONE	Fine sec. XVI.	Fine sec. XVI.	1670-75.	Inizi sec. XVII.
DATI TECNICI	Olio su tela, 88,5x69,5, rintelato nel 1964.	Olio su tela, 64,5x54,5, rintelato.	Olio su tela, 38x33.	Olio su tela, 58,5x43,5, rintelato.
CORNICE	Salvadora dorata, sec. XVIII.	Salvadora dorata sec. XVIII.	Salvadora dorata con cartiglio, sec. XIX.	Salvadora dorata, sec. XVII.
UBICAZIONI	Card. Leopoldo de' Medici (ante 1675); Uffizi (1682).	Uffizi 1683.	Cosimo III de' Medici; Uffizi (1717).	Card. Carlo de' Medici; Card. Leopoldo de' Medici (1666); Uffizi (1682).
ATTRIBUZIONI	—	—	—	—
ESPOSIZIONI	—	—	—	—
BIBLIOGRAFIA	Prinz, 1971. Dizionario enciclopedico Bolaffi dei pittori e incisori italiani VIII, Torino 1976.	Prinz, 1971. *Dizionario Bolaffi VIII, Torino 1976.*	Dizionario Bolaffi VIII, Torino 1975.	Dizionario Bolaffi IV, Torino 1973. *O.H. Giglioli in Rivista d'arte VI, 1909.*
INVENTARIO	1800 (C.P., p. 107 n. 377).	1830 (C.P., p. 107, n. 406).	1739 (C.P. p. 212 n. 324).	1695 (C.P., p. 101, n. 281).
FOTO	249118.	249122	249110.	249098.
NOTE	Questo ritratto figura nell'inventario dell'eredità del cardinale come autoritratto di 'N.' Passarotti, ed entrò in galleria il 28 ottobre 1682 (ASF, Guard. 870, c. 160v). Nell'incisione del Museo Fiorentino le maniche del personaggio non hanno lattuga ma risvolto liscio con grandi merli, e veramente nel quadro la lattuga sembra aggiunta: sotto però traspaiono manichini piccoli con frangina di pizzo. L'identità di tutti e tre gli autoritratti Passerotti non è provata e ne avrebbe bisogno: si veda in proposito la scheda del cosiddetto Ventura (inv. 1890 n. 1830). Il fondo rossiccio è però tipico della bottega passerottiana. S.M.T.	A tergo sulla tela "Tiburzio (cancellato) Bartolomeo (cancellato) Passerotti", prova che a Firenze le idee sui tre membri della famiglia di cui esiste qui l'autoritratto (inv. 189, nn. 1800 e 1793 rispettivamente) erano — e sono tuttora — assai confuse. Dei tre questo, il più bello, è l'unico che non viene dalla collezione del cardinal Leopoldo de' Medici, e potrebbe essere quello di cui nel 1685 Guido Antonio Signorini, agente di Cosimo III a Bologna, rivendica l'invio ("mentre l'Anno 1682 io fui quello che diede a S.A.S. il Ritratto di Paolo Veronese, quello di Giuglio Campi, et Aretusi, e Paserotti"...; cfr. Prinz, doc. 89). Entra infatti in Galleria, senza nome ma riconoscibile dalla descrizione, il 9 maggio 1683 (ASF, Guard. 871, c. 129v). La tela era più grande in origine: gli antichi numeri d'inventario a tergo sono parzialmente sotto il telaio. S.M.T.	A tergo sulla tela il nome dell'artista ripetuto sul telaio, in grafia antica. Entrò in galleria l'11 gennaio 1717, inviatovi da Cosimo III de' Medici (ASF, Guard. 1226, c. 271v); è l'unico autoritratto noto del pittore, perché per l'Accademia di San Luca in Roma lo ritrasse il Ghezzi, probabilmente dopo la morte. L'artista fu in Toscana col padre Resta. Nella sua cornice originale sta oggi l'autoritratto del Beccafumi. S.M.T.	A tergo sono stati riportati il monogramma SG, comune al cosiddetto autoritratto di Santi di Tito (inv. 1890, n. 1738) e gli antichi numeri d'inventario. Il ritratto, lodato dal Baldinucci, appartenne al cardinal Carlo de' Medici (ASF, Guard. 758, c. 25r), che alla sua morte lo lasciò, con altri sei, al nipote Leopoldo; con l'eredità di questi entrò in galleria il 28 ottobre 1682 (ASF, Guard. 870, c. 160v). Rispetto all'incisione nel 'Museo Fiorentino' appare ridotto in basso e a destra. Una copia dell'autoritratto, opera di Simone Pignoni, la possedeva Stefano Passignani, priore di San Pier Maggiore, alla fine del '600. L'artista si ritrasse anche in alcuni suoi quadri: la tela di destra della cappella maggiore della Badia di S. Michele a Passignano e il S. Luca dipinto (Baldinucci) per l'Accademia del disegno e oggi nelle Gallerie (inv. 1890, n. 8048); lo ritrasse anche, in età più avanzata, il Sustermans (inv. 1890, n. 565). S.M.T.

	A675	A676	A677	A678
AUTORE	Pasternak, Leonid Ossipovic (Odessa 1862-1946?).	Patania, Giuseppe (Palermo 1780-1852).	Paton, David (Scozia 1650 ca. - Londra? 1710 ca.).	Pazzi, Antonio (Firenze 1706 - post 1779).
TITOLO	Autoritratto.	Autoritratto.	Autoritratto.	Autoritratto.
DATAZIONE	1926.	1851.	1683.	1736 ca.
DATI TECNICI	Olio su tela, 65,5x50.	Olio su tela, 65x52.	Mina di piombo su carta, 16,7x 13,9.	Pastello su carta, 42x34.
CORNICE	—	Sagomata e dorata con decorazioni a ovuli, sec. XIX.	—	Dorata con cartiglio, fine sec. XVIII.
UBICAZIONI	Eredi dell'artista; Uffizi (1968).	Uffizi (1852).	Uffizi (1716).	Coll. dell'autore, Uffizi (1768).
ATTRIBUZIONI	—	—	—	—
ESPOSIZIONI	—	—	Firenze e l'Inghilterra. Rapporti artistici e culturali dal XVI al XX secolo, Firenze 1971.	—
BIBLIOGRAFIA	Vollmer, III, 1956. F. Miele, L'avanguardia tradita, Roma 1973.	M. Accascina, Ottocento siciliano. Pittura, Roma 1939. Comanducci, IV, Milano 1973.	E.K. Waterhouse: Painting in Britain 1530-1790, Harmondsworth 1953. *Cat., Firenze 1971, n. 116.*	O.H. Giglioli, Incisori toscani del Settecento, Firenze 1943. *S. Meloni Trkulja in Paragone 343, 1978.*
INVENTARIO	9456.	1973 (C.P., p. 107, n. 516).	GDSU, n. 2455 F.	2016 (C.P., p. 212 n. 546).
FOTO	315560.	71379.	132708.	279117.
NOTE	Firmato e datato in alto a sinistra: L. Pasternak/26/IV. L'opera fu donata nel 1968 dalla figlia del pittore (AGF, Arte 796). Dalla corrispondenza agli atti risulta che l'artista morì nel 1946 e non nel 1945 come affermato nei più usati repertori storico-artistici. Il dipinto è attualmente nei Depositi degli Uffizi. E.S.	Firmato a destra: G. Patania/da Palemo / se stesso / Pin. 1851, Dientro, sulla tela, iscrizione: Il cav. Giusep. Patania nato in Palermo/al 20 genn. 1780 e morì il 23 febbr. 1852/e dipinse se stesso in Nov. 1851. Una firma illegibile si intravede sul retro, lungo il lato destro. L'opera fu legata per testamento dell'artista e accettata nel 1852 (AGF 1853 (LXXXVII) 23). Un altro autoritratto fu offerto in vendita agli Uffizi nel 1909 e rifiutato (AGF Arte 889). Attualmente nei Depositi degli Uffizi. E.S.	Firmato e datato a sinistra: «David Paton / Scozzese Pict. / Flor. 1683». L'artista scozzese soggiornò a lungo in Italia e a Firenze fu protetto da Cosimo III de' Medici: è probabile che l'autoritratto, eseguito nel 1683 a Firenze come dice la scritta, sia stato donato dall'artista al Granduca. Esso entrò agli Uffizi, proveniente dalla Guardaroba, nel novembre 1716 (ASF, Guard. 1226, c. 267v). M.C.	L'abate Pazzi, allievo di G.D. Campiglia, fu sopratutto ritrattista e incisore e legò il suo nome ai più importanti libri di lusso del medio Settecento a Firenze. Formatosi una collezione di autoritratti, la incise, ne fece il catalogo — con biografie dell'abate Orazio Marrini — e vendette dipinti e disegni preparatori delle incisioni al granduca di Toscana. All'ultimo posto del catalogo pose anche questo proprio autoritratto, oggi nei depositi degli Uffizi. S.M.T.

	A679	A680	A681	A682
AUTORE	Pellegrini, Giovanni Antonio (Venezia 1675-1741).	Pellizza da Volpedo, Pellizza Giuseppe, detto (Volpedo, Alessandria 1868-1907).	Pennasilico, Giuseppe (Napoli 1861 - Genova 1940).	Perin del Vaga, Bonaccorsi Pietro, detto (Firenze 1501 - Roma 1574).
TITOLO	Autoritratto.	Autoritratto.	Autoritratto.	Autoritratto.
DATAZIONE	1716-17.	1899.	1921-31 ca.	
DATI TECNICI	Olio su tela, 80x62,5, rintelato.	Olio su tela tirata su legno, 160,5x 110,5.	Olio su tela, 79,5x55.	
CORNICE	Salvadora dorata, sec. XVIII.	Nera, sagomata e con modanature dorate, sec. XX.	Coeva, a fascia con ornati verde e oro.	
UBICAZIONI	Cosimo III de' Medici; Uffizi (1717).	Eredi dell'artista; Uffizi (1920).	Eredi dell'artista; Galleria d'Arte Moderna, Pitti (1943-46 ca.).	
ATTRIBUZIONI	—	—	—	
ESPOSIZIONI	Ritratto veneto da Tiziano al Tiepolo, Varsavia 1956, n. 42; Disegni e dipinti di Giovanni Antonio Pellegrini, Venezia 1959.	Mostra commemorativa di G. Pellizza da Volpedo, Torino 1939. Mostra degli artisti alessandrini dell'800, Alessandria 1940. Pellizza da Volpedo, Alessandria 1954.	—	
BIBLIOGRAFIA	A. Bettagno: in Cat. Venezia 1959, n. 112.	G. Pellizza da Volpedo, Il Quarto Stato (a cura di A. Scotti), Milano 1976. *Cat., Alessandria 1954, n. 48.*	Comanducci, IV, Milano 1973.	
INVENTARIO	1842 (C.P., p. 108 n. 416).	8417.	GAM Giornale 869.	
FOTO	104446.	10140.	185066.	
NOTE	A tergo è trascritta una probabile firma in corsivo con iniziali ornate: 'Antonio Pellegrini'. Il quadro fu mandato in galleria da Cosimo III de' Medici il 9 dicembre 1717 (ASF, Guard. 1260 bis, c. 9r); è possibile che gli fosse arrivato tramite il genero Giovanni Guglielmo, elettore palatino, che fino alla sua morte (1716) ebbe l'artista attivo presso di sé a Düsseldorf. Un'altra versione già nella collezione Tomich a Padova è ora sul mercato di Londra; un disegno con la stessa impostazione è a Francoforte (Städelsches Institut, inv. 13178). S.M.T.	Acquistato dagli eredi dell'artista nel 1920 per 4.000 lire (AGF, Arte 796). Sul retro vari cartellini di mostre fra cui, oltre a quelle citate, figurano la Münchener Jahres-Ausstellung (1903) una mostra a Saint-Louis (1904) e una alla Galleria Pesaro di Milano (1920) di cui non sono stati reperiti i cataloghi. Attualmente esposto nel Corridoio vasariano. E.S.	Firmato e dedicato in basso a sinistra: A Maria / G. Pennasilico. A tergo si legge: Autoritratto di / Giuseppe Pennasilico / Roma. Il dipinto, che la nota inventariale afferma donato dagli eredi dell'artista in data imprecisata (ma riconducibile agli anni di guerra), raffigura l'artista in età avanzata. La dedica alla moglie (di cui un ritratto è alla Galleria d'arte moderna di Milano) morta nel 1933, fa presumere una datazione prima di tale anno. Attualmente il quadro è nelle riserve della Galleria d'arte moderna. S.P.	Vedi: Scuola toscana sec. XVIII. Ritratto d'uomo. Scheda A871.

Autoritratti

	A683	A684	A685	A686
AUTORE	Perlmutter, Izsák (Budapest 1866-1932).	Perrodin, Auguste-François (Bourg-en-Bresse 1833 - Chateauneuf-les-Brains 1887).	Pertichi, Pietro (Firenze 1675 ca.-1756).	Peterssen, Hjalmar Eilif Emanuel (Oslo 1852 - Lysaker 1928).
TITOLO	Autoritratto.	Autoritratto.	Autoritratto.	Autoritratto.
DATAZIONE	Primo decennio sec. XX.	1875 ca.?	Primo quarto sec. XVIII.	1891.
DATI TECNICI	Olio su tela tirata su cartone, 41x31,5.	Olio su tela, 40x35.	Olio su tela, 72x58, restauro 1976.	Olio su tela, 76x66.
CORNICE	Sagomata e dorata con decorazioni in pastiglia, sec. XX.	Intagliata, dorata, sec. XIX.	—	Sagomata e dorata con ricca decorazione intagliata, sec. XIX.
UBICAZIONI	Uffizi (1926).	Uffizi (fine sec. XIX-inizi sec. XX).	Coll. Puccini (1725); coll. Pazzi; Uffizi (1768).	Uffizi (1891).
ATTRIBUZIONI	—	—	—	—
ESPOSIZIONI	XV Esposizione Internazionale d'arte della città di Venezia, 1926.	—	—	—
BIBLIOGRAFIA	Vollmer, III, 1956; Müvészeti Lexikon, III, Budapest 1967.	Thieme-Becker, XXVI, 1932. I. Julia, in Cat. Pittura francese nelle collezioni pubbliche fiorentine, Firenze 1977, n. XIII.	S. Meloni Trkulja in Paragone 343, 1978.	Thieme-Becker, XXV, 1931. Cat. Nasjonalgalleriet. Kat. oner Norsk Malerkunst, Oslo 1968. Prinz 1971.
INVENTARIO	8560.	2094 (C.P., p. 108, n. 622).	2030 (C.P., p. 212 n. 660).	3068 (C.P., p. 108, n. 636).
FOTO	112511.	112528.	5830.	315575.
NOTE	Firmato in basso a destra; Perlmutter. Dietro, sul cartone di controfondo, cartellino di mostra (Ernst-Museum Kiállitása, cat. non reperito). L'opera fu offerta in dono dall'artista agli Uffizi per interessamento del critico Vittorio Pica nel 1926 (AGF, Arte 796). Alla Biennale veneziana del 1914 l'artista espose un autoritratto (Padiglione ungherese, sala IV, n. 90) non meglio individuato che potrebbe anche essere questo, poi esposto alla Biennale del 1926 e donato agli Uffizi. L'opera è attualmente collocata nei Depositi degli Uffizi. E.S.	Firmato in alto a destra: A. Perrodin. Sulla base dell'età dimostrata dall'artista, il dipinto, del quale non si conosce la provenienza, si può datare intorno al 1875. M.C.	Allievo di Alessandro Gherardini e dei suoi allievi Niccolò Nannetti e Sebastiano Galeotti, vissuto anche a Roma, il Pertichi è oggi documentato con sicurezza solo da questo autoritratto, anche se la biografia nel catalogo della collezioni Pazzi elenca molte altre sue opere. S.M.T.	Firmato e datato sul retro: Eilif Peterssen/Ipse fecit/1891. La Direzione degli Uffizi richiese un autoritratto all'artista nel 1887, che donò questo nel 1891 (AGF, 1891, A 2 ,19). Molte opere del pittore sono nel Museo Nazionale di Oslo, fra le quali un autoritratto del 1876. Il dipinto è attualmente nel Corridoio Vasariano. E.S.

	A687	A688	A689	A690
AUTORE	Petrazzi, Astolfo (Siena 1579-1665).	Petrucci, Francesco (Firenze 1660-1719).	Piancastelli, Giovanni (Castel Bolognese, Ravenna 1845 - Bologna 1926).	Piastrini (Pestrini), Giovan Domenico (Pistoia 1678 · Roma 1740).
TITOLO	Autoritratto.	Autoritratto.	Autoritratto.	Autoritratto.
DATAZIONE	Secondo quarto sec. XVII.	Primo o secondo decennio sec. XVIII.	1887.	Inizi sec. XVIII.
DATI TECNICI	Olio su tela, 72x58, restauro 1974.	Olio su tela, 72x58, rintelato.	Olio su tavola, 62x51,5.	Olio su tela, 72,5x57,5, restauro 1955 ca.
CORNICE	Salvadora dorata, sec. XVIII.	Salvadora dorata e gialla con cartiglio, sec. XVIII.	Sagomata e dorata con decorazioni in pastiglia, sec. XIX.	Salvadora dorata con cartiglio, sec. XVIII.
UBICAZIONI	Cosimo III de' Medici; Uffizi (1700).	Coll. Puccini (1725); coll. Pazzi; Uffizi (1768).	Uffizi (1917).	Coll. Puccini (1725); coll. Pazzi; Uffizi (1768); Poggio Imperiale (1836); Pitti; Uffizi (1979).
ATTRIBUZIONI	—	—	--	—
ESPOSIZIONI	—	—	—	—
BIBLIOGRAFIA	Dizionario Bolaffi VIII, Torino 1975.	*S. Meloni Trkulja in Paragone 343, 1978.*	Thieme-Becker, XXVI, 1932. Comanducci, IV, Milano 1973.	*S. Meloni Trkulja in Paragone 343, 1978.*
INVENTARIO	1650 (C.P., p. 212 n. 642).	2018 (C.P., p. 212 n. 652).	8269.	Imperiale rosso 588.
FOTO	228367.	9882.	75503.	112684.
NOTE	A tergo il nome dell'artista in grafia antica sia sul telaio sia sulla cornice, e il numero d'inventario del 1704. Il quadro, entrato in galleria il 23 luglio 1700 (ASF, Guard. 1027, c. 171v), non fu esposto fino al 1770 circa, quando la formazione della seconda stanza dei pittori fece ritirare fuori dai magazzini vari autoritratti scartati in epoca medicea. Non conoscendo altri autoritratti dell'artista, è difficile stabilire l'autenticità di questo. S.M.T.	Il Petrucci fu allievo del Volterrano e noto sopratutto come copista per i Medici delle opere che essi portarono da varie chiese toscane nelle loro raccolte, sostituendole in loco con copie fedeli. Del Petrucci sono per esempio quella della Madonna delle Arpie di Andrea del Sarto, della pala del Rosso fiorentino già in Santo Spirito e dell'Immacolata Concezione di Luca Giordano fatta per la chiesa dell'Ambrogiana a Montelupo. S.M.T.	Iscrizione sul retro del dipinto: Autoritratto del pittore/Giovanni Piancastelli di Castelbolognese/ abbozzato nel 1887. Offerto in dono dall'artista nel 1917 e accettato nello stesso anno (AGF, Arte 796). Attualmente nei Depositi degli Uffizi. E.S.	A tergo i numeri comuni ai dipinti della collezione Pazzi e un cartellino antico 'Gio: Domº Pestrini'. Si tratta di un pittore pistoiese, attivo a lungo a Roma, e infatti una copia di questo quadro si trova all'Accademia di San Luca dove è ab antiquo creduta raffigurare un altro pistoiese, Lodovico Gemignani. Un brutto restauro ottocentesco (avvenuto probabilmente al Poggio Imperiale perché comune a molti autoritratti già collocati lì) ha eliminato l'intero braccio destro della figura, visibile nell'incisione del catalogo della collezione Pazzi. S.M.T.

	A691	A692	A693	A694
AUTORE	Piattoli Bacherini, Anna (Firenze 1720-1788).	Piattoli Bacherini, Anna (Firenze 1720-1788).	Piattoli Bacherini, Anna (Firenze 1720-1788).	Piattoli, Gaetano (Firenze 1703-1774).
TITOLO	Autoritratto.	Autoritratto col marito Gaetano.	Autoritratto.	Autoritratto.
DATAZIONE	1744.	1745-50.	1776.	Metà sec. XVIII.
DATI TECNICI	Olio su tela, 72,5x58.	Pastello su carta su tela, 56x43,3.	Olio su tela, 78,2x60.	Olio su tela, 72,5x58.
CORNICE	—	Salvadora dorata, sec. XVIII; vetro originale.	Salvadora dorata con cartiglio, sec. XVIII.	Salvadora dorata con cartiglio, sec. XVIII, originale.
UBICAZIONI	Coll. Pazzi; Uffizi (1768); Poggio Imperiale (1836); Pitti; Uffizi (1979).	Coll. Tammaro de Marinis; Galleria d'Arte Moderna, Pitti (1941); Uffizi (1972).	Uffizi (1776).	Coll. Pazzi; Uffizi (1768).
ATTRIBUZIONI	—	Gaetano Piattoli (De Marinis).	—	—
ESPOSIZIONI	—	—	—	—
BIBLIOGRAFIA	B. Viallet, Roma s.d. (1923). *S. Meloni Trkulja in Paragone 343, 1978.*	Dizionario Bolaffi X, Torino 1975.	*B. Viallet, Roma s.d. (1923).*	Dizionario Bolaffi IX, Torino 1975. *S. Meloni Trkulja in Paragone 343, 1978.*
INVENTARIO	5345.	GAM Giornale 897.	2032 (C. P., p. 212 n. 524).	2029 (C.P., p. 212 n. 525).
FOTO	173406.	146349.	249127.	249126.
NOTE	A tergo un cartellino settecentesco: « La Piattoli Bacherini 1744 ». La data collima con l'età dimostrata dalla pittrice e la fisionomia con quella degli autoritratti successivi di lei (inv. 1890 n. 2032; inv. G.A. M. 827) che entrarono in galleria più tardi facendo passare in secondo piano questo, venduto agli Uffizi dall'abate Pazzi intorno al 1768. L'autrice, allieva di Violante Siries e Francesco Conti, fu soprattutto ritrattista. S.M.T.	Secondo la nota inventariale, donato dal gr. uff. Tammaro de Marinis nel 1941; del fatto non esiste altra documentazione. L'identità dei due pittori rappresentati può essere accertata dal confronto con l'autoritratto di Gaetano Piattoli (inv. 1890 n. 2029) e con quello giovanile di Anna (inv. 1890 n. 5345): chi dei due dipinse il pastello è più difficile dirlo, ma si può propendere per Anna, esperta in questa tecnica e più in posizione di pittrice; anche il suo sguardo, esaminato allo specchio, è più diretto di quello del marito. S.M.T.	A tergo sulla tela: 'Anna Bacherini / Piattoli nata 1720 / d'anni 56-'. L'autoritratto fu offerto dall'artista alla galleria lo stesso anno dell'esecuzione (AGF, filza IX a 51), accettato e ricompensato con 15 zecchini anche in spirito di pietà verso la recente vedovanza e la povertà della pittrice. Essa aveva già agli Uffizi almeno un'effigie giovanile, proveniente dalla collezione dell'abate Antonio Pazzi (inv. 1890 n. 5345). Qui si è raffigurata, coi tenui colori tipici del pastello (a cui si dedicò), in atto di copiare in miniatura la Madonna del Sacco di Andrea del Sarto. Anche il figlio di Anna e Gaetano Piattoli, Giuseppe, fu pittore e 'servente' della galleria. S.M.T.	A tergo sulla tela il numero che il ritratto aveva nella lista della collezione Pazzi, ripetuto sulla cornice che è quindi quella con cui il dipinto entrò in galleria, vendutole dall'abate Antonio Pazzi intorno al 1768. È l'unico esempio sicuro di un'attività di ritrattista per cui il Piattoli, allievo del Rivière e del Conti, fu rinomato e ricercato nella Firenze della reggenza. Gli Uffizi possiedono anche un ritratto più giovanile del pittore con la moglie (inv. GAM 897), e due autoritratti di lei. S.M.T.

	A695	A696	A697	A698
AUTORE	Piazza, Paolo (Fra Cosmo da Verona) (Castelfranco 1560 ca. - Venezia 1620), attr. a.	Pierini, Andrea (? 1798 - Roma 1858).	Pierotti, Giuseppe (Castelnuovo Garfagnana, Lucca? 1830 ca.? - post 1892).	Pietro da Cortona, Berrettini P., detto (Cortona 1596 - Roma 1669).
TITOLO	Autoritratto "con pezzuola nella destra". 1585-90.	Autoritratto. Terzo decennio sec. XIX.	Autoritratto. 1874.	Autoritratto. 1664-65.
DATAZIONE	Olio su tela, 86x70, restauro 1974.	Olio su tela, 77,5x58,5.	Tempera su tela, 120x80.	Olio su tela, 72,5x58.
DATI TECNICI	Salvadora dorata con cartiglio, sec. XVIII.	Sagomata e dorata, sec. XIX.	Sagomata e dorata, sec. XIX.	Salvadora dorata, inizi sec. XVIII.
CORNICE	Guido Antonio Signorini, Bologna; Cosimo III de' Medici (1682); Uffizi (1683).	Eredi dell'artista; Uffizi (1858).	Uffizi (1875).	Card. Leopoldo de' Medici (1665); Uffizi (1682).
UBICAZIONI	Paolo Veronese (Signorini 1682). Paolo Piazza (Safarik 1979).	—	—	—
ATTRIBUZIONI	—	—	—	Mostra di Roma secentesca, Roma 1930; Mostra di Pietro da Cortona, Cortona 1956; Artisti alla corte granducale, Firenze 1969.
ESPOSIZIONI				
BIBLIOGRAFIA	N. Melchiori, Notizie di pittori e altri scritti, ed. Venezia 1968. *Prinz, in Festschrift Ulrich Middeldorf, Berlin 1968. Id, 1971.*	S. Pinto, in Cat. Cultura neoclassica e romantica nella Toscana granducale, Firenze 1972.	Yorick figlio di Yorick, Viaggio attraverso l'Esposizione italiana del 1861, Firenze 1861, pp. 102, 122. Comanducci, IV, Milano 1973. *Prinz 1971.*	G. Briganti, Pietro da Cortona o della pittura barocca, Firenze 1962. *Prinz, 1971.*
INVENTARIO	5525 (C.P., p. 99, n. 385).	3329 (C.P., p. 108, n. 753).	2097 (C.P., p. 108, n. 695).	1713 (C.P., p. 98 n. 294).
FOTO	228179.	112432.	112433.	157083.
NOTE	La ricerca, da parte dei Medici, di un autoritratto di Paolo Veronese fu lunga e difficile; nel decennio 1680-90 ne giunsero a Firenze tre presunti (Prinz, 1968) di cui questo è l'unico sopravvissuto in galleria. Vi è entrato il 9 maggio 1683, (ASF, Guard. 871, c. 129v) procurato dal pittore bolognese Guido Antonio Signorini tramite il marchese Cospi, nel 1682; per verificarne l'autenticità, Cosimo III e suo figlio Ferdinando si fecero fare una copia dell'allora creduto autoritratto come violoncellista nelle 'Nozze di Cana' in S. Giorgio Maggiore a Venezia, concludendo favorevolmente sull'autografia di questo dipinto, su cui invece la critica moderna ha, perlopiù, sorvolato. E a ragione perché — come comunica gentilmente il dr. E. Safarik — la tela è piuttosto un autoritratto di Paolo Piazza veronese (in religione Fra Cosmo cappuccino), confrontabile con l'illustrazione che di un autoritratto simile offre Nadal Melchiori.

S.M.T. | L'opera fu offerta in dono dal fratello dell'artista, Baldassarre, nel 1858 e accettata nello stesso anno con l'intenzione di inviarla nei depositi (AGF 1958 (LXXXII) 35). Attualmente nei Depositi degli Uffizi.

E.S. | Sul retro è incollato un foglio con una poesia autografa dell'artista: Il mio Ritratto/Sonetto/Spaziosa fronte occhio sagace intento/Le meraviglie in osservar del vero;/Tumido labbro a condannar severo/Dell'ipocrita vile il reo talento;/Sporgente il naso, e si nasconde il mento/Sotto un pelame ravviato e nero;/Pallido il volto all'apparenza austero./Media statura e giusto il portamento/Amico dell'italico splendore/Ammirator, del Genio onnipossente/Che dovunque si fa largo il passaggio./Perdono l'onta, ma la tengo in mente/Che non mi è dato smenticar l'oltraggio/Vegliando l'alma ancor che taccia il core/Firenze 2 marzo 1874/Giuseppe Pierotti. Donato dall'artista nel 1875 (AGF, Arte 796). Poche le notizie certe sul pittore; nel 1862 espone opere alla Esposizione Nazionale di Firenze; nel 1892 (cfr. De Gubernatis) risulta ancora vivo. Il dipinto attualmente è nei Depositi degli Uffizi.

E.S. | Richiesto da Leopoldo all'artista nella primavera del 1664 e inviato da questi al cardinale il 12 settembre 1665, sia pur schermendosi di non aver mai fatto ritratti e di averlo dipinto 'senza adulattione, et abigliamenti della mia poca sanità'; fu compensato con una cassetta d'argento di medicine. È l'unico autoritratto noto dell'artista e il secondo pezzo della raccolta degli autoritratti (il Guercino fu chiesto insieme, ma eseguito più rapidamente). Entrò in galleria con gli altri autoritratti di Leopoldo il 28 ottobre 1682 (ASF, Guard. 870, c. 160v).

S.M.T. |

	A699	A700	A701	A702
AUTORE	Pignoni, Simone (Firenze 1611-1698).	Pillori, Anton Nicola (Firenze 1687-1763).	Pillori Antonio Nicola, (Firenze 1687-1763), attr. a.	Pinacci, Giuseppe (Siena 1641 - Firenze 1717).
TITOLO	Autoritratto.	Autoritratto.	Figura femminile.	Autoritratto.
DATAZIONE	1680-82.	Secondo decennio sec. XVIII.	Secondo quarto sec. XVIII.	1708.
DATI TECNICI	Olio su tela, 120,6x91, restauro 1975-76.	Olio su tela, 72,5x57,5, restauro 1952.	—	Olio su tela, 72,5x58.
CORNICE	Salvadora dorata, sec. XVIII.	—	Salvadora dorata con cartiglio, sec. XVIII.	Salvadora gialla e dorata con cartiglio, sec. XVIII.
UBICAZIONI	Cosimo III de' Medici; Uffizi (1682).	Coll. Puccini (1725); coll. Pazzi; Uffizi (1768); Poggio Imperiale; Pitti (1945); Uffizi (1979).	Uffizi (1890).	Coll. Puccini (1725); coll. Pazzi; Uffizi (1768).
ATTRIBUZIONI	—	—	—	—
ESPOSIZIONI	—	—	—	—
BIBLIOGRAFIA	*G. Ewald in Burlington Magazine CVI, 1974.*	*M. Gregori, 70 pitture del '600 e '700 fiorentino, Firenze 1965. S. Meloni Trkulja in Paragone 343, 1978.*	*B. Viallet, Roma s.d. (1923).*	*S. Meloni Trkulja in Paragone 343, 1978.*
INVENTARIO	1781 (C.P., p. 108 n. 358).	Imperiale 1391.	2024.	2033 (C.P., p. 212, n. 661).
FOTO	276558.	157942.	5772.	5835.
NOTE	A tergo sulla tela il nome dell'artista e gli antichi numeri d'inventario; il quadro è in galleria fin dal 27 ottobre 1682 (ASF, Guard. 870, c. 158r) col primo nucleo di 27 autoritratti del granduca Cosimo III nel quale è l'unico di artista fiorentino vivente. Probabilmente il dipinto è il poco anteriore a questa data. Il Pignoni si raffigura mentre, col pennello sulla tela, riveste uno scheletro di fattezze femminili: ed è nota dalle fonti la sua ricerca inesausta — e costosa — di modelle bellissime. S.M.T.	A tergo sul telaio 'Ant° Nicola Pillori'. Il quadro appartenne nel Settecento al medico pistoiese Tommaso Puccini, poi all'incisore abate Antonio Pazzi: dagli Uffizi passò al Poggio Imperiale nel corso del XIX secolo. L'artista, detto nelle biografie allievo di Simone Pignoni e Lorenzo Rossi, è piuttosto uno spiritoso e fecondo interprete della pennellata 'sprezzata' di G. C. Sagrestani. S.M.T.	Questo dipinto viene inventariato solo nel 1890, dopo esser stato ritrovato senza numero, come autoritratto di un'inesistente « Rosalba Fratellini », nome derivante dal fatto che Giovanna Fratellini era detta la Rosalba toscana per confronto dei suoi pastelli con quelli della Carriera. A tergo sulla cornice reca però una scritta più sensata: « Da Battezzarsi ». È escluso che si tratti di un autoritratto o di un ritratto della Fratellini, a cui non somiglia; inoltre le è probabilmente posteriore. Lo stile è tipico della cerchia del Sagrestani e può essere accostato sopratutto a quello di Anton Nicola Pillori. S.M.T.	A tergo sulla tela: « Giuseppe Pinacci fece l'an° 1708 di eta sua 66 Nato in Siena l'an° 1642 ». Davanti, nello sfondo, svolazza un cartiglio con la scritta 'Appigionasi'. Il ritratto entrò agli Uffizi con la collezione dell'abate Antonio Pazzi, che a sua volta l'aveva acquistato con la raccolta di Tommaso Puccini, medico di Cosimo III. Il Pinacci, allievo di Livio Mehus e del Borgognone, lavorò anche a Napoli e Roma, ma poco perché fu spesso impegnato come esperto attribuzionista e come restauratore. S.M.T.

	A703	A704	A705	A706
AUTORE	Pincherle, Adriana (Roma, 1905).	Pisa, Alberto (Ferrara 1864 - Firenze 1930).	Poccetti, Bernardino (Firenze 1548-1612).	Podesti, Francesco (Ancona 1800 - Roma 1895).
TITOLO	Autoritratto.	Autoritratto.	Autoritratto con cane.	Autoritratto.
DATAZIONE	1957.	1946 ca.	Inizi sec. XVII.	1829.
DATI TECNICI	Olio su tela, 55,5x41.	Olio su tela, 46,5x36,5.	Olio su tela, 58,5x43,5, restauro 1977.	Olio su tela, 62x49.
CORNICE	Galleria d'Arte Moderna, Pitti (1959).	Sagomata, dipinta e dorata, sec. XX.	Salvadora dorata, sec. XVIII.	Sagomata e dorata con decorazioni in pastiglia, sec. XIX.
UBICAZIONI		Galleria d'Arte Moderna, Pitti (1946).	Card. Carlo de' Medici; Card. Leopoldo de' Medici (1666); Uffizi (1682).	Uffizi (1879).
ATTRIBUZIONI	—	—	—	—
ESPOSIZIONI	—	Galleria d'Arte Michelangelo, Firenze, 1946.	—	Roma nell'800, Roma 1932.
BIBLIOGRAFIA	(A. Boschetto): Adriana Pincherle, Firenze, 1959.	Catalogo Bolaffi della Pittura Italiana dell'Ottocento n. 6, Torino, 1976.	Dizionario Bolaffi IX, Torino 1975. *M. Tinti in Dedalo IX, 1928-29.*	Thieme-Becker, XXVII, 1933. L. e F. Luciani, Dizionario dei pittori italiani dell'800, Firenze 1974. E. Di Majo, in Cat. Da Canova a De Carolis, Roma 1978.
INVENTARIO	GAM Giornale 1703.	GAM Giornale 1009.	1721 (C.P., p. 98 n. 312).	1977 (C.P., p. 108, n. 603).
FOTO	192842.	159159.	249103.	171461.
NOTE	Firmato e datato in basso a sinistra: "Adriana Pincherle 1957". Donato dall'artista su invito della Commissione (26-6-1959) (nota inventariale). Il quadro si trova attualmente nei depositi della Galleria d'Arte Moderna di Palazzo Pitti. Gr. Red. 1	Nel tergo, applicato al centro della tela, cartellino della Galleria d'Arte Michelangelo (9-20 febbraio 1946). Si può dedurre, per la datazione, che l'opera venisse eseguita al tempo della mostra di Firenze. Donato dall'autore nel 1946 (nota inventariale). L'opera si trova attualmente nei depositi della Galleria d'Arte Moderna di Palazzo Pitti. Gr. Red. 1	Il quadro appartenne al cardinal Carlo de' Medici che aveva altri sei autoritratti di pittori del primo Seicento toscano, e fu da lui lasciato in eredità al cardinal Leopoldo (ASF, Guard. 758, c. 25r); con la raccolta di quest'ultimo entrò in galleria il 28 ottobre 1682 (ASF, Guard. 870, c. 160v). È un'opera di qualità e materia pittorica poverissima, quasi una larva; forse, se dobbiamo credere alla sua autenticità, un abbozzo incompiuto. S.M.T.	Firmato e datato sulla destra: F. Podesti se stesso/pinse l'a. 1829. Dietro cartellino della mostra di Roma (1932). Un autoritratto fu richiesto all'artista fin dal 1862; questo fu da lui inviato nel 1879; il pittore afferma nella lettera di accompagnamento che il dipinto fu eseguito al tempo in cui lavorava al *Martirio di San Lorenzo* per il Duomo di Ancona (AGF, 1879, (B), 1, 138; Arte 796). Attualmente esposto nel Corridoio Vasariano. E.S.

	A707	A708	A709	A710
AUTORE	Poerson, Charles-François (Parigi 1653 - Roma 1725).	Pollak, Leopold (Lodenicic 1806 - Roma 1880).	Polloni, Silvio (Firenze 1888-1972).	Polloni, Silvio (Firenze 1888-1972).
TITOLO	Autoritratto.	Autoritratto.	Autoritratto.	Autoritratto.
DATAZIONE	1716.	1857.	1945.	1956.
DATI TECNICI	Olio su tela, 71x57, restauro 1977.	Olio su tela, 100x76, restauro 1901.	Olio su compensato, 37x28.	Olio su tela, 40x30.
CORNICE	Liscia, dorata, sec. XVIII.	Nera, sagomata, sec. XIX.	Sagomata, dorata e dipinta, sec. XX.	Sagomata, legno naturale, sec. XX.
UBICAZIONI	Pitti (1716); Uffizi (1753).	Eredi dell'artista; Uffizi (1908).	Galleria d'Arte Moderna, Pitti (1947).	Galleria d'Arte Moderna, Pitti (1961).
ATTRIBUZIONI	—	—	—	—
ESPOSIZIONI	Pittura francese nelle collezioni pubbliche fiorentine, Firenze 1977.	—	—	—
BIBLIOGRAFIA	Thieme-Becker, XXVI, 1933. *Cat., Firenze 1977, n. 10.*	P. Toman, Novy Slovník Ceskoslovenskych Vytvarnych Umelcii, II, Praga 1950. Cat. Artisti austriaci a Roma, Roma 1972.	Silvio Polloni - Mezzo secolo di pittura, Firenze, 1970.	Silvio Polloni-Mezzo secolo di pittura, Firenze, 1970.
INVENTARIO	2076 (C.P., p. 108,n. 481).	3387 (C.P., p. 108, n. 763).	GAM Giornale 1050.	GAM Giornale 1843.
FOTO	228182.	19420.	192839.	192837.
NOTE	Iscritto a tergo: EQUES CAROLUS FANCISC/POERSON ROMAE 1716/DIRETTORE DELLA REGIA/ACCADEMIA DI FRANCIA e PR/ORE DELL'ACCADEMIA DI S. LUCA. Incisioni: Museo Fiorentino, IV, 1762, p. 71, tav. XI; Reale Galleria, III s., vol. IV, 1833, p. 116, tav. CCXXXI. M.C.	Firmato e datato sul fondo a destra: L. Pollak/Roma/1857. Sul retro cartellino di un restauro eseguito a Vienna nel 1901 da Wilhelm Romandini. L'opera fu donata nel 1908 dal figlio dell'artista che in una lettera afferma che il dipinto fu esposto dal padre al Salon parigino del 1857 (AGF, Arte 708; Arte 796). Attualmente nei Depositi degli Uffizi. E.S.	Firmato e datato in basso a sinistra: "autoritratto 1945", a destra: "Silvio Polloni". Nel tergo, al centro del compensato: "Silvio Polloni - autoritratto - 1945". Donato dall'autore nel 1947 (nota inventariale). L'opera si trova attualmente nei depositi della Galleria d'Arte Moderna di Palazzo Pitti. Gr. Red. 1	Datato al centro della tela: "1956". In basso a sinistra: "1904", a destra: "1920-924". Nel tergo, al centro della cornice in alto: "in omaggio alla Galleria d'Arte Moderna-Firenze-1960-Silvio Polloni". Al centro della tela, cartellino dattiloscritto e a penna: "in omaggio/ nacqui nel 1888/Fui artigiano/e poi tenore/Indi mandando tutto/ a carte quarantotto/divenni un umile pittore/già lungo tempo è ormai passato/e poco più da respirar mi resta/Prego perciò il buon Dio/volermi giudicar/senza severità/poiché sempre operai/con fede e sincerità/Silvio Polloni 28 Gennaio 1960". Donato dall'autore: dono accettato dalla Commissione il 15-3-1961 (nota inventariale). L'opera si trova attualmente nei depositi della Galleria d'Arte Moderna di Palazzo Pitti. Gr. Red. 1

	A711	A712	A713	A714
AUTORE	Pomarancio, Roncalli Cristofano, detto il (Pomarance 1552-1626).	Porporati, Carlo Antonio (Volvera, Torino 1741 - Torino 1816).	Pourbus, Frans, il giovane (Anversa 1569 - Parigi 1622).	Pourbus, Frans, il giovane Anversa 1569 - Parigi 1622).
TITOLO	Autoritratto.	Autoritratto.	Autoritratto?	Ritratto dello scultore Francavilla.
DATAZIONE	Fine sec. XVI.	1790.	1591.	1609-1615 (De Francqueville 1966).
DATI TECNICI	Olio su tela, 105x70.	Olio su tela, 55x46.	Olio su tela, 70x57.	Olio su tela, 49x37.
CORNICE	Salvadora dorata, sec. XVIII.	Neoclassica, dorata.	Intagliata e dorata, sec. XVII.	Barocca, dorata.
UBICAZIONI	Cosimo III de' Medici; Uffizi (1682).	Uffizi (1816).	Pitti (1675); Uffizi (1687).	Pitti (ante 1675); Uffizi (1905 ca.).
ATTRIBUZIONI	—	—	F. Pourbus il v. (Inv. coll. Card. Leopoldo de' Medici 1675). F. Pourbus il g. (Langedijk 1960, van Hall 1963, Bodart 1977).	—
ESPOSIZIONI	—	—	Rubens e la pittura fiamminga del Seicento nelle collezioni pubbliche fiorentine, Firenze 1977.	Rubens e la pittura fiamminga del Seicento nelle collezioni pubbliche fiorentine, Firenze 1977.
BIBLIOGRAFIA	Dizionario Bolaffi IX, Torino 1975.	Thieme-Becker XXVII, 1933. Schede Vesme, III, Torino 1968. *Prinz 1971.*	H. Gerson - E. H. Ter Kuile: Art and Architecture in Belgium 1600-1800, Harmondsworth 1960. *Cat., Firenze 1977, n. 76.* AGF: K. Langedijk, Scheda ministeriale 1978.	L. Buchard, in Thieme-Becker XXVII, 1933. *R. de Francqueville: Pierre Francqueville, Sculpteur de Cambrai, 1966. Cat., Firenze 1977, n. 81.*
INVENTARIO	1669 (C.P., p. 212 n. 247).	2069 (C.P., p. 212, n. 550).	1877 (C.P., p. 108, n. 445).	746 (C.P., p. 85, n. 164).
FOTO	315580.	5836.	171436.	157771.
NOTE	In possesso del granduca Cosimo III probabilmente già prima del 1682, quando egli lo manda in galleria col primo gruppo di suoi autoritratti (il 27 ottobre: ASF, Guard. 870, c. 158r). È sempre stato esposto ma mai studiato. S.M.T.	A tergo un cartellino autografo lacerato attesa: (...) orati/ (..) issegno e quadri di (...) M. il Re/ (..) Sardegna. Dipinto da lui stesso l'anno 1890 (sic)/ Nato in Torino li 18 8bre 1741. Il quadro fu accettato per la collezione dei ritratti degli artisti, vivente ancora l'incisore e non senza qualche perplessità circa il suo merito artistico da parte del direttore Degli Alessandri. Questi tuttavia ammise che poteva perdonarsi all'incisore di non essere al livello di un professore di pittura e che sussisteva comunque l'interesse documentario (AGF, filza XL; 13: carteggi fra il febbraio e il maggio 1816). È attualmente collocato nel Corridoio Vasariano. S.P.	Scritte, in alto a sinistra: AETATIS SVAE 49; a destra: Francisco Pourbus fecit / 1591. Acquistato a Venezia nel 1675, tramite Marco Boschini, per il cardinal Leopoldo de' Medici con l'attribuzione a Pourbus il Vecchio. Passato agli Uffizi nel novembre 1687 (ASF, Guard. 903, c. 117r). Il dipinto è stato restituito a Pourbus il Giovane da K. Langedijk e quindi accettato come tale da quanti se ne sono occupati. Il Bodart (cat., Firenze 1977) riconosce piuttosto nel ritratto l'immagine del pittore Frans Francken I, nato nel 1542, data che collima con quella dell'età e dell'anno di esecuzione del quadro, e confronta il ritratto con quello del Francken eseguito dal Rubens alcuni anni dopo (Montpellier, Mus. Fabre, n. 276). Inciso in Museo Fiorentino, vol. II, 1754, p. 107. M.C.	Scritta in alto: PETRVS FRANCAVILLA SCVLTORE. Il ritratto si trovava nella collezione del card. Leopoldo de' Medici a Pitti (1675), e rappresenta lo scultore Pietro Francavilla (1548-1615), a lungo attivo a Firenze. Incisioni: G. Guadagni/P. Fedi, in F. Ranalli: Imperiale e Reale Galleria di Firenze, II, 1846, tav. 105. M.C.

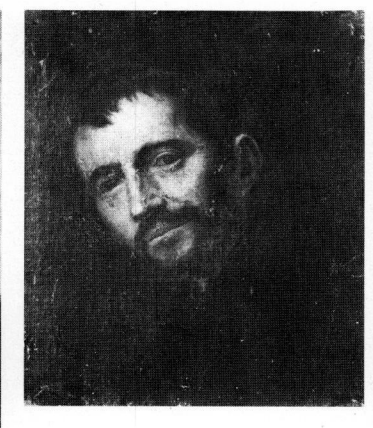

	A715	A716	A717	A718
AUTORE	Poynter, Edward (Londra 1836-1919).	Pozzi, Ennio (Sesto Fiorentino 1893-1973).	Pozzo, Andrea (Trento 1642-Vienna 1709).	Pozzo, Andrea (Trento 1642-Vienna 1709).
TITOLO	Autoritratto.	Autoritratto.	Autoritratto.	Autoritratto.
DATAZIONE	1888 ca. (Webster 1971).	Prima metà sec. XX.	Ottavo decennio sec. XVII.	Penultimo decennio sec. XVII.
DATI TECNICI	Olio su tela, 80x68,5.	Olio su tela, 43x33.	Olio su tela, 42,5x35,5.	Olio su tela, 160x117, rintelato.
CORNICE	Intagliata, dorata, sec. XIX.	Sagomata, dorata e in parte dipinta, sec. XX.	Salvadora dorata con cartiglio, sec. XVIII.	Salvadora dorata, sec. XVIII.
UBICAZIONI	Uffizi (1888).	Coll. Caruso; Galleria d'Arte Moderna, Pitti (1965).	Cosimo III de' Medici; Uffizi (1690); Depositi; Uffizi (1784); Guardaroba (1790).	Cosimo III de' Medici; Uffizi (1688).
ATTRIBUZIONI	—	—	—	—
ESPOSIZIONI	Royal Academy, Londra 1888. Firenze e l'Inghilterra. Rapporti artistici e culturali dal XVI al XX secolo, Firenze 1971.	—	—	Mostra della Roma secentesca, Roma 1930; Il Seicento europeo, Roma 1956-57.
BIBLIOGRAFIA	C. Monkhouse: The Life and Work of Sir Edward J. Poynter, in Art Journal Easter Annual, 1897. T.S.R. Boase: English Art. 1800-1870, Oxford 1959. J. Maas: Victorian Painters, London 1978 (2 ed.). *Cat., Firenze 1971, n. 89.*	Ricordo di Ennio Pozzi, Firenze, 1974.	*A. M. Cerrato in Commentari X, 1959. B. Kerber, Andrea Pozzo, Berlin/New York 1968.*	*P. Della Pergola in Studi trentini XIII, 1932; B. Kerber, Andrea Pozzo, Berlin / New York 1968.*
INVENTARIO	1963 (C.P., p. 108, n. 623).	GAM Giornale 2118.	5522.	1755 (C.P., p. 108 n. 334).
FOTO	175036.	185056.	106164.	228191 (tergo: 206473).
NOTE	L'autoritratto, che fu donato alla Galleria degli Uffizi dall'artista, fu esposto nel 1888 alla Royal Academy di Londra, ed è probabile, come pensa M. Webster (Cat., Firenze 1971) che sia stato dipinto in quell'anno o poco prima. Il Poynter fu direttore della National Gallery di Londra tra il 1894 e il 1904. M.C.	Firmato nell'angolo in alto a sinistra: "E. Pozzi". Nel tergo, nell'angolo in alto a sinistra della cornice: "14/2118 Dono Caruso". Dono Caruso pervenuto nella sede attuale nel 1965 (nota inventariale). L'opera si trova attualmente nei depositi della Galleria d'Arte Moderna di Palazzo Pitti. Gr. Red. 1	Da identificare con un autoritratto di padre Pozzo con cappello sotto il braccio destro e mano sinistra appoggiata al fianco che Cosimo III de' Medici mandò in galleria il 20 gennaio 1690 (ASF, Guard. 903, c. 280v). Poiché un altro autoritratto (inv. 1890 n. 1755) vi era già da due anni, questo non fu esposto se non brevemente, dal 1784 al 1790 (AGF, filza XXIII a 28). Probabilmente ridottosi in cattive condizioni, ne fu ritagliata la sola testa; le misure originali erano 85x77 ca. S.M.T.	A tergo sono riportati i numeri inventariali del 1704 e 1769 e la scritta antica 'P. Pozzj'. Fu eseguito per Cosimo III de' Medici (come testimonia Francesco Saverio Baldinucci), che lo mandò in Galleria il 12 gennaio 1688 (ASF, Guard. 903, c. 121) e vi è sempre rimasto, a differenza di un altro entrato due anni dopo (inv. 1890 n. 5522). L'autore 'con la sinistra posa sopra d'un Macinello, e pentola de col'ri d'avantj; con la destra addita la tela su cui è dipinto il modello della volta di S. Ignazio. Una copia dei primi del '700 è a Roma, Casa Professa del Gesù (qui l'artista poggia la mano su tre suoi volumi). S.M.T.

	A719	A720	A721	A722
AUTORE	Preciado de la Vega, Francisco (Siviglia 1713 - Roma 1789).	Preisler, Johann Justin (Norimberga 1698-1771).	Preller, Ernst Christian Johann Friedrich (Eisenach 1804 - Weimar 1878).	Preti Mattia, detto il Cavalier Calabreve (Taverna 1613 - Malta 1699).
TITOLO	Autoritratto.	Autoritratto.	Autoritratto.	Autoritratto.
DATAZIONE	1769.	1730 ca.	1875.	1695.
DATI TECNICI	Olio su tela, 73,5x58,5.	Olio su carta, 73,5x59.	Olio su tela, 60,5x45,5.	Olio su tela, 99x69, restauro in corso.
CORNICE	Salvadora dorata, sec. XVIII.	Salvadora dorata, sec. XVIII (?).	Sagomata e dorata con decorazioni in pastiglia, sec. XIX.	—
UBICAZIONI	Coll. Pazzi (1769); Uffizi (1779).	Coll. Pazzi; Uffizi (1768).	Uffizi (1875).	Gran Principe Ferdinando de' Medici; Uffizi (1697).
ATTRIBUZIONI	—	—	—	—
ESPOSIZIONI	—	—	Friedrich Preller d.Ä., Heidelberg 1954.	—
BIBLIOGRAFIA	M.A. Alonso Sanchez, Francisco Preciado de la Vega, Madrid 1961. *S. Meloni Trkulja in Paragone 343, 1978.*	*S. Meloni Trkulja in Paragone 343, 1978.*	Thieme-Becker, XXVII, 1933. Cat. Kunstmuseum Düsseldorf, Malerei. 1, Die Gemälde des 19. Jahr., Düsseldorf 1968. Cat. Bayerische Staatsgemälde Sammlungen: Schack-Galerie, München 1969. *O. Roquette, F.P. Ein Lebensbild, Frankfurt 1883. H. Geller, Die Bildnisse der Deutschen Künstler in Rom 1800-1830, Berlino 1952.*	C. Refice Taschetta, Mattia Preti, Brindisi s.d. (1960 ca.). *A. Pelaggi, Mattia Preti ed il Seicento italiano, Catanzaro 1972.*
INVENTARIO	2012 (C.P., p. 212, n. 501).	1773 (C.P., p. 108, n. 352).	2098 (C.P., p. 108, n. 699).	1862 (C.P., p. 212 n. 277).
FOTO	112508.	96052.	315544.	309361 (incisione dall'originale).
NOTE	A tergo «Franciscus Preziado Hispanus Hispalensis se ipsum pingebat Romae anno 1769. Etatis suae 56». Il pittore a Roma fu segretario dell'Accademia di San Luca e dirigeva gli studi dei suoi conterranei; fu ritratto anche dal Maron (Roma, Accademia di San Luca). Il libro che tiene («Ayala/Pictor Christi... Eruditu...») è un manuale settecentesco sugli errori dottrinari che i pittori devono evitare. Pervenne agli Uffizi nel 1779 (AGF, filza XII a 47) con gli ultimi autoritratti della collezione dell'abate Antonio Pazzi; la cornice apparteneva a un altro (Taddeo Mazzi, inv. 1890 n. 2035). S.M.T.	A tergo scritta antica «Gio: Giusto Preisler» e il numero della collezione Pazzi, dalla quale pervenne agli Uffizi, per acquisto, intorno al 1768. Il Preisler fu a Firenze dal 1729 al 1732 ed è possibile, considerando l'età dimostrata nel ritratto, che il quadro risalga a quegli anni. S.M.T.	Firmato e datato sul fondo a destra: Preller F./Weimar/1875. Donato dall'artista nel 1875 (AGF, 1875 (A) 1, 80). Si conoscono diversi autoritratti dell'artista in collezioni europee sia pubbliche che private. Attualmente nei Depositi degli Uffizi. E.S.	Il ritratto fu procurato dal Gran Principe Ferdinando de' Medici ed entrò in galleri ail 21 agosto 1697 (ASF, Guard. 1026, c. 52v); da tempo in restauro, la sua prolungata assenza lo ha escluso dagli studi moderni. È citato nella biografia del De Dominici come eseguito per Ferdinando II granduca e prova di un soggiorno del pittore a Firenze prima della metà del secolo. Nel 1660 egli avrebbe cercato di riaverlo, dovendo però promettere di inviarne un altro. La storia è opinabile perché non è documentato un interesse dei Medici per gli autoritratti prima del settimo decennio. Qui l'artista è detto ottantaduenne e reca la croce bianca dell'ordine di Malta di cui fu commendatore. Assai simile è il ritratto che figura nel San Giovanni Battista della cappella omonima fondata e dotata dal pittore in patria (Taverna, S. Domenico). Un altro autoritratto (Amiens, musée de Picardie) fu esposto a Napoli nel 1938. S.M.T.

	A723	A724	A725	A726
AUTORE	Previati, Gaetano (Ferrara 1852 - Lavagna, Genova 1920).	Primaticcio, Francesco (Bologna 1504 - Francia 1570).	Procaccini, Giulio Cesare (Bologna 1574 - Milano 1625), attr. a.	Pucci, Silvio (Pistoia 1892-1961).
TITOLO	Autoritratto.	Autoritratto.	Autoritratto.	Autoritratto.
DATAZIONE	Sec. XX (1910 ca.?).	1525-30.	1620-25.	Prima metà sec. XX.
DATI TECNICI	Olio su tela, 123x108.	Olio su tela, 40,5x28,5.	Olio su tavola, 70x55.	Olio su tela, 65,5x55,5.
CORNICE	Sagomata e dorata con decorazioni in pastiglia, sec. XX.	Salvadora dorata, sec. XIX.	Salvadora dorata sec. XIX (?).	Sagomata e dorata, sec. XX.
UBICAZIONI	Uffizi (1914).	Uffizi (almeno dal 1704).	Uffizi (1835).	Galleria d'Arte Moderna, Pitti (1943).
ATTRIBUZIONI	—	—	—	—
ESPOSIZIONI	X Esposizione Internazionale di Arte della Città di Venezia, Venezia 1912.	Fontainebleau e la maniera italiana, Napoli 1952.	—	Mostra personale, Galleria d'Arte Michelangelo, Firenze, 1943.
BIBLIOGRAFIA	M. Rosci, in Cat. Mostra del Divisionismo italiano, Milano 1970. *U. Ojetti, in Ritratti d'artisti italiani, Milano 1948.*	*P. Barocchi in Commentari II, 1951. Cat., Napoli 1952, n. 31. Prinz, 1971.*	F. Wittgens in Rivista d'arte XV, 1933. A. Arfelli in Arte antica e moderna 8, 1959.	Comanducci, IV, Milano 1973.
INVENTARIO	3937.	1771 (C.P., p. 108 n. 431).	1816 (C.P., p. 108 n. 392).	GAM Giornale 905.
FOTO	112435.	185187.	109381.	192818.
NOTE	Firmato in basso a destra: Previati. Sulla cornice cartellino della Biennale veneziana (1912). Il dipinto fu richiesto al pittore, e da questi donato nel 1912; tuttavia l'opera entrò negli Uffizi soltanto nel 1914, dopo essere stata esposta, per desiderio della Società per l'Arte di Gaetano Previati, a New York nel 1913 (Cat. non reperito) e a Roma, nella Cancelleria Apostolica nel 1914 (Cat. egualmente non reperito). (AGF Arte 796). Attualmente esposto nel Corridoio Vasariano. E.S.	La tela era in antico più grande; le misure date negli inventari sono 52x42 e la numerazione antica a tergo è parzialmente nascosta dal telaio. Il ritratto era già in galleria nel 1704, ma solo a partire dall'inventario del 1753 lo troviamo fra gli altri autoritratti. È un raro dipinto 'italiano' del Primaticcio, emigrato in Francia nel 1532; parmigianinesco, da datarsi fra il 1525 e il '30, la cui autenticità non è mai stata messa in dubbio per quanto riguarda sia lo stile che la fisionomia, confrontabile con un disegno dell'Albertina di Vienna. S.M.T.	L'autoritratto appare esemplato (ma quando?) su quello di Brera (n. 348), datato 1624, di cui ripete il tipo di volto, capelli, colletto, il fatto di tenere una medaglia; e aggiunge, in posizione incongrua, l'altra mano con pennelli e tavolozza appoggiata sulla spalla sinistra. Fu acquistato da una famiglia patrizia di Milano per 50 zecchini pagati al pittore romano Filippo Benucci insieme a un presunto autoritratto del Morazzone (inv. 1890 n. 1804) col parere favorevole di P. Benvenuti e L. Sabatelli (AGF, filza LIX a 20). Una copia è passata alla vendita Sotheby di Firenze, 14 novembre 1978, n. 649. S.M.T.	Firmato in basso a destra: "Silvio Pucci". Nel tergo in alto a destra, cartellino della Galleria d'Arte Michelangelo di Firenze. Dono dell'artista. Risulta pervenuto nella sede attuale nel 1943 (nota inventariale). L'opera si trova attualmente nei depositi della Galleria d'Arte Moderna di Palazzo Pitti. Gr. Red. 1

	A727	A728	A729	A730
AUTORE	Puccinelli, Antonio (Castelfranco di sotto, Pisa 1822 - Firenze 1897).	Puccinelli, Antonio (Castelfranco di sotto, Pisa 1822 - Firenze 1897).	Puccinelli, Antonio (Castelfranco di sotto, Pisa 1822 - Firenze 1897).	Puccinelli, Antonio (Castelfranco di sotto, Pisa 1822 - Firenze 1897).
TITOLO	Autoritratto.	Ritratto di Curio Nuti.	Ritratto di Emilio Donnini.	Ritratto di Pietro Tincolini.
DATAZIONE	1862-67 ca.	1848 ca.	1847.	1891.
DATI TECNICI	Olio su tela, 54x47.	Olio su tela, 50x44.	Olio su tela, 43,2x34,9. Restaurato nel 1979.	Olio su tela, 78x64.
CORNICE	D'epoca, sagomata e dorata.	D'epoca, intagliata e dorata.	Posteriore, sagomata e dorata.	D'epoca, intagliata e dorata.
UBICAZIONI	Coll. Fanani; Uffizi (1922).	Coll. Nuti (1911); Uffizi (1917); Galleria d'Arte Moderna, Pitti (1976).	Eredi Donnini; Uffizi (1978); Galleria d'Arte Moderna, Pitti (1979).	Coll. Tincolini; Uffizi (1916); Galleria d'Arte Moderna, Pitti (1976).
ATTRIBUZIONI	—	—	—	—
ESPOSIZIONI	—	Mostra della Firenze granducale, Firenze 1948. Ritratto dell'Ottocento, Portoferraio 1953.	—	Mostra retrospettiva di Antonio Puccinelli, Firenze 1910. Mostra del ritratto italiano dell'Ottocento, Portoferraio 1953.
BIBLIOGRAFIA	L. e F. Luciani, Dizionario dei pittori italiani dell'800, Firenze 1974.	L. e F. Luciani, Dizionario dei pittori italiani dell'800, Firenze 1974. *U. Panichi, in: Vita d'arte 1911, p. 205.*	L. e F. Luciani, Dizionario dei pittori italiani dell'800, Firenze 1974. *R. Panichi in: Vita d'arte 1911, p. 204.*	I Macchiaioli, Cat. Firenze 1976. *U. Panichi, in: Vita d'arte, 1911, p. 206.*
INVENTARIO	8440.	8337.	9510.	3261.
FOTO	113081.	269374.	—	31376.
NOTE	A tergo l'autentica: Io sottoscritta nipote del prof. Antonio Puccinelli dichiaro che questo è l'autoritratto del suddetto professore. Emma Puccinelli. Un ritratto era stato chiesto al Puccinelli nel 1864 per la collezione assieme a quelli del Ciseri, del Mussini, dell'Ussi e del Pollastrini (AGF, Arte 796 in doc. autoritratti), ma evidentemente il pittore non aveva soddisfatto alla richiesta. Si noti tuttavia che questo autoritratto acquistato dopo la sua morte risale certamente agli stessi anni. Nel 1936 Alberto Puccinelli offriva in vendita un altro autoritratto, forse quello pubblicato dal Panichi (Vita d'arte 1911, p. 202), ma la Direzione controproponeva un cambio (non effettuato) con questo ritratto, acquistato per 500 lire nel 1922 dal signor Fanani nota inventariale. Un altro autoritratto, citato dal Panichi, è quello dell'Accademia di Bologna dove il Puccinelli fu professore. Attualmente l'opera è nelle riserve. S.P.	A tergo si legge: Curio Nuti patriotta dell'anno 1848. L'opera, che risulta pervenuta nel novembre 1917 senza indicazioni di provenienza, era stata pubblicata pochi anni prima con ubicazione presso la famiglia del ritrattato. Questi, noto come pittore di paesaggio, è indicato come patriota quarantottesco e la data conviene anche per le forti analogie con un altro ritratto datato 1849 del Puccinelli, quello del Donnini recentemente pervenuto alla raccolta iconografica degli Uffizi. Il dipinto è esposto presso la Galleria d'arte moderna dal riordinamento del 1976 ed è erroneamente pubblicato nel giornale che dà notizia di tale riordinamento come ritratto di Carlo Nuti. S.P.	Siglato e datato in basso a destra: P. A. / 1847 (l'ultima cifra non è leggibile con assoluta certezza). Donato di recente da Giorgio Montelatici e Giuliana Benedetti Forestieri in esecuzione della volontà testamentaria della signora Fiorenza Bourbon Del Monte (morta nel 1978) che possedeva il ritratto per tradizione di famiglia e lo riteneva autoritratto del pittore Emilio Donnini elbano (documentato a Firenze fra il 1843 e il 1865 ca.: v. Cultura neoclassica e romantica nella Toscana granducale, catalogo della mostra, Firenze 1972). La famiglia Bourbon Del Monte si imparentò con la famiglia Donnini verso il 1870. In realtà, oltre alla sigla e allo stile (confrontabile con il contemporaneo ritratto del Puccinelli ad un altro pittore paesista Curio Nuti, anch'esso nelle collezioni fiorentine) il ritratto era riferito al Puccinelli ancora nel 1911. Esposto alla Galleria d'arte moderna. S.P.	Firmato a tergo: A Puccinelli / Dipinse a. o 1891. Donato dall'effigiato nel 1916 assieme a una vasta raccolta dei propri disegni architettonici (AGF, Arte 98, C). Il Tincolini, allievo dell'architetto Emilio de Fabris, fu professore dapprima all'Accademia di Firenze, poi di Bologna dove ebbe a collega il Puccinelli che a Bologna insegnò dal 1861 al 1895. Dal 1976 il quadro è esposto nella Galleria d'arte moderna di Palazzo Pitti. S.P.

	A731	A732	A733	A734
AUTORE	Purrmann, Hans Marsilius (Spira 1880 - Basilea 1966).	Puvis de Chavannes, Pierre (Lione 1824 - Parigi 1898).	Quadal, Martin Ferdinand (Nemcice 1726 - Pietroburgo 1808).	Raffaello Sanzio (Urbino 1483 Roma 1520).
TITOLO	Autoritratto.	Autoritratto.	Autoritratto col cane.	Autoritratto.
DATAZIONE	1951-54 ca.	1889.	1785 ca.	1506 ca.
DATI TECNICI	Olio su tela, 68,5x52,5.	Olio su tela, 65x54.	Olio su tela, 97,5x73.	Olio su tavola, 47,5x33.
CORNICE	Sagomata e tinta in legno scuro, sec. XX.	Intagliata e dorata, sec. XIX.	Intagliata e dorata, 1785.	Intagliata dorata e dipinta su fondo blu, sec. XIX.
UBICAZIONI	Coll. Hanna Kiel; Uffizi (1976).	Uffizi (1889).	Uffizi (1785).	Coll. Della Rovere, Urbino; Ferdinando II de' Medici (1631); Card. Leopoldo de' Medici (1675); Uffizi (1682).
ATTRIBUZIONI	—	—	—	—
ESPOSIZIONI	—	Mostra della pittura francese a Firenze, Firenze 1945. Puvis de Chavannes, Parigi-Ottawa 1976-77. Pittura francese nelle collezioni pubbliche fiorentine, Firenze 1977.	—	—
BIBLIOGRAFIA	E. Hausen, Der Maler Hans Purrmann, Berlino 1950. Hans Purrmann Schriften (a cura di B. e E. Göpel), Wiesbaden 1962. Cat. Hans Purrmann, München 1976-77.	C. Mauclair: Puvis de Chavannes, Paris 1928. *Cat., Firenze 1945, n. 105. Cat., Parigi-Ottawa, 1976-77, n. 187. Cat., Firenze 1977, n. 43.*	Cat. Mostra Artisti Austriaci a Roma dal barocco alla secessione, Roma 1972, n.n.	L. Dussler, Raphael, London / New York 1971. *M. Missirini in Effemeridi di Roma, agosto 1821. C. Volpe in Paragone 75, 1956. H. Wagner, Raffael im Bildnis, Bern 1969.*
INVENTARIO	9499.	1990 (C.P., p. 108, n. 589).	2094 (C.P., p. 108, n. 482).	1706 (C.P., p. 110, n. 288).
FOTO	251085.	182527, 214595.	96408.	142708.
NOTE	Dietro sul telaio le scritte: Hans Purrmann/1037 (ripetuta anche sulla tela) e: T/39. L'opera fu donata dalla signora Hanna Kiel nel 1976 (AGF, Arte 796). Questo autoritratto è databile al 1951-54 ca. perché strettamente in rapporto con quello nel museo di Darmstadt, databile a quegli anni. Altri autoritratti dell'artista si trovano a Saarbrücken e alla Pfalzgalerie Kaiserslautern (databili entrambi fra il 1951 e il 1957); altri ancora sono in varie collezioni private. Attualmente nei Depositi degli Uffizi. E.S.	Firmato e datato in alto a destra: P. Puvis de Chavannes/1889. L'artista fu invitato, nel 1886, dal direttore della Galleria degli Uffizi, Ginori, a inviare il suo autoritratto, che pervenne agli Uffizi tre anni dopo. M.C.	A tergo un cartellino antico sulla cornice «Del Quadal 12. Luglio 1785», che corrisponde al giorno di ingresso in galleria (AGF, ms. 114, c. 3v). L'autore, che era specializzato in animali, dipinse il ritratto durante il suo soggiorno italiano (1785-87) e «nell'avere a Pisa mostrate alcune sue opere all'A.S.R. gli domandò di poterlo riporre nella serie, e... gli fu concesso» (AGF, filza XVIII a 16). L'autoritratto fu donato con la bella cornice che ha tuttora. S.M.T.	Probabilmente citato nella 'Nota de' quadri buoni d'Urbino', passato al card. Leopoldo e con i suoi autoritratti entrato in galleria il 28 ottobre 1682 (ASF, Guard. 870, c. 160v), a differenza di uno a pastello (che M. Boschini gli acquistò nel 1675 dalla collezione di Niccolò Renieri: Prinz, 1971, docc. 170-171) segnato nell'inventario dell'eredità (n. 277) ma oggi non rintracciato. Wagner (che cita, pp. 64-66, le copie, cui si può aggiungere quella inv. 1890, n. 5343) lo suppone invece proveniente (con altri) dall'Accademia di S. Luca come dono per l'esecuzione della facciata dei SS. Luca e Martina. Sono stati espressi molti dubbi sulla sua autenticità e sull'autografia di alcune parti, e si tende a crederlo copia dell'autoritratto nella 'Scuola d'Atene'. Talora fu dato per autoritratto anche il 'Bindo Altoviti' (Washington, National Gallery of Art). S.M.T.

	A735	A736	A737	A738
AUTORE	Romenghi, Bartolomeo, detto il Bagnacavallo (Bagnacavallo 1484 - Bologna 1542).	Ransonnet-Villez, Elza, contessa Nemes (Vienna 1843 - Bressanone, Bolzano 1899).	Rapisardi, Michele (Catania 1822 - Firenze 1886).	Rauchinger, Heinrich (Cracovia 1858 - Vienna ? 1942).
TITOLO	Ritratto d'uomo.	Autoritratto.	Autoritratto.	Autoritratto.
DATAZIONE		1875 (Viallet, 1923), 1878.	1865 (Rapisardi 1889).	1924.
DATI TECNICI		Olio su tavola, 74x59.	Olio su tela, 56,5x47.	Olio su tela, 92x76,5.
CORNICE		Nera, con decorazioni in pastiglia, sec. XIX.	Sagomata e dorata, sec. XIX.	Sagomata e dorata con decorazioni in pastiglia a motivi vegetali, sec. XX.
UBICAZIONI		Eredi dell'artista; Accademia (1900); Uffizi (1909).	Eredi dell'artista; Uffizi (1887).	Uffizi (1924).
ATTRIBUZIONI		—	—	—
ESPOSIZIONI		—	86ª Esposizione della Soc. delle Belle Arti di Firenze, maggio-giugno 1933.	—
BIBLIOGRAFIA		Thieme-Becker, XXV, 1931; Müvészeti Lexikon, IV, Budapest 1968; *E. Pieraccini, Guida della R. Galleria d'arte antica e moderna, Firenze s.d. (V ediz.), p. 146, n. 169; B. Viallet, Roma s.d. (1923).*	Thieme-Becker, XXVIII, 1934. M. Accascina; Ottocento siciliano. Pittura, Roma 1939. *E. Rapisardi, Vita e opere di Michele Rapisardi, Prato 1889.*	Thieme-Becker, XXVIII, 1934.
INVENTARIO		3440 (C.P., p. 107, n. 775).	2000 (C.P., p. 108, n. 637).	8549.
FOTO		96055.	315537.	96409.
NOTE	Vedi: Scuola italiana sec. XVII. Autoritratto. Scheda A850.	Firmato e datato in alto a destra: Elisa Nemes 1878. L'opera fu legata per testamento agli Uffizi dalla pittrice; il legato fu accettato nel 1900 dopo che il dipinto fu esposto alla retrospettiva dell'artista organizzata a Budapest nel 1899 (cat. non reperito; AGF, Arte 164). La Viallet avanza l'ipotesi — palesemente contraddetta dalla data che si legge sul dipinto — che l'opera sia stata eseguita a Vienna nel 1875. L'autoritratto si trova attualmente nei Depositi degli Uffizi. E.S.	Sulla cornice cartellino della mostra di Firenze (1933). L'opera fu richiesta dalla Direzione degli Uffizi agli eredi dell'artista nel 1887 (E. Rapisardi, p. 142). Attualmente nei Depositi degli Uffizi. E.S.	Firmato e datato in alto a destra: H. Rauchinger/se ipsum fecit/ Wien 1924. Un autoritratto fu richiesto all'artista dalla Direzione degli Uffizi nel 1911; questo fu donato dal pittore nel 1924 (AGF, Arte 796). Attualmente nei Depositi degli Uffizi. E.S.

	A739	A740	A741	A742
AUTORE	Redi, Tommaso (Firenze 1665-1726).	Redi, Tommaso (Firenze 1665-1726).	Rembrandt, Harmenszoon van Rijn (Leida 1606 - Amsterdam 1669).	Rembrandt, Harmenszoon van Rijn (Leida 1606 - Amsterdam 1669), attr. a.
TITOLO	Autoritratto.	Autoritratto.	Autoritratto.	Autoritratto.
DATAZIONE	1709.	Primo decennio sec. XVIII.	1634 ca.	1655 ca.
DATI TECNICI	Olio su tela, 72x59.	Olio su tela, 72,5x58,2.	Olio su tavola, 62,5x54.	Olio su tela, 76x61.
CORNICE	Salvadora dorata con cartiglio; sec. XVIII, restauro 1979.	Salvadora dorata con cartiglio, sec. XVIII.	Intagliata e dorata, sec. XVIII.	Barocca, nera e oro.
UBICAZIONI	Coll. Puccini (1725); coll. Pazzi; Uffizi (1768).	Guardaroba del taglio; Uffizi (1730).	Düsseldorf (sec. XVII-XVIII); Coll. Gerini (ante 1716); Pitti (1818); Uffizi (1922).	Poggio a Caiano (inizi sec. XVIII); Uffizi (1773).
ATTRIBUZIONI	—	—	—	Rembrandt (Bredius 1935). Copia (Slive 1953, Gerson 1968).
ESPOSIZIONI	—	—	Pittura olandese del Seicento, Roma 1928. Mostra di pittura olandese del Seicento, Roma-Milano 1954. Rembrandt Tentoonstelling, Amsterdam-Rotterdam 1956.	Drie Eeuwen Portret in Nederland, Amsterdam 1952.
BIBLIOGRAFIA	*S. Meloni Trkulja in Paragone 343, 1978.*	F. S. Baldinucci, Vite di artisti..., ed. Roma 1975.	J. Rosenberg-S. Slive-E. H. Ter Kuile: Dutch Art and Architecture 1600-1800, Harmondsworth 1966. *Cat., Amsterdam-Rotterdam 1966, n. 23. A. Bredius-H. Gerson: Rembrandt Paintings, London 1968, n. 20. H. Gerson: Rembrandt Gemälde. Gesamtwerk, Amsterdam 1968, n. 144.*	J. Rosenberg- S. Slive-E. H. Ter Kuile: Dutch Art and Architecture 1600-1800, Harmondsworth 1966. *Cat., Amsterdam 1952, n. I/5. A. Bredius-H. Gerson: Rembrandt Paintings, London 1968, n. 45.*
INVENTARIO	3363.	1733 (C. P., p. 212 n. 314).	3890 (C.P., p. 108, n. 451).	1864 (C.P., p. 108, n. 60).
FOTO	173984.	112346.	52920.	102666.
NOTE	Firmato e datato a tergo «Tomas Redius Florentinus Anno 1709 Semetipsum pingebat». Un'altra effigie dell'autore (inv. 1890 n. 1733) era già presente in galleria quando il granduca Pietro Leopoldo acquistò questa, del tutto diversa ma pure autografa, dall'abate Antonio Pazzi, a cui veniva dalla collezione di Tommaso Puccini, medico di Cosimo III. S.M.T.	Siglato a tergo con le iniziali accostate TR, entrò in galleria l'11 gennaio 1730 (ASF, Guard. 1351, c. 16r) inviatovi dalla guardaroba del taglio, cioè dall'ufficio che provvedeva alla manutenzione, acquisto e vendita di oggetti della famiglia granducale. Può darsi che provenisse dalla famiglia del pittore, per generazioni al servizio della corte, senza una specifica richiesta dei Medici. In seguito un autoritratto diverso e probabilmente più tardo fu venduto alla galleria dall'abate Pazzi (inv. 1890 n. 3363). Gli studi del Redi a Roma erano stati finanziati dal granduca Cosimo III, che si valse spesso dell'opera dell'artista. S.M.T.	Il dipinto è stato ingrandito in basso di una striscia di circa 9 cm. Secondo G. Ewald, (Appunti sulla Galleria Gerini..., in Kunst des Barock in der Toskana, München 1976, p. 355) l'autoritratto fu inviato in dono ai Gerini da Johann Wilhelm von der Pfalz, Elettore Palatino del Reno (m. nel 1716). Fu acquistato nel 1818 da Ferdinando III di Lorena dai Gerini e collocato nella Galleria di Palazzo Pitti, da dove passò agli Uffizi nel 1922. Il dipinto è generalmente datato dalla critica intorno al 1634. M.C.	La provenienza del dipinto non è documentata. Esso si trovava agli inizi del XVIII secolo nella raccolta di quadri adunata nella Villa di Poggio a Caiano dal principe Ferdinando de' Medici, figlio di Cosimo III (M. L. Strocchi, in Paragone, Nn. 309-311, 1975-76). Sappiamo, tuttavia, che un autoritratto dell'artista si trovava fin dal 1675 nella collezione del cardinal Leopoldo de' Medici in palazzo Pitti. Il dipinto, come attestato da un cartellino sul retro, passò da Poggio a Caiano agli Uffizi nel 1773. Considerato in genere autografo, la paternità del Rembrandt è stata rifiutata da Slive e Gerson. M.C.

	A743	A744	A745	A746
AUTORE	Rembrandt, Harmenszoon van Rijn (Leida 1606 - Amsterdam 1669).	Reni, Guido (Bologna 1575-1642).	Resani, Arcangelo (Roma 1670-1740).	Reynolds, Sir Joshua (Plympton 1723 - Londra 1792).
TITOLO	Autoritratto.	Autoritratto.	Autoritratto.	Autoritratto.
DATAZIONE	1664 ca.	1630 ca. (Borea 1975).	1713 ca.	1775.
DATI TECNICI	Olio su tela, 74x55.	Tela, 45,4x34.	Olio su tela, 10,5x87,3, restauro 1954.	Olio su tela, 71,5x58.
CORNICE	Intagliata e dorata, barocca.	Dorata a baccelli.	Salvadora dorata sec. XX.	Intagliata, dorata, sec. XVIII.
UBICAZIONI	Uffizi (1704).	Cosimo III de' Medici; Uffizi (1690).	Cosimo III de' Medici; Uffizi (1713).	Uffizi (1775).
ATTRIBUZIONI		—	—	—-
ESPOSIZIONI	Drie Eeuwen Poutret in Nederland, Amsterdam 1952. Rembrandt Tentoonstelling, Amsterdam-Rotterdam 1956.	Guido Reni, Bologna 1954, Pittori bolognesi del Seicento nelle Gallerie di Firenze, Firenze 1975.	Christoforo Munari e la natura morta emiliana, Parma 1964.	Firenze e l'Inghilterra. Rapporti artistici e culturali dal XVI al XX secolo, Firenze 1971.
BIBLIOGRAFIA	J. Rosenberg-S. Slive-E. H. Ter Kuile: Dutch Art and Architecture 1600-1800, Harmondsworth 1966. A. Bredius-H. Gerson: Rembrandt Paintings, London 1968, n. 60. H. Gerson: Rembrandt Gemälde. Gesamtwerk, Amsterdam 1968, n. 399.	E. Borea, in Cat. Firenze 1975, n. 101, pp. 142-43.	G. Delogu, Natura morta italiana, Bergamo 1962. S. Meloni Trkuljs in Paragone 343, 1978.	E.K. Waterhouse: Reynolds, London 1941. Id.: Painting in Britain 1530-1790, Harmondsworth 1953. Cat., Firenze 1971, n. 63.
INVENTARIO	1871 (C.P., p. 108, n. 452).	1827 (C.P., p. 109 n. 403).	1754 (C. P., p. 109 n. 333).	1932 (C.P., p. 109, n. 540).
FOTO	104429.	157936.	112437.	147153.
NOTE	La provenienza del dipinto non è documentata. Un autoritratto dell'artista era nella raccolta di autoritratti in palazzo Pitti formata dal cardinal Leopoldo de' Medici (inventario del 1675, c. 70, N. 250) con misure che corrispondono all'incirca a quelle del presente dipinto. Tuttavia, poiché a Firenze esiste un altro autoritratto attribuito al pittore (Inv. 1890, n. 1864) pressappoco delle stesse misure, non si può escludere che quello appartenuto al cardinale sia quest'ultimo. Il quadro risulta agli Uffizi dal 1704 dove lo videro e lo citarono il Baldinucci e lo Houbraken. Datato generalmente dalla critica intorno al 1664. Inciso in Museo Fiorentino, vol. III, 1756, p. 79. M.C.	Entrato in Galleria nel 1690 (comunicazione di S. Meloni Trkulja: A.S.F. Guard. 903, c. 280r), procacciato da Cosimo III de' Medici. È un nobile ritratto di finissima fattura, conveniente con la maniera di Guido vecchio. E.B.	Mandato in galleria da Cosimo III de' Medici il 21 agosto 1713 (ASF, Guard. 1171, c. 243v), non fu esposto perché, a giudizio del custode Bianchi, 'non autenticato'. Ha servito invece di base per molte attribuzioni, perché elementi come la sporta o il pollame ritornano in varie tele dell'artista. S.M.T.	Sul foglio tenuto in mano dall'artista la scritta: «Disegni del Divino/Michelagnolo Bon...». Sul retro lunga scritta in latino concernente il 'cursus honorum' del pittore e la data 1775. Il ritratto fu inviato dall'artista dopo che lo Zoffany nel 1774 aveva proposto alla direzione degli Uffizi di fargliene richiesta. L'artista fu ringraziato con una medaglia d'oro e d'argento di Pietro Leopoldo. Uomo colto, grande collezionista di disegni antichi, teorico dell'arte (Discorsi, 1769-90), fu il primo presidente dell'Accademia Reale di Londra. In questo autoritratto, del quale esistono varie versioni e copie, si è rappresentato col tocco e mantello di dottore dell'Università di Oxford. M.C.

	A747	A748	A749	A750
AUTORE	Ribbing, Sophie Amalia (Sondraholm 1835 - Oslo 1894).	Ribera, Jusepe de, detto lo Spagnoletto (Jativa 1591 - Napoli 1652).	Ricci, Sebastiano (Belluno 1659 - Venezia 1734).	Ricci, Sebastiano (Belluno 1659 - Venezia 1734).
TITOLO	Autoritratto.	Autoritratto.	Autoritratto.	Autoritratto.
DATAZIONE	1875.	1630 ca.	1704.	1720-25.
DATI TECNICI	Olio su tela, 63x46.	Olio su tela, 52,5x42,5, restauro 1963 e 1973.	Olio su tela, 98,5x72,2, rintelato.	Olio su tela, 45x38,7.
CORNICE	Sagomata e laccata in rosso, sec. XIX.	—	Salvadora dorata, sec. XVIII.	Intagliata e dorata, sec. XVIII.
UBICAZIONI	Coll. Lungstrasse, Bonn; Uffizi (1881).	Madrid (1707); Gran Principe Ferdinando de' Medici (1707)?	Gran Principe Ferdinando de' Medici (1704); Uffizi (1704).	Luigi Grassi; Uffizi (1917).
ATTRIBUZIONI	—	Luca Giordano (Spinosa 1978).	—	—
ESPOSIZIONI	—	—	Il Settecento italiano, Venezia 1929; Ritratto veneto da Tiziano al Tiepolo, Varsavia 1956; Artisti della corte granducale, Firenze 1969.	—
BIBLIOGRAFIA	B.M. Holmquist, in Svenskt Konstnärslexikon, IV, Malmö 1961. B. Viallet, Roma s.d. (1923).	A.E. Pérez Sánchez, N. Spinosa: L'opera completa di Ribera, Milano 1978. A.L. Mayer, Jusepe de Ribera, Berlin 1908.	J. Derschau, Sebastiano Ricci, Heidelberg 1922. C. Gamba in Dedalo V, 1924-25. M. Chiarini in Antichità viva XV, 1976.	J. Derschau, Sebastiano Ricci, Heidelberg 1922. M. Chiarini in Antichità viva XV, 1976.
INVENTARIO	1975 (C.P., p. 101, n. 601; p. 109, n. 601).	1666 (C.P., p. 109, n. 244).	1846 (C.P., p. 109 n. 432).	3499.
FOTO	112504.	252254.	157082.	101954.
NOTE	Firmato e datato in basso a sinistra: Sophie/Ribbing/1875. L'opera fu legata per testamento agli Uffizi dalla signora Carolina Lungstrasse di Bonn, e pervenne in Galleria nel 1881 (AGF, 1881 (B), 1, 41). Alcune fonti bibliografiche riferiscono la morte dell'artista come avvenuta a Roma nel 1895. Attualmente nei Depositi degli Uffizi. E.S.	Un autoritratto del Ribera fu acquistato dal cardinal Leopoldo de' Medici prima del maggio 1668 (cfr. Prinz, 1971, pp. 36, 69) e con l'eredità del cardinale (n. 229) entrò agli Uffizi il 28 ottobre 1682 (ASF, Guard. 870, c. 160v); è sempre stato identificato con questo. Ma descrizione e misure collimano piuttosto con uno procurato al Gran Principe Ferdinando de' Medici, nel febbraio 1707, da Carlo Rinuccini a Madrid (segnalazione di M.L. Strocchi), che è detto «piccolo» e «testa». Purtroppo il tergo non reca più la «sottoscrizione che (il Ribera) pose sulla tela assieme con il millesimo in cui fu fatto», e le descrizioni antiche non bastano per asserire che l'autoritratto attuale fu di Leopoldo (ma dovrebbe avere un colletto con trina) piuttosto che di Ferdinando. Creduto copia dal Mayer e autoritratto del Giordano giovane da Spinosa, è l'unica effigie esistente del Ribera. S.M.T.	Mandato in galleria dal Gran Principe Ferdinando de' Medici il 29 dicembre 1704 (ASF, Guard. 1113, c. 78r); era stato inviato dal pittore il 13 dicembre e il Gran Principe lo ringraziò con lettera del 20 dicembre (ASF, Mediceo 5890, cc. 535r, 574r, segnalate da M. L. Strocchi). La datazione comunemente proposta era 1706-07. In questo secolo le Gallerie ebbero un autoritratto dell'artista più anziano (inv. 1890 n. 3499). S.M.T.	Dono del prof. Luigi Grassi alla Galleria, 1917. Viene datato dal Chiarini 'circa vent'anni' dopo l'altro autoritratto già presente agli Uffizi (inv. 1890 n. 1846, del 1704) e ci darebbe quindi l'artista sessantenne. S.M.T.

	A751	A752	A753	A754
AUTORE	Ricciolini, Michelangelo (Todi 1654 - Roma 1715).	Ricciolini, Niccolò (Roma 1687-1763).	Richmond, George (Londra 1809-1896).	Richter, Ferdinando (Breslau 1693? - Roma 1737 ca.).
TITOLO	Autoritratto.	Autoritratto.	Autoritratto.	Autoritratto.
DATAZIONE	Inizi sec. XVIII.	Secondo quarto sec. XVIII.	1867 ca. (Webster 1971).	1720-25 ca.
DATI TECNICI	Olio su tela, 73,5x58, originariamente più largo.	Olio su tela, 73x58.	Olio su tela, 61,5x51.	Olio su tela, 68x55.
CORNICE	Salvadora dorata con cartiglio, sec. XVIII.	Salvadora dorata con cartiglio, sec. XVIII.	Intagliata, dorata, sec. XIX.	Intagliata e dorata, sec. XVIII.
UBICAZIONI	Coll. Pazzi; Uffizi (1768).	Coll. Pazzi; Uffizi (1768).	Uffizi (seconda metà sec. XIX).	Coll. Feroni (ante 1850); Uffizi (1866); Cenacolo di Foligno (1894).
ATTRIBUZIONI	—	—	—	—
ESPOSIZIONI	—	—	Firenze e l'Inghilterra. Rapporti artistici e culturali dal XVI al XX secolo, Firenze 1971.	—
BIBLIOGRAFIA	*S. Meloni Trkulja in Paragone 343, 1978.*	S. Susinno in L'Accademia Nazionale di San Luca, Roma 1974. *S. Meloni Trkulja in Paragone 343, 1978.*	Thieme-Becker, XXVIII, 1934. T.S.R. Boase: English Art, 1800-1870, Oxford 1959. *Cat., Firenze 1971, n. 90.*	E. Hempel: Baroque Art and Architecture in Central Europe, Harmondsworth 1965. *Catalogo della Galleria Feroni, Firenze 1895, p. 8.*
INVENTARIO	1760 (C.P., p. 212 n. 345).	2072 (C.P., p. 212 n. 686).	3110 (C.P., p. 109, n. 714).	Cenacoli e S. Marco 26.
FOTO	112438.	112439.	175034.	159987.
NOTE	A tergo scritta antica 'Micel angiolo Ricciolini'. Insieme all'autoritratto del figlio Niccolò (inv. 1890-2027), entrò agli Uffizi con la raccolta dell'abate Antonio Pazzi. Poiché Niccolò fornì anche a Nicola Pio un disegno col ritratto del padre (cfr. A. M. Clark in Master drawings V, 1967), si potrebbe crederlo autore anche di questo: ma non è probabile perché il ritratto era più largo (la parte ripiegata sul telaio, assai maggiore del consueto specie su un lato verticale, è dipinta). Se fosse stato fatto apposta per l'abate avrebbe avuto le misure standard; così è possibile che sia venuto dalla bottega o da casa di Niccolò, riadattato per l'occasione. S.M.T.	Già nella raccolta di autoritratti dell'abate Antonio Pazzi, che la vendette alla Galleria intorno al 1768; vi era anche l'autoritratto del padre del pittore, Michelangelo (inv. 1890-1760). Un altro autoritratto dell'artista, più tardo, è all'Accademia di San Luca a Roma. S.M.T.	L'artista ricevette la laurea ad 'honorem' in Diritto Civile nel 1867: in quell'anno egli si fece due autoritratti, entrambi con il tocco di dottore, ed è probabile che il dipinto degli Uffizi sia uno dei due. La sua provenienza non è documentata. M.C.	Sul retro della tela, in basso, scritta settecentesca: Ferdinando Richter. Come indica questa iscrizione, ci troveremmo in presenza del ritratto, e probabilmente dell'autoritratto, del pittore F. Richter del quale si hanno scarsissime notizie biografiche e della sua attività. La sua presenza a Firenze è documentata da un ritratto a grandezza naturale da lui eseguito dell'ultimo granduca mediceo, Gian Gastone de' Medici (Firenze, Uffizi; firmato e datato 1737 sul retro). L'autoritratto non fa parte della collezione dei ritratti di artisti iniziata dal card. Leopoldo de' Medici, ma è entrato nella Galleria insieme alla collezione Feroni. M.C.

	A755	A756	A757	A758
AUTORE	Richter, Gustav Karl Ludwig (Berlino 1823-1884).	Ridolfi, Claudio (Verona 1570 ca. - Corinaldo 1644).	Ridolfi, Michele (Gragnano, Lucca, 1795 - Lucca 1854).	Rietti, Arturo (Trieste 1863 - Milano? 1943).
TITOLO	Autoritratto.	Autoritratto.	Autoritratto.	Autoritratto.
DATAZIONE	1862-64.	Secondo decennio sec. XVII.	1852 (E. Ridolfi 1879).	1937.
DATI TECNICI	Olio su tela, 89,5x68.	Olio su tela, 61,5x44.	Encausto su intonaco applicato su stuoia, 73,5x59.	Olio su tela, 55x45.
CORNICE	Dorata con decorazioni in pastiglia a motivi vegetali, sec. XIX.	Salvadora dorata, sec. XVIII, riadattata.	Intagliata a motivi vegetali e dorata, sec. XIX.	Seicentesca in legno scuro.
UBICAZIONI	Eredi dell'artista; Uffizi (1885).	Card. Leopoldo de' Medici (ante 1675); Uffizi (1682).	Eredi dell'artista; Uffizi (1903).	Uffizi (1938).
ATTRIBUZIONI	—	—	—	—
ESPOSIZIONI	—	—	—	—-
BIBLIOGRAFIA	Thieme-Becker, XXVIII, 1934.	C. Donzelli, G.M. Pilo, I pittori del Seicento veneto, Firenze 1967. L. Magagnato in Cinquant'anni di pittura veronese 1580-1630, Verona 1974.	C. Del Bravo, in Cat. Mostra Disegni italiani del XIX secolo, Firenze 1971. *E. Ridolfi, in Scritti d'arte e di antichità di Michele Ridolfi, Firenze 1879, pp. LVII-LVIII, LXXXVIII. A. Doroni, Il pittore Michele Ridolfi da Gragnano di Lucca, Roma 1921.*	Thieme-Becker, XXVIII, 1934. Cat. Bolaffi della pittura italiana dell'800, VI, Torino 1976.
INVENTARIO	1966 (C.P., p. 109, n. 607).	1838 (C.P., p. 109, n. 422).	3265 (C.P., p. 109, n. 750).	9216.
FOTO	96410.	113064.	171462.	278040.
NOTE	Firmato e datato in basso a sinistra: Gustav/Richter/23 september/1862-1864. Donato agli Uffizi dalla vedova dell'artista nel 1885; alla documentazione del dono nell'archivio della soprintendenza è allegata una breve biografia del pittore (AGF, 1885 (D), 1, 67; Arte 796). Attualmente nei Depositi degli Uffizi. E.S.	A tergo antichi numeri d'inventario. Entrato in galleria il 28 ottobre 1682 con gli altri autoritratti del cardinal Leopoldo de' Medici (ASF, Guard. 870, c. 160v) e da allora sempre esposto, non è mai stato considerato dalla critica. Non è impossibile che il quadro sia giunto a Firenze coi beni d'Urbino, dato che nelle carte del cardinal Leopoldo non si è trovato traccia di un suo acquisto e che in una lettera del 1681 (Prinz, 1971, doc. 60) il Baldinucci offre informazioni sull'autore, il cui ritratto, sembra di poter dedurre, era nella raccolta non come frutto di una ricerca recente e consapevole. L'artista era stato attivo nelle Marche e alla corte dei Della Rovere almeno fin dagli inizi del Seicento. S.M.T.	Dietro, sul telaio, etichetta con scritta frammentaria: Saggio di encausto sul muro/Stemprati i colori con cera e resine/copale ed elastica (?)/Indi cauterizzato col fuoco/(una parola mancante) dal professore Michele Ridolfi di Lucca. Enrico Ridolfi (op. cit., p. LXXVIII) ricorda un altro autoritratto dell'artista, dipinto a encausto su seta, premiato all'esposizione internazionale di Londra del 1851; questo dipinto nel 1879 era in possesso degli eredi dell'artista. L'autoritratto su intonaco fu donato agli Uffizi nel 1903 dal figlio dell'artista, Enrico, allora Direttore delle Gallerie fiorentine (cfr. A. Doroni cit.). Attualmente nei Depositi degli Uffizi. E.S.	Firmato e datato in basso a destra: A Rietti/1937. Un autoritratto fu richiesto nel 1925 all'artista, che donò questo nel 1938; in precedenza la Direzione degli Uffizi aveva prescelto nel 1925 un altro autoritratto, nonostante il parere contrario dell'artista che avrebbe preferito donare quello allora esposto alla Galleria Pesaro a Milano; nel 1927 Rietti desidera cambiare il dipinto già scelto dalla commissione con un altro autoritratto, allora in mostra alla 80ª Esposizione Nazionale, ma stavolta la Commissione si esprime preferendo quello che era stato esposto alla Galleria Pesaro di Milano nel 1925; l'artista ritira tutti i suoi autoritratti nel 1938, e invia un altro autoritratto eseguito appositamente che viene accettato (AGF, Arte 796). Il dipinto è attualmente nei Depositi degli Uffizi. E.S.

	A759	A760	A761	A762
AUTORE	Rigaud, Hyacinthe (Perpignano 1659 - Parigi 1743).	Riminaldi, Orazio (Pisa 1593-1630).	Rippl-Rónai, József (Kaposvár 1861-1927).	Rivalta, Augusto (Alessandria 1837 - Firenze 1925).
TITOLO	Autoritratto.	Autoritratto.	Autoritratto.	Autoritratto.
DATAZIONE	1716.	1615-20.	1925.	1913.
DATI TECNICI	Olio su tela, 80x64.	Olio su tela, 67x53,3, restauro 1976.	Pastello su carta, 52x42.	Bronzo, alt. 48.
CORNICE	Liscia, nera e oro, sec. XVII.	Salvadora dorata, sec. XVIII.	Sagomata e dorata con decorazioni in pastiglia, sec. XX.	—
UBICAZIONI	Uffizi (1717).	Cosimo III de' Medici; Uffizi (1693).	Uffizi (1926).	Uffizi (1933-39 ca.); Galleria d'Arte Moderna, Pitti (1943).
ATTRIBUZIONI	—	Maestro francese (Rosenberg 1977).	—	—
ESPOSIZIONI	Mostra della pittura francese a Firenze, Firenze 1945. France in the Eighteenth C., Londra 1968. Pittura francese nelle collezioni pubbliche fiorentine, Firenze 1977.	—	XV Esposizione Internazionale d'arte della città di Venezia, 1926.	—
BIBLIOGRAFIA	C. Colomer: Hyacinthe Rigaud, Perpignan 1973. *Cat., Firenze 1945, n. 46. Cat., Londra 1968, n. 580. Cat., Firenze 1977, n. 11.*	M. Gregori in Paragone 269, 1972.	Cat. Rippl-Rónai József Centenáris Kiállitása, Budapest 1961; Müvészeti Lexikon, IV, Budapest 1968; M. Bernáth, Rippl-Rónai József, Budapest 1976.	A.M. Bessone-Aurelij, Dizionario degli scultori ed architetti italiani, Città di Castello, 1947.
INVENTARIO	1857 (C.P., p. 109, n. 474).	1685 (C.P., p. 109 n. 265).	8559.	
FOTO	153459.	249092.	112512.	GAM Giornale 874.
NOTE	Iscrizione a tergo: fait par hyacinthe Rigaud a Paris 1716. Le comte Bardi. Cosimo III de' Medici aveva chiesto all'artista il suo autoritratto nel 1706, ma questa prima versione andò perduta nel naufragio della nave che la trasportava. Il secondo autoritratto arrivò a Firenze all'inizio del 1717, e il granduca ne fu talmente contento che inviò all'artista due gruppi di bronzo del suo scultore di corte, G.B. Foggini (oggi al Victoria and Albert Museum di Londra). Incisioni: Museo Fiorentino, IV, 1762, p. 171, tav. XXXI; Lasinio, 1790 ca. Ne esistono due copie, una in Germania, l'altra nel Museo Walters di Baltimora (USA). M.C.	Entrato in galleria il 5 agosto 1693 (ASF, Guard. 968, c. 83v) mandatovi da Cosimo III de' Medici. L'attribuzione tradizionale, segnata a tergo sulla tela e di cui dubitava già il Longhi (in Proporzioni I, 1943, p. 55 nota 73) è stata recentemente rifiutata da P. Rosenberg (Pittura francese nelle collezioni pubbliche fiorentine, Firenze 1977, p. 226 sch. LXXVI), il quale ritiene il ritratto francese, 'fra Regnier e Tournier'. S.M.T.	Firmato e datato in basso a destra: Rippl-Rónai / 1925. L'opera fu donata dall'artista dietro invito del ministero della Pubblica Istruzione e su interessamento del critico Vittorio Pica; fu accettata dalla Direzione degli Uffizi nel 1926 (AGF, Arte 796). Il Museo Nazionale di Budapest possiede almeno altri due autoritratti del pittore, datati 1897 e 1924. Il dipinto è attualmente collocato nei Depositi degli Uffizi. E.S.	171479. Sulla base: "Augusto Rivalta 1913". Nel tergo, in alto a destra: "Inv.io 1914 23", a inchiostro. Sul fianco, a destra: "Fond. G. Vignali. Firenze". Esposto nel Corridoio Vasariano prima della guerra, risulta pervenuto nella sede attuale nel 1943 ca. (nota inventariale). L'opera si trova attualmente nei depositi della Galleria d'Arte Moderna di Palazzo Pitti. Gr. Red. 1

	A763	A764	A765	A766
AUTORE	Rivier, Louis (Bienne 1885 - ? post 1952).	Rivière, François (Parigi 1675 - Livorno 1746).	Robert - Fleury, Joseph - Nicolas (Colonia 1787 - Parigi 1890).	Robert-Fleury, Tony (Parigi 1837-1911).
TITOLO	Autoritratto.	Autoritratto.	Autoritratto.	Ritratto di Marie Bashkirtseff.
DATAZIONE	1939.	1725-30 ca.	1882.	1882.
DATI TECNICI	Pastello su cartone, 34x26.	Olio su tela, 72x57.	Olio su tela, 82x61.	Olio su tavola, 55x38.
CORNICE	Sagomata e dorata, sec. XX.	Liscia, dorata, sec. XVIII.	Intagliata, dorata, sec. XIX.	D'epoca, intagliata con motivi vegetali e dorata.
UBICAZIONI	Uffizi (1940 ca.).	Coll. Pazzi (sec. XVIII); Uffizi (1768).	Uffizi (1886).	Coll. Bashkirtseff (1908); Uffizi (1909); Galleria d'arte moderna, Pitti (1977).
ATTRIBUZIONI	—	—	—	—
ESPOSIZIONI	Louis Rivier, Roma 1952.	—	—	Pittura francese nelle collezioni pubbliche fiorentine, Firenze 1977.
BIBLIOGRAFIA	Vollmer, IV, 1958. *F. Sapori, in Emporium, gennaio 1940, F. Sapori, in Cat., Roma 1952, n. 1.*	P. Bautier, in Bull. de la Soc. de l'Hist. de l'Art Français, 1933. *F. Rosenberg, in Cat. Pittura francese nelle collezioni pubbliche fiorentine, Firenze 1977, n. VI.*	Thieme-Becker, XXVIII, 1936. *I. Julia, in Cat. Pittura francese nelle collezioni pubbliche fiorentine, Firenze 1977, n. XIV.*	*Cat., Firenze 1977, n. 165.*
INVENTARIO	9246.	2043 (C.P., p. 109, n. 408).	1913 (C.P., p. 102, n. 644).	3408.
FOTO	279979.	182515.	197225.	136520.
NOTE	Firmato a datato in alto a sinistra: Louis Rivier / 1939. Il dipinto venne inventariato verso il 1940 e non sono documentate le circostanze della sua acquisizione in Galleria; d'altronde nell'articolo del Sapori del 1940 viene dato l'annuncio della prossima donazione dell'autoritratto. Nonostante accurate ricerche non è stato possibile accertare il luogo e la data precisa della morte dell'artista, pure discretamente noto nei primi decenni del secolo. L'opera si trova attualmente nei Depositi degli Uffizi. E.S.	Entrato con l'attribuzione attuale dalla collezione dell'abate Pazzi agli Uffizi nel 1768. S. Meloni Trkulja pensa che anche il piccolo dipinto attribuito a W. Hogart (Inv. n. 3439) e detto rappresentare Sir James Thornhill (vedi M. Webster: cat. Firenze e l'Inghilterra, Firenze 1971, n. 65) possa invece essere identificato come F. Rivière. Il dipinto degli Uffizi può essere datato nel terzo decennio del Settecento basandosi sull'età dimostrata dall'artista. M.C.	Firmato e datato in alto a destra: Robert-Fleury/1882. Il dipinto fu richiesto all'artista e inviato nel 1886. M.C.	Firmato in alto a sinistra: T. Robert - Fleury. Databile grazie a una nota di diario (v. M. Bashkirtseff, Diari, 1887 cit. in Cat., Firenze 1977) che informa del ritratto in corso di esecuzione nell'agosto 1882. La ritrattata (1860-84) fu pittrice, musicista e scrittrice di grande notorietà. Immaturamente scomparsa, il suo ritratto fu offerto in dono dalla madre nel 1908 per la collezione dei ritratti di artisti e fu accettato l'anno seguente, ma per la collezione iconografica moderna (AGF, Arte 787, 789). Attualmente nella Galleria d'arte moderna, facente parte del gruppo di opere (1870 ca. - 1915 ca.) comprese nel prossimo riordinamento. S.P.

	A767	A768	A769	A770
AUTORE	Robie, Jean Baptiste (Bruxelles 1821-1910).	Robusti Marietta, detta la Tintoretta (Venezia 1550/60-1590).	Röderstein, Ottilie Wilhelmine (Zurigo 1859 - Hoffheim ? 1938).	Roi, Pietro (Sandrigo, Vicenza 1819 - Venezia 1896).
TITOLO	Autoritratto.	Autoritratto.	Autoritratto.	Autoritratto.
DATAZIONE	1892.	1580 ca.	1936.	1884.
DATI TECNICI	Olio su tela, 56,5x47,5.	Olio su tela, 93,5x91,5, restauro 1974.	Olio su tela, 46,5x38,5.	Olio su tela, 45x40.
CORNICE	Sagomata e dorata con decorazioni in pastiglia, sec. XIX.	Intagliata e dorata, sec. XIX.	Sagomata, in legno naturale, sec. XX.	Sagomata e dorata con decorazioni in pastiglia, sec. XIX.
UBICAZIONI	Uffizi (1892).	Card. Leopoldo de' Medici (1675); Uffizi (1682).	Uffizi (1938).	Uffizi (1886).
ATTRIBUZIONI	—	Tiziano (sec. XVIII).	—	—
ESPOSIZIONI	—	—	—	—
BIBLIOGRAFIA	Thieme-Becker, XXVIII, 1934; R. H. Wilenski, Flemish Painters 1430-1830, Londra 1960; *Prinz 1971. AGF: K. Langedijk, Scheda ministeriale 1978.*	Dizionario Bolaffi XI, Torino 1962. *B. Viallet, Roma s.d. (1923). L. ed U. Procacci in Saggi e memorie di storia dell'arte 4, 1965. Prinz, 1971.*	Vollmer, IV, 1958.	Thieme-Becker, XXVIII, 1934. Comanducci 4, Milano 1973.
INVENTARIO	3078 (C.P., p. 109, n. 711).	1898 (C.P., p. 109 n. 365).	9218.	2002 (C.P., n. 109, n. 638).
FOTO	315563.	228180 (tergo: 206466).	278051.	315553.
NOTE	Firmato e datato in alto a destra: Jean Robie / 1892. La Direzione degli Uffizi richiese all'artista un suo autoritratto nel 1887, sollecitandolo nel 1892; il pittore inviò questo dipinto in quello stesso anno (AGF, Arte 796). Robie è noto soprattutto come paesista e come autore di nature morte; i suoi autoritratti, pertanto, sono assai rari. L'opera è attualmente collocata nei Depositi degli Uffizi. E.S.	Pagato 125 ducati da Marco Boschini, che lo acquistò dal cavalier Fontana di Venezia nel settembre del 1675 per il cardinal Leopoldo de' Medici; era stimato di Tiziano ma gli agenti del cardinale asserirono trattarsi di un autoritratto. Altri probabili autoritratti sono alla galleria Borghese di Roma e al Kunsthistorisches Museum di Vienna: ma non vi sono basi certe di attribuzione per ricostruire l'attività di questa rinomata ritrattista. Si noti che essa si è rappresentata come musicista, quale effettivamente fu. L'autoritratto entrò in galleria con tutti quelli del cardinal Leopoldo il 28 ottobre 1682 (ASF, Guard. 870, c. 160v). S.M.T.	Siglato e datato in alto a destra: OWR 1936. Il dipinto fu donato agli Uffizi dall'artista nel 1937 e fu accettato dalla Direzione nell'anno seguente. (AGF, Arte 796). L'opera è attualmente nei Depositi degli Uffizi. E.S.	Firmato in basso a destra: P. Roi. Nell'angolo inferiore destro cartellino con scritta a stampa: 13. A. 1884. Dietro, sul telaio, iscrizione: Ritratto dell'Autore Pietro Roi di Vicenza/lo fece nel 1884 dell'età 65 anni; più in basso altra scritta: Domiciliato a Venezia (segue indirizzo). Donato dall'artista nel 1866 (AGF, Arte 796). Attualmente nei Depositi degli Uffizi. E.S.

	A771	A772	A773	A774
AUTORE	Rolshoven, Julius (Detroit 1858 - New York 1930).	Romagnoli, Angiolo (? 1840 ca. - ? dopo il 1897).	Romanino, Romani Gerolamo, detto il (Brescia 1484-1566).	Romney, George (Dalton-in-Furness 1734 - Kendal 1802).
TITOLO	Autoritratto.	Autoritratto.	Autoritratto.	Autoritratto.
DATAZIONE	1889.	1894.	Metà sec. XVI.	1765 ca. (Webster 1971).
DATI TECNICI	Pastello su carta tirata su tela, 81x64,5.	Olio su tela, 61x47.	Olio su tela, 48x37,5, rintelato.	Olio su tela, 55x44,5.
CORNICE	Nera, sagomata, sec. XIX.	Coeva, in stile neoclassico, sgusciata e dorata.	Intagliata e dorata, metà sec. XVIII.	Intagliata, dorata, sec. XVIII.
UBICAZIONI	Eredi dell'artista; Uffizi (1931).	Coll. Vincenzo Baldasseroni; Galleria d'Arte Moderna, Pitti (1964).	Vitold Rajkievitsch; Uffizi (1908).	Coll. Walter Rotschild; Uffizi (1909).
ATTRIBUZIONI	—	—	—	—
ESPOSIZIONI	Jahresausstellung 1890, Monaco 1890.	—	Pittura bresciana del Rinascimento, Brescia 1939.	Firenze e l'Inghilterra. Rapporti artistici e culturali dal XVI al XX secolo, Firenze 1971.
BIBLIOGRAFIA	Thieme-Becker, XXVIII, 1934. Vollmer, IV, 1958. M. Quick, Cat. American Expatriate Painters of the late Nineteenth cent., Dayton 1976.	Thieme-Becker XXVIII, 1934.	G. Panazza in cat. Mostra di Girolamo Romanino, Brescia 1965. *G. Frizzoni in Bollettino d'Arte, II, 1908.* G. Nicodemi, Gerolamo Romanino, Brescia 1925.	E. K. Waterhouse: Painting in Britain 1530-1790, Harmondsworth 1953. Cat. mostra: George Romney, Londra 1961. *Cat., Firenze 1971, n. 64.*
INVENTARIO	9183.	GAM Giornale 2000.	3384 (C.P., p. 109 n. 153?)	3347 (C.P., p. 109, n. 752).
FOTO	278048.	185105.	315583.	171354.
NOTE	Firmato e datato in basso a sinistra: J. Rolshoven/Paris 89. Dietro, sul controfondo in cartone, cartellino della mostra di Monaco (1890) e altro cartellino di mostra americana non identificata. L'autoritratto fu donato agli Uffizi dalla vedova dell'artista nel 1931 (AGF, Arte 796). L'opera si trova attualmente nei Depositi degli Uffizi. E.S.	Firmato e datato in alto a sinistra: A. Romagnoli da se stesso / 1894. Donato dal prof. Vincenzo Baldasseroni (v. verbali delibere della commissioni per le acquisizioni della Galleria d'arte moderna, 20.11.1964). Angiolo Romagnoli, pittore di genere, è frequentemente ricordato nelle cronache artistiche fiorentine fra il 1879 e il 1897. Non è impossibile che sia una sola persona con Angiolino Romagnoli, ricordato nel dizionario Comanducci, come allievo del Bezzuoli, nativo di Borgo San Lorenzo nel 1836, benché del medesimo sia offerta anche una data di morte, 1890, troppo precoce per il nostro. Attualmente nelle riserve della Galleria d'arte moderna. S.P.	In basso la scritta 'HIER. ROM. PICT'. Il ritratto fu assicurato alle Gallerie statali dal Frizzoni, che lo ebbe per 1500 lire dall'antiquario Vitold Rajkievitsch nel 1908 e lo giudicò un autoritratto, sia pure di qualità modesta, per confronto col S. Giuseppe di una S. Famiglia in coll. Calvi a Milano. Nel catalogo della mostra del 1939 si ricorda che un autoritratto del Romanino è documentato a metà dell'800 in casa Averoldi a Brescia. S.M.T.	Scritta sul retro: 'George Romney / painted by himself'. Il dipinto fu acquistato dalla collezione dell'Hon. Walter Rotschild nel 1909. È il primo autoritratto noto dell'artista, che vi si è rappresentato a circa trent'anni. M.C.

A775   A776   A777   A778

	A775	A776	A777	A778
AUTORE	Romoli, Mario (Firenze 1908-78).	Roos, Philip Peter, detto Rosa da Tivoli (Francoforte 1655-57 - Roma 1701).	Rosa, Francesco (Genova 1654 - Roma ? 1689).	Rosa, Salvatore (Napoli 1615 - Roma 1673).
TITOLO	Autoritratto.		Autoritratto.	Autoritratto.
DATAZIONE	1965.		1685-89 ca.	1642 ca.
DATI TECNICI	Olio su cartone, 35x25,5.		Pitti (1977).	Olio su tela, 72,5x58, restauro 1954.
CORNICE	D'epoca, Salvadora in legno naturale e oro con passepartout.		Olio su tela, 89x75.	Salvadora dorata, sec. XVIII.
UBICAZIONI	Coll. Alessandro Caruso; Galleria d'Arte Moderna, Pitti (1965).		—	Casa Maffei, Volterra (1681); Uffizi (1682).
ATTRIBUZIONI	—		—	—
ESPOSIZIONI	—		—	Artisti alla corte granducale, Firenze 1969.
BIBLIOGRAFIA	Comanducci, IV, Milano 1973.		Thieme-Becker, XXVIII, 1934. C. Donzelli-G. M. Pilo: I pittori del Seicento veneto, Firenze 1967.	*M. Chiarini in Cat., Firenze 1969, n. 47. Prinz, 1971. L. Salerno, L'opera completa di Salvator Rosa, Milano 1975.*
INVENTARIO	GAM Giornale 2119.		9602.	1718 (C.P., p. 109 n. 293).
FOTO	185102.		296682.	156063.
NOTE	A tergo sul cartone firmato e datato: Mario / Romoli / 11.65. Donato dal collezionista Alessandro Caruso nel 1965 assieme a una quarantina di altre opere moderne, due delle quali dello stesso Romoli. Attualmente collocato nelle riserve della Galleria d'arte moderna. S.P.	Vedi: Boselli, Felice. Autoritratto. Scheda A138.	Scritta settecentesca, ripetuta due volte, sul telaio del quadro: Ritratto di Francesco Rosa Pittore fatto da lui med.° morì l'Anno 1689 d'anni 35. Non conosciamo la provenienza del dipinto, rintracciato nel deposito di palazzo Pitti nel 1977. La scritta sul retro permette di identificare il pittore — che qui si è rappresentato in abito di abate e con un dipinto ovale rappresentante S. Giovannino nel deserto tra le mani — nel F. Rosa genovese che fu attivo soprattutto a Venezia e Roma, dove sembra morisse. Da rettificare la data di morte, più tarda di due anni di quella solitamente riportata, e dalla quale si può risalire all'anno di nascita, dato che la scritta attesta che l'artista morì a 35 anni. M.C.	Segnalato da Camillo Capponi nella famiglia Maffei a Volterra (1681), entrò in galleria col primo gruppo di autoritratti di Cosimo III de' Medici il 27 ottobre 1682 (ASF, Guard. 870, c. 158r). Il pittore si è ritratto con in mano la penna e la freccia del poeta satirico, nel periodo fiorentino come indica la somiglianza coll'autoritratto inserito nella Battaglia n. 133 della Galleria Palatina. Una copia semplificata, senza mani, entrò agli Uffizi con la collezione dell'abate Pazzi (inv. Imperiale rosso n. 578). È stato a lungo creduto autoritratto del Rosa anche un ritratto di pittore documentato di Niccolò Cassana e presente nelle Gallerie in due versioni (inv. Palatina n. 188; inv. 1890 n. 1712). S.M.T.

	A779	A779 bis	A780	A781
Autore	Rosa, Salvatore (Napoli 1615 - Roma 1673).	Rosandič, Toma (Spalato 1876-?).	Rosen, Johan Georg Otto von (Parigi 1843 - Stoccolma 1923).	Rosi, Alessandro (Firenze 1627-1697).
Titolo	Autoritratto (copia).	Autoritratto.	Autoritratto.	Autoritratto.
Datazione	Metà sec. XVII?	Ante 1938.	1877.	1650 ca.
Dati tecnici	Olio su tela, 74,5x59,5, restauro 1958 ca.	Bronzo, 80x55.	Olio su tela, 114x79,5.	Olio su tela, 67,5x51,5.
Cornice	—	—	Sagomata e dorata con decorazioni, sec. XIX.	Dorata e nera intagliata, sec. XVII.
Ubicazioni	Coll. Puccini (1725); coll. Pazzi; Uffizi (1768); Poggio Imperiale (1836); Uffizi, depositi.	Uffizi (1938); Galleria d'Arte Moderna, Pitti (1971).	Uffizi (1877-80 ca.).	Coll. Puccini (1725); coll. Pazzi; Uffizi (1768).
Attribuzioni	—	—	—	—
Esposizioni	—	XXI Biennale, Venezia 1938.	—	—
Bibliografia	S. Meloni Trkulja in Paragone 343, 1978.	Thieme-Becker, XXI, 1935.	S. Sandström, in Svenskt Konstnärslevikon, IV, Malmö 1961.	*S. Meloni Trkulja in Antichità viva XVI, 1975. Idem in Paragone 343, 1978.*
Inventario	Imperiale rosso n. 578.	Sculture 1316.	1982 (C.P., p. 109, n. 595).	2014 (C.P., p. 212, n. 649).
Foto	280556 (disegno dall'originale).	—	—	112442.
Note	A tergo sul telaio è stato trascritto 'S. Rosa si dipinse' e 'Duplicato'; sulla tela vari numeri antichi comuni agli autoritratti che dalla collezione di Tommaso Puccini, medico pistoiese, passarono in quella dell'incisore abate Antonio Pazzi e da lui furono venduti alla galleria. Questo ritratto è una copia variata dell'autoritratto autografo inv. 1890 n. 1718, con veste trinciata e senza mani, ed è stato recentemente rintracciato nei magazzini, dove si era persa notizia della sua origine. S.M.T.	Lo scultore, allievo di J. Mestrovič, si è ritratto con indosso il camice di lavoro e un pezzo di creta fra le mani. L'opera fu vista e acquistata alla XXI Biennale di Venezia dal Ministro degli Affari Esteri, Costanzo Ciano, che la donò alla Collezione degli autoritratti degli Uffizi. Entrò in Galleria il 26 Giugno 1938. Un'altra opera dello scultore si trova al Museo Boymans di Rotterdam. C.C.	Firmato e datato in basso a destra: Von Rosen / 1877. In alto a sinistra la scritta in greco: gnothi seautòn. Non è stata rintracciata nessuna notizia d'archivio sull'ingresso in Galleria di questo dipinto, che comunque figura già nell'Inventario del 1881 (n. 1762 E); è possibile dunque supporre un'acquisizione a una data molto vicina a quella di esecuzione del quadro. L'opera è attualmente nei Depositi degli Uffizi. E.S.	Il quadro ha a tergo i numeri con cui è elencato nelle liste delle collezioni di Tommaso Puccini e dell'abate Antonio Pazzi, a cui appartenne. È una baldanzosa opera giovanile, assai vicina a un ritratto datato 1646 in casa Stiozzi Ridolfi a Firenze, e non oltrepassa come datazione la metà del secolo. S.M.T.

	A782	A783	A784	A785
AUTORE	Roslin, Alexandre (Malmö 1718 - Parigi 1793).	Rosselli, Matteo (Firenze 1578-1650).	Rossi, Angiola (Firenze? sec. XVIII).	Rossi, Antonio (Bologna 1700-1753).
TITOLO	Autoritratto.	Autoritratto.	Autoritratto.	Autoritratto.
DATAZIONE	1790.	Secondo quarto sec. XVII.	Seconda metà sec. XVIII.	1720-25.
DATI TECNICI	Olio su tela, 103x81.	Olio su tela, 45,5x37, restauro in corso.	Olio su tela, 58x44.	Olio su tela, 75x58,5, rintelato in antico.
CORNICE	Nera e oro, barocca.	Salvadora dorata sec. XVIII.	Tinta di giallo, fine sec. XVIII.	Salvadora dorata, sec. XVIII.
UBICAZIONI	Uffizi (1791-93 ca.).	Collezione Puccini (1725); coll. Pazzi; Uffizi (1768).	Accademia di Belle Arti (1807); Uffizi (1853).	Coll. Puccini (1725); coll. Pazzi; Uffizi (1768); Guardaroba (1790); Pitti; Uffizi (1979).
ATTRIBUZIONI	—	—	—	—
ESPOSIZIONI	Salon, Parigi 1791. Pittura francese nelle collezioni pubbliche fiorentine, Firenze 1977.	—	—	—
BIBLIOGRAFIA	G.W. Lundberg: Röslin Liv och Verk, Malmö 1957. *Cat., Firenze 1977, n. 20.*	F. Faini, Matteo Roselli pittore, tesi di laurea, Firenze 1966. *S. Meloni Trkulja in Paragone 343, 1978.*	—	Thieme-Becker XXIX, 1935. *S. Meloni Trkulja in Paragone 343, 1978. G. Leoncini in Paragone 345, 1978.*
INVENTARIO	1673 (C.P., p. 109, n. 517).	1698 (C.P., p. 109 n. 278).	5330.	3367.
FOTO	106869.	113042 (tergo: 206450).	173407.	296694.
NOTE	In alto a sinistra scritta con la firma, la data e i titoli ufficiali dell'artista. Il dipinto fu inviato, tra il 1791 e il '93, da Parigi per la Galleria degli Uffizi da Francesco Favi, rappresentante del granduca in Francia. Sul cavalletto si vede l'abbozzo di un ritratto di Gustavo III di Svezia. M.C.	Benché Matteo Rosselli avesse lavorato molto per i Medici, questi non sembra ne avessero un autoritratto, che fu fornito alla galleria nel 1768 dall'abate Pazzi con tutta la sua raccolta, parte della quale composta da quella di Tommaso Puccini (cfr. G. Leoncini in Paragone 345, 1978). La fisionomia collima con quella del ritratto di Matteo Rosselli 'fatto sul cadavere' dall'allievo e nipote Francesco Boschi, come ricorda il Baldinucci (ed. Ranalli IV, 170), giunto agli Uffizi nel 1853 con la quadreria dell'Accademia del Disegno (inv. 1825, suppl. n. 1491) e identificabile con certezza nel n. 2766 dell'inv. 1890 (foto GFS. 137403). S.M.T.	Il ritratto è documentato nel 1807 nell'Accademia di Belle Arti, nel Quartiere del Presidente (inventario generale di quell'anno, p. 297 n. 12: gentile comunicazione di Anna Gallo). Passò agli Uffizi il 15 marzo 1853 (inv. 1825, suppl. n. 2812). Della pittrice non si ha altra notizia. S.M.T.	A tergo sul telaio: 'Anton Rossi'. Il pittore era un allievo di Marcantonio Franceschini, ma questo suo ritratto, assai precoce perché citato nella lista della collezione Puccini già nel 1725, è troppo malridotto per documentare il suo autore. S.M.T.

	A786	A787	A788	A789
AUTORE	Rossi, Egisto (Firenze 1822-1899).	Rossi, Giuseppe (Firenze 1876 - Padova 1952).	Rossi, Lorenzo (Firenze 1650-1702).	Rosso Viviani, Rina (?).
TITOLO	Autoritratto.	Autoritratto.	Autoritratto.	Autoritratto.
DATAZIONE	Ottavo decennio, sec. XIX.	1946.	1675 ca.?	Sec. XX.
DATI TECNICI	Olio su tela, 64x50.	Olio su tavola, 90x78.	Olio su tela, 73x58,5.	Olio su tela, 60,5x49,5.
CORNICE	Sagomata e dorata, sec. XIX.	Coeva, in legno intagliato e dorato, con patina.	Salvadora gialla, sec. XIX.	Sagomata, dorata e dipinta, sec. XX.
UBICAZIONI	Uffizi (1883).	Eredi dell'artista (1961); Galleria l'Arte Moderna, Pitti (1962).	Coll. Puccini (1725); coll. Pazzi; Uffizi (1768); Guardaroba (1772).	Uffizi (1964); Galleria d'Arte Moderna, Pitti.
ATTRIBUZIONI	—	—	—	—
ESPOSIZIONI	—	—	—	—
BIBLIOGRAFIA	A. De Gubernatis, Dizionario degli artisti italiani viventi, Firenze 1892. F. Lugt, Les Marques des collections de dessins et d'estampes, Supplément, L'Aia 1956.	*Comanducci, V, Milano 1974.*	*S. Meloni Trkulja in Paragone 343, 1978.*	—
INVENTARIO	3290 (C.P., p. 109, n. 739).	GAM Giornale 1891.	5519.	GAM Giornale 2453.
FOTO	112443.	121709.	178522.	192880.
NOTE	Offerto in dono dall'artista nel 1883, respinto dala direzione degli Uffizi nel 1884 ma forse mai ritirato dal Rossi; risulta già inventariato nel 1906 (AGF 1883 (E) 2, 124, 119; 1884 (E) 2, 28). Le date di nascita e di morte sono quelle che risultano all'anagrafe del comune di Firenze. Tutti i repertori storico-artistici riferiscono solo date approssimative, risultate inesatte. Attualmente nei Depositi degli Uffizi. E.S.	Firmato e datato in basso a sinistra: G. Rossi / 1946. Donato dai figli Corrado e Marcella assieme a un ritratto della moglie del pittore (GAM Giornale n. 1890) per adempiere ad un desiderio del padre (v. verbale delibere della commissione per le acquisizioni della Galleria d'arte moderna 29.6.1962). Allievo del Sorbi e del Ciaranfi, il Rossi ha lasciato sue opere nelle chiese fiorentine di San Jacopino e San Frediano. Si conosce di lui un altro autoritratto datato 1922 (Comanducci, cit.), forse il medesimo esposto a Firenze nel 1927. Attualmente nelle riserve della Galleria d'arte moderna. Gr. Red. 1	In questo autoritratto si è raffigurato un pittore fiorentino allievo di Pier Dandini, di cui non si conoscono altre opere. Dalle fonti il suo nome appare Lorenzo, ma già nel 1772, quando il ritratto viene rimandato in guardaroba (AGF, filza V a 11), è indicato come Francesco. Reca a tergo il numero che aveva nella collezione dell'abate Antonio Pazzi, che l'aveva acquistato con la raccolta del medico pistoiese Tommaso Puccini e lo vendette alla galleria intorno al 1768. S.M.T.	Nell'angolo in basso a destra: "Rina Rosso". Nel tergo, nell'angolo in alto a sinistra, cartellino a stampa del Circolo degli Artisti - Casa di Dante. Ritrovato nell'Ufficio del Soprintendente Poggi senza indicazioni, è stato inventariato, dopo la morte di questi nel 1961 (nota inventariale). L'opera si trova attualmente nei depositi della Galleria d'Arte Moderna di Palazzo Pitti. Gr. Red. 1

	A790	A791	A792	A793
AUTORE	Rotari, Pietro (Verona 1707 - Pietroburgo 1762).	Rousseau, Victor (Feluy 1865-1954).	Rubens, Pieter Paul (Siegen, Vestfalia 1577 - Anversa 1640).	Rubens, Pieter Paul (Siegen, Vestfalia 1577 - Anversa 1640), attr. a.
TITOLO	Autoritratto.	Autoritratto.	Autoritratto.	Autoritratto.
DATAZIONE	1750 ca.	1923.	1618 ca. (Oldenbourg 1921, Jaffé 1978), 1628 ca. (Rooses 1890, Glück 1933, Burchard 1933, Evers 1943, Bodart 1977).	1623-25 ca.
DATI TECNICI	Olio su tela, 73,7x59.	Bronzo, alt. 37.	Olio su tavola, 78x61, restauro 1977.	Olio su tavola, 85x61, restauro 1977.
CORNICE	Salvadora dorata, sec. XVIII.	—	Barocca, nera e oro.	Noce, intagliata, sec. XVII?
UBICAZIONI	Francesco Stefano di Lorena; Uffizi (1753).	Uffizi (1923); Galleria d'Arte Moderna, Pitti.	Düsseldorf (inizi sec. XVIII); Uffizi (1713).	Uffizi (1682).
ATTRIBUZIONI	—	—	—	Rubens (Rooses 1890). Copia da (Evers 1943, Bodart 1977, Jaffé 1978).
ESPOSIZIONI	Ritratto veneto da Tiziano al Tiepolo, Varsavia 1956.	—	Rubens e la pittura fiamminga del Seicento nelle collezioni pubbliche fiorentine, Firenze 1977.	Rubens e la pittura fiamminga del Seicento nelle collezioni pubbliche fiorentine, Firenze 1977.
BIBLIOGRAFIA	E. Barbarani, Pietro Rotari, Verona 1941.	Thieme-Becker, XXIX, 1935.	H. Gerson - E. H. Ter Kuile: Art and Architecture in Belgium 1600-1800, Harmondsworth 1960. Cat., Firenze 1977, n. 83. AGF: K. Langedijk, Scheda ministeriale 1798. M. Jaffé, in The Burl. Mag., March 1978.	H. Gerson - E. H. Ter Kuile: Art and Architecture in Belgium 1600-1800, Harmondsworth 1960. Cat., Firenze 1977, n. 84. AGF: K. Langedijk, Scheda ministeriale 1978.
INVENTARIO	2044 (C.P., p. 109, n. 547).	Sculture 1073.	1890 (C.P., p. 109, n. 228).	1884 (C.P., p. 109, n. 332).
FOTO	101955.	109335, 185095.	279139.	279012.
NOTE	Figura per la prima volta nell'inventario del 1753 (n. 3303) e fu eseguito intorno al 1750, quando l'artista partì dalla patria per un viaggio che lo portò a Vienna, Dresda e poi in Russia. A Vienna gli fu richiesto da Francesco I d'Austria, granduca di Toscana proprio per la raccolta degli Uffizi, e fu accolto con grande ammirazione Giuseppe Bianchi, custode della galleria, afferma che fu sistemato fra gli autoritratti nel 1758 (AGF, ms. 20, n.n.; cfr. S. Meloni Trkulja in Paragone 343, 1978, n. 14). È il secondo autoritratto del pittore; uno più giovanile si trova nella Biblioteca Civica di Verona. S.M.T.	Nel tergo: "1923 Victor Rousseau". Donato nel 1923 dietro richiesta delle Gallerie (Arte 796). Esposto prima dell'ultima guerra nella Galleria degli Uffizi, poi con gli altri autoritratti di scultori è stato trasferito alle collezioni della Galleria d'Arte Moderna di Palazzo Pitti. Gr. Red. 1	Il dipinto, che è stato ampliato sui lati destro e inferiore (la parte originale è di ca. cm. 40x60) in epoca imprecisata, ma forse al momento dell'immissione nella collezione degli autoritratti, fu inviato in dono a Cosimo III de' Medici dal genero, Johann Wilhelm von der Pfalz, Elettore Palatino del Reno, nel 1713: questa notizia, fin'ora sfuggita agli studiosi e segnalataci di S. Meloni Trkulja, è contenuta in un articolo di Th. Levin: Beiträge zur Gesch. der Kunstbestrebungen in dem Hause Pfalz-Neuburg, in Jhb. des Düsseldorfer Geschichtsvereins, XX, 1906, p. 176 ss. L'autografia della parte originaria del dipinto è accettata dagli studiosi, mentre ancora discussa è la sua datazione. M.C.	Il ritratto fu inviato alla Galleria degli Uffizi il 27 ottobre 1682 (ASF, Guard. 870, c. 158r) da Cosimo III de' Medici: quest'ultimo annunciò l'acquisto in una lettera al marchese Cospi di Bologna nel 1683 (W. Prinz: Die Samml. des Selbstbildnisse..., Berlin 1971, p. 123). Il dipinto, nonostante l'apprezzamento del Rooses, è soltanto una copia dell'esemplare delle collezioni reali inglesi del 1623-25. Inciso in Museo Fiorentino, vol. II, 1754, p. 147. M.C.

	A794	A795	A796	A797
AUTORE	Rubio, Luigi (Roma 1808 - Firenze 1882).	Sabatelli, Giuseppe (Milano 1813 - Firenze 1843).	Sabatelli, Luigi (Firenze 1772 - Milano 1850).	Sabatelli, Luigi ? (Firenze 1772 - Milano 1850).
TITOLO	Autoritratto.	Autoritratto.	Autoritratto.	Ritratto del pittore Giorgio Angiolini.
DATAZIONE	1855-60 ca.	1835-40 ca.	1830-34.	Terzo decennio (?) sec. XIX.
DATI TECNICI	Olio su tela, 65,5x53,5.	Olio su tela, 48,5x36,5.	Olio su tela, 74,5x59,5.	Olio su tela, 47x36,5.
CORNICE	D'epoca, dorata.	D'epoca, neoclassica sgusciata e dorata.	Sagomata e dorata con decorazioni a motivi vegetali, sec. XIX.	Sagomata e dorata con decorazioni in pastiglia, sec. XIX.
UBICAZIONI	Uffizi (1872).	Eredi dell'artista; Uffizi (1970); Galleria d'Arte Moderna, Pitti (1976).	Uffizi (1834).	Coll. Angiolini; Accademia (1883); Uffizi (1884).
ATTRIBUZIONI	—	—	—	—
ESPOSIZIONI	—	—	Italienische Malerei des 19. Jahrhunderts, Colonia 1961. Mostra dei Maestri di Brera, Milano, 1975.	—
BIBLIOGRAFIA	L. e F. Luciani, Dizionario dei pittori italiani dell'800, Firenze 1974.	Cultura neoclassica e romantica nella Toscana granducale, Cat. mostra, Firenze 1972. L. e F. Luciani, Dizionario dei pittori italiani dell'800, Firenze 1974.	B. Paolozzi Strozzi, Cat. Luigi Sabatelli. Disegni e incisioni, Firenze 1978. *Cenni biografici sul cav. Prof. L.S. scritti da lui medesimo, Milano 1900, p. 20. E. Bairati, in Cat. Milano 1975, n. 172. Prinz 1971.*	B. Paolozzi Strozzi, Cat. Luigi Sabatelli. Disegni e incisioni, Firenze 1978.
INVENTARIO	1958 (C.P., p. 109, n. 514).	1949 (C.P., p. 110, n. 580).	1981 (C.P., p. 110, n. 668).	3326 (e 5499).
FOTO	112445.	113065.	315533.	112478.
NOTE	Firmato in basso in rosso: Rubio. La Direzione delle Gallerie aveva già accettato nel 1869 un autoritratto offerto dal pittore ormai dimorante a Firenze, ma tale dipinto venne sostituito tre anni dopo dall'attuale (AGF, 1869, filza A, I, 19 e 1872, filza A, I, 90). L'autore a lungo vissuto all'estero in Polonia, a Parigi, in Russia, ottenne nel 1870 una cattedra all'Accademia di Firenze. L'opera è attualmente collocata nelle riserve e presenta diffuse cadute di colore. S.P.	Acquistato per 1000 franchi dal fratello del pittore, Gaetano, nel 1870 (AGF, 1870, filza A, I, 7). Ottavo figlio di Luigi, professore a Brera dal 1807 al 1848, Giuseppe studiò dapprima col padre a Milano, poi a Firenze con una pensione del Granduca (dal 1833). Morì trentenne di tisi come già il fratello maggiore Francesco e fu, come quello, compianto da un celebre elogio del Guerrazzi. Attualmente esposto nella Galleria d'arte moderna. Per un altro ritratto di Giuseppe v. inv. GAM Giornale 2011. S.P.	Sul retro, cartellini delle mostre citate. Un autoritratto fu richiesto dal granduca all'artista nel 1830 (*Cenni Biografici* cit.); il pittore donò questo nel 1834 (AGF, 1834 (LVIII), 25 bis). Attualmente esposto nel Corridoio Vasariano. E.S.	In basso a sinistra scritta semicancellata: Biscara (?). Offerto in vendita da Angiolo Angiolini nel 1883 come opera «del Sabatelli»; acquistato nello stesso anno per 100 lire e destinato alla galleria d'arte moderna dell'Accademia; l'anno seguente il dipinto fu inserito nella collezione dei ritratti degli uomini illustri degli Uffizi (AGF, 1883 (D), 2, 55; 1884 (E), 2, 17). Gli eredi dell'Angiolini attribuivano genericamente il dipinto «al Sabatelli»; volendo confermare — sia pure dubitativamente — l'attribuzione si dovrebbe pensare a Luigi Sabatelli anche in considerazione degli estremi anagrafici di Giorgio Angiolini (1790-1836). Attualmente nei Depositi degli Uffizi. E.S.

	A798	A799	A800	A801
AUTORE	Sabatelli, Luigi (Firenze 1772 - Milano 1850), copia da?	Sabatini, Italo (?).	Sacchetti, Enrico (Roma 1877 - Firenze 1969).	Sacchi, Andrea (Nettuno 1599 - Roma 1661), copia da.
TITOLO	Ritratto di Giuseppe Sabatelli.	Autoritratto.	Autoritratto.	Ritratto di Francesco Albani (copia).
DATAZIONE	1840 ca.	1920.	1922 ca.	Post 1635.
DATI TECNICI	Olio su tela, 59x50.	Olio su tela, 85x64.	Carboncino su carta, 62x47,5.	Olio su tela, 46x36,8.
CORNICE	D'epoca, intagliata e dorata.	Senza cornice.	Sagomata e dorata, sec. XX.	Dorata, liscia a gole.
UBICAZIONI	Coll. Focardi Bartoli; Galleria d'Arte Moderna, Pitti (1964).	Eredi dell'artista; Galleria d'Arte Moderna, Pitti (1961).	Uffizi (1922).	Uffizi (1753).
ATTRIBUZIONI	Luigi Sabatelli (all'atto dell'acquisto).	—	—	Albani (inv. 1753); da Andrea Sacchi (Borea 1975).
ESPOSIZIONI	—	—	XIII Esposizione internazionale di arte dela città di Venezia, Venezia 1922. L'art italien des XIXme et XXme siècles, Parigi 1935.	—
BIBLIOGRAFIA	Cultura neoclassica e romantica nella Toscana granducale, catalogo della mostra, Firenze 1972. L. e F. Luciani, Dizionario dei pittori italiani dell'800, Firenze 1974.	—	Thieme-Becker, XXIX, 1935. Comanducci, V, Milano 1974. Gec (E. Gianeri, a cura di) - P. Pallottino, il gigante avvelenato. E.S., Bologna 1978.	A. Boschetto, Per Francesco Albani, in 'Proporzioni' 1948, p. 138. A. Sutherland Harris, Andrea Sacchi, London 1977. *E. Borea, Pittori bolognesi del Seicento nelle Gallerie di Firenze, Firenze 1975, n. 88, p. 115.*
INVENTARIO	GAM Giornale 2011.	GAM Giornale 1997.	8450.	1772.
FOTO	184230.	185094.	11434.	225341.
NOTE	Acquistato da Maria Focardi Bartoli di Roma per 550.000 lire nel 1964 (verbale della commissione del 20.11.1964) come ritratto di Giuseppe Sabatelli, opera del padre di questi Luigi. Ma i problemi attributivi sono molti. L'unico elemento certo è l'identità del ritrattato e il rapporto che corre tra questo quadro e la litografia riprodotta nel frontespizio dell'elogio funebre del Guerrazzi (Della vita e delle opere di Giuseppe Sabatelli ecc., Livorno 1843) di Ballagny litografo, da disegno di Andrea Besteghi. Questi, emiliano stabilito a Firenze e allievo del Bezzuoli, può essere l'autore del quadro oltre che della stampa? Una certa dolcezza cromatica, aliena ai Sabatelli e prossima al Bezzuoli, potrebbe autorizzare l'ipotesi. Per escludere che si tratti di opera autografa di Giuseppe si confronti inoltre il quadro con l'autoritratto inv. 1890, n. 1949. Alcuni particolari del busto possono viceversa richiamare lo stile di Luigi o almeno il riecheggiamento di esso. Il quadro è alla Galleria d'arte moderna. S.P.	In alto a sinistra: "I. Sabatini.autoritratto.1920". Sul telaio, nel tergo al centro del lato superiore: "SABATINI *1865 +1956", a penna. Donato dalla figlia Itala nell'ottobre 1961. Accettato dalla Commissione nell'adunanza del 20-11-1964. Entrato in Galleria il dicembre 1964 (note inventariali). Non è stato possibile reperire bibliografia specifica sull'autore né sull'opera in oggetto. L'opera si trova attualmente nei depositi della Galleria d'Arte Moderna di Palazzo Pitti. Gr. Red. 1	Un autoritratto fu richiesto nel 1922 all'artista che donò questo in quello stesso anno (AGF, Arte 796). Alla Biennale veneziana del 1922 erano esposti, sotto lo stesso numero di catalogo, due autoritratti a carboncino del Sacchetti. Attualmente nei Depositi degli Uffizi. E.S.	Acquistato come autoritratto dell'Albani, è invece una copia mediocre del ritratto dell'Albani eseguito da Andrea Sacchi nel 1635 a Bologna, ora a Madrid, Prado. A meno di non pensare che l'Albani stesso copiasse il ritratto fattogli dal Sacchi. Nel 1714 viene messa in dubbio l'autografia del quadro (Prinz, 1971). Si conoscono altre copie del quadro del Sacchi, tra cui quella a Roma, Accademia di S. Luca (Sutherland Harris). Sembra invece un autoritratto dell'Albani l'esemplare in ovale della Pinacoteca di Bologna (Boschetto, con didascalia errata che lo riferisce agli Uffizi, e così induce in errore la Sutherland). E.B.

	A802	A803	A804	A805
AUTORE	Sagrestani, Giovanni Camillo (Firenze 1660-1731).	Salghetti Drioli, Francesco (Zara 1811-1877).	Salimbeni, Ventura (Siena 1567-1613).	Salimbeni, Ventura (Siena 1568-1613) e/o Vanni, Francesco (Siena 1563-1610).
TITOLO	Autoritratto.	Autoritratto.	Autoritratto con pistola.	Autoritratti di Francesco Vanni e Ventura Salimbeni coi genitori.
DATAZIONE	Inizi sec. XVIII.	Ottavo decennio sec. XIX.	Inizi sec. XVII.	Inizi sec. XVII.
DATI TECNICI	Olio su tela, 74,5x58,5, restauro 1972.	Olio su tela, 58x42,5.	Olio su tela, 100x72,5, rintelato.	Olio su tela, 85,5x104, restauro 1978.
CORNICE	Salvadora dorata, sec. XVIII.	Sagomata e dorata con decorazioni in pastiglia, sec. XIX.	Dorata e nera con fregi dipinti in oro, sec. XIX.	Nera con intagli dorati e fregi dipinti in oro, sec. XVII.
UBICAZIONI	Coll. Puccini (1725); coll. Pazzi; Uffizi (1768).	Uffizi (1870-80 ca.).	Uffizi (1687).	Cosimo III de' Medici; Uffizi (1695).
ATTRIBUZIONI	—	—	—	—
ESPOSIZIONI	—	—	—	—

BIBLIOGRAFIA	P. Bigongiari in Letteratura 69-71, 1964. S. Meloni Trkulja in Paragone 343, 1978. *G. Arrigucci in Commentari V, 1954.*	Thieme Becker, XXIX, 1935. A. Petričič, in Enciklopedija Likovnih Umjetnosti, 4, Zagrabria 1966.	G. Scavizzi in Commentari X, 1959. *Dizionario Bolaffi X, Torino 1975.*	E. Romagnoli, Biografia degli artisti senesi, VII, ed. Firenze 1978.
INVENTARIO	2055 (C.P., p. 110, n. 676).	1996 (C.P., p. 110, n. 587).	1710 (C.P., p. 110, n. 315).	1759 (C.P., p. 100, n. 338).
FOTO	194977.	112446.	107465.	249112.
NOTE	A tergo un cartellino antico 'Gio. Camillo Sagrestani' e i numeri delle collezioni di Tommaso Puccini e dell'abate Antonio Pazzi a cui il quadro appartenne. Nell'assoluta mancanza di formalismo della posa esso rivela l'indole disinvolta e burlona del pittore, autore anche di una serie di biografie di artisti centrate su succosi aneddoti, quasi una parodia delle Vite baldinucciane (pubblicate in Commentari XXII, 1971). S.M.T.	Non è stata rintracciata nessuna documentazione sull'ingresso del dipinto agli Uffizi; esso già figura nell'Inventario del 1881 (vol. IV, n. 1777) e pertanto c'è da supporre una data d'ingresso non troppo lontana da quella di esecuzione del Salghetti, simile a questo degli Uffizi, si trova nella Galleria d'arte moderna di Zagabria. Attualmente nei Depositi degli Uffizi. E.S.	A tergo traspare il nome in grafia antica sulla tela originale. Non è certo che si tratti di un autoritratto del pittore segnalato già al cardinal Leopoldo de' Medici da Lodovico de' Vecchi nel 1668 ed allora in possesso di Ranuccio Bandinelli; in ogni caso esso figura in galleria, entratovi 'più tempo fa', il 6 settembre 1687 (ASF, Guard. 903, c. 110v). Il collezionista Tommaso Puccini, medico di Cosimo III, ebbe un autoritratto del Salimbeni 'con spada' (cfr. G. Leoncini in Paragone 345, 1978), che però non risulta passato in galleria come altri suoi, a meno di proporne l'identificazione col cosiddetto autoritratto di Lionello Spada (inv. 1890 n. 1814); si veda in proposito S. Meloni Trkulja in Paragone 343, 1978. S.M.T.	Entrato in galleria il 28 maggio 1695 (ASF, Guard. 969, c. 159v) come ritratto di Francesco Vanni, Ventura Salimbeni e Alessandro Casolani (Siena 1552-1608) "tutti Pittori, tre figlioli d'una Donna dipintavi da uno di detti"; e l'inventario del 1704 (n. 1825) aggiunge "dicesi ciascheduno dipinto di sua propria mano". Oggi la possibilità del quadro a tre mani è guardata con scetticismo, ma non sarebbe l'unico caso. Gli effigiati sarebbero, da sinistra: Casolani; Battista Focari; F. Vanni (lo si confronti col ritratto all'estrema sinistra della pala con S. Ansano che battezza i senesi nel Duomo di Siena); e V. Salimbeni (ritrattosi pure all'estrema sinistra dell'Invenzione della Croce in S. Frediano a Pisa). Del Casolani non è documentato il volto, né la condizione di fratello uterino degli altri due: converrà proporre che si tratti piuttosto di Arcangelo Salimbeni (?-ante 1589), padre di Ventura e patrigno di Francesco. S.M.T.

	A806	A807	A808	A809
AUTORE	Salvetti, Antonio (Colle val d'Elsa, Siena 1854-1931).	Salviati, De' Rossi Francesco, detto Cecchino S. (Firenze 1510 - Roma 1563).	Sandor, Arpad (Ungheria, verso il 1907 - attivo in Italia verso il 1940-50).	Sandrart, Joachim von (Francoforte 1606 - Norimberga 1688).
TITOLO	Autoritratto.	Autoritratto.	Autoritratto.	Autoritratto.
DATAZIONE	1883.		1947.	Terzo quarto sec. XVII.
DATI TECNICI	Olio su tela, 56x36,5.		Olio su tela, 56x64.	Olio su tela, 116x85,5.
CORNICE	Sagomata e dorata, sec. XVIII.		Coeva, dorata.	Nera e oro intagliata, dipinta e dorata, sec. XVII.
UBICAZIONI	Eredi dell'artista; Uffizi (1933).		Galleria d'Arte Moderna, Pitti (1971).	Coll. Aberli, Berna (1782); coll. de Mülinen, Berna (1787); Uffizi (1787).
ATTRIBUZIONI	—		—	—
ESPOSIZIONI	—		—	—
BIBLIOGRAFIA	E. Mattone Vezzi, Il pittore Antonio Salvetti, Colle val d'Elsa 1932. F. e L. Luciani, Dizionario dei Pittori italiani dell'800, Firenze 1974. *Prinz 1971.*		—	Cat. mostra Deutsche Maler und Zeichner des XVII. Jahrhunderts, Berlin 1966; *Prinz, 1971.*
INVENTARIO	9194.		GAM Giornale 2430.	1763 (C.P., p. 110, n. 467).
FOTO	278053.		182939.	5846.
NOTE	Firmato in alto a destra: A. Salvetti/giugno 1883/Colle. Offerto in dono dall'artista nel 1923 ma non accolto nel 1924; successivamente offerto in vendita dall'artista nel 1931, ma non accolto nel 1932; infine offerto in dono dalla vedova dell'artista nel 1933. Nel 1932 un altro autoritratto del Salvetti fu offerto in vendita dal signor Bruno Lettori di Poggibonsi; l'offerta fu rifiutata (AGF, Arte 796). Attualmente nei Depositi degli Uffizi. E.S.	Vedi: Scuola emiliana fine sec. XVI. Ritratto d'uomo con fazzoletto. Scheda A836.	Firmato e datato in alto a destra: Sandor Arpad / Roma 1947. Rinvenuto nella stanza già occupata dall'ex-Soprintendente Poggi dopo la sua morte e inventariato nel 1971. L'unico riferimento circa il pittore (ignoto in Ungheria e del quale non è neppure possibile stabilire con certezza quale sia il nome e quale il cognome, trattandosi di due nomi di persona nessuno dei quali noto anche come cognome) sembra essere un dipinto della Galleria d'arte moderna di Milano: Cavalcata al Bois de Boulogne, dono dell'autore nel 1948, pubblicato nel catalogo della stessa galleria (vol. III, Milano 1975, Appendice A 4) sotto il nome di Landor Arpad. S.P.	Segnalato a Berna presso il pittore Aberli nel 1782 dal barone di Beroldingen, canonico di Spira; segnalato di nuovo presso il barone di Mülinen dal pittore William Berczy nel 1787, fu inviato a Firenze, periziato da quattro pittori incaricati dall'Accademia e acquistato per 50 zecchini (AGF, filza XX a 29). L'autografia è assicurata da un'incisione (conservata nella filza) fatta fare dal nipote Jakob von Sandrart. Dell'artista, il Vasari tedesco, esistono altri autoritratti: uno a Francoforte (Historisches Museum) e uno, datato poco dopo la metà del secolo e assai vicino a questo di Firenze, a Brema (proprietà Fritz von Sandrart; cfr. Cat. mostra Barock in Nürnberg 1962, p. 59, fig. 16). S.M.T.

	A810	A811	A812	A813
AUTORE	Sandys, Frederyck (Norwich 1832 - Londra 1904).	Sanesi, Niccola (Firenze 1818-1889).	Santandrea, Antonio (Bologna 1905).	Santi di Tito (Sansepolcro 1536 - Firenze 1603).
TITOLO	Autoritratto.	Autoritratto.	Autoritratto.	Autoritratto.
DATAZIONE	1860 ca.	Sesto decennio sec. XIX.	1946.	Fine sec. XVI.
DATI TECNICI	Olio su tela, 29,5x20.	Olio su tela, 36x27.	Olio su tela, 49x38,5.	Olio su tela su tavola ovale, 49x38,5; con giunta: 72,5x58,8.
CORNICE	Intagliata, dorata, sec. XIX.	Sagomata, intagliata e dorata, sec. XIX.	Senza cornice.	—
UBICAZIONI	Coll. Ambron; Uffizi (1971).	Eredi dell'artista; Uffizi (1896-98 ca.).	Eredi dell'artista; Galleria d'Arte Moderna, Pitti (1947).	Card. Carlo de' Medici (ante 1666)?; Card. Leopoldo de' Medici (1666)?; Uffizi (1683).
ATTRIBUZIONI	—	—	—	—
ESPOSIZIONI	Firenze e l'Inghilterra. Rapporti artistici e culturali dal XVI al XX secolo, Firenze 1971.	—	—	—
BIBLIOGRAFIA	R. Ironside-J. Gere: Pre-Raphaelite Painters, London 1948. *Cat., Firenze 1971, n. 91.*	Thieme-Becker, XXIX, 1935. Comanducci, V, Milano 1974.	Comanducci, V, Milano 1974.	G. Arnolds, Santi di Tito, Arezzo 1934.
INVENTARIO	Depositi 258.	3291 (ripetuto al n. 5516).	GAM Giornale 1088.	1697.
FOTO	176047.	112449.	185091.	325214.
NOTE	Ritenuto tradizionalmente autoritratto del pittore, che fu amico di D.G. Rossetti. Dono dell'ing. Leone Ambron alla Galleria degli Uffizi (1971). M.C.	Sul retro, nella cornice, scritta antica a inchiostro blu: Ritratto del pittore Sanesi fatto da lui medesimo (segue una firma illegibile). Nell'Inventario Supplementare dei dipinti posseduti dalla Galleria degli Uffizi (AGF, ms. 375) il dipinto risulta donato dagli eredi dell'artista e inventariato fra il 1896 e il 1898. Nel 1895 la vedova del pittore offrì alle Gallerie l'acquisto di un ritratto del Sanesi dipinto da Michele Gordigiani, ripetendo la stessa offerta nel 1896; l'offerta venne declinata (AGF, Affari Diversi, 1895, 4,4; Arte 144). L'opera si trova attualmente nei Depositi degli Uffizi. E.S.	Firmato e datato in alto a destra: "Antonio Santandrea 1946". Acquistato dalla moglie del pittore nel 1947 (nota inventariale). L'opera si trova attualmente nei depositi della Galleria d'Arte Moderna di Palazzo Pitti. Gr. Red. 1	A tergo scritta antica "Santi di Tito/sua mano" e cartellino pure antico "Ha più d'Anni ...O il ritratto"; nonché i numeri d'inventario del 1704 (n. 1686) e 1769 (n. 3318). Entrato in galleria il 3 settembre 1683 (ASF, Guard. 871, c. 143v), è l'unico autoritratto della raccolta medicea che abbia tuttora la riquadratura "con rabeschi di chiaroscuro" che nel '700 li ornava tutti per uniformarli. È un piccolo ovale "in tela rapportata" in pessime condizioni e di qualità molto povera; non è mai stato preso in considerazione dalla critica. Non è chiaro se sia questo, o l'altro (inv. 1890, n. 1738) a provenire dalla raccolta del cardinal Carlo de' Medici, che lo lasciò con altri sei (ASF, Guard. 758, c. 25r) al nipote Leopoldo, il quale però non lo teneva con gli altri pittori ma altrove (ASF, Guard, 826, c. 37v) semplicemente come "ritratto" di Santi di Tito. S.M.T.

	A814	A815	A816	A817
AUTORE	Santi di Tito (Sansepolcro 1536 - Firenze 1603).	Sargent, John Singer (Firenze 1856 - Londra 1925).	Sarri, Egisto (Figline, Firenze 1837 - Firenze 1901).	Sarri, Egisto (Figline, Firenze 1837 - Firenze 1901).
TITOLO	Autoritratto?	Autoritratto.	Autoritratto.	Ritratto di Emilio de Fabris.
DATAZIONE	Fine sec. XVI.	1906.	1892-1901 ca.	1883.
DATI TECNICI	Olio su tela, 43,5x36,7, restauro 1974.	Olio su tela, 70x53.	Olio su tela, 52,2x42,5.	Olio su tela, 87x62,5. La tela è molto allentata.
CORNICE	Dorata e nera intagliata, sec. XVII.	Intagliata, dorata, sec. XIX?	A fascia in legno naturale, con cornice esterna dorata. D'epoca.	D'epoca, dorata con passepartout in legno a luce ovale.
UBICAZIONI	Card. Carlo de' Medici (ante 1666)?; Card. Leopoldo de' Medici (1666)?; Uffizi (1701); Guardaroba; Uffizi (1784).	Uffizi (1906).	Eredi dell'artista; Uffizi (1904).	Uffizi (1884); Galleria d'Arte Moderna, Pitti (1979).
ATTRIBUZIONI	—	—	—	—
ESPOSIZIONI	—	Firenze e l'Inghilterra. Rapporti artistici e culturali dal XVI al XX secolo, Firenze 1971.	—	—
BIBLIOGRAFIA	*G. Arnolds, Santi di Tito, Arezzo 1934.*	J. Maas: Victorian Painters, London 1978 (2 ed.). *R.L. Ormond: John Singer Sargent, London 1970. Cat., Firenze 1971, n. 99.*	L. e F. Luciani, Dizionario dei pittori italiani dell'800, Firenze 1974.	L. e F. Luciani, Dizionario dei pittori italiani dell'800, Firenze 1974.
INVENTARIO	1738 (C.P. p. 111 n. 330).	3351 (C.P., p. 110, n. 764).	3252 (C.P., p. 110, n. 738).	3308.
FOTO	228178 (tergo: 206455).	171348.	112450.	137027.
NOTE	Entrato in galleria il 2 marzo 1701 (ASF, Guard. 1927, c. 202r) col n. 471, visibile sulla tela insieme a un monogramma SG che figura anche dietro l'autoritratto del Passignano (inv. 1890 n. 1695). Il giornale di guardaroba non ne dà la provenienza, sì che resta incerto se sia questo o l'altro (inv. 1890 n. 1697) l'autoritratto appartenuto al cardinal Carlo de' Medici e da lui lasciato al nipote Leopoldo, che però l'aveva degradato a semplice ritratto. In galleria venne preferito all'altro con pennelli in mano. L'Arnolds non si pronuncia sull'autografia e sembra voler far credere che si tratti dell'effigie del maestro eseguita però dal figlio o da un allievo che ne avesse condotto a termine alcune opere tarde come la Natività del Battista in San Giovannino dei Cavalieri, dove figura la stessa testa di vecchio. S.M.T.	Firmato e datato: John S. Sargent 1906. Il dipinto fu donato alla Galleria degli Uffizi dall'artista, al quale era stato richiesto dalla direzione su consiglio di H. Horne e R. Ross. M.C.	Firmato in basso a sinistra: E. Sarri. Ritrae l'artista, che muore sessantaquattrenne, negli ultimi anni. Fu donato dal figlio Corrado agli Uffizi nel 1904 (AGF, Arte 378). Attualmente collocato nelle riserve. S.P.	Firmato e datato a sinistra a metà altezza: E. Sarri / 1883. Eseguito per commissione della Direzione degli Uffizi alla morte del de Fabris (Firenze 1808-1883, architetto, allievo di Gaetano Baccani, maestro di Luigi Del Moro). Il Sarri ricevette per il ritratto 300 lire nel 1883 e consegnò l'opera nel 1884 (AGF, 1884, filza E, 2,40). L'opera è compresa nel riordinamento della Galleria d'arte moderna di Palazzo Pitti. S.P.

	A818	A819	A820	A821
AUTORE	Sartorio, Giulio Aristide (Roma 1860-1932).	Sassoferrato, Salvi Giovan Battista, detto il (Sassoferrato 1609 - Roma 1685).	Sassonia, Maria Antonia di (Monaco 1724 - Dresda 1780).	Scacciati, Andrea (Firenze 1642-1710).
TITOLO	Autoritratto.	Autoritratto.	Autoritratto.	Autoritratto.
DATAZIONE	Ante 1915 (Calosso, 1933).	Metà sec. XVII.	1772.	Ultimo quarto sec. XVII.
DATI TECNICI	Olio su tela tirata su cartone, 42,5x35,5.	Olio su tela, 38x32,5.	Olio su tela, 91x69, restauro 1976.	Olio su tela, misure non rilevate.
CORNICE	Nera, intagliata, sec. XIX.	Salvadora dorata, inizi sec. XVIII.	Salvadora dorata, sec. XX.	—
UBICAZIONI	Eredi dell'artista; Uffizi (1932).	Cosimo III de' Medici; Uffizi (1682).	Uffizi (1773).	Coll. Puccini (1725); coll. Pazzi; Uffizi (1768).
ATTRIBUZIONI	—	—	—	—
ESPOSIZIONI	Mostra delle Pitture di Giulio Aristide Sartorio, Roma 1933.	—	—	—
BIBLIOGRAFIA	P. Spadini, Cat. Mostra di Giulio Aristide Sartorio, Galleria dell'Emporio Floreale, Roma 1973. A. Gramiccia, in Cat. Da Canova a De Carolis, Roma 1978. *A.B. Calosso, in Cat. Roma 1933, n. 93. Prinz 1971.*	Dizionario Bolaffi X, Torino 1975. *Prinz, 1971.*	*B. Viallet, Roma s.d. (1923), Prinz 1971.*	M. Gregori in La natura morta italiana, Milano 1964. *S. Meloni Trkulja in Paragone 343, 1978.*
INVENTARIO	9192.	1761 (C.P., p. 110, n. 340).	2065.	—
FOTO	22543.	229811.	252798, 252799 (tergo).	179564.
NOTE	Dietro la cornice due numeri inventariali relativi alla cornice stessa e un cartellino con la scritta: Museo Topografico. L'opera fu richiesta al pittore nel 1927, e fu donata dalla sua vedova nel 1932 (AGF, Arte 796). Il dipinto è attualmente esposto nel Corridoio Vasariano. E.S.	A tergo in grafia antica numeri d'inventario e 'Gio: Batta Salui / Da Sasso Ferrato'. Entrò in galleria il 28 ottobre 1682 (ASF, Guard. 870, c. 165r) mandatovi da Cosimo III de' Medici, che l'aveva appena ricevuto da Roma, dono del card. Flavio Chigi. Misurava all'arrivo cm. 45x30 circa, ma nell'inventario del 1704 appare già ridotto alle misure attuali. È l'unico autoritratto noto dell'artista. S.M.T.	A tergo è stata trascritta l'iscrizione «Ritratto Originale di Sua Altezza Reale Maria Antonia Elettrice di Sassonia nata Principessa Imperiale di Baviera. Dipinto da Lei medema Anno 1772». La principessa donò la tela alla granduchessa nell'estate del 1773 auspicandone la collocazione fra i ritratti di pittori. La galleria lo intelaiò e chiese l'esecuzione di una cornice adatta suggerendo di «fare di pasta una Corona Elettorale o come converrà sul Cartellino, con quelche piccolo ornamento» e notò che era il primo ritratto di rango principesco a entrare in galleria (AGF, filza VI a 42). Effettivamente nell'inventario del 1784 (n. 563/66) la cornice, oggi non più esistente, è «riccamente intagliata e dorata ornata dei simboli, e strumenti delle Belle Arti». Il quadro di recente è stato restaurato gratuitamente da Anna del Vivo in omaggio agli Amici dei Musei Fiorentini. S.M.T.	Il dipinto è momentaneamente irreperibile, probabilmente perché privo del giusto cartellino inventariale, ma è stato fotografato nel 1971. Per confronto con l'incisione nel catalogo della collezione Pazzi è stato riconosciuto come autoritratto di Andrea Scacciati, pittore di fiori come appare chiaro dal dipinto, che ha la stessa impaginazione come altri due "fioristi" fiorentinii coevi: Bartolomeo Bimbi e Giovanni Becallini. Appartenne alla raccolta del medico Tommaso Puccini, poi a quella dell'abate Antonio Pazzi che la vendette alla Galleria intorno al 1768. S.M.T.

	A822	A823	A824	A825
AUTORE	Schaïk, Willem Henri van (?) (Beetsterzwaag 1876 - Blaricum 1938).	Schalcken, Godfried (Made 1643 - L'Aia 1706).	Schiavone, Meldolla Andrea detto lo (Zara 1503 ca. - Venezia 1563).	Schmidt, Carl Friedrich Ludwig (Stettino 1799-? post 1873).
TITOLO	Autoritratto?	Autoritratto.	Testa di giovane.	Autoritratto.
DATAZIONE	Primo decennio ? sec. XX.	1695.	Secondo quarto sec. XVI.	1853.
DATI TECNICI	Olio su tela, 33x20.	Olio su tela, 92,3x81.	Olio su tavola, 52x42.	Olio su tela, 112,5x88.
CORNICE	—	Intagliata, dorata, XVII sec.	Salvadora dorata, sec. XVIII.	Sagomata e dorata con decorazioni in pastiglia, sec. XIX.
UBICAZIONI	Coll. Gigliucci, Fermo; Uffizi (1950 ca.).	Uffizi (1695).	Card. Leopoldo de' Medici (ante 1675); Uffizi (1682).	Uffizi (1873).
ATTRIBUZIONI	—	—	—	—
ESPOSIZIONI	—	—	—	—
BIBLIOGRAFIA	P.A. Scheen, Lexicon Nederlandse Beeldende Kunstenaars 1750-1950, Gravenhage, 1970.	J. Rosenberg - S. Slive - E. H. Ter Kuile: Dutch Art and Architecture 1600-1800, Harmondsworth 1966. *A. M. Crinò in Riv. d'arte, 1954, p. 191s. AGF: K. Langedijk, Scheda ministeriale 1978.*	K. Prijatelj, Andrea Medulic Schiavone, Zagreb 1952. Dizionario Bolaffi VII, Torino 1975.	Thieme-Becker, XXX, 1936.
INVENTARIO	9483.	1878 (C.P., p. 110, n. 435).	1799 (C.P., p. 110, n. 376).	1939 (C.P., p. 110, n. 626).
FOTO	315549.	321855.	146344.	96412.
NOTE	Siglato in basso a destra, sul quadro posato a terra: Van S. Il dipinto, definito come un autoritratto, fu donato agli Uffizi dalla famiglia Gigliucci di Fermo verso il 1950 (AGF, Arte 796). In questi documenti non è precisato il nome di battesimo dell'artista; si afferma soltanto che l'autore è l'olandese Van Schaïk che abitò a Firenze e che occupò per qualche tempo lo studio che in seguito appartenne al conte Mario Gigliucci, padre dei donatori. Pertanto il pittore potrebbe essere Willem Henri van Schaïk (pittore soprattutto di paesaggi e caricaturista che viaggiò molto in Europa) o il meno noto Willem Carel (1872-1846) sul quale vedi P.A. Scheen cit. Il dipinto si trova attualmente nei depositi degli Uffizi. E.S.	Firmato e datato in basso a sinistra: Schalcken 1695. Sul retro della tela: Gio: Schalckn (sic). I documenti sull'acquisto a Londra del dipinto, direttamente dall'artista, sono stati pubblicati da A. M. Crinò. Entrato agli Uffizi il 12 ottobre 1695 (ASF, Guard. 968, c. 198r). Inciso in Museo Fiorentino, vol. IV, 1762, p. 21. M.C.	Il quadro appartenne al cardinal Leopoldo de' Medici come autoritratto dello Schiavone, ma presto dovettero sorgere dei dubbi su tale qualità se il 4 gennaio 1681 il granduca Cosimo III ne faceva cercare a Venezia un autoritratto autentico, non si sa se per acquisto o per confronto ("bastando a S.A.S.... sapere solo ove, et in mano di chi si ritrovino": Prinz 1971, doc. 50). Da tempo infatti la tavola non sta più fra gli autoritratti come era fino al primo '900: autoritratto autentico è invece quello del museo di Vienna. Il Vasari ricorda (nella Vita di Battista Franco) che lo Schivone aveva dipinto nel 1540 per Ottaviano de' Medici una Battaglia fra Carlo V e il Barbarossa. S.M.T.	Firmato e datato in alto a sinistra: Carl Schmidt/1853. Il dipinto fu donato dall'artista nel 1873 dietro richiesta della Direzione degli Uffizi (AGF, 1873, A, 1, 52). Non sono state rintracciate notizie più precise su questo pittore, di cui non è nota neppure la data di morte. Il dipinto è attualmente nei Depositi degli Uffizi; ed è in corso di restauro. E.S.

	A826	A827	A828	A829
AUTORE	Schoonjans, Anthoni, detto Parrhasius (Anversa 1655 ca. - Vienna 1726).	Schwartze van Duyl, Thérèse (Amsterdam 1851-1918).	Scocchera, Alfredo (Baselice, Benevento 1887 - Milano 1955).	Scorza, Sinibaldo (Voltaggio 1589 - Genova 1631).
TITOLO	Autoritratto.	Autoritratto.	Autoritratto.	Autoritratto.
DATAZIONE	1703 ca.	1888.	1914.	
DATI TECNICI	Olio su tela, 89x79.	Olio su tela, 129x88.	Pastello su carta, 57,5x40,5.	
CORNICE	Barocca, nera e oro.	Sagomata e dorata con decorazioni in pastiglia, sec. XIX.	Dorata con decorazioni in pastiglia e racchiusa in teca di legno scuro, sec. XX.	
UBICAZIONI	Uffizi (1703).	Uffizi (1895).	Eredi dell'artista; Uffizi (1957).	
ATTRIBUZIONI	—	—	—	
ESPOSIZIONI	—	Société des Artistes Français. Salon de 1888, Paris 1888; Exposition Universelle de 1889, Paris 1889; Münchener Jahresausstellung, Monaco 1890.	Alfredo Scocchèra, Centro artistico San Babila, Milano 1959.	
BIBLIOGRAFIA	Thieme-Becker XXIX, 1936. R. H. Wilenski: Flemish Painters 1430-1830, London 1960. *AGF: K. Langedijk, Scheda ministeriale 1978.*	P.A. Scheen, Lexikon Nederlandse Beeldende Kunstenaars 1750-1950, II, Gravenhage 1970. *B. Viallet, Roma s.d. (1923). AGF: K. Langedijk, Scheda ministeriale 1978.*	Comanducci, V, Milano 1974. *D. Kajotta-F. Rossi, in Memoriam. Alfredo Scocchera, Milano 1958.*	
INVENTARIO	1674 (C.P., p. 110, n. 235).	3122 (C.P., p. 110, n. 716).	9395.	
FOTO	278553.	67793.	280794.	
NOTE	Sul retro della tela scritta: Antonio Schoons Ians (sic). Pittore di camera di Sua Maestà Cesarea. Il dipinto giunse, privo di telaio, nel 1703 (ASF, Guard. 1101, c. 23), ed è molto probabile che fosse stato compiuto per ordinazione di Cosimo III de' Medici in quell'anno. Il pittore si è rappresentato mentre dipinge un ritratto dell'imperatore Carlo VI d'Asburgo. Inciso in Museo Fiorentino, vol. IV, 1762, p. 95. M.C.	Firmato e datato in basso a destra: Thérèse/Schwartze/1888. La Direzione degli Uffizi richiese nel 1887 un autoritratto all'artista, che donò questo nel 1895 (AGF, Arte 796). Dietro si vedono i cartellini della mostra di Monaco e il timbro della dogana statunitense (partecipazione del dipinto a una mostra americana non individuata?). La stessa posa della pittrice (derivata dal celebre autoritratto di Reynolds alla National Portrait Gallery di Londra) è ripetuta in un altro autoritratto a pastello pubblicato nella monografia sull'artista di W. Martin (Amsterdam 1921, p. 159). Al Salon del 1888 il quadro fu presentato come destinato agli Uffizi. L'opera si trova attualmente nei Depositi degli Uffizi. E.S.	Datato in alto a sinistra: 1914; firmato in basso a destra: A. Scocchera. Donato dalla vedova dell'artista nel 1957 (AGF, Inventario dei dipinti della Galleria degli Uffizi 1890). Attualmente nei Depositi degli Uffizi. E.S.	Vedi: Scuola emiliana sec. XVII. Ritratto del Guercino. Scheda A837.

	A830	A831	A832	A833
AUTORE	Scuola bolognese sec. XVI.	Scuola bolognese sec. XVI.	Scuola bolognese sec. XVI.	Scuola caravaggesca sec. XVII.
TITOLO	Ritratto di giovane uomo.	Ritratto di giovane uomo.	Ritratto di pittore.	Ritratto di Gentiluomo con tavolozza e spada.
DATAZIONE	Fine sec. XVI.	Fine sec. XVI.	Fine sec. XVI.	1620-30.
DATI TECNICI	Olio su tela 34,4x25,6.	Olio su legno, ottagonale, 13,5x 10,4.	Olio su tavola, 70x49 (parte originale: 42x33).	Olio su tela 65x52,5; ingrandito sino a 71x57, restauro 1974.
CORNICE	—	—	Salvadora dorata, sec. XIX.	—
UBICAZIONI	Uffizi (1784).	Uffizi (1784).	Uffizi (1835).	Coll. Pazzi; Uffizi (1768).
ATTRIBUZIONI	Agostino Carracci (inv. 1784). Anonimo (Borea 1975).	Francesco Carracci (inv. 1784). Anonimo (Borea 1975).	Il Morazzone (L. Sabatelli 1835).	Lionello Spada (Marrini 1765). Ignoto caravaggesco (Borea 1975). Antiveduto Gramatica (Spear 1975). Ventura Salbeni? (Meloni 1978).
ESPOSIZIONI	Pittori bolognesi del Seicento nelle Gallerie di Firenze, Firenze 1975.	Pittori bolognesi del Seicento nelle Gallerie di Firenze, Firenze 1975.		Pittori bolognesi del Seicento nelle Gallerie di Firenze, Firenze 1975.
BIBLIOGRAFIA	R. Wittkower, The Drawings of the Carracci in the Collection of her Majesty the Queen at Windsor Castle, Londra 1952, p. 122; *E. Borea, in Cat., Firenze 1975, n. 30, pp. 40-41.*	*E. Borea, in Cat., Firenze 1975, n. 40, p. 54.*	*M. Gregori, Il Morazzone, catalogo della mostra, Milano 1962.*	R. E. Spear, rec. a E. Borea, Cat., Firenze 1975, in The Burlington Magazine, luglio, 1975. S. Meloni Trkulja, in Paragone 343, 1978, p. 119. *E. Borea, in Cat., Firenze 1975, n. 74, pp. 98-99.*
INVENTARIO	1736.	3976.	1804 (C.P., p. 106, n. 381).	1814 (C.P., p. 110 n. 390).
FOTO	225346.	113097.	5816.	226610.
NOTE	Assai guasto, il dipinto pone problemi di attribuzione all'autore e di identificazione dell'effigiato. Per il Wittkower il riferimento ad Agostino Carracci è accettabile sulla base del confronto con un disegno di Windsor Castle ascritto tradizionalmente a questo pittore. Diverso stilisticamente dai ritratti dipinti di questo artista e pure da quelli del fratello Annibale, il quadro sembra tuttavia di ambiente bolognese sulla fine del cinquecento. Appare nel 1784 nella Collezione degli Autoritratti agli Uffizi. E.B.	Fa parte della raccolta dei 'ritrattini' considerato quale autoritratto di Francesco Carracci. Mancando elementi a disposizione per documentare tale riferimento, va comunque osservato che trattasi di dipinto certamente bolognese della fine del cinquecento. E.B.	Entrato in galleria il 5 giugno 1835, fornito dal pittore Luigi Sabatelli (AGF, filza LIX a 20) insieme a un autoritratto di Giulio Cesare Procaccini (inv. 1890 n. 1816). Pare che sulla tavolozza vi fosse un'iscrizione 'Cav. Fran. Mazuchelli d. Morazzone' ora scomparsa. M. Gregori ha dimostrato (p. 23) che non ritrae l'artista né è di sua mano. Il quadro era originariamente limitato alla testa e mezzo busto, ma la giunta pare antica, non ottocentesca. In precedenza in galleria era creduto autoritratto del Morazzone (e come tale fu inciso nel Museo Fiorentino) un ritratto di uomo barbuto di G. B. Moroni (inv. 1890 n. 933). S.M.T.	Il restauro ha rivelato che pollice e tavolozza sono aggiunte, dipinte sull'elsa della spada con lo scopo evidente di presentare l'ignoto cavaliere come pittore e il ritratto come autoritratto di Lionello Spada. L'ingrandimento della tela e la falsificazione furono effettuati prima della vendita del quadro, con tutto l'insieme della collezione Pazzi, cui apparteneva, agli Uffizi (1768). L'attribuzione allo Spada appare stilisticamente insostenibile (Borea 1975); incerti i riferimenti al Gramatica e al Salimbeni; trattasi comunque di quadro notevole di ambito caravaggesco. E.B.

	A834	A835	A836	A837
AUTORE	Scuola centroeuropea sec. XVIII.	Scuola emiliana fine sec. XVI.	Scuola emiliana fine sec. XVI.	Scuola emiliana sec. XVII.
TITOLO	Ritratto d'uomo.	Ritratto d'uomo.	Ritratto d'uomo con fazzoletto.	Ritratto del Guercino (?).
DATAZIONE	1770-80.	Fine sec. XVI.	1590 ca.	Seconda metà sec. XVII.
DATI TECNICI	Olio su tela, 72,5x58.	Olio su tela, 34x27, restauro 1958.	Olio su tavola, 65,2x51,7, restauro 1972.	Olio su tela, ovale, 57,5x43, restauro 1972.
CORNICE	Salvadora dorata, sec. XVIII.	Dorata, sec. XIX.	Intagliata e dorata sec. XX.	Salvadora dorata, sec. XVIII.
UBICAZIONI	Accademia di Belle Arti; Uffizi (1853).	Uffizi (1753); Guardaroba (1794); Poggio Imperiale (1845); Uffizi.	Card. Leopoldo de' Medici (ante 1675); Uffizi (1682).	Coll. Puccini (1725); coll. Pazzi (1768); Uffizi (1770).
ATTRIBUZIONI	—	Federico Barocci (inv. 1753).	Francesco Salviati (inventari).	S. Scorza (Marrini 1764).
ESPOSIZIONI	—	—	—	—
BIBLIOGRAFIA	—	—	*Prinz, 1971.*	*S. Meloni Trkulja in Paragone 343, 1978. G. Leoncini in Paragone 345, 1978.*
INVENTARIO	4281.	5711.	1682 (C.P., p. 109, n. 268).	1746 (C.P., p. 212, n. 327).
FOTO	112472.	185903.	230513.	112451.
NOTE	Entrato agli Uffizi con la quadreria dell'Accademia di Belle Arti nel 1853 (inv. 1825, suppl. n. 2825) senza indicazione d'autore. Dal costume appare databile all'inizio dell'ultimo quarto del '700: è qualitativamente il migliore degli autoritratti anonimi. Non sembra italiano. S.M.T.	Questo dipinto sembra da identificare con uno esposto in tribuna nel 1753 (n. 1594 dell'inventario), senza rimando all'inventario precedente) come autoritratto del Barocci; uscì di galleria il 12 dicembre 1794 (AGF, ms. 114 c. 153v). Dei molti numeri che reca a tergo, però, nessuno corrisponde a quelli degli inventari in cui figura, e l'opera non ha mai trovato posto fra gli autoritratti, benché con ogni probabilità lo sia. Non lo è certo del Barocci, ma appare di scuola emiliana della fine del '500 o inizi del '600; dopo una permanenza nel corso del XIX secolo al Poggio Imperiale, si trova oggi nei Depositi degli Uffizi. S.M.T.	Appartenne al cardinal Leopoldo de' Medici, ma non si conoscono le circostanze dell'acquisto. Entrò in galleria il 28 ottobre 1682 (ASF, Guard. 870, c. 160v) ed è sempre sato considerato, da allora ad oggi, autoritratto di Francesco Salviati (Firenze 1510 - Roma 1563). Ma il confronto con quello più sicuro della galleria Colonna a Roma (di cui le Gallerie fiorentine hanno una copia già presso l'Accademia del disegno, inv. 1890, n. 5527) lo nega: e inoltre il ritratto, per lo stile pittorico e il costume del personaggio, è posteriore di almeno un quarto di secolo alla morte del Salviati. L'autore sembra un emiliano della cerchia dei Carracci (soprattutto di Agostino), fortemente venezianeggiante. S.M.T.	Presentato agli Uffizi intorno al 1768 dall'abate Antonio Pazzi come autoritratto del genovese Sinibaldo Scorza, ma con ogni probabilità da identificare con un ritratto del Guercino che 'si trovò da suoi eredi quest'anno 1725' nella collezione Puccini, passata poi al Pazzi. La somiglianza coi ritratti noti del Barbieri è puntuale, persino nel particolare dell'occhio strabico: ma non si tratta di un autografo del Guercino, e neppure dello Scorza. S.M.T.

	A838	A839	A840	A841
AUTORE	Scuola emiliana sec. XVII.	Scuola emiliana sec. XVIII.	Scuola fiorentina sec. XVI.	Scuola fiorentina sec. XVII.
TITOLO	Ritratto di Lodovico Lioni (?) (Padova 1542 - Roma 1612).	Ritratto di Giuseppe Maria Crespi? (1665-1747).	Ritratto d'uomo.	Ritratto di Gregorio Pagani (1558-1605).
DATAZIONE	Metà sec. XVII.	Secondo quarto sec. XVIII.	Fine sec. XVI.	Inizi sec. XVII?
DATI TECNICI	Olio su tela, 54x44,5, restauro 1974.	Olio su tela, 73,2x58,8.	Olio su tela, 60x44.	Olio su tavola, 39x28.
CORNICE	—	Salvadora dorata, sec. XVIII.	—	Salvadora dorata con gola decorata a graniglia, sec. XIX.
UBICAZIONI	Card. Leopoldo de' Medici (ante 1675); Uffizi (1682).	Uffizi (1890).	Uffizi (1890).	Coll. Feroni (ante 1850); Uffizi (1866), Cenacolo di Foligno (1894); Uffizi, Depositi.
ATTRIBUZIONI	Dosso Dossi (secc. XVII-XIX).	—	—	—
ESPOSIZIONI	—	—	—	—
BIBLIOGRAFIA	F. Gibbons, Dosso and Battista Dossi court painters at Ferrara, Princeton 1968. *W.K. Zwanziger, D.D. Leipzig 1911.*	—	—	C. Thiem, Gregorio Pagani, Stuttgart 1970.
INVENTARIO	1813 (C.P., p. 102, n. 389).	6333.	5540.	Cenacoli e S. Marco n. 104.
FOTO	308665.	178530.	178527.	160013.
NOTE	Sempre creduto autoritratto del Dosso negli inventari, è rifiutato o ignorato da tutta la critica moderna sia come mano sia come effigie del Dosso: il Gibbons indica i volti dei fratelli Dossi nei due personaggi in alto a destra della cosiddetta Bambocciata degli Uffizi (inv. Palatina 148). Il Prinz (1971, p. 81) avverte che non è da identificare con un ritratto del D., probabilmente di piccolo formato, procurato al cardinal Leopoldo dal Casarenghi nel 1672. Del ritratto esiste una versione nell'Accademia di S. Luca a Roma (inv. 623, foto GFN, E 72708) che è detta effigie di Ludovico Lioni (padre di Ottavio): nome che necessita pure di controllo, ma appare più plausibile. S.M.T.	A tergo dieci numeri antichi fra cui il 564, che indicava nell'inventario del 1769 tutti gli autoritratti della 'prima stanza dei pittori': ma questo, che visibilmente raffigura Giuseppe Maria Crespi in età avanzata, non vi è citato ed è rimasto ignorato. Più che un autoritratto, potrebbe essere un ritratto, forse fatto dal figlio Luigi. Autoritratti ben più noti sono, nelle Gallerie fiorentine, quello con la famiglia (inv. 1890 n. 5382), quello ufficiale, con ritrattino in mano (inv. 1890 n. 1818) e uno di disegno (GDSU, inv. 20329 F), oltre alla copia, opera di G. Sorbi, di un autoritratto giovanile (inv. Castello 873). Altri due sono a Brera e all'Ermitage. S.M.T.	Non è certo se si tratti di un autoritratto: lo fa ritenere lo sguardo diretto dell'effigiato, ma a parte la carta nella mano non vi figurano altri attributi da artista. Sembra opera di scuola fiorentina del tardo Cinquecento. S.M.T.	Solitamente creduto copia dell'autoritratto del Pagani proveniente da casa Riccardi ed entrato nel 1828 nelle Gallerie fiorentine (inv. 1890 n. 1705), da cui deriva quello già nelle collezioni dell'Accademia del Disegno (inv. 1890 n. 3097). Qui la desunzione, se c'è, è assai meno fedele: ma d'altronde non sembra di poter collegare a questo dipinto, pur di buona qualità, neppure la notizia del Baldinucci che Cristofano Allori fece al Pagani un ritratto «testa senza busto, ed un poco di collarino, fatta al naturale, ed alla prima» che nel tardo '600 era in possesso di Alamanno Arrighi, segretario granducale delle tratte. L'opera non fa parte della collezione dei ritratti d'artisti, ma è entrata nella Galleria insieme alla collezione Feroni. S.M.T.

	A842	A843	A844	A845
AUTORE	Scuola fiorentina sec. XVII.	Scuola fiorentina sec. XVII.	Scuola inglese (?) sec. XVIII.	Scuola italiana sec. XVII.
TITOLO	Ritratto d'uomo.	Ritratto d'uomo.	Ritratto d'uomo.	Ritratto d'uomo.
DATAZIONE	Secondo quarto (?) sec. XVII.	Metà sec. XVII.	Ottavo decennio (?) sec. XVIII.	Prima metà sec. XVII.
DATI TECNICI	Olio su tela, 59,5x48,5, rintelato.	Olio su tela, 75,5x61,5, rintelato.	Olio su tela, 81x65.	Olio su tela, 66,7x62,8.
CORNICE	Salvadora dorata, sec. XVIII (?).	Salvadora gialla, sec. XIX.	Sagomata e dorata con decorazioni in pastiglia, sec. XX.	Salvadora dorata, sec. XIX.
UBICAZIONI	Coll. Pazzi; Uffizi (1768).	Coll. Puccini (1725); coll. Pazzi; Uffizi (1768).	Coll. Marchesi; Uffizi (1918).	Cav. Adolfo Melli; Uffizi (1922).
ATTRIBUZIONI	Cavalier d'Arpino (Marrini 1764).	Gregorio Pagani (Puccini 1725).	Eggers, Johann Carel (attr. inventariale).	Pietro Novelli (Poggi 1922).
ESPOSIZIONI	Il Cavalier d'Arpino, Roma 1973.	—	—	—
BIBLIOGRAFIA	*H. Röttgen in Cat., Roma 1973. S. Meloni Trkulja in Paragone 343, 1978.*	*C. Thiem, Gregorio Pagani, Stuttgart 1970. S. Meloni Trkulja in Paragone 343, 1978.*	—	—
INVENTARIO	1714 (C.P., p. 100, n. 295).	2475.	8339.	8438.
FOTO	113044.	136497.	96513.	178457.

NOTE

Il ritratto fu venduto intorno al 1768 al granduca di Toscana in una serie di 120 pezzi dall'abate Antonio Pazzi, che lo presentò come autoritratto del cavalier d'Arpino. L'attribuzione, giustamente, non ha retto alla critica moderna: il quadro non ha legami né con lo stile né con il volto del pittore, ben noto da altre fonti. Ho supposto che si tratti del ritratto (o autoritratto) di un artista meno conosciuto o già presente nelle raccolte granducali, a cui il Pazzi avrebbe dato un nome più appetibile. Nell'incisione del catalogo della collezione Pazzi la tela è più grande, comprendendo tutto il bracciolo del seggiolone e parte del suo sostegno.

S.M.T.

Questo dipinto appartenne nel primo quarto del '700 a Tommaso Puccini, poi all'abate Pazzi come autoritratto di Gregorio Pagani: ma il successivo arrivo in galleria, da casa Riccardi, di un autoritratto più credibile (inv. 1890 n. 1705), la cui fortuna è documentata anche dalle copie (inv. 1890 n. 3097; inv. Cenacoli n. 104), respinse questo nell'anonimato. Un'opera simile per mano ed epoca è un altro autoritratto Puccini/Pazzi: quello creduto di Cristofano Allori (Poggio Imperiale; foto 94988).

S.M.T.

Il dipinto, che non reca nessuna iscrizione, venne acquistato nel 1918 per 1.500 lire dal signor Guido Marchesi (AGF, Arte 796). L'opera ha ricevuto l'insostenibile attribuzione a Johann Carel Eggers (Neustrelitz 1787-1863), pittore ben noto di ambiente nazareno. Il nostro artista, invece, si ritrae vestito alla moda (inglese?) degli anni fra il 1770-80. In attesa di poter precisare il nome dell'artista attraverso più precise ricerche stilistiche e iconografiche, è prudente classificare per ora il dipinto come opera di artista ignoto. Il ritratto, di ottima fattura è attualmente esposto nel Corridoio Vasariano.

E.S.

Offerto in vendita dall'antiquario Adolfo Melli di Firenze nel 1921 e acquistato nel 1922 per Lire 5000 (AGF, Arte 1109). Nonostante le ricerche svolte allora da Giovanni Poggi il pittore non fu identificato: supponendolo per ragioni stilistiche napoletano o siciliano, fu avanzato in via puramente ipotetica il nome di Pietro Novelli, detto il Monrealese (Monreale 1603 - Palermo 1647). Il volto però non è lo stesso dell'autoritratto nel Museo Nazionale di Palermo (foto Alinari 33052).

S.M.T.

	A846	A847	A848	A849
AUTORE	Scuola italiana sec. XVII.	Scuola italiana sec. XVII.	Scuola italiana sec. XVII.	Scuola italiana (?) sec. XVII.
TITOLO	Ritratto di donna.	Ritratto di dama con peonia.	Presunto ritratto di Leonardo da Vinci.	Ritratto di Pietro Francavilla.
DATAZIONE	Seconda metà sec. XVII.	Ultimo quarto sec. XVII.	Fine sec. XVII.	1604-15 ca.
DATI TECNICI	Olio su tela, 73,5x58,5, rintelato.	Olio su tela ottagona, 113x91.	Olio su tavola, 73x58, parchettato.	Olio su tela, 69x57.
CORNICE	Semplice nera e gialla, sec. XIX.	Salvadora gialla, sec. XIX.	Intagliata, dipinta e dorata, sec. XIX.	Intagliata, dorata, fine sec. XVI/ inizi sec. XVII.
UBICAZIONI	Uffizi (1890).	Accademia di Belle Arti; Uffizi (1853).	Cosimo III de' Medici; Uffizi (1715).	Pitti (?); Uffizi (1798); Pitti (1928).
ATTRIBUZIONI	—	—	Leonardo da Vinci (sec. XVIII).	G.B. Paggi, Annibale Carracci (cfr. Bodart, 1977). Anonimo (Pieraccini 1905 ca.). Scuola italiana sec. XVII (Rusconi 1937).
ESPOSIZIONI	—	—	Mostra di Leonardo da Vinci, Milano 1939, n.n. (cat. a p. 36).	Giambologna, Sculptor of the Medici, Edimburgo-Londra-Vienna, 1978-79.
BIBLIOGRAFIA	—	—	*L. Beltrami in Emporium XLIX, 1919. P. Sanpaolesi in Bollettino d'arte XXXII, 1938. Prinz, 1971.*	A.J. Rusconi: *La R. Galleria Pitti*, Roma 1937. N. Cipriani: *La Galleria Palatina. Repertorio illustrato*, Firenze 1966. D. Bodart, in *Cat. Rubens e la pittura fiamminga del Seicento*, Firenze 1977, sub n. 81. *Cat., Edimburgo-Londra-Vienna 1978-79, n. 219.*
INVENTARIO	2877.	4278.	1717 (C.P., p. 112, n. 292).	774 (C.P., p. 77, n. 199).
FOTO	—	137237.	249101.	128307.
NOTE	A tergo vari numeri illeggibili sotto la rintelatura. La tela, probabilmente esistente nelle raccolte fin dall'antico, appare inventariata solo nel 1890. Dall'acconciatura dei capelli appare databile intorno al 1670. La pittrice indossa veste rossa e manto blu; allo scollo ha uno scialle rosso e blu. S.M.T.	Il dipinto venne agli Uffizi con la quadreria dell'Accademia di Belle Arti il 18 marzo 1853, come ritratto di pittrice anonima 'pettinata alla Sevigné' (inv. 1825, suppl. n. 2821). Per ora non si è potuto accertarne l'identità: nessun autoritratto femminile documentato in antico e oggi mancante risponde a queste caratteristiche. S.M.T.	Entrato in galleria il 6 dicembre 1715 mandatovi da Cosimo III de' Medici. Già nel 1668 Lodovico de' Vecchi cercava di procurare al cardinal Leopoldo de' Medici, dopo averne indagato l'autenticità, un autoritratto di Leonardo (Prinz, p. 94), non sappiamo se identificabile con questo. Esso deriva, con l'aggiunta del cappello, dal notissimo disegno della Biblioteca Reale di Torino; mentre una tela nella serie di ritratti di pittori dell'Accademia del disegno fiorentino (inv. 1890 n. 5511) deriva dal disegno in profilo di Windsor: i due capisaldi dell'iconografia vinciniana. La radiografia ha rivelato al disotto, a rovescio, una Maddalena seicentesca; siamo quindi davanti a un falso. Nel Corridoio Vasariano l'opera è quindi esposta separata dalle altre. S.M.T.	Ritenuto tradizionalmente ritratto dello scultore Pietro Francavilla (Cambrai 1548 - Parigi 1618), allievo del Giambologna, attivo a Genova, Firenze e Parigi. Il Rusconi pensa che esso sia replica di un originale di G.B. Paggi dipinto nel 1589, secondo la testimonianza di F. Baldinucci (vol. XI, p. 150). M.C.

	A850	A851	A852	A853
AUTORE	Scuola italiana sec. XVII.	Scuola italiana sec. XVIII.	Scuola italiana sec. XVIII.	Scuola italiana sec. XVIII.
TITOLO	Ritratto d'uomo.	Ritratto d'uomo.	Ritratto d'uomo.	Ritratto d'uomo con cartella.
DATAZIONE	Sec. XVII.	Prima metà sec. XVIII?	Metà sec. XVIII?	Ultimo quarto sec. XVIII?
DATI TECNICI	Olio su tela, 54,2x42,8.	Olio su tela, 85,4x68.	Olio su tela, 67x53,7.	Olio su tela, 72,8x56,5, restauro 1972.
CORNICE	Salvadora dorata, sec. XVIII.	Salvadora gialla, sec. XIX.	—	—
UBICAZIONI	Coll. Pazzi; Uffizi (1768).	Poggio Imperiale (1845); Uffizi.	Uffizi (1881).	Accademia di Belle Arti; Uffizi (1853).
ATTRIBUZIONI	Bagnacavallo (O. Marrini 1764).	—	—	—
ESPOSIZIONI	—	—	—	—
BIBLIOGRAFIA	S. Meloni Trkulja in Paragone 343, 1978.	—	—	—
INVENTARIO	1680 (C.P., p. 108, n. 260).	Imperiale rosso n. 580.	5220.	5223.
FOTO	124449.	157956.	165994.	193920.
NOTE	Sempre creduto autoritratto di Bartolomeo Ramenghi, detto il Bagnacavallo (Bagnacavallo 1484 - Bologna 1542) da quando entrò in galleria con la raccolta dell'abate Antonio Pazzi. L'attribuzione è insostenibile: il dipinto non è del Cinquecento bensì del '600, ma il suo attuale stato di conservazione ne rende problematica la definizione. Anche le dimensioni sono alterate. Poiché nucleo essenziale della collezione Pazzi è la raccolta Puccini, di cui è nota la consistenza (cfr. G. Leoncini in Paragone 345, 1978), è probabile che il vero autore di questa tela vada cercato tra i diciotto pittori i cui autoritratti, già del Puccini, non figurano più presso il Pazzi. S.M.T.	A tergo sei numeri antichi, uno dei quali (1949 nero) ripetuto sulla cornice. Il ritratto è ingiudicabile per le molte ridipinture nel volto, sorte condivisa da altri autoritratti passati per la villa del Poggio Imperiale, ma potrebbe essere opera toscana del primo quarto del '700. Non sembra identificabile con nessuno degli autoritratti documentati e non rintracciati; anche una scritta mal leggibile sulla cornice ('Gioua... bisla...chi'?) non offre lumi in proposito. S.M.T.	Autoritratto di discreta qualità ma di difficile definizione per la genericità dell'abbigliamento. Potrebbe essere uno degli artisti sconosciuti entrati con degli artisti sconosciuti entrati con la collezione Pazzi, come B. Azzaloni o Simone Vannetti (cfr. S. Meloni Trkulja in Paragone 343, 1978), ma non ha scritte o numeri a tergo che ne facilitino l'identificazione. S.M.T.	Il dipinto giunse agli Uffizi il 18 marzo 1853 con altri dell'Accademia di Belle Arti, senza indicazione di autore né di personaggio (inv. 1825, suppl. n. 2824). Si può datare probabilmente nel decennio 1770-80: tipica di molti ritratti di artisti dell'epoca (cfr. agli Uffizi Mengs, T. Gherardini, D. Campiglia etc.) la cartella da disegnatore. S.M.T.

	A854	A855	A856	A857
AUTORE	Scuola italiana sec. XVIII.	Scuola italiana sec. XVIII (?)	Scuola italiana sec. XIX.	Scuola italiana sec. XIX?
TITOLO	Autoritratto con turbante.	Ritratto di incisore.	Ritratto d'uomo.	Ritratto d'uomo.
DATAZIONE	Fine sec. XVIII.	Fine sec. XVIII.	Secondo decennio sec. XIX.	Prima metà sec. XIX?
DATI TECNICI	Olio su tela, 71x57.	Olio su tela, 85x68, restauro 1959.	Olio su tela, 58,5x44.	Olio su tela, 70x54.
CORNICE	—	Semplice dorata e gialla, sec. XIX.	Sagomata e dorata, sec. XIX.	Semplice, dorata, sec. XIX.
UBICAZIONI	Accademia di Belle Arti; Uffizi (1853); Comando Regione Militare Tosco Emiliana (1967).	Poggio Imperiale (1836); Uffizi.	Mercato antiquario, Napoli; Uffizi (1914).	Poggio Imperiale (1845); Uffizi.
ATTRIBUZIONI	—	—	Migliara, Giovanni (attribuzione inventariale).	—
ESPOSIZIONI	—	—	—	—
BIBLIOGRAFIA	—	—	—	—
INVENTARIO	5258.	Imperiale rosso n. 554.	3947.	Imperiale rosso n. 1305.
FOTO	178875.	157940.	182534.	184597.
NOTE	Proviene dall'Accademia di Belle Arti senza indicazione di autore, come altri ritratti di artisti certamente donati dai loro autori al corpo dei colleghi fiorentini. Entrò in galleria il 18 marzo 1853 (inv. 1825, suppl. n. 2822) ed è descritto come 'pittrice con turbante bianco e veste granata'; dalla moda appare databile nell'ultimo (o penumtimo) decennio del '700. S.M.T.	A tergo i numeri degli inventari del Poggio Imperiale del 1836 (n. 1381) e del 1845 (n. 554) e altri numeri antichi, uno dei quali (662) cormontato dalla settecentesca sigla DG coronata; e la scritta 'Incisore in rame - 52 - Bianchi'. Nessuna notizia in merito è stata rintracciata nelle carte della galleria e nessun artista Bianchi noto sembra avere dati biografici coincidenti con questo personaggio. S.M.T.	Iscrizione sul cartiglio raffigurato nel quadro che l'artista sta dipingendo: Povera/e nuda/vai/Filosofia. Su retro etichetta applicata sul telaio recante la scritta: Del Migliara/Napoli. Il dipinto fu acquistato nel 1914 per 3.000 lire da Enrico Frascione di Napoli (AGF, Arte 796). L'attribuzione, passata negli inventari di Galleria sulla base della scritta sul retro, non appare confortata da altre prove. Del resto la fisionomia dell'artista qui ritratto appare assai lontana rispetto a quella nota del Migliara (cfr. AA.-VV., *L'opera grafica di Giovanni Migliara, Alessandria 1979*). Il dipinto si trova attualmente nei Depositi degli Uffizi. E.S.	A tergo otto numeri antichi, fra cui quello dell'inventario del 1845 del Poggio Imperiale; il ritratto è quindi anteriore a questa data, ma è difficile precisarne maggiormente il tempo e l'ambiente. S.M.T.

Dipinto non reperibile

	A858	A859	A860	A861
AUTORE	Scuola italiana sec. XIX.	Scuola italiana, primo quarto del secolo XIX.	Scuola italiana sec. XIX.	Scuola italiana sec. XIX.
TITOLO	Ritratto d'uomo.	Ritratto (o autoritratto?) di Giuseppe Tominz.	Ritratto di Samuele Iesi.	Ritratto di un giovane architetto.
DATAZIONE	Prima metà sec. XIX?	1810 ca.	—	Primo-secondo decennio sec. XIX.
DATI TECNICI	Olio su tela, 73x57,7.	Olio su tela, 72,2x62. Danneggiato in basso al centro da uno strappo.	—	Olio su tela, 72,5x58,5.
CORNICE	Salvadora tinta gialla, sec. XIX.	Neoclassica, sgusciata e dorata.	—	Sagomata e dorata, sec. XIX.
UBICAZIONI	Uffizi (1890).	Antiquario Geri; Uffizi (1918).	Uffizi (ante 1880).	Magazzino Pitti; Depositi Uffizi.
ATTRIBUZIONI	—	Volpato (Atto d'acquisto 1918).	—	—
ESPOSIZIONI	—	—	—	—
BIBLIOGRAFIA	—	S. Pinto, in: Arte Veneta, 1979.	—	—
INVENTARIO	5512.	8341.	3320.	5514.
FOTO	178520.	112467.	—	—

| NOTE | A tergo undici numeri antichi e una scritta moderna a lapis: 'Tiarini Alessandro Inv. del 1879', assurda per l'indicazione sia del personaggio che dell'inventario (non ve ne è di quella data). Sembra un quadro forse arieggiante il '600, ma dell'800, di cui ha la tipica craquelure. Non se ne è rintracciata la provenienza.

S.M.T. | L'attribuzione del dipinto a Giovanni Volpato che si sarebbe autoritratto nell'atto di incidere su rame una Madonna con bambino è palesemente insostenibile, dal momento che l'incisore morì settantenne nel 1803 e la sua fisionomia, documentata tra l'altro da Canova, è completamente diversa. L'effigiato sembra invece identificabile con l'artista goriziano Giuseppe Tominz (1790-1866) del quale sono noti due autoritratti più tardi. Il dipinto, acquistato nel 1918 e annotato nell'inventario con la stima di Lire 700, si trova oggi nelle riserve.

S.P. | L'opera, attualmente irreperibile, è documentata per la prima volta dalla registrazione inventariale del 1880 che la afferma acquistata presso E. Vieusseux per 150 lire. Samuele Iesi (Correggio 1788 - Firenze 1853), celebre incisore, ebreo, allievo di Rosaspina a Bologna e del Longhi a Milano, si stabilì a Firenze nel 1825 legandosi, per la sua attività di illustratore editoriale, all'ambiente dei Vieusseux, Puccini, Torrigiani, ecc. Il ritratto dovrebbe essere stato esposto in passato nel Corridoio Vasariano.

S.P. | Il dipinto è stato inventariato nell'Inv. 1890 senza storia; esso proveniva da un magazzino di palazzo Pitti. Le ricerche compiute non hanno consentito, per il momento, di raggiungere nessun risultato utile né sul suo autore, né sul personaggio raffigurato, riconoscibile come architetto in quanto tiene in mano un compasso. Il dipinto si trova attualmente nei Depositi degli Uffizi.

E.S. |

	A862	A863	A864	A865
AUTORE	Scuola lombarda sec. XVI.	Scuola nordica sec. XVII.	Scuola romana inizi sec. XVIII.	Scuola romana sec. XVIII.
TITOLO	Presunto autoritratto di Lorenzo Luzzo, detto Morto da Feltre.	Ritratto di Tiziano.	Ritratto di due scultori.	Ritratto di Filippo Della Valle (16 98 - 1768).
DATAZIONE	Inizi sec. XVI.	Metà sec. XVII.	Primo decennio sec. XVIII.	1740 ca.
DATI TECNICI	Olio su tela, 84x67.	Olio su carta su tavola, 69,5x53,5.	Olio su tela, 61,5x74, rintelato.	Olio su tela, 73,5x60, restauro 1972.
CORNICE	Dorata con rilievi in pastiglia, sec. XIX.	Intagliata e dorata con ornamenti in pastiglia, sec. XIX.	Legno con tre listelli intagliati e dorati, sec. XVIII.	—
UBICAZIONI	Cosimo III de' Medici; Uffizi (1682).	Cosimo III, Uffizi (1682); Poggio Imperiale (1784); Pitti (1810); depositi (1861); Uffizi (1891).	Otto Messinger; Uffizi (1913).	Agostino Gallo; Uffizi (fine sec. XIX).
ATTRIBUZIONI	—	—	—	—
ESPOSIZIONI	—	Mostra documentaria e iconografica dell'Accademia delle arti del disegno, Firenze 1963.	Mostra di Roma secentesca, Roma 1930.	—
BIBLIOGRAFIA	L. Venturi in L'arte 1910.	H.E. Wethey, The paintings of Titian, II, the portraits, London 1971. L. Fiorentini, in Cat. Tiziano nelle Gallerie fiorentine, Firenze 1978.	A. Venturi in L'Arte IX, 1908.	V. Moschini in L'arte XXVIII, 1925. H. Honour in Connoisseur CXLIV, 1959.
INVENTARIO	1658 (C.P., p. 105, n. 541).	1807 (C.P., p. 211, n. 384 bis).	3786.	5497.
FOTO	185186.	131701.	249135.	204972.
NOTE	A tergo sulla tela scritta antica 'Morte veronese', il numero dell'inventario del 1704 (n. 1688) e una testina abbozzata. Il personaggio indica davanti a sé una scritta '...MEN... SOL...IM' non identificata. Il quadro entrò in galleria il 27 ottobre 1682 (ASF, Guard. 870 c. 158r), senza nome ma chiaramente riconoscibile dalla descrizione. Fu inventariato nel 1704 come autoritratto di 'Morte veronese', cioè Morto da Feltre, e poi non più fino al 1784, evidentemente perché tenuto in magazzino. L'artista era stato a Firenze nel 1505: lo narra il Vasari. Forse per questo e per il legame tra il nome e il teschio il dipinto fu promosso ad autoritratto, ma la critica, a partire da L. Venturi, gli nega somiglianza con le poche opere certe di questo giorgionesco, pur senza proporre nuove attribuzioni, da cercare forse nell'ambito lottesco. S.M.T.	Entrambi i creduti autoritratti di Tiziano nella raccolta degli Uffizi sono copie antiche e parziali di quello di Berlino, citato dal Vasari come del 1562, ed entrarono agli Uffizi il 27 ottobre 1682 in un gruppo di autoritratti di proprietà di Cosimo III (ASF, Guard. 870, c. 158r). Dei due questo sembra denunciare un autore nordico per il tipo della tavola sottile di rovere, non usato in Italia, e si può identificare con quello acquistato ad Anversa nel 1676-77. S.M.T.	Il quadro fu donato alla Galleria degli Uffizi nel settembre 1913 dall'antiquario Otto Messinger, con la sua cornice (AGF, Arte 1000). Era stato pubblicato dal Venturi come raffigurante gli scultori Francesco Duquesnoy presso la sua statua colossale di S. Andrea (1640) e Alessandro Algardi presso quella bronzea di Innocenzo X; ma fu inventariato come Algardi e Camillo Rusconi (Milano 1658 - Roma 1728) col modello del S. Andrea per la basilica lateranense, del 1708. Alla mostra di Roma secentesca il quadro fu presentato come raffigurante invece il Rusconi e Pierre II Legros (Parigi 1666 - Roma 1719) con la statua di Gregorio XV e il medaglione del card. Ludovico Ludovisi in Sant'Ignazio, ordinatogli nel 1697; e quest'ultima definizione appare la più plausibile. S.M.T.	A tergo sul telaio: 'Filippo Della Valle Scultore Fiorentino' e sulla tela 'Ritratto di Filippo della (parola aggiunta) Valle Scultore Fiorentino Dono Del Sig. Agostino Gallo alla Galleria Offizi di Firenze', in un cartellino di grafia ottocentesca. Raffigura lo scultore in età matura, mentre l'altro ritratto delle Gallerie (inv. 1890 n. 5335, probabilmente autoritratto) è più giovanile, e quello dell'Accademia di San Luca in Roma è posteriore (1766). Nel 1729 F.M.N. Gaburri espose per la festa di San Luca un ritratto di Filippo della Valle. S.M.T.

	A866	A867	A868	A869
AUTORE	Scuola spagnola sec. XVII.	Scuola toscana fine sec. XVI.	Scuola toscana sec. XVI-XVII.	Scuola toscana sec XVII?
TITOLO	Testa d'uomo.	Presunto autoritratto di Francesco Agnesini.	Ritratto del Pontormo.	Ritratto di Agostino Mitelli Bologna 1609 - Madrid 1660).
DATAZIONE	Fine sec. XVII.	Fine sec. XVI.	Sec. XVI-XVII.	1660.
DATI TECNICI	Olio su tela, 39x33.	Olio su tela, 108x81, restauro 1978.	Olio su tela, 60,5x48,5, restauro 1965.	Olio su tela, 64x49.
CORNICE	—	Guido Antonio Signorini, Bologna; Uffizi (1685); Pitti (almeno dal 1839).	Salvadora dorata.	Chiara sagomata, sec. XIX.
UBICAZIONI	Spagna; Poggio a Caiano (1706); Uffizi (1773).	Francesco Agnesini (Signorini 1685).	Girolamo Frescobaldi, Roma (sec. XVII); Orfanotrofio Puccini, Pistoia (1899); casa Sozzifanti; Uffizi (1950 ca.).	Uffizi, Depositi (1880).
ATTRIBUZIONI	Diego Velazquez (sec. XVIII).	—	—	—
ESPOSIZIONI	—	Giambologna sculptor to the Medici, Edinburgh / London / Wien 1978-79.	Esposizione d'arte antica, Pistoia 1899.	—
BIBLIOGRAFIA	*M.L. Strocchi in Paragone 311, 1976, p. 89.*	*Prinz, 1971. H. Keutner in Festschrift Ulrich Middeldorf, Berlin 1968.*	L. Berti, Sembianze del Pontormo, Firenze 1956. *L. Berti, L'opera completa del Pontormo, Milano 1973.*	A. Arfelli in Arte antica e moderna 3, 1958.
INVENTARIO	2202.	Palatina n. 447.	—	5480.
FOTO	327580.	280921.	315586; 49197 (tergo).	173992.
NOTE	A tergo il cartellino «Del P° a Cajano Dalla R. Guardaroba 29 Xbre 1773» permette di rintracciare l'origine dell'opera, che il Gran Principe fece acquistare nel 1706 in Spagna e pose nel «gabinetto di opere in piccolo» che aveva nella villa di Poggio a Caiano, smontato nel 1773. La tela era allora definita «testa di Alguaçil al naturale», non finita, del Velazquez (e sul telaio vi è una scritta antica a penna «Diego Velasco»); poi venne invece conservata fra gli autoritratti. Oggi è nei Depositi degli Uffizi. S.M.T.	Il ritratto, di proprietà di Guido Antonio Signorini, nipote del Reni e allievo del Guercino, fu venduto a Cosimo III de' Medici nel 1685 insieme all'autoritratto del Brusasorci per 28 doppie; entrarono in galleria il 22 ottobre (ASF, Guard. 904, c. 37r). Fu dato come effigie e mano di Francesco Agnesini, scultore carrarino (1616 - not. fino al 1661) specializzato in ritrattini in cera, il che fu messo in dubbio allora (Prinz, docc. 89-90) e dopo; tolto poco dopo il 1704 di galleria, passò alla Galleria Palatina, dov'è tuttora. Fu creduto ritratto del Giambologna (Masselli 1839) o del Francavilla (Keutner 1968) per la statuetta di Firenze che trionfa su Pisa, scolpita dal Francavilla su modello del Giambologna; mentre il ritrattino veniva identificato come Giovanna d'Austria (Keutner). Sulla tavola l'attrezzatura per modellare la cera. S.M.T.	A tergo cartellino del sec. XVII (fine) con lunga biografia dell'artista e dichiarazione d'acquisto del quadro dagli eredi della serva del musicista Girolamo Frescobaldi. L'acquisto sarebbe stato fatto a Roma nel 1698 dal confessore della donna. Davanti, in alto, scritta in giallo «IACOBUS PUMTORNIUS». Il dipinto è indicato come dell'orfanotrofio Puccini nel catalogo della mostra pistoiese del 1899, ma più probabilmente era solo conservato nell'orfanotrofio, ma di proprietà dei suoi benefattori Sozzifanti; e per loro legato pervenne agli Uffizi. Si tratta di una versione, probabilmente tardo-cinquecentesca, del tipo iconografico più diffuso delle fattezze del Pontormo (incisione nelle Vite vasariane; dipinto inv. 1896 n. 3104, etc.), forse esemplato su probabili autoritratti inseriti dal pittore in suoi dipinti come l'Adorazione dei Magi di Pitti. S.M.T.	A tergo scritta antica: Agostino Mitelli / Pittore e Architetto / 1660. Nell'archivio di Stato di Firenze Med. 6421, ins. 5) è conservato un sonetto firmato G. Berti bolognese e stampato nel 1667 a Firenze "Per un quadro esposto in pubblico, ove è dipinto il Sig. Agostino Metelli famosiss. pittore, architetto etc. bolognese". È probabile che il dipinto così segnalato sia finito nelle raccolte di Leopoldo o di Cosimo III de' Medici pur rimanendo in secondo piano per la sua bassa qualità: infatti non risulta negli inventari antichi dei ritratti di pittori, ed è solo una traduzione dell'incisione commemorativa del figlio del pittore (ill. in F. Varignano, Giuseppe Maria Mitelli, Bologna 1978, rep. n. 66). S.M.T.

	A870	A871	A872	A873
AUTORE	Scuola toscana sec. XVII.	Scuola toscana sec. XVII.	Scuola toscana sec. XIX.	Scuola veneta sec. XVI.
TITOLO	Autoritratto.	Ritratto d'uomo.	Ritratto di Antonio Perfetti?	Preteso autoritratto di Antonio Veneziano (not. 1369-88).
DATAZIONE	Metà sec. XVII.	Fine sec. XVII (?).	1850 ca.	Terzo quarto sec. XVI.
DATI TECNICI	Olio su tela, 66x51.	Olio su tela, 74,5x69,5, rintelato.	Olio su tela, 58x47.	Olio su tela, 68x58,5, rintelato.
CORNICE	Salvadora tinta di giallo, sec. XIX.	Intagliata e dorata, sec. XX.	Neoclassica, perlinata, non pertinente.	Salvadora dorata, sec. XIX.
UBICAZIONI	Uffizi, depositi (1881).	Coll. Pazzi; Uffizi (1768).	Coll. Zanotti; Uffizi (1931); Galleria d'Arte Moderna, Pitti (1976).	Card. Leopoldo de' Medici (ante 1675); Uffizi (1682).
ATTRIBUZIONI	—	Perin del Vaga (O. Marrini, 1764).	Mussini (all'atto dell'acquisto).	Antonio Veneziano (inv. Leopoldo).
ESPOSIZIONI	—	—	—	—
BIBLIOGRAFIA	—	S. Meloni Trkulja in Paragone 343, 1978.	—	M. Boskovits, Pittura fiorentina alla vigilia del Rinascimento, Firenze 1975. A Caleca in Pisa - Museo delle Sinopie del Camposanto Monumentale, Pisa 1979. *Museo Fiorentinio I, Firenze 1752, n. 1.*
INVENTARIO	5364.	1703 (C.P., p. 99, n. 285).	9167.	1787 (C.P., p. 112, n. 426).
FOTO	178514.	249100.	20734, 136518.	178510.
NOTE	A tergo dieci numeri antichi, che però non chiariscono l'identità di questo autoritratto, forse di un toscano di metà Seicento. Non corrisponde però alla descrizione di nessuno degli autoritratti documentati in antico, ma oggi irreperibili (G.B. Arrighi, Baccio Ciarpi, Matteo Bovio e altri); non se ne è trovata traccia negli inventari prima del 1881. S.M.T.	Venduto alla galleria intorno al 1768 dall'abate Antonio Pazzi come autoritratto di Perin del Vaga, non è mai stato discusso dalla critica ma è assolutamente da espungere. Anche se lo stato di conservazione non è dei più felici, è certo che si tratta di un dipinto del Seicento e non del Cinquecento, originariamente limitato all'ovale della testa ma ingrandito probabilmente già nel Sei-Settecento per adeguarsi al formato degli autoritratti di galleria. Conserva anche la 'cornicetta dipinta di color di pietra', in ovale, che ornò molti autoritratti nel Settecento (la si veda conservata in quelli più antichi dell'Accademia di San Luca a Roma). S.M.T.	Acquistato per mille lire nel 1931 al signor Carlo Annibale Zanotti di Firenze con un'attribuzione al Mussini (che non appare sostenibile nè per Cesare né per Luigi) e come ritratto dell'incisore Antonio Perfetti (1792-1872) allievo di Raffaello Morghen. Un'indicazione, non più controllabile, darebbe l'opera proveniente da casa Guicciardini. La cornice reca un numero d'inventario del 1881. Attualmente nelle riserve della Galleria d'arte moderna. S.P.	La tela, un tempo ovale, poi riquadrata e aderente a una tavola oggi tolta, fece parte della raccolta di ritratti di pittori del cardinal Leopoldo de' Medici (ASF, Guard. 826, n. 248) ed apre il lussuoso catalogo del 'Museo fiorentino' come autoritratto (!) dell'Antonio veneziano attivo nell'ultimo quarto del '300 a Siena, Firenze e nel Camposanto di Pisa. La biografia settecentesca ne rivendica, sulle tracce del Baldinucci, l'origine fiorentina e il discepolato presso Agnolo Gaddi e mette in risalto l'abilità ritrattistica visibile negli affreschi pisani, dove figurerebbe anche un autoritratto. Oggi il quadro è classificato come ritratto di ignoto, di mano veneziana. S.M.T.

	A874	A875	A876	A877
AUTORE	Scuola veneta sec. XVI.	Scuola veneta sec. XVI.	Scuola veronese metà sec. XVI.	Sernesi, Raffaello (Firenze 1838 - Bolzano 1866).
TITOLO	Ritratto di uomo.	Ritratto d'uomo quarantasettenne.	Ritratto d'uomo.	Autoritratto.
DATAZIONE	Fine XVI (Borea 1975).	Terzo quarto sec. XVI.	Metà sec. XVI.	1859.
DATI TECNICI	Olio su tela incollata su tavola e ingrandita, 46x36,6.	Olio su tela, 33x28,5, rintelato.	Olio su tela, 33x22, restauro 1951.	Olio su tela, 43,5x35.
CORNICE	Dorata liscia sagomata.	Dorata intagliata e traforata sec. XVII, non pertinente.	Intagliata e dorata, sec. XVI.	Novecentesca in legno sagomato e dorato.
UBICAZIONI	Palazzo Pitti (1675); Uffizi (1686).	Cosimo III de' Medici (1684); Uffizi (1684).	Cosimo III de' Medici; Uffizi (1704).	Eredi dell'artista; coll. Emanuele Rosselli; Uffizi (1924).
ATTRIBUZIONI	Carracci Annibale (inv. 1675). Vassillacchi Antonio (Baldinucci 1685). Carracci Annibale (Museo fiorentino 1754). Anonimo veneto XVI-XVII (Borea 1975).	G.B. Moroni (fonti e inventari antichi).	Giorgione (inventario 1704). Romanino (Nicodemi 1925). scuola veronese 1550 ca. (Longhi 1926).	—
ESPOSIZIONI	I Carracci, Bologna 1956; Pittori bolognesi del Seicento nelle Gallerie di Firenze, Firenze 1975.	—	—	Retrospettiva della Società delle Belle Arti, Firenze 1910.
BIBLIOGRAFIA	D. Posner, Annibale Carracci, London 1971, II, p. 27; E. Borea, Cat., Firenze 1975, n. 11, pp. 15-18. J. P. Cooney - G. Malafrina, L'opera completa d'Annibale Carracci, Milano 1976, n. 59.	*Museo Fiorentino I, 35. Prinz, 1971. M. Gregori in I pittori bergamaschi dal XIII al XIX secolo. Il Cinquecento, V, Bergamo 1979.*	G. Nicodemi, Girolamo Romanino, Brescia 1925. R. Longhi in L'Arte XXIX, 1926.	G. P. Daddi, Raffaello Sernesi. Considerazioni e ipotesi, Lecco, s. d. (1977).
INVENTARIO	1803 (C.P., p. 99 n. 380 ?).	898 (C.P., p. 152, n. 582).	1870 (C.P., p. 98, n. 356).	8477.
FOTO	103890.	—	28987.	12186.
NOTE	Reca sul retro la scritta antica: Annibale Carracci. Proviene dalla collezione di Leopoldo de' Medici. Fu per un periodo riunito su di una stessa tavola con l'altro ritratto considerato di Annibale n. 1797. È sempre stato giudicato autoritratto di Annibale Carracci benché il Baldinucci nel 1685 identificasse il personaggio con Antonio Vassillacchi detto lo Aliense, il cui ritratto inciso è nel Ridolfi (1648). Resta aperto, una volta riconosciuto che l'effigiato non somiglia per nulla allo Annibale di cui si ha documentata testimonianza figurativa, il problema della paternità del quadro, che è di cultura assolutamente veneta (Borea 1975). E.B.	A tergo sulla tela "Anno Aetatis XLVII — Ioˢ Bat:ᵃ Moroni", scritta oggi parzialmente nascosta dal telaio, segno che il dipinto precedentemente era più grande. Fu acquistato da Cosimo III de' Medici per 14 doppie da Matteo del Teglia nel 1684: si dice che era già di Paolo del Sera. Entra in galleria il 16 settembre 1684 (ASF, Guard. 871, c. 191r). Per tutto il '700, fino al rientro dell'altro creduto autoritratto del Moroni (inv. 1890 n. 1783, oggi attribuito a Pietro Testa), fu considerato l'autoritratto del Moroni; nell'inventario del 1825 (n. 661) è dato solo come ritratto d'uomo ma godeva di grande considerazione: fu esposto anche in tribuna. Le misure originali erano soldi 18x3/4 (54x42 ca.): fu ridotto probabilmente per il cattivo stato di conservazione (documentato dalla foto GSF 182830). Non si conosce con precisione la data del restauro che l'ha portato alla condizione attuale (G. R. n. 302). S.M.T.	Mandato in galleria da Cosimo III de' Medici il 18 luglio 1704 (ASF, Guard. 1101, cc. 58v, 60r) come autoritratto del Giorgione, ha conservato questa attribuzione fino al 1925, quando il Nicodemi ne notò la somiglianza con un personaggio del Miracolo del Sacramento di Moretto e Romanino in San Giovanni Evangelista a Brescia, tradizionalmente dato come autoritratto del Romanino. Nella recensione al Nicodemi il Longhi asserì invece la paternità veronese del dipinto. S.M.T.	A tergo sulla tela firmato e datato: R. Sernesi F. / 1859. La documentazione sull'acquisizione non è chiarissima (AGF, Arte 796, in doc. autoritratti). Il donatore che riceve i ringraziamenti ministeriali è l'ingegnere Emanuele Rosselli, noto collezionista di macchiaioli; tuttavia la direzione fiorentina ringrazia, oltre al Rosselli, anche il pittore Raffaello Sorbi negli identici termini e il dipinto venne ritirato in casa Benaim. Precedentemente l'opera figurava presso gli eredi del pittore (v. G. P. Daddi, cit. e la letteratura ivi citata). L'opera mostra il Sernesi stilisticamente legato alla formazione presso il Ciseri all'Accademia fiorentina, dove studia dal 1856 al 1859, data dell'arruolamento. Attualmente esposto nel Corridoio Vasariano. S.P.

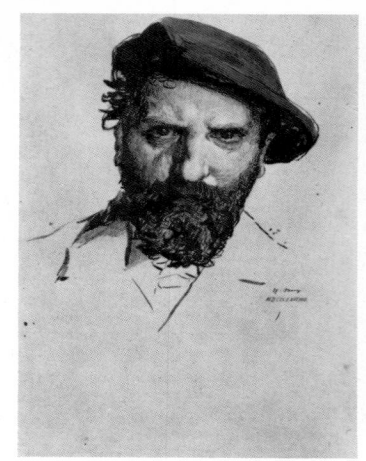   

	A878	A879	A880	A881
AUTORE	Serra, Luigi (Bologna 1846-1888).	Servolini, Benedetto (Firenze 1805-1879).	Servolini, Giuseppe (Firenze 1748-1834).	Sevin, Claude-Albert (Tournai o Bruxelles? - Bruxelles o Roma 1676).
TITOLO	Autoritratto.	Ritratto di giovane uomo.	Autoritratto.	Autoritratto.
DATAZIONE	1888.	1830.	Nono decennio (?) sec. XVIII.	Sec. XVII.
DATI TECNICI	Inchiostro e bistro su carta bianca, 45,5x31,5.	Olio su tela, 95,5x76.	Olio su tela, 59,5x48.	Olio su tela, 72x58.
CORNICE	—	Sagomata e dorata, sec. XIX.	Intagliata e dorata, sec. XIX.	Nera e oro, sec. XVIII.
UBICAZIONI	Coll. Drusiani; Uffizi (1917).	Mercato antiquario, Roma; Uffizi (1957).	Accademia (ante 1807); Uffizi (1853).	Coll. Pazzi (sec. XVIII); Uffizi (1768).
ATTRIBUZIONI	—	—	—	Claudius Sevin francese (Pieraccini 1905 ca.).
ESPOSIZIONI	XIX Esposizione biennale internazionale d'arte. Mostra internazionale del ritratto del secolo XIX, Venezia 1934.	Nuovi acquisti delle Gallerie fiorentine, Firenze 1960.	Mostra documentaria e iconografia dell'Accademia delle Arti del Disegno, Firenze 1963.	Rubens e la pittura fiamminga del Seicento nelle collezioni pubbliche fiorentine, Firenze 1977.
BIBLIOGRAFIA	P. Frandini, in Cat. 1870-1914. Aspetti dell'arte a Roma, Roma 1971. *F. Sapori, Luigi Serra pittore bolognese, Bologna 1922.*	L. Servolini, Un accademico antesignano della pittura nuova: Benedetto Servolini, in Festschrift Hans Vollmer, Lipsia 1957. Comanducci, V, Milano, 1974. *E. Micheletti, in Cat., Firenze 1960, n. 23.*	Thieme-Becker, XXX, 1936. Comanducci, V, Milano 1974.	Thieme-Becker, XXIX, 1936. *Cat. Firenze 1977, n. 113. P. Rosenberg, in Cat. Pittura francese nelle collezioni pubbliche fiorentine, Firenze 1977, n. II.*
INVENTARIO	8336.	9396.	2045.	1867 (C.P., p. 110, n. 454).
FOTO	113080.	106756.	112452.	109326.
NOTE	Firmato e datato nell'angolo inf. destro: 27 marzo/MDCCCLXXX-VIII. Carta con filigrana Milani. Acquistato nel 1917 dal signor Drusiani (AGF, Buono di Consegna n. 2876). Un altro autoritratto del 1887 è nella Galleria Nazionale di Bologna; un altro ancora, a pastello, è in collezione privata romana. Attualmente nei Depositi degli Uffizi. E.S.	Dietro, sul telaio, scritta a inchiostro bruno: Benedetto Servolini di Firenze Fece l'a. 1830. Acquistato nel 1957 per diritto di prelazione esercitato dall'Ufficio Esportazione della Soprintendenza alle Gallerie di Firenze. Attualmente nei Depositi degli Uffizi. E.S.	La provenienza del dipinto non è del tutto certa. Infatti nell'Inventario generale riguardante l'Imperiali Scuole di Belle Arti, del 1807, è citato nel « Quartiere del Presidente", nella "stanza seconda", un autoritratto di Giuseppe Servolini le cui misure tuttavia (braccia 1 e 1/6 per soldi 19) non corrispondono a quelle di questo dipinto. È comunque certo che questo autoritratto pervenne agli Uffizi nel 1853 dall'Accademia di Belle Arti (AGF, Suppl. I all'Inv. 1825, n. 2525). Un altro autoritratto dell'artista fu offerto per l'acquisto alle Gallerie nel 1834 dalla vedova del Servolini; l'offerta fu ricusata e il dipinto venne ritirato solo nel 1849 dalla figlia del pittore, Anna (AGF, 1849 (LXXIII), 55). L'opera si trova attualmente nei Depositi degli Uffizi. E.S.	Inciso da A. Marchesi in Reale Galleria, I, 1841, tav. 93. Attribuito dal Pieraccini a Claudius Sevin francese e datato 1776, il dipinto è stato invece attribuito al pittore fiammingo omonimo da Bodart e Rosenberg. È impossibile datarlo, dato che non si conosce la data di nascita del pittore. M.C.

	A882	A883	A884	A885
AUTORE	Seybold, Christian (Magonza 1697 - Vienna 1768).	Simi, Fialadelfo (Levigliani, Lucca 1849 - Firenze 1923).	Sirani, Elisabetta (Bologna 1638-65).	Sirani, Giovanni Andrea (Bologna 1610-1670).
TITOLO	Autoritratto.	Autoritratto.	Autoritratto.	Autoritratto.
DATAZIONE	1747.	1919 ca.		Terzo quarto sec. XVII.
DATI TECNICI	Olio su rame, 38x29,5.	Olio su tavola, 37x29.		Olio su tela, 45x37.
CORNICE	Nera con intagli dorati, metà sec. XVIII.	Intagliata e dorata, sec. XIX.		Salvadora dorata, sec. XVIII.
UBICAZIONI	Uffizi (1753).	Uffizi (1919).		Uffizi (1773).
ATTRIBUZIONI	—	—		—
ESPOSIZIONI	—	—		—
BIBLIOGRAFIA	Thieme-Becker, XXX, 1936.	Cat. Mostra retrospettiva di Filadelfo Simi, Firenze 1958. Cat. Bolaffi della pittura italiana dell'800 n. 6, Torino 1976.		E. Borea, Pittori bolognesi del Seicento nelle Gallerie di Firenze, Firenze 1975.
INVENTARIO	1869 (C.P., p. 110, n. 221).	8412.		1654 (C.P., p. 212, n. 389).
FOTO	321859.	112453.		112454.
NOTE	A tergo sul rame è inciso in elegante corsivo: «Christianus Seybolt Moguntinus/Regis Poloniae Pictor aulicus aetatis annorum 49 hanc / propriam Effigiem pinxit / Anno 1747». A Firenze fu subito chiuso da un controfondo di legno con la traduzione in italiano della scritta («Cristiano Seybolt di Magonza Pittore del Re di Polonia d'Anni 49. Dipinto di sua mano l'Anno 1747») e il numero dell'inventario del 1753 (n. 3160). Autoritratti simili sono al Louvre e a Dresda (cfr. L. Waetzoldt, Die Kunst des Porträts, Lipsia 1908, pp. 334-335, ill.). Questo arrivò a Firenze probabilmente da Vienna, dove dal 1749 il Seybolt era «Kammermaler» imperiale. S.M.T.	Donato dall'autore nel 1919 dietro invito della Direzione degli Uffizi (AGF, Arte 796). Un altro autoritratto del Simi è nella collezione dei suoi eredi. Attualmente nei Depositi degli Uffizi. E.S.	Vedi: Torelli Casalini Lucia. Autoritratto. Scheda A950.	Benché il Sirani fosse stato consulente per acquisti artistici del cardinal Leopoldo de' Medici, non si ha notizia che il cardinale se ne sia procurato l'autoritratto; opera di scarsa qualità, che compare per la prima volta nell'inventario del 1784, con rimando a un riscontro del 1773 e senza altre indicazioni di provenienza. S.M.T.

	A886	A887	A888	A889
AUTORE	Siries Cerruoti, Violante (Firenze 1710-1783).	Siries Cerruoti, Violante (Firenze 1710-1783).	Siries Cerruoti, Violante (Firenze 1710-1783).	Siviero, Carlo (Napoli 1882 - Capri, Napoli 1953).
TITOLO	Autoritratto.	Autoritratto.	Ritratto di donna con rotolo.	Autoritratto.
DATAZIONE	1734-35.	1735 ca.	1734.	1919 ca.
DATI TECNICI	Olio su tela, 77x60.	Olio su tela, 72,5x57,5.	Olio su tela, 71,5x58,5, restauro 1971.	Olio su tela, 77x63,5.
CORNICE	Salvadora dorata con cartiglio, sec. XVIII.	Salvadora dorata con cartiglio, sec. XVIII.	Accademia; Uffizi (1853).	Sagomata e dorata con decorazioni in pastiglia, sec. XX.
UBICAZIONI	Uffizi (1736).	Coll. Pazzi; Uffizi (1768); Guardaroba (1772).	—	Uffizi (1919).
ATTRIBUZIONI	—	—	—	—
ESPOSIZIONI	—	—	—	—
BIBLIOGRAFIA	B. Viallet, Roma s.d. (1923). S. Meloni Trkulja in Paragone 343, 1978.	B. Viallet, Roma s.d. (1923). S. Meloni Trkulja in Paragone 343, 1978.	B. Viallet, Roma s.d. (1923). S. Pinto in Scritti di storia dell'arte in onore di Ugo Procacci, Milano 1976. S. Meloni Trkulja in Paragone 343, 1978.	Comanducci, V, Milano 1974.
INVENTARIO	2021 (C.P., p. 210, n. 654?).	1750 (C.P., p. 210, n. 654 o p. 212 n. 328).	5513.	9402.
FOTO	5743.	20489.	178521.	72239.

NOTE

L'autoritratto, richiesto alla pittrice di ritorno da Napoli dal granduca Giovanni Gastone, entrò in galleria l'8 marzo 1736 (ASF, Guard. 1351, c. 176v). Ma l'incisione che dovrebbe raffigurarlo nel Museo Fiorentino (III, n. 216) riproduce invece un ritratto simile pervenuto alla galleria solo nel 1768 con la collezione Pazzi (inv. 1890 n. 1750); il Pazzi era l'autore dell'incisione. Nei due ritratti la posa è identica (l'autrice sta ritraendo il padre, l'orafo Luigi Siries) ma cambiano alcuni particolari dell'acconciatura. Non vi è dubbio però che l'autoritratto entrato per primo sia questo, descritto nell'inventario del 1753 come «con assettatura in testa di trine e pezzuola a righe sulle spalle», e che porta a tergo sulla tela il n. 564, corrispondente agli autoritratti della stanza dei pittori di più antica formazione. Si conserva oggi nei Depositi.

S.M.T.

Questo ritratto fu venduto agli Uffizi dall'abate Antonio Pazzi intorno al 1768; in galleria ve n'era già (dal 1735) un altro (inv. 1890 n. 2021) in posa identica (la pittrice ritrae il padre, l'orafo Luigi Siries) ma con acconciatura diversa. Perciò il secondo entrato fu subito rimandato in guardaroba (AGF, filza V a 11). Per un inspiegabile errore, il Pazzi lo incise nel IV volume del catalogo degli autoritratti degli Uffizi, il 'Museo fiorentino' (1762). Un terzo dipinto in galleria (inv. 1890 n. 5513) viene creduto autoritratto dell'artista, ma è solo un ritratto da lei eseguito.

S.M.T.

In alto a sinistra: « Fait Par Madlle Violante Sirjes L'an 1734 ». È segnato negli inventari come autoritratto, il che è stato confutato da tutti per la mancanza di somiglianza coi due autoritratti meglio documentati della pittrice (inv. 1890 nn. 1750 e 2021): ma non si sa chi raffiguri. La scritta, se veridica, permette di dare alla Siries anche due simili figure femminili, probabilmente allegorie di Stagioni, ad evidenza della stessa mano di questo (inv. 1890 n. 5850 e inv. Petraia n. 37).

S.M.T.

Donato dall'artista nel 1919 (AGF, Arte 796). Alla Galleria Dedalo di Roma fu esposto nel 1940 un altro autoritratto dell'artista datato 1905. Attualmente nei Depositi degli Uffizi.

E.S.

	A890	A891	A892	A893
AUTORE	Slott Møller, Georg Harald (Copenhagen 1864-1937).	Smart, Edmund Hodgson (Alnwick 1873 - Beverly Hills, California 1942).	Smith, John Raphael (Derby 1752 - Londra 1812).	Smits, Eugène Joseph Henri (Anversa 1826 - Bruxelles 1912).
TITOLO	Autoritratto.	Autoritratto.	Autoritratto.	Autoritratto.
DATAZIONE	1924.	1933.	Fine sec. XVIII.	1851 ca.
DATI TECNICI	Olio su tela, 129x78,5.	Olio su compensato, 97x82.	Olio su legno di rovere, dipinto in ovale, 28x22,5.	Olio su tela, 35x35.
CORNICE	Intagliata e dorata con decorazioni a motivi vegetali, sec. XX.	Sagomata e dorata con decorazioni in nero e oro, sec. XX.	—	Nera, sagomata, con regolo interno dorato, sec. XX.
UBICAZIONI	Uffizi (1924).	Uffizi (1933).	Uffizi (1873).	Uffizi (1905).
ATTRIBUZIONI	—	—	—	—
ESPOSIZIONI	—-	—		—
BIBLIOGRAFIA	Thieme-Becker, XXXI, 1937. Dansk Kunst Historie, IV, Copenhagen 1974, p. 15, 332, 358.	Vollmer, IV, 1958; VI, 1962.	J. Frankau, John Raphael Smith, his life and works, London 1902. A. M. Hind, John Raphael Smith and the great mezzotinters of the time of Reynolds, London 1911.	Thieme-Becker, XXXI, 1937. R. H. Wilenski, in Flemish Painters 1430-1830, Londra 1960. *Prinz 1971, AGF: K. Langedijk, Scheda ministeriale 1979.*
INVENTARIO	8484.	9605.	9606.	3278 (C.P., p. 110, n. 750).
FOTO	12182.	315542.	321808.	315531.
NOTE	Iscrizione in basso a destra: «Ego Harald Slott Møller Artifex Danicus / Anno Aetatis Meae LX Pinsi An. Dm. MCMXXIV». Un autoritratto fu richiesto all'artista nel 1922, che donò questo nel 1924 (AGF, Arte 796). Sul retro un cartellino con la data 1924. Attualmente nei Depositi degli Uffizi. E.S.	Firmato e datato in basso: 214. E. Hodgson Smart 1933. Sul retro altre scritte: «N.o 214 1933; Portrait of the Artist / by / E. Hodgson Smart / London»; e: «Self Portrait / Firenze 1933». L'opera fu offerta in dono agli Uffizi nel 1933 dall'artista, ma non fu accettata dalla Direzione della Galleria con decisione del 1934; tuttavia il dipinto non fu mai ritirato e non è mai stato inventariato fino ad oggi (AGF, Arte 796). L'opera è attualmente nei Depositi degli Uffizi. E.S.	A tergo la scritta a penna 'John Raphael Smith / Painter Mezzotint Engraver / Painted by himself'. Il ritratto pervenne alla galleria nel 1873 (inv. 1825, suppl. n. 3056) probabilmente per dono: ma non se ne é rintracciata la documentazione. S.M.T.	Firmato in basso a destra: Eug. Smits. Dietro, sul telaio, scritta a inchiostro: Eug. Smits / 1851. La Direzione degli Uffizi chiese un autoritratto a Smits fin dal 1887, sollecitandolo poi nel 1895; l'artista inviò nel 1905 questo suo autoritratto dipinto all'età di 23 anni. L'opera si trova attualmente nei Depositi degli Uffizi. E.S.

	A894	A895	A896	A897
AUTORE	Soderini, Francesco (Firenze 1673-1735).	Sogni, Giuseppe (Robbiano Giussano, Cremona 1795 - Milano 1874).	Solimena, Francesco (Nocera 1657 - Barra 1747).	Sorbi, Giovanni (Siena 1695-?).
TITOLO	Autoritratto.	Autoritratto.	Autoritratto.	Autoritratto.
DATAZIONE	Inizi sec. XVIII.	1850-60 ca.	1730-31.	Primo quarto sec. XVIII.
DATI TECNICI	Olio su tela, 72,5x58.	Olio su tela, 133,5x105,5.	Olio su tela, 130x114, restauro 1975-76.	Olio su tela, 74x58.
CORNICE	Salvadora dorata con gola sabbiata, sec. XIX.	D'epoca, intagliata e dorata con cartiglio in alto.	Salvadora dorata, sec. XVIII.	Salvadora dorata con cartiglio, sec. XVIII.
UBICAZIONI	Coll. Puccini (1725); coll. Pazzi; Uffizi (1768); Poggio Imperiale (1836); Pitti; Uffizi (1979).	Uffizi (1863).	Anna Maria Luisa de' Medici; Uffizi (1732).	Coll. Puccini (1725); coll. Pazzi; Uffizi (1768 ca.).
ATTRIBUZIONI	—	—	—	—
ESPOSIZIONI	—	—	—	—
BIBLIOGRAFIA	*S. Meloni Trkulja in Paragone 343, 1978.*	Cat. Maestri di Brera, Milano 1975. *Prinz 1971.*	*F. Bologna, Francesco Solimena, Napoli 1957.*	*Dizionario Bolaffi, X, Torino 1975. S. Meloni Trkulja in Paragone 343, 1978.*
INVENTARIO	Imperiale rosso 584.	2110 (C.P., p. 110, n. 556).	1758 (C.P., p. 110, n. 337).	2058 (C.P., p. 110, n. 678).
FOTO	296707.	321846.	276559.	280824.
NOTE	A tergo cartellino antico col nome dell'artista e sulla tela i numeri delle collezioni Puccini e Pazzi a cui appartenne nel '700. L'autore fu allievo di Alessandro Gherardini e dipinse molti quadri per chiese di Firenze. S.M.T.	Richiesto all'artista dal direttore della Galleria Paolo Feroni il 16.5.1863 e ricevuto il 29 dello stesso mese (AGF, filza 1863, 1, 48). Attualmente collocato nelle riserve. S.P.	Citato come non ancora eseguito dal Montesquieu nel 1729, il quadro era a Firenze nel 1731 ed entrò in galleria il 6 agosto 1732 (ASF, Guard. 1350, c. 95r), mandatovi da Anna Maria Luisa de' Medici. Un'altra redazione (creduta quella per il granduca dall'estensore del catalogo della mostra del ritratto storico napoletano, Napoli 1954, n. 44) è nel Museo di San Martino a Napoli; altre due in Spagna (Madrid, Prado; Visconte de Güell). La commissione granducale è citata anche dal De Dominici nelle sue vite dei pittori napoletani. S.M.T.	Di questo pittore le Gallerie conservano anche un ritratto di Giuseppe Maria Crespi, suo maestro (inv. Castello n. 873), pure eseguito per la collezione di Tommaso Puccini, medico di Cosimo III, con lo stesso fare di intensa macchia. Dagli eredi Puccini lo acquistò l'abate Pazzi, che intorno al 1768 lo vendette alla Galleria. S.M.T.

	A898	A899	A900	A901
AUTORE	Sorbi, Giovanni (Siena 1695-?).	Sorbi, Raffaello (Firenze 1844-1931).	Sorbi, Raffaello (Firenze 1844-1931).	Sorri, Pietro (San Giosuè 1556 - Siena 1621-22).
TITOLO	Ritratto di Giuseppe Maria Crespi.	Autoritratto.	Ritratto di Oronzio Lelli.	Autoritratto.
DATAZIONE	1720 ca.	1922.	1868.	Inizi sec. XVII.
DATI TECNICI	Olio su tela, 75x59, rintelato.	Olio su tela, 33x26.	Olio su tela, 51x39,5.	Olio su tela, 59x41,5.
CORNICE	Salvadora dorata, sec. XVIII.	D'epoca, alla fiamminga.	D'epoca a fascia dorata.	Salvadora dorata, sec. XVIII.
UBICAZIONI	Coll. Puccini (1725); coll. Pazzi; Uffizi (1768); Guardaroba (1772); Castello (1911); Pitti; Uffizi (1979).	Uffizi (1922?).	Eredi del ritrattato; Uffizi (1916); Galleria d'Arte Moderna, Pitti (1976).	Arcangiola Cresti vedova Sorri; Card. Leopoldo de' Medici (1668); Uffizi (1682).
ATTRIBUZIONI	G. M. Crespi (Puccini 1725).	—	—	—
ESPOSIZIONI	—	—	—	—
BIBLIOGRAFIA	R. Roli, Pittura bolognese 1650-1800, Bologna 1977. *S. Meloni Trkulja in Paragone 343, 1978. G. Leoncini in Paragone 345, 1978.*	L. e F. Luciani, Dizionario dei pittori italiani dell'800, Firenze 1974.	Cat. Romanticismo storico, Firenze 1973-74. L. e F. Luciani, Dizionario dei pittori italiani dell'800, Firenze 1974.	Dizionario Bolaffi X, Torino 1975. *Prinz, 1971.*
INVENTARIO	Castello n. 873.	8478.	3262.	1699 (C.P., p. 110, n. 251).
FOTO	183226.	112457.	137068.	5854.
NOTE	A tergo, su cartellino antico, 'Gius.e Crespi / Copia fatta dal S.r Sorbi'. Questo quadro e l'autoritratto del Sorbi (inv. 1890 n. 2058) fecero parte della collezione del medico pistoiese Tommaso Puccini, poi passata all'abate Antonio Pazzi che la vendette agli Uffizi, facendo credere che questo fosse un vero autoritratto del bolognese. L'affinità dei due artisti in questi due ritratti appare tale che l'autoritratto dell'allievo Sorbi viene creduto dal Roli (p. 179 n. 26) opera del Crespi. S.M.T.	Firmato e datato in basso a destra: Raf. Sorbi / 1922. La provenienza del ritratto non è chiara. Nell'AGF, Arte, 796; in doc. autoritratti, si trova infatti la scheda di un altro autoritratto, col medesimo numero d'inventario, ma del 1868 e dedicato all'amico Zanchi, e di tale dipinto non si ha più notizia. Probabilmente quindi è intervenuto uno scambio, forse ancora vivente il pittore, con l'autoritratto più tardi, e anche stilisticamente aggiornato su una cifra postimpressionistica. Il dipinto è attualmente nelle riserve. S.P.	Dedicato e datato in basso a sinistra: Raf. Sorbi all'amico Lelli / 1868. Acquistato dalle Gallerie nel 1916 presso la figlia del Lelli, Teresa, come si ricava da una nota inventariale, ed esposto nel Corridoio Vasariano. Il formatore Oronzio Lelli fece tra l'altro la maschera del Lambruschini che servì al Ciseri per il ritratto postumo commissionatogli dalle Gallerie fiorentine (v. n. 3316). Il Sorbi era negli stessi anni il più dotato fra gli allievi del Ciseri. Il dipinto è esposto nella Galleria d'arte moderna di Palazzo Pitti dal 1976. S.P.	Acquistato a Siena da Lodovico de' Vecchi per Leopoldo de' Medici nel 1668; era stato presso la vedova dell'artista, Arcangiola (figlia del Passignano). Il de' Vecchi si duole che sia 'imperfetto; parmi però fatto con uno strapazzo da maestro, et alla lombarda', cioè venezianeggiante, come infatti è. Con l'eredità del cardinal Leopoldo entrò in galleria il 28 ottobre 1682 (ASF, Guard. 870, c. 160v). S.M.T.

	A902	A903	A904	A905
AUTORE	Sospizio, Seve (Perugia 1908 - Senigallia 1962).	Spadini, Armando (Poggio a Caiano, Firenze 1883 - Roma 1925).	Sparvier, Pierre de (? 1663 - Firenze 1731).	Spence, William Blundell (Firenze 1815 ca.-1900).
TITOLO	Autoritratto.	Autoritratto.	Autoritratto.	Autoritratto.
DATAZIONE	1943.	1925 (Cecchi 1927; Colasanti 1930).	Fine XVII-inizi XVIII sec.	1863.
DATI TECNICI	Olio su tela, 69x53.	Olio su tela, 53x45.	Olio su tela, 73x57.	Olio su tela, 65,5x53,5, restauro 1976.
CORNICE	Sagomata, dipinta in nero, sec. XX.	Intagliata e dorata, sec. XIX-XX.	Liscia, dorata, XVIII sec.	Liscia, dorata, sec. XVII-XVIII?
UBICAZIONI	—	Eredi dell'artista; Uffizi (1925).	Coll. Pazzi (sec. XVIII); Uffizi (1768).	Uffizi (seconda metà sec. XIX).
ATTRIBUZIONI	—	—-	—	—
ESPOSIZIONI	A. M. Comanducci, V, 1974.	—-	—	Firenze e l'Inghilterra. Rapporti artistici e culturali dal XVI al XX secolo, Firenze 1971.
BIBLIOGRAFIA	—	G.L. Marini, in Dizionario Bolaffi, X, Torino 1975. *A. Venturi - E. Cecchi, Armando Spadini, Milano 1927*, pp. XXIX, LXVI. *A. Colasanti, Armando Spadini, Roma 1930. Prinz 1971.*	Thieme-Becker, XXX, 1937. *P. Rosenberg, in Cat. Pittura francese nelle collezioni pubbliche fiorentine, Firenze 1977*, n. VII. *S. Meloni Trkulja, in Paragone 343, 1978.*	Thieme-Becker, XXXI, 1937. *Cat., Firenze 1971*, n. 92.
INVENTARIO	9607.	8536.	2057 (C.P., p. 110, n. 475).	3292 (C.P., p. 110, n. 3292).
FOTO	—	12770.	182530.	109435.
NOTE	Firmato e datato in basso a sinistra: 'seve sospizio -2-1943'. Nel tergo, al centro della tela: 'seve sospizio -2-1943-Autoritratto'. La opera si trova attualmente nei depositi degli Uffizi. Gr. Red. 1	La tela è abbondantemente rigirata sul telaio. Un autoritratto fu richiesto all'autore nel luglio del 1924; questo dipinto fu donato dalla sua vedova nel 1925 (AGF, Arte 796). Esistono molti autoritratti dell'artista e di varie epoche, per lo più in raccolte private italiane. Attualmente esposto nel Corridoio Vasariano. E.S.	Entrato agli Uffizi con la collezione dell'abate Pazzi nel 1768. M.C.	Siglato e datato: 1863 W.B.S. Scritta sul retro: WB Spence / se ipsum / pingebat / Florentia / 1863. Temperamento versatile, fu anche attore, musicista e collezionista. Scrisse una guida di Firenze. Visse nella Villa Medici di Fiesole, da lui acquistata intorno al 1857. La provenienza del dipinto non è documentata, ma dato che esso fu eseguito a Firenze, è molto probabile che sia stato un dono dell'artista stesso alla Galleria degli Uffizi. M.C.

	A906	A907	A908	A909
AUTORE	Spinelli di Belmonte, Chiara (Napoli 1744-1823).	Spiridon, Ignace o Ignazio (Roma 1848 - Parigi? post 1907).	Spranger, Bartholomaeus (Anversa 1546 - Praga 1611).	Staude, Hans Joachim (Port au Prince 1904 - Firenze 1973).
TITOLO	Autoritratto.	Autoritratto.	Autoritratto.	Autoritratto.
DATAZIONE	1783.	Fine sec. XIX - inizi sec. XX.	Fine sec. XVI.	1954-64 ca.
DATI TECNICI	Pastello su carta, ovale, 67x51.	Olio su tela, 65,5x55.	Olio su tela, 54x42,7.	Olio su tavola, 48,5x40.
CORNICE	Nera liscia e a onde di Andrea Picchi ebanista, fine sec. XIX.	Sagomata e tinta in oro con decorazione in pastiglia, sec. XIX-XX.	Salvadora dorata, sec. XVIII.	Coeva, in legno intagliato bianco e oro.
UBICAZIONI	Uffizi (1784).	Uffizi (1907).	Card. Leopoldo de' Medici (ante 1675); Uffizi (1682).	Galleria d'Arte Moderna, Pitti (1964).
ATTRIBUZIONI	—	—	—	—
ESPOSIZIONI	—	—	—	—
BIBLIOGRAFIA	B. Viallet, Roma s.d. (2193).	E. Bénezit, Dictionnaire critique et documentaire des peintres etc., VIII, Parigi 1955. J. Busse, Internationales Handbuch aller Maler und Bildhauer des 19. Jahr., Wiesbaden, 1977.	A. Niederstein in Thieme-Becker XXXI, 1937.	Annuario degli artisti toscani 1954-55, Firenze 1955.
INVENTARIO	2525.	3376 (C.P., p. 110, n. 755).	1625 (C.P., p. 110 n. 227).	GAM Giornale 2039.
FOTO	5856.	5857.	105722.	130085.
NOTE	A destra in alto la scritta in corsivo 'Chiara Spinelli / Principessa Belmonte / F. Anno 1783'. Entrò in galleria il 28 gennaio 1784 (AGF, ms. 114, c. 720v); era stato donato dall'autrice all'Academia di Belle Arti (AGF, filza XVII a 4) ed è l'unico documento di una sua attività pittorica. Figlia del duca Traiano di Laurino, essa sposò nel 1762 Don Antonio Francesco Pignatelli principe di Belmonte ed ebbe molti figli. S.M.T.	Firmato in alto a destra: I. Spiridon. Il dipinto fu offerto in dono dall'artista agli Uffizi nel 1907, affermando di essere stato invitato dalla Direzione della Galleria a donare il proprio autoritratto; la Direzione accettò il dono in quello stesso anno precisando di non aver mai rivolto quell'invito (AGF, Arte 686). Dalla corrispondenza agli atti risulta che l'artista, quasi sconosciuto agli studi, era di nazionalità francese, ed era nato a Roma nel 1848; la sua morte, avvenuta in una data sconosciuta alla critica, fu evidentemente posteriore al 1907, anno in cui donò il dipinto agli Uffizi. L'opera si trova attualmente nei Depositi degli Uffizi. E.S.	A tergo il numero dell'inventario del 1769. In una lettera del 1681 (Prinz, 1971, docc. 60-61) il Baldinucci incita il granduca Cosimo III de' Medici a 'procacciarne il ritratto di sua mano', stranamente perché esso stava per entrare in galleria con l'eredità del cardinal Leopoldo (28 ottobre 1682; cfr. ASF, Guard. 870, c. 160v). Non sono note le circostanze dell'acquisto, e se esso sia stato fatto dal cardinale oppure se il ritratto fosse in città già prima: infatti Spranger fu in Italia — e anche a Firenze — dal 1565 al 1575, ma la sua età in questo ritratto sembra più avanzata dei trent'anni che aveva alla partenza. S.M.T.	Firma illegibile in basso a sinistra. A tergo abbozzo di ritratto maschile. Il ritratto fu acquistato nel 1964 per 150.000 lire (verbale della commissione del 28.12.1964. Il pittore, formatosi ad Amburgo in ambito espressionista, si isolò dopo il 1922 in una ricerca personale e nel 1925 in seguito ad un viaggio in Italia decise di trasferirsi per sempre in Toscana. A Firenze seguì moderatamente l'influsso. Per testimonianza della vedova l'artista eseguì molti autoritratti; altre opere si trovano presso la Galleria d'arte moderna di Palazzo Pitti. Il pittore è morto a Firenze il 23 luglio 1973. Attualmente il dipinto è nelle riserve. S.P.

	A910	A911	A912	A913
AUTORE	Steer, Philip Wilson (Birkenhead 1860 - Londra 1942).	Stefaneschi, Giovanni Battista (Ronta 1582 - Venezia 1659).	Stoppoloni, Augusto (Sanseverino Marche, Macerata 1885 - Gubbio, Perugia 1936).	Storer, Johann Christoph (Costanza 1611-1671).
TITOLO	Autoritratto.	Autoritratto.	Autoritratto.	Autoritratto.
DATAZIONE	1905.	Metà sec. XVII.	Primo-secondo decennio sec. XX.	1650 ca.
DATI TECNICI	Olio su tela, 92x77.	Olio su tela e tavola, 72x58.	Olio su tela, 69,5x57.	Olio su tela, 55,5x43,5.
CORNICE	Intagliata, dorata, sec. XX.	—	Sagomata e dorata con decorazioni in pastiglia, sec. XIX.	Salvadora dorata, sec. XVIII.
UBICAZIONI	Uffizi (1906).	Card. Leopoldo de' Medici (ante 1675); Uffizi (1682).	Eredi dell'artista; Uffizi (1958).	Uffizi (1773).
ATTRIBUZIONI	—	—	—	—
ESPOSIZIONI	Firenze e l'Inghilterra. Rapporti artistici e culturali dal XVI al XX secolo, Firenze 1971.	—	—	Barock am Bodensee, Bregenz 1963. Deutsche Maler und Zeichner des XVII Jahrhunderts, Berlin 1966.
BIBLIOGRAFIA	J. Maas: Victorian Painters, London 1978 (2 ed.). *D.S. Mc Coll: Life, work and setting of Philip Wilson Steer, London 1945. B. Laughts: Philips Wilson Steer, London 1971. Cat., Firenze 1971, n. 100.*	C. Del Bravo in Paragone 137, 1961, p. 52.	Thieme-Becker, XXXII, 1938. M. Stoppoloni, Augusto Stoppoloni pittore romano, Milano s.d. Comanducci, V, Milano 1974.	*F. Thöne in Münchner Jahrbuch für Bildende Kunst XIII, 1938-39. Cat. Berlino 1966, n. 98.*
INVENTARIO	3352.	1728.	9406.	1626 (C.P., p. 212, n. 219).
FOTO	175033.	14449.	315564.	25114.
NOTE	Firmato e datato: P.W. Steer 1905. Il ritratto fu inviato dall'artista nel 1906, dopo che H. Horne e R. Ross ebbero suggerito alla direzione degli Uffizi di mandargli l'invito ufficiale. Uno studio per il dipinto è nella collezione W.R. Hornby Steer. M.C.	A tergo sulla tela «Fra Gio Batta da Monte Senario». Originariamente limitato alla testa e mezzo busto (58x44) è stato ingrandito in antico con l'aggiunta, su tavola, del braccio e della mano sinistra che regge un ovatino con copia miniata della SS. Annunziata. Proviene dalla collezione del cardinal Leopoldo de' Medici (n. 264) dove è già menzionato ampliato, e con essa entrò agli Uffizi il 28 ottobre 1682 (ASF, Guard. 870, c. 160v). S.M.T.	Firmato in basso a destra: A.G. Stoppoloni. La tela è abbondantemente rigirata sul telaio. Sul retro varie scritte relative al dono agli Uffizi e alcuni numeri. Sulla cornice cartellino di una mostra alla Society of Oil Painters di Londra relativo però all'esposizione di un dipinto intitolato: Curiosity, di Cheyne Row. Il dipinto fu donato per legato testamentario del figlio dell'artista, Mario, deceduto nel 1957, e fu accettato nel 1958 (AGF, Arte 796). Attualmente nei Depositi degli Uffizi. E.S.	Databile a prima del 1653, quando un'incisione probabilmente tratta da esso venne pubblicata al frontespizio dell' 'Allegiamento dello Stato milanese'. Ad evidenza fu dipinto durante il soggiorno lombardo dell'artista (1640-1657 ca.). Figura per la prima volta nell'inventario del 1784 con rimando a un riscontro del 1773. S.M.T.

	A914	A915	A916	A917
AUTORE	Strøm, Halfdan Frithjof (Oslo 1863-1949).	Stuck, Franz von (Tettenweis 1863 - Decín, Cecoslovacchia 1928).	Stückelberg, Ernst (Basilea 1831-1903).	Sustermans, Justus (Anversa 1597 - Firenze 1681), attr. a.
TITOLO	Autoritratto.	Autoritratto.	Autoritratto.	Autoritratto?
DATAZIONE	1918.	1906.	1889.	1620-30 ca.?
DATI TECNICI	Olio su tela, 42x33,5.	Olio su tela, 105x91.	Olio su tela, 64x48,5.	Olio su tela, 67,5x52,5.
CORNICE	Sagomata e dorata, sec. XX.	Sagomata e dorata, sec. XX.	Sagomata e dorata, sec. XIX.	Sagomata, dorata, sec. XVII.
UBICAZIONI	Uffizi (1919).	Uffizi (1907).	Uffizi (1889).	Coll. Puccini? (sec. XVII-XVIII); Coll. Pazzi (sec. XVIII); Uffizi (1768 ca.); Poggio Imperiale (sec. XIX); Pitti (1969).
ATTRIBUZIONI	—	—	—	—
ESPOSIZIONI	—	—	—	Artisti alla corte granducale, Firenze 1969.
BIBLIOGRAFIA	Thieme-Becker, XXXII, 1938. *Prinz 1971.*	Thieme-Becker, XXXII, 1938. H. Voss, Franz von Stuck, München 1973.	F. Zelger, Der Historienmaler Ernst Stückelberg, Zurigo 1971. *M. Röthlisberger, in Genava, 1956. Prinz 1971.*	P. Bautier: Justus Suttermans, Paris-Bruxelles 1912. *Cat., Firenze 1969, n. 56. S. Meloni Trkulja, in Paragone 343, 1978. G. Leoncini in Paragone 345, 1978.*
INVENTARIO	8403.	3357 (C.P., p. 110, n. 754).	2005 (C.P., p. 111, n. 579).	Imperiale 589.
FOTO	5858.	315569.	99490.	157952.
NOTE	Firmato e datato in basso a destra: Halfdan Ström 1918. Dietro, sul telaio, l'iscrizione: «Halfdan Ström Christiania». La Direzione degli Uffizi richiese un autoritratto all'artista nel 1911, che donò questo nel 1919 (AGF, Arte 796). La Galleria Nazionale di Oslo possiede molte opere del pittore. Il dipinto è attualmente esposto nel Corridoio Vasariano. E.S.	Firmato e datato nel cartiglio in basso: Franz / von / Stuck / MCMVI. Un autoritratto fu richiesto all'artista nel 1905, che donò questo nel 1907 (AGF, Arte 503). Altri autoritratti dell'artista sono nei musei di Bruxelles, Berlino, Monaco, Lipsia e Stuttgart. Attualmente nei depositi degli Uffizi. E.S.	Iscrizione in alto a sinistra: «E. Stückelberg 1889 / Ernst Stückelberg / Basiliensis Pictor 1889». Un autoritratto fu richiesto al pittore dalla Direzione degli Uffizi nel 1887; questo fu donato dall'artista nel 1889 (AGF, Arte 796). Nel museo di Basilea esistono due altri autoritratti di Stückelberg, uno del 1888 e l'altro del 1899. Attualmente nei Depositi degli Uffizi. E.S.	Questo dipinto, come ha dimostrato recentemente S. Meloni Trkulja, proviene dalla collezione di autoritratti messa insieme dall'abate Pazzi e venduta alla Galleria degli Uffizi intorno al 1768. Precedentemente è probabile che facesse parte della collezione del pistoiese Tommaso Puccini (Leoncini 1978): in un documento che elenca gli autoritratti di quella raccolta, infatti, si legge anche il nome dell'artista fiammingo e si indica 'dis. di Vandich': in realtà la immagine del quadro è somigliantissima a quella incisa dal Van Dyck nella sua 'Iconografia'. Questo fatto avvalorerebbe il sospetto avanzato da S. Meloni Trkulja che non si tratti di un dipinto autentico del Sustermans, ma di un 'pastiche' ispirato alla incisione del celebre pittore fiammingo. M.C.

	A918	A919	A920	A921
AUTORE	Sustermans, Justus (Anversa 1597 - Firenze 1681).	Sustermans, Justus (Anversa 1597 - Firenze 1691).	Sweerts, Michael (Bruxelles 1624 - Goa 1664).	Szinyei Merse, Pál (Szinye-Ujfalu 1845 - Jernye 1920).
TITOLO	Autoritratto.	Ritratto di Domenico Passignano? 1625-30 ca.	Autoritratto.	Autoritratto.
DATAZIONE	1635-40 ca.	Olio su tela, 62x46.	1650 ca.	1897.
DATI TECNICI	Olio su tela, 79x63.	Sagomata, dorata, sec. XVII.	Olio su tela, 55x43,5, restauro 1978.	Olio su tela, 90,5x70,5.
CORNICE	Originale, nera e oro.	Card. Leopoldo, Pitti (ante 1675); Uffizi (sec. XIX); Pitti (1928).	Liscia, dorata, sec. XVII-XVIII.	Sagomata e dorata con decorazioni in pastiglia, sec. XX.
UBICAZIONI	Pitti (ante 1675); Uffizi (1704).	Passignano (Inv. Uffizi sec. XIX), Sustermans (Giglioli 1909, Rusconi 1937, Francini Ciaranfi 1964).	Card. Leopoldo de' Medici, Pitti (ante 1675); Uffizi (fine XVII-inizi XVIII sec.).	Uffizi (1912).
ATTRIBUZIONI	—	—	'Suarz' (Inv. 1675). Christoph Schwarz (XVIII sec.).	—
ESPOSIZIONI	Rubens e la pittura fiamminga del Seicento, Firenze 1977.	—	—	Esposizione Internazionale di Roma, Mostra delle Belle Arti, Roma 1911 (fuori catalogo).
BIBLIOGRAFIA	P. Bautier: Juste Suttermans..., Paris-Bruxelles 1912. *Cat., Firenze 1977, n. 117.* AGF: *K. Langedijk, Scheda ministeriale 1978.*	P. Bautier: Juste Suttermans, Bruxelles-Paris 1912. *O. H. Giglioli: in Riv. d'arte, 1909, p. 332. A. J. Rusconi: La Galleria Pitti, Roma 1937, p. 291. A. Francini Ciaranfi: La Galleria Pitti, Firenze 1964, p. 7.*	R. Kultzen: cat., Michael Sweerts e i bamboccianti, Rotterdam - Roma 1958. V. Bloch: Michael Sweerts, La Haye 1968. J. Rosenberg - S. Slive - E. H. Ter Kuile: Dutch Art and Architecture 1600-1800, Harmondsworth 1966. *M. Chiarini in Paragone 353, 1979.*	Thieme Becker, XXXII, 1938; Müvészeti Lexikon, IV, Budapest 1968.
INVENTARIO	1646 (C.P., p. 111, n. 218).	565.	306567-68.	3759 (C.P., p. 111, n. 5759).
FOTO	253304.	12339, 9967.	1633.	80963.
NOTE	L'autoritratto, che sembra rappresentare l'artista intorno ai quarant'anni, fece parte della collezione di autoritratti di pittori posseduta dal card. Leopoldo de' Medici in palazzo Pitti. Passò agli Uffizi nel 1704, nel nuovo ordinamento della Galleria. Il Sustermans, giunto a Firenze nel 1619 al seguito dell'arazziere Pietro Fevère, divenne ritrattista della corte medicea a partire dall'anno successivo e conservò la carica fino alla morte. Possedette anche una raccolta di quadri, il più importante dei quali fu 'Le conseguenze della guerra' di P. P. Rubens, entrato poi nelle collezioni medicee. Inciso in Museo Fiorentino, II, 1754, p. 299. M.C.	Il dipinto fece parte della collezione del cardinal Leopoldo de' Medici in palazzo Pitti, nel cui inventario steso alla sua morte (1675) è attribuito al Sustermans. Ritenuto nel sec. XIX autoritratto del Passignano, ed esposto come tale nel Corridoio vasariano, fu riconosciuto come del Sustermans da Giglioli e messo in rapporto con la citazione dell'inventario della collezione del cardinal Leopoldo. Per lo stile del quadro e per l'età del personaggio, databile al terzo decennio del Seicento. M.C.	La misura originale del ritratto, quasi un frammento dai margini diseguali come ha rivelato il restauro, entrò, in epoca imprecisata, già ampliato — o lo fu in quell'occasione — nella collezione del cardinal Leopoldo de' Medici in Pitti (n. 268 dell'inventario steso alla sua morte nel 1675). In esso il quadro è elencato col nome italianizzato di 'Suarz': da ciò facile il passo a ribattezzare il dipinto col nome, inspiegabile anche cronologicamente, di Cristoph Schwartz, un tardo manierista tedesco, col quale fu inciso in Museo Fiorentino, vol. I, 1752, p. 217. Che il dipinto sia in effetti l'autoritratto del pittore olandese lo prova sia la qualità stilistica, sia la somiglianza con l'autoritratto del Museo di Oberlin, Ohio. Dato che nel dipinto degli Uffizi l'artista dimostra più di vent'anni, esso andrà datato intorno al 1650, e probabilmente fu eseguito a Roma. M.C.	Firmato e datato sulla sinistra: Szinyei M.P. / 1897. Sul retro cartellino della mostra di Roma (1911) e altro cartellino di una mostra a Budapest del 1906 (Vándorkiállitás 1906; cat. non reperito). La Direzione degli Uffizi richiese questo autoritratto all'artista nel 1911, che lo donò l'anno seguente (AGF, Arte 796, Arte 963). L'opera è attualmente collocata nei Depositi degli Uffizi. E.S.

	A922	A923	A924	A925
AUTORE	Tallone, Cesare (Savona 1853 - Milano 1919).	Taruffi, Emilio (Bologna 1633-1696).	Tattegrain, Francis (Péronne 1852 - Arras 1915).	Tavarone, Lazzaro (Genova 1556-1641), attr. a.
TITOLO	Autoritratto.	Autoritratto.	Autoritratto.	Autoritratto.
DATAZIONE	Primo decennio sec. XX.	1680-90 ca.	1907.	1601.
DATI TECNICI	Pastello su carta incollata su vetro, 57,5x37,5.	Olio su tela, 68x54,5, restauro 1972.	Olio su tela, 84x65.	Olio su tela, 94,5x80,5.
CORNICE	Sagomata e dorata con decorazioni in pastiglia, sec. XX.	Salvadora dorata con cartiglio, inizi sec. XVIII.	Intagliata, dorata, sec. XX.	Salvadora dorata, sec. XVIII.
UBICAZIONI	Coll. Invernizzi; Uffizi (1926).	Cosimo III de' Medici; Uffizi (1689).	Uffizi (1912 ca.).	Uffizi (1770).
ATTRIBUZIONI	—	—	—	—
ESPOSIZIONI	Mostra celebrativa di Cesare Tallone, Bergamo 1953-54 (fuori catalogo).	—	—	—
BIBLIOGRAFIA	Cat. Bergamo 1953-54. G.L. Marini, in Dizionario Bolaffi, XI, Torino 1976. *Prinz 1971.*	Dizionario Bolaffi XI, Torino 1976.	Thieme-Becker, XXXII, 1938. *I. Julia, in Cat. Pittura francese nelle collezioni pubbliche fiorentine, Firenze 1977, n. XV.*	Dizionario Bolaffi XI, Torino 1976.
INVENTARIO	8541.	1845 (C.P., p. 212, n. 425).	3388 (C.P., p. 111, n. 762).	1782 (C.P., p. 212, n. 359).
FOTO	22002.	5859.	196221.	112458.
NOTE	Sul retro varie iscrizioni relative alla proprietà del dipinto da parte dell'avv. Ermando Invenizzi. La direzione delle Gallerie richiese un autoritratto all'artista fin dal 1895: questo dipinto fu offerto in dono agli Uffizi dall'avv. Invernizzi nel 1926 per interessamento dello scultore Giovanni Beltrami, amico dell'artista (AGF, Arte 796). Attualmente nei Depositi degli Uffizi. E.S.	A tergo sulla tela «Emilio Taruffi» e i numeri d'inventario del 1704 (1800) e 1769 (3365): entrò in Galleria il 24 ottobre 1689, mandatovi dal granduca Cosimo III (ASF, Guard. 904, c. 210v). Poiché il Taruffi lavorò molto per i Medici e il suo nome ricorre spesso negli inventari di fine '600 (finora è stata identificata solo una S. Cecilia, inv. 1890 n. 4380), è possibile che l'autoritratto gli sia stato ordinato e debba quindi datarsi a poco prima della consegna. S.M.T.	Firmato e datato in basso a destra: F. Tattegrain / 1907. Non esistono documenti sull'ingresso nella collezione degli Uffizi del dipinto, che compare in un'edizione del catalogo del Pieraccini databile al 1912 ca. M.C.	Datato a destra, sulla base della colonna, 1601. Sulla destra è visibile, date le grandi dimensioni del quadro, una cucitura della tela. Essa entrò in galleria il 6 maggio 1770 (AGF, ms. 90 c. 704v): 'un quadro in tela... dipintovi Lazzaro Tavarone pittore'; non dice 'di sua mano' né ne dà la provenienza. Sarebbe uno dei rari dipinti da cavalletto di questo frescante, allievo e collaboratore del Cambiaso. L'artista sta dipingendo un ritratto femminile. S.M.T.

	A926	A927	A928	A929
AUTORE	Tedesco, Michele (Moliterno, Potenza, 1834 - Napoli 1917?).	Tempesta, Pieter Mulier il Giovane, detto il Cavalier T. (Haarlem 1637 ca. - Milano 1701).	Tempesti, Domenico (Fiesole o Rovezano 1655 ca. - Firenze 1737).	Terreni, Giuseppe Maria (Livorno 1739-1811).
TITOLO	Autoritratto.	Autoritratto.	Ritratto del Tintoretto.	Autoritratto.
DATAZIONE	Ultimo decennio sec. XIX.	1685 ca.	1690 ca.	1770 ca.
DATI TECNICI	Olio su tela, 62,5x50.	Olio su tela, 72,3x56,7.	Pastello su carta su tela, 56x38 ca.	Tempera su pergamena, 15,3x x11,7.
CORNICE	Intagliata e dorata, sec. XX.	Liscia, dorata, XIX sec.?	Bruna con filetto interno dorato, sec. XIX.	Filetto d'ottone, sec. XX.
UBICAZIONI	Eredi dell'artista; Uffizi (1923).	Uffizi (1736).	Apollonio Bassetti; Cosimo III de' Medici (1699); Castello (1699); Uffizi; Procura della Repubblica (1913).	Igina Chieri; Uffizi (1905).
ATTRIBUZIONI	—	—	—	—
ESPOSIZIONI	—	—	—	—
BIBLIOGRAFIA	L. e F. Luciani, Dizionario dei pittori italiani dell'800, Firenze 1974. Comanducci, V, 1974.	M. Roethlisberger-Bianco: Cavalier Pietro Tempesta and His Time, Delaware 1970. AGF: K. Langedijk, Scheda ministeriale 1978.	A. Corsini in Rivista d'arte X, 1918.	G. Venturi in Liburni Civitas VI, 1933.
INVENTARIO	8481.	1659 (C.P., p. 107, n. 252).	4385.	3276.
FOTO	112459.	183034.	196204.	323301.
NOTE	Firmato in basso a destra: M. Tedesco. Offerto in dono dalla vedova dell'artista Julia Hoffmann Tedesco — unitamente al proprio autoritratto (vedi scheda) — nel 1923 (AGF Arte 796). La data di morte dell'artista è variamente indicata nei più noti repertori storico-artistici agli anni compresi fra il 1916 e il 1918. Attualmente nei Depositi degli Uffizi. E.S.	Scritta sulla traversa superiore del retro cornice: 252. Cav.re Tempesta. Il dipinto, la cui provenienza non è documentata, fu inviato agli Uffizi da Anna Maria Luisa de' Medici il 4 febbraio 1736 (ASF, Guard. 1350, c. 179v). Il dipinto è versione di poco più grande di quello conservato nella collezione Borromeo all'Isola Bella. Per il Roethlisberger (op. cit., p. 103, n. 186) il quadro Borromeo è databile al 1685, quando l'artista aveva quarantotto anni. Il ritratto degli Uffizi, che dimostra la stessa età, andrà quindi datato analogamente. Inciso in Museo Fiorentino, vol. III, 1756, p. 281. M.C.	Entrato in galleria il 7 settembre 1699 con altri dipinti lasciati dal canonico Apollonio Bassetti, segretario del granduca Cosimo III de' Medici (ASF, Guard. 1027, c. 141v), fu incorniciato e mandato alla villa di Castello il 5 ottobre (ASF, Guard. 1026, c. 151r). Il Tempesti aveva iniziato il 10 febbraio 1683 a copiare a pastello gli autoritratti appena trasferiti in galleria (AGF, ms. 62, nota in terza di copertina) e questo, che riprende il Tintoretto inv. 1890 n. 1795, è una di tali copie. Esistono anche quelle da Tiziano (inv. 1890 n. 5162) e Rubens col cappello (inv. 1890 n. 5317). S.M.T.	Acquistato nel 1905 da Igina Chieri di Firenze. Del Terreni esiste in galleria anche un ritratto in età più matura attribuito al Fabre (inv. 1890 n. 1012). Questo potrebbe invece risalire al settimo decennio del Settecento, quando il pittore affrescava le ultime campate del soffitto del corridoio degli Uffizi dopo l'incendio del 1762. S.M.T.

	A930	A931	A932	A933
AUTORE	Terzi, Cristoforo (? - Bologna 1743).	Testa, Pietro, detto il Lucchesino (Lucca 1611 - Roma 1650).	Testa, Pietro, detto il Lucchesino (Lucca 1611 ca. - Roma 1650).	Tetar van Elven, Petrus Henricus Theodorus (Molembeeck, Bruxelles 1828 - Milano 1908).
TITOLO	Autoritratto.	Autoritratto.	Autoritratto (?).	Autoritratto.
DATAZIONE	Primo quarto sec. XVIII.	1630-40.	1640 ca.	Ultimo decennio sec. XIX.
DATI TECNICI	Olio su tela, 74x59.	Olio su tela, 57x49,5, rintelato.	Olio su tela, 78,5x60.	Olio su tela, 62,5x43,5.
CORNICE	Salvadora dorata con cartiglio, sec. XVIII.	Nera filettata d'oro, sec. XX.	Dorata e intagliata a dentelli, sec. XVIII (?).	Intagliata e dorata, sec. XIX.
UBICAZIONI	Coll. Puccini (1725); coll. Pazzi; Uffizi (1768).	Coll. Pazzi; Uffizi (1771).	Poggio a Caiano (1710 ca.); Uffizi (1773); Castello; Uffizi (1798); Depositi; Uffizi (1925).	Eredi dell'artista; Uffizi (1934).
ATTRIBUZIONI	—	—	G. B. Moroni (inventari antichi); Testa (L. Longhi Lopresti).	—
ESPOSIZIONI	—	—	—	—
BIBLIOGRAFIA	R. Roli, Pittura bolognese 1650-1800, Bologna 1977. *S. Meloni Trkulja in Paragone 343, 1978.*	A. Marabottini in Commentari V, 1954. A. Sutherland Harris in Paragone 213, 1967. S. Meloni Trkulja in Paragone 343, 1978.	A. Marabottini in Commentari V, 1954. *L. Longhi Lopresti in l'Arte XXIV, 1921.* M. L. Strocchi in Paragone 311, 1976.	P. A. Scheen, Lexikon Nederlandse Beeldende Kunstenaars 1750-1950, II, Gravenhage 1970. *AGF: K. Langedijk, Scheda ministeriale 1978.*
INVENTARIO	3364.	1687 (C.P., p. 111, n. 254).	1783.	9200.
FOTO	112460.	249094.	10411.	278025.
NOTE	Il quadro appartenne al pistoiese Tommaso Puccini, medico di Cosimo III, che aveva iniziato nel 1696 una collezione di ritratti di pittori tra cui vi sono molti emiliani, come questo; passò poi alla collezione dell'abate e incisore Antonio Pazzi, che lo vendette agli Uffizi: oggi si trova nei depositi. Un altro autoritratto, di collezione Beltrami a Milano, fu esposto alla mostra del ritratto italiano (Firenze, 1911). Del Terzi si conosce oggi solo un altro dipinto, a Crevalcore. S.M.T.	Venduto agli Uffizi nel 1771 dall'abate Antonio Pazzi. Stranamente, il ritratto figura nel catalogo (datato 1768 ma posteriore) della raccolta ma non fu venduto con gli altri bensì tre anni dopo, per 20 zecchini (AGF, filza IV a 17 e 18). Ovale in origine, fu reso rettangolare e ingrandito probabilmente già nel XVIII secolo; e riportato alle misure attuali in un restauro più recente, non documentato ma posteriore al 1890, quando il quadro viene inventariato con misure 70x61. S.M.T.	A tergo sul telaio, in maiuscolo, 'Gio. Battista Morone da Albino' e un cartellino settecentesco 'da Castello'. Ma prima che a Castello il ritratto era stato a Poggio a Caiano, nel 'Gabinetto di opere in piccolo' del Gran Principe Ferdinando, poi trasportato in blocco agli Uffizi il 29 dicembre 1773 e disfatto: evidentemente questo ritratto fu, in un primo momento, scartato e mandato in villa, per tornare in galleria il 3 settembre 1798 (AGF, ms. 114 c. 76v) come autoritratto del Moroni, col n. 621 (tuttora esistente a tergo). Come tale è inventariato nel 1825 (n. 1399). Ripiombato poi nei magazzini, fu riesposto nel 1925 dopo la giusta attribuzione al Testa di L. Longhi Lopresti. Il ritratto appare non finito, specialmente nelle mani. S.M.T.	Firmato in alto a sinistra: P. T. van Elven. Offerto in dono dalla figlia dell'artista nel 1933 e accettato dalla Direzione degli Uffizi nel 1934 (AGF, Arte 796). L'artista, che fu anche pittore di corte di Vittorio Emanuele II nel suo soggiorno torinese dal 1861 al 1866, era soprattutto un vedutista e pertanto i suoi ritratti sono molto rari. La data di nascita del pittore è controversa: nel Thieme Becker è riferita al 1831; nello Scheen al 1828; quest'ultima data è accolta anche da Karla Langedijk. Il dipinto si trova attualmente nei Depositi degli Uffizi. E.S.

	A934	A935	A936	A937
AUTORE	Tiarini, Alessandro (Bologna 1577-1668).	Tiarini, Alessandro (Bologna 1577-1668).	Tibaldi, Pellegrino (Puria di Valsolda 1527 - Milano 1596).	Tinelli, Tiberio (Venezia 1586 - 1638).
TITOLO	Autoritratto.	Autoritratto?	Autoritratto (copia?).	Autoritratto?
DATAZIONE	1630 ca. (Borea 1975).	Metà sec. XVIII.	1570-80.	1620-25 ca.
DATI TECNICI	Olio su tela, 71x59. In cattive condizioni.	Olio su tela, 91,5x66,5.	Olio su tela, 121x91, restauro 1972.	Olio su tela, 50x41, restauro 1972.
CORNICE	Dorata, liscia a gole.	—	Dorata e rossa con fregi dipinti, sec. XVII.	Settecentesca (?), legno intagliato e dorato.
UBICAZIONI	Card. Leopoldo de' Medici? (1672); Pitti (1675); Uffizi (1686).	Arturo Dalzini, Reggio Emilia; Uffizi (1914).	Marchesa Bevilacqua, Roma (1685); Cosimo III de' Medici; Uffizi (1687).	Pitti, Guardaroba (cit. inizio sec. XVIII); Poggio a Caiano (fino 1773); La Petraia; Uffizi (1796).
ATTRIBUZIONI	Tiarini (1675). Caravaggio (1916). Tiarini (Borea 1975).	—	G. A. Burrini (Briganti 1945).	—
ESPOSIZIONI	—	—	—	—
BIBLIOGRAFIA	E. Borea, Pittori bolognesi del Seicento nelle Gallerie di Firenze, Firenze 1975, n. 73, pp. 96-7.	E. Borea, Pittori Bolognesi del Seicento nelle Gallerie di Firenze, Firenze 1975.	G. Briganti, Il Manierismo e Pellegrino Tibaldi, Roma 1945. Prinz, 1971.	M. L. Strocchi: in Paragone 309 e 311, 1975-1976.
INVENTARIO	1832.	3939.	1780 (C.P., p. 111, n. 357).	922 (C.P., p. 195 n. 581).
FOTO	113055.	183082.	249114.	81235.
NOTE	Nel 1672 un autoritratto del Tiarini veniva offerto da Bologna al cardinal Leopoldo, che si identifica probabilmente con questo. Agli inizi di questo secolo per errore vi veniva incollato un cartellino spettante ad altro quadro, il presunto Autoritratto di Caravaggio (n. 1802) e di conseguenza il dipinto, benché raffigurante un uomo anziano, veniva esposto come effigie ancor giovane. La segnalazione dell'errore (nel 1916) provocò un ulteriore equivoco che perdura, ossia l'esposizione in galleria, nel corridoio vasariano, del ritratto n. 1802 già creduto del Caravaggio, come autoritratto del Tiarini. Una stampa del vero autoritratto fu pubblicato in testa alla biografia del pittore redatta dal Malvasia (1678). E.B.	Il ritratto fu acquistato nel 1914 dal Signor Arturo Dalzini di Reggio Emilia per 1000 lire: non si sono rintracciate relazioni sull'acquisto e non si conoscono quindi le eventuali prove di autenticità e le ragioni che possono averne consigliato l'acquisto, dato che un autoritratto del Tiarini esisteva in galleria fin dai tempi del cardinal Leopoldo de' Medici (inv. 1890 n. 1832). Vero è, come ha chiarito E. Borea, che ai primi del '900 e fino al 1916 esso era etichettato come autoritratto del Caravaggio. S.M.T.	Il quadro fu procurato a Cosimo III de' Medici da Guido Antonio Signorini, nipote di Guido Reni e allievo del Guercino, che lo trovò a Roma; apparteneva alla marchesa Bevilacqua e ne venivano chiesti ben 200 scudi. Signorini ne mandò anche un disegno. Entrò in galleria il 16 maggio 1687 (ASF, Guard. 903, c. 94r) con l'annotazione inesatta (ma vera per altri autoritratti) 'dissero essere stato donato dal Sr. Cardᵉ Ghigi'. Il Briganti, pur ammettendo che il ritratto raffiguri l'artista, lo crede fermamente una copia sei-settecentesca, che attribuisce al Burrini. S.M.T.	I documenti pubblicati dalla Strocchi dimostrano che il dipinto ha fatto parte della raccolta di quadri di piccolo formato organizzata dal Gran Principe Ferdinando nella Villa di Poggio a Caiano. A tergo è scritto: 'Dal Poggio a Caiano dalla Regia Guardaroba 29 dicembre 1773'. L'identificazione del soggetto nell'autoritratto del pittore, è molto verosimile, ma non certa. A.P.

	A938	A939	A940	A941
AUTORE	Tintoretto, Robusti Jacopo, detto il (Venezia 1518-94).	Titi, Tiberio (Firenze 1573-1627).	Tito, Ettore (Castellammare di Stabia, Napoli 1859 - Venezia 1941).	Tiziano Vecellio (Pieve di Cadore 1577/90 - Venezia 1576).
TITOLO	Autoritratto con libro.	Autoritratto.	Autoritratto.	Autoritratto (copia).
DATAZIONE	1585 ca.	Inizi sec. XVII.	1919 (Maragoni 1945).	1562 ca. (l'originale).
DATI TECNICI	Olio su tela, 72,5x57,5 (originale 39x32,5), restauro 1956.	Olio su tela, 58,5x44,7, rintelato.	Olio su tela tirata su tavola, 83x 65,5.	Olio su tela, 78,5x63,5, rintelato.
CORNICE	Intagliata a baccellature e dorata, fine sec. XIX.	Salvadora dorata, sec. XVIII.	Intagliata e dorata, sec. XIX-XX.	Intagliata e dorata, sec. XIX.
UBICAZIONI	Card. Leopoldo de' Medici (1675); Uffizi (1682).	Card. Carlo de' Medici (fine sec. XVI-inizi sec. XVII); Card. Leopoldo de' Medici (1666-75); Uffizi (1682).	Uffizi (1922).	Cosimo III de' Medici (1681); Uffizi (1682).
ATTRIBUZIONI	—	—	—	—
ESPOSIZIONI	—	—	XIII Esposizione internazionale d'arte della città di Venezia, Venezia 1922.	—
BIBLIOGRAFIA	P. Rossi, Jacopo Tintoretto I, I ritratti, Venezia 1973. *Prinz, 1971.*	G. Heinz in Jahrbuch der Kunsthistorischen Sammlungen in Wien 59, 1963. Dizionario Bolaffi XI, Torino 1976.	G. Marini, in Dizionario Bolaffi XI, Torino 1976. *L. Maragoni, Ettore Tito, Venezia 1945, Tav. LV.*	*Tiziano nelle Gallerie fiorentine, Firenze 1978.*
INVENTARIO	1795 (C.P., p. 109, n. 378).	1719 (C.P., p. 111, n. 300).	8452.	1801 (C.P., p. 112, n. 384).
FOTO	103053.	249102.	11436.	249119.
NOTE	La tela fu venduta dal cav. Fontana a Marco Boschini, corrispondente veneziano di Leopoldo de' Medici, nel giugno 1675 per 60 ducati; già nell'inventario dell'eredità del cardinale figura con le misure odierne, ma è ingrandita da un originale di cm. 39x32,5 limitato alla testa. Leopoldo possedeva già un autoritratto del Tintoretto su tavola, procuratogli da Paolo del Sera nel 1671; un altro fu donato a Cosimo III dal card. Flavio Chigi nel 1681. Questo è oggi considerato una copia dell'autoritratto del Louvre. Le Gallerie fiorentine ne hanno anche una copia a pastello di Domenico Tempesti (inv. 1890 n. 4385; v. scheda). S.M.T.	Il quadro appartenne, con gli autoritratti di altri sei artisti toscani della fine del '500 o inizi del '600, al cardinal Carlo de' Medici che li teneva nel Casino di San Marco (ASF, Guard. 758, c. 25r) e li lasciò in eredità al nipote Leopoldo. Con la raccolta di quest'ultimo entrarono in galleria, il 28 ottobre 1682 (ASF, Guard. 870, c. 160v). S.M.T.	Firmato nell'angolo inferiore destro: E. Tito. Dietro, cartellino della biennale veneziana del 1922. Un autoritratto fu richiesto nel 1922 all'autore che donò questo in quello stesso anno (AGF, Arte 796). Attualmente esposto nel Corridoio Vasariano. E.S.	Probabilmente da identificare con un autoritratto che nel gennaio 1681 viene citato in una lettera di Apollonio Bassetti a Giovan Battista Mancini come appena donato dal cardinal Chigi al granduca Cosimo III; da quest'ultimo risulta mandato in galleria il 27 ottobre 1682 (ASF, Guard. 870, c. 158r). Il Bassetti ne ebbe anche una copia a pastello di Domenico Tempesti, che pervenne alle Gallerie nel 1699 con la sua eredità (ASF, Guard. 1027, c. 141v; inv. 1890 n. 5162) ed è oggi depositata a Montecitorio. Questo ritratto, in origine ritenuto autografo e più tardi di scuola di Tiziano, è oggi considerato una copia antica e variata dell'autoritratto di Berlino (Staatliche Museen, inv. 163). S.M.T.

	A942	A943	A944	A945
Autore	Tofanelli, Agostino (Nave, Lucca 1770 - Roma 1834).	Tofanelli, Stefano (Lucca 1750 - Marlia 1812).	Toma, Gioacchino (Galatina, Lecce, 1836 - Napoli 1891).	Tomassi, Renato (Subiaco, Roma 1884 - Roma 1972).
Titolo	Autoritratto.	Autoritratto.	Autoritratto.	Autoritratto.
Datazione	1786.	1800 ca. (Pinto 1972).	1884 (Ortolani 1934), 1887 ca. (De Rinaldis 1934).	1904.
Dati tecnici	Olio su tela, 61x50.	Olio su tela, 73,5x63.	Olio su tela, 48x38.	Tempera e pastello su carta, 40 x38.
Cornice	Neoclassica, dorata con motivi angolari.	Ottocentesca, dorata.	Sagomata e dorata con decorazioni in pastiglia, sec. XX.	Sagomata in legno chiaro, sec. XX.
Ubicazioni	Uffizi (1934).	Coll. Elvira Tessadori, Lucca; Uffizi (1893); Galleria d'Arte Moderna, Pitti (1972).	Eredi dell'artista; Galleria Nazionale d'Arte Moderna, Roma (1910); Uffizi (1915).	Galleria Nazionale d'Arte Moderna, Roma (1906); Uffizi (1917).
Attribuzioni	—	—	—	—
Esposizioni	—	Cultura neoclassica e romantica nella Toscana granducale, Firenze 1972.	Il Risorgimento in Terra di Lavoro, Caserta 1961.	LXXVI Esposizione Internazionale degli Amatori e Cultori, Roma 1905.
Bibliografia	Thieme-Becker, XXXIII (1939).	*Cat., Firenze 1972, p. 36, 226-227. S. Susinno, in: L'Accademia Nazionale di San Luca, Roma 1974.*	R. Causa, Gioacchino Toma, Bari 1975. *D. Angeli in Emporium 1905, XXII. R. Causa, La sala Toma, Napoli 1962.*	Thieme-Becker, XXXIII, 1939. Comanducci, V, Milano 1974. *Archivi di Arte italiana contemporanea. Pittura e scultura del XX secolo, Roma 1969.*
Inventario	9205.	3080 (C.P., p. 111, n. 725).	Depositi 15 (Inv. GNAM 1035).	Depositi 146 (Inv. GNAM 115).
Foto	112461.	26521.	177478.	145515.
Note	A tergo nel telaio leggesi: Ritratto / di Agosti / no... / di Andrea / Tofanelli / di anni 28 / del Comune / di Nave / fatto da / lui nell' / anno 1786 / in Lucca do/ve si ritrovano / col fratello / Stefano = / Venuto da / Roma per di/pingere la Sa/la del Nobile/ Sige Luigi / Mansi nella / Villa di Segro/migno = ripar/titi tutti e / due per Roma / nel Mese di 9vre 1786; / per proseguire / tutti e due, li / loro Studi / nella Pittura / essendosi trat/tenuti qua / un anno, e / mesi cinque. Il dipinto fu acquistato con esercizio del diritto di prelazione all'Ufficio Esportazione di Firenze per Lire 500. (Archivio dell'Ufficio, Affari fino al 1954, inserto: Veti, Prelazioni e senza esito definitivo). Agostino è raffigurato in età giovanile anche nell'autoritratto di Stefano suo fratello, del Museo di Palazzo Braschi a Roma. Un autoritratto più tardo è nell' 'Accademia' San Luca. Attualmente collocato nelle riserve. S.P.	Acquistato da Elvira Tessadori nel 1893 per Lire 150 e destinato alla collezione delle Gallerie fiorentine invece che all'Istituto di Belle Arti di Lucca, primo proponente dell'acquisto (AGF, Arte 796). Dall'età dimostrata in questa immagine il dipinto sembra databile nei primissimi anni del secolo XIX. Del pittore esistono altri tre autoritratti: nell'Accademia di San Luca (erroneamente iscritto A. Tofanelli), al Museo di Roma e a Villa Mansi, Lucca. Collocato, con altre opere dell'artista, nella Galleria d'arte moderna dalla data del riordinamento delle opere del periodo neoclassico. S.P.	Sulla cornice cartellino con scritta: Elenco Casa Eredi /Leo Olschki Firenze/Autoritratto/Gioacchino Toma. Donato da Gustavo Toma, erede dell'artista, alla Galleria Naz. d'Arte Moderna di Roma nel 1910. Consegnato agli Uffizi nel 1915 a seguito di deliberazione della Commissione riordinatrice della Gall. naz. d'Arte Moderna (AGF, Arte 842). Nel 1918 fu offerto in vendita agli Uffizi un altro autoritratto dell'artista da parte del signor Alfonso Ricci di Napoli, ma l'offerta fu declinata (AGF, Arte 796). Dell'autoritratto degli Uffizi esiste una copia eseguita da N. Scorrano, che si trova nel Museo civico di Lecce. Esistono altri due autoritratti del pittore: uno (1853) nella collezione degli eredi a Tricase, e un altro (1880 ca.) nel Museo di Capodimonte. La scritta sulla cornice appare di incerta interpretazione. Attualmente nel Corridoio Vasariano. E.S.	In alto a sinistra la scritta: «Ai miei genitori affettuosi / Renato / Roma 20 marzo 04». A destra in basso la data 1904 intrecciata con il monogramma dell'artista R.T. Il dipinto fu acquistato dal Ministero della Pubblica Istruzione nel 1906 e destinato alla Galleria Nazionale d'arte moderna di Roma; nel 1917 il dipinto fu inviato agli Uffizi in Deposito e destinato alla collezione degli autoritratti degli artisti contemporanei. La data di nascita esatta è quella indicata, e non quella generalmente riportata dalla letteratura sull'artista (1886). Gli eredi dell'artista a Roma possiedono molte opere, e una ricca documentazione sul pittore. Attualmente nei Depositi degli Uffizi. E.S.

	A946	A947	A948	A949
AUTORE	Tommasi, Ludovico (Livorno 1866 - Firenze 1941).	Torchi, Angiolo (Massalombarda, Ravenna 1856-1915).	Torelli, Felice (Verona 1667 - Bologna 1748).	Torelli, Felice (Verona 1667 - Bologna 1748).
TITOLO	Autoritratto.	Autoritratto.	Autoritratto.	Autoritratto.
DATAZIONE	1911.	1895-1905 ca.	1716-18.	1720-25.
DATI TECNICI	Olio su cartone, 29x20,5.	Pastello su cartone, 75,5x61,5.	Olio su tela, 72,5x58.	Olio su tela, 75x60, rintelato.
CORNICE	Sagomata e dorata, sec. XX.	D'epoca, sgusciata in legno scuro filettato in oro e passepartout in cartone dorato.	Salvadora dorata con cartiglio, sec. XVIII.	Salvadora dorata, sec. XVIII.
UBICAZIONI	Coll. Giuntini; Uffizi (1941).	Eredi dell'artista; Uffizi (1916-17); Galleria d'arte moderna, Pitti (1924).	Cosimo III de' Medici; Uffizi (1718); magazzini; Circolo Militare; Uffizi, depositi (1907).	Coll. Puccini (1725); coll. Pazzi; Uffizi (1768).
ATTRIBUZIONI	—	—	Apollonio Giamberini (inv. 1890).	—
ESPOSIZIONI	—	—	—	La pittura a Verona fra Sei e Settecento, Verona 1978.
BIBLIOGRAFIA	P. Stefani-G.L. Marini, in Cat. Mostra retrospettiva di Ludovico Tommasi, Firenze 1977.	*Comanducci, V, Milano 1974.*	D. C. Miller in Bollettino d'arte 1964. Pittura a Verona tra Sei e Settecento, Verona 1978.	*S. Meloni Trkulja in Paragone 343, 1978. R. Roli in cat., Verona 1978, n. 148.*
INVENTARIO	9247.	Acc. 855. GAM Cat. Gen. 527.	3360.	1874 (C.P., p. 212, n. 495).
FOTO	278052.	187001.	112396.	112463.
NOTE	Firmato e datato: Tommasi 911. L'opera fu acquistata dagli Uffizi nel 1941 dal signor Serafino Giuntini per 2.000 lire; in precedenza, fra il 1933 e il 1937, l'artista aveva presentato come offerta in dono altri due suoi autoritratti (fra cui uno in maniche di camicia come quello acquistato nel 1941) che tuttavia furono ricusati dalla Commissione (AGF, Arte 796). Un autoritratto dell'artista fu esposto alla IV mostra regionale d'arte toscana, Firenze 1930, sala C, n. 32. Attualmente nei Depositi degli Uffizi. E.S.	Firmato in basso a destra: Torchi. Come risulta dalle note inventariali, il dipinto, proposto in dono dagli eredi dell'artista per la collezione dei ritratti dei pittori, fu accettato con riserva e inventariato nella collezione delle opere moderne della quale fanno parte altri quadri del pittore. Il dipinto, di garbato stampo tardo-naturalistico, nell'inquadratura contro la finestra che dà su un esteso campo di grano, raffigura il pittore in età di circa quarantacinque anni ed è quindi databile a cavallo fra i secoli XIX e XX. Attualmente esposto nella Galleria d'arte moderna (1979). S.P.	A tergo sulla tela: 564 e sigla DG (GG?) coronata; sulla cornice: 'Da Battezzarsi', e altri numeri. Questo dipinto compare per la prima volta nell'inventario del 1890 come autoritratto di 'Apollonio Giamberini', nome assolutamente mai attestato. Numero e sigla a tergo indicano peraltro che era in galleria almeno nel 1784. Cercando quindi fra gli autoritratti documentati solo in antico si deduce che misure e descrizione collimano con quelle dell'autoritratto donato a Cosimo III de' Medici da Felice Torelli ed entrato in galleria il 29 dicembre 1718 (ASF, Guard. 1260 bis, c. 63r), per la cui accoglienza il pittore ringrazia nel 1719 (Prinz, 1971, doc. 131). Finora si era creduto di identificare questo ritratto del 1719 col Felice Torelli inv. 1890, n. 1874, entrato invece cinquant'anni dopo con la collezione Pazzi. S.M.T.	Il ritratto — insieme a uno della moglie del pittore Lucia Casalini (inv. 1890 n. 2085) — appartenne al medico pistoiese Tommaso Puccini nel primo quarto del Settecento e con la sua raccolta passò all'abate Antonio Pazzi, che lo vendette alla galleria. Non si può quindi identificare con un altro autoritratto che l'artista mandò a Cosimo III poco prima del 1719 (Prinz, 1971) e che oggi è stato identificato con uno poi battezzato col nome di un inesistente Apollonio Giamberini (inv. 1890 n. 3360). La datazione intorno al 1718 può quindi venir spostata avanti almeno di un quinquennio, anche per avvicinarsi a quella dell'autoritratto del museo di Castelvecchio, datato 1743 e piuttosto simile a questo. S.M.T.

	A950	A951	A952	A953
AUTORE	Torelli Casalini, Lucia (Bologna 1677-1762).	Torelli Casalini, Lucia (Bologna 1677-1762).	Torelli, Vieri (Firenze 1873-1959).	Torre, Benedetto (Napoli, seconda metà sec. XVIII).
TITOLO	Autoritratto.	Autoritratto.	Autoritratto.	Autoritratto.
DATAZIONE	1716 ca.	1720 ca.	1934.	1770-80.
DATI TECNICI	Olio su tela, 72x57,5, rintelato.	Olio su tela, 74,5x59.	Olio su tela, 60x50.	Olio su tela, 73,5x52.
CORNICE	Salvadora dorata e gialla, sec. XIX.	Salvadora dorata con cartiglio, sec. XVIII.	Sagomata e dorata (sec. XX).	Salvadora dorata, sec. XVIII.
UBICAZIONI	Cosimo III de' Medici (1716); Uffizi (1769); Poggio Imperiale (1836); Pitti; Uffizi (1979).	Coll. Puccini (1725); coll. Pazzi; Uffizi (1768).	Galleria d'Arte Moderna, Pitti (1943).	Ubaldo Marchi; Uffizi (1905).
ATTRIBUZIONI	Elisabetta Sirani (inventari antichi).	—	—	—
ESPOSIZIONI	—	—	—	—
BIBLIOGRAFIA	R. Roli, Pittura bolognese 1650-1800, Bologna 1977. *E. Borea, in Cat., Pittori bolognesi del Seicento nelle Gallerie di Firenze, Firenze 1975.*	R. Roli, Pittura bolognese 1650-1800, Bologna 1977. *S. Meloni Trkulja in Paragone 343, 1978.*	Comanducci, V, Milano 1974.	Dizionario Bolaffi XI, Torino 1976.
INVENTARIO	5501.	2085 (C.P., p. 212 n. 691 «Maria»).	GAM Giornale 868.	3287 (C.P., p. 212 n. 736: 'Benvenuto').
FOTO	9880.	112497.	186004.	5864.
NOTE	Questo autoritratto compare in galleria con l'inventario del 1769 (n. 3459, esistente a tergo sulla tela) come di Elisabetta Sirani, ma è senz'altro Lucia Torelli, nata Casalini, come si vede dal confronto con l'autoritratto — recante il nome in alto — della Biblioteca Universitaria di Bologna. E infatti un autoritratto di Lucia richiestole da Cosimo III de' Medici (Prinz, 1971, doc. 132) era entrato iin galleria il 4 febbraio 1716 (ASF, Guard. 1227, c. 60r ma senza essere esposto; riemerse alla formazione della seconda stanza dei pittori, ricevendo il nome della Sirani (più importante ma del tutto ingiustificato), e tale è stato creduto sino ad oggi. Un altro autoritratto della Torelli era entrato nel frattempo con la collezione Pazzi. S.M.T.	Dipinto probabilmente poco prima del 1725 (anno in cui figura nella collezione Puccini), data l'età un po' avanzata che vi dimostra l'artista non è da identificare con un altro autoritratto che ne ebbe Cosimo III de' Medici e che entrò in galleria nel 1716. In questo infatti, che è da identificare col n. 5501 dell'inventario 1890, la pittrice aveva veste azzurra operata e sopravveste rossa, mentre nel ritratto Puccini/Pazzi ha veste grigio-lilla e manto bleu. S.M.T.	Firmato e datato in basso a destra: "Vieri Torelli-autoritratto-a. XII E.F.". Nel tergo, sul telaio in alto a sinistra, cartellino dattiloscritto "Vieri Torelli. Firenze.S.Reparata, 6.Autoritratto.1934" Consegnato dall'artista nel giugno del 1943 quale deposito di conservazione in tempo di guerra, in attesa di essere esaminato dalla Commissione. L'opera non più ritirata dall'autore è passata di proprietà dello Stato (note inventariali). L'opera si trova attualmente nei depositi della Galleria d'Arte Moderna di Palazzo Pitti. Gr. Red. 1	A tergo sulla tela grande scritta antica 'Questo è D. Benedetto Torre'. L'autoritratto fu acquistato da Ubaldo Marchi (o Norchi?) nel 1905 per 40 lire (nota inventariale). Il pittore è un allievo di Francesco de Mura attivo a Napoli nel terzo quarto del '700, anche per l'arazzeria reale della città; se ne conoscono poche opere e non è stato studiato, per cui è difficile esser certi dell'autenticità della pur bella tela, che non ha documentazione antica. S.M.T.

	A954	A955	A956	A957
AUTORE	Trécourt, Giacomo (Bergamo 1812-Pavia 1882).	Trentacoste, Domenico (Palermo 1856 - Firenze 1933).	Trevisani, Angelo (Treviso o Venezia 1669 - Venezia post 1753).	Trevisani, Francesco (Capodistria 1656 - Roma 1746).
TITOLO	Autoritratto.	Autoritratto.	Autoritratto.	Autoritratto.
DATAZIONE	Sesto-settimo decennio (?) sec. XIX.	1925.	1725.	1682.
DATI TECNICI	Olio su tela, 56x44.	Bronzo, alt. 48.	Olio su tela, 76x61.	Olio su tela, 72,5x58, rintelato.
CORNICE	Intagliata e dorata, sec. XIX.	—	Salvadora dorata, sec. XVIII.	Salvadora dorata con cartiglio, inizi sec. XVIII.
UBICAZIONI	Coll. Giovanni Bergamaschi, Parma; Uffizi (1911).	Uffizi (1925 ca.); Galleria d'Arte Moderna, Pitti.	Coll. Puccini (1725); coll. Pazzi; Uffizi (1768).	Cosimo III de' Medici; Uffizi (1683); Poggio Imperiale; Uffizi (1979).
ATTRIBUZIONI	—	—	—	—
ESPOSIZIONI	—	—	—	—
BIBLIOGRAFIA	F. e L. Luciani, Dizionario dei Pittori italiani dell'800, Firenze 1974.	A.M. Bessone-Aurelij: Dizionario degli scultori ed architetti italiani, Città di Castello, 1947.	*Dizionario Bolaffi XI, Torino 1976. S. Meloni Trkulja in Paragone 343, 1978. G. Leoncini in Paragone 345, 1978.*	F. R. Di Federico, Francesco Trevisani, Washington 1977.
INVENTARIO	3563 (C.P., p. 111, n. 3563).	1315.	2023 (C.P., p. 212, n. 489).	Imperiale rosso n. 598.
FOTO	5866.	186009.	5867.	94943.
NOTE	Acquistato nel 1911 dalla signora Lida Borella Bergamaschi di Parma, figlia del pittore Giovanni Bergamaschi, per 500 lire (AGF Arte 796). Attualmente nei Depositi degli Uffizi. E.S.	Firmato e datato nel tergo a sinistra: "D. Trentacoste 1925". In corrispondenza, a destra: "Fonderia P. Capecchi Pistoia". Donato (nota inventariale). Esposto prima dell'ultima guerra nella Galleria degli Uffizi, poi con gli altri autoritratti di scultori è stato trasferito alle collezioni della Galleria d'Arte Moderna. L'opera si trova attualmente nei depositi della Galleria d'Arte Moderna di Palazzo Pitti. Gr. Red. 1	Già nella raccolta di autoritratti del medico di Cosimo III granduca, Tommaso Puccini, che specifica 'Angiolo Trevisani Veneto fatto nel 1725' nell'elenco, di pari data, dei suoi autoritratti. Essi passarono poi all'abate Antonio Pazzi e da questi furono venduti alla Galleria intorno al 1768. Il pittore fu rinomato ritrattista, e questo è oggi l'unico esempio rimasto di tale sua specialità. S.M.T.	Il ritratto, dipinto nel 1682, fu inviato in dono al granduca Cosimo III de' Medici dal cardinal Flavio Chigi, e il granduca lo mandò in galleria il 9 maggio 1683 (ASF, Guard. 871, c. 129r) come autoritratto di 'Francesco Terzoni o Terzolli da Treviso giovane con scuffiotto in capo, giubba capellina soppannata di verde, in atto di dipingere un quadretto di caramogi'. Fu ritirato dall'esposizione dopo il 1704, forse all'arrivo (1710) dell'autoritratto maturo (inv. 1890 n. 1817); è stato rintracciato nella villa del Poggio Imperiale. Le notizie relative a questo autoritratto, rimasto ignorato sino ad ora, sono state riferite all'autoritratto più tardo. S.M.T.

	A958	A959	A960	A961
AUTORE	Trevisani, Francesco (Capodistria 1656 - Roma 1746).	Troubetzkoy, Paolo (Intra 1866 - Suna 1938).	Tuxen, Laurits Regner (Copenhagen 1853-1927).	Ulivelli, Cosimo (Firenze 1625-1705).
TITOLO	Autoritratto.	Autoritratto.	Autoritratto.	Autoritratto.
DATAZIONE	1710 ca.	1925.	1912.	1705.
DATI TECNICI	Olio su tela, 74x57,5.	Bronzo, alt. 41.	Olio su tela, 46,5x38.	Olio su tela, 65x51, restauro 1972.
CORNICE	Salvadora dorata, sec. XVIII.	—	Nera, intagliata e decorata a onde, sec. XX.	Salvadora dorata, sec. XVII.
UBICAZIONI	Gran Principe Ferdinando de' Medici; Cosimo III de' Medici; Uffizi (1710).	Uffizi (1924); Galleria d'Arte Moderna, Pitti.	Uffizi (1913).	Eredi dell'artista; Uffizi (1772).
ATTRIBUZIONI	—	—	—	—
ESPOSIZIONI	Mostra di pittori istriani, Trieste 1950.	—	—	—
BIBLIOGRAFIA	A. Griseri in Paragone 83, 1956. *Prinz, 1971.* F. R. Di Federico, *Francesco Trevisani, Washington 1977.*	Comanducci, V, Milano 1974. Paolo Troubetzkoy (1866-1937) nel Museo di Pallanza, Milano, 1952.	Thieme-Becker, XXXIII, 1939. Dansk Kunst Historie, IV, Copenhagen 1974, passim. *Prinz 1971.*	Ricordanze della vita e pitture di Cosimo Ulivelli... scritte da un suo contemporaneo, Firenze 1772. *F.S. Baldinucci, Vite di artisti dei secoli XVII-XVII, ed. Roma 1975.*
INVENTARIO	1817 (C.P., p. 111, n. 393).	1107.	3760.	1678 (C.P., p. 212, n. 258).
FOTO	5868.	186011.	315555.	207945.
NOTE	Gli Uffizi possiedono, cosa sinora ignorata, due autoritratti del Trevisani, di cui uno mentre dipinge caricature (inv. Imperiale rosso n. 598), che cedette il posto a questo più regolare entrato in galleria il 23 aprile 1710 (ASF, Guard. 1171, c. 85r), a cui sono stati riferiti i documenti relativi all'altro. Questo invece era stato procurato al Gran Principe Ferdinando de' Medici, a Roma, dal cantante Cecchino de Castris: si veda la lettera di ringraziamento del principe, del 29 aprile, in ASF, Mediceo 5905 c. 392r, gentilmente segnalataci da M. Letizia Strocchi. Un altro autoritratto esattamente dello stesso tipo è a Pommersfelden inviatovi dall'artista nel 1717; un terzo era nella collezione Brod di Londra. Anche il ritratto in disegno fornito dall'artista a Nicola Pio per le sue biografie di pittori replicava questa composizione. S.M.T.	Nel tergo in basso: "1925 Paul Troubetzkoy", a sinistra piccolo timbro: "Cire A. Valsuani Perdue". Richiesto nel 1924 e donato dall'artista nello stesso anno (Arte 796). Esposto prima dell'ultima guerra nella Galleria degli Uffizi, poi con gli altri autoritratti di scultori è stato trasferito alle collezioni della Galleria d'Arte Moderna. L'opera si trova attualmente nei depositi della Galleria d'Arte Moderna di Palazzo Pitti. Gr. Red. 1	Firmato e datato in basso a destra: L. Tuxen / 1912. Sul retro un cartellino con l'anno 1912. L'opera fu donata dall'artista nel 1913 dietro invito del Ministero della Pubblica Istruzione (AGF, Arte 796). Attualmente nei Depositi degli Uffizi. E.S.	A tergo sulla tela è trascritto: "COSIMO ULIVELLI PITTORE NATO IL DI VII NOVR 1605 (sic) MORTO IL DI VIII SET 1705". Secondo F.S. Baldinucci il ritratto è l'ultima opera dell'artista, "che vedendosi molto prossimo a lasciare i propri figliuoli... si messe a dipinger sé stesso, per lasciare... ad essi sé stesso almeno in pittura". Fu offerto alla galleria dai nipoti il 21 febbraio 1772 e accettato il 6 marzo (AGF, Filza V a 6), con un giudizio dei direttori Querci e Pelli senza illusioni sul merito dell'autore ma in considerazione dell'attività che aveva svolto in galleria. L'Ulivelli è infatti uno degli autori dei soffitti del corridoio. S.M.T.

	A962	A963	A964	A965
AUTORE	Unterberger, Christoph (Cavalese 1732 - Roma 1798).	Ussi, Stefano (Firenze 1822-1901).	Vagnetti, Fausto (Anghiari, Arezzo 1876 - Roma 1954).	Vagnetti, Gianni (Firenze 1898-1956).
TITOLO	Autoritratto.	Autoritratto.	Autoritratto.	Autoritratto.
DATAZIONE	1770-72.	1867.	Quarto-quinto decennio (?) sec. XX.	1943 (Cavallo, 1976).
DATI TECNICI	Olio su tela, 66,3x50.	Olio su tela, 51x44.	Olio su tela, 56,5x42,5.	Olio su tela, 9x6,5.
CORNICE	Dorata a gola con listello esterno a palmette e interno perlinato, sec. XIX.	Ottocentesca sagomata e dorata.	Intagliata in legno scuro, sec. XX.	In legno e bronzo dorato, con passepartout in tela, sec. XX.
UBICAZIONI	Coll. Otto Messinger (?); Uffizi (1912).	Uffizi (1879 ca.).	Eredi dell'artista; Uffizi (1957).	Eredi dell'artista; Uffizi (1976).
ATTRIBUZIONI	Maron (Clark 1961), Unterberger (Röttgen 1972).	—	—	—
ESPOSIZIONI	Mostra del Settecento a Roma, Roma 1959.	—	—	Mostra retrospetiva di Gianni Vagnetti, Firenze 1958: Mostra di Gianni Vagnetti, Firenze 1966.
BIBLIOGRAFIA	*Cat., Roma 1959, n. 635. A.M. Clark in Worcester Art Museum Annual Reports 65, 1961. S. Röttgen in Artisti austriaci a Roma..., Roma 1972, n. 238.*	L. e F. Luciani, Dizionario dei pittori italiani dell'800, Firenze 1974; G. L. Marini in: Dizionario Bolaffi, XI, Torino 2976.	Thieme-Becker, XXIV, 1940. Comanducci, V, Milano 1974.	Cat. Firenze 1966, n. 18. Comanducci, V, 1974. *L. Cavallo, Gianni Vagnetti, Milano 1976.*
INVENTARIO	3785.	1978 (C.P., p. 111, n. 597).	9386.	9500.
FOTO	96097.	—	315540.	279119.
NOTE	Donato alla galleria nel 1912 da Otto Messinger, questo ritratto ha una copia di Anton von Maron presso l'Accademia di San Luca a Roma. Lo si data perciò intorno al 1772, anno in cui l'artista fu accolto nell'Accademia, e Clark attribuisce a Maron anche la versione fiorentina. Questa opinione è confutata dalla Röttgen per il divario di qualità e di data fra le due tele (dietro quella romana è scritto che fu fatta dalla maschera mortuaria del pittore), ma l'autografia di Unterberger, troppo poco noto come ritrattista, è lasciata incerta. S.M.T.	Firmato e datato a destra: S. Ussi / Anno 1867. La Direzione degli Uffizi chiese un autoritratto all'artista nel 1864, e questi rispose affermando di non ritenersi degno di un così grande onore (AGF, Arte 796). Non sono stati reperiti documenti sulla data d'ingresso dell'opera agli Uffizi, ma probabilmente questo avvenne a una data vicina a quella dell'esecuzione, anche perché il dipinto figura già nell'Inventario 1881 (n. 1821 E). Altri due autoritratti dell'artista sono nella Galleria d'arte Moderna del Museo Civico di Torino. L'opera è attualmente esposta nel Corridoio Vasariano. E.S.	Iscrizione sul telaio: Fausto Vagnetti Autoritratto. Offerto in dono nel 1955 dal figlio dell'artista, Luigi, rispettando il legato testamentario del padre, morto nel 1954; accettato nel 1957 (AGF, Arte 796). Nel Comanducci la data di morte dell'artista viene riferita al 1956. Attualmente nei Depositi degli Uffizi. E.S.	Donato nel 1976 dalla vedova dell'artista assieme all'altro Autoritratto degli Uffizi (Inv. 1890 n. 9501, vedi scheda) e accettato in quello stesso anno (AGF, Arte 796). Un altro autoritratto del pittore è in collezione privata fiorentina ed è datato 1955. Attualmente nei Depositi degli Uffizi. E.S.

A966 | A967 | A968 | A969

AUTORE	Vagnetti, Gianni (Firenze 1898-1956).	Van Calcar, Jan Stephan (Calcar 1499 ca. - 1545).	Van Clève, Joos (Anversa 1485-1540/1).	Van der Helst, Bartholomeus (Haarlem 1613 - Amsterdam 1670).
TITOLO	Autoritratto.	Autoritratto.	Autoritratto.	Autoritratto.
DATAZIONE	1944 (Cavallo, 1976).			1667.
DATI TECNICI	Olio su tela inserita in passepartout, 44,5x35.			Olio su tela, 84x76.
CORNICE	Sagomata e dorata con decorazioni a fogliami, sec. XX.			Barocca, nera e oro.
UBICAZIONI	Eredi dell'artista. Uffizi (1976).			Pitti (1683); Uffizi (1704).
ATTRIBUZIONI	—			—
ESPOSIZIONI	—			—
BIBLIOGRAFIA	Cat. Mostra retrospettiva di Gianni Vagnetti, Firenze 1966. Comanducci, V, Milano 1974. *L. Cavallo, Gianni Vagnetti, Milano, 1976.*			J. Rosenberg - S. Slive - E. H. Ter Kuile: Dutch Art and Architecture 1600-1800, Harmondsworth 1966. *J. J. De Gelder: Bartholomeus vander Helst, Rotterdam 1921, cat. n. 29. AGF: K. Langedijk, Scheda ministeriale 1978.*
INVENTARIO	9501.			109323.
FOTO	315541.			1638 (C.P., p. 103, n. 453).
NOTE	Firmato in basso a destra. Donato nel 1976 dalla vedova dell'artista assieme all'altro autoritratto posseduto dagli Uffizi (Inv. 1890 n. 9500, vedi scheda) e accettano in quello stesso anno (AGF, Arte. 796). Attualmente nei Depositi degli Uffizi. E.S.	Vedi: Van Oostsanen Jacob Cornellsz. Autoritratto. Scheda A983.	Vedi Pinacoteca: Van Clève J. Ritratto di ignoto.	Firmato e datato nel fondo a destra: Dit is / B. van der / helst / fecit / 1667. Scritta (sei-settecentesca?) sul retro della tela: B: Van-der Elst. Il dipinto entrò nella Guardaroba l'11 febbraio 1683 (ASF, Guard. 870, c. 176r) e fu portato agli Uffizi nel 1704. Nel dipinto l'artista si è rappresentato nell'atto di tenere nella destra una miniatura ovale col ritratto di Enrichetta Maria di Francia, vedova di Carlo I d'Inghilterra. Una replica, firmata, è nel Museo Naz. di Varsavia, cat. 1969, n. 505. Inciso in Museo Fiorentino, III, 1756, pp. 55. M.C.

	A970	A971	A972	A973
AUTORE	Van der Neer, Eglon Hendrick (Amsterdam 1634 - Düsseldorf 1703).	Van der Werff, Adriaen (Kralinger-Ambach, Rotterdam, 1659 - Rotterdam 1722).	Van Douven, Jan Frans (Roermond 1656 - Düsseldorf 1727).	Van Dyck, Antonie (Anversa 1599 - Londra 1641), attr. a.
TITOLO	Autoritratto.	Autoritratto.	Autoritratto.	Autoritratto.
DATAZIONE	1696.	1697.	1715 ca.	1632 ca.
DATI TECNICI	Olio su tela, 105x73,5, restauro 1978.	Olio su tela, 89x73.	Olio su tela, 83,8x67,3.	Olio su tela, 79x62.
CORNICE	Barocca, nera e oro.	Barocca, nera e oro.	Barocca, nera e oro.	Barocca, nera e oro.
UBICAZIONI	Uffizi (1697).	Uffizi (1697).	Düsseldorf (secondo decennio XVIII sec.); Uffizi (1718).	Düsseldorf (inizio sec. XVIII); Uffizi (1713).
ATTRIBUZIONI	—	—	A. van der Werff (Goldscheider 1936).	—
ESPOSIZIONI	—	—	—	Firenze l'Inghilterra. Rapporti artistici e culturali dal XV al XX secolo, Firenze 1971. Rubens e la pittura fiamminga del Seicento nelle collezioni pubbliche fiorentine, Firenze 1977.
BIBLIOGRAFIA	J. Rosenberg -S. Slive - E. H. Ter Kuile: Dutch Art and Architecture 1600-1800, Harmondsworth 1966. *AGF: K. Langedijk, Scheda ministeriale 1978.*	J. Rosenberg - S. Slive - E. H. Ter Kuile: Dutch Art and Architecture 1600-1800, Harmondsworth 1966. *AGF: K. Langedijk, Scheda ministeriale 1978.*	L. Goldscheider: Fünfhundert Selbstporträt, Wien 1936. *H. Kühn-Steinhausen in Düsseld, Jahrb., 41, 1939, p. 140, n. 43. AGF: K. Langedijk, Scheda ministeriale 1978.*	H. Gerson - E. H. Ter Kuile: Art and Architecture in Belgium 1600-1800, Harmondsworth 1960. *Cat., Firenze 1977, n. 31. AGF: K. Langedijk, Scheda ministeriale 1978.*
INVENTARIO	1872 (C.P., p. 111, n. 457).	1624 (C.P., p. 111, n. 456).	1873 (C.P., p. 102, n. 437).	1664 (C.P., p. 111, n. 223).
FOTO	158117.	165408.	321863.	51771.
NOTE	Firmato e datato in basso a destra, sul davanzale: Eglon Hendric Vander Neer F. / 1696. Scritta sul retro della tela: Eglon Hendric Vander Neer. Il dipinto, la cui provenienza non è documentata, entrò agli Uffizi il 30 aprile 1697 (ASF, Guard. 1026, c. 36v). Tuttavia, poiché l'artista divenne pittore di corte dell'Elettore Palatino di Düsseldorf (genero di Cosimo III de' Medici) a partire dal 1690, è molto probabile che l'autoritratto abbia raggiunto Firenze per questo tramite. Inciso in Museo Fiorentino, vol. IV, 1762, p. 25. M.C.	Firmato e datato in basso a sinistra: Adr.ⁿ vandʳ Werff fec. An° 1697. Sul retro della cornice: Adriano Vander Werff. Secondo Houbraken e Rapparini, il dipinto fu ordinato all'artista nel 1696 da Johann Wilhelm, Elettore Palatino di Düsseldorf — del quale il Van der Werff era divenuto pittore ufficiale in quell'anno — per inviarlo in dono al suocero, Cosimo III de' Medici. Il quadro entrò infatti agli Uffizi l'anno dopo (ASF, Guard. 1026, c. 52r). Una replica datata 1699 è nel Rijksmuseum di Amsterdam (N. 2626). Inciso in Museo Fiorentino, vol. IV, 1762, p. 143. M.C.	Sul retro della tela scritta: Chlr: Jean Franc: Douvén Peintre ordinaire de Leurs Altezzes Serm Electorales Palatines etc. etc. Il dipinto entrò agli Uffizi il 3 gennaio 1718 (ASF, Guard. 1260, c. 1v), ed è probabile, per la corrispondenza delle date, che sia stato portato a Firenze da Anna Maria Luisa de' Medici, vedova dell'Elettore Palatino del Reno, rientrata in Toscana nel 1717. Un probabile bozzetto, datato 1715, è nel Kunstmuseum di Düsseldorf. Inciso in Museo Fiorentino, vol. IV, p. 111. Accettato come opera autografa del Douven da quanti se ne sono occupati, il dipinto è stato inspiegabilmente attribuito al van der Werff, con le opere del quale non presenta alcuna affinità stilistica, dal Goldscheider. M.C.	Il dipinto è stato fin'ora ritenuto quello già appartenuto al cardinal Leopoldo de' Medici, circa cui invece K. Langedijk ha stabilito trattarsi dell'esemplare oggi nel Museo Naz. di Pisa. Quello degli Uffizi giunse invece a Firenze nel 1713 come dono di Johann Wilhelm von der Pfalz, Elettore Palatino del Reno, al suocero, Cosimo III de' Medici (v. Th. Levin, in Beiträge zur Gesch. der Kunstbestrebungen in dem Hause Pfalz-Neuburg, in Jhb. des Düsseld. Geschichtsvereins, XX, 1906, p. 175ss.: gentile com. di S. Meloni Trkulja). Questa notizia conferma che il dipinto è una delle tante repliche derivate da un prototipo vandyckiano la cui versione migliore era quella già nella coll. Lindsay Holdford. Inciso in Museo Fiorentino, vol. III, 1756, p. 25. M.C.

	A974	A975	A976	A977
AUTORE	Van Houbraken, Nicola (Messina 1660 ca. - Livorno 1723).	Van Mieris, Frans (Leida 1635-91).	Van Mieris, Frans (Leida 1635-91).	Van Mieris, Frans (Leida 1635-91).
TITOLO	Autoritratto?	Autoritratto.	Autoritratto.	Autoritratto.
DATAZIONE	1720 ca.	1676.	1676.	1676-79 ca.
DATI TECNICI	Olio su tela, 136x99, restauro 1964.	Olio su rame ovale, 12,3x9,4.	Olio su tavola, 22,2x16.	Olio su tela, 71,5x57.
CORNICE	Barocca, nera e oro.	Ebano, sec. XIX.	Intagliata e dorata, originale?	Barocca, nera e oro.
UBICAZIONI	Coll. Taddei (1729); Uffizi (1778).	Pitti (1676); Uffizi (1769).	Pitti (seconda metà XVII-inizi XVIII sec.); Uffizi (1705).	Pitti (1679); Uffizi (1682).
ATTRIBUZIONI	—	—	—	—
ESPOSIZIONI	La natura morta italiana, Napoli-Zurigo-Rotterdam 1964-65. Rubens e la pittura fiamminga del Seicento nelle collezioni pubbliche fiorentine, Firenze 1977.	—	—	—
BIBLIOGRAFIA	*M. Gregori in Cat. Napoli-Zurigo-Rotterdam 1964-65. Cat., Firenze 1977, n. 52.*	J. Rosenberg - S. Slive - E. H. Ter Kuile: Dutch Art and Architecture 1600-1800, Harmondsworth 1966. *AGF: K. Langedijk, Scheda ministeriale 1978.*	J. Rosenberg - S. Slive - E. H. Ter Kuile: Dutch Art and Architecture 1600-1800, Harmondsworth 1966. *AGF: K. Langedijk, Scheda ministeriale 1978.*	J. Rosenberg - S. Slive - E. H. Ter Kuile: Dutch Art and Architecture 1600-1800, Harmondsworth 1966. *AGF: K. Langedijk, Scheda ministeriale 1978.*
INVENTARIO	2083 (C.P., p. 111, n. 537).	1210 (C.P., p. 106, n. 455).	1300 (C.P., p. 106, n. 890).	1876 (C.P., p. 106, n. 976).
FOTO	109329.	178561.	165404.	321864.
NOTE	Ritenuto l'autoritratto dell'artista sulla base della testimonianza del Lanzi e del Susinno, M. Gregori ha messo il quadro in rapporto a un numero del catalogo della mostra di S. Luca del 1729 alla Ss.ma Annunziata a Firenze, dove fu esposto un quadro rappresentante 'un quadro di fiori... con dentro il ritratto di M. Riviera' (cioè il pittore francese F. Rivière) proveniente dalla collezione Taddei. Poiché sul retro del dipinto una scritta lo dice provenire da quella collezione, così come una nota dell'archivio degli Uffizi al 1778, l'identificazione del dipinto con quello esposto nel 1729 sembra pacifica. M.C.	Firmato e datato in alto: F. Van Mieris. f. A° 1676. Ordinato da Cosimo III de' Medici all'artista nel 1675, il dipinto giunse a Firenze nel giugno dell'anno dopo (ASF, Med. 4262: docc. pubblicati da F. Bacci: in Giornale di bordo, I, 1968, p. 541 ss, II, 1969, p. 372 ss.). Per le sue dimensioni è stato collocato nella raccolta delle miniature degli Uffizi. M.C.	Firmato e datato sul parapetto a destra: Frans Mieris f./1676. Non conosciamo la provenienza di quest'altro autoritratto dell'artista dello stesso anno del n. 1210, ma è possibile che sia stato ordinato direttamente presso di lui da Cosimo III de' Medici in uno dei suoi due viaggi nei Paesi Bassi (1667 e 1669). Il quadretto pervenne da Pitti agli Uffizi il 21 novembre 1705 (ASF, Guard. 1101, c. 137). L'artista indossa in questo dipinto un costume di foggia antiquata simile a quello che compare in un altro suo autoritratto (Londra, Nat. Gallery), e che il Gudlauggson (De komedianten bj Jan Steen en zijn tijdgenooten, 1945) pensa sia derivato da quelli alla spagnola o all'italiana portati dagli attori della commedia dell'arte. M.C.	Sul retro della tela: Fran:° Mirys. Il dipinto giunse a Pitti il 12 dicembre 1679 e fu inviato agli Uffizi il 28 ottobre 1682 (ASF, Guard. 870, c. 12v). L'Houbraken (De Groote Schouburg der Nederlandtsche Konstschilders...) racconta che il quadro fu pagato poco da Cosimo III de' Medici, e che in conseguenza il Van Mieris non volle più dipingere per il granduca: sarebbe dunque più tardi degli autoritratti del 1676 (nn. 1210 e 1300), e quindi databile tra quell'anno e il 1679. Inciso in Museo Fiorentino, vol. III, 1754, p. 271. M.C.

	A986	A987	A988	A989
AUTORE	Vantini, Domenico (Brescia 1765-1821).	Varotari, Chiara (? - ?). Autoritratto.	Vasari, Giorgio (Arezzo 1511 - Firenze 1574).	Vautier, Marc - Louis - Benjamin (Morges 1829 - Düsseldorf 1898).
TITOLO	Autoritratto.		Autoritratto.	Autoritratto.
DATAZIONE	1815-19 ca.		1566-68.	1887-1889.
DATI TECNICI	Olio su tavola, 45x35.		Olio su tavola, 100,5x80, restauro 1972.	Olio su tela, 36x30.
CORNICE	Sagomata e dorata, sec. XIX.		Intagliata e dorata, sec. XX.	Sagomata e dorata con decorazioni in pastiglia, sec. XIX.
UBICAZIONI	Uffizi (1819).		Card. Leopoldo de' Medici (1675); Uffizi (1682).	Uffizi (1889).
ATTRIBUZIONI	—		—	—
ESPOSIZIONI	—		Mostra vasariana, Firenze 1950, f.c. Mostra documentaria e iconografica della fabbrica degli Uffizi, Firenze 1958. Mostra documentaria ed iconografica dell'Accademia delle Arti del disegno, Firenze 1963.	—
BIBLIOGRAFIA	Thieme-Becker, XXXIV, 1940. Comanducci, V, Milano 1974. *Prinz 1971.*		P. Barocchi, Vasari pittore, Milano 1964. A. Cecchi in Antichità viva XVII, 1978.	Cat. Kunstmuseum Düsseldorf, Malerei, 2. Die Düsseldorfer Malerschule, Düsseldorf 1969. *M. Röthlisberger, in Genava 1956.*
INVENTARIO	2087 (C.P., p. 111, n. 694).		1709 (C.P., p. 111, n. 291).	1986 (C.P., p. 111, n. 593).
FOTO	112465.		217685.	9986.
NOTE	Dietro, su un cartellino, iscrizione relativa all'ingresso del dipinto agli Uffizi. L'opera fu donata dall'autore alla Galleria il 2 settembre 1819, come risulta dal Giornale d'Entrata relativo a quell'anno (AGF, ms. 114, c. 187v). Un altro autoritratto del medesimo artista (datato 1815) è nella Galleria d'arte moderna di Milano e raffigura il pittore a figura intera e, all'incirca, alla stessa età che dimostra nel dipinto degli Uffizi. L'opera si trova attualmente nel Corrodoio Vasariano. E.S.	Vedi: Martinelli, Giovanni. La Pittura. Scheda A581.	A tergo i numeri degli inventari del 1704, 1753 e 1769. Il dipinto, mai citato in antico, appare per la prima volta nell'inventario dell'eredità del cardinal Leopoldo de' Medici (ASF, Guard. 826, n.274) e con gli altri autoritratti di questo principe entrò in galleria il 28 ottobre 1682 (ASF, Guard. 870, c. 160v). L'artista vi appare un po' più anziano che nel quadro della Badia di Arezzo (1563); il medaglione che gli pende dal collo lo conferma, perché porta lo stemma di Pio V, eletto papa nel 1566 e committente al Vasari di un altare per S. Croce a Boscomarengo, suo luogo natio. Probabilmente l'autoritratto è anteriore al 1568 perché sembra tratta da esso l'incisione in testa alla biografia del Vasari nella seconda edizione delle Vite. S.M.T.	Firmato e datato in basso a destra: B. Vautier/Uffizi? 1889? (le ultime due parole sono di incerta interpretazione). L'opera fu appositamente eseguita per gli Uffizi dietro richiesta della Direzione rivolta all'artista nel 1887, e fu donata nel 1889 (AGF, Arte 796). Il dipinto è attualmente nei Depositi degli Uffizi. ·E.S.

	A990	A991	A992	A993
AUTORE	Velázquez, Diego Rodríguez de Silva y (Siviglia 1599 - Madrid 1660).	Velázquez, Diego Rodríguez de Silva y (Siviglia 1599 - Madrid 1660).	Veracini, Agostino (Firenze 1689-1762).	Veracini, Benedetto (Firenze 1661-1710).
TITOLO	Autoritratto.	Autoritratto.	Autoritratto.	Autoritratto con trompe l'oeil.
DATAZIONE	1640 ca.	1645 ca.	1710 ca.	Inizi sec. XVIII.
DATI TECNICI	Olio su tela, 71,5x58, rintelato dopo il 1966.	Olio su tela, 103,5x82,5, restauro 1960 e 1967.	Olio su tela, 73x58,3.	Olio su tela, 73,3x59,3, rintelato.
CORNICE	Listello grezzo moderno.	Listello grezzo moderno.	Salvadora dorata con cartiglio, sec. XVIII.	Salvadora dorata con cartiglio, sec. XVIII.
UBICAZIONI	Cosimo III de' Medici; Uffizi (1682).	Cosimo III de' Medici; Uffizi (1690).	Coll. Puccini (1725); coll. Pazzi; Uffizi (1768); Guardaroba (1790).	Coll. Puccini (1725); coll. Pazzi; Uffizi (1768).
ATTRIBUZIONI	—	—	—	—
ESPOSIZIONI	Velázquez y lo velazqueño, Madrid 1960-61.	Velázquez y lo velazqueño, Madrid 1960.	—	—
BIBLIOGRAFIA	*L. Becherucci, E. Brunetti, in Varia Velazqueña I, 1960. Cat., Madrid 1960, n. 85. J. Lopez Rey, Velázquez, London 1963.*	*L. Becherucci, E. Brunetti, in Varia Velazqueña I, 1960. Cat., Madrid 1960, n. 84. J. Lopez Rey, Velázquez, London 1963.*	Dizionario Bolaffi, Torino 1976. *S. Meloni Trkulja in Paragone 343, 1978.*	*Dizionario Bolaffi XI, Torino 1976. S. Meloni Trkulja in Paragone 343, 1978.*
INVENTARIO	1701 (C.P., p. 112, n. 216 o 217).	1707 (C.P., p. 112, n. 217 o 216).	3368.	1757 (C.P., p. 212, n. 336).
FOTO	207206.	207602.	249111.	249132.
NOTE	Il dipinto era in possesso di Cosimo III de' Medici già nel 1682, con un'altra trentina di autoritratti che il granduca mandò in galleria (27 ottobre) contemporaneamente alla raccolta dello zio cardinal Leopoldo (ASF, Guard. 870, c. 159r). Perciò non può identificarsi con quella «testa vantaggiosissima pittoresca e bella» che Cosimo da Castiglione acquista in Spagna nel 1689 (Prinz, 1971, docc. 119-122) e che nonostante l'espressione «testa» sarà l'altro autoritratto del Velázquez (inv. 1890 n. 1707) entrato in galleria nel 1690. L'antichità dell'opera è provata, l'autenticità è assai discussa, e il fatto che dopo l'acquisto di questa se ne cercasse un'altra può indicare un'antica disistima verso questa tela. S.M.T.	Entrato in galleria il 13 settembre 1690 inviatovi da Cosimo III (ASF, Guard. 903, c. 299r). È probabilmente l'autoritratto del Velázquez acquistato in Spagna da Cosimo da Castiglione nel 1689 anche se nelle lettere viene definito «testa», il che ha fatto credere finora che si trattasse dell'autoritratto più piccolo (inv. 1890 n. 1701), peraltro già presente a Firenze nel 1682. Non è quindi possibile l'ipotesi della Becherucci che venga dalle collezioni estensi di Modena. L'altra opera del Velázquez a cui si riferisce un documento indagato dalla Brunetti in questa occasione è l''Alguacil' (inv. 1890 n. 2202) per cui cfr. M.L. Strocchi in Paragone 309, 1976. Si data dopo il 1643, anno in cui il pittore ebbe la carica di valletto di camera del re di cui è segno la chiave alla cintura (com. di Pascal Bonafoux). S.M.T.	A tergo sul telaio cartellino antico 'Veracini figlio', assai utile perché gli autoritratti del padre, Benedetto (inv. 1890, n. 1757) e del figlio sono stati scambiati di cornice; ma il n. 67 sul retro di questa tela, l'incisione nel catalogo della collezione Pazzi e il confronto fisionomico col ritratto, opera di Vincenzo Gotti, sulla tomba di Agostino in Ognissanti (Foto GFS 3377) ristabiliscono la verità. I due autoritratti sembrano coevi e forse furono richiesti contemporaneamente agli artisti dal loro primo proprietario, il medico pistoiese Tommaso Puccini: avremo quindi un ritratto del figlio ventenne accanto a un padre giunto alla fine della sua vita. Dei due, questo fu estromesso dalla galleria nel 1790 (AG, filza XXIII a 28). Fratello minore di Agostino fu il noto musicista Francesco Maria Veracini. S.M.T.	Sul telaio cartellino antico 'Veracini Pe' (padre) e i numeri delle collezioni di Tommaso Puccini e Antonio Pazzi a cui il ritratto appartenne, insieme a quello del figlio Agostino (inv. 1890 n. 3368). La cornice era in origine dell'autoritratto (inv. Castello n. 880) di Carlo Berti, di cui reca nome e numero a tergo. Questo ritratto è, dopo un quadro sacro in S. Benedetto a Firenze, l'unica opera oggi visibile di un artista che fu assorbito prevalentemente dall'attività di restauratore. Si noti nell'angolo superiore sinistro l'impeccabile trompe-l'oeil dell'angolo di tela sporco, lacero e ricadente, eseguito in probabile funzione di scongiuro contro la rovina del dipinto (come la mosca nei dipinti nordici). S.M.T.

	A994	A995	A996	A997
AUTORE	Veronese, Caliari Paolo, detto il (Verona 1528 - Venezia 1588).	Veronese, Caliari Paolo, detto il (Verona 1528 - Venezia 1588).	Vertunni, Achille (Napoli 1826 - Roma 1897).	Vertunni, Arturo (Roma 1861-1910).
TITOLO	Autoritratto.	Autoritratto.	Autoritratto.	Ritratto del padre, Achille Vertunni.
DATAZIONE				1887.
DATI TECNICI				Olio su tela, 114,5x84,5.
CORNICE				Sagomata e dorata, sec. XX.
UBICAZIONI				Coll. Primo Levi, Roma; Ministero della Pubblica Istruzione, Roma (1910); Uffizi (1910).
ATTRIBUZIONI				Achille Vertunni (Pieraccini).
ESPOSIZIONI				Roma nell'Ottocento, Roma 1932.
BIBLIOGRAFIA				A.M. Bessone-Aurelj, Dizionario dei pittori italiani, Città di Castello 1915; S. Sersale, I Vertunni, una famiglia ispano-napoletana, Roma 1938.
INVENTARIO				3556 (C.P., p. 112, n. 3556).
FOTO				112466.
NOTE	Vedi: Palma il giovane, Negretti Jacopo detto. Ritratto di Paolo Veronese. Scheda A661.	Vedi: Piazza Paolo, detto Fra Cosmo da Verona. Autoritratto "con pezzuola nella destra". Scheda A695.	Vedi: Vertunni Arturo. Ritratto del padre, Achille Vertunni. Scheda A997.	Firmato e datato in alto a destra: Arturo Vertunni 1887. Firmato anche in basso a sinistra: Arturo Vertunni. Sul telaio cartellino dela mostra di Roma (1932) e due cartellini con la scritta erronea: Achille Vertunni. Autoritratto. Donato dal comm. Primo Levi al Ministero della Pubblica Istruzione nel 1910 e assegnato in quello stesso anno alla Galleria degli Uffizi (AGF Arte 944). Attualmente nei Depositi degli Uffizi.
				E.S.

	A998	A999	A1000	A1001
AUTORE	Veruda, Umberto (Trieste 1868-1904).	Vetri, Paolo (Enna 1855 - Napoli 1937).	Viani, Lorenzo (Viareggio 1882 - Ostia 1936).	Vigée-LeBrun, Elisabeth (Parigi 1755-1842).
TITOLO	Autoritratto.	Autoritratto.	Autoritratto.	Autoritratto.
DATAZIONE	Ultimo decennio sec. XIX.	Terzo-quarto decennio sec. XX.	1911-12.	1790.
DATI TECNICI	Olio su tela, 66x46.	Olio su tela, 60x44,5.	Olio su cartone, 97x67,5.	Olio su tela, 100x81.
CORNICE	Sagomata in legno scuro, sec. XX.	Sagomata e dorata, sec. XX.	Legno naturale (sec. XX).	Intagliata e dorata, sec. XVII.
UBICAZIONI	Eredi dell'artista; Uffizi (1907).	Eredi dell'artista; Uffizi (1963).	Eredi dell'artista; Galleria d'Arte Moderna, Pitti.	Uffizi (1791).
ATTRIBUZIONI	—	—		—
ESPOSIZIONI	—	VI Esposizione d'arte del Sindacato interprovinciale fascista delle Belle Arti della Campania, Napoli 1935.	Arte Moderna in Italia 1915-1935, Firenze, 1967. Mostra antologica di Lorenzo Viani, Bologna, 1973.	Mostra della pittura francese a Firenze, Firenze 1945. Tableaux français en Italie, Roma 1946. De David à Delacroix, Parigi 1974-75. Pittura francese nelle collezioni pubbliche fiorentine, Firenze 1977.
BIBLIOGRAFIA	L. e F. Luciani, Dizionario dei pittori italiani dell'800, Firenze 1974.	Cat. Bolaffi della pittura italiana dell'800 VI, Torino 1976.	E. Francia - R. Cortopassi: Lorenzo Viani, Firenze, 1955. *Cat., Firenze 1967, p. 62. Cat., Bologna 1973.*	P. de Nolhac: Mme Vigée Le Brun, peintre de la reine Marie-Antoinette, Paris 1908. *Cat., Firenze 1945, n. 78. Cat., Roma 1946, n. 84. Cat., Parigi 1974-75, n. 198. Cat., Firenze 1977, n. 21.*
INVENTARIO	3381 (C.P., p. 112, n. 711).	9441.	9241 GAM Giornale 430.	1905 (C.P., p. 112, n. 549).
FOTO	38132.	315564.	29848.	51729, 56517.
NOTE	Offerto in dono agli Uffizi nel 1907 dalla madre dell'artista, e accettato in quello stesso anno (AGF Arte 685; Arte 690). Un altro autoritratto del Veruda è nel Civico Museo Revoltella di Trieste. Attualmente nei Depositi degli Uffizi. E.S.	Firmato in basso a destra: P. Vetri. Sul retro cartellino con scritta relativa alla proprietà del dipinto da parte della sorella dell'artista, Virginia Vetri e cartellino della mostra di Napoli (1935). Donato per legato testamentario della sorella dell'artista (morta nel 1959), accettato nel 1963 (AGF, Arte 796). Attualmente nei Depositi degli Uffizi. E.S.	Firmato nell'angolo in basso a destra: "autoritratto-Lorenzo Viani". Nel tergo, cartellini delle esposizioni di Firenze (1967) e Bologna (1973). Dono degli eredi del pittore (nota inventariale). L'opera si trova attualmente nei depositi della Galleria d'Arte Moderna di Palazzo Pitti. Gr. Red. 1	L'autoritratto fu inviato, su richiesta, alla Galleria degli Uffizi: terminato nel marzo 1790, subito ammiratissimo, giunse a Firenze nell'agosto dell'anno successivo da Roma, dove si trovava la pittrice in quel momento. Del ritratto, che rappresenta l'artista in atto di dipingere Maria Antonietta, regina di Francia, esistono numerosissime copie e incisioni (la più antica in Galerie de Florence, 1804). M.C.

	A1002	A1003	A1004	A1005
AUTORE	Vignali, Jacopo (Pratovecchio 1592 - Firenze 1664).	Vignali, Jacopo (Pratovecchio 1592 - Firenze 1664).	Villegas y Cordero, José (Siviglia 1848 - Madrid 1922).	Vinea, Francesco (Forlì 1845. Firenze 1902).
TITOLO	Autoritratto.	Autoritratto.	Autoritratto.	Autoritratto.
DATAZIONE	Metà sec. XVII.	Metà sec. XVII.	1897.	1865.
DATI TECNICI	Olio su tela, 74x58,7, restauro 1964-65.	Olio su tela, 60,5x45,5.	Olio su tela, 131,5x57,5.	Olio su tela, 57x47.
CORNICE	Salvadora dorata, sec. XVIII.	—	Sagomata e dorata con decorazioni in pastiglia a motivi vegetali, sec. XIX.	D'epoca, intagliata e doráta.
UBICAZIONI	Coll. Puccini (1725); coll. Pazzi; Uffizi (1768).	Eredi dell'artista ? (1773), Uffizi (1890).	Uffizi (1898).	Coll. Marie Balish; Uffizi (1957).
ATTRIBUZIONI	—	—	—	—
ESPOSIZIONI	Mostra di Jacopo Vignali, Firenze 1964, f.c.	—	—	Opere di Francesco Vinea esposte nella Galleria Geri-Boralevi, Venezia 1920.
BIBLIOGRAFIA	C. Del Bravo in Paragone 135, 1961. G. Ewald in Antichità viva III, 1964. *S. Meloni Trkulja in Paragone 343, 1978.*	F. Mastropierro, Jacopo Vignali Pittore nella Firenze del Seicento, Milano 1973. *S.B. Bartolozzi, Vita di Jacopo Vignali, Firenze 1753.*	Thieme-Becker, XXXIV, 1940. J. A. Gaya Nuño, in Historia del Museo del Prado (1819-1969), Madrid 1969.	L. e F. Luciani, Dizionario dei pittori italiani dell'800, Firenze 1974. *Cat., Venezia 1920, n. 48.*
INVENTARIO	1726 (C.P., p. 112 n. 307).	2884.	3134 (C.P., p. 112, n. 728).	9387.
FOTO	173224.	280825.	252255; 252256 (part.).	105747.
NOTE	A tergo sulla tela i numeri che il quadro aveva negli elenchi delle collezioni di Tommaso Puccini e Antonio Pazzi a cui appartenne. Opera tarda e non fra le migliori del maestro, è però un autentico autoritratto, se lo si confronta con quello inciso nella biografia dell'artista di S. B. Bartolozzi (1753), che è forse oggi in galleria (inv. 1890 n. 2884). S.M.T.	Il ritratto, emerso dai magazzini delle Gallerie in occasione dell'inventario del 1890 senza alcuna notizia sulla sua provenienza, corrisponde esattamente a quello inciso al frontespizio della vita dell'artista scritta dal Bartolozzi, e ubicato «apud haeredes» allora e vent'anni dopo, quando alle Gallerie ne venne offerto un altro (probabilmente non acquistato) che si confrontò con questo, considerato il migliore ancorché non finito (AGF, Filza VI a 27; Prinz, 1971, p. 208). Un altro autoritratto, diverso ma raffigurante indubbiamente la stessa persona in età un po' più giovane, era entrato in galleria nel 1768 circa con la collezione Pazzi (inv. 1890 n. 1726). S.M.T.	Firmato e datato in basso a destra: Villegas 1897. La Direzione degli Uffizi richiese un autoritratto all'artista nel 1886 sollecitandolo poi nel 1895; questo fu inviato dal pittore nel 1898 (AGF, Arte 104; Arte 796). Un altro autoritratto dell'artista, in età più matura, si trova nel Museo Provincial de Bellas Artes di Malaga. L'opera è attualmente nel Corridoio Vasariano. E.S.	In alto a destra, firmato e datato: F. Vinea / 1865. Il ritratto, che aveva figurato alla mostra del 1920 con un gruppo di opere provenienti dallo studio dell'artista, era nel 1957 nella collezione di Marie Balish e fu acquistato mediante esercizio del diritto di prelazione quando questa presentò domanda di esportazione per New York all'Ufficio di Firenze. Prezzo pagato Lire 100.000. La collezione dei ritratti degli artisti comprende anche un altro autoritratto del Vinea in età più matura (inv. 1890, n. 5873). Sono entrambi esposti nel Corridoio Vasariano. S.P.

	A1006	A1007	A1008	A1009
AUTORE	Vinea, Francesco (Forlì 1845 - Firenze 1902).	Viterbo, Dario (Firenze 1890 - New York 1961).	Vivien, Joseph (Lione 1657 - Bonn 1734).	Voet, Jacob Ferdinand (Anversa 1639 - Parigi 1700?).
TITOLO	Autoritratto.	Autoritratto.	Autoritratto.	Autoritratto.
DATAZIONE	1901.	1950.	1699.	1665-70 ca.
DATI TECNICI	Olio su tela, 71x57.	Bronzo, alt. 47.	Pastello su carta, 95,5x74.	Olio su tela, 71x56.
CORNICE	D'epoca, dorata.	—	Nera e oro, liscia, sec. XVIII.	Liscia, dorata, sec. XVIII.
UBICAZIONI	Uffizi (1909).	Galleria d'Arte Moderna, Pitti (1951-52 ca.).	Gran Principe Ferdinando de' Medici ? (1701); Uffizi (1704).	Uffizi (1682).
ATTRIBUZIONI	—	—	—	—
ESPOSIZIONI	Artisti romagnoli e pittori emiliani dell'Ottocento (non in catalogo), Faenza 1955.	20° Premio del Fiorino - Biennale Internazionale d'Arte, Firenze, 1971. Mostra di Dario Viterbo, Firenze 1977.	Il ritratto francese da Clouet a Degas, Roma 1962. Kurfürst Max Emanuel. Bayern und Europa um 1700, Schleissheim 1976. Pittura francese nelle collezioni pubbliche fiorentine, 1977.	Rubens e la pittura fiamminga del Seicento, Firenze 1977.
BIBLIOGRAFIA	L. e F. Luciani, Dizionario dei pittori italiani dell'800, Firenze 1974.	L.V. Masini: Dario Viterbo, Firenze, 1973.	*Cat., Roma 1962, n. 206. H. Börsch-Supan in Münchener Jahrb., 1963. Cat., Schleissheim 1976, n. 719. Cat., Firenze 1977, n. 8.*	D. Bodart: Les Peintres des Pays-Bas Méridionaux et de la Principauté de Liège à Rome au XVII siècle, Bruxelles-Rome 1970. *Cat., Firenze 1977, n. 132.*
INVENTARIO	3403 (C.P., p. 112, n. 770).	GAM Giornale 1263.	1852 (C.P., p. 112, n. 497).	1896 (C.P., p. 112, n. 476).
FOTO	5873.	300961.	166505.	117944.
NOTE	A tergo in alto firmato e datato: Vinea - Eseguito nell'ottobre del 1901 / all'età di 57 anni. Il ritratto fu donato dal nipote dell'artista Napoleone Coccetti nel 1909. Il ritratto dell'artista era stato richiesto dai direttori Ginori nel 1886 e Ridolfi nel 1892 e 1895, ma l'artista era morto senza soddisfare tali richieste e, dietro insistenza del Pieraccini, il nipote aderisce donando il dipinto (AGF, Arte 844 e La Nazione, 13-14 marzo 1909). Attualmente esposto nel Corridoio Vasariano. Un altro autoritratto del Vinea, pure esposto, è il n. 9387. S.P.	Firmato in basso: "D. Viterbo". Pervenuto alla Galleria d'Arte Moderna di Palazzo Pitti fra il 1951 e il 1952 (nota inventariale). L'opera si trova attualmente nei depositi della Galleria d'Arte Moderna di Palazzo Pitti. Gr. Red. 1	In alto a destra lunga iscrizione, con anche il nome dell'artista e la data 1699. Rosenberg (Cat. Firenze 1977) segnala una lettera (1701) del principe Ferdinando de' Medici a suo cognato, Elettore di Baviera, nella quale lo ringrazia dell'invio di un autoritratto di un artista eseguito a pastello che non può che essere quello del Vivien. Il ritratto passò dalla collezione del Gran Principe Ferdinando agli Uffizi nel 1704 (ASF, Guard. 1113, c. 78r). Incisioni: Museo Fiorentino, IV, 1762, p. 129, tav. XXI. M.C.	Il dipinto giunse agli Uffizi nel 1682 (ASF, Guard. 879, c. 185r), e non è da confondersi con l'autoritratto dell'artista — ma questo a pastello — posseduto dal cardinal Leopoldo de' Medici, oggi disperso. (Prinz 1971, p. 77s.). Inciso in Museo Fiorentino, vol. IV, p. 271. Citato da A. Houbraken, De Groote Schouburg..., I, 1718, p. 269, come nella collezione granducale. La data del ritratto si ricava dall'età dimostrata dal pittore. M.C.

	A1010	A1011	A1012	A1013
AUTORE	Vogel von Vogelstein, Carl Christian (Wildenfels 1788 - München 1868).	Volterrano, Franceschini Baldassarre, detto il (Volterra 1611 - Firenze 1689).	Vos, Marten de (Anversa 1532 ca. - 1603), attr. a.	Vouet, Simon (Parigi 1590-1649).
TITOLO	Autoritratto.	Autoritratto.	Autoritratto.	Autoritratto.
DATAZIONE	1845.	1665-75.	Seconda metà sec. XVI.	1614-1627 ca.
DATI TECNICI	Olio su tela, 62x51,5.	Olio su tela, 73x58,5.	Olio su tela, 80,5x64,5.	Olio su tela, ovale inserito in una tela rettangolare, 65x55, restauro 1977.
CORNICE	D'epoca, sguisciata e dorata.	Salvadora dorata, sec. XVIII.	Barocca, nera e oro.	Liscia, dorata, sec. XX.
UBICAZIONI	Uffizi (1846); Galleria d'Arte Moderna, Pitti (1972).	Card. Leopoldo de' Medici (ante 1675); Uffizi (1682).	Pitti (1691); Uffizi (1695).	Uffizi (1704).
ATTRIBUZIONI	—	—	Anonimo dell'Italia settentrionale (Langedijk 1978).	Jacob-Ferdinand Voet (Demonts 1913).
ESPOSIZIONI	Cultura neoclassica e romantica nella Toscana granducale, Firenze 1972.	—	Mostra di arte fiamminga e olandese, Firenze 1948.	Pittura francese nelle collezioni pubbliche fiorentine, Firenze 1977.
BIBLIOGRAFIA	*Prinz 1971. Cat., Firenze 1972, p. 74, 228.*	M. Gregori, 70 pitture e sculture del '600 e '700 fiorentino, Firenze 1965. G. Ewald in Burlington Magazine CXV, 1973.	V. Dirksen: Die Gemälde des Martin de Vos, Parchim 1914. *W. Prinz 1971. AGF: K. Langedijk, Scheda ministeriale 1978.*	W. Crelly: The painting of Simon Vouet, New Haven 1972. *Cat., Firenze 1977, n. 1.*
INVENTARIO	1984 (C.P., p. 112, n. 567).	1656 (C.P., p. 102, n. 804).	1847 (C.P., p. 112, n. 440).	1897 (C.P., p. 212, n. 463).
FOTO	184381.	230215.	109973.	249142.
NOTE	A tergo lunga iscrizione autografa con curriculum e data: Dresda 20 aprile 1845. Il quadro giunse accompagnato da lettera dell'artista del 2.8.1845 (AGF, filza LXX,21); probabilmente era stato richiesto a seguito dei due acquisti granducali del 1844: il Dante (oggi nella Galleria d'arte moderna di Palazzo Pitti) e una Prigioniera cristiana (della quale non è più notizia). È esposto nella Galleria d'arte moderna del 1972, accanto a tre opere del medesimo autore. S.P.	A tergo in grafia antica 'Baldassar Franceschini Dᵒ il Volterrano' e i numeri degli inventari dal 1704 in poi. Il quadro fu ordinato dal Cardinal Leopoldo de' Medici ed entrò in galleria col resto della sua raccolta il 28 ottobre 1682 (ASF, Guard. 870, c. 160v); secondo il Baldinucci l'artista si ritrasse 'al vivo, in sembianza di persona avvolta nel ferrajuolo, senza che del collare si vedesse altro che una piccolissima parte' in modo da non poter poi datare il ritratto dalla foggia del colletto e metterlo da parte perché antiquato. Probabilmente la datazione così elusa andrà ristretta agli anni in cui il cardinale formò la sua collezione (1664-1675), aiutato spesso dal Volterrano in qualità di esperto, come si ricava da numerose lettere (cfr. Prinz, 1971). S.M.T.	Scritta d'indirizzo all'artista sulla lettera da lui tenuta in mano. Questo supposto autoritratto del pittore anversese giunse a Firenze come dono della contessa di Yarmouth, allora a Venezia, a Cosimo III de' Medici (Prinz 1971), nel gennaio 1691. È probabile che il ritratto non rappresenti nemmeno il pittore e comunque la Langedijk pensa che sia opera dell'Italia settentrionale della seconda metà del XVI sec. Inciso in Museo Fiorentino, vol. I, 1752, p. 167. M.C.	Il dipinto fu inviato da Cosimo III alla Galleria degli Uffizi nel 1700 (ASF, Guard. 1027, c. 171v). Inciso in: Museo Fiorentino, II, 1754, tav. 40; Reale Galleria, III s., vol. II, 1820, tav. CXXII. Rosenberg (Cat., Firenze 1977) lo avvicina ai ritratti del periodo romano, sul 1625. Altra versione nel museo di Amiens. M.C.

	A1014	A1015	A1016	A1017
AUTORE	Waldstein, Marianna (Vienna 1763 - Fano 1808).	Watts, George Frederick (Londra 1817 - Limnerslease 1904).	Wauters, Emile (Bruxelles 1846 - Parigi 1933).	Weerts, Jean-Joseph (Roubaix 1847 - Parigi 1927).
TITOLO	Autoritratto.	Autoritratto.	Autoritratto.	Autoritratto.
DATAZIONE	1803.	1880.	1897.	1909.
DATI TECNICI	Tempera su pergamena, 21x15.	Olio su tela, 76,5x64,5.	Pastello su carta, 27x22.	Olio su tela, 80x55.
CORNICE	D'epoca, intagliata e dorata. Passepartout in vetro dipinto in nero e oro.	Intagliata, dorata, sec. XIX.	Sagomata e dorata, sec. XIX.	Intagliata, sec. XX.
UBICAZIONI	Uffizi (1803).	Uffizi (1880).	Eredi dell'artista; Uffizi (1935).	Uffizi (1909).
ATTRIBUZIONI	—	—	—	—
ESPOSIZIONI	—	Firenze e l'Inghilterra. Rapporti artistici e culturali dal XVI al XX secolo, Firenze 1971.	Emile Wauters. Exposition rétrospective, Bruxelles 1934.	—
BIBLIOGRAFIA	Thieme-Becker, XXXV, 1942. *B. Viallet, Roma s.d. (1923).*	Victorian High Renaissance, cat. mostra Manchester - Minneapolis - Brooklyn, 1978/79. *A. Staley: George Frederick Watts, London 1971. Cat., Firenze 1971, n. 93. W. Blunt: England Michaelangelo, A biography of G.F. Watts, London 1975.*	Thieme-Becker, XXXV, 1942. R. H. Wilenski, in Flemish Painters 1430-1830, Londra 1960; *Prinz 1971.* AGF: K. Langedijk, Scheda ministeriale 1979.	Thieme-Becker, XXXIV, 1942. *Cat. Pieraccini (ed. 1912 ca.), p. 112. I. Julia in Cat. Pittura francese nelle collezioni pubbliche fiorentine, Firenze 1977, n. XXV.*
INVENTARIO	2109.	1993 (C.P., p. 112, n. 585).	9204.	3757 (C.P., p. 112, n. 8756).
FOTO	5874, 74767.	171353.	278026.	196224.
NOTE	Nel passepartout in basso l'iscrizione a lettere maiuscole in oro: Marianna Waldstein / Marchesa de Sa Cruz F 1803. Fu inviato al Direttore della Galleria Tommaso Puccini da parte della Reggente Maria Luisa allora a Poggio a Cajano il 25.10.1803 con preghiera di esporlo sollecitamente perché la pittrice amica potesse vederlo in Galleria in occasione di una prossima visita (AGF, filza XXXI, 40) Della Waldstein, sposata a Don José Joaquin de Silva, nono marchese de Santa Cruz, è da ricordare anche il bel ritratto dell'Appiani nell'Accademia di San Luca a Roma. È esposto nel Corridoio Vasariano. S.P.	Il dipinto è firmato e datato: G.F. Watts/1880. Fu inviato dall'artista alla Galleria degli Uffizi dietro sollecitazione, attraverso F. Leighton, del direttore. Un probabile bozzetto per questo autoritratto si trova a Londra nella Nat. Portrait Gallery (n. 1406). M.C.	Siglato e datato in alto a sinistra: E W / 1897. Sul controfondo, scritta a matita: Grisaille / pour le Musée des peintres / des Uffizi / Demandé il y a 40 ans / Paris 1920 / E. Wauters. La direzione degli Uffizi richiese un autoritratto a Wauters fin dal 1887, sollecitandolo nel 1895; questo dipinto fu donato dal fratello del pittore soltanto nel 1935 (AGF, Arte 796). L'opera era comunque destinata agli Uffizi, come si legge nella scritta sul controfondo del dipinto. L'autoritratto si trova attualmente nei Depositi degli Uffizi. E.S.	Firmato e datato in alto a destra: J.J. Weerts 1909. Dono dell'artista alla Galleria. M.C.

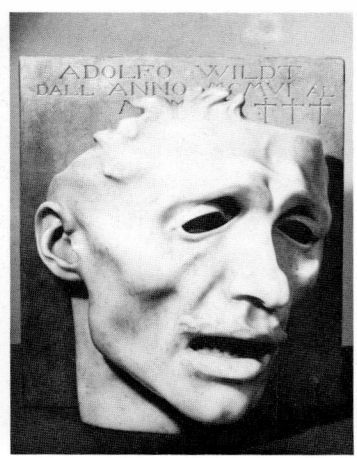

	A1018	A1019	A1020	A1021
AUTORE	Wehrlin (Verlin), Venceslao (? 1740 ca. - Firenze 1780).	Wencker, Joseph (Strasburgo 1848 - Parigi 1919).	Werner, Anton Alexander von (Francoforte sull'Oder 1843 - Berlino 1915).	Wildt, Adolfo (Milano 1868-1931).
TITOLO	Autoritratto.	Autoritratto.	Autoritratto.	Autoritratto.
DATAZIONE	1771.	1914 ca.	1893.	1908.
DATI TECNICI	Olio su tavola, 54x42.	Olio su tela, 85x69.	Olio su tela, 84x63.	Alabastro, alt. 37 ca.
CORNICE	D'epoca, dorata.	Liscia, dorata, sec. XX.	Sagomata e dorata con decorazioni in pastiglia, sec. XIX.	—
UBICAZIONI	Uffizi (1773).	Uffizi (1914).	Uffizi (1894).	Uffizi (1931-1939 ca.); Galleria d'Arte Moderna, Pitti (1943 ca.).
ATTRIBUZIONI	—	—	—	—
ESPOSIZIONI	—	—	—	—
BIBLIOGRAFIA	Schede Vesme, II, 1966. *Prinz 1971*.	Thieme-Becker, XXXIV, 1942. *I. Julia in Cat. Pittura francese nelle collezioni pubbliche fiorentine, Firenze 1977, n. XXVI*.	Thieme-Becker, XXXV, 1942. Cat. Niedersächischen Landesgalerie Hannover, III, Die Gemälde des 19. und 20. Jahr., München 1973.	G. Nicodemi: Adolfo Wildt, Milano, 1945. Disegni di Adolfo Wildt (1868-1931), Milano, 1972.
INVENTARIO	2008 (C.P., p. 212, n. 553).	3938.	3109 (C.P., p. 112, n. 710).	GAM Giornale 873.
FOTO	5875, 96415.	112529.	315547.	189110.
NOTE	Firmato e datato in basso sulla mostra del davanzale: Wincislaus Wehrlin. Fac (...) DCCLXXI. La parte di iscrizione mancante lo è volutamente, grazie a un drappo sul quale è poggiato il ritratto del granduca Pietro Leopoldo che il pittore è in atto di mostrare. A tergo l'iscrizione: Ritratto del Sᵣ Vincislao Wehrlin nato a Torino, di anni 25. Dipinto da lui stesso. Se veritiera, l'iscrizione correggerebbe l'anagrafe del pittore che il Vesme considera nato incertamente a Vienna nel 1740. Gli altri componenti della famiglia sono variamente ricordati alla corte torinese, dove il nostro è pure ricordato negli anni 1776-1778. I legami con la corte toscana sono documentati, oltre che da questo autoritratto, pervenuto nel 1773 (AGF, filza VI, 21) anche da un ritratto di gruppo della famiglia granducale (Vienna, Kunsthistorisches Museum) datato 1773. È esposto nel Corridoio Vasariano. S.P.	Richiesto all'artista dalla direzione degli Uffizi nel 1905, l'autoritratto fu inviato soltanto nel 1914. M.C.	Siglato e datato sulla destra: AvW/1893. Dietro, sulla tela, iscrizione: Anton von Werner / Berlin / nat. 9 mai 1843. Un autoritratto fu richiesto all'artista nel 1887 e fu sollecitato nel 1893; questo fu donato nel 1894 (AGF, Arte 796). La tela presenta attualmente una grande macchia d'umido con ampie sgorature e sollevamenti di colore. Attualmente nei Depositi degli Uffizi. E.S.	Firmato e datato in alto: Adolfo Wildt dall'anno MCMVI al MCMVIII. Già esposto nella Galleria degli Uffizi fra il 1931-39, ma senza numero di inventario. Passato probabilmente alla Galleria d'Arte Moderna dopo la guerra, con gli altri autoritratti di scultori (nota inventariale). L'opera si trova attualmente nei depositi della Galleria d'Arte Moderna di Palazzo Pitti. Gr. Red. 1

	A 1022	A 1023	A 1024	A 1025
AUTORE	Wilhelmson, Carl Wilhelm (Fiskebäckskil 1866 - Göteborg 1928).	Winge, Märten Eskil (Stoccolma 1825 - Enköping 1896).	Winterhalter, Franz Xaver (Menzenschwand 1805 - Francoforte 1873).	Wutky, Michael (Krems 1739 Vienna 1823).
TITOLO	Autoritratto.	Autoritratto.	Autoritratto.	Autoritratto.
DATAZIONE	Secondo decennio sec. XX.	1895.	1868.	1785.
DATI TECNICI	Olio su tela, 76x54,5.	Olio su tela, 57,5x42,5.	Olio su tela, 62,5x59,5.	Pastello su cartoncino, 64x50.
CORNICE	Sagomata e argentata, sec. XX.	Sagomata e dorata con decorazioni in pastiglia, sec. XIX.	D'epoca, sagomata e dorata.	D'epoca, fiamminga rettangolare con luce ovale.
UBICAZIONI	Eredi dell'artista (ante 1930); Uffizi (1932).	Eredi dell'artista; Coll. Malmström, Svezia (post 1895); Uffizi (1902).	Uffizi (1868).	Uffizi (1785).
ATTRIBUZIONI	—	—	—	—
ESPOSIZIONI	Carl Wilhelmson, Stoccolma 1954.	—	—	—
BIBLIOGRAFIA	S. Sandström, in Svenskt Konstnärslexikon, V, Malmö 1967.	F. Ästrand, in Svenskt Konstnärslexikon, V, Malmö 1967.	A. v. Schneider in: Thieme-Becker, XXXVI, 1947.	Thieme-Becker, XXXVI, 1947. Cat. Artisti Austriaci a Roma dal Barocco alla Secessione, Roma 1972. *Prinz 1971.*
INVENTARIO	9189.	3248.	1912 (C.P., p. 112, n. 571).	2523 (C.P., p. 112, n. 1077).
FOTO	113083.	315566.	96411.	96090.
NOTE	Firmato in basso a sinistra: C. Wilhelmson. L'opera fu donata agli Uffizi dalla vedova dell'artista nel 1930 e fu accettata nel 1932 (AGF, Arte 796). Il dipinto è attualmente nei Depositi degli Uffizi. E.S.	Firmato e datato in basso a destra: Svezia M.E. Winge 1895. Un autoritratto fu richiesto all'artista dalla Direzione degli Uffizi fin dal 1895; dopo la sua morte gli eredi donarono questo autoritratto al pittore Johann August Malmström; alla morte di quest'ultimo (1901) l'opera fu donata agli Uffizi per interessamento di Simon Nordström, amico di entrambi gli artisti scomparsi (AGF, Arte 280). Un altro autoritratto di Winge datato 1896 si trova nella Konstakademie di Stoccolma. L'opera è attualmente nei Depositi degli Uffizi. E.S.	Firmato e datato in basso a destra: F. Winterhalter / 1868. Presumibilmente dipinto a Parigi e pervenuto nello stesso anno dell'esecuzione agli Uffizi dove se ne registra l'accesso assieme all'autoritratto di Amerling (AGF, 1868, filza A, 113). Attualmente esposto nel Corridoio Vasariano. S.P.	A tergo un cartellino con l'iscrizione: Del Wutky 12 giugno 1785. Il ritratto fu donato nel 1785 e ricambiato con una medaglia d'oro (AGF, filza XVIII, 14, 16); nella stessa occasione perviene un quadro di paesaggio del pittore. È documentato nelle Guide degli Uffizi dal 1790 al 1860 e in questo secolo dal catalogo del Pieraccini. Attualmente è esposto nel Corridoio Vasariano. S.P.

	A1026	A1027	A1028	A1029
AUTORE	Yvon, Adolphe (Eschweiler 1817 - Parigi 1893).	Zaballi (o Zabagli), Raimondo (Arezzo ? 1794 ?-1845).	Zanchi, Antonio (Este 1639 ca. - 1690?).	Zatti, Carlo (Brescello, Reggio Emilia 1810-1899).
TITOLO	Autoritratto.	Autoritratto.	Autoritratto.	Autoritratto.
DATAZIONE	1873.	1841 ca.	1660-80.	Quinto decennio sec. XIX.
DATI TECNICI	Olio su tela, 56x44.	Olio su tela, 103x74.	Olio su tela, 75x59.	Olio su tela, 69x62.
CORNICE	Intagliata e dorata, sec. XIX.	Sagomata e dorata, sec. XIX.	Salvadora dorata con cartiglio, sec. XVIII.	Sagomata e dorata con decorazioni in pastiglia, sec. XIX.
UBICAZIONI	Uffizi (1873).	Uffizi (1841).	Coll. Puccini (1725); coll. Pazzi; Uffizi (1768).	Uffizi (1898).
ATTRIBUZIONI	—	—	—	—
ESPOSIZIONI	—	—	—	—
BIBLIOGRAFIA	Thieme-Becker, XXXV, 1947. *I. Julia Cat. Pittura francese nelle collezioni pubbliche fiorentinie, Firenze 1977, n. XVI.*	Thieme-Becker, XXXVI, 1947.	*C. Donzelli, G. M. Pilo, I pittori del Seicento veneto, Firenze 1967. S. Meloni Trkulja in Paragone 343, 1978.*	Dizionario Bolaffi XI, Torino 1976.
INVENTARIO	1923 (C.P., p. 112, n. 633).	2095 (C.P., p. 112, n. 696).	1661 (C.P., p. 212 n. 488).	3240.
FOTO	112401.	112468.	315595.	112471.
NOTE	Firmato e datato a sinistra: AdE Yvon/1873. Dono dell'artista alla Galleria. M.C.	Iscrizione sulla destra: È Raimondo Zaballi/che contando quaranta e poi sett'anni/Sano, scevro d'affanni/E grato alle carezze del suo Gatto/Sta pingendo il promessogli ritratto. Offerto in dono dall'artista nel 1841 e accettato in quello stesso anno (AGF 1841 (LXV) 36). Un autoritratto giovanile del pittore è conservato nel Museo di Arezzo. Nei documenti del tempo il pittore è chiamato anche Zabagli. Attualmente nei Depositi degli Uffizi. E.S.	Già nella raccolta di Tommaso Puccini, poi in quella dell'abate incisore Antonio Pazzi e da costui venduta al granduca Pietro Leopoldo di Lorena intorno al 1768. La biografia di O. Marrini nel catalogo della collezione Pazzi specifica che non si tratta di un autoritratto del più noto Antonio Zanchi (Este 1631 - Venezia 1722) ma di un suo omonimo e contemporaneo di cui ben poco si sa. Ma gli studiosi moderni (ignorando questa fonte) lo considerano opera dello Zanchi più noto. S.M.T.	Firmato in basso a destra: C. Zatti. Offerto in dono dall'artista nel 1898, accettato in quello stesso anno (AGF, Arte 107). Attualmente nei Depositi degli Uffizi. E.S.

	A1030	A1031	A1032	A1033
Autore	Zoffany, Johann (Francoforte s. M. 1373 - Strand-on-the-Green 1810).	Zoffany, Johann (Francoforte s. M. 1733 - Strand-on-the-Green 1810).	Zoffany, Johann (Francoforte S.M. 1737 - Strand-on-the-Green 1810).	Zoir, Carl Emil (Göteborg 1861-1936).
Titolo	Autoritratto.	Autoritratto.	Autoritratto.	Autoritratto.
Datazione	1775 ca. (Webster 1971).	1776 ca. (Webster 1971).		1904.
Dati tecnici	Olio su tavola, 81x71.	Olio su tavola, 87,5x77.		Olio su tela, 67,5x54.
Cornice	Intagliata, dorata, sec. XVIII.	Intagliata, dorata, sec. XVIII.		Sagomata e dorata, sec. XX.
Ubicazioni	Uffizi (1909).	Uffizi (1778).		Uffizi (1904).
Attribuzioni	Ignazio Hugford (Pieraccini 1905 ca.).	—		—
Esposizioni	Firenze e l'Inghilterra. Rapporti artistici e culturali dal XVI al XX secolo, Firenze 1971.	Firenze e l'Inghilterra. Rapporti artistici e culturali dal XVI al XX secolo, Firenze 1971.		—
Bibliografia	E.K. Waterhouse: Painting in Britain 1530-1790, Harmondsworth 1953. M. Webster ini Cat. mostra Johan Zoffany, Londra 1977. *Cat., Firenze 1971, n. 68.*	E.K. Waterhouse: Painting in Britain 1530-1790, Harmondsworth 1953. M. Webster in Cat. mostra Johan Zoffany, Londra 1977. *Cat., Firenze 1971, n. 67.*		J.T. Ahlstrand, in Svenskt Konstnärslexikon, V, Malmö 1967.
Inventario	3293 (C.P., p. 104, n. 726).	1879 (C.P., p. 112, n. 442).		3280 (C.P., p. 112, n. 766).
Foto	156045.	147154.		315539.
Note	Entrato agli inizi di questo secolo per acquisto con l'attribuzione al pittore anglo-fiorentino Ignazio Hugford (1703-1778: cfr. Pieraccini, op. cit., p. 104), il ritratto è stato riconosciuto da M. Webster come di mano di J. Zoffany e supposto il primo che l'artista dipingesse di se stesso nel 1775/76, secondo la testimonianza di Maria Hadfield (v. cat., Firenze 1971, p. 67). L'identità del ritrattato è provata dall'autoritratto che l'artista donò all'Accademia Etrusca di Cortona (Cat., Firenze 1971, n. 69) e dal disegno del British Museum di Londra (cat. mostra Londra 1977, n. 122). Lo Zoffany fu eletto membro delle Accademie di Firenze, Bologna, Parma, dell'Accademia Toscana e di quella Etrusca di Cortona. M.C.	Scritta sulla copertina del volume che si vede a destra: ARS LONGA, VITA BREVIS. Lo Zoffany fu inviato a Firenze dalla regina Carlotta, moglie di Giorgio III d'Inghilterra, perché riproducesse in un quadro la Tribuna degli Uffizi (l'opera, eseguita tra il 1772 e il 1777/78 è oggi nelle collezioni reali inglesi). Dalla corrispondenza di Maria Hadfield, sua allieva in quel periodo a Firenze, sappiamo che l'artista voleva donare il suo autoritratto alla Galleria: ne fece tre, ma solo il terzo lo soddisfece, e M. Webster pensa che sia il presente dipinto, entrato agli Uffizi nel marzo 1778 dopo che era stato mostrato dall'artista stesso al Granduca Pietro Leopoldo. La scritta, con la massima di Ippocrate e Seneca, allude alle grandi difficoltà dell'arte di fronte al tempo ristretto della vita. M.C.	Vedi Pinacoteca: Macpherson Giuseppe. Scena di conversazione.	Firmato e datato in basso a sinistra: Zoir/1904 (appena leggibile). L'opera fu offerta in dono dall'artista nel 1904 e fu accettata dalla Direzione degli Uffizi in quello stesso anno (AGF, Arte 417). Il dipinto è attualmente nei Depositi degli Uffizi. E.S.

  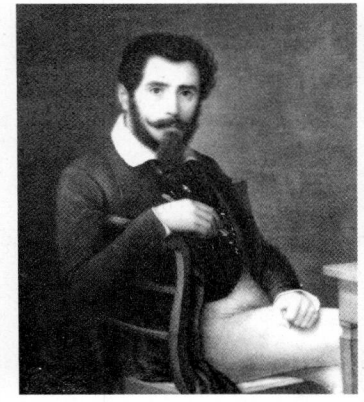 

	A1034	A1035	A1036	A1037
AUTORE	Zona, Antonio (Gambellara, Vicenza 1814 - Roma 1892).	Zonaro, Fausto (Masi, Padova 1854 - San Remo, Imperia 1929).	Zoppi, Luigi (Toscana, metà sec. XIX).	Zorn, Anders Leonard (Mora 1860-1920).
TITOLO	Autoritratto.	Autoritratto.	Autoritratto.	Autoritratto.
DATAZIONE	1865.	1928.	1842.	1889.
DATI TECNICI	Olio su tela, 60x47,5.	Carboncino e pastello su cartoncino, 73x52.	Tempera su avorio, 10,2x8,4.	Olio su tela, 74,5x62,5.
CORNICE	Intagliata e dorata, sec. XVIII.	Sagomata e dorata con decorazioni in pastiglia, sec. XX.	Filetto d'ottone, sec. XX.	Sagomata e dorata, sec. XIX.
UBICAZIONI	Uffizi (1866).	Eredi dell'artista; Uffizi (1942).	Giuseppina Forno; Uffizi (1914).	Uffizi (1890).
ATTRIBUZIONI	—	—	—	—
ESPOSIZIONI	—	Società delle Belle Arti. Mostra sociale primaverile. Mostra Retrospettiva del pittore Fausto Zonaro, Firenze 1948.	—	Anders Zorn, Stoccolma 1960.
BIBLIOGRAFIA	F. e L. Luciani, Dizionario dei Pittori italiani dell'800, Firenze 1974. *Prinz 1971.*	P. Stefani-G.L. Marini, Cat. Mostra Fausto Zonaro, Firenze 1977.	—	E.F. Nordlender, in Svenskt Konstnärslexikon, V, Malmö 1967. P. Hendy, in European and American Paintings in the Isabella Stewart Gardner Museum, Boston 1974. *V. Pica, in Emporium, XXII, 1905, p. 175. Cat. Stoccolma 1960, n. 21. Prinz 1971.*
INVENTARIO	1994 (C.P., p. 112, n. 551).	9240.	3919.	3067 (C.P., p. 112, n. 615).
FOTO	156162.	278047.	113094.	114376.
NOTE	Firmato e datato in basso a destra: A. Zona/Veneziano/1865. Un autoritratto fu richiesto nel 1864 al pittore che donò questo nel 1866 (AGF 1866 (A) 2, 94). Un altro autoritratto di Zona è nella galleria d'arte moderna del Civico Museo Revoltella di Trieste. Attualmente nei Deposi degli Uffizi. E.S.	Firmato e datato in basso a destra: F. Zonaro 1928. Sulla cornice etichetta di corniciaio fiorentino. Acquistato nel 1942 dalla signora Mafalda Zonaro Meneguzzi per lire 5.000 (AGF, Arte 796). Attualmente nei Depositi degli Uffizi. E.S.	Firmato e datato a sinistra in basso «Luigi Zoppi Dip.va se stesso nel 1842». L'artista non è menzionato in nessuna fonte o repertorio: ha firmato un ritratto (a olio su tela) di Vittorio Fossombroni presso la Confraternita dei Laici ad Arezzo. L'identità della venditrice, Giuseppina Forno, appare nell'inventario del 1890; il prezzo del ritrattino fu di Lire 175. S.M.T.	Firmato e datato in alto a sinistra: Zorn 1889. Donato dall'artista nel 1890 dietro invito della Direzione degli Uffizi a lui rivolto nel 1887 (ASG, 1890, (A₂), 37; 1891 (A₂), 19). Un altro autoritratto del 1896 è nel Nationalmuseum di Stoccolma. Nella città natale di Zorn, Mora, esiste un museo a lui dedicato. L'opera è attualmente esposta nel Corridoio Vasariano. E.S.

A1038   A1039   A1040

	A1038	A1039	A1040
AUTORE	Zuccari, Federico (S. Angelo in Vado 1540 ca. - Ancona 1609).	Zuccari, Taddeo (S. Angelo in Vado 1529 - Roma 1566).	Zuccoli, Oreste (Firenze 1889).
TITOLO	Autoritratto.	Autoritratto.	Autoritratto.
DATAZIONE		Metà sec. XVI.	1944.
DATI TECNICI		Olio su tela, 88x74, rintelato.	Olio su compensato, 82x55.
CORNICE		Salvadora dorata, sec. XVIII.	Dorata e decorata a motivi vegetali, sec. XX.
UBICAZIONI		Cosimo III de' Medici; Uffizi (1686).	—
ATTRIBUZIONI		—	—
ESPOSIZIONI		—	—
BIBLIOGRAFIA		Dizionario Bolaffi XI, Torino 1976.	Oreste Zuccoli, Firenze, 1969. Comanducci, V, Milano 1974.
INVENTARIO		1663 (C.P., p. 112, n. 279).	GAM Giornale 1015.
FOTO		315584.	186335.
NOTE	Vedi: Galizia, Fede. Ritratto di Federico Zuccari. Scheda A380.	Mandato in galleria da Cosimo III de' Medici il 17 ottobre 1686 (ASF, Guard. 904, c. 69r) insieme a un autoritratto del fratello Federico che è oggi nella Pinacoteca di Lucca (inv. 14) e che Taddeo replica in modo pedissequo nella posa, nella veste, nel drappeggio del fondo, fin nel modo di tenere il foglio di carta semiarrotolato. Diversi sono i lineamenti e la lattuga al collo, ma la condotta pittorica è talmente simile da far pensare se anche l'autoritratto lucchese di Federico possa essere opera di Taddeo. Il quadro, dopo esser stato inventariato nel 1704 (n. 1833, esistente a tergo), fu tolto dall'esposizione (manca negli inventari del 1753 e 1769) e riemerse nell'ottavo decennio del secolo all'atto della formazione della seconda stanza dei pittori. S.M.T.	Firmato e datato in alto a sinistra: "O. Zuccoli 1944". Nel tergo, in alto a sinistra, cartellino a stampa: "Oreste Zuccoli, Firenze, Via Mannelli, 181". Donato dall'autore nel 1947 (nota inventariale). L'opera si trova attualmente nei depositi della Galleria d'Arte Moderna di Palazzo Pitti. Gr. Red. 1

Gli arazzi

La serie di Giacobbe
Altri arazzi
La serie dei Mesi
La serie delle Feste dei Valois
Altri arazzi
La serie della Passione
Altri arazzi

Le schede di questa sezione del catalogo (non siglate) sono state interamente compilate da Giovanna Gaeta Bertelà.

I. Lucas de Heere:
Assalto ad un elefante turrito.
Particolare (scheda Ar19).

La fondazione dell'arazzeria fiorentina ad opera di Cosimo I dei Medici risale al 1546; si collocava su una tradizione tessile che da lungo tempo prosperava a Firenze (si pensi alle industrie a telaio della lana e della seta che già nel XIII secolo formavano corpo d'arte ed avevano particolari statuti). Con quale ardore Cosimo I si sia dedicato a quella impresa — in parte gareggiando con l'arazzeria già operante di Ferrara, in parte desiderando che questa nuova opera riuscisse prestigiosa per la sua città — è dimostrato dalla lettera scritta un anno prima della fondazione ufficiale, il 17 settembre 1545, a don Francesco di Toledo al quale notificava come avesse condotti 'molti maestri excellenti in tale arte con assai lavoranti e con tutto l'ordine del lavorare le tappezzerie', e si augurava che 'avendo già fatto rizzare di molte telaia per far dar principio a simili lavori in breve tempo ci si abbi a lavorare di tale sorte, che non sarà più necessario alli suddetti di questo stato e alli circunvicini ancora di venirsi a fornirsi in Fiandra di Tappezzerie' (A.S.F., Carteggio Mediceo, Filza 6 c. 242).

Fatti venire dalle Fiandre due valenti maestri fiamminghi, Niccolò Karcher e Giovanni Rost, stendeva con ambedue un regolare contratto dal quale risulta che i due maestri si impegnavano ad esercitare l'arte in Firenze, ad insegnarla a quei giovani che avessero voluto apprenderla, a lavorare nelle botteghe volute dal Duca e ad impiegare ben ventiquattro telai, la cui metà almeno doveva essere sempre in movimento. I disegni sarebbero stati forniti dagli artisti del tempo. Il Duca, a sua volta, s'impegnava a pagare loro ben seicento scudi in rate mensili ed inoltre a versare un tanto per ogni arazzo portato a termine, variante a seconda della finezza del tessuto e del materiale impiegato. Egli inoltre si accollava la spesa delle botteghe e dei ventiquattro telai e provvedeva loro di un lavoro continuo con un minimo di telai varianti da quattro a sei. I due arazzieri potevano lavorare per proprio conto eseguendo opere per committenti non fiorentini, e in tal caso liberi di fissare i prezzi dei singoli pezzi. Tale contratto rivela nelle sue linee essenziali che la manifattura fiorentina fu un via di mezzo tra l'arazzeria sostenuta dal mecenatismo di un principe e l'impresa industriale indipendente. Cosimo I, infatti, non si occupava dei lavoranti, tutti a carico dei due capi arazzieri, i quali dovevano provvedere anche il materiale; i cartoni restavano proprietà dei tessitori che potevano riutilizzarli per tutte le riedizioni che volevano. Su queste basi che sembrano preludere ad aspetti organizzativi dei Gobelins, il complesso fiorentino ebbe termine l'anno 1737 con la morte di Gian Gastone dei Medici.

Dagli Annali dell'Arazzeria si può seguire lo svolgersi dell'attività dell'atelier fiorentino; quante le serie realizzate, quali i nomi dei disegnatori e dei cartonisti, quali gli arazzieri che a ritmo serrato si succedevano nelle varie botteghe della manifattura, sparse per la città: via degli Arazzieri, via dei Servi, via dei Cimatori, via della Ninna, via del Cocomero, via San Gallo. È indubbio che l'attività dell'arazzeria, grazie alla stretta collaborazione con i pittori della corte — Pontormo, Bronzino, Bachiacca, Salviati, Allori — raggiungeva nella seconda metà del XVI secolo il periodo di maggior produttività creativa e di maggior finezza esecutiva. Nel XVII secolo, anche per l'attenzione rivolta dalla famiglia Medici all'Opificio delle Pietre Dure, la produzione diventava qualitativamente più scadente, anche se il ritmo di lavorazione si manteneva ancora alto, come si può notare, scorrendo gli Annali, dalle numerose commit-

tenze che Firenze riceveva dalle altre corti. Nel 1738, infine, da Francesco di Lorena, essa veniva soppressa, gli arazzieri licenziati passavano in gran parte a lavorare alla corte napoletana dove portavano i loro mezzi di produzione, così ricchi di esperienza, di espressione, di arte.

Non è possibile indicare il numero esatto di quanti arazzi, portiere, paramenti, coperte, coperte da soma, siano usciti dalla manifattura fiorentina: certamente qualche migliaia a giudicare dai pezzi superstiti esposti o arrotolati nei Depositi delle Gallerie. Si deve infatti considerare che oltre ai panni tessuti per l'arredamento dei vasti ambienti dell'epoca — palazzi e chiese — una parte veniva destinata, per pubblico godimento, alle decorazioni dei cortili, delle strade e delle piazze in occasione di feste tradizionali (come per il patrono della città, San Giovanni, o per il Corpus Domini, o per lo 'scoppio del Carro'), mentre una parte veniva tessuta per committenti non fiorentini o addirittura non italiani. Il Rigoni (1884), pone in evidenza che questa enorme ricchezza di opere d'arti 'minori' stette sparsa, fino alla fine del nostro risorgimento politico 'fra i palazzi di Firenze, di Pisa, di Siena e le ville granducali, e fu solo sotto il governo del Barone Bettino Ricasoli, che dichiarati gli oggetti d'arte proprietà dello stato, vennero riuniti e raccolti a cura del Demanio in Palazzo Vecchio, eccettuati quelli della lista civile. Nel 1864 volendo il governo addivenire alla vendita di vari oggetti inservibili e liberare i magazzini demaniali da inutile ingombro, gli Arazzi che pur si trovavano colà furono ceduti alla Direzione delle R.R. Gallerie e Musei, la quale provvisoriamente ne pose una parte alla pubblica mostra parandone i lati del corridoio che pone in comunicazione la Galleria degli Uffizi con quella dei Pitti. Fu però questa una disposizione provvisoria che durò dal 1865 a tutto l'anno 1882, quando il Ministero della Pubblica Istruzione, a proposta della Direzione delle Gallerie e Musei, provvide meglio alla conservazione di questi tesori, facendoli raccogliere nella nuova sede del Palazzo della Crocetta' (C. Rigoni: Cat. della R. Galleria degli Arazzi, Firenze-Roma 1884, pp. XX-XXI). Nasceva così la prima galleria di tessuti antichi e di arazzi che purtroppo, pochi anni dopo, nel 1922, veniva definitivamente smantellata servendo i locali al Museo Archeologico. I panni venivano di nuovo sparsi nei vari luoghi pubblici fiorentini o arrotolati nei Depositi delle Gallerie. Agli Uffizi ne figurano esposti quarantacinque (non tutti provenienti dalla manifattura medicea come attesta la serie fiamminga dei Valois o il gruppetto francese delle Stagioni) scelti con particolare riferimento ai panni della seconda metà del Cinquecento (Bachiacca, Salviati) e dei primi anni del Seicento (Allori, Cigoli, Cinganelli). Alcuni sono arazzi che già erano stati esposti in Galleria dal 1865 al 1882 (ad es. la serie dei Mesi del Bachiacca o quella dei Valois), altri sono entrati nel 1901, forse per ovviare al vuoto lasciato dai pezzi trasferiti alla Crocetta (si cfr. la serie con le storie di Mosé del Melissi), altri ancora, il nucleo più consistente, nel 1928, dopo lo smembramento della Galleria degli Arazzi, altri ancora con la risistemazione post-bellica. Nel 1967 la Galleria si è arricchita di un ulteriore panno — una portiera granducale proveniente dalla Palatina — collocato in fondo allo scalone buontalentiano. La raffinatezza e la cura dell'esecuzione, l'attaccamento per un'arte che per ben due secoli si è tramandata a Firenze, testimoniano ancora il gusto dell'epoca e un patrimonio culturale nel quale i Medici profusero energie e passione.

II. Lucas de Heere:
Assalto alla balena. Particolare
(scheda Ar20).

III. Lucas de Heere:
Festa per gli ambasciatori
polacchi. Particolare (scheda
Ar22).

La serie di Giacobbe
(Ar1 - Ar6)

Come la maggior parte dei grandi cicli di arazzi usciti dalle manifatture brussellesi nel corso della prima metà del XVI secolo anche la serie con le storie di Giacobbe è stata, nel tempo, oggetto di numerose versioni. L'editio princeps, composta di dieci panni tessuti da Willem de Kampeneere da cartoni del van Orley per il cardinal Lorenzo Campeggi è attualmente proprietà dei Musei Reali di Bruxelles ma precedentemente, nel XIX secolo, a Bologna presso la famiglia Malvezzi-Campeggi e ai primi del XX nel castello di Moschen (nell'alta Slesia) presso il conte Tiele-Winckler. La serie fiorentina è la più importante delle 'riedizioni': porta la marca di Willem de Pannemaker che esercitò la sua attività di arazziere a Bruxelles, una generazione dopo il Kampeneere. Il ciclo è stato differentemente datato: al 1528 dal Friedlaender, al 1550 dal Göbel.

Ar1

ARAZZIERE	Pannemaker, Willem de.
CARTONISTA	Van Orley, Bernart (Bruxelles 1491/92-1542).
TITOLO	Benedizione di Giacobbe.
DATAZIONE	1528-50.
DATI TECNICI	Tessuto in lana, 420x520; foderato in tela.
UBICAZIONI	Depositi delle Gallerie (1890); Uffizi (1951).
ATTRIBUZIONI	Van Orley (Friedlaender 1909).
ESPOSIZIONI	J. Duverger: Arazzi Fiamminghi dal XIV al XVIII secolo, Bologna 1961, pp. 183-192.
BIBLIOGRAFIA	—
INVENTARIO	55 (Inv. 1925, 111).
FOTO	5974.
NOTE	In alto tre piccole scene divise da elementi architettonici: a sinistra nascita di Esaù e Giacobbe; al centro Esaù vende la primogenitura per il piatto di lenticchie offertogli da Giacobbe; a destra Esaù a caccia del cervo. Nel piano sottostante altre due scene: nella prima al centro Giacobbe riceve dal padre la benedizione, nell'altra a sinistra Rebecca, timorosa di Esaù, consiglia Giacobbe di lasciare la casa paterna. Fregio con frutta e foglie. In alto cartiglio con la scritta: UT PATRIARCA - SENEX - IACOB - BENEDIXIT - ESAV - INSIDIAS - FRATRI - OB - PREMIA - CAPTA - PARAT / CAVTA - FVGAM - SVADET - MATER - REBECCA - FIDELIS - / NE NATO - NOCEANT - INVIDIA - TELA - TIMET.

Arazzi
Serie
di Giacobbe

Ar1
Ar2
Ar3

	Ar2	Ar3
ARAZZIERE	Pannemaker, Willem de.	Pannemaker, Willem de.
CARTONISTA	Van Orley, Bernart (Bruxelles 1491/92-1542).	Van Orley, Bernart (Bruxelles 1491/92-1542).
TITOLO	Giacobbe lascia la casa paterna.	Giacobbe si riconcilia con Esaù.
DATAZIONE	1528-1550.	1528-1550.
DATI TECNICI	Tessuto in lana, 425x460; foderato in tela.	Tessuto in lana, 410x660; foderato in tela.
UBICAZIONI	Depositi delle Gallerie (1890); Uffizi (1951).	Depositi delle Gallerie (1890); Uffizi (1951).
ATTRIBUZIONI	Van Orley (Friedlaender 1909).	Van Orley (Friedlaender 1909).
ESPOSIZIONI	J. Duverger: Arazzi Fiamminghi dal XIV al XVIII secolo, Bologna 1961, pp. 183-192.	J. Duverger: Arazzi Fiamminghi dal XIV al XVIII secolo, Bologna 1961, pp. 183-192.
BIBLIOGRAFIA	—	—
INVENTARIO	48 (Inv. 1925, 110).	31 (Inv. 1925, 108).
FOTO	6005.	6003.

| NOTE | In alto tre piccole scene divise da elementi architettonici: natura morta, Isacco e Giacobbe, due viandanti con cani. Nella scena sottostante Isacco è seduto sul letto, Rebecca al centro invita Giacobbe, titubante, ad avvicinarsi. Vivi contrasti cromatici caratterizzano l'insieme. Cornice con mazzi di fiori e frutta uniti da festoni e motivi animati. Nella cimosa la marca delle manifatture fiamminghe 'Bruxelles' 'Braibante' (due B con scudo al centro), l'iniziale del nome dell'arazziere (W) unita al n. 4, indicante il mercante per il quale il panno era stato tessuto. | Sullo sfondo campestre (da sinistra): gli armenti e gli accampamenti; Giacobbe combatte con l'angelo; i servi di Giacobbe che vanno incontro agli armenti di Esaù e ai suoi armati. In primo piano, a sinistra, Giacobbe ordina il seguito delle mogli, dei figli, dei servi. Al centro, Giacobbe con gesto imperioso, comanda ai servi di andare incontro ad Esaù. L'ultima scena a destra raffigura l'amichevole incontro di Esaù e Giacobbe. Fregio con mazzi di fiori e frutta uniti da festoni. In alto cartella con la seguente scritta: VXORES QZ. VADVM. ET. PROLES. TRADVCIT. OVESQZ EVADAT. SALTEM. / SCITA. PERICLA. MANET. EXPECTANS. FRATREM. LVCTATVR. / NON SVPERATVR. DICITVR. ISRAEL. NVMINE. FORTIS. HOMO. OSCVLA. LIBAVIT. / FRATRI. MASVETVS ESAV SVSCIPIENS. FACTVS. AMICVS. ABIT. |

	Ar4	Ar5	Ar6
ARAZZIERE	Pannemaker, Willem de.	Pannemaker, Willem de.	Pannemaker, Willem de.
CARTONISTA	Van Orley, Bernart (Bruxelles 1491/92-1542).	Van Orley, Bernart (Bruxelles 1491/92-1542).	Van Orley, Bernart (Bruxelles 1491/92-1542).
TITOLO	Incontro di Giacobbe con Rachele.	La famiglia di Giacobbe in Egitto.	Le nozze di Giacobbe.
DATAZIONE	1528-1550.	1528-1550.	1528-1550.
DATI TECNICI	Tessuto in lana, 420x465; foderato in tela.	Tessuto in lana, 425x670; foderato in tela.	Tessuto in lana, 415x435; foderato in tela, restauro 1968.
UBICAZIONI	Depositi delle Gallerie (1890); Uffizi (1951).	Depositi delle Gallerie (1890); Uffizi (1951).	Depositi delle Gallerie (1890); Uffizi (1951).
ATTRIBUZIONI	Van Orley (Friedlaender 1909).	Van Orley (Friedlaender 1909).	Van Orley (Friedlaender 1909).
ESPOSIZIONI	J. Duverger: Arazzi Fiamminghi dal XIV al XIX secolo, Bologna 1961, pp. 183-192.	J. Duverger: Arazzi Fiamminghi dal XIV al XIX secolo, Bologna 1961, pp. 183-192.	J. Duverger: Arazzi Fiamminghi dal XIV al XVIII secolo, Bologna 1961, pp. 183-192.
BIBLIOGRAFIA	—	—	—
INVENTARIO	108 (Inv. 1925, 420).	59 (Inv. 1925, 109).	70 (Inv. 1925, 112).
FOTO	6011.	6004.	6006.
NOTE	In primo piano a sinistra Giacobbe, in veste rossa, aiuta due pastori a sollevare la pietra di un pozzo. Ha appoggiato il mantello su di un albero vicino. A destra, Rachele, anch'essa in primo piano, stà avvicinandosi seguita dal suo gregge. In secondo piano, a sinistra, Giacobbe e Rachele si riconciliano e si abbracciano. Varie figure di uomini e donne si aggirano nella verde campagna con i loro greggi. Cornice con mazzi di fiori e frutta.	A sinistra, la carovana con le mogli e i figli della stirpe di Giacobbe. Al centro Giuseppe che abbraccia il padre e a destra Giuseppe che presenta al faraone la propria famiglia. Tre piccole scene sullo sfondo: benedizione di Giacobbe ai figli di Giuseppe, e a tutti i suoi figli, trasporto della salma di Giacobbe. Fregio composto di frutta e foglie. In alto due cartelle con l'iscrizione: ADVOCAT. ATQZ. PATREM. BENIAMIN. FRATRE. RETETO. SOPNIA. QVID SIGNAT. / INVIDIOSA. VIDENT. AEGIPTO. AB. TOTA. ISRAEL. LETYS. VEVRATVR. / LAVDANS. EXALTAT. PECTORE. VOCE. DEVM. GRANDENVS. TANDEM. / FELICI MORTE. SOPITVR. QUE. NATI. REFERVNT. OD. PIA. BVSTA. PATRVM. Nella seconda: VERA. REFERT. PICTVRA. PIA. HEC. / SED. MYSTICA. LECTOR. / ECCLESIANI. ET. CRISTUM. SANCTA. FIGVRA. TEGIT.	Una colonna divide il panno in due scene: a sinistra l'incontro di Giacobbe con Laban, a destra il banchetto nuziale; in primo piano due figure intente a riporre in una cesta dei ricchi vasi. Fregio di frutta e foglie; in alto l'iscrizione: QVADOQZ. GREX. POTAT. LABAN. COGNOSCITVR. AGNO. / SVMITVR. INTER. VERNAS. IACOB. FAMVLVS. / SED. PENSARE. STIPEM. RAOHAELIS. FORMA. COEGIT. / PRERIPVIT. THALAMOS. HVIC. LYA. LIPPA. SOROR. Nella cimosa la marca delle manifatture fiamminghe 'Bruxelles' 'Braibante' (due B con scudo al centro), l'iniziale del nome dell'arazziere (W) unita al n. 4, indicante il mercante per il quale il panno era stato tessuto.

	Ar7	Ar8	Ar9	Ar10
ARAZZIERE	Karcher, Niccolò.	Karcher, Niccolò.	Arazzeria di Bruxelles sec. XVI.	Arazzeria di Bruxelles sec. XVI.
CARTONISTA	Salviati, Francesco (Firenze 1510 - Roma 1563).	Salviati, Francesco (Firenze 1510 - Roma 1563).	Ignoto.	Ignoto.
TITOLO	Ecce Homo.	La Deposizione dalla Croce.	Battaglia.	Battaglia.
DATAZIONE	1549.	1549.	1550.	1550.
DATI TECNICI	Tessuto in seta, 226x218; foderato in tela.	Tessuto in seta, oro, argento, lana, 202x200; foderato in tela.	Tessuto in seta, oro, lana, 425x689; foderato in tela, restauro 1968.	Tessuto in seta, oro, lana, 425x610; foderato in tela, restauro 1968.
UBICAZIONI	Coll. Granducali (dall'origine); Palazzo della Crocetta (1884); Uffizi (1928).	Coll. Granducali (dall'origine); Palazzo della Crocetta (1884); Uffizi (1928).	Palazzo della Crocetta (1884); Uffizi (1928?).	Palazzo della Crocetta (1884); Uffizi (1928?).
ATTRIBUZIONI	—	—	—	—
ESPOSIZIONI	—	Le Triomphe du Maniérisme, Amsterdam 1955.	—	—
BIBLIOGRAFIA	*C. Conti: Ricerche storiche sull'arte degli arazzi, Firenze 1875, p. 49. C. Rigoni: Cat. della R. Galleria degli Arazzi, Firenze-Roma 1884, pp. 58-59, 75, 87. M. Viale Ferrero: Arazzi Italiani del '500, Milano 1963, p. 28.*	*M. Viale Ferrero: Arazzi Italiani del '500, Milano 1963, p. 28. C. Conti: Ricerche storiche sull'arte degli arazzi, Firenze 1875, p. 49. C. Rigoni: Cat. della R. Galleria degli Arazzi, Firenze-Roma 1884, pp. 59, 75, 84. Cat., Amsterdam 1955, n. 285.*	*C. Rigoni: Cat. della R. Galleria degli Arazzi, Firenze-Roma 1884, p. 38.*	*C. Rigoni: Cat. della R. Galleria degli Arazzi, Firenze-Roma 1884, p. 38.*
INVENTARIO	Inv. 1925, 60.	Inv. 1925, 773.	Inv. 1925, 469.	Inv. 1925, 471.
FOTO	326071.	326072.	39762.	39707.
NOTE	L'arazzo raffigura Cristo mostrato al popolo da Pilato dalla finestra di un palazzo. In basso la folla. Fregio di figure, fiori e frutta ed in alto due stemmi medicei coronati, inquartati con quello di Toledo. Anche questo panno doveva essere destinato per la decorazione di una cappella (A. S.F., Guardaroba 27, c. 68). Nel 1884, l'arazzo è stato esposto nella R. Galleria degli arazzi (cat. n. 118).	Il panno, tessuto nell'arazzeria fiorentina da 'Maestro Niccola' su cartone del Salviati, venne realizzato per essere posto sopra un altare (A.S.F., Guardaroba 21, c. 42; Guardaroba 27, cc. 67, 68). Consegnato alla Guardaroba il 15 luglio 1549 (Conti), raffigura Cristo morto sorretto da Giuseppe d'Arimatea con la Maddalena genuflessa e la Vergina piangente; in lontananza s'intravede il Calvario. Il fregio attorno è doppio. Nel 1884 venne esposto nel Palazzo della Crocetta (cat. n. 119). Copia di questo panno si conserva nel dipinto, già attribuito a Girolamo da Carpi, alla Palatina.	Al centro, dinanzi ad una tribuna ad archi, affollata di spettatori, si svolge un torneo di cavalieri; dai lati avanzano altre schiere di combattenti. In primo piano, agli angoli, due gruppi di capitani e gentildonne. Sullo sfondo scene di caccia e campestri. Il fregio, su fondo oro, raffigurante le Parche, le Ore, e le Stagioni con termini, satiri, grottesche, vasi di fiori e scudi, è stato riutilizzato da quello tessuto a Bruxelles da cartone di Raffaello per gli Atti degli Apostoli su commissione di Leone X. Nella cimosa la marca Bruxelles Braibante e le iniziali dell'arazziere unite alla sigla indicante gli arazzi tessuti per commercio. Esposto nel 1884 nel Palazzo della Crocetta (cat. n. 72).	In primo piano a sinistra due guerrieri offrono collane e vasi a due donne; a destra un guerriero inginocchiato presenta collane e coppe a due comandanti, stanti e con lancia. Al centro soldati che raccolgono morti e feriti e fanno bottino. Sullo sfondo carri, tende e schiere di armati. Per il fregio e la marca si cfr. l'Inv. Arazzi 1912-1925 n. 469. Esposto nel 1884 nel Palazzo della Crocetta (cat. n. 73).

	Ar11	Ar12	Ar13	Ar14
ARAZZIERE	Arazzeria di Bruxelles sec. XVI.	Karcher, Niccolò.	Karcher, Niccolò.	Karcher, Niccolò.
CARTONISTA	Ignoto.	Bachiacca, Ubertini Francesco, detto il (Firenze 1494-1557).	Bachiacca, Ubertini Francesco, detto il (Firenze 1494-1557).	Salviati, Francesco (Firenze 1510 - Roma 1563).
TITOLO	Esercito che attraversa un ponte.	Spalliera.	Spalliera.	La Resurrezione di Cristo.
DATAZIONE	1550.	1549-1553.	1549-1553.	1553.
DATI TECNICI	Tessuto in seta, oro, lana, 415x550; foderato in tela, restauro 1968.	Tessuto in seta, oro, argento, lana 299x348; foderato in tela, restauro 1965.	Tessuto in seta, oro, argento, lana 299x348; foderato in tela, restauro 1965.	Tessuto in seta, oro, argento, lana, 228x218; foderato in tela.
UBICAZIONI	Palazzo della Crocetta (1884); Uffizi (1928?).	Coll. Granducali (dall'origine); Palazzo della Crocetta (1884); Uffizi (1928).	Coll. Granducali (dall'origine); Palazzo della Crocetta (1884); Uffizi (1928).	Coll. Granducali (dall'origine); Palazzo della Crocetta (1884); Uffizi (1928).
ATTRIBUZIONI	—	—	—	—
ESPOSIZIONI	—	—	—	—
BIBLIOGRAFIA	C. Rigoni: *Cat. della R. Galleria degli Arazzi, Firenze-Roma 1884*, pp. 36-37.	C. Conti: *Ricerche storiche sull'arte degli arazzi, Firenze 1875*, pp. 49, 50. C. Rigoni: *Cat. della R. Galleria degli Arazzi, Firenze-Roma, 1884, p. 75. M. Viale Ferrero: Arazzi Italiani del '500, Milano 1963*, pp. 30-31.	C. Conti: *Ricerche storiche sull'arte degli arazzi, Firenze 1875*, pp. 49, 50. C. Rigoni: *Cat. della R. Galleria degli Arazzi, Firenze-Roma 1884, p. 75. M. Viale Ferrero: Arazzi Italiani del '500, Milano 1963*, pp. 30-31.	C. Rigoni: *Cat. della R. Galleria degli Arazzi, Firenze-Roma 1884*, pp. 60-61. *M. Viale Ferrero: Arazzi Italiani del '500, Milano 1963*, p. 28.
INVENTARIO	Inv. 1925, 470.	Inv. 1925, 38.	Inv. 1925, 39.	Inv. 1925, 59.
FOTO	39684.	—	—	326070.
NOTE	Un esercito sta attraversando un ponte di barche. In primo piano a sinistra cavalieri e pedoni passano a guado. Sullo sfondo altre schiere in movimento; alcune passano il fiume su un ponte di legno, altre lo attraversano guadandolo a monte. Per il fregio e la marca si cfr. l'Inv. Arazzi 1912-1925 n. 469. Nel 1884 è stato esposto (cat. n. 71) nel Palazzo della Crocetta.	Al centro un medaglione con scena di battitura. Per le notizie si cfr. Inv. 1925, 39	Nella cimosa F. FLO (factum Florentiae) e le iniziali intrecciate del Karcher. Il centro della scena è occupato da un medaglione con busto femminile di profilo (si cfr. il foglio degli Uffizi attribuito a Michelangelo, inv. 598 E.). Ai lati due putti sotto padiglione con tendaggio. Fregio con animali, figure, festoni di frutta e fiori. Dalle filze della Guardaroba Medicea (A.S.F. Guardaroba 126, c. 25 r. e Guardaroba 28, c. 37 r.) si apprende che i panni tessuti da cartoni del Bachiacca con invenzione 'bizzarra' a grottesche, furono dieci. La serie è oggi divisa tra gli Uffizi, l'Ambasciata Italiana di Londra e il Museé des Arts Décoratifs di Parigi. Nel 1884, l'arazzo è stato esposto nella R. Galleria degli Arazzi nel Palazzo della Crocetta in via della Colonna (cat. n. 19).	Nella cimosa in basso 'FIERNZA' e le iniziali intrecciate del Karcher. Panno tessuto a Firenze e consegnato al cardinal di Ravenna Benedetto Accoliti il 3 novembre 1553 (A.S.F. Guardaroba 28, c. 37r.). Alla morte del cardinale l'arazzo passò per testamento a Cosimo I Medici, che fatto coprire lo stemma cardinalizio - si cfr. anche Inv. Arazzi n. 750 - lo destinava per la cappella di Palazzo Pitti. Al centro il Cristo risorto che regge nella sinistra il vessillo. I soldati, abbagliati dalla divina apparizione, cadono a terra tramortiti. Fregio di fiori, frutta e figure allegoriche. Al Museo Correr di Venezia (Inv. 566) e al Poldi Pezzoli di Milano (Inv. 20) si conservano altre due tessiture. È stato esposto nel 1884 nella Galleria degli Arazzi nel Palazzo della Crocetta (cat. n. 120).

Il Vasari, nelle Vite, non ha dedicato al Bachiacca una 'vita' vera e propria poiché lo ha inserito alla fine di quella di Aristotile da San Gallo. Dai pochi tratti delineati dallo storico aretino emerge però la personalità dell'artista, dedito per la maggior parte a cose rare e minute, di un gusto quasi neotardo gotico '... finalmente il Bachiacca andato al servizio del duca Cosimo, perché era ottimo pittore in ritrarre tutte le sorte d'animali, fece a Sua Eccellenza uno scrittoio tutto pieno d'uccelli di diverse maniere ed erbe rare.... '... Fece poi di figure piccole che furono infinite i cartoni di tutti i mesi dell'anno, messe in opera di bellissimi panni d'arazzo di seta e d'oro...'. Questa serie, composta di quattro panni con rappresentate complessivamente dodici scene, divise da erme sottilissime, allusive ai mesi dell'anno, fu consegnata alla Guardaroba Medicea in due riprese. Il panno con Marzo, Aprile, Maggio il 27 Settembre 1552 ed il resto della serie l'anno successivo. Dalle collezioni Granducali, nel 1878 la serie passò agli Uffizi nel corridoio sopra Ponte Vecchio, indi nel 1884 alla Galleria degli Arazzi nel Palazzo della Crocetta in via della Colonna al n. 26 — rispettivamente ai nn. 20, 21, 22, 23 (cfr. *C. Rigoni: Cat. della R. Galleria degli Arazzi, Firenze-Roma 1884*) — e successivamente nel primo corridoio degli Uffizi.

Ar15

ARAZZIERE	Karcher, Niccolò.
CARTONISTA	Bachiacca, Ubertini Francesco detto il (Firenze 1494-1557).
TITOLO	Marzo, Aprile, Maggio.
DATAZIONE	1552.
DATI TECNICI	Tessuto in seta, oro, argento, 269x439; foderato in tela, restauro sec. XVII e 1967.
UBICAZIONI	Coll. Granducali (dall'origine); Uffizi (1878); Palazzo della Crocetta (1884); Uffizi (1924).
ATTRIBUZIONI	—
ESPOSIZIONI	—
BIBLIOGRAFIA	M. Viale Ferrero: *Arazzi Italiani del '500, Milano 1963*, p. 30. *C. Conti: Ricerche storiche sull'arte degli arazzi, Firenze 1875*, pp. 14, 49.
INVENTARIO	Inv. 1925, 526.
FOTO	326040.
NOTE	L'arazzo è composto di tre scene che illustrano feste e lavori campestri caratteristici della primavera. Le tre scene, che si svolgono su di un unico sfondo paesaggistico, sono divise da esili e fantastiche colonnine. Fregio di figure, animali e frutti: sopra ogni scena il segno zodiacale corrispondente al mese; al di sotto scene mitologiche. La raffigurazione è completata, sul lato inferiore, da una balza a pendoncino con maschere; essa è stata rifatta — perché distrutta in un incendio avvenuto a Pitti — nel XVII secolo dal Fevère, come indicano le iniziali P.F. della cimosa.

Arazzi
Serie
dei Mesi

Ar15
Ar16
Ar17

	Ar16	Ar17
ARAZZIERE	Rost, Giovanni.	Rost, Giovanni.
CARTONISTA	Bachiacca, Ubertini Francesco, detto il (Firenze 1494-1557).	Bachiacca, Ubertini Francesco, detto il (Firenze 1494-1557).
TITOLO	Giugno, Luglio.	Agosto, Settembre, Ottobre, Novembre.
DATAZIONE	1553.	1553.
DATI TECNICI	Tessuto in seta, oro, argento, 269x 318; foderato in tela.	Tessuto in seta, oro, argento, 270x 534; foderato in tela.
UBICAZIONI	Coll. Granducali (dall'origine); Uffizi (1878); Palazzo della Crocetta (1884); Uffizi (1924).	Coll. Granducali (dall'origine); Uffizi (1878); Palazzo della Crocetta (1884); Uffizi (1924).
ATTRIBUZIONI	—	—
ESPOSIZIONI	—	—
BIBLIOGRAFIA	M. Viale Ferrero: *Arazzi Italiani del '500*, Milano 1963, p. 30. C. Conti: *Ricerche storiche sull'arte degli arazzi, Firenze 1875, pp. 14, 49.*	M. Viale Ferrero: *Arazzi Italiani del '500*, Milano 1963, p. 30. C. Conti: *Ricerche storiche sull'arte degli arazzi, Firenze 1875, pp. 14, 49.*
INVENTARIO	Inv. 1295, 524.	Inv. 1925, 527.
FOTO	326056.	326051.
NOTE	Nella cimosa il giglio fiorentino e la marca dell'arazziere (cfr. inv. 525). Il panno è stato terminato nel 1553 (Conti; si cfr. anche A.S.F. Guardaroba 28, c. 31 verso). A sinistra la mietitura, a destra la tosatura degli animali; il tutto si svolge su un ampio e ininterrotto paesaggio agreste con ville e casolari. Fregio di figure, animali e frutti: sopra ogni scena il segno zodiacale corrispondente al mese. Sul lato inferiore balza a pendoncino con maschere. Per la figura del bordo, un satiro che reca sulle spalle una capra, si confronti Uffizi n. 1926 F.	Detta spalliera è divisa in quattro scene allusive ai lavori campestri caratteristici dell'Estate e dell'Autunno, da tre esili e fantastiche colonnine su uno sfondo paesaggistico unitario. Fregio con figure, animali e frutti: sopra ogni scena il segno zodiacale corrispondente. La raffigurazione è completata, sul lato inferiore, da una balza a pendoncino con maschere e motivi stilizzati.

Arazzi
Serie
dei Mesi

Ar18

Feste dei Valois
(Ar19 - Ar26)

Ar18

ARAZZIERE   Rost, Giovanni.

CARTONISTA   Bachiacca, Ubertini Francesco, det-
                to il (Firenze 1494-1557).

TITOLO   Dicembre, Gennaio, Febbraio.

DATAZIONE   1553.

DATI TECNICI   Tessuto in seta, oro, argento,
                363x430; foderato in tela, in re-
                stauro.

UBICAZIONI   Coll. Granducali (dall'origine);
                Uffizi (1878); Palazzo della Cro-
                cetta (1884); Uffizi (1924).

ATTRIBUZIONI   —

ESPOSIZIONI   —

BIBLIOGRAFIA   M. Viale Ferrero: *Arazzi Italiani
                del '500*, Milano 1963, p. 30. *C.
                Conti: Ricerche storiche sull'ar-
                te degli arazzi, Firenze 1875,
                pp. 14, 49.*

INVENTARIO   Inv. 1925, 525.

FOTO   —

NOTE   Nella cimosa il giglio fiorentino
                coronato fra due F (factum Flo-
                rentiae) e la marca dell'arazziere
                (un pezzo di carne infilzata allo
                spiedo). Anche questa spalliera è
                divisa in tre scene che illustrano i
                lavori campestri caratteristici del
                periodo invernale: la raccolta del-
                le castagne, un banchetto, l'ucci-
                sione del maiale. Fregio di figure,
                animali e frutti: sopra ogni scena
                il segno zodiacale relativo al me-
                se. La raffigurazione è completata,
                sul lato inferiore, da una balza a
                pendoncino con maschere.

La serie delle feste alla corte
dei Valois è composta da otto
panni di arazzo, tessuti come
indicano le marche in un atelier brussellese. Fu realizzata
in occasione dell'entrata di
Francesco d'Alençon, ultimo
dei figli di Caterina dei Medici
ad Anversa nel 1582 o quasi
sicuramente recata in dono a
Caterina dei Medici dagli ambasciatori fiamminghi giunti a
Parigi nel 1585, per rinsaldare
la loro alleanza con Enrico III.
C'è tuttavia una trasposizione
storica: anche se i personaggi
raffigurati appartengono al-
l'epoca di Enrico III, le feste
che ne sono il coreografico
sfondo sono state date sotto il
precedente regno di Carlo IX.
Si tratta quasi certamente
delle grandiose feste di cui fu
costellato il 'grande viaggio',
che ebbe inizio nel gennaio del
1564. Tutto questo gruppo di
panni tessuti fu donato da Caterina alla sua unica nipote,
Cristina di Lorena; è probabile
che essi siano giunti a Firenze
nel febbraio del 1589 in occasione del fidanzamento di Cristina con il duca Ferdinando I
dei Medici.
Tutti i cartoni sono stati attribuiti dallo Yates a Lucas de
Heere, che avrebbe disegnato
anche le decorazioni per i fe-
steggiamenti del 1582.

	Ar19	Ar20
ARAZZIERE	Arazzeria di Bruxelles sec. XVI.	Arazzeria di Bruxelles sec. XVI.
CARTONISTA	Heere, Lucas de (Gand 1534-84).	Heere, Lucas de (Gand 1534-84).
TITOLO	Assalto ad un elefante turrito.	Assalto alla balena.
DATAZIONE	1582-85.	1582-85.
DATI TECNICI	Tessuto in seta, oro, argento, lana, 390x539; foderato in tela, restauro 1967 (Amsterdam).	Tessuto in seta, oro, argento, lana, 395x395; foderato in tela.
UBICAZIONI	Coll. Granducali (1589?); Uffizi (1878); Palazzo della Crocetta (1884); Uffizi (1924).	Coll. Granducali (1589?); Uffizi (1878); Depositi delle Gallerie (1890); Uffizi (1924).
ATTRIBUZIONI	Quesnel. Lucas de Heere (Yates 1959).	Quesnel. Lucas de Heere (Yates 1959).
ESPOSIZIONI	Fontainebleau e la maniera italiana, Napoli 1952. L'Europe Humaniste, Bruxelles 1954. France-Écosse, Paris 1956. L'École de Fontainebleau, Paris 1956.	Les Primitifs Francais, Paris 1904.
BIBLIOGRAFIA	*C. Rigoni: Cat. della R. Galleria degli Arazzi, Firenze-Roma 1884, p. 35. Cat., Napoli 1952, n. 88. Cat., Bruxelles 1954, n. 357. Cat., Parigi 1956, n. 91. Cat., Parigi 1972, n. 462. F. Yates: The Valois Tapestries, London 1959, tav. VIII.*	*Cat., Parigi 1904, n. 280. F. Yates: The Valois Tapestries, London 1959, tav. III.*
INVENTARIO	Inv. 1925, 474.	45 (Inv. 1925, 493).
FOTO	109119 (e particolari).	109145 (e particolari).
NOTE	Non abbiamo trovato alcun riferimento a questa festa. Il cartonista ha ritratto l'attacco ad un elefante artificiale - sormontato da una torre quadrata con emblemi araldici - che reca sul capo (come quello del Rosso a Fontainebleau), corone e piume. Con lance è assalito da sassoni, normanni, romani, turchi. L'animale è difeso dai suoi guerrieri che lanciano bombe esplosive e pietre. Bordo con fregio a grottesche, frutta e putti. A destra in basso le lettere W.T.F. (intrecciate) e due B con al centro uno scudo. Esposto nel 1884 al Palazzo della Crocetta (cat. n. 68).	È alla relazione ufficiale del tempo (1565) "Recueil des choses notables faites à Bayonne" che l'arazzo scrupolosamente s'ispira. Il 24 di giugno, di sabato, le loro Maestà accompagnate dalla corte, assistono da un battello ad una caccia ad una balena, combattuta a colpi di dardi. Dopo aver ascoltato musica suonata da sei tritoni su una tartaruga marina, da Nettuno entro una conchiglia e da Airone, presenziano, scesi a terra ad un ballo pastorale e prendono parte, nel bosco, al banchetto. In primo piano Carlo II ed Enrico di Navarra, con gesto energico, addita a Margherita di Valois, il vivace spettacolo. Nella cimosa in basso due B con scudo al centro e lateralmente le lettere W.T.F. e J.W. (intrecciate).

	Ar21	Ar22	Ar23	Ar24
ARAZZIERE	Arazzeria di Bruxelles sec. XVI.	Arazzeria di Bruxelles sec. XVI.	Arazzeria di Bruxelles sec. XVI.	Arazzeria di Bruxelles sec. XVI.
CARTONISTA	Heere, Lucas de (Gand 1534-84).	Heere, Lucas de (Gand 1534-84).	Heere, Lucas de (Gand 1534-84)	Heere, Lucas de (Gand 1534-84).
TITOLO	Combattimento alla sbarra.	Festa per gli ambasciatori polacchi.	Festa sull'acqua.	Gioco della quintana.
DATAZIONE	1582-85.	1582-85.	1582-85.	1582-85.
DATI TECNICI	Tessuto in seta, oro, argento, lana 386x328; foderato in tela.	Tessuto in seta, oro, argento, lana 388x480; foderato in tela, restauro 1967 (Amsterdam).	Tessuto in seta, oro, argento, lana, 403x339; foderato in tela.	Tessuto in seta, oro, argento, lana, 387x400; foderato in tela, restauro 1966.
UBICAZIONI	Coll. Granducali (1589?); Uffizi (1878); Depositi delle Gallerie (1890); Uffizi (1924).	Coll. Granducali (1589?); Uffizi (1878); Depositi delle Gallerie (1890); Uffizi (1924).	Coll. Granducali (1589?); Uffizi (1878); Palazzo della Crocetta (1884); Uffizi (1924).	Coll. Granducali (1589?); Uffizi (1878); Depositi delle Gallerie (1890); Uffizi (1924).
ATTRIBUZIONI	Quesnel. Lucas de Heere (Yates 1959).	Quesnel. Lucas de Heere (Yates 1959).	Quesnel. Lucas de Heere (Yates 1959).	Quesnel. Lucas de Heere (Yates 1959).
ESPOSIZIONI	Lo Sport nella Storia e nell'Arte, Roma 1960.	Les Primitifs Français, Paris 1904.	—	Lo Sport nella Storia e nell'Arte, Roma 1960.
BIBLIOGRAFIA	*F. Yates: The Valois Tapestries, London 1959, tav. IV.* Cat., Roma 1960 (fuori cat.).	Cat., Parigi 1904, n. 281. *F. Yates: The Valois Tapestries, London 1959, tav. VI.*	*C. Rigoni: Cat. della R. Galleria degli Arazzi, Firenze-Roma 1884, p. 36. F. Yates; The Valois Tapestries, London 1959, tav. I.*	*F. Yates: The Valois Tapestries, London 1959, tav. VII.* Cat., Roma 1960 (fuori cat.).
INVENTARIO	47 (Inv. 1925, 494).	139 (Inv. 1925, 472).	Inv. 1925, 473.	46 (Inv. 1925, 492).
FOTO	109138 (e particolari).	135063 (e particolari).	109152.	1925492.
NOTE	Da Fontainebleau, dove la corte trascorse il carnevale, ebbe inizio il viaggio reale. Nel sontuoso castello, si alternavano i combattimenti a cavallo e alla sbarra con macchinose rappresentazioni teatrali. Il panno illustra uno di questi tornei, attrattiva e svago delle giornate di Fontainebleau. Dalla tribuna reale, al centro, Caterina Dei Medici, attorniata dallo squadrone delle sue vezzose damigelle, assiste maestosamente al divertissement. Bordo con fregio a grottesche, fiori, frutta, putti. Nella cimosa in basso due B con scudo al centro.	Non si tratta di una mascherata, bensì di un ricevimento con danze figurate e quadri allegorici. L'arazzo rappresenta il balletto dato nel 1572 da Caterina per festeggiare l'ingresso degli ambasciatori polacchi, giunti a Parigi per eleggere il futuro Enrico III di Francia al trono di Polonia. Bordo con fregio a grottesche, fiori, frutta, putti. Nella cimosa, in basso a destra le lettere W.T.F. (intrecciate).	In primo piano a destra, Enrico III e Luisa di Lorena, regalmente acconciata. La festa si svolge alla presenza di un gruppo di spettatori, su di un ampio specchio d'acqua ove navicelle d'armati danno l'assalto ad un'isola difesa da selvaggi. Bordo con fregio a grottesche, frutta e putti. Nella cimosa, in basso, due B con scudo al centro e una marca (W.T.F. e J.W., intrecciate). È probabile che anche questa festa appartenga al ciclo di quelle che si svolsero durante il carnevale del 1564. Il Göbel (1928) ha riconosciuto nel castello dello sfondo, l'architettura di Fontainebleau - abbandonato e inabitabile durante il regno di Enrico II. È stato esposto nel 1884 al Palazzo della Crocetta (cat. n. 69).	È assai probabile che l'arazzo rappresenti la quintana che ebbe luogo a Bayonne il 19 giugno 1565, in occasione dell'incontro di Caterina dei Medici con la figlia Elisabetta. Gli armati sono disposti in largo cerchio e a turno assalgono con lancia un drago alato posto su di un alto piedistallo. Caterina assiste da un palco con terrazza sovrastante. Bordo con fregio a grottesche, frutta, putti. Nella cimosa in basso, due B con al centro uno scudo e sul lato destro le lettere W.T.F. (intrecciate). Sei disegni di Antoine Caron sono stati posti dallo Ehrmann (1952-55) in relazione con questa serie fiamminga delle feste dei Valois.

Arazzi   Ar21   Ar23
Feste   Ar22   Ar24
dei Valois

	Ar25	Ar26
ARAZZIERE	Arazzeria di Bruxelles sec. XVI.	Arazzeria di Bruxelles sec. XVI.
CARTONISTA	Heere, Lucas de (Gand 1534-84).	Heere, Lucas de (Gand 1534-84).
TITOLO	Un torneo.	Viaggio di corte.
DATAZIONE	1582-85.	1582-85.
DATI TECNICI	Tessuto in seta, oro, argento, lana, 393x608; foderato in tela.	Tessuto in seta, oro, argento, lana, 390x534; foderato in tela.
UBICAZIONI	Coll. Granducali (1589?); Uffizi (1878); Palazzo della Crocetta (1884); Uffizi (1924).	Coll. Granducali (1589?); Uffizi (1878); Palazzo della Crocetta (1884); Uffizi (1924).
ATTRIBUZIONI	Quesnel. Lucas de Heere (Yates 1959).	Quesnel. Lucas de Heere (Yates 1959).
ESPOSIZIONI	France-Écosse, Paris 1956.	—
BIBLIOGRAFIA	C. Rigoni: Cat. della R. Galleria degli Arazzi, Firenze-Roma 1884, pp. 38-39. Cat., Parigi 1956, n. 15. F. Yates: The Valois Tapestries, London 1959, tav. II.	C. Rigoni: Cat. della R. Galleria degli Arazzi, Firenze-Roma 1884, p. 35. F. Yates: The Valois Tapestries, London 1959, tav. V.
INVENTARIO	Inv. 1925, 495.	Inv. 1925, 3.
FOTO	102296 (e particolari).	109129 (e particolari).
NOTE	È la rappresentazione di una mascherata italiana applicata alla tradizionale giostra francese, corsa per ciò sotto travestimento. È la festa del 25 giugno 1565. Otto cavalieri di Irlanda e otto di Gran Bretagna vogliono decidere con le armi, davanti al re, una disputa sull'Amore e la Virtù. Il cartonista ha scelto il momento culminante della mischia. A sinistra, sopra un podio, Caterina col suo nano e in compagnia della figlia Margherita e del genero Enrico di Navarra. A destra, la regina Luisa di Lorena, probabilmente con sua sorella. Ai piedi del palco su cui stà la Regina si vedono, di spalle, alcuni staffieri sulla cosacca dei quali si legge l'impresa di Enrico III: MANET ULTIMA COELO. Fregio di fiori, frutta, putti. Nel 1884 è stato esposto nel Palazzo della Crocetta (cat. n. 74).	È assai probabile che il corteo di Enrico III rappresentato su questo panno, si riferisca al 'Gran viaggio' di Carlo IX. Al centro Enrico III a cavallo, attorniato da paggi e cortigiani, preceduto dalle guardie svizzere e seguito da Caterina dei Medici in lettiga. Sulla destra, il celebre favorito di Enrico III, il 'demi roi' d'Épernon, e accanto Pietro di Bourdeille, signore di Brântome. La cavalcata si snoda attraverso una vallata dominata dal castello d'Anet. Bordo con fregio a grottesche, fiori, frutta, putti. Nella cimosa in basso due B con uno scudo al centro e lateralmente a destra le lettere W.T.F. (intrecciate). Esposto nel 1884 nel Palazzo della Crocetta (cat. n. 67).

	Ar27	Ar28
ARAZZIERE	Papini, Guasparri.	Papini, Guasparri.
CARTONISTA	Allori, Alessandro (Firenze 1535-1607).	Allori, Alessandro (Firenze 1535-1607).
TITOLO	Sovrapporta.	Sovrapporta.
DATAZIONE	1590-1600 ca.	1590-1600 ca.
DATI TECNICI	Tessuto in lana, 216x198.	Tessuto in lana, 195x190.
UBICAZIONI	Coll. Granducali (dall'origine); Depositi delle Gallerie (1890); Uffizi (1928).	Coll. Granducali (dall'origine); Depositi delle Gallerie (1890); Uffizi (1928).
ATTRIBUZIONI	—	—
ESPOSIZIONI	—	—
BIBLIOGRAFIA	*D. Heikamp: Arazzi a soggetto profano su cartone di Alessandro Allori, in Rivista d'Arte, 1956, XXXI, p. 127.*	*D. Heikamp: Arazzi a soggetto profano su cartone di Alessandro Allori, in Rivista d'Arte, 1956, XXX, p. 127.*
INVENTARIO	234 (Inv. 1925, 209).	240 (Inv. 1925, 208).
FOTO	6067.	326050.
NOTE	Sovrapporta con gli stemmi riuniti delle case Medici e Lorena, tessuta dopo il 1589 (nozze di Ferdinando I con Cristina di Lorena). Fregio composto. Il panno è simile, anche se figurativamente più ricco, all'Inv. Arazzi 1912-25 n. 208.	Sovrapporta con gli stemmi riuniti delle case Medici e di Lorena, tessuta dopo il 1589 (nozze di Ferdinando I con Cristina di Lorena). Fregio composto. L'arazzo, anche se figurativamente più semplice, è simile all'Inv. Arazzi 1912/1925 n. 209.

Ar29

ARAZZIERE   Papini, Guasparri.

CARTONISTA   Allori, Alessandro (Firenze 1535-
             1607).

TITOLO   Sovrapporta.

DATAZIONE   1590-1600.

DATI TECNICI Tessuto in lana, 190x200.

UBICAZIONI   Coll. Granducali (dall'origine);
             Depositi delle Gallerie (1890); Uf-
             fizi (1928).

ATTRIBUZIONI —

ESPOSIZIONI —

I cartoni per queste storie con la Passione di Cristo, composte da sette panni d'arazzo tutti tessuti da Guasparri Papini, vennero forniti principalmente da Alessandro Allori e dal Cigoli (si cfr. relazione di *A. Frezza* al Lyceum di Firenze in palazzo Giugni, 5-8, X, 1977 'Rubens e Firenze'), anche se in parte ispirati ai disegni e alle incisioni della Passione dello Stradano.
È una serie molto preziosa, tessuta in seta ed oro, come da lungo tempo nell'Arazzeria fiorentina non si riscontrava. Il Geisenheimer ha supposto che i panni servissero per l'addobbo di Palazzo Pitti nella festa del Corpus Domini. Venne consegnata alla Guardaroba Medicea in varie riprese, dal 1592 al 1616.

BIBLIOGRAFIA *D. Heikamp: Arazzi a soggetto*
             profano su cartone di Alessan-
             dro Allori, in Rivista d'Arte, 1956,
             XXXI, p. 127.

INVENTARIO   241 (Inv. 1925, 219).

FOTO   6065.

NOTE   Sovrapporta con gli stemmi riu-
             niti delle case Medici e Lorena,
             tessuta dopo il 1589 (nozze di
             Ferdinando I dei Medici con Cri-
             stina di Lorena). Fregio a fondo
             rosso con cornucopie. Un altro
             panno simile a questo si segna-
             la a Palazzo Vecchio (deposito del-
             la Sovrintendenza per i Beni Ar-
             tistici e Storici di Firenze, Inv.
             Arazzi 1912/1925 n. 218).

Arazzi
Serie
della
Passione

Ar30
Ar31

	Ar30	Ar31
ARAZZIERE	Papini, Guasparri.	Papini, Guasparri.
CARTONISTA	Allori, Alessandro (Firenze 1535-1607).	Allori, Alessandro (Firenze 1535-1607).
TITOLO	L'Orazione di Gesù nell'orto.	L'Ultima Cena.
DATAZIONE	1592.	1595.
DATI TECNICI	Tessuto in seta, oro, lana, 367x358; foderato in tela.	Tessuto in seta, oro, lana, 367x363; foderato in tela.
UBICAZIONI	Coll. Granducali (dall'origine); Palazzo della Crocetta (1884); Uffizi (1928).	Coll. Granducali (dall'origine); Palazzo della Crocetta (1884); Uffizi (1928).
ATTRIBUZIONI	—	—
ESPOSIZIONI	—	—
BIBLIOGRAFIA	*C. Rigoni: Cat. della R. Galleria degli Arazzi, Firenze-Roma 1884, p. 18.*	*C. Rigoni: Cat. della R. Galleria degli Arazzi, Firenze-Roma 1884, pp. 13-15.*
INVENTARIO	Inv. 1925, 518.	Inv. 1925, 519.
FOTO	326068.	326065.
NOTE	In primo piano gli Apostoli, Pietro, Giacomo e Giovanni addormentati; in secondo piano Cristo genuflesso circondato da un alone di luce e da un angelo che gli presenta il calice. Soldati in lontananza. Fregio di figure, putti, festoni di frutta, formelle con gli emblemi della Passione. Nella cartella al centro in alto si legge: TRANSEAT A ME / CALIX ISTE / FIAT VOLVNTAS / TVA. Per i dati si cfr. alla data 31 ottobre 1591, Guardaroba Medicea, A.S.F. vol. 116, c. 30. All'anno 1601 (A.S.F. Guard., vol. 220, c. 10) è indicata una replica in lana. Nel 1884, è stato esposto nel Palazzo della Crocetta (cat. n. 33).	Gesù seduto a mensa distribuisce il pane e il vino agli Apostoli. In primo piano Giuda dà da mangiare ad un gatto. Tutt'intorno fregio di figure, putti, festoni di frutta, formelle con i simboli della Passione e una cartella in alto con la seguente iscrizione: QVI INTINGIT / MECVM, e una in basso: IN PAROPSIDE / HIC ME TRADET. Una replica in lana, successiva, è segnalata dalla Guardaroba Medicea all'anno 1601 (A.S.F., vol. 220, c. 10). Esposto nel 1884 nel Palazzo della Crocetta in via della Colonna (cat. n. 26). G.G.B.

	Ar32	Ar33	Ar34	Ar35
ARAZZIERE	Papini, Guasparri.	Papini, Guasparri.	Papini, Guasparri.	Papini, Guasparri.
CARTONISTA	Allori, Alessandro (Firenze 1535-1607).	Allori, Alessandro (Firenze 1535-1607).	Cigoli, Cardi Lodovico, detto il (Castelvecchio di Cigoli 1559 - Roma 1613).	Allori, Alessandro (Firenze 1535-1607).
TITOLO	Bacio di Guida.	La Lavanda dei piedi.	Cristo davanti ad Erode.	Cristo che porta la croce.
DATAZIONE	1600.	1600.	1600-1601.	1605.
DATI TECNICI	Tessuto in seta, oro lana, 365x486; foderato in tela.	Tessuto in seta, oro, lana, 368x368; foderato in tela.	Tessuto in seta, oro, lana, 365x376; foderato in tela.	Tessuto in seta, oro, lana, 365x353; foderato in tela.
UBICAZIONI	Coll. Granducali (dall'origine); Palazzo della Crocetta (1884); Uffizi (1928).	Coll. Granducali (dall'origine); Palazzo della Crocetta (1884); Uffizi (1928).	Coll. Granducali (dall'origine); Palazzo della Crocetta (1884); Uffizi (1928).	Coll. Granducali (dall'origine); Palazzo della Crocetta (1884); Uffizi (1928).
ATTRIBUZIONI	Allori, Stradano (Geisenheimer 1907). Passignano (?) (Göbel 1928). Stradano (Thiem 1958).	—	—	—
ESPOSIZIONI	Mostra del Caravaggio, Milano 1951 (fuori cat.).	Mostra del Caravaggio, Milano 1951 (fuori cat.).	Mostra del Caravaggio, Milano 1951 (fuori cat.) Mostra del Cigoli, San Miniato 1959.	—
BIBLIOGRAFIA	*C. Rigoni: Cat. della R. Galleria degli Arazzi, Firenze-Roma 1884, p. 15. Cat., Milano 1951, (f.c.). G. Thiem: Studien zu Van der Straet, Genannt Stradanus, in 'Mitteilungen der Kunst Historischen Institutes in Florenz', VIII, 1957-58, p. 88.*	*C. Rigoni: Cat. della R. Galleria degli Arazzi, Firenze-Roma 1884, pp. 15-16. Cat., Milano 1951, (fuori cat.).*	*C. Rigoni: Cat. della R. Galleria degli Arazzi, Firenze-Roma 1884, p. 17. Cat., Milano 1951, (fuori cat.). M. Bucci, in Cat. San Miniato 1959, n. 28.*	*C. Rigoni: Cat. della R. Galleria degli Arazzi, Firenze-Roma 1884, p. 18.*
INVENTARIO	Inv. 1925, 514.	Inv. 1925, 520.	Inv. 1925, 517.	Inv. 1925, 516.
FOTO	326052.	326066.	326067.	326069.
NOTE	Su un ampio sfondo paesaggistico, al centro Giuda bacia il Cristo; a destra alcuni discepoli, a sinistra i soldati che si accingono a catturare il Redentore. Fregio di figure, putti, festoni, formelle con i simboli della Passione e due cartelle con iscrizioni, in alto AVE RABBI, / OSCVLATVS. EST /. EVM. e in basso IVDA OSCVLO FILIV / HOMINIS TRADIS. Nella cimosa in basso le lettere F.A.F. (factum Florentiae), lo stemma mediceo e la data 1600. L'arazzo, ispirato da un disegno dello Stradano - cfr. Uffizi 7760 F. -, fu consegnato alla Guardaroba Medicea il 28 febbraio 1613 (A.S.F. vol. 220, c. 34v.. 35r.; vol. 213, c. 38v.). Nel 1884 è stato esposto nel Museo della Crocetta (cat. n. 27).	Al centro appare il Redentore che con un ginocchio a terra, lava i piedi a Pietro. Tutt'intorno fregio di figure, putti, festoni di frutta, formelle con i simboli della Passione. Nella cartella al centro in alto si legge: DOMINE NON / TANTVM PEDES / MEOS, ed in quella in basso SED MANVS / ET CAPVT. Per una replica in lana, successiva, si cfr. al 1601 il doc. della Guardaroba Medicea (A.S.F. vol. 220, c. 11). Esposto nel 1884 nel Palazzo della Crocetta in via della Colonna (cat. n. 28).	Il Cristo, con le mani legate al dorso, è condotto dai soldati, per ordine di Pilato, alla presenza di Erode, seduto a destra in trono. Fregio di figure, putti, festoni di frutta, formelle con gli emblemi della Passione e due cartelle con la seguente iscrizione, in alto PILATVS MISIT / EVM AD HERODEM, e in basso HERODES / REMISIT / AD PILATVM. Arazzo tessuto da cartone del Cigoli (A.S.F. Guard. vol. 212, c. 24, all'anno 1600) su disegno dello Stradano. Nel 1884 è stato esposto nel Palazzo della Crocetta (cat. n. 32).	Cristo è condotto al Calvario mentre il Cireneo lo aiuta a portare le croce. Seguono il Redentore le pie donne e soldati a piedi e a cavallo. Fregio di figure, putti, festoni, formelle con i simboli della Passione e due cartelle con la seguente iscrizione, in alto: VT CRVCIFIGERENT / EVM, in basso MILITES / DVSSERVNT / EVM. Per la data del panno si cfr. doc. Guardaroba Medicea (A.S.F. vol. 220, c. 16). Esposto nel Palazzo della Crocetta nel 1884 (cat. n. 34).

Arazzi   Ar32   Ar34
Serie   Ar33   Ar35
della
Passione

Arazzi
Serie
della
Passione

Ar36
Ar37

	Ar36	Ar37
ARAZZIERE	Papini, Guasparri.	Papini, Guasparri.
CARTONISTA	Ignoto.	Cinganelli, Michelangelo (Firenze 1580 ca. - 1635).
TITOLO	Cristo mostrato al popolo.	Fetonte chiede la guida del carro.
DATAZIONE	1616 (?).	1613-20.
DATI TECNICI	Tessuto in seta, oro, lana, 366x490; foderato in tela.	Tessuto in seta, oro, argento, lana, 472x487; foderato in tela, restauro 1638 e 1966.
UBICAZIONI	Coll. Granducali (dall'origine); Palazzo della Crocetta (1884); Uffizi (1928).	Coll. Granducali (dall'origine); Palazzo della Crocetta (1884); Museo Nazionale (1932); Uffizi (1948).
ATTRIBUZIONI	Allori. Stradano (Geisenheimer 1907). Passignano (Göbel 1928). Stradano (Thiem 1958).	Allori (Conti 1875). Cinganelli (Heikamp 1956).
ESPOSIZIONI	—	—
BIBLIOGRAFIA	C. Rigoni: *Cat. della R. Galleria degli Arazzi, Firenze-Roma 1884, p. 19. G. Thiem: Studien zu Van der Straet, Genannt Stradanus, in Mitteilungen des Kunst Historischen Institutes in Florenz, VIII, 1957-58, p. 88.*	C. Conti: *Ricerche storiche sull'arte degli arazzi, Firenze 1875, pp. 55, 63, 64. C. Rigoni: Cat. della R. Galleria degli Arazzi, Firenze-Roma, 1884, p. 24. D. Heikamp: Arazzi a soggetto profano su cartone di Alessandro Allori, in Rivista d'Arte, 1956, XXX, p. 130 nota 48.*
INVENTARIO	Inv. 1925, 515.	Inv. 1925, 51.
FOTO	326053.	5970.
NOTE	Cristo, circondato dalle guardie, è mostrato al popolo da Pilato. Fregio di figure, putti, festoni, formelle con i simboli della Passione e nelle due cartelle al centro, in alto ECCE HOMO, in basso CRVCIFIGE / EVM. Ispirato da un disegno dello Stradano - cfr. Uffizi 7763 F. - (non è noto l'autore del cartone), l'arazzo venne consegnato alla Guardaroba Medicea solo nel 1616 (A.S.F. vol. 220, cc. 38r. e v.; vol. 213, cc. 45 r. e v.). Nel 1884 è stato esposto nel Palazzo della Crocetta in via della Colonna (cat. n. 35).	A sinistra è Febo in trono; a destra Fetonte in atto di supplica. Fregio di putti, festoni di frutta e maschere. Nella cimosa, fra due F il giglio (Factum Florentiae), seguito dalle iniziali dell'arazziere, G. P. Nel 1884 è stato esposto nel Palazzo della Crocetta (cat. n. 49). I due panni degli Uffizi (cfr. Inv. Arazzi 1912/1925 n. 52) sono stati tessuti dal Papini da cartoni del Cinganelli (Non spese 8 dicembre 1617, A.S.F. Guard. vol. 213, c. 506), riutilizzando in parte i cartoni dell'Allori già tessuti dallo Squilli nel 1585. Fanno parte di una serie di quattro arazzi con le storie di Fetonte che, tessuta per il cardinal Del Monte (Montalto), venne rifiutata dagli eredi alla morte di questi (1628) e restò quindi presso le collezioni Granducali.

	Ar38	Ar39
ARAZZIERE	Papini, Guasparri.	Van Asselt, Bernardino.
CARTONISTA	Cinganelli, Michelangelo (Firenze 1580 ca. - 1635).	Melissi, Agostino (doc. a Firenze dal 1631 al 1680).
TITOLO	Febo mostra il carro a Fetonte.	Mosè salvato dalle acque.
DATAZIONE	1613-20.	1653 ca.
DATI TECNICI	Tessuto in seta, oro, argento, lana, 472x487; foderato in tela, restauro 1638 e 1966.	Tessuto in seta, lana, 527x765; foderato in tela.
UBICAZIONI	Coll. Granducali (dall'origine); Palazzo della Crocetta (1884); Museo Nazionale (1932); Uffizi (1948).	Coll. Granducali (dall'origine); Depositi delle Gallerie (1890); Uffizi (1901).
ATTRIBUZIONI	Allori (Conti 1875). Cinganelli (Heikamp 1956).	—
ESPOSIZIONI	—	—
	—	—
BIBLIOGRAFIA	*C. Conti: Ricerche storiche sull'arte degli arazzi, Firenze 1875, pp. 55, 63, 64. C. Rigoni: Cat. della R. Galleria degli Arazzi, Firenze-Roma, 1884, p. 24. D. Heikamp: Arazzi a soggetto profano su cartone di Alessandro Allori, in Rivista d'Arte, 1956 XXXI, p. 130 nota 48.*	*Pieraccini, 1907, p. 18, n. 8. O. Ferrari: Arazzi Italiani del '600 e '700, Milano 1968, p. 28.*
INVENTARIO	Inv. 1925, 52.	25 (Inv. 1925, 90).
FOTO	164755.	6198.
NOTE	Febo al centro in primo piano, indica a Fetonte il carro del Sole, riccamente ornato, che è alla sua sinistra. In secondo piano quattro figure alate conducono quattro cavalli, ugualmente alati. Fregio di putti, festoni di frutta e maschere. Nella cimosa, in basso a destra fra due F il giglio (Factum Florentiae). È stato esposto nel 1884 nel Palazzo della Crocetta (cat. n. 50). Per le altre notizie si rimanda all'Inv. Arazzi 1912/1925 n. 51.	A sinistra, seduta e incoronata, la figlia del Faraone, attorniata da sette ancelle, due delle quali le presentano in una cesta Mosè infante. A destra il paesaggio boscoso si apre sul Nilo. Fregio architettonico con putti e festoni; in alto una cartella con la scritta: MOYSES EX AQVIS EDVCITVR / SVPER AQVAM REFECTIONIS / POPVLVM EDVCATVRVS. Dalle carte della Guardaroba Medicea agli anni 1653, 1655 (A.S.F., vol. 543, cc. 27, 28, 29, 32; vol. 665, c. 4), notiamo che i cartoni per la serie con le storie di Mosè vennero più volte usati e ritoccati (sei panni e sette repliche). Attualmente la serie è divisa tra gli Uffizi, Montecitorio, Palazzo Medici Riccardi, Museo Nazionale di Parma, Prefettura di Firenze, Palazzo del Governo di Pistoia, Palazzo Pitti.

	Ar40	Ar41	Ar42	Ar43
ARAZZIERE	Van Asselt, Bernardino.	Arazzeria fiorentina (?) sec. XVII.	Arazzeria fiorentina (?) sec. XVII.	Pollastri, Giovanni (?).
CARTONISTA	Melissi, Agostino (doc. a Firenze dal 1631 al 1680).	Ignoto.	Ignoto.	Gemignani, Giacinto (Pistoia 1611-Roma 1681).
TITOLO	Il passaggio del Mar Rosso.	Portiera.	Portiera.	L'incoronazione di Giovanna d'Austria.
DATAZIONE	1653 ca.	1650 ca.	1661 ca.	1654-1656.
DATI TECNICI	Tessuto in seta, lana, 530x810; foderato in tela.	Tessuto in seta, lana, 286x225; foderato in tela, restauro 1970.	Tessuto in lana, 304x200; foderato in tela, restauro 1957.	Tessuto in lana, 545x870; foderato in tela.
UBICAZIONI	Coll. Granducali (dall'origine); Depositi delle Gallerie (1890); Uffizi (1901).	Coll. Granducali (dall'origine); Pitti (1911); Uffizi (1967).	Coll. Granducali (dall'origine); Palazzo della Crocetta (1884); Museo Nazionale (1928); Uffizi (1952).	Coll. Granducali (dall'origine); Depositi delle Gallerie (1890); Uffizi (1901).
ATTRIBUZIONI	O. Ferrari: *Arazzi Italiani del '600 e '700, Milano 1968, p. 28. Pieraccini, 1907, p. 18, n. 1.*	—		—
ESPOSIZIONI	—	—	—	—
BIBLIOGRAFIA	—	—	*C. Rigoni: Cat. della R. Galleria degli Arazzi, Firenze-Roma 1884, p. 4.*	*Pieraccini, 1907, p. 18, n. 3. O. Ferrari: Arazzi Italiani del '600 e '700, Milano 1968, p. 28.*
INVENTARIO	56 (Inv. 1925, 630).	Inv. Oggetti d'Arte, 1912, 1212.	Inv. 1925, 372.	96 (Inv. 1925, 143).
FOTO	6163.	327571.	326039.	6021.
NOTE	Sullo sfondo a sinistra, appare il mare col fatale passaggio dell'esercito del Faraone verso cui guarda Mosé, maestoso al centro della composizione e circondato da vari personaggi sontuosamente vestiti. A sinistra, in secondo piano, cammellieri e pastori; sullo sfondo, a destra, gli attendamenti degli Ebrei all'entrata del deserto. Fregio architettonico; in alto cartella con la scritta: PHARAO SVPERBVS ASCENDERE / CVPIEBAT ET IN PROFVNDVM / DESCENDIT QVASI LAPIS. Mancano parte delle colonne laterali. Per le altre notizie cfr. Inv. Arazzi 1912/1925 n. 90.	Stemma mediceo granducale, retto da leone inquartato entro motivo architettonico fantastico. Ai lati due corone di frutta.	Portiera con stemma di Cosimo III dei Medici e di Margherita d'Orleans, nozze 1661), sorretto da due putti alati. Fregio di formelle e festoni Esposto nel Museo degli Arazzi, nel Palazzo della Crocetta, in via della Colonna (cat. n. 6).	Al centro, a destra, due prelati che incoronano, inginocchiata, Giovanna d'Austria prima moglie del granduca Francesco I. Nell'angolo inferiore sinistro si legge il nome del cartonista: H^sv GIMIGNANVS / PIN. 1654. Cornice architettonica con due putti nella parte superiore che reggono un cartello: JOANNAM. AVSTRIACAM. NVRVM. / REGIO. CVLTV. EXCIPIT. Una replica analoga si conserva nei depositi di Pitti, Inv. Oggetti d'Arte n. 1229. Dalle carte della Guardaroba Medicea in data 21, gennaio 1654 (A.S.F. vol. 531, c. 183) risulta che il cartone di questo panno è opera del Gemignani: esso venne consegnato alla Guardaroba (A.S.F. vol. 665, c. 3) il 12 dicembre 1656 ed eseguito, presumibilmente dal Pollastri nella bottega del Fevère. I cartoni per l'intera serie (otto panni), più volte ripetuta, vennero forniti oltre che dal Melissi, anche dal Dandini e dall'Ulivelli.

	Ar44	Ar45	Ar46
ARAZZIERE	Pollastri, Giovanni (?).	De la Croix, Jean.	De la Croix, Jean.
CARTONISTA	Melissi, Agostino (doc. a Firenze dal 1631 al 1680).	Le Brun, Charles (Parigi 1619-90).	Le Brun, Charles (Parigi 1619-90).
TITOLO	Ingresso di Cosimo I in Siena.	L'Autunno.	L'Inverno.
DATAZIONE	1666.	1704 ca.	1704 ca.
DATI TECNICI	Tessuto in lana, 550x865; foderato in tela.	Tessuto in oro, seta, lana, 365x179; foderato in tela, restauro 1968 e 1973.	Tessuto in seta, lana 377x230; foderato in tela, restauro 1968 e 1973.
UBICAZIONI	Coll. Granducali (dall'origine); Depositi delle Gallerie (1890); Uffizi (1901).	Coll. Granducali (1810); Uffizi (1878); Palazzo della Crocetta (1884); Uffizi (1928?).	Coll. Granducali (1810); Uffizi (1878); Palazzo della Crocetta (1884); Uffizi (1928?).
ATTRIBUZIONI	—	—	—
ESPOSIZIONI	—	—	—
BIBLIOGRAFIA	O. Ferrari: *Arazzi Italiani del '600 e '700, Milano 1968, p. 28. Pieraccini, 1907, p. 18, n. 3.*	*C. Rigoni: Cat. della R. Galleria degli Arazzi, Firenze-Roma 1884, p. 44. G. Gatti Gazzini: L'Arazzo, Firenze 1958, p. 146.*	G. Gatti Gazzini: *L'Arazzo, Firenze 1956, p. 146. C. Rigoni: Cat. della R. Galleria degli Arazzi, Firenze-Roma 1884, p. 45.*
INVENTARIO	95 (Inv. 1925, 141).	Inv. 1925, 611.	Inv. 1925, 47.
FOTO	6019.	205688 (e particolari).	205691 (e particolari).
NOTE	A destra il granduca che accenna davanti a sé con lo scettro e dietro quattro cavalieri, vari soldati e paggi. A sinistra i dignitari senesi, fra i quali uno che porge il piatto con le chiavi della città a Cosimo. Al centro, in alto, cartella con la scritta: M. D. COSMVS / FORTITVDINE PRAEEVNTE / ET CLEMENTIA COMITANTE / SENAS PRIMVM INGREDITVR. Tutto intorno fregio architettonico. Dalle carte della Guardaroba Medicea (A.S.F. vol. 665, c. 41), in data 11 dicembre 1666, risulta creditore per la tessitura il Pollastri e in data 20 Aprile 1666 (A.S.F. vol. 663, c. 210) per il cartone dipinto, Agostino Melissi. Una replica analoga si conserva nei depositi di Pitti, Inv. Arazzi 1912/1925 n. 142. S. cfr. i disegni preparatori della Biblioteca Marucelliana di Firenze vol. B. n. 6 e vol. B. n. 8) e degli Uffizi, n. 2088 S.	Ampio paesaggio sullo sfondo. A destra un alto albero, presso il quale un fanciullo, chino, raccoglie dei frutti. Verso sinistra, in primo piano avanza un altro fanciullo, carico di una cesta di frutta. Fregio a imitazione di cornice intagliata. Quarta o quinta tessitura a basso liccio. Insieme ad altre entre-fenêtres della stessa serie raffigurante le stagioni, fu inviato nel novembre del 1810 da Napoleone I alla granduchessa di Toscana (cfr. altro esemplare, Inv. Arazzo 1912/1925 n. 507, presso l'Ambasciata Italiana di Londra). Esposto nel 1884 al Palazzo della Crocetta (cat. n. 82).	Un fanciullo alza la copertura di una piccola serra piena di piante in fiore; un altro porta una pianta e un terzo copre delle piante con della paglia. Lo sfondo rappresenta una campagna in autunno assai avanzato. Fregio ad imitazione di cornice intagliata. È stato esposto al Palazzo della Crocetta, in via della Colonna (cat. n. 85). Per le altre notizie si rimanda all'Inv. Arazzi 1912/1925 n. 611.

Le schede di questa sezione del catalogo (non siglate) sono state interamente compilate da Caterina Caneva.

	Sc1	Sc2	Sc3	Sc4
AUTORE	Amadeo, Giovanni Antonio (Pavia 1447 ca. - Milano 1522).	Bambaja, Busti Agostino, detto il (Busto Arsizio 1483 - Milano 1548).	Bambaja, Busti Agostino, detto il (Busto Arsizio 1483 - Milano 1548).	Bambaja, Busti Agostino, detto il (Busto Arsizio 1483-Milano 1548).
TITOLO	Flagellazione di Cristo.	Angelo con tuba.	S. Francesco (?)	Sibilla.
DATAZIONE	Ultimi decenni sec. XV, Opera tarda (Salmi 1967).	Primi decenni sec. XV.	Primi decenni sec. XVI.	Primi decenni sec. XVI.
DATI TECNICI	Rilievo in marmo bianco, 70x49.	Bassorilievo in marmo bianco, 54x22,5.	Bassorilievo in marmo bianco, 59,5x21.	Bassorilievo in marmo bianco, 59,5x23.
CORNICE	Legno di noce a gole, parzialmente dorata moderna.	Cornice-sostegno in legno parzialmente dorato, foderata in velluto verde.	Cornice-sostegno di legno parzialmente dorato, foderata di velluto verde.	Cornice-sostegno di legno parzialmente dorato, foderata di velluto verde.
UBICAZIONI	Coll. Contini Bonacossi; Uffizi (1974); Dep. Meridiana di Pitti.	Coll. Contini Bonacossi; Uffizi (1974); Dep. Meridiana di Pitti.	Coll. Contini Bonacossi; Uffizi (1974); Dep. Meridiana di Pitti.	Coll. Contini Bonacossi; Uffizi (1974); Dep. Meridiana di Pitti.
ATTRIBUZIONI	—	—	—	—
ESPOSIZIONI	—	—	—	—
BIBLIOGRAFIA	E. Arslan, in Dizionario Biografico degli Italiani, II, Roma 1972. *M. Salmi, in Bollettino d'arte, LII, 1967 (IV).*	M. Di Giovanni, in Dizionario Biografico degli Italiani, XV, Roma 1972; *M. Salmi; in Bollettino d'Arte, LII, 1967 (IV).*	M. Di Giovanni, in Dizionario Biografico degli italiani, XV, Roma 1972; *M. Salmi, in Bollettino d'Arte, LII, 1967 (IV).*	M. Di Giovanni, in Dizionario Biografico degli italiani, XV, Roma 1972; *M. Salmi, in Bollettino d'Arte, LII, 1967 (IV).*
INVENTARIO	Contini Bonacossi 38.	Contini Bonacossi 39.	Contini Bonacossi 40.	Contini Bonacossi 41.
FOTO	230576.	319280.	319282.	319274.
NOTE	Il Salmi definisce la scultura un esempio del passaggio dallo stiacciato al rilievo depresso delle figure che caratterizzano la tarda attività dello scultore e la avvicina all'Adorazione del Bambino nell'arca di S. Lanfranco a Pavia (opera tarda) e a una Flagellazione nel monumento Colleoni a Bergamo. A mio avviso l'opera è anche più vicina all'altra Flagellazione, nell'arca dei Martiri Persiani in S. Lorenzo a Cremona che il Venturi attribuisce a un allievo dell'Amadeo e precisamente a Pietro da Rho. Il rilievo è entrato nelle collezioni della Galleria in seguito a una donazione, accompagnata da una convenzione con gli eredi del conte Alessandro Contini Bonacossi (1969).	L'appartenenza di questo rilievo allo stesso monumento funebre smembrato da cui derivano il S. Francesco e la Sibilla già nella collezione Contini Bonacossi (Inv. C.B. 40 e 41), è messa in dubbio dal Salmi, che ne nota il piano di fondo sagomato diversamente. L'Angelo è vicino a una statua della 'Fortezza' dello stesso Bambaja, ora al Victoria and Albert Museum di Londra. L'opera è entrata nelle collezioni della Galleria in seguito a una donazione accompagnatata da una convenzione con gli eredi del conte Alessandro Contini Bonacossi (1969).	L'opera sembra appartenere, come la Sibilla (Inv. Contini Bonacossi 41) che ha le medesime dimensione e lo stesso parziale bordo a rilievo, a un complesso unico, probabilmente un monumento funebre. Il Bambaja lavorò infatti a due complessi del genere ora dispersi: il monumento funebre di Gastone di Foix (1515) in S. Marta e quello Birago (dal 1522), in S. Francesco Grande, entrambi a Milano. L'opera è entrata nelle collezioni della Galleria attraverso una donazione accompagnata da una convenzione con gli eredi del conte Alessandro Contini Bonacossi (1969).	Come il S. Francesco (Inv. Contini Bonacossi 40), questo rilievo appartenne probabilmente a un monumento funebre, come quello di Gastone di Foix o quello Birago, oggi dispersi. In particolare il Salmi accosta la Sibilla a una Madonna della villa Taccioli Litta Modignani a Varese o al S. Gerolamo dal Monumento Birago (dal 1522), oggi nel Palazzo Borromeo all'Isola Bella, sulla base di richiami comuni a una certa statuaria ellenistica. L'opera è entrata nelle collezioni della Galleria in seguito a una donazione accompagnata da una convenzione con gli eredi del conte Alessandro Contini Bonacossi (1969).

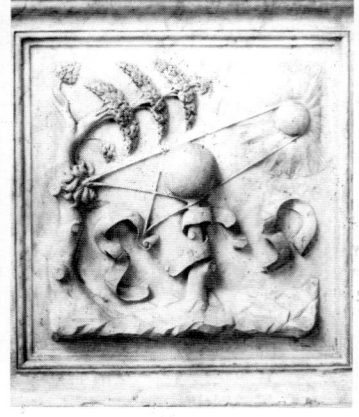

Sc5   Sc6   Sc7

AUTORE	Bandinelli, Baccio (Firenze 1493-1560).	Bernini, Gian Lorenzo (Napoli 1598 - Roma 1680).	Bracci, Pietro (Roma 1700-1773).
TITOLO	Laocoonte.	S. Lorenzo sulla graticola.	Busto di Papa Benedetto XIII.
DATAZIONE	1520 (commissionata) - 1525 (finita).	1613 (Baldinucci 1682), 1616 ca. (Fagiolo 1967), 1616-17 (Wittkover 1966), 1617 (Martinelli 1956).	Opera giovanile.
DATI TECNICI	Marmo bianco in tre pezzi; alt. mass. 213, base originale alt. 120. Restauro 1762-69.	Marmo bianco, alt. massima 70, lungh. massima 112, largh. massima 45. Consolle in legno intagliato, alt. 86, originale.	Bronzo altezza massima 92, largh. massima 73.
CORNICE	—	Famiglia Strozzi, Roma, poi Firenze (dall'origine); Coll. Contini Bonacossi (cit. 1948); Uffizi (1974); Dep. Meridiana di Pitti.	—
UBICAZIONI	Roma; Palazzo Medici (1525, cit. fino al 1591); Casino Mediceo di S. Marco; Uffizi (1671)?	—	Coll. Contini Bonacossi; Uffizi (1974); Dep. Meridiana di Pitti.
ATTRIBUZIONI	—	—	—
ESPOSIZIONI	—	Mostra della Casa Italiana nei secoli, Firenze 1948. Il Seicento europeo, Roma 1956.	—
BIBLIOGRAFIA	D. Heikamp, in L'Oeil 169, 1969. I. Lavin, The Sculptor's 'Last will and testament', in Allen Memorial Art Museum Bulletin XXXV, 1977-78, pp. 21-22.	*V. Martinelli, in Cat. Roma 1956, n. 332. M. e M. Fagiolo Dell'Arco, Bernini, Roma 1967.*	A. Santangelo, in Cat. mostra Il Settecento a Roma, Roma 1959. H. Honour, in Dizionario biografico degli italiani, XIII, Roma 1971.
INVENTARIO	1914 n. 284 (C.P., p. 34, n. 385).	Contini Bonacossi 36.	Contini Bonacossi 37.
FOTO	52788, 324987-8.	52216.	319283.
NOTE	Copia del famoso Laocoonte scoperto a Roma, commissionata nel 1520 dal card. Giulio de' Medici (poi Clemente VII) che voleva farne dono al re di Francia (cfr. Vasari), fu invece inviata a Firenze e collocata nel secondo cortile di Palazzo Medici nel 1531, come attesta un'iscrizione sotto la base (GFS n. 42435). Entrò in Galleria, con l'ubicazione attuale (ASF, Guardaroba 784 c.20), con l'eredità del card. Carlo de' Medici. Nel 1762 rimase danneggiata dall'incendio dell'ultimo tratto degli Uffizi che le fece crollare addosso la cancellata della terrazza sulla loggia dei Lanzi. Il piedistallo è originale e il Bencivenni Pelli (1779) vi ricorda un'iscrizione, forse dipinta, sul cartiglio frontale, ora scomparsa. Su entrambi i lati è scolpita a bassorilievo l'impresa di Clemente VII (P. Giovio, 1555): una sfera piena d'acqua attraversata senza danno da un raggio di sole che brucia invece un albero al di là di quella, con la scritta 'Candor illesus'. Il Lavin segnala un disegno relativo fra le carte Bandinelli (ASF, Acquisti e doni 141).	L'opera, conosciutissima, fu eseguita secondo il Baldinucci quando il Bernini aveva quindici anni, insieme al sostegno che raffigura il rogo ardente e ha incise sul piano di appoggio le mezze lune dello stemma degli Strozzi (committente ne fu infatti Leone Strozzi e fu esposta anche nel palazzo fiorentino della famiglia). Domenico Bernini (1713) riferisce che Gian Lorenzo, per rendere perfettamente la reazione al dolore del martire suo omonimo, sperimentò su se stesso le bruciature. La scultura va collocata fra i primi piccoli marmi eseguiti dal Bernini adolescente a Roma. È entrata a far parte delle collezioni della Galleria inseguito a una donazione accompagnata da una convenzione con gli eredi del conte Alessandro Contini Bonacossi (1969).	Di Francesco Maria Orsini, papa col nome di Benedetto XIII dal 1724 al 1730, il Bracci, abile ritrattista, eseguì vari altri busti, come quello in terracotta ora al museo di Palazzo Venezia, che servì di modello a quello in S. Maria Maggiore. Per lo stesso Pontefice il Bracci eseguì inoltre la statua intera e la figura allegorica della Religione nel monumento funebre disegnato da Carlo Marchionni, alla Minerva. Quest'opera, pregevole anche per la bellissima patina, è entrata nelle collezioni della Galleria in seguito a una donazione accompagnata da una convenzione con gli eredi del conte Alessandro Contini Bonacossi (1969).

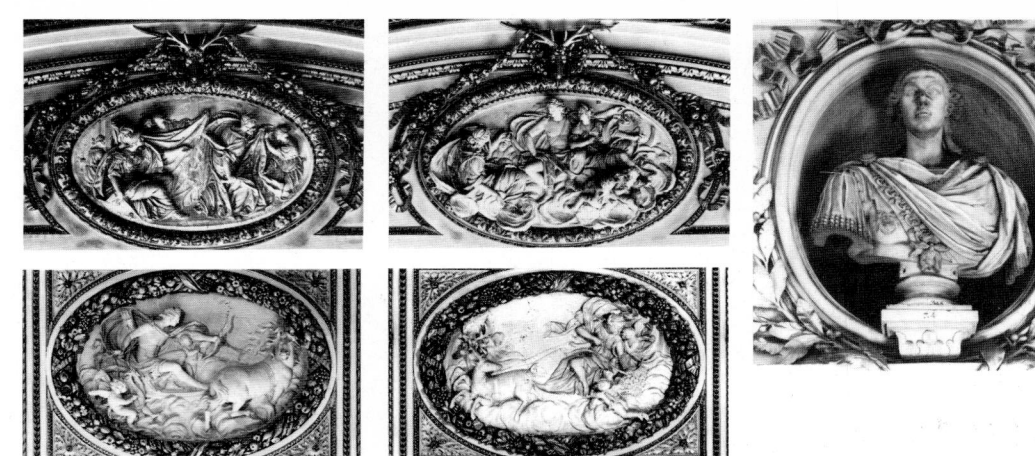

	Sc8	Sc9	Sc10
AUTORE	Carradori, Francesco (Pistoia 1747 - Firenze 1824).	Carradori, Francesco (Pistoia 1747 - Firenze 1824).	Fedeli, Tommaso di Baldo (Urbino,?).
TITOLO	Storie di Niobe.	Busto di Pietro Leopoldo di Toscana.	Busto di Cosimo II de' Medici.
DATAZIONE	1780-81 ca. (Venturoli 1974).	1789.	1624 (Langedijk 1979).
DATI TECNICI	Stucco ovale.	Marmo bianco, alt. 83.	Porfido, alt. 85,5, base 24, restauro 1970.
CORNICE	—	—	—
UBICAZIONI	Uffizi, Sala della Niobe (dall'origine).	Uffizi, Vestibolo (dall'origine).	Pitti (cit. 1638, come Ferdinando I); Uffizi (cit. 1687, dal Tessin, come Ferdinando I).
ATTRIBUZIONI	—	—	Scuola fiorentina sec. XVII (inventari); Tommaso Fedeli (Langedijk 1979).
ESPOSIZIONI	—	—	—
BIBLIOGRAFIA	L. Lanzi, La Real ... Galleria, Firenze 1782, p. 77. P. Venturoli, ad vocem, in Dizionario biografico degli italiani XX, Roma 1974.	P. Venturoli, ad vocem, in Dizionario degli italiani, XX, Roma 1974.	K. Langedijk, The Portaits of the Medici, XV-XVIIIth centuries, Firenze 1980.
INVENTARIO	—	1914 n. 66.	1914 n. 47 (C.P., p. 19, n. V).
FOTO	11164-11174-11173-11172.	—	324991.
NOTE	Si tratta di quattro grandi stucchi ovali che decorano le pareti della sala costruita a partire dal 1780 dall'arch. G. M. Paoletti con decorazione a stucco dell'Albertolli, per accogliere il gruppo della Niobe e dei figli, trasferiti da Roma a Firenze. (Il Carradori nel 1784 si vide affidare le statue stesse per restauri). I quattro rilievi presentano notevoli affinità con gli stucchi della Palazzina di Villa Borghese eseguita a Roma durante il soggiorno dell'artista colà stipendiato dal granduca negli anni 70. Come nota il Venturoli (op. cit.), vi si ritrovano ricordi della scultura barocca romana ma già temperata da spunti classicistici.	Il busto del granduca Pietro Leopoldo, attivissimo riformatore, che promuoveva alla fine del secolo XVIII un riordinamento globale della Galleria, fu eseguita per la nicchia ovale che domina il vestibolo progettato da Zanobi del Rosso. Pietro Leopoldo vi è raffigurato in vesti eroiche col Toson d'oro appeso sul petto. Il Carradori eseguiva nella stessa epoca molti accurati restauri delle sculture antiche degli Uffizi (ASG, Ff. XII, XIII, XIV...).	Cosimo II de' Medici (1590-1621), granduca di Toscana, figlio di Ferdinando I, è qui raffigurato in un ritratto probabilmente postumo cui forse servì da modello un dipinto del Sustermans. La Langedijk ha rintracciato il pagamento di 600 ducati per un busto di Cosimo II, con collare a lattuga, del 1624, a Tommaso Fedeli di Urbino (ASF Guardaroba 403). Essendo gli scultori in porfido assai rari e segnalati particolarmente per le difficoltà di lavorare quel materiale, è assai probabile che il documento si riferisca proprio a questo busto.

	Sc11	Sc12	Sc13	Sc14
AUTORE	Foggini, Giovan Battista (Firenze 1652-1725).	Foggini, Giovan Battista (Firenze 1652-1725).	Foggini, Giovan Battista (Firenze 1652-1725).	Giambologna, Jean de Boulogne, detto (Douai 1529 - Firenze 1608).
TITOLO	Busto di Vittoria della Rovere.	Busto di Maria Maddalena d'Austria.	Il Cardinal Leopoldo de' Medici.	Busto di Cosimo I de' Medici.
DATAZIONE	Dopo il 1680 (Langedijk 1979).	1684 ca. (Langedijk 1979).	1697.	Dopo il 1546. 1563 ca. (Dahnens 1956).
DATI TECNICI	Marmo bianco, alt. 73,5.	Marmo bianco, alt. 71.	Marmo bianco, atl. 160; base in finto marmo (1972).	Bronzo coperto di lacca scura, alt. 70.
CORNICE	—	—	—	—
UBICAZIONI	Poggio Imperiale (cit. 1692); Uffizi (1896).	Poggio Imperiale (cit. 1692); Uffizi	Uffizi (dall'origine; nel Corridoio Vasariano dal 1972).	Uffizi (cit. inv. 1784); Uffizi, Depositi; Bargello (1978).
ATTRIBUZIONI	—	—	—	Giambologna (Gramberg 1936).
ESPOSIZIONI	—	Mostra d'arte sacra, S. Miniato-Pisa, 1969.	Mostra medicea, Firenze 1939.	Giambologna sculptor to the Medici, Edinburgh - London - Vienna 1978-79.
BIBLIOGRAFIA	*K. Langedijk, in Mitt. d. Kunst. Institut, Florenz, 3, 1979.*	*K. Langedijk, in Mitt. d. Kunst. Institut, Florenz, 3, 1979.*	K. Lankheit, Florentinische Barockplastik, München 1962, p. 72, doc. 273. D. Heikamp, in l'Oeil, 169, 1969, p. 5 sgg. Prinz 1971. K. Lankheit, in Cat. Gli ultimi Medici, Firenze 1974.	C. Avery, in Cat. Edinburgo-Londra-Vienna 1978, n. 140.
INVENTARIO	1914 n. 44.	1914 n. 46 (C.P., p. 20, n. VI).	1914 n. 350 (C.P., p. 46, n. 338).	1914 n. 50 (C.P., p. 19, n. II).
FOTO	324989.	324990.	326061.	Brogi.
NOTE	Vittoria della Rovere (1622-94), moglie di Ferdinando II de' Medici, granduchessa di Toscana, è ritratta col vestito delle Oblate della congregazione di Montalvo, di cui divenne patrona nel 1680. (Di qui la datazione). La Langedijk attribuisce di recente l'opera al Foggini in base alla rassomiglianza con un ritratto della granduchessa documentato dello scultore, eseguito nel 1698 per la Cappella della villa La Quiete, sede dal 1650 della congregazione di cui sopra.	Maria Maddalena d'Austria (1587-1631), fu moglie del granduca di Toscana Cosimo II de' Medici e madre di Ferdinando II, Giovan Carlo, Mattia e Leopoldo. La Langedijk ha recentemente attribuito l'opera al Foggini datandola sulla base di un pagamento di 70 ducati (ASF Dep. Gen. 1570), fatto allo scultore per un 'busto di marmo della Ser.ma arcid.sa suocera di S.A.S.'. Il busto sembra essere stato commissionato per il Poggio Imperiale di cui l'effigiata era stata l'acquirente, nello stesso periodo del busto di Vittoria della Rovere (cfr. scheda relativa). Come modello l'artista si servì probabilmente del ritratto in abiti vedovili dipinto dal Sustermans nel 1621.	La statua a figura intera del cardinale (1617-75), fu eseguita da un blocco già abbozzato da Ferdinando Tacca come Sansone e concesso dal Granduca al Foggini (con la casa e le masserizie del defunto Tacca), perché vi ricavasse l'effigie dello zio. La statua fu collocata nella sala degli Autoritratti allestita nel 1681, entro una nicchia disegnata dal Ferrata, perché Cosimo III voleva così onorare la memoria del cardinale che degli autoritratti era stato tenace collezionista. Nella base di marmo fu collocata anche un'iscrizione latina in lode di Leopoldo composta da Henry Newton, ambasciatore inglese alla corte di Toscana. (Cfr. Heikamp, op. cit.). La stanza fu modificata e la statua rimossa alla fine del sec. XIX. Ne esiste il bozzetto in terracotta a Berlino (Musei Statali, collezioni di scultura).	Attribuito al Giambologna dal Gramberg nel 1936, il busto non gode di una grande bibliografia. Fu certamente eseguito dopo il 1546, anno in cui Cosimo I de' Medici, granduca di Toscana (1519-1574) ricevette il Toson d'Oro col quale viene raffigurato. È probabilmente una delle prime commissioni dei Medici al Giambologna.

	Sc15	Sc16	Sc17	Sc18
AUTORE	Giambologna, Jean de Boulogne, detto (Douai 1529 - Firenze 1608).	Giovannozzi, Ottavio (attivo a Firenze nella prima metà sec. XIX).	Landini, Taddeo (Firenze? - Roma 1596), attr. a.	Montauti, Antonio (morto dopo il 1740), attr. a.
TITOLO	Busto di Francesco I de' Medici.	Busto di Lorenzo il Magnifico.	Statua allegorica.	Busto di Gian Gastone de' Medici.
DATAZIONE	1585 ca.	1825.	1589 o poco prima.	1724 ca. (Lanckheit).
DATI TECNICI	Marmo bianco, alt. 68.	Marmo bianco, alt. 64.	Creta mescolata a stoppa, tela e stucco bianco, alt. 198 ca.	—
CORNICE	—	—	—	Marmo bianco, alt. 64; peduccio in alabastro misto alt. 13.
UBICAZIONI	Teatro Mediceo, Uffizi (dall'origine).	Uffizi (dall'origine).	Teatro Mediceo, Uffizi (dall'origine); Depositi di Pitti (1839); Uffizi (1972).	Uffizi (cit. Inv. 1784).
ATTRIBUZIONI	Giambologna (Langedejik 1967, Berti 1967). Giambologna o bottega (Heikamp 1974).	—	Scultore fiorentino del sec. XVI (Costoli 1839).	Scuola fiorentina sec. XVIII (Inventario 1914).
ESPOSIZIONI	—	—	—	—
BIBLIOGRAFIA	L. Berti, Il principe dello studiolo, Firenze 1967, p. 40. D. Heikamp, in Boll. del Centro internaz. di studi di arch. A. Palladio, XVI, 1974.	K. Langedijk, The portraits of the Medici, XV-XVIIIth centuries, Firenze 1980.	D. Heikamp, in Boll. del Centro internaz. di studi d'architettura A. Palladio, XVI, 1974. A. M. Petrioli Tofani, in Cat. mostra Il luogo teatrale a Firenze, Firenze 1973, p. 105.	R. Lankheit, Florentinische Barockplastik, Munchen 1962, p. 186, foto 190. Cat. Mostra: Gli Ultimi Medici, Firenze 1974 p. 86.
INVENTARIO	—	1921 n. 51.	164135.	1921 n. 42 (C.P., p. 20, n. XI).
FOTO	15366.	168502.	—	168505.
NOTE	Eseguito per il portale di accesso al Teatro mediceo degli Uffizi, inaugurato dallo stesso Francesco I de' Medici il 2 febbraio 1585 (calendario fiorentino). Il granduca non porta ancora la decorazione del Toson d'oro che gli venne assegnata il 4 luglio dello stesso anno, e alla quale allude invece un pannello della porta sottostante. Pubblicato per la prima volta dal Berti nel 1967 come opera del Giambologna, è messo in relazione da Heikamp col busto sulla facciata di Palazzo Corsi.	Sullo zoccolo è scritto 'LAUR. MED.'. Il busto fu eseguito da Ottavio Giovannozzi, attivo nel 1828-29 in Palazzo Pitti al portale di Annalena su modello di gesso formato da Stefano Ricci (Firenze 1837-1902) secondo un documento segnalatoci da Karla Langedijk, ed esposto nel 1825 nel vestibolo della Galleria (ASG. F. XLIX, n. 1 (43).	È probabilmente l'unica superstite della serie allegorica raffigurante i Generi letterari, che adornava le pareti del Teatro mediceo degli Uffizi nel 1589 (Cfr. De Rossi, 1589) ed è verisimilmente da identificarsi col 'poema eroico' (Heikamp). Riscoperta da U. Procacci, fu da L. Berti, direttore della Galleria, collocata ai piedi dello scalone vasariano degli Uffizi, dove si trova tutt'ora. Per quanto riguarda l'autore, si avanza qui il nome di Taddeo Landini sulla base di un confronto con le decorazioni eseguite dallo scultore al Canto dei Bischeri nel 1589, nel complesso dei festeggiamenti per le nozze di Ferdinando I de' Medici. (Nella stessa occasione o poco prima furono eseguite anche le statue del Teatro). L'apparato del Landini, comprensivo di due statue di Carlo V e Filippo II in costumi di antichi romani, è riprodotto nelle incisioni dello Scarabelli.	Il Lankheit attribuisce questo busto raffigurante il granduca Gian Gastone de' Medici (1671-1737) al Montauti, di cui ricorda anche il busto nell'atrio dell'Arcispedale di S. Maria Nuova. Come termine di paragone per entrambi, lo studioso segnala la medaglia datata 1723. Come medaglista infatti il Montauti, allievo del Piamontini, aveva iniziato la sua carriera a Firenze. L'opera è riprodotta anche nel Pieraccini, 1925, II tav. XCVIII.

	Sc19	Sc20	Sc21	Sc22
AUTORE	Piamontini, Giuseppe (Firenze 1664-1742).	Poggini, Domenico (Firenze 1520-1590).	Scuola fiorentina sec. XIX?	Scuola fiorentina sec. XVII.
TITOLO	Busto del granduca Gian Gastone de' Medici.	Busto di Francesco I de' Medici	Busto di Bianca Cappello?	Busto di Ferdinando II de' Medici.
DATAZIONE	1742 ca. (Lankheit 1962).	Poco prima del 1564 (Middeldorf-Kriegbaum 1928), 1564 (Berti 1967).	Seconda metà sec. XVI (Inv. Contini Bonacossi), Sec. XIX? (Caneva 1979).	Ante 1638.
DATI TECNICI	Marmo bianco, alt. 85; base alt. 16,5.	Marmo bianco, alt. 75 ca.	Terracotta, alt. 44 (52 con la base). Base in legno parzialmente dorato a forma poligonale, alt. 8.	Busto in marmo bianco, testa in porfido, peduccio in marmo verde di Prato; alt. totale 73.
CORNICE	—	—	—	—
UBICAZIONI	Uffizi (cit. 1848); Museo Mediceo (cit. 1962); Uffizi (1972).	D. Poggini (Middeldorf-Kriegbaum 1928).	Coll. Contini Bonacossi; Uffizi (1974); Dep. Meridiana di Pitti.	Pitti (cit. 1638); Uffizi (cit. 1687 dal Tessin).
ATTRIBUZIONI	Piamontini (Lankheit 1962).	—	Ambiente fiorentino tardo sec. XVI (Salmi 1967, Bellosi 1974). Scuola fiorentina sec. XIX? (Caneva 1979). G. Bastianini? (Pinto 1979, com. orale).	—
ESPOSIZIONI	Esposizione dell'Accademia, Firenze 1729.	—	—	—
BIBLIOGRAFIA	K. Lankheit, Florentinische Barokplastik, München 1962, p. 166, foto n. 189. Cat. mostra Gli ultimi Medici, Firenze 1974, p. 90.	Middeldorf-Kriegbaum, in Burlington Magazine, LIII, 1928. L. Berti, Il principe dello studiolo, Firenze 1967, p. 34.	M. Salmi, in Bollettino d'Arte, LII, 1967 (IV).	K. Langedijk, The Portraits of the Medici, XV-XVIIIth centuries, Firenze 1980.
INVENTARIO	1914 n. 42.	1914 n. 49 (C.P., p. 19 n. III).	Contini Bonacossi 47.	1914 n. 45 (C.P., p. 20 n. VII).
FOTO	326060.	168512.	319341	168507.
NOTE	Nel busto di Gian Gastone de' Medici (1671-1737), attualmente esposto nel Corridoio Vasariano, il Lankheit ha identificato quello presentato dal Piamontini all'Esposizione dell'Accademia del 1729. Lo studioso vi ritrova la commistione di realismo e di formalismo tradizionale propri dello stile del Piamontini, allievo di G.B. Foggini e dell'Accademia fiorentina a Roma.	Il busto ritrae Francesco, figlio di Cosimo I de' Medici (1541-1587), poco prima che fosse nominato reggente dal padre. La cartelletta sul peduccio, 'Franciscus Cosmae I F. Medices', non allude ancora a quella carica, assunta dal giovane il 1 maggio 1564. Il Poggini stesso, orafo e medaglista, coniò in quell'occasione una medaglia, ora al Bargello (Berti 1967).	In questo che il Salmi definisce 'un assai pregevole prodotto dell'ambiente fiorentino del tardo secolo XVI', si è voluto riconoscere un ritratto di Bianca Cappello seconda moglie di Francesco I de' Medici, nata a Venezia nel 1548 e morta nel 1587 a breve distanza dal marito. In effetti nel medaglione al collo dell'effigiata è riprodotto lo stemma della famiglia Cappello e sulla facciata posteriore del busto compaiono graffiti lo stemma mediceo sormontato dalla corona e due gigli di Firenze. In realtà un confronto con l'iconografia più sicura della Cappello esclude possa trattarsi di lei, mentre notazioni tecniche e stilistiche, oltre ai graffiti sul retro di cui non risultano altri esempi nei busti cinquecenteschi, fanno avanzare qui l'ipotesi che si tratti di un prodotto del gusto storicistico dell'Ottocento. Sandra Pinto propone dubitativamente il nome del famoso e discusso falsario Giovanni Bastianini (1830-68). Fa parte della donazione Contini Bonacossi.	Ferdinando II de' Medici, granduca di Toscana (1610-1670) è raffigurato in età giovanile corrispondente al ritratto eseguito dal Sustermans nel 1635 ca. (Inv. Palatina 415), con la corazza e la grandiglia pieghettata. Sul busto, condotto con tecnica alquanto libera e fantasiosa, assai prossima al barocco, compare anche una piccola croce dell'ordine di S. Stefano. La Langedijk mette in relazione la testa in porfido col busto nello stesso materiale di Cosimo II (vedi scheda relativa), che la studiosa ha potuto assegnare al Fedeli di Urbino sulla base di un documento. L'inventario 1914 ricorda la presenza nella base di una 'cartelletta' in marmo bianco con la scritta 'Ferd. Med. Mag. Dux II Etruri DCXXXI.', ora scomparsa.

	Sc23	Sc24	Sc25	Sc26
AUTORE	Scuola fiorentina sec. XVII.	Scuola fiorentina sec. XVII.	Scuola fiorentina sec. XVII.	Scuola lombarda sec. XV.
TITOLO	Busto di Ferdinando I de' Medici.	Busto di don Francesco de' Medici?	Busto di Ludovico da Verrazzano.	Figura di Evangelista.
DATAZIONE	Primi decenni sec. XVII.	Secondo decennio sec. XVII.	Verso la metà sec. XVII.	Fine sec. XV-inizi sec. XVI (Salmi 1969), seconda metà sec. V (Bellosi 1974).
DATI TECNICI	Porfido; alt. 74, base 22.	Marmo bianco, alt. 72x64; peduccio in marmo giallo alt. 16, restauro 1970.	Marmo bianco, alt. 78, base 11.	Marmo, h. 86.
CORNICE	—	—	—	—
UBICAZIONI	Uffizi (cit. 1687, dal Tessin).	Uffizi (cit. 1769).	Coll. Contini Bonacossi; Uffizi (1974); Dep. Meridiana di Pitti.	Coll. Contini Bonacossi; Uffizi (1974); Dep. Meridiana di Pitti.
ATTRIBUZIONI	T. Fedeli (Langedijk 1979).	—	—	Scultore lombardo vicino ai Mantegazza e all'Amadeo (Salmi 1967), Tamagnino (?) (Middeldorf, cit. da Salmi 1967), Antonio Mantegazza (?) (Bellosi 1974).
ESPOSIZIONI	—	—	—	—
BIBLIOGRAFIA	K. Langedijk, The Portraits of the Medici, XV-XVIIIth centuries, Firenze 1980.	—	M. Salmi, in Boll. d'arte, 1967.	M. Salmi, In Bollettino d'Arte, LII, 1967 (IV).
INVENTARIO	1914 n. 48 (C.P., p. 19 n. IV).	1914 n. 7.	Contini Bonacossi 46.	Contini Bonacossi 42.
FOTO	168510.	326062.	319281.	319278.
NOTE	Ferdinando (1549-1609) figlio di Cosimo I, già cardinale, divenne alla morte del fratello Francesco I (1587) granduca di Toscana. Questo suo ritratto in porfido deriva da un illustre prototipo. Recentemente la Langedijk ha proposto di attribuirlo a Tommaso di Baldo Fedeli di Urbino, sulla base di un documento che assegna allo stesso scultore il busto di Cosimo II (vedi scheda relativa).	Il busto, attualmente esposto nel Corridoio Vasariano, compare nell'inventario 1914 come ritratto di don Lorenzo de' Medici (1599-1648), e in quello del 1769 come Cosimo III giovane, ma sembra più probabile (Landedijk, com. orale) l'identificazione con don Francesco (1594-1614), figlio di Ferdinando I, morto a vent'anni, che nel 1609 aveva scelto la carriera delle armi, partecipando ad una spedizione nel Mantovano. Si spiegherebbe perciò la sua raffigurazione con la corazza, che del resto ritroviamo simile nell'incisione di J. Callot preposta alle 'Lodi di don Francesco de' Medici', di Vieri Cerchi del 1614 (cfr. G. Pieraccini, 1925, II, tav. LXXXI). I caratteri stilistici fanno pensare a un ritratto postumo, eseguito da uno scultore abile di buona tradizione toscana appena toccato dalle novità del barocco.	Il busto poggia su un dado con targa anteriore su cui è scritto 'Lodovico da Ver'. Si tratta con probabilità del Cavaliere priore Ludovico di Francesco da Verrazano, ammiraglio delle galere di S. Stefano (di cui ha la croce sul petto) stanziate a Livorno e governatore di quella città dal 1641 al 1647. L'opera presenta caratteri affini al busto supposto di don Francesco de' Medici (Inv. 1914 n. 7) e potrebbe essere dello stesso autore di buona tradizione fiorentina, appena toccato dalle novità barocche. È entrato a far parte delle collezioni degli Uffizi in seguito a una donazione accompagnata da una convenzione con gli eredi del conte Alessandro Contini Bonacossi.	L'attribuzione della statua, di indubbio ambiente lombardo, risente della difficoltà di risolvere il problema della collaborazione Mantegazza-Amadeo, nelle statue e nei rilievi della facciata della Certosa di Pavia. Il Salmi accosta l'opera all'altro rilievo con le Virtù teologali del Louvre; al gruppo della Vergine col figlio del Museo di Filadelfia; al Battista del Louvre e anche al S. Giov. Evangelista nel rilievo della Pietà ora al museo civico di Pavia, tutte opere attribuite ai fratelli Mantegazza. La scultura è entrata nelle collezioni della Galleria in seguito a una donazione accompagnata da una convenzione con gli eredi del conte Alessandro Contini Bonacossi (1974).

	Sc27	Sc28	Sc29	Sc30
AUTORE	Scuola senese sec. XIV.	Scuola senese sec. XIV.	Scuola toscana sec. XVI.	Scuola toscana sec. XVII.
TITOLO	Angelo annunziante.	Vergine annunziata.	Busto di Pier Soderini?	Busto del card. Leopoldo de' Medici.
DATAZIONE	Terzo decennio sec. XIV (Carli 1960), Non oltre la metà sec. XIV (Ragghianti 1954).	Terzo decennio sec. XIV (Carli 1960), Non oltre la metà sec. XIV (Ragghianti 1954).	Inizi sec. XVI.	Metà sec. XVIII.
DATI TECNICI	Legno con tracce di policromia, alt. 166.	Legno con tracce di policromia, alt. 166.	Terracotta, alt. massima 43, largh. massima 46.	Marmo bianco, alt. 71; base 15,5.
CORNICE	—	—	Base in legno parzialmente dorato, h.8,5, largh. 45.	—
UBICAZIONI	Coll. Contini Bonacossi (cit. 1951); Uffizi (1974); Dep. Meridiana di Pitti.	Coll. Contini Bonacossi; Uffizi (1974); Dep. Meridiana di Pitti.	Coll. Contini Bonacossi; Uffizi (1974); Dep. Meridiana di Pitti.	Uffizi (cit. inv. 1784).
ATTRIBUZIONI	Scuola senese fine sec. XIV (Van Marle 1935). Ignoto senese seguace di Francesco di Valdambrino (Carli 1951, 1960). Opera giovanile del Vecchietta (Ragghianti 1954, Del Bravo 1970).	—	Buon plasticatore emiliano se non bolognese (Salmi 1969), Pietro Torrigiano? (Bellosi 1974).	G. B. Foggini (Cat. Firenze 1939).
ESPOSIZIONI	—	—	—	Mostra Medicea, Firenze 1939.
BIBLIOGRAFIA	E. Carli, La scultura lignea italiana, Milano, 1960. C. Del Bravo, Scultura senese del Quattrocento, Firenze 1970.	—	M. G. Ciardi Duprè Dal Poggetto, in Commentari, 4, 1971, pp. 305-325. L. Bellosi, Inaugenazione della donazione Contini Bonacossi, Itinerario, Firenze 1976.	K. Langedijk, The Portraits of the Medici, XV-XVIIIth centuries, Firenze 1980.
INVENTARIO	Contini Bonacossi 43.	Contini Bonacossi 44.	Contini Bonacossi 45.	1914 n. 43 (C.P., p. 20 n. IX).
FOTO	319276.	319277.	319342.	168503.
NOTE	Insieme alla Vergine annunciata (Inv. Contini Bonacossi n. 44) l'Angelo è entrato nelle collezioni della Galleria in da seguito a una donazione accompagnata da una convenzione con gli eredi del conte Alessandro Contini Bonacossi (1969). Pubblicata per la prima volta dal Van Marle, l'opera è stata attribuita ad un seguace di Francesco di Valdambrino dal Carli (1951), cui il Ragghianti contrappose una attribuzione al Vecchietta giovane. Nel 1960 il Carli ha riconfermato la sua ipotesi mettendo l'opera in relazione con una Annunciazione proveniente da Castelnuovo Val di Cecina ora al Bargello. Recentemente il Del Bravo è intervenuto nella polemica attribuendo nuovamente l'opera al Vecchietta.	Vedi 'Angelo annunziante', Inv. Contini Bonacossi n. 43.	L'identificazione non accertata con Pier Loderini (1452-1522), priore nel 1481, ambiasciatore di Piero de' Medici presso Carlo VIII nel 1493, proviene già dalla coll. Contini Bonacossi. L'attribuzione dubitativa proposta dal Bellosi allo scultore Pietro Torrigiano (Firenze 1472 - Siviglia 1528) appare assai convincente sulla base di un confronto con altri busti eseguiti dello scultore (a Londra) c anche col S. Giuseppe del presepio di Volterra. Se del Torrigiano, l'opera sarebbe da collocare tra il 1503 e il 1506, durante un soggiorno a Firenze ipotizzato dalla Ciardi Duprè (1971) prima del passaggio nelle Fiandre e di qui in Inghilterra. L'opera è entrata nelle collezioni della Galleria in seguito a una donazione accompagnata da una convenzione con gli eredi del conte Alessandro Contini Bonacossi.	Il busto raffigura di profilo il cardinale Leopoldo de' Medici (1617-1725), ultimo figlio di Ferdinando II e di Vittoria della Rovere, uomo coltissimo e collezionista appassionato, al quale gli Uffizi devono il nucleo della raccolta degli Autoritratti. L'attribuzione tradizionale a Giovan Battista Foggini (1652-1725) non è suffragata dai caratteri stilistici della scultura, di fattura assai composta e ancora tutta nell'ambito fiorentino, lontana dalle novità barocche apprese dal Foggini durante il suo soggiorno romano presso l'Accademia fiorentina.

Chi rilegge la descrizione delle collezioni romane di antichità compilata da Ulisse Aldrovandi nel 1550 e, dopo aver scorso l'arido elenco, tenta di avere un'idea della loro disposizione ricorrendo ai disegni di Marten van Heemskerck, eseguiti fra il 1532 e il 1536, trova certo poca rispondenza con l'effetto che produce la 'Galleria delle Statue' degli Uffizi. A Roma i giardini e i cortili delle case patrizie – compresa la prima residenza dei Medici, Palazzo Madama – pullulano di antichità mutile, spesso accatastate, oppure, seguendo una tradizione che Vasari attribuisce a Lorenzetto, mostrano già i primi prospetti architettonici con fregi di 'rottami di cose antiche' e nicchie entro le quali sono alloggiate statue reintegrate. Il restauro di antichità aveva anche a Firenze una lunga tradizione, che Vasari fa risalire a Donatello, una consuetudine legata anche al 'museo' dei Medici, un giardino porticato. Tramontato il gusto 'archeologico' degli umanisti, era subentrata una sorta di antagonismo nei confronti dell'antico che aveva portato da un lato al vero e proprio 'falso', dall'altro a un restauro fortemente integrativo – un''arte da ciabattini, i quali la fanno assai malamente' (Cellini, *Vita*, II, 69) –, che assurgeva al piano di una reinterpretazione cosciente in rari casi, quali il 'Ganimede' dello stesso Cellini ora al Bargello, o l''Ercole e Anteo' nel cortile di Palazzo Pitti, gruppo giunto a Firenze dopo il 1550 dal Belvedere del Vaticano, dove è descritto dall'Aldrovandi ancora mutilo.

Il nucleo più consistente di statue antiche oggi conservate agli Uffizi – essendo disperso quanto, in precedenza, apparteneva ai Medici – risale in gran parte a quello che, fra acquisti e doni, Cosimo I e i suoi due figli, Francesco e Ferdinando, riuscirono ad acquisire a Roma fra il 1560 e il 1586, destinandolo in parte a Firenze e in parte alla Villa romana sul Pincio, comprata nel 1576.

Passata l'infatuazione 'etruscologica', Cosimo I, dopo il viaggio a Roma del 1560, aveva mutato il suo atteggiamento nei confronti del mondo antico: una volta ricostruita l'unità dello stato sotto il segno dell'Etruria, toccava ora a Roma, con i suoi mai spenti fasti imperiali, offrire modelli di regalità. D'altro canto non mancavano artisti o eruditi a corte che potessero alimentare questa nuova fiamma: Vasari e Dosio passavano intere stagioni a copiare i monumenti romani; Vincenzo Borghini smitizzava l'etruscomania della generazione precedente e rivalutava le origini romane di Firenze; Scipione Ammirato proponeva, adattato a Cosimo, il modello di Augusto riprendendolo da Suetonio.

Della congerie di marmi e statue che, fra il 1560 e il 1574, giunsero a Firenze, tramite gli uffici dei rappresentanti di stato a Roma, dei cardinali vicini alla corte medicea o dello stesso Vasari, un numero abbastanza cospicuo era destinato al decoro della nuova residenza dinastica, Palazzo Pitti. Nel 1568 Vasari, nella seconda edizione delle *Vite*, ricorda molte sculture nella sala principale, dieci entro nicchie, il resto a terra: di queste oggi sono in Galleria la 'Pomona' (M. I, 124), il 'Mercurio' del Belvedere, donato forse da Giulio III (M. I, 27), l''Apoxyomenos' (M. I, 36), un putto con l'anatra (M. I, 59 o 60), una 'Baccante' (M. I, 100), due Eroti dormienti (M. I, 106-107) – pezzi famosi, una replica dei quali, dono di Giuliano da Sangallo, era già in possesso del Magnifico –, il 'Porcellino' e i due 'Molossi' (M. I, 48-50). La fitta corrispondenza fra il Cardinale Ricci di Montepulciano e il segretario del Duca, Bartolomeo Concini

(ASF, Carteggio d'artisti I, ins. 18), attesta che il 2 giugno del 1569 erano giunte, tramite il cardinale, 31 statue antiche (ivi, c. 102), alcune delle quali, come la 'Demetra' in marmo nero (M. I, 38), la coppia 'Venere e Marte' (M. I, 160) e il fregio della 'Tellus' dall''Ara Pacis', furono poi destinate alla Galleria. In quello stesso anno Alessandro dei Medici, futuro Leone XI, riusciva ad assicurare allo zio ventisei statue che rimanevano dallo spoglio del Giardino del Belvedere, anacronisticamente iniziato da Pio V tre anni prima: partite per Firenze il 20 settembre, finirono quasi tutte a Palazzo Pitti e si trovano oggi in parte anche nel Giardino di Boboli e a Poggio Imperiale.

Il secondo viaggio a Roma, compiuto per l'incoronazione del 1570, comportò l'acquisizione di opere monumentali: sfumato per il momento l'acquisto dell''Arrotino' (che Cosimo aveva commissionato al Vasari nel 1567), giunsero a Firenze l''Ercole' ora a Pitti, proveniente dal Palatino, l''Aiace' sempre a Pitti, proveniente dal Mausoleo di Augusto, donato da Paolo A. Soderini, e un'altra replica dello stesso gruppo, ora sistemata nella Loggia dei Lanzi. L'anno precedente, il 30 luglio, il Pontefice aveva concesso al principe Francesco anche l'esportazione a Firenze di 17 ritratti antichi, taluni di piccole dimensioni, di otto statue mutile, di una 'Cleopatra intera a giacere' e di altri frammenti (AV, Divers. Camer. t. 242, c. 122 v): alcuni di questi busti, già 'col petto moderno' in pietre colorate, devono essere rintracciati fra i pezzi con restauri rinascimentali ora in Galleria.

Alla morte di Cosimo l'inventario dei suoi beni personali (ASF, Guardaroba, 87 e 107 bis) registra un gran numero di antichità diviso fra Palazzo Vecchio e Palazzo Pitti. Qui l''Arringatore' acquistato nel 1566, oggi al Museo Archeologico, e il nucleo di statue già elencato dal Vasari, ma aumentato di numero; a Palazzo Vecchio molte opere non più identificabili, fra le quali dominano teste e busti, in parte certamente compresi ora nella Galleria, dei quali si dà anche la provenienza, come per due teste femminili giunte dall'Elba, probabilmente tramite il Tribolo. Per trovare un biennio ricco d'acquisti pari al 1569-1570 bisogna giungere al 1583-84, quando il cardinale Ferdinando, a Roma, esecutore egli stesso di scavi archeologici nella 'villa di Cassio' a Tivoli, si assicurò finalmente l''Arrotino' e quindi i 'Lottatori', il gruppo dei Niobidi e la maggiore collezione romana formata nel XVI secolo, la raccolta Capranica-Della Valle: opere tutte destinate a Villa Medici, e solo più tardi giunte a Firenze. Alle collezioni fiorentine, tramite anche il parere di Giambologna, furono destinati doni di alcuni collezionisti romani: il 'Marsia' in pavonazzetto (M. I, 57), l''Apollo seduto' (M. I, 43) e la 'Venere seduta con Cupido', ora a Boboli, nel Piazzale della Meridiana.

Questo così cospicuo patrimonio doveva trovare una sistemazione idonea, e a tale scopo fu destinata da Francesco I la galleria dell'edificio vasariano ultimata dal Buontalenti, un contenitore del tutto particolare nei confronti del 'museo all'aperto', nel quale i marmi antichi, disposti lungo le pareti (i busti erano intervallati alle statue con ritmo binario), svolgevano una funzione di commento alle scansioni di pilastri e colonne, in un ambiente destinato originariamente a passaggio monumentale. Gli inventari della Guardaroba, assai avari, registrano il 20 giugno 1588 l'ingresso in Galleria di 'cinquanta teste con busto in marmo su li loro predelloni', di 'ventinove statue di marmo', dell''Arringatore', del 'Porcellino' e dei due 'Molossi' (ASF,

Guardaroba, 132, c. 214 s.): una precisa identificazione non è possibile, ma, stando all'inventario del 1638 (SBASF, Biblioteca, Ms. 76, c. 16), fra le statue figuravano anche opere di Donatello, di Michelangelo e di Bandinelli. L'antagonismo fra antico e moderno veniva a cessare nel momento in cui, vasarianamente, gli scultori toscani divenivano eredi e continuatori della tradizione artistica antica. Furono la filologia della seconda metà dell'Ottocento e certo successivo atteggiamento 'monografico', di derivazione crociana, a cancellare museograficamente questo rapporto che pure aveva profonde radici nella letteratura artistica contemporanea alla istituzione della Galleria. Questo avvenimento è preceduto o seguito da notizie su restauri eseguiti nella bottega del Giambologna (ad es. la Venere M. I, 88) e in particolare da Giovanni Caccini, che intervenne su alcuni busti (ASF, Guardaroba 110, c. 57; 114, cc. 143, xxxvi, cli), ma anche sul gruppo di Ercole e Nesso (M. I, 123) e sull''Apollo sauroktonos' (M. I, 23) arricchito da marmi pregiati (ASF, Guardaroba 111, c. 3). Il rappresentante dello stato mediceo a Roma, Marenzio Marenzi, nel settembre dello stesso anno, inviava i gessi del gruppo dei Niobidi, che furono disposti nelle 'stanze o apartamenti del corridoio' (ASF, Guardaroba 132, c. 213), alcune teste e i due pilastri dell'Armilustrio (ASF, Guardaroba 79, c. 34), monumenti famosi per i loro trofei d'armi, il cui ricordo già tornava nei più importanti disegni di antichità del Rinascimento (M. I, 2 e 3).

La mescolanza fra antico e moderno, diversamente intesa, tornò nel primo nucleo museografico istituito nel 1589 – la Tribuna – nel quale le poche statue antiche, tutte variate sul tema 'infantile' (SBASF, Biblioteca, Ms. 71 c. 1: si tratta di M. I, 59, 60, 63, 106; II, VIII e inoltre di un cupido dormiente in marmo nero, oggi alla Vecchia Posta, e di altri due putti stanti, oggi a Pitti), collocate su sgabelli di noce, svolgevano una funzione del tutto secondaria. L'ambiente, infatti, amplificava la ricercatezza nella scelta delle rarità preziose, tipica del gusto dello 'scrittoio' dei ricchi collezionisti fiorentini, e puntava visivamente anche sulla congerie di bronzetti antichi e moderni, a volte adorni di fregi dorati e di pietre dure, disposti su mensole alle pareti (si veda SBASF, Disegni, 4579-4588 bis F). Fra questi spiccavano anche alcune teste di marmo (due di 'Venere', una di Vitellio, cfr. SBASF, Ms. 71, cc. 18, 19, 21) impreziosite da 'panni d'alabastro', marmi colorati che costituivano il busto.

Bisogna giungere alla seconda metà del XVII secolo per ritrovare un eguale incremento nella collezione di statue. Nel 1658, con la consulenza del Guercino, tramite il cardinale Cospi, vengono acquisiti a Bologna un numero indeterminato di busti e la 'Venere celeste' (M. I, 65), poi collocata nella Tribuna, ampiamente restaurata dall'Algardi. Negli anni '70, ponendosi l'esigenza di ripetere nel braccio est della Galleria l'allestimento del corridoio di ponente, ci si rivolge nuovamente a Roma per aumentare la collezione. Nel 1670 vengono collocate in Galleria '29 statue venute da Roma' (ASF, Guardaroba 779, c. 96), di cui fanno parte forse l''Amore e Psiche', rinvenuto nel 1666 e restaurato da L. Fancelli, allievo del Bernini (M. I, 58), 13 busti (fra i quali il 'Cicerone' M. II, 33) e l''Ermafrodito' (M. I, 132) acquistati dalla collezione Ludovisi, oltre al 'Dioniso e satiro' (M. I, 132) che l'Aldrovandi nel 1550 elencava fra le antichità possedute dalla famiglia De Radicibus. Nel 1677 da Villa Medici giungono tre marmi prestigiosi: la 'Venere' (M. I, 45), l''Arrotino' (M. I, 55) e i 'Lottatori' (M. I, 61), che vengono collocati nella Tribuna. L'inventario del 1678 (SBASF, Biblioteca, Ms. 78) registra presenti in Galleria 98 statue antiche e 25 moderne, 144 busti antichi e 15 moderni: contestualmente al nuovo ordinamento avvengono nel 1678 alcuni scambi con le antichità conservate al Poggio Imperiale (SBASF, Biblioteca, Ms. 62 c. 142 v) e con alcuni busti già in possesso del Cardinal Leopoldo: l''Antinoo' (M. II, 98), un 'Traiano' (M. II, 82), uno 'Pseudoseneca' e un 'Lucio Vero' (SBASF, Biblioteca, Ms. 62, c. 145). In questo modo veniva a completarsi un progetto nato un secolo prima, di cui continuavano ad essere rispettati i criteri di fondo: un ambiente neutro nel quale l'esposizione delle statue, non inserite in un'architettura preordinata per accoglierle, presentava soluzioni 'aperte' al gusto e alle diverse opportunità che si potevano presentare.

La dinamicità che, nel corso del XVIII secolo, caratterizza l'assetto degli Uffizi non coinvolge museograficamente la 'Galleria delle Statue'. Gli inventari registrano pochissime sostituzioni: in ciascuno dei corridoi si contano poco meno di 70 marmi, fra statue e busti, mentre nel braccio a mezzogiorno le variazioni sono più frequenti. La 'riscoperta' di un'Italia ricca di monumenti avvenuta per opera dei Mabillon o dei Montfaucon e il conseguente rinnovato interesse per il mondo antico dell'antiquaria fiorentina comportò nella prima metà del XVIII secolo una rivalutazione in senso patrimoniale e culturale delle collezioni. Inventari apposti molto dettagliati vengono predisposti nel 1704, nel 1753, nel 1769 e nel 1784; imprese editoriali di notevole prestigio come il Museum Florentinum, voluto da Filippo Buonarroti ma realizzato da Anton Francesco Gori, vedono la luce; le prime guide, compilate da membri della famiglia Bianchi, succedutisi per diverse generazioni come 'custodi' della Galleria (se ne veda anche una manoscritta in BMF, A 8, risalente al 1738 circa), e il successivo fondamentale Saggio storico del Pelli, pubblicato nel 1779, mostrano una viva attenzione della Reggenza lorenese nei confronti di un'istituzione ormai pubblica. Una serie di disegni fatti eseguire da Leopoldo in partenza per l'Austria registra in modo particolarmente esaustivo la disposizione delle statue nei corridoi (SBASF, Disegni, 4492-4568 F).

Negli anni del granducato di Pietro Leopoldo avvengono comunque i maggiori incrementi. L'acquisto dei pezzi più prestigiosi della collezione Gaddi (SBASF, Archivio, filza XI, 1778, ins. 26) non può essere certo paragonato al trasferimento da Villa Medici delle più scelte antichità della ex collezione Capranica-Della Valle, del vaso marmoreo e del gruppo dei Niobidi, avvenuto in sette diverse tappe fra il 1778 e il 1787. Un trasferimento che tendeva a valorizzare le collezioni cittadine in un momento in cui il significato politico e di apparato della villa romana veniva a mancare; non valsero certo gli ostacoli 'burocratici' posti dal governo pontificio: F.A. Visconti nelle sue relazioni sui monumenti in partenza per Firenze sminuisce volutamente il valore dei pezzi, anche del ciclo, straordinario, delle 15 statue dei Niobidi.

Consulente del Granduca in questa operazione fu Luigi Lanzi, nominato 'antiquario regio' nel 1775, che ben conosceva, dai tempi del suo soggiorno romano presso la Compagnia di Gesù, la collezione di Villa Medici. La sua attività nel settore dei monumenti antichi conservati agli Uffizi sfociò in concrete proposte museografiche (si veda la sua 'memoria' del 27 gennaio 1780 in SBASF, Biblioteca, Ms. 38) che furono accolte in una relazione ufficiale inviata al Granduca da F. Piombanti, G. Pelli e dallo stesso Lanzi (SBASF, Archivio, filza XIII, 1780, ins. 30). Fu probabilmente il Lanzi a considerare le antichità di Trinità dei Monti un 'serbatoio' per la collezione fiorentina: nel 1780, quando erano già state trasferite le statue più importanti, egli suggeriva ancora l'importazione di 'generi' che mancavano in Galleria, in particolare i rilievi, le are e i sarcofagi (M. I, 143, 205, 208, 211, 214, 253).

L'intervento dell''antiquario', così innovatore per la destinazione e l'ordinamento dei 'Gabinetti' annessi alla Galleria, fu però piuttosto limitato nei confronti della disposizione delle statue nei corridoi, se si eccettua quello di mezzogiorno, ove si sistemò, in un'ala forse considerata di maggior rilievo, i grandi bronzi 'etruschi': la 'Chimera', l''Arringatore', l''Idolino' e la 'Minerva' di Arezzo. Essi furono avvicinati per 'far risaltare la dovizia della Galleria di un genere così raro' e si provvide nel 1785 a far integrare da Francesco Carradori, in bronzo, la coda della 'Chimera' e il braccio destro della 'Minerva'.

Quanto alle statue in marmo, i criteri sembrano obbedire da una parte a un atteggiamento 'selettivo' nei confronti della qualità, mutuato forse dalla già vigente visione winckelmanniana, dall'altra a un atteggiamento classificatorio, di tipo filologico, applicato soprattutto alla serie dei ritratti, molto cospicua, derivato dalle contemporanee sistemazioni dei Musei Pontifici. Un'altra 'riserva' per questa operazione furono le ville medicee: già dopo l'incendio della Galleria del 1762 si era ricorsi per alcune sostituzioni a Pratolino e recente era stata la sorpresa di 'scoprire' nella villa di Castello, su indicazione dello stesso Pietro Leopoldo, un'ara cilindrica con il mito di Alcesti firmata da Kleomenes (M. I, 116).

Per le statue si cercò di togliere le sculture di 'cattiva maniera' e di sostituirle con altre migliori, tenendo presente che, se di medesimo soggetto, dovevano essere disposte nei corridoi, l'una di fronte all'altra. Quanto ai ritratti di imperatori e della famiglia imperiale, nonostante qualche falso già riconosciuto, si doveva rispettare l'ordine cronologico della successione e accostarli alle statue intere che si possedevano rappresentanti gli stessi personaggi.

Due generi distinti di busti furono tolti dai corridoi: quelli di 'deità', collocati nel 'Ricetto' e quelli di uomini illustri. Fu questa una delle operazioni più radicali operate dal Lanzi: sparsi nel corridoio, i ritratti di uomini illustri si perdevano: riuniti assieme, in una sala, potevano fare 'buona comparsa', ripetendo quanto di analogo si vedeva allora nelle maggiori collezioni romane. Fu scelto per questo il VII Gabinetto, dove, fra ritratti ed erme di filosofi, poeti e condottieri, greci e romani, veniva inserito anche il 'Bruto' di Michelangelo. L'accostamento fra antico e moderno rimane infatti ancora vigente: il Lanzi accoglie, a quanto sembra, un suggerimento dello stesso Pietro Leopoldo, di tipo selettivo, e colloca nei Gabinetti adibiti a quadreria anche i pezzi più prestigiosi. La 'Tribuna' fu così svuotata di tutta la congerie di bronzetti e di preziosità raccolte dal 1589 e dedicata alla sola esposizione della 'Venere', dell''Apollo', dei 'Lottatori' e dell''Arrotino', già presenti, nonché dei quadri di migliore qualità. Fu poi creato un Gabinetto particolare intitolato all''Adone dormiente', allora attribuito a Michelangelo, alla 'Venere celeste' (M. I, 65), tolta dalla Tribuna, al 'Pothos' (M. I, 32) e al 'Satiro' (M. I, 98), recentemente giunti da Villa Medici. La precedente saletta dell'Ermafrodito, risalente al 1670 circa, risultava infatti, come la Tribuna, museograficamente invecchiata, se il Bianchi la descrive 'ripiena di vari generi di curiosità' e veniva privata del suo pezzo eponimo, spostato in un ambiente nel quale scultore e quadri sembrano riuniti più per la loro qualità che per un'affinità di contenuto.

Un problema museografico del tutto particolare fu posto dalla collocazione delle statue del gruppo dei Niobidi, operata anche sulla scorta di un dotto saggio pubblicato da A. Fabroni nel 1779. Le illustrazioni del gruppo avevano una lunga tradizione nei libri, fin dalla fine del '500; recentissimi erano anche gli interventi di Winckelmann e di Mengs: si dovette operare una scelta di fondo cambiandone l'ambientazione. Dall'esposizione all'aperto nel giardino di Villa Medici, che ci viene restituita in tutta la sua dinamicità in un disegno di Stefano Della Bella (SBASF, Disegni, 14810 F), si dovette passare al chiuso di un museo. Si richiamò così l'autorità di Omero (*Iliade* XXIV, 602-618), di contro alla tradizione ovidiana (*Metamorfosi* VI, 146-312) che ambientava la scena davanti alle mura di Tebe, e il gruppo venne collocato in una 'sala regia', progettata da Zanobi Del Rosso, aperta al pubblico nel 1781, la cui decorazione neoclassica a stucchi dorati e 'pitture a cammeo', vagamente ispirata alla decorazione pittorica di età flavia, era completata da fregi relativi al mito di Niobe, eseguiti dal Carradori.

Fu questa, nelle intenzioni degli ordinatori, una soluzione 'aperta', sulla quale era possibile tornare tenendo come punti di riferimento sia il gusto del pubblico, sia il parere degli studiosi. È dell'anno successivo un appunto del Marchese de Brière (SBASF, Archivio, filza XV, 1782, ins. 42) relativo a una diversa disposizione delle statue nella sala e, ancora nel 1784, si interveniva sui pezzi con nuovi restauri (SBASF, Archivio, filza XVII, 1784, ins. 38). La 'scoperta' della Grecia provocò poi da parte del Cockerell il progetto di inserire le statue nello spazio triangolare di un frontone, progetto mai eseguito ma di cui tutte le guide ottocentesche degli Uffizi non tralasciano di parlare (SBASF, Archivio, filza XL, 1816, ins. 21). La sala assunse anche il carattere di ambiente per esposizioni temporanee, funzione che sembra svolgere tuttora. Vi fu ad esempio collocato al centro il sarcofago con scene della vita di un magistrato romano (M. I, 253), restaurato dal Carradori, e fu anche proposto di collocarvi altre due statue di Niobidi, che si trovavano nello studio dello scultore (SBASF, Archivio XXX, 1800, ins. 10), una delle quali oggi nel Museo Archeologico. Quanto ai quadri appesi alle pareti, non sembra che il loro soggetto abbia mai preteso di avere un legame 'contenutistico' con il gruppo delle statue classiche: si trattò sempre di quadri di grandi dimensioni che cambiano col tempo. Nel 1781, quando la sala fu aperta, si potevano apprezzare un 'Ratto di Proserpina' del Grifoni, un quadro celebrativo di Cosimo II del Susterman, una battaglia e il 'Trionfo di Enrico IV' del Rubens.

La sala dei Niobidi fu l'operazione museografica più importante del neoclassicismo fiorentino e va ancora considerata nel suo insieme: le statue, nonostante un ordinamento logico, assumevano una disposizione tale da poter essere valutate singolarmente, come le sculture dei corridoi. Aumentato per quantità e qualità, questo ricco patrimonio di marmi poteva ormai

essere considerato anche con gli occhi della tradizione winckelmanniana.

La sistemazione del Lanzi superava in parte quest'ottica; egli destinò infatti parecchi dei Gabinetti a piccole collezioni di antichità, riservate agli studiosi, i quali, in ambienti raccolti, potevano osservare classi di monumenti 'minori'. Il portico sopra la Loggia dei Lanzi fu così dedicato a un 'museo etrusco', 'il men bello', ma facile ad incrementarsi; si crearono poi un Gabinetto di bronzi antichi, un altro delle medaglie, un altro delle gemme e un ultimo delle 'figuline antiche'.

Il periodo della Restaurazione non giovò certo alla collezione di sculture. L'unico acquisto di una certa consistenza fu quello di una piccola parte della collezione Niccolini, ricordata già dal Montfaucon (SBASF, Archivio, filza XLVIII, 1824, ins. 22). Su 200 numeri di inventario la Direzione delle Gallerie ne scelse solo 15, privilegiando i busti, i rilievi, le iscrizioni e un sarcofago con le fatiche d'Ercole (M. I, 237). Le direttive e le scelte andavano infatti cambiando rapidamente indirizzo e suscitarono non poche critiche da parte degli archeologi, in specie di chi, inserito nel crescente interesse per le antichità etrusche, rimproverava alla Reggenza lorenese la mancanza di qualsiasi forma di tutela nei confronti degli scavi e delle scoperte di antichità. Nel 1848 George Dennis lamenta: 'The Tuscan Government has not availed itself of the opportunity it possesses of forming the finest collection of Etruscan antiquities in the world. Most of the articles discovered in the Duchy pass into foreign countries — little or nothing finds its way to Florence'. La Galleria, infatti, andava assumendo sempre più i caratteri di una pinacoteca e il legame fra la collezione delle sculture classiche e il resto delle antichità andava sempre più affievolendosi. Fu forse l'istituzione del Museo Gregoriano Etrusco (1837) a far ripristinare un nuovo nucleo di salette 'etrusche' presso il corridoio vasariano nel 1853, grazie anche alla scoperta di un prezioso cimelio come il cratere François, esposto con onori nel 1846.

Nella temperie dei mutamenti avvenuti ai tempi di Firenze capitale maturò l'opportunità di creare un 'Museo Etrusco' separato dalla Galleria, istituito nel 1870 e inaugurato nel 1872, per il quale furono scelti i locali di via Faenza, finitimi al già esistente Museo Egizio.

Iniziò così un'opera di smembramento delle collezioni granducali che doveva compiersi definitivamente nei trenta anni successivi. Toccò prima, nel 1870, agli oggetti etruschi e poi, con l'istituzione del nuovo Museo Archeologico nel Palazzo della Crocetta, nel 1880, a tutto il resto della collezione di antichità: nel 1890 all''Idolino' e ai bronzi greco-romani, nel 1897 al Medagliere, nel 1898 alle gemme. Fu una divisione operata con criteri discutibili, che riflettevano lo stato delle conoscenze dell'epoca: al Bargello finirono, assieme ai bronzetti moderni, alcuni antichi e al Museo Archeologico anche opere moderne. Fu una perdita enorme in fatto di contestualità collezionistica, che poteva essere evitata in specie se la natura del Museo Archeologico doveva configurarsi con tutti i crismi del positivismo tardo ottocentesco.

Anche le sculture degli Uffizi furono oggetto di una 'querelle' che vide protagonista l'energico direttore del Museo Archeologico, Luigi A. Milani, responsabile principale di questo smembramento. Le statue, a suo avviso, non potevano essere considerate secondo un''estetica aulica', alla Winckelmann, ma andavano valutate secondo un''estetica scientifica e pedagogica', di derivazione furtwängleriana. Nel Milani venivano a fondersi, in una polemica cha assumeva toni personalistici, varie componenti: una mentalità purista, che considerava le statue antiche nei palazzi rinascimentali come 'apposizioni fastose, superflue e ingombranti' e che privilegiava un 'museo storico della scultura antica'; un risentimento nei confronti della pinacoteca, che gli faceva addirittura preferire per il gruppo dei Niobidi, con il conforto del Duprè, un'ambientazione nell'Aranceria del Palazzo della Crocetta alla 'sala regia' di Zanobi Del Rosso. Nulla egli poté contro il parere di Enrico Ridolfi prima e di Corrado Ricci poi, sostenitori del valore collezionistico e di ambientazione insito nelle sculture degli Uffizi.

Anche oggi questo nobile spezzone del collezionismo granducale, nonostante l'ottimo catalogo del Mansuelli, assolve una funzione meramente decorativa, formando un arredo complementare ai corridoi. Una volta che si è voluto privare questo nucleo del collezionismo rinascimentale delle sculture moderne si è infatti perduto l'unico nesso storico della collezione;

smembrati poi i 'Gabinetti' della sistemazione lanziana si è perduto un altro documento dell'interesse antiquario tipico dell'Illuminismo. Rimane, imponente relitto, ormai decontestualizzato, proprio la 'Galleria delle Statue'. Avvicinare l''Arrotino' della Tribuna al 'Marsia appeso' del Corridoio di Levante e il 'Satiro con kroupezion', ancora della Tribuna, alla 'Ninfa seduta' del Corridoio di Mezzogiorno potrebbe significare, se non altro, un omaggio a quella 'Kunstarchäologie' da cui, nonostante tutto, dipende ancora la moderna scienza archeologica.

Bibliografia essenziale

F. Bocchi, G. Cinelli, *Le bellezze della città di Firenze*, Firenze 1677.
B. de Montfaucon, *Diarium Italicum*, Parisiis 1702, p. 381.
A.F. Gori, *Museum Florentinum*, III, Florentiae 1740.
G. Bianchi, *Ragguaglio delle antichità e rarità che si conservano in Galleria*, Firenze 1759.
G. Pelli Bencivenni, *Saggio istorico della Real Galleria di Firenze*, Firenze 1779.
L. Lanzi, *La Real Galleria di Firenze*, Firenze 1782.
G. Cambiagi, *Descrizione della Reale Galleria di Firenze secondo lo stato attuale*, Firenze 1792.
G.B. Zannoni, *Reale Galleria di Firenze illustrata*, IV, 1-3, Firenze 1817-1824.
A. Gotti, *Le Gallerie e i Musei di Firenze*, Firenze 1872.
H. Dütschke, *Antike Bildwerke in Oberitalien*, III, Leipzig 1878.
G. Fiorelli (ed.), *Documenti inediti per servire alla storia dei Musei d'Italia*, IV, Roma 1880, pp. 77-81.
A. Michaelis, *Statuenhof im vatikanischen Belvedere*, 'Jahrbuch des Deutschen Archäologischen Instituts' V, 1890, pp. 5-72.
Idem, *Römische-Skizzenbücher Nordischen Künstler des XVI. Jahrhunderts*, 'ibidem' VI, 1891, pp. 218-238.
E. Müntz, *Les collections d'antiques des Médicis au XVIème siècle*, 'Mémoires de l'Académie des Inscriptions et Belles Lettres' XXXV, 1895, pp. 85-167.
Idem, *Les collections de Cosme Ier de Médicis*, 'Revue archéologique', 1895/1, pp. 336-346.
W. Amelung, *Führer durch die Antiken in Florenz*, München 1897, pp. 13-133.
R. Lanciani, *Storia degli scavi di Roma*, III, Roma 1907, pp. 115-122.
P. Hübner, *Le statue di Roma. Grundlagen für eine Geschichte der antiken Monumente in der Renaissance*, I, Leipzig 1912, pp. 105-108, 117-120.
L.A. Milani, *Il R. Museo Archeologico di Firenze*, Firenze 1912, pp. 6-13, 90-104.
A. Mercati, *Pio V e l'arte antica*, 'Rendiconti della Pontificia Accademia di Archeologia', 6, 1931, pp. 117-123.
M. Cagiano de Azevedo, *Le antichità di Villa Medici*, Roma 1951.
G.A. Mansuelli, *Galleria degli Uffizi. Le sculture*, I-II, Roma 1958-1961.
D. Heikamp, *Zur Geschichte der Uffizien-Tribuna*, 'Zeitschrift für Kunstgeschichte', XXVI, 1963, pp. 193-268.
O. Millar, *Zoffany and his Tribuna*, London 1967.
G.A. Mansuelli, *'Galleria delle Statue'*, in *Scritti di storia dell'arte in onore di U. Procacci*, II, Milano 1977, pp. 436-439.
M. Cristofani, *Per una storia del collezionismo archeologico nella Toscana granducale. I. I grandi bronzi*, 'Prospettiva', 17, 1979, pp. 4-15.

Gli oggetti d'arte

I. Jacopo Ligozzi, Cristofano Gaffurri:
Tavolo di Livorno. Particolare
(scheda OA6).

II. Jacopo Ligozzi (disegno) e
Jacopo Antelli detto il Monicca
(esecuzione):
Tavolo ottagonale (scheda
OA8).

	OA1	OA2	OA3	OA4
ESECUZIONE	Bottega di Orazio Fantana (Urbino, attivo 1540-1571).	Bottega di Orazio Fontana (Urbino, attivo 1540-1571).	Botteghe granducali.	Botteghe granducali.
DISEGNO	—	—	Buontalenti Bernardo (Firenze 1531-1608).	—
OGGETTO	Anfora con due anse.	Anfora con due anse.	Mensola.	Stipo in pietre dure.
DATAZIONE	1565-1571.	1565-1571.	1586.	1641-1651.
DESCRIZIONE	Terracotta smaltata, decorata con grottesche e due medaglioni, h. 59.	Terracotta smaltata, decorata con grottesche e due medaglioni, h. 57.	Legno intagliato e parzialmente dorato, 81,5x23, restauro 1970.	Ebano, pannelli con commesso in pietre dure (anche all'interno degli sportelli), statuette in bronzo dorato. Stemma mediceo e pannello con emblema e motto di Ferdinando II. 138x64, h. 291.
UBICAZIONE	Palazzo ducale, Urbino; Guardaroba (1634); Bargello; Uffizi.	Palazzo ducale, Urbino; Guardaroba (1634); Bargello; Uffizi.	Uffizi (dall'origine); Museo Nazionale del Bargello; Uffizi (1970).	Uffizi (dall'origine); Guardaroba (1780); Pitti (1834); Uffizi (1948).
ESPOSIZIONE	—	—	Mostra storica della Tribuna degli Uffizi, Firenze 1970.	Mostra storica della Tribuna agli Uffizi, Firenze 1970.
BIBLIOGRAFIA	*Giovanni Conti, Il Bargello, Catalogo delle maioliche, Firenze 1971, n. 12.*	*Giovanni Conti, Il Bargello, Catalogo delle maioliche, Firenze 1971, n. 6.*	*Quaderni degli Uffizi, 1, 1970, n. 7, pp. 17 e 20.*	*Quaderno degli Uffizi, 1, 1970, p. 39, p. 27.*
INVENTARIO	Museo del Bargello 1917, n. 12.	Museo del Bargello 1917, n. 6.	Palazzo Davanzati 378.	Oggetti d'Arte, Pitti 1911, n. 912.
FOTO	20536.	13806, 20537.	324975.	111403 (e particolari).
NOTE	In coppia con il n. 6, ambedue parti del servito di Guidobaldo II di Urbino e arrivati a Firenze con la dote di Vittoria della Rovere, sposa di Ferdinando II nel 1634. Nei due medaglioni sono raffigurate la sottomissione di Menapo e la vittoria sugli Elveti, su disegno di Taddeo Zuccaro. K.A.P.	In coppia con il n. 12, ambedue parti del servito di Guidobaldo II di Urbino e arrivati a Firenze con la dote di Vittoria della Rovere, sposa di Ferdinando II nel 1634. Nei due medaglioni sono raffigurate la resa dei Britanni e quella dei Senoni e Camuti, su disegno di Taddeo Zuccaro. K.A.P.	Una delle sei mensole eseguite nel 1586 (di Dionigi Nigetti, intagliatore, e Bartolo da Venezia, doratore) per la decorazione della Tribuna; serviva a sostegno dei bronzi cinquecenteschi trasferiti dallo Studiolo di Palazzo Vecchio. K.A.P.	Eseguito nelle botteghe granducali per la Galleria degli Uffizi sotto Ferdinando II (nel Quaderno erroneamente databile agli ultimi anni del regno di Cosimo III). L'ebanista era Jacopo del Monicha, le statuette delle cantonate furono eseguite da cere di Francesco Mochi e gettate da Carlo Balestri. Nella Galleria fino al 1780 quando fu rimesso in Guardaroba (Galleria 1794 n. 313; 1753 n. 513; 1769 n. 770); portato a Palazzo Pitti nel 1834 (Mobili Palazzo Pitti 1829 n. 11849; 1846 n. 5302; Vasi e Stipi 1860 n. 85; O.d.A. 1911 n. 912), fece ritorno agli Uffizi nel 1948. K.A.P.

	OA5	OA6	OA7	OA8
ESECUZIONE	Botteghe granducali.	Gaffurri, Cristofano (Milano, sec. XVI-XVII), attr. a.	Sassi, Giovanni Battista (Milano, att. 1713-47).	Antelli, Jacopo, detto il Monicca.
DISEGNO	Buontalenti Bernardo (?) (Firenze 1531-1608).	Ligozzi, Jacopo (Verona 1547 - Firenze 1627).	Ligozzi, Jacopo (Verona 1547 - Firenze 1627).	Ligozzi, Jacopo (Verona 1547 - Firenze 1627).
OGGETTO	Tavolo.	Tavolo di Livorno.	Tavola di fiori.	Tavolo ottogonale.
DATAZIONE	Fine sec. XVI.	1600-1604.	1617-19.	1633-49.
DESCRIZIONE	Piano ottagonale in marmo sostenuto da tre gambe a forma di zampa di leone, diam. 85,3, h. 86,5, restauro 1970.	Piano in commesso di pietre dure rappresentante il porto di Livorno, 107x94; sostegno in legno dipinto di grigio e parzialmente dorato, h. 90,3.	Piano in commesso di pietre dure con fiori sparsi e farfalle, filettatura in oro, 113x160; sostenuto da piede in legno dorato, h. 93,5.	Piano ottagonale in commesso di pietre dure con fiori, nicchie, pesci, farfalle, draghi, rami di quercia e gigli di Firenze, diam. 191; cartelle di bronzo dorato; sostegno in legno dorato a otto gambe, h. 89,5.
UBICAZIONE	Uffizi (dall'origine?).	Uffizi (dall'origine); Museo degli Argenti (1926?); Uffizi (1976).	Uffizi (dall'origine).	Uffizi (dall'origine); Opificio delle Pietre Dure (1952); Uffizi (1970).
ESPOSIZIONE	Mostra storica della Tribuna degli Uffizi, Firenze 1970.	—	—	Mostra storica della Tribuna degli Uffizi, Firenze 1970.
BIBLIOGRAFIA	*Quaderni degli Uffizi, 1, 1970, p. 17 n. 6 e p. 19.*	*Mina Bacci, in Proporzioni, IV, 1963. Kirsten Aschengreen Piacenti, Il Museo degli Argenti, Milano 1967, n. 803, p. 174.*	*Kirsten Aschengreen Piacenti, in Antichità Viva, 3, 1974.*	*Quaderni degli Uffizi, 1, 1970, n. 8, p. 20.*
INVENTARIO	Mobili Artistici (s.d.) n. 1500.	Mobili Artistici (s.d.) n. 1505.	Mobili Artistici (s.d.) n. 1508.	Mobili Artistici (s. d.) n. 1509.
FOTO	324974.	238912, 324970.	20245, 20247bis, 324972.	20244, 172219.
NOTE	Nello stile di B. Buontalenti, e comunque databile alla fine del XVI secolo, la tavola non è riscontrabile con sicurezza negli inventari precedenti al 1881 (Inv. Sculture, 1881, n. 459), quando aveva un piano di marmo colorato e gambe tinte color noce. K.A.P.	Piano eseguito nella bottega dell'intagliatore milanese Cristofano Gaffurri su disegno di Jacopo Ligozzi (GR 366, p. 86 e p. 151). Il piede originario fu sostituito nel 1815 da quello attuale in stile neoclassico. Conservato nella Tribuna (Galleria 1635, n. 485, p. 49; 1704, n. 735; 1753, n. 877; 1769, n. 415). Nel 1784 si trova nella Sala dell'Ermafrodita (Galleria 1784, cl. I, art. IV, n. 23), nel 1825 nella Stanza dei Pittori (Galleria 1825, cl. VI, n. 429 e cl. Mobilia n. 1378), nel 1881 nella Sala di Baroccio (Sculture 1881, n. 453). K.A.P.	Il piano fu eseguito nella bottega di G. B. Sassi su disegno del Ligozzi. Il piede originario risulta sostituito nel 1704 da uno intagliato e dorato, a sua volta sostituito dall'attuale nel 1831 (Galleria 1635 n. 36, p. 113; 1704 n. 1408; 1753 n. 2858; 1769 n. 3196; 1784 cl. I, art. IV, n. 13; 1825 cl. VI, n. 433 e cl. Mobilia n. 1374; sculture 1881 n. 449). K.A.P.	Piano eseguito nella bottega di Jacopo Antelli su disegno di Jacopo Ligozzi e, per il tondo centrale, di Bernardino Poccetti (Firenze 1548-1612) e Baccio del Bianco. Il piede originale fu sostituito nel 1781 da quello attuale in stile neoclassico. All'origine sistemato nella Tribuna (Galleria 1704 n. 2139; 1753 n. 1871; 1769 n. 1409), nel 1784 si trova nella Sala dei Bronzi Antichi (cl. I, art. IV, n. 17), e nel 1825 nella Sala delle Gemme (cl. VI, n. 430 ecl. Mobilia n. 1372). K.A.P.

	OA9	OA10	OA11	OA12
ESECUZIONE	Botteghe granducali.	Botteghe granducali.	Paulini, Pietro Antonio (Lucca, prima metà sec. XVIII).	Manifattura lucchese sec. XIX.
DISEGNO	Marmi, Giacinto Maria (seconda metà sec. XVII).	Marmi, Giacinto Maria (seconda metà sec. XVII).	—	—
OGGETTO	Tavolo.	Tavolo.	Tavolo di scagliola.	Sedici sgabelli.
DATAZIONE	1663 ca.	Seconda metà sec. XVII.	1732.	Inizio sec. XIX.
DESCRIZIONE	Tavolo con piano ovale di onice racchiuso da una listra di legno dorato, 115x180; piede intagliato a forma di due sirene dorate, h. 85.	Tavolo con piano ovale di marmo rosso, verde e giallo, listra in bronzo dorato, 115x180; piede intagliato a forma di due sirene dorate, h. 83,2.	Piano in scagliola raffigurante violino, fiori, frutti, uccelli, delle stampe e una pianta della fortezza di Barcellona, 68x140; piede in legno intagliato e dorato, h.90.	Legno intagliato e dorato con piedi a piramide terminanti in basso a zampa di leone e in alto a testa di leone. I piedi sono collegati da traverse. Sedie ricoperte di velluto 52x69x49.
UBICAZIONE	Pitti (dall'origine); Magazzino (1794); Pitti (ante 1802); Uffizi.	Pitti (dall'origine); Uffizi.	Palazzo Pitti (dall'origine); Uffizi (1771); Museo degli Argenti (1925); Uffizi (1979).	Lucca (dall'origine); Pitti (1865); Ministero delle Finanze (1867); Uffizi.
ESPOSIZIONE	Gli Ultimi Medici, Detroit-Firenze 1974.	—	Gli Ultimi Medici, Detroit - Firenze 1974.	—
BIBLIOGRAFIA	*Cat., Firenze 1974, n. 223.*	—	*Cat., Firenze 1974, n. 211, p. 372-3.*	—
INVENTARIO	Mobili Artistici (s.d.) n. 1465.	Mobili Artistici (s.d.) n. 1510.	Mobili Artistici (s.d.) 1499.	Mobili Artistici (s.d.) nn. 891-900, 905-910.
FOTO	324977.	324973 (e particolari).	197641, 274079.	83833.
NOTE	Tavola eseguita su disegno di Diacinto Maria Marmi (n. 5110A, Gab. Dis. e Stampe, Uffizi). Originariamente tutto di noce e con piano di alabastro cotognino, il tavolo si trova nel 1663 nell'Appartamento del Gran Principe Cosimo (poi Cosimo III). Nel 1761 è ancora a Palazzo Pitti, mentre nel 1794 arriva al magazzino della Guardaroba Generale (n. 6256), le sirene ormai 'tinte di bianco e dorate in parte'. In questo stato ritorna a Pitti nel 1802 (n. 320) dove appare nell'attuale Museo degli Argenti insieme all'altra tavola con sirene inv. n. 1510. Il piano attuale pervenne dall'Opificio nel 1914. K.A.P.	Con piano in alabastro cotognino, cerchiato di bronzo dorato, e piede tutto dorato, appare con sicurezza negli inventari di palazzo Pitti solo nel 1761, ma si tratta probabilmente della tavola dipinta nel 1735 nel quadro rappresentante la camera di Gian Gastone durante la visita del piccolo Cosimo Riccardi (v. cat. Curiosità di una Reggia, Firenze 1979, I-26). Nel 1761 (p. 584) si trova nella sala dipinta dal Gabbiani, con la Meridiana; nel 1802 (n. 321) è nell'attuale Museo degli Argenti insieme all'altra tavola con sirene, n. 1465. K.A.P.	Il piano è firmato e datato 'Petrus Antonius Paulini Fecit Liburni Anno MDCCXXXII' e dedicato 'A Sua Altezza Reale il Gran Duca di Toscana' (Gian Gastone). A Pitti sino al 1771 (Pitti 1761, p. 252 v.), il tavolo fu portato 'dai magazzini di Pitti' alla Galleria degli Uffizi (Filza IV b, ins. 25, inv. n. A 287; Galleria 1825, cl. II, n. 1023 e cl. Mobilia n. 1381; Sculture 1881 n. 454), dove ad esso fu probabilmente aggiunto il piede. K.A.P.	Provengono originariamente dal Palazzo di Lucca e arrivano a Firenze nel 1865: vengono mandati al Ministero delle Finanze 'per uso uffizii' (mandato n. 258 del 1867) e successivamente alla Sala Niobe degli Uffizi. (Lucca 1848 nn. 5391-5400, 5401-5406; 1861 nn. 92-9300, 9301-9307; Mobili Magazzino 1863 nn. 5593-5608). K.A.P.

	OA13	OA14	OA15	OA16
ESECUZIONE	Manifattura fiorentina sec. XVIII.	Manifattura fiorentina sec. XVIII.	Manifattura fiorentina sec. XVIII.	Manifattura fiorentina sec. XVIII.
DISEGNO	Uccello e fiori.	Uccello e fiori.	Uccello e fiori.	Uccello e fiori.
OGGETTO	—	—	—	—
DATAZIONE	Prima metà sec. XVIII.	Prima metà sec. XVIII.	Prima metà sec. XVIII.	Prima metà sec. XVIII.
DESCRIZIONE	Panello di lavagna con commesso in rilievo di pietre dure, 20x28.	Pannello di lavagna con commesso in rilievo di pietre dure, 20x28.	Pannello di lavagna con commesso in rilievo di pietre dure, 20x28.	Pannello di lavagna con commesso in rilievo di pietre dure, 20x28.
CORNICE	Sagomata, ebano e metallo dorato, originale.	Sagomata, ebano e metallo dorato, originale.	Sagomata, ebano e metallo dorato, originale.	Sagomata, ebano e metallo dorato, originale.
UBICAZIONE	Coll. Feroni (ante 1850); Uffizi (1866); Cenacolo di Foligno (1894).	Coll. Feroni (ante 1850); Uffizi (1866); Cenacolo di Foligno (1894).	Coll. Feroni (ante 1850); Uffizi (1866); Cenacolo di Foligno (1894).	Coll. Feroni (ante 1850); Uffizi (1866); Cenacolo di Foligno (1894).
ESPOSIZIONE	—	—	—	—
BIBLIOGRAFIA	Gli Ultimi Medici. Il Tardo Barocco a Firenze, 1670-1743, Firenze 1974. A. M. Giusti - P. Mazzoni - A. Pampaloni Martelli: Il Museo dell'Opificio delle Pietre Dure a Firenze, Firenze 1978. *Catalogo della Galleria Feroni, Firenze 1985.*	Gli Ultimi Medici. Il Tardo Barocco a Firenze, 1670-1743, Firenze 1974. A. M. Giusti - P. Mazzoni - A. Pampaloni Martelli: Il Museo dell'Opificio delle Pietre Dure a Firenze, Firenze 1978. *Catalogo della Galleria Feroni, Firenze 1985.*	Gli Ultimi Medici. Il Tardo Barocco a Firenze, 1670-1743, Firenze 1974. A. Giusti - P. Mazzoni - A. Pampaloni Martellini: Il Museo dell'Opificio delle Pietre Dure a Firenze, Firenze 1978. *Catalogo della Galleria Feroni, Firenze 1895.*	Gli Ultimi Medici. Il Tardo Barocco a Firenze, 1670-1743, Firenze 1974. A. M. Giusti - P. Mazzoni - A. Pampaloni Martelli: Il Museo dell'Opificio delle Pietre Dure a Firenze, Firenze 1978. *Catalogo della Galleria Feroni, Firenze 1895.*
INVENTARIO	S. Marco e Cenacoli 132.	S. Marco e Cenacoli 133.	S. Marco e Cenacoli 137.	S. Marco e Cenacoli 135.
FOTO	204572.	204576.	204574.	204575.
NOTE	Tipico esempio della produzione decorativa fiorentina nata nell'ambito dello sviluppo impresso da Cosimo III a questo tipo di oggetti, massimo esponente della cui cultura fu G. B. Foggini, scultore, architetto e decoratore della corte medicea. Il pannello, con gli altri tre della serie, è da confrontare con quelli pubblicati ai Nn. 204-209 del cat. del Museo dell'Opificio, e con quelli che compaiono sullo stipo riprodotto al n. 436 dello stesso catalogo. M.C.	Parte di una serie con i nn. 132 (al quale si rinvia per il commento), 137 e 138. M.C.	Parte di una serie con i nn. 132 (al quale si rinvia per il commento), 133 e 138. M.C.	Parte di una serie con i nn. 132 (al quale si rimanda per il commento), 133 e 137. M.C.

Le schede di questa sezione del catalogo (non siglate) sono
state interamente compilate da Antonio Paolucci.

	M1	M2	M3	M4
OGGETTO	Coppia di cassoni.	Cassone intarsiato.	Cassone.	Cassone in pastiglia dorata.
ESECUZIONE	Manifattura toscana (Siena?).	Manifattura fiorentina.	Manifattura Italia centrale.	Manifattura toscana (Lucca?).
DATAZIONE	Inizio sec. XV (?).	Fine sec. XV.	Sec. XV.	Inizio sec.XVI.
DESCRIZIONE	Decoro in pastiglia dorata a motivo continuo di aquile entro tondi (h.65,5x1,93x56p.).	Intarsi con prospettive di città; spigoli a decoro di volute, ghirlande e stemmi (h.90x2,09x77p.).	Intarsiato, decorato sul fronte e sui lati da 6 pannelli con rosone gotico dorato (h.76x1,93x70p.).	Stemmi dipinti sul coperchio e sui fianchi; sul fronte battaglia in pastiglia dorata (h1,08x2,19x85p.).
INVENTARIO	Contini Bonacossi 50, 51.	Contini Bonacossi 49.	Contini Bonacossi 54.	Contini Bonacossi 48.
FOTO	319287.	230584.	230588.	230583.
NOTE	I due mobili hanno subito integrazioni e rimaneggiamenti (coperchio, base etc...). All'interno timbro della Dogana di Venezia del gennaio 1914. In proprietà dello Stato dal 1969 (donazione Contini Bonacossi), temporaneamente esposti nella Meridiana di Pitti.	Il mobile ha subito restauri e rimaneggiamenti, particolarmente evidenti nel coperchio e in alcune parti delle tarsie. Fa parte della donazione Contini Bonacossi (1969), temporaneamente esposta nella Meridiana di Pitti.	Il mobile ha subito restauri e manomissioni. La base e il coperchio non sembrano pertinenti. Fa parte della donazione Contini Bonacossi (1969), temporaneamente esposta nella Meridiana di Pitti.	Sui fianchi (isolati) e sul coperchio (riuniti) figurano gli stemmi dei Cenami e dei Bernardini, di Lucca. All'interno, timbro dell'Ufficio Esportazione di Firenze del 1936. Fa parte della donazione Contini Bonacossi (1969), temporaneamente esposta nella Meridiana di Pitti.

	M5	M6	M7	M8
OGGETTO	Cassone.	Cassone con stemma Colonna.	Cassone.	Cassone.
ESECUZIONE	Manifattura Italia centrale.	Manifattura romana.	Manifattura romana?	Manifattura romana?
DATAZIONE	Metà sec. XVI.	Seconda metà sec. XVI.	Seconda metà sec. XVI.	Seconda metà sec. XVI.
DESCRIZIONE	Cassone a sarcofago, decorato sul fronte da stemma e da nudi allegorici (h.72x1,80x58p.).	Noce lumeggiato d'oro. Sul fronte stemma Colonna fra battaglie, zampe di leone (h.78x1,77x67p.).	In noce intagliato e lumeggiato d'oro. Sul fronte il Trionfo di Nettuno, zampe di leone (h.72x1,72x56p.).	In noce scolpito e lumeggiato d'oro a decoro di putti, figure mitologiche (h.72x1,70x58p.).
INVENTARIO	Contini Bonacossi 56.	Contini Bonacossi 52.	Contini Bonacossi 53.	Contini Bonacossi 55.
FOTO	319288.	—	230587.	230589.
NOTE	Lo stemma, in elaborata cartella sovrastata da testina alata e fiancheggiata da due putti nudi, porta due fiori a 5 petali, sovrapposti. Nei medaglioni allegorie floreali e divinità marine femminili. Fa parte della donazione Contini Bonacossi (1969), temporaneamente esposta nella Meridiana di Pitti.	I lati brevi sono decorati con intagli raffiguranti panoplie di armi. Decoro di armature antichizzanti, a mo' di cariatidi, agli spigoli. Fa parte della donazione Contini Bonacossi (1969), temporaneamente esposta nella Meridiana di Pitti.	Tracce di vecchi restauri e probabili rimaneggiamenti; dentro il coperchio è incollata una stampa antica con Incoronazione della Vergine. Timbro di Stato per temporanea Importazione del 1937. Fa parte della donazione Contini Bonacossi (1969), temporaneamente esposta nella Meridiana di Pitti.	Sui lati brevi due cavalli marini. Sul fronte stemma troncato; nel campo superiore un'aquila, campo inferiore scaccato attraversato da banda obliqua. Fa parte della donazione Contini Bonacossi (1969), temporaneamente esposta nella Meridiana di Pitti.

	M9	M10	M11	M12
OGGETTO	Coppia di credenze.	Credenza intarsiata.	Credenza con stemma Della Rovere.	Tavolo ottagonale.
ESECUZIONE	Manifattura Italia centrale (Umbria?).	Manifattura toscana (Firenze?).	Manifattura Italia centrale.	Manifattura fiorentina.
DATAZIONE	1590.	Fine sec. XV.	Seconda metà sec. XVI.	Metà sec. XVI.
DESCRIZIONE	Credenza a tre sportelli, in noce lumeggiato d'oro, con stemma vescovile e data (h.96x1,90x51p.).	Credenza a quattro sportelli, decorati da motivo romboidale intarsiato (h.1,12x2,64x55p.).	Grande credenza a due corpi, in noce lumeggiato d'oro. Nella alzata stemma Della Rovere, (h.2,56x1,63x54p.).	In noce lumeggiato d'oro; piano a tarsie lignee e commesso di pietre dure (h.80x1,20).
INVENTARIO	Contini Bonacossi 63, 64.	Contini Bonacossi 62.	Contini Bonacossi 65.	Contini Bonacossi 57.
FOTO	319286.	319284.	160749.	319293.
NOTE	Le credenze portano sul fronte le seguenti iscrizioni: 'ANG. CAESIUS EPUS TUDER e ANNO DINI MDLXXXX'. Restauri e rimaneggiamenti. Fanno parte della donazione Contini Bonacossi, (1969).	Si notano restauri e rimaneggiamenti, sopratutto evidenti nella base e nelle modanature di raccordo fra il corpo e il piano. Fa parte della donazione Contini Bonacossi (1969), temporaneamente esposta nella Meridiana di Pitti.	Nel corpo inferiore figurano altri due stemmi non identificati. Uno stemma: monte a 6 cime, sbarrato da banda caricata di tre caprioli (?). Altro stemma: fascia increspata sormontata da una stella. Esposta nella Meridiana di Pitti.	Databile al pieno XVI secolo, in ambito fiorentino come fanno pensare i repertori decorativi e la tecnica del commesso in pietra dura. Fa parte della donazione Contini Bonacossi (1969), temporaneamente esposta nella Meridiana di Pitti.

	M13	M14	M15	M16
OGGETTO	Tavolo con stemma Piccolomini.	Tavolo con stemma Medici.	Tavolo con stemmi.	Tavolo con stemmi.
ESECUZIONE	Manifattura toscana.	Manifattura toscana (Firenze?).	Manifattura Italia centrale.	Manifattura toscana.
DATAZIONE	Metà sec. XVI.	Seconda metà sec. XVI.	Seconda metà sec. XVI.	Seconda metà sec. XVI.
DESCRIZIONE	Poggia su supporti sagomati terminanti a zampe di leone; sui fronti esterni stemmi (84x3,08x89p.).	In legno di noce intagliato, lumeggiato d'oro (h.82x2,71x1,07p.).	Poggia su supporti a forma di sfingi; sul fronte esterno due stemmi, (h.83,5x2,97x1,01p.).	Sui supporti sagomati e intagliati, terminanti a zampa di leone, sono scolpiti due stemmi, (h.82x3,98x110p.).
INVENTARIO	Contini Bonacossi 60.	Contini Bonacossi 58.	Contini Bonacossi 59.	Contini Bonacossi 61.
FOTO	319290.	319289.	319292.	319291.
NOTE	Nello stemma è riconoscibile l'emblema dei Piccolomini (la croce caricata da 5 lune montanti). Fa parte della donazione Contini Bonacossi (1969), temporaneamente esposta nella Meridiana di Pitti.	Sulle facce esterne dei supporti sagomati, figurano due stemmi medici. Il piano non sembra pertinente. Fa parte della donazione Contini Bonacossi (1969), temporaneamente esposta nella Meridiana di Ptiti.	Stemma di non chiara identificazione: un monte araldico sormontato da un castello, banda obliqua fiancheggiata da due stelle. Fate della donazione Contini Bonacossi (1969), temporaneamente esposta nella Meridiana di Pitti.	Nei due cartigli intagliati nelle facce esterne dei supporti sono riconoscibili gli stemmi dei Chigi e degli Strozzi. Fa parte della donazione Contini Bonacossi (1969), temporaneamente esposta nella Meridiana di Pitti.

	M17	M18	M19	M20
Oggetto	Serie di 4 dantesche.	Coppia di dantesche.	Serie di 6 savonarole.	Serie di 8 seggioloni.
Esecuzione	Manifattura Italia centrale.	Manifattura Italia centrale.	Manifattura Italia centrale.	Manifattura Italiana centrale.
Datazione	Inizio sec. XVI.	Inizio sec. XVI.	Inizio sec. XVI.	Inizio sec. XVII.
Descrizione	Stoffa in velluto rosso controtagliato, incisioni sui braccioli, (h.1,02x63x46p.).	Lo schienale e il sedile sono in cuoio operato a decoro vegetale, (h.97x71x52p.).	Savonarola di tipo comune con varie incisioni nello schienale, (h.81x57x54p.).	Schienale in cuoio dorato e impresso con vari decori e stemma, (h.1,3x66x47p.).
Inventario	Contini Bonacossi 74-77.	Contini Bonacossi 78, 79.	Contini Bonacossi 80-85.	Contini Bonacossi 66-73.
Foto	319295-319299.	319298.	319305.	319294.
Note	Fornimento di 4 sedie simili ma non identiche, divisibili in due coppie omogenee. Incisi sui braccioli motivi di freccia o iniziali. Fanno parte della donazione Contini Bonacossi (1969), temporaneamente esposta nella Meridiana di Pitti.	Tipico esempio di 'dantesca' del primo '500. Fanno parte della donazione Contini Bonacossi (1969), temporaneamente esposta nella Meridiana di Pitti.	Fornimento di 6 savonarole omogenee per epoca manifattura e decoro. Negli schienali varie incisioni raffiguranti cerchi, fiori, croci, monogrammi. Fanno parte della donazione Contini Bonacossi (1969), temporaneamente esposta nella Meridiana di Pitti.	Lo stemma è coronato e troncato. Nel campo superiore tre gigli posti in fascia; nel campo inferiore tre stocchi sovrapposti, in diagonale. Fanno parte della donazione Contini Bonacossi (1969), temporaneamente esposta nella Meridiana di Pitti.

Le schede di questa sezione del catalogo (non siglate) sono state interamente compilate da Antonio Paolucci.

C1   C2

OGGETTO	Coppia di albarelli.	Serie di due albarelli da farmacia.
ESECUZIONE	Manifattura di Montelupo.	Manifattura faentina.
DATAZIONE	Fine sec. XV, inizio sec. XVI.	1520-30 ca.
DESCRIZIONE	A sommario decoro floreale di grandi foglie lanceolate, (h.28,5; dm. alla base 11,5).	Decorati l'uno con un amorino alato, l'altro con una testa di vecchio. Scritte medicinali alla base (h.19, dm. ca. 9 all'apertura).
INVENTARIO	Contini-Bonaccosi 128, 129.	Contini-Bonacossi 105, 106.
FOTO	319334-319335.	319327-319329.
NOTE	Esempio di manifattura Toscana di Montelupo, decoro bleu su fondo bianco.	Il repertorio decorativo, i manierismi grafici e i colori usati, rientrano nella tipologia faentina comunemente indicata come 'Farmacia Orsini - Colonna'.

S3   C4   C5

OGGETTO	Coppia di albarelli da farmacia.	Albarello lustrato.	Albarello lustrato.
ESECUZIONE	Manifattura di Casteldurante?	Manifattura ispano-moresca.	Manifattura ispano-moresca.
DATAZIONE	1555.	Sec. XVI.	Sec. XVI.
DESCRIZIONE	Scritte medicinali alla base. Decorati l'uno con testa di giovane guerriero, l'altro con vecchio in turbante (h.29).	A sommario decoro floreale di tralci e foglie, (h.30, dm. alla base 12).	A sommario decoro floreale di tralci e foglie, fascia perimentale al centro (h.28, dm. alla base 11).
INVENTARIO	Contini-Bonacossi 125, 126.	Contini-Bonacossi 121.	Contini-Bonacossi 122.
FOTO	319328-319331.	319333.	319332.
NOTE	Il vaso Contini-Bonacossi 125 porta le seguenti iscrizioni: SY de Isopo e Mario. R. Il vaso Contini-Bonacossi 126: SY de Papavere e Mateo. Entrambi sono datati 1555.	Simile ma non identico al n. 122 lievemente più piccolo. Tipico esempio di manifattura ceramica ispano moresca a riflessi metallici di azzurro e oro.	Simile ma non identico al n. 121 lievemente più alto tipico esempio di manifattura ceramica ispano moresca a riflessi metallici di azzurro e oro.

	C6	C7	C8
OGGETTO	Bottiglione biansato.	Serie di quattro cestini robbiani.	Grande coppa con piede circolare.
ESECUZIONE	Manifattura faentina.	Manifattura fiorentina.	Manifattura eugubina.
DATAZIONE	Inizio sec. XVI.	Inizio sec. XVI.	1520 ca.
DESCRIZIONE	A due manici, con ritratto di vecchio barbuto in turbante (h.38 e dm. apertura 10).	In terracotta policroma robbiana con fogliame, frutta e animaletti (h.18 e h.19).	Coppa d'amore, lustrata, a riflessi d'oro e rubino. Interno decorato con cuore e lettere M.A., (h.17,5, dm.23,5).
INVENTARIO	Contini-Bonacossi 115.	Contini-Bonacossi 98, 101.	Contini-Bonacossi 131.
FOTO	319936.	319339-319340.	319326.
NOTE	Del tipo di maiolica faentina definito 'Farmacia Orsini - Colonna'. Due pezzi simili sono nella coll. Volterra di Firenze (cfr. G. Conti: L'arte della maiolica in Italia, Milano 1973 tav. 111-112). Iscrizione: A. Acetose.	La serie è divisibile in due coppie, del tutto simili per decoro, colori e manifattura, però diverse per le dimensioni (coppia piccola h.18x14dm. base; coppia grande h.19x19dm. base).	La tipologia della coppa e il repertorio cromatico - decorativo, orientano verso una data ai primi del secolo XVI.

	C9	C10	C11
OGGETTO	Coppa a forma di crespina.	Coppa a forma di crespina.	Manifattura fiorentina.
ESECUZIONE	Manifattura di Urbino.	Manifattura di Urbino.	Coppia di orcioli biansati.
DATAZIONE	Metà sec. XVI.	Metà sec. XVI.	Prima metà sec. XV.
DESCRIZIONE	Al centro episodio mitologico; lungo la tesa increspata leoni e nudi virili (dm.26).	Al centro episodio mitologico o di storia romana; lungo la tesa leoni e nudi virili, (dm.26).	Biansati a decoro di foglie di quercia e uccelli bleu in rilievo, (h.23 e h.25, apertura dm.11,5).
INVENTARIO	Contini-Bonacossi 119.	Contini-Bonacossi 120.	Contini-Bonacossi 132, 133.
FOTO	319310.	319313.	319318-319321.
NOTE	I caratteri stilistici e il repertorio cromatico e decorativo sono tipici della manifattura di Urbino. La partitura in quartieri orienta verso una data intorno alla metà del secolo XVI.	I caratteri stilistici e il repertorio decorativo sono tipici della manifattura di Urbino. Forma 'pendant' con il n. 119 dal quale differisce per il soggetto centrale, Piccole lesioni e mancanze alla base.	Del tipo di maiolica fiorentina quattrocentesca che si definisce della 'zaffera a rilievo'. Attribuibile alla bottega di Giunta di Tagio (cfr. G. Cora 'Storia della maiolica a Firenze etc...' voll. 2, Firenze 1973, Tav. 69).

	C12	C13	C14	C15
Oggetto	Grande fiasca a 4 manici.	Orcio biansato.	Orcio biansato.	Piatto lustrato con stemma.
Esecuzione	Manifattura bolognese?	Manifattura di Montelupo.	Manifattura di Montelupo.	Manifattura ispano-moresca.
Datazione	Seconda metà sec. XVI.	Sec. XVII.	Sec. XVII.	Inizio sec. XVI.
Descrizione	Decorata a graffito con soggetti mitologici e di genere (h.66, apertura dm.15).	Manici a forma di drago, nel medaglione cervo accosciato, giallo su fondo bleu (h.44, dm.13 al collo).	Manici a forma di drago, nel medaglione stemma mediceo coronato, (h.34, dm. ca. 12 all'apertura).	Stemma centrale e impresa disposta in cerchio con motto latino, (dm. 50).
Inventario	Contini-Bonacossi 102.	Contini-Bonacossi 134.	Contini-Bonacossi 135.	Contini-Bonacossi 136.
Foto	319316.	319324.	319319.	319343.
Note	Motivi architettonici e vegetali inquadrano due scene contrapposte: convito d'amore, e Bacco ebbro. Nella fascia intorno al collo, un corteo di contadini, animali e armigeri.	L'emblema del cervo è circondato da una ghirlanda vegetale. Il beccuccio è di colore azzurro, i due manici verdi lumeggiati di giallo.	Simile ma non identico al n. 134. Stemma giallo su bleu entro ghirlanda vegetale; beccuccio azzurro, manici verdi lumeggiati di giallo.	Riflessi d'oro e d'azzurro su fondo giallo avorio. Il motto latino ripetuto recita: SURGE DOMINE. ADOVA M. Stemma partito con a sinistra l'arme di Castiglia.

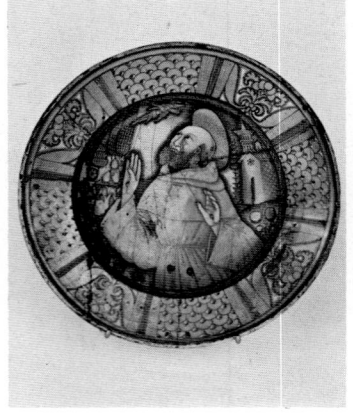   

	C16	C17	C18
Oggetto	Piatto con S. Francesco stigmatizzato.	Coppia di piatti lustrati con stemma cardinalizio.	Piatto lustrato, baccellato.
Esecuzione	Manifattura di Deruta.	Manifattura ispano - moresca.	Manifattura ispano-moresca.
Datazione	1530 ca.	Primo quarto sec. XVI.	Primo quarto sec. XVI.
Descrizione	Piatto lustrato con riflessi d'oro e d'azzurro; tesa a decoro embricato e fitomorfo, dm. cm.41.	Stemma cardinalizio sovrastato da un drago e croce di Lorena, decoro alternato di uccelli e leoni, (dm.52,5 e dm.55).	La tesa è attraversata da una baccellatura in rilievo. All'interno motivi vegetali (dm.43,5).
Inventario	Contini-Bonacossi 118.	Contini-Bonacossi 137, 138.	Contini-Bonacossi 139.
Foto	319307.	319347-319348.	319349.
Note	Il santo è raffigurato a mezzo busto; sullo sfondo il convento della Verna. Il pezzo appare notevolmente danneggiato: lesioni e rotture. (Cfr. B. Rackham, Cat. of italian maiolica, London 1940, vol. 2° Tav. 120 segg.).	Decorati anche sul retro. Coloritura assai intensa di oro e rame.	I colori dominanti sono l'oro ramato e il bleu. Il piatto è lesionato.

	C19	C20	C21	C22
Oggetto	Piatto lustrato con scritta araba.	Piatto con Ippolita.	Piatto con Giulia Bella.	Piatto con Ercole e Cerbero.
Esecuzione	Manifattura ispano moresca.	Manifattura di Urbino o Casteldurante.	Manifattura di Casteldurante.	Manifattura di Deruta.
Datazione	Primo quarto sec. XVI.	Sec. XVI (ca. 1530).	Sec. XVI (ca. 1530).	Sec. XVI (ca. 1530).
Descrizione	Ampia tesa baccellata, scrittura araba in cerchio; al centro un coniglio (dm.35).	Ritratto di giovane donna, vista di profilo, con acconciatura e velo (dm.23,5).	Ritratto femminile quasi di 3/4 su fondo celeste cupo, cartiglio con 'Giulia Bela' (dm.22,5).	Lustrato a riflessi metallici di giallo oro e azzurro. Tesa a decoco embricato e fitomorfo, dm.40.
Inventario	Contini-Bonacossi 141.	Contini-Bonacossi 107.	C. B. 110.	Contini-Bonacossi 116.
Foto	319306.	319312.	319309.	319303.
Note	I colori dominanti sono il bianco operato d'oro e l'oro ramato. Decorato sommariamente anche sul retro.	Dietro l'immagine femminile si legge la scritta laudativa: W IPOLITA. Lo stile si avvicina ai modi del cosidetto 'pseudo Pelipario', ma anche a quelli dei maestri durantini.	Il vestito della donna è giallo, i capelli color rame sono attraversati da un nastro azzurro e verde. Tipico prodotto delle botteghe di Casteldurante (cfr. B. Rackham Cat. of italian maiolica, London 1940, vol. II, tav. 92).	Tipico prodotto della manifattura di Deruta, databile entro il primo terzo del XVI secolo. (Cfr. B. Rackham, Cat. of it. maiolica, London 1940 voll. 2°, tav. 120 segg.).

	C23	C24	C25	C26
Oggetto	Piatto con Eugenia Bella.	Piatto istoriato con la metamorfosi di Siringa.	Piatto istoriato con ninfa e satiri.	Piatto lustrato.
Esecuzione	Manifattura di Deruta.	Manifattura di Urbino.	Manifattura di Urbino.	Manifattura ispano-moresca.
Datazione	Sec. XVI (1530 ca.).	1545.	1549.	Sec. XVI.
Descrizione	Ritratto femminile a mezzo busto con cartiglio laudativo. Tesa a decoro embricato e fitomorfo, (dm.39).	La scena raffigura la trasformazione della ninfa Siringa in canna (Ov. Met. I, 689 segg.) (dm.23).	Scena mitologica dove due satiri scoprono una fanciulla dormiente, in un paese (dm.23,5).	Grande e vistoso decoro di fioroni e foglie cuoriformi (dm.45).
Inventario	Contini-Bonacossi 117.	Contini-Bonacossi 114.	Contini-Bonacossi 113.	Contini-Bonacossi 140.
Foto	319345.	319311.	319315.	319344.
Note	I colori dominanti sono il giallo con riflessi d'oro, azzurro e qualche nota di bruno. Nel cartiglio 'LA UGENIA BELLA'.	Il piatto è lustrato a riflessi di Gubbio. Sul retro la data (1545) e il titolo iconografico: 'Seringa in Cana'. Rotture ai margini e piccola mancanza.	La data 1549 è dipinta sul retro. Esempio tipico della maiolica urbinate nel suo momento classico.	I colori dominanti sono l'oro pallido e il bleu. Parzialmente decorato a veloci pennellate di oro ramato, anche sul retro.

	C27	C28	C29	C30
OGGETTO	Piatto lustrato.	Piatto lustrato con giglio.	Tondo robbiano con stemma della famiglia Cattani.	Tondo robbiano con stemma della famiglia Della Stufa.
ESECUZIONE	Manifattura ispano moresca.	Manifattura ispano-moresca.	Scuola fiorentina.	Scuola fiorentina.
DATAZIONE	Sec. XVI.	Sec. XVI.	Fine sec. XV.	Fine sec. XV.
DESCRIZIONE	Nella tesa motivo di fioroni in rilievo; nella borchia centrale fiore a 4 petali trilobati (dm.35).	Decorazione assai sommaria di elementi vegetali e motivi geometrici (dm.38,5).	Entro cornice di cornucopie intrecciate, stemma Cattani (dm.99), terracotta invetriata.	Entro cornice di frutta e fogliami, stemma Della Stufa (dm.93), terracotta invetriata.
INVENTARIO	Contini-Bonacossi 142.	Contini-Bonacossi 143.	Contini-Bonacossi 86.	Contini-Bonacossi 89.
FOTO	319308.	319346.	319353.	319354.
NOTE	I colori dominanti sono l'oro pallido e il bleu. Decorato sommariamente anche sul retro. Vistosa incrinatura dal bordo al centro.	I colori dominanti sono l'oro pallido e il bleu. Al centro grande giglio stilizzato.	Tipico esempio di araldica robbiana del tardo XV sec. (cfr. A. Marquand, Robbia Heraldry, Princeton 1919).	Stemmi robbiani della stessa famiglia, simili al nostro e databili al 1478 sono pubblicati da A. Marquand (Robbia Heraldry Princeton 1919).

	C31	C32	C33	C34
OGGETTO	Tondo robbiano con stemma della famiglia Del Monte (Di Monte S. Savino).	Tondo robbiano con stemma della famiglia Aldobrandini.	Tondo robbiano con stemma della famiglia Da Uzzano.	Tondo robbiano con stemma della famiglia Pazzi.
ESECUZIONE	Scuola fiorentina.	Scuola fiorentina.	Scuola fiorentina.	Scuola fiorentina.
DATAZIONE	Fine sec. XIV, inizio sec. XVI.	Fine sec. XV, inizio sec. XVI.	Fine sec. XV, inizio sec. XVI.	Fine sec. XV, inizio sec. XVI.
DESCRIZIONE	Entro cornice di frutta, e fogliami stemma Del Monte (dm.113 ca.), terracotta invetriata.	Entro cornice di frutta e fogliami stemma Aldobrandini (dm. 85), terracotta invetriata.	Entro cornice di frutta e fogliami, stemma Da Uzzano (dm.91), terracotta invetriata.	Entro cornice di frutta e fogliame stemma Pazzi (dm.121 ca.) terracotta invetriata.
INVENTARIO	Contini-Bonacossi 88.	Contini-Bonacossi 90.	Contini-Bonacossi 91.	Contini-Bonacossi 92.
FOTO	230591.	230592.	319320.	230593.
NOTE	Lo stemma è sormontato da una mitria vescovile. Tipico esempio di araldica robbiana del tardo XV sec. inizio XVI (cfr. A. Marquand, Robbia Heraldry, Princeton, 1919).	Tipico esempio di araldica robbiana del tardo XV sec. (cfr. A. Marquand, Robbia Heraldry, Princeton, 1919).	Tipico esempio di araldica robbiana del tardo XV sec., inizio XVI (cfr. A. Marquand, Robbia Heraldry, Princeton 1919).	Tipico esempio di araldica robbiana del tardo XV sec., inizio XVI (cfr. A. Marquand, Robbia Heraldry, Princeton 1919).

	C35	C36	C37	C38
OGGETTO	Tondo robbiano con impresa della famiglia Medici.	Tondo robbiano con stemma Buonafede.	Tondo robbiano con stemma della famiglia Canigiani.	Tondo robbiano con stemma della famiglia Materon.
ESECUZIONE	Scuola fiorentina.	Scuola fiorentina.	Scuola fiorentina.	Scuola fiorentina.
DATAZIONE	Fine sec. XV.	Fine sec. XV, inizio sec. XVI.	Fine sec. XV, inizio sec. XVI.	Fine sec. XV, inizio sec. XVI.
DESCRIZIONE	Entro cornice di frutta e fogliame, impresa Medici (dm.79), terracotta invetriata.	Entro cornice di frutta e fogliami, stemma Buonafede (dm.74), terracotta invetriata.	Entro cornice di frutta e fogliami, stemma Canigiani (dm.94), terracotta invetriata.	Entro cornice di frutta e fogliame, stemma Materon (dm.90), terracotta invetriata.
INVENTARIO	Contini-Bonacossi 93.	Contini-Bonacossi 95.	Contini-Bonacossi 96.	Contini-Bonacossi 97.
FOTO	319351.	319352.	230590.	160754.
NOTE	Su fondo d'azzurro, campeggia la classica impresa medicea con l'anello, le 3 piume e il motto 'semper'. Notevole esempio di araldica robbiana.	A. Marquand (Robbia Heraldry, Princeton 1919) cita altri stemmi robbiani dei Buonafede.	Il campo che dovrebbe essere d'argento, è d'oro (giallo) in questo caso. Simili trasgressioni cromatiche sono frequenti nell'araldica robbiana.	La famiglia Materon è provenzale (cfr. J. B. Rietstap, Armorial Général, Gouda 1887 voll. 2).

  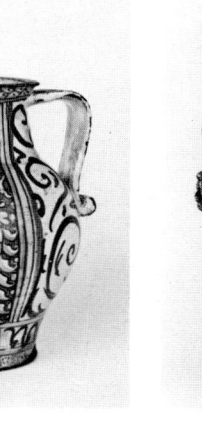  

	C39	C40	C41
OGGETTO	Vaso con beccuccio a drago.	Vaso con beccuccio a drago.	Coppia di vasi biansati.
ESECUZIONE	Manifattura faentina.	Manifattura di Faenza.	Manifattura di Urbino.
DATAZIONE	Inizio sec. XVI.	Inizio sec. XVI.	Seconda metà sec. XVI.
DESCRIZIONE	Nei medaglioni due profili affrontati a mezzo busto, di donna e uomo con cappello (h.23, dm. apertura 10,5).	Nei medaglioni due ritratti a mezzo busto: una dama e un vecchio con cappello (h.24, apertura dm. 10,5).	Manici a serpenti intrecciati, decoro di grottesche e medaglioni al centro con scene equestri e guerriere, h.46.
INVENTARIO	Contini-Bonacossi 108.	Contini-Bonacossi 109.	Contini-Bonacossi 103, 104.
FOTO	319938.	319935.	319275-319314.
NOTE	Forma pendant con Contini-Bonacossi 109. I colori dominanti sono il giallo, il verde, l'azzurro. In basso iscrizione medicinale 'SY. DE UPATORIO'. Del tipo di maiolica faentina di primo '500 che si suole definire Farmacia 'Orsini Colonna'.	Toni azzurrati, gialli, verdini, verde su azzurro. In basso iscrizione medicinale: OXI BACCARA. Del tipo di maiolica faentina di primo '500 che si suole definire Farmacia Orsini - Colonna.	Lo stile è quello tipico di Urbino dopo la metà del XVI secolo. Il n. 104 è rotto alla base.

	C42	C43	C44	C45
OGGETTO	Vaso a brocchetto.	Vaso biansato.	Vaso a brocchetto.	Vaso a forma di pigna.
ESECUZIONE	Manifattura di Casteldurante?	Manifattura di Urbino?	Manifattura faentina.	Manifattura toscana.
DATAZIONE	1548.	Metà sec. XVI.	Sec. XVI.	Sec. XVI.
DESCRIZIONE	Con manico e beccuccio, decoro di ghirlande stemmi e targhe, (h.24, dm. apertura 8).	Manici a serpi, decorazione floreale a scomparti; negli ovali, S. Bartolomeo e stemma, h.49.	Con manico e beccuccio, decorazione blu, stemma e iscrizione, (h.22, dm. apertura 10).	Pigna in maiolica, di colore avorio, toccata di verde, (h.30; dm. apertura 11).
INVENTARIO	Contini-Bonacossi 111.	Contini-Bonacossi 127.	Contini-Bonacossi 112.	Contini-Bonacossi 130.
FOTO	319934.	319322.	319937.	319317.
NOTE	Dietro al manico si legge la data 1548. Stemma con leone rampante che stringe la spada nelle zampe. Iscrizione medicinale 'S. DE PAPAVERO'.	I colori dominanti sono il giallo, l'azzurro e il verde. Tecnica e repertorio cromatico fanno pensare a Urbino; gli elementi decorativi sono di gusto fiorentino - toscano.	Sotto il beccuccio è dipinto uno stemma: albero verde su tre monti, fiancheggiato da due stelle gialle, campito su fondo azzurroscuro. Nella parte inferiore la scritta medicinale 'S. DE RIBES'.	Esempio di manifattura toscana del XVI secolo. Le sporgenze della pigna appaiono in qualche punto sbocconcellate.

	C46	C47	C48
OGGETTO	Coppia di vasetti lustrati.	Vaso a palla.	Vaso a palla.
ESECUZIONE	Manifattura ispano - moresca.	Manifattura siciliana.	Manifattura siciliana.
DATAZIONE	Sec. XVI.	Inizio sec. XVII.	Inizio sec. XVII.
DESCRIZIONE	Vasetti a sezione circolare con sommario disegno di pavona, oro su bianco (h.21,5; dm. 10 apertura).	Nel medaglione centrale immagine virile armata di santo a mezzo busto, (h.33, dm.10 all'apertura).	Nel medaglione centrale, immagine femminile con cartiglio esplicattivo: Anfrusina h.36, d.11 all'apertura).
INVENTARIO	Contini-Bonacossi 144, 145.	Contini-Bonacossi 123.	Contini-Bonacossi 124.
FOTO	319336-319337.	319325.	319323.
NOTE	Tipico esempio di manifattura ceramica ispano moresca a riflessi metallici di oro su bianco. Uno dei vasi è rotto in più punti.	Sotto l'immagine si legge la scritta 'Sebastem'. Colori: blu scuro, verde, giallo, aranciato. Forma 'pendant' con Contini-Bonacossi 124.	Sotto l'immagine femminile si legge la scritta: 'Incenso'. Colori: blu scuro, verde, giallo, aranciato. Forma pendant con Contini-Bonacossi 123.

La decorazione ad affresco della Galleria che comprende oltre ai tre corridoi alcune salette e un tratto del Corridoio vasariano, si deve a successivi interventi dal secolo XVI al secolo XIX che testimoniano il costante interesse dei granduchi Medici e Lorena per gli Uffizi e la loro volontà di aggiornamento in ogni programma decorativo.

Il nucleo più antico risale all'epoca di quello che può considerarsi il ' fondatore ' degli Uffizi come museo e cioè Francesco I de' Medici, che nel 1584 avrebbe commissionato la Tribuna al Buontalenti, ma già nel 1581 ordinava la decorazione del soffitto del corridoio di Levante. La data è certa, dipinta in una delle campate strette, e del resto confermata nei ' Ricordi di Alessandro Allori ' [1] che ci danno anche i nomi dell'équipe dei frescanti: l'Allori stesso, Ludovico Buti, Giovan Maria Butteri, Giovanni Bizzelli, Alessandro Pieroni, oltre a Giovanni Cosci, Ludovico Cigoli (ventiduenne), Gabriello Caccini garzone del Butteri, Cecchino Mati e Pierino del Meglio, scolari dell'Allori. Questi ricevono il saldo completo per la loro opera il 23 settembre 1581, su polizze dello stesso Buontalenti. Sono alcuni dei pittori dello Studiolo che Francesco impiega dieci anni più tardi nella Galleria; colpisce la presenza del giovane Cigoli mentre non compare il nome di Bernardino Poccetti al quale la tradizione generata probabilmente dal Baldinucci [2], assegna la decorazione del primo corridoio e delle Salette dell'Armeria.

Individuare le singole mani nelle 45 campate è impresa finora non risolta dagli studiosi e non è questa la sede per tentare di farlo: del resto la commistione degli interventi è ben stretta e si possono qui indicare a titolo sperimentale solo alcuni degli interventi singoli più evidenti. Si vedano, ad esempio, le campate 42-43-45 che rivelano nitido l'Allori con ricordi precisi e preziosi dello Studiolo; la campata 31 con qualche sentore del Cigoli; le campate 16 e 17 con vaghi riferimenti al Bizzelli e al Butteri.

La grottesca è qui nel suo momento più disimpegnato e insieme inquietante, vivificata dall'apporto di Marco da Faenza in Palazzo Vecchio [3], punteggiata di riferimenti alla casa Medici (i ripetuti stemmi Medici e Austria, le palle come elemento decorativo e spunti per giochi maliziosi di amorini), ma anche a Bianca Cappello di cui troviamo due imprese, accanto ad altre di Francesco, e lo stemma di famiglia (un cappello da viaggio), occultato da Ferdinando I e riscoperto di recente (Vedi campata 44). Per il resto: ricordi di sculture famose, scherzi e pose ambigue, mitologia eroticizzata e interesse affettuoso per le botteghe, sono alcune delle sigle nelle quali saltuariamente riconosciamo il gusto del ' Principe dello Studiolo ' [4].

Immediatamente successiva alla morte di Francesco e all'insediamento al governo e nella Galleria di Ferdinando I (1587-1609), è la decorazione delle quattro sale dell'Armeria: ancora grottesche a trofei d'armi, vessilli, prede belliche, nelle quali si aprono larghi riquadri con scene di guerra, battaglie irruente o truppe ben inquadrate, ma anche scene gustose di bottega analizzate con spirito già quasi seicentesco. Sappiamo con certezza che nel 1588 Ludovico Buti andava dipingendo nelle quattro stanze ' grottesche sulle stuoie ' [5] e altri ornamenti negli sguanci di porte e finestre. Ma per le vedute grandi persiste ancora la vecchia attribuzione al Poccetti,

per quanto finora non documentata. E dopo la sistemazione dell'Armeria, quella delle stanze adibite alla conservazione degli strumenti scientifici: la Sala delle Carte geografiche affrescata ancora dal Buti (1589) su disegno e con l'aiuto di Stefano Bonsignori (e nella quale il saggio granduca aveva fatto trasportare anche le tele dipinte a Roma dallo Zucchi per la sua camera da letto) e lo Stanzino delle Matematiche, di poco più tardi, nel quale lo Heikamp riconosce le prime prove di Giulio di Alfonso Parigi [6].

Dopo un lungo periodo di stasi, dovuto alle ristrettezze delle Reggenti, alla diaspora degli artisti calamitati da Roma, ma anche al prevalente interesse per l'adattamento di Palazzo Pitti a nuova più degna reggia, Ferdinando II (1621-1670), si rivolge agli Uffizi chiedendo al fratello, il dotto e brillante cardinal Leopoldo e al suo entourage, un programma adeguato alla prosecuzione degli affreschi nei corridoi della Galleria. Questo fu messo a punto dal conte Ferdinando del Maestro, gentiluomo di camera e bibliotecario di Leopoldo. Dopo aver scartato l'idea, che pure era stata presa in considerazione, di rifare anche le volte già affrescate, fu deciso di illustrare nel terzo e secondo corridoio le glorie della Toscana attraverso le imprese dei suoi cittadini più illustri in ogni campo, dalle arti alla liberalità verso la patria, dalla varia erudizione alla diplomazia. L'impresa era complessa e il Del Maestro se ne occupò attivamente fino alla morte prematura nel 1665 [7]; gli subentrarono quindi il canonico Lorenzo Panciatichi prima e il senatore Alessandro Segni più tardi. In effetti ci resta quasi schiacciati dal peso dell'erudizione che il Del Maestro e i suoi sapienti accoliti riuscirono a concentrare in queste volte, così che senza l'ausilio dell'altrettanto dotto D.M. Manni sarebbe alquanto arduo districarsi dal viluppo dei simboli e delle allegorie che costituiscono, insieme alla ricca documentazione iconografica, il fitto tessuto delle grottesche del Seicento [8]. Non più dunque solo divertimento o svago per gli occhi, ma testo ufficiale da decifrare e proporre con orgoglio: in queste infatti è più scoperta anche l'esaltazione dei Medici, che ricorrono spessissimo in varie campate, sia i granduchi e i loro figli che Cosimo Pater Patriae, Lorenzo e Leone X, esaltati tanto nelle qualità private quanto nelle dignità pubbliche.

I lavori ebbero inizio nel 1658 partendo dalla terrazza sulla loggia dell'Orcagna e procedendo fino all'incrocio col corridoio di Mezzogiorno dove si arrestano nel 1679. Gli artisti impegnati nella ventennale campagna decorativa sono tre: Cosimo Ulivelli, Agnolo Gori e Jacopo Chiavistelli, dei quali la Guardaroba Medicea conserva puntualmente i conti [9] grazie ai quali è stato possibile individuare i personali apporti. Si tenga presente comunque che anche in questo, come nel primo corridoio, se i pagamenti sono chiaramente indicativi del singolo contributo, la decorazione a un'accurata analisi smentisce l'ipotesi di una suddivisione assolutamente drastica del lavoro e lascia ampio spazio non soltanto alla collaborazione tra i tre artisti, ma anche al probabile intervento, nei paesaggi e nelle scene storiche, di uno specialista fin qui non identificato.

Nel complesso, si individuano: per una certa leggerezza di mano e ariosità il Chiavistelli, tornato da Bologna con molti ricordi dei quadraturisti locali; per una maniera più studiata e spigolosa il Gori, propenso a serrare le sue campate in schemi rigorosi, ma aperto nel corso dell'esecuzione a più corpose e svincolate fantasie barocche; più blando e abitudinario l'Ulivelli, allievo del Volterrano. Purtroppo con l'incendio del 1762, molte delle più belle invenzioni del Gori e del Chiavistelli sono andate distrutte, ma ne rimane la documentazione precisa fin nei particolari nelle incisioni del Menabuoi [10].

Nel 1666, il Gori contribuisce anche al riammodernamento di una delle sale dell'Armeria (l'attuale n. 19) sostituendo le sue allegorie un po' fumose alle scattanti e colorite immagini degli affreschi tardo-cinquecenteschi.

Dopo un'interruzione di quasi vent'anni, Cosimo III succeduto al padre (1670-1723) riprende a considerare con interesse la Galleria e la sua sistemazione, nell'ambito di una nuova politica artistica quanto mai intensa e oculata [11]. A Cosimo si devono in primo luogo alcune nuove sale, tra cui quella degli Autoritratti con la statua del cardinal Leopoldo commissionata al Foggini (vedi scheda relativa nella sezione Sculture) e la volta decorata da Pier Dandini, ora distrutta ma descritta minuziosamente dal Baldinucci e, in un secondo tempo, la ripresa del programma decorativo del corridoio di Mezzogiorno come prosecuzione ideale di quello di Ponente: la glorificazione della Toscana negli aspetti esaltanti della Religione e della Pietà, ben si prestava al nuovo clima della corte e al gusto personale del granduca.

Esecutori della nuova impresa, con colori aerei e soffici e quadrature eleganti come cornici, furono Giuseppe Nicola Nasini e Giuseppe Tonelli, quest'ultimo specializzato nelle architetture e degno scolaro del Chiavistelli. I due lavorarono in sincronia, prima il Nasini con le figure seguito dal Tonelli, dal 1696 al 1697 sicuramente, ma probabilmente ancora fino al 1698-99. Nella campata all'incrocio tra i due corridoi, i documenti della Guardaroba [12] danno ragione di un'altra presenza assai caratteristica e riconoscibile solo in questo riquadro: si tratta di Bartolomeo Bimbi che esegue i rigogliosi festoni di fiori frutti e foglie che circondano le allegorie delle Virtù granducali.

Infine, determinata dall'incendio che il 12 agosto 1762 distrusse 103 braccia di corridoio, per un totale di 12 campate, in gran parte del Gori e del Chiavistelli, arriviamo all'ultima fase della decorazione dei soffitti che vede all'opera, ma non immediatamente (tant'è vero che nel 1178 il lavoro non è ancora terminato [13]), Giuliano Traballesi, Giuseppe Maria Terreni e Giuseppe del Moro. Questi uniscono l'abilità nelle quadrature, nell'ornato e nelle figure per ricomporre il dotto mosaico del Del Maestro, e infatti il programma del conte è eseguito puntualmente anche se un po' freddamente: è venuta meno, e si nota nel confronto con le incisioni tratte dagli originali perduti, l'adesione culturale al programma stesso e, in particolare, la ricchezza di ornati che riempivano le campate e che contenevano piacevoli riferimenti al soggetto (lo spazio della Musica, ad esempio, era cosparso di «animali di gran voce e di uccelli canori» (Manni) e di strumenti musicali in scorci singolari, che qui non ritroviamo).

Il Pelli Bencivenni (1779)) giudicando questo rifacimento 'vago ed elegante' involontariamente ne ha individuato il pregio e il limite.

Si impongono però le vedute: si veda come esempio l'ultimo scomparto con Pisa e Livorno, con paesaggi probabilmente del Terreni, che nel 1783 dava alle stampe 'La raccolta delle più belle vedute di Livorno'.

Dello stesso periodo, sotto l'impulso innovatore di Pietro Leopoldo di Lorena (1765-1790) si rinnova la distribuzione delle collezioni e si modifica l'assetto di alcuni ambienti: l'attuale Sala delle miniature (già Camera di Madama Cristina di Lorena o degli idoli) subisce tra il 1779 e l'81, una modifica alla stessa pianta, sotto la direzione di Zanobi del Rosso e con la collaborazione del pittore Filippo Lucci al quale si deve la figura allegorica della cupola. In questo periodo fu coperta nello sguancio di una finestra murata, una decorazione che risale al periodo mediceo.

Un caso particolare rappresenta la saletta 20, una dell'antica Armeria affrescata alla fine del '500; la decorazione attuale comprende nei riquadri più grandi, quattro spettacoli a Firenze, di stile e gusto seicentesco, ma il resto della decorazione sfugge dagli schemi usuali delle grottesche degli Uffizi

e sembra unire tracce di una più antica decorazione al repertorio decorativo e ai modi del tardo Settecento (Cfr. scheda relativa). Conclude, in ordine di tempo, l'affresco del primo tratto del Corridoio Vasariano, per cui si ipotizza un intervento ottocentesco, determinato dall'adeguarsi delle strutture cittadine e museali alla nuova funzione di Firenze capitale e che potrebbe riferirsi a uno dei grandi decoratori dell'epoca protagonisti di quella operazione di cosmesi cittadina.

Con questo intervento del secolo XIX, si chiude la vicenda delle decorazioni degli Uffizi, per la quale ancora resta tanto da precisare: questa introduzione vuole esser intanto un riepilogo e insieme un resoconto di quanto ultimamente riportato alla luce dalle carte d'archivio.

Note
1. Editi a cura del Supino nel 1908.
2. L'attribuzione è riportata ma non del tutto condivisa dal Pelli Bencivenni, 1799. Vedi anche ' Decken-Malereien d.e. Corridors d. Uffizien gemalt von B. Poccetti, 1897.
3. A. Cecchi, in Paragone 1977-78.
4. Vedi L. Berti, Il Principe dello Studiolo, Firenze 1967, passim.
5. A.S.F. Guardaroba 124, c. 104.
6. D. Heikamp, in Antichità viva, 1970, IV, p. 45.
7. Notizie in S. Salvini, Fasti consolari dell'Accademia fiorentina, Firenze 1717.
8. Dom. M. Manni: Commento alle tavole incise da G. Menabuoi 'Le azioni degli uomini illustri... nelle volte dell'Imp. Galleria di Toscana' Firenze 1745.
9. Vedi alle schede relative. Ringrazio su questo punto il dottor G. Leoncini per alcune precisazioni e segnalazioni tratte dal suo lavoro su 'Una vita di J. Chiavistelli pittore di figura et eccellente nell'architettura a fresco', di prossima pubblicazione sulla rivista Paragone.
10. Vedi nota 8.
11. Sull'argomento: S. Rudolph, in Arte illustrata 1974, 59, p. 213 e sgg.
12. A.S.F. Guardaroba 1044, c. 17s., segnalato da G. Leoncini.
13. A.G.F., F. 1727, ins. 88, segnalato da Silvia Meloni Trkulja.

Oltre ai testi citati in nota, vedi, come bibliografia generale:
G. Bianchi, Ragguaglio delle antichità e rarità..., Firenze 1759.
G. Bencivenni Pelli, Saggio istorico della Real Galleria di Firenze, Firenze 1779.
A. Gotti, Le Gallerie di Firenze, Firenze 1872.
Della vita e delle opere del cavaliere Giuseppe Nasini, Prato 1872.
Catalogo Mostra storica della Tribuna degli Uffizi, Firenze 1970.
D. Heikamp, L'antica sistemazione degli strumenti scientifici nelle collezioni fiorentine, in Antichità viva, 1970, IV p. 3.
D. Heikamp, Mexico and the Medici, Firenze 1972.
Vita di Cosimo Ulivelli, in F. S. Baldinucci, Vite di artisti dei sec. XVII-VXIII, ed. Roma 1975.
Dizionario Bolaffi: (VIII), Torino 1976, alla voce Nasini, e (VII), Torino 1975, alla voce Del Moro.
S. Meloni Trkulja in Paragone 343, 1978.
G. Leoncini, in Paragone 345, 1978.
Dizionario biografico degli italiani, alle voci: Allori, Bimbi, Bizzelli, Butteri, Buti.
A.S.F. Acquisti e doni 332, fasc. 6 (sulle imprese medicee, segnalato da Silvia Meloni Trkulja).

Le schede di questa sezione del catalogo (non siglate) sono state interamente compilate da Caterina Caneva.

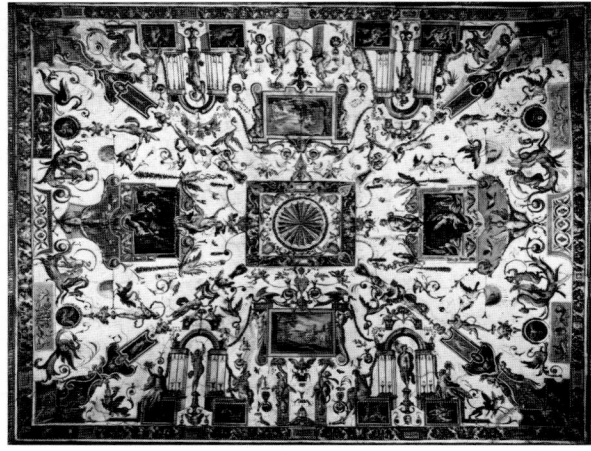

S1

S2

UBICAZIONE	Corridoio di Levante: campata 1.	Corridoio di Levante: campata 2.
AUTORE	Scuola fiorentina fine sec. XVI.	Scuola fiorentina fine sec. XVI.
TITOLO	Grottesca.	Grottesca.
DATAZIONE	1581.	1581.
DATI TECNICI	Affresco con ritocchi a tempera, 344 ca. x 585 ca.; restauri 1945 e 1974-75.	Affresco con ritocchi a tempera, 344 ca. x 585 ca.; restauri 1945 e 1974-75.
FOTO	249013.	249037.
DESCRIZIONE	La campata presenta sui lati lunghi quattro divinità entro edicole su piedistalli: Proserpina o Cerere, Marte, Diana cacciatrice, Cupido. Nei quattro pannelli principali due paesaggi (policromi) e due scene monocrome di difficile interpretazione: a sin. le nove Muse con Pegaso in secondo piano; a d. arpie e donne intorno a una fontana.	Sui lati brevi due paesaggi. Al centro e agli spigoli, sorrette da geni alati con trombe, le palle dello stemma mediceo.

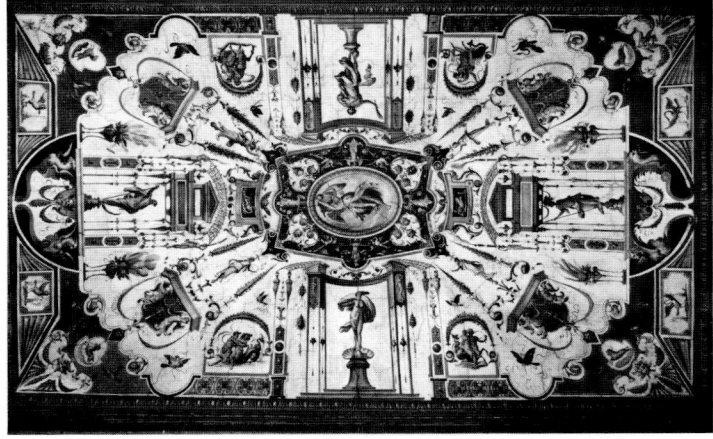

S3

S4

UBICAZIONE	Corridoio di Levante: campata 3.	Corridoio di Levante: campata 4.
AUTORE	Scuola fiorentina fine sec. XVI.	Scuola fiorentina fine sec. XVI.
TITOLO	Grottesca.	Grottesca.
DATAZIONE	1581.	1581.
DATI TECNICI	Affresco con ritocchi e tempera, 344 ca. x 585 ca.; restauri 1945 e 1974-75.	Affresco con ritocchi a tempera, 100 ca. x 85 ca; restauri 1945 e 1974-75.
FOTO	249036.	324120.
DESCRIZIONE	Nelle quattro edicole principali: il Tempo con la falce, Venere sulla conchiglia, Minerva con lancia e scudo, altra dea con ramo di palma, libro e un oggetto non identificato sotto il piede destro.	Al centro due amorini tengono sollevato il giglio fiorentino. A destra Minerva; a sin. una figura con piedi alati (Mercurio?) semidistrutta.

S5

S6

UBICAZIONE	Corridoio di Levante: campata 5.	Corridoio di Levante: campata 6.
AUTORE	Scuola fiorentina fine sec. XVI.	Scuola fiorentina fine sec. XVI.
TITOLO	Grottesca.	Grottesca.
DATAZIONE	1581.	1581.
DATI TECNICI	Affresco con ritocchi a tempera, 384 ca. x 585 ca.; restauri 1945 e 1974-75.	Affresco con ritocchi a tempera, 344 ca. x 585 ca.; restauri 1945 e 1974-75.
FOTO	249015.	249038.

DESCRIZIONE Al centro una figura femminile alata (la Fama?) tiene sollevata la corona granducale. Sui lati lunghi, due paesaggi; sui lati brevi, entro edicole, due figure femminili, una con serpente e l'altra con elmo piumato, trionfante sulle spoglie di un nemico (iconograficamente vicina al Perseo di Cellini), sorreggono due globi. Gli stessi globi, probabilmente le palle dello stemma mediceo sono sollevati da quattro puttini alati, agli spigoli.

Al centro, piccolo occhio rotondo aperto sul cielo con balaustra, pergolato, uccelli. Sui lati lunghi due paesaggi; sui lati brevi Apollo con la cetra e Marsia con lo zufolo di canne. Agli spigoli quattro figure femminili di cui una con specchio e serpente; una ammantata senza attributi (Venere?); una con mezzaluna sulla testa (Diana?); l'ultima con elmo, spada e bilancia (Minerva?).

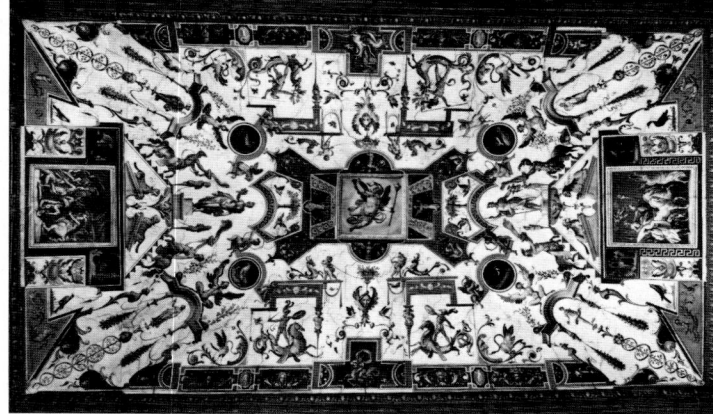

S7

S8

UBICAZIONE	Corridoio di Levante: campata 7.	Corridoio di Levante: campata 8.
AUTORE	Scuola fiorentina fine sec. XVI.	Scuola fiorentina fine sec. XVI.
TITOLO	Grottesca.	Grottesca.
DATAZIONE	1581.	1581.
DATI TECNICI	Affresco con ritocchi a tempera, 345 ca. x 585 ca.; restauri 1945 e 1974-75.	Affresco con ritocchi a tempera, 100 ca. x 585 ca.; restauri 1945 e 1974-75.
FOTO	249030.	325069.

DESCRIZIONE Al centro un amorino regge lo scettro sormontato da una palla medicea e dalla corona granducale. Sui lati brevi: il trionfo di un imperatore romano a sin., a destra, monocroma, una battaglia fra cavalieri.

Al centro, Venere piange Adone. A destra, sormontato dallo stemma mediceo, entro un'edicola timpanata, Giove col fulmine, assiso fra le nuvole; a sinistra in un'edicola simile sormontata dallo stemma Medici - Austria, una figura femminile fra le nubi (Giunone?).

S9

S10

UBICAZIONE	Corridoio di Levante: campata 9.	Corridoio di Levante: campata 10.
AUTORE	Scuola fiorentina fine sec. XVI.	Scuola fiorentina fine sec. XVI.
TITOLO	Grottesca.	Grottesca.
DATAZIONE	1581.	1581.
DATI TECNICI	Affresco con ritocchi a tempera, 344 ca. x 585 ca.; restauri 1945 e 1974-75.	Affresco con ritocchi a tempera, 345 ca. x 585 ca.; restauri 1945 e 1974-75.
FOTO	249034.	249031.

DESCRIZIONE (S9) Al centro, sacrificio di un toro alla presenza di un sacerdote con copricapo ebraico. Sui lati lunghi: due paesaggi centrali, entro specchiature tonde e due coppie di piccoli paesaggi notturni. Sui lati brevi: a destra una negra con turbante e un bimbo in braccio; a sin. un trofeo di armi.

(S10) Al centro un globo con fascia zodiacale. Sui lati lunghi: Giove col fulmine sull'aquila e una figura femminile nuda in primo piano; Perseo con la testa di Medusa. Sui lati brevi: a destra Apollo-Sole sul carro tirato da quattro cavalli; a sin. la Notte, raffigurata come una donna nera coronata da una mezzaluna, con pipistrelli ai lati, e su un carro tirato da due civette. Agli spigoli, quattro paesaggi ovali.

S11

S12

UBICAZIONE	Corridoio di Levante: campata 11.	Corridoio di Levante: campata 12.
AUTORE	Scuola fiorentina fine sec. XVI.	Scuola fiorentina fine sec. XVI.
TITOLO	Grottesca.	Grottesca.
DATAZIONE	1581.	1581.
DATI TECNICI	Affresco con ritocchi a tempera, 345 ca. x 585 ca.; restauri 1945 e 1974-75.	Affresco con ritocchi a tempera, 100 ca. x 585 ca.; restauri 1945 e 1974-75.
FOTO	249028.	325067.

DESCRIZIONE (S11) Al centro, una figura femminile seduta fra le nubi, dentro una specchiatura rotonda dipinta a pergolato con foglie e uccelli. Sui lati brevi, due paesaggi; sui lati lunghi, il ratto d'Europa e Danae con Cupido, sotto la pioggia d'oro. Agli spigoli, da destra: Plutone con Cerbero, Nettuno col Tridente, Giunone col pavone, Giove col fulmine.

(S12) Al centro, divinità marina su carro a quattro cavalli rapisce una donna; a destra, una figura femminile intenta a cogliere frutta da un ramo; a sin. due figure femminili con mazzo di fiori. Nelle specchiature piccole scene di rapimento con divinità marine.

S13

S14

UBICAZIONE	Corridoio di Levante: campata 13.	Corridoio di Levante: campata 14.
AUTORE	Scuola fiorentina fine sec. XVI.	Scuola fiorentina fine sec. XVI.
TITOLO	Grottesca.	Grottesca.
DATAZIONE	1581.	1581.
DATI TECNICI	Affresco con ritocchi a tempera, 344 ca. x 585 ca.; restauri 1945 e 1974-75.	Affresco con ritocchi a tempera, 344 ca. x 585 ca.; restauri 1945 e 1974-75.
FOTO	249043.	249035.
DESCRIZIONE	Al centro: bottega di speziale con distillatore, in primo piano un contadino porta una cesta di fiori ed erbe. Agli spigoli, entro ovali, quattro interni di bottega con operazioni relative, tra cui si riconoscono la pesatura, la tintura, la filatura e un'altra operazione non identificata. Sui lati lunghi, al centro, due paesaggi. I soggetti si avvicinano a quelli affrescati in una delle salette adibite all'origine ad armeria.	Al centro, un giovane su un carro tirato da due cinghiali reca un vaso con fiamma; al centro dei lati lunghi, due piccoli paesaggi ovali e clipei rotondi, raggruppati per tre, con mascheroni grotteschi e uccelli. Ai lati brevi, sorrette da cariatidi, due specchiature mistilinee con guerriero armato e donna con corona di fiori.

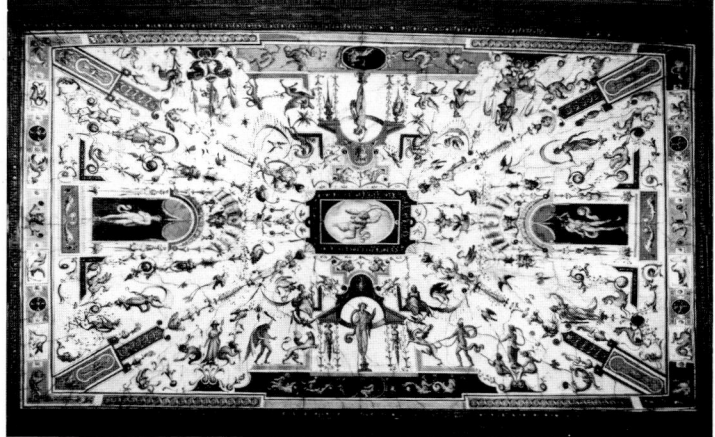

S15

S16

UBICAZIONE	Corridoio di Levante: campata 15.	Corridoio di Levante: campata 16.
AUTORE	Scuola fiorentina fine sec. XVI.	Scuola fiorentina fine sec. XVI.
TITOLO	Grottesca.	Grottesca.
DATAZIONE	1581.	1581.
DATI TECNICI	Affresco con ritocchi a tempera, 344 ca. x 585 ca.; restauri 1945 e 1974-75.	Affresco con ritocchi a tempera, 100 ca. x 585 ca.; restauri 1945 e 1974-75.
FOTO	249027.	324121.
DESCRIZIONE	Al centro, Cupido che scocca una freccia. Sui lati piccoli, Giove col fulmine a destra, e Venere Anadiomene a sin. Sui lati lunghi: Apollo che suona un piccolo strumento ad arco, e Bacco coronato di pampini che solleva una coppa, in atteggiamento simile al Bacco di Jacopo Sansovino, ora al Museo del Bargello.	Al centro, giovane donna si guarda nello specchio che tiene con la sinistra. Ai lati, piccoli paesaggi entro cartigli sorretti da coppie di amorini.

S17

S18

UBICAZIONE	Corridoio di Levante: campata 17.	Corridoio di Levante: campata 18.
AUTORE	Scuola fiorentina fine sec. XVI.	Scuola fiorentina fine sec. XVI.
TITOLO	Grottesca.	Grottesca.
DATAZIONE	1581.	1581.
DATI TECNICI	Affresco con ritocchi a tempera, 344 ca. x 585 ca.; restauri 1945 e 1974-75.	Affresco con ritocchi a tempera, 344 ca. x 585 ca.; restauri 1945 e 1974-75.
FOTO	249044.	249040.
DESCRIZIONE	Al centro, una giovane donna alata, con scettro, sparge dalle nuvole monete d'oro e pietre preziose (la Dovizia o la Liberalità). Sui lati lunghi: ratto d'Europa; Venere e Marte cui gli amorini hanno tolto armi e corazza. Agli spigoli, due paesaggi entro piccoli ovali.	Al centro, stemma mediceo-austriaco e corona granducale sorretta da amorini. Negli ovali agli spigoli, le quattro stagioni. Sui lati lunghi, negli ovali, due scene monocrome raffiguranti: il sacrificio di un toro e un accampamento con figure addormentate. Sui lati brevi: una figura armata maschile e una femminile alata e trionfante.

S19

S20

UBICAZIONE	Corridoio di Levante: campata 19.	Corridoio di Levante: campata 20.
AUTORE	Scuola fiorentina fine sec. XVI.	Scuola fiorentina fine sec. XVI.
TITOLO	Grottesca.	Grottesca.
DATAZIONE	1581.	1581.
DATI TECNICI	Affresco con ritocchi a tempera, 344 ca. x 585 ca.; restauri 1945 e 1974-75.	Affresco con ritocchi a tempera, 100 ca. x 585 ca.; restauri 1945 e 1975.
FOTO	249023.	324153.
DESCRIZIONE	Al centro, amorino con corona di fiori. Sui lati lunghi, due paesaggi ovali; al di sopra: il Tempo con la falce su un carro tirato da grifi, e giovane donna con scettro e corona turrita su carro tirato da leoni. Sui lati brevi: a sin. Giunone coi pavoni, a destra Giove col fulmine e le aquile.	Al centro, giovane donna con cesto e corone di fiori, accanto a una leonessa. A sin. entro un riquadro su fondo azzurro: A. D. MDLXXXI. Si tratta della data di esecuzione degli affreschi di questo Corridoio. Nei tondi laterali: a sin. una donna con cornucopia piena di fiori; a destra una donna dolente con un vaso cinerario?

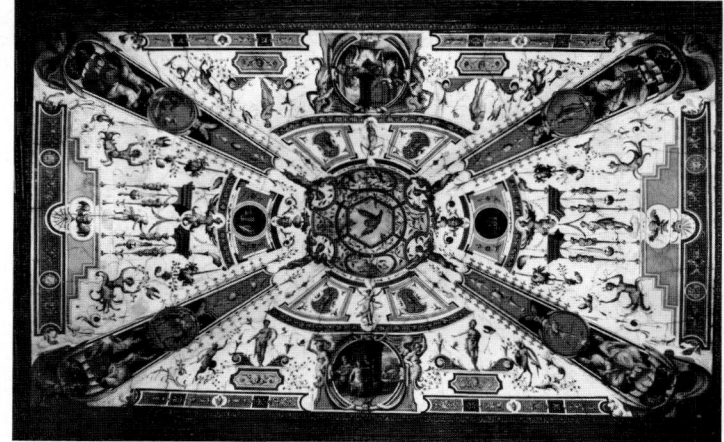

S21

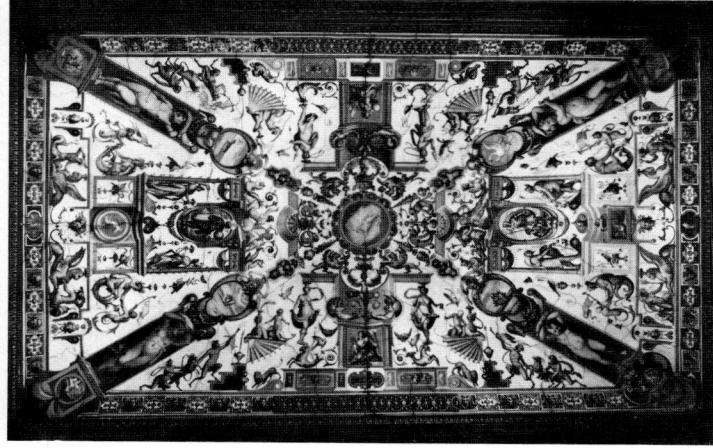

S22

UBICAZIONE	Corridoio di Levante: campata 21.	Corridoio di Levante: campata 22.
AUTORE	Scuola fiorentina fine sec. XVI.	Scuola fiorentina fine sec. XVI.
TITOLO	Grottesca.	Grottesca: le imprese medicee.
DATAZIONE	1581.	1581.
DATI TECNICI	Affresco con ritocchi a tempera, 344 ca. x 585 ca.; restauri 1945 e 1975.	Affresco con ritocchi a tempera, 345 ca.x 585 ca.; restauri 1945 e 1975.
FOTO	249026.	249022.

DESCRIZIONE (S21) Al centro una civetta dentro un piccolo tondo a finto pergolato con rami di convolvolo e uccelli. Sui lati lunghi, nei tondi: scena di banchetto con suonatori e scena erotica. Sugli spigoli: sorretti da coppie di cariatidi, clipei rotondi con scena di combattimento.

(S22) Questa campata è caratterizzata da cinque imprese medicee: al centro l'Ariete ascendente, impresa di Francesco I. Agli spigoli, sorrette da putti, e con motti relativi: donnola con rametto di ruta ('Amat victoria curam'), impresa di Francesco; ostrica aperta al sole con perla ('Mar coeloque procrata merito carissima'), impresa di Bianca Capello granduchessa; cespuglio di tasso ('Laedentem laedo'), altra impresa di Francesco; cigno ('Minus candore quam cantu et vaticinio sacer'), altra impresa di Bianca Capello. Nei lati brevi entro edicole: un giovane cacciatore con cani, e un negro incoronato con manto giallo e sfera azzurra dipinta a stelle.

S23

S24

UBICAZIONE	Corridoio di Levante: campata 23.	Corridoio di Levante: campata 24.
AUTORE	Scuola fiorentina fine sec. XVI.	Scuola fiorentina sec. XVI.
TITOLO	Grottesca.	Grottesca.
DATAZIONE	1581.	1581.
DATI TECNICI	Affresco con ritocchi a tempera, 344 ca. x 585 ca.; restauri 1945 e 1975.	Affresco con ritocchi e tempera, 101 ca. x 585 ca., restauri 1945 e 1975.
FOTO	249021.	324150.

DESCRIZIONE (S23) Al centro: la Fama, alata, con due trombe. Sui lati brevi: a destra Ercole con clava e pelle di leone, entro edicola sormontata da una figura ammantata; a sin. Apollo (o Orfeo) con uno strumento ad arco, entro un'edicola sormontata dalla Giustizia, nuda con bilancia. Agli estremi, due paesaggi con incendi. Agli spigoli, quattro paesaggi ovali. Sui lati lunghi: lotte di capricorni e amorini con capricorni. Queste ultime due scene, ovali, sono sormontate da coppie di schiavi incatenati.

(S24) Al centro, giovane donna ammantata con rametto di fiori bianchi nella destra e galletto sulla testa (simbolo della Vigilanza). Ai lati: scena con tritoni e nereidi.

S25

S26

UBICAZIONE	Corridoio di Levante: campata 25.	Corridoio di Levante: campata 26.
AUTORE	Scuola fiorentina sec. XVI.	Scuola fiorentina sec. XVI.
TITOLO	Grottesca.	Grottesca.
DATAZIONE	1581.	1581.
DATI TECNICI	Affresco con ritocchi a tempera, 344 ca. x 585 ca.; restauri 1945 e 1975.	Affresco con ritocchi a tempera, 344 ca. x 585 ca.; restauri 1945 e 1975.
FOTO	249024.	249032.

DESCRIZIONE

Al centro, giovane donna con cornucopia di fiori e caduceo. Quattro paesaggi ai lati: i due sui lati lunghi sormontati da scimmie. Ai lati coppie di figure (anche satiri) in scene di soggetto musicale e erotico.

Nell'ovale al centro, una giovane donna regge un ramo secco avvolto dall'edera; sul cartiglio si intravede il motto 'mors e(t?) vita'. Intorno, geni alati sorreggono le palle dello stemma mediceo. Sui lati lunghi: due tondi con paesaggi. Sui lati brevi, sopra piedistalli, donne con rami di palma e donna alata con corona di fiori; ai lati, figure sdraiate in atteggiamenti ambigui.

S27

S28

UBICAZIONE	Corridoio di Levante: campata 27.	Corridoio di Levante: campata 28.
AUTORE	Scuola fiorentina sec. XVI.	Scuola fiorentina sec. XVI.
TITOLO	Grottesca.	Grottesca.
DATAZIONE	1581.	1581.
DATI TECNICI	Affresco con ritocchi a tempera, 344 ca. x 585 ca.; restauri 1945 e 1975.	Affresco con ritocchi a tempera, 101 ca. x 585 ca.; restauri 1945 e 1975.
FOTO	249025.	324149.

DESCRIZIONE

Al centro, donne con ali sulle testa e rametto (?) grigio in mano. Sui lati brevi: a destra, Atlante regge il mondo sulle spalle; a sin. figura maschile nuda regge una sfera. Al di sotto due paesaggi ovali. Sui lati lunghi, entro ovali: donna con cappello di paglia stringe un bimbo fasciato; donna seduta fra le nubi, regge alta una fiaccola. Agli spigoli, alberi stilizzati con coppie di uccelli e scimmie alla base. Nella decorazione rientrano anche due coppie di scoiattoli.

Al centro due amorini tolgono (o mettono) le palle dello stemma mediceo. Nei rettangoli ai lati: a destra, Apollo e Dafne; a sin. lotta di un cavaliere con un guerriero.

S29

S30

UBICAZIONE	Corridoio di Levante: campata 29.
AUTORE	Scuola fiorentina sec. XVI.
TITOLO	Grottesca.
DATAZIONE	1581.
DATI TECNICI	Affresco con ritocchi a tempera, 344 ca. x 585 ca.; restauri 1945 e 1975.
FOTO	249033.

DESCRIZIONE Nell'ovale al centro: in primo piano una donna seduta regge nelle mani due cilindri (punzoni?); sullo sfondo un uomo assiste alla fusione davanti al forno. (Probabile interno di bottega di fonditore di monete). Sui lati lunghi, un vecchio barbuto pesa monete su un bilancino; un giovane batte con martello e scalpello su un blocco di marmo. Gli interni di bottega ricorrono in un'altra campata di questo corridoio e in una delle salette dell'Armeria. Sui lati brevi: due sarcofaghi simili a quelli delle Cappelle medicee di Michelangelo. Agli spigoli, quatttro pesci di diversa specie. Dentro un piccolo ovale sulla destra: una 'natura morta' con libro.

	Corridoio di Levante: campata 30.
	Scuola fiorentina sec. XVI.
	Grottesca.
	1581.
	Affresco con ritocchi a tempera, 344 ca. x 585 ca.; restauri 1945 e 1975.
	249029.

Nel rettangolo centrale: figure ammantate si dirigono verso un tempio in alto a destra, verso il quale sta volando anche Mercurio. Agli spigoli, quattro figure femminili. Sui lati lunghi, nelle edicole: le tre Grazie e un vecchio con scettro e scudo dipinto. Nelle decorazioni di questa campata ricorrono geni alati e centauri. Due vecchi con stampelle salgono le scalette, al margine di destra.

S31

S32

UBICAZIONE	Corridoio di Levante: campata 31.
AUTORE	Scuola fiorentina sec. XVI.
TITOLO	Grottesca.
DATAZIONE	1581.
DATI TECNICI	Affresco con ritocchi a tempera, 344 ca. x 585 ca.; restauri 1945 e 1975.
FOTO	249041.

DESCRIZIONE Al centro, figura femminile allegorica che regge una lucerna, dentro un primo cerchio con figure alternate a mascheroni e un secondo cerchio con paesaggi entro cartigli alternati a finti pergolati con foglie e uccelli. Nei due tondi sui lati lunghi: fuga di Enea (?) e scena di metamorfosi. Altri due paesaggi sui lati brevi. Agli spigoli coppie di putti.

	Corridoio di Levante: campata 32.
	Scuola fiorentina sec. XVI.
	Grottesca.
	1581.
	Affresco con ritocchi a tempera, 101 ca. x 585 ca.; restauri 1945 e 1975.
	325065.

Al centro, gli stemmi della casa Medici e della casa d'Austria, sormontati da corone. Ai lati due coppie di giovani donne reggono alte due sfere, una decorata con pesci e l'altra con uccelli.

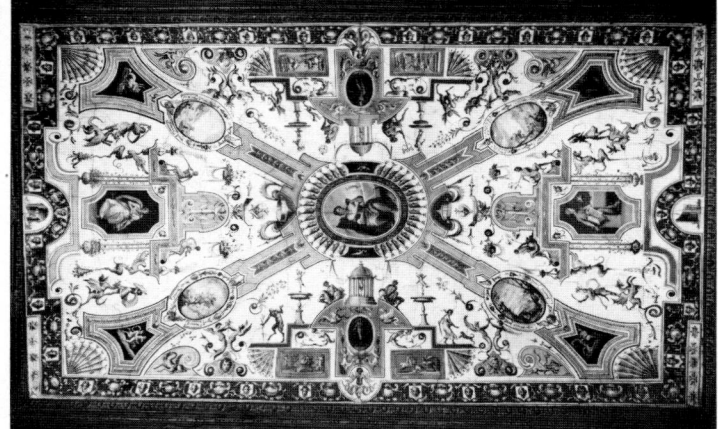

S33

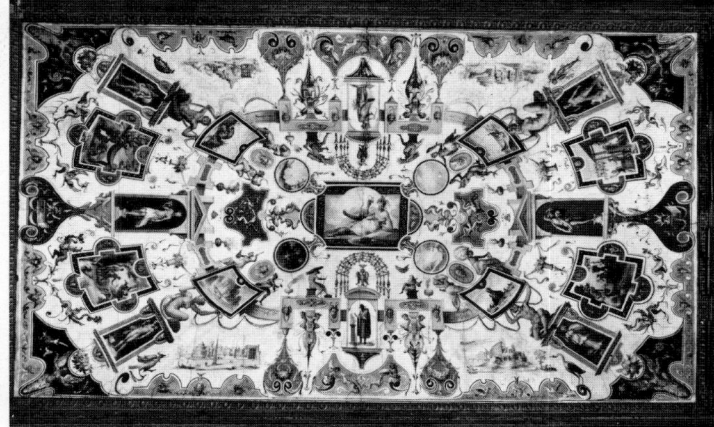

S34

Ubicazione	Corridoio di Levante: campata 33.	Corridoio di Levante: campata 34.
Autore	Scuola fiorentina sec. XVI.	Scuola fiorentina sec. XVI.
Titolo	Grottesca.	Grottesca.
Datazione	1581.	1581.
Dati tecnici	Affresco con ritocchi a tempera, 344 ca. x 585 ca.; restauri 1945 e 1975.	Affresco con ritocchi a tempera, 344 ca. x 585 ca.; restauri 1945 e 1975.
Foto	249042.	249018.

Descrizione — Al centro, una vecchia dama seduta e una tavola apparecchiata. Sui lati brevi: un giovane studioso con strumenti scientifici e un grosso volume; dall'altro lato un vecchio ammantato. Agli spigoli, quattro paesaggi ovali.

Al centro: giovane donna sdraiata sulle nuvole versa acqua da una brocca dentro una coppa. Nelle edicole, al centro dei quattro lati: le quattro stagioni. Agli spigoli; da destra: Giunone, Nettuno, Plutone, Vulcano e al di sopra sorretti da nudi, i simboli rispettivi: una gallina coi pulcini, un serpente marino e pesci; una rana coi ranocchi; una salamandra fra le fiamme. Nei due riquadri sul lato breve di destra: la vendemmia e la pigiatura dell'uva. La decorazione si riferisce in particolar modo alla natura e alle stagioni. Tra gli animali raffigurati è forse presente anche un armadillo.

S35

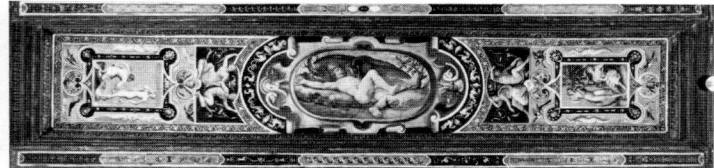

S36

Ubicazione	Corridoio di Levante: campata 35.	Corridoio di Levante: campata 36.
Autore	Scuola fiorentina fine sec. XVI.	Scuola fiorentina fine sec. XVI.
Titolo	Grottesca.	Grottesca.
Datazione	1581.	1581.
Dati tecnici	Affresco con ritocchi a tempera, 344 ca. x 585 ca.; restauri 1945 e 1975.	Affresco con ritocchi a tempera, 101 ca. x 585 ca.; restauri 1945 e 1975.
Foto	249017.	324155.

Descrizione — Al centro, giovane donna seduta fra due tavole imbandite, con testa d'orso ai piedi e cigno sulla destra, ha nelle mani due oggetti non identificati. Sui lati brevi: a sin. interno di cucina con grande cammino acceso e banchetto sullo sfondo; a destra, personaggi ammantati e coronati di fronde siedono a mensa. Al di sopra Bacco (?) e Ganimede (?). La decorazione presenta scene di banchetto, trofei di spiedi, graticole e pentole, pesci e altri animali, tra cui un galletto e due topolini che salgono una scaletta.

Nell'ovale al centro, Prometeo riverso su un prato mentre l'aquila gli mangia il fegato; o forse, dato lo spirito erotico della scena, più appropriata è l'interpretazione 'Ganimede e l'aquila-Giove'. Ai lati: Pigmalione e Galatea a sin., Bacco e Arianna a destra.

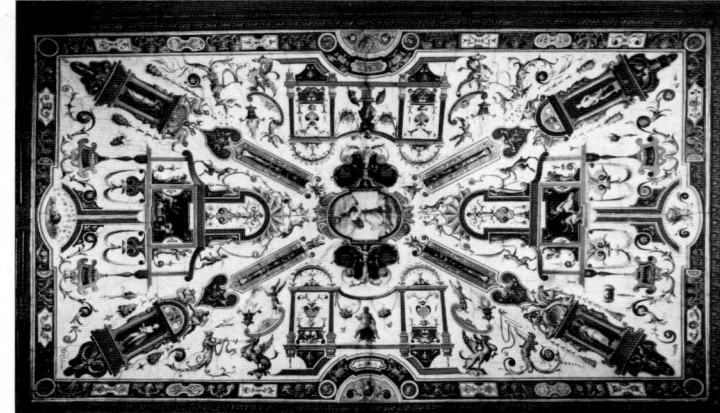

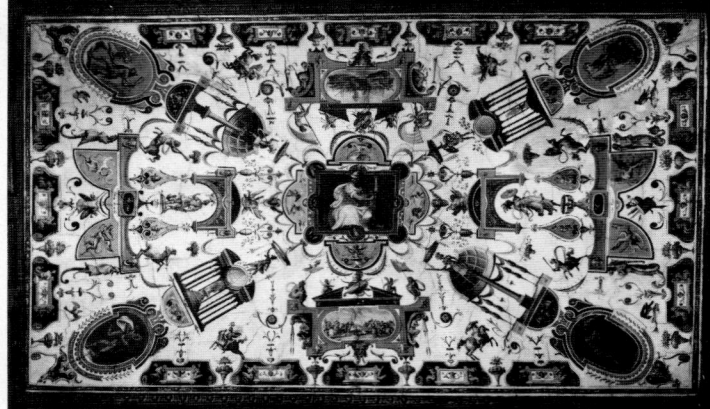

S37	S38
UBICAZIONE Corridoio di Levante: campata 37.	Corridoio di levante: campata 38.
AUTORE Scuola fiorentina fine sec. XVI.	Scuola fiorentina fine sec. XVI.
TITOLO Grottesca.	Grottesca.
DATAZIONE 1581.	1581.
DATI TECNICI Affresco con ritocchi a tempera, 344 ca. x 585 ca.; restauri 1945 e 1975.	Affresco con ritocchi a tempera, 344 ca. x 585 ca.; restauri 1945 e 1975.
FOTO 249039.	249012.

DESCRIZIONE Al centro, donna con orecchie d'asino sulla testa e un coniglio ai piedi. Sui lati brevi: scene di inseguimento e bastonatura. Al centro dei lati lunghi: il nano Barbino nudo sulla tartaruga, del tutto simile alla statua nel Giardino di Boboli; e un giovane vestito di nero, con berretta e colletto bianco seduto su un piedistallo al quale si appoggiano un cinghiale e un riccio. Agli spigoli, statue entro edicole.

Al centro: donna ammantata, con elmo e lancia, tiene un leone al guinzaglio. Sui lati lunghi: una battaglia navale e una terrestre. Negli ovali agli spigoli: quattro fatiche di Ercole: lotta col Leone Nemeo, con l'Idra, col gigante Caco e col toro. Al centro dei lati brevi: un guerriero con gallo, a sin., e donna negra armata con scudo, a destra. Tema di questa campata è la guerra, data anche la presenza di numerose figurine in atto di combattere e di vari trofei di armi.

S39	S40
UBICAZIONE Corridoio di Levante: campata 39.	Corridoio di Levante: campata 40.
AUTORE Scuola fiorentina fine sec. XVI.	Scuola fiorentina fine sec. XVI.
TITOLO Grottesca.	Grottesca.
DATAZIONE 1581.	1581.
DATI TECNICI Affresco con ritocchi a tempera, 344 ca. x 585 ca.; restauri 1945 e 1975.	Affresco con ritocchi a tempera, 101 ca. x 585 ca.; restauri 1945 e 1975.
FOTO 249016.	324148.

DESCRIZIONE Al centro: Ercole (?) con clava, bendato e incatenato a un piede. Negli ovali sui lati lunghi, la caduta di Fetonte dal carro del Sole; una donna fugge con un bambino in braccio, mentre un uomo in primo piano, afferrato un altro bambino per i piedi, fa l'atto di sbatterlo contro una roccia. Ai lati brevi: Mercurio, a destra, e Bacco, a sin.

Al centro, Dedalo e Icaro. Nei due tondi, ai lati: due figure femminili. Nella lunetta: Mercurio addormenta Admeto col flauto.

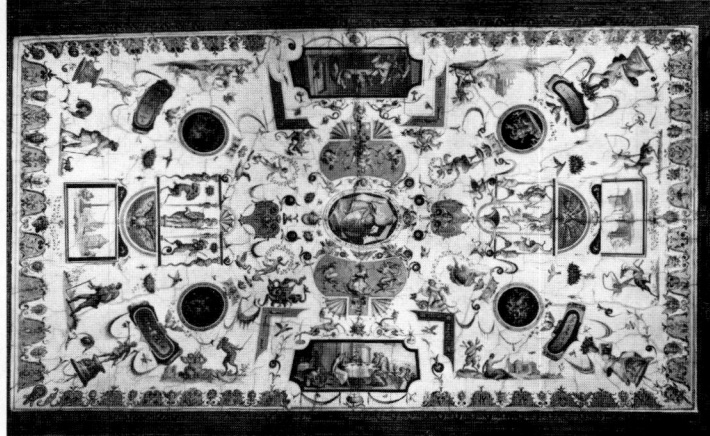

S41

S42

UBICAZIONE	Corridoio di Levante: campata 41.	Corridoio di Levante: campata 42.
AUTORE	Scuola fiorentina fine sec. XVI.	Scuola fiorentina fine sec. XVI.
TITOLO	Grottesca.	Grottesca.
DATAZIONE	1581.	1581.
DATI TECNICI	Affresco con ritocchi a tempera, 344 ca. x 585 ca.; restauri 1945 e 1975.	Affresco con ritocchi a tempera, 344 ca. x 585 ca.; restauri 1945 e 1975.
FOTO	249014.	249019.
DESCRIZIONE	Al centro: figura femminile con strumento musicale. Nei riquadri sui lati lunghi: una coppia danza al suono di vari strumenti; Narciso si specchia nella fonte. Sui lati brevi, due paesaggi ovali.	Nell'ovale al centro: donna velata si specchia, celando dietro di sé un serpente. Al centro dei lati lunghi: un banchetto e una riunione di dotti intorno a un tavolo con libri e sfera. Su lati corti, Venere e Marte fra due coppie di satiri; al di sotto, due paesaggi. Agli spigoli: nei tondi, scene di rapimento. A sin. un mendicante con cane al guinzaglio; un vecchio porta un ragazzo sulle spalle. Delle campate dal primo corridoio questa e la seguente rivelano più delle altre la mano dell'Allori.

S43

S44

UBICAZIONE	Corridoio di Levante: campata 43.	Corridoio di Levante: campata 44.
AUTORE	Scuola fiorentina fine sec. XVI.	Scuola fiorentina fine sec. XVI.
TITOLO	Grottesca.	Grottesca.
DATAZIONE	1581.	1581.
DATI TECNICI	Affresco con ritocchi a tempera, 344 ca. x 585 ca.; restauri 1945 e 1975.	Affresco con ritocchi a tempera, 101 ca. x 585 ca.; restauri 1945 e 1975.
FOTO	249020.	324151.
DESCRIZIONE	Nell'ovale al centro: un vecchio barbuto, coperto da un mantello, si appoggia a un mappamondo tenuto sotto il piede destro. Nelle quattro specchiature principali: scene mitologiche. Delle campate del primo corridoio, questo e la precedente sono le uniche a rivelare decisamente la mano dell'Allori.	Nell'ovale al centro: tre divinità fluviali. Nei tondi ai lati: a sin. Ercole; a destra Marte vittorioso sui nemici. Nelle lunette agli estremi: combattimento di cavalieri.

S45	S46

UBICAZIONE — Corridoio di Mezzogiorno: campata 45.

Corridoio di Mezzogiorno: campata 46.

AUTORE — Scuola fiorentina fine sec. XVI.

Scuola fiorentina fine sec. XVI.

TITOLO — Grottesca a pergolato, con stemma di Bianca Cappello.

Grottesca.

DATAZIONE — 1581 ca.

1581 ca.

DATI TECNICI — Affresco con ritocchi a tempera, 616x616 ca.; restauri 1945 e 1975.

Affresco con ritocchi a tempera, 705 ca x 705 ca.; restauri 1945 e 1975.

FOTO — 324165.

249008-09-10-11.

DESCRIZIONE — La campata che si trova di fronte alla sala delle miniature e alle salette dove nel sec. XVI era collocata l'armeria, è come una cupola di curvatura ridotta decorata a finto pergolato con fitto intreccio di foglie, fiori e molti uccelli di diverso tipo. Al centro la palla dello stemma mediceo decorata a gigli francesi. Agli spigoli, due stemmi medicei sormontati dalla corona, alternati allo stemma di casa d'Austria e allo stemma Cappello. Quest'ultimo è venuto in luce durante una pulitura recente poiché coperto probabilmente all'epoca di Ferdinando I (dal 1587) che volle così cancellare un ricordo di Bianca Cappello, prima amante e poi seconda moglie del fratello Francesco I.

La campata, situata all'incrocio tra il corridoio di Levante e quello di Mezzogiorno, ha struttura complessa: è divisa in quattro sezioni triangolari da travi a loro volta decorate a finto pergolato con limoni, cedri, fiori e molte foglie e uccelli. Dal Corridoio di Levante, in senso orario, la decorazione si succede nel modo seguente. *1ª sezione*: al centro, tondo con le tre Grazie sopra le quali un amorino sparge fiori. Al di sopra, lo stemma mediceo incrociato con quello d'Austria. Al di sotto: una dea (Venere?) ornata di coralli e perle, alla quale due tritoni porgono altri coralli entro conchiglie. (Il soggetto rivela sia stilisticamente che per via di invenzione, la mano dell'Allori che aveva eseguito una scena analoga nella 'Pesca delle perle' dello Studiolo di Francesco I in Palazzo Vecchio). Due amorini scoccano frecce. *2ª sezione*: al centro, una donna armata con scudo trafitto da frecce e oca sulla testa, trionfa su un nemico barbuto. Accanto a lei cannoni, armi e prede di guerra. Al di sopra: nudo maschile. Al di sotto: Apollo suona la lira ascoltato da vari astanti. *3ª sezione*: nel tondo centrale, tre donne alate, di cui una coronata d'alloro con scettro e globo. Sul retro un'aquila. Al di sopra: lo stemma mediceo. Al di sotto: Pan suona il suo strumento di canne; sullo sfondo una spalliera d'edera. *4ª sezione*: al centro, donna con volume aperto e stella sulla testa seduta fra quattro figure allegoriche.
Al di sopra: nudo femminile. Al di sotto: Orfeo circondato dagli animali suona uno strumento ad arco. Altri animali nelle lunette laterali.

		S47	S48
UBICAZIONE		Corridoio di Mezzogiorno: campata 47.	Corridoio di Mezzogiorno: campata 48.
AUTORE		Nasini, Giuseppe Nicola (Castel del Piano 1657 - Siena 1736) e Tonelli, Giuseppe (Firenze 1668-1732).	Nasini, Giuseppe Nicola (Castel del Piano 1657 - Siena 1736) e Tonelli, Giuseppe (Firenze 1668-1732).
TITOLO		Incontro di S. Filippo Neri e di S. Carlo Borromeo.	Istituzione dell'Ordine dei Cavalieri di S. Stefano.
DATAZIONE		1696-1699.	1696-1699.
DATI TECNICI		Affresco con ritocchi a tempera, 630 ca. x 126 ca.; restauri 1945 e 1975.	Affresco con ritocchi a tempera, 630 x 306 ca.; restauri 1945 e 1975.
FOTO		324161.	—
DESCRIZIONE	Illustrazioni relative alla scheda S46.	Con questo campata, inizia la serie eseguita fra il 1696 e il 1699-70 dal Nasini (autore delle figure) e dal Tonelli (autore delle quadrature architettoniche, che interveniva per secondo). (ASF Guardaroba 1069, c. 6 s., Guardaroba 1007, c. 65 s., Guardaroba 1044, c. 17 s. Questi ultimi due documenti segnalati dal dott. Leoncini). Tema della decorazione, che si sviluppa per le prossime 8 campate, è la religione, la santità in Toscana, sia considerata negli avvenimenti storici che nella dimensione ideale e allegorica. Qui è raffigurato l'incontro dei due santi, cari ai fiorentini, che avvenne dopo il 1580, anno in cui S. Carlo Borromeo venne a Firenze tenuto in gran conto dal granduca Francesco. Alla sua morte, racconta il Manni, avvenne un'accurata spartizione delle sue reliquie cui partecipò lo stesso granduca. S. Filippo Neri era nato a Firenze nel 1515 e fu confessore di S. Carlo.	In questo spazio, sempre con riferimento ai meriti della Toscana nell'ambito religioso, viene rappresentata l'istituzione da parte di Cosimo I dell'ordine dei Cavalieri di S. Stefano (6 novembre 1561). L'iscrizione dice 'COSMUS PRIMUS MAGNUS DUX ETRURIAE MILITIAM EQUITUM DIVI STEPHANI INSTITUIT'. Vedi anche la scheda della campata 47.

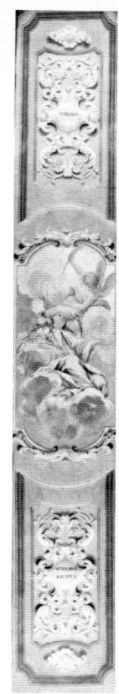

	S49	S50	S51
UBICAZIONE	Corridoio di Mezzogiorno: campata 49.	Corridoio di Mezzogiorno: campata 50.	Corridoio di Mezzogiorno: campata 51.
AUTORE	Nasini, Giuseppe Nicola (Castel del Piano 1657 - Siena 1736) e Tonelli, Giuseppe (Firenze 1668-1732).	Nasini, Giuseppe Nicola (Castel del Piano 1657 - Siena 1736) e Tonelli, Giuseppe (Firenze 1668-1732).	Nasini, Giuseppe Nicola (Castel del Piano 1657 - Siena 1736) e Tonelli, Giuseppe (Firenze 1668-1732).
TITOLO	La Toscana.	I Santi fiorentini.	La Santità.
DATAZIONE	1696-99 ca.	1696-99 ca.	1696-99 ca.
DATI TECNICI	Affresco con ritocchi a tempera, 630 ca. x 91 ca.; restauri 1945 e 1975.	Affresco con ritocchi a tempera, 630 ca. x 615 ca.; restauri 1945 e 1975.	Affresco con ritocchi a tempera, 630 ca. x 91 ca.; restauri 1945 e 1975.
FOTO	—	324138.	325122.
DESCRIZIONE	La campata, più stretta delle altre, è complementare a quella della Santità, entrambe laterali allo scomparto centrale del corridoio. La Toscana è rappresentata mentre viene incoronata di stelle dalla Gloria con la scritta 'ETRURIA SIDERIBUS RECEPTA'. Vedi anche la scheda della campata 47.	È lo spazio centrale e più largo del secondo corridoio ed è dedicato alle Sante e ai Santi fiorentini raggruppati secondo le gerarchie: i vescovi e i diaconi (PONTIFICES SANCTI), i cardinali (AGNI SANGUINE PURPURATI), i fondatori di ordini (CHRISTIANAE PHILOSOPHIAE INSTITUTORES FLORENTINI) e le sante vergini (PRUDENTES VIRGINES). Al centro tra nubi e cherubini, la colomba della Spirito Santo. La campata è affiancata da due spazi più stretti complementari fra loro, raffiguranti la Toscana e la 'Pietas'. Vedi anche la scheda della campata 47.	Questo spazio stretto, insieme all'altro analogo, serve di complemento al tema centrale della decrizione del secondo Corridoio, che è la Santità in Toscana. Qui è raffigurata la Santità stessa, sfolgorante di luce che abbatte l'Empietà, circondata di serpi, e sale al cielo. La scritta dice: PIETAS TRIUMPHATRIX. Vedi anche la scheda della campata 47.

	S52	S53
UBICAZIONE	Corridoio di Mezzogiorno: campata 52	Corridoio di Mezzogiorno: campata 53.
AUTORE	Nasini, Giuseppe Nicola (Castel del Piano 1657 - Siena 1736) e Tonelli, Giuseppe (Firenze 1668-1732).	Nasini, Giuseppe Nicola (Castel del Piano 1657 - Siena 1736) e Tonelli, Giuseppe (Firenze 1668-1732).
TITOLO	Concilio di Firenze.	Incontro di S. Francesco e S. Domenico.
DATAZIONE	1696-99 ca.	1696-99.
DATI TECNICI	Affresco con ritocchi a tempera, 630 ca. x 306 ca.; restauri 1945 e 1975.	Affresco con ritocchi a tempera, 630 ca. x 126 ca.; restauri 1945 e 1975.
FOTO	325121.	324163.
DESCRIZIONE	Lo spazio presenta nell'ovale al centro, tra ricche trabeazioni architettoniche, il papa Eugenio IV che celebra la messa sotto il baldacchino, mentre un prelato porge un messale. Intorno altri prelati e vescovi, e due armati in primo piano. È il ricordo del Concilio ecumenico tenutosi a Firenze nel 1439. La scritta dice: 'ECCLESIAE GRAECAE CUM LATINA CONCORDIA CONCILIUM OECUMENICUM FLORENTINUM SUB EUGENIO IV'. Vedi anche la scheda della campata 47.	Il piccolo spazio rappresenta l'incontro ideale dei due santi fondatori di ordini che contavano in Firenze chiese e conventi fra i più importanti. In primo piano il cane con due tizzoni ardenti in bocca, simbolo di S. Domenico e dei domenicani. Vedi anche la scheda della campata 47.

S54

UBICAZIONE	Corridoio di Mezzogiorno: campata 54.
AUTORE	Bimbi, Bartolomeo (Settignano 1648 - Firenze 1729), Nasini, Giuseppe Nicola (Castel del Piano 1657 - Siena 1736) e Tonelli, Giuseppe (Firenze 1668-1732).
TITOLO	Le virtù dei granduchi medicei.
DATAZIONE	1698-99.
DATI TECNICI	Affresco con ritocchi a tempera, 705 ca. x 745 ca.; restauri 1945 e 1975.
FOTO	324166-68-67-64.

DESCRIZIONE Rispetto alle sette campate del secondo corridoio, questa registra una terza mano che esegue i festoni di fiori e i tralci di foglie che circondano i tondi delle virtù: si tratta di Bartolomeo del Bimbo detto il Bimbi, specialista in pittura di fiori, frutta e nature morte. (I documenti relativi, segnalati da G. Leoncini, in A.S.F. Guardaroba 1007 e 1044). Lo scomparto, ultimo verso ponente, si presenta diviso in quattro triangoli, separati da travi decorate con un fregio blu e giallo: vi sono raffigurate le virtù peculiari di quattro granduchi della famiglia Medici, con scritte latine relative. La 'Fortezza' attribuita a Cosimo I, è raffigurata come una donna armata di clava e assistita da un leone, che abbatte l'Emulazione. Scritta: 'COSMI I FORTITUDO FRANGIT OBSTANTIA'. Il 'Valore' di Ferdinando I è raffigurato come un uomo barbuto con scettro e corona d'alloro che sottomette una figura barbuta dal cui manto giallo spunta una belva maculata e un arpione a tre punte. Scritta: 'FERDINANDI I VIRTUS FRAUDIS VICTRIX'. La 'Provvidenza', di Cosimo II, è raffigurata in 'sembiante placido, e tutta intenta a contemplare i suoi attributi, che calpesta con disprezzo la Temerità' (Bianchi, 1759). Scritta: 'COSMI II PROVIDENTIA PRAEVERTIT AUDACIAM'. La 'Prudenza', attribuita come dote peculiare a Ferdinando II, è raffigurata come una donna assisa tra le nubi con lancia e uno specchio nella mano destra; essa sottomette tre donne di 'atroce sembianza' (Bianchi, 1759) che rappresentano la Pestilenza, la Guerra, la Carestia, dalle quali la Toscana era stata assalita sotto il governo di Ferdinando II.

		S55	S56	S57
UBICAZIONE		Corridoio di Ponente: campata 58.	Corridoio di Pontente: campata 55.	Corridoio di Ponente: campata 57.
AUTORE		Chiavistelli, Jacopo (Firenze 1621-1698).	Chiavistelli, Jacopo (Firenze 1621-1698).	Chiavistelli, Jacopo (Firenze 1621-1698).
TITOLO		Firenze.	Principi con dominio.	Principi secondo geniti.
DATAZIONE		1679.	1679.	1679.
DATI TECNICI		Affresco con ritocchi a tempera, 97 ca. x 600 ca.; restauri 1945 e 1975.	Affresco con ritocchi a tempera, 337 ca. x 600 ca.; restauri 1945.	Affresco con ritocchi a tempera, 337 ca. x 600 ca.; restauri 1945.
FOTO		324122.	324174.	324173.

DESCRIZIONE

S55: Al centro, allegoria di Firenze: donna in abiti regali con scettro e corona, che indica lo stemma cittadino col giglio. In primo piano due divinità fluviali: l'Arno (vecchio) e il Mugnone, tra i quali si vede la testa del Marzocco. Ai lati: episodi della storia di Firenze, forse l'ambasceria dei fiorentini a Tiberio e la resistenza a Carlo VIII. Pagamenti al Chiavistelli per questo scomparto in ASF, Guardaroba 907, ins. 13, c. 1236.

S56: Al centro, entro cornice: incoronazione di un principe in armatura. Negli ovali ai lati: Giuliano de' Medici, fratello di Leone X, duca di Nemours (1479-1516); Alessandro de' Medici, primo duca di Firenze (1510-1537); Lorenzo de' Medici (1463-1503), figlio di Pier Francesco, duca d'Urbino; Federico Ubaldini da Montefeltro, duca di Urbino (1422-1482) e il figlio Guido Ubaldo (1472-1508). Nel sesto ovale, un personaggio non identificato. Nella Guardaroba (ASF, Guardaroba 907, inserto 13, c. 1300), lo spazio, eseguito da Jacopo Chiavistelli, viene pagato il 24 luglio 1679, e indicato semplicemente come 'Principato'.

S57: Al centro, un principe con corona e spada si osserva in uno specchio sorretto da una donna: simbolo dell'imitazione che i principi secondogeniti devono ai loro padri. Nella campata sono raffigurati tutti principi di casa Medici: Ferdinando di Cosimo I (1549-1609), qui in veste cardinalizia, succeduto nel 1587 al fratello Francesco, come granduca di Toscana; Giovanni (1563-87), di Cosimo I, cardinale; don Pietro (1550-1604) di Cosimo I; don Garzia (1547-1562), di Cosimo I; card. Carlo (1596-1666), di Ferdinando I; don Lorenzo (1599-1648), di Ferdinando I; don Francesco (1594-1614), di Ferdinando I; card. Giovan Carlo (1611-1663), di Cosimo II; card. Leopoldo (1617-1675) di Cosimo II; Francesco (1614-1634) di Cosimo II; principe Mattias (1613-1667) di Cosimo II. Il pagamento per questo scomparto al Chiavistelli il 28 febbraio 1679, in ASF, Guardaroba 907, ins. 5 c. 415.

	S58		**S59**
UBICAZIONE	Corridoio di Ponente: campata 58.		Corridoio di Ponente: campata 59.
AUTORE	Chiavistelli, Jacopo (Firenze 1621-1698).		Chiavistelli, Jacopo (Firenze 1621-1698).
TITOLO	Liberalità verso la patria.		Fiesole.
DATAZIONE	1679.		1679.
DATI TECNICI	Affresco con ritocchi a tempera, 337 ca. x 600 ca.; restauri 1945.		Affresco con ritocchi a tempera, 97 ca. x 600 ca.; restauri 1945.
FOTO	GFS 324172.		324162.

DESCRIZIONE

Al centro, entro cornice, personificazione della città di Firenze, col bacile e la destra aperta in segno di generosità. Da un lato il leone (marzocco) e una figura femminile che regge una cornucopia. Intorno, entro ovali; Bindo Altoviti (1353), seguì la carriera politica fino ai più alti uffici; Palla Strozzi (1373 ca. - 1462), qui ricordato secondo il Manni per aver fatto venire dall'Oriente molti testi greci; Vanni Castellani (metà sec. XIV-1427 ca.) cavaliere nel 1382, ebbe un ruolo di importanza nell'acquisto di Arezzo e del suo contado, quattro volte gonfaloniere di giustizia; Ridolfo de' Bardi, nel 1336, uno dei Sei preposti alla guerra contro Mastino della Scala; Uguccione de' Ricci; Benedetto degli Alberti (1320 ca. - 1388) occupò numerose cariche all'interno della Signoria; Francesco Rinuccini; Francesco Segni, nel 1381, propose una colletta per sostenere la guerra contro i Visconti; Francesco Minerbetti, fondatore del monastero di S. Silvestro in Pinti, arcivescovo dal 1515; Serristori Serristori (morto nel 1400), noto per numerosi atti di munificenza, quali l'istituzione di un Ospedale 'per i poveri Cristo' in Figline V.no. La decorazione intorno presenta numerose figure con cornucopia. Pagamenti al Chiavistelli, il 7 aprile 1979 in ASF, Guardaroba 907, ins. 13, c. 1223.

Al centro, personificazione allegorica della città che mostra lo stemma cittadino con la luna. Al disotto una divinità fluviale: il Mugnone. Ai lati, due episodi inerenti la storia di Fiesole: S. Romolo battezza i fiesolani; pace tra fiorentini e fiesolani (1125). Pagamenti per questo scomparto al Chiavistelli, in A.S.F., Guardaroba 907, ins. 13, c. 1205, in data 27 febbraio 1679 (1978 fior.).

	S60	S61	S62
UBICAZIONE	Corridoio di Ponente: campata 60.	Corridoio di Ponente: campata 61.	Corridoio di Ponente: campata 62.
AUTORE	Chiavistelli, Jacopo (Firenze 1621-1698).	Chiavistelli, Jacopo (Firenze 1621-1698).	Chiavistelli, Jacopo (Firenze 1621-1698).
TITOLO	Liberalità.	Signorie presso gli stranieri.	Valore militare in mare.
DATAZIONE	1679.	1678.	1675.
DATI TECNICI	Affresco con ritocchi a tempera, 337 ca. x 600 ca., restauri 1945.	Affresco con ritocchi a tempera. 337 ca. x 600 ca.; restauri 1945.	Affresco con ritocchi a tempera, 337 ca. x 600 ca.; restauri 1945.
FOTO	324160.	—	160223.

DESCRIZIONE

S60

Al centro, la Liberalità in veste bianca, segno di schiettezza, offre doni circondata da figure sorreggenti cornucopie. L'aquila è raffigurata perché ritenuta degli antichi il più generoso fra gli animali. Sono raffigurati i seguenti personaggi: Tommaso Guadagni (attivo nel 1521,) consigliere di Francesco I ed Enrico II di Francia; Cosimo de' Medici, Pater Patriae (1389-1464), ricordato dal Bianchi come fondatore di un ospedale in Gerusalemme; compare altre due volte: nella campata 'amore delle lettere' e 'magnificenze nelle fabbriche'. Lorenzo Capponi (1512-1573), del ramo francese dalla famiglia, si distinse per generosità durante la peste di Lione. Girolamo Gondi, uomo politico della corte di Ferdinando I di Toscana; Annibale Rucellai (sec. XVI), vescovo di Carcassonne; Bongianni Gianfigliazzi (sec. XV); Ridolfo Peruzzi, ambasciatore della Repubblica, accolse Papa Eugenio IV e ospitò l'imperatore Giovanni Paleologo durante il concilio di Firenze (1439). I pagamenti per questo scomparto al Chiavistelli, in ASF, Guardaroba 907, ins. 14, c. 1338.

S61

Al centro, figura allegorica su un trono. Sono effigiati intorno: G. Francesco Aldobrandini (1545-1601), castellano di Castel S. Angelo, governatore di Borgo; Neri (m.1394), Nicola (1310-65 e Jacopo (m. 1356) Acciaioli, duchi di Atene; Nerozzo Pitti, signore di Negroponte; Michele Pazzi, ebbe possedimenti in Francia; Guasparri Bonciani, barone di S. Agata e Ascoli; Gherardo, Tommaso e Maurizio Gherardini, che esiliati nel sec. XIII, ripararono in Normandia, di là conquistando cariche e privilegi in Inghilterra, Irlanda e Francia; Carlo Barberini fratello di Urbano VIII, principe di Palestrina e Prefetto di Roma; Alberto Gondi (1522-1602), maresciallo di Francia; Tommaso Guadagni nel 1521 consigliere di Francesco I di Francia, dove ebbe possedimenti; Matteo Scolari fratello di Pippo Spano, governatore di Rascia; Bernardetto Medici (sec. XVI), fratello di Alessandro, acquistò Ottaiano; Esaù Buondelmonti, avventuriero, despota di di Zante, poi re di Romania; Francesco Luigi da Diacceto (n. 1466) ebbe possedimenti in Francia; Uberti. Pagamenti per questo scomparto, il 29 dicembre 1978 in A.S.F. Guardaroba 907. ins. 12, c. 1197.

S62

Al centro raffigurazione allegorica; un guerriero con lo scudo su cui compaiono le colonne d'Ercole e la scritta 'PLUS ULTRA'; intorno scene di battaglie navali e due emisferi. Entro ovali effigi di personaggi: Federico Folchi (attivo al 1266), ammiraglio nella guerra contro la Mezzaluna; Raimondo Mannelli (attivo al 1431), capitano dei veneziani; Giovanni da Verrazzano (sec. XVI), ammiraglio al servizio di Francesco I re di Francia, esplorò le coste atlantiche dell'America settentrionale; Jacopo Inghirami (1565-1623), appartenente all'ordine cavalleresco di S. Stefano, esplorò, le coste africane; Amerigo Vespucci (1454-1512), Leone Strozzi (1515-54), priore di Capua, ammiraglio di Malta e comandante generale delle galere di Francia; Alfonso Appiano (attivo al 1562), signore di Piombino e comandante di dodici galere del Granduca Cosimo I con le quali partecipò alla battaglia delle Cuzzolari; Lodovico da Verrazzano (sec. XVII, governatore di Livorno; Giulio Montauto (sec. XVI). Pagamenti al Chiavistelli nel febbraio 1975, in ASF, Guardaroba 907, ins. 2 c. 142.

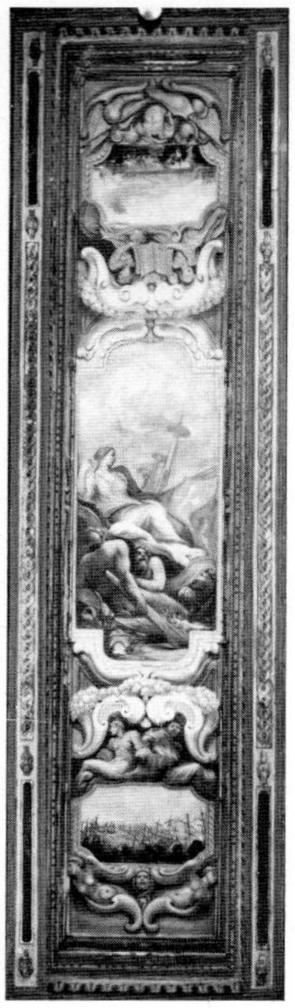

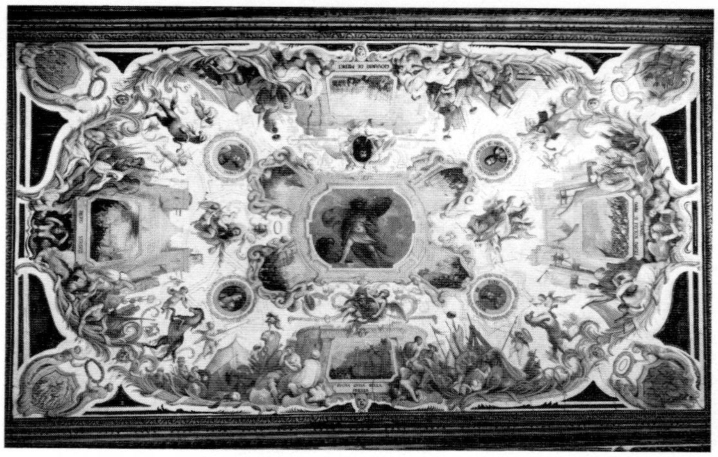

	S63	S64
Ubicazione	Corridoio di Ponente: campata 63.	Corridoio di Ponente: campata 64.
Autore	Chiavistelli, Jacopo (Firenze 1621-1698).	Chiavistelli, Jacopo (Firenze 1621-1698).
Titolo	Pisa.	Valore militare in terra.
Datazione	1678.	1673.
Dati tecnici	Affresco con ritocchi a tempera, 97 ca. x 600 ca.; restauri 1945.	Affresco con ritocchi a tempera, 337 ca. x 600 ca.; restauri 1945.
Foto	324159.	160221.
Descrizione	Al centro vi è la personificazione allegorica della città che mostra lo stendardo con croce bianca in campo rosso; in primo piano i fiumi Arno e Serchio. Ai lati: La spedizione dei Pisani a Maiorca (1117) e l'assedio di Pisa (1406). Il Chiavistelli viene pagato per questo scomparto il 4 ottobre 1678 (ASF, Guardaroba 907, inserto 12, c. 1175).	Al centro un guerriero armato un leone accanto. Intorno raffigurazioni di battaglia e di fortezze, accampamenti e cavalli impennati. Accanto alle rispettive imprese, entro ovali, i seguenti personaggi: Buona Guisa della Pressa, che per primo salì sulle mura di Damiata inalberandovi la bandiera fiorentina (1218); Pippo Spano (Filippo Scolari, detto - not. 1387-1426), comandante delle truppe imperiali e più volte vincitore dei turchi; Giovanni de' Medici (1498-1526), detto Giovanni delle Bande nere; Piero Strozzi (m. 1558), noto per le sue imprese anche in terra di Francia; Francesco Ferrucci (1489-1530), al quale si deve la riconquista di Volterra; Pazzo de' Pazzi (m. 1312), crociato in terra Santa, per primo piantò la croce sulle mura di Gerusalemme; Antonio Giacomini Tebalducci (sec. XV), vittorioso sugli eserciti veneziani, e conquistatore di Pisa; Bartolomeo Altoviti, detto Meo senza paura (not. 1387) comandante dei veneziani, vincitore a Verona sull'esercito milanese. Il Chiavistelli viene pagato per questo scomparto in data 1 luglio 1673 (ASF, Guardaroba 784 c. 64 d.).

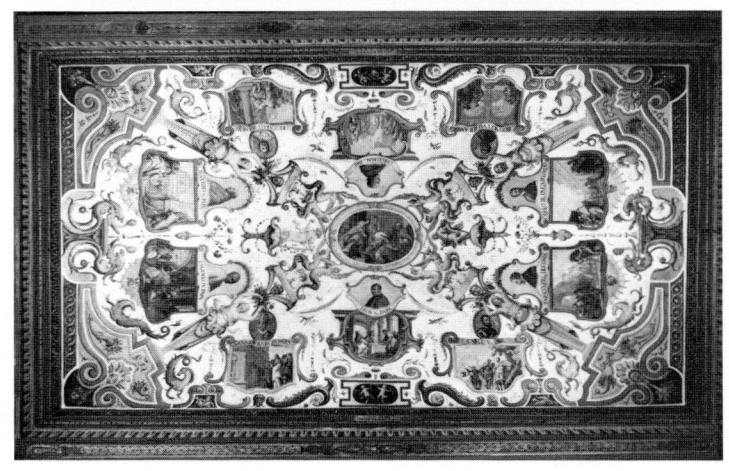

	S65	S66	S67
UBICAZIONE	Corridoio di Ponente: campata 65.	Corridoio di Ponente: campata 66.	Corridoio di Ponente: campata 67.
AUTORE	Gori, Angelo (Firenze, not. dal VI decennio sec. XVII).	Gori, Agnolo (Firenze, not. dal VI decennio sec. XVII).	Chiavistelli, Jacopo (Firenze 1621-1698).
TITOLO	Fortuna.	Ospitalità.	Pistoia.
DATAZIONE	1665.	1665.	1678.
DATI TECNICI	Affresco con ritocchi a tempera, 337 ca. x 600 ca.; restauri 1945.	Affresco con ritocchi a tempera, 337 ca. x 600 ca; restauri 1945.	Affreschi con ritocchi a tempera, 97 ca. x 600 ca.; restauri 1945.
FOTO	160222.	324131.	325068.

DESCRIZIONE

S65 — Al centro la raffigurazione allegorica della Fortuna con i suoi attributi, tra i quali la ruota. A sinistra è la figura della Necessità. Entro tondi sono le effigi di vari personaggi, di cui solo due identificati; Nicolao Acciaioli (1310-1366), banchiere fiorentino, possessore di castelli nel Peloponneso e nella Morea, come si vede al di sotto, e Piero Strozzi (1510-1558), maresciallo di Francia, al quale il re mantenne la sua grazia nonostante la perdita di Lusignano (1554). Nel riquadro al di sotto, il re visita la Strozzi ferito, sul campo di battaglia. L'identificazione dei personaggi senza cartiglio e l'interpretazione delle altre figure allegoriche presenti nella decorazione, erano considerate già 'poco intelleggibili' dal Manni, che giudicava i primi addirittura personaggi ideali. Pagamenti ad Agnolo Gori, in data 7 marzo 1665 (1664 fior.), in ASF, Guardaroba 756, c. 7 sin.

S66 — Al centro, la figura femminile rappresenta Firenze (con accanto il Marzocco), che riceve un re e un pontefice. Intorno le effigi di personaggi che furono accolti in Firenze con grande ospitalità, e gli episodi relativi: i pontefici Eugenio IV, a Firenze nel 1439 per il Concilio; Giovanni XXII antipapa dal 1410 al 1415, ospitato da Cosimo de' Medici nel suo palazzo di via Larga; Leone X (1475-1521) ospitato da Filippo Salviati nella villa di Ponte alla Badia; Martino V, per il quale nel 1420 fu costruito un ponte di legno tra il Duomo e S. Maria Novella; Carlo V imperatore (1500-1558) ricevuto dal duca Alessandro e condotto a caccia alla villa La Magia; Enrico principe di Condè (1553-1610), riparato a Firenze con la moglie per fuggire a Enrico IV, viene accolto da Ferdinando I de' Medici; Carlo III duca di Lorena (1543-1608), viene ricevuto dal granduca in palazzo Pitti; Valerio Bertucci (poi doge dal 1656 al 1658), viene rice-vuto come ambasciatore di Venezia, da Ferdinando II de' Medici; il re di Napoli Carlo d'Angiò, visita con la corte Cimabue che dipinge (1267). I pagamenti ad Agnolo Gori, in data 7 marzo 1665 (1664 fior.), in ASF, Guardaroba 756, c. 7 sin.

S67 — Al centro vi è la rappresentazione allegorica della città, con lo stendardo recante lo stemma cittadino; l'Orso, simbolo della montagna pistoiese, e il manto a scacchi bianchi e rossi. Alla montagna allude anche la figurina con la fistola. In primo piano l'Ombrone. Ai lati, due raffigurazioni di storia della città. I pagamenti al Chiavistelli sono in data 11 giugno 1678 (A.S.F., Guardaroba 907, ins. 12, c. 1124).

	S68	S69	S70
UBICAZIONE	Corridoio di Ponente: campata 88.	Corridoio di Ponente: campata 69.	Corridoio di Ponente: Campata 70.
AUTORE	Chiavistelli, Jacopo (Firenze 1621-1698).	Chiavistelli, Jacopo (Firenze 1621-1698).	Chiavistelli, Jacopo (Firenze 1621 1698).
TITOLO	Prudenza civile.	Magnificenza nelle fabbriche.	Varia erudizione.
DATAZIONE	1678.	1678.	1678.
DATI TECNICI	Affresco con ritocchi a tempera, 337 ca. x 600 ca.; restauri 1945.	Affresco con ritocchi a tempera, 337 ca. x 600 ca.; restauri 1945.	Affresco con ritocchi a tempera; 337 ca. x 600 ca.; restauri 1945.
FOTO	—	324118.	—

DESCRIZIONE

Al centro, raffigurazione allegorica della Prudenza civile con vari attributi. Sui lati lunghi raggruppati entro due medaglioni in serie di tre: Giovanni (1368-1429), Cosimo (1389-1464) e Lorenzo (1449-1492) de' Medici; Gino (1350 ca. - 1421), Neri (1388-1421) e Niccolò (1437-1528) Capponi. Sui lati brevi, a coppie: Vieri (attr. nel 1393) e Salvestro de' Medici (1331-1388); Palla (1373-1462) e Nanni Strozzi. Agli spigoli: Domenico Bonsi e Tommaso Soderini (1403-1485); Niccolò da Uzzano (1359-1431) e Ridolfo de' Bardi (att. nel 1336); Luca degli Albizi (sec. XIV) e Guido del Palagio (att. 1378); e infine il card. Giovanni Niccolini (sec. XIV) e Donato Barbadori. Pagamenti a Jacopo Chiavistelli, in data 27 maggio 1678, in ASF, Guardaroba 907, ns. 2, c. 1114.

Al centro un'allegoria. I personaggi raffigurati hanno (quasi tutti), accanto una pianta o uno scorcio degli edifici commissionati: Luca Pitti (1395-1472), Filippo Strozzi (1493-1528); Francesco Dini (sec. XV), Castello Quaratesi e la facciata della chiesa di S. Francesco al Monte; Antonio Pucci (m. 1463). Jacopo Spini, e il palazzo Spini poi' Feroni (1289); Giov. Battista Michelozzi e la cappella in S. Sipirito; Tommaso Soderini (1403-1485). Giovanni Rucellai e il palazzo omonimo (1446-51). Il card. Lorenzo Salviati (sec. XVI), Chiarissimo Falconieri e Jacopo Salviati (m. 1533), promotori della ricostruzione della SS. Annunziata; Andrea Pazzi, (sec. XV); Niccolò Acciaioli (1310-65), committente della Certosa raffigurata al di sotto; Tommaso Spinelli (sec. XV) e Zanobi Bartolini (sec. XVI). Infine nei quattro tondi al centro: Cosimo il vecchio (1389-1469), Lorenzo de-Medici (1448-1482); Papa Leone X Medici (1475-1521) e Cosimo I Granduca (1519-1574). Jacopo Chiavistelli viene pagato per questo campata, in ASF, Guardaroba 907, ins. 11, c. 1089.

Al centro, la raffigurazione allegorica dell'Erudizione. Intorno, entro ovali, o ritratti entro libri aperti sorretti da amorini: Lorenzo Giacomini (not. 1553 ca.) ricordato per le sue Orazioni; Piero Crinito (Piero del Riccio detto, fine sec. XV), discepolo del Poliziano; Piero Vettori (1499-1585) letterato, ebbe da Cosimo nel 1538 l'ufficio di pubblico lettore di greco nello Studio fiorentino; Bastiano Antinori (m. 1586), filosofo platonico, letterato e poeta, carissimo a Cosimo I; Don Vincenzo Borghini (1515-1580) filosofo e storico, eletto da Cosimo I suo luogotenente nell'Accademia del disegno; Francesco Bocchi (1548-1618), scrisse delle 'Bellezze di Firenze'; Bernardo Nelli, dotto grecista cui è dovuta la prima edizione di Omero, nel 1488, dedicata a Piero de' Medici; Giovambattista Doni (1594-1647) letterato e teorico di musica; Ferdinando II de' Medici gli offerse nel 1640 una cattedra d'eloquenza; Giovambattista Adriani (1511-1579) autore dell' 'Istoria de' suoi tempi', commissionata da Cosimo I ed edita postuma nel 1583; Bernardo Segni (1504-1558) storico al servizio dei Medici, scrisse trattati di filosofia,

retorica e poetica; Carlo Dati (1619-1676) membro dell'Accademia della Crusca, letterato, filosofo, scienziato; Ottavio Falconieri, amico del Dti, erudito. Per questo comparto non sono stati finora rintracciati i pagamenti, ma le caratteristiche fanno pensare al Chiavitelli, che del resto esegue le campate contigue nel 1678.

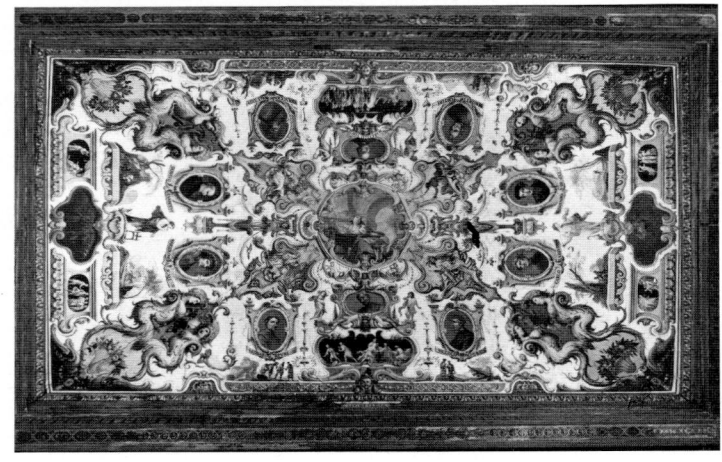

	S71	S72		S73
UBICAZIONE	Corridoio di Ponente: Campata 71.	Corridoio di Ponente: campata 72.		Corridoio di Ponente: campata 73.
AUTORE	Chiavitelli, Jacopo (Firenze 1621-1698).	Gori, Agnolo (not. dal VI decennio sec. XVII).		Gori, Agnolo (Firenze, not. dal VI decennio sec. XVII).
TITOLO	Arezzo.	Ambasceria.		Segreteria.
DATAZIONE	1678.	1664.		1663.
DATI TECNICI	Affresco con ritocchi a tempera; 97 ca. x 600 ca.; restauri 1945.	Affresco con ritocchi a tempera, 337 ca. x 600 ca.; restauri 1945.		Affresco con ritocchi a tempera; 337 ca. x 600 ca.; restauri 1945.
FOTO	324152.	324130.		324128.

DESCRIZIONE	Al centro vi è la raffigurazione allegorica della città di Arezzo, impersonificata da un guerriero con stendardo che mostra il simbolo della città: un cavallo nero in campo bianco. In primo piano una divinità fluviale: l'Arno. Ai lati, due scene di storia aretina: un fatto d'arme e l'elezione di papa Innocenzo V ad Arezzo. Il Chiavitelli viene pagato per questa campata il 2 aprile 1678, in A.S.F. Guardaroba 907, ins. 11, c. 1048.	Al centro l'incontro di vari personaggi ammantati in un grande palazzo. Intorno entro ovali, collegati alle raffigurazioni di famose ambasciate, o raggruppati (sui lati brevi) entro piccole logge con episodio relativo al di sotto, sono gli ambasciatori fiorentini più famosi, che pestarono il loro servizio per la patria o per altri principi. Un cartiglio ricorda un'ambasceria riferita da Tacito negli annuali, inviato dai fiorentini all'imperatore Tiberio. Seguono poi Nanni, Palla e Ruberto Strozzi e la scritta 'Mandati alla Rep. di Venezia dalla Rep. fiorentina dal March. di Ferrara, dal March. di Mantova: i tre si ritrovarono infatti a Venezia nel 1422 ca. inviati da tre diverse signorie. Gino Capponi (1350 ca. - 1421) ambasciatore di Firenze e Venezia nel 1413. Neri Capponi (1388-1457) figlio di Gino, trattò ardui negoziati coi Visconti. Musciatto Franzesi del Foresta, Vermiglio Alfani, Simone di Rossi, che erano fra: 'I dodici ambasciatori fiorentini mandati da diversi principi a Bonifazio VIII', come dice la scritta relativa. Le ambascerie andarono a Roma per l'elezione	dal pontefice nel 1294. Infine Giannozzo Manetti, (1396-1459), politico e umanista, quattordici volte ambasciatore per Firenze. Agli spigoli, quattro figure allegoriche spiegate da D. M. Manni come le quattro Utilità che derivano dalle buone ambascerie: leggerezza di carico a chi governa, immortalità di fama, difesa della patria e ampiezza di governo. Agnolo Gori riceve in pagamenti il 5 aprile 1664, in ASF, Guardaroba 653, ins. 12, c. 1152.	Al centro figura allegorica seduta che scrive; sullo sfondo, Palazzo Vecchio. Agli spigoli, figure allegoriche dell'Europa, America, Asia e Africa. Sui lati brevi, allegorie della Vigilanza (con la gru) e della segretezza (con strumento per sigillare le lettere). Intorno entro ovali i seguenti personaggi: Bartolomeo Scala (1428-1498), gonfaloniere nel 1486; Leonardo Bruni (1370-1444), detto Leonardo aretino, cancelliere apostolico; Poggio Bracciolini (1380-1459), segretario presso il vescovo di Bari, poi scrittore apostolico nella Curia popale; Niccolò Machiavelli (1469-1527); Carlo Marsuppini (1398-1453), cancelliere apostolico alla morte di L. Bruni: Alessandro Bracci (1445-1503), diplomatico e ambasciatore a Roma, Firenze, Napoli; Benedetto Fortini (n. 1406): Marcello Virgilio (1464-1521), Coluccio Salutati (1331-1406), cancellieri della Repubblica fiorentina; Donato Giannotti (1492-1573) scrittore politico e segretario nella Cancelleria dei Dieci. Agnolo Gori viene pagato per due spazi piccoli e due grandi (tra cui la Segreteria) in A.S.F. Guardaroba 653, ins. 11 c. 1060.

	S74		S75
UBICAZIONE	Corridoio di Ponente: campata 74.		Corridoio di Ponente: campata 75.
AUTORE	Gori, Agnolo (not. dal VI decennio sec. XVII).		Chiavistelli, Jacopo (Firenze 1621-1698).
TITOLO	Matematica.		Volterra.
DATAZIONE	1663.		1678.
DATI TECNICI	Affresco con ritocchi a tempera, 337 ca. x 600 ca.; restauri 1945.		Affresco con ritocchi a tempera; 97 ca. x 600 ca.; restauri 1945.
FOTO	159532.		324156.

DESCRIZIONE Al centro, entro un prisma, la Matematica con un compasso nella mano destra, osserva il cielo, circondata dai segni dello Zodiaco (simbolo delle cognizioni astronomiche). Agli spigoli, entro nicchie: Apollo con l'arco e nella destra una piccola statura raffigurante le tre arti da lui inventate Poesia, Musica e (secondo il Manni), Medicina ma più probabilmente Danza, mentre alla Medicina corrisponderebbe il serpente trafitto dalla frecce ai piedi del dio. Mercurio, ritenuto degli antichi inventore della Filosofia e dell'astronomia; Diana, protettrice delle arti liberali e infine la 'nuda e schietta' Scienza col globo nella destra. I personaggi ritratti sono: sui lati brevi, Galileo Galilei (1564-1642) e Paolo 'Mattematico' o dell'Abaco (m. 1366). Sui lati lunghi il padre Rinieri Olivetano (sec. XVII), Evangelista Torricelli (1608-1647), Guido Bonatti (di Forli, sec. XIII) autorevole trattatista di astrologia, ricordato da Dante, Francesco Giun- tini (1523-1590). Agnolo Gori riceve pagamenti il 7 settembre 1663 (ASF, Guardaroba 715, c. 378 d., e Guardaroba 653, ins. 11, c. 1060).

Al centro, vi è la raffigurazione allegorica della città, sotto forma di giovane con elmo che sorregge lo stendardo (un Ippogrifo rosso e un drago verde in campo azzurro). Le divinità fluviali sono il Cecina e l'Era. Ai lati, entro grandi stampe sorrette da amorini, due episodi inerenti alla storia cittadina: conquista da parte dei fiorentini (1530); la città secondo la tradizione cinta di mura da Ottone I. Il Chiavistelli viene pagato in data 10 ottobre 1678, in A.S.F., Guardaroba 907, ins. 12, c. 1178.

S76		S77	

UBICAZIONE — Corridoio di Ponente: campata 76. / Corridoio di Ponente: campata 77.

AUTORE — Ulivelli, Cosimo (Firenze, 1625-1704) e Gori, Agnolo (not. dal VI decennio sec. XVII). / Ulivelli, Cosimo (Firenze 1625-1704) e Gori, Agnolo (not. dal VI decennio sec. XVII).

TITOLO — Amore della Patria. / Amor delle Lettere.

DATAZIONE — 1659 (Ulivelli) e 1666 (Gori). / 1659 (Ulivelli) e 1666 (Gori).

DATI TECNICI — Affresco con ritocchi a tempera, 337 ca. x 600 ca.; restauri 1945. / Affresco con ritocchi a tempera, 337 ca. x 600 ca.; restauri 1945.

FOTO — 324116. / 324132.

DESCRIZIONE — Al centro, un giovane armato e con ghirlanda di gramigna occorre in difesa di una città assediata. (La corona di gramigna si donava a chi liberava la propria città dell'assedio). Sui lati brevi, sotto due trofei di armi quattro episodi eroici dalla storia antica: Temistocle muore avendo bevuto volontariamente il sangue del toro; Scipione Africano esorta i soldati a Canne; Curzio si getta col cavallo dal precipizio; Geruzio Cippo va in esilio volontario. Sui lati lunghi, seduti a fianco e incoronati di alloro dalla Fama, con le loro imprese raffigurate accanto: Lorenzo il Magnifico (1449-1492), durante le trattative presso il re di Napoli; Farinata degli Uberti (m. 1264) si oppone alla distruzione di Firenze; Dante da Castiglione e Ludovico Martelli, che combattono valorosamente contro due fiorentini fuoriusciti durante l'assedio di Firenze; Tommaso Frescobaldi (m. 1427) morto sotto la tortura per non voler rivelare ai Visconti l'alleanza dei fiorentini, con i genovesi. L'Ulivelli viene pagato il 3 dicembre 1659 (A.S.F., Guardaroba 653, ins. 5, c. 497); nello stesso scomparto il Gori viene pagato il 24 gennaio 1666 (1665 fior.), per aver messo 'tritine e fregi' (Ibidem, Guardaroba 756, c. 24 s.

Al centro della campata, allegoria dell'Amore delle Lettere con corona d'alloro. Intorno, entro piccole nicchie, accanto ad episodi relativi al soggetto della campata, i fiorentini mecenati e protettori delle Lettere: primi fra tutti i Medici: Cosimo il vecchio (1389-1464) riceve le navi da lui inviate in Oriente per acquistare testi antichi, Lorenzo il Magnifico (1449-1492) e l'accademia neoplatonica di Careggi, il granduca Cosimo I (1519-1574) e lo studio di Pisa da lui fatto restaurare, il papa Leone X Medici (1475-1521) in conversazione coi dotti, fondatore dell'Archiginnasio. Agli spigoli, Niccolò da Uzzano (1359-1431) il cui testamento beneficiava in modo particolare lo Studio fiorentino (e se ne vede una ricostruzione); Bartolomeo Scala (1428-1498) protettore dei letterati, che si raccoglievano in casa sua, diede in isposa la figlia al Tarcaniota; card. Giovanni Salviati (m. 1553) grande mecenate, che si vede nella scena sottostante in conversazione coi dotti; Bernardo Rucellai (1448-1514), autore egli stesso di opere letterarie, si vede in conversazione con filosofi e letterati nei suoi famosi Orti Oricellari. Per la collaborazione Ulivelli - Gori, vedi scheda precedente. (Cfr. ASF, Guardaroba 653, ins. 5, c. 497, con pagamenti all'Ulivelli).

	S78		S79
UBICAZIONE	Corridoio a Ponente: campata 78.		Corridoio di Ponente: campata 79.
AUTORE	Ulivelli, Cosimo (Firenze, 1625-1704) e Gori, Agnolo (Firenze, not. col VI decennio sec. XVII).		Gori, Agnolo (Firenze, not. dal VI decennio sec. XVII).
TITOLO	Teologia.		Borgo San Sepolcro.
DATAZIONE	1659 (Ulivelli), 1666 (Gori).		1663.
DATI TECNICI	Affresco con ritocchi a tempera, 337 ca. x 600 ca.; restauri 1945.		Affresco con ritocchi a tempera, 97 ca. x 600 ca.; restauri 1945.
FOTO	324134.		324157.

DESCRIZIONE

Al centro la teologia che guarda verso Dio e siede su un globo stellato, cioè non poggia su basi terrene (Manni). Agli spigoli, figure allegoriche di Virtù: Giustizia, Fortezza, Temperanza e Prudenza e al disotto: Desiderio di Dio, Amor del prossimo, Fede e Speranza. Inoltre, sui lati brevi, altre figure con attributi simbolici (il turibolo, la palma del martirio); il Tempo e la Penitenza (?).
I personaggi raffigurati sono: P. Jacopo Macchianti (1500 ca. 1569), vescovo di Chioggia, domenicano. Luigi Marsili (m. 1394), frate agostiniano; Leonardo Daddi (1408-1472) segretario di quattro papi, da Callisto III a Sisto IV, vescovo di Massa dal 1464. Ruberto Bardi (m. 1349), concelliere ecclesiae parisiensis; S. Antonino Pierozzi, vescovo di Firenze (1389-1459), domenicano; Angelo Acciaioli (1298-1357), vescovo di Firenze, domenicano presso il convento di S. Maria Novella); Ambrogio Traversari

(1386-1439), teologo e umanista camaldolese; Bartolomeo Ubertini da Casale (n. 1259), capo degli spirituali francescani.
Il vano dedicato alla teologia fu dipinto in un primo tempo da Cosimo Ulivelli, che ne riceve i pagamenti il 18 luglio 1659 (ASF. Guardaroba 653, inserto 5, c. 477) e poi completato con fregi dal Gori (A.S.F., Guardaroba 756, c. 24 s.).

Al centro, entro cornice, allegoria della città, con lo stendardo nel quale sono raffigurati i due pellegrini Arcano ed Egidio che tornati da Gerusalemme, secondo la tradizione, fondarono Borgo San Sepolcro per volere divino. Stemma della città in primo piano, col santo sepolcro. Ai lati: il ritorno dei pellegrini suddetti e l'istituzione del vescovado di Borgo da parte di Leone X (1515). Pagamenti al Gori, in A.S.F., Guardaroba 653, ins. 11, c. 1060 e Guardaroba 715, c. 378 d (2 sett. 1663).

	S80	S81
UBICAZIONE	Corridoio di Ponente: Campata 80.	Corridoio di Ponente: campata 81.
AUTORE	Gori, Agnolo (Firenze, not. dal VI decennio sec. XVII).	Gori, Agnolo (Firenze, not. dal VI decennio sec. XVII).
TITOLO	Legge.	Montepulciano.
DATAZIONE	1658.	1663.
DATI TECNICI	Affresco con ritocchi a tempera; 337 ca. x 600 ca.; restauri 1945.	Affresco con ritocchi a tempera; 97 ca. x 600 ca.; restauri 1945.
FOTO	324137.	324154.
DESCRIZIONE	Al centro, raffigurazione allegorica della Legge, con spada in pugno, bilancia e libro su cui posa una corona imperiale (Pandette). Agli spigoli, allegorie che il Manni spiega come Jus canonico, Civile, Municipale e la Legge stessa che abbatte l'Oppressione e l'Ignoranza. Intorno, entro cornici, le effigi dei seguenti personaggi: Accursio (Azzoni, 1182-1260), ricordato da Dandi un glossario sul diritto romano; Il card. Francesco Soderini (1453-1524), lettore all'Università pisana; Filippo Corsini (1334-1421), maestro di diritto civile, più volte ambasciatore e gonfaloniere; Forese da Rabatta, ricordato da Boccaccio; Nello da S. Gimignano, più volte ambasciatore; Dino Rossoni (?), maestro di Bonifacio VIII; Lorenzo Ridolfi (XIV-XV sec.), dotto giurista, insegnò nello Studio fiorentino; dal 1395, più volte ambasciatore per la rebubblica fiorentina in Italia e all'estero; Francesco d'Accursio, figlio di Accursio Azzoni (1182-1259 ca.), maestro di diritto nello Studio bolognese; Giovanni d'Andrea (1270 ca.-1348), uno dei maggiori canonisti dello Studio bolognese; Francesco Albergatti (?); Silvestro Aldobrandini (1499-1558), padre di Clemente VIII, scrisse numerose opere di diritto ,fu incaricato di riforme giuridiche a Venezia e Faenza; Lapo Zanchini (?). Le quattro scene ai lati raffigurano: i fiorentini che chiedono leggi ai romani; i romani chiedono qualche legge ai fiorentini (1339); apertura dello Studio fiorentino (1348); le Pandette amalfitane sono portate a Firenze da Pisa (1406). Il Gori viene pagato per undici vani, tra i quali risulta anche la 'Legge' (A.S.F., Guardaroba 653, ins. 5, c. 450).	Al centro, entro cornice, vi è la raffigurazione allegorica della città di Montepulciano, che presenta lo stemma col leone. Ai lati sono rappresentati due episodi della storia civile e religiosa della città. Pagamenti ad Agnolo Gori in data 7 marzo 1665 in A.S.F., Guardaroba 715, c. 378 d; e Guardaroba 653, c. 450.

	S82		S83
UBICAZIONE	Corridoio di Ponente: campata 82.		Corridoio a Ponente: campata 83.
AUTORE	Scuola toscana sec. XVIII.		Scuola toscana sec. XVIII.
TITOLO	Filosofia.		Cortona.
DATAZIONE	Post. 1762 - ante 1782		Post 1762 - ante 1782.
DATI TECNICI	Affresco con ritocchi a tempera; 337 ca. x 600 ca.; restauri 1945.		Affresco con ritocchi a tempera, 97 ca. x 600 ca.: restauri 1945.
FOTO	67190.		325064.

DESCRIZIONE Al centro, entro cornice, raffigurazione allegorica della Filosofia (donna pensosa con un libro in mano). Nella decorazione sono riconoscibili quattro episodi relativi a filosofi dell'antichità, p.e. Diogene nella botte visitato da Alessandro. Vi sono raffigurati i seguenti personaggi: Francesco Cattani da Diacceto (1466-?), discepolo del Ficino, lettore di filosofia nel pubblico Studio; Marsilio Ficino (1433-1499), uno dei fondatori nella scuola neo-platonica; Benedetto Varchi (1503-1565), storico eminente della città; Ciriaco Strozzi (1504-1565), entro una nicchia, sul lato breve a destra; Donato Acciaioli (1429-1478), umanista, politico e oratore dei più noti nell'età del Magnifico; Francesco Verini (sec. XVI), lettore di filosofia nelle Università di Pisa e Firenze; Brunetto Latini (1220 ca.-1294), politico e letterato, citato da Dante autore del 'Tresor' e del 'Tesoretto'; Giannozzo Manetti (1396-1459), politico e umanista, come filosofo ricordato soprattutto per il Trattato in 4 libri 'De dignitate et excellentia hominis' (effigiato dentro una nicchia sul lato breve di sinistra). È questa la prima delle campate ridipinte dopo l'incendio del 1762, e ricalca a grosse linee i soggetti e la composizione della campata distrutta, già dipinta da Agnolo Gori nel 1658 (ASF, Guardaroba 653, c. 450).

Al centro, l'allegoria della città con stendardo e stemma col leone di S. Marco (sotto il cui patrocinio Cortona si pose nel 1259). In primo piano la divinità fluviale rappresenta il Lago Trasimeno. Ai lati: Giovanni XXII crea il primo vescovo della città (1326); Cortona si arrende ai fiorentini (1411). Questo spazio, nella decorazione originale prima dell'incendio, era stato dipinto dal Chiavistelli. (A.S.F., Guardaroba 907, ins. 12 c. 1180, in data 20 ottobre 1678).

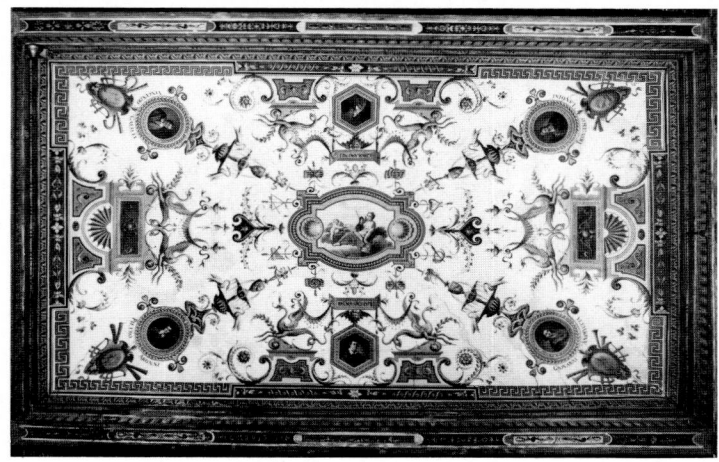

	S84	S85	S86
UBICAZIONE	Corridoio di Ponente: campata 84.	Corridoio di Ponente: campata 85.	Corridoio di Ponente: campata 86.
AUTORE	Scuola toscana sec. XVIII.	Scuola toscana sec. XVIII.	Scuola toscana sec. XVIII.
TITOLO	Politica.	Musica.	Medicina.
DATAZIONE	Post 1762 - ante 1782.	Post 1762-ante 1782.	Post. 1762-ante 1782.
DATI TECNICI	Affresco con ritocchi a tempera; 337 ca. x 600 ca.; restauri 1945.	Affresco con ritocchi a tempera; 337 ca. x 600 ca.; restauri 1945.	Affresco con ritocchi a tempera; 337 ca. x 600 ca.; restauri 1945.
FOTO	324115.	324133.	324127.

DESCRIZIONE

S84 — Al centro allegorie delle tre Virtù necessarie ai politici: Prudenza, Giustizia (con spada e bilancia) e Senno (il vecchio con libro). Agli spigoli, entro ovali, i ritratti dei seguenti personaggi: Niccolò Machiavelli (1469-1527); Bartolomeo Cavalcanti (sec. XVI), ricordato dalle fonti per il suo spirito antimediceo; Donato Giannotti (1492-1573), scrittore politico servì l governo repubblicano. Scrisse il 'Dialogo della Repubblica fiorentina'; Marcello Virgilio (1464-1521), pseudonimo di Marcello Adriani, cancelliere della Repubblica, già ritratto nella campata della 'Segreteria'. Sui lati lunghi, al centro, sotto padiglioni: un consesso di vecchi paludati e con barba, probabilmente relativo al mondo antico; e un episodio relativo a due personaggi il cui nome è scritto al di sotto: Alessandro del Bene (sec. XVI) e Jacopo Corbinelli (1535-fine sec. XVI). La campata originale era stata dipinta da Jacopo Chiavistelli che riceve il pagamento in data 10 dicembre 1675 (ASF, Guardaroba 907, ins. 2, c. 240).

S85 — Al centro raffigurazione allegorica con strumento a corda e archetto e amorino con spartito. Entro cornici, i ritratti dei seguenti personaggi: Pietro Aronni (1489 ca.-1545), teorico di musica; Antonio Squarcialupi (1417-1480), organista nella chiesa di S. Maria del Fiore a Firenze; Giovanni Animuccia (inizi sec. XVI - 1571), massimo esponente della scuola polifonica romana; Francesco Landini (1325-1397), organista, cieco, famoso in Venezia; Girolamo Mei (sec. XVI) scrisse un trattato di musica; Vincenzo Galilei (1533-1591), liutista, autore del 'dialogo della musica antica e della moderna' (1581), animatore delle Camerate dei Bardi. Nella decorazione, ricorrono strumenti musicali, spartiti e agli spigoli fontane a bacini sovrapposti con acqua ricadente. Ma ben più complessa e rigogliosa era la decorazione della campata prima dell'incendio, (ASF, Guardaroba 97, ins. 2 c. 179, segnalatomi dal dottor Leoncini) e della quale è rimasta l'incisione. La campata originale, prima dell'incendio era stata decorata da Jacopo Chiavistelli, pagato in data 12 maggio 1675 (ASF, Guardaroba 907, ins. 2 c. 179).

S86 — Al centro la raffigurazione allegorica della Medicina, col caduceo. Ai lati, entro cornici, si vedono raffigurati i seguenti personaggi: Dino del Garbo (?-1327), figlio e allievo di Bruno del Garbo, scrisse opere di medicina, dedicandole a Re Roberto di Napoli; Antonio Benivieni (1443-1502), considerato il fondatore dell'anatomia patologica, autore del 'De abditis morborum causis', edito nel 1507; Torrigiano Valori, 'comentatore de' Medici antichi'; Taddeo del Garbo, lettore all'Università di Bologna; Bruno del Garbo, padre di Dino, professore a Bologna e chirurgo a Firenze; Guido Conti (?); Tommaso del Garbo (m. 1370), figlio di Dino, autore del compendio De Arte Medendi e grande amico del Petrarca; Guido Guidi (m. 1569), professore di medicina a Parigi, fu anche al servizio di Cosimo I, e professore di filosofia e medicina a Pisa). La decorazione comprende anche alcune piante medicinali. La campata prima dell'incendio era stata eseguita dal Chiavistelli nel 1975 (AsF, Guardaroba 907, ins. 2 c. 179).

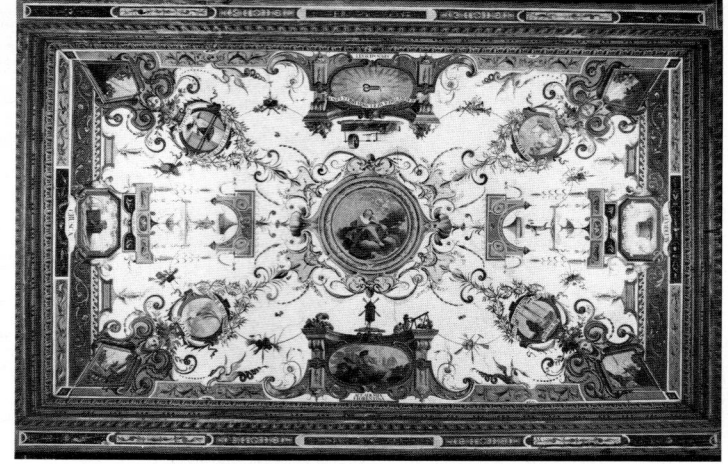

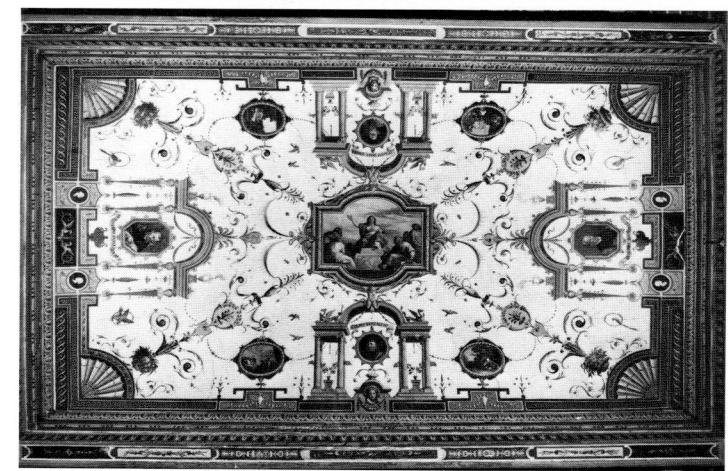

	S87	S88	S89
UBICAZIONE	Corridoio di Ponente: campata 87.	Corridoio di Ponente: campata 88.	Corridoio di Ponente: campata 89.
AUTORE	Scuola toscana sec. XVIII.	Scuola toscana sec. XVIII.	Scuola toscana sec. XVIII.
TITOLO	Colle.	Accademia.	Eloquenza.
DATAZIONE	Post 1762 - ante 1782.	Post 1762 - ante 1782.	Post. 1762 - ante 1782.
DATI TECNICI	Affresco con ritocchi a tempera, 97 ca. x 600 ca.; restauri 1945.	Affresco con ritocchi a tempera, 337 ca. x 600 ca.; restauri 1945.	Affresco con ritocchi a tempera; 337 ca. x 600 ca.; restauri 1945.
FOTO	324147	324126.	324145.

DESCRIZIONE

S87: Al centro, una figura femminile con stendardo, un amorino con lo stemma della città (croce rossa in campo bianco con collo di cavallo rosso, e una divinità fluviale: Ai lati, entro cornici ovali: due episodi della storia di Colle, di cui uno è la resistenza fatta dalla città alla Lega del Papa e Napoli. Questo spazio, prima dell'incendio, nel 1658 era stato dipinto da Agnolo Gori (A.S.F., Guardaroba 653, ins. 5 c. 450, è lo spazio decimosecondo dalla terrazza).

S88: Al centro, donna pensierosa coronata da un amorino. Sui lati lunghi i nomi e le imprese di due accademie: Accademia fiorentina, con la veduta di Firenze, il Marzocco e l'Arno in primo piano; Accademia degli Spensierati, con lo scacciapensieri e la scritta. 'Vieni dietro a me e lascia dir la gente'. Sui lati brevi: Accademia degli· alterati, col tino pieno d'uva e il motto 'Quid non designat'; Accademia della Crusca, col frullone di farina e il motto 'Il più bel fior ne coglie'; alla stessa Accademia si riferisce anche il mulino a vento. Agli spigoli i motti e le imprese di alcuni Medici nell'Accademia della Crusca: un cavallo bianco sulla paglia, col motto 'E qui pace trovai d'ogni miei giorni' e il nome 'Riposato', del principe Mattias; una nave colma di grano, il motto 'Tenterò l'Oceano e potrò farlo' e il nome 'Provveduto', del card. Giovan Carlo; una stella sulla spiga, il motto 'Lettovimi il mio pensiero' e il nome 'Alzato', del card. Car- lo; la macina, il motto 'Per lo perfetto loco onde si preme', il nome 'Candido', del card. Leopoldo. Altri emblemi sono spar- si nella decorazione un girarrosto, strumenti musicali, attrezzi agricoli. La campata originale era stata eseguito da Agnolo Gori nel 1658 (ASF, Guardaroba 653, ins. 5, c. 450).

S89: Al centro figura allegorica che arringa vari personaggi, decorazione a grottesca. Intorno, entro edicole, i ritratti dei seguenti personaggi: Giovanni Boccaccio (1313-1375); Leonardo Salviati (1540-1587), letterato, ammirato per le sue 'Orationi', Monsignor Giovanni della Casa (1503-1556), noto oltre che per il 'Galateo', per essere l'autore delle 'Orationi' scritte in occasione della Lega tra Paolo III e la Francia contro Carlo V e per la restituzione di Piacenza; Fra Jacopo Passavanti (1300 ca.-1357), frate domenicano, lettore di filosofia a Pisa e dietologia a Siena e a Roma. Sui lati lunghi, quattro ovali con storie non identificate. La decorazione originale, dipinta nel 1658 da Agnolo Gori (ASF, Guardaroba 653, ins. 5, c. 450), e ripresa qui solo in parte, comprendeva molti 'animali di gran voce e uccelli loquaci' (Manni) entro gabbie. Nella campata attuale sono riconoscibili alcuni pappagalli.

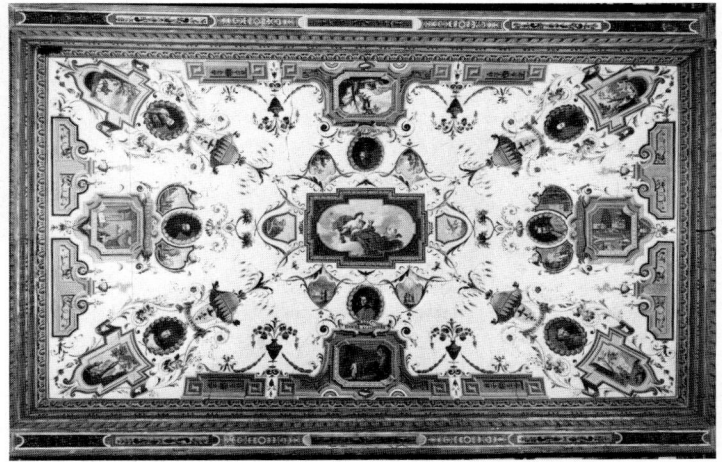

	S90		S91	S92
UBICAZIONE	Corridoio di Ponente: campata 90.		Corridoio di Ponente: campata 91.	Corridoio di Ponente: campata 92.
AUTORE	Scuola toscana sec. XVIII.		Scuola toscana sec. XVIII.	Scuola toscana sec. XVIII.
TITOLO	Istoria.		San Miniato.	Poesia.
DATAZIONE	Post. 1762 - ante 1782.		Post. 1762 - ante 1782.	Post 1762 - ante 1782.
DATI TECNICI	Affresco con ritocchi a tempera; 337 ca. x 600 ca.; restauri 1945.		Affresco con ritocchi a tempera; 97 ca. x 600 ca.; restauri 1945.	Affresco con ritocchi a tempera, 337 ca. x 600 ca.; restauri 1945.
FOTO	324125.		325066.	324146.

DESCRIZIONE

Al centro rappresentazione allegorica delle storie che scrive sulle ali del Tempo; ai lati, entro cornici, i ritratti dei seguenti personaggi: Giovanni Battista Adriani (1511-1579), scrisse l'opera 'Istoria dei suoi tempi' che affermava la legittimità del governo mediceo; Niccolò Machiavelli (1469-1527); Francesco Guicciardini ,1483-1540); Giovanni Villani (m. 1348), cronista fiorentino, scrisse la 'Nuova Cronica' in 12 libri, dall'antichità al 1346; Ricordano Malaspina (sec. XV), autore di una 'Historia florentina' in cui si narra la guerra dei fiorentini dal 1350 alla pace di Lodi (1445). Poggio Bracciolini (1380-1459), scrittore apostolico presso la curia papale al tempo di Bonifacio IX; Matteo Palmieri (1406-1475), scrittore e uomo politico, noto soprattutto per i suoi scritti di carattere storico-biografico; Matteo Villani (m. 1363), fratello di Giovanni, ne continuò l'opera completando la 'Nuova cronica' fino all'anno 1363. Agli spigoli, quattro allegorie interpretate dal Manni come i quattro aspetti della storia: Studio (giovane col libro), Prudenza (donna con specchio e serpente), Cronologia (giovane con vacchetta), Verità (nuda con specchio). La campata originale era stata eseguita nel 1658 dal Gori (ASF, Guardaroba 653, ins. 5 c. 450).

Al centro una figura panneggiata con lo stemma della città (leone bianco in campo rosso) e divinità fluviale (Arno). Ai lati due episodi di storia cittadina: alleanza coi fiorentini contro Enrico VIII (1311); conquista dei fiorentini (1369). La campata originale era stata dipinta da Jacopo Chavistelli e da un non meglio identificato Andrea Chiavistelli, nel 1656 (ASF, Guardaroba 678, c. 39 d.).

Al centro, allegoria della Poesia, con ai lat il Monte Parnaso e Pegaso. Entro ovali, i ritratti di seguenti poeti e rimatori, con episodi tratti dalle rispettive opere più famose: Francesco Petrarca (1304-1374), Dante Alighieri (1265-1321); Guido Cavalcanti (1255 ca.-1300); il Burchiello (Domenico di Giovanni, 1404-1449); Giovanni della Casa (1503-1556), qui come autore delle rime; Luigi Pulci (1432-1484); Luigi Alamanni (1558-1603), qui come autore delle Egloghe; Francesco Berni (1497-98-1535 ca.). La campata originale era stata dipinta da Jacopo Chiavistelli e da un non meglio identificato Andrea Chiavistelli, nel 1658 (ASF, Guardaroba 678, c. 39 d.).

	S93	S94	S95
UBICAZIONE	Corridoio di Ponente: campata 93.	Corridoio di Ponente: campata 94.	Corridoio di Ponente: campata 95.
AUTORE	Scuola toscana sec. XVIII.	Scuola toscana sec. XVIII.	Scuola toscana sec. XVIII.
TITOLO	Architettura.	Scultura.	Prato.
DATAZIONE	Post 1762 - ante 1782.	Post. 1762-ante 1782.	Post. 1762-ante 1782.
DATI TECNICI	Affresco con ritocchi a tempera, 337 ca. x 600 ca.; restauri 1945.	Affresco con ritocchi a tempera; 337 ca. x 600 ca.; restauri 1945.	Affresco con ritocchi a tempera; 97 ca. x 600 ca.; restauri 1945.
FOTO	324141.	324144.	324142.

DESCRIZIONE

S93: Al centro, allegoria dell'Architettura con strumenti del mestiere. Intorno sono raffigurati i seguenti architetti con particolari delle loro opere più note: Arnolfo di Lapo (1245-1302) col Duomo di Firenze; Andrea Orcagna (sec. XIV) e la Loggia in piazza Signoria; Michelangelo (1475-1564) e S. Pietro in Roma; Leon Battista Alberti (1406-1472); Giotto (1267 ca. - 1337) e il campanile; Filippo Brunelleschi (1377-1446) e la cupola di S. Maria del Fiore. La campata originale era stata eseguita nel 1658 da Jacopo Chiavistelli, e dal non meglio identificato Andrea Chiavistelli (ASF, Guardaroba 678, c. 39 d.).

S94: Al centro una rappresentazione allegorica; ai lati, entro cornici, i seguenti sculturi, raffigurati anche mentre lavorano alle loro opere più note: Luca della Robbia (1400 ca.-1482), e la decorazione per la Cappella di S. Jacopo in S. Miniato; Lorenzo Ghiberti (1378-1455), e le porte del Battistero; Michelangelo Buonarroti (1475-1564) e il David; Niccolò Tribolo (1500-1558), che lavora forse a una statua per la villa di Castello; Baccio Bandinelli (1488-1560) e il gruppo di Ercole e Caco; Donatello (1386-1466) e la Giuditta. La decorazione comprende inoltre famose sculture dell'antichità: il Colosso di Rodi, il Laocoonte, la colonna Traiana, il Toro Farnese e il monumento a Marco Aurelio. La campata originale era stata dipinta da Jacopo Chiavistelli e dal non meglio identificato Andrea Chiavistelli, nel 1658 (ASF, Guardaroba 678, c. 39 d.).

S95: Al centro una figura panneggiata con lo stemma della città (gigli d'oro in campo rosso) e il fiume Bisenzio. Nei medaglioni ai lati, due episodi della storia cittadina. La campata originale era stata dipinta dal Agnolo Gori, nel 1658 (ASF, Guardaroba 653, ins. 5 c. 450).

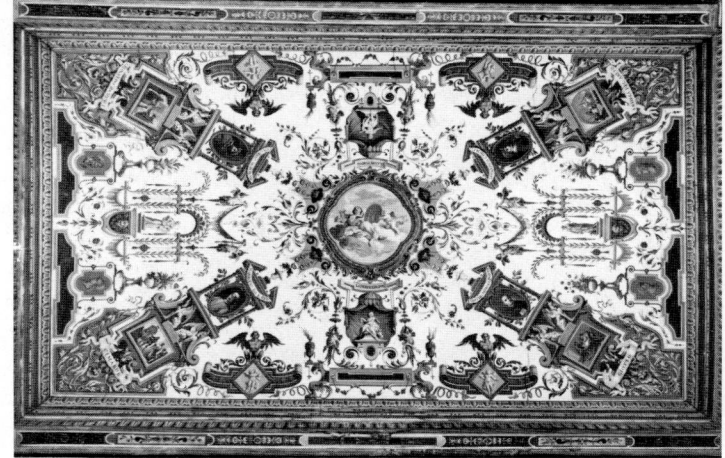

S96		S97	S98

Ubicazione	Corridoio di Ponente: campata 96.	Corridoio di Ponente: campata 97.	Corridoio di ponente: campata 98.
Autore	Scuola toscana sec. XVIII.	Scuola toscana sec. XVIII.	Scuola toscana sec. XVIII.
Titolo	Pittura.	Agricoltura.	Livorno.
Datazione	Post 1762 - ante 1782.	Post 1762 - ante 1782.	Post 1762 - ante 1782.
Dati tecnici	Affresco con ritocchi a tempera, 377 ca. x 600 ca.; restauri 1945.	Affresco con ritocchi a tempera, 337 ca. x 600 ca.; restauri 1945.	Affresco con ritocchi a tempera, 97 ca. x 600 ca.; restauri 1945.
Foto	324143.	324129.	324104.

Descrizione

Al centro, allegoria della Pittura. Al centro di ogni lato con scritte relative, le componenti della pittura: Contorno, Imitazione, Perfezione e Mosaico (sic.). Agli spigoli, i ritratti di quattro pittori: Masaccio (1401-1428). Il suo ritratto è la riproduzione esatta di quello che nel 1771 (ma già noto),passava dalla coll. Hugford alle collezioni granducali, come autoritratto, e attualmente esposto nella Galleria come Autoritratto di Filippino Lippi (Inv. 1890 n. 1711, vedi scheda relativa nelle sezione Autoritratti). Fra' Bartolomeo della Porta (1472-1517): anche questa immagine è tratta da un presunto autoritratto dell'artista di cui ora rimane una copia nei Depositi (vedi Iconografica non esposta, Inv. 1890 n. 5506) Ludovico Cigoli (1559-1613); copia dell'Autoritratto nella collezione del card. Leopoldo de' Medici (vedi scheda relativa; inv. 1890 n. 1729); Cristofano Allori detto Bronzino (1577-1621); copia dell'autoritratto citato per la prima volta nell'Inv. del 1704 (In. 1890 n. 1689, vedi schede relative). Sotto ai ritratti suddetti, sono raffigurati altrettanti episodi della vita di altri pittori: Cimabue (not. 1272-1302), visitato da re Carlo d'Angiò (1267); Giotto (1267-1337) mentre esegue il famoso O; Leonardo da Vinci (1452-1519), ritrae il re di Francia Francesco I; Andrea del Sarto (1487-1530), dipinge la Madonna del Sacco nel chiostro della SS. Annunziata. La campata originale era stata eseguita da Agnolo Gori, nel 1658 (ASF, Guardaroba 653, ins. 5, c. 450).

Al centro allegoria dell'Agricoltura con fiori e messi, amorini con attrezzi agricoli. È circondata dai segni zodiacali. Agli spigoli sotto le personificazioni delle quattro stagioni, i ritratti dei seguenti personaggi: Bernardo Davanzati, studioso di lettere, scienze economiche e agrarie, autore della 'Coltivazione toscana delle viti e di alcuni arbori'. Giovan V. Soderini (1460-1527), studioso di diritto civile scrisse anche della coltivazione delle viti. Pier Vettori (1499-1585), autore di un trattatello in volgare sulla coltivazione degli ulivi. Marcello Virgilio (1464-1521) detto il Dioscoride, al quale si deve appunto la prima traduzione dal greco di Dioscoride che insegnava a distinguere piante ed erbe. Al centro di ogni lato, quattro vedute e paesaggi tra i quali il Manni riconosce l'"Isola' di Boboli. Sui lati lunghi, quattro ville toscane. La campata originale era stata eseguita da Agnolo Gori nel 1658 (ASF, Guardaroba 653, ins. 5, c. 450).

Si tratta della campata più grande fra quelle delle città e comprende anche vedute e simboli di Pisa. Al centro, entro un tondo, un dio fluviale (Arno) versa un otre pieno d'acqua, circondato da insegne pontificie (Eugenio III era pisano), imperiali (Arrigo VII vi è sepolto), granducali e vescovili (sede di arcivescovado). A destra una veduta di Pisa con l'Arno, fra le allegorie della Città (con scudo rosso a croce bianca) e della Dovizia. Le corone d'alloro tenute dagli amorini al di sopra, alludono secondo il Manni allo Studio di Pisa. Al di sopra due trofei di pesci. All'altro lato, veduta di Livorno col monumento di Ferdinando I e i quattro mori, tra una figura col remo e lo scudo e una figura in abiti orientali (simbolo dei commerci col l'Oriente). Gli Amorini reggono la mitria e il cappello cardinalizio. Al di sopra, due trofei di uccelli selvatici e cacciagione. Altre quattro vedute sui due lati lunghi. La campata originale fu di pinta da Agnolo Gori nel 1658 (ASF, Guardaroba 653, ins. 5, c. 450).

	S99	S100	S101
Ubicazione	Sala delle Carte geografiche.	Sala delle Carte geografiche.	Sala delle Carte geografiche.
Autore	Buti Ludovico (Firenze 1550-60-1611) e Buonsignori, Stefano (Firenze?-1589).	Buti Ludovico (Firenze 1550-60-1611) e Buonsignori, Stefano (Firenze ?-1589).	Buti Ludovico (Firenze 1550-60-1611) e Buonsignori, Stefano (Firenze ?-1589).
Titolo	Carta del 'dominio vecchio fiorentino'.	Carta dello 'stato di Siena'.	Carta dell'isola d'Elba.
Datazione	1589.	1589.	1589, ma ridipinta più tardi.
Dati tecnici	'Olio sul muro e tocho d'oro', 730 x 320; tracce di vecchi restauri soprattutto nella zona del mare.	'Olio sul muro e tocho d'oro', 600 x 320; tracce di vecchi restauri nella zona del mare.	Tempera su muro; 322 ca. x 224 ca.
Foto	159530.	159531.	160756.

Descrizione	La decorazione di questa sala, detta nel sec. XVI 'Terrazza della stanza della matematica' perché vi erano esposti strumenti scientifici, si svolge su tre pareti e comprende oltre a questa, le carte dello 'stato di Siena' e l'isola d'Elba. Fu eseguita all'epoca di Ferdinando I de' Medici, da Ludovico Buti pittore allora molto attivo in Galleria (vedi ASF, Guardaroba Ff. 124 e 183); ma l'ideazione della carta si deve a Stefano Buonsignori, padre olivetano, già cartografo di Francesco I e confermato cosmografo granducale da Ferdinando. Il Buonsignori, che aveva già inciso in rame le due carte della Toscana, collaborò col Buti (poco prima di morire) miniando in oro, rosso e nero i nomi delle località. (ASF, Guardaroba 183, pagamenti ai due autori). Si deve al Buti anche il fregio decorativo alla base delle pareti, in chiaroscuro e oro. Le tre carte sono raffigurate come drappi appesi alle pareti.	L'affresco rappresenta il territorio di Siena conquistato da Cosimo I de' Medici nel 1575. Agli inizi del secolo XIX le tre carte (Cfr. scheda precedente) furono ricoperte da tendaggi, e vi furono appesi quadri. Furono riportate alla luce solo nel 1906 (le due più grandi) e nel 1970 (l'isola d'Elba).	La Carta dell'Isola d'Elba, dipinta originariamente su un pilastro tra due finestre, poi chiuse probabilmente alla fine del sec. XVIII, è eseguita a tempera diversamente dalle altre due carte (Cfr. schede relative), e i nomi sono miniati in giallo anziché in oro. Poiché nei pagamenti ai due esecutori (ASF f. 183) viene menzionata anche l'isola d'Elba, è probabile che la diversa tecnica e la fattura meno rigorosa, siano dovuti a una ridipintura posteriore. Il Pelli Bencivenni (1779, p. 201), fornisce l'errata notizia che tutte e tre le carte sono state dipinte nel 1609 dal P. Senatti, gesuita. Tale notizia può essere esatta per quanto riguarda la carta dell'Elba.

Soffitto della Sala delle Carte geografiche

Le nove tele a soggetto mitologico, che decorano il soffitto della Sala delle carte geografiche, furono eseguite a Roma da Jacopo Zucchi (al quale le attribuì per primo il Voss, nel 1913), durante il soggiorno romano dell'artista nel 1572 ca. In quel periodo lo Zucchi era impegnato ad affrescare con soggetti mitologici le sale del Palazzo di Firenze, residenza del cardinal Ferdinando de' Medici. I soggetti relativi alla notte e al riposo fanno pensare che le tele fossero destinate a una camera da letto. Nel 1588 allorché Ferdinando divenne Granduca, succedendo al fratello Francesco, le tele furono trasferite a Firenze, secondo un documento riportato da Heikamp, relativo alla Guardaroba di Ferdinando (ASF, 132). Furono inserite allora nel soffitto della sala, separate da travi decorate a tempera, a festoni di frutta e fiori da Ludovico Buti (Firenze, 1550/60-1611), attivo in quegli anni in Galleria, che ingrandì inoltre quattro delle tele dello Zucchi per adattarle agli spazi del soffitto, aggiungendovi ' paesi e aria ' (ASF, Guardaroba 124). I dipinti, avendo Mercurio e Diana come protagonisti, sembravano adattarsi bene a quella che allora era la destinazione della Sala, cioè la collocazione di strumenti scientifici: le due divinità erano infatti associate nei secoli XVI e XVII alle matematiche e alle scienze.

Per quanto riguarda i soggetti (cfr. schede relative), possiamo rifarci a un libro dello stesso Zucchi ' Discorso sopra li Dei de' Gentili ', (Roma 1602) nel quale spiega analoghe immagini dipinte nel Palazzo Rucellai a Roma, oltre alla famosa ' Iconologia ' del padre Cesare Ripa, e alle ' Immagini... degli Dei ' di V. Cartari. Venezia 1556.

Bibliografia

E. Voss, in Zeitschrift für Bildende Kunst, XXIV, 1913, p. 160 sgg.
E. Voss, Die Malerei der Spätrenaissance in Rom und Florenz, Berlin 1920, vol. II, p. 320.
A. Calcagno, Jacopo Zucchi e la sua opera in Roma, Roma 1933.
D. Heikamp, in Arte Illustrata, 1970, IV, p. 6 segg.

	S102
UBICAZIONE	Sala delle Carte geografiche.
AUTORE	Zucchi, Jacopo (Firenze 1541 ca. Roma o Firenze 1589 ca.).
TITOLO	Diana e le ninfe.
DATAZIONE	1572 ca.
DATI TECNICI	Olio su tela; 273 x 305.
FOTO	154079.
DESCRIZIONE	Diana è raffigurata nel riquadro centrale come dea potente in cielo, in terra e agli inferi: ha le frecce e l'arco (simboli dei dolori del parto, del quale è protettrice), e una falce di luna sulla testa. Il cervo a destra ricorda i sacrifici che le venivano dedicati, secondo Virgilio. È circondata dalle ninfe, come protettrice delle vergini. Il carro sullo sfondo è tirato da due cavalli, uno nero e l'altro bianco simboli della sua luce diurna e notturna. La figura sopra il carro è la Rugiada, sua figlia.

	S103	S104	S105
UBICAZIONE	Sala delle Carte geografiche.	Sala delle Carte geografiche.	Sala delle Carte geografiche.
AUTORE	Zucchi, Jacopo (Firenze 1541 ca. Roma 1589 ca.).	Zucchi, Jacopo (Firenze 1541 ca. Roma 1589 ca.).	Zucchi, Jacopo (Firenze 1541 ca. Roma 1589 ca.).
TITOLO	La Notte.	Pan.	Endimione addormentato e Diana.
DATAZIONE	1572 ca.	1572 ca.	1572 ca.
DATI TECNICI	Olio su tela; 163 x 324.	Olio su tela; 144 x 283.	Olio su tela; 146 x 285.
FOTO	154081.	154082.	154080.
DESCRIZIONE	La Notte, alata, ha con sé i due figli, uno bianco Ypnos (il Sonno), addormentato, e l'altro Thanatos (la Morte), con piccola falce. Sullo sfondo a destra, una donna dalla pelle scura, accenna verso Thanatos. Il cielo è stellato. Sono raffigurati anche gli animali tipicamente notturni: la civetta e il pipistrello. La rappresentazione dello Zucchi segue puntualmente il testo del Cartari. (Vedi introduzione). La tela è fra quelle ampliate ai lati da Ludovico Buti.	Il dio Pan è raffigurato in un boschetto con accanto la fistola di canne. Sullo sfondo il gregge. Nelle mani tiene una matassa di lana bianca, in atto di offerta alla dea Luna. Il soggetto viene descritto puntualmente dallo Zucchi nel suo libro. La tela è fra quelle ampliate da Ludovico Buti, ai due lati.	Endimione, pastore bellissimo condannato a dormire da Era, giace in primo piano con il suo cane accanto. In alto a destra appare Diana come Luna che viene a visitare il giovane di cui è innamorata. È un altro soggetto 'notturno' presente nella decorazione del soffitto. Endimione stesso è considerato nella mitologia il genio della notte o del sonno notturno. La tela è fra quelle ampliate ai lati da Ludovico Buti.

	S106	S107	S108
UBICAZIONE	Sala delle Carte geografiche.	Sala delle Carte geografiche.	Sala delle Carte geografiche.
AUTORE	Zucchi, Jacopo (Firenze 1541 ca. Roma 1589 ca.).	Zucchi, Jacopo (Firenze 1541 ca. Roma 1589 ca.).	Zucchi, Jacopo (Firenze 1541 ca. Roma 1589 ca.).
TITOLO	Mercurio.	La Fedeltà.	La Pazienza.
DATAZIONE	1572 ca.	1572 ca.	1572 ca.
DATI TECNICI	Olio su tela; 159 x 326.	Olio su tela; 146 x 166.	Olio su tela; 145 x 160.
FOTO	154083.	154087.	154085.
DESCRIZIONE	Mercurio è raffigurato in volo col petaso alato in testa e nelle mani il caduceo e la borsa (crumena) di denari, come si addice al dio protettore del commercio e del guadagno. Come segnala Heikamp, Mercurio compare fra i soggetti della tela, perché identificato dagli antichi con Hypnos (il sonno). Nella vecchia foto è ben visibile il primitivo formato della tela e l'ampiamento del Buti, su tutti e quattro i lati.	La Fedeltà è raffigurata secondo i canoni dell'Iconografia del Ripa (1556), con cagnolino accanto e in mano il cuore.	La donna col giogo sulle spalle è, secondo l'Iconografia del Ripa, (1556), il simbolo dell'Obbedienza.

	S109	S110
UBICAZIONE	Sala delle Carte geografiche.	Sala delle Carte geografiche.
AUTORE	Zucchi, Jacopo (Firenze 1541 ca. Roma 1589 ca.).	Zucchi, Jacopo (Firenze 1541 ca. Roma 1589 ca.).
TITOLO	Il Silenzio.	La Vigilanza.
DATAZIONE	1572 ca.	1572 ca.
DATI TECNICI	Olio su tela; 146 x 163.	Olio su tela; 144 x 165.
FOTO	154084.	154086.
DESCRIZIONE	La donna in vesti di colore bruno con occhi abbassati e mano sulla bocca, rappresenta secondo l'Iconografia del Ripa (1556) il Silenzio, la Segretezza.	Secondo l'Iconografia del Ripa (1556), la presenza del gallo (sulla testa) e della gru, indicherebbe in questa figura alata l'allegoria della Vigilanza, mentre il gallo abbinato alla clessidra è indicativo della Diligenza.

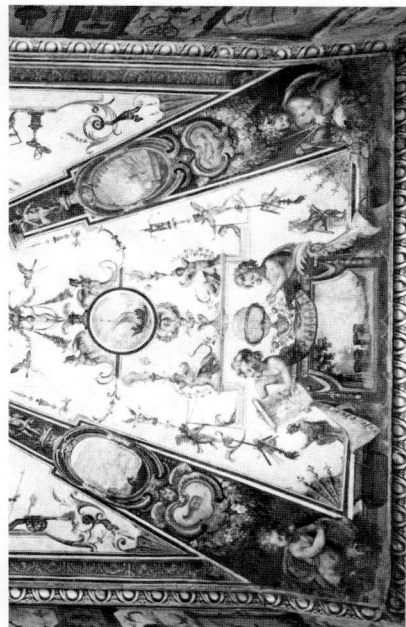

S111

UBICAZIONE	Saletta 17: 'Stanzino degli strumenti da mattematica'.
AUTORE	Parigi, Giulio? (Firenze 1540-1635) e scuola fiorentina sec. XVIII.
TITOLO	Grottesca con strumenti scientifici.
DATAZIONE	Fine sec. XVI (1ª campata) e sec. XVIII (2ª campata).
DATI TECNICI	Affresco con ritocchi a tempera; restauro 1945.
FOTO	325071 - 325070 - 324140.

DESCRIZIONE Lo stanzino 'dove sono li strumenti da mattematica e carte di cosmografia e altro' fu allestito e affrescato all'epoca di Ferdinando I (1587-1609). La campata più larga, centrale, comprende nella decorazione a grottesche strumenti matematici, esperimenti di chimica e fisica e piante di fortezza, soggetti relativi alla collezione contenuta dalla stanza, e trattati con spirito scherzoso e scientifico insieme, a figurine tracciate a tocchi rapidi e nervosi. L'attribuzione a Giulio Parigi è dell'Heikamp. Al centro è la raffigurazione della Matematica con i suoi strumenti-attributi. La piccola campata verso la finestra con al centro una figura allegorica e quattro tondi con paesaggi è stata ridipinta nel secolo XVIII.

S112

UBICAZIONE	Saletta 19: Armeria.
AUTORE	Gori, Agnolo (Firenze, not. dal V decennio sec. XVIII).
TITOLO	Grottesca.
DATAZIONE	1666.
DATI TECNICI	Affresco con ritocchi a tempera, restauri 1945.
FOTO	324139-32-36.

DESCRIZIONE La saletta faceva parte delle cosiddetta 'Armeria' affrescata nel 1588 da Ludovico Buti (vedi scheda relativa). Questa però, è stata ridipinta dopo il riallestimento nel 1656 (all'epoca di Ferdinando II), come riferisce anche il Pelli - Bercivenni (1778 p. 99). Il pagamento per questo nuovo 'stanzino dell'Armeria, è a nome di Agnolo Gori, il primo Agosto 1665, nello stesso periodo in cui il pittore affrescava alcune campate del Corridoio di ponente (ASF, Guardaroba 756, c. 7 sin. e 24 sin.). Già il Pelli aveva post-datato il soffitto grazie alla presenza dell'impresa di Ferdinando II (1610-70); il rosaio col motto 'Gratia obvia, ultio quesita'. Negli scomparti laterali sono presenti altre imprese: l'Ape regina col motto 'Maestate tantum', di Ferdinando I (1549-1609); corona trionfale d'alloro col motto 'Non iuvat ex facili', di Cosimo II; corona di alloro e di rovere col motto 'E robore Victoria' di Vittoria della Rovere (1622-1694); tartaruga con vela e il mot-

to 'Festina Lente' di Cosimo I (1519-1574) e 'Vitat victoria curam' di Francesco I (1541-1587). Nelle specchiature principali, allegorie di Firenze, della Toscana, della Vittoria, trionfi e battaglie, i carri di Giove, Marte (?), il Tempo, e Venere.

S113

UBICAZIONE	Saletta 20: Armeria.
AUTORE	Scuola fiorentina secc. XVII e XVIII (?).
TITOLO	Grottesca con quattro spettacoli a Firenze.
DATAZIONE	Ante 1779.
DATI TECNICI	Affresco con ritocchi a tempera, restauri 1945.
FOTO	—

DESCRIZIONE La stanza ha avuto una nuova decorazione, dopo l'originale del Buti (1588): quella attuale viene così descritta dal Pelli Bencivenni (1779, p. 100): 'fra diversi gruppi di giuochi, feste rusticali e di mascherate, si vedono quattro pubblici spettacoli eseguiti nel cortile di Palazzo Pitti avanti che fosse armato con la grotta di faccia all'ingresso...' (il che avvenne all'epoca di Ferdinando II, post 1621) in piazza Signoria, in Piazza S. Maria Novella e in Piazza S. Croce. Si tratta della Festa degli omaggi (23 giugno), del Palio dei Cocchi (idem), del gioco del Calcio e di uno spettacolo notturno a Pitti. L'affresco potrebbe risalire all'epoca in cui veniva rimaneggiata anche la stanza precedente n. 19 (1656-66 ca.) e l'ipotesi sembra convincente soprattutto per quanto riguarda gli 'spettacoli', mentre gli ovali con giochi sembrano addirittura precedenti. Invece per il resto della decorazione (tra cui spicca una divinità orientale) la data del Pelli (1779) serve come riferimento neppure tanto lontano.

S114

UBICAZIONE	Saletta 21: Armeria.
AUTORE	Buti, Ludovico (Firenze 1550-60-1611).
TITOLO	Grottesca con soggetti messicani.
DATAZIONE	1588.
DATI TECNICI	Affresco con ritocchi a tempera e 'tocho d'oro'; restauri 1945.
FOTO	160224 - 2 s.n.

DESCRIZIONE La decorazione di questo soffitto appartenente a una delle quattro salette destinate ad Armeria alla fine del secolo XVI, si deve al Buti (Pagamenti in ASF, Guardaroba 183 c. 29, Guardaroba 124 c. 14), attivo in Galleria fino dal 1581 nel gruppo dei pittori che lavoravano alle grottesche del primo corridoio. I soggetti bellici, in relazione alle collezioni d'armi conservate nelle salette, assumono in questo soffitto connotati esotici per la presenza di animali e uccelli tropicali (che si potevano vedere nelle voliere di corte), e di guerrieri in costume orientale; ma soprattutto perché vi compaiono scene ispirate al Messico, e non di fantasia, ma tratte da un documento identificato dall'Heikamp con un codice Messicano illustrato oggi alla Biblioteca Lamenziana. Si rivela anche qui (come nelle collezioni di oggetti, oggi dispersi) l'interesse dei Medici per il Messico, mosso sia da curiosità per la terra lontana sia da più concrete speranze commerciali.

Nella stessa sala compare un riquadro eseguito in epoca moderna e datato 'Firenze agosto 1945'. Rappresenta una veduta del Ponte Vecchio e dei quartieri limitrofi al di là dell'Arno, dopo il crollo seguito allo scoppio delle mine tedesche. Dalle cadute dell'intonaco provocate dalla deflagrazione, i restauratori non riuscirono a salvare il 'quadretto' originale al quale su sostituita la veduta ricordo.

S115

UBICAZIONE	Saletta 22: Armeria.
AUTORE	Buti, Ludovico (Firenze 1550-60-1611).
TITOLO	Grottesca con scene di battaglia.
DATAZIONE	1588.
DATI TECNICI	Affresco con ritocchi a tempera e 'tocho d'oro', restauri 1945 e 1979.
FOTO	216394-5.
DESCRIZIONE	Questo soffitto appartiene a una delle quattro salette destinate ad Armeria alla fine del sec. XVI, nel periodo di governo di Ferdinando I (1587-1609) e affrescate nel 1588 da Ludovico Buti (ASF, Guardaroba 183 c. 29, Guardaroba 124 c. 14), attivo in Galleria fin dal 1581, quando decorava con altri artisti le volte del primo Corridoio. Della decorazione originale del Buti rimangono solo tre sale nella distribuzione attuale della Galleria (vedi introduzione). I soggetti sono ovviamente in relazione con la collezione d'armi che vi era conservata. Gli spazi privi di decorazione sono dovuti alla distruzione di parte dell'intonaco affrescato durante la guerra (v. scheda precedente).

S116

UBICAZIONE   Saletta 23: Armeria.

AUTORE   Buti, Ludovico (Firenze 1550/60-1611).

TITOLO   Grottesca con cinque interni di botteghe.

DATAZIONE   1558.

DATI TECNICI   Affresco con ritocchi e tempera e 'tocho d'oro'; restauri 1945 e 1979.

FOTO   216400-1 e particolari.

DESCRIZIONE   Anche questa saletta come le precedenti fu affrescata da Ludovico Buti (vedi introduzione). Vi si ritrova qualche zona neutra causata dalle distruzioni belliche. In particolare le cinque vedute principali raffigurano altrettante botteghe (come in altre campate del primo Corridoio): vi si vedono lavorare i cannoni, le polveri da sparo, le lame di spade, le armature e i modellini di fortificazioni; tutti soggetti consoni alla funzione nella sala, nella quale era custodita la collezione d'armi. In queste l'autore (che viene indicato dalla tradizione come il Poccetti) dà prova di particolare acutezza nel rappresentare vivacemente e con precisione l'attività delle botteghe, anticipando in qualche particolare un gusto che sarà tipico del Seicento.

S117	S118

UBICAZIONE   Sala delle Miniature.

Corridoio Vasariano.

AUTORE   Lucci, Filippo (attivo a Firenze nel IX decennio sec. XVIII).

Scuola fiorentina fine sec. XIX(?)

TITOLO   Figura allegorica.

Grottesche.

DATAZIONE   1781.

1866 ca.

DATI TECNICI   Affresco.

Affresco; restauri 1945.

FOTO   116250.

324978-85.

DESCRIZIONE   La figura allegorica affrescata nella volta della saletta delle Miniature risale al periodo in cui l'ambiente venne restaurato e modificato sotto Pietro Leopoldo di Lorena (1765-1790), su progetto dell'architetto Zanobi del Rosso e con la collaborazione del pittore Filippo Lucci. La data 1781 è graffita all'esterno nel gesso della cupola. (Notizie in AGS, F, XIII a 30, segnalate dalla dott. Meloni Trkulja). Il pittore Filippo Lucci è noto finora solo per questa sua collaborazione.

Si tratta della decorazione sul soffitto a botte della scalinata che dalla Galleria scende nel Corridoio Vasariano, nella cupoletta del pianerottolo tra le due rampe e nella prima sala (attualmente dei Caravaggeschi). Si tratta di grottesche gracili a colori tenui, motivi ormai di repertorio, nelle quali oltre a paesaggi dalle specchiature, ricorrono uccelli, cervi e stambecchi. Al centro della volta della sala, Pegaso. Questi affreschi risalgono con probabilità al periodo in cui essendo Firenze capitale d'Italia 'conveniva di adoprarsi a che le Gallerie si mostrassero sempre più nel loro splendore...' (Gotti, 1872) e si pensò allora di aprire al pubblico il Corridoio vasariano (fino ad allora ad uso privato dei sovrani) e allestendolo con reperti etruschi, arazzi, disegni, collegare Uffizi e Pitti in un unico grande museo. Il Gotti, nel 1872 direttore delle R.R. Gallerie, così scrive: 'piacque il pensiero alla Maestà del Re, che volentieri cedè a ta-le uso il corridoio rammentato'. Gli affreschi sarebbero da atttribuire a uno dei decoratori attivo in questo momento negli ambienti ufficiali nelle imprese di aggiornamento.

La collezione di miniature delle Gallerie fiorentine comprende oggi 1332 opere rappresentative di entrambi i generi che in italiano vengono accomunati sotto il nome di miniatura, e cioè i dipinti su pergamena (eseguiti con una tempera particolare, in cui il legante è gomma arabica e non uovo) che possono rappresentare scene con più figure, ritratti o vedute; e ritratti in piccolo formato (al disotto dei 20 centimetri di misura massima, sia essa l'altezza o la larghezza). Più in particolare, essa annovera 1058 ritrattini, 264 pergamene (tra cui 31 ritratti e vedute monocromi, i cosiddetti 'tocchi in penna'), otto avori e due smalti. La stragrande maggioranza di essi risale al principato mediceo, come data sia di esecuzione che di ingresso: a parte una ventina di pezzi quattrocenteschi e altrettanti dell' '800 e '900, si tratta di dipinti eseguiti fra la metà del '500 e il primo trentennio del '700 e perciò particolarmente interessanti. Infatti essi documentano periodi mal noti e non rappresentati in altre raccolte sia pubbliche che private (nessuna delle quali, italiana o straniera, superiore per quantità a quella fiorentina). La miniatura su pergamena è stata studiata, infatti, fino alla prima metà del XVI secolo, cioè fino a quando la diffusione del libro a stampa ne mutò la funzione, rarefacendone gli esempi: mentre il ritratto miniato è notissimo dal '700 in poi ma (tranne che in Inghilterra e parzialmente in Francia) non è mai stata ben ricostruita la storia dei suoi inizi. La raccolta degli Uffizi è l'unica che permette di chiarire e illustrare con ricchezza e sceltezza di esempi sia l'uno che l'altro genere; che documenta — con pezzi firmati, siglati o attestati dalle fonti — più di trenta miniatori altrimenti ignoti o di cui al nome non si accompagnava nessuna opera, nonché l'attività nella miniatura di pittori di cui questo aspetto non era noto.

Le miniature — o almeno quella parte di esse che è esposta, in parte nella XXIV sala degli Uffizi, altre alla fine del corridoio vasariano, altre ancora (soprattutto pergamene) in un passaggio nell'appartamento del Volterrano a Palazzo Pitti — non sono state schedate singolarmente in questa sede sia per la loro quantità, sia perché ne è in preparazione uno studio completo per la serie 'Cataloghi dei musei e gallerie d'Italia' del Poligrafico dello Stato. Si è fatto eccezione solo per gli autoritratti, dato che essi compaiono tutti in questo catalogo. Per le altre, si darà qui un panorama di quelle più di spicco, della loro storia e delle collocazioni.

La formazione della raccolta è avvenuta per iniziative svariate di diversi Principi medicei. Tralasciando la committenza dei Medici per codici miniati nel '400, che non riguarda l'attuale consistenza degli Uffizi, si può porre come punto d'inizio l'interesse dimostrato fin dal 1548 da Cosimo I de' Medici verso il più grande miniatore attivo allora in Italia, Giulio Clovio, che venne a Firenze nel 1553, e successivamente fu in contatto da Roma col figlio di Cosimo, Francesco I, tramite Giorgio Vasari: di lui esistono oggi in galleria cinque pergamene (Crocifisso con Maddalena, datata appunto 1553, inv. 1890/812; Deposizione, firmata, inv. 1890/8765; Ganimede, inv. 1890/3516; San Giovanni Battista, inv. 1890/4356; Annunziata, inv. 1890/5720) e un ritrattino, il tardo autoritratto inv. 1890/4213. Egli istruì nella miniatura Bernardo Buontalenti (inv. 1890/836: Madonna col Bambino, San Giovannino flautista e un angelo). Contemporaneamente il Bronzino eseguiva serie di ritratti medicei in piccolo formato, di cui la più nota è quella, oggi di 24 pezzi (inv. 1890 da 848 a 871) che stava die-

1. Giulio Clovio: San Giovanni Battista.

2. Daniel Froeschl: Sacra Famiglia (copia da Raffaello).

tro la porta dello Studiolo di Palazzo Vecchio. Dall'ultimo quarto del secolo, fra gli artisti specializzati che lavoravano nelle botteghe di galleria vi è sempre un miniatore: dopo un Francesco (1573) e un Bortolo di Paolo veneziano il tedesco Daniel Froeschl (inv. 1890/832: Crocifissione, siglata e datata 1600, da Michelangelo, e inv. 1890/839: Sacra Famiglia, 1604, copia del quadro raffaellesco di casa Canigiani in ovale e con paesaggio), che ebbe attività di illustratore scientifico (come Jacopo Ligozzi) per lo Studio di Pisa e passerà poi al servizio di Rodolfo II a Praga, e il fiorentino Valerio Marucelli (inv. 1890/584: altra copia con paesaggio della S. Famiglia Canigiani). Da Urbino vengono, ai primi del '600, opere di Valerio Mariani e di Simone (Simonzio) Lupi, attivi per i 'botteghini' o 'officinelle' dei Della Rovere a Pesaro: repliche di alcuni fogli delle lussuose storie urbinati oggi nella Biblioteca Vaticana (inv. 1890/9155: Valerio Mariani, Battaglia di San Fabiano; inv. 1890/835: Simonzio Lupi, frontespizio della Vita di Francesco Maria Della Rovere, e altro): e si noti che solo attraverso il pezzo firmato degli Uffizi è possibile distinguere le due mani, finora confuse. Altra pratica di cui aveva dato i primi esempi Giulio Clovio è quella di copiare in miniatura i capolavori della galleria, a cui saranno addetti il frate servita Giovan Battista Stefaneschi (inv. 1890/809: San Giovannino, da Raffaello; inv. 1890/831: Natività, dal Correggio; inv. 1890/833: Adorazione dei pastori, da Tiziano; inv. 1890/844: Disputa della SS. Trinità, da Andrea del Sarto) e successivamente il cappuccino Ippolito Galantini (inv. 1890/6718: San Francesco, da Ribera). Nientemeno che al tenebroso Karl Loth dobbiamo un'impeccabile copia miniata (inv. 1890/813) della Sacra Famiglia con S. Barbara di Paolo Veronese; e infine, Anna Maria Luisa de' Medici tornerà vedova dal Palatinato con sette copie miniate di dipinti della galleria elettorale, due delle quali firmate dagli ignoti Jakob Buechoffer (inv. 1890/842: Battaglia delle Amazzoni, da Rubens) e M. Posner (inv. 1890/837: Noli me tangere, dal Barocci). A lato di questa attività che possiamo chiamare ufficiale dei granduchi, alcuni principi prediligeranno e impiegheranno con larghezza miniatori e miniatrici: il cardinal Giovanni Carlo e il cardinal Leopoldo la marchigiana Giovanna Garzoni, di cui le gallerie conservano tuttora 24 nature morte (si vedano le schede dei nn. inv. 1890 da 4780 a 4783) e almeno tre ritratti (Leopoldo, inv. 1890/9093; Vittorio Amedeo I di Savoia, inv. 1890/817; Cristina o Caterina di Savoia, inv. 1890/814); il Gran Principe Ferdinando Gaspar van Wittel (inv. 1890 nn. 4354 e 4355: Due vedute di Roma, 1685) e, a un livello più basso, lo sconosciuto Lorenzo Todini (inv. 1890 nn. da 3721 a 3725: Vasi di fiori, di cui uno firmato e datato 1687). Sua moglie Violante di Baviera avrà opere di vari e varie dilettanti: il cavaliere di Malta Alessandro Marsili, che firma e data fra il 1702 e il 1708 quattro delicati mazzetti di fiori (inv. 1890 nn. 6510, 6680, 6679, 7876), Suor Veronica (al secolo Berenice) Vitelli — monaca in Sant'Apollonia, tradizionale centro di artigianato femminile — autrice di scenette con piccoli animali (inv. 1890 nn. 4774, 4775 e probabilmente altri) e Ferdinando Narvaez, 'paggio di valigia' di Cosimo III, diligente esecutore di mazzi di fiori (inv. 1890 nn. 6681, 6682) e di un quadretto devoto (inv. 1890/7880: S. Giuseppe e il Bambino Gesù). L'Elettrice Palatina, infine, porterà con sé otto pergamene con 'Sacrifizi, e Baccanali' di Richard van Orley, firmati e in parte datati 1701 e 1702 (inv. O.A. da 864 a 871). E questo non è che un rapido resoconto dei nuclei più numerosi e di provenienza documentata, che si allungherebbe molto menzionando tutti i pezzi singoli di autore certo ma di origine non precisata, quelli anonimi, quelli testimoniati in antico e oggi non rintracciati. Per limitarsi solo ai più interessanti e meno noti, possiamo ricordare la pagina di un manoscritto sforzesco ritagliata in nove pezzi (inv. 1890/843 e da 4423 a 4430) uno dei quali, firmato, ha permesso di dare il nome di Giovan Pietro Birago al gruppo prima detto del Maestro di Bona di Savoia; la Danza di paesani siglata B.I.L.F. che C. de Tolnay ha pubblicato (in Gazette des Beaux-Arts, 1969) come opera di Pieter Brueghel il vecchio; l'unica opera, datata Roma 1640, di Maddalena Corvina (inv. 1890/5574: Madonna col Bambino); le due Cacce (inv. 1890/5649) attribuite a Maerten de Cock, di cui è passata sul mercato olandese una scenetta di uguali misure con veduta di Firenze nello sfondo; il bel Concerto di scimmie (inv. 1890/834) di David Teniers il vecchio; gli inediti Uccello e Farfallone (inv. 1890/4773) di Herman Hensten burgh; le due scene antiche dell'ignoto Egidio Widtmann (inv.

1890/4607: Alessandro Magno e Diogene; inv. 1890/4613: Saul e Samuele. E non si dimentichi che mancano all'appello insigni opere attestate in antico: tutte le pergamene di Bonaventura Bisi e Giovanna Fratellini, varie di Clovio e di Buontalenti citate dal Vasari, quasi tutte quelle del Galantini, almeno una dozzina della Garzoni, una di Girolamo Muziano; nonché gli autoritrattini di Holbein, del Parmigianino, di Andrea del Sarto e della moglie, del Sustermans, di Rosalba Carriera. Un caso a sé rappresentano i tocchi in penna, ritratti o vedute a inchiostro nero su pergamena che imitano i fitti tratti paralleli dell'incisione: un virtuosismo di moda all'incirca per un secolo, dalla metà del Seicento alla metà del Settecento, e i cui primi esempi, quattro battaglie navali di Willem van de Velde il vecchio (oggi divisi fra Palazzo Pitti e il Poggio Imperiale), furono importati dal cardinal Leopoldo de' Medici (K. Langedijk in Oud-Holland, 1961). Il genere piacque anche al granduca Cosimo III, che acquistò le 18 vedute di Roma e Napoli di Lieven Cruyl (inv. Imperiale rosso nn. da 260 a 281; cfr. K. Langedijk

3. Simonzio Lupi: frontespizio della Vita di Francesco Maria Della Rovere.

4. Richard van Orley: Sacrificio ad Apollo.

Nella pagina a fronte

5. Maddalena Corvina: Madonna col Bambino, 1640.

6. Giovanni Francesco Cassioni: Maddalena (da Lebrun), 1704.

in Mitteilungen des Kunsthistorischen Instituts in Florenz, 1961) e una diecina di ritrattini dello scozzese David Paton, che in questa tecnica (affine ai plumbagos inglesi) aveva lasciato a Firenze l'autoritratto nel 1683 (inv. GDSU n. 2455 F). Per l'ultima dei Medici lavorò a Düsseldorf Giovanni Francesco Cassioni (Maddalena, 1704, da Lebrun; inv. GDSU n. 19190 F); e negli anni della reggenza (1737-1765) fu intrapresa l'illustrazione a tocco in penna (oggi a Vienna: cfr. D. Heikamp in L'oeil, 1969) delle pareti della galleria, sotto la direzione del frate domenicano Vincenzo Benedetto de Greys, che eseguì allo stesso modo il proprio autoritratto (inv. 1890/1933). Ma l'impresa non godette il favore di Pietro Leopoldo di Lorena, e il suo avvento segnò praticamente la fine dell'interesse e della committenza per opere su pergamena a Firenze (la Giulietta e Romeo miniata da G. B. Gigola per Ferdinando III di Lorena e oggi alla Biblioteca Nazionale Centrale di Firenze sembra un caso unico).

Parallelamente si può svolgere il discorso sui ritrattini degli Uffizi, un campo però tanto più vasto e con minori certezze. Diversamente che in altri paesi, in Italia il ritratto miniato non è stato appannaggio di specialisti ma parte della pratica di molti pittori (naturalmente soprattutto dei ritrattisti): non è stato eseguito con tecniche e su supporti speciali ma semplicemente a olio su metallo (rame, ma anche zinco o stagno, e fino all'argento e all'oro), su vari legni (bossolo, noce, tiglio, ciliegio), su cartone (carta, carte da gioco, cartapesta); ma non mancano esempi su lavagna, su marmo, su tela, su porcellana.

L'attribuzione dei ritratti, e peggio ancora dei ritrattini, è tutt'altro che facile, come ho già detto (Omaggio a Leopoldo de' Medici, catalogo della mostra, II, Firenze 1976). L'evidenza ci dice solo che la collezione della galleria, con la sua ampiezza, è l'unica attraverso cui si potranno ricostruire i primi due secoli del ritratto miniato italiano, dal suo nascere nella cerchia di Raffaello al suo affermarsi con Rosalba Carriera, negli aspetti ufficiale e privato. Perché il ritrattino servì agli ambasciatori per trattare matrimoni, ai principi per premiare i loro fedeli, alle spose straniere per ricordo della famiglia d'origine, ai ritrattisti di corte per repertorio portatile, ai medaglisti e agli incisori per modello, agli eruditi in corrispondenza con gente di tutta Europa per conoscere l'aspetto degli amici lontani, agli innamorati per portare con sé l'immagine della donna amata (magari ritratta di nascosto, 'alla macchia'). L'identificazione del soggetto del ritrattino di rango non principesco è aleatoria se non soccorre una scritta, di solito più frequente per personaggi di notorietà limitata: ecco agli Uffizi, per esempio, un Claudio Bartalucci, priore nel 1546 (inv. 1890/4185), Pier Francesco Spinola (inv. 1890/4184), Livia Colonna (inv. 1890/4340), Nino Visconti (inv. 1890/3970), Antonio del Terrazzo (inv. 1890/4004), Fra' Giovanni Scotto, francescano (inv. 1890/8901), il cardinal Paleotti (inv. 1890/3979), l'arciprete Andrea Basetti (inv. 1890/9067), il comico Savello (inv. 1890/3968). La via migliore sarebbe il confronto con un altro ritratto, che non sempre però è risolutivo, come nel caso della dama inv. 1890/9136 il cui volto compare in un ritratto del museo di Douai lì creduto raffigurare Laura Eustochia Dianti, favorita di Alfonso I d'Este. Più sicure sono le identificazioni di Piero Strozzi (inv. 1890/5787 e inv. 1890/9015, con a tergo l'effigie dell'acerrimo nemico Cosimo I), dei fratelli Gennari (Cesare, inv. 1890/8785; Benedetto, inv. 1890/8787), di Anna Guglielmini (inv. 1890/4540, uguale al pastello di Giovanna Fratellini, inv. 1890/2554). Alcuni ritrattini del tardo Cinquecento hanno a tergo un'impresa, che dovrebbe far risalire all'identità di chi la adottava; altri personaggi portano attributi o onorificenze (cavalierati di Malta o S. Stefano, per esempio) che dovrebbero restringere il campo delle ricerche; ma a parte questi casi è possibile riconoscere solo i personaggi pubblici, d'altronde ampiamente rappresentati almeno per quanto riguarda le famiglie imparentate o in rapporti politici coi principi medicei: i Valois e i Borboni di Francia, gli Elettori palatini e di Baviera, la corte inglese nel Seicento. Naturalmente molti sono i ritratti dei personaggi medicei, e spesso di buona mano: a partire dalla serie bronzinesca già nel Museo Mediceo e da alcuni pezzi affini (inv. 1890/4025, Cosimo il Vecchio; inv. 1890/4169, Cosimo I; inv. 1890 n. 4168, Eleonora di Toledo; inv. 1890/4166, Giovanni loro figlio; inv. 1890/4167, l'altro figlio Pietro) si può dire che ogni membro della famiglia sia stato rappresentato in miniatura, anche più volte. Numerosi gli 'ovatini' raffiguranti, per esempio, i granduchi Ferdinando I

(inv. 1890 nn. 4510, 8851, 8880, 9056) e Cosimo II (inv. 1890 nn. 3950, 4119, 8857, 8870, 8917, 8981), le sorelle Caterina e Claudia di Ferdinando I, o Vittoria della Rovere in varie età (inv. 1890 nn. 4134, 8922, 9089, 9082, 9090, 9139, 9141). È da credere che a ritrarli si dedicassero soprattutto i pittori di corte, da Santi di Tito e Tiberio suo figlio ai fratelli Casini e al Sustermans: nei documenti figurano a loro nome assegnazioni di piastre di rame o d'argento per ritratti, e molte attribuzioni possono essere − o sono già state − fatte in modo plausibile. Purtroppo − e ciò vale per tutti i ritrattini, non solo quelli medicei − essi non sono quasi mai firmati. Le eccezioni − fra gli artisti italiani − sono presto enumerate: il Guercino inv. 1890 n. 4000 (Ritratto del teologo Gagliardi), Tommaso Campana (inv. 1890/8914), Giovanna Garzoni (inv. 1890 nn. 814, 9093), Antonio Viviani detto il Sordo (inv. 1890/8901), Orazio Fidani (inv. 1890/2206): e resta il dubbio se si tratti di firme o di antiche scritte di attribuzione. Fra gli stranieri ricordiamo invece la firma Nattier sul bel ritrattino di Clementina Sobieska

col figlio Carlo Edoardo Stuart (inv. 1890/4534), la rara firma di Richard Gibson (inv. 1890/8868), la sigla di Johan Koenig al ritratto di Dürer (inv. 1890/4521), quella di Lorenz Strauch, con la data 1614, su un ritrattino di donna (inv. 1890/4579); e quelle di Samuel Cooper (Cosimo III de' Medici, inv. Imperiale rosso 700; di Lady Cavendish (?), inv. 1890/8860; di Lady Frances Stuart, inv. 1890/8862). Per gli autoritratti (v. schede di Arlaud, Benwell, Clovio, Cosway, Counis, C. Detti, Dughetti, Lavinia Fontana, Frans van Mieris, Mc Pherson, Waldstein, Zoppi) e i pezzi ottocenteschi la firma invece è quasi di rigore; e fra questi ultimi vi sono opere di Counis (inv. 1890 nn. da 3892 a 3894), Ferdinando Quaglia (inv. 1890/3077), R. Carbonara (inv. 1890/5481, forse ritratto di Leopardi), F. Rouillard (inv. 1890/846).

A parte queste frange ottocentesche, la raccolta è stata formata in meno di tre quarti di secolo. Il cardinal Leopoldo vi dedicò gli ultimi dieci anni della sua vita, dal 1664 al 1675, ma con grande fervore, pungolando i suoi corrispondenti soprattutto di Roma, Bologna e Venezia; il Carteggio d'artisti dell'Archivio di Stato di Firenze registra l'acquisto di almeno 320 pezzi, e manca naturalmente la documentazione degli apporti fiorentini e toscani, per cui non c'era trattativa scritta. Dalla guardaroba il principe estrasse 'buona quantità' di ritrattini che vi stavano immagazzinati, tra cui le opere più antiche: la quattrocentesca Ginevra degli Alessandri (inv. 1890/3975), forse i ritratti dei Valois, venuti con Cristina di Lorena (inv. 1890/815 e da 4431 a 4443, più altri singoli) e numerosi ritrattini presenti nell'inventario dell'eredità di Don Antonio de' Medici. Alla sua morte ne era ripieno uno stipo con 500 ritrattini (che entrerà in galleria il 14 settembre 1737: ASF, Guard. 1451, c. 92 r) e forse un altro era in programma se i pezzi sciolti ammontavano già a un centinaio. Ancora oggi, nella proporzione delle opere delle varie scuole, la raccolta conserva l'impronta datale dal suo iniziatore, a cui risale una buona metà di esse. Cosimo III de' Medici aggiunse al nucleo dello zio alcuni ritrattini inglesi e olandesi: il proprio ritratto di Samuel Cooper già citato, del

7. Giovanna Fratellini: Ritratto di Anna Guglielmini.
8. Lorenz Strauch: Ritrattino di donna, 1614.

1669, alcune bellezze inglesi dello stesso autore e di Richard Gibson, l'autoritratto di Frans van Mieris (v. scheda) e forse altri pezzi olandesi di qualità. Vittoria della Rovere ebbe nella sua villa del Poggio Imperiale moltissimi ritrattini, di cui però solo due identificabili con assoluta certezza (inv. 1890/4189, ritratto di donna, e inv. 1890/8080, 'cardinal vecchio'), ma altri probabilmente suoi, come il bellissimo Francesco Maria della Rovere su lavagna, del Barocci (inv. 1890/4019) e il minuscolo Francesco Maria da vecchio, datato 1611 (inv. 1890/8858). Di un'altra donna della famiglia, Violante di Baviera, possiamo conoscere attraverso i ritrattini tutta la genealogia: il padre Ferdinando Maria (inv. 1890/4447), la madre Enrichetta Adelaide di Savoia (inv. 1890/4523 e 4524), la cognata Teresa Cunegonda Sobieska (inv. 1890/4528) e suo marito Maximilian II Emanuel (inv. 1890/4446), la nipote Maria Anna Carolina (inv. 1890/4531) e molti altri parenti in redazioni anonime ma significative di pietas familiare più che di gusto artistico. A Violante appartenne probabilmente anche l'u-

nico ritrattino della raccolta opera di Giovanna Fratellini (inv. 1890/4540: Anna Guglielmini bolognese), di cui la principessa ebbe moltissimi pastelli: mentre non conosciamo la provenienza delle due miniature di Rosalba Carriera: il già noto coperchio di tabacchiera con una Giardiniera (inv. 1890/4610; cfr. C. Jeannerat in Dedalo XI, 1931) e l'inedito ritrattino di Eleonora Gonzaga di Guastalla, moglie di Francesco Maria de' Medici (inv. 1890/9042). Come per le pergamene, niente fu aggiunto dai Lorena alla collezione: praticamente solo autoritratti di miniatori, quando offerti, mentre un minimo incremento si ebbe sotto il regno d'Etruria (ritrattino di Carlo di Borbone, inv. 1890/8474; autoritratto di Marianna Waldstein, v. scheda). Su questa linea le miniature hanno continuato a crescere lentamente, con qualche punta d'interesse all'inizio del '900 di cui la milior testimonianza è il mirabile oratino di Carlo Dolci che raffigura Filippo Baldinucci giovanissimo (inv. 1890/2137); ma i pezzi di cui è documentato l'acquisto negli ultimi cent'anni sono sì e no una ventina: è stata costante poli-

9. Rosalba Carriera: Eleonora Gonzaga di Guastalla.
10. Carlo Dolci: ritratto di Filippo Baldinucci.
11. Hubert Leslie: Silhouette di Honoria Diana Morsh.

tica di non fare acquisti singoli e disordinati in campi estranei ai secoli, alle scuole e ai personaggi già esistenti nella raccolta. Solo recentissimamente è stata colta l'occasione di accrescere la collezione di un ricco nucleo omogeneo e singolare, ottanta silhouettes inglesi dal tardo Settecento alla metà del '900, quasi tutte nelle loro cornici originali con l'etichetta dell'autore: e vi sono rappresentati anche personaggi noti (i figli di Giorgio III, re Edoardo VII, George Washington, l'attrice Sarah Siddons, John C. Woodiwiss) e gli esecutori di maggior reputazione, da Mrs. Beetham e John Miers a Hubert Leslie, da Rosenberg o da Edward Foster of Derby a Auguste Edouard.

Negli Uffizi medicei le miniature di maggior spicco erano esposte in tribuna (nel 1589 vi erano 30 ritrattini e 36 quadretti 'di minio' su pergamena), molte altre nella sala in cui sono attualmente, l'allora 'camera di madama', rettangolare e ordinata in modo simile alla tribuna, con dipinti alle pareti, statuette su mensole e oggetti preziosi in un armadio. Nel 1704 i ritrattini in galleria sono cinquanta e le pergamene quarantaquattro: ma col progressivo estinguersi degli ultimi membri della famiglia le loro collezioni confluivano in galleria: prima quella del Gran Principe Ferdinando (65 pergamene e 17 ritrattini, tra cui uno attribuito fin dall'antico a van Dyck – inv. 1890/1113 –, l'autoritrattino del Menzocchi, il vecchio togato inv. 1890/1049, l'uomo con manica gialla inv. 1890/3972), poi quelle di Leopoldo e di Anna Maria Luisa. Lo stipo del cardinale, entrato come si è detto nel 1737, stette nella saletta precedente la tribuna insieme ad altre opere preziose e di piccolo formato: e lì le miniature sono ricordate dai visitatori settecenteschi che ebbero il privilegio di vederle; l'imperatore Giuseppe II le ammirò due volte, nel 1769 e nel 1775. Alla sistemazione nello stipo in quadretti a vassoio contenenti di regola nove pezzi ciascuno si ispirarono gli ordinatori lorenesi, che nel 1777 riunirono altri ritrattini, prima sciolti, dietro dodici tavolette di noce tinto (più tardi dorato) con nove fori a misura, con cornice e vetro; e rimandando via lo stipo li appesero tutti alle pareti, insieme alle più importanti pergamene. Però quasi quattrocento pezzi, fra cui proprio molti di quelli dello stipo del cardinale, vennero trasferiti a Palazzo Pitti, donde si riuniranno a quelli degli Uffizi (che dall'ultimo decennio dell''800 erano esposti coi pastelli nelle sale 43-45) solo nel 1928 (sono i numeri da 8770 a 9147 dell'inventario del 1890). A questa data, rimasta libera la camera di madama (ribattezzata gabinetto delle gemme all'epoca della sua ristrutturazione in ovale ad opera di Zanobi del Rosso, 1781), il cui materiale era passato al nuovo Museo degli Argenti, vi furono riunite le miniature: alle pareti 54 quadretti contenenti 482 ritrattini, e sopra di essi sei pergamene; un altro centinaio fra ritrattini e pergamene trovarono posto in una bacheca a doppio spiovente al centro del vano. Tolta questa per meglio apprezzare l'elegante architettura, i ritrattini della bacheca ed altri prima non esposti (in totale 288) sono stati ordinati sistematicamente (1976) nell'ultimo tratto, il più stretto, del corridoio vasariano, in dodici pannelli. Essi contengono, nell'ordine: ritrattini di pittori (perlopiù autoritratti), ritrattini tedeschi e olandesi, francesi, inglesi; le miniature di Violante di Baviera, i 24 ritrattini medicei del Bronzino in due pannelli e infine, in cinque pannelli, 137 ovatini su cartapesta, con cornicine dorate, provenienti da Castello, contenenti versioni dipinte dei ritratti incisi premessi alle Vite dei pittori di Giorgio Vasari (inv. 1890 da 8122 a 8259): una serie di interesse storico a cui esecuzione fu proposta al cardinal Leopoldo de' Medici dal suo corrispondente Fra' Giuseppe Maria Casarenghi, miniatore bolognese, ma fu realizzata diversamente e dopo, probabilmente da un pittore fiorentino della cerchia del Sagrestani intorno al 1730, forse in connessione con l'edizione fiorentina delle 'Vite'.

Il gabinetto dei Disegni e delle Stampe
Anna Forlani Tempesti

Salendo lo scalone vasariano degli Uffizi, ci si trova, al secondo piano, su un pianerottolo ornato da tre belle porte di legno scolpito, che immettevano al ricetto del teatro allestito nel 1585 da Bernardo Buontalenti per il Gran Duca Francesco I, il cui busto in marmo sormonta quella centrale delle tre porte: teatro a suo tempo celebrato per la bellezza e novità strutturale, ma presto caduto in disuso − l'ultima rappresentazione vi avvenne nel 1628 −, smantellato e variamente usato per i depositi delle botteghe site all'ultimo piano della Galleria e poi come ripostiglio o 'stanzone' della medesima. Mentre i locali a destra dell'ex ricetto sono oggi occupati dalla Biblioteca della Soprintendenza, in quelli di sinistra ha sede il Gabinetto dei Disegni e delle Stampe, composto da una sala di esposizione, un magazzino per la conservazione delle opere, una sala di studio e una biblioteca, e poche stanze per la direzione e per gli uffici. Tali locali vennero ricavati nel 1889 dall'architetto Luigi Del Moro, dimezzando orizzontalmente l'enorme vano del teatro buontalentiano, dove nel frattempo avevano trovato posto di volta in volta la Corte Criminale del Granducato e il suo primo Parlamento, poi, con Firenze capitale, il Senato del Regno d'Italia e infine depositi vari della Galleria [1].

Prima di trovar posto qui i disegni e le stampe avevano avuto vita piuttosto movimentata da che Cosimo III, verso il 1700, li aveva fatti trasferire dalla sede privata di Palazzo Pitti a quella in certo senso già pubblicata della Galleria degli Uffizi. Secondo l'*Inventario* di questa del 1704-1714, il primo in cui vengano elencati sommariamente i disegni, essi, in numero di circa 12.000, erano posti nella 'nona stanza con porta sul corridore dalla parte di ponente', raccolti in libri di 'sommacco rosso filettato d'oro', gli stessi della raccolta originaria di Leopoldo de' Medici, come vedremo, alcuni dei quali tuttora conservati. Nel 1759, passati ormai alle cure dei Lorena il Granducato e le preziose opere della Galleria, i disegni erano nella 'decima stanza detta dell'Arsenale' sul corridoio di levante vicino alla Tribuna, finché nel 1796 vennero spostati sul corridoio di ponente, dove rimasero per tutto l'ottocento, subendo anche lì vari trasferimenti, soprattutto per la parte di essi che, dal 1854, venne esposta al pubblico.

La sistemazione nei locali attuali avvenne ai primi di questo secolo sotto la gestione di Corrado Ricci. Ma fu nel secondo dopoguerra che gli ambienti assunsero l'aspetto attuale: le esigenze e la frequenza dei visitatori erano cresciute, i criteri conservativi erano mutati, e l'istituto, da sede di lavoro per una stretta élite di specialisti, stava diventando mèta di ricerche sulla grafica a livello ampiamente nazionale e internazionale e necessitiva di nuove e diverse strutture.

Sotto la direzione di Giulia Sinibaldi, fra il 1952 e il '60, si procedette dunque a una serie di lavori, a cominciare dal magazzino di deposito delle opere: esso, non potendo allargarsi perché confinante con i locali dell'Archivio di Stato, venne diviso in altezza per mezzo di ballatoi metallici e dotato di scaffalature, armadi e cassettiere, pure metallici, a sostituzione dei vecchi armadi di legno, pericolosi per i tarli e per la polvere. Per le opere si pensò a nuovi sistemi di montaggio, in passe-par-tout di cartone bianco per i singoli fogli, ordinati in piccole cartelle, per rendere più agevole e sicura la consultazione; si pensò anche a nuovi criteri di restauro, ispirati a cautela e a una sperimentazione non casuale. La ristrutturazione ambientale delle sale di consultazione, di esposizione e degli uffici, affidata all'architetto Edoardo Detti, rese più funzionali gli scarsi spazi a disposizione, con ulteriori ballatoi e strutture per la biblioteca e la fototeca specializzate nella grafica e con un laboratorio fotografico.

Da allora si sono fatte ulteriori migliorie, come altri ballatoi e contenitori per il magazzino di deposito, lo spostamento e l'ammodernamento del laboratorio fotografico, la sistemazione di un nuovo ufficio e di impianti di condizionamento e di sicurezza, mentre un più ampio e moderno laboratorio di restauro è stato attrezzato in locali decentrati, nell'ala di ponente del fabbricato degli Uffizi, per mancanza di spazi più prossimi. Ma una completa ristrutturazione, pur necessaria, è da rimandare al momento in cui, con il trasferimento del confinante Archivio di Stato e con la sistemazione dei così detti Grandi Uffizi, sarà possibile ampliare l'istituto: quando cioè si potrà contare sui locali al mezzanino inferiore per i servizi di restauro, di fotografia e di ricerca documentaria, e su vaste sale a fianco delle attuali per un più grande magazzino di conservazione e per nuove stanze di consultazione e di esposizione.

La vita che si svolge in questi ambienti, attorno agli attuali circa 110.000 fogli della collezione, è varia. Le opere stesse pongono precisi problemi: di inventariamento, di catalogazione scientifica, di montaggio, di classificazione, di restauro, di documentazione fotografica. E anche i 'fruitori' − dallo studente allo specialista, dall'architetto allo storico dell'arte, dall'antiquario al collezionista, dall'erudito all'amatore o al curioso e alle più varie istituzioni culturali − hanno precise esigenze, sia nella sala di consultazione che, come abbiamo detto, è fornita anche di una biblioteca e di una fototeca pertinenti alla grafica, sia per prestiti temporanei a varie manifestazioni internazionali, sia nella sala di esposizione. In quest'ultima si tengono mostre periodiche a tema, in media due o tre l'anno, dedicate quasi sempre ai fogli della collezione e corredate ciascuna di catologhi scientifici illustrati [2].

È da notare che il crescente interesse per la materia, oltre a quasi decuplicare il numero dei visitatori dei maggiori gabinetti di grafica del mondo, ha anche notevolmente variato i problemi e le responsabilità di questi ultimi, accentuandone il carattere di istituti di cultura attiva e di ricerca: in ciò più analoghi a un Archivio o a una Biblioteca specializzata che non ad un Museo, nonostante che i fogli in essi conservate siano opere d'arte, uniche e irripetibili.

Ancora più particolari, poi, sono i problemi di quelli fra tali istituti che, per essere inseriti in un grosso complesso museale, più facilmente suscitano la curiosità del pubblico e più variamente, perciò, devono indirizzare la propria attività a soddisfare sia le esigenze delle folle dei visitatori-turisti, sia quelle meno generiche dei visitatori-studiosi.

In tal senso il Gabinetto Disegni e Stampe degli Uffizi è in Italia un istituto assolutamente unico, legato com'è al più celebrato, frequentato e turistizzato organismo museale italiano: esso trova eguali, in Europa, forse solo il Cabinet des Dessins del Louvre, o il Departement of Prints and Drawings del British Museum, o il Prentenkabinett del Rijksmuseum di Amsterdam. È di fatti in parte diversa, proprio per aver sede in edifici individuali, la situazione di istituti d'altronde analoghi, per importanza e per funzioni, come il Gabinetto Nazionale delle Stampe di Roma, in Italia, o l'Albertina di Vienna, in Europa: organismi a sé stanti, anche amministrativamente, e per di più non

implicati, come i primi, con complessi di opere d'arte d'altro tipo, che li hanno caratterizzati e li caratterizzano in modo determinante.

Questi legami sono specialmente evidenti per la collezione del Gabinetto Disegni e Stampe degli Uffizi, da tre secoli annessa alla Galleria e con una storia ad essa parallela nella formazione e nelle vicende museografiche: dalla nascita come collezione principesca dei Medici e poi dei Lorena, fino al suo divenire pubblica con l'unità d'Italia.

Le linee più dettagliate di tale storia sono ancora in gran parte da rintracciare, su innumerevoli documenti solo parzialmente pubblicati o saltuariamente sfruttati in libri anch'essi ormai rari, come le filze della Guardaroba granducale, i folti carteggi medicei e lorenesi, i vecchi inventari manoscritti, le filze e gli 'affari generali' della Galleria: documenti divisi fra l'Archivio di Stato di Firenze, la biblioteca e l'archivio della Galleria stessa, presso la Soprintendenza, e carteggi vari della Biblioteca Nazionale e di altre istituzioni fiorentine. Solo una ricerca capillare e lunga fra tali documenti, in stretta collazione con gli inventari attuali, con le vecchie scritte sui disegni stessi e con i vecchi montaggi — purtroppo in gran parte oggi distrutti —, potrà darci piena notizia delle varie acquisizioni, delle ragioni e passioni che hanno dato forma alla raccolta, dei vari spostamenti di attribuzioni e di ordinamento, degli interessi culturali, sociali, di costume, che ne hanno segnato le vicende.

La bibliografia a stampa sull'argomento è quanto mai sommaria: qualche notizia nel Baldinucci, nel '600, primo ordinatore e in parte artefice 'comprimario' della collezione; precisi ma sommari accenni nelle guide settecentesche, come quelle del Bencivenni Pelli e del Lanzi; notizie più diffuse e recenti nella guida-relazione del Gotti e nelle prefazioni ai cataloghi del Ferri, nell'800; pochi documenti e note sporadicamente pubblicati. L'interesse degli studiosi si era finora orientato più verso il ricco materiale della collezione che non sul suo formarsi [3].

Soltanto di recente si sono cominciate a fare indagini puntuali su come particolari fogli o gruppi di essi siano entrati in collezione, non senza già buoni resultati (che, una volta finite le ricerche e collazionate fra di loro, potranno certo soddisfare le domande di provenienza quasi foglio per foglio), sia da parte di singoli studiosi, sia in relazione con alcune delle mostre tenutesi nell'Istituto, in particolare quelle sull'ottocentesca donazione Santarelli (1966-1967), sul nucleo originario riunito da Leopoldo dei Medici (1976), sui disegni architettonici di tema brunelleschiano (1977) [4]. Altre ricerche sono in corso sulle vicende storiche e anche amministrative della collezione. Come abbiamo detto, l'origine di essa, come del resto delle altre raccolte delle Gallerie fiorentine, è medicea.

Forse già nel '400 i Medici possedettero alcuni disegni, se è vero che ce ne furono fra i tesori radunati da Lorenzo il Magnifico nel cosiddetto Giardino di San Marco, poi saccheggiati nel 1494. Non si hanno per ora notizie su eventuali gruppi di disegni raccolti dalla famiglia nella prima metà del '500, anche se è molto probabile che Cosimo I ne avesse almeno qualcuno: il Vasari nella vita di Michelangelo ce ne accenna '...un'altra Nunziata,... che'l disegno l'ha il duca Cosimo de' Medici: quale dopo la morte donò Lionardo Buonarroti suo nipote a Sua Eccellenza, che li tien per gioie, insieme con un Cristo che òra nell'orto, e molti altri disegni e schizzi e cartoni di mano di Michelagnolo'. Erano del resto, a Firenze, gli anni delle prime ricche collezioni di disegni, da quella del celebre 'Libro' del Vasari e quella favolosa di Niccolò Gaddi, entrambe in minima parte confluite più tardi nella raccolta mediceo-lorenese, come vedremo.

È invece certo che il figlio di Cosimo, il granduca Francesco I, peraltro interessato a un diverso tipo di collezionismo, mise insieme qualche disegno. Una lettera di Antonio di Orazio da Sangallo, del 1574, a Francesco accompagna il dono di ventuno 'volumi', cioè fascicoli, di 'disegni di fortezze di città' di Antonio da Sangallo il Vecchio, per un insieme di un centinaio di pezzi, solo in parte oggi identificabili fra quelli in collezione. Vincenzo Borghini ricorda inoltre che 'Francesco I di Piero di Cosimo volle avere un libro di animali bizzarri tratteggiati di penna e condotti con grandissima diligenza'. Anche il Vasari fece due disegni di tema allegorico per Francesco, oggi al Louvre, mentre il Bencivenni Pelli ci assicura: 'Anche certi cartoni di Michelagnolo ho memoria, che Francesco potesse avere dagli Strozzi di Mantova, ma non sò quanto fosse vago di

tali cose, mentre i disegni non erano allora in quell'alta stima a cui ascesero nel secolo seguente, e fuori dei professori pochi erano quelli che ne andassero in cerca con trasporto... Finalmente fu pensato pure di presentare a questo principe una buona parte degli scritti, e dei disegni di Leonardo da Vinci' [5]. Altri fogli dovettero riunire i successori di Francesco, poiché l'*Inventario della Galleria* del 1638 (cc. 61-2) cita, fra le opere consegnate al guardarobiere Bastiano Bianchi, alcuni disegni in chiaroscuro e quadretti in carta e chiama un locale della Galleria 'stanzino dei disegni'.

Ma il vero fondatore della collezione storica fu il cardinale Leopoldo, come è noto, e su tale argomento si sono recentemente pubblicati documenti e fatte ricerche, che hanno portato ad esiti molto positivi, anche per quanto riguarda la peraltro non sempre facile identificazione dei pezzi [6].

Figlio di Cosimo II e di Maria Maddalena d'Austria e quindi fratello del granduca Ferdinando II, che poi lo associò a sé nella direzione dello stato, Leopoldo nacque nel 1617 ed ebbe, come i fratelli e ad onta del clima bigotto del tempo delle 'Reggenti', un'aggiornata educazione umanistica e scientifica ed eccellenti maestri, da Galileo e suoi scolari ad Evangelista Torricelli. Favorito dal fratello granduca, nel 1638 ricostituì la decaduta Accademia Platonica e nel 1657 fondò l'Accademia del Cimento, celeberrima, anche se di durata solo decennale, per essere stata in Europa la prima accademia scientifica rigorosamente sperimentale, organizzata su solide basi teoriche e con un valido lavoro in équipe fra i vari membri, compresi quelli principeschi. Ricco di interessi filosofici e teologici e aperto alle teorie del calvinismo e del giansenismo, come lo era stato a quelle scientifiche galileiane, nonostante le condanne della Chiesa, Leopoldo fu eletto cardinale nel 1667, ma continuò la sua vita di studioso di scienze, lettere e arti e di appassionato collezionista, multiforme ma oculato: 'spende da Principe, ma non getta da pazzo', si assicura nel suo carteggio.

Erede in questo delle più degne tradizioni di famiglia, Leopoldo fu fine intenditore e si dilettò in prima persona di 'mettere insieme uno studio di varie strafizzeche', come il Magalotti definì la sua collezione, che un contemporaneo così descrive: 'Il Cardinale de' Medici ha fatto grandi spese per raccogliere molti buoni originali: tutto il suo appartamento, al terzo piano di Palazzo Pitti, ne è pieno ed egli ne ha interi magazzini che gli consentono ogni tanto di sostituire gli uni agli altri... Ha accumulato una gran quantità di medaglie, di stampe e di disegni dei migliori artigiani, ed è certamente oggi il principe italiano che più di tutti gli altri si interessa a questo genere di cose' [7]. Riunì sculture e pitture, autoritratti, ritrattini, cammei, monete e medaglie, porcellane orientali e maioliche, avori, reperti archeologici, marmi e bronzi antichi, iscrizioni, manoscritti, smalti, orologi, conchiglie e curiosità varie, che dopo la sua morte andarono ad arricchire la Galleria degli Uffizi, mentre la sua altrettanto ricca biblioteca si unì a quelle dei fratelli Ferdinando e Giovan Carlo per formare la Biblioteca Palatina, nucleo della Biblioteca Nazionale di Firenze.

Fra tanti tipi di opere, primo ed unico fra i suoi familiari e fra i principi italiani, Leopoldo raccolse anche disegni e ne mise insieme circa 12.000, base appunto dell'attuale collezione degli Uffizi. Egli cominciò forse per ampliare un primo gruppo già esistente in famiglia, se il 5 novembre 1650 — e sembra essere il primo documento in tal senso — il suo fedele ed attivo corrispondente da Venezia Paolo Del Sera gli scrive di aver operato per lui dei vantaggiosi scambi di disegni (C.A., V, c. 50). Da allora fino all'ultimo acquisto, documentato da una lettera del 6 aprile 1675, ancora da Venezia, di Marco Boschini successore lì del Del Sera quale esperto d'arte (C.A., XVIII, 2, c. 386), Leopoldo intese una fitta rete di scambi epistolari e di contatti personali con artisti, conoscitori, corrispondenti, collezionisti in ogni parte d'Italia e in Europa per accrescere, con le altre, anche da sua collezione di disegni: come è ampiamente documentato dalle lettere di ben 19 dei 22 volumi del cosiddetto Carteggio d'Artisti e dalle ricerche iniziate attorno alla mostra *Omaggio a Leopoldo*, tenutasi al Gabinetto degli Uffizi nel centenario della morte del cardinale (cfr. nota 6).

Qui preme sottolineare che la sua collezione grafica fu variata e ricca per quanto riguarda le scuole italiane e per quanto consentiva il gusto del tempo, con uno standard di buon livello e con non pochi pezzi eccellenti, contrariamente a quanto più tardi con un certo sciovinismo malignò il Mariette nel suo *Abecedario*: 'Fu lui [il Baldinucci] che formò per il cardinale Leo-

poldo de' Medici la collezione di disegni conservata a Firenze. Non oso dire quel che ne penso, perché temo che farei torto alle cognizioni del raccoglitore'.

Leopoldo preferiva disegni di nomi sicuri (certo non tutte le attribuzioni di allora reggono al vaglio della critica odierna) e di qualità, che per lui consisteva soprattutto nella 'finitezza' – faceva una gradazione dai fogli 'terminati con diligenza, oppure abbozzati, o schizzi' – e nel tema, con preferenza decrescente da quelli 'istoriati' a quelli di singole figure e di paesaggio, mentre scartava le attribuzioni incerte e le copie. Preferiva, prima dell'acquisto, vedere personalmente i fogli che spesso e non senza difficoltà si faceva inviare a Firenze, ben imballati fra tavolette di legno o in casse o in 'involgi'; e per la scelta si valeva, oltre che del proprio gusto, anche del consiglio di esperti, con ripetuti scambi epistolari di pareri e andirvieni dei vari 'involgi'. Fra i circa ottanta suoi corrispondenti fuori Firenze, una trentina si occupavano particolarmente dei disegni: del parere di alcuni Leopoldo si fidava sicuro, come di Paolo Del Sera e

nel '59 era stato in contatto con Leopoldo per degli scambi di opere – 'il barattare in simili materie è gusto indicibile, perché molte volte vengono a tedio alcuni disegni anche belli, per averli tenuti lungo tempo' (C.A., III, 30, c. 332) – e gli aveva venduto due importanti disegni di Rubens, in verità eseguiti con la collaborazione di Jan Witdoeck, tuttora in collezione (nn. 1072 E e 2373 F).

Gli anni 1658-59 sono fra i primi più attivi del suo venticinquennale lavoro di raccolta, anche se gli agenti di Leopoldo sembrano avere ancora diffidenza verso questa particolare inclinazione del loro patrono: 'Perché quando si tratta di disegni di Tiziano, di Giorgione, di Paolo Veronese, de' Carracci, di Raffaello, Parmigianino, Correggio e simili domandano spropositi, e finalmente son poi carte...' (C.A., V, c. 280). Ma l'attento Bisi nel medesimo 1658 gli scrive: '...non vedo l'ora che si trovasse tutti li disegni che fanno bisogno per fare il suo libro, o forse più libri, e sarà necessario anco pensare a questo punto, perché un libraccio tanto grosso e così copioso pare troppo, e

1. Vecchia sala di esposizione.

poi del Boschini a Venezia, dei Falconieri a Roma, di Bonaventura Bisi o di Giovan Maria Casarenghi a Bologna e a Modena. Ma più spesso preferiva affiancare al loro il giudizio di conoscitori collezionisti – come il Malvasia, il Ranuzzi o il Cospi a Bologna, che fu la sede dei suoi più fitti acquisti – oppure di conoscitori pittori, essendo questi allora considerati, in quanto praticanti materialmente l'arte, i più capaci di buone valutazioni. Fra questi furono Sebastiano Mazzoni e Pietro Vecchia a Venezia; Guercino, Domenico Maria Canuti, Cesare Gennari e particolarmente Andrea Sirani, mediocre pittore ma, pare, buon conoscitore, a Bologna; Ciro Ferri e talvolta il Bernini e Pietro da Cortona a Roma; o addirittura nei Paesi Bassi il Teniers, che gli stimò una 'nota di una mano di Disegni che son da vendere di diversi Pittori di nome di queste parti co'loro prezzi', su interessamento di Ottavio Falconieri, Internunzio in Fiandra fra il '72 il '74, e del canonico Happart di Anversa. Da notare che quest'ultimo, anch'egli collezionista di disegni, già

quando in un libro si vedono 40 o 50 disegni rari è una bella cosa, e così si possono dividere le classi, o scuole, e quando è un solo libro li disegni fanno l'effetto che fanno le pitture nelle gallerie, che per la moltitudine fra di loro s'ammazzano, né si possono ben godere' (C.A., III, 30, c. 358): segno che in quell'anno la collezione doveva raggiungere il centinaio di pezzi. Nel settembre del '58 Leopoldo compra un altro gruppo di fogli a Siena, fra cui 'Dua ottangoli dello Stradano' (o meglio Vasari, nn. 7791 e 7792 F) e una Natività di Francesco Vanni per il dipinto bruciato in San Francesco, uno 'de più diligenti che habbia veduti del Vanni, et oggi per essere abbruciata la tavola, è singolare' (n. 863 E). Sempre nel '58 compra a Urbino alcuni disegni del Barocci e inizia la trattativa, poi ripresa e condotta in porto solo nel '73, per l'acquisto di tre grandi e importanti cartoni dello stesso Baroccio (nn. 1785 E, 91458 e 91459). Del '58 è anche uno dei pochi doni di disegni che Leopoldo riceve: infatti egli non ne gradiva 'perché bisogna esser libero nel trattare di comprare e vendere, né metterla in cerimonia'. Il dono era di due cartonetti raffelleschi per gli arazzi Vaticani, dei quali 'Pietro da Cortona che è stato l'ultimo a vederli dice gran cose' (nn. 1216 e 1217 E), in realtà buone elaborazioni della bottega del Sanzio; di quest'ultimo nel medesimo anno Leopoldo acquista uno studio originale per gli stessi arazzi, 'il più certo e più bel disegno vi abbi mai veduto e per tale da periti stimato' e 'd'un spirito e di tanta bellezza che non ha paura di qualcivoglia altro disegno finito', come gli scrive il fedele Bisi (n. 540 E).

Gli acquisti continuarono sempre più fitti, soprattutto da quando, intorno al 1665, diventò 'segretario' del principe per questo aspetto della collezione Filippo Baldinucci, erudito e storico delle arti, chiamato a far ordine fra i disegni e a formarne le liste, anche ai fini di programmare gli acquisti in base alle lacune cronologiche e di scuole che in tal modo si potessero riscontrare. 'Sto attaccando sopra i fogli et aggiustando gli miei disegni per metterli ogni volta entro ai libri. Vorrei che questi fusser più pieni che fusse possibile e di quantità e di qualità... Di quelli di maestri buoni sempre ne torrei, benché io ne abbia buona raccolta, ma di alcuni maestri non della miglior classe e de gl'antichi, o non ne ho, o ne scarseggio. Vorrei però provedermene avanti di serrare i libri, e perché Vostra Signoria sappia di quelli che ne ho quantità e di quelli che ne sono mal provisto, le mando una nota fatta però largamente, non credendo né pretendendo che Ella me ne possa provedere in coteste parti d'ogni maestro', scrive a Bernardino della Penna il 10 giugno 1672 (C. A. IX, 7, c. 143). Si tratta di un precedente della famosa *Listra* del Baldinucci, che andrà in stampa nel 1673 e che certamente fu inviata almeno ai maggiori corrispondenti del cardinale, per averne proposte di acquisti e suggerimenti, nonché notizie di tipo storico sulle varie scuole e artisti, ché il Baldinucci si accingeva allora a raccogliere materiale per le sue *Notizie de' professori del disegno*, ordinate con lo stesso sistema cronologico 'aperto' per decennali con cui stava sistemando anche i disegni di Leopoldo[8].

La *Listra* nelle sue varie redazioni (una minuta manoscritta del 12 giugno 1673, l'edizione a stampa del settembre del 1673 e gli aggiornamenti manoscritti fino al 1 agosto 1675) ci è oggi preziosa per avere un quadro d'insieme della collezione e delle preferenze e dei criteri del collezionista, specialmente per quanto riguarda i disegni degli artisti toscani i cui acquisti, forse fatti direttamente nello Stato, sono scarsamente documentati nel carteggio. Da essa si ricava che proprio negli ultimi anni Leopoldo aveva intensificato enormemente gli acquisti dei disegni, tanto che dai 4292 del giugno del 1673 si passa agli 8143 del settembre dello stesso anno e si superano gli 11.000 nell'agosto del 1675, arrivando ai 105 libri, pari a 11.810 fogli di ben 646 artisti, quanti risultano essere quelli passati più tardi alla Guardaroba con l'eredità di Leopoldo: con gran maggioranza di artisti del '400 e '500 e del primo '600 e delle scuole toscane, naturalmente, emiliana e lombardo veneta, ma con esempi delle scuole genovese e napoletana e delle oltramontane (fiamminga e francese in special modo).

Usandola con alcuni accorgimenti, aiutati dai più vecchi inventari dei disegni della Galleria e con l'occhio alle quantità dei pezzi dei singoli artisti e alle vecchie attribuzioni, la *Listra* può anche essere preziosa per individuare oggi i fogli della collezione originaria, come si è potuto fare per i preziosi 'Cimabue', ora Anonimo fiorentino del '300 (nn. 1, 2, 5, 17 E), i bellissimi Parri Spinello, già riferiti a Giottino o Tommaso di Stefano e a Pietro Lorenzetti (nn. 6, 8, 22-26, 31-38, 60 E), alcuni Leonardo o quasi tutti i Pontormo della collezione attuale.

La minuta del giugno '73, inoltre, dà un'interessante divisione per classi degli artisti, dalla quale si ricavano le precise preferenze di Leopoldo: Leonardo e Michelangiolo, Andrea del Sarto e il Pontormo, Tiziano, il Baroccio e i Carracci, Dürer e Rubens sono della prima classe (ma insieme con Vanni, Salimbeni, Poccetti, gli Zuccari e lo sconosciuto Giovanni Antonio Albini); mentre il Perugino col Callot, il Cigoli, il Reni, ma anche il Valesio o il Malosso sono della seconda classe; e Donatello e il Bernini della quarta, con il Beccafumi, ma anche con i Campi e il Bagnacavallo; il solo Boscoli è nella quinta, mentre il Giambellino, l'Angelico, Masaccio, il Botticelli sono nell'ultima classe, la sesta.

Nell'intero arco di queste classi, che oggi suonano alquanto strane, Leopoldo cerca che la sua collezione grafica dia una documentazione quanto possibile completa e dosa gli acquisti in tal senso fra il 1673 e il 1675: così per esempio in questi due anni, fra i disegni della prima classe raddoppiano i Fra' Bartolomeo, i Pontormo, i Perino del Vaga, i Carracci, mentre tripli-

cano i Bandinelli; i Callot, della seconda, salgono progressivamente da 31 a 138 e a 245; i Boscoli, nonostante la quinta classe, aumentano di colpo da 44 a 108 e i contemporanei Matteo Rosselli e Stefano della Bella, non classificati, salgono rispettivamente da 27 a 110 e da 129 a ben 501. Nel '75 compaiono anche delle integrazioni ex-novo, come i 2 Andrea Lilio o gli 8 Alfonso Parigi, un Belisario Corenzio e 2 Caravaggio, i 43 Cesi e gli addirittura 306 Roncalli, un Van Eyck e uno Schongauer e 3 Van Mander. Visto tanto incremento in soli due anni, è da credere che la collezione sarebbe potuta diventare veramente ben rappresentativa, se Leopoldo non fosse morto il 10 novembre del 1675. Egli raccolse anche stampe, ma per il momento non siamo informati sulla consistenza di questo settore.

Come si è detto la collezione grafica del cardinale passò, con il resto, alla famiglia, che la teneva nella Guardaroba di palazzo Pitti, finché Cosimo III, dopo averla un po' ampliata, la fece trasferire nella Galleria degli Uffizi: con l'occasione pare però che venissero scartati circa 4700 pezzi. I fogli furono posti nella nona stanza sul corridoio di ponente, molti senza un preciso ordine (circa 4000), altri raccolti in 'libri di disegni de' particolari' (circa 4500) e in 'libri mezzani di disegni di particolari' (circa 2700), e infine un migliaio erano 'sciolti fuori de' libri'; ad essi si aggiungevano 32 volumi di stampe di vari autori. La collezione, già ampia e rinomata, si arricchì di quella personale del Gran Principe Ferdinando figlio di Cosimo III, morto cinquantenne nel 1713, mecenate colto e vivace, e variatissimo collezionista: ma su tale parte della raccolta non siamo per il momento particolarmente informati[9].

Frattanto si apriva la questione della successione al trono di Toscana, risolta come è noto col passaggio dello stesso a Francesco Stefano di Lorena, alla morte dell'ultimo Medici Gian Gastone nel 1737, e con una convenzione stipulata nello stesso anno dall'ultima erede della famiglia Anna Maria Luisa de' Medici Elettrice Palatina, secondo la quale le opere d'arte e di cultura medicei venivano indissolubilmente legati alla città.

Il primo granduca lorenese non ebbe certo grandi meriti per il punto che qui ci interessa, se nel 1759 i disegni erano relegati nella stanza cosiddetta dell'Arsenale dove, secondo il 'custode' Giuseppe Bianchi 'si conservavano tutti i rifiuti della Galleria', anche se a detta del medesimo Bianchi 'Due cose si rendono però degne di stima in questa camera, una delle quali è, che vi si ritrovano raccolti, ed a suo luogo disposti innumerevoli disegni, e stampe, le più rare d'Europa, e pensieri, e capricci senza numero, de' più grandi e rinomati artefici, che da tre secoli indietro fino a' nostri giorni sono vissuti, i quali disegni e stampe scompartiti sono in 120 tomi nobilmente legati, il tutto opera del magnanimo cardinal Leopoldo'[10].

Per tutti questi anni gli inventari della Galleria e le filze con gli affari della medesima tacciono per quanto concerne i disegni, eccetto che per l'elenco di alcuni di essi conservati in cornice nelle stanze dell'Ermafrodito e di Madama (*Inventario* del 1753), e per la notizia che nel 1763 Andrea Scacciati ottiene il permesso di copiare i disegni per le sue incisioni in fac-simile (*Filza*, I, n. 78), segno comunque dell'interesse che la collezione grafica cominciava a riscuotere fra gli amatori[11].

Salito al trono granducale nel 1765 il diciottenne Pietro Leopoldo, figlio di Francesco Stefano di Lorena e di Maria Teresa Imperatrice d'Austria, sovrano attivo e illuminato che, come è noto, riformò profondamente la politica economica, giudiziaria, religiosa e culturale dello stato, le cose cambiarono anche per la vita della Galleria e quindi per la nostra raccolta. Già nel 1769 viene stilato un grosso inventario in due volumi 'di tutte le antichità, e altre preziose rarità che si conservano nella Real Galleria', nel quale per la prima volta si fa un censimento, se non una dettagliata elencazione, dei disegni, sia quelli in cornice nelle suddette stanze dell'Ermafrodito e di Madama, sia quelli raccolti in libri nella stanza dell'Arsenalino (*Inventario* 1769, II, cc. 594-609). Contemporaneamente si doveva pensare a un organico piano di riordino, se si fanno ragionati spostamenti di alcune opere grafiche: nel 1771 un libro di disegni di Annibale Carracci e due di vasi vengon trasferiti dalla Biblioteca Palatina alla Galleria, mentre nel '73 i famosi disegni botanici e di animali del Ligozzi, con quelli attribuiti al Pordenone, vengono trasportati dalla Galleria al Gabinetto di Fisica, da dove torneranno agli Uffizi solo nel 1891; inoltre nel '74 si richiedono e ottengono per conservarli in Galleria i carteggi medicei e specialmente quelli del cardinale Leopoldo, per indagare sulla provenienza dei pezzi (cfr. rispettivamente *Filze* III, IV, 1771, nn. 27, 1, 2; VI, 1773, n. 34; VII, 1774, n. 28). Nel 1775 divenne direttore della Galleria il colto Giuseppe Bencivenni Pelli, che aveva fra l'altro la consulenza di eruditi illustri e particolarmente di Luigi Lanzi[12]. Anche per la collezione grafica è un crescendo di iniziative: nel 1775 si fanno entrare in Galleria moltissime stampe provenienti dai soppressi conventi dei Gesuiti di Livorno e di Arezzo, le quali verranno anche attentamente restaurate (*Filze* VIII, n. 3, IX n. 68). Nel 1776 si acquistano cento disegni di Antonio Pazzi con ritratti di pittori, da aggiungere ai quasi mille del Campiglia già conservati in collezione, serviti per il *Museo Fiorentino* (nn. 4392-4491 F, *Filza* IX n. 9) e nel '77 cento disegni di Giuseppe Menabuoni relativi alle volte della Galleria (nn. 1301-1401 Orn., *Filza* X n. 10) − opere queste di scarso valore per la qualità ma molto per la documentazione −, nonché gli interessanti disegni della *Città Ideale* del Vasari Giovane (nn. 4529-5045 A, *Filza* X n. 42), quelli delle tarsie di Fra Domenico dell'Osservanza

tutto quello che vi può essere, e molto del fumo' (oltre ai Gabbiani, si possono oggi identificare per esempio il bel libro di Cecco Bravo nn. 10564-10713 F e il n. 1088 E di Giovanni da San Giovanni per la facciata del Palazzo dell'Antella); e più di mille disegni, fra cui molti architettonici, selezionati dal Pelli col consiglio di Giuseppe Magni fra i 7000 della collezione dei fratelli Michelozzi, dai quali si acquistano anche 4600 stampe, di quelle che mancavano alla Galleria (*Filza* XII nn. 30, 48). Un lavoro di ricerca e di cernita fra le varie occasioni, che viene condotto in prima persona dal direttore e dai suoi consiglieri con grande serietà, anche da un punto di vista amministrativo, e in tempi sempre relativamente brevi. Da notare il gran numero di acquisti di stampe e di disegni architettonici, che erano i grandi assenti dalla collezione medicea. Ciò non senza precise ragioni, sia legate alla cultura illuminista, che privilegiava gli esempi di tipo documentario anche nelle opere d'arte, sia pratiche, dato che le grandi collezioni di grafica erano ormai progressivamente scomparse dall'Italia e ne restavano solo le bri-

(nn. 214-325 Orn., *Filza* id.) e quelli dei costumi del Roncalli (nn. 2968-3062 F, *Filza* X n. 62). Molti e più interessanti acquisti si fanno nel 1778: da un Giovan Vincenzo Frati, per 370 zecchini, si comprano ben 485 disegni con 'qualche merito' e con attribuzioni anche prestigiose, da Michelangelo a Correggio a Pietro da Cortona; da Alfonso Miliotti 63 stampe e 107 disegni, quasi tutti 'tirati sopra carta grossa e guarniti a cornice di carta turchina che dà un bel risalto al Disegno', in gran parte oggi identificabili proprio per questo particolare montaggio; da Antonio Poggi tre partite di disegni e infine, l'acquisto più importante, 800 disegni di figura, 8 volumi di disegni architettonici e 8000 stampe scelti fra i residui della già prestigiosa collezione Gaddi (*Filza* XI, nn. 10, 23, 50, 26).
Anche il 1779 è anno di ottimi acquisti: alcune stampe, particolarmente inglesi, e ben 3150 disegni scelti fra i 33 libri della collezione del defunto Ignazio Hugford 'molto pregevole specialmente per le cose della scuola fiorentina. Del Gabbiani vi è

ciole o i pezzi fuori del gusto italiano precedente, come appunto le incisioni e i fogli architettonico-ornamentali; e fra questi gli esperti granducali non mancarono di fare ottimi incrementi, che continuarono anche nel secolo seguente.
Frattanto si era dato mano a un totale riordinamento delle collezioni granducali ad opera di una équipe pilotata dal Pelli e dal Lanzi, che ce ne ha lasciato una succosa descrizione. Dei venti 'gabinetti' allora allestiti in Galleria per le varie 'specialità', uno è dedicato alla grafica. 'Diverso da tutti gli altri nella sua idea è il quattordicesimo Gabinetto, ordinato a foggia di biblioteca; i cui scaffali non molto alti parte girano il recinto delle pareti, parte sono disposti in mezzo. In essi è collocata la doppia raccolta delle stampe, e de' disegni, distribuita in molti volumi legati splendidamente. Il vano, che resta fra gli scaffali e la volta, è occupato da quadri corrispondenti al Gabinetto; e son disegni assai finiti, e comunemente assai scelti di vari autori. De' volumi delle stampe si contano intorno a cinquanta; numero sufficiente per chi rifletta, che la raccolta è sul nascere; e che nondimeno ella è ricca di una gran quantità di rare stampe, e in particolare di quelle di Alberto Durero e di M. Antonio...

2. Vecchia sala di direzione.

Più singolare cosa è la raccolta de' Disegni, notissima fin da' tempi del Card. Leopoldo de' Medici per una delle più doviziose del Mondo. È ripartita in censettanta volumi in circa: ottanta di essi han ciascun un suo proprio autore, e questo de' più segnalati, il resto son miscellanee d'Italiani e di Stranieri. Più di quaranta volumi son dovuti alla generosità del R. Sovrano presente.. [segue una succinta elencazione dei recenti acquisti e delle presenze in collezione]..In questa guisa può talora osservarsi entro una biblioteca, meglio che in una quadreria, il valore e l'abilità degli artefici... [il] più volte rammentato con lode Direttor Pelli... dopo aver dato a tutto il Gabinetto il bell'ordine, che vi si vede, ha composto un dettagliato catalogo di quanto racchiude; e delle cose migliori darà notizia al pubblico in una erudita opera, che va preparando'[13].

Del 1784 è difatti un nuovo *Inventario* della Galleria che registra in modo più o meno dettagliato, oltre a un centinaio di disegni in cornice o 'quadretti su carta', 228 volumi di disegni e 113 di stampe, riuniti fra gli oggetti della III classe con i libri e i

3. Vecchia sala di studio.
4. Sala di studio.

manoscritti nel Gabinetto dei Disegni, che risulta arredato come segue: 'Cinque banchi al muro tinti di cenerino alti b.I.19 con cinque tirali per i libri de Disegni soppannati di frustagno del medesimo colore divisi in 17 spartimenti, con tre catene d'ottone per ciascun spartimento, e suo ago per la serratura. I detti banchi hanno 15 grembiuli di amoer a onda cremisi soppannati di tela col piano ai banchi medesimi di pelle di capra gialla stampati e confitti. Due detti con otto sportelli divisi in due pezzi alti b.I.13. e detti sportelli sono retati di maglia tonda d'ottone sostenuta da bacchette simili in croce, ed hanno le loro toppe, e chiavi. Questi banchi sono pure tinti di bigio ed hanno 12 grembiuli di amoer simile, e piani simili di pelle di capra gialla. Due seggioline di noce con spalliera intagliata, e strapunto di damasco cremisi. Un tavolino di noce con piedi a termine. Lungo b.2.3. coperto di pelle gialla. Due tende di tela lina da alzare in 5. teli per una. alte b.6.I/2 con falpalà cordoni nappe e ferri' (*Inventario* 1784, c. 329; il tutto fu smantellato nel 1815).

Nel 1793, quando ormai Pietro Leopoldo, che nel '90 aveva lasciato il trono di Firenze per quello imperiale di Vienna, era morto e gli era succeduto in Toscana il figlio Ferdinando III (questi risulta aver avuto una sua collezione di stampe, passata poi alla Galleria, cfr. *Filza* XXXIII, 1807, n. 72), viene fatto un nuovo *Inventario*: il primo dedicato esclusivamente ai disegni, in quattro volumi per circa 20.000 fogli elencati in ordine alfabetico di artisti. In questo un buon sessanta per cento di pezzi sono descritti per soggetto e per tecnica e sono pertanto oggi identificabili, mentre gli altri sono raggruppati genericamente sotto il nome dell'autore, nelle rispettive collocazioni in volumi Grandi, Piccoli, Universali e Miscellanei.

Proprio nel gennaio del 1793 il Bencivenni Pelli venne sostituito nella direzione della Galleria dall'abate Tommaso Puccini che, assumendo l'incarico, richiedeva fra l'altro che gli venissero personalmente affidate le chiavi del Gabinetto di grafica, fino allora tenute dai 'custodi', e prometteva di rimettere i cataloghi ragionati dei disegni e delle stampe 'fatta che n'abbia al più presto possibile la separazione e classazione' (cfr. nota 13).

La direzione del Puccini restò celebre per la sua coraggiosa opposizione a cedere le opere della Galleria ai francesi, i quali peraltro non risulta che si siano occupati per le loro spoliazioni della collezione grafica: mentre il particolare attaccamento ad essa del Puccini, del resto giustificato dall'esser stato egli stesso collezionista di disegni e di stampe, pare dimostrato dal fatto che egli la trasferì in Sicilia, quando nel 1799-1800 portò là, per salvarle dalle rapine francesi, le più preziose opere della Galleria (cfr. *Filza* XXXIII, 1807, n. 61). Egli si era occupato già nel 1796 di trasferire il Gabinetto grafico dal corridoio di levante a quello di ponente, dove rimase per più di un secolo, e di arricchirlo con l'acquisto nel 1798 di un prestigioso volume di disegni architettonici, appartenente, pare, al D'Agincourt e proveniente dalla celebre collezione Mariette, con qualche pezzo addirittura dal 'libro di disegni' del Vasari: acquisto, caldeggiato dal Puccini perché 'Il libro contenente n. 107 grandi disegni d'architettura oltre molti piccoli tirati sopra l'istesso foglio, ed alcuni a tergo del foglio medesimo, e n. 21 di figure, o si riguardino i nomi dei rispettivi autori, o i soggetti, o la provenienza, è in tutti questi diversi aspetti pregevolissimo, e veramente degno della Collezione della R. Galleria, che quanto ha dovizia di disegni figurati, tanto è scarsa di disegni architettonici' (*Filza* XXIX, 1798, n. 7)([14]).

Non pare invece che il Puccini portasse a termine il promesso inventario delle stampe, che durante i primi anni del nuovo secolo venne ripetutamente sollecitato dai funzionari amministrativi, napoleonici e poi di nuovo lorenesi.

Nonostante che in questo periodo qualche acquisto venisse fatto sotto lo stesso Puccini e sotto il nuovo direttore Giovanni Alessandri — il quale avendo a consiglieri il Cicognara e il Cambray Digny comprò ben quindici volumi con 1177 disegni architettonici, in gran parte anonimi dal XVI al XVIII secolo (nn. 2615-3274 A e 3831-3868 A), da un certo Brichieri Colombi nel 1820[15] —, non si può dire che questo settore della collezione e in particolare quello delle stampe avesse buoni incrementi. Tanto è vero che per l'appunto il Cicognara nel 1826, patrocinando l'acquisto, poi non fatto, della ricca collezione di stampe di Marcantonio messa insieme dall'Armani di Bologna, doveva lamentare: 'Occupandomi in quest'anno di esaminare le collezioni di stampe antiche d'Italia, e specialmente di Firenze, il mio pensiero, e il mio studio fu diretto a conoscere, se la rarità de' primi bulini italiani qui raccolte pareggiassero in numero e in iscelta quelle che ne miei viaggi aveva visitato oltramonte. E quantunque nel gabinetto di Stampe di questa Imperial Galleria vi siano in buon numero oggetti preziosi e distinti, nondimeno non vi trovai quel complesso riunito che pareggiasse in tal parte questo magnifico stabilimento all'eccellenza che nelle altre parti lo distingue pei quadri, le statue, i bronzi, i disegni.. (*Filza* L, 1826, n. 2 bis).

Con la direzione di Antonio Ramirez di Montalvo, iniziata nel 1828, in tempi di grandi economie nelle spese pubbliche, la collezione attraversa una nuova fase di sistemazione e di classificazione. Non però di accrescimento, chè il solo importante acquisto è quello del disegno del 'Morbetto' di Raffaello, n. 525 E, già appartenuto a Raffaello Morghen (*Filza* LVII, 1833, n. 23). Appunto nel 1828 il Ramirez di Montalvo stese una relazione, che dette i suoi frutti, per la 'riordinazione totale dei disegni' da lui intrapresa con 'il soccorso pecuniario' del granduca Leopoldo II, come attesta nel 1832 in una sua bozza ma-

5. Particolare del magazzino dei disegni e delle stampe.
6. Sala di biblioteca.

noscritta di catalogo dei disegni il 'pittore aggregato alla direzione della R.le Galleria' Luigi Scotti [16].

Vale la pena leggere la relazione del Montalvi: 'Fra le molteplici serie di oggetti rari e preziosi, le quali... costituiscono questo nobilissimo insieme della R. Galleria di Firenze, non è certamente inferiore a verun altra in eccellenza e valore la collezion dei Disegni originali. Formata essa in gran parte dalla magnificenza e dal gusto del Car.e Leopoldo de' Medici ed accresciuta di poi dai successori, Regnanti, si compone al presente di oltre a trenta mila Disegni di tutte le maniere, e di tutte le Scuole, ma principalmente delle Italiane... Convien però confessare, che al nobile impegno dei Principi nell'accumulare oggetti di tanto pregio mal corrispose la diligenza di chi fu poi deputato ad ordinarne la raccolta, e disporla. Una gran porzione di quelle carte preziose furono senza discrezione impiastrate con pasta di crusca, e fissate andantemente e alla peggio sopra zotici e ordinarissimi fogli; i quali vennero quindi distribuiti con poco ordine, e niuna scelta in sconci e disadatti volumi coperti di cartoni malfatti. Sparsi così in diversi e disparati volumi i Disegni di uno stesso Maestro, frammisti i buoni ai mediocri, i veri agli apocrifi, gli originali alle copie, restò si fattamente scomposta e sfigurata l'intera serie, da non potere ispirare altrui la minima idea della sua importanza. Ma quel che è più da compiangere, il pessimo sistema della montatura ha portato seco col tempo due triste conseguenze: la prima, che molti bei Disegni sonosi logorati, e si van tutto dì logorando pel frequente svolgimento delle ruvide carte di quei goffi volumi; l'altra, che i tarli introdottisi nelle mal composte coperte e culatte dei volumi medesimi, attirati dal copioso alimento della pasta vi si sono annidati e moltiplicati a danno dei Disegni, consumandoli incessantemente, e minacciando una generale distruzione'; donde la necessità di correre ai ripari: 'Al qual effetto, dopo maturo esame, e dopo gli opportuni esperimenti da me felicemente tentati, ho veduto rendersi indispensabile il disfare una sessantina di vecchi volumi troppo infestati dai tarli e dalle acciughine; e trascegliendo... i pezzi più insigni per la bellezza e pel merito degli Autori, quelli staccare diligentemente dai ruvidi fogli a'quali sono impastati, detergerli, restaurarne le rotture, distenderli e raccomandarli a regola d'arte ad altrettanti cartoncini espressamente costruiti; i quali poi, ordinati per regola di autori, e questi classificati per scuole e per epoche, debbano esser distribuiti e conservati, non più in volumi ove si rinnoverebbero i danni della confricazione e delle tarme, ma bensì in cassette di legno orientale, ossia maogani, siccome quello che non è soggetto a intarlare... per gli altri Disegni di seconda classe, ordinati che saranno essi pure nel miglior modo possibile, basterà distribuirli, per maggiore economia in semplici cartelle ben costruite'. Il tutto per una spesa di duegento zecchini, da farsi prima di poter compilare un completo catologo (*Filza* LII, 1828, n. 35). La disposizione per la spesa è data solo dopo due giorni, il 12 settembre del 1828, e il lavoro dové subito iniziare e andare avanti metodicamente, se nel 1836 il Ramirez di Montalvo richiede ancora due cassette di 'mogagon' per continuare la sistemazione

Questa lunga relazione ci è preziosa per conoscere con una certa esattezza lo stato di conservazione della collezione fino a quegli anni e per precisare quando e perché i disegni furono tolti dalla loro originaria sistemazione in volumi, a suo tempo predisposta dal Baldinucci e continuata per circa due secoli. Il riordinamento conservativo e inventariale del Montalvi, con i suoi primi tentativi di restauro e con le sue classificazioni dei pezzi in prima e seconda scelta e in categorie dei soggetti (il citato catalogo dello Scotti accenna già a divisioni in disegni architettonici, di paesaggio, di figura, ornamentali ecc., che resteranno nell'inventario ancora in vigore fino al 1913), sarà fondamentale per la fisionomia attuale della collezione. Non abbiamo elementi per giudicare se il suo intervento sia stato vantaggioso, e se i restauri allora operati abbiano o no effettivamente salvato molti fogli dal definitivo logoramento, o non li abbiano invece danneggiati ulteriormente. Di positivo ci fu almeno un vivo e attivo interessamento: di negativo possiamo oggi lamentare la distruzione dei vecchi montaggi con le probabili tracce della provenienza dei singoli fogli e delle antiche attribuzioni: ma allora non era a fuoco tale problema, che del resto è stato recepito solo di recente.

Lo stesso Ramirez di Montalvo, che aveva un particolare interesse per la calcografia, compilò fra il 1845 e il 1852 il primo catalogo delle stampe della collezione, diviso in 19 volumi manoscritti, con riferimenti ai repertori del Bartsch e del Basan. Quanto ai disegni, egli ne iniziò un catalogo, di cui resta il manoscritto, relativo alla scelta dei 563 da lui posti nelle cassette di mogano, datato 1849. La collezione si componeva di 7416 incisioni e di circa 28.000 disegni [17].

Fu nel 1854 che l'allora direttore Luca Bourbon del Monte decise di esporre al pubblico una parte dei disegni, con la buona intenzione di far conoscere questa parte finora un po' segreta delle collezioni granducali. L'idea ebbe successo, tanto che negli anni si moltiplicò il numero dei fogli esposti e si dette gran plauso alla iniziativa: uno dei maggiori elogi venne dalla Francia, con un lungo articolo del Lagrange sulla 'Gazette des Beaux Arts', del 1862, in cui vennero anche descritti e discussi i vari disegni. Ma da un punto di vista conservativo occorre ammettere che proprio i fogli allora esposti per tanti anni alla luce e alla polvere, sono quelli oggi in peggiori condizioni. Fatto sta che, come disse più tardi il nuovo direttore della Galleria Aurelio Gotti nella sua lunga ed utilissima *Relazione al Ministro della Pubblica Istruzione in Italia* del 1873, il Bourbon del Monte 'provvide con savio pensiero a disporre in pubblica mostra' nelle 'tre sale che erano state inalzate al dorso della gran terrazza' i migliori disegni della collezione, onde 'soddisfare alla giusta curiosità del pubblico e dare agli artisti un saggio della importanza' della medesima.

Quando, essendo ancora Firenze capitale del Regno d'Italia, si aprì il cosiddetto Corridoio Vasariano nel 1866, l'esposizione dei disegni fu trasferita lì: con molti fogli in più, 'tanto da giungere alla cifra di 1716, ciascuno dei quali porta scritto il nome dell'autore. Sulla parete a dritta di chi v'entra scendendo dalla Galleria delle statue, sono i disegni della scuola di Giotto..., ed altri di Masolino da Panicale, Masaccio, Fra Angelico, Paolo Uccello, Gozzoli, Verrocchio, Pollaiolo Botticelli... Quindi, 27 di Leonardo da Vinci e molti di fra Bartolomeo, e 37 di Raffaello d'Urbino... al finire del ponte sono alcuni disegni di Giorgione e del Caravaggio; voltando a sinistra sono collocati altrettanti di Tiziano, del Pordenone, del Tintoretto e del Parmigianino... Ve n'ha ancora di stranieri; come sarebbero Velasquez, Murillo, Rubens, Sustermans, Poussin,... Luca di Leyda, Alberto Durero...' (Gotti): non tutte le attribuzioni di questi fogli sono rimaste valide oggi, ma certo si trattava del fior fiore della collezione.

A questa intanto perveniva, proprio nel 1866, la maggiore acquisizione dal tempo della fondazione: il dono cioè di ben 12.667 disegni appartenenti allo scultore Emilio Santarelli, figlio del celebre glittico. Egli, ancora in vita, legava a quella degli Uffizi la sua collezione, messa insieme con 'tanti pensieri, tanto tempo e tante cure' comprendente 'disegni originali dei principali Artisti delle diverse scuole antiche e moderne dal Millequattrocento fino ai nostri giorni, classati e disposti in numero 125 cartelle più altri 243 Disegni come sopra, alcuni dei quali in cartelle più grandi, altri in Libri, ed in cornici, tutti contrassegnati e distinti con la marca E.S.', come dice l'atto di donazione. Benché le attribuzioni riportate nel catalogo che accompagnò l'atto peccassero di certo ottimismo e benché non tutti i fogli fossero eccelsi, il dono fu veramente cospicuo, non solo perché arricchì il fondo dei disegni degli Uffizi di un buon quarto della sua consistenza e con pezzi di qualità, ma anche perché vi colmò lacune notevoli. Per esempio i disegni neoclassici e del primo '800 vi entrarono allora per la prima volta: è da ricordare al proposito che il Santarelli era stato protetto dal Fabre e che alcuni fogli della ricca collezione di quest'ultimo gli pervennero. Lo stesso fu per alcuni stranieri, come l'unico Watteau finoggi agli Uffizi o uno dei pochi Luca di Leyda, e soprattutto per gli spagnoli, circa 600 pezzi che per interesse e consistenza costituiscono il più folto nucleo di fogli di tale scuola conservato fuori di Spagna. Ma il grosso era formato dai disegni toscani dal '500 all'800, quelli che forse più facilmente il Santarelli poteva riconoscere e reperire sul mercato locale: non sappiamo infatti come egli avesse formato la sua raccolta, e anche se molti pezzi, non solo spagnoli, provengono certamente dalla Spagna, non si ha notizia di suoi soggiorni là o altrove.

La coincidenza delle date, fece sì che alcuni dei fogli recentemente donati venisse esposta subito all'ammirazione del pubblico nel corridoio appena riaperto, anche per ottemperare alle clausole dello stesso atto di donazione [18].

Nel medesimo corridoio vennero quindi esposte, dal 1871, anche molte stampe, 'quelle che più dessero giusto criterio della importanza della intera collezione. Ad ordinarle per successione di tempo e varietà di scuola attese principalmente il cavalier Carlo Pini, conservatore delle medesime e dei disegni in Galleria, e furono tutte bene accomodate in cornici e chiuse fra due cristalli. Le stampe esposte sono solamente 1202' (Gotti). Fra due cristalli vennero pure montati alcuni dei disegni esposti, per permettere la visione anche del verso del foglio, e intanto continuarono gli spostamenti e gli ampliamenti della esposizione permanente, alla quale si aggiunge nel 1890 un gruppo di studi di architettura e ornamentali 'a vantaggio dell'arte applicata e all'industria', come dice il nuovo conservatore Pasquale Nerino Ferri.

Fu il Ferri che si occupò, giusta l'ordine del Ministro della Pubblica Istruzione del 1878, della inventariazione completa della collezione: in dieci anni tutti i disegni e le stampe, allora intorno ai 90.000, vennero per la prima volta numerati, descritti in inventari e in schede, misurati e bollati, e a ciascuno venne data una attribuzione e un approssimativo valore di stima, con un indice per autori e per soggetto. Il lavoro fu tra i più diligenti che si potessero pretendere, anche se oggi non adotteremmo la divisione per categorie: figura, paese, architettura, ornato, esposti, Santarelli, stampe sciolte e stampe in volume, divisione che del resto nel 1913 venne abbandonata e che il Ferri aveva trovato già impostata. In certi casi preziosa fu la identificazione dei temi e della destinazione di molti fogli, specialmente di quelli architettonici; e anche le attribuzioni, in parte basate su vecchie scritte e su pareri di studiosi, furono per le conoscenze di allora molto azzeccate.

Il Ferri, conservatore veramente esemplare, procedette anche alla sistemazione di circa 16.000 disegni su cartoni di supporto e al loro restauro, per agevolarne la consultazione e per garantirne la conservazione. Fu ancora il Ferri a pubblicare i cataloghi dei fogli esposti nel 1881, di quelli di architettura nel 1885 e di quelli delle altre categorie nel 1890 (cfr. nota 3): cataloghi preziosi, perché a tuttoggi i soli a stampa che permettano una visione globale, se pure sommaria, della collezione e che, insieme con i cataloghi delle mostre e con la schedatura scientifica ora in atto, formeranno la base per il futuro catalogo generale. Proprio le prime mostre temporanee furono pure promosse dal Ferri, quando finalmente i fogli vennero tolti dall'esposizione permanente.

Quanto alle acquisizioni, nel 1853 erano stati comprati due volumi di disegni in gran parte architettonici, fra i quali più che 200 del Buontalenti e una cinquantina di Pietro da Cortona e di Ciro Ferri (per esempio i nn. 2208-2501 A, *Filza* LXXVII, 1853, n. 61). Inoltre la nuova destinazione pubblica della collezione — nel fervore patriottico dell'Italia unita e nel desiderio di mantenere intatti e disponibili per gli studi i propri fogli — incoraggiò altri collezionisti e artisti a seguire l'esempio del Santarelli, instaurando una prassi di donazioni inusitata ai tempi dei Granduchi. Nello stesso 1865-66 venne donata dai marchesi Torrigiani la raccolta quasi completa delle incisioni del Bartolozzi. Nel 1872 l'architetto Giuseppe Martelli lasciò in legato più di un migliaio di disegni — suoi e di architetti e artisti contemporanei —, da lui raccolti per motivi professionali o di amicizia e proprio per questo oggi assai interessanti (nn. 4984-5075 F e 5522-6708 A). Analogo dono di circa 400 fogli fece nel 1888 Guido Poccianti, nipote dell'architetto Pasquale Poccianti (nn. 7204-7623 A). Altri doni, come la ventina di Ciseri e di Carlo Markò padre, i più che 500 Stefano Ussi, legati dall'artista nel 1901, o i circa 200 Michele Ridolfi donati nel 1903 dal figlio, incrementarono di opere moderne la collezione.

Del 1907 è invece un importante acquisto, promosso dallo stesso Ferri che ne dette ufficiale notizia nel 'Bollettino d'Arte' del 1908: tre volumi con più di 200 notevolissimi disegni architettonici cinquecenteschi attribuiti ai Sangallo, al Vignola e altri, venduti dall'architetto e studioso von Geymüller e appartenuti, a ritroso, alle raccolte Campello, Conti, Parigi e Martini, e forse Gaddi e Vasari (nn. 7792-8019 A). Altri acquisti non mancarono a cavallo del secolo, come quelli, ohimé non tutti insospettabili, di scultori dell'800, da Bartolini a Dupré, fatti a più riprese presso lo scultore Egisto Rossi, poi scopertosi falsario, o quelli fatti di prima mano di più che 300 Borrani [19]. Ma siamo ormai nell'epoca in cui le acquisizioni vengono precisate negli inventari e le ricerche in merito vengono pertanto facilitate.

Con i primi di questo secolo l'interesse per la grafica stimola i primi studi specifici e i conoscitori cominciano a frequentare assiduamente il Gabinetto degli Uffizi: dal Geymüller appunto al Berenson, che fin dal 1902 pubblicherà nel suo 'corpus' i più importanti disegni fiorentini del '400 e '500 della collezione. Di questa viene data divulgazione con una pubblicazione in facsimile dei più bei fogli secondo gli artisti e le scuole, uscita in fascicoli fra il 1912 e il '22. Finalmente nel 1938 venne pubblicato anche un catalogo delle stampe, scelte come le più significative da Antony de Witt, egli stesso incisore e disegnatore oltre che fine pittore; era allora direttore del Gabinetto Odoardo H. Giglioli, il quale continuò il lavoro di sistemazione, restauro e studio della collezione e ne incrementò non poco la consistenza, che dai 90.920 numeri di inventario del 1913 passò ai 101.958 del 1941.

Di quanto si è fatto nel secondo dopoguerra, sotto la direzione di Giulia Sinibaldi e dopo, sulla sua scia, si è già accennato all'inizio (cfr. nota 2): ci sarà qui da aggiungere che la collezione si è arricchita per suo merito di circa 3.000 fogli e che dal 1964 ad oggi essi sono saliti a 109.573, fra i quali amiamo ricordare moltissimi disegni ottocenteschi e il corpus delle acqueforti di Giorgio Morandi, giunti per generose donazioni proprio negli ultimi anni [20].

Da quanto finora si è detto, emerge la lunga stratificazione della collezione, in quasi quattro secoli di storia, la varietà dei tempi e delle occasioni della sua formazione e del suo arricchimento, il legame con la cultura fiorentina e con la Galleria degli Uffizi: fattori tutti che rendono ragione della sua particolare entità, con le sue lacune ma anche con le sue eccezionali ricchezze. Queste risiedono soprattutto nel gruppo dei disegni. Ma anche le stampe, che come abbiamo visto furono acquisite specialmente a partire dal '700 e con criteri occasionali e documentari, presentano pezzi di grande rarità e bellezza, valorizzati via via dai restauri che, liberando le carte dalle macchie e dai pesanti controfondi, rivelano spesso qualità insospettate di tiratura [21]. L'arco delle presenze va dalle opere dei primi tempi, specialmente italiane, a grossi nuclei cinque e secenteschi, sia di tipo iconografico-documentario sia di tipo 'd'arte', dai chiaroscuristi a Marcantonio, dai bolognesi a Stefano della Bella; degli stranieri sono notevoli i gruppi di Dürer e di Luca di Leida, di Callot e di Rembrandt. Per il '700 si ricorda il bel 'corpus' del Bartolozzi e buoni esemplari inglesi; per l'800 è assai importante il gruppo dei macchiaioli, come prevedibile, e dei lombardi, ma scarsi gli esemplari di altra cultura, specialmente stranieri. Per i contemporanei, è oggi gran vanto il citato 'corpus' di Morandi.

I disegni, e particolarmente quelli italiani, sono rari, belli e in assoluto fanno della collezione degli Uffizi la più importante d'Italia e una fra le poche più pregevoli del mondo. Anche qui la documentazione è ricchissima fino a tutto il '600, buona per il '700 e per molti aspetti dell'800, ma purtroppo vi mancano tutti i nomi più prestigiosi dell'arte internazionale fra la fine del XIX e il nostro secolo. Ma i primi secoli del disegno non si possono studiare che agli Uffizi: dalla fine del '300 al Gotico (unica grave lacuna il Pisanello), al Rinascimento, sia a Firenze (Paolo Uccello e Botticelli sono solo qui) che fuori (Carpaccio o Perugino, per fare due esempi). Per il '500 la collezione è fondamentale, non tanto per la triade Michelangelo, Leonardo e Raffaello di cui pure possiede stupendi esempi, quanto per i 'classici' Andrea del Sarto o Fra Bartolomeo e per tutti i manieristi (il 'corpus' del Pontormo è quasi al completo agli Uffizi), per i veneti (unica lacuna il Veronese), per i disegni architettonici, per il manierismo cosiddetto internazionale e per la cultura della Controriforma. Ma ci sono anche bei Dürer, o Baldung Grün o Mabuse. Anche il '600 è benissimo documentato, dai Carracci a tutti i toscani, da Pietro da Cortona ai napoletani; con moltissimi Callot, bei Poussin e Lorrain, fiamminghi e olandesi e, come si è detto, molti e importanti spagnoli.

Per dare un'idea in cifre largamente arrotondate, gli 'schieramenti' si possono così riassumere: toscani, circa 2.000 scalati fra '300 e '400, 10.000 per il solo '500 e 7.000 per '600 e '700; veneti circa 2.000 e più che 5.000 le scuole dell'Italia del nord, 2.000 le altre scuole. Per gli stranieri: 1.300 i fiamminghi e olandesi, 1.200 i francesi, 600 gli spagnoli, 450 i tedeschi. Infine il nucleo unitario dei disegni di architettura è di circa 8.000 fogli, quelli dell'800 sono oltre 6.000 e qualche centinaio i moderni. Una volta tanto le cifre non sono aride ma attestano una grande ricchezza e una grande tradizione.

Note

1. Per le vicende dell'ex teatro mediceo, si veda recentemente: D. Heikamp, *Il teatro Mediceo degli Uffizi*, in 'Bollettino del Centro Internazionale di Studi di Architettura 'Andrea Palladio'', Vicenza, XVI, 1974, pp. 322-332; A.M. Petrioli Tofani - C. Lisi, in *Il luogo teatrale a Firenze*, cat. mostra Firenze, Milano 1975, pp. 105-130; D. Mignani, *Restauro della sala del Botticelli agli Uffizi. Note storiche*, in 'L'Architettura', XXIV, n. 2, 1978, pp. 118-122. Da notare, come precisa A. M. Petrioli Tofani, che il teatro fu voluto già da Cosimo I, anche se venne realizzato sotto Francesco: in tal senso si esprime infatti esplicitamente la prima fonte sul teatro stesso B. De' Rossi, *Descrizione del magnificentiss. apparato...*, Firenze 1585, proemio, p. 2, e *Descrizione dell'apparato e degli intermedi...*, Firenze 1589, proemio, p. 6.

2. Sull'attività attuale del Gabinetto Disegni e Stampe degli Uffizi e sui programmi per il futuro, cfr. A. Forlani Tempesti, *Il Gabinetto dei disegni e delle stampe degli Uffizi*, in 'Musei e Gallerie d'Italia, n. 41-42, 1970, pp. 37-59, e Id. in A. Forlani Tempesti - A.M. Petrioli Tofani, *I grandi disegni italiani degli Uffizi di Firenze*, Milano 1972, pp. 7-97. I dati lì esposti hanno subito naturalmente incremento nel frattempo, sia per quanto riguarda il lavoro conservativo e di documentazione, sia per l'arricchimento della collezione (da 105.610 pezzi inventariati nel 1972 siamo oggi – luglio 1979 – a 109.468), sia per il lavoro di ricerca nelle schede ministeriali dell'Ufficio Centrale per il Catalogo e negli inventari, sia per le mostre (allora 36, oggi arrivate a 53, se ne veda l'elenco nel catalogo dell'ultima: *Disegni dei Toscani a Roma, 1580-1620*, Firenze 1979).

3. Si citano qui solo le fonti e le guide, nonché le pubblicazioni che più specificamente trattano della collezione del Gabinetto Disegni e Stampe degli Uffizi. La bibliografia completa sull'argomento è nei citati articoli di A. Forlani Tempesti, 1970, e 1972 (cfr. nota 2). 1673 – F. Baldinucci, *Listra de' nomi de' Pittori, di mano de' quali si hanno disegni... fino al presente giorno 8 Settembre 1673*. Firenze. 1681 – F. Baldinucci, *Notizie dei Professori del disegno*; introduzione, Firenze. 1759 – G. Bianchi, *Ragguaglio delle antichità e rarità che si conservano nella Galleria Mediceo-Imperiale di Firenze*, Firenze. 1759 – G. Bencivenni già Pelli, *Saggio istorico della Real Galleria di Firenze*, Firenze. 1782 – L. Lanzi, *La Real Galleria di Firenze accresciuta e riordinata*, Firenze. 1794 – Anonimo, *Descrizione della Reale Galleria di Firenze secondo lo stato attuale*, Firenze. 1862 – L. Lagrange, *Catalogue des dessins de maitres exposés dans la Galerie des Uffizi à Florence, in* 'Gazette des Beaux Arts', n. XII. 1870 – E. Santarelli – E. Burci – F. Rondoni, *Catalogo della raccolta di disegni autografi antichi e moderni donata dal Prof. Emilio Santarelli alla Reale Galleria di Firenze*, Firenze. 1873 – A. Gotti, *Le Gallerie di Firenze. Relazione al Ministro della Pubblica Istruzione in Italia*, Firenze. 1881 – P.N. Ferri, *Catalogo delle stampe esposte al pubblico nella R. Galleria degli Uffizi*; *Catalogo dei disegni esposti al pubblico nel corridoio del Ponte Vecchio*, Firenze. 1885 – P.N. Ferri, *Indice Geografico Analitico dei Disegni di Architettura... esistenti nella R. Galleria degli Uffizi*, Firenze. 1890 – P.N. Ferri, *Catalogo riassuntivo della raccolta di disegni Antichi e Moderni posseduti dalla R. Galleria degli Uffizi*, Firenze. 1893-1902 – *Le Gallerie Nazionali Italiane – Notizie e documenti*, (anno II, pp. 4-13, anno IV, pp. 152-154). Roma. 1898-1904 – E. Jaçobsen, *Die Handzeichnungen der Uffizien in ihre Beziehungen zu Gemälden, Sculpturen und Gebäuden in Florenz*, I e II parte in 'Repertoire', Berlino. 1909 – F. Di Pietro, *I disegni di Andrea del Sarto negli Uffizi*, Siena. 1912-1922 – *I disegni della R. Galleria degli Uffizi*; autori vari, fasc. 20, Firenze. 1938 – A. De Witt, *Galleria degli Uffizi. La Collezione delle Stampe*, Roma. 1951 – L. Parigi, *I disegni musicali del Gabinetto degli Uffizi e delle minori Collezioni pubbliche di Firenze*, Firenze. 1961 – P. Barocchi, *Michelangelo e la sua scuola: disegni della casa Buonarroti e degli Uffizi*, Firenze. 1968 – A. Forlani Tempesti – A.M. Petrioli Tofani, *Florenz Kupferstich Kabinet der Uffizien*, in 'Das Buch der Graphik', Braunschweig. 1970 – Borsi - Stefanelli, *Giorgio Vasari il Giovane, La città ideale*, Roma. 1971 – M. Fossi, *Catalogo del fondo di Pasquale Poccianti al Gabinetto Disegni e Stampe degli Uffizi*, in 'Antichità Viva', IX, n. 6, pp. 26-38. Si vedano inoltre altre voci bibliografiche citate nelle note seguenti.

4. Sull'origine della collezione, oltre alle su citate fonti specialmente del Bencivenni Pelli, del Gotti e del Ferri, e ai testi di A. Forlani Tempesti, 1970 e 1972, cfr. per singoli disegni tre-quattrocenteschi B. Degenhart - A. Schmitt, *Corpus der Italienischen Zeichnungen, 1300-1450*, I, Berlino 1968, nonché L. Bellosi - F. Bellini, *I disegni antichi degli Uffizi - I tempi del Ghiberti*, cat. mostra Firenze, 1978; per i disegni forse pervenuti in collezione dal 'libro' del Vasari: L. Collobi Ragghianti, *Il Libro de' Disegni di Giorgio Vasari*, in 'Critica d'Arte', n. 116, 1971; Id., *Il Libro de' disegni di Giorgio Vasari-Disegni di Architettura*, in 'Critica d'Arte', n. 127, 1973; Id., *Nuove precisazioni sui disegni di architettura nel Libro del Vasari*, in 'Critica d'Arte', n. 130, 1973; Id., *Il Libro de' Disegni del Vasari*, Firenze 1974. Da parte del Gabinetto Disegni e Stampe degli Uffizi, ricerche archivistiche e inventariali al fine dell'individuazione dell'origine di molti fogli sono state rese note in occasione delle mostre: M. Campbell, *Disegni di Pietro Berrettini da Cortona per gli affreschi di Palazzo Pitti*, 1965; A. Forlani Tempesti, in *Disegni italiani della collezione Santarelli*, 1966/67; C. Johnston, *Disegni bolognesi dal XVI al XVIII secolo*, 1973; G. Gaeta Bertela', *Disegni di Federico Barocci*, 1975; P. Barocchi - G. Chiarini De Anna - A. Forlani Tempesti - A.M. Petrioli Tofani, *Omaggio a Leopoldo de' Medici*, I, 1976; A. Forlani Tempesti, *Disegni di fabbriche Brunelleschiane, Introduzione, 1977; Id. I disegni dell'ottocento al Gabinetto Disegni e Stampe degli Uffizi*, in catalogo mostra *Italian Drawings 1780-1880*, Washington ecc. 1980 (in corso di stampa). Si veda inoltre la nota 6.

5. G. Bencivenni Pelli, 1779, pp. 137-138. La lettera del Sangallo, A.S. Firenze, Mediceo 665, fu pubblicata da G. Gaye, *Carteggio inedito di artisti...*, Firenze e 1839-40, III, pp. 391-393; per l'eventuale identificazione dei fogli cfr. L. Collobi Ragghianti, 1973, n. 130, p. 31, e A. Forlani Tempesti, 1977, p. IX nota 3. Per la citazione da V. Borghini, in *Ragionamenti sopra i Granducati di Toscana*, p. 377, ringrazio Paolo Galluzzi, che l'ha rintracciata nelle *Selve*, del Targioni Tozzetti; da notare che il Vasari cita invece tale libro come donato da Cosimo Bartoli al Granduca Cosimo I (Vasari-Milanesi, *Le Vite*, IV, 1879, p. 138). Su Francesco I si veda L. Berti, *Il Principe dello Studiolo*, Firenze 1967.

6. In particolare sui disegni della collezione di Leopoldo, oltre al citato catalogo della mostra *Omaggio a Leopoldo de' Medici*, 1976, si possono consul-

tare: M. Muraro, *Studiosi, collezionisti e opere d'arte veneta dalle lettere al Cardinal Leopoldo de' Medici*, in 'Saggi e Memorie di Storia dell'Arte', n. 4, 1965; P. Barocchi, in F. Baldinucci, *Notizie dei professori del disegno*, Firenze 1975, VI; G. Chiarini De Anna, *Leopoldo de' Medici e la sua raccolta di disegni nel 'Carteggio d'Artisti' dell'Archivio di Stato di Firenze*, in 'Paragone', n. 307, 1975; P. Barocchi, *Il 'Registro de' disegni degli Uffizi di Filippo Baldinucci*, e A. Forlani Tempesti, *Trentotto disegni del Cesi comprati da Leopoldo de' Medici*, in 'Scritti di storia dell'arte in onore di Ugo Procacci', Milano 1977; S. Bandera, *Un corrispondente cremonese di Leopoldo de' Medici: Giovan Battista Natali e la provenienza dei disegni cremonesi degli Uffizi*, in 'Paragone', n. 347, 1979. Fondamentale per le ricerche sull'argomento è il così detto Carteggio d'Artisti, riunito in 22 volumi al tempo del Lanzi e del Bencivenni Pelli, cfr. S. Meloni Trkulja, *Appendice sul Carteggio d'Artisti dell'Archivio di Stato di Firenze*, in 'Paragone', n. 331, 1977, che d'ora in poi citeremo C.A., seguito dal numero del volume. Per il passaggio di queste carte agli Uffizi, si veda anche la più sotto citata *Filza* III, 1771, n. 16, e la VII, 1774, n. 28, presso la Soprintendenza.

7. Duffo, *Florence au XVII siècle sous les Médicis*, ed. Parigi 1934.

8. Le notizie sul Baldinucci, su come egli ordinò la collezione del Cardinale e su come nacquero le sue *Notizie dei Professori del Disegno*, si ricavano dalla sua prefazione alle *Notizie* stesse e dal figlio F.S. Baldinucci, *Vite di artisti dei secoli XVII-XVIII*, a cura di A. Matteoli, Roma 1975; si veda pure P. Barocchi, 1975, 1976, e 1977, con bibliografia precedente.

9. Non risultano indicazioni utili circa la sua collezione di disegni nelle recenti ricerche fatte sulle raccolte d'arte del Gran Principe Ferdinando da M. Chiarini, *I quadri della collezione del Principe Ferdinando di Toscana*, I, II, III, in 'Paragone', nn. 301, 303, 305, 1975, e da M.L. Strocchi, *Il Gabinetto d'opere in piccolo' del Gran Principe Ferdinando a Poggio a Caiano*, in 'Paragone', n. 309, 1975, n. 311, 1976. Sulle collezioni del padre, Cosimo III, si veda S. Rudolf, *Mecenati a Firenze tra sei e settecento. II Aspetti dello stile Cosimo III*, in 'Arte Illustrata', n. 54, 1973. Cfr. pure W. Prinz, *Geschicte der Sammlung der Selbstbildnisse in den Uffizien*, Berlino 1971, e *Gli ultimi Medici*, cat. mostra Detroit-Firenze, 1974.

10. G. Bianchi, 1759, p. 230. I Bianchi furono una generazione di 'custodi' della Galleria nel XVII e nel XVIII secolo: a Giuseppe Bianchi fu consegnato il materiale di cui all'*Inventario* della galleria del 1753, dove tuttavia la collezione dei disegni non è descritta.

11. L'impresa di riprodurre in incisioni colorate in fac-simile i più importanti disegni della collezione durò per circa mezzo secolo, ad opera di Andrea Scacciati prima e di Stefano Mulinari dopo: se ne trovano periodiche notizie nelle Filze della Galleria, a proposito dei permessi accordati di volta in volta ai due incisori per copiare i disegni: fra questi particolarmente interessante è quello relativo al Mulinari, che nel 1807 si lamenta di esser rimasto per circa tre anni privato della possibilità di proseguire il suo lavoro, al momento del trasferimento dei disegni in Sicilia (*Filza* XXXIII, 1807, n. 61). Si veda l'elenco dei volumi pubblicati in A. Forlani Tempesti, 1972, nota 14.

12. Nei relativi saggi del 1779 e del 1782, di cui alla nota 3, il Bencivenni Pelli e il Lanzi parlano a lungo del riordinamento da essi promosso nella Galleria. Per il Pelli, si veda recentemente M.A. Timpanaro Morelli, *Lettere a Giuseppe Pelli Bencivenni 1747-1808*, Roma 1976.

13. L. Lanzi, 1782, pp. 148-155. Anche il Gotti, 1873, p. 168, accenna a un catalogo dei disegni che sarebbe stato fatto dal Pelli, ma C. Guasti, *I disegni della Real Galleria*, 1854, in 'Opere', Prato 1897, IV, pp. 116-117, mostra di avere qualche dubbio sull'esistenza di un catalogo a stampa del Pelli. Dato che il Lanzi si riferisce a un lavoro in preparazione, è possibile che prima o poi si rintracci una minuta manoscritta di tale catalogo — che peraltro non risulta mai pubblicato — e una sua prima traccia potrebbe essere nell'*Inventario* del 1784, mentre i quattro volumi dell'*Inventario* del 1973, cfr. p.... potrebbero essere piuttosto quelli redatti dal Puccini, contrariamente a quanto precedentemente supposto da Forlani Tempesti, 1972 nota 13.

14. L'interessante relazione del Puccini su questo acquisto è stata pubblicata dalla Collobi Ragghianti, 1973, n. 127, pp. 4 segg. 33-79, la quale ha pure credibilmente individuato il venditore in Jean Baptiste Seroux d'Agincourt ed ha tentato l'assai problematica identificazione dei fogli, ma si veda pure Forlani Tempesti, 1977, pp. XIV-XV. Per la collezione di Tommaso Puccini, poi passata al nipote Niccolò, cfr. C. Mazzi - C. Sisi, in *Cultura dell'Ottocento a Pistoia*, cat. mostra Pistoia, Firenze 1977, e *Disegni di Luigi Sabatelli della Collezione di Tommaso Puccini*, cat. mostra Pistoia, 1977.

15. Anche su questo acquisto e sulla identificazione dei disegni operate dal Giglioli, cfr. Forlani Tempesti, 1977, p. XV.

16. Il 'Catalogo dei disegni originali... nella I.e R. Galleria di Firenze' vol. 1, datato sulla prefazione 1832 a firma di Luigi Scotti, è conservato, come gli altri citati riferentisi ai soli disegni, presso la biblioteca del Gabinetto Disegni e Stampe degli Uffizi; esso è tuttavia incompleto e anche le descrizioni, che riguardano soprattutto disegni di architettura, non sono sempre tali da permettere identificazioni, cfr. pure Forlani Tempesti, 1977, pp. XI, XV.

17. I cataloghi manoscritti di Antonio Ramirez di Montalvo sono: 'Catalogo dei disegni scelti della R. Galleria di Firenze', vol. 1, datato nella prefazione 1849, relativo a soli 563 disegni, ordinati in sette cassette più una grande, e 'Inventario generale delle stampe', datato sul risguardo 1582 in 20 volumi divisi per artisti e per scuole. Della passione del Montalvo per le incisioni testimonia un suo opuscolo *Dell'origine delle stampe in rame*, Firenze 1828.

18. Per la collezione del Santarelli, si veda oltre al catalogo di questa redatto dallo stesso Santarelli e altri, di cui a nota 3, e al catalogo della mostra *Disegni italiani della collezione Santarelli*, di cui alla nota 4, anche A. Perez Sanchez, *Mostra di disegni spagnoli*, Firenze 1972, dove vengono fatte interessanti ipotesi sugli acquisti di disegni spagnoli da parte del Santarelli.

19. Per questi acquisti si veda ancora A. Forlani Tempesti, 1977, pp. XVI-XVII. (ma contrariamente a quanto è detto, i documenti delle donazioni Martelli e Poccianti, come delle altre qui citate, si trovano nelle *Filze* 1876, n. 53, 1888 A/2, n. 41); Id., 1980.

20. Delle acquisizioni dopo il secondo dopoguerra fu data ampia notizia nel catalogo della mostra *Acquisizioni 1944-1974*, a cura di A. Forlani Tempesti e di A.M. Petrioli Tofani, tenuta al Gabinetto Disegni e Stampe degli Uffizi nel 1974; da allora altri doni sono pervenuti all'Istituto, fra i quali ricordiamo quelli dei più che 800 disegni di Antony De Witt, legati dalla moglie nel 1975, e delle 123 incisioni di Morandi, offerte dalle sorelle dell'artista, cfr. A. Forlani Tempesti - A.M. Petrioli Tofani, *Giorgio Morandi, Acqueforti*, cat. mostra Firenze, 1978, nonché i 101 disegni del Moricci, donati dai Baldasseroni, cui se ne sono recentissimamente aggiunti quasi altrettanti donati da Renzo Ghiozzi, cfr. C. Del Bravo - A. Giovannelli, *Giuseppe Moricci (1808-1879)*, cat. mostra Firenze, 1979.

21. Alle stampe della collezione sono state dedicate varie mostre, ma per quanto riguarda i risultati positivi dei restauri si vedano particolarmente: A.M. Petrioli Tofani, *Omaggio a Dürer*, cat. mostra Firenze 1971; A. Forlani Tempesti, *Incisioni di Stefano della Bella*, Firenze 1973; A.M. Petrioli Tofani, *Stampe italiane dalle origini all'Ottocento*, Firenze 1975.

	P1196bis	P1517bis
Autore	Pinturicchio, Bernardino Betti detto il (1454-13), maniera del.	Scuola genovese sec. XVI.
Titolo	Madonna col Bambino e Santi.	Madonna col Bambino.
Datazione	Sec. XV-XVI.	Sec. XVI.
Dati tecnici	Dipinto su tavola, diam. 85.	Olio su tela, 51x43.
Cornice	Intagliata e dorata.	Intagliata e dorata.
Ubicazioni	Uffizi (cit. 1784); Pitti; Roma, Senato (1930).	Uffizi (cit. 1890); Pitti (1928).
Attribuzioni	Pinturicchio (Inv. Antichi); Maniera del Pinturicchio (Inv. 1890).	Ignoto sec. XVI (Inv. 1890).
Esposizioni	—	—
Bibliografia	E. Carli, Il Pintoricchio, Milano 1960. *A.S.F., Filza XII a 8.*	—
Inventario	1537 (C.P., n. 165, n. 1150).	785 (C.P., p. 88, n. 202).
Foto	20068.	—
Note	Il dipinto, già attribuito dagli Inventari Antichi (1784, n. 165; 1825, n. 64; 1881, n. 1318 E) al pittore umbro, è considerato piuttosto dal 1890 come opera di scuola. Attualmente è conservato presso il Senato della Repubblica di Roma. Gr. Red. 3	Nel 1881 il dipinto compare coll'attribuzione ad Ignoto nell'Inventario dei quadri esposti (n. 354). Si propone attualmente una te genovese del XVI secolo. Gr. Red. 3

	A164bis	A503bis	A841bis	A1552bis
Autore	Cambi, Francesco (Firenze, attivo intorno alla metà del sec. XVII).	Langetti, Giovanni Battista (Genova 1625 - Venezia 1676) attr. a.	Scuola Italiana sec. XVII.	Scuola straniera sec. XVII.
Titolo	Ritratto di Stefano della Bella.	Sebastiano Mazzoni? (1611 ca. - 1678).	Presunto autoritratto del Caravaggio.	Ritratto di Guido Reni.
Datazione	1646.	Terzo quarto sec. XVII.	Primo quarto sec. XVII.	Secondo quarto sec. XVII.
Dati tecnici	Olio su tela, 54x45, restauro 1972.	Olio su tela ovale, 53x40,6.	Olio su tela, 71x56.	Olio su tela, 74x58 (in origine 50x35 ca.).
Cornice	Sagomata, dorata, sec. XVII.	Dorata.	Salvadora dorata, sec. XVIII.	Salvadora dorata con cartiglio, sec. XVIII.
Ubicazioni	Pitti (1688); Uffizi (1798); Pitti (1976).	Pitti (ante 1710).	Bologna, collezione privata; Uffizi (1771).	Card. Leopoldo de' Medici (1673); Uffizi (1683); Poggio Imperiale (1836); Uffizi, depositi.
Attribuzioni	—	Salvator Rosa (sec. XVIII); Mola (Ozzola 1911); Rosa (Chiavacci 1873, Rusconi 1937); Langetti (Borea 1973).	Caravaggio (inv. antichi); Tiarini.	—
Esposizioni	—	—	—	—
Bibliografia	*Thieme-Becker, V, 1911. F. Viatte: Mus. du Louvre, Cab. des dessins, Dessins de Stefano della Bella, Paris 1974, p. 42.*	*L. Ozzola in Bollettino d'arte V, 1911. AGF, scheda min. di I. Bargagli Petrucci, 1973.*	Prinz, 1971. *E. Borea, Pittori bolognesi del '600 nelle Gallerie di Firenze, Firenze 1975.*	*E. Borea, Pittori bolognesi del Seicento nelle Gallerie di Firenze, Firenze 1975.*
Inventario	1541 (C.P., p. 163, n. 1216).	Palatina 1912, n. 300.	1802.	Imperiale rosso n. 586.
Foto	207935.	94545.	225343.	157936.
Note	Scritta sul retro: Ritratto del signore Stefano della Bella di mano del signore Francesco Cambi famosissimo pittore fiorentino fatto in Parigi l'anno del Nostro Signore M. DC. XXXXVI. Il dipinto, che era a Pitti nel 1688 (ASF, Guard. 932, c. 133r) e la cui provenienza non è documentata è l'unica testimonianza per la ricostruzione di questo altrimenti ignoto artista. S. Meloni Trkulja (com. orale) pensa che il ritratto possa essere identificato con il cosiddetto 'autoritratto' di S. della Bella elencato nell'inventario della collezione del card. Leopoldo de' Medici (1675: ASF, Guard. 826, n. 586). M.C.	A tergo scritta antica 'Langetti' e nove numeri antichi. E. Borea identifica il quadro con un ovato di queste dimensioni presente a Pitti nel primo decennio del '700 (AGF, Guard. 1185, III c. 1151) 'entrovi la testa al naturale di Sebastiano Mazzoni pittore, con baffetti e pizzo brizzolato e capelli simili con occhi incassati e viso rincagnato e collare bianco gualcito e cordoncino bianco...' e ripropone l'attribuzione al Langetti. Il dipinto storicamente non è degli Uffizi e non ha mai fatto parte della collezione degli autoritratti, ma poiché forse è un ritratto di pittore non è sembrato fuori luogo catalogarlo con essi. S.M.T.	Il dipinto fu acquistato per 18 zecchini a Bologna nel 1771, mediatore l'abate Antonio Pazzi, come autoritratto del Caravaggio, e accettato come tale dalla direzione della galleria, (AGF, filza III a 19 e 23); fino alla fine del XIX secolo fu esposto fra gli autoritratti. Per errore furono poi scambiati i cartellini di questo e dell'autoritratto del Tiarini inv. 1890 n. 1852. Nonostante l'avvertimento di T. Neal (in La Voce 1916, pp. 60-62) l'errore è stato corretto solo nel 1975 riesponendo (Borea) il vero autoritratto del Tiarini. L'attribuzione, superficiale ma giustificabile nel '700, di questa tela al Caravaggio non è stata mai presa in considerazione dalla critica. S.M.T.	Identificabile con un 'ritratto di Guido mezza figura al naturale sua effige' (ma non 'sua mano') procurato a Leopoldo de' Medici da Giuseppe Maria Casarenghi nel 1672-73, e che figura nell'inventario dell'eredità del cardinale (n. 553) come di mano di 'monsù N. N.', cioè di un pittore straniero. Passato agli Uffizi il 21 maggio 1683 (ASF, Guard. 871, c. 132v), quindi prima del vero autoritratto di Guido, figura nell'inventario del 1704 (n. 1678) ma non nei successivi, perché ne fu allontanato come 'Duplicato' (la scritta è sul telaio) e finì al Poggio Imperiale dove è inventariato nel 1836 e 1845. Le dimensioni originali sono state alterate in antico forse per adeguarsi agli altri autoritratti. S.M.T.

Spinello Aretino P1622.
Spiridon, Ignace o Ignazio A907.
Spranger, Bartholomaeus A908.
Starnina, Gherardo P1623, P1624.
Staude, Hans Joachim A909.
Steen, Jan P1625.
Steenwijk, Hendrick, il giovane P1626.
Steer, Philip Wilson A910.
Stefaneschi, Giovanni Battista A911.
Stefano di Giovanni, vedi Sassetta.
Stella, Jacques P1627.
Stoppoloni, Augusto A912.
Storer, Johann Christoph A913.
Stradano, Scipione Ic670.
Strøm, Halfdan Frithjof A914.
Strozzi, Bernardo P1628, P1629.
Strozzi, Zanobi P1630.
Stuck, Franz von A915.
Stückelberg, Ernst A916.
Sturrini, Marco P1631.
Sublèe, Michel, vedi Desubleo Michele
Süss von Kulmbach, Hans P1632-P1640.
Sustermans, Justus P1641-P1675; Ic531, Ic542, Ic555, Ic567, Ic636, Ic642, Ic646, Ic663, Ic668, Ic766, Ic943, Ic971, Ic994-Ic996, Ic1003, Ic1013, Ic1024, Ic1025, Ic1028; A917, A918, A919.
Sweerts, Michiels P1676; A920.
Szinyei Merse, Pál A921.

Tallone, Cesare A922.
Tamburini, Arnaldo Ic507.
Tanfani, Francesca Celeste Ic617.
Taruffi, Emilio A923.
Tattegrain, Francis A924.
Tavarone, Lazzaro, attr. a A925.
Tedesco, Michele A926.
Tempesta, Pieter Mulier il giovane, detto il Cavaliere T A927.
Tempesti, Domenico P1677; Ic578, Ic600-Ic609, Ic1060; A928.
Tenerani, Pietro Ic552.
Teniers, David il vecchio P1678.
Teniers, David il giovane P1679-P1683.
Terborch, o Ter Borch, Gerard P1684.
Terreni, Giuseppe Maria P1685-P1690; A929.
Terzi, Cristoforo A930.
Testa, Pietro, detto il Lucchesino P1691; A931, A932.
Tetar van Elven, Petrus Henricus Theodorus A933.
Tiarini, Alessandro P1692; A934, A935.
Tibaldi, Pellegrino A936.
Tiepolo, Giovanni Battista P1693, P1694.
Tiepolo, Gian Domenico P1695.
Tierce, Jean-Baptiste P1696.
Tinelli, Tiberio P1697-P1699; A937.
Tintoretta, vedi Robusti, Marietta.
Tintoretto, Robusti Domenico, detto P1700.
Tintoretto, Robusti Jacopo, detto il P1701-P1718; A938.
Tisi, Benvenuto, vedi Garofalo.
Titi, Tiberio Ic530, Ic979, Ic989, Ic992, Ic1026, Ic1029; A939.
Tito, Ettore A940.
Tiziano, Vecellio P1719-P1735; A941.
Tofanelli, Agostino A942.
Tofanelli, Stefano Ic495, Ic496, Ic563, Ic587; A943.
Toma, Gioacchino A944.
Tomassi, Renato A945.
Tommasi, Ludovico A946.
Tonelli, Giuseppe S47-S54.
Torchi, Angiolo A947.
Torelli, Felice A948, A949.
Torelli Casalini, Lucia A950, A951.
Torelli, Vieri A952.
Torre, Benedetto A953.
Toscani, Giovanni P1736.
Tosini, Michele, vedi Michele di Ridolfo del Ghirlandaio.
Tournier, Nicolas P1737.

Travi, Antonio, detto il Sestri P1738.
Trécourt, Giacomo A954.
Trentacoste, Domenico A955.
Trevisani, Angelo A956.
Trevisani, Francesco P1739-P742; A957, A958.
Troubetzkoy, Paolo A959.
Tura, Cosmé P1743.
Turchi, Alessandro, detto l'Orbetto P1744, P1745.
Tuxen, Laurits Regner A960.

Ubaldini, Domenico, vedi Puligo.
Ubertini, Francesco, vedi Bachiacca.
Ugolino da Siena, vedi Ugolino di Neri.
Ugolino di Neri, detto Ugolino da Siena P1746.
Ulivelli. Cosimo A961; S76-S77.
Ulivi, Pietro Ic515.
Unterberger, Christoph A962.
Ussi, Stefano A963.

Vagnetti, Fausto A964.
Vagnetti, Gianni A965, A966.
Vaiani, Lorenzo, detto lo Sciorina Ic639, Ic651.
Valdés Leal, Juan de P1747.
Valentin de Boulogne P1748.
Valore Ic998.
Van Aelst, Willem P1749, P1750.
Van Asselt, Bernardino Ar39, Ar40.
Van Balen, Hendrick P1751.
Van Berghen, Dirk P1752, P1753.
Van Bloemen, Jan Frans P1754-P1760.
Van Bronchorst, Jan Gerritz P1626.
Van Calcar, Jan Stephan A967.
Van Cléve, Joos P1761-P1763; A968.
Van Coninxloo, Gillis P1764.
Van Daellen, F. P1765.
Van Dalem, Jan P1766.
Van den Hoecke, Jan P1767, P1768.
Van der Cabel, Adriaen P1769, P1770.
Van der Goes, Hugo P1771, P1772.
Van der Helst, Batholomeus A969.
Van der Heyden, Jan P1773.
Van der Neer, Eglon Hendrick P1774-P1776; A970.
Van der Werff, Adriaen P1777-P1778; A971.
Van der Werff, Pieter P1779.
Van der Wevden, Rogier P1780.
Van de Velde, Adriaen P1781, P1782.
Van Diepenbeeck, Abraham P1783.
Van Douven, Bartholomeus P1790.
Van Douven, Jan Frans P1784-P1789; Ic543, Ic652, Ic791-Ic805, Ic807-Ic821; A972.
Van Dvck, Antoine P1791-P1796; A973.
Van Hemmskerck, Egbert P1797-P1800.
Van Honthorst, Gerrit, detto Gherardo delle Notti P1801-P1806.
Van Houbraken, Nicola A974.
Van Hulsdonck, Jacques P1807.
Van Kessel, Jan P1808-P1812.
Van Laer, Pieter, vedi Bamboccio.
Van Loo, Carle o Vanloo P1813.
Vanloo, vedi Van Loo, Carle.
Van Miereveld, Michiel P1813-P1814.
Van Mieris, Frans il vecchio P1816-P1823; A975, A976, A977.
Van Mieris, Willem P1824.
Van Musscher, Michiel A978.
Van Mytens (Meytens), Martin il giovane Ic533; A979.
Van Nieulandt, Willem P1825.
Vanni, Francesco P1826, P1827; A805.
Vanni, Raffaello P1828.
Vannini, Ottavio A980, A981.

Vannucci, Pietro, vedi Perugino.
Vannutelli, Scipione A982.
Van Oosterwyck, Maria P1829.
Van Oostsanen, Jacob Cornelisz A983.
Van Orley, Bernart P1830-P1831; Ar1-Ar6.
Van Ostade, Adriaen P1832.
Van Plattenberg, Mathieu, detto anche Platte-Montagne P1833-P1834; A984.
Van Ruysdael, o Ruisdael, Jacob P1835, P1836.
Van Rysselberghe, Théophile A985.
Van Slingeland (o Slingelandt), Pieter P1837.
Van Stalbemt, Adriaen P1838.
Van Swanevelt, Herman P1839, P1840.
Van Thielen, Jan-Philip P1841.
Vantini, Domenico A986.
Van Uyttebroeck, Moyses P1842.
Van Valckenborch, Martin P1843.
Van Veerendael, Nicolas P1844.
Vanvitelli, Gaspare P1845-P1849.
Van Wittel, Gaspard, vedi Vanvitelli, Gaspare.
Varotari, Alessandro, detto il Padovanino P1850.
Varotari, Chiara A987.
Vasari, Giorgio P1851-P1856; A988.
Vassallo, Antonio Maria P1857-P1860.
Vassillacchi, Antonio, vedi Aliense.
Vautier, Marc-Louis-Benjamin A989.
Vecchietta, Lorenzo di Pietro, detto il P1861.
Vecellio, Tiziano, vedi Tiziano
Velázquez, Diego Rodríguez de Silva y P1862 A990, A991.
Venceslao di Boemia P1863-P1865.
Venusti, Marcello P1866, P1867.
Veracini, Agostino A992.
Veracini, Benedetto A993.
Verlin, Venceslao, vedi Wekrlin.
Vernet. Claude-Joseph P1868, P1869.
Veronese, Caliari Paolo, detto il P1870-P1881; A994, A995.
Verrocchio, Andrea di Cione, detto il P1882-P1885.
Vertunni, Achille A996.
Vertunni, Arturo A997.
Veruda, Umberto A998.
Vetri, Paolo A999.
Viani, Lorenzo P1886; A1000.
Vigée-Le Brun, Elisabeth A1001.
Vignali, Jacopo P1887-P1888; A1002, A1002.
Villegas y Cordero, José A1004.
Vinckboons, David P1889.
Vinea, Francesco A1005, A1006.
Viterbo, Dario A1007.
Vivarini, Bartolomeo P1890.
Vivien, Joseph A1008.
Voet, Jakob Ferdinand Ic518, Ic522, Ic598, Ic614; A1009.
Vogel von Vogelstein, Carl Christian A1010.
Volterrano, Franceschini Baldassarre, detto il P1891-P1894; A1011.
Vos, Marten de A1012.
Vouet, Simon P1895-P1896; A1013.
Vriendt, Franz de, vedi Floris.

Walker, Robert Ic941.
Waldstein, Marianna A1014.
Watteau, Jean-Antoine P1897.
Watts, George Frederick A1015.
Wauters, Emile A1016.
Weerts, Jean-Joseph A1017.
Wehrlin (Verlin), Venceslao A1018.
Wencker, Joseph A1019.
Werner, Anton Alexander A1020.
Wicar, Jean-Baptiste Ic497.
Wildt, Adolfo A1021.
Wilhelmson, Carl Wilhelm A1022.

Willeboirts Bosschaert, Thomas P1898.
Winge, Märten Eskil A1023.
Winterhalter, Franz Xaver Ic576; A1024.
Wolffordt, o Wolfaerts, Artus P1899.
Wouters, Frans P1900.
Wouwerman, Pieter P1901.
Wouwerman (o Wouwermans), P1903.
Wright, John Michael P1904.
Wutky, Michael P1905; A1025.
Wyck, Thomas P1906.

Yvon, Adolphe A1026.

Zabagli, Raimondo, vedi Zaballi,R.
Zaballi (Zabagli), Raimondo A1027.
Zampieri, Domenico, vedi Domenichino.
Zanchi, Antonio A1028.
Zanoni, Antonio P1907.
Zatti, Carlo A1029.
Zelotti, G. Battista, detto Farinato o Battista da Verona P1908.
Zenale, Bernardino P1909, P1910.
Ziesel, Georg Frederick P1911.
Zoffany, Johann A1030, A1031, A1032.
Zoir, Carl Emil A1032bis.
Zona, Antonio A1033.
Zonaro, Fausto A1034.
Zoppi, Luigi A1035.
Zorn, Anders Leonard A1036.
Zuccarelli, Francesco P1912.
Zuccari, Federico A1037.
Zuccari, Taddeo P1913-P1914; A1038.
Zucchi, Iacopo P1915, P1916, P1917; S102-S110.
Zuccoli, Oreste A1039.
Zurbaran, Francisco de P1918.

P729, P748, P752, P753, P755, P757, P760, P767, P768, P773, P779, P780, P786, P815, P816, P817, P822, P826, P829, P835, P836, P852, P859, P866, P868, P871-P873, P875-P878, P887, P898, P900, P902, P905, P911, P918, P921, P924, P935, P938-P940, P948, P950-P953, P955, P959, P960, P968, P969, P971, P973-P975, P979-P984, P997, P998, P1001, P1002, P1004, P1009, P1023-P1025, P1028, P1030-P1032, P1038, P1041, P1047-P1051, P1055, P1059, P1064-P1067, P1093-P1097, P1109, P1120, P1122, P1127, P1136-P1138, P1144, P1145, P1147, P1151, P1158, P1160, P1163, P1164, P1166, P1168-P1171, P1173, P1174, P1186-P1188, P1190, P1191, P1196 bis, P1197, P1198, P1203, P1204, P1226, P1248, P1251, P1255, P1257, P1264, P1284, P1293, P1295, P1304, P1314, P1316, P1321, P1324, P1326, P1328, P1334, P1338, P1339, P1362, P1364, P1369, P1370, P1373, P1374, P1392, P1396, P1397, P1399, P1406, P1412, P1418, P1419, P1423, P1425, P1428, P1434-P1436, P1443-P1445, P1448, P1451, P1452, P1455, P1457-P1459, P1462, P1478-P1483, P1488, P1490, P1497, P1501, P1520, P1526, P1537, P1541, P1546, P1548, P1555, P1556, P1561, P1564, P1568, P1571, P1572. P1578, P1586, P1589, P1590, P1597-P1599, P1602-P1604, P1609, P1612-P1617, P1622, P1624, P1626, P1631-P1639, P1642, P1647, P1656, P1683, P1700, P1710, P1714, P1719, P1726, P1729, P1731, P1732, P1736, P1739, P1742, P1743, P1746, P1785, P1786, P1824, P1826, P1828, P1861, P1863-P1865, P1879, P1873, P1874. P1881-P1883, P1890, P1892-P1894, P1908-P1910, P1918; Sc3, Sc6, Sc26; S47, S48, S50, S53, S59.

Scene di genere
P1-P3, P6, P81, P82, P84-P86, P88, P94, P100, P101, P108, P113-P118, P152, P153, P159, P169-P171, P189-P191, P204, P206, P216, P218. P234-P236, P239, P280, P286, P318, P345, P373, P387, P401-P404, P410, P411, P438, P442, P443, P472, P475-P478, P480, P481, P499, P503, P512, P513, P517, P518, P553, P554, P559-P563, P608, P646, P660, P661, P664-P667, P670, P730, P762, P763, P774-P777, P781-P785, P793, P794, P797-P809, P812, P831, P832, P837, P862, P890, P927, P941, P945, P961-P965, P966, P967, P970, P986, P988, P990, P1039, P1062, P1063, P1068, P1069, P1072, P1073, P1976, P1079, P1080, P1111, P1114, P1142, P1143, P1165, P1211, P1213, P1215, P1216, P1218, P1247, P1257, P1265, P1280, P1281, P1310-P1312; P1319, P1320, P1322, P1323, P1333, P1347, P1414, P1429, P1431, P1471, P1500, P1523, P1527, P1531, P1542-P1544, P1547, P1579, P1584, P1594, P1625, P1629, P1668, P1676, P1678-P1680, P1682, P1684, P1738, P1748, P1779, P1786, P1797, P1798, P1802-P1804, P1811, P1812, P1816, P1817, P1819-P1823, P1832-P1835, P1837, P1843, P1859, P1862, P1891, P1897, P1899, P1901-P1903, 1914; A106, A824; Ar9, Ar11, Ar15-Ar26, Ar43, Ar44; S7, S12, S13,

S21, S22, S38, S64, S74, S76, S77, S88, S91, S95, S113, S115, S116.

Soggetti storici
P186, P197, P205, P237-P240, P413-P415, P474, P512, P513, P558, P564, P599, P605, P648, P649, P680, P772, P823, P977, P1044, P1045, P1106, P1135, P1152, P1153, P1192, P1311, P1312, P1323, P1325, P1354, P1380, P1381, P1383, P1393, P1515, P1579, P1583, P1641, P1685-P1691, P1693, P1713, P1726, P1741, P1767, P1790, P1850, P1902, P1903; Sc7, Sc9-Sc16, Sc18-Sc25, Sc29, Sc30; OA1, OA2; S52, S56, S66, S72, S79, S81, S83, S87, S88, S91, S95, S100.

Storia di Cristo
P13, P17, P19, P21, P33, P34, P36, P38-P40, P55, P65, P83, P99, P104, P106, P123, P133, P134, P137, P139-P141, P147-P149, P158, P163, P172, P173, P181, P187, P195, P197, P200, P209, P226, P227, P241, P253, P264, P270, P273-P275, P279, P281, P294, P295, P301, P309, P323, P325, P330, P331, P341, P355, P361, P363, P365, P367, P394, P408, P417, P448, P449, P452, P470, P479, P489, P490, P491, P494-P496, P500-P502, P519, P530, P535, P537, P549, P557, P566, P567, P571, P572, P586, P589, P590, P600, P603, P612, P624-P627. P631, P634-P636, P656, P668, P670-P671, P672, P687, P691, P692, P696-P699, P712, P716, P718, P719, P726, P731, P751, P758, P759, P767, P789, P790, P817, P834, P841, P842, P853, P855, P856, P865, P869, P871, P872, P877, P880, P901, P903, P904, P910, P912, P913, P916, P917, P921-P923, P926, P929, P930, P932, P935, P936, P937, P946, P949, P954, P972, P984, P987, P989, P992, P993, P996, P998, P1004, P1006, P1022, P1031, P1032, P1040, P1042, P1043, P1047, P1066, P1082, P1094, P1095, P1098, P1099, P1126, P1127, P1131, P1132, P1146, P1151, P1157, P1160, P1163, P1164, P1176, P1214, P1236, P1254, P1283, P1294, P1328, P1329, P1338, P1363, P1367, P1377, P1388, P1403, P1407, P1408, P1412, P1422, P1424, P1433, P1440-P1443, P1445, P1463, P1465, P1466, P1485, P1498, P1499, P1504, P1526, P1533, P1545, P1554, P1560, P1580, P1585, P1598, P1599, P1602-P1605, P1610, P1615, P1619, P1624, P1627, P1628, P1640, P1692, P1705, P1706, P1710, P1712, P1718, P1742, P1745, P1771, P1778, P1780, P1801, P1805, P1855, P1867, P1875, P1880, P1883, P1907; Ar7, Ar8, Ar14, Ar30-Ar36; Sc1.

Vecchio Testamento
P41, P43, P49, P77, P78, P103, P111, P112, P142, P143, P150, P155-P157, P182, P211, P250, P251, P271, P328, P337-P340, P357, P359, P376, P389, P390, P392, P395, P398, P419, P421, P427, P445, P456, P457, P459, P460, P491, P494, P543, P555, P576, P577, P598, P610, P611, P637, P656, P674, P685, P717, P720-P724, P729, P741, P746, P749, P769-P771, P818-P821, P844, P860, P881, P882, P884, P931, P934, P1016, P1046, P1081, P11123-P1125, P1128, P1156, P1172, P1175, P1193, P1199, P1200, P1209, P1210, P1218,

P1252, P1300, P1315, P1318, P1340, P1341, P1356, P1363, P1367, P1368, P1375, P1413, P1414, P1442, P1474, P1495, P1498, P1499, P1503, P1505, P1569, P1604, P1620, P1621, P1626, P1704, P1717, P1774, P1777, P1853, P1877, P1888; Ar1-Ar6.

Vedute e paesaggi
P1-P9, P22, P34, P82, P84, P88-P90, P94, P164, P169-P171, P198, P199, P213, P219, P271, P283-P287, P289, P290, P321, P322, P324, P326, P350-P353, P405, P430-P433, P439-P441, P474, P484, P521-P527, P546, P547, P559-P563, P592, P593, P705, P783-P785, P809, P823, P830, P840, P885, P886, P927, P928, P1003, P1012, P1039, P1074, P1075, P1077, P1078, P1119, P1134, P1148, P1165-P1167, P1194, P1195, P1201, P1202, P1205-P1207, P1212, P1213, P1215, P1216, P1219, P1221, P1280, P1288, P1290, P1310, P1322, P1327, P1342-P1346, P1348-P1353, P1355, P1357-P1360, P1398, P1421, P1426, P1438, P1479, P1539, P1540, P1543, P1544, P1547, P1587, P1596, P1607, P1685-P1690, P1696, P1752-P1760, P1764, P1769, P1770, P1773, P1775, P1776, P1781, P1809, P1810, P1825, P1833-P1836, P1838-P1840, P1842, P1845, P1846-P1849, P1857, P1868, P1869, P1889, P1895, P1905, P1906; OA6, OA10; S2, S5, S9-S11, S13, S14, S16, S17, S21, S25-S27, S31, S33, S41, S67, S71, S98, S99, S101.

Vedute architettoniche
P809, P1103-P1108, P1211, P1288, P1426, P1773; S113, S114.

Inv. 1890	C.P.	Cat.	Inv. 1890	C.P.	Cat.	Inv. 1890	C.P.	Cat.	Inv. 1890	C.P.	Cat.
1	p.215 n.414	Ic41	73	p.216 n.486	Ic191	144	p.220 n.557	Ic367	215	p.219 n.729	Ic96
2	p.215 n.415	Ic5	74	p.217 n.487	Ic473	145	p.220 n.558	Ic56	216	p.221 n.730	Ic456
3	p.215 n.416	Ic268	75	p.216 n.488	Ic7	146	p.219 n.559	Ic70	217	p.219 n.731	Ic154
4	p.215 n.417	Ic336	76	p.216 n.489	Ic245	147	p.221 n.560	Ic462	218	p.219 n.732	Ic109
5	p.215 n.418	Ic263	77	p.216 n.490	Ic159	148	p.221 n.561	Ic463	219	p.219 n.733	Ic138
6	p.215 n.419	Ic433	78	p.216 n.491	Ic466	149	p.216 n.582	Ic2	220	p.219 n.734	Ic73
7	p.215 n.420	Ic443	79	p.216 n.492	Ic157	150	p.216 n.563	Ic376	221	p.219 n.735	Ic31
8	p.215 n.421	Ic86	80	p.216 n.493	Ic158	151	p.220 n.564	Ic310	222	p.220 n.736	Ic418
9	p.215 n.422	Ic89	81	p.216 n.494	Ic64	152	p.220 n.565	Ic398	223	p.219 n.737	Ic22
10	p.215 n.423	Ic304	82	p.216 n.495	Ic238	153	p.219 n.566	Ic465	224	p.220 n.738	Ic356
11	p.215 n.424	Ic12	83	p.216 n.496	Ic406	154	p.219 n.567	Ic51	225	p.220 n.739	Ic348
12	p.215 n.425	Ic487	84	p.217 n.497	Ic416	155	p.221 n.568	Ic344	226	p.219 n.740	Ic232
13	p.215 n.426	Ic213	85	p.216 n.485	Ic469	156	p.221 n.569	Ic461	227	p.220 n.741	Ic329
14	p.215 n.427	Ic392	86	p.216 n.499	Ic108	157	p.221 n.569	Ic461	228	p.219 n.742	Ic30
15	p.215 n.428	Ic396	87	p.216 n.500	Ic467	157	p.216 n.570	Ic330	229	p.219 n.742	Ic122
16	p.215 n.429	Ic404	88	p.217 n.501	Ic208	158	p.217 n.571	Ic464	230	p.220 n.744	Ic403
17	p.213 n.430	Ic210	89	p.217 n.552	Ic351	159	p.217 n.468	Ic161	231	p.220 n.745	Ic399
18	p.213 n.431	Ic101	90	p.216 n.503	Ic90	160	p.219 n.573	Ic81	232	p.220 n.746	Ic435
19	p.214 n.432	Ic286	91	p.217 n.504	Ic369	161	p.220 n.574	Ic299	233	p.219 n.747	Ic80
20	p.214 n.433	Ic211	92	p.216 n.505	Ic412	162	p.217 n.575	Ic249	234	p.220 n.748	Ic282
21	p.213 n.434	Ic324	93	p.217 n.506	Ic215	163	p.219 n.576	Ic17	235	p.217 n.749	Ic237
22	p.214 n.435	Ic174	94	p.217 n.507	Ic297	164	p.220 n.577	Ic355	236	p.220 n.750	Ic331
23	p.214 n.436	Ic176	95	p.216 n.508	Ic131	165	p.218 n.578	Ic3	237	p.220 n.751	Ic436
24	p.214 n.437	Ic175	96	p.216 n.509	Ic414	166	p.220 n.579	Ic377	238	p.219 n.752	Ic120
25	p.213 n.438	Ic102	97	p.215 n.510	Ic183	167	p.219 n.585	Ic87	239	p.216 n.753	Ic454
26	p.213 n.439	Ic346	98	p.215 n.511	Ic182	168	p.220 n.581	Ic270	240	p.220 n.754	Ic295
27	p.214 n.440	Ic288	99	p.217 n.512	Ic349	169	p.218 n.512	Ic1	241	p.219 n.755	Ic265
28	p.214 n.441	Ic287	100	p.217 n.513	Ic298	170	p.219 n.583	Ic216	242	p.219 n.756	Ic114
29	p.217 n.442	Ic333	101	p.216 n.514	Ic415	171	p.220 n.284	Ic383	243	p.220 n.757	Ic419
30	p.213 n.443	Ic98	102	p.216 n.515	Ic413	172	p.219 n.585	Ic199	244	p.219 n.785	Ic244
31	p.217 n.444	Ic207	103	—	Ic476	173	p.219 n.586	Ic132	245	p.219 n.759	Ic206
32	p.217 n.445	Ic250	104	p.216 n.517	Ic134	174	p.220 n.587	Ic272	246	p.219 n.760	Ic212
33	—	Ic246	105	p.215 n.518	Ic146	175	p.217 n.689	Ic170	247	p.219 n.761	Ic79
34	p.217 n.447	Ic251	106	p.215 n.519	Ic53	176	p.217 n.690	Ic78	248	p.220 n.762	Ic267
35	p.214 n.426	Ic139	107	p.217 n.205	Ic168	177	p.217 n.691	Ic441	249	p.220 n.763	Ic381
36	p.217 n.449	Ic334	108	p.216 n.521	Ic44	178	p.216 n.692	Ic162	250	p.219 n.764	Ic152
37	p.214 n.450	Ic347	109	p.216 n.522	Ic48	179	p.219 n.693	Ic82	251	p.221 n.765	Ic478
39	p.217 n.452	Ic274	110	p.217 n.523	Ic326	180	p.218 n.694	Ic9	252	p.219 n.766	Ic128
40	p.219 n.453	Ic281	111	p.216 n.524	Ic156	181	p.220 n.695	Ic388	253	p.221 n.767	Ic.451
41	p.213 n.454	Ic198	112	p.217 n.525	Ic350	182	p.216 n.696	Ic91	254	p.219 n.768	Ic255
42	p.214 n.455	Ic203	113	p.217 n.526	Ic289	183	p.220 n.697	Ic85	255	p.220 n.769	Ic366
43	p.214 n.456	Ic204	114	p.217 n.527	Ic475	184	p.220 n.698	Ic291	256	p.219 n.770	Ic243
44	p.214 n.457	Ic205	115	p.216 n.528	Ic430	185	p.220 n.699	Ic313	257	p.220 n.771	Ic391
45	p.213 n.458	Ic106	116	p.217 n.529	Ic474	186	p.216 n.700	Ic92	258	p.219 n.772	Ic214
46	p.214 n.499	Ic201	117	p.216 n.530	Ic457	187	p.216 n.701	Ic422	259	p.219 n.773	Ic110
47	p.214 n.460	Ic223	118	p.217 n.531	Ic368	188	p.221 n.702	Ic458	260	p.219 n.774	Ic256
48	p.213 n.461	Ic99	119	p.216 n.532	Ic47	189	p.221 n.703	Ic278	261	p.220 n.775	Ic275
49	—	Ic14	120	p.216 n.533	Ic431	190	p.219 n.704	Ic54	262	p.220 n.776	Ic309
50	p.217 n.463	Ic15	121	p.217 n.534	Ic200	191	p.220 n.705	Ic379	263	p.219 n.777	Ic117
51	p.214 n.464	Ic254	122	p.215 n.535	Ic181	192	p.220 n.706	Ic401	264	p.219 n.778	Ic84
52	p.217 n.465	Ic340	123	p.216 n.536	Ic167	193	p.220 n.707	Ic371	265	p.216 n.799	Ic217
53	p.216 n.466	Ic144	125	p.216 n.538	Ic43	195	p.220 n.709	Ic290	266	p.220 n.780	Ic393
54	p.217 n.467	Ic276	126	p.215 n.539	Ic188	196	p.219 n.710	Ic141	267	p.219 n.781	Ic93
55	p.217 n.572	Ic160	127	p.217 n.540	Ic259	197	p.219 n.712	Ic37	268	p.217 n.782	Ic163
56	p.216 n.464	Ic142	128	p.216 n.541	Ic325	198	—	Ic83	269	p.217 n.783	Ic162
57	p.214 n.470	Ic153	129	p.217 n.542	Ic427	199	p.219 n.713	Ic112	270	p.217 n.784	Ic155
58	p.214 n.471	Ic408	130	p.216 n.543	Ic236	200	p.214 n.714	Ic335	271	p.218 n.785	Ic4
59	p.214 n.472	Ic228	131	p.217 n.544	Ic370	201	—	Ic248	272	p.216 n.786	Ic16
60	p.217 n.173	Ic293	132	p.216 n.546	Ic327	202	p.219 n.716	Ic209	273	p.220 n.787	Ic397
61	p.214 n.474	Ic389	133	p.217 n.546	Ic357	203	p.220 n.717	Ic402	274	p.218 n.788	Ic11
62	p.214 n.475	Ic269	134	p.216 n.547	Ic94	204	p.219 n.718	Ic137	275	p.221 n.789	Ic439
63	p.213 n.476	Ic27	135	p.216 n.548	Ic95	205	p.221 n.719	Ic460	276	p.219 n.790	Ic72
64	p.217 n.462	Ic364	136	p.218 n.549	Ic19	206	p.210 n.720	Ic36	277	p.219 n.791	Ic68
65	p.215 n.478	Ic185	137	p.220 n.550	Ic273	207	p.218 n.721	Ic21	278	p.220 n.792	Ic455
66	p.216 n.479	Ic76	138	p.216 n.551	Ic187	208	p.218 n.722	Ic13	279	p.219 n.793	Ic59
67	p.216 n.480	Ic471	139	p.220 n.552	Ic407	209	p.221 n.723	Ic459	280	p.221 n.794	Ic480
68	p.216 n.431	Ic113	140	p.219 n.553	Ic28	210	p.220 n.724	Ic311	281	—	Ic186
69	p.216 n.482	Ic 136	141	p.219 n.553	Ic28	211	p.216 n.725	Ic29	282	p.221 n.796	Ic477
70	p.216 n.483	Ic135	141	p.220 n.554	Ic121	212	p.219 n.726	Ic266	283	p.220 n.797	Ic353
71	p.216 n.484	Ic447	142	p.219 n.555	Ic116	213	p.220 n.213	Ic320	284	p.219 n.798	Ic143
72	p.216 n.498	Ic468	143	p.219 n.566	Ic252	214	p.220 n.728	Ic426	285	p.219 n.799	Ic77

Inv. 1890	C.P.	Cat.
286	p.220 n.800	Ic385
287	p.220 n.801	Ic425
288	p.220 n.802	Ic294
289	p.219 n.803	Ic239
290	p.221 n.804	Ic452
291	p.220 n.805	Ic363
292	p.220 n.806	Ic305
293	p.220 n.807	Ic296
294	p.220 n.808	Ic277
295	p.221 n.809	Ic453
296	p.220 n.810	Ic292
297	p.220 n.811	Ic429
298	p.220 n.812	Ic341
299	p.219 n.813	Ic58
300	p.219 n.814	Ic45
301	p.220 n.815	Ic384
302	p.219 n.816	Ic46
303	p.220 n.817	Ic400
304	p.220 n.818	Ic151
305	p.217 n.819	Ic488
307	p.216 n.821	Ic75
308	p.219 n.822	Ic129
309	p.220 n.823	Ic328
311	p.219 n.825	Ic171
312	p.220 n.826	Ic378
313	p.221 n.827	Ic485
314	p.220 n.828	Ic382
315	p.214 n.829	Ic220
316	p.213 n.60	Ic173
317	p.213 n.831	Ic172
318	p.214 n.832	Ic308
319	p.214 n.833	Ic218
320	p.213 n.834	Ic103
321	p.214 n.835	Ic104
322	p.214 n.836	Ic219
323	p.214 n.837	Ic247
324	p.214 n.838	Ic221
325	p.214 n.839	Ic307
326	p.213 n.840	Ic33
327	p.214 n.841	Ic257
328	p.213 n.842	Ic149
329	p.214 n.843	Ic332
330	p.213 n.588	Ic105
331	p.213 n.599	Ic190
332	p.213 n.590	Ic100
333	p.214 n.591	Ic314
334	p.213 n.592	Ic194
335	p.214 n.593	Ic315
336	p.214 n.594	Ic390
337	p.214 n.595	Ic319
338	p.213 n.596	Ic195
339	p.213 n.597	Ic196
340	p.214 n.598	Ic280
341	p.214 n.599	Ic280
342	p.215 n.660	Ic18
343	p.214 n.601	Ic222
344	p.217 n.615	Ic321
345	p.213 n.603	Ic40
346	p.215 n.604	Ic446
347	p.215 n.605	Ic197
348	p.215 n.606	Ic193
349	p.217 n.607	Ic479
350	p.217 n.658	Ic300
351	p.213 n.208	Ic39
352	p.213 n.208	Ic39
352	p.217 n.910	Ic67
353	p.215 n.611	Ic316
355	p.214 n.613	Ic423
356	p.215 n.614	Ic317
357	p.215 n.602	Ic322
359	p.215 n.617	Ic192
360	p.215 n.226	Ic226
361	p.215 n.616	Ic225
362	p.215 n.620	Ic202
363	p.221 n.621	Ic873
364	p.221 n.622	Ic891
365	p.221 n.623	Ic876
366	p.221 n.624	Ic877
367	p.221 n.625	Ic878
368	p.221 n.626	Ic884
369	p.221 n.629	Ic885
370	p.221 n.631	Ic889
371	p.221 n.627	Ic886
372	p.221 n.630	Ic887
373	p.221 n.631	Ic888
374	p.221 n.632	Ic874
375	p.221 n.633	Ic892
376	p.221 n.634	Ic893
377	p.221 n.635	Ic894
378	p.221 n.636	Ic903
379	p.221 n.637	Ic904
380	p.221 n.633	Ic805
381	p.221 n.639	Ic592
382	p.221 n.640	Ic909
383	p.221 n.641	Ic907
384	p.221 n.642	Ic910
385	p.221 n.643	Ic912
386	p.221 n.644	Ic913
387	p.221 n.645	Ic872
388	p.221 n.646	Ic870
389	p.221 n.647	Ic871
390	p.221 n.648	Ic875
391	p.221 n.649	Ic880
392	p.221 n.650	Ic879
393	p.221 n.651	Ic512
394	p.221 n.652	Ic882
395	p.221 n.653	Ic881
396	p.222 n.654	Ic890
397	p.221 n.655	Ic895
398	p.221 n.658	Ic899
399	p.221 n.656	Ic883
400	p.221 n.657	Ic896
401	p.221 n.659	Ic902
402	p.221 n.660	Ic898
403	p.221 n.661	Ic900
404	p.221 n.662	Ic897
405	p.222 n.663	Ic901
406	p.222 n.664	Ic906
407	p.222 n.665	Ic908
408	p.222 n.666	Ic911
409	p.217 n.467	Ic437
410	p.217 n.668	Ic362
411	p.213 n.669	Ic428
412	p.214 n.670	Ic417
413	p.214 n.671	Ic231
414	p.213 n.672	Ic189
415	p.214 n.673	Ic484
416	p.214 n.674	Ic264
417	p.213 n.675	Ic318
418	p.214 n.676	Ic285
419	p.213 n.677	Ic147
420	p.217 n.678	Ic442
421	p.217 n.679	Ic394
422	p.214 n.680	Ic253
423	p.213 n.681	Ic148
424	p.213 n.682	Ic107
425	p.216 n.683	Ic52
426	p.217 n.684	Ic482
427	p.213 n.685	Ic115
429	p.213 n.687	Ic32
430	p.214 n.688	Ic306
431	—	P1458
432	p.56 n.3	P1545
433	—	P1475
434	—	P945
435	p.57 n.5	P791
436	p.57 n.6	P946
437	p.57 n.7	P952
438	—	P922
439	p.58 n.9	P692
440	p.57 n.10	P816
441	p.58 n.11	P1623
442	—	P489
443	—	P495
444	—	P752
445	—	P857
446	—	P752
447	p.59 n.16	P1479
448	—	P658
449	—	P953
450	p.60 n.22	P1557
451	p.181 n.23	P1024
452	p.181 n.23	P1024
453	p.181 n.23	P1024
454	—	P725
455	—	P947
456	—	P821
457	p.62 n.30	P1736
458	p.62 n.31	P754
459	—	P729
460	—	P1038
461	p.63 n.34	P655
462	—	P905
463	p.63 n.36	P1008
464	p.63 n.37	P656
465	—	P482
466	p.184 n.39	P926
467	p.63 n.40	P923
469	p.65 n.43	P1026
470	p.64 n.16	P924
471	p.65 n.44	P207
472	p.123 n.847	P467
473	p.66 n.46	P1009
474	p.178 n.1542	P1861
475	p.66 n.48	P1370
476	p.66 n.49-50	P951
477	—	P951
478	p.67 n.51	P1624
479	p.189 n.52	P1135
483	p.179 n.56	P110
484	p.67 n.57	P520
485	p.67 n.58	P519
486	p.67 n.61	P1486
487	p.179 n.56	P109
488	p.68 n.62	P945
489	p.69 n.59	P1361
490	p.68 n.63	P1360
491	p.78 n.66	P820
492	p.69 n.67	P818
493	p.68 n.68	P819
494	p.189 n.65	P1363
495	p.118 n.71	P1230
496	p.185 n.1306	P1228
497	p.184 n.70	P1227
498	p.188 n.72	P1226
499	p.189 n.69	P1229
500	p.68 n.77	P1885
501	—	P920
502	p.192 n.74	P1600
504	p.187 n.76	P247
506	p.169 n.81	P1179
508	p.68 n.86	P1484
509	p.71 n.82	P1185
510	p.70 n.83	P1183
511	p.77 n.87	P104
512	p.123 n.847	P466
514	p.71 n.83	P1184
515	p.71 n.91	P693
516	p.516 n.93	P65
517	p.69 n.92	P627
518	p.72 n.73	P674
519	p.74 n.79	P794
520	—	P1331
522	—	P790
523	p.201 n.94	P992
527	—	P1046
528	—	P1130
530	—	P1742
531	p.146 n.86	P1424
533	p.81 n.88	P1769
534	—	P1091
535	p.81 n.103	P1770
536	p.200 n.91	P78
538	—	P770
539	—	P653
540	p.197 n.95	P1880
541	p.78 n.96	P148
542	p.78 n.97	P147
544	p.75 n.98	P167
545	—	P450
546	p.75 n.107	P218
547	—	P586
548	—	P449
549	—	P168
550	—	P385
553	—	P705
554	—	P163
555	p.76 n.144	P1342
556	p.76 n.132	P1696
557	—	P84
558	—	P82
559	—	P1441
560	—	P1343
563	p.79 n.101	P1642
565	—	A919
566	—	P384
567	—	P125
568	—	P1445
569	—	P1580
570	—	P1588
571	p77 n.127	P219
572	—	P1186
573	p.78 n.129	P1321
574	—	P83
577	p.78 n.131	P458
578	p.78 n.112	P1455
579	—	P709
582	p.82 n.137	P1891
583	p.79 n.134	P1320
586	—	P43
587	—	P388
588	—	P1131
589	—	P397
590	—	P1022
591	—	P345
592	—	P45
593	—	P223
594	—	P1510
595	—	P1045
596	—	P597
597	—	P602
598	p.81 n.104	P289
599	—	P638
600	—	P1893
601	—	P1451
604	p.162 n.3434	P1132
605	—	P1568
607	—	P227
608	—	P327
609	—	P444
610	—	P1144
721	—	P1641
722	p.92 n.140	P1380
724	p.80 n.142	P850
725	p.91 n.143	P1814
726	p.92 n.144	P1794
727	p.79 n.145	P851
728	p.92 n.146	P1815
729	p.91 n.147	P1381
730	p.92 n.148	P1803
731	—	P931
732	p.93 n.150	P1898
733	p.73 n.151	P469
734	p.92 n.152	P1804
735	p.74 n.1518	P1802
736	p.89 n.154	P298
737	p.84 n.211	P356
738	p.70 n.156	P1610
739	p.84 n.157	P1805
740	—	P301
741	p.89 n.159	P297
744	p.197 n.1540	P1728
745	p.85 n.163	P1650
746	p.85 n.164	A714
747	p.85 n.165	P541
748	p.88 n.172	P300
749	—	P362
750	p.85 n.173	P619
751	p.85 n.69	P122
752	p.93 n.763	P1645
753	p.69 n.166	P1616
754	p.86 n.168	A34
755	—	P836
757	p.86 n.176	P1034
760	p.86 n.179	P33
761	p.85 n.180	P1385
762	p.82 n.162	P1317
763	p.26 n.205	P27
765	p.88 n.206	P120
766	p.93 n.185	P180
767	p.87 n.184	P987
768	p.87 n.186	P532
769	p.84 n.192	P1660
770	p.88 n.198	P303
771	p.87 n.187	P786
772	p.190 n.87	P1801
773	p.87 n.191	P1420
774	p.77 n.199	A8491
775	p.79 n.193	Ic1022
776	p.87 n.160	P344
777	p.93 n.196	P1793
778	p.88 n.195	P980
779	p.156 n.197	P1379
781	p.90 n.200	P1565
782	p.87 n.182	P1140
783	p.159 n.1230	P66
784	—	P1470
787	p.78 n.203	P1446
788	p.88 n.204	P938
789	p.68 n.213	P330
790	p.85 n.208	P127
791	p.85 n.155	P1573
792	p.92 n.210	P1383
793	p.88 n.167	P307
794	—	P1886
795	—	P1447
796	p.91 n.216	P1382
797	p.73 n.217	P1291
798	p.85 n.212	P123
799	p.37 n.171	P373
800	p.86 n.170	P1550
801	p.90 n.919	P1408
802	p.89 n.214	P1002
803	p.89 n.218	P1001
804	p.83 n.221	P50
805	p.74 n.220	P1607
806	p.91 n.222	P15
807	p.90 n.223	P613
808	p.90 n.224	P1628
811	p.190 n.1297	P699
818	p.225 n.904	Ic569
820	—	P381
824	—	Ic558
825	—	Ic609

Inv. 1890	C.P.	Cat.	Inv. 1890	C.P.	Cat.	Inv. 1890	C.P.	Cat.	Inv. 1890	C.P.	Cat.
826	—	P378	972	p.119 n.654	P237	1087	p.125 n.765	P795	1194	p.130 n.880	P1205
828	—	P379	973	p.117 n.652	P235	1089	p.123 n.777	P568	1195	p.130 n.875	P1202
845	—	A845	974	p.115 n.653	P1143	1090	p.95 n.780	P1055	1196	p.131 n.876	P1217
866	p.67 n.35	P21	975	p.115 n.655	P1869	1091	p.122 n.770	P1396	1197	p.132 n.877	P1206
877	p.69 n.1296	P105	976	p.114 n.656	P275	1092	p.95 n.779	P1065	1199	p.124 n.881	P1811
878	p.186 n.39	P256	977	p.115 n.674	P1813	1093	p.131 n.771	P1203	1200	p.131 n.878	P1211
879	p.182 n.17	P178	978	—	P853	1094	p.132 n.772	P1200	1201	p.135 n.882	P1835
881	p.190 n.1297	P698	979	—	P990	1095	p.133 n.773	P1204	1202	p.133 n.902	P118
882	p.186 n.1286	P253	980	p.115 n.661	P887	1096	p.114 n.774	P928	1203	p.132 n.883	P1209
883	p.176 n.24	P913	981	p.117 n.691	P408	1097	p.126 n.831	P1415	1204	p.120 n.884	P319
884	p.188 n.1305	P548	983	—	P661	1099	p.126 n.768	P569	1205	p.134 n.893	P1775
885	p.180 n.1301	P925	984	—	P1895	1100	p.96 n.769	P1054	1206	p.139 n.886	P276
886	p.183 n.1302	P767	985	p.115 n.665	P1868	1101	p.96 n.778	P1056	1207	p.139 n.887	P1824
887	p.183 n.1310	P684	987	p.116 n.667	P434	1102	p.95 n.801bis	P1052	1208	p.139 n.888	P1837
888	p.169 n.1224	P626	988	p.72 n.668	P561	1104	—	P793	1209	p.141 n.889	P1749
889	p.84 n.627	P551	989	p.115 n.670	P1070	1105	p.124 n.783	P1783	1210	p.106 n.455	A975
890	p.198 n.572	P342	990	p.114 n.671	P1897	1107	p.126 n.787	P1839	1211	p.135 n.891	P1773
891	p.200 n.573	P1092	991	p.119 n.669	P236	1108	p.94 n.1108	P1266	1212	—	P325
892	p.202 n.574	P859	992	p.113 n.672	P781	1109	p.132 n.786	P554	1213	p.154 n.1205	P1776
893	p.203 n.575	P935	994	p.225 n.986	Ic985	1110	p.125 n.788	P53	1215	p.96 n.895	P792
894	p.200 n.576	P609	995	p.113 n.684	P1335	1111	p.127 n.789	P798	1216	p.123 n.896	P1812
895	—	P346	996	p.113 n.675	P1627	1112	p.124 n.790	P1438	1218	p.132 n.900	P1207
896	p.195 n.578	P1460	998	p.114 n.677	P826	1114	p.96 n.795	P1780	1219	p.135 n.897	P199
897	p.198 n.578	P1577	999	p.72 n.678	P1737	1115	p.127 n.792	P1071	1220	p.133 n.901	P1210
898	p.152 n.582	A875	1000	p.117 n.679	P584	1116	p.125 n.793	P289	1221	p.131 n.898	P1212
899	p.204 n.579	P1871	1001	p.71 n.681	P1195	1118	p.129 n.800	P1531	1222	—	P113
900	p.203 n.580	P77	1002	—	P1151	1119	p.123 n.798	P1808	1223	p.120 n.903	P320
901	p.202 n.583bis	P367	1003	p.116 n.682	P828	1120	p.124 n.799	P796	1224	p.133 n.904	P1214
902	p.203 n.584bis	P427	1004	—	A600	1121	p.118 n.811	P637	1225	—	P1626
904	p.202 n.584	P564	1005	p.72 n.660	P557	1122	p.140 n.797	P1430	1226	p.140 n.917	P116
906	p.198 n.586	P1087	1007	p.71 n.686	P1194	1123	p.95 n.801bis	P1057	1227	p.132 n.907	P171
907	p.193 n.587	P232	1008	p.116 n.689	P583	1125	p.127 n.803	P804	1228	p.199 n.908	P1809
908	p.193 n.585	P188	1010	—	P1513	1126	p.127 n.816	P90	1229	p.133 n.909	P115
909	p.196 n.648	P1726	1011	p.119 n.690	P660	1127	p.122 n.805	P592	1230	—	P1764
910	p.200 n.111	P993	1012	p.115 n.690bis	A327	1128	p.124 n.814	P283	1231	p.130 n.911	P1208
911	p.197 n.571	P396	1013	p.114 n.692	P1896	1129	p.127 n.807	P285	1232	—	P1010
912	p.207 n.596	P1877	1014	p.114 n.693	P1279	1130	p.128 n.808	P6	1233	—	P1213
913	p.207 n.593	P156	1015	p.115 n.694	P558	1131	p.125 n.812	P1900	1234	—	P824
914	p.207 n.594	P1700	1016	p.113 n.696	P782	1133	p.127 n.718	P89	1235	p.140 n.915	P114
915	p.208 n.595	P158	1017	p.113 n.695	P407	1134	p.122 n.815	P593	1236	p.130 n.916	P1069
916	p.204 n.592	P1592	1018	p.115 n.697	P829	1135	p.125 n.804	P284	1237	p.95 n.906	P954
917	p.193 n.597	P1718	1019	p.96 n.698	P955	1136	—	P286	1238	p.137 n.918	P1062
918	p.208 n.598	P355	1020	p.121 n.709	P1639	1137	p.128 n.818	P7	1239	—	P1790
919	p.207 n.599	P1724	1022	p.118 n.701	P503	1138	p.119 n.825	P1421	1240	—	P1786
920	p.197 n.600	P158	1023	p.119 n.700	P1679	1139	p.123 n.822	P462	1241	—	P1833
921	p.197 n.601	P1716	1024	p.94 n.703	P1053	1140	p.95 n.821	P1831	1242	p.140 n.922	P1314
922	p.197 n.601	P1716	1025	—	P1640	1141	p.126 n.823	P806	1243	p.131 n.923	P1901
922	p.195 n.581	A937	1027	p.118 n.706	P1683	1142	p.119 n.820	P1751	1244	p.138 n.924	P510
923	—	P483	1028	p.119 n.705	P1678	1143	—	P169	1245	p.139 n.925	P1750
924	p.195 n.577	P341	1029	p.95 n.708	P500	1144	p.126 n.819	P1397	1246	p.134 n.926	P533
926	p.307 n.605	P1723	1030	p.121 n.713bis	P1636	1146	p.126 n.827	P805	1247	p.136 n.1539	P1845
927	p.196 n.606	P157	1031	p.122 n.710	P1858	1147	p.128 n.828	P1061	1248	p.141 n.927	P198
928	p.198 n.608	P1729	1034	p.121 n.713	P1632	1148	p.124 n.829	P1889	1249	p.94 n.928	P1843
930	p.203 n.645	P1422	1036	p.94 n.749	P943	1140	p.123 n.845	P465	1250	p.136 n.929	P401
931	p.199 n.646	P1717	1037	—	P1466	1150	p.123 n.845	P464	1251	p.134 n.885	P942
932	p.199 n.612	P1578	1038	p.121 n.116	P1656	1152	p.95 n.846	P501	1252	p.139 n.931	P402
933	p.199 n.629	P1089	1040	—	P1681	1153	p.124 n.764	A298	1253	p.140 n.932	P1015
934	p.193 n.613	P1121	1041	p.126 n.721	P763	1154	p.125 n.810	P1386	1254	—	P80
935	p.194 n.615	P1437	1042	p.129 n.722	P403	1155	—	P170	1255	p.131 n.1053	P1848
936	p.206 n.616	P225	1044	p.121 n.724	P1634	1156	p.122 n.836	P803	1257	p.133 n.935	P1752
938	p.206 n.618	P1733	1046	—	P291	1058	p.120 n.740bis	P1633	1258	p.141 n.936	P1781
939	p.204 n.619	P1128	1047	p.120 n.729	P1638	1159	p.122 n.833	P1398	1259	p.133 n.937	P1779
940	p.193 n.620	P958	1048	p.136 n.726	P189	1160	—	P461	1260	p.135 n.938	P1753
941	p.198 n.642	P1088	1050	—	P1474	1161	p.96 n.839	P1850	1261	p.137 n.939	P511
942	p.201 n.622	P1720	1051	—	P213	1162	p.127 n.840	P807	1262	—	P1011
943	p.202 n.583	P195	1052	—	P290	1163	—	P1387	1263	p.136 n.941	P1820
944	p.194 n.624	P339	1054	—	P1074	1165	p.125 n.842	P1378	1264	p.139 n.942	P1798
945	p.201 n.630	P724	1055	—	P863	1166	—	P1384	1265	—	P1842
996	p.194 n.589	P1873	1056	p.123 n.751	P852	1167	p.128 n.844	P5	1266	p.139 n.967	P281
947	p.207 n.630	P723	1057	—	P288	1168	p.113 n.848	P927	1267	p.136 n.945	P1823
948	p.201 n.628	P226	1058	p.120 n.740bis	P1633	1169	p.164 n.849	P882	1268	p.122 n.946	P662
949	p.203 n.625	P1732	1060	p.120 n.740	P1637	1171	p.124 n.851	P570	1269	p.126 n.947	P800
950	—	P1127	1061	p.121 n.737	P632	1173	p.127 n.853	P8	1270	p.135 n.948	P522
951	p.194 n.632	P340	1062	—	P1068	1172	—	P571	1273	p.141 n.951	P1782
952	p.208 n.633	P1719	1063	p.128 n.739	P831	1174	p.129 n.854	P1816	1274	p.130 n.868	P321
953	p.199 n.591	P328	1065	p.116 n.744	P636	1175	p.120 n.899	P1216	1275	p.137 n.952	P1821
954	p.196 n.635	P338	1066	p.117 n.685	P524	1176	p.129 n.855	P1201	1276	p.137 n.961	P1594
956	p.202 n.637	P151	1067	—	P1682	1177	p.133 n.856	P1218	1277	p.138 n.954	P1819
957	p.194 n.638	P1707	1068	p.121 n.747	P633	1178	p.131 n.857	P1800	1278	p.134 n.955	P1073
958	p.203 n.639	P349	1069	p.119 n.745	P1810	1170	p.121 n.858	P324	1279	p.138 n.956	P845
959	p.198 n.640	P155	1070	p.128 n.746	P832	1182	p.129 n.969	P190	1281	p.137 n.958	P1684
960	p.196 n.640	P337	1071	p.121 n.709	P1671	1183	p.138 n.960	P1818	1282	p.133 n.259	P318
961	—	P1581	1072	p.121 n.748	P1635	1184	p.135 n.864	P1012	1283	p.134 n.869	P1215
962	p.205 n.647	P1699	1073	—	P525	1185	p.134 n.905	P1777	1284	p.138 n.960	P1265
963	p.196 n.643	P1850	1077	—	P1765	1186	p.130 n.866	P1774	1285	p.139 n.953	P1395
964	p.194 n.609	P1579	1078	p.118 n.756	P762	1187	p.130 n.986	P191	1286	p.126 n.962	P801
965	p.203 n.610	P153	1079	—	P1844	1188	p.132 n.870	P1799	1287	p.136 n.963	P523
966	p.196 n.649	P1576	1080	p.123 n.758	P574	1189	p.140 n.867	P1817	1289	p.141 n.965	P1797
967	p.194 n.590	P1731	1082	p.72 n.760	P610	1190	p.126 n.871	P287	1290	p.128 n.966	P521
968	p.198 n.644	P1196	1083	p.94 n.761bis	P323	1191	p.129 n.863	P1841	1291	—	P282
969	p.199 n.611	A65	1084	p.95 n.762	P1058	1192	p.130 n.873	P1432	1292	p.141 n.968	P1433
970	p.208 n.650	P1575	1085	p.122 n.830	—	1193	p.130 n.880	P1205	1293	p.120 n.859	P634
971	p.116 n.651	P234	1086	p.122 n.766	P565				1294	p.137 n.970	P1906
									1295	p.127 n.971	P799

Inv. 1890	C.P.	Cat.
1296	p.134 n.972	P1063
1297	p.129 n.973	P862
1298	p.120 n.933	P321[bis]
1300	p.106 n.890	A976
1301	p.140 n.977	P1625
1302	p.141 n.978	P1852
1303	p.138 n.979	P1596
1304	p.136 n.980	P797
1305	p.130 n.981	P1822
1306	p.130 n.982	P1288
1307	p.132 n.983	P1219
1308	p.139 n.872	P1829
1309	p.140 n.984	P1072
1310	p.134 n.987	P1840
1311	p.127 n.988	P802
1312	—	P1854
1313	p.132 n.985	P1778
1314	p.143 n.1044	P10
1315	—	A955
1316	p.148 n.1015	P1881
1317	p.144 n.1034	P1031
1318	p.205 n.1077	P350
1319	—	P1344
1320	—	P1452
1323	p.146 n.1054	P968
1324	p.142 n.1007	P574
1325	p.146 n.1003	P1345
1327	p.146 n.1005	P1459
1328	p.143 n.1006	P1138
1329	p.142 n.1002	P451
1330	p.144 n.1027	P9
1332	p.146 n.1048	P966
1333	p.142 n.1011	P417
1334	p.206 n.1064	P353
1336	p.147 n.1098	P389
1337	p.167 n.1041	P860
1338	p.125 n.1082	P543
1339	—	P1425
1340	—	P1129
1341	—	P17
1342	p.147 n.1024	P1857
1343	p.149 n.1021	P1874
1344	p.160 n.1149	P37
1345	p.147 n.1052	P1908
1346	p.145 n.1028	P222
1347	p.145 n.1032	P1041
1348	p.202 n.1025	P857
1349	—	P575
1350	—	P1043
1351	p.143 n.1031	P560
1352	—	P1040
1353	p.145 n.1033	P672
1354	—	P759
1355	—	P1042
1356	p.146 n.1035	P604
1358	p.161 n.1165	P1504
1360	p.142 n.1022	P16
1361	p.144 n.1057	P11
1362	p.149 n.1058	P1740
1363	p.147 n.1042	P1858
1364	p.145 n.1102	P714
1365	p.145 n.1038	P673
1366	p.146 n.1094	P12
1367	p.142 n.1001	P1141
1368	p.142 n.1096	P1284
1371	—	P1692
1372	p.147 n.996	P1197
1374	p.144 n.1084	P1428
1375	—	P1338
1376	p.161 n.1052	P884
1377	p.143 n.1061	P515
1378	p.148 n.1059	P1739
1379	p.143 n.1040	P785
1380	p.149 n.1049	P152
1381	p.147 n.1046	P715
1382	p.144 n.1038	P1427
1383	p.147 n.1103	P612
1387	p.148 n.1065	P1701
1388	p.143 n.1100	P1434
1392	p.148 n.1070	P79
1395	p.147 n.1074	P1371
1398	p.143 n.110	P1541
1399	—	P1443
1404	p.206 n.1055	P569
1405	p.149 n.1081	P76
1408	—	P478
1409	p.149 n.1000	P1744
1412	p.147 n.1098	P1859
1414	—	P18
1415	—	P546
1416	—	P370
1417	p.146 n.1089	P599
1418	p.148 n.1095	P1133
1420	p.203 n.356	P1574
1421	p.147 n.1062	P1860
1422	—	P547
1423	p.146 n.1101	P1352
1425	—	P1676
1426	p.158 n.1009	P1745
1427	p.156 n.1104	P1324
1428	p.156 n.1109	P545
1429	p.151 n.1107	P499
1430	p.87 n.1114	P788
1431	p.150 n.1108	P1730
1432	p.154 n.1110	P1571
1433	p.195 n.1136	P1870
1434	p.150 n.1141	P566
1436	p.151 n.1122	P1792
1437	p.151 n.1117	P1725
1438	p.90 n.1119	P121
1439	p.155 n.1128	P1791
1440	p.152 n.1120	P1296
1441	p.150 n.1121	P1298
1442	p.152 n.1140	P1768
1443	p.152 n.1123	P1593
1444	p.151 n.1124	P623
1445	—	P624
1446	p.154 n.1127	P1304
1447	p.154 n.1129	P1299
1448	p.154 n.1126	P143
1449	p.154 n.130	P142
1450	—	P1306
1451	p.153 n.1132	P1572
1452	p.135 n.1133	P372
1453	p.155 n.1134	P453
1454	p.150 n.1135	P932
1455	p.155 n.1118	P452
1456	p.191 n.1139	P1066
1457	p.197 n.1116	P1727
1458	p.155 n.1138	P460
1459	p.156 n.1142	P459
1460	p.156 n.1143	P937
1461	p.156 n.1177	P787
1462	p.208 n.626	P1722
1463	p.164 n.1245	P577
1464	p.166 n.1218	P24
1465	p.157 n.1186	P1369
1466	p.164 n.1243	P1559
1467	p.167 n.1228	P25
1468	p.157 n.1175	P1416
1469	—	P314
1470	p.157 n.1185	P1853
1471	p.157 n.1240	P1263
1472	—	P299
1473	p.186 n.1179	P268
1474	p.159 n.1217	P1156
1475	p.89 n.1155	P304
1476	p.160 n.1164	P49
1477	p.158 n.1161	P134
1478	p.160 n.1153	P1222
1479	p.118 n.1159	P1472
1480	—	P1247
1481	p.203 n.1157	P933
1482	p.112 n.1163	P907
1483	p.157 n.1220	P618
1484	p.185 n.1156	P250
1485	p.159 n.1167	P864
1486	p.97 n.280	A24
1487	p.184 n.158	P251
1488	p.186 n.1154	P252
1489	p.158 n.1169	P1285
1490	p.160 n.34	P870
1491	—	P1232
1492	p.159 n.30	P1231
1493	p.161 n.1178	P177
1494	p.143 n.30bis	P528
1496	p.184 n.1182	P269
1497	p.160 n.1235	P144
1498	p.166 n.1202	P42
1499	p.159 n.1162	P175
1500	p.161 n.1183	P26
1501	p.160 n.1184	P176
1502	p.161 n.1208	P132
1503	p.160 n.1152	P141
1504	p.161 n.1166	P1521
1505	p.61 n.1241	P1374
1506	p.163 n.1200	P1916
1507	p.167 n.1190	P36
1508	p.162 n.1215	P1915
1509	p.97 n.306	A55
1510	p.164 n.1194	P1414
1511	p.163 n.1173	P30
1512	p.162 n.1147	P544
1513	p.162 n.1227	P31
1514	p.162 n.1214	P1413
1515	p.163 n.1197	P1308
1516	p.163 n.1207	P1562
1517	p.163 n.1231	P606
1518		
1519	p.164 n.1203	P1563
1520	p.83 n.221	P425
1522	p.166 n.1234	P974
1523	p.170 n.1238	P274
1524	p.162 n.1191	P1852
1526	p.163 n.1201	P537
1527	p.166 n.1174	P1552
1528	p.158 n.1232	P1410
1529	p.163 n.1188	P731
1531	p.164 n.1233	P576
1532	p.158 n.1198	P1256
1533	p.164 n.1151	P744
1535	p.165 n.1205	P682
1536	p.165 n.1312	P1181
1538	p.165 n.1177	P1248
1539	p.165 n.1237	P1122
1540	p.166 n.1219	P485
1541	p.163 n.1216	A165
1542	p.167 n.1242	P1083
1543	p.165 n.1211	P308
1544	p.164 n.1225	P29
1545	p.166 n.1192	P46
1546	p.166 n.1222	P542
1547	p.166 n.1170	P315
1548	p.158 n.1195	P1917
1549	p.166 n.1299	P28
1550	p.160 n.1190	P47
1551	p.167 n.1236	P1913
1552	p.166 n.1214	P1029
1553	p.167 n.1239	P34
1554	p.165 n.1209	P309
1555	p.167 n.1247	P1505
1556	p.167 n.1226	P1246
1558	p.164 n.1221	P1854
1559	p.167 n.1213	P1867
1561	p.168 n.1212	P650
1562	p.169 n.1280[bis]	P1364
1563	p.169 n.1281	P1851
1564	p.171 n.1283	P273
1566	p.170 n.1257	P869
1567	—	P685
1568	p.170 n.1268	P868
1569	p.168 n.1261	P579
1570	p.168 n.1284	P1258
1571	p.171 n.1272	P305
1572	p.171 n.1273	P306
1573	—	P998
1574	p.176 n.1265	P139
1575	p.89 n.1266	P296
1577	p.171 n.1112	P67
1578	p.88 n.1269	P1856
1581	p.90 n.1256	P1411
1582	p.171 n.1251	P1401
1583	p.172 n.1254	P68
1584	p.172 n.1275	P702
1585	p.173 n.1274	P211
1586	p.173 n.1259	P19
1587	p.173 n.1259	P20
1588	p.173 n.1255	P1591
1589	p.171 n.1277	P701
1590	p.173 n.1297	P1608
1591	p.173 n.1278	P529
1592	p.178 n.1278[bis]	P1882
1593	p.168 n.1264	P630
1594	p.188 n.1252	P855
1595	p.172 n.50	P748
1596	p.177 n.1280	P773
1597	p.191 n.1160	P914
1598	p.180 n.1307	P879
1599	p.71 n.1287	P910
1600	p.69 n.1223	P629
1601	p.187 n.1303	P246
1602	—	P835
1603	p.157 n.1314	P915
1604	p.165 n.1168	P918
1605	p.192 n.1291	P1597
1606	p.184 n.1299	P248
1607	p.186 n.1288	P259
1608	p.187 n.1316	P260
1609	p.187 n.1267[bis]	P258
1610	p.185 n.73	P1225
1612	p.180 n.1290	P174
1613	p.192 n.1298	P1599
1614	p.161 n.1313	P916
1615	p.75 n.1300	P1177
1616	p.160 n.1311	P917
1617	p.190 n.1301	P1224
1618	p.189 n.1288	P854
1619	p.190 n.1295	P700
1620	p.62 n.1292	P755
1621	p.190 n.1315	P971
1622	p.70 n.1205	P1174
1623	p.106 n.386	A667
1624	p.111 n.456	A971
1625	p.110 n.227	A908
1626	p.212 n.219	A913
1628	p.99 n.424	A238
1629	p.103 n.275	A409
1630	p.104 n.232	A460
1631	—	A266
1632	p.212 n.460	A984
1633	—	A920
1634	p.100 n.428	A244
1635	p.105 n.423	A522
1636	—	A43
1637	p.106 n.492	A621
1638	p.103 n.453	AA69
1639	p.106 n.222	A605
1640	p.105 n.230	A527
1641	p.210 n.427	A79
1642	p.98 n.284	A114
1643	p.94 n.237	P1762
1644	p.94 n.237	P1763
1645	p.106 n.237	P1761
1646	p.111 n.218	A918
1647	p.107 n.224	A627
1648	p.106 n.466	A591
1649	p.107 n.422	A668
1650	p.212 n.642	A687
1651	p.211 n.236	A592
1652	p.104 n.258	A475
1653	p.101 n.478	A135
1654	p.212 n.389	A885
1655	p.97 n.240	A5
1656	p.102 n.804	A1011
1657	p.100 n.366	A223
1658	p.105 n.541	A862
1659	p.107 n.252	A927
1660	p.111 n.249	A980
1661	p.212 n.488	A1028
1662	p.211 n.492	A632
1663	p.112 n.279	A1038
1664	p.111 n.223	A973
1665	p.210 n.243	A214
1666	p.109 n.244	A748
1667	p.211 n.250	A507
1668	p.105 n.246	A535
1669	p.212 n.247	A711
1670	p.106 n.483	A579
1671	p.109 n.225	A138
1672	p.211 n.303	A602
1673	p.109 n.517	A782
1674	p.110 n.235	A826
1675	p.103 n.257	A372
1676	p.102 n.262	A307
1677	p.100 n.256	A240
1678	p.212 n.258	A961
1679	p.101 n.259	A292
1680	p.108 n.260	A850
1681	p.211 n.261	A383
1682	p.109 n.268	A836
1683	p.97 n.263	A14
1684	p.98 n.264	A137
1685	p.109 n.265	A760
1686	p.106 n.266	A571
1687	p.111 n.254	A931
1689	p.97 n.269	A13
1691	p.99 n.271	A155
1692	p.98 n.272	A91
1693	p.102 n.273	A362
1694	p.97 n.280	A23
1695	p.101 n.281	A674
1696	p.102 n.276	A345
1697	—	A813
1698	p.109 n.278	A783
1699	p.110 n.251	A901
1700	p.151 n.287	P1159
1701	p.112 n.216	A990
1702	p.105 n.283	A539
1703	p.99 n.285	A871
1704	p.106 n.253	A582
1705	p.107 n.284	A652
1706	p.110 n.288	A734
1707	p.112 n.217	A991
1708	p.110 n.315	A804
1711	p.105 n.286	A538
1712	—	A196
1713	p.98 n.294	A698
1714	p.100 n.295	A842
1715	p.210 n.297	A141
1716	p.103 n.296	A400
1718	p.109 n.293	A778
1719	p.111 n.300	A939
1720	p.101 n.301	A275
1721	p.98 n.312	A705
1722	p.106 n.255	A615
1723	p.100 n.274	A324

Inv. 1890	C.P.	Cat.	Inv. 1890	C.P.	Cat.	Inv. 1890	C.P.	Cat.	Inv. 1890	C.P.	Cat.
1724	p.106 n.305	A412	1823	p.210 n.399	A16	1918	p.103 n.625	A443	2017	p.212 n.500	A634
1725	p.97 n.1248	A54	1824	p.108 n.401	A64	1919	p.98 n.631	A96	2018	p.212 n.652	A688
1726	p.112 n.307	A1002	1825	p.108 n.401	A64	1920	p.97 n.639	A35	2019	p.212 n.554	A657
1727	p.210 n.308	A281	1826	p.112 n.403	A308	1921	p.99 n.566	A172	2020	p.102 n.361	A354
1728	—	A911	1827	p.109 n.403	A744	1922	p.106 n.634	A596	2021	p.210 n.654	A886
1729	p.100 n.298	A224	1828	p.97 n.405	A50	1023	p.112 n.633	A1026	2022	p.210 n.543	A229
1730	p.104 n.284	A53	1830	p.107 n.406	A672	1924	p.102 n.564	A365	2023	p.212 n.489	A956
1731	p.98 n.552	75	1831	p.102 n.627	A304	1925	p.99 n.573	A174	2024	—	A701
1732	p.211 n.313	A573	1832	—	A934	1926	p.104 n.569	A501	2025	p.210 n.656	A37
1733	p.212 n.314	A740	1833	p.104 n.409	A502	1927	p.106 n.555	A595	2026	p.211 n.657	A426
1734	p.211 n.311	A381	1834	p.212 n.410	A127	1928	p.104 n.471	A480	2027	p.211 n.658	A619
1735	p.106 n.323	A584	1835	p.102 n.413	A361	1929	p.107 n.494	A642	2028	—	A22
1736	—	A830	1836	p.109 n.412	A153	1930	p.104 n.628	A456	2029	p.212 n.525	A694
1737	p.103 n.313	A368	1837	p.210 n.414	A195	1932	p.109 n.540	A746	2030	p.212 n.660	A685
1738	p.111 n.330	A814	1838	p.109 n.422	A756	1933	p.103 n.501	A429	2031	p.102 n.544	A314
1739	p.219 n.324	A673	1839	p.210 n.418	A78	1934	p.107 n.518	A651	2032	p.212 n.524	A693
1740	p.211 n.319	A378	1840	p.101 n.417	A293	1935	p.99 n.557	A402	2033	p.212 n.661	A792
1741	p.211 n.320	A559	1841	—	A622	1936	p.105 n.535	A537	2034	p.212 n.521	A637
1742	p.210 n.321	A120	1842	p.108 n.416	A679	1937	—	A234	2035	p.211 n.662	A588
1743	p.212 n.322	A665	1843	p.104 n.460	A477	1938	—	A142	2036	p.210 n.664	A98
1744	p.210 n.322	A9	1844	p.101 n.419	A269	1939	p.110 n.626	A825	2037	—	A581
1745	p.98 n.326	A59	1845	p.212 n.425	A923	1940	p.107 n.646	A638	2038	p.210 n.491	A140
1746	p.217 n.327	A857	1846	p.109 n.432	A749	1941	p.107 n.526	A628	2039	p.211 n.693	A379
1747	p.211 n.302	A344	1847	p.112 n.440	A1012	1942	p.101 n.624	A289	2040	p.211 n.693	A379
1748	p.210 n.331	A8	1848	p.97 n.326	A61	1943	p.98 n.599	A117	2040	—	A41
1750	p.210 n.654	A887	1849	p.102 n.447	A531	1944	p.105 n.621	A514	2041	p.210 n.668	A226
1751	p.98 n.364	A119	1850	—	A655	1945	p.104 n.605	A492	2042	p.101 n.666	A417
1752	p.101 n.317	A251	1851	p.105 n.473	A510	1946	p.98 n.532	A112	2043	p.109 n.408	A764
1753	p.104 n.510	A488	1852	p.112 n.497	A1008	1948	p.104 n.581	A468	2044	p.109 n.547	A790
1754	p.109 n.333	A745	1853	p.98 n.534	A71	1949	p.110 n.580	A795	2045	—	A880
1755	p.108 n.334	A718	1854	p.105 n.250	A551	1950	p.103 n.568	A444	2046	p.210 n.530	A156
1756	p.210 n.335	A45	1855	p.211 n.220	A487	1951	p.107 n.609	A631	2047	p.211 n.670	A499
1758	p.110 n.337	A896	1856	p.211 n.499	A587	1952	p.103 n.523	A446	2048	p.105 n.671	A508
1759	p.100 n.338	A805	1857	p.109 n.474	A759	1953	p.104 n.616	A500	2049	p.611 n.672	A578
1760	p.212 n.345	A751	1858	p.105 n.485	A519	1954	—	A147	2050	p.211 n.485	A339
1761	p.110 n.340	A819	1859	p.111 n.473	A302	1955	—	A232	2051	—	A200
1762	p.97 n.329	A46	1860	p.111 n.479	A301	1956	p.107 n.614	A659	2052	p.212 n.673	A635
1763	p.110 n.467	A809	1861	p.101 n.542	A265	1957	p.99 n.613	A158	2053	p.210 n.674	A191
1764	p.107 n.343	A280	1862	p.212 n.277	A722	1958	p.109 n.514	A794	2054	p.99 n.675	A983
1765	p.100 n.344	A215	1863	p.202 n.354	P193	1959	p.98 n.610	A116	2055	p.110 n.676	A802
1766	p.211 n.346	A613	1864	p.108 n.60	A742	1960	p.103 n.611	A449	2056	p.224 n.253	A370
1767	p.210 n.341	A148	1865	p.98 n.446	A118	1961	p.102 n.520	A349	2057	p.110 n.475	A904
1768	p.106 n.349	A590	1866	p.211 n.229	A544	1962	p.100 n.571	A202	2058	p.110 n.678	A897
1770	p.211 n.504	A625	1867	p.110 n.454	A881	1963	p.108 n.623	A715	2059	p.99 n.487	A167
1771	p.108 n.431	A724	1868	p.211 n.388	A332	1964	p.98 n.522	A101	2060	p.210 n.472	A159
1772	—	A801	1869	p.110 n.221	A882	1965	p.99 n.511	A150	2061	p.211 n.509	A599
1773	p.108 n.352	A720	1870	p.98 n.356	A876	1966	p.109 n.607	A755	2062	p.211 n.680	A454
1774	—	A185	1871	p.108 n.452	A743	1967	p.97 n.620	A40	2063	p.101 n.682	A253
1775	p.98-9 n.434	A88	1872	p.111 n.457	A970	1968	p.101 n.528	A259	2064	p.102 n.533	A366
1776	p.105 n.555	A568	1873	p.102 n.437	A972	1969	p.97 n.518	A20	2065	—	A820
1777	p.210 n.553	A193	1874	p.212 n.495	A949	1970	p.104 n.604	A453	2066	p.102 n.685	A305
1778	p.107 n.347	A978	1875	p.211 n.443	A979	1971	p.105 n.577	A546	2067	p.99 n.684	A130
1779	p.107 n.505	A654	1876	p.106 n.976	A977	1972	p.102 n.606	A334	2068	p.101 n.342	A284
1780	p.111 n.357	A936	1877	p.108 n.445	A713	1973	p.107 n.516	A676	2069	p.212 n.550	A712
1781	p.108 n.358	A699	1878	p.110 n.435	A825	1974	p.105 n.600	A526	2070	p.210 n.490	A49
1782	p.212 n.359	A925	1879	p.112 n.442	A1031	1975	p.101 n.601	A747	2071	p.107 n.536	A633
1783	—	A932	1880	p.104 n.441	A312	1976	p.106 n.602	A577	2072	p.212 n.686	A752
1784	p.102 n.433	A323	1881	p.210 n.503	A111	1977	p.108 n.603	A706	2073	p.97 n.685	A2
1785	—	A187	1882	p.102 n.449	A311	1978	p.218 n.326	Ic449	2074	p.103 n.688	A425
1786	p.100 n.363	A189	1883	p.143 n.444	P505	1979	p.105 n.598	A520	2075	—	A435
1787	p.112 n.426	A873	1884	p.109 n.332	A793	1980	p.107 n.576	A669	2076	p.108 n.481	A707
1788	p.103 n.430	A395	1885	p.211 n.448	A489	1981	p.110 n.668	A796	2077	p.210 n.486	A83
1789	p.107 n.372	A66	1886	p.101 n.493	A246	1982	p.109 n.595	A780	2078	p.211 n.515	A430
1790	p.100 n.367	A202	1887	p.102 n.502	A547	1983	p.103 n.596	A422	2079	p.121 n.494	A643
1791	—	A186	1888	p.211 n.507	A397	1984	p.112 n.567	A1010	2080	p.211 n.562	A580
1792	p.211 n.369	A356	1889	p.102 n.439	A318	1985	p.103 n.618	A451	2081	p97 n.561	A33
1793	p.107 n.370	A670	1890	p.109 n.228	A792	1986	p.111 n.593	A989	2082	p.212 n.689	A664
1794	p.111 n.371	A12	1891	—	P1149	1987	p.99 n.594	A131	2083	p.111 n.537	A974
1795	p.109 n.378	A938	1892	p.106 n.239	A614	1988	p.104 n.629	A471	2084	p.104 n.692	A486
1796	p.105 n.373	P347	1893	p.104 n.450	A497	1989	p.106 n.588	A607	2085	p.212 n.691	A951
1797	—	A184	1894	p.102 n.241	A364	1990	p.108 n.589	A752	2086	p.101 n.690	A255
1798	p.105 n.375	A533	1895	p.112 n.476	A1009	1991	p.105 n.590	A529	2087	p.111 n.694	A986
1799	p.110 n.376	A824	1896	p.212 n.463	1013	1992	p.108 n.591	A18	2088	—	A346
1800	p.107 n.377	A671	1897	p.109 n.365	A768	1993	p.112 n.585	A1015	2089	p.99 n.666	A166
1801	p.112 n.384	A941	1899	—	A134	1994	p.112 n.551	A1033	2090	p.212 n.695	A218
1803	p.99 n.380	A874	1900	p.210 n.342bis	A27	1096	p.110 n.587	A803	2091	p.103 n.687	A433
1804	p.106 n.381	A832	1901	p.112 n.464	A437	1097	p.103 n.582	A391	2092	p.106 n.523	A617
1805	p.106 n.582	A610	1902	p.112 n.464	A437	1098	p.100 n.583	A213	2093	p.100 n.784	A238
1806	p.210 n.383	A192	1902	p.211 n.902	A518	1999	p.107 n.539	A629	2094	p.108 n.622	A684
1807	p.211 n.384bis	A863	1903	—	A4	2000	p.108 n.637	A737	2094bis	p.108 n.482	A733
1808	—	A661	1904	p.107 n.469	A636	2001	p.105 n.584	A525	2095	p.212 n.696	A1027
1809	p.99 n.512	A164	1905	p.112 n.549	A1001	2002	p.109 n.638	A770	2096	p.101 n.698	A262
1811	p.99 n.387	A165	1906	p.111 n.608	A982	2003	p.101 n.630	A261	2097	p.108 n.695	A697
1812	p.211 n.388	A347	1907	p.99 n.575	A146	2005	p.111 n.579	A916	2098	p.108 n.699	A721
1813	p.102 n.389	A838	1908	p.99 n.632	A139	2006	p.104 n.581	A491	2099	p.97 n.701	A6
1814	p.110 n.390	A833	1909	p.98 n.548	A85	2007	p.97 n.561	A32	2100	p.107 n.565	A658
1815	—	A182	1910	p.104 n.640	A482	2008	p.212 n.553	A1018	2102	—	A38
1816	p.108 n.392	A725	1911	p.105 n.578	A524	2009	p.106 n.645	A604	2104	—	A557
1817	p.111 n.393	A958	1912	p.112 n.571	A1024	2010	p.100 n.554	A241	2105	p.102 n.700	A329
1818	—	A271	1913	p.102 n.644	A765	2011	p.102 n.647	A340	2106	p.103 n.705	A448
1819	p.108 n.395	A68	1914	p.105 n.570	A566	2012	p.212 n.501	A719	2107	p.103 n.653	A439
1820	—	A434	1915	p.103 n.470	A470	2014	p.212 n.649	A781	2108	—	A432
1821	p.100 n.397	A188	1916	p.105 n.563	A561	2015	p.98 n.650	A81			
1822	p.99 n.398	A288	1917	p.100 n.636	A3	2016	p.107 n.516	A676			

Inv. 1890	C.P.	Cat.
2109	p.103 n.703	A441
2110	p.110 n.556	A895
2111	p.101 n.643	A264
2112	p.103 n.538	A447
2113	p.99 n.679	A149
2114	—	A576
2119	—	P1806
2120	p.82 n.1555	P730
2123	p83. n.1556	P732
2124	p.74 n.3405	P575
2125	—	P1016
2127	—	P975
2129	—	P687
2131	—	P708
2133	p.81 n.1253	P1175
2134	—	P1904
2135	—	Ic1033
2136	p.82 n.3462	P102
2144	—	P376
2145	—	P1439
2146	p.73 n.796	P1471
2147	p.90 n.1144	P761
2148	p.77 n.207	P540
2149	—	P1286
2150	p.70 n.1249	P769
2151	p.84 n.1583	P1375
2152	p.70 n.1282	P771
2154	—	P1028
2155	p.158 n.3413	P700
2157	p.89 n.1579	P1409
2160	p.76 n.1106	P1548
2162	—	P1435
2163	—	P704
2170	p.106 n.726	A594
2172	—	P1586
2176	—	P651
2178	—	P625
2179	p.126 n.775	P883
2183	p.195 n.3458	P1721
2184	p.143 n.3017	P221
2185	p.159 n.3491	A543
2186	—	P572
2187	p.73 n.3455	P1662
2189	—	P497
2191	—	P1629
2194	p.84 n.1587	P107
2195	p.203 n.3390	P224
2200	p.76 n.3397	P1644
2202	—	A866
2203	p.76 n.3386	P1670
2205	—	A440
2206	—	A348
2208	p.76 n.3398	P1657
2209	—	Ic1062
2213	—	P1290
2214	—	P716
2215	p.72 n.634	P206
2216	p.225 n.2	Ic649
2217	p.225 n.1	Ic634
2218	—	P711
2219	—	Ic1059
2220	p.225 n.3	P659
2221	p.225 n.4	Ic651
2222	p.225 n.5	Ic650
2223	p.225 n.6	Ic664
2224	p.226 n.7	Ic654
2225	p.226 n.8	Ic665
2226	p.226 n.9	Ic1016
2227	p.226 n.10	Ic666
2228	p.226 n.11	Ic657
2229	p.226 n.12	Ic653
2230	p.226 n.13	Ic656
2231	p.226 n.14	Ic633
2232	p.226 n.15	Ic648
2233	—	Ic1063
2234	p.226 n.17	Ic658
2235	p.226 n.18	Ic655
2236	p.226 n.19	Ic632
2237	p.226 n.20	Ic629
2238	p.226 n.21	Ic635
2239	p.226 n.22	Ic639
2240	p.223 n.23	Ic930
2241	p.226 n.24	Ic644
2242	p.226 n.25	Ic647
2243	p.226 n.26	Ic641
2244	p.226 n.27	Ic662
2245	p.226 n.28	Ic636
2246	p.227 n.29	Ic663
2247	p.227 n.32	Ic1013
2248	p.227 n.31	Ic646
2249	p.227 n.32	Ic642
2250	p.227 n.33	Ic637
2251	p.227 n.34	Ic668
2252	p.227 n.33	Ic661
2253	—	Ic645
2254	p.226 n.37	Ic997
2255	—	Ic630
2256	—	Ic631
2257	p.226 n.40	Ic509
2258	—	Ic547
2259	p.74 n.2258	P1271
2260	p.74 n.2260	P1276
2262	p.228 n.1261	Ic734
2263	p.223 n.1261	Ic703
2264	—	Ic971
2265	p.223 n.1259	Ic707
2266	p.228 n.1258	Ic713
2267	p.81 n.1242	P1646
2268	—	Ic742
2269	p.223 n.1255	Ic714
2270	p.228 n.152	Ic599
2271	p.77 n.3406	P1658
2272	p.228 n.1251	Ic739
2274	p.224 n.1250	Ic710
2275	p.223 n.1233	Ic699
2276	p.227 n.1245	Ic1000
2277	p.223 n.1222	Ic701
2278	p.223 n.1246	Ic700
2279	p.80 n.3428	P1268
2280	p.224 n.1244	Ic718
2281	p.228 n.1243	Ic733
2283	p.228 n.1241	Ic736
2284	p.223 n.1240	Ic706
2285	p.227 n.1171	Ic990
2286	p.228 n.1238	Ic711
2287	p.228 n.1225	Ic730
2289	p.223 n.1235	Ic697
2290	p.228 n.1234	Ic728
2292	p.228 n.1232	Ic737
2293	p.228 n.1231	Ic740
2296	p.228 n.1228	Ic738
2297	p.226 n.1230	Ic1008
2298	p.228 n.1226	Ic712
2299	p.228 n.1237	Ic731
2301	p.223 n.1223	Ic698
2302	p.223 n.1247	Ic702
2303	p.227 n.1218	Ic1001
2304	p.227 n.1220	Ic723
2305	—	Ic724
2306	p.227 n.1171	Ic989
2308	p.228 n.125	Ic735
2309	p.226 n.1212	Ic1014
2310	p.227 n.1214	Ic727
2317	p.73 n.1207	P1494
2318	p.225 n.1203	Ic977
2319	p.223 n.1205	Ic928
2320	—	Ic749
2322	p.228 n.1202	Ic1052
2324	p.226 n.1160	Ic956
2326	p.224 n.1197	Ic962
2327	—	Ic1007
2329	p.224 n.1194	Ic955
2331	p.225 n.1193	Ic719
2332	p.225 n.1191	Ic720
2333	—	Ic602
2334	p.77 n.1188	P1652
2335	p.73 n.1190	P1663
2338	—	Ic968
2339	p.225 n.1185	Ic983
2340	—	Ic743
2341	p.3 n.1391	P1649
2345	p.228 n.1178	Ic1044
2346	p.223 n.1175	Ic976
2347	p.228 n.1177	Ic1045
2348	p.226 n.1171	Ic1002
2350	p.225 n.45	Ic969
2354	p.228 n.49	Ic942
2358	p.227 n.53	Ic988
2360	p.227 n.391	Ic992
2365	p.225 n.58	Ic980
2367	p.224 n.60	Ic1061
2370	p.80 n.2370	P1400
2371	p.81 n.2371	P1667
2373	p.225 n.65	Ic513
2374	p.224 n.66	Ic945
2375	p.226 n.67	Ic1012
2376	—	Ic1026
2377	p.225 n.69	Ic974
2381	—	Ic530
2383	p.226 n.75	Ic999
2384	p.226 n.76	Ic1058
2385	p.77 n.3410	P1278
2386	—	Ic593
2389	—	P509
2391	—	Ic520
2394	—	Ic551
2397	p.225 n.89	Ic556
2399	p.93 n.91	P1269
2400	p.76 n.3447	P1273
2402	p.227 n.1092	Ic567
2403	p.77 n.3448	P1272
2404	p.72 n.3430	P1566
2405	p.93 n.3415	P1270
2406	p.74 n.3404	Ic538
2407	p.77 n.3411	P1274
2408	p.226 n.2270	Ic940
2409	p.223 n.734	Ic676
2410	p.224 n.1161	Ic682
2411	p.227 n.1156	Ic1003
2412	p.227 n.1159	Ic685
2413	p.228 n.1158	Ic687
2414	p.223 n.1137	Ic677
2417	p.228 n.1155	Ic688
2418	p.226 n.150	Ic1052
2419	p.224 n.1152	Ic680
2420	p.222 n.1151	Ic670
2422	p.227 n.1149	Ic684
2423	p.224 n.1148	Ic681
2425	p.222 n.1146	Ic673
2426	p.228 n.1146	Ic686
2428	p.224 n.1143	Ic678
2429	p.222 n.1142	Ic671
2430	p.225 n.151	Ic106
2431	p.225 n.1140	Ic683
2432	p.223 n.1139	Ic675
2434	p.224 n.1137	Ic679
2435	—	Ic690
2436	p.228 n.1132	Ic1047
2437	—	Ic691
2438	—	Ic692
2440	p.222 n.1131	Ic669
2441	— •	Ic689
2443	p.222 n.1128	Ic672
2444	p.222 n.1127	Ic674
2445	p.72 n.1125	P435
2446	—	Ic693
2447	p.73 n.3402	P1653
2449	p.227 n.1122	Ic1024
2450	p.227 n.1118	Ic952
2458	p.228 n.113	Ic1053
2460	p.223 n.1112	Ic705
2464	p.224 n.1107	Ic965
2466	p.225 n.1101	Ic979
2470	—	Ic524
2473	p.228 n.1095	Ic519
2474	p.223 n.1097	Ic953
2475	—	A843
2477	p.223 n.1094	Ic694
2481	p.222 n.1089	Ic922
2483	p.226 n.350	Ic1021
2485	p.80 n.3433	P310
2495	—	P313
2499	—	P312
2501	p.80 n.3430	P1643
2503	—	Ic744
2505	—	Ic745
2506	p.224 n.1086	Ic606
2507	—	Ic721
2513	—	P615
2516	p.227 n.3503	Ic1006
2522	p.222 n.1076	Ic600
2523	p.112 n.1077	A1025
2525	—	A906
2526	—	Ic612
2528	—	Ic526
2530	p.227 n.109	Ic1037
1052	p.227 n.111	Ic1032
2533	p.228 n.112	Ic1046
2535	p.83 n.114	P847
2537	—	Ic578
2538	p.223 n.117	Ic923
2541	p.224 n.120	Ic966
2542	p.228 n.242	Ic1054
2544	p.83 n.123	P848
2547	p.225 n.126	Ic987
2550	p.222 n.129	Ic916
2551	p.222 n.130	Ic917
2552	p.224 n.131	Ic963
2553	p.225 n.132	Ic986
2554	p.224 n.133	Ic964
2555	p.83 n.134	P846
2556	p.224 n.901	Ic946
2557	p.224 n.136	Ic948
2558	p.224 n.137	Ic954
2559	p.223 n.138	Ic925
2560	p.228 n.139	Ic1042
2561	p.228 n.1072	Ic1056
2563	p.224 n.142	Ic1043
2564	p.83 n.149	P849
2565	—	Ic627
2568	—	Ic617
2569	—	Ic1060
2572	p.227 n.1057	Ic1036
2573	—	Ic546
2577	p.228 n.1062	Ic1050
2579	p.227 n.1064	Ic931
2582	p.222 n.1067	Ic914
2584	—	P383
2585	—	P377
2587	—	Ic589
2589	p.228 n.1074	Ic1055
2596	—	P1685
2603	—	P431
2604	—	P430
2608	—	P432
2609	—	P433
2613	—	P823
2614	—	P1686
2615	—	P1687
2619	p.226 n.153	Ic994
2620	p.227 n.515	Ic1017
2623	p.223 n.157	Ic926
2626	p.227 n.160	Ic1040
2627	p.88 n.161	Ic995
2635	—	Ic938
2636	p.228 n.170	Ic958
2637	p.224 n.171	Ic535
2639	p.227 n.173	Ic993
2640	—	Ic939
2644	p.226 n.3548	Ic996
2645	p.228 n.179	Ic1041
2651	—	Ic1057
2655	p.222 n.189	Ic915
2656	p.227 n.151	Ic1005
2659	p.227 n.193	Ic1038
2660	p.225 n.195	Ic970
2662	p.225 n.196	Ic967
2663	p.225 n.197	Ic959
2664	p.227 n.984	Ic1039
2665	p.228 n.935	Ic1048
2668	—	Ic855
2670	p.227 n.3535	Ic944
2671	—	Ic856
2672	p.223 n.992	Ic933
2674	—	Ic857
2675	p.225 n.995	Ic975
2677	—	Ic858
2678	p.224 n.998	Ic981
2679	p.227 n.999	Ic1004
2680	—	Ic859
2681	p.227 n.1001	Ic1019
2683	—	Ic860
2684	—	Ic561
2687	p.80 n.673	P1789
2689	—	Ic521
2690	—	Ic620
2691	—	Ic537
2692	—	Ic527
2693	p.224 n.1013	Ic950
2694	p.223 n.1114	Ic941
2695	p.225 n.1015	Ic782
2696	—	Ic784
2697	p.225 n.1017	Ic783
2698	p.222 n.1018	Ic777
2699	p.224 n.1018	Ic781
2700	p.222 n.1020	Ic778
2701	p.223 n.1021	Ic786
2702	p.22 n.1022	Ic776
2703	p.225 n.1023	Ic785
2704	p.228 n.1024	Ic790
2705	p.228 n.1025	Ic789
2706	p.223 n.1026	Ic780
2707	p.228 n.1027	Ic788
2708	p.225 n.1028	Ic787
2709	p.228 n.1129	Ic779
2718	p.224 n.212	Ic543
2719	p.228 n.203	Ic848
2720	p.222 n.204	Ic826
2721	p.76 n.1532	P839
2722	—	Ic861
2723	p.224 n.207	Ic839
2725	p.223 n.208	Ic834
2726	p.224 n.210	Ic843
2727	p.228 n.211	Ic847
2729	p.224 n.213	Ic838
2730	p.224 n.213	Ic835
2731	p.224 n.215	Ic1023
2732	p.223 n.216	Ic831
2733	p.222 n.217	Ic824
2735	p.222 n.219	Ic825

Inv. 1890	C.P.	Cat.
2736	p.223 n.220	Ic833
2738	p.222 n.224	Ic823
2739	p.224 n.223	Ic840
2740	—	P620
2741	p.227 n.225	Ic845
2742	p.223 n.226	Ic830
2744	p.222 n.228	Ic822
2745	p.228 n.229	Ic852
2746	p.228 n.230	Ic849
2748	p.224 n.232	Ic842
2749	p.223 n.1233	Ic829
2751	p.223 n.235	Ic827
2752	—	Ic844
2754	p.223 n.238	Ic832
2755	p.227 n.239	Ic846
2757	p.223 n.241	Ic837
2758	p.228 n.242	Ic854
2759	—	Ic557
2762	p.228 n.246	Ic853
2763	p.223 n.247	Ic932
2765	p.224 n.249	Ic841
2767	p.223 n.251	A168
2768	p.223 n.252	Ic828
2769	—	A169
2770	—	Ic862
2772	—	Ic514
2773	—	Ic863
2776	p.226 n.26	Ic1025
2782	—	Ic522
2783	—	A283
2784	p.228 n.268	Ic850
2785	—	Ic573
2786	—	A405
2787	—	Ic864
2788	p.228 n.272	Ic1049
2790	—	Ic865
2792	—	Ic866
2793	p.82 n.277	P1336
2794	—	Ic614
2795	p.77 n.3427	P1655
2800	p.225 n.284	A586
2802	—	P648
2805	—	P646
2807	p.233 n.291	P647
2808	—	P649
2809	—	Ic623
2810	—	Ic518
2811	—	Ic534
2813	—	Ic505
2814	—	Ic579
2816	p.79 n.2816	P1060
2819	p.227 n.303	Ic585
2820	—	Ic566
2821	p.82 n.305	P833
2822	p.225 n.306	Ic920
2825	p.225 n.309	Ic960
2827	p.225 n.845	I961
2828	p.225 n.846	Ic433
2829	p.227 n.847	Ic918
2830	—	Ic492
2832	p.225 n.850	Ic973
2833	p.224 n.851	Ic949
2834	p.227 n.852	Ic921
2836	p.225 n.854	Ic951
2838	—	Ic919
2840	—	Ic615
2844	—	A455
2852	p.224 n.870	Ic1018
2854	p.223 n.872	Ic696
2858	p.227 n.876	Ic1035
2859	p.223 n.877	Ic924
2860	p.82 n.878	P1337
2862	p.223 n.880	Ic929
2867	p.223 n.885	Ic934
2872	p.223 n.890	Ic937
2875	p.75 n.893	P1669
2876	p.224 n.894	A384
2877	—	A846
2879	p.224 n.896	A424
2883	p.224 n.951	Ic927
2884	—	A1003
2886	—	Ic568
2887	—	A569
2889	p.217 n.337	Ic25
2903	p.228 n.291	Ic565
2904	p.227 n.922	Ic816
2906	p.227 n.924	Ic943
2907	p.225 n.925	Ic813
2915	p.227 n.933	Ic1027
2919	p.223 n.939	Ic935
2920	p.227 n.937	Ic1034
2922	p.73 n.3456	P1665
2923	—	Ic817
2926	p.225 n.944	Ic796
2927	p.228 n.945	Ic819
2930	—	Ic489
2936	p.223 n.1006	Ic517
2938	p.223 n.955	Ic503
2941	—	Ic621
2942	—	Ic868
2948	p.83 n.972	P1517
2949	p.225 n.967	Ic984
2952	p.227 n.969	Ic583
2954	p.82 n.960	P1516
2958	p.225 n.976	Ic559
2959	p.227 n.977	Ic836
2960	p.228 n.978	Ic851
2961	p.224 n.979	Ic533
2962	p.218 n.310	Ic438
2964	p.218 n.312	Ic486
2965	p.218 n.313	Ic66
2966	p.317 n.314	Ic35
2967	p.218 n.315	Ic63
2968	p.217 n.316	Ic61
2969	p.217 n.317	Ic23
2970	p.218 n.318	Ic448
2971	p.218 n.319	Ic260
2972	p.218 n.320	Ic118
2973	p.217 n.321	Ic71
2974	p.217 n.322	Ic62
2975	p.218 n.323	Ic113
2976	p.218 n.324	Ic229
2977	p.218 n.324	Ic124
2979	p.217 n.327	Ic24
2980	p.218 n.328	Ic230
2981	p.218 n.329	Ic312
2982	p.218 n.330	Ic184
2983	p.218 n.331	Ic342
2984	p.218 n.332	Ic88
2985	p.218 n.333	Ic372
2986	p.218 n.334	Ic358
2987	p.218 n.335	Ic420
2988	p.218 n.336	Ic261
2990	p.218 n.338	Ic233
2991	p.218 n.339	Ic10
2992	p.218 n.340	Ic359
2993	p.218 n.341	Ic360
2994	p.218 n.342	Ic373
2995	p.218 n.343	Ic374
2996	p.218 n.344	Ic241
2997	p.218 n.345	Ic421
2998	p.218 n.346	Ic125
2999	p.218 n.352	Ic279
3000	p.218 n.348	Ic361
3001	p.218 n.349	Ic450
3002	p.217 n.350	Ic26
3002	p.218 n.351	Ic126
3004	p.218 n.352	Ic262
3005	p.218 n.353	Ic127
3006	p.218 n.354	Ic445
3007	p.218 n.355	Ic444
3008	p.218 n.356	Ic69
3009	p.218 n.357	Ic119
3010	p.218 n.358	Ic472
3011	p.218 n.358	Ic386
3012	—	Ic483
3013	p.218 n.361	Ic242
3014	p.218 n.362	Ic133
3015	p.216 n.363	Ic74
3016	p.218 n.364	Ic60
3017	p.218 n.365	Ic169
3018	p.214 n.366	Ic381
3019	p.218 n.367	Ic140
3020	p.218 n.368	Ic150
3021	p.218 n.369	Ic380
3023	p.218 n.371	Ic165
3024	p.218 n.372	Ic411
3025	p.218 n.373	Ic343
3026	p.218 n.374	Ic164
3027	p.213 n.375	Ic365
3028	p.213 n.376	Ic97
3029	—	Ic283
3030	p.218 n.378	Ic57
3031	p.218 n.379	Ic55
3032	p.218 n.380	Ic65
3033	p.214 n.381	Ic387
3034	p.218 n.382	Ic395
3035	p.218 n.383	Ic352
3036	p.214 n.384	Ic323
3037	p.218 n.385	Ic354
3038	p.218 n.386	Ic1027
3039	p.216 n.381	Ic434
3041	p.213 n.389	Ic145
3042	p.219 n.390	Ic111
3043	p.219 n.391	Ic240
3044	p.213 n.392	Ic38
3045	p.214 n.393	Ic375
3046	p.213 n.394	Ic34
3047	p.213 n.395	Ic42
3049	p.214 n.396	Ic405
3049	p.214 n.397	Ic440
3050	p.214 n.398	Ic235
3051	p.215 n.399	Ic424
3052	p.215 n.400	Ic432
3053	p.215 n.411	Ic49
3054	p.215 n.402	Ic301
3055	p.215 n.403	Ic302
3056	p.215 n.404	Ic337
3057	p.215 n.405	Ic409
3058	p.215 n.406	Ic50
3059	—	Ic410
3060	p.215 n.408	Ic338
3061	p.216 n.409	Ic258
3062	p.215 n.410	Ic339
3063	p.215 n.411	Ic303
3064	p.215 n.412	Ic6
3065	p.215 n.413	Ic20
3066	p.103 n.642	O436
3067	p.112 n.615	A1036
3068	p.108 n.636	A686
3069	p.107 n.592	A656
3070	—	A298
3071	p.70 n.90	P1293
3072	p.60 n.21	P1556
3073	—	P490
3074	p.100 n.619	A462
3075	p.97 n.706	A58
3076	p.103 n.707	A450
3078	p.109 n.711	A767
3079	p.99 n.708	A126
3080	p.111 n.725	A943
3083	p.82 n.3387	P1356
3084	p.207 n.3388	P1715
3085	p.83 n.3399	P1318
3086	p.80 n.3393	P1134
3088	p.90 n.3994	P1316
3090	p.101 n.713	A282
3091	p.107 n.715	A647
3093	p.188 n.3452	P908
3095	p.129 n.3449	P1911
3097	—	Ic765
3099	—	P380
3101	—	Ic757
3102	—	Ic766
3103	—	Ic761
3104	—	Ic768
3105	—	Ic760
3106	—	Ic628
3107	p.192 n.3418	P1601
3108	p.103 n.712	A415
3109	p.112 n.710	A1020
3110	p.109 n.714	A753
3111	p.35 n.1520	P1695
3112	p.86 n.1519	P1082
3114	p.204 n.1524	P1735
3115	p.75 n.1535	P543
3117	—	Ic610
3118	—	P1807
3120	p.84 n.1531	P1448
3121	p.69 n.3451	P331
3122	p.110 n.716	A827
3154	—	P131
3155	p.64 n.12	P1485
3159	—	P73
3160	—	P74
3161	—	P696
3162	p.67 n.19	P1004
3163	p.179 n.20	P1120
3164	p.179 n.61	P1004
3165	p.177 n.22	P1295
3166	—	P245
3168	—	P1497
3185	—	P1567
319ò	p.171 n.47	P1373
3191	p.95 n.1525	P1771
3192	p.95 n.1525	P1771
3193	p.95 n.1525	P1771
3202	p.177 n.62	P1613
3203	p.178 n.63	P1614
3204	p.181 n.64	P1630
3205	p.179 n.65bis	P1365
3211	p.176 n.71	P137
3212	p.178 n.72	P1611
3213	p.177 n.13	P1615
3222	p.66 n.55	P209
3234	—	P1330
3238	p.98 n.729	A93
3239	p.99 n.750	A171
3240	—	A1029
3243	p.100 n.763	A242
3244	p.176 n.1528	P911
3245	p.161 n.3435	P1372
3246	p.192 n.1547	P865
3247	p.178 n.1541	P768
3248	—	A1023
3249	p.99 n.737	A128
3250	p.181 n.1544	P354
3251	p.103 n.755	A109
3252	p.110 n.738	A816
3253	p.81 n.1554	P1546
3254	p.192 n.1547	P1598
3255	p.182 n.1551	P757
3256	—	P1126
3257	p.101 n.782	A260
3258	—	P1007
3250	—	P1006
3260	—	P1005
3261	—	A730
3262	—	A900
3263	—	P668
3265	p.109 n.750	A757
3272	—	I608
3273	P144 n.557	P1743
3274	p.175 n.1565	P96
3275	p.100 n.747	A199
3276	—	A929
3277	p.111 n.744	A28
3278	p.110 n.750	A893
3279	p.104 n.743	A451
3280	p.122 n.766	A1032
3281	—	A309
3282	p.145 n.1559	P455
3284	p.104 n.758	A464
3285	p.99 n.170	A132
3286	p.108 n.591	A19
3287	p.212 n.736	A953
3289	p.29 n.1523	P1795
3290	p.109 n.739	A786
3292	p.110 n.3292	A905
3293	p.104 n.726	A1030
3295	—	Ic590
3296	—	Ic502
3297	—	Ic493
3299	—	Ic499
3300	—	Ic594
3301	—	A421
3302	—	Ic510
3303	—	Ic564
3304	—	A326
3305	—	A231
3306	—	Ic549
3307	—	Ic552
3308	—	A817
3309	—	Ic562
3310	—	Ic560
3311	—	Ic494
3312	—	A420
3313	—	Ic618
3314	—	Ic523
3315	p.102 n.3315	A341
3316	—	Ic553
3317	—	Ic595
3318	—	Ic516
3319	—	Ic588
3320	—	A860
3321	—	Ic500
3322	—	Ic529
3323	—	Ic577
3324	—	Ic515
3325	—	Ic491
3327	—	A597
3329	p.108 n.753	A696
3339	—	P591
3340	—	P591 .
3341	p.175 n.1563	P1048
3343	p.175 n.1564	P1050
3344	p.200 n.1562	P196
3346	p.200 n.1568	P1890
3347	p.109 n.752	A774
3348	p.144 n.1572	P972
3349	p.198 n.1569	P361
3350	—	A103
3351	p.110 n.764	A815
3352	—	A910
3353	p.205 n.174	P351
3354	p.205 n.175	P352
3355	p.205 n.1576	P530
3357	p.110 n.754	A915

Inv. 1890	C.P.	Cat.
3358	p.206 n.1570	P783
3359	p.206 n.1571	P784
3360	—	A948
3361	—	A276
3362	—	A981
3363	—	A739
3364	—	A930
3365	—	A574
3366	—	A371
3367	—	A785
3368	—	A992
3369	p.103 n.296	A401
3370	—	A396
3371	p.211 n.273	A363
3372	—	A410
3374	p.104 n.756	A493
3375	p.102 n.757	A337
3376	p.110 n.755	A907
3377	p.104 n.746	A465
3378	p.107 n.749	A295
3379	—	A197
3380	p.99 n.145	A163
3381	p.112 n.711	A998
3383	p.100 n.742	A205
3384	p.109 n.153	A773
3385	p.97 n.765	A26
3387	p.108 n.763	A708
3388	p.11 n.762	A924
3389	p.100 n.751	A237
3390	—	Ic498
3392	—	P363
3393	—	P365
3398	p.100 n.767	A211
3399	p.103 n.768	A388
3401	p.104 n.769	A505
3402	—	P317
3403	p.112 n.770	A1006
3404	—	P914
3405	—	A528
3406	p.104 n.773	A355
3407	p.105 n.772	A506
3408	—	A766
3409	p.104 n.778	A463
3410	p.105 n.777	A534
3411	p.103 n.771	A393
3438	p.98 n.776	A115
3439	p.111 n.783	A459
3440	p.107 n.775	A736
3441	p.177 n.3441	P760
3443	p.105 n.3443	A523
3446	p.101 n.737	A245
3447	—	A316
2449	—	P494
3451	p.64 n.1553	P208
3455	—	P272
3475	—	P1605
3493	—	P950
3496	—	P419
3497	p.197 n.3497	P1705
3498	p.196 n.3498	P1706
3499	—	A750
3512	—	A228
3513	—	A552
3556	p.112 n.3556	A997
3557	p.104 n.788	A472
3559	—	P607
3561	—	Ic497
3563	p.111 n.3563	A954
3564	p.103 n.3564	A418
3565	—	P1260
3567	p.105 n.3567	A516
3568	—	P508
3569	—	P506
3570	—	P507
3571	—	Ic574
3573	p.205 n.3573	P889
3574	—	P1250
3576	n.105 n.3576	A512
3577	p.196 n.3577	A23
3578	—	P1036
3580	—	A39
3581	—	Ic532
3582	—	Ic525
3583	—	A399
3585	—	A644
3586	—	A511
3599	p.100 n.3599	A236
3615	—	Ic991
3649	—	Ic542
3724	—	Ic729
3660	—	Ic555
3725	—	Ic611
3732	p.227 n.1188	Ic726
3753	p.223 n.1207	Ic704
3757	p.112 n.8756	A1017
3758	p.101 n.3757	A267
3759	p.111 n.5759	A921
3760	—	A960
3764	—	P1899
3765	—	P243
3781	—	Ic821
3782	—	Ic820
3783	p.222 n.222	Ic801
3785	—	A962
3786	—	A864
3787	—	A176
3788	—	A419
3789	—	A431
3790	—	A274
3792	—	Ic746
3793	—	Ic622
3796	—	P1327
3797	—	Ic747
3799	p.74 n.3404	P1275
3803	—	P99
3807	—	P514
3852	—	P1515
3881	—	Ic504
3884	—	P400
3885	—	P1180
3886	—	P75
3887	—	A317
3888	—	A252
3890	p.108 n.451	A741
3891	—	A608
3903	—	A494
3904	—	P217
3905	—	P1081
3908	—	P772
3909	—	A319
3913	—	A179
3914	—	A287
3915	—	P809
3919	—	A1035
3921	—	A555
3976	—	A831
3990	—	A181
4010	—	A598
4013	—	A352
4213	—	A234
4214	—	Ic750
4233	p.226 n.3551	Ic1009
4235	—	P1454
4243	—	Ic511
4244	—	Ic869
4251	—	Ic619
4256	—	Ic616
4259	p.227 n.3549	Ic1020
4266	p.214 n.3545	Ic947
4269	—	Ic725
4276	—	P616
4277	—	A585
4278	—	A847
4279	p.225 n.1104	Ic982
4280	—	Ic540
4281	—	A834
4290	—	Ic795
4294	—	A389
4296	—	Ic531
4299	p.226 n.3513	Ic584
4301	p.226 n.3546	Ic936
4302	p.226 n.3552	Ic1010
4312	—	Ic613
4325	—	Ic598
4326	—	P617
4328	—	Ic624
4333	p.68 n.3457	P1558
4336	p.158 n.1577	P103
4337	p.93 n.1527	P1277
4338	p.115 n.3460	P1511
4339	p.83 n.3542	P827
4341	p.79 n.1580	P1788
4342	p.79 n.1581	P1787
4343	p.76 n.740	P1661
4344	—	P1488
4346	p.185 n.3436	P270
4347	—	P1255
4348	p.78 n.3416	P1784
4349	—	P1648
4350	—	P163
4351	—	P392
4354	p.135 n.1047	P1846
4355	p.136 n.1538	P1847
4357	p.93 n.3400	P1647
4385	—	A928
4387	—	Ic748
4407	p.226 n.3550	Ic998
4420	—	P594
4444	p.211 n.119	A479
4605	—	P22
4647	—	P1612
4659	—	P359
4665	—	P1233
4671	—	Ic582
4673	—	P1021
4699	—	A122
4700	—	P91
4701	—	P92
4715	—	P1651
4775	—	P675
4781	—	P677
4782	—	P676
4783	—	P678
4798	—	P212
4859	—	P414
4862	—	P1310
4882	—	P201
4902	—	P1188
4907	—	P488
4952	—	P240
4965	—	P210
4973	—	P991
4974	—	P516
4996	—	P1033
5035	—	P85
5036	—	P86
5040	—	Ic625
5050	—	P1221
5051	—	P962
5053	—	P963
5057	—	P1292
5059	—	P964
5069	p.178 n.153	P817
5085	p.226 n.345	Ic1015
5088	—	P830
5089	—	P1540
5091	—	P1039
5134	—	P837
5136	—	P710
5142	—	P1171
5173	—	A170
5192	—	P1677
5220	—	A852
5223	—	A853
5232	p.224 n.43	Ic640
5240	—	Ic652
5258	—	A854
5308	—	P517
5312	—	P558
5320	—	Ic763
5321	—	Ic772
5322	—	Ic722
5324	—	P311
5326	—	P415
5328	—	Ic708
5330	—	A784
5335	—	A291
5336	—	A413
5339	—	Ic771
5343	—	Ic769
5345	—	A691
5348	—	Ic756
5354	—	P1570
5355	—	P416
5358	—	A521
5359	—	Ic775
5361	p.76 n.3401	P1675
5363	—	Ic770
5364	—	A870
5365	—	Ic753
5368	—	A603
5369	—	A408
5374	—	P202
5375	—	P124
5380	—	P1152
5382	—	P472
5403	—	P1084
5404	—	P1767
5405	—	P1322
5406	—	Ic1267
5409	—	P1267
5414	—	P742
5415	—	P735
5416	—	P743
5417	—	P738
5418	—	P749
5419	—	P734
5420	—	P733
5422	—	P741
5423	—	P737
5423	—	P746
5425	—	P739
5426	—	P747
5427	—	P745
5428	—	P740
5429	—	P736
5443	—	P471
5444	—	P750
5447	—	P596
5450	—	P1165
5451	—	P1166
5453	—	P94
5456	—	P1905
5463	—	P88
5480	—	A869
5484	—	P977
5491	—	P637
5493	—	A359
5495	—	A532
5496	—	Ic596
5497	—	A865
5498	—	A125
5500	—	A268
5501	—	A950
5506	—	Ic754
5510	—	Ic773
5511	—	Ic764
5512	—	A857
5513	—	A888
5514	—	A861
5515	—	A612
5519	—	A788
5521	—	A495
5522	—	A717
5523	—	Ic758
5524	—	A593
5525	p.99 n.385	A695
5531	—	Ic759
5532	—	Ic774
5533	—	Ic751
5536	—	Ic767
5537	—	Ic755
5539	—	Ic762
5540	—	A840
5556	—	A313
5575	—	P1161
5578	—	P1888
5589	—	P231
5598	—	P1003
5629	—	P932
5630	—	P445
5656	—	P1407
5667	—	P1392
5671	—	P929
5674	—	P930
5691	—	P1326
5696	—	P695
5697	—	P1464
5711	—	A835
5725	—	P1341
5733	—	P1388
5741	p.77 n.3453	P1654
5787	—	P316
5810	—	P1518
5833	—	P413
5852	—	P203
5870	—	P960
5907	—	P1153
5929	—	P1878
5944	—	P13
5952	—	P1307
5955	—	P1551
5982	—	P1495
5989	—	P1879
5992	—	P965
5993	—	P1734
6003	—	P1539
6005	—	P481
6008	—	P97
6009	—	P814
6057	—	P186
6081	—	P1067
6095	—	P1481
6096	—	P1482
6097	—	P1480
6098	—	P947
6100	—	P1483
6120	—	P898
6121	—	P898
6122	—	P898
6123	—	P898
6124	—	P898
6125	—	P998
6126	—	P998
6127	—	P494

Inv. 1890	C.P.	Cat.	Inv. 1890	C.P.	Cat.	Inv. 1890	C.P.	Cat.	Inv. 1890	C.P.	Cat.
6128	—	P494	8338	—	A230	8445	—	A210	9185	—	A17
6129	—	P898	8339	—	A844	8446	—	P443	9187	—	A247
6130	—	P898	8340	—	A338	8450	—	A800	9189	—	A1022
6131	—	P898	8341	—	A859	8451	—	A296	9190	—	P1462
6165	—	P956	8343	—	P428	8452	—	A940	9191	—	A330
6166	—	P1555	8344	—	P726	8453	—	A321	9192	—	A818
6170	—	P491	8345	—	P493	8455	—	P138	9193	—	A554
6177	—	P967	8346	—	P903	8458	—	P494	9194	—	A806
6179	—	P969	8347	—	P898	8469	—	P690	9195	—	A177
6191	—	P1553	8348	—	P899	8470	—	P970	9196	—	A217
6196	—	P811	8349	—	P899	8471	—	A650	9197	—	A483
6203	—	P150	8350	—	P877	8472	—	A325	9198	—	A473
6204	—	P242	8351	—	P874	8473	—	A496	9200	—	A933
6205	—	P1075	8352	—	P873	8474	—	P448	9201	—	A575
6214	—	P498	8353	—	P880	8475	—	A985	9204	—	A1016
6216	—	P410	8354	—	P875	8477	—	A877	9205	—	A942
6219	—	P146	8355	—	P1170	8478	—	A899	9207	—	A385
6233	—	P1027	8356	—	P876	8479	—	A461	9212	—	Ic576
6242	—	P1741	8357	—	P876	8481	—	A926	9215	—	A515
6247	—	P959	8358	—	P1883	8482	—	A478	9216	—	A758
6249	—	P961	8359	—	P271	8484	—	A890	9217	—	A162
6259	—	P479	8360	—	P254	4885	—	A222	9218	—	A769
6272	p.72 n.3412	P72	8361	—	P263	8525	—	A545	9219	—	Ic507
6273	—	P1499	8362	—	P261	8536	—	A903	9220	—	A124
6275	—	P1076	8363	—	P1294	8537	—	A175	9221	—	A123
6276	—	P1142	8364	—	P683	8538	—	P1305	9222	—	A646
6279	—	P603	8365	—	P1160	8539	—	P216	9231	—	Ic604
6286	—	P1334	8366	—	P1157	8540	—	P994	9237	—	A21
6287	—	P1622	8367	—	P1602	8541	—	A922	9239	—	A178
6288	—	P1489	8368	—	P1603	8543	—	P1198	9240	—	A1034
6310	—	P1688	8369	—	P1163	8544	—	P706	9241	—	A1000
6311	—	P1689	8370	—	P1604	8545	—	P294	9242	—	A562
6312	—	P1690	8371	—	Ic495	8546	—	Ic490	9243	—	Ic597
6328	—	P484	8372	—	A503	8547	—	P165	9244	—	A648
6334	—	A859	8374	—	P1161	8548	—	P166	9245	—	A154
6367	—	A645	8375	—	P1162	8549	—	A738	9246	—	A763
6369	—	Ic550	8377	—	P295	8554	—	P1892	9247	—	A946
6387	—	P395	8378	—	P867	8555	—	Ic607	9248	—	A136
6388	—	P504	8379	—	P1251	8556	—	A563	9249	—	A151
6399	—	A328	8380	—	P329	8557	—	P689	9251	—	Ic544
6421	—	P1393	8381	—	P628	8558	—	A649	9252	—	A423
6464	—	P391	8382	—	P549	8559	—	A761	9255	—	P1253
6483	—	P608	8383	—	P98	8560	—	A683	9256	—	P1564
6511	—	1503	8384	—	P454	8560	—	A620	9257	—	P1490
6522	—	P1457	8385	—	P1347	8564	—	P492	9258	—	P815
6553	—	P1531	8386	—	P1025	8574	—	P948	9264	—	A358
6562	—	P1339	8387	—	P698	8575	—	P200	9265	—	A357
6575	—	P475	8388	—	P697	8576	—	P200	9266	—	A144
6705	—	P1583	8389	—	P262	8638	—	A254	9267	—	P843
6706	—	P1738	8390	—	P264	8652	—	P866	9268	—	P598
6719	—	P1032	8391	—	P265	8658	—	P249	9273	—	P412
6856	—	A36	8392	—	P266	8663	—	P578	9274	—	P411
6869	—	P204	8393	—	P267	8719	—	P468	9275	—	P890
6925	—	P1501	8394	—	P69	8729	—	P891	9276	—	P1535
6926	—	P1500	8395	—	P70	8731	—	P900	9277	—	P1542
6976	—	P59	8396	—	P71	8732	—	P902	9278	—	P1543
7012	—	P718	8397	—	P140	8740	—	P1254	9279	—	P1544
7013	—	P719	8398	—	P622	8751	—	A342	9281	—	Ic508
7098	—	P652	8399	—	P912	8752	—	Ic581	9283	—	P1282
7103	—	P1582	8400	—	A258	8753	—	Ic605	9285	—	P172
7119	—	P1309	8403	—	A914	8754	—	Ic541	9286	—	P173
7396	—	P1404	8404	—	A390	8754	—	Ic545	9255	—	P1849
7555	—	P473	8405	p.94 n.749	P944	8755	—	Ic545	9296	—	A481
7571	—	P387	8406	p.94 n.761	P322	8756	—	A428	9298	—	P531
7573	—	P1502	8407	—	P106	8757	—	Ic601	9299	—	P670
7582	—	P230	8408	—	P368	8758	—	Ic586	9370	—	P680
7596	—	P1894	8410	—	Ic587	8760	—	P1297	9371	—	Ic554
7603	—	P476	8411	—	Ic496	8761	—	P1560	9372	—	P1477
7605	—	P41	8412	—	A883	8762	—	A350	9373	—	P1477
7646	—	P205	8413	—	A220	8764	—	P1399	9374	—	P1477
7736	—	P601	8414	—	Ic570	8945	—	A377	9375	—	P1477
7783	—	P1402	8417	—	A680	8990	—	A183	9376	—	P1477
8020	—	P35	8419	—	P1172	9150	—	Ic575	9377	—	P130
8023	—	P1522	8421	—	Ic525	9153	—	P1047	9378	—	P1456
8025	—	P241	8422	—	A442	9156	—	P1332	9379	—	P1529
8032	—	P686	8423	—	A10	9160	—	Ic660	9380	—	P1530
8042	—	Ic539	8424	—	A567	9161	—	Ic638	9381	—	Ic528
8260	p.131 n.771	P1203	8426	—	A233	9162	—	Ic667	9384	—	A663
8261	p.131 n.771	P1203	8427	—	P93	9163	—	Ic643	9386	—	A964
8262	p.131 n.771	P1203	8428	—	P1704	9166	—	P707	9387	—	A1005
8263	p.131 n.771	P1203	8430	—	A484	9167	—	P872	9391	—	P957
8264	p.133 n.773	P1204	8431	—	P1514	9170	—	Ic548	9395	—	A828
8265	p.133 n.773	P1204	8432	—	P112	9171	—	A490	9396	—	A879
8266	p.133 n.773	P1204	8433	—	P111	9172	—	P1283	9397	—	A277
8267	p.133 n.773	P1204	8435	—	P1313	9174	—	A133	9402	—	A889
8268	p.160 n.1153	P1223	8436	—	P1836	9175	—	A145	9403	—	P1864
8269	—	A689	8437	—	A129	9176	—	A662	9404	—	P1863
8294	—	P1691	8438	—	A845	9177	—	A294	9405	—	P1865
8320	—	Ic532	8440	—	A727	9178	—	A470	9406	—	A912
8325	p.226 n.34	Ic957	8441	—	P581	9181	—	P888	9407	—	Ic580
8336	—	A878	8442	—	P580	9182	—	A180	9408	—	P669
8337	—	A728	8444	—	A626	9183	—	A771	9410	—	P940
						9184	—	A469	9411	—	P901
									9415	—	A542

Inv. 1890	C.P.	Cat.
9419	—	P667
9420	—	P664
9421	—	P665
9422	—	P666
9434	—	P1866
9435	—	P1150
9437	—	P1148
9438	—	A553
9441	—	A999
9442	—	A427
9443	—	Ic536
9444	—	A225
9446	—	P393
9447	—	P1491
9448	—	A7
9449	—	P1855
9450	—	P398
9452	—	A556
9454	—	P1674
9456	—	A675
9458	—	P279
9459	—	A227
9460	—	P1319
9462	—	P858
9464	—	P728
9467	—	P1621
9468	—	P1620
9469	—	P721
9471	—	P720
9472	—	P722
9473	—	P717
9475	—	A564
9477	—	A297
9483	—	A822
9484	—	P766
9485	—	P764
9486	—	P44
9488	—	A212
9490	—	P635
9491	—	P934
9492	—	P614
9493	—	P780
9495	—	A315
9496	—	A206
9497	—	A374
9498	—	A373
9499	—	A731
9500	—	A965
9501	—	A966
9503	—	A513
9507	—	Ic506
9509	—	Ic591
9510	—	A729
9511	—	A369
9602	—	A777
9603	—	P1520
9605	—	P1520
9606	—	P1520
9607	—	A902

Acc.	Cat.
312	P834
343	P679
357	P812
377	P100
378	P101
409	A342
421	Ic605
547	A392
855	A947

C.	Cat.
419	P1526
427	P1828
440	P639
441	P640
483	P1187
486	P641
491	P117
498	P642
513	P751
518	P1329
575	P1508
578	P333
579	P334
581	P335
621	P336

C.B.	Cat.
1	P1419
2	P55
3	P278
4	P1746
5	P756
6	P1137
7	P1136
8	P595
9	P1909
10	P1910
11	P1085
12	P1086
13	P215
15	P394
16	P1872
17	P1423
18	P154
19	P426
20	P480
21	P779
22	P765
23	P1918
24	P1862
25	P192
26	P556
27	P753
28	P220
29	P654
30	P621
31	P1478
32	P429
33	P1703
34	P1709
35	P1708
36	Sc5
37	Sc6
38	Sc1
39	Sc2
40	Sc3
41	Sc4
42	Sc8
43	Sc9
44	Sc10
45	Sc11
47	Sc7
48	M4
49	M2
50	M1
51	M2
52	M6
53	M7
54	M3
55	M8
56	M5
57	M12
58	M14
59	M15
60	M13
61	M16
62	M10
63	M9

C.B.	Cat.
64	M9
65	M11
66	M20
67	M20
68	M20
69	M20
70	M20
71	M20
72	M20
73	M20
74	M17
75	M17
76	M17
77	M17
78	M18
79	M18
80	M19
81	M19
82	M19
83	M19
84	M19
85	M19
86	C29
88	C31
89	C30
90	C32
91	C33
92	C34
93	C35
94	
95	C36
96	C37
97	C38
98	C7
101	C7
102	C12
103	C41
104	C41
105	C2
106	C2
107	C20
108	C39
109	C40
110	C21
111	C42
112	C44
113	C25
114	C24
115	C6
116	C22
117	C23
118	C16
119	C9
120	C10
121	C4
122	C5
123	C47
124	C48
125	C3
126	C3
127	C43
128	C1
129	C1
130	C45
131	C8
132	C11
133	C11
134	C13
135	C14
136	C15
137	C17
138	C17
139	C18
140	C26
141	C19
142	C27
143	C28
144	C46
145	C46

Dep.	Cat.
3	P659
4	P52
5	P51
7	P550
8	P244
15	A944
16	A407
25	P470
26	P474

Dep.	Cat.
27	P605
28	P302
29	P257
30	P357
37	P1155
115	A945
143	P179
155	P986
176	P657
258	A810
432	P332

GDSU	Cat.
823e	A611
19099	P1333
19100	P1182
19102	P1442
19103	P1444
19104	P126
19105	P145
19107	P149
19108	P185
19109	P182
19110	P183
19111	P187
19112	P317
19113	P423
19115	P424
19116	P420
19117	P487
19118	P437
19119	P436
19120	P590
19121	P589
19122	P588
19123	P587
19124	P1044
19125	P1589
19126	P973
19127	P985
19128	P976
19129	P983
19130	P979
19135	P1035
19136	P1146
19137	P1220
19138	P1340
19139	P1240
19140	P1244
19141	P1241
19142	P1239
19143	P1245
19144	P1238
19145	P1235
19146	P1236
19147	P1237
19148	P1234
19149	P1348
19150	P1349
19151	P1355
19152	P1354
19154	P1619
19155	P422
19156	P1618
19157	P1697
19158	P1698
19159	P1713
19161	P1712
19162	P1714
19163	P1711
19164	P1710
19165	P1826
19166	P1262
19167	P1914
19171	P1914
19172	P982
19173	P1350
19174	P1351
19192	P981
19193	P486
19194	P1426
19195	P600
19196	P184
19197	P136
19198	P1368
19199	P382
19200	P1145
19201	P1242
19202	P1243
19204	P984

GDSU	Cat.
19205	P1617
20564	P1876
20566	P585
20567	P586
20768	P978
20926	P980
93724	P1023

GAM cat.	Cat.
12	A326
93	P812
501	P679
527	A947
532	A197

GAM g.	Cat.
115	A945
152	A392
329	A173
430	A1000
838	A423
866	A160
867	A273
868	A952
869	A681
870	A598
871	A572
872	A666
873	A1021
874	A772
875	A336
876	A90
896	A387
897	A692
905	A726
921	A102
929	A332
950	A541
954	A540
1000	A248
1009	A704
1015	A1039
1017	A560
1035	A944
1050	A709
1053	A474
1054	A485
1078	Ic501
1079	A278
1082	A207
1087	A343
1088	A812
1093	A203
1094	A394
1124	A1
1134	A498
1192	A476
1248	A640
1262	A256
1263	A1007
1332	A570
1377	A94
1378	A386
1490	A382
1587	A517
1703	A703
1715	A290
1843	A710
1847	A11
1863	A219
1891	A787
1997	A799
1998	A414
1999	A306
2000	A772
2001	A7
2011	A798
2039	A909
2118	A716
2119	A775
2251	A438
2277	A77
2278	A583
2283	A403
2337	A95
2339	A99
2377	A565

GAM g.	Cat.
2390	A509
2430	A808
2451	A639
2453	A789
2497	A250
2773	A209
2833	A257
2938	A152
1932	A641
2942	A300

O.A.	Cat.
372	Ar41
479	P1377
497	P405
554	P404
756	A351
773	P440
774	P439
807	P446

OPD	Cat.
27	P688

Pal.	Cat.
40	P1303
43	P628
44	P1297
94	P1302
114	P1412
148	P552
151	P1301
174	P1300
230	P1139
343	P878
465	P1836

Pet.	Cat.
161	P87
272	P810

P.I.	Cat.
6	P1403
14	Ic717
218r	A194
381r	Ic715
384r	A272
402r	Ic807
423r	P1090
554r	A855
563r	Ic741
578r	A779
579r	A630
580r	A851
582r	A121
583r	A51
584r	A894
587r	A445
588r	A690
589	Ic709
598r	A957
599	A549
599r	A549
610r	Ic805
611r	Ic815
612r	Ic791
613r	Ic804
614r	Ic808
616r	Ic809
617r	Ic814
618r	Ic802
620r	Ic803
625r	Ic799
626r	Ic810
627r	Ic792
628r	Ic793
629r	Ic797
630r	Ic818
631r	Ic800
633r	Ic812
635r	Ic806
637r	Ic798
640r	Ic794
1391	Ic700

P.I.	Cat.
2191r	Ic695
2192r	Ic732
3635	Ic1668

Sct.	Cat.
1005	A73
1030	A157
1073	A791
1074	A550
1075	A609

SMeC	Cat.
1	P1902
2	P526
3	P197
4	P527
5	P1903
6	P3
7	P1018
8	P238
9	P4
10	P1019
11	P563
12	P1020
13	P239
14	P562
15	P1017
16	P1450
17	P1524
18	P1079
19	P1468
20	P447
21	P997
22	P1080
23	P1525
24	P611
25	P456
26	A754
27	P1353
28	P1312
29	P774
30	P775
31	P1493
32	P776
33	P777
34	P892
35	P1537
36	P1323
37	P108
38	P1359
39	P457
40	P1311
41	P1280
42	P573
43	P1659
44	P1533
45	P1507
46	P1506
47	P840
48	P1680
49	P326
50	P390
51	P512
53	P1064
54	P936
55	P881
56	P1536
57	P1561
58	P535
59	P1013
60	P996
61	P533
62	P534
63	P1325
64	P128
65	P536
66	P896
67	P513
68	P1606
69	P539
70	P1584
71	P1465
72	Ic571
73	P441
74	P1469
75	P14
76	P1191
77	P893
78	P1077
79	P1190
80	P129

SMeC	Cat.
81	P1534
82	P671
83	P418
84	P229
85	P886
86	P1509
87	P1147
88	P406
89	P789
90	P1463
91	P1436
92	P894
93	P1189
94	P1078
95	P1453
96	P885
97	P1528
98	P1192
99	P1449
100	P40
101	P1766
102	P582
103	P643
104	A841
105	P813
106	P1287
107	1591
109	P644
110	P1000
112	P895
113	P712
114	P871
115	P645
116	P999
117	P1261
118	P1154
119	P1496
120	P1887
121	P1417
122	P1519
123	P1418
124	P1376
125	P1532
126	P921
127	P1498
128	P162
129	P842
130	P160
131	P1825
134	P161
135	P841
136	P1755
139	P1754
140	P1543
141	P280
142	P1760
143	P1547
144	P560
145	P559
146	P164
147	P1759
148	P228
149	P1014
150	P2
151	P1357
152	P1538
153	P1758
154	P1358
155	P1264
156	P1512
157	P1
158	P1281
159	P1757
160	P518
161	P1193
162	P1756
163	P778
164	P1523
165	P60
166	P59
167	P56
168	P62
169	P61
170	P63
171	P57
172	P58
173	P64

Inv. 1925	Cat.
3	Ar26
39	Ar13
47	Ar46

Inv. 1925	Cat.
51	Ar37
52	Ar38
59	Ar14
60	Ar7
73	Ar8
90	Ar39
108	Ar3
109	Ar5
110	Ar2
111	Ar1
112	Ar6
141	Ar44
143	Ar43
208	Ar28
209	Ar27
219	Ar29
372	Ar42
420	Ar4
469	Ar9
470	Ar11
471	Ar10
472	Ar22
473	Ar23
474	Ar19
492	Ar24
493	Ar20
494	Ar21
495	Ar25
514	Ar32
515	Ar36
516	Ar35
517	Ar34
518	Ar30
519	Ar31
520	Ar33
524	Ar16
525	Ar18
526	Ar15
527	Ar17
611	Ar45
630	Ar40

Inv. Div.

Dep. della chiesa di S. Francesco dei Macci (1966)
— P1328

Inv. Mosaici
3 P1440

Camera dei Deputati
801 Ic504

s.n.	Cat.
—	A31
—	P255
—	A458
—	P463
—	A466
—	P555
—	P727
—	A777
—	A821
—	846
—	868
—	A956
—	P988
—	P1257
—	P1259